# Sagrada Biblia

# Sagrada Biblia

TRADUCCIÓN DE LA VULGATA LATINA POR EL
P. PETISCO, S.J.
profesor de la Universidad de Salamanca

PUBLICADA POR EL ILUSTRÍSIMO SEÑOR
FÉLIX TORRES AMAT,
Obispo de Astorga

CÍRCULO DE LECTORES

NIHIL OBSTAT:
El censor, Licenciado Joan Guiteras

IMPRIMATUR:
✝Ramón Daumal
Obispo Auxiliar y Vicario General
Arzobispado de Barcelona

©MMII EDICIONES CREDIMAR

Editorial Printer Latinoamericana Ltda.
Avenida El Dorado No. 79 –34
Bogotá D.C.

Impresión y Encuadernación
Printer Colombiana S.A.

Impreso en Colombia – Printed in Colombia

Bogotá D.C., 2005

ISBN – 958-28-1391-1

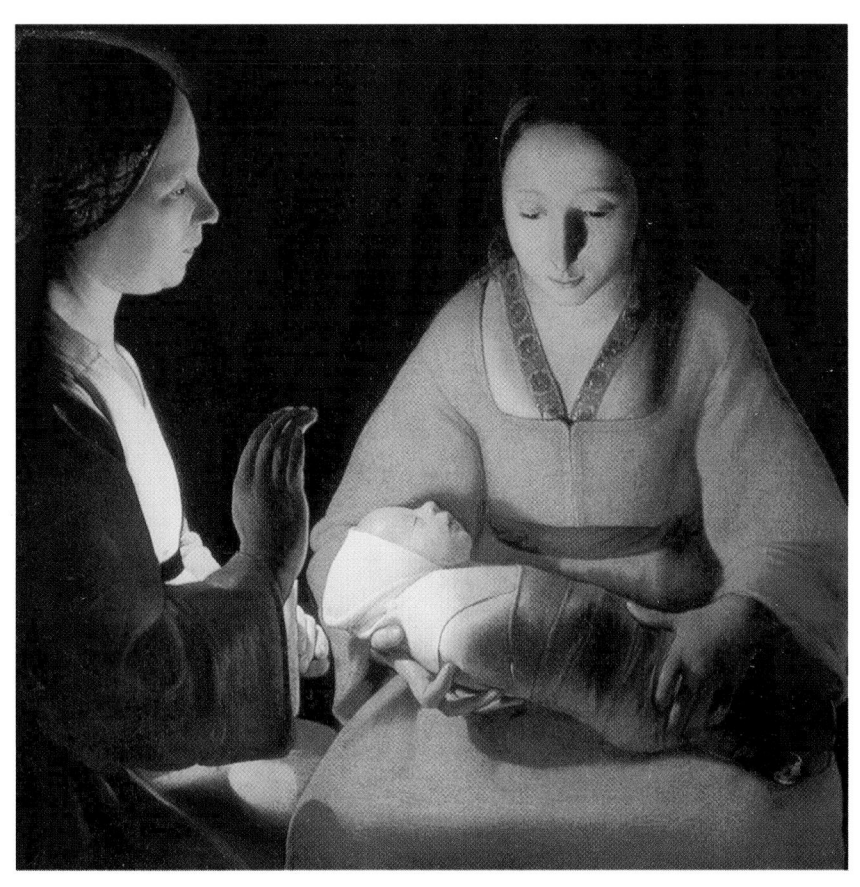

*"Porque ya mis ojos han visto al
Salvador que nos has dado..."*
*Lucas II, v.30*

# Álbum familiar

# Matrimonio

Esposa _____

Esposo _____

Celebramos el Santo Matrimonio

El día _____

En _____

Nos unió en el Sagrado Lazo el sacerdote

_____

Fueron nuestros padrinos

_____

_____

Actuaron como testigos

_____

_____

# Fotografía
# de los recién casados

# Árbol genealógico
# del esposo

## ABUELOS

### PATERNOS

Abuelo _____

Nació el día _____

en _____

Abuela _____

Nació el día _____

en _____

### MATERNOS

Abuelo _____

Nació el día _____

en _____

Abuela _____

Nació el día _____

en _____

## PADRES

Padre _____

Nació el día _____

en _____

Madre _____

Nació el día _____

en _____

# Árbol genealógico de la esposa

## ABUELOS

### PATERNOS

Abuelo _____

_____

Nació el día _____

_____

en _____

Abuela _____

Nació el día _____

_____

en _____

### MATERNOS

Abuelo _____

_____

Nació el día _____

_____

en _____

Abuela _____

Nació el día _____

_____

en _____

## PADRES

Padre _____

Nació el día _____

_____

en _____

Madre _____

Nació el día _____

_____

en _____

# Nacimiento y bautismo de los hijos

|  | Primer hijo | Segundo hijo |
|---|---|---|

**Primer hijo**

Nombre _____

Nació el día _____

en _____

Fue bautizado
el día _____

en _____

Padrino _____

Madrina _____

**Segundo hijo**

Nombre _____

Nació el día _____

en _____

Fue bautizado
el día _____

en _____

Padrino _____

Madrina _____

## TERCER HIJO

*Nombre* _____

_____

*Nació el día* _____

_____

*en* _____

_____

*Fue bautizado*
*el día* _____

_____

*en* _____

_____

*Padrino* _____

_____

*Madrina* _____

_____

## CUARTO HIJO

*Nombre* _____

_____

*Nació el día* _____

_____

*en* _____

_____

*Fue bautizado*
*el día* _____

_____

*en* _____

_____

*Padrino* _____

_____

*Madrina* _____

_____

# Primera Comunión

Nombre _____

Recibió su Primera
Comunión el día

_____

en _____

Nombre _____

Recibió su Primera
Comunión el día

_____

en _____

Nombre _____

Recibió su Primera
Comunión el día

_____

en _____

Nombre _____

Recibió su Primera
Comunión el día

_____

en _____

Nombre _____

Recibió su Primera
Comunión el día

_____

en _____

Nombre _____

Recibió su Primera
Comunión el día

_____

en _____

# Confirmación

Nombre _____

Confirmado el _____

por _____

en _____

Nombre _____

Confirmado el _____

por _____

en _____

Nombre _____

Confirmado el _____

por _____

en _____

Nombre _____

Confirmado el _____

por _____

en _____

Nombre _____

Confirmado el _____

por _____

en _____

Nombre _____

Confirmado el _____

por _____

en _____

# Matrimonio
# de los hijos

Nombre _____

Se casó con _____

el _____ en _____

Nombre _____

Se casó con _____

el _____ en _____

Nombre _____

Se casó con _____

el _____ en _____

*Nombre* _____

*Se casó con* _____

*el* _____ *en* _____

*Nombre* _____

*Se casó con* _____

*el* _____ *en* _____

*Nombre* _____

*Se casó con* _____

*el* _____ *en* _____

*Nombre* _____

*Se casó con* _____

*el* _____ *en* _____

# Nacimiento
# de los nietos

Nombre _____

_____

Nació el día _____

_____

en _____

_____

Nombre _____

_____

Nació el día _____

_____

en _____

_____

Nombre _____

_____

Nació el día _____

_____

en _____

_____

Nombre _____

_____

Nació el día _____

_____

en _____

_____

Nombre _____

_____

Nació el día _____

_____

en _____

_____

Nombre _____

_____

Nació el día _____

_____

en _____

_____

Nombre _____

Nació el día _____

en _____

Nombre _____

Nació el día _____

en _____

Nombre _____

Nació el día _____

en _____

Nombre _____

Nació el día _____

en _____

Nombre _____

Nació el día _____

en _____

Nombre _____

Nació el día _____

en _____

Nombre _____

Nació el día _____

en _____

Nombre _____

Nació el día _____

en _____

# Bodas de plata

Fecha _____   En _____
_____

Invitados _____

_____

_____

_____

_____

# Bodas de oro

Fecha _____   En _____
_____

Invitados _____

_____

_____

_____

# Otras efemérides familiares

*Fecha*

_____  _____

_____  _____

_____  _____

_____  _____

_____  _____

_____  _____

_____  _____

_____  _____

_____  _____

_____  _____

_____  _____

*Fecha*

# PRÓLOGO

La Sagrada Biblia traducida por el P. Petisco, insigne profesor jesuita de la Universidad de Salamanca, fue publicada por el Ilustre D. Félix Torres Amat, en el siglo pasado. Gracias a esta versión, que se popularizó ampliamente, los fieles tuvieron acceso pleno a la Escritura, entrando el Libro Sagrado en muchos hogares cristianos de habla hispana. Desgraciadamente, esta presencia no significó, de un modo general, que quienes dispusieran de un ejemplar tuvieran la costumbre de la lectura asidua, ni que un gran número de creyentes tuvieran la Biblia como elemento principal de su biblioteca. Nuestro pueblo no ha desarrollado la afición a la lectura, ni la gente devota ha practicado mayormente la "lectio sacra". Pero tener la Biblia en casa, representa un recurso valiosísimo para entrar en contacto con la misma Palabra de Dios. Dios es un interlocutor expectante cuya voz, yacente en las páginas del Libro, espera nuestra lectura para comunicarnos sus proyectos sobre nosotros, narrarnos los antecedentes de nuestra fe, y manifestarnos su amor inquebrantable. La Biblia es un libro de conversación en la que Dios ha tomado la iniciativa, hablando el primero, poniéndose en comunicación con nosotros para que nosotros dialogáramos con Él.

Por eso, una nueva edición de la Biblia, como ésta que ahora se publica, tiene suma importancia porque supone un elemento más para facilitar el diálogo entre Dios y el hombre.

Pero, sobre todo, la Biblia es la historia de este diálogo humano-divino, que se inicia en su primer encuentro, cuando el Creador encomienda a la nueva criatura la reproducción de su especie y la producción de los bienes de la tierra. La trama de esta historia se extiende como la vida misma. Es el camino largo y tortuoso, por el que Dios ha venido a andar con el hombre. Camino que, partiendo del principio mismo del universo, llega al punto de plenitud, cuando Jesucristo, la Palabra de Dios hecha carne, vino al mundo para descubrirnos las interioridades de la revelación del Padre, y para iluminar con su doctrina y su vida nuestro diálogo con Dios, hasta llegar al final, en el que "todo sea hecho nuevo".

Pero, entre la aparición de la Biblia de Torres Amat y la presente edición, ha habido el acontecimiento de los dos Concilios del Vaticano, sobre todo el más reciente, el Concilio Ecuménico Vaticano II que, ya en las primeras sesiones, tuvo empeño en exponer la doctrina de la Iglesia sobre la Revelación y su transmisión, en la Constitución Dogmática Dei Verbum.

Entendemos la expresión "Sagrada Escritura", como la designación del conjunto de libros que la Iglesia reconoce formalmente como inspirados por Dios. Son Palabra de Dios porque lo tienen como Autor principal. Pero tenemos la seguridad de captar su auténtico sentido y su verdad, gracias a la promesa hecha a la Iglesia de ser asistida por el mismo Espíritu que inspiró la Escritura. Pero no nos podemos dispensar de recurrir también, para captar el sentido más afinado del texto sagrado, a todos los testimonios de vida sobre la acción de la Palabra de

Dios en el cuerpo del Pueblo de Dios, cuyos testimonios constituyen la Tradición.

Por ello, la Escritura se impone como fuente de una vida inseparable de la verdad. No se nos ha dado la Revelación para satisfacer nuestra curiosidad, sino para conducirnos a la Salvación. La forma más propia e inmediata de realizarlo, es la que Dios mismo ha impuesto en la Escritura. Por eso no se puede separar la Escritura de la Tradición, especialmente de la tradición litúrgica. Puesto que al ser la Escritura el primer depósito de la Palabra de Dios dirigida al Pueblo de Dios, es cuando éste se reúne a escuchar a Dios que le habla, y se dispone a responder a sus exigencias y abrirse a sus promesas en la oración y el sacrificio, cuando estará más atento a escucharla como es conveniente. Así como la Escritura ha servido de base a la celebración litúrgica, participando en ésta de una manera viva se nos presentará la oportunidad de escuchar a Dios.

El lector que tiene en sus manos una Biblia, ha de hacerse a la idea de que la Biblia no es un libro más como los otros. Es un conjunto de libros reunidos como en una biblioteca. Han sido compuestos a lo largo de varios siglos y en medio de diferentes civilizaciones muy alejadas de la nuestra. Todo es Palabra de Dios, ciertamente, pero expresada en la forma concreta de múltiples palabras humanas, afectadas por una época y una mentalidad determinadas que nos desorientan y nos turban. Leer la Biblia, sobre todo el Antiguo Testamento, produce un efecto muy parecido al que experimentamos en un primer contacto con el mundo oriental. La luz intensa, los vivos colores, las voces estentóreas y los olores penetrantes, nos aturden al principio, pero poco a poco el encanto del Oriente se deja sentir, y bajo su influjo acabamos por encontrar un sentido y un gusto por aquel mundo abigarrado que encubre realidades humanas que nos son muy cercanas. Nos sentimos reproducidos en ellas. Los pecados descritos son nuestros pecados y el afán de redención es nuestro mismo afán. El Dios a quien imploran es nuestro mismo Dios que continúa, hoy todavía, ofreciéndonos su salvación.

Si el Antiguo Testamento había preparado las mentes y los corazones de los Judíos a recibir el Evangelio, también ahora nos prepara para una misma finalidad. La Iglesia así lo entiende cuando usa las palabras del Antiguo Testamento en la trama de la Liturgia. Hay una sola Escritura que Cristo unifica, dando a toda ella el sentido. Es cierto que el Antiguo Testamento exige un esfuerzo real, pero nos aportará el benefcio de entender más el Evangelio. Para ello se pide al lector una fe profunda y una inteligencia abierta. Dios ha hablado a los hombres con el lenguaje humano.

La Epístola a los Hebreos refiere en su comienzo, la acción condescendiente de Dios, inclinándose hacia los hombres para revelarse a sí mismo, mediante hechos y palabras. Primero, a través de las cosas creadas que dan testimonio de Él y, luego, manifestándose a los primeros padres y, después de su caída, a los patriarcas y a los profetas hebreos, hasta enviar a su Hijo. El Verbo Eterno hecho carne, completa y cumple la Revelación con su predicación y sus obras, su muerte y su resurrección y enviando el Espíritu Santo. Dios quiso, con la Revelación, comunicarnos aquellas verdades que trascienden la comprensión de la mente humana.

Cristo confió a los Apóstoles la misión de predicar el Evangelio. Ellos, inspirados por el Espíritu Santo, transmitieron de palabra y por escrito el Acontecimiento de la Salvación. La Iglesia contempla la acción de Dios en la Tradición de los Apóstoles a los Obispos, y en la Sagrada Escritura. El cristiano ha de saber que la fe de la Iglesia da cuenta de que la forma y el fondo del Libro corresponden a una convicción. Los redactores no hacían un reportaje, sino una profesión de fe. Profesión destinada a suscitar la fe del oyente fiel Asistida por el Espíritu Santo, la Iglesia avanza en la comprensión de la predicación apostólica, expresada principalmente en los Libros Sagrados y en las palabras y cosas que han llegado hasta nosotros a las que llamamos Tradición. A unos y a las otras, las recibimos con igual piedad y reverencia. Tradición y Escritura constituyen un único depósito sagrado de la Palabra de Dios confiado a la Iglesia. Adhiriéndose a ese depósito, el Pueblo de Dios persevera en la enseñanza de los Apóstoles. Principalmente, viviendo la misma vida de la Iglesia, participando, en su culto divino, de los sacramentos, oyendo su predicación y difundiendo su doctrina con nuestro testimonio de caridad. De esta forma, Dios que habló en el pasado, continúa hablando por medio de la Iglesia y del Espíritu Santo. El Magisterio de la Iglesia, servidor de la Palabra de Dios, tiene confiado el oficio de interpretarla, tanto escrita como transmitida. La Iglesia considera inspirados por Dios todos los libros canónicos, que, aun estando escritos por hombres, enseñan con certeza y sin error las verdades que Dios quiso revelarnos para nuestra salvación. Dios se sirvió, para comunicarse con nosotros, de unos hombres de cultura determinada por el espacio y el tiempo. Es función de los exégetas, investigar y determinar lo que éstos quisieron significar, suministrando los datos precisos para que madure el juicio de la Iglesia, a la cual, en última instancia, está confiada la recta interpretación de la Palabra de Dios.

En la Escritura, por consiguiente, se manifiesta la condescendencia de Dios, que ha tomado las palabras humanas como el Verbo tomó la naturaleza del hombre.

En algunas imágenes que muestran a la Virgen con el Niño en brazos, aparece dicha figura de la Madre de Dios representando, de una manera plástica, esta doble manifestación de la condescendencia divina. María, en pie, sostiene en sus brazos las dos formas de la Revelación del Verbo. En un brazo mantiene a su Hijo-Niño y, en el otro, reverentemente cubierto con un velo, sostiene el Libro Sagrado. Es María, la Madre de la Iglesia, que presenta a los hombres para su salvación, al Verbo hecho carne y al Verbo hecho palabra humana escrita. El pan de la predicación y el pan de la Eucaristía repartidos en la celebración litúrgica.

* * *

La Sagrada Biblia está dividida en dos partes que se llaman: Antiguo y Nuevo Testamento.

El Antiguo Testamento está ordenado a preparar y a anunciar la venida del Mesías. Éste, en cierto modo, está latente en el "proto-evangelio", anuncio de salvación mediante la derrota de la Serpiente. Jesús es la clave de interpretación del Antiguo Testamento. Como dice San Agustín: "El Antiguo Testamento no es otra cosa que el Nuevo, cubierto por un velo, y el Nuevo no es otra cosa que el Antiguo, desvelado." O dicho con el hexámetro de Suger, colocado como leyenda de un medallón de vidriera en la Catedral de Saint Denys:

"Quod Moyses velat, Christi doctrina revelat."

El Nuevo Testamento es la eminente manifestación de la Palabra de Dios. Cristo manifestó a su Padre y a Sí mismo, a los Apóstoles, para que predicasen el Evangelio y congregasen la Iglesia. Los cuatro evangelios son de origen apostólico y transmiten fielmente la vida, las obras y la doctrina de Cristo que los evangelistas recogieron, iluminados por el Espíritu Santo, de la boca de los Apóstoles o de otros testigos. El Nuevo Testamento se completa con las cartas de San Pablo y otros escritos apostólicos.

Juntamente con la Tradición, la Sagrada Escritura es regla suprema de la fe. Por eso es fuente principal de la vida religiosa y eclesial, pues ella rige la predicación y la liturgia, y da apoyo y vigor a la vida espiritual.

Movida por la convicción de la necesidad que tienen los fieles de alimentarse con la Sagrada Escritura, la Iglesia se preocupa y se ha preocupado de que puedan acceder fácilmente a ella, y ha adoptado y honrado las varias traducciones de la Antigüedad, y alienta la publicación de otras más recientes. Pero el fiel lector no se ha de contentar con una lectura escueta de la Biblia. Necesita, además, hacer un esfuerzo para penetrar más y más en su sentido. Para su provecho espiritual le conviene consultar aquellos comentarios de los Padres de la Antigüedad cristiana y de los Santos de la Iglesia, que tan sabrosos frutos sacaron de la lectura asidua de la Palabra de Dios, y los consignaron en obras literarias que mantienen su vigor docente.

El Concilio Vaticano II exhorta a todos los cristianos a la lectura y al estudio de la Palabra Divina, para que siendo ésta más conocida y venerada, juntamente con la Eucaristía, "se dé esperanza cierta de un nuevo impulso para la vida espiritual de la Iglesia". Hoy en día se publican obras muy valiosas que tratan del contexto histórico-bíblico, para ayudar al devoto lector a situarse en el lugar, tiempo y cultura en los que se formó la Sagrada Escritura.

Nosotros hemos de corresponder a ello aplicando toda nuestra capacidad de comprensión para saber lo que Él quiere decirnos. Nos tendríamos que hacer con todo el saber de los estudios bíblicos para llegar a extraer todo el sentido de un texto. Pero no siendo esto posible, el esfuerzo continuado de una lectura atenta y piadosa producirá sus frutos. La pedagogía divina que conduce al creyente desde el Antiguo al Nuevo Testamento, consiste principalmente en una educación de la fe. San Pablo dice que "la Ley fue nuestro pedagogo hasta la llegada de Cristo" (Gál. 3, 24). La Revelación ha llegado a través de una historia llena de peripecias dramáticas, de una literatura que, a pesar de su carácter sagrado, no suprime las variedades muy humanas. Pero, paso a paso, va revelando un desarrollo de las creencias -la fe de Israel- en el que la admirable pedagogía de Dios deja notar su rastro. Desde el Génesis hasta Jesucristo, es una ascensión penosa, por un camino difícil, que, lo mismo que sucede en las escaladas, tiene su premio en el panorama. Entonces vemos que la venida de Jesucristo corona una revelación madurada muy ampliamente. Ilumina el sentido profundo de los acontecimientos, las instituciones, los textos que preparaban la manifestación final de su misterio. El Nuevo Testamento es el florecimiento supremo de la única Revelación. En su conjunto puede parecer un libro de historia, pero no nos engañemos, el progreso de la Revelación no se parece a la evolución de las ideas humanas que se nota en la historia de las civilizaciones. En todo momento tiene como fuente la Palabra de Dios, transmitida por sus enviados. Eso se hace al ritmo que Dios le imprime, dirigiendo soberanamente el curso de los acontecimientos. Es una historia diferente de las demás historias. Es, paso a paso, la educación espiritual de los hombres, efectuada por el mismo Dios.

Los poetas suelen sentir profundamente el valor religioso de la Biblia. Descubren en ella a Dios que se revela a sí mismo hablando al hombre. Paul Claudel dice en su libro "Un poeta mira a la Cruz":

"Si la Biblia es verdaderamente la Palabra de Dios, con qué total respeto, con qué ferviente atención, con cuánto ingenio tendremos que aportar los esfuerzos y las resonancias favorables para estudiar su intención. Qué dicha, estar a los pies del Verbo y escuchar con toda el alma y la inteligencia lo que nos habla esta boca. No son ya los archivos de la tierra que están puestos a nuestra disposición para explorarlos, bien o mal, con la piqueta del minero y los frascos del químico. Es la historia del Universo, bajo el punto de vista del mismo Dios. En vez de un caos de acontecimientos que condicionan una explicación titubeante y oscura, nos da el sentido mismo que atrae y armoniza los acontecimientos y coordina las causas segundas en una enseñanza continua. Es el mismo Dios que, con una mano, modela la materia y el despliegue de su creación y, con la otra, se digna explicárnoslo, a su manera, que es diferente de la nuestra. "

**Luis Serrallach, presbítero.**

# Índice

## Antiguo Testamento

# Nuevo Testamento

# ANTIGUO TESTAMENTO

# EL GÉNESIS

# Introducción

El *Génesis* es el primero de una serie de cinco libros que forman el *Pentateuco*. Los otros cuatro son el *Éxodo*, el *Levítico*, los *Números* y el *Deuteronomio*. El *Pentateuco* (en griego «cinco volúmenes») se atribuye tradicionalmente a Moisés. Los judíos lo llaman *Torah* o *Ley* y lo leen a lo largo del año, dividiéndolo en fracciones semanales. Estos cinco libros cuentan los hechos sucedidos desde la creación del mundo hasta la muerte de Moisés.

Se atribuye este conjunto de textos bíblicos al propio Moisés, de quien dice el historiador judeo-romano Josefo que, viendo cercana su muerte, los escribió para consignar su fin y evitar que su pueblo, creyendo que Dios le había trasladado al cielo, le rindiese culto.

El *Génesis* propiamente dicho abarca una larga época: desde el nacimiento del mundo y el origen de las cosas hasta el establecimiento en Egipto del pueblo de Israel. La primera parte, dedicada a la historia de la humanidad, llega hasta los tiempos de Abraham. La segunda, que comprende la historia de los patriarcas, puede subdividirse en tres secciones: primera, Abraham; segunda, Isaac y sus hijos; tercera, los hijos de Jacob. Hay que hacer constar que el relato no pretende mostrar la historia entera de la humanidad sino que se limita a destacar los personajes y sucesos que, a modo de hitos, señalan el curso de la promesa salvífica a través de la historia humana.

Pero el *Génesis* es, por encima de todo y desde el punto de vista teológico, un vehículo principal de doctrina religiosa. Fija y establece con total claridad la unidad de Dios, creador de todas las cosas. Formula los atributos divinos: la santidad, la verdad, la omnipotencia, la justicia, la providencia, etc. Ya desde el principio propone promesas de redención como remedio al pecado original y explica la transmisión de dicha promesa, a través de las generaciones humanas, desde Adán hasta Judá, que con la bendición de Jacob, su padre, recibe la promesa de la hegemonía de su tribu sobre las demás y sobre las naciones todas, que se alcanzará con la llegada del Mesías.

Este Dios no lo es sólo de los israelitas, sino de todo el género humano, aunque el Señor eligiera a Abraham para sellar un pacto de fidelidad con el pueblo judío. La historia toda del *Génesis* y las enseñanzas que encierra han llegado a ser patrimonio de todos los pueblos civilizados por el cristianismo. Y a esta transmisión de los orígenes del mundo y de las cosas se añaden los conceptos morales básicos procedentes de este Dios único: la condenación del derramamiento de sangre, la definición de las faltas contra natura, el aborrecimiento del orgullo humano y la dependencia de la divina providencia.

## CAPITULO PRIMERO

*Creación del mundo. Forma Dios el cielo, la tierra, los astros, las plantas y animales, y especialmente al hombre, al cual sujeta todo lo creado.*

**1.** En el principio creó Dios el cielo y la tierra.

**2.** La tierra, empero, estaba informe y vacía, y las tinieblas cubrían la superficie del abismo: y el Espíritu de Dios se movía sobre las aguas.

**3.** Dijo, pues, Dios: Sea hecha la luz. Y la luz quedó hecha.

**4.** Y vió Dios que la luz era buena: y dividió la luz de las tinieblas.

**5.** A la luz llamó día, y a las tinieblas noche: y así de la tarde *aquella* y de la mañana *siguiente*, resultó el primer día.

**6.** Dijo asimismo Dios: Haya un firmamento o *una grande extensión* en medio de las aguas: que separe unas aguas de otras.

**7.** E hizo el firmamento, y separó las aguas que estaban debajo del firmamento, de aquéllas que estaban sobre el firmamento. Y quedó hecho así.

**8.** Y al firmamento llamóle Dios cielo. Con lo que de tarde y de mañana se cumplió el día segundo.

**9.** Dijo también Dios: Reúnanse en un lugar las aguas que están debajo del cielo: y aparezca lo árido o seco. Y así se hizo.

**10.** Y al *elemento* árido dióle Dios el nombre de Tierra, y a las aguas reunidas las llamó Mares. Y vió Dios que lo hecho era bueno.

**11.** Dijo asimismo: Produzca la tierra yerba verde y que dé simiente, y plantas fructíferas que den fruto conforme a su especie, y contengan en sí mismas su simiente sobre la tierra. Y así se hizo.

**12.** Con lo que produjo la tierra yerba verde, y que da simiente según su especie, y árboles que dan fruto, de los cuales cada uno tiene su propia semilla según la especie suya. Y vió Dios que la cosa era buena.

**13.** Y de la tarde y mañana, resultó el día tercero.

**14.** Dijo después Dios: Haya lumbreras o *cuerpos luminosos* en el firmamento del cielo, que distingan el día y la noche, y señalen los tiempos o *las estaciones*, los días y los años.

**15.** A fin de que brillen en el firmamento del cielo, y alumbren la tierra. Y fué hecho así.

**16.** Hizo, pues, Dios dos grandes lumbreras: la lumbrera mayor, para que presidiese al día: y la lumbrera menor, para presidir a la noche: e *hizo* las estrellas.

**17.** Y colocólas en el firmamento o *extensión* del cielo, para que resplandeciesen sobre la tierra.

**18.** Y presidiesen al día y a la noche, y separasen la luz de las tinieblas. Y vió Dios que la cosa era buena.

**19.** Con lo que de tarde y mañana, resultó el día cuarto.

**20.** Dijo también Dios: Produzcan las aguas reptiles animados que vivan *en el agua*, y aves que vuelen sobre la tierra, debajo del firmamento del cielo.

**21.** Crió, pues, Dios los grandes peces, y todos los animales que viven y se mueven, producidos por las aguas según sus especies, y asimismo todo volátil según su género. Y vió Dios que lo hecho era bueno.

**22.** Y bendíjolos, diciendo: Creced y multiplicáos, y henchid las aguas del mar: y multiplíquense las aves sobre la tierra.

**23.** Con lo que de la tarde y mañana, resultó el día quinto.

**24.** Dijo todavía Dios: Produzca la tierra animales vivientes en cada género, animales domésticos, reptiles y bestias silvestres de la tierra según sus especies. Y fué hecho así.

**25.** Hizo pues, Dios las bestias silvestres de la tierra según sus especies, y los animales domésticos, y todo reptil terrestre según su especie. Y vió Dios que lo hecho era bueno.

**26.** Y por fin dijo: Hagamos al hombre a imagen y semejanza nuestra: y domine a los peces del mar, y a las aves del cielo, y a las bestias, y a toda la tierra, y a todo reptil que se mueva sobre la tierra.

---

V. **4.** O útil y agradable. Haciendo una alternativa de luz y tinieblas. Esta luz pudo ser el elemento del fuego, como dice San Gregorio Niceno, o la materia de que al cuarto día se formaron los astros. Pero tengamos siempre presente que no todo ha querido Dios revelárnoslo.

V. **26.** En este modo de hablar han reconocido siempre los Santos Padres y Doctores el profundo misterio de la unidad de Dios en la Trinidad de personas. Había criado Dios al mundo para el hombre: ahora quiere criar al hombre para sí; y le cría a imagen suya según el alma; la cual es incorpórea inmortal dotada de entendimiento, voluntad y libre albedrío: puede oscurecerse esta imagen por el pecado, mas no borrarse. (*S. Agus Retract.* II, *cap.* 24). *Y domine,* etc.

**27.** Crió, pues, Dios al hombre a imagen suya: a imagen de Dios le crió, criólos varón y hembra.

**28.** Y echóles Dios su bendición, y dijo: Creced, y multiplicáos, y henchid la tierra, y enseñoreaos de ella, y dominad a los peces del mar, y a las aves del cielo, y a todos los animales, que se mueven sobre la tierra.

**29.** Y añadió Dios: Ved que os he dado todas las yerbas, las cuales producen simiente sobre la tierra, y todos los árboles, los cuales tienen en sí mismos simiente de su especie, para que os sirvan de alimento a vosotros.

**30.** Y a todos los animales de la tierra, y a todas las aves del cielo, y a todos cuantos animales vivientes se mueven sobre la tierra, a fin de que tengan que comer. Y así se hizo.

**31.** Y vió Dios todas las cosas que había hecho: y eran en grande manera buenas. Con lo que de la tarde y de la mañana, se formó el día sexto.

## CAPITULO II

*Acabadas las obras de la creación, en los seis días, descansa Dios en el séptimo, y santifica este día. Coloca al hombre en el paraíso: forma a Eva, e instituye el matrimonio.*

**1.** Quedaron, pues, acabados los cielos y la tierra, y todo el ornato de ellos.

**2.** Y completó Dios el séptimo día la obra que había hecho: y en el día séptimo reposó *o cesó* de todas las obras que había acabado.

**3.** Y bendijo al día séptimo; y le santificó: por cuanto había cesado en él de todas las obras que crió hasta dejarlas *bien acabadas*.

**4.** Tal fué el origen del cielo y de la tierra, cuando fueron criados, en aquel día en que el Señor Dios hizo el cielo y la tierra.

**5.** Y todas las plantas del campo antes que naciesen en la tierra, y toda la yerba de la tierra antes que de ella brotase: porque el Señor Dios no había aún hecho llover sobre la tierra, ni había hombre que la cultivase.

**6.** Salía, empero, de la tierra una fuente, que iba regando toda la superficie de la tierra.

**7.** Formó, pues, el Señor Dios al hombre del lodo de la tierra, e inspiróle en el rostro un soplo o *espíritu* de vida, y quedó hecho el hombre viviente con alma *racional*.

**8.** Había plantado el Señor Dios desde el principio un jardín delicioso, en que colocó al hombre que había formado.

**9.** Y en donde el Señor Dios había hecho nacer de la tierra *misma* toda suerte de árboles hermosos a la vista, y de frutos suaves al paladar: y también el árbol de la vida en medio del paraíso, y el árbol de la ciencia del bien y del mal.

**10.** De este lugar de delicias salía un río para regar el paraíso, *río* que desde allí se dividía en cuatro brazos.

**11.** Uno se llama Fisón: y es el que circula por todo el país de Hevilat, en donde se halla el oro.

**12.** Y el oro de aquella tierra es finísimo: allí se encuentra, el bdelio y la piedra cornerina.

**13.** El nombre del segundo río es Gehón: éste es el que rodea toda la tierra de Etiopía.

**14.** El tercer río tiene por nombre Tigris: éste va corriendo hacia los Asirios. Y el cuarto río es el Eufrates.

**15.** Tomó, pues, el Señor Dios al hombre, y púsole en el paraíso de delicias, para que le cultivase y guardase.

**16.** Dióle también este precepto diciendo: Come *si quieres* del fruto de todos los árboles del paraíso.

**17.** Mas del fruto del árbol de la ciencia del bien y del mal no comas: porque en cualquier día que comieres de él, infaliblemente morirás.

**18.** Dijo asimismo el Señor Dios: No es bueno que el hombre esté solo: hagámosle ayuda *y compañía* semejante a él.

**19.** Formado, pues, que hubo de la tierra el Señor Dios todos los animales, terrestres, y todas las aves del cielo, los trajo a Adán, para que viese cómo los había de llamar: y en efecto todos los nombres puestos por Adán a los animales vivientes, esos son sus nombres propios.

---

**V. 28.** Promete Dios al hombre y a la mujer la fecundidad, la cual es siempre un don de Dios. Estas palabras son más bien una aprobación del matrimonio, que un precepto: y en caso de serlo, nunca se dirigirán a cada uno en particular de todos los descendientes de Adán, sino a todos en general, esto es, a la especie humana. Véase S. Agustín, *de Civitate Dei*, lib. XIV, *c.* 22.

---

**V. 15.** *Para que le cultivase.* No quiere Dios que el hombre, aunque provisto de todo, pase el tiempo en la molicie y ociosidad: debía ocuparse, aun entonces, y después sus descendientes, en el cultivo del paraíso; bien que sin cansancio ni fatiga, como convenía a su estado feliz. San Agustín, San Juan Crisóstomo, etc.

**20.** Llamó, pues, Adán por sus propios nombres a todos los animales, a todas las aves del cielo, y a todas las bestias de la tierra: mas no se hallaba para Adán ayuda o *compañero* a él semejante.

**21.** Por tanto, el Señor Dios hizo caer sobre Adán un profundo sueño: y mientras estaba dormido, le quitó una de las costillas, y llenó de carne aquel vacío.

**22.** Y de la costilla aquella que había sacado de Adán, formó el Señor Dios una mujer: la cual puso delante de Adán.

**23.** Y dijo o *exclamó* Adán: Esto es hueso de mis huesos, y carne de mi carne: llamarse ha, pues, hembra, porque del hombre ha sido sacada.

**24.** Por cuya causa dejará el hombre a su padre, y a su madre, y estará unido a su mujer: y los dos vendrán a ser una sola carne.

**25.** Y ambos, a saber, Adán y su esposa, estaban desnudos: y no sentían por ello rubor ninguno.

## CAPITULO III

*Seduce la serpiente a Eva; pecan nuestros primeros padres, y se acarrean sobre sí y sus descendientes la maldición divina. Promesas del Mesías.*

**1.** Era, empero, la serpiente el animal más astuto de todos cuantos animales había hecho el Señor Dios sobre la tierra. Y dijo a la mujer: ¿Por qué motivo os ha mandado Dios que no comiéseis de todos los árboles del paraíso?

**2.** A lo cual respondió la mujer: Del fruto de los árboles, que hay en el paraíso, *sí* comemos:

**3.** Mas del fruto de aquel árbol, que está en medio del paraíso, mandónos Dios que no comiésemos, ni le tocásemos *siquiera*, para que no muramos.

**4.** Dijo entonces la serpiente a la mujer: ¡Oh! ciertamente que no moriréis.

**5.** Sabe, empero, Dios que en cualquier tiempo que comiéseis de él, se abrirán vuestros ojos: y seréis como dioses, conocedores *de todo*, del bien y del mal.

**6.** Vió, pues, la mujer que el fruto de aquel árbol era bueno para comer, y bello a los ojos, y de aspecto deleitable: y cogió del fruto, y comióle: dió también de él a su marido, el cual comió.

**7.** Luego se les abrieron a entrambos los ojos, y como echasen de ver que estaban desnudos, cosieron o *acomodáronse* unas hojas de higuera, y se hicieron unos delantales *o ceñidores,*

**8.** Y habiendo oído la voz del Señor Dios que se paseaba en el paraíso al *tiempo que se levanta el aire* después de medio día, escondióse Adán con su mujer de la vista del Señor Dios en medio de los árboles del paraíso.

**9.** Entonces el Señor Dios llamó a Adán y díjole: ¿Dónde estás?

**10.** El cual respondió: He oído tu voz en el paraíso: y he temido *y llenádome de vergüenza* porque estoy desnudo, y así me he escondido.

**11.** Replicóle: ¿Pues quién te ha hecho advertir que estás desnudo, sino el haber comido del fruto de que yo te había vedado que comieses?

**12.** Respondió Adán: La mujer, que tú me diste por compañera, me ha dado del fruto de aquel árbol, y le he comido.

**13.** Y dijo el Señor Dios a la mujer: ¿Por qué has hecho tú esto? La cual respondió: La serpiente me ha engañado, y he comido.

**14.** Dijo entonces el Señor Dios a la serpiente. Por cuanto hiciste esto, maldita tú eres *o seas* entre todos los animales, y bestias de la tierra: andarás arrastrando sobre tu pecho, y tierra comerás todos los días de tu vida.

**15.** Yo pondré enemistades entre ti y la mujer, y entre tu raza y la descendencia suya: ella quebrantará tu cabeza, y tú andarás acechando a su calcañar.

**16.** Dijo asimismo a la mujer: Multiplicaré tus trabajos *y miserias* en tus preñeces: con dolor parirás los hijos, y estarás bajo la potestad *o mando* de tu marido, y él te dominará.

**17.** Y a Adán le dijo: Por cuanto has escuchado la voz de tu mujer, y comido del árbol que te mandé no comieses, maldita sea la tierra por tu causa: con grandes fatigas sacarás de ella el alimento en todo el discurso de tu vida.

---

V. **24.** *Una sola carne.* Jesucristo se sirvió de estas palabras para probar a los fariseos la indisolubilidad del matrimonio. San Pablo nos enseña que la unión íntima y estrecha de Adán y Eva, que eran como *dos almas en un solo cuerpo*, significa la de Cristo y su Iglesia.

V. **25.** Eran, dice Juan Crisóstomo, como dos ángeles revestidos de cuerpos. Sujetábase su carne al espíritu sin la menor repugnancia. (*S. Agus, de Civ. Dei lib.* XIV, *c.* 15).

---

V. **8.** Es muy creíble que, durante el estado de la inocencia, Dios se dejaba ver de nuestros primeros padres bajo de alguna figura acomodada a su condición, y que esta aparición del Señor era precedida de algún ligero y suave viento que los avisaba. La voz y ruido de una persona que se paseaba, fué, según opina San Agustín, (*De Genesi ad litt. lib.* XI, *c.* 33), de un ángel que presentaba a Dios en forma de hombre.

**18.** Espinas y abrojos te producirá, y comerás de *los frutos que den* las yerbas *o plantas* de la tierra.

**19.** Mediante el sudor de tu rostro comerás el pan, hasta que vuelvas a *confundirte con* la tierra de que fuiste formado: puesto que polvo eres, y a ser polvo tornarás.

**20.** Y Adán puso a su mujer el nombre de Eva, *esto es, Vida*: atento a que había de ser madre de todos los vivientes.

**21.** Hizo también el Señor Dios a Adán y a su mujer unas túnicas de pieles, y los vistió.

**22.** Y dijo: Ved ahí Adán que se ha hecho como uno de nosotros, conocedor del bien y del mal ahora, pues, *echémosle de aquí*, no sea que alargue su mano, y tome también del fruto del árbol de *conservar la* vida, y coma de él, y viva para siempre.

**23.** Y echóle el Señor Dios del paraíso de deleites, para que labrase la tierra, de que fué formado.

**24.** Y desterrado Adán, colocó Dios delante del paraíso de delicias un Querubín, con espada de fuego, el cual andaba alrededor para guardar el camino que conducía al árbol de la vida.

## CAPITULO IV

*Nacen Caín y Abel. Caín lleno de envidia mata a su hermano: su obstinación, castigo, y descendencia.*

**1.** Adán, pues, conoció a Eva su mujer; la cual concibió y dió a luz a Caín, diciendo: He adquirido un hombre por merced de Dios.

**2.** Y dió a luz después al hermano de éste, Abel. Abel fué pastor de ovejas y Caín labrador.

**3.** Y aconteció al cabo de mucho tiempo que Caín presentó al Señor ofrendas de los frutos de la tierra.

**4.** Ofreció asimismo Abel de los primerizos de su ganado, y de lo mejor de ellos: y el Señor miró con agrado a Abel y a sus ofrendas.

**5.** Pero de Caín y de las ofrendas suyas no hizo caso: por lo que Caín se irritó sobremanera, y decayó su semblante.

**6.** Y díjole el Señor: ¿Por qué motivo andas enojado y por qué está demudado tu rostro?

**7.** ¿No es cierto que si obrases bien serás recompensado: pero si mal, el *castigo del* pecado estará siempre presente en tu puerta? Mas de *cualquier modo* su apetito *o la concupiscencia estará* a tu mandar, y tú le dominarás *si quieres.*

**8.** Dijo después Caín a su hermano Abel: Salgamos fuera. Y estando los dos en el campo, Caín acometió a su hermano Abel y le mató.

**9.** Preguntóle después el Señor a Caín: ¿Dónde está tu hermano Abel? Y respondió: No lo sé: ¿Soy yo acaso guarda de mi hermano?

**10.** Replicóle *el Señor:* ¿Qué has hecho? La voz de la sangre de tu hermano está clamando a mí desde la tierra.

**11.** Maldito, pues, serás tú desde ahora sobre la tierra, la cual ha abierto su boca, y recibido de tu mano la sangre de tu hermano.

**12.** Después que la habrás labrado, no te dará sus frutos: errante y fugitivo vivirás sobre la tierra.

**13.** Y dijo Caín al Señor: Mi maldad es tan grande, que no puedo yo esperar perdón.

**14.** He aquí que tú hoy me arrojas de esta tierra, y yo iré a esconderme de tu presencia, y andaré errante y fugitivo por el mundo: por tanto, cualquiera que me hallare, me matará.

**15.** Díjole el Señor: No será así: antes bien cualquiera que matare a Caín, recibirá un castigo siete veces mayor, y puso el Señor en Caín una señal para que ninguno que le encontrase le matara.

**16.** Salido, pues, Caín de la presencia del Señor, prófugo en la tierra, habitó en el país que está al oriente de Edén

**17.** Y conoció Caín a su mujer, la cual concibió, y dió a luz a Henoc: y edificó una ciudad que llamó, Henoc, del nombre de su hijo.

**18.** Con el tiempo Henoc engendró a Irad, Irad engendró a Maviael, Maviael engendró a Matusael y Matusael engendró a Lamec.

**19.** El cual tomó dos mujeres, la una llamada Ada, y la otra Sella.

---

**22.** Es una ironía. Por las palabras *uno de nosotros* se entienden las tres divinas personas.

**5.** Poniéndose triste, y cabizbajo, como quien se considera afrentado, o desairado.

**7.** *¿Pero si mal, al momento te acusará la conciencia, o se te conocerá el pecado, que no admite excusa, por estar en tu mano el evitarle?*

**18.** Lamec, de la raza de Caín, fué el primero que dió este ejemplo de la poligamia, contra la institución de Dios. (*S. Jerónimo cont. Jovin. lib.* I) Y así Tertuliano le llama *maldito*; Nicolao I, *adúltero*, etc. La poligamia, que después vemos en los Patriarcas fue por una especial dispensación de Dios.

**20.** Y Ada dió a luz a Jabel, que fué el padre de los que habitan en cabañas y de los pastores.

**21.** Y tuvo un hermano llamado Jubal: el mismo que fué padre o *maestro* de los que tocan la cítara y órgano o *flauta.*

**22.** Sella también dió a luz a Tubalcaín, que fué artífice en trabajar de martillo toda especie de obras de cobre y de hierro. Hermana de Tubalcaín, fué Noema.

**23.** Dijo, pues, Lamec a sus mujeres Ada y Sella: Oíd lo que voy a decir ¡oh vosotras mujeres de Lamec! parad mientes en mis palabras: yo he muerto a un hombre con la herida que le hice, *sí,* he muerto a un joven con el golpe que le dí.

**24.** Pero si del homicidio de Caín la venganza será siete veces doblada, la de Lamec lo será setenta veces siete.

**25.** Adán todavía conoció de nuevo a su mujer: la cual dió a luz un hijo, a quien puso por nombre Set, diciendo: Dios me ha sustituido otro hijo en lugar de Abel, a quien mató Caín.

**26.** También a Set le nació un hijo, que llamó Enós: éste comenzó a invocar el nombre del Señor.

## CAPITULO V

*Genealogía de Adán y de sus descendientes hasta Noé, por la línea de Set, estirpe de los patriarcas y progenitores del Mesías, que es el objeto de todas las Escrituras.*

**1.** Esta es la genealogía de Adán. En el día en que Dios crió al hombre, a semejanza de Dios le crió.

**2.** Crióles varón y hembra, y echóles su bendición: y al tiempo que fueron criados, les puso por nombre Adán.

**3.** Cumplió Adán los ciento treinta años de edad: y engendró un hijo a imagen y semejanza suya, a quien llamó Set.

**4.** Los días de Adán, después que engendró a Set, fueron ochocientos años: y engendró hijos e hijas.

**5.** Y así todo el tiempo que vivió Adán, fué de novecientos y treinta años, y murió.

**6.** Y vivió Set ciento y cinco años, y engendró a Enós.

V. 3. En esta genealogía, dejado Caín aparte, (que es considerado por los Santos Padres y Expositores como cabeza de los hombres impíos y mundanos) se forma la descendencia de Adán por su hijo Set; el cual fué la estirpe del pueblo escogido por Dios, y de los progenitores del Mesías, que es el objeto de toda la Escritura.

**7.** Set, después que engendró a Enós, vivió ochocientos y siete años, y engendró hijos e hijas.

**8.** Con lo que todos los días de Set vinieron a ser novecientos y doce años, y murió.

**9.** Enós vivió noventa años, y engendró a Cainán.

**10.** Después de cuyo nacimiento vivió ochocientos y quince años, en los cuales tuvo hijos e hijas.

**11.** Y todos los días de Enós fueron novecientos y cinco años, y murió.

**12.** Vivió también Cainán setenta años, y engendró a Malaleél.

**13.** Y vivió Cainán después de haber engendrado a Malaleél, ochocientos y cuarenta años, y tuvo hijos e hijas.

**14.** Y todos los días de Cainán vinieron a ser novecientos y diez años, y murió.

**15.** Vivió Malaleél sesenta y cinco años, y engendró a Jared.

**16.** Y después de haber engendrado a Jared, vivió Malaleél ochocientos y treinta años, y engendró hijos e hijas.

**17.** Con que toda la vida de Malaleél fué de ochocientos y noventa y cinco años, y murió.

**18.** Jared vivió ciento y sesenta y dos años, y engendró a Henoc.

**19.** Y vivió Jared después del nacimiento de Henoc, ochocientos años, y engendró hijos e hijas.

**20.** Y así toda la vida de Jared fué de novecientos sesenta y dos años, y murió.

**21.** Y vivió Henoc sesenta y cinco años, y engendró a Matusalén.

**22.** Y el proceder de Henoc fué según Dios: y vivió después de haber engendrado a Matusalén, trescientos años, y engendró hijos e hijas.

**23.** Y todos los días de Henoc fueron trescientos y sesenta y cinco años,

**24.** Y siguió caminando en pos de Dios, y desapareció: porque Dios le trasladó.

**25.** Matusalén vivió ciento ochenta y siete años, y engendró a Lamec.

**26.** Y vivió Matusalén, después que engendró a Lamec, setecientos y ochenta y dos años, y engendró hijos e hijas.

**27.** Con que todos los días de Matusalén fueron novecientos sesenta y nueve años, y murió.

**28.** Lamec a los ciento ochenta y dos años de su vida engendró un hijo:

**29.** Al cual llamó Noé, diciendo: Este ha de ser nuestro consuelo en *medio* de los trabajos y fatigas de nuestras manos, en esta tierra que maldijo el Señor.

30. Y vivió Lamec después del nacimiento de Noé, quinientos noventa y cinco años, y engendró hijos e hijas.

31. Y toda la vida de Lamec fué de setecientos setenta y siete años, y murió. Pero Noé siendo de quinientos años engendró a Sem, a Cam y a Jafet.

## CAPITULO VI

*Las costumbres perdidas de los hombres ocasionan el diluvio. Construcción del arca.*

1. Habiendo, pues comenzado los hombres a multiplicarse sobre la tierra, y procreado hijas.

2. Viendo los hijos de Dios la hermosura de las hijas de los hombres, tomaron de entre todas ellas por mujeres las que más les agradaron.

3. Dijo entonces Dios: No permanecerá mi espíritu en el hombre para siempre, porque es *muy carnal* y sus días serán ciento y veinte años.

4. *Es de notar que* en aquel tiempo había gigantes sobre la tierra: porque después que los hijos de Dios se juntaron con las hijas de los hombres, y ellas concibieron, salieron a luz estos valientes del tiempo antiguo, jayanes de nombradía.

5. Viendo, pues, Dios ser mucha la malicia de los hombres en la tierra, y que todos los pensamientos de su corazón se dirigían al mal continuamente,

6. Pesóle de haber criado al hombre en la tierra. Y penetrado su corazón de un íntimo dolor,

7. Yo raeré, dijo, de sobre la faz de la tierra al hombre, a quien crié, desde el hombre hasta los animales, desde el reptil hasta las aves del cielo: pues siento ya el haberlos hecho.

8. Mas Noé halló gracia delante del Señor.

9. Estos son los hijos que engendró Noé. Noé fué varón justo y perfecto en sus días y siguió a Dios.

10. Y engendró tres hijos, a Sem, a Cam, y a Jafet.

11. Entre tanto la tierra estaba corrompida a vista de Dios, y colmada de iniquidad.

12. Viendo, pues, Dios que la tierra estaba corrompida (por cuanto lo estaba la conducta de vida de todos los mortales sobre la tierra),

13. Dijo a Noé: Llegó ya el fin de todos los hombres decretado por mí: llena está de iniquidad *toda* la tierra por sus *malas* obras; pues yo los exterminaré juntamente con la tierra.

14. Haz para ti un arca de maderas bien acepilladas: en el arca dispondrás celditas y las calafatearás con brea por dentro y por fuera.

15. Y has de fabricar de esta suerte: La longitud del arca será trescientos de codos, la latitud de cincuenta, y de treinta codos su altura.

16. Harás una ventana en el arca, y el techo o *cubierta* del arca le harás *no plano*, sino de modo que vaya alzándose hasta un codo, *y escupa el agua*: pondrás la puerta del arca en un costado: y harás en ella tres pisos, uno abajo, otro en medio y otro arriba.

17. Y he aquí que voy a inundar la tierra con un diluvio de aguas, para hacer morir toda carne, en que hay espíritu de vida debajo del cielo: Todas cuantas cosas hay en la tierra, perecerán.

18. Mas contigo yo estableceré mi alianza: y entrarás en el arca tú, y tus hijos, tu mujer, y las mujeres de tus hijos, contigo.

19. Y de todos los animales de toda especie meterás dos en el arca, macho y hembra: para que vivan contigo.

20. De las aves según su especie, de las bestias según la suya, y de todos los que se arrastran por la tierra según su casta: dos de cada cual entrarán contigo, para que puedan conservarse.

21. Por tanto, tomarás contigo de toda èspecie de comestibles, y los pondrás en tu morada: y te servirán tanto a ti como a ellos de alimento.

22. Hizo, pues, Noé todo lo que Dios le había mandado.

## CAPITULO VII

*Luego de entrado Noé con su familia en el arca, envía Dios el diluvio universal.*

1. Díjole después el Señor: Entra tú, y toda tu familia, en el arca: pues que a ti te he reconocido justo delante de mí en medio de esta generación.

2. De todos los animales limpios has de tomar de siete en siete o *siete de cada especie*, macho y hembra: mas de los animales inmundos de dos en dos, macho y hembra.

---

V. 2. Por *hijos de Dios* entienden todos los Santos Padres los hijos de Set, que siguieron la piedad de su padre; y por *hijas de los hombres* las que descendían de Caín, perversas *como el padre*.

---

V. 2. De toda especie de animales mundos deben entrar siete cabezas, tres con sus hembras, y el séptimo sin compañero, para ser ofrecido en holocausto. Así lo entienden Josefo, el Crisóstomo, Teodoreto, S. Agustín, y la mayor parte de los Expositores.

**3.** E igualmente de las aves del cielo de siete en siete, macho y hembra: para que se conserven su casta o *especie* sobre la faz de toda la tierra.

**4.** Por cuanto de aquí a siete días yo haré llover sobre la tierra cuarenta días y cuarenta noches: y exterminaré de la superficie de la tierra todas las criaturas *animadas* que hice.

**5.** Ejecutó, pues, Noé todo lo que había mandado el Señor.

**6.** Era Noé de edad de setecientos años cuando las aguas del diluvio inundaron la tierra.

**7.** Y entró Noé en el arca por *salvarse de* las aguas del diluvio, y con él sus hijos, su mujer, las mujeres de sus hijos.

**8.** Asimismo de los animales limpios y no limpios, y de las aves, y de todos los que se mueven sobre la tierra,

**9.** *Se le* entraron a Noé en el arca de dos en dos, macho y hembra, como el Señor lo tenía ordenado a Noé.

**10.** Pasados los siete días, las aguas del diluvio inundaron la tierra.

**11.** A los seiscientos años de la vida de Noé, en el mes segundo, a diez y siete días del *mismo* mes, se rompieron todas las fuentes o *depósitos* del grande abismo *de los mares*, y se abrieron las cataratas del cielo:

**12.** Y estuvo lloviendo sobre la tierra cuarenta días y cuarenta noches.

**13.** En el plazo señalado del día dicho, entró Noé, con Sem, Cam y Jafet, sus hijos, su mujer, y las tres mujeres de sus hijos con ellos, en el arca:

**14.** Ellos y todo animal *silvestre* según su género y todos los animales domésticos según su especie, y todo cuanto se mueve sobre la tierra según su género, y toda especie de volátil, toda casta de aves, y de todo cuanto tiene alas.

**15.** *Se le* entraron a Noé en el arca, de dos en dos, *macho y hembra*, de toda carne, en que había espíritu de vida.

**16.** Y los que entraron, entraron macho y hembra de toda especie, como Dios se lo había mandado: y el Señor la cerró por la puerta de afuera.

**17.** Entonces vino el diluvio por espacio de cuarenta días sobre la tierra: y crecieron las aguas e hicieron subir el arca muy alto sobre la tierra.

**18.** Porque la inundación de las aguas fué grande en extremo: y ellas lo cubrieron todo en la superficie de la tierra: mientras tanto el arca ondeaba sobre las aguas.

**19.** *En suma*, las aguas sobrepujaron desmesuradamente la tierra: y vinieron a cubrirse todos los montes encumbrados debajo de todo el cielo.

**20.** Quince codos se alzó el agua sobre los montes, que tenía cubiertos.

**21.** Y pereció toda carne que se movía sobre la tierra, de aves, de animales, de fieras, y de todos los reptiles que serpean sobre la tierra: los hombres todos.

**22.** Y todo cuanto en la tierra tiene aliento de vida, todo pereció.

**23.** Y destruyó todas las criaturas, que vivían sobre la tierra, desde el hombre hasta las bestias, tanto los reptiles como las aves del cielo: y no quedó viviente en la tierra: sólo quedó Noé, y los que estaban con él en el arca.

**24.** Y las aguas dominaron sobre la tierra por espacio de ciento cincuenta días.

## CAPITULO VIII

*Disminuidas las aguas del diluvio, después de haber Noé enviado el cuervo y la paloma, sale del arca, y ofrece a Dios sacrificio agradable.*

**1.** Dios entre tanto, teniendo presente a Noé, y a todos los animales, y a todas las bestias *mansas* que estaban con él en el arca, hizo soplar el viento sobre la tierra, con que se fueron disminuyendo las aguas.

**2.** Y se cerraron los manantiales del abismo *del mar*, y las cataratas del cielo: y se atajaron las lluvias que del cielo caían.

**3.** Y se fueron retirando de la tierra las aguas ondeando y retrocediendo: y empezaron a menguar después de los ciento y cincuenta días.

---

**11.** Esto es, todas aquellas aguas que al principio del mundo cubrían la tierra, y se recogieron después en los mares, fuentes, lagos, etc., y las que se reunieron en la región del aire, y cayeron con furioso ímpetu. Las obras de Dios no han de ajustarse a las cortas luces de nuestra razón e inteligencia.

**V. 22.** El arca fué figura de la Iglesia. Solamente dentro de ella hay salvación y vida. Abraza la Iglesia toda especie de pueblos y clases de personas. Las aguas de la tribulación la elevan siempre más y más hacia el cielo, etc., etc.

**V. 1.** Otros traducen: *acordándose*. No cabe en Dios olvido; y la expresión es acomodada a nuestra rudeza porque nos figuramos que Dios se olvida de nosotros cuando tarda en enviarnos su socorro.

**4.** Y el arca a los veinte y siete días del mes séptimo reposó sobre los montes de Armenia.

**5.** Las aguas iban de continuo menguando hasta el décimo mes: pues que en el primer día de este mes, se descubrieron las cumbres de los montes.

**6.** Pasados después cuarenta días, abriendo Noé la ventana que tenía hecha en el arca, despachó al cuervo:

**7.** El cual habiendo salido, no volvió, hasta que las aguas se secaron sobre la tierra.

**8.** Envió también después de él la paloma, para ver si ya se habían acabado las aguas en el suelo de la tierra.

**9.** La cual como no hallase donde poner su pie, se volvió a él al arca, porque había *aún* agua sobre la tierra: así alargó la mano, y cogiéndola la metió en el arca.

**10.** Esperando, pues, otros siete días más, segunda vez echó a volar la paloma fuera del arca.

**11.** Mas ella volvió a Noé por la tarde, trayendo en el pico un ramo de olivo con las hojas verdes: por donde conoció Noé que las aguas habían cesado de cubrir la tierra.

**12.** Con todo eso aguardó otros siete días: y echó a volar la paloma, la cual no volvió ya más a él.

**13.** Así que el año seiscientos y uno *de la vida de Noé*, en el mes primero, el primer día del mes, se retiraron las aguas de sobre la tierra: y abriendo Noé la cubierta del arca, miró, y vió que se había secado la superficie de la tierra.

**14.** En el mes segundo, a veinte y siete días del mes, quedó seca la tierra.

**15.** Entonces habló Dios a Noé, diciendo:

**16.** Sal del arca, tú y tu mujer, tus hijos y las mujeres de tus hijos contigo.

**17.** Saca también fuera contigo todos los animales que tienes dentro, de toda casta, tanto de aves, como de bestias y de todos los reptiles, que andan arrastrando sobre la tierra, y salid a tierra, propagaos y multiplicaos sobre ella.

**18.** Salió, pues, Noé, y con él sus hijos, su mujer y las mujeres, de sus hijos.

**19.** Como también salieron del arca todos los animales, bestias y reptiles que serpean sobre la tierra, según sus especies.

**20.** Y edificó Noé un altar al Señor y cogiendo de todos los animales y aves limpias, ofreció holocaustos sobre el altar.

**21.** Y el Señor se complació en aquel olor de suavidad, y dijo: Nunca más maldeciré la tierra por las culpas de los hombres: atento a que los sentidos y pensamientos del corazón humano están inclinados al mal desde su mocedad: no castigaré, pues, más a todos los vivientes como he hecho.

**22.** Mientras el mundo durare, no dejarán de sucederse la sementera y la siega, el frío y el calor, el verano y el invierno, la noche y el día.

## CAPITULO IX

*Bendice Dios a Noé y a sus hijos, y les renueva la donación, que les había hecho de todas las cosas; pero les prohibe el comer la sangre. Pacto del Señor con Noé. Embriaguez involuntaria de éste.*

**1.** Después bendijo Dios a Noé y a sus hijos. Y díjoles: Creced, y multiplicaos, y poblad la tierra.

**2.** Que teman y tiemblen ante vosotros todos los animales de la tierra, y todas las aves del cielo, y todo cuanto se mueve sobre la tierra: todos los peces del mar están sujetos a vuestro poder.

**3.** Y todo lo que tiene movimiento y vida, os servirá de alimento: todas estas cosas os las entrego, así como las legumbres y yerbas.

**4.** Excepto que no habéis de comer la carne con sangre.

**5.** Porque yo tomaré venganza de vuestra sangre sobre cualquiera de las bestias *que la derrame*: y la muerte de un hombre, la vengaré en el hombre, en el hombre hermano suyo.

**6.** Derramada será la sangre de cualquiera que derramare sangre humana; porque a imagen de Dios fué criado el hombre.

**7.** Vosotros, pues, creced y multiplicaos, y dilataos sobre la tierra, y pobladla.

**8.** Dijo también Dios a Noé, y a sus hijos igualmente que a él:

**9.** Sabed que yo voy a establecer mi pacto con vosotros, y con vuestra descendencia después de vosotros:

---

V. **21.** Promete Dios no volver a castigar las maldades de los hombres con semejante universal castigo; y que tendrá compasión de la flaqueza humana, y de su propensión al mal por la corrupción de su naturaleza.

V. **4.** Los Hebreos y otros antiguos pueblos creían que en la sangre era donde residía el alma, por residir en ella los espíritus vitales sensitivos. (*Levit.* XVII, *v.* 14).

10. Y con todo animal viviente, que está con vosotros, tanto de aves como de animales domésticos y campestres de la tierra, que han salido del arca, y con todas las bestias de la tierra.

11. Estableceré mi pacto con vosotros, y no perecerá ya más toda carne con aguas de diluvio, ni habrá en lo venidero diluvio que destruya la tierra.

12. Y dijo Dios: Esta es la señal de la alianza que establezco por generaciones perpetuas o *para siempre*, entre mí y vosotros, y con todo animal viviente, que mora con vosotros.

13. Pondré mi arco *que coloqué* en las nubes, y será la señal de la alianza entre mí y entre la tierra.

14. Y cuando yo cubriere el cielo de nubes, aparecerá mi arco en ellas:

15. Y me acordaré de mi alianza con vosotros, y con toda ánima viviente que vivifica la carne: y ya no habrá más aguas de diluvio que destruyan todos los vivientes.

16. Mi arco, pues, estará en las nubes, y en viéndole, me acordaré de la alianza sempiterna, concertada entre Dios y toda ánima viviente, de toda carne que habita sobre la tierra.

17. Y repitió Dios a Noé: Esta es la señal de la alianza, que tengo establecida entre mí y todo viviente sobre la tierra.

18. Eran, pues, los hijos de Noé, que salieron del arca, Sem, Cam y Jafet: este mismo Cam es el padre de Canaán.

19. Dichos tres son los hijos de Noé: y de esos se propagó todo el género humano sobre la tierra.

20. Y Noé, que era labrador, comenzó a labrar la tierra y plantó una viña.

21. Y bebiendo de su vino, quedó embriagado, y *echóse* desnudo en medio de su tienda.

22. Lo cual como hubiese visto Cam, padre de Canaán, esto es, la desnudez vergonzosa de su padre, salió fuera a contárselo a sus hermanos.

23. Pero Sem y Jafet echándose una capa o *manta* sobre sus hombros, y caminando hacia atrás, cubrieron la desnudez de su padre, teniendo vueltos sus rostros: y así no vieron las vergüenzas del padre.

24. Luego que despertó Noé de la embria-

guez, sabido lo que había hecho con él su hijo menor,

25. Dijo: Maldito sea Canaán, esclavo será de los esclavos de sus hermanos.

26. Y añadió: Bendito el Señor Dios de Sem, sea Canaán esclavo suyo:

27. Dilate Dios a Jafet, y habite en las tiendas de Sem, y sea Canaán su esclavo.

28. En fin, Noé vivió después del diluvio trescientos cincuenta años.

29. Y así todos los días que vivió fueron novecientos cincuenta años, y murió.

## CAPITULO X

*Genealogías de los tres hijos de Noé, o propagación del linaje humano.*

1. Estos son los descendientes de los hijos de Noé: Sem, Cam y Jafet: y éstos los hijos que les nacieron después del diluvio.

2. Hijos de Jafet: Gomer, y Magog, y Madai, y Javán, y Tubal, y Mosoc, y Tiras.

3. Hijos de Gomer: Ascenez, y Rifath, y Togorma.

4. Hijos de Javán: Elisa y Tarsis, Setim, y Dodanim.

5. Estos se repartieron *algún* tiempo después las islas de las naciones y las diversas regiones, cada cual según su propia lengua, familia y nación.

6. Hijos de Cam: fueron Cus, Mesraim, y Fut, y Canán.

7. De Cus: lo fueron Saba, y Hevila, y Sabata, y Regma, y Sabataca. Los de Regma: Saba y Dadán.

8. Cus engendró también a Nemrod: éste comenzó a ser prepotente en la tierra.

9. Y en efecto era cazador forzudo delante del Señor. De donde vino el proverbio: Forzudo cazador a vista del Señor como un Nemrod.

10. Y el principio de su reino fué Babilonia, y Arac, y Acab, y Calanne, en tierra de Sennaar.

---

11. O que despueble y deje yerma la tierra. Is. LIV, v. 9.

21. Bebió Noé el vino sin conocer la fuerza y vigor que tenía: y así le excusan de pecado generalmente los Santos Padres.

---

25. Murió Noé en el año del mundo 2006, y nació Abraham en el de 2008. Alcanzó a la torre de Babel, a la monarquía de los Asirios y a Arán, hermano mayor de Abraham.

Los sabios expositores infieren de esto: 1° la verdad del común origen de todo el linaje humano; 2° cuán apreciable monumento es este libro, que con tanta luz y veracidad nos descubre un punto de la antigüedad tan bello y luminoso, del cual no han sabido decirnos los escritores y sabios que se suponen más antiguos, sino fábulas y noticias inverosímiles.

11. De cuyo país salió Assur, el que fundó a Nínive, y las plazas o *grandes calles* de la ciudad, y a Calé.

12. Y también a Resen entre Nínive y Calé: ésta es la ciudad grande.

13. Mesraim engendró a Ludim, y Anamim, y a Laabim, y a Nefutuim.

14. Y a Fetrusim, y a Casluim: de los cuales salieron los filisteos y los caftoreos.

15. Y Canaán engendró a Sidón su primogénito, al Heteo.

16. Al Jebuseo, al Amorreo, al Gergeseo.

17. Al Heveo, y al Araceo, al Sineo.

18. Y al Aradio, al Samareo, y al Amateo: y de aquí descendieron los pueblos de los cananeos.

19. Cuyos límites fueron como quien va de Sidón a Gerara tocando en Gaza, hasta entrar en Sodoma, y Gomorra, y Adama, y Seboín, terminando en Lesa.

20. Estos son los hijos de Cam según sus prosapias, y lenguas, y linajes, y países, y naciones.

21. También tuvo *varios* hijos Sem, padre de todos los hijos de Heber, hermano mayor de Jafet.

22. Hijos de Sem: Fueron Elam, y Assur, y Arfaxad, y Lud, y Aram.

23. De Aram fueron hijos Us, y Hul, y Geter, y Mes.

24. Arfaxad, pues, engendró a Sale, de quien nació Heber.

25. A Heber le nacieron dos hijos: uno tuvo por nombre Faleg, a causa de que por aquel entonces se hizo la partición de la tierra: el nombre de su hermano fué Jectán.

26. Este Jectán engendró a Elmodad, y a Salep, y a Asarmot, y a Jaré.

27. Y a Adurán, y a Uzal, y a Decla.

28. Y a Ebal, y a Abimaól, y a Saba.

29. A Ofir, y a Hevila, y a Jobab: todos éstos, son hijos de Jectán.

30. Y vino a ser la habitación de éstos desde Messa caminando hasta Sefar, monte que está al oriente.

31. Estos son los hijos de Sem, según sus linajes, y lenguas, y países, y naciones propias.

32. Estas son las familias de Noé repartidas en sus pueblos y naciones. De ésta se propagaron las *diversas* gentes en la tierra después del diluvio.

## CAPITULO XI

*Torre de babel: descendientes de Sem por la línea de Arfaxad hasta Abraham.*

1. No tenía entonces la tierra más que un solo lenguaje, y unos mismos vocablos.

2. Mas partiéndose de oriente *estos pueblos*, hallaron una vega en tierra de Sennaar, donde hicieron asiento.

3. Y se dijeron unos a otros: Venid, hagamos ladrillos, y cozámoslos al fuego. Y se sirvieron de ladrillos en lugar de piedras, y de betún en vez de argamasa:

4. Y dijeron: Vamos a edificar una ciudad y una torre, cuya cumbre llegue hasta el cielo: y hagamos célebre nuestro nombre antes de esparcirnos por toda la faz de la tierra.

5. Y descendió el Señor a ver la ciudad y la torre, que edificaban los hijos de Adán.

6. Y dijo: He aquí, el pueblo es uno solo, y todos tienen un mismo lenguaje; y han empezado esta fábrica, ni desistirán de sus ideas, hasta llevarlas al cabo.

7. Ea, pues, descendamos, y confundamos allí mismo su lengua, de manera que el uno no entienda el habla del otro.

8. Y de esta suerte los esparció el Señor desde aquel lugar por todas las tierras, y cesaron de edificar la ciudad.

9. De donde se le dió a ésta el nombre de Babel *o Confusión*, porque allí fué confundido el lenguaje de toda la tierra: y desde allí los esparció el Señor por todas las regiones.

10. Ésta es la descendencia de Sem: Sem era *ya*, de cien años cuando engendró a Arfaxad, dos años después del diluvio.

11. Y vivió Sem después que engendró a Arfaxad, quinientos años: y tuvo o *engendró* hijos e hijas.

12. Y Arfaxad a los treinta y cinco años de su vida, engendró a Sale.

13. Después de lo cual vivió Arfaxad trescientos tres años: y tuvo hijos e hijas.

14. Y Sale a los treinta años de su vida, engendró a Heber.

15. Y vivió Sale después de engendrado Heber, cuatrocientos tres años: y tuvo hijos e hijas.

16. Y Heber a los treinta y cuatro años de su vida, engendró a Faleg.

---

4. Expresión hiperbólica, que significa una altura y grandeza extraordinaria.

17. Después de lo cual vivió Heber cuatrocientos treinta años: y tuvo hijos e hijas.

18. Faleg asimismo, a los treinta años de su edad engendró a Reu.

19. Y vivió Faleg después que engendró a Reu, doscientos nueve años: y tuvo hijos e hijas.

20. Reu vivió treinta y dos años, y engendró a Sarug.

21. Después de lo cual, vivió Reu dos cientos siete años: y tuvo hijos e hijas.

22. También Sarug a los treinta años de su vida engendró a Nacor.

23. Y vivió Sarug después que engendró a Nacor, doscientos años: y tuvo hijos e hijas.

24. Nacor vivió veintinueve años, y engendró a Tare.

25. Y vivió Nacor después de engendrado Tare, ciento diez y nueve años: y tuvo hijos e hijas.

26. Tare, cumplidos setenta años de su vida, engendró a Abram y a Nacor, y a Arán.

27. Y ésta es la descendencia de Tare: Tare engendró a Abram, a Nacor, y a Arán. Y Arán engendró a Lot.

28. Y murió Arán antes que su padre Tare, en la tierra de su nacimiento, en Ur de los caldeos.

29. Abram y Nacor tomaron a su *tiempo* mujeres: el nombre de la mujer de Abram, era Sara: y el de la mujer de Nacor, Melca, hija que fué de Arán, padre de Melca, y padre *también* de Jesca.

30. Sara, empero, era estéril, y no tenía hijos.

31. Tare, pues, tomó consigo a Abram su hijo, y a su nieto Lot, hijo de Arán, y a Sara su nuera, esposa de su hijo Abram, y sacólos de Ur de los caldeos, con ánimo de pasar a tierra de Canaán: y llegaron hasta *la ciudad* de Harán, y se establecieron allí.

32. Murió Tare en Harán, siendo de edad de doscientos cinco años.

## CAPITULO XII

*De la vocación de Abram, de sus peregrinaciones, y de lo que aconteció a Sarai en Egipto.*

1. Y dijo el Señor a Abram: Sal de tu tierra, y de tu parentela, y de la casa de tu padre, y ven a la tierra que te mostraré.

2. Y yo te daré cabeza de una nación grande, y bendecirte he, y ensalzaré tu nombre, y tú serás bendito o *serás una bendición*.

3. Bendeciré a los que te bendigan, y maldeciré a los que te maldigan, y EN TI (en uno *de tus descendientes*) serán benditas todas las naciones de la tierra.

4. Salió, pues, Abram como se lo había ordenado el Señor, partió con él Lot: de setenta y cinco años era Abram cuando salió *de la ciudad* de Harán.

5. Y llevó consigo a Sarai su mujer, y a Lot hijo de su hermano, con cuanta hacienda, y familia habían adquirido en Harán: y partieron para la tierra de Canaán. Venidos a ella,

6. Atravesó Abram el país hasta el lugar de Siquem, hasta el famoso valle. El Cananeo habitaba entonces aquella tierra.

7. Y apareció el Señor a Abram, y díjole: Esta tierra la daré a tu descendencia. Y él edificó allí mismo un altar al Señor, que se le había aparecido.

8. Y pasando de allí a un monte, que miraba al oriente de Betel, aquí tendió su pabellón, teniendo a Betel al occidente y a Hai al oriente, donde también erigió al Señor un altar, e invocó su *santo* nombre.

9. Prosiguió Abram su viaje, caminando y avanzando adelante hacia el mediodía.

10. Pero sobrevino el hambre en aquella tierra: y Abram tuvo que bajar a Egipto, para estarse allí como pasajero: a causa de que el hambre en el país era grandísima.

11. Estando ya para entrar en Egipto, dijo a Sarai, su esposa: Conozco que tú eres una mujer bien parecida:

12. Y que cuando los egipcios te habrán visto, han de decir: Es la mujer de éste: con lo que a mí me quitarán la vida, y a ti te reservarán *para sí*.

---

1. Esta es la segunda vocación referida en los *Hechos de los Apóstoles* (c VII. v. 5, 6); y desde ésta se cuentan los cuatrocientos años de peregrinación notados en el Exodo (c. XII, v. 40), y por San Pablo (Gal. III, v. 17).

2. Comprende esta bendición los bienes temporales; pero ya dice San Pablo que esperaba Abram *aquella ciudad bien fundada, cuyo arquitecto y fundador es Dios*. La felicidad de la Jerusalén celestial es la que principalmente se contenía en aquella bendición: *En tí serán benditas*. En tí: es decir, *en uno de tus descendientes*; como Génesis XXII, v. 18: y éste es *Cristo*, según dice el Apóstol ad Galat, III, v. 16.

**13.** Di, pues, te ruego, que eres hermana mía: para que yo sea bien recibido por amor tuyo, y salve mi vida por tu respeto.

**14.** Entrando, pues, Abram en Egipto vieron los egipcios que la mujer era en extremo hermosa.

**15.** Y los principales o cortesanos dieron noticia de ella a Faraón, alabándosela: y fué luego llevada al palacio de Faraón.

**16.** Y por respeto a ella trataron bien a Abram: el cual adquirió ovejas, y bueyes, y asnos, y esclavos, y esclavas, y asnas y camellos.

**17.** Pero Dios castigó a Faraón y a su corte con plagas grandísimas por causa de Sarai, mujer de Abram.

**18.** Por lo cual Faraón hizo llamar a Abram, y díjole: ¿Qué es esto que has hecho conmigo? ¿Cómo no me declaraste que era tu mujer?

**19.** ¿ Por qué motivos dijiste ser hermana tuya, poniéndome en ocasión de casarme con ella? Ahora, pues, ahí tienes tu mujer, tómala, y anda enhorabuena.

**20.** En consecuencia, Faraón encargó a sus gentes el cuidado de Abram: las cuales le acompañaron a él, y a su esposa, con todo lo que tenía *hasta fuera de Egipto.*

## CAPITULO XIII

*Sepáranse Abram y Lot a causa de su grande opulencia, por el bien de la paz. Lot escoge un territorio cerca del Jordán, y Abram habita en la tierra de Canaán, donde Dios le renueva las promesas.*

**1.** Salió, pues, Abram de Egipto, con su esposa, y todo lo que tenía y Lot con él, tirando hacia la región meridional.

**2.** Y estaba riquísimo en caudal de oro y de plata.

**3.** Y volvióse por el camino que había traído, del mediodía hacia Betel, hasta el lugar en donde primero tuvo asentada su tienda entre Betel y *la ciudad* de Hai.

**4.** Al sitio del altar que antes había hecho, y allí invocó el nombre del Señor.

**5.** Pero también Lot, que andaba en compañía de Abram, tenía rebaños de ovejas, y ganados mayores, y cabañas o *tiendas.*

**6.** Ni podían caber en aquel terreno, viviendo juntos: porque su hacienda era mucha, y no les era posible habitar en un mismo lugar.

**7.** De donde vino a suscitarse una riña entre los pastores de los ganados de Abram y los de Lot. Y el Cananeo y el Fereceo moraban a la sazón en aquella tierra.

**8.** Por lo que dijo Abram a Lot: Ruégote no haya disputa entre nosotros, ni entre mis pastores y los tuyos: pues somos hermanos.

**9.** Ahí tienes a la vista toda esta tierra: sepárate de mí, te ruego: si tú fueres a la izquierda yo iré a la derecha: si tú escogieses la derecha, yo me iré a la izquierda.

**10.** Lot, pues, habiendo alzado los ojos, miró toda la ribera del Jordán, por el camino que va a Segor, la cual era de regadío por todas partes; y, antes que asolase el Señor a Sodoma y Gomorra, *fecunda* como un paraíso del Señor, y como el *feraz* Egipto.

**11.** Y escogió Lot para sí la vega del Jordán, y apartóse del oriente: y separáronse entrambos hermanos uno de otro.

**12.** Abram se quedó en la tierra de Canaán, y Lot se quedó en los lugares adyacentes al Jordán, y fijó su morada en Sodoma.

**13.** Mas los sodomitas eran perversísimos, y muy grandes pecadores a los ojos de Dios.

**14.** Y dijo el Señor a Abram, después que Lot se separó de él: Alza tus ojos, y mira desde el sitio en que ahora estás, hacia el norte y el mediodía, hacia el oriente y el poniente.

**15.** Toda esa tierra que ves, yo te la daré a ti y a tu posteridad para siempre.

**16.** Y multiplicaré tu descendencia como el polvo de la tierra: si hay hombre que pueda contar los granitos de polvo de la tierra, ése podrá contar tus descendientes.

**17.** Levántate, y ve corriendo ese país a lo largo, y a lo ancho: porque a ti he de dártele.

---

13. Abram pide a Sarai que calle el nombre de esposa, y diga que era hermana suya, y realmente Sarai era hija de Aram, hermano de Abram; y los Hebreos llamaban *hermanos* a los parientes más cercanos; así después llamaba Abram hermano a Lot, su sobrino. Otros creen que Sarai verdaderamente era hermana de Abram, aunque de distinta madre. Gen. XX, v. 12, San Agustín hace ver como Abram procedió bien en este lance. *Contra Faust,* lib. XXII, c. 36.

**18.** Abram, pues, removiendo su pabellón, se puso en camino y fué a morar junto al valle o *encinar* de Mambre, que está al pie *de la ciudad* de Hebrón y edificó allí un altar al Señor.

## CAPITULO XIV

*Abram habiendo derrotado a Codorlahomor, y demás reyes aliados, libra del cautiverio a Lot; y recibe la bendición del rey y sacerdote Melquisedec, al cual ofrece el diezmo de todo el botín.*

**1.** Aconteció por aquel tiempo, que Amrafel rey de Sennar, y Arioc rey del Ponto, y Codorlahomor rey de los elamitas, y Tadal rey de Naciones,

**2.** Movieron guerra contra Bara rey de Sodoma, y contra Bersa rey de Gomorra, y contra Sennaab rey de Adama, y contra Semeber rey de Seboim, y contra el rey de Bala, la misma que *se llamó* Segor.

**3.** Todos estos vinieron a juntarse en el valle de las Selvas, que ahora es el mar salado.

**4.** Y el *motivo fué* porque habiendo estado doce años sujetos a Codorlahomor, al décimotercio sacudieron el yugo.

**5.** Por lo cual el año décimocuarto vino Codorlahomor, con los reyes que se reunieron: y derrotaron a los rafaitas en Astarotcarnaim, y con ellos a los zucitas y a los emitas en Save Cariataim.

**6.** Y a los corréos en los montes de Seir, hasta los campos de Farán, que está en el desierto.

**7.** Y dada la vuelta, vinieron a la fuente de Misfat, la misma que cades: y talaron todo el país de los amalecitas, y de los amorreos, habitantes en Asasontamar.

**8.** Y salieron *a campaña*, el rey de Sodoma, y el rey de Gomorra, y el rey de Adama, y el rey de Seboim, y también el rey de Bala, la cual es Segor: y ordenaron batalla contra ellos en el valle de las Selvas.

**9.** Es a saber, contra Codorlahomor rey de los elamitas, y Tadal rey de Naciones, y Amrafel rey de Sennaar, y Arioc rey del Ponto: cuatro reyes contra cinco.

**10.** *Es de notar* que el valle de las Selvas tenía muchos pozos de betún. *El resultado fue que* el rey de Sodoma, y el de Gomorra volvieron las espaldas y cayeron allí mismo: y los que escaparon huyeron al monte.

**11.** Así se apoderaron de toda la riqueza de Sodoma y Gomorra, y de todos los víveres, y se marcharon.

**12.** Llevándose asimismo a Lot, hijo del hermano de Abram, que habitaba en Sodoma, con todo cuanto tenía.

**13.** En esto unos de los que escaparon, fué a dar la nueva a Abram el Hebreo, que habitaba en el valle de Mambre Amorreo, hermano de Escol y de Aner: los cuales tenían hecha alianza con Abram.

**14.** Así que oyó Abram, que Lot, hermano suyo, había sido hecho prisionero, contó *o escogió* de entre los criados de su casa trescientos diez y ocho armados a la ligera: y fué siguiendo su alcance hasta Dan.

**15.** Donde divididas las tropas, echóse sobre ellos de noche: y desbaratólos y los fué persiguiendo hasta Hoba, que está a la izquierda de Damasco.

**16.** Con lo que recobró la riqueza, y a su hermano Lot con sus bienes, y también a las mujeres y *demás* gentes.

**17.** Por lo cual el rey de Sodoma, le salió a recibir en el valle de Save, que es el valle del rey, cuando volvía de la derrota de Codorlahomor, y de los reyes sus aliados.

**18.** Pero Melquisedec rey de Salem, presentando pan y vino, pues era sacerdote del Dios altísimo.

**19.** Le dió su bendición diciendo: ¡Oh Abram! bendito eres el Dios excelso que crió el cielo y la tierra:

**20.** Y bendito sea el excelso Dios, por cuya protección han caído en tus manos los enemigos. Y dióle *Abram* el diezmo de todo *lo que traía.*

**21.** Entonces el rey de Sodoma dijo a Abram: Dame las personas, las demás cosas quédatelas para ti.

**22.** Y Abram le respondió: Alzo mi mano al Señor Dios excelso, dueño del cielo y de la tierra *jurando en su nombre.*

**23.** Que ni una hebra de hilo, ni la correa de un calzado tomaré de todo lo que es tuyo, porque no digas: Yo enriquecí a Abram:

**24.** A excepción solamente de los alimentos, que han consumido los mozos, y de las porciones de estos varones *o aliados,* que vinieron conmigo, Aner, Escol y Mambre: éstos tomarán su parte.

---

**18.** Todo el misterio de este rey sacerdote, admirable figura de Jesucristo, sacerdote segun el orden de Melquidesec, y rey de paz, le explica divinamente San Pablo, capitulo VII, de la carta a los *Hebreos.*

## CAPITULO XV

*El Señor promete a Abram un hijo heredero de sus divinas promesas. Es justificado por su fe; y Dios hace con él una solemne alianza.*

1. Pasadas, pues, que fueron estas cosas, habló el Señor a Abram en una visión, diciendo: No temas, Abram, yo soy tu protector, y tu galardón sobremanera grande.

2. A que respondió Abram: ¡Oh Señor Dios! ¿y qué es lo que has de dar? Yo me voy *de este mundo sin* hijos: y así *habrá de heredarme* el hijo del mayordomo de mi casa, ese Eliecer de Damasco.

3. Pues por lo que a mí toca, añadió Abram, no habiéndome tú concedido sucesión; he aquí que ha de ser mi heredero este siervo nacido de mi casa.

4. Al punto le replicó el Señor, diciendo: No será éste tu heredero: sino un hijo que saldrá de tus entrañas, ése es el que te ha de heredar.

5. Y sacóle afuera, y le dijo: Mira al cielo, y cuenta, si puedes, las estrellas. Pues así, le dijo, será tu descendencia.

6. Creyó Abram a Dios, y *su fe* reputósele por justicia.

7. Díjole después: Yo soy el Señor, que te saqué de Ur de los caldeos, para darte la posesión de esta tierra.

8. Pero Abram repuso: ¡Oh Señor Dios! ¿Por dónde he de conocer que yo debo poseerla?

9. A lo que respondió el Señor, diciendo: Escógeme una vaca, una cabra y un carnero, todos de tres años, con una tórtola y una paloma.

10. Cogiendo, pues, *Abram* todos estos animales, los partió por medio, y puso las dos mitades una enfrente de otra con separación: pero las aves dejólas enteras.

11. Y bajaban las aves *de rapiña* sobre los cuerpos muertos, y Abram las ojeaba.

12. Pero al poner del sol, un pesado sueño sorprendió a Abram, y apoderóse de él un pavor grande, y *vióse rodeado* de tinieblas.

13. Entonces le fué dicho: Sepas desde ahora que tus descendientes han de vivir peregrinos en tierra ajena, donde los reducirán a esclavitud, y afligirlos han por espacio de cuatrocientos años.

14. Mas la nación, a quien han de servir yo la juzgaré: y después de esto saldrán cargados de riquezas.

15. Entre tanto tú irás en paz a juntarte con tus padres, terminando tus días en una dichosa vejez.

16. A la cuarta generación es cuando volverá acá: porque al presente no está todavía llena la medida de las maldades de los amorreos.

17. Puesto ya el sol sobrevino una oscuridad tenebrosa, y apareció un horno humeando, y una lluvia de fuego que atravesaba por entre los animales divididos.

18. Entonces el Señor firmó alianza con Abram, diciendo: A tu posteridad daré esta tierra desde el río Egipto o *Nilo* hasta el grande río Eufrates.

19. Los cineos, y los ceneceos, y los cedmoneos.

20. Y los heteos, y los fereceos, y tambien los rafaitas.

21. Y los amorreos, y los cananeos, y los gergeseos, y los jebuseos.

## CAPITULO XVI

*Deseosa Sarai del cumplimiento de las Promesas de Dios, ruega a Abram que tome por mujer a su esclava Agar. Concibe ésta, se porta mal con su ama: finalmente da a luz a Ismael.*

1. Sarai pues, mujer de Abram, no había dado a luz hijos: mas teniendo una esclava egipcia llamada Agar.

2. Dijo a su marido: Bien ves que Dios me ha hecho estéril, para que no pariese, despósate con mi esclava, por si a lo menos logro tener hijos de ella. Y como condescendiese él a sus instancias.

3. Tomó *Sarai* a su esclava Agar egipcia, al cabo de diez años que moraban en tierra de Canaán: y diósela por mujer a su esposo.

4. El cual la recibió por tal o *cohabitó con ella.* Pero Agar sintiéndose embarazada, comenzó a despreciar a su señora.

5. Y dijo Sarai a Abram: Mal te portas conmigo: yo te di a mi esclava por mujer, la cual viéndose encinta, me mira *ya* con desprecio: el Señor sea juez entre mí y entre ti.

6. A lo que respondiendo Abram, le dijo: Ahí tienes tu esclava a tu disposición, haz con ella como te pareciere. Y como Sarai la maltratase, ella huyó.

---

6. Sobre estas palabras léanse los elevados discursos de San Pablo en la Epístola a los Romanos, c. IV, v. 3, y en la de los Gálatas, c. III, y la de Santiago, c. II, v. 23. — Rom. V. v. 13.

18. La llama o columna de fuego era un símbolo de la Divinidad o de Dios, el cual, pasando por medio de las víctimas, confirmaba su alianza con Abram: acomodándose al estilo de las naciones antiguas de que habla Plutarco in *Quœst. Rom.*

**7.** Mas habiéndola hallado un ángel del Señor en un lugar solitario y junto a una fuente de agua, que está en el camino de Sur en el desierto.

**8.** Díjole: Agar, esclava de Sarai, ¿de dónde vienes tú? ¿y adónde vas? Vengo huyendo, respondió ella, de la presencia de Sarai mi ama.

**9.** Replicóle el ángel del Señor: Vuélvete a tu ama, y ponte humilde a sus órdenes.

**10.** Y añadió: Yo multiplicaré en tanto grado tu descendencia, que por su multitud no podrá contarse.

**11.** Y prosiguió diciendo: He aquí que tú has concebido, darás a luz un hijo: y le has de poner por nombre Ismael, por cuanto el Señor te ha oído en tu aflicción.

**12.** Este será un hombre fiero, se levantará él contra todos, y todos contra él: y fijará sus tiendas *o su morada* frente por frente a las de todos sus hermanos.

**13.** Y ella invocó *así* el nombre del Señor que le hablaba: ¡Oh Dios! tú eres el que has mirado *en la aflicción.* Porque es cierto, añadió, que he visto yo aquí las espaldas del *Señor Dios* que me ha mirado *benignamente.*

**14.** Por eso llamó a aquel pozo, Pozo de *Dios* viviente y que me ha mirado *y amparado.* Este es el que está entre Cades y Barad.

**15.** En fin, Agar dió un hijo a Abram: el cual le puso el nombre de Ismael.

**16.** De ochenta y seis años era Abram cuando Agar le dió a Ismael.

## CAPITULO XVII

*Renueva el Señor más párticularmente sus promesas al patriarca Abram, dándole la ley de la circuncisión, y mudándole el nombre a él y a Sarai.*

**1.** Mas después que hubo entrado en los noventa y nueve años, apareciósele el Señor, y le dijo: Yo soy el Dios todopoderoso: camina *como siervo fiel* delante de mí, y sé perfecto.

**2.** Y yo confirmaré mi alianza entre mí y entre ti, y te multiplicaré más y más en gran manera.

**3.** Postróse Abram sobre su rostro.

**4.** Y dijole Dios: Yo soy, y mi pacto será contigo, y vendrás a ser padre de muchas naciones.

**5.** Ni de hoy más será tu nombre Abram: sino que serás llamado Abraham: porque te tengo destinado por padre de muchas naciones.

**6.** Yo te haré crecer hasta lo sumo, y te constituiré cabeza *o estirpe* de *muchos* pueblos, y reyes descenderán de ti.

**7.** Y estableceré mi pacto entre mí y entre ti, y entre tu posteridad después de ti en la serie de sus generaciones, con alianza sempiterna: para ser yo el Dios tuyo, y de la posteridad tuya después de ti.

**8.** A este fin te daré a ti y a tus descendientes la tierra en que estás *ahora* como peregrino, toda la tierra de Canaán en posesión perpetua, y seré el Dios de ellos.

**9.** Dijo de nuevo Dios a Abraham: Tú, pues, también has de guardar mi pacto, y después de ti tu posteridad en sus generaciones.

**10.** Este es el pacto mío que habéis de observar entre mí, y vosotros, así tú como tu descendencia después de ti: Todo varón entre vosotros será circuncidado.

**11.** Circuncidaréis vuestra carne, en señal de la alianza contraída entre mí y vosotros.

**12.** Entre vosotros todos los infantes del sexo masculino a los ocho días *de nacidos* serán circuncidados, de una a otra generación: el siervo, ora sea nacido en casa, ora le hayáis comprado, y todo el que no fuere de vuestro linaje, ha de ser circuncidado.

**13.** Y estará mi pacto *señalado* en vuestra carne para *denotar* la alianza eterna *que hago con vosotros.*

**14.** Cualquiera del sexo masculino, cuya carne no hubiere sido circuncidada, será su alma borrada de su pueblo: porque contravino a mi pacto.

**15.** Dijo también Dios a Abraham: A Sarai tu mujer ya no la llamarás Sarai, sino Sara.

**16.** Yo le daré mi bendición, y te daré de ella un hijo a quien he de bendecir *también*, y será origen de *muchas* naciones, y descenderán de él reyes de *varios* pueblos.

---

12. Los Ismaelitas habitaban alrededor de la Judea, de Idumea, del país de Moab, y de los Ammonitas.

---

5. Los hijos de Abraham según el espíritu, más que los hijos según la carne, son el objeto de esta promesa, en la cual entran los Gentiles imitadores de la fe de Abraham.

**17.** Abraham se postró sobre su rostro, y sonrióse, diciendo en su corazón: ¿Con qué a un viejo de cien años le nacerá un hijo? ¿y Sara de noventa ha de dar a luz?

**18.** Y dijo a Dios: ¡Ojalá que Ismael viva delante de ti!

**19.** Y Dios respondió a Abraham: *sí por cierto*: Sara te ha de parir un hijo, y le pondrás por nombre Isaac, y con él confirmaré mi pacto en alianza sempiterna, y con su descendencia después de él.

**20.** He otorgado también tu petición sobre Ismael: he aquí que le bendeciré, y le daré una descendencia muy grande y muy numerosa: será padre de doce caudillos o *príncipes*, y le haré jefe de una nación grande.

**21.** Pero el pacto mío le estableceré con Isaac, que Sara te dará por este tiempo el año que viene.

**22.** Acabado este razonamiento con él, se retiró Dios de la vista de Abraham.

**23.** Entonces Abraham tomó a Ismael su hijo, y a todos los siervos o *criados* nacidos en su casa, y a todos los que había comprado, a todos cuantos varones había en su familia: y los circuncidó luego al punto en aquel mismo día, como se lo había mandado Dios.

**24.** Noventa y nueve años tenía Abraham cuando se circuncidó.

**25.** E Ismael su hijo tenía trece cumplidos al tiempo de su circuncisión.

**26.** En el mismo día fueron circuncidados Abraham e Ismael su hijo.

**27.** Y todos los varones de su casa, tanto nacidos en ella, como los comprados y los de tierra extraña, fueron igualmente circuncidados.

## CAPITULO XVIII

*Tres ángeles en traje de peregrinos hospedados y agasajados de Abraham, le prometen un hijo de Sara. Oyéndolo ésta, se ríe, y es reprendida por los ángeles. Predice a Abraham la ruina de Sodoma, por la cual intercede repetidas veces.*

**1.** Apareciósele *de nuevo* el Señor en el valle o *encinar* de Mambre estando él sentado a la puerta de su tienda en el mayor calor del día.

**2.** Sucedió, pues, que alzando los ojos vió cerca de sí parados a tres personajes: y luego que los vió, corrió a su encuentro desde la puerta del pabellón, y les hizo reverencia *inclinándose* hasta el suelo.

**3.** Y dijo: Señor, si yo he hallado gracia en tu presencia, no pases de largo a tu siervo.

**4.** Mas yo traeré un poco de agua, y lavaréis vuestros pies, y descansaréis a la sombra de este árbol.

**5.** Y os pondré un bocado de pan, para que reparéis vuestras fuerzas: después pasaréis adelante: pues que *tal vez* por esto os habéis dirigido hacia vuestro siervo. Ellos respondieron: *Bien,* haz como has dicho.

**6.** Abraham entró corriendo en el pabellón de Sara, y le dijo: Ve pronto: amasa tres satos o *celemines* de harina de flor y cuece unos panes en el rescoldo.

**7.** Y él mismo fué corriendo a la vacada, y cogió de ella el ternerillo más tierno y gordo, y dióle a un criado, que luego le tuvo aderezado.

**8.** Tomó también manteca y leche, y con el ternerillo cocido, se lo presentó mientras tanto estaba en pie junto a ellos debajo del árbol.

**9.** En habiendo comido, le preguntaron: ¿En dónde está Sara tu esposa? Ahí está, respondió, dentro de la tienda.

**10.** Díjole uno de ellos: Yo volveré a ti sin falta *dentro de un año* por este mismo tiempo, si Dios quiere, y Sara tu mujer tendrá un hijo. Al oír esto Sara, se rió detrás de la puerta de la tienda.

**11.** Es de considerar que ambos a dos eran viejos, y de avanzada edad, y a Sara le había faltado ya la costumbre de las mujeres.

**12.** Rióse, pues, secretamente, diciendo *para consigo:* ¿Con qué después que ya estoy vieja, y mi señor lo está más, pensaré en usar del matrimonio?

**13.** Y dijo el Señor a Abraham: ¿Por qué se ha reído Sara, diciendo: ¿Si será verdad que yo he de dar a luz siendo *tan* vieja?

**14.** Pues qué, ¿hay para Dios cosa difícil? Al plazo prometido volveré a visitarte por este mismo tiempo, si Dios quiere, y Sara tendrá un hijo.

---

**17.** Por efecto de alegría, no de incredulidad; como se ve en lo que dice *San Pablo ad Romanos* IV, v. 18, 22.

---

**2.** Los tres personajes que aparecieron a Abraham, representaban al Señor en las tres divinas Personas y eran Angeles en figura humana. *Hebr.* XIII, v. 2. — *S. Agus* XVI, *de Civit. Dei*, c. 29. Abraham a veces habla con uno, que sería tal vez el que iba en medio, y a veces con los tres.

**15.** Negó Sara y dijo llena de temor: No me he reído: Mas el Señor replicó: No es así: sino que te has reído.

**16.** Levantados de allí aquellos *tres* varones, dirigieron su vista *y sus pasos* hacia Sodoma: y Abraham los iba acompañando, hasta despedirlos.

**17.** Y dijo el Señor: ¿Cómo es posible que yo encubra a Abraham lo que voy a ejecutar?

**18.** Habiendo él de ser cabeza de una nación grande, y tan fuerte, y BENDITAS en él todas las naciones de la tierra?

**19.** Pues bien sé que ha de mandar a sus hijos, y a su familia después de sí, que guarden el camino del Señor, y obren según rectitud y justicia: para que cumpla el Señor por amor de Abraham todas las cosas que le tiene prometidas.

**20.** Díjole, pues, el Señor: El clamor de Sodoma y de Gomorra se aumenta más y más, y la gravedad de su pecado ha subido hasta lo sumo.

**21.** Quiero ir y ver si sus obras igualan al clamor que ha llegado a mis oídos: para saber si es así o no.

**22.** Y partiendo de allí *dos de ellos* tomaron el camino de Sodoma: Abraham, empero, se mantenía aún en pie delante del Señor.

**23.** Y arrimándose le dijo: ¿Por ventura destruirás al justo con el impío?

**24.** Si se hallaren cincuenta justos en aquella ciudad, ¿han de parecer ellos también? ¿y no perdonarás a todo el pueblo por amor de los cincuenta justos, si se hallaren en él?

**25.** Lejos de ti tal cosa, que tú mates al justo con el impío, y sea aquél tratado como éste, no es eso propio de ti: tú que *eres el que* juzgas toda la tierra, de ningún modo harás tal juicio.

**26.** Y díjole el Señor: Si yo hallare en medio de la ciudad de Sodoma cincuenta justos, perdonaré a todo el pueblo por amor de ellos.

**27.** E instando Abraham, dijo: Ya que una vez he comenzado, hablaré a mi Señor, aunque sea yo polvo y ceniza.

**28.** Y ¿qué? si faltasen cinco justos al número de cincuenta, ¿destruirás la ciudad toda entera, porque no son más de cuarenta y cinco? Y respondió: No la destruiré, si hallare en ella cuarenta y cinco.

**29.** Replicóle de nuevo: Y si se encontraren en ella cuarenta, ¿qué harás? No la castigaré, respondió, por amor de los cuarenta.

**30.** Suplícote, Señor, le dijo, que no te enojes si prosigo hablando: ¿Y qué, si se hallaren allí treinta? Respondió: No lo haré, si hallare allí los treinta.

**31.** Ya que he empezado una vez, dijo, hablaré a mi Señor: ¿Y si allí se hallaren veinte? No la destruiré, respondió, por amor de los veinte.

**32.** Ruégote, Señor, prosiguió, no te irrites, si aún hablare esta sola vez: ¿Y si se hallaren allí diez? A lo que respondió: No la destruiré, por amor de los diez.

**33.** Y se fué o *desapareció* el Señor, luego que acabó de hablar con Abraham: el cual se volvió a su casa.

## CAPITULO XIX

*Nefanda disolución de los Sodomitas: los cuales son todos abrasados con fuego del cielo: de él libertaron a Lot los ángeles sus huéspedes. Castigo de la mujer de Lot, e incesto de éste con sus dos hijas.*

**1.** Entre tanto los dos ángeles llegaron al caer de la tarde a Sodoma, y al tiempo que Lot estaba sentado a la puerta de la ciudad. El cual luego que los vió, se levantó, y salióles al encuentro: y los adoró inclinándose hacia el suelo.

**2.** Y dijo: Ruégoos, señores, que vengáis a la casa de vuestro siervo, y os hospedéis en ella: lavaréis vuestros pies, y de madrugada proseguiréis vuestro viaje. Ellos respondieron: No, pues nos quedaremos *a descansar* en la plaza.

**3.** A puras instancias, *en fin*, los obligó a que se encaminasen a su casa: y entrados que fueron en ella les dispuso un banquete, y coció panes sin levadura: y cenaron.

**4.** Pero antes que se fuesen a acostar, cercaron la casa los vecinos de la ciudad, todo el pueblo junto, desde el más muchacho hasta el más viejo.

**5.** Y llamando a Lot, le dijeron: ¿En dónde están aquellos hombres que al anochecer han entrado en tu casa? Sácalos acá fuera, para que los conozcamos.

**6.** Salió a ellos Lot, y cerrando tras sí la puerta, díjoles.

**7.** No queráis, os ruego, hermanos míos, no queráis cometer esta maldad.

8. Dos hijas tengo; que todavía son doncellas: éstas os las sacaré a fuera, y haced de ellas lo que gustareis; con tal que no hagáis mal alguno a estos hombres, ya que se acogieron a la sombra de mi techo.

9. Mas ellos respondieron: Quita allá. Y aún añadieron: Viniste poco ha a vivir entre nosotros como extranjero, ¿y quieres ya gobernar? pues a ti te trataremos peor que a ellos. Y forcejeaban contra Lot con grandísima violencia: y ya estaban a punto de forzar la puerta.

10. Cuando he aquí que los huéspedes alargaron la mano, y metieron a Lot dentro y cerraron otra vez la puerta.

11. Y a los de afuera, del menor hasta al mayor hirieron de una especie de ceguera, que no pudieron atinar *más* con la puerta.

12. En seguida dijeron a Lot: ¿Tienes aquí alguno de los tuyos? yerno, hijos o hijas, a todos los tuyos sácalos de esta ciudad.

13. Porque vamos a arrasar este lugar, por cuanto el clamor *contra las maldades* de estos *pueblos* ha subido de punto en la presencia del Señor, el cual nos ha enviado a exterminarlos.

14. Salió, pues, Lot, y habló a sus yernos que habían de casarse con sus hijas, y dijo: Levantaos, y salid de este lugar: porque va el Señor a asolar esta ciudad. Mas a ellos les pareció que hablaba como chanceándose *y no quisieron salir.*

15. Y al apuntar el alba, metíanle prisa los ángeles, diciendo: Apresúrate, toma a tu mujer, las dos hijas que tienes: no sea que tú también perezcas en *la ruina de* esta ciudad malvada.

16. Viendo que se entretenía, le agarraron de la mano a él, a su mujer y a sus dos hijas, pues el Señor quería salvarle.

17. Y sacáronle, y le pusieron fuera de la ciudad: y allí le dijeron estas palabras: Salva tu vida: no mires hacia atrás; ni te pares en toda la región circunvecina; sino ponte a salvo en el monte, no sea que también tú perezcas juntamente con los otros.

18. Díjoles Lot: Ruégote, Señor mío.

19. Pues que tu siervo ha encontrado gracia en tus ojos, y has mostrado conmigo tan gran misericordia, poniendo en salvo mi vida, ya que no puedo arribar al monte antes que quizá me alcance el azote, y muera.

20. Ahí cerca está una ciudad pequeña, donde podré refugiarme, y en ella me salvaré. ¿No es ella de poca monta, y no estará allá segura mi vida?

21. Respondióle *el ángel:* Mira, aún en esto te otorgo la súplica: no destruiré la ciudad por la cual me has hablado.

22. Date prisa, y sálvate allí: pues nada podré hacer hasta que tú te pongas *en cobro* dentro de ella. Por esta razón se dió a dicha ciudad el nombre de Segor.

23. Al rayar el sol sobre la tierra, entró Lot en Segor.

24. Entonces el Señor llovió del cielo sobre Sodoma y Gomorra azufre y fuego por virtud del Señor.

25. Y arrasó estas ciudades, y todo el país confinante, los moradores todos de las ciudades, y todas las verdes campiñas de su territorio.

26. La mujer, empero, de Lot, volviéndose a mirar hacia atrás, quedó convertida en estatua de sal.

27. Y Abraham, yendo muy de mañana al sitio en donde antes había estado con el Señor.

28. Se puso a mirar hacia Sodoma y Gomorra, y todo el terreno de aquella región: y vió levantarse de la tierra pavesas *ardientes* así como la humareda de un horno *o calera.*

29. Así, pues, que determinó Dios acabar con las ciudades de aquel país, se acordó de Abraham, *y por su respeto* libró a Lot de la ruina de las ciudades en que había morado.

30. *Temeroso* Lot se retiró de Segor y fué con sus dos hijas a refugiarse en el monte (pues no se daba por seguro en Segor) y se quedó en una cueva, así él como sus dos hijas.

31. Entonces dijo la mayor a la menor: Nuestro padre es viejo, y no ha quedado en la tierra ni un hombre que puede casarse con nosotras según se acostumbra en todos los países.

---

8. San Agustín confesando el pecado de Lot, dice en pocas palabras cuanto se puede alegar razonablemente para excusarle. *Lot, horrorizado de los pecados que iban a cometer los otros, no repara en su propio pecado, ofreciendo sus hijas a la brutalidad de aquellos malvados.*

24. Los Santos Padres *reconocen* en estas palabras, *el Señor llovió por virtud del Señor,* una declaración de la distinción de las Personas divinas, Padre e Hijo, de la divinidad de éste; y comparan dicha expresión con aquélla del Salmo CIX. v. 1, *Dijo el Señor a mi* Señor, citada por Jesucristo.

31. Aunque pueda la perturbación en que estaban excusarlas de la mentira; pero no del incesto. Mas Lot pecó, dice San Agustín, no cuando cometió el incesto, sino cuando se embriagó. *Lib.* XXII, *cont. Faustum.*

32. Ven, y emborrachémosle con vino, y durmamos con él, a fin de poder conservar el linaje por medio de nuestro padre.

33. Con eso le dieron a beber vino aquella noche: y la mayor se acostó y durmió con su padre: pero él no sintió ni cuando se acostó su hija, ni cuando se levantó.

34. Asimismo al día siguiente dijo la mayor a la menor: Ya sabes que dormí ayer con mi padre, démosle también a beber vino esta noche, dormirás tú con él, para que conservemos la sucesión de nuestro padre.

35. Dieron, pues, del mismo modo a su padre a beber vino aquella noche, y acostada la hija menor, durmió con él: y ni tampoco entonces sintió cuando ella se había acostado, o cuando se había levantado.

36. Y sucedió que las dos hijas de Lot concibieron de su padre.

37. *A su tiempo* la mayor dió a luz un hijo, y llamó su nombre Moab: éste es el padre de los moabitas que subsisten hasta hoy.

38. La menor también dió a luz un hijo, y púsole por hombre Ammón, esto es, hijo del pueblo mío: el cual es el padre de los ammonitas que subsisten hasta el día de hoy.

# CAPITULO XX

*Abraham pasa a Gerara: castigo y amenazas del Señor al rey Abimelec por lo que intentó con Sara.*

1. Habiendo partido de allí Abraham hacia la tierra meridional, habitó entre Cades y Sur: y se hospedó en Gerara.

2. *Y hablando* de Sara su esposa, dijo *o dió a entender* que era hermana suya. Por lo que Abimelec, rey de Gerara, envió por ella, y se la tomó.

3. Pero Dios por la noche apareció en sueños a Abimelec y le dijo: Mira que tú morirás por causa de mujer que has tomado: porque tiene marido.

4. Es de saber que Abimelec no la había tocado, y así respondió: ¿Cómo, Señor, tú castigarás de muerte a gente ignorante, pero justa? ¿a un hombre inocente?

5. ¿No me dijo él mismo: Es hermana mía: y ella misma afirmó: Hermano mío es? Yo hice esto con sencillo corazón, y obrando con intención pura.

6. Díjole Dios: Yo también sé que lo hiciste con corazón sencillo; y por eso te he preservado de pecar contra mí, ni permití que la tocases.

7. Ahora, pues, restituye la mujer a su marido porque él es un profeta: y rogará por ti, y vivirás: mas si no quisiéreis restituirla, sábete que morirás infaliblemente tú y todas las cosas tuyas.

8. Con eso al instante siendo aún de noche levantóse Abimelec, y llamó a todos sus criados: les contó palabra por palabra todo lo referido, y quedaron todos ellos muy amedrentados.

9. Llamó también Abimelec a Abraham, y díjole: ¿Qué es lo que has hecho con nosotros? o ¿en qué te hemos ofendido, para que me hayas expuesto a mí y a mi reino a un grande pecado? has hecho con nosotros lo que hacer no debiste.

10. Y querellándose de nuevo, dijo: ¿Qué has visto, para portarte así con nosotros?

11. Respondió Abraham: Pensé, y dije allá en mi interior: quizás no hay temor de Dios en este lugar, y me quitarán la vida por causa de mi mujer.

12. Por otra parte verdaderamente también es hermana mía, hija *o nieta* de mi padre, pero no de mi madre, y yo me casé con ella.

13. Pero después que Dios me hizo salir de la casa de mi padre a ella le dije: La merced que me has de hacer es: Que en cualquier lugar, a que lleguemos, digas que soy hermano tuyo.

14. En seguida Abimelec mandó traer ovejas y bueyes, esclavos y esclavas, de que hizo donación a Abraham: y restituyéndole a Sara su esposa.

15. Y añadió: Ahí tenéis el país: habita en donde gustares.

16. Mas a Sara le dijo: Mira que he dado a tu hermano mil monedas de plata, para que, en cualquier lugar a que vayas, tengas siempre un velo sobre los *ojos en señal de casada* delante de todos aquéllos con quienes te hallares: y acuérdate de que has sido cogida *y reputada por soltera*

17. Y haciendo oración Abraham, sanó Dios a Abimelec y a su mujer, y a sus esclavas, y volvieron a tener hijos.

18. Porque el Señor había vuelto estériles a todas las mujeres de la casa de Abimelec, por lo sucedido con Sara, mujer de Abraham.

## CAPITULO XXI

*Nacimiento de Isaac, y su circuncisión. Abraham echa de casa a Agar e Ismael. Abimelec hace alianza con Abraham.*

1. Y visitó el Señor a Sara como lo había prometido: cumplió la promesa *que le hiciera.*

2. Y *así* concibió y dió a luz un hijo en la vejez, al tiempo que Dios le había predicho.

3. Y Abraham puso por nombre Isaac al hijo que le dió Sara.

4. Y circuncidóle al octavo día, conforme al mandamiento que había recibido de Dios.

5. Siendo *entonces* de cien años, pues en esta edad del padre nació Isaac.

6. Por donde dijo Sara: Dios me ha dado motivo de alegrarme, y cualquiera que lo oyere, se regocijará conmigo.

7. Y añadió: ¿Quién hubiera creído que Abraham había de oir que Sara daba de mamar a un hijo, que le dió siendo ya viejo?

8. Creció, pues, el niño, y se le destetó: y en el día en que fué destetado, celebró Abraham un gran convite.

9. Mas como viese Sara que el hijo de Agar la egipcia se burlaba de su hijo Isaac *y le perseguía,* dijo a Abraham.

10. Echa fuera a esta esclava, y a su hijo, que no ha de ser el hijo de la esclava el heredero con mi hijo Isaac.

11. Dura cosa pareció a Abraham esta demanda *tratándose* de un hijo suyo.

12. Mas Dios le dijo: No te parezca cosa recia lo que se te ha propuesto acerca de ese muchacho, y de la *madre* esclava tuya: haz todo lo que Sara te dirá: porque Isaac es por cuya línea ha de permanecer *el hombre* de tu descendencia.

13. Bien que aun al hijo de la esclava yo le haré padre de un pueblo grande por ser sangre tuya.

14. Levantóse, pues, Abraham de mañana, y cogiendo pan y un odre de agua, púsolo sobre los hombros de Agar, y le entregó su hijo, y despidióla. La cual habiendo partido, andaba errante por el desierto de Bersabée.

15. Y habiéndosele acabado el agua del odre, abandonó a su hijo *que se echó* debajo de un árbol, de los que allí había.

16. Y se fué, y sentóse en frente a lo lejos a distancia de un tiro de flecha: porque dijo: No quiero ver morir a mi hijo: y así sentada en frente de *Ismael,* alzó el grito y comenzó a llorar.

17. Pero Dios oyó la voz *y clamores* del muchacho: y el Angel de Dios desde el cielo llamó a Agar, diciendo: ¿Qué haces, Agar? no temas: porque Dios ha oído la voz de tu hijo desde el lugar en que se halla.

18. Levántate, toma al muchacho, y cógele de la mano; pues yo le haré cabeza de una gran nación.

19. En esto abrió Dios los ojos a Agar: la cual viendo allí cerca un pozo de agua, fué *corriendo,* y llenó el odre, y dió de beber al muchacho.

20. Y Dios asistió a éste y fué creciendo y vivió en los desiertos, y vino a ser un joven diestro en manejar el arco.

21. Y fijó su habitación en el desierto de Farán, donde su madre le casó con una mujer de la tierra de Egipto.

22. Por este mismo tiempo Abimelec, acompañado de Ficol, general de sus tropas, dijo a Abraham: Dios está contigo en todo cuanto haces.

23. Por tanto jura por *el nombre de* Dios que no me harás daño ni a mí, ni a mis sucesores, ni a mi linaje, sino que me tratarás a mí y a este país en que has habitado como extranjero, con la misma bondad con que yo te he tratado a ti.

24. Respondió Abraham: Yo te lo juraré.

25. Y dió *entonces* quejas a Abimelec acerca de un pozo de agua que sus criados le habían usurpado a viva fuerza.

26. A lo que replicó Abimelec: No he sabido quien ha hecho tal cosa: ni tú tampoco me lo has avisado, ni yo lo había oído hasta ahora.

27. Entonces Abraham tomó *una porción de* ovejas y *de* bueyes, y dióselos a Abimelec: e hicieron entrambos alianza.

28. Y Abraham puso aparte siete corderas del rebaño.

29. Por lo que Abimelec le dijo: ¿Qué significan esas siete corderas que has separado?

---

9. *Ismael,* dice San Pablo (*ad Galat.* IV, *v.* 29), *perseguía a Isaac.* San Agustín cree que Sara temió que la envidia y aversión de Ismael le llevasen a dar la muerte a Isaac, renovando la horrible tragedia de Caín y Abel.

**30.** A lo que respondió él: Estas siete corderas las recibirás de mi mano: para que me sirvan de testimonio cómo yo he abierto este pozo.

**31.** Por eso fué llamado aquel lugar Bersabée porque allí juraron ambos.

**32.** Y firmaron el pacto acerca del pozo del juramento.

**33.** Partieron, pues, Abimelec, y Ficol general de su ejército, y volviéronse a la Palestina. Abraham después plantó un bosque o *arboleda* en Bersabée, y allí invocó el nombre del Señor Dios eterno.

**34.** Y habitó mucho tiempo como extranjero en la tierra de los palestinos.

## CAPITULO XXII

*Prueba extraordinaria que hace Dios de la fe y la obediencia de Abraham mandándole inmolar a Isaac: con cuyo motivo le renueva las promesas. Serie de los hijos de Nacor.*

**1.** Después que pasaron estas cosas, probó Dios a Abraham, y le dijo: Abraham, Abraham. Y respondió él: Aquí me tenéis, *Señor.*

**2.** Díjole: Toma à Isaac, tu hijo único, a quien *tanto amas,* y ve a la tierra de visión: y allí me le ofrecerás en holocausto sobre uno de los montes que yo te mostraré.

**3.** Levantándose, pues, Abraham antes del alba, aparejó su asno: llevando consigo dos mozos y a Isaac su hijo: Y cortada la leña para el holocausto, encaminóse al lugar que Dios le había mandado.

**4.** Al tercer día de *camino,* alzando los ojos, divisó el lugar a lo lejos.

**5.** Y dijo a sus mozos: Aguardad aquí con el jumento: que yo y mi hijo subiremos allá arriba con presteza, y acabada nuestra adoración, volveremos *luego* a vosotros.

**6.** Tomó también la leña del holocausto, y cargóla sobre su hijo Isaac: y él llevaba en las manos el fuego y el cuchillo. Caminando así los dos juntos.

---

**33.** En aquellos tiempos en que la vida de los hombres era pastoril o campestre no había aún edificios consagrados a los ejercicios de la religión; y los altares se erigían en los lugares más elevados, o en los bosques.

**2.** Monte llamado por eso *Moriab,* esto es, *Visión;* donde fué después edificada Jerusalén; y en una de cuyas colinas estuvo el calvario.

**5.** Abraham, fiado en las promesas de Dios sobre Isaac, creía que poderoso era Dios para resucitar a Isaac, como dijo el Apóstol. *Hebr.* XI, *v.* 19.

**6.** Viva imagen de Jesucristo cargado con el leño de la cruz.

**7.** Dijo Isaac a su padre: Padre mío. Y él respondió: ¿Qué quieres, hijo? Veo, dice, el fuego y la leña: ¿dónde está la víctima del holocausto?

**8.** A lo que respondió Abraham: Hijo mío, Dios sabrá proveerse de víctima para el holocausto. Continuaron, pues, juntos su camino.

**9.** Y *finalmente* llegaron al lugar que Dios le había mostrado, en donde erigió un altar, y acomodó encima la leña: y habiendo atado a Isaac, su hijo, púsole en el altar sobre el montón de la leña.

**10.** Y extendió la mano, y tomó el cuchillo para sacrificar a su hijo.

**11.** Cuando he aquí que de repente el Angel del Señor gritó del cielo, diciendo: Abraham, Abraham. Aquí me tienes, respondió él.

**12.** No extiendas tu mano sobre el muchacho, prosiguió el Angel, ni le hagas daño alguno: que ahora me doy por satisfecho de que temes a Dios, pues no has perdonado a tu hijo único por amor de mí *o por obedecerme.*

**13.** Alzó Abraham los ojos, y vió detrás de sí un carnero enredado por las astas en un zarzal, y habiéndole cogido le ofreció en holocausto en vez del hijo.

**14.** Y llamó este lugar *Moriah, esto es,* el Señor ve *y provee.* De donde hasta el día de hoy se dice: En el monte el Señor verá *y proveerá*

**15.** Llamó el Angel del Señor por segunda vez desde el cielo a Abraham, diciendo.

**16.** Por mí mismo he jurado, dice el Señor: que en vista de que has hecho esta acción, y no has perdonado a tu hijo único por amor de mí.

**17.** Yo te llenaré de bendiciones, y multiplicaré tu descendencia como las estrellas del cielo, y como la arena que está en la orilla del mar: tu posteridad poseerá las ciudades de sus enemigos.

**18.** Y en un descendiente tuyo SERAN BENDITAS todas las naciones de la tierra, porque has obedecido a mi voz.

**19.** Volvióse Abraham a sus criados, y fuéronse juntos a Bersabée, en donde habitó.

**20.** Después de estas cosas, tuvo Abraham noticia de que Melca también había dado hijos a Nacor, su hermano.

**21.** Hus el primogénito, y Buz hermano de éste, y Camuel padre de los siros.

**22.** Y Cased, y Azau, Feldas también y Jedlaf.

**23.** Y *en fin* Batuel, de quien nació Rebeca, estos ocho hijos dió Melca a Nacor, hermano de Abraham.

**24.** Una mujer segunda llamada Roma, le dió a Tabée, Gaham, Taas y Maaca.

## CAPITULO XXIII

*Muere Sara, y compra Abrahàm una posesión en la tierra de Canaán para darle sepultura.*

**1.** Sara, habiendo vivido ciento y veintisiete años.

**2.** Murió en la ciudad de Arbée, por otro nombre Hebrón, en la tierra de Canaán: y asistió Abraham con lágrimas a celebrar sus exequias y hacer el duelo.

**3.** Y concluído que hubo las ceremonias del funeral, habló a los hijos de Het, diciendo:

**4.** Yo soy advenedizo y extranjero entre vosotros: concededme, *os ruego,* derecho de sepultura entre vosotros, para enterrar a mi difunto.

**5.** Respondieron los hijos de Het, diciendo:

**6.** Escúchanos, señor; tú eres entre nosotros un príncipe de Dios *o un príncipe grande:* entierra tu difunto en la que mejor te pareciere de nuestras sepulturas: que no habrá nadie que pueda impedirte el colocar en su sepultura a tu muerto.

**7.** Levantóse Abraham, e hizo una profunda reverencia al pueblo de aquella tierra, esto es, a los hijos de Het.

**8.** Y díjoles: Si tenéis a bien que yo entierre mi difunto, oíd mi súplica, e interceded por mí con Efrón, hijo de Seor.

**9.** Para que me conceda la cueva doble, que tiene a lo último de su heredad: cediéndomela en presencia vuestra por su justo precio, y quede así mía para hacer de ella una sepultura.

**10.** Hallábase allí Efrón, en medio de los hijos de Het. Y respondió a Abraham oyéndolo todos los que concurrían a la puerta de aquella ciudad, y dijo:

**11.** No, señor mío, no ha de ser así, escucha más bien lo que voy a decirte. Yo pongo a tu disposición el campo: y la cueva que hay en él, siendo testigos los hijos de mi pueblo, entierra *allí* tu difunto.

**12.** Abraham hizo una profunda reverencia delante del pueblo del país.

**13.** Y contestó a Efrón, estando alrededor todo el concurso: Suplícote me oigas: Yo daré el precio del campo: recíbele, y de esta manera enterraré en él a mi difunto.

**14.** A esto respondió Efrón:

**15.** Señor mío, óyeme: La tierra que pretendes vale cuatrocientos siclos de plata: este es el precio *de lo que tratamos entre los dos.* Mas ¿qué cantidad es ésta? Entierra tu difunto, *y no hablemos más de eso.*

**16.** Abraham, oído esto, hizo pesar el dinero determinado por Efrón, a presencia de los hijos de Het, *es a saber,* cuatrocientos siclos de plata de buena moneda corriente.

**17.** Con esto aquel campo que antes era de Efrón, en que había una cueva doble, mirando hacia Mambre, tanto el campo, como la cueva, con todos los árboles en todo su término alrededor.

**18.** Fué cedido en pleno dominio a Abraham, a vista de los hijos de Het y de cuantos entraban por la puerta de aquella ciudad.

**19.** De esta manera sepultó Abraham a Sara, su esposa, en la cueva doble del campo, en frente de Mambre, en donde está *la ciudad* de Hebrón, en la tierra de Canaán.

**20.** Y los hijos de Het confirmaron a Abraham el dominio del campo, y de la cueva que en él había, para que le sirviese de sepultura.

## CAPITULO XXIV

*Envía Abraham a su mayordomo a la Mesopotamia para que allí busque en la familia de Nacor, su hermano, una esposa para su hijo Isaac; y trae a Rebeca, hija de Batuel, nieta de Nacor.*

**1.** Viéndose Abraham ya viejo, y de edad muy avanzada: y que el Señor le había bendecido en todas las cosas.

**2.** Dijo al criado más antiguo de su casa, y mayordomo de cuanto tenía. Pon tu mano debajo de mi muslo.

**3.** Para tomarte juramento por el Señor, Dios del cielo y de la tierra, que no casarás a mi hijo con mujer de las hijas de los cananeos, entre los cuales habito.

**4.** Sino que irás a mi tierra y a la parentela mía, y de allí traerás mujer para mi hijo Isaac.

**5.** Respondió el criado: Y si la mujer no quisiese venir conmigo a este país, ¿debo por ventura llevar a tu hijo al lugar de donde tú saliste?

**6.** Guárdate bien, dijo Abraham, de conducir jamás allá a mi hijo.

**7.** El Señor Dios del cielo, que me sacó de la casa de mi padre, y de la tierra de mi nacimiento, el cual me habló, y me juró, diciendo: A tu descendencia daré esta tierra: él mismo enviará su Angel delante de ti, y hará que traigas de aquel país mujer para mi hijo.

**8.** Que si la mujer no quisiese seguirte, quedarás desobligado del juramento: pero en ningún caso lleves allí jamás a mi hijo.

**9.** Con esto el criado puso la mano debajo del muslo de Abraham, su señor, y le juró hacer todo lo dicho.

**10.** Tomó luego diez camellos del ganado de su amo, y partió, llevando consigo *de lo mejor* de todos los bienes de Abraham, y puesto en camino llegó a Mesopotamia, a la ciudad de Nacor.

**11.** Allí, habiendo hecho descansar los camellos fuera de la ciudad junto a un pozo de agua al caer la tarde, al tiempo que suelen salir las mujeres a sacar agua, dijo *a Dios.*

**12.** Señor, Dios de mi amo Abraham, asísteme, te ruego, en este día, y sé propicio a Abraham mi amo.

**13.** He aquí que yo estoy cerca de esta fuente, y las hijas de los moradores de esta ciudad vendrán a sacar agua.

**14.** La doncella, pues, a quien yo dijere: Baja tu cántaro para que yo beba, y ella respondiere: Bebe, y aun a tus camellos daré también de beber: ésa es la que tú tienes preparada para tu siervo Isaac: y en eso conoceré que has sido propicio a mi amo.

**15.** No bien había acabado de decir dentro de sí estas palabras, cuando he aquí Rebeca, hija de Batuel, hijo de Melca, mujer de Nacor, hermano de Abraham, que salía con su cántaro al hombro.

**16.** Joven en extremo, agraciada, doncella hermosísima y todavía virgen: había bajado ya a la fuente, y, llenado el cántaro, se volvía.

**17.** Fué, pues, a su encuentro el criado *de Abraham,* y le dijo: Dame a beber un poquito de agua de tu cántaro.

**18.** La cual respondió: Bebe, señor mío: y diciendo, y haciendo, bajó el cántaro sobre su brazo, y le dió de beber.

**19.** Y acabando de darle de beber, añadió: Voy también a sacar agua para tus camellos, hasta que beban todos.

**20.** Y vaciando el cántaro en los canales *o bebederos,* fué otra vez corriendo al pozo a sacar agua, que dió en seguida a todos los camellos.

**21.** Entre tanto la estaba él contemplando en silencio, ansioso de saber si Dios había hecho próspero o no su viaje.

**22.** Abrevados ya los camellos, le presentó el hombre unos pendientes de oro, que pesaban dos siclos, y dos brazaletes que pesaban diez.

**23.** Y la preguntó: Dime ¿de quién eres hija? ¿hay en casa de tu padre lugar para alojarme *esta noche?*

**24.** Yo soy, respondió ella, hija de Batuel, hijo de Melca, y de Nacor su esposo.

**25.** Y añadió: de paja y forraje hay en casa provisión abundante, y mucha capacidad para hospedaje.

**26.** El hombre entonces inclinóse profundamente, y adoró al Señor.

**27.** Diciendo: Bendito sea el Señor Dios de mi amo Abraham, que tan propicio se ha mostrado con él según la verdad *de sus promesas,* guiándome vía recta a la casa del hermano de mi amo.

**28.** La muchacha se fué corriendo a casa de su madre, y contó todo cuanto había oído.

**29.** Tenía Rebeca un hermano llamado Labán, el cual salió a toda prisa en busca del hombre al lugar en que estaba la fuente.

**30.** Y como había visto ya los pendientes y los brazaletes en las manos de su hermana, la cual le había contado también todo cuanto le había dicho aquel hombre: vino a encontrarle cuando estaba *aún* cerca de la fuente con sus camellos.

**31.** Y le dijo: Entra, bendito del Señor: ¿qué haces ahí fuera? preparado he para ti hospedaje, y lugar *también* para tus camellos.

**32.** Con eso le introdujo en el alojamiento: y descargó los camellos y le dió paja y heno, y trajo agua para lavar los pies así a él como a los mozos que le acompañaban.

---

**7.** Véase cuán antigua es la tradición de los Angeles de nuestra guarda.

**14.** Buscó esta señal por particular instinto del Espíritu Santo; señal de buena índole, de ser afable, hacendosa, etc.

**33.** Y pusiéronle delante la comida. Mas él dijo: No comeré hasta que os haya expuesto mi comisión. Di, pues: le contestó Labán.

**34.** Entonces les habló él *de esta manera:* Yo soy criado de Abraham.

**35.** El Señor ha colmado de bendiciones a mi amo, y le ha engrandecido *sobremanera:* hale dado ovejas y bueyes, plata y oro, esclavos y esclavas, camellos y asnos.

**36.** Sara, mujer de mi amo, le dió en su vejez un hijo, a quien ha dado todos sus bienes.

**37.** Y mi amo me ha juramentado, diciendo: No tomarás para mi hijo mujer de las hijas de los cananeos, en cuya tierra habito.

**38.** Sino que irás a la casa de mi padre, y traerás de mi linaje una mujer para mi hijo.

**39.** Y replicándole yo: Quizá la mujer no querrá seguirme.

**40.** Me respondió: El Señor, en cuya presencia ando, enviará su ángel contigo, y dirigirá tus pasos: y tú tomarás para mi hijo mujer de mi parentela y de la casa de mi padre.

**41.** Mas, si yendo a mis parientes, no quisieren dártela, exento quedarás de mi maldición o *libre del juramento.*

**42.** Llegué, pues, hoy a la fuente, y dije *a Dios:* Señor Dios de mi amo Abraham si, es que has enderezado este mi camino que traigo.

**43.** He aquí que estoy junto a esta fuente: *haz, pues,* que la doncella que salga a sacar agua, a quien yo diga: Dame a beber un poco de agua de tu cántaro.

**44.** Y me responda: Bebe tú, que después la sacaré también para tus camellos: sea ésa la mujer que el Señor Dios tiene destinada para el hijo de mi amo.

**45.** Y cuando estaba yo rumiando en silencio estas cosas dentro de mí, ha comparecido Rebeca, que venía con su cántaro a cuestas, y ha bajado a la fuente y sacado agua. Y hele dicho yo: Dame un poco de beber.

**46.** Al momento ha bajado ella el cántaro del hombro, y me ha dicho: Bebe tú, y voy también a dar de beber a tus camellos. Bebí, pues, y ella ha abrevado mis camellos.

**47.** En seguida le he preguntado y dicho: ¿De quién eres hija? Soy hija de Batuel, hijo de Nacor, y de Melca, ha respondido ella. Luego le he puesto unos pendientes para adorno de su rostro y unos brazaletes en sus manos.

**48.** Y al instante postrándome he adorado al Señor, bendiciendo al Señor, Dios de mi amo Abraham, que me ha conducido por camino recto a desposar una hija del hermano de mi amo con su hijo.

**49.** Por lo cual si queréis ser benéficos y leales como mi amo, declarádmelo: pero si pensáis de otro modo, decídmelo igualmente, para que yo siga rumbo a la derecha o a la izquierda.

**50.** A esto respondieron Labán y Batuel: Obra es ésta del Señor: de ningún modo podemos oponernos a lo que es conforme a su voluntad.

**51.** Ahí tienes a Rebeca, tómala, y llévatela contigo, y sea *muy enhorabuena* esposa del hijo de tu amo, conforme lo ha manifestado el Señor.

**52.** Así que oyó esto el criado de Abraham, postrándose en tierra adoró al Señor.

**53.** Y sacando alhajas de oro y plata, y vestidos *preciosos,* se los regaló a Rebeca, y ofreció también ricos presentes a sus hermanos y a la madre.

**54.** Comenzaron después el convite, y permanecieron juntos comiendo y bebiendo. A la mañana levantándose el criado, dijo: Despachadme a fin de que me pueda volver a mi amo.

**55.** A lo que respondieron los hermanos y la madre: Estése la chica con nosotros diez días siquiera, y después partirá.

**56.** No queráis detenerme, dijo él, ya que Dios ha hecho próspero mi camino: dejadme volver a mi amo.

**57.** Ellos replicaron: Llamemos a la chica y veamos lo que dice.

**58.** Llamada, pues, vino; y preguntáronla: ¿Quieres ir con este hombre? Iré, respondió ella.

**59.** Con eso la dejaron ir, acompañada de su ama de leche, con el criado de Abraham, y sus compañeros.

**60.** Deseando toda suerte de felicidades a su hermana, y diciendo: Hermana nuestra eres, ¡oh! crezcas en mil y mil generaciones, y apodérese tu posteridad de las ciudades de sus enemigos.

**61.** Con esto Rebeca y sus doncellas, montando en los camellos, siguieron al hombre: el cual se volvía, presuroso a casa de su amo.

**62.** Al mismo tiempo Isaac se estaba paseando por el camino que va al pozo llamado *Pozo del Dios* Viviente y que Mira: porque moraba en la tierra meridional *no lejos de él.*

**63.** Y había salido al campo a meditar, caído ya el día: y habiendo alzado los ojos, vió venir los camellos a lo lejos.

**64.** Rebeca también, cuando alcanzó a ver a Isaac bajóse del camello.

**65.** Y preguntó al criado: ¿Quién es aquel hombre que viene por el campo a nuestro encuentro? Y le respondió: Aquél es mi amo. Y ella cogiendo prontamente el manto se tapó.

**66.** Isaac empero después de haberle contado el criado cuanto había hecho.

**67.** La hizo entrar en el pabellón de Sara, su madre, la tomó por mujer: y la amó en tanto grado, que se le templó el dolor que la muerte de *Sara,* su madre, le había causado.

## CAPITULO XXV

*Abraham tuvo seis hijos más de otra mujer que tomó. Muere y es enterrado junto a Sara. Muere Ismael dejando doce hijos. Nácenle a Isaac Jacob y Esaú. Vende éste el derecho de primogénito.*

**1.** Abraham había tomado también otra mujer llamada Cetura.

**2.** La cual le dió a Zamram, a Jacsán, a Madán, a Madián, a Jesboc y a Sué.

**3.** Jacsán engendró a Saba y a Dadán. Los hijos de Dadán fueron Assurim, Latusim, y Loomim.

**4.** De Madán nacieron Efa, Ofer, Enoc, Abida y Eldaa: todos éstos descienden de Cetura.

**5.** Y dió Abraham toda su herencia a Isaac.

**6.** Bien que hizo *grandes* donativos a los hijos de las otras mujeres secundarias, y los separó, viviendo aún él mismo, de su hijo, Isaac, enviándolos hacia la parte oriental.

**7.** *Finalmente,* fueron los días de la vida de Abraham ciento setenta y cinco años.

**8.** Y llegando a faltarle las fuerzas murió en buena vejez de avanzada edad, y lleno de días: y fué a reunirse con su pueblo.

**9.** Y sus dos hijos Isaac e Ismael le sepulta-

ron en la cueva doble, situada en el campo de Efrón, hijo de Seor Heteo, enfrente de Mambre.

**10.** Que había comprado a los hijos de Het: allí están sepultados él y Sara, su esposa.

**11.** Después de su muerte bendijo Dios a Isaac, su hijo, el cual moraba cerca del pozo llamado *Pozo del Dios* Viviente y que Mira.

**12.** He aquí los linajes de Ismael, hijo de Abraham, y de Agar egipcia, sierva de Sara.

**13.** Y éstos son los nombres de sus hijos, con los cuales fueron llamados sus descendientes. El primogénito de Ismael fué Nabaiot, en seguida Cedar, Adbeel Mabsan.

**14.** Masma, Duma, Massa.

**15.** Hadar, Tema, Jetur, Nafis y Cedma.

**16.** Estos son los doce hijos de Ismael: y tales los nombres que dieron a sus castillos y ciudades. Ellos vinieron a ser *como* doce príncipes cada cual de su tribu.

**17.** Y los años de la vida de Ismael fueron ciento treinta y siete, y debilitándose más y más murió, y fué a reunirse con su pueblo.

**18.** Y habitó *y pobló* el país desde Hévila hasta Sur, *desierto* que mira a Egipto cuando uno entra en Asiria: y murió en medio de todos sus hermanos.

**19.** Asimismo he aquí cuál fué la descendencia de Isaac, hijo de Abraham: engendró Abraham a Isaac.

**20.** El cual siendo de cuarenta años, casó con Rebeca, hija de Batuel, Siro de la Mesopotamia, y hermana de Labán.

**21.** Hizo Isaac *muchas* plegarias al Señor por su mujer, porque era estéril: y el Señor le oyó, dando a Rebeca virtud de concebir.

**22.** Pero chocaban entre *sí o luchaban* en el seno materno los gemelos *que concibió;* lo que le hizo decir: Si esto me había de acontecer, ¿qué provecho he sacado yo de concebir? Y fué a consultar al Señor.

**23.** El cual le respondió, diciendo: Dos naciones están en tu vientre, y dos pueblos saldrán divididos desde tu seno *en que están ahora,* y el un pueblo sojuzgará al otro pueblo, y el mayor ha de servir al menor *o más joven.*

**24.** Llegado ya el tiempo del parto, he aquí que se hallaron los dos gemelos en su vientre.

---

**9.** Pasando a vivir con los otros justos que habían muerto. — Véase el elogio de este santo Patriarca en el *Eclesiástico, cap.* XLIV, *v.* 20 - 23.

25. El que salió el primero era rubio, y todo velludo a manera de un pellico: y fué llamado Esaú. Saliendo inmediatamente el otro, tenía asido con la mano el talón del pie del hermano: y por eso se le llamó Jacob.

26. De sesenta años era Isaac cuando la nacieron los niños.

27. Así que se hicieron grandes, Esaú salió diestro en la caza y hombre del campo: Jacob, al contrario, mozo sencillo, habitaba en las cabañas.

28. Isaac amaba a Esaú, porque gustaba de comer de sus cacerías, y Rebeca quería *más* a Jacob.

29 Había un día guisado Jacob cierta menestra o potaje: cuando Esaú que volvía fatigado del campo se llegó a él

30. Y le dijo: Dame de esa menestra roja que has cocido, pues estoy sumamente cansado. Por cuya causa se le dió después el apellido de Edom.

31. Díjole Jacob: Véndeme tus derechos de primogénito.

32. Respondió él: Yo me estoy muriendo, ¿de qué me servirá ser primogénito?

33. Pues júramelo, dijo Jacob. Esaú se lo juró, y vendióle el derecho de primogenitura.

34. Y así habiendo tomado pan y aquel plato de lentejas, comió, o bebió, y marchose; dándosele muy poco de haber vendido sus derechos de primogénito.

## CAPITULO XXVI

*Se traslada Isaac a Gerara con motivo de carestía. Bendiciones del Señor a Isaac, y envidias de los Filisteos. Casamiento de Esaú.*

1. Mas sobreviniendo hambre en el país, después de aquella carestía que había acaecido en tiempo de Abraham, fuese Isaac a Gerara al país de Abimelec, rey de los palestinos.

2. Porque se le apareció el Señor, y le dijo: No bajes a Egipto, mas estate quieto en el país que yo te diré.

3. Y vive en él como peregrino, y yo estaré contigo, y te daré mi bendición: por cuanto a ti y a tu descendencia he de dar todas esas generaciones, cumpliendo el juramento que hice a tu padre Abraham.

4. Y multiplicaré tu posteridad como las estrellas del cielo: y daré a tus descendientes todas estas regiones, y en uno de ellos SERAN BENDITAS todas las naciones de la tierra.

5. Por *premio de* haber obedecido Abraham a mi voz, y guardado los preceptos y mandatos míos, y observado las ceremonias y leyes *que le prescribí.*

6. Quedóse, pues, Isaac en Gerara.

7. Y preguntándole los vecinos de aquel país quién era Rebeca, les respondió: Es hermana mía: porque temió confesar que estaba unida con él en matrimonio, recelando que por causa de su hermosura le quitasen tal vez a él la vida.

8. Pasados ya muchos días, y permaneciendo él en el mismo lugar, como Abimelec, rey de los palestinos, se pusiese a mirar de una ventana, vió a Isaac que hacía especiales demostraciones de amor a su mujer Rebeca.

9. Y habiéndole llamado, le dijo: Está claro que ésa es tu mujer: ¿por qué has dicho falsamente que era hermana tuya? Temí, respondió, no me matasen por su causa.

10. Replicó Abimelec: ¿Cómo así nos has engañado? Pudo alguno del pueblo abusar de tu esposa, y nos hubieras hecho reos de un grande pecado. Con eso intimó una orden a todo el pueblo, diciendo:

11. Cualquiera que tocare a la mujer de este hombre, será irremisiblemente condenado a muerte.

12. Sembró luego Isaac en aquella tierra, y en el mismo año cogió ciento por uno: y bendíjole Dios.

13. E hízose hombre muy rico, y cada día iba creciendo de bien en mejor, por manera que llegó a ser en extremo poderoso.

14. Tuvo rebaños de ovejas, y de ganado mayores, y muchísimos criados *y criadas* Por lo cual envidiosos de él los palestinos.

15. Cegaron por aquel tiempo todos los pozos, que habían abierto los criados de su padre Abraham, llenándolos de tierra.

---

33. Lo que pasó entre Jacob y Esaú es una viva imagen de la prudencia de los escogidos, y de la locura de los réprobos. Esta se halla vivamente pintada en el libro de la Sabiduría, *cap.* X, *v.* 10.

34. A Esaú le llama *profano* San Pablo (*ad Hebr.* XII, *v.* 16), por haber vendido las prerrogativas anejas a la dignidad de primogénito; una de las cuales era el ser padre del Mesías.

---

11. Esta era la pena del adulterio entre los Filisteos, Cananeos, Hebreos, etc., aun antes de la ley de Moisés.

**16.** Llegó tan allá la cosa, que hasta el mismo Abimelec dijo a Isaac: Retírate del país, porque te has hecho mucho más poderoso que nosotros.

**17.** Partió, pues, Isaac, para ir hacia el torrente de Gerara, y habitar allí.

**18.** E hizo abrir de nuevo otros pozos, que habían cavado los siervos de su padre Abraham, y que muerto éste, habían cegado en otro tiempo los filisteos: y les dió los mismos nombres que su padre les había dado antes.

**19.** Cavando después en el torrente, hallaron un manantial de agua viva.

**20.** Pero aun aquí hubo contienda de los pastores de Gerara contra los pastores de Isaac, diciendo *aquéllos:* El agua es nuestra: de donde, por este encuentro, puso al pozo el nombre de Calumnia.

**21.** Cavaron en seguida otro: y por él también armaron pendencias, por lo que le llamó Enemistades.

**22.** Partiendo de allí abrió otro pozo sobre el cual no hubo contienda: y por eso le nombró Anchura, diciendo: Ahora sí que nos ha ensanchado el Señor, y puesto en estado de medrar sobre la tierra.

**23.** Desde aquel sitio pasó a Bersabée.

**24.** Donde se le apareció el Señor aquella misma noche, diciéndole: Yo soy el Dios de tu padre Abraham, no tienes que temer, pues estoy yo contigo: yo te colmaré de bendiciones y multiplicaré tu descendencia por amor de mi siervo Abraham.

**25.** Con esto edificó allí Isaac un altar: y habiendo invocado el nombre del Señor, desplegó su tienda de campaña, y mandó a sus criados que abriesen un pozo.

**26.** Y habiendo venido desde Gerara a este mismo lugar Abimelec, con Ocozat su privado, y con Ficol, general de sus tropas.

**27.** Díjoles Isaac: ¿Para qué venís a mí, hombre a quien aborrecéis, y habéis echado de entre vosotros?

**28.** Hemos visto, respondieron ellos, que el Señor está contigo, y así dijimos: Hagamos alianza entre nosotros, con juramento por una y otra parte.

**29.** Con el fin de que tú no nos hagas mal alguno, así como nosotros a nada hemos tocado de lo tuyo, ni causándote ningún daño; sino que te despedimos en paz colmado de la bendición del Señor.

**30.** Isaac, pues, les dió un convite, y después de haber comido y bebido.

**31.** Levantándose de madrugada, se juraron alianza recíprocamente: e Isaac los despidió en paz a su país.

**32.** Y he aquí que en aquel mismo día vinieron los criados de Isaac a darle nuevas del pozo que habían excavado, diciendo: Hemos hallado agua.

**33.** Por lo que le llamó Abundancia: y se puso a la ciudad *vecina* el nombre de Bersabée, *que dura* hasta hoy día.

**34.** Esaú, pues, a la edad de cuarenta años, tomó por mujeres a Judit, hija de Beeri Heteo, y a Basemat, hija de Elón, del mismo lugar.

**35.** Las cuales ambas a dos tenían agriado el ánimo de Isaac y de Rebeca.

## CAPITULO XXVII

*Isaac sin entenderlo, bendice a Jacob por Esaú. Irritado, éste amenaza de muerte a su hermano, el cual se retira a Harán.*

**1.** Siendo ya viejo Isaac, debilitósele la vista, de modo que llegó a faltarle: llamó, pues a Esaú su hijo mayor, y le dijo: Hijo mío. El cual le respondió: Aquí estoy.

**2.** A quien el padre: Ya ves, dijo, cómo yo estoy *ya* viejo, y no sé el día de mi muerte.

**3.** Toma tus armas, la aljaba y el arco, y sal al campo: y en cazando algo.

**4.** Guísame de ello un plato según sabes que gusto, y tráemele para que le coma: y te bendiga mi alma antes que yo muera.

**5.** Lo que oído por Rebeca, luego que partió aquél al campo para cumplir el mandato de su padre.

**6.** Dijo a su hijo Jacob: Acabo de oír a tu padre que hablando con tu hermano Esaú, le decía:

**7.** Traeme de tu caza, y guísame un plato que le comeré, y te echaré mi bendición en presencia del Señor, antes que me muera.

**8.** Ahora bien, hijo mío, toma mi consejo:

**9.** Y yendo al ganado, tráeme dos de los mejores cabritos, para que yo guise de ellos a tu padre aquellos platos de que come con gusto.

**10.** Y sirviéndoselos tú, después que hubiere comido, te dé la bendición antes de morir.

**11.** A la cual respondió Jacob: Tú sabes que mi hermano Esaú es hombre velloso, y yo lampiño.

**12.** Si mi padre me palpa *con sus manos*, y llega a conocerme, temo no piense que yo he querido burlarle, y acarrearé sobre mí una maldición en lugar de la bendición.

**13.** Al cual la madre: Sobre mí, dijo, caiga esa maldición, hijo mío: tú haz solamente lo que yo te aconsejo, y date prisa en traer lo que te tengo dicho.

**14.** Fué Jacob, y lo trajo, y diólo a la madre, la cual le guiso los manjares según que sabía ser del gusto de su padre.

**15.** Y vistió *después* a Jacob con los más ricos vestidos de Esaú, que tenía guardados en casa.

**16.** Y envolvióle las manos con las *delicadas* pieles de los cabritos, cubriendo también con ellas la parte desnuda del cuello.

**17.** Dióle después el guisado, y los panes que había cocido.

**18.** Todo lo cual llevándolo él adentro, dijo: Padre mío. A lo que respondió él: Oigo. ¿Quién eres tú, hijo mío?

**19.** Dijo Jacob: Yo soy tu primogénito Esaú: he hecho lo que me mandaste: levántate, incorpórate y come de mi caza, para que me des la bendición.

**20.** Replicó Isaac a su hijo: ¿Cómo, dijo, has podido encontrarla tan presto, hijo mío? El cual respondió: Dios dispuso que luego se me pusiese delante lo que deseaba.

**21.** Dijo todavía Isaac: Acércate, hijo mío, para que yo te toque, y reconozca si tú eres o no el hijo mío Esaú.

**22.** Acercóse al padre, y habiéndole palpado dijo Isaac: Cierto que la voz es voz de Jacob; pero las manos son manos de Esaú.

**23.** Y no le conoció, porque las manos vellosas representaban al vivo la semejanza del mayor. Queriendo, pues, bendecirle.

**24.** Dijo: ¿Eres tú el hijo mío Esaú? Respondió: Yo soy.

**25.** Pues tráeme acá, dijo, hijo mío, el plato de tu caza, para que te bendiga mi alma. Y habiéndoselo presentado, después que comió de él, sirvióle también vino; bebido el cual.

**26.** Dijo: Llégate a mí, y dame un beso, hijo mío.

**27.** Llegóse, y besóle. Y al instante que sintió la fragancia de sus vestidos bendiciéndole, le dijo: Bien se ve que el olor que sale de mi hijo es como el olor de un campo florido, al cual bendijo el Señor.

**28.** Déte Dios *por medio* del rocío del cielo, y de la fertilidad de la tierra, abundancia da trigo y vino.

**29.** Sírvante los pueblos, y adórente las tribus: sé señor de tus hermanos, e inclínense *profundamente* delante de ti los hijos de tu madre. Quien te maldijere, sea él maldito: y el que te bendijere, de bendiciones sea colmado.

**30.** Apenas Isaac había acabado de decir estas palabras, y salido Jacob a fuera, cuando llegó Esaú.

**31.** Y presentando a su padre las viandas de la caza, que había guisado, le dijo: Levántate, padre mío, y come de la caza de tu hijo, para que me bendiga tu alma.

**32.** Dijole Isaac: Pues, ¿quién eres tú? El cual respondió: Yo soy tu hijo primogénito Esaú.

**33.** Quedó atónito Isaac, y como estático: y sobre toda ponderación pasmado, dijo: ¿Quién es, pues, aquél que poco ha me ha traído de la caza que cogió, y he comido de todo antes que tú vinieses? El caso es que yo le bendije, y bendito será.

**34.** Oídas las palabras del padre, lanzó Esaú un grito furioso: y consternado, dijo: Dame también a mí tu bendición, ¡oh padre mío!

**35.** El cual respondió: Vino tu hermano astutamente, y se ha llevado tu bendición.

**36.** A lo que replicó Esaú: Con razón se le puso el nombre de Jacob: porque ya es esta la segunda vez que me ha suplantado: antes ya se alzó con mi primogenitura, y ahora de nuevo me ha robado la bendición mía. Y vuelto a su padre: ¿Pues qué, le dijo, no has reservado bendición para mí?

**37.** Respondióle Isaac: Yo le he constituido señor tuyo, y he sometido todos sus hermanos a su servicio: le aseguré las cosechas de granos y de vino: después de esto, ¿qué puedo yo ahora hacer por ti, hijo mío?

---

**19.** Los Padres y Expositores están divididos en este punto: unos acusan absolutamente a Jacob por la mentira, otros la defienden. La mentira siempre es pecado, como demuestra San Agustín. Pudo Rebeca, dicen algunos, creerla lícita entonces (aunque erróneamente) para afianzar a Jacob lo que ya era suyo, después de la venta que le hizo Esaú de los derechos de primogénito.

**28.** En la Palestina suelen ser raras las lluvias; y las plantas en tiempo de los calores fuertes se nutren por los abundantes rocios semejantes a una llovizna. (*Plin.* XVII c. 21). Lo mismo sucede en muchas tierras de la zona tórrida.

**33.** Durante este éxtasis, le fué revelado todo el misterio significado por este suceso, dice San Agustín.

**38.** Al cual replicó Esaú: ¿Por ventura no tienes, padre mío, sino una sola bendición? Ruégote que también me bendigas a mí. Y como llorase con grandes alaridos.

**39.** Isaac, conmovido, le dijo estas palabras: En la grosura de la tierra, y en el rocío que cae del cielo.

**40.** Será tu bendición. Vivirás de tu espada, y servirás a tu hermano: pero llegará tiempo en que sacudirás su yugo, y librarás de él tu cerviz.

**41.** Esaú, pues, mantenía siempre vivo su odio a Jacob, con motivo de la bendición que le había dado el padre: y dijo en su corazón: Vendrán los días de luto de mi padre, y yo mataré a mi hermano Jacob.

**42.** Tuvo de esto noticia Rebeca: la cual enviando a llamar a su hijo Jacob, le dijo: Mira que tu hermano Esaú amenaza que te ha de matar.

**43.** Ahora, pues, hijo mío, créeme a mí y sin perder tiempo huye a casa de mi hermano Labán, en *la ciudad de* Harán.

**44.** Y estarás allí con él algunos días, hasta que se amanse el furor de tu hermano.

**45.** Se pase su cólera y se olvide de lo que has hecho contra él: después enviaré por ti, y te traeré acá. ¿Por qué he de perder a mis dos hijos en un día?

**46.** Dijo después Rebeca a Isaac: Fastidiada estoy de vivir, a causa de estas hijas de Het: si Jacob llega a tomar mujer de este país, no quiero vivir *más.*

## CAPITULO XXVIII

*Confirma Isaac su bendición a Jacob, al enviarle a Mesopotamia. Ve éste en sueños una escala mística; y Dios le renueva las promesas hechas a sus padres. Despertándose, hace un voto al Señor.*

**1.** Llamando, pues, Isaac a Jacob, dióle su bendición, y le mandó diciendo: No quieras tomar mujer de la raza de Canaán.

**2.** Mas ve, y pasa a la Mesopotamia de Siria, a casa de Batuel, padre de tu madre, y escógete allí mujer de las hijas de Labán, tu tío materno.

**3.** Y el Dios todopoderoso te bendiga, y te aumente, y multiplique: de suerte que vengas a ser padre de numerosos pueblos.

**4.** Y te conceda las bendiciones de Abraham, así a ti como a tu descendencia después de ti: para que poseas como propia la tierra en que estás *ahora* como peregrino, la cual tiene prometida a tu abuelo.

**5.** Despedido así de Isaac, partió a Mesopotamia de Siria, y fuése a casa de Labán, hijo de Batuel Siro, hermano de Rebeca su madre.

**6.** Entre tanto Esaú, viendo que su padre, bendiciendo a Jacob, le había enviado a Mesopotamia de Siria, para que tomase allí mujer; y como después de la bendición le había mandado, diciendo: No tomes mujer de las hijas de Canaán.

**7.** Y que Jacob, obedeciendo a sus padres, había marchado a la Siria.

**8.** Experimentando por otra parte que las hijas de Canaán no eran del agrado de su padre.

**9.** Fuése a casa de Ismael, y tomó mujer, sobre las que ya tenía, a Mahelet, hija de Ismael, hijo de Abraham, hermana de Nabaiot.

**10.** Jacob, pues, habiendo partido de Bersabée, proseguía su camino hacia Harán.

**11.** Y llegado a cierto lugar, queriendo descansar en él después de puesto el sol, tomó una de las piedras que allí había, y poniéndosela por cabecera, durmió en aquel sitio.

**12.** Y vió en sueños una escala fija en la tierra, cuyo remate tocaba en el cielo: y ángeles de Dios que subían y bajaban por ella.

**13.** Y al Señor apoyado sobre la escala, que le decía: Yo soy el Señor Dios de Abraham tu padre, y el Dios de Isaac: La tierra en que duermes, te la daré a ti y a tu descendencia.

**14.** Y será tu posteridad *tan numerosa* como los granitos del polvo de la tierra: extenderte has al Occidente, y al Oriente, y al Septentrión, y al Mediodía: y SERAN BENDITAS EN TI y en el que saldrá *o descenderá* de ti todas las tribus *o familias* de la tierra.

**15.** Yo seré tu guarda *o custodio* do quiera que fueres, y te restituiré a esta tierra: y no te dejaré de mi mano hasta que cumpla todas las cosas que tengo dichas.

**16.** Despertando Jacob del sueño, dijo: Verdaderamente que el Señor habita en este lugar, y yo no lo sabía.

**17.** Y todo despavorido, añadió: ¡Cuán te-

---

**12.** Es esta escala una figura de la Divina Providencia, cuyos ejecutores son los santos Angeles. Otros Expositores entienden esta escala como un símbolo de la Encarnación del Verbo, que juntó el cielo con la tierra. — *Crisóst. hom.* LIV, *in Gen.*

rrible es este lugar! Verdaderamente ésta es la casa de Dios, y la puerta del cielo.

18. Levantándose, pues, Jacob al amanecer, cogió la piedra que se había puesto por cabecera, y erigióla como un monumento *de la visión*, derramando óleo encima.

19. Y puso por nombre Betel a la ciudad que antes se llamaba Luza.

20. Hizo, además, este voto, diciendo: Si el Señor estuviere conmigo, y me amparare en el viaje que llevo, y me diere pan que comer, y vestido con que cubrirme.

21. Y volviere yo felizmente a la casa de mi padre: el Señor será mi Dios.

22. Y esta piedra, que dejo erigida en monumento, llamarse ha casa de Dios: y de todo lo que me dieres te ofreceré *¡oh Señor!* el diezmo.

## CAPITULO XXIX

*Jacob, recibido de Labán su tío, le sirve siete años por Raquel; y Labán le engaña, dándole primero a Lía. Sirve otros siete años por Raquel: la cual es estéril, al paso que Lía le da cuatro hijos.*

1. Prosiguiendo Jacob después su viaje, llegó al país de Oriente.

2. Y vió un pozo en el campo, y cerca de él tres hatos de ovejas sesteando; porque de él se abrevaban los ganados, y el brocal estaba tapado con una grande piedra.

3. Por cuanto la costumbre era que después de reunidos todos los hatos de ovejas, removían la piedra, y una vez abrevadas, volvían a ponerla sobre el pozo.

4. Y dijo a los pastores: Hermanos, ¿de dónde sois? Los cuales respondieron: De Harán.

5. Preguntóles: ¿conocéis acaso a Labán, hijo de Nacor? Dijeron: Sí que le conocemos.

6. ¿Lo pasa bien? dijo él. Bueno está, respondieron; y he allí a Raquel hija suya, que viene con su rebaño.

7. Díjoles Jacob: Aún falta mucho del día, ni es tiempo de recoger *todavía* el ganado en los apriscos: dad ahora de beber a las ovejas, y después volvedlas a pacer.

8. Respondieron ellos: No podemos hacerlo hasta que se junten todos los ganados y quitemos la piedra del brocal del pozo, para abrevar los rebaños.

9. Aún estaban hablando, cuando he aquí que llega Raquel con las ovejas de su padre: pues ella misma pastoreaba el rebaño.

10. Jacob, luego que la vio, sabiendo ser su prima hermana, y las ovejas de Labán, su tío materno: removió la piedra con que se cerraba el pozo.

11. Y abrevada la grey, besó a Raquel: y lloró a voz en grito.

12. Después que le había declarado ya cómo era hermano de su padre, e hijo de Rebeca; mas ella sin detenerse corrió a decírselo a su padre.

13. El cual, oyendo que había venido Jacob, hijo de su hermana, salió corriendo a recibirle: y habiéndole abrazado, y dádole mil besos, le condujo a su casa. Entendidos los motivos de su viaje.

14. Respondió: Hueso mío eres, y carne mía, *yo cuidaré de ti*. Y pasado que fué un mes.

15. Díjole: ¿Acaso porque eres hermano mío me has de servir de balde?, dime qué recompensa quieres.

16. Tenía Labán dos hijas, de las cuales la mayor se llamaba Lía: y la menor Raquel

17. Pero Lía tenía los ojos lagañosos: Raquel era de lindo semblante y de hermoso talle.

18. De la cual enamorado Jacob, dijo: Yo te serviré por Raquel tu hija menor siete años.

19. Respondió Labán: Mejor que yo te la dé a ti que a un extraño, quédate conmigo.

20. Sirvió, pues, Jacob por Raquel siete años: y aún le parecían pocos días, atendido su grande amor por ella.

21. Dijo *después* a Labán: Dame mi esposa: pues ya llegó el tiempo de casarme con ella.

22. Entonces Labán, convidados un sinfín de amigos a un banquete, celebró las bodas.

23. Mas por la noche le metió en el tálamo a su hija Lía.

24. Dando a su hija una esclava, llamada Zelfa, para *que la sirviese*. Y habiendo ido Jacob a recogerse con ella según costumbre, venida la mañana, se halló con que era Lía:

---

21. No promete aquí el culto interior y externo con que siempre le había adorado; sino una especial demostración de gratitud, exigiendo un altar en aquel determinado sitio.

16. Lía es figura de la sinagoga, Ruquel de la Iglesia, y Jacob de Jesucristo.

23. Pecó gravísivamente Labán, y pecó también Lía; mas a jacob le excusó la ignorancia.

**25.** Por lo que dijo a su suegro: ¿Qué es lo que has hecho conmigo? ¿no te he servido yo por Raquel? ¿por qué me has engañado?

**26.** Respondió Labán: No se usa en nuestro país el casar primero las menores.

**27.** Cumple la semana de los días de la boda: que yo te daré también la otra por siete años más de servirme.

**28.** Condescendió con la propuesta: y pasada la semana, tomó por mujer a Raquel.

**29.** A quien el padre había dado a Bala por esclava.

**30.** Gozando en fin Jacob del matrimonio tan deseado, amó más a la segunda que a la primera, y sirvió en casa de Labán otros siete años.

**31.** Pero como viese el Señor que Jacob hacía poco aprecio de Lía, la hizo fecunda, quedándose estéril la hermana.

**32.** Concibió, pues, y dió a luz un hijo, y púsole por nombre Rubén, diciendo: El Señor miró mi humillación, ahora me amará mi marido.

**33.** Segunda vez concibió y dió a luz un hijo, y dijo: Por cuanto el Señor entendió que yo era tenida en menos, me ha dado también este hijo. Por eso le llamó Simeón.

**34.** Tercera vez concibió, y dió a luz otro hijo: y dijo: Ahora se unirá *y estrechará* más conmigo mi marido, pues le he dado tres hijos: y por tanto dióle el nombre de Leví.

**35.** Cuarta vez concibió y dió a luz un hijo, y dijo: Ahora sí que alabaré al Señor: y aludiendo a esto, le llamó Judá: y cesó de dar a luz *por algún tiempo*.

## CAPITULO XXX

*Nácenle a Jacob otros hijos de sus segundas mujeres Bala y Zelfa; y asimismo de Lía y Raquel: y se aumenta también su caudal.*

**1.** Pero Raquel, viéndose estéril, tenía envidia de su hermana, y así dijo a Jacob: Dame hijos, de otra manera yo me muero.

**2.** A la cual Jacob enojado respondió: ¿Por ventura estoy yo en lugar de Dios, que te ha privado de la fecundidad?

**3.** Y ella dijo: Tengo a Bala mi esclava: tómala por mujer *de segundo orden*, a fin de que reciba yo en mis brazos sus hijos, y tenga de ella hijos *adoptivos*.

**4.** Dióle, pues, a Bala por mujer: la cual.

**5.** Admitida al tálamo, concibió, y tuvo un hijo.

**6.** Dijo entonces Raquel: El Señor ha hecho justicia, y ha oído mi voz, dándome un hijo: y por eso llamó su nombre Dan.

**7.** Y concibiendo Bala segunda vez, vino a tener otro.

**8.** Por quien dijo Raquel: Dios me ha echo disputar con mi hermana, y la victoria ha quedado por mí: y así le llamó Neftalí.

**9.** Viendo Lía que había dejado de dar a luz dió a su marido por mujer a Zelfa *también* esclava suya.

**10.** La cual después de haber concebido, como diese a luz un hijo.

**11.** Dijo Lía: ¡Oh, qué ventura! y por eso le puso el nombre Gad.

**12.** Tuvo todavía Celfa otro.

**13.** Y dijo Lía: Este ha nacido para dicha mía: porque *ya* las mujeres me llamarán dichosa: por esta razón le dió el nombre de Aser.

**14.** Sucedió que Rubén, yendo por el campo en tiempo de la siega de los trigos, halló unas mandrágoras que trajo a Lía, su madre. Y dijo Raquel: Dame de esas mandrágoras de tu hijo.

**15.** A lo que respondió ella: ¿Te parece poco el haberme quitado ya el marido, sino que te has de llevar también las mandrágoras de mi hijo? Dijo Raquel: Duerma contigo esta noche, porque me des de las mandrágoras de tu hijo.

**16.** Con eso al volver Jacob por la tarde del campo, le salió al encuentro Lía, y le dijo: Conmigo has de venir: porque yo he comprado este favor *a mi hermana* con las mandrágoras de mi hijo. Aquella noche, pues, durmió Jacob con ella.

**17.** Y oyó Dios sus oraciones: y concibió y tuvo al quinto hijo.

**18.** Y dijo: Dios me ha remunerado el haber dado la esclava mía a mi marido: y púsole por nombre Isacar.

**19.** De nuevo concibiendo Lía tuvo al sexto hijo.

---

**13.** San Agustín (*lib*. XXII, contra Faust, c. 48), hace la apología de Jacob contra los Maniqueos, que improperaban a este Santo Patriarca el haber tenido cuatro mujeres. Una sola tomó por su voluntad, que fue Raquel.

**14.** Qué fruta era ésta, y qué movió a Raquel para desearla tanto, son dos cuestiones que tratan los Expositores con mucha incertidumbre y desavenencia. Calmet pretende que era la naranja.

**20.** Y dijo: Dios me ha dotado con excelente dote: todavía esta vez mi marido cohabitará conmigo, pues le he dado ya seis hijos:. y por lo tanto le dió el nombre de Zabulón.

**21.** Después del cual tuvo una hija, llamada Dina.

**22.** Asimismo acordándose el Señor de Raquel, oyó sus ruegos, y la hizo fecunda.

**23.** La cual concibió, y dió a luz un hijo, y dijo: Quitó Dios mi oprobio.

**24.** Y púsole por nombre José, diciendo: Añádame el Señor otro hijo.

**25.** Nacido que fuese José, dijo Jacob a su suegro: Déjame volver a mi patria, y a mi tierra.

**26.** Dame mis mujeres, y mis hijos, por los cuales te he servido, que quiero *ya* irme: tú sabes bien cuáles han sido mis servicios para contigo.

**27.** Díjole Labán: Hallé yo gracia en tus ojos: tengo conocido por experiencia que Dios me ha bendecido por tu causa.

**28.** Señala tú la recompensa que debo darte.

**29.** A lo que respondió él: Tú sabes bien de qué manera te he servido y cuánto ha crecido en mis manos tu hacienda.

**30.** Poca era la que tenías antes que yo viniese a ti, y ahora estás rico: porque el Señor te bendijo con mi venida. Es justo, pues, que algún día mire yo también por mi casa.

**31.** Dijo Labán: ¿Y qué es lo que quieres que te dé? No quiero nada, respondió Jacob: mas si hicieres lo que voy a pedirte, proseguiré apacentando, y guardando tus ganados.

**32.** Haz revista de todos ellos, y separa *desde ahora para ti* las ovejas todas de color vario y de vellón abigarrado: y *en lo sucesivo* todo lo que naciere de color oscuro, manchado, y variado, tanto de las ovejas como de las cabras, eso será mi recompensa.

**33.** Y a su tiempo hablará a favor mío mi lealtad, en llegando el plazo acordado: y todas las reses que no fueren de color vario, y manchado, y oscuro, tanto en las ovejas como en las cabras, me convencerán reo de hurto.

**34.** Dijo Labán: Me place tu propuesta.

**35.** Y separó en aquel día las cabras, y las ovejas, y los machos de cabrío, y los carneros pintados y manchados: y todo el ganado de un solo color, esto es, de vellón todo blanco o todo negro, le entregó a la custodia de sus hijos.

**36.** Y puso el espacio de tres jornadas entre sí y el yerno, el cual quedó apacentando *con los hijos de Labán* los demás rebaños suyos.

**37.** Jacob, pues, cortando varas verdes de álamo, de almendro y de plátano, quitóles parte de la corteza: hecho lo cual, resaltó lo blanco en la parte descortezada; y donde las varas estaban intactas quedaron verdes: de este modo se formó un color vario.

**38.** Así las puso en las canales donde se vertia el agua: para que cuando viniesen a beber las ovejas tuviesen ante los ojos las varas, y concibiesen *aun despues* a vista de ellas.

**39.** De donde vino que mirando las ovejas a las varas, en el ardor de la mezcla, pariesen después crías listadas, pintadas y salpicadas de diversos colores.

**40.** De esta suerte dividió Jacob la grey, poniendo las varas en las canales ante los ojos de los carneros: de manera que todas las crías blancas y las negras, eran de Labán; quedando para Jacob las demás de *varios colores*, teniendo separados entre sí los rebaños.

**41.** Al tiempo, pues, de concebir las ovejas en la primavera, ponía Jacob las varas en las canales ante los ojos de los carneros y de las ovejas, para que concibiesen estándolas mirando.

**42.** Mas cuando otra vez debían concebir en otoño, no las ponía: con lo que los partos tardíos vinieron a ser de Labán y los tempranos de Jacob.

**43.** Y asi llegó éste a enriquecerse por extremo, y adquirió muchos rebaños de ganado, siervos y siervas, camellos y asnos.

## CAPITULO XXXI

*Huye Jacob de casa de Labán; y éste le persigue, y le alcanza; mas después de haber altercado entre sí, hecha alianza, vase cada uno a su casa.*

**1.** Mas luego que Jacob entendió los discursos de los hijos de Labán que decían: Hase apoderado Jacob de todos los bienes que eran de nuestro padre, y enriquecido con su hacienda, se ha hecho un señor poderoso.

---

37. San Agustín *(De Civ. Dei, lib.* XVIII), y casi todos los Padres latinos atribuyen al artificio de Jacob, y a la imaginación de los animales el que las crías naciesen manchadas y con variedad de colores. Pero los Padres griegos con el Crisóstomo son de parecer que el artificio solamente encubría el milagro con que quiso Dios compensar los servicios de Jacob a Labán, y castigar la Avaricia de éste. Esto es lo que justifica con más seguridad el contrato de Jacob.

2. Y advirtió asimismo que Labán no le miraba con el mismo semblante que antes.

3. Y sobre todo diciéndole el Señor: Vuélvete a la tierra de tus padres y a tu familia, que yo seré contigo.

4. Envió a llamar a Raquel y a Lía, y haciéndolas venir a la dehesa, en que apacentaba los ganados.

5. Les dijo: Veo el semblante de vuestro padre, que no se muestra para conmigo como solía: pero el Dios de mi padre ha sido mi protector.

6. Vosotras sabéis bien que yo he servido a vuestro padre con todas mis fuerzas.

7. Sin embargo, vuestro mismo padre me ha engañado, y trocado por diez veces la paga o recompensa de mis servicios: aunque Dios no le ha permitido que me perjudicase.

8. Cuando decía: Las reses de varios colores serán tu paga: todas las ovejas daban crías de colores varios: cuando por el contrario decía: Llevarás en paga las blancas: entonces todas las ovejas dieron crías blancas.

9. Por manera que Dios ha tomado la hacienda de vuestro padre y me la ha dado a mí.

10. Porque ha llegado el tiempo en que debían concebir las ovejas, alcé los ojos, y vi entre sueños que los machos que cubrían a las hembras eran pintados y manchados y de diversos colores.

11. Y el Angel de Dios me dijo en sueños: ¿Jacob? Yo respondí: Aquí estoy.

12. Y me dijo: Alza tus ojos, y mira los machos cubriendo las hembras, todos de varios colores, manchados y moteados. Porque yo he visto todas cuantas cosas ha hecho Labán contigo.

13. Yo soy el Dios de Betel, en donde tú ungiste la piedra, y me hiciste aquel voto. Ahora, pues, levántate, y sal de esta tierra, y vuélvete a la de tu nacimiento.

14. A esto respondieron Raquel y Lía: ¿Tenemos acaso que esperar algún residuo en los bienes y herencia de la casa de nuestro padre?

15. ¿Por ventura no nos ha mirado él como extrañas, y vendídonos, y comido el precio de nuestra venta?

16. Pero Dios ha tomado las riquezas de nuestro padre, y nos las ha dado a nosotras, y a nuestros hijos: y así haz todo lo que Dios te ha ordenado.

17. Apercibióse, pues, Jacob, y montados sus hijos y mujeres sobre los camellos se puso en camino.

18. Conduciendo consigo toda su hacienda, y los ganados, y cuanto había adquirido en Mesopotamia, encaminándose hacia su padre Isaac a tierra de Canaán.

19. A esta sazón había ido Labán al esquileo de sus ovejas, y Raquel robó los ídolos de su padre.

20. No quiso Jacob manifestarle a su suegro su partida.

21. Y como se hubiese ya marchado con todo lo que le pertenecía, y vadeado el río Eufrates, se encaminase hacia el monte de Galaad,

22. Tuvo noticia Labán al tercer día de que Jacob iba huyendo.

23. Tomando al punto consigo a sus hermanos, le fué persiguiendo por espacio de siete días; hasta que le alcanzó en el monte de Galaad.

24. Pero vió entre sueños a Dios, que le decía: Guárdate de hablar a Jacob cosa que le ofenda.

25. Jacob había ya armado en el monte su tienda de campaña: y Labán, que con sus hermanos le había ya alcanzado, fijó la suya en el mismo monte de Galaad.

26. Y dijo a Jacob: ¿Por qué te has portado de esa manera, arrebatándome mis hijas sin darme parte, como si fuesen prisioneras de guerra?

27. ¿Por qué has querido huir sin saberlo yo, y sin avisarme, para que yo te acompañase con regocijos y cantares, y con panderos y vihuelas?

28. No me has permitido el dar siquiera un beso de despedida a mis hijos e hijas. Has obrado neciamente.

29. Bien es verdad que ahora está en mi mano darte el castigo merecido: pero el Dios de vuestro padre me dijo ayer: Guárdate de hablar a Jacob cosa que le ofenda.

30. Está bien que deseases ir a los tuyos, y te tirase la bienquerencia de la casa de tu padre: mas, ¿a qué propósito robarme mis dioses?

31. Respondió Jacob: El haberme marchado sin darte parte, ha sido porque temí que me quitases por fuerza tus hijas.

32. En cuanto al robo de que me reconvienes, cualquiera en cuyo poder hallares tus dioses, sea muerto a presencia de nuestros hermanos: haz tus pesquisas: y todo lo que hallares de tus cosas en mi poder, llévatelo. Cuando esto decía, ignoraba que Raquel hubiese robado los ídolos.

**33.** Habiendo entrado, pues, Labán en las tiendas de Jacob y de Lía, y de las dos esclavas, no encontró nada. Mas como pasase a la tienda de Raquel,

**34.** Ella a toda prisa escondió los ídolos bajo los aparejos del camello, y sentóse encima: y a Labán, que registró toda la estancia sin hallar nada.

**35.** Le dijo: No lleve a mal mi señor que no pueda levantarme a su presencia: porque me ha sobrecogido ahora la incomodidad que suelen padecer las mujeres: así quedó burlada la solicitud del pesquisidor.

**36.** Entonces Jacob, montando en cólera, dijo con acrimonia: ¿Por qué culpa mía, o por qué pecado mío te has enardecido tanto en perseguirme,

**37.** hasta escudriñar todo mi equipaje? ¿Y qué es lo que has hallado de todos los haberes de tu casa? Ponlo aquí, a la vista de mis hermanos y de los tuyos, y sean ellos jueces entre nosotros dos.

**38.** ¿Para esto he vivido veinte años contigo? Tus ovejas y tus cabras *en verdad que* no fueron estériles, no me he comido los carneros de tu grey.

**39.** Ni jamás te mostré lo que las fieras habían arrebatado; yo resarcía todo el daño; y todo lo que faltaba por algún hurto, tú me lo exigías *con rigor.*

**40.** Día y noche andaba queriendo del calor, y del hielo, y el sueño huía de mis ojos.

**41.** De esta suerte por espacio de veinte años, te he servido en tu casa, cartorce por tus hijas y seis por tus rebaños: después de esto tú por diez veces me mudaste mi paga.

**42.** Y si el Dios de mi padre Abraham, *si* aquel *Señor* a quien teme *y adora* Isaac no me hubiese asistido, tú quizá ahora me hubieras despachado desnudo: Dios ha mirado mi tribulación, y el trabajo de mis manos, y por eso ayer te reprendió.

**43.** Respondióle Labán: Mis hijas, e hijos, y los rebaños tuyos, y todo cuanto miras *en tu poder,* son cosa mía: ¿qué puedo hacer yo contra mis hijas y nietos?

**44.** Ea, pues, hagamos una alianza que sirva de testimonio *de la armonía* entre los dos.

**45.** Tomó entonces Jacob una piedra, y la erigió en testimonio:

**46.** Y dijo a sus hermanos: Traed piedras; y habiéndolas recogido, formaron un majano, y comieron encima de él:

**47.** Al cual llamó Labán: Majano del Testigo; y Jacob, Majano del Testimonio, cada uno según la propiedad de su lengua.

**48.** Y dijo Labán: Este majano será desde hoy testigo entre mí y entre ti; y en atención a esto se le dió el nombre de Galaad, esto es, Majano del Testigo.

**49.** El Señor vele y sea juez entre nosotros, cuando nos hubiéremos separado.

**50.** Si tú maltratares mis hijas, y tomares otras mujeres además de ellas, ningún testigo hay de nuestra conferencia sino es Dios, que presente nos mira.

**51.** Y dijo de nuevo Jacob: Mira, este majano y la piedra que he levantado entre los dos.

**52.** Servirán de testigo: este majano, digo, y la piedra darán testimonio, si o yo pasare de él para ir contra ti, o tú le pasares maquinando mal contra mí.

**53.** El Dios de Abraham, y el Dios de Nacor, el Dios de sus padres sea nuestro juez. Juró, pues, Jacob por el Dios temido y *reverenciado* de su padre Isaac:

**54.** E inmoladas víctimas en el monte, convidó a comer a sus hermanos *o parientes:* los cuales después de haber comido, se quedaron allí *aquella noche.*

**55.** Pero Labán, levantándose antes de amanecer, besó a sus hijos y a sus hijas, y echóles la bendición, y se volvió a su país.

## CAPITULO XXXII

*Jacob avisa su llegada a Esaú, y le aplaca. Lucha misteriosa con un Angel: el cual le muda el nombre de Jacob en el de Israel.*

**1.** Jacob entonces prosiguió el viaje comenzado: y saliéronle al encuentro ángeles de Dios.

**2.** Vistos los cuales, dijo: He aquí los campamentos de Dios; y llamó a aquel lugar Mahanaim, esto es, Campamentos.

**3.** De aquí también despachó mensajeros delante de sí a su hermano Esaú a tierra de Seir, en la Idumea;

**4.** Dándoles esta orden: Hablaréis de esta manera a mi señor Esaú: Jacob tu hermano te envía a decir lo siguiente: Me fuí peregrinando a casa de Labán, y en ella he estado hasta el día presente.

**5.** Tengo bueyes, y asnos, y ovejas, y esclavos, y esclavas: y ahora envío estos mensajeros a mi señor, con deseo de hallar gracia en su presencia.

**6.** Los enviados volvieron a Jacob, diciendo: Fuimos a tu hermano Esaú; y hételo que viene presuroso a tu encuentro con cuatrocientos hombres.

**7.** Concibió Jacob grandísimo miedo: y lleno de terror, dividió la gente que tenía consigo, juntamente con los ganados de ovejas, y de bueyes, y de camellos, en dos bandas,

**8.** Diciendo: Si Esaú acometiere una banda, y la destrozare, la otra banda que resta se salvará.

**9.** Dijo después Jacob: ¡Oh Dios de mi padre Abraham, y Dios de mi padre Isaac! tú, Señor, que me dijiste: Vuélvete a tu tierra, y al lugar de tu nacimiento, que yo te colmaré de beneficios:

**10.** Yo soy indigno de todas tus misericordias y de la fidelidad con que has cumplido a tu siervo las promesas que le hiciste: sólo con mi *simple* cayado pasé este *río* Jordán, y ahora vuelvo con dos cuadrillas de *gentes y ganados.*

**11.** Líbrame, *te ruego,* de las manos de mi hermano Esaú, porque le temo mucho; no sea que arremetiendo, acabe con madres e hijos.

**12.** Tú has prometido hacerme mil bienes, y dilatar mi descendencia como las arenas del mar, que por la muchedumbre no pueden contarse.

**13.** Habiendo, pues, dormido allí aquella noche, separó de todo lo que tenía lo que había destinado para regalar a su hermano Esaú,

**14.** *Es a saber,* doscientas cabras, veinte machos de cabrío, doscientas ovejas y veinte carneros,

**15.** Treinta camellas paridas con sus crías, cuarenta vacas, veinte toros y veinte asnas, con diez de sus pollinos.

**16.** Y envió por medio de sus criados cada manada de éstas de por sí, y dijo a los mozos: Id delante de mí, dejando algún trecho entre manada y manada,

**17.** Y dió esta orden al primero. Si encontrares a mi hermano Esaú, y te preguntare: ¿De quién eres? o, ¿Adónde vas? o, ¿De quién es eso que conduces?

**18.** Has de responder: Es un regalo de tu siervo Jacob, que le envía a mi señor Esaú, y él mismo en *persona* viene detrás de nosotros.

**19.** Las mismas órdenes dió al segundo, y al tercero, y a todos los demás que iban detrás de aquellas manadas, diciendo: En los mismos términos habéis de hablar a Esaú, cuando le encontréis.

**20.** Y no dejéis de añadir: Tu siervo Jacob en persona viene siguiendo detrás de nosotros: porque dijo: Le aplacaré con los regalos que preceden, y después me presentaré a él, quizá se me mostrará propicio.

**21.** Remitió, pues, los dones por delante, y él pasó aquella noche en el campamento.

**22.** Y levantándose muy temprano, tomó sus dos mujeres y las dos criadas, con los once hijos, y pasó el vado de Jaboc.

**23.** Y después de haber hecho pasar todo lo que le pertenecía,

**24.** Quedóse solo: y he aquí *que se le apareció* un personaje, que comenzó a luchar con él hasta la mañana.

**25.** Este varón *respetable,* viendo que no podía sobrepujar a Jacob, le tocó el tendón del muslo, que al instante se secó.

**26.** Y le dijo: Déjame ir, que ya raya el alba. Jacob respondió: No te dejaré ir, si *antes no me das la bendición.*

**27.** ¿Cómo te llamas? le preguntó el *Angel.* El respondió: Jacob.

**28.** No ha de ser ya tu nombre Jacob, dijo *entonces* el Angel, sino Israel; porque si con *el mismo Dios* te has mostrado fuerte, ¿cuánto más prevalecerás contra *todos* los hombres?

**29.** Preguntóle Jacob: Dime ahora, ¿cuál es tu nombre? Respondió: ¿Por qué quieres saber mi nombre? Y allí mismo le dió su bendición.

**30.** Por donde Jacob llamó a aquel lugar Fanuel, diciendo: Yo he visto a Dios cara a cara, y mi vida ha quedado en salvo.

**31.** Al punto que partió de Fanuel, le salió el sol: mas él iba cojeando de un pie.

**32.** Por este motivo los hijos de Israel, hasta el día de hoy, no comen del nervio de *los animales, correspondiente al* que se secó en el muslo de Jacob; en memoria de que habiendo tocado el *Angel* dicho nervio, quedó éste sin movimiento.

---

**24.** La mayor parte de los Padres e Intérpretes reconocen en este personaje que luchaba con Jacob a un Angel del Señor, que representaba a Dios, o al Hijo de Dios; y así en el versículo 30 se le llama *Dios.*

**30.** Observa San Cirilo que antiguamente se creía que el ver a un Angel llevaba consigo el perder los sentidos, y aun la vida.

---

**7.** Observa San Agustín que el justo, al paso que confía en Dios, no ha de omitir las diligencias y socorros humanos.

## CAPITULO XXXIII

*Jacob con su sumisión y regalos ganó el cora-*
*zón de Esaú. Encuentro afectuoso de los*
*dos hermanos. Jacob va a habitar en Socot,*
*y en Salem, donde ofrece sacrificios a Dios.*

1. Y alzando después Jacob los ojos, vió venir a Esaú, y con él los cuatrocientos hombres: y dividió los hijos de Lía y los de Raquel, y de las dos siervas:

2. Y puso delante a entrambas esclavas y a sus hijos; a Lía y a los suyos en medio; pero a Raquel y a José los postreros.

3. El mismo adelantándose se postró siete veces en tierra, haciendo reverencia, mientras se acercaba su hermano.

4. Entonces Esaú corriendo al encuentro de su hermano, le abrazó, y estrechándose con su cuello, y besándole, echó a llorar.

5. Levantando en seguida los ojos, vió a las mujeres y a sus niños, y preguntó: ¿Quiénes son éstos? ¿son por ventura tuyos? Respondió Jacob: Son los niños que ha dado Dios a tu siervo.

6. Y llegando las esclavas con sus hijos, le hicieron profunda reverencia.

7. Acercóse también Lía con sus niños: y habiendo practicado lo mismo, por último José y Raquel hicieron su acatamiento.

8. Preguntó asimismo Esaú: ¿Qué significan aquellas cuadrillas que he encontrado? Respondió Jacob: El deseo de hallar gracia en presencia de mi señor.

9. A lo que dijo él: Tengo yo muchísimos bienes: retén para ti, hermano mío, los tuyos.

10. Replicó Jacob: No hagas tal, te suplico: antes bien si es que yo he hallado gracia en tus ojos, recibe de mis manos este pequeño regalo: ya que viendo tu semblante me ha parecido ver el semblante de Dios: hazme este favor.

11. Y acepta esta bendición que te he ofrecido, y que yo he recibido de Dios, que da todas las cosas. Aceptóla Esaú a duras penas, importunado del hermano,

12. Y le dijo: Vamos juntos, y te acompañaré en el viaje.

13. Respondió Jacob: Bien ves, señor mío, que tengo conmigo niños tiernos, y ovejas, y vacas pre-ñadas; que si las fatigare sacándolas de su paso, morirán todas en un día.

14. Vaya mi señor delante de su siervo: yo seguiré poquito a poco sus pisadas, según viere que pueden aguantar mis niños, hasta tanto que llegue a verme con mi Señor en Seir.

15. Replicó Esaú: Ruégote que por lo menos quede alguna gente que viene conmigo, para acompañarte en el camino. No es menester, dijo Jacob: lo que únicamente necesito, señor mío, es que me conserves en tu gracia.

16. Volvióse, pues, Esaú, aquel mismo día a Seir, por el camino que había traído.

17. Jacob entre tanto llegó a Socot, y habiendo edificado allí una casa y plantado las tiendas de campaña, llamó aquel lugar Socot, esto es, Pabellones.

18. Y al cabo de algún tiempo de su retorno de Mesopotamia de Siria, pasó a Salem, ciudad de los siquinitas, en la tierra de Canaán; y habitó cerca de la población.

19. Y compró la parte del campo en que había fijado sus tiendas de campaña a los hijos de Hemor, padre de Siquem, por cien corderos.

20. Y erigido allí un altar, invocó delante de él al fortísimo Dios de Israel.

## CAPITULO XXXIV

*Rapto de Dina, y la terrible venganza que sus*
*hermanos tomaron.*

1. Salió *un dia* Dina, hija de Lía, a ver las mujeres de aquel país.

2. A la cual como viese Siquem, hijo de Hemor Heveo, príncipe de aquella tierra, enamoróse de ella: y la robó; y desfloró violentamente a la virgen.

3. Quedó su corazón ciego y extremadamente apasionado por esta joven, y viéndola triste procuró ganarla con caricias.

4. Y acudiendo a Hemor su padre. Cásame, dijo, con esta jovencita.

5. Jacob tuvo noticia de esta violencia, mientras sus hijos estaban ausentes y ocupados en apacentar los ganados, y no dijo nada hasta que volvieron.

6. Mas al ir Hemor, padre de Siquem, a hablar a Jacob.

7. He aquí que sus hijos venían del campo, y oído lo que había pasado, se irritaron sobremanera por la acción tan fea y el enorme desafuero cometido contra *la casa de* Israel, violando a una hija de Jacob.

8. Pero Hemor les habló en estos términos: Siquem, mi hijo, está extremadamente enamorado de vuestra hija: dádsela, pues, por esposa;

---

11. Estos presentes de caridad y amistad se llaman *bendiciones*. San Pablo da ese nombre a las limosnas que se hacen a los pobres. — II *Cor*. IX.

**9.** Y enlacémonos recíprocamente con matrimonio: dadnos vuestras hijas, y recibid las nuestras.

**10.** Y habitad de asiento con nosotros: la tierra está a vuestra disposición: cultivadla, comerciad y entrad en posesión de ella.

**11.** Sobre todo, el mismo Siquem dijo al padre y hermanos de Dina: Consiga yo esta gracia de vosotros, y daros he cuanto dispusiéreis:

**12.** Aumentad la dote y pedid donativos que yo daré de buena gana lo que pidiéreis; sólo con que me déis a esta jovencita por esposa.

**13.** Respondieron los hijos de Jacob a Siquem y a su padre con dolo, encolerizados por el estupro de la hermana:

**14.** No podernos hacer lo que pretendéis, ni dar nuestra hermana a un hombre incircunciso, por ser cosa ilícita y abominable entre nosotros.

**15.** Mas con esta condición podremos trabar parentesco, si quisiereis haceros semejante a nosotros, circuncidando entre vosotros a todos los varones:

**16.** Entonces daremos y recibiremos recíprocamente vuestras hijas y las nuestras: y habitaremos en vuestra compañía, y vendremos a ser un solo pueblo;

**17.** Pero si no queréis circuncidaros, tomaremos a nuestra hija, y nos retiraremos.

**18.** Pareció bien a Hemor y a su hijo Siquem esta oferta;

**19.** Ni tardó el joven un momento en ejecutar lo que se le pedía, porque amaba en gran manera a la muchacha. Y era Siquem el más distinguido o *principal* de toda la familia de su padre.

**20.** Habiendo ido, pues, *Hemor y Siquem* a la puerta o *asamblea pública* de la ciudad, dijeron al pueblo:

**21.** Estos hombres son una gente buena, y quieren habitar con nosotros. Comercien, pues, en la tierra, y cultívenla; ya que siendo tan espaciosa y extendida, necesita de brazos que la trabajen: tomaremos sus hijas por mujeres, y les daremos las nuestras.

**22.** Un solo obstáculo hay que vencer para el logro de un bien tan grande; y es el circuncidar a nuestros varones, imitando el rito de *esta* gente.

**23.** Entonces su hacienda, y sus ganados, y todos los bienes que poseen serán nuestros: con que nosotros condescendamos únicamente en esto, viviremos juntos, y formaremos un solo pueblo.

**24.** Asintieron todos a esta propuesta, y circuncidaron a todos los varones.

**25.** Y he aquí que al tercer día, cuando el dolor de las heridas es más acerbo, dos hijos de Jacob, Simeón y Leví, hermanos de Dina, con espada en mano, entraron audazmente *y a su salvo* en la ciudad, y pasaron a cuchillo a todos los varones;

**26.** Mataron igualmente a Hemor y a Siquem y se llevaron a Dina, su hermana, de la casa de Siquem.

**27.** Después que éstos hubieron salido, los otros hijos de Jacob se arrojaron sobre los muertos: y saquearon la ciudad en venganza del estupro.

**28.** Robaron las ovejas, y las vacadas, y asnos de los habitantes, y todo lo que había en casas y campos.

**30.** Ejecutadas osadamente todas estas cosas, dijo Jacob a Simeón y a Leví: Me habéis puesto en un conflicto, y hecho odioso a los cananeos y fereceos, moradores de esta tierra. Nosotros somos pocos; ellos, reunidos todos, cargarán sobre mí, y seré exterminado con toda mi familia.

**31.** Respondieron los hijos: Pues qué, ¿debieron ellos abusar de nuestra hermana como de una prostituta?

## CAPITULO XXXV

*Esmérase Jacob en el culto público del Dios verdadero. Nace Benjamín, y muere Raquel. Incesto de Rubén. Enumeración de los hijos de Jacob; y muerte de Isaac.*

**1.** Entre tanto dijo Dios a Jacob: Levántate, y sube a Betel, y haz asiento allí y erige un altar al Dios que se te apareció cuando ibas huyendo de tu hermano Esaú.

**2.** Jacob, inmediatamente, convocada toda su familia, dió esta orden: Arrojad los dioses extraños que hay en medio de vosotros, y purificaos, y mudaos los vestidos.

**3.** Venid, y subamos a Betel, para erigir allí un altar a Dios: el cual me oyó *benigno* en el día de mi tribulación, y me asistió en el viaje.

**4.** Diéronle, pues, todos los dioses ajenos que tenían, y los zarcillos que *éstos* llevaban pendientes de las orejas: y Jacob los soterró al pie de un terebinto *o encina,* que está a la otra parte de la ciudad de Siquem.

---

**30.** Pecaron los hijos de Jacob por la mentira, perfidia, sacrilegio y bárbara venganza. Engañaron a los Siquemitas con el falso pretexto de la circuncisión, faltaron a la fe, abusaron de un rito sagrado. etc, — Véase lo que Jacob dijo sobre este atentado, cap XLIX, v. 5.

:5. Así que partieron, el terror de Dios se apoderó de todas las ciudades circunvecinas, de suerte que no se atrevieron a perseguirlos en su retirada.

6. Llegó, pues, Jacob con toda su gente a Luza, *ahora* por sobrenombre Betel, en la tierra de Canaán.

7. Y allí edificó el altar, llamando a este sitio *Betel* o casa de Dios: atento a que allí se le apareció Dios cuando iba huyendo de su hermano.

8. En este mismo tiempo murió Débora, ama de leche de Rebeca: y fué sepultada al pie de Betel, debajo de una encina: que por eso se llamó aquel lugar Encina del Llanto.

9. Y aparecióse Dios otra vez a Jacob después de su vuelta de Mesopotamia de Siria, y le bendijo.

10. Diciendo: Tú no te has de llamar Jacob, sino que *en adelante* tu nombre será Israel. Púsole, pues, el nombre de Israel;

11. Y añadióle: Yo soy el Dios todopoderoso: crece y multiplícate: naciones y muchedumbre de pueblos nacerán de ti, y reyes saldrán de tu sangre.

12. La tierra que di a Abraham y a Isaac, a ti te la daré, y después a tu posteridad.

13. Y *diciendo esto* desapareció.

14. Pero Jacob erigió una piedra en monumento *o testimonio*, en el lugar en que Dios le habia hablado: ofreciendo sobre ella libaciones, y derramando óleo;

15. Dando a este lugar el nombre de Betel.

16. Partiendo de aqui, llegó por la primavera a un sitio que está en el camino de Efrata: en donde sobreviniendo a Raquel los dolores del parto,

17. Y haciéndose éste dificil, empezó a peligrar. Y díjole la partera: No temas, porque aún tendrás este hijo.

18. Pero exhalando el alma a la fuerza del dolor, y estando ya a punto de morir, puso a su hijo el nombre de Benoni, que quiere decir hijo de mi dolor; mas el padre le llamó Benjamín, esto es, hijo de la diestra.

19. Asi murió Raquel, y fué sepultada en el camino que va a Efrata, la misma que *después* fué llamada Belén.

20. Y Jacob erigió un monumento sobre su sepultura: Este es el monumento *o columna* de Raquel, hasta el dia de hoy.

21. Salido de allí, fijó su tienda de campaña más allá de la Torre del Ganado.

22. Mientras habitaba en aquella región, Rubén fué y durmió con Bala, mujer secundaria de su padre: el cual lo llegó a saber:

Eran entonces doce los hijos de Jacob, *a saber:*

23. Hijos de Lía: Rubén el primogénito, y Simeón, y Levi, y Judá, e Isacar, y Zabulón.

24. Hijos de Raquel: José y Benjamín.

25. Hijos de Bala, esclava de Raquel: Dan y Neftalí.

26. Hijos de Zelfa, esclava de Lía: Gad y Aser: éstos son los hijos de Jacob, que le nacieron en Mesopotamia de Siria.

27. Fué después Jacob a ver a su padre Isaac en la ciudad de Arbee, llamada *después* Hebrón, en *la llanura* de Mambre: donde habían vivido como peregrinos Abraham e Isaac.

28. Y cumplió Isaac ciento y ochenta años de vida.

29. Y consumido de la edad vino a morir; y fué reunido a su pueblo siendo ya viejo y lleno de días: y sepultáronle sus hijos Esaú y Jacob.

# CAPITULO XXXVI

*De Esaú y sus descendientes, y de los Horreos: con lo cual se ven cumplidas las promesas del Señor, y la bendición dada a Isaac.*

1. Esta es la descendencia de Esaú, por otro nombre Edom.

2. Casó Esaú con mujeres cananeas: y fueron Ada, hija de Helón, Heteo; y Oolibama, hija de Ana, hija de Sebeón el Heveo.

3. Casó también con Basemat hija de Ismael, hermana de Nabaiot.

4. Ada dió a luz a Elifaz: Basemat fué madre de Rahuel:

5. Oolibama lo fué de Jehús, y de Ihelón y de Coré: éstos son los hijos que le nacieron a Esaú en la tierra de Canaán.

6. Tomó después Esaú sus mujeres, hijos e hijas, y todas las personas de su familia, la hacienda, y ganado, y todo cuanto poseía en la tierra de Canaán; y fuése a otra región, retirándose de su hermano Jacob.

7. Porque los dos eran riquísimos, y no podían morar juntos, ni sustentarlos la tierra, en que estaban como peregrinos, a causa de la multitud de sus ganados.

―――――――

CAP. XXXVI.—I. Para la inteligencia de este capítulo debe tenerse presente que las mujeres de Esaú, que aquí se nombran, son las mismas que se nombran en los capítulos XXVI y XXVIII. Tanto los hombres, como las mujeres tenían diversos nombres. Esaú se llama Edom; y también Seir: así se concilian algunas genealogías.

8. Esaú, pues, por otro nombre Edom, asentó su morada en el monte Seir.

9. Y los descendientes de Esaú, padre de los idumeos, en el monte Seir, son éstos,

10. Y tales son los nombres de sus hijos: Elifaz, hijo de Ada, mujer de Esaú: Rahuel, hijo de Basemat, mujer también suya.

11. Hijos de Elifaz fueron: Temán, Omar, Sefo, Gatam y Cenez.

12. Asimismo Tamna era también mujer secundaria de Elifaz, hijo de Esaú: y ésta dió a luz a Amalec: éstos son los descendientes de Ada, mujer de Esaú.

13. Hijos de Rahuel: Nahat y Zara, Samna y Meza: éstos son los hijos o nietos de Basemat, mujer de Esaú.

14. Asimismo los hijos de Oolibama, mujer de Esaú, hija de Ana, y ésta de Sebeón, fueron Jehús, Ihelón, y Coré.

15. Los príncipes o caudillos descendientes de Esaú fueron los siguientes: Por parte de Elifaz primogénito de Esaú, el príncipe Temán, el príncipe Omar, el príncipe Sefo, el príncipe Cenez,

16. El príncipe Coré, el príncipe Gatam, el príncipe Amalec: éstos son hijos de Elifaz, en Idumea, y vienen de Ada.

17. Por parte de Rahuel, hijo de Esaú: el príncipe Nahat, el príncipe Zara, el príncipe Samma, el príncipe Meza: tales son los príncipes de la línea de Rahuel en la Idumea: éstos vienen de Basemat, mujer de Esaú.

18. Y los hijos de Oolibama, mujer de Esaú, son los siguientes: príncipe Jehús, el príncipe Ihelón, el príncipe Coré: estos príncipes vienen de Oolibama, hija de Ana, y mujer de Esaú.

19. Y éstos son los descendientes de Esaú, llamado también Edom: y los que entre ellos han sido príncipes o caudillos.

20. Los hijos de Seir el Horreo, naturales de aquella tierra, son Lotán, y Sobal, y Sebeón, y Ana,

21. Y Disón, y Eser, y Disán: éstos son los príncipes Horreos, hijos de Seir, en la tierra llamada después de Edom.

22. De Lotán fueron hijos Hori y Hemán: de este mismo Lotán era hermana Tamna.

23. Los hijos de Sobal fueron Alván y Manahat, y Ebal, y Sefo, y Onam.

24. Los de Sebeón: Aia y Ana. Este Ana es el que descubrió las aguas calientes en el desierto, mientras andaba apacentando los asnos de Sebeón, su padre.

25. Hijo suyo fué Disón, y Oolibama su hija.

26. Los hijos de Disón fueron Handán, y Esebán, y Jetran y Caram.

27. Los de Eser fueron Balaán y Zavan, y Acán.

28. Disón tuvo por hijos a Hus y Aram.

29. Estos son los príncipes de los Horreos; príncipe Lotán, príncipe Soba, príncipe Sebeón, príncipe Ana,

30. Príncipe Disón, príncipe Eser, príncipe Disán: éstos son los príncipes de los Horreos, que tuvieron el mando en la tierra de Seir.

31. Y los reyes que reinaron en Idumea, antes que los hijos de Israel tuviesen rey, fueron los siguientes:

32. Bela, hijo de Beor, y el nombre de su ciudad Denaba.

33. Después que murió Bela, reinó en su lugar Jobab, hijo de Zara, natural de Bosra.

34. Muerto Jobab, entró a reinar en su lugar Husam, del país de los temanitas.

35. Después de muerto éste, reinó en su lugar Adad, hijo de Badad, el cual derrotó a los madianitas en el país de Moab: y su ciudad se llamó Avit.

36. Muerto que fué Adad, reinó en lugar de él Semla, natural de Masreca.

37. Muerto asimismo éste, le sucedió Saúl, natural de Rohobot, cerca del río Eufrates.

38. Como también éste hubiese muerto, le sucedió en el reino Balanán, hijo de Acobor.

39. En fin, muerto éste, reinó en su lugar Adar: cuya ciudad se llamaba Fau; y su mujer Meetabel, hija de Matred, hija de Mezaab:

40. Los nombres de los príncipes descendientes de Esaú, según su linaje, lugares en que fijaron su domicilio, y pueblos a que dieron nombre, son éstos: príncipe Tamna, príncipe de Alva, príncipe de Ietet,

41. Príncipe de Oolibama, príncipe de Ela, príncipe de Finón,

42. Príncipe de Cenez, príncipe de Temán, príncipe de Mabsar,

43. Príncipe de Magdiel, príncipe de Hiram: éstos son los príncipes de Edom o Idumea, moradores cada cual en la tierra de su mando: Edom es el mismo Esaú, padre de los idumeos.

# CAPITULO XXXVII

*José, envidiado y vendido por sus hermanos, es conducido esclavo a Egipto, y vendido a Putifar.*

**1.** Pero Jacob habitó en el país de Canaán, donde su padre habia vivido como extranjero.

**2.** Y he aquí lo que pasó en su familia: José, todavía muchacho, siendo de dieciséis años, apacentaba el ganado con sus hermanos: y estaba con los hijos de Bala, y de Zelfa, mujeres de su padre: y acusó a sus hermanos ante el padre de un delito muy enorme.

**3.** Amaba Israel a José más que a todos sus hijos, por haberle engendrado en la vejez, y le hizo una túnica *bordada* de varios colores.

**4.** Al ver, pues, sus hermanos que el padre le amaba más que a todos sus hijos, odiábanle, y no podían hablarle sin agrura.

**5.** Tras esto sucedió que habiendo tenido un sueño, se lo contó a sus hermanos: lo que fué incentivo de mayor odio.

**6.** Porque les dijo: Oíd lo que he soñado:

**7.** Parecíame que estábamos atando gavillas en el campo; y como que mi gavilla se alzaba, y se tendía derecha, y que vuestras gavillas puestas alrededor adoraban la mía.

**8.** Respondieron sus hermanos: Pues qué, ¿has de ser tú nuestro rey? ¿o hemos de estar sujetos nosotros a tu dominio? Así, pues la materia de estos sueños y coloquios fué fomento de la envidia y del odio.

**9.** Vió también otro sueño, que refirió a sus hermanos, diciendo: He visto entre sueños como que el sol, y la luna, y once estrellas, me adoraban.

**10.** Y habiéndolo contado a su padre y a los hermanos, su padre le reprendió, diciendo: ¿Qué quiere decir ese sueño que has visto? ¿por ventura yo y tu madre y tus hermanos, postrados por tierra, te habremos de adorar?

**11.** De aquí es que sus hermanos le miraban con envidia; mas el padre consideraba en silencio estas cosas.

**12.** Y como sus hermanos estuviesen en el territorio de Siquem, apacentando los rebaños de su padre,

**13.** Díjole Israel: Tus hermanos guardan las ovejas en los pastos de Siquem; ven, que quiero enviarte a ellos. Y respondiendo él:

**14.** Pronto estoy, Jacob le añadió: Anda, ve, y averigua si tus hermanos lo pasan bien, y si están en buen estado los ganados: y tráeme razón de lo que pasa. Despachado, *pues*, del valle de Hebrón, llegó a Siquem:

**15.** Y habiéndole encontrado errante por los campos un hombre, le preguntó qué buscaba.

**16.** A lo que respondió José: Ando en busca de mis hermanos, muéstrame dónde pastan los ganados.

**17.** Díjole aquel hombre: Apartáronse de este lugar: y les oí decir: Pasemos a Dotaín. Con esto marchó José en busca de sus hermanos, y hallólos en Dotaín.

**18.** Los cuales, luego que le vieron a lo lejos, antes que se acercase a ellos, trataron de matarle:

**19.** Y decíanse unos a otros: Aquí viene el soñador.

**20.** Ea, pues, matémosle, y echémosle en una cisterna vieja: diremos que una bestia feroz lo devoró; y entonces se verá qué le aprovechan sus sueños.

**21.** Oyendo esto Rubén, se esforzaba en librarle de sus manos, y decía:

**22.** No le quitéis la vida, ni derraméis su sangre, sino echadle en aquella cisterna seca que está en el desierto, y no manchéis vuestras manos: lo que decía con el fin de librarle de ellos y restituirle a su padre.

**23.** Apenas, pues, hubo llegado José a sus hermanos, le desnudaron de la túnica talar y de varios colores;

**24.** Y metiéronle en una cisterna vieja, que no tenía agua.

**25.** Y sentados a comer, vieron venir de Galaad una caravana de ismaelitas, con sus camellos cargados de aromas, y bálsamo, y mirra destilada, que iba con dirección a Egipto.

**26.** Entonces dijo Judá a sus hermanos: ¿Qué ganaremos con quitar la vida a nuestro hermano y ocultar su muerte?

**27.** Mejor es venderle a los ismaelitas, y no manchar nuestras manos: porqué al fin, hermano nuestro es, y de nuestra misma carne. Asintieron los hermanos a sus razones.

---

**9.** Este sueño sólo se cumplió perfectamente a la letra en Jesucristo, figurado por José *S. Aug.*, *Quest.* CXXIII, *in Gen.* Como había ya muerto Raquel, tal vez por la *madre* de José se entiende aquí Bala, mujer de Jacob, de las de segundo orden, esclava que había sido de Raquel y ama de leche de José.

---

**16.** Respuesta misteriosa: pues siendo José tan admirable figura de Jesucristo, representaba el amor del Hijo de Dios enviado de su Padre a buscar y salvar a los descarriados hijos de Adán.

**28.** Y mientras pasaban unos negociantes madianitas, sacándole de la cisterna, le vendieron a aquellos ismaelitas, por veinte siclos de plata: quienes le condujeron a Egipto.

**29.** Vuelto Rubén a la cisterna, no halló al muchacho,

**30.** Y rasgándose los vestidos, fué *luego* a sus hermanos, diciendo: El chico no parece, ¿y adónde iré yo ahora?

**31.** Tomaron después ellos la túnica de José, y tiñéronla en la sangre de un cabrito que habían matado,

**32.** Enviándola a su padre, y haciéndole decir por los portadores: Esta túnica hemos hallado: mira si es o no la túnica de tu hijo.

**33.** El padre, habiéndola reconocido, dijo: La túnica de mi hijo es, una bestia feroz se lo ha comido, una fiera ha devorado a José.

**34.** Y rasgándose los vestidos, se vistió de cilicio, llorando por mucho tiempo a su hijo.

**35.** Y juntándose todos los demás hijos para aliviar el dolor del padre, no quiso admitir consuelo ninguno, sino que decía: Descenderé deshecho en lágrimas a encontrar *y unirme* con mi hijo en el sepulcro. Y perseveró en el llanto.

**36.** Entre tanto los madianitas vendieron a José en Egipto a Putifar, eunuco *o valido* de Faraón, y capitán de sus guardias.

## CAPITULO XXXVIII

*Hijos que tuvo Judá de su mujer; y lo sucedido después con su nuera Tamar.*

**1.** Por este mismo tiempo, Judá, separándose de sus hermanos, se hospedó en casa de un vecino de Odollam llamado Hiram.

**2.** Y vió a la hija de un cananeo llamado Sué: y casóse con ella.

**3.** La cual concibió, y dió a luz un hijo, a quien su padre llamó Her.

**4.** Segunda vez concibió, y al hijo que tuvo le llamó *ella* Onán.

---

**35.** Los teólogos llaman *limbo* a este lugar: aunque también es llamado *infierno*, y *seno de Abraham* por algunos Padres de la Iglesia: pues entendían por *infierno* el lugar donde estaban detenidas las almas de los justos, antes de la venida de Jesucristo. En estas palabras de Jacob se descubre la fe en la inmortalidad del alma, y en la reunión de todos los justos en otra vida venidera; pues de otro modo no podía decir Jacob que iría a reunirse con José, que creía comido de una fiera.

**5.** Dió a luz después al tercero, al cual *ella* llamó Sela. y después de nacido éste, no tuvo mas hijos.

**6.** Judá *a su tiempo* casó a su primogénito Her con una mujer llamada Tamar.

**7.** Pero Her, primogénito de Judá, fué un malvado a los ojos del Señor: que por eso le quitó la vida.

**8.** Dijo entonces Judá a Onán, hijo suyo: Cásate con tu cuñada, a fin de dar sucesión a tu hermano.

**9.** *Pero* Onán, sabiendo que la sucesión no había de ser suya, aunque se acostaba con ella, impedía el que concibiese, para que no nacieran hijos con el nombre del hermano.

**10.** Por lo cual el Señor le hirió *de muerte*, en castigo de acción tan detestable.

**11.** Visto esto, dijo Judá a su nuera Tamar: Mantente viuda en casa de tu padre, hasta que haya crecido mi hijo Sela: y era que temía no muriera también éste, como sus hermanos. Fuése ella, y vivió en la casa de su padre.

**12.** Pasados ya muchos días, murió la hija de Sué, mujer de Judá: el cual, después de los funerales, concluído el duelo, iba un día con Hiras el odollamita, mayoral del ganado, al esquileo de sus ovejas a Tamnas.

**13.** Y avisaron a Tamar de que su suegro iba a Tamnas al esquileo de sus ovejas.

**14.** La cual, depuesto el traje de viuda, tomó un manto o *mantilla grande:* y mudando de traje sentóse en la encrucijada del camino, que va a Tamnas, porque veía que Sela había crecido, y no se lo habían dado por marido.

**15.** Judá, luego que la vió, sospechó que era una mujer pública; porque se había cubierto el rostro para no ser conocida.

**16.** Y acercándose a ella, dijo: Déjame que cohabite contigo; no sabiendo que fuese su nuera. La cual le respondió: ¿Qué me darás por hacer tu gusto?

**17.** Te enviaré, dijo Judá, un cabrito de mi ganado. A lo que contestó Tamar: Permitiré lo que tú quieres, con tal que me des una prenda, hasta enviar lo que prometes.

**18.** A lo cual dijo Judá: ¿Qué prenda quieres? Ese anillo *o sello* tuyo, respondió, y el brazalete, y el bastón que tienes en la mano. Quedó, pues, entonces mismo embarazada la mujer,

**19.** Y levantándose se retiró: y dejado el traje que había tomado, vistióse otra vez de viuda.

**20.** Judá después envió el cabrito por mano de su pastor el odollamita, para recobrar las prendas que había dado a la mujer: el cual, como no la hallase,

**21.** Preguntó a las gentes vecinas: ¿Dónde está la mujer que solía ponerse en la encrucijada? Respondiéronle todos: Aquí no ha habido ramera alguna.

**22.** Volvió, pues, a Judá, y le dijo: No la he hallado; y aun toda la gente de aquel lugar me ha asegurado que jamás habían visto allí mujer pública.

**23.** Dijo Judá: Quédese en hora buena con lo que tiene, a lo menos no podrá acusarnos de mentira; yo he remitido el cabrito que prometí, y tú no la has hallado.

**24.** Pero he aquí, al cabo de tres meses avisaron a Judá, diciendo: Tu nuera Tamar ha pecado; pues se va observando que está embarazada: y dijo Judá: Sacadla fuera, para que sea *públicamente* quemada.

**25.** La cual, mientras era conducida al suplicio, envió un recado a su suegro, diciendo: Del varón de quien son estas prendas, he yo concebido: mira bien cúyo es ese anillo, y ese brazalete, y ese bastón.

**26.** Judá, reconocidas las prendas, dijo: Menos culpa tiene ella que yo: puesto que yo no la entregué por esposo a Sela hijo mío. Pero nunca más tuvo Judá trato carnal con ella.

**27.** Sobreviniendo después el parto, se vió que llevaba dos gemelos en el vientre: y en el acto mismo de salir a luz los niños, uno de ellos sacó la mano, en la cual la partera ató un hilo encarnado, diciendo:

**28.** Este saldrá el primero.

**29.** Mas como él retirase la mano, salió el otro: y dijo entonces la mujer: ¿Cómo es que se ha roto por tu causa la piel *o membrana*? Y por este motivo llamó su nombre Fares.

**30.** Después salió su hermano, en cuya mano estaba el hilo encarnado: al cual llamó Zara.

## CAPITULO XXXIX

*José, por defender su castidad es calumniado y oprimido. Puesto en la cárcel, se granjea la confianza del alcaide.*

**1.** José, pues, *como queda dicho*, fué conducido a Egipto, y lo compró Putifar egipcio, eunuco de Faraón, y general de sus tropas, de mano de los ismaelitas, que lo habían llevado.

**2.** Y el Señor le asistió: y era hombre a quien todo cuanto hacía, le salía felizmente: y habitaba en la casa de su amo,

**3.** El cual conocía muy bien que el Señor estaba con José, y que le favorecía y bendecía en todas sus acciones.

**4.** Así José halló gracia en los ojos de su amo, al cual servía *con esmero;* y puesto por él al frente de todo, gobernaba la casa confiada a su cuidado, y todos los bienes que se le habían entregado.

**5.** Y el Señor derramó la bendición sobre la casa del egipcio por amor de José, y multiplicó toda su hacienda, tanto en la ciudad como en la campaña:

**6.** De suerte que *el amo* no tenía otro cuidado, que el de ponerse a la mesa para comer. A más de esto, José era de rostro hermoso, y de gallarda presencia.

**7.** Por lo que al cabo de muchos días, puso su señora los ojos en él, y le dijo: Duerme conmigo.

**8.** El cual, no queriendo de ninguna manera consentir en tal maldad, le contestó: Tú ves que mi señor, habiéndome confiado todas las cosas, no sabe lo que tiene en su casa:

**9.** No hay cosa, chica, ni grande, que no esté a mi disposición, o que no me haya entregado, a excepción de ti, que eres su mujer: pues, ¿cómo puedo yo cometer esa maldad y pecar contra mi Dios?

**10.** Todos los días continuaba la mujer molestando del mismo modo al joven, rehusando siempre éste el adulterio.

**11.** Pero aconteció que un día, entrado José en casa, se puso a despachar cierto negocio a solas,

**12.** Y ella, habiéndole asido de la orla de su capa, le dijo *también:* Duerme conmigo. Entonces José, dejándole la capa en las manos, huyó, y salióse fuera de casa.

**13.** Viéndose la mujer con la capa en las manos, y que había sido despreciada,

**14.** Llamó a sus domésticos: Ved *lo que ha hecho mi marido:* nos ha metido en casa este mozo hebreo para insultarnos: ha entrado donde yo estaba, para deshonrarme: mas habiendo yo levantado el grito,

**15.** Y oído él mis voces, ha dejado la capa que yo le asía, y escapádose fuera.

**16.** En prueba, pues, de su fidelidad, cuando el marido volvió a casa, le mostró la capa con que se había quedado,

---

**24.** Los Patriarcas tenían una autoridad como soberana, y eran jueces en su familia. La ley dispuso después que las adúlteras fuesen apedreadas.

**12.** Sobre estas palabras S. Agustín (*Serm.* CCL): *aprende en los peligros de impureza a huir, si quieres obtener la victoria;* y compara el Santo la virtud de la castidad al martirio.

17. Y le dijo: Ese siervo hebreo, que tú trajiste, entró donde yo estaba, con el fin de forzarme;

18. Mas como oyó gritar, soltó la capa que yo tenía asida, y huyóse afuera.

19. El amo, oídas tales cosas, y demasiadamente crédulo a las palabras de su mujer, enojóse sobremanera;

20. Y mandó meter a José en la cárcel, en que se guardaban los reos de delitos contra el Rey, y allí estaba encerrado.

21. Pero el Señor asistió a José, y compadecido de él, le hizo grato a los ojos del alcaide de la cárcel.

22. El cual entregó a su cuidado todos los presos que estaban allí encerrados: y no se hacía cosa que no fuesen por su orden.

23. Ni el alcaide tenía cuenta de nada, fiándose de José en todo porque el Señor le asistía y dirigía todas sus acciones.

## CAPITULO XL

*José interpreta con acierto los sueños de los ministros de Faraón que estaban en la cárcel.*

1. Sucedió después que dos eunucos, el copero mayor y el principal panadero del rey de Egipto, ofendieron a su señor.

2. Y encolerizado contra ellos Faraón (pues el uno era jefe de los coperos y el otro de los panaderos),

3. Los mandó meter en la cárcel del comandante general de las tropas, en la cual estaba también preso José.

4. Pero el alcaide de la cárcel los entregó a José, el cual asimismo les servía. Había pasado algún tiempo que estaban presos,

5. Cuando tuvieron ambos en una misma noche un sueño adaptado al estado *o suerte* de cada uno.

6. Entrando por la mañana José a visitarlos, y viéndolos caritristes,

7. Les preguntó: ¿Por qué causa está hoy vuestro semblante más triste que otros días?

8. Respondieron ellos: Hemos tenido un sueño, y no hay quien nos lo interprete. Y díjoles José; Pues qué, ¿no es cosa propia de Dios la interpretación? Referidme lo que habéis visto.

9. El copero mayor contó el primero su sueño de *esta manera:* Veía delante de mí una vid,

---

8. En la Escritura hay ejemplos de sueños enviados por Dios. *Dan.* IV, v. 5. Pero así como son muy raros, es igualmente muy difícil discernirlos de los sueños vanos, o causados por el demonio; y así lo más seguro, en general, es no parar la atención en sueños.

10. Que tenía tres sarmientos, crecer insensiblemente hasta echar botones, y después de salir las flores, madurar las uvas;

11. Y la copa de Faraón en mi mano. Cogí entonces las uvas, y exprimílas en la copa que tenía en la mano y serví con ella a Faraón.

12. Respondió José: Esta es la interpretación del sueño: Los tres sarmientos, significan tres días que aún faltan;

13. Después de los cuales Faraón se acordará de tu ministerio, y te restablecerá en tu primer puesto: y le servirás la copa conforme a tu oficio, como solías hacerlo antes.

14. Sólo te pido que te acuerdes de mí, en el tiempo de tu prosperidad, y me tengas compasión sugiriendo a Faraón que me saque de esta cárcel;

15. Porque furtivamente fué arrebatado de la tierra de los hebreos; y aquí, siendo inocente, fuí metido en esta cárcel.

16. Viendo el jefe de los panaderos que había descifrado el sueño sabiamente, dijo: Yo también he tenido un sueño, en que me parecía llevar sobre mi cabeza tres canastillos de harina;

17. Y en el canastillo de encima, había toda especie de viandas hechas por arte de pastelería, y las aves comían de él.

18. Respondió José: Esta es la interpretación del sueño: Los tres canastillos, son tres días que aún restan,

19. Al cabo de los cuales Faraón te cortará la cabeza, y te colgará en una cruz, y las aves despedazarán tus carnes.

20. *En efecto,* tres días después se celebraba el cumpleaños de Faraón: el cual haciendo un gran convite a sus cortesanos, se acordó en la mesa del copero mayor, y del *maestre ala* o jefe de los panaderos.

21. Y al primero le restituyó a su oficio de servirle la copa,

22. Y al otro le colgó en un patíbulo: de manera que se acreditó ser verdadera la exposición del intérprete.

23. Con todo, el copero mayor vuelto a su prosperidad, echó en olvido a su intérprete.

## CAPITULO XLI

*José interpreta unos sueños de Faraón: el cual le hace gobernador supremo de todo el Egipto; y le casa con Asenet de la cual tiene sus dos hijos Manasés y Efraín.*

1. Dos años después tuvo Faraón un sueño. Parecíale estar en la ribera del río *Nilo,*

**2.** Del cual subían siete vacas gallardas y por extremo gordas: y se ponían a pacer en aquellos lugares lagunosos.

**3.** Salían también del río otras siete, feas y consumidas de flaqueza: que pacían en la orilla misma del río en donde estaba la yerba;

**4.** Y tragaron a aquellas siete, cuya hermosura y lozanía de cuerpos era maravillosa. Despierto Faraón,

**5.** Vovió a dormirse, y tuvo otro sueño: siete espigas brotaban de una misma caña, llenas y hermosas:

**6.** Otras tantas nacían *de otra*, menudas y quemadas del viento abrasador,

**7.** Las cuales devoraban toda la lozanía de aquellas primeras. Despertando Faraón después de haber descansado,

**8.** Siendo ya de día, despavorido, mandó llamar a todos los adivinos de Egipto, y a los sabios todos: y estando juntos les contó el sueño, y no había quién le interpretase.

**9.** Entonces, por fin, acordándose *de José* el copero mayor dijo *al rey:* confieso mi pecado:

**10.** Enojado el rey contra sus siervos, mandó echarnos a mí y al panadero mayor en la cárcel del comandante de las tropas,

**11.** Donde en una misma noche tuvimos cada uno de los dos un sueño, presagio de lo que nos había de suceder.

**12.** Hallábase allí un joven hebreo, criado del mismo comandante de las tropas: y habiéndole contado los sueños,

**13.** Oímos de él todo lo que despés confirmó el suceso: porque yo fuí restituído a mi empleo y el otro colgado en una cruz.

**14.** Al punto por orden del rey, sacando a José de la cárcel, le cortaron el pelo: y habiéndole mudado el vestido, se lo presentaron.

**15.** Díjole Faraón: He tenido unos sueños, y no hay quien acierte a explicarlos: he oído de ti que tienes gran luz para interpretarlos.

**16.** Contestó José: No seré yo, sino Dios, quien responderá favorablemente a Faraón.

**17.** Refirió, pues, Faraón lo que había visto: Parecíame, *dijo*, que estaba sobre la ribera del río,

**18.** Y que subían *de la orilla* de él siete vacas hermosísimas, y en extremo gordas: las

cuales en los pastos de la laguna despuntaban la yerba verde;

**19.** Cuando he aquí, que salían tras ellas otras siete tan feas y en tanto grado macilentas, que nunca las vi tales en tierra de Egipto,

**20.** Las cuales, después de haber devorado y consumido a las primeras,

**21.** Ningún indicio dieron de hartura: sino que, *al contrario*, se paraban yertas con la misma flaqueza y morriña de antes. Desperté después, pero vencido otra vez del sueño,

**22.** Vi en sueños *también* cómo brotaban de una sola caña siete espigas llenas y hermosísimas.

**23.** Al mismo tiempo nacían de otra caña otras siete delgadas, y requemadas del viento abrasador,

**24.** Las cuales se tragaron a las primeras con toda su lozanía. He referido a los adivinos el sueño, y no hay quien me lo declare.

**25.** Respondio José: Los dos sueños del rey significan una misma cosa: lo que Dios ha de hacer, lo ha mostrado a Faraón.

**26.** Las siete vacas hermosas, y las siete espigas llenas, siete años son de abundancia: y contiene una misma significación del sueño.

**27.** También las siete vacas flacas y extenuadas, que salieron en pos de aquéllas, y las siete espigas delgadas, y quemadas del viento abrasador, son siete años de hambre que han de venir.

**28.** Los que se cumplirán con este orden:

**29.** Vendrán primeramente siete años de grande fertilidad en toda la tierra de Egipto,

**30.** A los cuales sucederán otros siete años de tanta esterilidad, que hará olvidar toda la anterior abundancia: por cuanto el hambre ha de asolar toda la tierra,

**31.** Y la extrema carestía se absorberá la extraordinaria abundancia.

**32.** En orden al segundo sueño que has tenido de la misma significación, denota la certidumbre de que la palabra de Dios tendrá efecto, y se cumplirá cuanto antes.

**33.** Ahora, pues, elija el rey un varón sabio y activo, y déle autoridad en *toda* la tierra de Egipto:

**34.** El cual establezca intendencias en todas las provincias, y haga recoger en los graneros la quinta parte de los frutos durante los siete años de fertilidad,

**35.** Que ya van a comenzar: y enciérrese todo el grano a disposición de Faraón, y guárdese en las ciudades;

---

10. Manifiesta José que solamente de Dios puede venir a los hombres el conocimiento de lo venidero.

36. Y esté preparado para la venidera hambre de siete años, que ha de afligir a Egipto, y con eso no se asolará el país por la carestía.

37. Pareció bien el consejo a Faraón, y a todos sus ministros;

38. Y les dijo: ¿Por ventura podremos hallar un varón como éste, tan lleno del espíritu de Dios?

39. Dijo, pues, a José: Ya que Dios te ha manifestado todas las cosas que acabas de decir, ¿podré yo acaso encontrar otro más sabio o igual a ti?

40. Tú tendrás el gobierno de mi casa, y al imperio de tu voz obedecerá el pueblo todo: no tendré yo sobre ti más precedencia que la del solio real.

41. Añadió Faraón a José: Mira que te hago virrey de toda la tierra de Egipto.

42. Y *luego* se quitó el anillo del dedo, y se lo puso a José: y le vistió de una ropa *talar* de lino finísimo, y le puso alrededor del cuello un collar de oro.

43. E hízole subir en su segunda carroza, gritando un heraldo o *rey de armas*, que todos hincasen delante de él la rodilla, y supiesen que estaba constituído gobernador de toda la tierra de Egipto.

44. Dijo aún más el rey a José: Yo soy Faraón: sin tu orden ninguno ha de mover pie ni mano en toda la tierra de Egipto:

45. Mudóle también el nombre, llamándole en lengua egipcia Salvador del mundo. Y dióle por mujer a Asenet, hija de Putifare, sacerdote de Heliópoli. Después de esto salió José a visitar la tierra de Egipto.

46. (Treinta años tenía cuando fué presentado a Faraón) y dió la vuelta por todas las provincias de Egipto.

47. Vino, pues, la fertilidad de los siete años: y reducidas las mieses a gavillas, fueron recogidas en los graneros de Egipto.

48. Y en cada ciudad fué depositada la grande abundancia de grano *de sus contornos.*

49. Y fué tanta la copia que hubo de trigo, que igualaba a las arenas del mar, y excedía a toda medida.

50. Antes que viniese la carestía, le nacieron a José dos hijos, que le dió Asenet, hija de Putifare, sacerdote de Heliópoli.

51. Y al primogénito puso por nombre Manasés, diciendo: Dios me ha hecho olvidar de todos mis trabajos, y de la casa de mi padre.

52. Al segundo puso por nombre Efraím, diciendo: Dios me ha hecho prosperar en la tierra donde entré pobre *y esclavo.*

53. Pasados, en fin, los siete años, que hubo de abundancia en Egipto,

54. Comenzaron a venir los siete años de carestía, que había profetizado José, y el hambre afligió a todo el mundo, mas en toda la tierra de Egipto había pan.

55. Pero cuando los egipcios sintieron el hambre, clamó el pueblo a Faraón pidiendo víveres. A los cuales él respondió: Acudid a José, y haced cuanto él os dijere.

56. Creciendo, pues, el hambre cada día en toda la tierra, abrió José todos los graneros, y empezó a vender los granos a los egipcios: porque también a ellos había alcanzado el hambre.

57. Y venían a Egipto todas las provincias *vecinas,* para comprar víveres y aliviar la pena de la carestía.

## CAPITULO XLII

*Los hermanos de José acuden a Egipto a comprar trigo. Cómo los trató José, a cuyos pies se arrodillaron. Queda Simeón en la cárcel, y logran los demás volver a su país con la condición de traer a Benjamín.*

1. Y oyendo Jacob que se vendían víveres en Egipto, dijo a sus hijos: ¿Por qué os estáis sin hacer ninguna diligencia?

2. He oído que se vende trigo en Egipto: bajad allá, y compradnos lo necesario para que podamos vivir, y no muramos de hambre.

3. Bajando, pues, diez hermanos de José a comprar granos en Egipto,

4. Retenido en casa Benjamín por Jacob que dijo a sus hermanos: No sea que le suceda en el camino algún desastre;

5. Entraron en la tierra de Egipto con otras gentes que iban *también* a comprar. Porque se sentía el hambre en la tierra de Canaán,

6. Y en la tierra de Egipto mandaba José, y a su arbitrio se vendían los granos a los pueblos. Pues como sus hermanos le hubiesen adorado,

7. Y José conocídolos a ellos, hablándoles con alguna aspereza como a extraños, les preguntó: ¿De dónde venís vosotros? De la tierra de Canaán, respondieron, a comprar lo necesario para el sustento.

**8.** Y aunque conoció José a sus hermanos, no fué conocido de ellos.

**9.** Entonces, acordándose de los sueños que había tenido en otro tiempo, les dijo: Vosotros sois espías que habéis venido a reconocer los parajes menos fortificados de la tierra.

**10.** Señor, no es así, respondieron ellos; sino que tus siervos han venido a comprar que comer.

**11.** Todos somos hijos de un mismo padre: venimos de paz: ni tus siervos maquinan mal alguno.

**12.** José les respondió: No: antes muy al contrario, vosotros habéis venido a observar los lugares indefensos de este país.

**13.** Mas ellos dijeron: Somos nosotros siervos tuyos, doce hermanos, hijos de un mismo padre, en la tierra de Canaán: el más chico queda con nuestro padre, el otro ya no existe.

**14.** Ahora me confirmo, dijo José, en lo que tengo dicho: Espías sois.

**15.** Desde luego voy a probar si decís la verdad: por vida de Faraón, que no saldréis de aquí hasta tanto que comparezca ese vuestro hermano más chico.

**16.** Enviad uno de vosotros que se traiga: y vosotros entre tanto quedaréis presos, mientras se averigua si son falsas o verdaderas las cosas que habéis dicho: cuando no, por vida de Faraón, que espías sois.

**17.** En consecuencia los metió en la cárcel por tres días.

**18.** Pero al tercero, sacándolos de ella, dijo: Haced lo que os he dicho, y quedaréis con vida; porque yo temo a Dios.

**19.** Si sois gente de paz, quede atado en la cárcel un hermano vuestro: y vosotros id a llevar a vuestras casas los granos, que habéis comprado,

**20.** Y traedme a vuestro hermano el menor, para que yo pueda certificarme de vuestros dichos, y vosotros no seáis condenados a muerte. Hiciéronlo como él decía;

**21.** Y conversaban entre sí, diciendo: Justamente padecemos lo que padecemos, por haber pecado contra nuestro hermano, y porque al ver las angustias de su alma, cuando nos rogaba que tuviésemos compasión de él, nosotros no le escuchamos: por esto nos ha sobrevenido esta tribulación.

**22.** Uno de ellos, Rubén, dijo: ¿ Por ventura no os dije yo entonces: No cometáis ese crimen contra el muchacho; y no hicísteis caso? Mirad cómo *Dios* nos demanda su sangre.

**23.** No sabían ellos que José los entendía: pues les hablaba por intérprete.

**24.** Se retiró por un poco de tiempo, y lloró: y habiendo vuelto les habló *otra* vez.

**25.** E hizo prender a Simeón, y atarle en presencia de ellos; y mandó a los ministros que llenasen de trigo los costales, y el dinero de cada uno le metiesen dentro de los sacos, dándoles, además, víveres para el camino: los cuales asi lo hicieron.

**26.** Con esto, cargando ellos el grano en sus jumentos, marcharon.

**27.** En la posada, abriendo uno de ellos el costal para dar pienso al jumento, visto el dinero en la boca del saco,

**28.** Dijo a sus hermanos: Me han vuelto el dinero: vedle aquí en el saco. Ellos atónitos y sobresaltados, se dijeron unos a otros; ¿Qué es esto que ha hecho Dios con nosotros?

**29.** Llegaron, en fin, a su padre Jacob, en el país de Canaán, y le contaron todo lo acontecido diciendo:

**30.** El señor de aquella tierra nos habló con aspereza, y pensó que íbamos a espiar el país.

**31.** Nosotros le respondimos: Somos gente de paz, ni maquinamos asechanza alguna.

**32.** Doce hermanos fuimos, hijos de un mismo padre: uno ya no existe, y el más pequeño está con nuestro padre en la tierra de Canaán.

**33.** Díjonos él: De este modo averiguaré si sois gente de paz: dejad en mi poder un hermano vuestro, y tomad los víveres que necesitéis para vuestras familias, e idos,

**34.** Y traedme a vuestro hermano el más pequeño, a fin de que yo conozca que no sois espías: y vosotros podáis recobrar a éste que queda preso: y en adelante tengáis facultad de venir a comprar *aquí* lo que quisiéreis.

**35.** Dicho esto, al vaciar los granos, todos hallaron atado el dinero en la boca de los costales: y todos a una quedaron asombrados.

**36.** Díjoles entonces su padre Jacob: Vosotros me habéis dejado sin hijos. José ya no existe: Simeón está en cadenas; y queréis *aún* quitarme a Benjamín: todos estos desastres han recaído sobre mí.

**37.** Respondióle Rubén: Quita la vida a mis dos hijos, si yo no te le volviere: entrégamele a mí, que yo te le restituiré.

---

**21.** Observa San Gregorio *que la pena abre los ojos que la culpa había cerrado.* Habían pasado ya unos veinte y tres años de haber sido vendido José.

**38.** Pero Jacob replicó: No irá mi hijo con vosotros: su hermano murió, y ha quedado sólo éste: si le acaeciere algún desastre en el país adonde váis, haréis que este anciano muera de pesadumbre.

## CAPITULO XLIII

*Vuelven los hermanos a Egipto con Benjamín. Recíbelos José con mucha afabilidad, y les da un banquete.*

**1.** Entre tanto el hambre afligía cruelmente la tierra toda.

**2.** Y consumidos los víveres traídos de Egipto, Jacob dijo a sus hijos: Volved a comprarnos algunos víveres.

**3.** Respondio Judá: Aquel señor *que manda allí,* nos intimó con protesta de juramento, diciendo: No veréis mi cara, si no traéis con vosotros a vuestro hermano menor.

**4.** En este supuesto, si quieres enviarle con nosotros, marcharemos juntos y te traeremos lo necesario:

**5.** Pero si no te determinas a enviarle, no iremos; porque el señor aquel, como tantas veces hemos dicho, nos declaró con palabras formales que no esperásemos ver su cara sin llevar a nuestro hermano más mozo.

**6.** Díjoles Israel: Para desdicha mía le hicísteis saber que todavía teníais otro hermano.

**7.** Mas ellos respondieron: Examinónos aquel señor punto por punto acerca de nuestra familia: si el padre vivía: si teníamos otro hermano; y nosotros le respondimos consiguientemente según el interrogatorio que nos hizo. ¿De dónde podíamos saber que nos hubiese de decir: Traedme con vosotros a vuestro hermano?

**8.** Judá dijo también a su padre: Envía conmigo al chico para que podamos ponernos *luego* en camino, y conservar la vida, y no perezcamos nosotros y nuestros niños.

**9.** Yo respondo del muchacho: pídeme a mí cuenta de él: sino te lo volviere a traer, y pusiere en tus manos, consiento en que jamas me perdones ese pecado.

**10.** Si no fuera por esta demora, estaríamos ya otra vez de vuelta.

**11.** Al fin Israel su padre les dijo: Si así es preciso, haced lo que quisiéreis. Tomad en vuestras vasijas de los frutos más exquisitos de esta tierra, para ofrecer presentes a aquel señor: un poco de resina o *bálsamo,* y de miel, y de estoraque, y de lágrimas de mirra, y de terebinto, y almendras.

**12.** Llevad también doblada cantidad de dinero, y devolved aquél otro que hallásteis en los sacos; no sea que haya sucedido eso por equivocación.

**13.** En fin, llevaos a vuestro hermano, e id a aquel señor.

**14.** Ojalá el Dios mío todopoderoso os le depare propicio: y deje volver con vosotros a vuestro hermano que tiene allí preso, y a este *mi* Benjamín. Y entre tanto yo quedaré como huérfano sin hijos.

**15.** Tomaron, pues, estos regalos, y doble dinero, y a Benjamín: y bajaron a Egipto, y se presentaron a José.

**16.** El cual luego que los vió, y a Benjamín con ellos, dió esta orden a su mayordomo: Mete a esos hombres en mi casa, y degüella víctimas, y dispón un convite, porque a mediodía han de comer conmigo.

**17.** El mayordomo ejecutó lo que se le había mandado, y los hizo entrar en casa.

**18.** Ellos con eso atemorizados, se decían uno al otro: Por el dinero, que nos hallamos la otra vez en nuestros costales, nos meten aquí, con el fin de hacer caer *más* sobre nosotros la calumnia, y sujetarnos a la esclavitud, y apoderarse de nuestros jumentos.

**19.** Por lo cual, en la misma puerta, llegándose al mayordomo de la casa,

**20.** Le dijeron: Suplicámoste, señor, que nos escuches. Ya otra vez hemos venido a comprar granos,

**21.** Y después de comprados, así que llegamos al mesón, abrimos nuestros costales, y encontramos el dinero en la boca de los sacos: el cual devolvemos ahora del mismo peso o *valor.*

**22.** Además de éste traemos otro para comprar lo que necesitamos: no hemos podido saber quién le metió en nuestras bolsas.

**23.** A lo que respondió el mayordomo: Estad tranquilos, no tenéis que temer: vuestro Dios, y el Dios de vuestro padre os ha puesto esos tesoros en vuestros sacos: pues el dinero que me dísteis lo tengo yo abonado, y *me doy por satisfecho.* Dicho esto, les presentó *libre* a Simeón.

---

**8.** Los Hebreos daban el nombre de *chico,* o muchacho, al hijo menor, sin atender a la edad. Benjamín tenía ya veinticuatro años.

**16.** Dábase tambien este nombre a los animales que se degollaban para las comidas domésticas; porque tampoco los Egipcios comían la sangre de los animales.

24. Y después de introducirlos en casa, les trajo agua con que lavaron sus pies, y dispuso que se diese pienso a los jumentos.

25. Ellos, por su parte, disponían los presentes para cuando entrase José al mediodía; porque ha-bían oído que tenían que comer allí.

26. Entró, pues, José en su casa, y le ofrecieron los presentes teniéndolos en sus manos: y le adoraron postrados en tierra.

27 Pero él, resaludándolos con afabilidad, les preguntó: ¿Goza de salud vuestro anciano padre, de quien me hablásteis? ¿Vive todavía?

28. A lo que respondieron: Salud goza vuestro siervo, nuestro padre: aún vive. *Y otra vez* inclinados le adoraron.

29. *En esto,* alzando José los ojos, vió a Benjamín, su hermano uterino, y dijo: ¿Es ése vuestro hermano el pequeño, de quien me hablásteis? E inmediatamente añadió: Dios te dé su gracia, hijo mío, *y te bendiga.*

30. Y retiróse a toda prisa, porque se le conmovieron las entrañas a causa de su hermano, y se le saltaban las lágrimas: y entrando en su gabinete, prorrumpió en llanto.

31. Y saliendo fuera otra vez, después de haberse lavado la cara, se reprimió y dijo *a sus criados:* traednos de comer.

32. Puestas, pues, separadamente las mesas, una para José, otra para sus hermanos y la tercera para los egipcios también convidados (pues no es lícito a los egipcios comer con los hebreos, y tienen por profano semejante banquete),

33. Se sentaron en presencia de José, *primero* el primogénito según su mayoría, y *últimamente* el más pequeño según su edad. Y estaban en extremo maravillados,

34. Al ver que de las porciones que habían recibido de él, cupo la mayor a Benjamín por manera que era cinco veces mayor que las de los otros. Y bebieron, y alegráronse en su compañía.

## CAPITULO XLIV

*José manda que escondan su copa en el saco de Benjamín; y lo sucedido con este motivo.*

1. Y dió José esta orden a su mayordomo, diciéndole: Llénales de trigo los costales hasta que no quepa más, y pon el dinero de cada uno en la boca del saco. Pon además mi copa *o vaso* de plata en la boca del costal del más mozo, junto con el dinero que ha dado por el trigo. Y ejecutóse así.

3. Al romper el día, fueron despachados con sus jumentos.

4. Ya habían salido de la ciudad, y caminado algún trecho, cuando José, llamando al mayordomo: Marcha, le dijo, ve corriendo en seguimiento de ellos: y alcanzados que sean, díles: ¿Cómo habéis vuelto mal por bien?

5. La copa que habéis hurtado, es aquélla misma en que mi amo bebe, y de que suele servirse para adivinar, *y para saber ahora lo que sois.* Os habéis portado pésimamente.

6. El mayordomo ejecutó puntualmente la orden. Y habiéndolos alcanzado, se lo repitió palabra por palabra.

7. Mas ellos respondieron: ¿Por qué habla así mi señor, como si sus siervos hubiesen cometido una tan grande maldad?

8. El dinero que hallamos en la boca de nuestros sacos te lo volvimos a traer desde la tierra de Canaán ¿cómo cabe, pues, que nosotros hayamos robado oro ni plata de casa de tu amo?

9. Cualquiera de tus siervos en cuyo poder fuere hallado lo que buscas, muera, y nosotros quedaremos por esclavos del señor nuestro.

10. *Bien está,* respondió el mayordomo: Ejecútese vuestra sentencia. *Pero no:* cualquiera en cuyo poder se hallare, será mi esclavo: y los demás quedaréis libres.

11. Con lo que echando a toda prisa los costales en tierra, abrió cada uno el suyo.

12. Y el mayordomo habiéndolos registrado, empezando por el del mayor hasta llegar al del más mozo, halló la copa en el costal de Benjamín.

13. Pero ellos, rasgados sus vestidos, y cargados otra vez los jumentos, volvieron a la ciudad.

14. Judá, el primero, seguido de los hermanos, entró en casa de José (que no se había movido de ella), y todos a una se postraron en tierra.

15. Díjoles José: ¿Por qué os habéis atrevido a hacer tal cosa? ¿No sabéis que no hay hombre semejante a mí en la ciencia de adivinar?

---

5. No es creíble que José se sirviese de la copa para *adivinar como dijo su mayordomo:* ni esta palabra significa siempre cosa de magia o encantamiento. Tal vez era la copa con que ofrecía libaciones a Dios.

**16.** Al cual contestó Judá: ¿Qué responderemos a mi señor? o ¿qué hablaremos ni de qué modo podremos justificarnos? Dios ha manifestado *la ocasión de castigar* la iniquidad de tus siervos: esclavos somos todos ya de mi señor, tanto nosotros como aquél en cuyo poder se ha encontrado la copa.

**17.** Respondió José: Líbreme Dios de hacer tal cosa: el que robó mi copa, ése sea mi esclavo: mas vosotros id libres a vuestro padre.

**18.** Entonces Judá, acercándose más a José, dijo alentadamente: Permite ¡oh señor mío! que tu siervo hable una palabra en tus oídos, y no te enojes contra tu esclavo: porque tú eres después de Faraón.

**19.** Tú, señor mío, la primera vez preguntaste a tus siervos: ¿Tenéis padre u otro hermano?

**20.** Y nosotros, mi señor, te respondimos: Tenemos un padre anciano, y un hermano más pequeño, que le nació en su vejez; cuyo hermano uterino es muerto: y éste sólo queda de su madre, por lo que le ama su padre tiernamente.

**21.** Y dijiste a tus siervos: Traédmele acá, que quiero verle.

**22.** Mas respondimos a mi señor: No puede el chico dejar a su padre: porque si le deja, le costará al padre la vida.

**23.** Pues si no viniere vuestro hermano menor con vosotros, nos dijiste tú a tus siervos, no tenéis que volver a mi presencia.

**24.** Con esto, habiendo llegado a casa de nuestro padre y siervo tuyo, le contamos todas las cosas que habló mi señor.

**25.** Y como nuestro padre, *pasado algún tiempo* nos dijese: Volved a Egipto, y compradnos un poco de trigo,

**26.** Le respondimos: No podemos ir allá *solos*: si nuestro hermano menor viene con nosotros iremos juntos: de lo contrario, sin él no tenemos valor para presentarnos ante aquel señor.

**27.** A lo que respondió: Vosotros sabéis que he tenido dos hijos de mi esposa *Raquel:*

**28.** Uno salió de casa, y dijísteis: Una fiera le ha devorado: y hasta ahora no pareció.

**29.** Si os lleváis también a éste, y le sucede algún azar en el camino, seréis causa de que mis canas desciendan con dolor a la sepultura.

**30.** Si yo voy, pues, a casa de tu siervo nuestro padre, y no llevo a este muchacho (de cuya vida está pendiente la del padre),

**31.** Luego que vea que no vuelve con nosotros, morirá, y tus siervos abrumarán su vejez con tan gran dolor, que le conducirá al sepulcro.

**32.** Sea yo personalmente tu esclavo, yo que le he recibido a mi cargo, y salí por fiador, habiéndome dicho: Si no te lo restituyere, seré para siempre reo de pecado contra mi padre.

**33.** Por tanto, yo quedaré por esclavo tuyo, y serviré a mi señor en lugar del muchacho, a fin de que pueda éste volverse con sus hermanos.

**34.** Porque yo no puedo volver a mi padre sin el muchacho: por no presenciar la extrema aflicción que ha de acabar con él.

## CAPITULO XLV

*José se da a conocer a sus hermanos, a quienes abraza con la mayor ternura. Enterado Faraón, dispone que se haga venir a Jacob con toda su familia a Egipto. Parten los hermanos de José, llenos de regalos.*

**1.** Ya no podía José contenerse más, en presencia como estaba de mucha gente: por lo que mandó que todos se retirasen, para que ningún extraño asistiese al mutuo reconocimiento.

**2.** Y luego prorrumpió en llantos a voz en grito, que oyeron los egipcios, y toda la familia de Faraón.

**3.** En seguida dijo a sus hermanos: Yo soy José: ¿Y vive todavía mi padre? No podían sus hermanos responderle a causa de su grande terror y espanto.

**4.** Mas él con semblante apacible: Llegaos a mí, les dijo: y habiéndose ellos acercado, añadió: Yo soy José vuestro hermano, a quien vendísteis para *ser traído* a Egipto.

**5.** No temáis, ni os desconsoléis por haberme vendido para estas regiones: porque por vuestro bien dispuso Dios que viniese yo antes que vosotros a Egipto.

**6.** Porque dos años ha que comenzó la carestía en el país y aún restan cinco, en que no habrá siembra, ni siega.

**7.** Así que el Señor me ha enviado delante, a fin de que vosotros os conservéis sobre la tierra, y tengáis alimentos para sostener la vida .

---

**3.** ¡Quién podrá explicar lo qué pasaría en el corazón de los hermanos al oír esa voz ¡José! ¡Oh! y qué bella y expresiva figura de Jesucristo, cuando se apareció a los Apóstoles, que le habían abandonado, y les dijo: *Yo soy: no temáis.* — *Luc.* XXIV.

**8.** No he sido enviado acá por designio vuestro, sino por voluntad de Dios; el cual ha hecho que yo sea como padre de Faraón, y dueño de su casa toda, y príncipe en toda la tierra de Egipto,

**9.** Apresuráos, y volved *luego* a mi padre, y decidle: Esto te envía a decir tu hijo José: Dios me ha hecho como señor de toda la tierra de Egipto: ven a mí, no te detengas.

**10.** Y habitarás en la tierra de Gesén: y estarás cerca de mí, tú y tus hijos, y los hijos de tus hijos, tus ovejas, y ganados mayores, y todo cuanto posees.

**11.** Y allí te alimentaré (pues faltan todavía cinco años de hambre) para que no perezcáis tú, y tu familia, y todo lo que posees.

**12.** Reparad que vuestros ojos, y los ojos de mi *querido* hermano Benjamín están viendo que soy yo quien os hablo en persona.

**13.** Referid a mi padre toda la gloria mía, y todas cuantas cosas habéis visto en Egipto: apresuráos, y conducídmele aquí.

**14.** Y arrojándose sobre el cuello de su hermano Benjamín, abrazado con él, echó a llorar, llorando éste igualmente sobre su cuello.

**15.** Besó también José a todos sus hermanos, llorando sobre cada uno de ellos: después de cuyas demostraciones, cobraron aliento para conversar con él.

**16.** Al punto corrió la voz, y se divulgó generalmente esta noticia en el palacio del rey: Han venido los hermanos de José: y holgóse de ello Faraón y toda su corte.

**17.** Y así dijo a José que diese a sus hermanos esta orden expresa: Cargad los jumentos, y marchad a tierra de Canaán;

**18.** Y sacad de allí a vuestro padre, y la parentela, y venid a mí: que os daré todos los bienes del Egipto, para que os alimentéis de lo mejor y más precioso de la tierra.

**19.** Ordénales asimismo que lleven carros de la tierra de Egipto para el transporte de sus niños y mujeres, y díles: Tomad a vuestro padre, y apresuraos a venir cuanto antes;

**20.** Sin dejar nada de vuestros ajuares: porque todas las riquezas de Egipto serán vuestras.

**21.** E hicieron los hijos de Israel así como se les mandó. Y dióles José, según la orden de Faraón, carros y víveres para el camino.

**22.** Mandó también presentar a cada uno dos vestidos; pero a Benjamín le dió cinco muy preciosos, con trescientas monedas de plata.

**23.** Remitió para su padre igual cantidad de dinero, y de vestidos, a más de diez asnos cargados de toda especie de preciosidades de Egipto; y otras tantas borricas que llevasen trigo y panes para el camino.

**24.** Con esto despidió a sus hermanos; y cuando partían, les dijo: No tengáis disputas entre vosotros en el camino.

**25.** Ellos subiendo de Egipto, vinieron a la tierra de Canaán a Jacob su padre.

**26.** Y diéronle la nueva diciendo: Vive tu hijo José; y él es el *señor* que manda en toda la tierra de Egipto. Oído esto Jacob, como quien despierta de un profundo letargo, no acababa de creerlos.

**27.** Ellos para convencerle, le relataban toda la serie de lo sucedido. Mas cuando hubo visto los carros, y todo el aparato de las cosas remitidas, revivió su espíritu,

**28.** Y dijo: Bástame a mí que viva todavía José, el hijo mío. Iré, y le veré antes que me muera.

## CAPITULO XLVI

*Parte Jacob a Egipto, después de haberle Dios renovado las promesas. José sale hasta Gesén, donde le recibe con tiernas lágrimas. Encarga a sus hermanos que digan a Faraón que son pastores de ovejas.*

**1.** Puesto Israel en camino con todos sus haberes, vino al Pozo del Juramento, donde después de inmoladas víctimas al Dios de su padre Isaac,

**2.** Oyó en una visión de noche *a Dios,* que le llamaba, y decía: Jacob, Jacob: al cual respondió: Aquí me tienes.

**3.** Díjole Dios: Yo soy el fortísimo Dios de tu padre: no tienes que temer. Desciende a Egipto, que allí te haré cabeza de una nación grande.

**4.** Yo iré allá contigo, y seré tu guía cuando vuelvas. Y José cerrará tus ojos, así que mueras.

**5.** Partió, pues, Jacob del Pozo del Juramento, y sus hijos le llevaron, juntamente con los niños y mujeres, en los carros remitidos por Faraón para conducir al anciano,

---

**8.** Antiguamente los reyes daban el nombre de *padres suyos a los principales consejeros.* II. *Par.* II, v. 13, *Esther* II, v. 6. Y los emperadores romanos daban el título de *padre* al prefecto del *pretorio.*

6. Y todo cuanto tenía en la tierra de Canaán. Y llegó a Egipto con toda su descendencia,

7. Sus hijos y nietos, e hijas, y toda la familia entera.

8. He aquí los nombres de los hijos de Israel, al entrar él con toda su familia en Egipto. El primogénito Rubén.

9. Hijos de Rubén: Henoc y Faliú, y Hesrón, y Carmí.

10. Hijos de Simeón: Jamuel, y Jamín, y Ahod, y Joaquín, y Sohar, y Saúl, hijo de la Cananea.

11. Hijos de Leví: Gersón y Caat, y Merari.

12. Hijos de Judá; Her, y Onán, y Sela, y Fares, y Zara: si bien Her y Onán habían muerto en la tierra de Canaán. A Fares le nacieron Hesrón y Hamul.

13. Hijos de Isacar: Tola, y Fua, y Job, y Semrón.

14. Hijos de Zabulón: Sared y Elón, y Jahelel.

15. Estos son los hijos de Lía, que los dió a luz en Mesopotamia de Siria, como también a Dina, hija suya. Todos sus hijos e hijas eran treinta y tres personas.

16. Hijos de Gad: Sefión, y Hagi, y Suni, y Esebón, y Heri, y Arodi, y Areli.

17. Hijos de Aser: Jamme, y Jesua, y Jesui, y Beria con su hermana Sara. Hijos de Beria: Heber y Melquiel.

18. Estos son los hijos de Celpa, la *criada* que dió Labán a su hija Lía; y en los cuales dió a Jacob diez y seis personas.

19. Hijos de Raquel, esposa de Jacob: José y Benjamín.

20. A José le nacieron en tierra de Egipto Manasés y Efraím, que se los dió Manasés, hija de Putifare, sacerdote de Heliópoli.

21. Hijos de Benjamín: Bela, y Becol, y Asbel, y Gera, y Naamán, y Equi, y Ros, y Mofin, y Ofim, y Ared.

22. Estos son los hijos que dió Raquel a Jacob: entre todos catorce personas.

23. Hijos de Dan: Husín.

24. Hijos de Neftalí: Jasiel y Guni, y Jeser, y Sallem.

25. Estos son los hijos de Bala, la cual Labán había dado a Raquel su hija, que eran también hijos de Jacob: todos, siete personas.

26. Todas las almas que entraron en Egipto con Jacob, descendientes del mismo, sin contar las mujeres de sus hijos fueron sesenta y seis.

27. Los hijos de José que le nacieron en Egipto, eran dos. Con que todas las personas de la casa de Jacob, entradas en Egipto, vinieron a ser setenta.

28. Jacob, pues, envió a Judá delante de sí para avisar a José, a fin de que saliese a su encuentro en *la tierra de* Gesén;

29. Adonde después que Jacob llegó, subió José en su carroza, y fué a encontrar a su padre en este mismo lugar. Y viéndole se arrojó sobre su cuello, y *deshaciéndose* en lágrimas, le abrazó.

30. Y dijo el padre a José: Ya moriré contento, porque he visto tu rostro, y te dejo vivo.

31. Dijo luego José a sus hermanos, y a toda la familia de su padre: Voy a dar parte a Faraón, y le diré: Mis hermanos y la familia de mi padre, que moraban en la tierra de Canaán, han venido a mí.

32. Ellos son pastores de ovejas, y se ocupan en criar ganados: han conducido consigo sus rebaños, y ganados mayores, y todas las cosas que pudieron adquirir.

33. Ahora bien, cuando él os llamare, y dijere, ¿cuál es vuestro oficio?

34. Habéis de responder: Nosotros, tus siervos, somos pastores desde nuestra niñez hasta el presente, así como lo fueron nuestros padres. Esto lo diréis a fin de poder quedaros en esta tierra de Gesén; porque los egipcios miran con *cierta* abominación a todos los pastores de ovejas.

## CAPITULO XLVII

*José presenta su padre y cinco de sus hermanos a Faraón, que les da la tierra de Gesén. Se acredita de sabio gobernador del pueblo, y fiel ministro del rey. Enferma de muerte Jacob, y hace prometer a José que le dará sepultura en la tierra de Canaán.*

1. Fué, pues, José a dar parte a Faraón, diciéndole: Mi padre y hermanos con sus ovejas y ganados mayores, y cuanto poseen, han venido del país de Canaán, y están detenidos en la tierra de Gesén.

---

27. Comprendidos Jacob y José con sus dos hijos. Los Setenta Intérpretes cuentan setenta y cinco personas; y este mismo número se nota en los *Hechos Apostólicos*, cap. VII, v. 14. San Esteban expresó este número porque entonces era la versión de los Setenta la que se usaba; y toda la diferencia proviene de que en dicha versión añaden cinco nietos de José; cuyos nombres se expresan antes en los versos 20 y 21. Y aunque al entrar Jacob en Egipto no habían nacido tales nietos a José, los Setenta Intérpretes hacen mención de ellos por *prolepsis*, o anticipación.

**2.** Al mismo tiempo presentó al rey cinco de sus hermanos, los últimos,

**3.** A los cuales preguntó Faraón: ¿Qué oficio tenéis? Y respondieron: Tus siervos somos pastores de ovejas, así nosotros, como nuestros padres.

**4.** Hemos venido para vivir algún tiempo en tu tierra, porque en el país de Canaán no hay yerba para los ganados de tus siervos; y va creciendo el hambre; y te pedimos que nos permitas a tus siervos estar en la tierra de Gesén.

**5.** El rey dijo a José: Tu padre y tus hermanos han venido a ti:

**6.** La tierra de Egipto a tu vista *y disposición* la tienes: dales para habitar el mejor sitio, y sea enhorabuena la tierra de Gesén. Y si conoces que hay entre ellos sujetos capaces, ponlos por mayorales de mis ganados.

**7.** Después de esto, introdujo José a su padre y presentóle al Rey. Jacob le saludó, deseándole toda suerte de felicidades;

**8.** Y siendo preguntado por él: ¿Cuántos son los días de tu vida?

**9.** Respondió: Los días de mi peregrinación son ciento y treinta años, pocos y trabajosos, y no han llegado a los días de la peregrinación de mis padres.

**10.** Con esto, después de haber deseado al Rey toda suerte de felicidades, se retiró.

**11.** José, según lo acordado con Faraón, dió a su padre y hermanos la posesión de Ramesés, país el más fértil de Egipto.

**12.** Y los alimentaba a ellos y a toda la familia de su padre, dando a cada uno lo necesario para vivir.

**13.** Porque faltaba el pan en todo el mundo, y la hambre tenía oprimida toda la tierra, en especial la de Egipto y la de Canaán.

**14.** De cuyos países, habiendo recogido José todo el dinero por la venta del trigo, púsolo en el erario del Rey.

**15.** Y como hubiese ya llegado a faltar el dinero a los compradores, acudió todo Egipto a José diciendo: Dadnos pan: ¿por qué nos has de dejar perecer delante de ti, por falta de dinero?

**16.** José les respondió: Si no tenéis más dinero, traed vuestros ganados, y por ellos os daré víveres.

**17.** Y habiéndolos traído, dióles alimento en pago de los caballos, y de las ovejas, y de los bueyes, y de los asnos, y sustentólos aquel año en cambio de los ganados.

**18.** Volvieron asimismo al año segundo, *o siguiente*, y le dijeron: No te ocultaremos, señor nuestro, que no nos queda ni ganado, ni dinero; y bien ves que a excepción de nuestros cuerpos, y de la tierra, nada más tenemos.

**19.** ¿Por qué, pues, nos dejarás morir delante de tus ojos? Tanto nosotros, como nuestras tierras, seremos tuyos: cómpranos para servicio del Rey, y danos con que sembrar; no sea que pereciendo los labradores, quede la tierra despoblada.

**20.** Compró, pues, José todas las tierras de Egipto, vendiendo cada uno sus posesiones a causa del rigor del hambre, y adquiriólas para Faraón,

**21.** Con todos sus pueblos, desde un cabo del Egipto hasta el otro,

**22.** Excepto las tierras de los sacerdotes que el Rey les había dado: a los cuales también se les distribuía cierta cantidad de alimentos de los graneros públicos; y por consiguiente no se vieron forzados a vender sus heredades.

**23.** Después de esto, dijo José a los pueblos: Ya véis que Faraón queda dueño de vosotros y de vuestras tierras. Tomad semillas, y sembrad los campos;

**24.** Para que podáis tener frutos. Daréis al Rey la quinta parte; las otras cuatro os las dejo para simiente y mantenimiento de las familias y de vuestros hijos.

**25.** La vida nos has dado, respondieron ellos: Con que nos mire favorablemente el Señor nuestro, alegres serviremos al Rey.

**26.** Desde aquel tiempo hasta el día de hoy, se paga el quinto a los Reyes en toda la tierra de Egipto; lo que ha venido a ser como ley: salvo las tierras de los sacerdotes, las cuales quedaron exentas de esta contribución.

**27.** Fijó, pues, Israel su morada en Egipto, es a saber, en la tierra de Gesén, cuya posesión se le dió; donde se aumentó y multiplicó sobremanera.

**28.** Y vivió en ella diez y siete años: con lo que todos los días de su vida fueron ciento y cuarenta y siete años.

**29.** Pero como viese que se acercaba el día de su muerte, llamó a su hijo José, y le dijo: Si es que me amas de veras, pon tu mano debajo de mi muslo, y me harás la merced de prometerme con toda verdad que no me darás sepultura en Egipto;

---

**9.** Los santos Patriarcas se miraban como extranjeros en este mundo, pues aspiraban a otra vida y patria verdadera, caminando hacia la Jerusalén celestial. — *Hebr.* XI, v. 13.

**30.** Sino que iré a descansar con mis padres; y sacándome de esta tierra, me pondrás en el sepulcro de mis antepasados. Respondióle José: Yo cumpliré lo que has mandado.

**31.** Y Jacob: Júramelo, pues. Y mientras José juraba, Israel adoró a Dios, vuelto hacia la cabecera de la cama.

## CAPITULO XLVIII

*Bendición que da Jacob a los dos hijos de José, a quienes adopta, anteponiendo el menor al mayor.*

**1.** Después de estos sucesos, fué José avisado de que su padre estaba enfermo; y tomando consigo a sus dos hijos Manasés y Efraím, se puso *luego* en camino.

**2.** Dijéronle al anciano: Mira que tu hijo José viene a verte. Y Jacob, tomando aliento, se incorporó en la cama,

**3.** Y dijo a José luego que hubo entrado: El Dios Todopoderoso se me apareció en Luza ciudad de la tierra de Canaán, y bendiciéndome,

**4.** Me dijo: Yo te aumentaré y multiplicaré, y te haré padre de muchísimos pueblos; y te daré esta tierra a ti y a tu descendencia después de ti, en perpetuo dominio.

**5.** Por tanto, los dos hijos que te han nacido en la tierra de Egipto, antes que yo viniese acá, quiero que sean míos. Efraím y Manasés serán reputados tan míos como Rubén y Simeón.

**6.** Los demás que después de éstos tuvieres en adelante, serán tuyos y las tierras que poseerán, llevarán el nombre de sus hermanos.

**7.** Porque al venir yo de Mesopotamia, se me murió Raquel en la tierra de Canaán en el mismo camino, y era tiempo de primavera: e iba yo a entrar en Efrata, y *así* la enterré cerca del camino de Efrata, que por otro nombre se llama *Belén*.

**8.** Y viendo Jacob a los hijos de José le dijo: ¿Quiénes son ésos?

**9.** Son mis hijos, respondió José, que Dios me ha dado en este país. Acércamelos, dijo Jacob, que quiero bendecirlos.

**10.** Porque los ojos de Israel se habían oscurecido a causa de su extremada vejez, y no podía ver con claridad. Habiéndoselos, pues, acercado, los besó y abrazó,

**11.** Y dijo a su hijo: He logrado el *gozo de* verte; y además de eso me ha hecho Dios *la merced de dejarme* ver sucesión tuya.

**12.** José, habiéndolos sacado del regazo de su padre, inclinóse profundamente hasta el suelo.

**13.** Puso después a Efraím a su derecha, esto es, a la izquierda de Israel; y a Manasés a su siniestra, que correspondía a la derecha del padre, y de esta suerte los arrimó ambos a Jacob.

**14.** El cual extendiendo la mano derecha, púsola sobre la cabeza del hermano menor Efraím; y la izquierda sobre la cabeza de Manasés, que era el mayor de edad, cruzando las manos *de intento.*

**15.** Y bendijo Jacob a los hijos de José, diciendo: El Dios en cuya presencia anduvieron mis padres Abraham e Isaac, el Dios que me sustenta desde mi juventud, hasta el día de hoy,

**16.** El Angel que me ha librado de todos los males, bendiga estos niños; y sea sobre ellos invocado mi nombre, como también los nombres de mis padres Abraham e Isaac: y multiplíquense más y más sobre la tierra.

**17.** Reparando, empero, José que su padre había puesto la mano derecha sobre la cabeza de Efraím, sintiólo mucho; y tomando la mano de su padre intentó alzarla de sobre la cabeza de Efraím, y trasladarla sobre la cabeza de Manasés;

**18.** Diciendo a su padre: No están así bien las manos, padre; porque éste otro es el primogénito: pon tu derecha sobre su cabeza.

**19.** Mas él rehusándolo, dijo: Lo sé, hijo mío, lo sé. Este será ciertamente padre de pueblos, y multiplicarse ha; mas su hermano menor será mayor que él: y su linaje se ha de dilatar en naciones.

**20.** Jacob, pues, los bendijo entonces, diciendo *a Efraím:* Tú serás modelo de bendición en Israel, y se dirá: Dios te bendiga como a Efraím y como a Manasés. Y antepuso Efraím a Manasés.

**21.** Dijo en fin, a su hijo José: Bien ves que me voy a morir: Dios estará con vosotros y os restituirá a la tierra de vuestros padres.

**22.** Yo te doy *de mejora* sobre tus hermanos aquella porción que conquisté del amorreo con mi espada y mi arco.

---

CAP. XVIII. — 20. De Efraím salió Josué, que gobernó el pueblo después de Moisés. *S. Águs. Quaest.* CLXVI, *in Genes.*

## CAPITULO XLIX

*Estando Jacob para morir, bendice a sus hijos uno por uno; aunque respecto de algunos la bendición es una reprensión severa: y vaticina lo que había de suceder a sus descendientes.*

1. Llamó luego Jacob a sus hijos, y les dijo: Juntaos todos aquí, a fin de que os anuncie las cosas que han de sucederos en los días venideros.

2. Reuníos, y oíd, hijos de Jacob, escuchad a Israel vuestro padre.

3. Rubén, primogénito mío, tú la fortaleza mía, y el principio de mi dolor; *debías ser* el más favorecido en los dones, y el más grande en autoridad.

4. *Pero* te derramaste como agua: no medres; porque subiste al lecho de tu padre, y profanaste su tálamo.

5. Simeón y Leví, hermanos *en el crimen;* instrumentos belicosos de iniquidad.

6. *No permita Dios que* tenga yo parte en sus designios, ni empañe mi gloria uniéndome con ellos; porque en los homicidios demostraron su furor, y en la destrucción de una ciudad su venganza.

7. Maldito su furor porque es pertinaz; y su saña, porque es inflexible; yo los dividiré en Jacob, y los esparciré por Ias *tribus de Israel.*

8. ¡Oh Judá! a ti te alabarán tus hermanos: tu mano pondrá bajo el yugo a tus enemigos: adorarte han los hijos de tu padre.

9. Tú, Judá, eres un joven *y robusto* león; tras la presa corriste, hijo mío; después para descansar, te has echado cual león, y a manera de leona. ¿Quién osará despertarle?

10. EL CETRO NO SERA QUITADO DE JUDA, ni de su posteridad el caudillo, hasta que venga el que ha de ser enviado, y éste será la esperanza de las naciones.

---

3. Así se entienden estas palabras *Deut.* XXI, c. 17: y así los Setenta Intérpretes en este mismo lugar. En autoridad tenía el primogénito una especie de principado sobre sus hermanos. *Gen.* XXVII, v. 29: y así vemos transferidos los derechos de primogénitos de Rubén en José 1 *Paralip,* V, v. 1.

8. De esta tribu nacieron David, Salomón y demás reyes, Zorababel, y finalmente Jesucristo.

10. En estas palabras se contiene claramente una evidente profecía del Mesías, y una época infalible de su venida. Consta eso de la tradición, no sólo de la Iglesia cristiana, sino también de la Sinagoga. Así vemos que la tribu de Judá gozó siempre de especial preeminencia sobre las otras. *Josué* XVI.—*Jud.* I, etc.

11. El *Mesías, o Enviado* ligará a la viña su pollino, y a la cepa ¡oh hijo mío! su asna. Lavará en vino su vestido, y en la sangre de las uvas su manto.

12. Sus ojos son más hermosos que el vino, y sus dientes más blancos que la leche.

13. Zabulón habitará en la ribera del mar, y donde aportan las naves, extendiéndose hasta Sidón.

14. Isacar *será para el trabajo,* como asno robusto; se mantendrá en sus términos.

15. Consideró que el reposo, *o sosiego,* era una cosa buena; y que su terreno es excelente: y ha arrimado su hombro al trabajo, y sujetádose a pagar tributos.

16. Dan será juez de su pueblo, a la manera que cualquiera tribu de Israel.

17. Venga a ser Dan *como* una culebra en el camino, *como* un ceraste, *o áspid* en la senda, que muerde la uña *o pie* del caballo, para que caiga de espaldas su jinete.

18. Yo, Señor, aguardaré tu SALUD.

19. Gad, armado de todo punto, irá peleando a la vanguardia *de Israel;* y él mismo se dispondrá para volver hacia atrás.

20. El pan de Aser es mantecoso, *o excelente,* y servirá de regalo a los reyes.

21. Neftalí será *como* un ciervo que se ve suelto y la gracia se derramará sobre sus labios.

22. Hijo que va en auge José; hijo, que siempre va en auge, y de hermoso aspecto: las doncellas corrieron sobre los muros *para mirarle.*

23. Pero antes le causaron amarguras, y le armaron pendencias, miráronle con mortal envidia *sus hermanos* armados de flechas.

24. Apoyó su arco, *o su confianza* en el fuerte *Dios,* y fueron desatadas las cadenas de sus brazos y manos por la mano del *Todopoderoso Dios* de Jacob: de donde salió para pastor y piedra *fundamental* de Israel.

25. ¡Oh, hijo mío! el Dios de tu padre será tu auxiliador, y el Omnipotente te llenará de bendiciones de lo alto del cielo, de bendiciones de los manantiales de aguas abundantes de acá abajo, de bendiciones de leche y de fecundidad.

---

11. Los Padres generalmente refieren estas palabras al Mesías, de quien se iba hablando. Del *Enviado,* pues, o Mesías, dice Jacob en Espíritu profético, que atará con el vínculo de la fe al pueblo gentil a su Iglesia, llamada con el nombre de *viña;* y al pueblo judaico acostumbrado ya al yugo de la Ley, le atará a *su vid,* es decir, a su propia persona, que es la *vid verdadera. Joann,* XV, v. 11. Significa este vino la copia de sangre derramada por Cristo para redimirnos.

**26.** Las bendiciones que te da tu padre *Jacob* sobrepujan las bendiciones de sus progenitores; hasta que venga el DESEADO de los collados eternos: recaigan *estas bendiciones* sobre la cabeza de José, sobre la cabeza del Nazareno, *o escogido* entre sus hermanos.

**27** Benjamín, lobo rapaz: por la mañana devorará la presa, y por la tarde repartirá los despojos.

**28.** Todos éstos son los caudillos de las doce tribus de Israel. Estas cosas les anunció su padre, bendiciendo a cada uno con su bendición peculiar.

**29** Y finalmente les dió este mandamiento: Yo voy a reunirme con los *antepasados* míos: enterradme con mis padres en la cueva doble, que está situada en el campo de Efrón Heteo,

**30.** Enfrente de Mambre en la tierra de Canaán: la cual compró Abraham con el campo de Efrón Heteo, para tener allí su sepultura.

**31.** Allí le sepultaron a él, y a su esposa Sara: allí fué sepultado Isaac con Rebeca su esposa: Allí también yace enterrada Lía.

**32.** Concluídos estos encargos e instrucciones a sus hijos, recogió sus pies sobre la cama, y expiró; y fué a reunirse con su pueblo.

## CAPITULO L

*Exequias de Jacob y muerte de José.*

**1.** Lo cual mirando José, arrojóse sobre el rostro de su padre, bañándole en lágrimas, y besándole;

**2.** Y mandó después a los médicos que tenía a su servicio, embalsamar el cuerpo.

**3.** Los cuales, en ejecución de lo mandado, gastaron cuarenta días; que tal era la costumbre en embalsamar los cadáveres: y lloróle Egipto setenta días.

**4.** Terminado el tiempo del luto, habló José así a la familia *principal* de Faraón: Si he hallado gracia delante de vosotros, insinuad a Faraón,

**5.** Que mi padre al morir me juramentó diciendo: Yo me muero: en la sepultura que abrí en la tierra de Canaán, allí enterrarás mi cuerpo. Iré, pues, a sepultar a mi padre, y volveré *luego*.

**6.** A lo que dijo Faraón: Anda *enhorabuena*, y sepulta a tu padre, como se lo prometiste con juramento.

**7.** El cual emprendió su viaje, acompañado de todos los ancianos *o primeros señores* del palacio de Faraón, y todos los principales de la tierra de Egipto;

**8.** Y de su propia familia y de sus hermanos, menos los niños y los ganados mayores y menores, que dejaron en la tierra de Gesén.

**9.** Fueron asimismo en la comitiva carros y gente de a caballo; y se juntó un grande acompañamiento.

**10.** De esta suerte llegaron a la era de Atad, situada a la otra parte del Jordán: donde emplearon siete días en celebrar las exequias con grande y acerbo llanto.

**11.** Lo que habiendo visto los habitantes de la tierra de Canaán, dijeron: Grande duelo es éste para los egipcios; y a consecuencia de esto, se llamó aquel sitio Llanto del Egipto.

**12.** Hicieron, pues, los hijos de Jacob lo que éste les dejó encomendado;

**13.** Y trasportándole a tierra de Canaán, le sepultaron en la cueva doble, que había comprado Abraham junto con el campo de Efrón el Heteo, enfrente de Mambre, para sepultura suya.

**14.** Volvióse después José a Egipto con sus hermanos, y todo el acompañamiento luego que hubo sepultado a su padre.

**15.** Y como después de su muerte anduviesen temerosos los hermanos, y diciéndose unos a otros: ¿Quién sabe si se acordará José de la injuria que padeció, y nos tornará todo el mal que le hicimos?

**16.** Enviáronle a decir: Tu padre antes de morir nos encargó,

**17.** Que te dijésemos estas palabras en su nombre: Ruégote que te olvides de la maldad de tus hermanos, y del pecado, y de la malicia que contra ti usaron. Nosotros también te suplicamos que perdones esta maldad a los siervos del Dios de tu padre. Oyendo José estas razones, prorrumpió en llanto.

**18.** Y vinieron a él sus hermanos: y adorándole postrados en tierra, le dijeron: Esclavos tuyos somos: *aquí nos tienes*.

**19.** A los cuales él respondió: No tenéis que temer: ¿podemos acaso nosotros resistir a la voluntad de Dios?

---

**27.** Descríbese el natural indómito y fiero de la tribu de Benjamín. *Judit.* XX. Casi todos los Padres latinos con San Agustín y San Jerónimo y algunos griegos, entienden estas palabras de San Pablo. *S. Agus. in Psalm.* LXXVIII.

**CAP. L. — 2.** El uso de embalsamar los cadáveres fué comunísimo en Egipto, y describen la manera de hacerlo Herodoto y Estrabón, y según éstos, empleaban cuarenta días en introducir en los cuerpos drogas aromáticas, y por otros treinta los dejaban penetrar de sal y nitro para que secasen. Aún en nuestros días se ven semejantes cadáveres, o *momias* bien conservadas. San Agustín, lib. *De locution, in Genes.*

**20.** Vosotros pensasteis hacerme un mal; pero Dios lo convirtió en bien para ensalzarme, como al presente lo estáis viendo, y para salvar a muchos pueblos.

**21.** No temáis, pues, yo os mantendré a vosotros y a vuestros hijos. Y los consoló y habló con expresiones blandas y amorosas.

**22.** Y habitó José en Egipto con toda la familia de su padre; y vivió ciento y diez años, y vió a los hijos de Efraím hasta la tercera generación. Tuvo también y acarició sobre sus rodillas a los hijos de Maquir, hijo de Manasés.

**23.** Pasadas todas estas cosas, habló José a sus hermanos en estos términos: Después de mi muerte os visitará Dios, y os sacará de esta tierra para la tierra que tiene prometida con juramento a Abraham, a Isaac y a Jacob.

**24.** Y habiéndolos juramentado, y dicho cuando Dios os visitará, trasportad de este lugar mis huesos con vosotros;

**25.** Vino a morir, cumplidos ciento y diez años de su vida. Y embalsamado, fué depositado en Egipto dentro de una caja.

# EL ÉXODO

## Introducción

El *Éxodo* (que en griego significa «salida») es el segundo libro del *Pentateuco*. En líneas generales narra la salida de Egipto del pueblo judío. En sus cuarenta capítulos abarca el relato desde la opresión del pueblo de Israel por el Faraón hasta la erección del tabernáculo en el monte Sinaí. A efectos narrativos puede dividirse en tres partes. La primera relata la lucha por la libertad. La segunda, el viaje del pueblo escogido desde Egipto hasta el Sinaí. Y la tercera, la alianza y la construcción del tabernáculo, prefiguración del templo de Jerusalén y símbolo de la morada de Dios entre su pueblo.

Destaca en este libro la figura de Moisés. Recogido de entre las aguas y criado en la corte del Faraón hasta la edad adulta, la simpatía por sus hermanos de raza le obliga a desterrarse. Es la huida al desierto. Con ella le prepara la Providencia divina para su misión futura. Moisés, humilde pastor (como lo serían también Isaías, Jeremías y Ezequiel), es llamado por Dios para una gran misión. La revelación divina, simbolizada por el nuevo nombre atribuido al creador, Yavé, inicia sus relaciones con el pueblo judío. Para conseguir Moisés la confianza del pueblo en su persona se sirve, por vía divina, de los milagros. Las plagas de Egipto, la lluvia de maná, la travesía por el desierto bajo el amparo de la nube divina... confieren al *Éxodo* un carácter de obra taumatúrgica.

Los capítulos 20-23 dan cuenta del código de la alianza, conjunto de leyes en que se basa el posterior pacto sinaítico entre Dios y su pueblo. Esta novedad legislativa puede compararse con un código algo anterior: el de Hammurabi, rey de Babilonia en el siglo XVIII antes de Jesucristo. El evidente parentesco legal no es extraño, pues Abraham procedía de Caldea. Con todo, la legislación mosaica es muy superior en los órdenes moral y religioso.

### CAPITULO PRIMERO

*Los hijos de Israel que entraron en Egipto. Tiranías de un Rey nuevo, a fin de acabar con ellos. Piedad de las parteras con los recién nacidos.*

1. Estos son los nombres de los hijos de Israel que con Jacob entraron en Egipto, cada uno con su familia.

2. Rubén, Simeón, Leví, Judá.

3. Isacar, Zabulón y Benjamín.

4. Dan y Neftalí, Gad y Aser.

5. Eran, pues, todas las almas de los descendientes de Jacob, *incluso él mismo*, setenta. José, empero, estaba en Egipto.

6. Muerto éste y todos sus hermanos, y toda aquella primera generación,

7. Los hijos de Israel se aumentaron y multiplicaron como la yerba; y engrosados en gran manera, llenaron el país.

8. Entre tanto se alzó en Egipto un nuevo Rey, el cual nada sabía de José,

9. Y dijo a su pueblo: Bien véis que el pueblo de los hijos de Israel es muy numeroso y más fuerte ya que nosotros.

10. Vamos, pues, a oprimirle con arte, no sea que prosiga multiplicándose más y más, y que sobreviniendo alguna guerra contra nosotros, se agregue a nuestros enemigos, y después de habernos vencido *o robado,* se vaya de este país.

11. Estableció, pues, sobrestantes de obras, para que los vejasen con cargas *insoportables;* y edificaron a Faraón las *fuertes* ciudades de las tiendas, Pitón y Ramasés.

12. Pero cuanto más los oprimían, tanto más se multiplicaban y crecían.

13. Aborrecían los egipcios a los hijos de Israel, y además de oprimirlos los insultaban.

14. Y los hacían pasar una vida muy amarga con las duras fatigas de hacer barro, *o argamasa,* y ladrillo, y con toda suerte de servidumbre con que los oprimían en las labores del campo.

15. Además de esto el Rey de Egipto impuso a las parteras de los hebreos, de las cuales una de ellas se llamaba Séfora, y la otra Fúa,

16. Este precepto: Cuando asistiéreis a las hebreas en sus partos, al momento que salga la criatura, si fuere varón matadle, si mujer, dejadla vivir.

17. Pero las parteras temieron a Dios, y no ejecutaron la orden del Rey de Egipto, sino que conservaban la vida a los niños.

18. Por lo que llamándolas el Rey a su presencia, les dijo: ¿Qué fin ha sido el vuestro en querer conservar a los varones?

19. Las cuales respondieron: las mujeres hebreas no son como las egipcias; porque aquéllas saben el arte de partear, y antes que lleguemos para asistirlas han dado a luz ya.

20. Favoreció pues, Dios a las parteras *en recompensa de su piedad,* y el pueblo fué creciendo y corroborándose extraordinariamente.

21. Y por cuanto las parteras temieron más a Dios *que al Rey,* afirmó sus casas, *dándoles hijos y bienes.*

22. Por último, Faraón intimó a todo su pueblo esta orden: Todo varón que naciere *entre los hebreos,* echadle al río, toda mujer reservadla.

## CAPITULO II

*Nacimiento de Moisés, el cual es educado en el palacio de Faraón. Su huida, y su casamiento con Séfora.*

1. Después de esto, *es de saber que* un va-

rón de la familia de Leví fué y casóse con una mujer de su linaje.

2. La cual concibió y tuvo un hijo; y viéndole muy lindo, le tuvo escondido por espacio de tres meses.

3. Mas no pudiendo ya encubrirle, tomó una cestilla de juncos, y la calafateó con betún y pez, y colocó dentro al infantillo, y expúsole en un carrizal de la orilla del río.

4. Quedándose a lo lejos una hermana suya, para ver el paradero.

5. Cuando he aquí que bajaba la hija de Faraón a lavarse en el río, y sus damas se paseaban por la orilla del agua. Así que vió la cestilla en el carrizal envió por ella a una de sus criadas; y habiéndosela traído.

6. Destapándola, y viendo dentro a un niño que daba tiernos vagidos, compadecióse de él, y dijo: De los niños de los hebreos es éste.

7. Y acercándose entonces la hermana del niño: ¿Quieres, le dijo, que yo vaya y te llame una mujer hebrea que pueda criar ese niño?

8. Anda, respondió ella. Fué corriendo la muchacha, y llamó a su madre.

9. A la cual le dijo la hija de Faraón: Toma este niño y críamele, que yo te pagaré. Tomó la mujer el niño y crióle. Y cuando fué ya crecido, le entregó a la hija de Faraón.

10. Que le adoptó por hijo, y púsole por nombre Moisés, como quien dice: Del agua le saqué.

11. Un día, cuando Moisés era ya grande, salió *a ver* a sus hermanos: y observó la aflicción en que estaban, y a un egipcio que maltrataba a uno de los hebreos sus hermanos.

12. Y habiendo mirado hacia todas partes, y no divisando a nadie, mató al egipcio, y escondióle en la arena.

13. Saliendo el día siguiente vió a dos hebreos que reñían y dijo al que hacía la injuria: ¿Por qué maltratas a tu prójimo?

14. El hombre respondió: ¿Quién te ha constituído príncipe y juez sobre nosotros? ¿Quieres tú tal vez matarme como mataste ayer al egipcio? Temió Moisés, y dijo: ¿Cómo se habrá sabido esto?

15. Súpolo tambien Faraón, y trataba de hacer morir a Moisés: el cual huyendo de su vista, fuese a morar en tierra de Madián, y se puso a descansar junto al pozo.

_____

12. Por lo que dice San Esteban (*Act VII, v.* 24) parece que obró justamente y con autoridad de Dios.

**16.** A la sazón tenía el sacerdote de Madián siete hijas, las cuales vinieron a sacar agua: y llenadas las canales, querían dar de beber a los rebaños de su padre.

**17.** Sobrevinieron unos pastores, y las echaron. Pero saliendo Moisés en defensa de las doncellas, abrevó sus ovejas.

**18.** Así que volvieron a Raguel su padre, les preguntó: ¿Por qué habéis venido hoy más presto de lo acostumbrado?

**19.** Un hombre egipcio, respondieron ellas, nos ha defendido de la vejación de los pastores; y a más de eso nos ha ayudado a sacar agua, y dado de beber a las ovejas.

**20.** ¿En dónde está? dijo el padre. ¿Por qué habéis dejado ir a ese hombre? Llamadle, a fin de que coma *algo*.

**21.** De resultas de eso, Moisés juró que se quedaría con él. Y recibió por mujer a su hija Séfora.

**22.** La cual le dió un hijo, a quien llamó Gersán, diciendo: He sido peregrino en tierra extraña. Dióle después otro, a quien llamó Eliecer, diciendo: El Dios de mi padre, protector mío, me libró de las manos de Faraón.

**23.** De allí a mucho tiempo murió el rey de Egipto; y los hijos de Israel, gimiendo bajo el peso de las faenas, levantaron el grito *al cielo;* y el clamor en que les hacía prorrumpir el excesivo trabajo, subió hasta Dios.

**24.** El cual oyó sus gemidos y tuvo presente el pacto contraído con Abraham, Isaac y Jacob.

**25.** Y volvió los ojos hacia los hijos de Israel, y los reconoció *por hijos suyos*.

## CAPITULO III

*Aparécese Dios a Moisés en una zarza, que ardía sin quemarse y le envía a libertar a su pueblo del poder de Faraón.*

**1.** Empleábase Moisés en apacentar las ovejas de su suegro Jetró, sacerdote de Madián; y guiando *una vez* la grey a lo interior del desierto, vino hasta el monte de Dios, Horeb.

**2.** Donde se le apareció el Señor en una llama de fuego que salía de enmedio de una zarza y veía que la zarza estaba ardiendo y no se consumía.

---

16. Se cree que era sacerdote del verdadero Dios, como Melquisedec, Job y los Patriarcas. En aquellos tiempos el sacerdocio iba unido a la dignidad de cabeza de familia.

**3.** Por lo que dijo Moisés: Iré a ver esta gran maravilla, cómo es que no se consume la zarza.

**4.** Pero viendo el Señor que se acercaba ya para ver lo que era llamóle desde entre la zarza, y dijo: Moisés, Moisés. Aquí me tienes, respondió él.

**5.** No te acerques acá, prosiguió el Señor: Quítate el calzado de los pies: porque la tierra que pisas es santa.

**6.** Yo soy, le añadió: *Yo soy el* Dios de tu padre, el Dios de Abraham, el Dios de Isaac, y el Dios de Jacob. Cubrióse Moisés el rostro, porque no se atrevía a mirar hacia Dios.

**7.** Díjole el Señor: He visto la tribulación de mi pueblo en Egipto, y oído sus clamores, a causa de la dureza de los sobrestantes de las obras.

**8.** Y conociendo cuanto padece, he bajado a librarle de las manos de los egipcios; y hacerle pasar de aquella tierra a una tierra buena, y espaciosa, a una tierra que mana leche y miel, al país del Cananeo, y del Heteo, y del Amorreo, y del Fereceo, y del Heveo, y del Jebuseo.

**9.** En suma el clamor de los hijos de Israel ha llegado a mis oídos; y he visto su aflicción, y cómo son oprimidos de los egipcios.

**10.** Pero ven tú, que te quiero enviar a Faraón, para que saques de Egipto al pueblo mío, los hijos de Israel.

**11.** ¿Quién soy yo, respondió Moisés a Dios, para ir a Faraón, y sacar de Egipto a los hijos de Israel?

**12.** Díjole Dios: Yo estaré contigo; y la señal que tendrás de haberte yo enviado, será ésta: Cuando habrás sacado a mi pueblo de Egipto, ofrecerás un sacrificio a Dios sobre este monte.

**13.** Dijo Moisés a Dios: Y bien, yo iré a los hijos de Israel, y les diré: El Dios de vuestros padres me ha enviado a vosotros. Pero si me preguntaren: ¿Cuál es su nombre? ¿Qué les diré?

**14.** Respondió Dios a Moisés: YO SOY EL QUE SOY. He aquí, añadió, lo que dirás a los hijos de Israel: EL QUE ES, me ha enviado a vosotros.

**15.** Dijo de nuevo Dios a Moisés: Esto dirás a los hijos de Israel: El Señor Dios de vuestros padres, el Dios de Abraham, el Dios de Isaac, y el Dios de Jacob, me ha enviado a vosotros. Éste nombre tengo yo eternamente, y con éste se hará memoria de mí en toda la serie de las generaciones.

**16.** Ve y junta a los Ancianos de Israel, y les dirás: El Señor Dios de vuestros padres se me apareció; el Dios de Abraham, el Dios de Isaac, y el Dios de Jacob, diciendo: Yo he venido a visitaros de propósito, y he visto todas las cosas que os han acontecido en Egipto;

**17.** Y tengo decretado el sacaros de la opresión que en él padecéis, y trasladaros al país del Cananeo, y del Heteo, y del Amorreo, y del Fereceo, y del Heveo, y del Jebuseo, a una tierra que mana leche y miel.

**18.** Y escucharán tu voz, y entrarás tú con los Ancianos de Israel al rey de Egipto, y le dirás: El Señor Dios de los hebreos nos ha llamado: Hemos de ir camino de tres días al desierto para ofrecer sacrificios al Señor Dios nuestro.

**19.** Yo ya sé que el rey de Egipto no querrá dejaros ir, sino forzado por una mano poderosa.

**20.** Por eso extenderé yo mi brazo, y heriré a los pueblos de Egipto con toda suerte de prodigios que haré en medio de ellos: después de lo cual os dejará partir.

**21.** Haré también que ese pueblo *mío* halle gracia en los Egipcios, para que al partir no salgáis vacíos;

**22.** Sino que cada mujer ha de pedir a su vecina y a su casera alhajas de plata y oro, y vestidos *preciosos*: vestiréis con ellos a vuestros hijos e hijas, y despojaréis al Egipto.

## CAPITULO IV

*Ríndese Moisés a la voluntad de Dios, y vuelve a Egipto junto a Aarón.*

**1.** Replicó Moisés, y dijo: No me creerán, ni oirán mi voz sino que dirán: *No hay tal:* no se te ha aparecido el Señor.

**2.** ¿Qué es eso, le preguntó Dios, que tienes en tu mano? Una vara, respondió él.

**3.** Dijo el Señor: Arrójala en tierra. Arrojóla, y se convirtió en una serpiente, de manera que Moisés echó a huir.

**4.** Dijo entonces el Señor: Alarga tu mano, y cógela por la cola Alargóla y la cogió, *y luego la serpiente* volvió a ser una vara.

**5.** *Esto es,* añadió *el Señor,* para que crean que se te ha aparecido el Señor Dios de sus padres, el Dios de Abraham, el Dios de Isaac, el Dios de Jacob.

**6.** Díjole todavía el Señor: Mete tu mano en tu seno. Y habiéndola metido, la sacó cubierta de lepra, *blanca* como la nieve.

**7.** Vuelve a meter, dijo, la mano en el seno. Volvióla a meter, y la sacó otra vez, y era semejante a la demás carne *del cuerpo.*

**8.** Si no te creyeren, dijo, ni dieren oído a la voz del primer prodigio, se rendirán a la del segundo.

**9.** Y si ni aun a estos dos prodigios dieren crédito ni escucharen tu voz, toma agua del río, y derrámala en tierra, y cuanta sacares del río se convertirá en sangre.

**10.** Dijo *entonces* Moisés: Señor, te suplico tengas presente que yo nunca he tenido facilidad de hablar; y aun después que hablas con tu siervo, me siento más embarazado, y torpe de lengua.

**11.** Díjole a esto el Señor: ¿Quién hizo la boca del hombre? ¿O quién formó al mudo y al sordo, al que ve y al ciego? ¿No he sido yo?

**12.** Anda, pues, que yo estaré en tu boca, y te enseñaré lo que has de hablar.

**13.** Todavía él replicó: Suplícote, Señor, que envíes al que has de enviar.

**14.** Enojado el Señor contra Moisés, dijo: Aarón tu hermano, hijo de Leví, *como tú,* sé que habla bien; pues mira, éste mismo va a venir a tu encuentro, y al verte se llenará de gozo.

**15.** Tú le hablarás y le irás poniendo mis palabras en su boca. Yo estaré en tu boca y en la suya, y os mostraré lo que debéis hacer.

**16.** El hablará en tu lugar al pueblo y será tu lengua. Y tú le dirigirás en todo lo perteneciente a Dios.

**17.** Toma también en tu mano esta vara, con la cual has de hacer prodigios.

**18.** Partió, pues, Moisés, y volvió a su suegro Jetró, y le dijo: Quisiera ir a visitar otra vez a mis hermanos en Egipto, para ver si viven todavía. Al cual respondió Jetró: Ve enhorabuena.

**19.** Había dicho el Señor a Moisés, *estando éste en Madián:* Anda y vuelve a Egipto; porque han muerto ya todos los que atentaban a tu vida.

**20.** Tomó, pues, Moisés a su esposa y a sus hijos, y los hizo montar en un jumento, y volvióse a Egipto, llevando en la mano la vara de Dios.

**21.** Díjole asimismo el Señor cuando volvía a Egipto: Mira que hagas delante de Faraón todos los portentos, para los cuales te he dado poder. Yo endureceré su corazón, y no dejará partir a *mi* pueblo.

**22.** Y tú le dirás: Esto dice el Señor: Israel es mi hijo primogénito:

**23.** Ya te tengo dicho: deja ir a mi hijo, para que me rinda el culto que me es debido; y tú no has querido dejarle partir: he aquí, pues, que yo voy a quitar la vida a tu hijo primogénito.

**24.** Estando Moisés en el camino, se le presentó el Señor en una posada, en ademán de quererle quitar la vida.

---

**21.** *Dios.* dice San Agustín. Epíst. 194, *no endurece jamás dando la malicia; sino meramente negando la misericordia,* esto es, la gracia que ablande el corazón del pecador, y le convierta.

**25.** Cogió al momento Séfora un pedernal muy afilado, y circuncidó a su hijo, y tocando con la *sangre* los pies de Moisés, le dijo: Tú eres para mí un esposo de sangre.

**26.** Y el ángel le dejó estar, luego que le hubo dicho ella con motivo de la circuncisión que hizo: *Eres para mí* esposo de sangre.

**27.** Entre tanto dijo el Señor a Aarón: Ve al desierto a encontrar a Moisés; y fué a su encuentro hasta *Horeb,* el monte de Dios, y le besó.

**28.** Y contó Moisés a Aarón todo lo que le había dicho el Señor al enviarle, y los prodigios que le había mandado hacer.

**29.** Con esto fueron juntos a *Egipto,* y congregaron a todos los ancianos de los hijos de Israel.

**30.** Y Aarón refirió todas las palabras que había dicho el Señor a Moisés; y *éste* hizo los milagros delante del pueblo.

**31.** Y creyó el pueblo. Y entendieron que el Señor venía a visitar a los hijos de Israel por haber vuelto los ojos a su tribulación; y postrados en tierra le adoraron.

## CAPITULO V

*Moisés y Aarón intiman las órdenes de Dios a Faraón y éste lejos de obedecerlas, oprime más a los hebreos.*

**1.** Después de esto entraron Moisés y Aarón a Faraón, y le dijeron: Esto dice el Señor Dios de Israel: Deja ir a mi pueblo, a fin de que me ofrezca un sacrificio *solemne* en el desierto.

**2.** A lo que respondió él: ¿Quién es ese Señor para que yo haya de escuchar su voz, y dejar salir a Israel? No conozco a tal Señor, ni dejaré ir a Israel.

**3.** Replicaron ellos: El Dios de los hebreos nos ha llamado para que vayamos camino de tres días al desierto, y ofrezcamos sacrificio al Señor Dios nuestro, a fin de que no venga sobre nosotros la peste, o la guerra.

**4.** Díjoles el rey de Egipto: ¿Cómo es que vosotros, Moisés y Aarón, distraéis al pueblo de sus tareas? Marchad a vuestros quehaceres.

**5.** Y dijo *luego* Faraón: Este pueblo se ha aumentado mucho en el país: Ved cómo se ha multiplicado el gentío: ¿Cuánto más si los dejáis respirar de sus fatigas?

**6.** Dió orden, pues, en aquel mismo día a los sobrestantes de las obras, y a los exactores del pueblo diciendo:

**7.** De ninguna manera habéis ya de dar al pueblo, como antes, paja para que haga los ladrillos: que vayan ellos mismos a recogerla;

**8.** Y sin embargo, les exigiréis la misma cantidad de ladrillos, que hasta ahora, sin disminuirles nada: pues están holgando, y por eso vocean, diciéndose *unos a otros:* Vamos a ofrecer sacrificio a nuestro Dios.

**9.** Sean agobiados con faenas y cumplan con ellas, para que no den oídos a embustes.

**10.** Saliendo, pues, *con este mandato* los sobrestantes de las obras, y los exactores, dijeron al pueblo: Esto dice Faraón: No quiero daros la paja:

**11.** Id, y recogedla donde pudiereis hallarla: ni por eso se disminuirá nada de vuestra tarea.

**12.** Esparcióse, pues, el pueblo por toda la tierra de Egipto para recoger paja.

**13.** Al mismo tiempo los sobrestantes los apremiaban diciendo: Cumplid vuestra tarea diaria, como solíais hacer antes, cuando se os daba la paja.

**14.** Y fueron azotados los maestros de obras de los hijos de Israel por los exactores de Faraón, que les decían: ¿Por qué ni ayer ni hoy no dáis cumplida la cantidad de ladrillos, como antes?

**15.** Entonces los maestros de obras de los hijos de Israel fueron a clamar a Faraón, diciendo: ¿Por qué razón maltratas así a tus siervos?

**16.** No se nos dan pajas, y se nos exige la misma cantidad de ladrillos: mira que tus siervos somos azotados, y se trata injustamente a tu pueblo.

**17.** Estáis holgando, les respondió *Faraón,* y esto es lo que os hace decir: Vamos a ofrecer sacrificio al Señor.

**18.** Andad *en hora mala,* y trabajad, que no se os ha de dar paja, y habéis de completar el número acostumbrado de ladrillos.

**19.** Así es que los maestros de obras de los hijos de Israel se veían en grande angustia, a causa de que no querían disminuirles en nada el número de ladrillos que diariamente tenían que dar.

**20.** Y al salir de la presencia de Faraón, fueron a encontrar a Moisés y Aarón, los cuales estaban aguardando allí cerca,

**21.** Y dijéronles: Atienda el Señor a esto que nos pasa, y juzgue: pues vosotros nos habéis hecho abominables a los ojos de Faraón y de sus servidores y habéis puesto en su mano el cuchillo, para que nos degüelle.

**22.** Volvióse Moisés al Señor y dijo: ¡Ah Señor! ¿Por qué has afligido a este *tu* pueblo? ¿A qué fin me has enviado a mí? Pues desde que yo he venido a trabajar con Faraón en tu nombre, ha afligido más a tu pueblo, y tú no le has libertado.

## CAPITULO VI

*Alienta Dios a Moisés; le revela su nombre Jehová; y consuela a los Israelitas prometiéndoles de nuevo la tierra de Canaán. Genealogía de Rubén, Simeón y Leví, hasta Moisés y Aarón.*

**1.** Ahora verás, respondió el Señor a Moisés, lo que voy a hacer con Faraón. Porque obligado del poder de *mi* brazo dejará salir a los israelitas, y *la* robusta mano *mía* hará que el *mismo* los eche de su tierra

**2.** Y prosiguió el Señor diciendo a Moisés: Yo soy el Señor,

**3.** Que me aparecí a Abraham, a Isaac, y Jacob, como Dios Todopoderoso: aunque no les revelé mi nombre ADONAI.

**4.** Hice, sí, pacto con ellos de darles la tierra de Canaán, tierra de su peregrinación, donde estuvieron como extranjeros.

**5.** Yo he oído los gemidos de los hijos de Israel por la opresión que sufren de parte de los egipcios y he tenido presente el pacto mío *con ellos.*

**6.** Por tanto, diles *de mi parte* a los hijos de Israel: Yo soy el Señor, que os sacaré de debajo del yugo de los egipcios, que os libraré de la esclavitud; y os rescataré, levantando mi brazo y descagando terribles golpes *contra ellos.*

**7.** Yo os adoptaré por pueblo mío, y seré vuestro Dios, y conoceréis que yo soy el Señor Dios vuestro que os habré sacado del yugo de los egipcios,

**8.** E introducido en la tierra que tengo jurado dar a Abraham, a Isaac, y a Jacob: porque a vosotros os daré la posesión de ella. Yo que soy el Señor.

**-9.** Refirió, pues, Moisés, todas estas cosas a los hijos de Israel; los cuales no le dieron crédito, angustiados como estaban en extremo, y agobiados con el exceso de las faenas.

**10.** Y habló el Señor a Moisés, diciendo:

**11.** Entra *luego* a Faraón, rey de Egipto, e intímale que deje salir de su tierra a los hijos de Israel.

**12.** Respondio Moisés al Señor: Ves que los hijos de Israel no me escuchan: pues, ¿cómo me ha de escuchar Faraón, mayormente siendo yo tartamudo?

**13.** Mas el Señor habló a Moisés y a Aarón, y dióles orden de ir a encontrar los hijos de Israel, y a Faraón, rey de Egipto, a fin de sacar de la tierra de Egipto a los hijos de Israel.

**14.** Estos son los príncipes de las tribus según sus familias. Hijos de Rubén, primogénito de Israel: Henoc y Fallú, Hesrón y Carmí.

**15.** Estas son las familias de Rubén. Hijos de Simeón: Jamuel y Jamín, y Ahod, y Jaquín, y Soar, y Saúl, hijo de una cananea. Estos son los linajes de Simeón.

**16.** Y estos son los nombres de los hijos de Leví, según sus familias: Gersón, y Caat y Merari. Y los años de la vida de Leví fueron ciento y treinta y siete.

**17.** Hijos de Gerson: Lobni y Semei, con sus descendientes.

**18.** Hijos de Caat: Amram, e Isaar, y Hebrón y Ociel. Y los años de la vida de Caat fueron ciento y treinta y tres.

**19.** Hijos de Merari: Moholi y Musi. Estos son los descendientes de Leví según sus familias.

**20.** Amram casó con Jocabed, su prima hermana paterna; la cual dió a luz a Aarón y a Moisés. Y los años de la vida de Amram fueron ciento treinta y siete.

**21.** Los hijos de Isaar: Coré, y Nefeg, y Cecri.

**22.** Los de Ociel: Misael, y Elisafán, y Setri.

**23.** Aarón tomó por mujer a Isabel, hija de Aminadab, hermana de Nahasón, la cual dió a luz a Nadab, y Abiú, y Eleazar, e Itamar.

**24.** Los hijos de Coré: Aser, y Elcana, y Abiasaf. Estas son las familias de los coritas.

**25.** Y Eleazar, hijo de Aarón, tomó por mujer a una de las hijas de Fotiel, la cual dió a luz a Finées. Estos son los príncipes de las familias levíticas, según sus prosapias.

---

**3.** En el hebreo se lee: *Mi nombre Jehová.* Mas el autor de la versión Vulgata, a ejemplo de los Hebreos, por respeto a este nombre, ha sustituido el de *Adonai.* Y aunque no fue conocido el nombre de *Jehová* en tiempo de los Patriarcas, Moisés al escribir el Génesis le adoptó como el más propio de Dios.

---

**23.** De esta suerte se mezclaron la tribu Real de Judá y la Sacerdotal de Leví, anunciando la unión del Reino y del Sacerdocio de Jesucristo.

**26.** Este es aquel Aarón, y éste aquel Moisés, a quienes mandó el Señor que sacaran de la tierra de Egipto a los hijos de Israel, distribuídos en bandas *o cuadrillas.*

**27.** Estos son los que hablaron a Faraón rey de Egipto, para hacer salir de Egipto a los hijos de Israel. Moisés y Aarón fueron los que le hablaron,

**28.** En el día en que habló el Señor a Moisés en la tierra de Egipto.

**29.** Díjole el Señor estas palabras: Yo soy el Señor: intima a Faraón rey de Egipto, todas las cosas que yo te digo.

**30.** A lo cual respondió Moisés: Ves que yo soy tartamudo: ¿cómo me ha de escuchar Faraón?

## CAPITULO VII

*Moisés y Aarón se presentan a Faraón. La vara de Moisés es convertida en serpiente, y el agua en sangre. Hacen una cosa semejante los magos de Faraón; y éste permanece en su obstinación.*

**1.** Y dijo el Señor a Moisés: Mira, yo te he constituido Dios de Faraón; y Aarón tu hermano será profeta *o intérprete* tuyo.

**2.** Tú le dirás a Aarón todas las cosas que yo te mando, y él hablará a Faraón para que deje ir de su tierra a los hijos de Israel.

**3.** Mas yo endureceré su corazón y multiplicaré mis prodigios y portentos en la tierra de Egipto,

**4.** *Y con todo* no ha de escucharos. Pero yo extenderé mi mano sobre el Egipto, y sacaré al ejército y pueblo mío, los hijos de Israel, de la tierra de Egipto, a fuerza de grandes castigos.

**5.** Y entenderán los egipcios que yo soy el Señor, cuando extendiere mi mano sobre el Egipto y sacare a los hijos de Israel de en medio de ellos.

**6.** Hicieron, pues, Moisés y Aarón según lo que el Señor les habia mandado. Lo ejecutaron del mismo modo.

**7.** Moisés tenia ochenta años y Aarón ochenta y tres, cuando hablaron a Faraón.

**8.** Previno también el Señor a Moisés y Aarón:

**9.** Cuando Faraón os dijere: Hacednos ver por *algún* milagro *que Dios os envía, dirás tú* a Aarón: Toma tu vara, y échala delante de Faraón, y convertirse ha en culebra.

**10.** Habiéndose, pues, presentado Moisés y Aarón a Faraón, hicieron lo que Dios les había ordenado, y Aarón echó la vara en presencia de Faraón y de sus servidores *o cortesanos,* la cual se convirtió en culebra.

**11.** Llamó entonces Faraón a los sabios y a los hechiceros, y ellos también con encantamientos egipciacos y ciertos secretos de su arte, hicieron lo mismo *en la apariencia.*

**12.** Y arrojaron cada uno de ellos sus varas, las cuales se trasformaron en serpientes; pero la vara de Aarón devoró las varas de ellos.

**13.** Y el corazón de Faraón se endureció, y no escuchó a Moisés y a Aarón, como lo había ordenado *o predicho.*

**14.** Y dijo el Señor a Moisés: Obstinado está el corazón de Faraón, y no quiere dejar ir al pueblo.

**15.** Ve a encontrarle por la mañana, pues irá al río; y estarás aguardándole en la orilla, teniendo en tu mano la vara que se convirtió en serpiente.

**16.** Y le dirás: El Señor Dios de los hebreos me ha enviado a decirte: Deja que vaya mi pueblo a ofrecerme sacrificios en el desierto. Tú hasta ahora no has querido obedecer.

**17.** Dice, pues, el Señor: En esto conocerás, que yo soy el Señor: Voy a herir el agua del río con la vara que tengo en mi mano, y se convertirá en sangre.

**18.** Con lo que morirán los peces del río; se corromperán las aguas y los egipcios, que *ahora* beben el agua del río, se verán angustiados.

**19.** Dijo asimismo el Señor a Moisés: Dile a Aarón: Toma tu vara y extiende tu mano sobre las aguas de Egipto, y sobre sus ríos, y acequias, y lagunas, y todos los estanques de aguas para que se conviertan en sangre, y sangre haya en toda la tierra de Egipto, hasta en las vasijas, tanto de madera como de piedra.

**20.** Hiciéronlo, pues, Moisés y Aaron conforme al precepto del Señor: y levantando Aarón la vara, hirió el agua del río a presencia de Faraón y de sus criados; la cual se convirtió en sangre.

**21.** Los peces que había en el río murieron, y el río se corrompió; de suerte que no podían los egipcios beber su agua, y hubo sangre en toda la tierra de Egipto.

**22.** También los hechiceros de los egipcios hicieron otro tanto con sus encantamientos; y endurecióse el corazón de Faraón, y no escuchó a Moisés y Aarón, conforme el Señor lo había dispuesto *o predicho.*

23. Antes les volvió las espaldas, y se metió en su casa, ni tampoco hizo caso esta vez.

24. Entre tanto, todos los egipcios cavaban alrededor del río, a fin de hallar agua para beber; porque no podían beber la del río.

25. Siete días enteros se pasaron después que el Señor hirió el río.

## CAPITULO VIII

*Plagas de ranas, de mosquitos y de moscas. Vanas promesas de Faraón, quien cada día se endurece más.*

1. Dijo todavía el Señor a Moisés: Preséntate a Faraón, y le dirás: Esto dice el Señor: Deja ir a mi pueblo, para que me ofrezca sacrificios.

2. Que si no quieres dejarle ir, mira que yo voy a castigar todas tus provincias con ranas.

3. Y criará el río tanta rana, que subirán, y se meterán por tu casa, y entrarán en el aposento donde tú duermes, y en tu *misma* cama, como también en las casas de tus servidores, y en las de todo tu pueblo, y *hasta* en tus hornos, y en los repuestos de tus viandas.

4. Y serás atormentado de las ranas, tú, tu pueblo y todos tus servidores.

5. Dijo, pues, el Señor a Moisés: Dile a Aarón: Extiende tu mano sobre los ríos y sobre los arroyos, y las lagunas, y haz salir ranas sobre la tierra de Egipto.

6. Extendió Aarón su mano sobre las aguas de Egipto, y salieron fuera las ranas, y cubrieron el territorio de Egipto.

7. Hicieron también los magos una cosa semejante con sus encantamientos, e hicieron salir ranas sobre la tierra de Egipto.

8. Y Faraón llamó a Moisés y Aarón, y les dijo: Rogad al Señor que aparte las ranas de mí y del pueblo mío, que yo dejaré ir a vuestro pueblo para que ofrezca sacrificios al Señor.

9. Dijo entonces Moisés a Faraón: Determina tú el tiempo en que yo he de interceder por ti, por tus siervos y por tu pueblo, para que las ranas sean echadas lejos de ti, y de tu palacio, y de tus criados, y de tu pueblo, y queden solamente en el río.

10. Respondió Faraón: Mañana. Bien está, dijo Moisés, lo haré según pides, para que sepas que nadie hay como el Señor Dios nuestro.

11. Y se retirarán las ranas de ti, y de tu palacio, y de tus siervos, y de tu pueblo, y solamente quedarán en el río.

12. Dicho esto, se despidieron de Faraón Moisés y Aarón: y Moisés clamó al Señor por el cumplimiento de la promesa que él había hecho a Faraón tocante a las ranas.

13. Y cumplió el Señor la palabra de Moisés, y así murieron todas las ranas de las casas, y de las granjas, y de los campos.

14. Y las juntaron en inmensos montones: con lo que quedó la tierra llena de hediondez, *o mal olor.*

15. Mas Faraón, viéndose libre del mal, apesgó su corazón, y no dió oídos a Moisés y Aarón, como el Señor había dispuesto *o predicho.*

16. Dijo, pues, el Señor a Moisés: Di a Aarón que extienda su vara y hiera el polvo de la tierra, para que nazcan mosquitos en todo el territorio de Egipto.

17. Hiciéronlo así; y extendió Aarón la vara que tenía en la mano, e hirió el polvo de la tierra, y hombres y bestias quedaron infestados de mosquitos, y todo el polvo de la tierra se convirtió en mosquitos por todo el país de Egipto.

18. Procuraron también los encantadores con sus hechizos producir mosquitos y no pudieron. Entre tanto los mosquitos infestaban así a los hombres como a las bestias.

19. Y dijeron los hechiceros a Faraón: Es el dedo de Dios *el que aquí obra.* Pero se endureció el corazón de Faraón, y no escuchó a Moisés, ni a Aarón, como el Señor había dispuesto o *predicho.*

20. Dijo todavía el Señor a Moisés: Levántate de madrugada, y preséntate a Faraón, porque ha de salir a las aguas, *o al río, y* dirásle: esto dice el Señor: Deja ir a mi pueblo para que me ofrezca sacrificios.

21. Porque si no le dejas ir, mira que yo enviaré contra ti, contra tus siervos, y contra tu pueblo, y contra tus casas todo género de moscas; y las habitaciones de los egipcios, y todos los parajes donde moraren, se llenarán de moscas de diferentes especies.

22. Y en el mismo día haré que la tierra de Gesén, donde habita mi pueblo, sea maravillosa; no habiendo en ella *ninguna de esas* moscas: a fin de que entiendas que yo el Señor habito en medio de aquella tierra.

23. Yo haré distinción entre mi pueblo y el tuyo: mañana se verá este prodigio.

**24.** Y así lo hizo el Señor. *Enjambres* de moscas molestísimas y dañinas vinieron a las casas de Faraón y de sus criados, y a toda tierra de Egipto, y quedó el país inficionado de tales moscas.

**25.** Llamó entonces Faraón a Moisés y a Aarón, y díjoles: Id, y sacrificad a vuestro Dios, sin salir de esta tierra.

**26.** No puede ser eso, respondió Moisés, por cuanto hemos de sacrificar al Señor Dios nuestro, *animales,* que entre los egipcios es un sacrilegio el matarlos. Pues si delante de sus ojos matáramos aquellos animales que ellos adoran, nos apedrarían *como sacrílegos.*

**27.** Andaremos camino de tres días al desierto, y allí ofreceremos sacrificios al Señor Dios nuestro, como nos lo tiene ordenado.

**28.** A lo que dijo Faraón: Yo os dejaré ir a ofrecer sacrificios en el desierto al Señor Dios vuestro, con tal, empero, que no vayáis más lejos: rogad por mí.

**29.** Y dijo Moisés: En saliendo de tu presencia oraré al Señor, y mañana las moscas se alejarán de Faraón, de sus siervos, y de su pueblo; pero no quieras engañarme ya más, impidiendo que el pueblo vaya a ofrecer sacrificios al Señor.

**30.** Despedido Moisés de Faraón, oró al Señor.

**31.** El cual cumplió la promesa de Moisés, y arrojó las moscas lejos de Faraón, de sus siervos, y de su pueblo sin que quedase una siquiera.

**32.** Mas endurecióse también el corazón de Faraón, de suerte que ni tampoco esta vez dejó salir al pueblo.

## CAPITULO IX

*Plagas de peste, de úlceras y de granizo: ninguna de ellas toca a los Hebreos. Faraón promete dejar salir al pueblo; pero falta también a su palabra.*

**1.** Y dijo el Señor a Moisés: Anda, ve a Faraón, y dile: Esto dice el Señor Dios de los hebreos: Deja salir a mi pueblo, para que me ofrezca sacrificios.

**2.** Porque si lo resistes aún, y le detienes,

**3.** Mira que mi mano descargará sobre tus campos; y enviaré sobre caballos, y asnos, y camellos, y bueyes, y ovejas, una cruel peste.

**4.** Y hará el Señor esta distinción milagrosa entre los bienes de Israel y los bienes de los egipcios, que no perecerá nada de lo que pertenece a los hijos de Israel.

**5.** Y el Señor fijó el plazo, diciendo: Mañana ejecutará el Señor en la tierra este prodigio.

**6.** Así lo hizo el Señor al día siguiente, y murieron todos los animales de los egipcios pero los animales de los israelitas, ni uno siquiera pereció.

**7.** Y envió Faraón a verlo; y halló que nada había muerto de lo que poseía Israel. Mas el corazón de Faraón se endureció, y no soltó al pueblo.

**8.** Dijo entonces el Señor a Moisés y a Aarón: Coged puñados de ceniza de un fogón, y espárzala Moisés hacia el cielo en presencia de Faraón.

**9.** Y extiéndase este polvo por todo el Egipto: de que resultarán úlceras y tumores apostemados en hombres y animales por todo el país de Egipto.

**10.** Cogieron, pues, ceniza de un fogón, y se presentaron a Faraón; y Moisés la esparció hacia el cielo; y luego sobrevinieron úlceras de tumores apostemados en hombres y animales.

**11.** Ni los hechiceros podían comparecer delante de Moisés, a causa de las úlceras que padecían, igualmente que todos los demás egipcios.

**12.** Y endureció o *abandonó* el Señor el corazón de Faraón que tampoco dió oídos a Moisés y a Aarón, según lo había dicho el Señor a Moisés.

**13.** No obstante, dijo el Señor a Moisés: Levántate de mañana y preséntate a Faraón, y le dirás: Esto dice el Señor Dios de los hebreos: Deja que vaya mi pueblo a ofrecerme sacrificios.

**14.** Porque de esta vez he de enviar todas mis plagas sobre tu corazón, y sobre tus siervos, y sobre tu pueblo; para que sepas que no hay semejante a mí en toda la tierra.

**15.** Pues esta vez, extendiendo mi mano, te castigaré a ti y a tu pueblo con *mortal* pestilencia, y serás exterminado de la tierra.

**16.** Que a este fin te he conservado o *sufrido,* para mostrar en ti mi poderío, por donde mi nombre sea celebrado en todo el mundo.

**17.** ¿Y aún tienes tú a mi pueblo, y no quieres dejarle ir?

**18.** Pues mira, mañana a esta misma hora, haré llover un horrible pedrisco, tal cual nunca se ha visto en Egipto desde que comenzó a ser habitado hasta el presente.

**19.** Por eso desde ahora, envía y recoge tus bestias, y todo cuanto tienes en el campo; porque hombres y bestias, y todo lo que se hallare al descubierto, y no se hubiere retirado de los campos, en cayendo sobre ellos el pedrisco, todo perecerá.

**20.** Aquél que entre los siervos de Faraón temió la palabra del Señor, hizo retirar a casa sus criados y bestias.

**21.** El que no hizo caso de lo que dijo el Señor, dejó a sus criados y bestias en el campo.

**22.** Dijo, pues, el Señor a Moisés: Extiende tu mano hacia el cielo, para que caiga un pedrisco en toda la tierra de Egipto, sobre hombres y sobre bestias, y sobre toda yerba del campo en el Egipto.

**23.** Extendió luego Moisés la vara hacia el cielo, y el Señor despidió truenos, y granizo, y centellas que discurrían sobre la tierra. E hizo llover el Señor piedra sobre el país de Egipto.

**24.** Y la piedra y el fuego caían mezclados entre sí; y fué la piedra de tal tamaño, cual no se vió jamás antes en toda la tierra de Egipto, desde el establecimiento de aquella nación.

**25.** Piedra que hirió en el Egipto todas cuantas cosas se hallaron en la campiña desde el hombre hasta la bestia: y arrasó el pedrisco toda la yerba del campo, y destrozó todos los árboles del país.

**26.** Sólo en la tierra de Gesén, donde moraban los hijos de Israel, no cayó piedra.

**27.** Envió, en fin, Faraón a llamar a Moisés y Aarón, y les dijo: También esta vez he pecado: el Señor es justo: yo y mi pueblo unos impíos.

**28.** Rogad al Señor que cesen esos terribles truenos y pedrisco, para que yo os deje ir; y de ninguna manera os detengáis aquí más tiempo.

**29.** Respondió Moisés: En saliendo de la ciudad, alzaré mis manos al Señor, y cesarán los truenos, y no caerá más piedra; para que sepas que la tierra es del Señor.

**30.** Pero yo conozco que ni tú ni tus siervos teméis todavía al Señor Dios.

**31.** Es de notar que el lino y la cebada se perdieron: por cuanto la cebada estaba espigada y el lino granaba ya.

**32.** Pero el trigo y la espelta no padecieron, por ser tardíos.

**33.** Despedido Moisés de Faraón, así que salió de la ciudad alzó las manos hacia el Señor, y cesaron los truenos y el pedrisco; ni cayó más gota de agua sobre la tierra.

**34.** Pero viendo Faraón que habían cesado la lluvia, la piedra y los truenos, agravó su pecado.

**35.** Se obstinó su corazón y el de sus siervos o *ministros,* y endurecióse más y más, y no dió libertad a los hijos de Israel, como lo había mandado el Señor, por medio de Moisés.

## CAPITULO X

*Plagas de langostas y de tinieblas espantosas. En vista de esta última plaga permite Faraón la salida del pueblo de Israel. Pero no acepta Moisés la oferta por no estar comprendidos los ganados.*

**1.** Y dijo el Señor a Moisés: Ve al palacio de Faraón, porque yo tengo abandonado a la dureza su corazón, y el de sus servidores o *ministros,* para continuar haciendo en él estos prodigios de mi poder.

**2.** Y a fin de que tú cuentes a tus hijos y nietos cuántas veces he destrozado a los egipcios, obrando prodigios contra ellos: por donde conozcáis que yo soy el Señor.

**3.** Entraron, pues, Moisés y Aarón en el palacio de Faraón, y le dijeron: Esto dice el Señor Dios de los hebreos: ¿Hasta cuándo rehusarás sujetarte a mí? Deja salir mi pueblo a ofrecerme sacrificios.

**4.** Que si prosigues resistiendo, y no quieres soltarle, mira que mañana yo inundaré tus comarcas de langostas,

**5.** Que cubran la superficie de la tierra; de suerte que nada de ella se vea, y devoren cuanto no hubiere destrozado el pedrisco; porque roerán todos los árboles *y plantas* que brotan en los campos.

**6.** Y se llenarán de ellas tus casas y las de tus servidores, y las de todos los egipcios; en tanta muchedumbre, cuanta no han visto ni tus padres, ni tus abuelos, desde que vinieron al mundo hasta el día presente. Con esto volvió las espaldas, y dejó a Faraón.

**7.** Dijéronle, pues, a Faraón sus criados, *o ministros:* ¿Hasta cuándo hemos de padecer, *oh señor,* esta ruina? Deja ir a esos hombres a ofrecer sacrificios al Señor Dios suyo. ¿No ves cómo está perdido todo el Egipto?

**8.** Volvieron, pues a llamar a Moisés y Aarón ante Faraón, el cual les dijo: Id, sacrificad al Señor vuestro Dios. ¿Mas quiénes son los que han de ir?

---

24. Véase la grandiosa descripción de este castigo. *Sap. XVI, y Psalm.* LXXVII, *v.* 48. — CIV, *v.* 32.

**9.** Hemos de ir, respondió Moisés, con nuestros niños y ancianos, con los hijos, e hijas, con nuestras ovejas y ganados mayores; por cuanto es una fiesta solemne del Señor Dios nuestro.

**10.** Replicó Faraón: Así Dios os ayude como yo he de permitiros ir con vuestros niños. ¿Quién puede dudar que procedéis con refinada malicia?

**11.** No ha de ser así: mas id solamente los hombres, y sacrificad al Señor; pues eso es lo que vosotros mismos habéis pedido. Y al punto fueron echados de la presencia de Faraón.

**12.** En seguida dijo el Señor a Moisés: Extiende tu mano sobre la tierra de Egipto, hacia la langosta, a fin de que venga y devore toda la yerba que hubiere quedado después del pedrisco.

**13.** Extendió, pues, Moisés la vara sobre la tierra de Egipto: y envió el Señor un viento abrasador todo aquel día y aquella noche, el cual, venida la mañana, trajo las langostas.

**14.** Derramáronse éstas sobre toda la tierra de Egipto y posaron en todos los términos de los egipcios, en tan espantosa muchedumbre, que nunca había habido tantas hasta aquel tiempo, ni las ha de haber en lo sucesivo.

**15.** Y cubrieron toda la faz de la tierra, talándolo todo. Por manera que fué devorada la yerba del campo, y todos los frutos de los árboles, que había perdonado la piedra; y no quedó absolutamente cosa verde, ni en los árboles, ni en las yerbas de la tierra en todo el Egipto.

**16.** Por lo cual Faraón a toda prisa llamó a Moisés y Aarón, y les dijo: Pecado he contra el Señor Dios vuestro, y contra vosotros.

**17.** Ahora, pues, perdonadme mi pecado también por esta vez, y rogad al Señor vuestro Dios que aparte de mí esta muerte.

**18.** Salido Moisés de la presencia de Faraón, oró al Señor,

**19.** El cual hizo soplar del poniente un viento muy recio, que arrebatando las langostas las arrojó en el mar Rojo, sin que quedase ni una sola en todos los confines de Egipto.

**20.** Y el Señor endureció el corazón de Faraón, que todavía no dejó partir a los hijos de Israel.

**21.** Dijo entonces el Señor a Moisés: Extiende tu mano hacia el cielo, y haya tinieblas sobre la tierra de Egipto, tan densas, que puedan palparse.

**22.** Extendió Moisés la mano hacia el cielo, *y al instante* tinieblas horrorosas cubrieron la tierra toda de Egipto por espacio de tres días.

**23.** Una persona no veía a otra, ni se movió del sitio en que estaba; pero donde quiera que habitaban los hijos de Israel, allí había luz.

**24.** Por lo que Faraón llamó a Moisés y Aarón, y les dijo: Id, sacrificad al Señor: queden solamente vuestras ovejas y ganados mayores: vayan vuestros niños con vosotros.

**25.** Respondió Moisés: También nos has de dar hostias y holocaustos que ofrecer al Señor Dios nuestro.

**26.** Los ganados todos han de venir con nosotros: no ha de quedar de ellos ni una pezuña; como que son necesarios para el culto del Señor Dios nuestro: mayormente no sabiendo qué es lo que debe inmolársele, hasta que lleguemos al sitio mismo *que nos ha señalado.*

**27.** Con eso endureció el Señor el corazón de Faraón, y no quiso tampoco soltarlos.

**28.** Y dijo Faraón a Moisés: Quítateme de delante, y guárdate de comparecer otra vez en mi presencia: el primer día que te me presentes, morirás.

**29.** Respondió Moisés: Así se hará como tú has dicho: no volveré yo a ver tu cara.

## CAPITULO XI

*Manda el Señor a Moisés que los Israelitas se apoderen de varias alhajas de los egipcios. Descríbese la décima y última plaga, que fué la muerte de los primogénitos.*

**1.** Había *antes* el Señor dicho a Moisés: Todavía heriré a Faraón y al Egipto con una plaga, y después os despedirá, y os estrechará a que salgáis.

**2.** Dirás, pues, a todo el pueblo, que cada uno pida a su amigo, y cada mujer a su vecina alhajas de plata y de oro.

**3.** Y el Señor hará que su pueblo encuentre buena disposición en los egipcios. Y *también* la persona de Moisés gozaba de grandísimo concepto en todo el país de Egipto, así entre los criados *o grandes* de Faraón como en todo el pueblo.

**4.** Moisés le dijo también a *Faraón:* Esto dice el Señor: A la medianoche saldré a recorrer el Egipto.

**5.** Y morirán todos los primogénitos en la tierra de los egipcios, desde el primogénito de Faraón, sucesor del trono, hasta el primogénito de la esclava, que hace rodar la muela en el molino, y todos los primogénitos de las bestias.

**6.** Y se oirá un clamor grande en todo el Egipto, cual nunca hubo, ni habrá jamás.

**7.** Pero entre todos los hijos de Israel, desde el hombre hasta la bestia, no chistará siquiera un perro: para que conozcáis cuán milagrosa distinción hace el Señor entre egipcios y israelitas.

**8.** Y todos esos servidores tuyos vendrán a mí y postrados en mi presencia me suplicarán, diciendo: Sal tú, y todo el pueblo que está a tus órdenes. Y después de esto saldremos.

**9.** E irritado Moisés en extremo, se apartó de Faraón. Entonces dijo el Señor a Moisés: Ni *aún ahora* ha de escucharos Faraón; a fin de que se multipliquen los prodigios en la tierra de Egipto.

**10.** Todos estos portentos, que quedan escritos *en este libro*, obraron Moisés y Aarón delante de Faraón. Mas el Señor endureció el corazón de Faraón, quien no dejó salir de su tierra a los hijos de Israel.

## CAPITULO XII

*Cordero pascual, y ceremonias con que ha de comerse. Muerte de todos los primogénitos de los egipcios. Salida de los israelitas de Egipto.*

**1.** Dijo también el Señor a Moisés y a Aarón en la tierra de Egipto.

**2.** Este mes ha de ser para vosotros el principio de los meses: será el primero entre los meses del año.

**3.** Hablad a toda la congregación de los hijos de Israel, y decidles: El día diez de este mes, tome cada cual un cordero por cada familia, y por cada casa.

**4.** Si en alguna no fuese tanto el número de individuos, que baste para comer el cordero, tomará de su vecino inmediato a su casa aquel número de personas que necesite para comerle.

**5.** El cordero ha de ser sin defecto, macho, y primal, *o del año:* podréis, guardando el mismo rito, tomar, *o sustituir* por él un cabrito.

**6.** Reservaréislo hasta el día catorce de este mes; en el cual por la tarde, le inmolará toda la multitud de los hijos de Israel.

**7.** Y tomarán de su sangre, y rociarán con ella los dos postes, y el dintel de las casas en que le comerán.

**8.** Las carnes las comerán aquella noche, asadas al fuego, y panes ácimos, *o sin levadura,* con lechugas silvestres.

**9.** Nada de él comeréis crudo, ni cocido en agua, sino solamente asado al fuego: comeréis *también* la cabeza con sus pies e intestinos.

**10.** No quedará nada de él para la mañana siguiente: Si sobrare alguna cosa la quemaréis al fuego.

**11.** Y le comeréis de esta manera: tendréis ceñidos vuestros lomos, y puesto el calzado en los pies, y un báculo en la mano, y comeréis aprisa; por ser la Fase (esto es, el Paso) del Señor.

**12.** Porque yo pasaré aquella noche por la tierra de Egipto, y heriré de muerte a todo primogénito de dicha tierra, sin perdonar a hombre, ni a bestia; y de los dioses todos de Egipto tomaré yo venganza, Yo el Señor.

**13.** La sangre os servirá como señal en las casas donde estuviéreis; pues yo veré la sangre, y pasaré de largo, sin que os toque la plaga exterminadora, cuando yo heriré con ella la tierra de Egipto.

**14.** Tendréis a este día por memorable; y le celebraréis como fiesta solemne al Señor con perpetuo culto, de generación en generación.

**15.** Por siete días comeréis pan sin levadura: desde el primer día no habrá levadura en vuestras casas: todo el que comiere pan con levadura, desde el primer día, hasta el séptimo, aquella alma será cortada, *o separada* de Israel.

**16.** El primer día será santo y solemne, y el día séptimo será venerado con igual solemnidad: ninguna obra servil haréis en ellos, excepto las que pertenecen a la comida.

**17.** Guardaréis, pues, *la fiesta de* los ácimos: porque aquel mismo día sacaré de la tierra de Egipto a vuestro ejército, *o pueblo:* día que habréis de celebrar de generación en generación con un culto perpetuo.

**18.** El día catorce del primer mes, desde la tarde, comeréis los ácimos, hasta el día veinte y uno del mismo mes por la tarde.

**19.** Durante siete días no se hallará levadura en vuestras casas. Quien comiere pan con levadura, ora sea extranjero, ora sea natural del país, será borrada su alma del censo de Israel.

**20.** Nada habréis de comer con levadura: usaréis de pan ácimo en todas vuestras casas.

---

**6.** El sacrificio diario, mandado en este libro *cap.* XXIX, v. 38, se hacía cerca de la hora de nona, esto es, hacia las tres de la tarde: en cuyo tiempo fué inmolado en la cruz el divino Cordero, que es *nuestra pascua,* como dice el Apóstol.

21. En seguida convocó Moisés a todos los Ancianos de Israel, y les dijo: Id a buscar la res para cada una de vuestras familias, e inmolad la Pascua;

22. Y mojad un manojito de hisopo en la sangre vertida, en el umbral de la puerta, y rociad con ella el dintel y ambos postes: ninguno de vosotros salga fuera de la puerta de su casa hasta la mañana.

23. Porque ha de pasar el Señor hiriendo *de muerte* a los egipcios, y al ver la sangre en el dintel, y en los dos postes, pasará de largo de la puerta de aquella casa; ni permitirá al *Angel* exterminador entrar en vuestras casas, ni haceros daño.

24. Observa, ¡oh Israel! este mandato; que ha de ser como una ley *inviolable* para ti, y para tus hijos perpetuamente.

25. Así, pues, luego que entraréis en la tierra que os ha de dar el Señor, como lo tiene prometido, observaréis estas mismas ceremonias.

26. Y cuando vuestros hijos os preguntaren: ¿Qué significa este rito?

27. Les responderéis: Esta es la víctima del Paso del Señor: cuando pasó de largo las casas de los hijos de Israel en Egipto, hiriendo de *muerte* a los egipcios, y dejando salvas nuestras casas. Al oír esto, se postraron todos y adoraron *al Señor.*

28. Y habiendo salido los hijos de Israel, hicieron como el Señor había mandado a Moisés y a Aarón.

29. Mas he aquí que a la medianoche el Señor hirió *de muerte* a todos los primogénitos en la tierra de Egipto, desde el primogénito de Faraón, que le sucedía en el trono, hasta el primogénito de la esclava que estaba en cadena: y a todo primer nacido de las bestias.

30. Con lo que se levantó Faraón de noche, y todos sus servidores, y el Egipto todo; y fueron grandes los alaridos en Egipto; porque no había casa en donde no hubiese algún muerto.

31. Y llamando Faraón en aquella misma noche a Moisés y a Aarón, les dijo: Marchad y retiráos *prontamente* de mi pueblo, así vosotros como los hijos de Israel. Id y ofreced sacrificios al Señor como decís.

32. Lleváos vuestras ovejas y ganados mayores, conforme lo habéis pedido; y al partir rogad por mí.

33. Al mismo tiempo los egipcios estrechaban al pueblo para que saliese prontamente del país, diciendo: *Si no marcháis,* pereceremos todos.

34. El pueblo, pues, tomó la harina amasada, antes que se le pusiera levadura, y envuelta en los mantos *o capas* se la echó a cuestas.

35. Asimismo, los hijos de Israel, haciendo lo que Moisés había ordenado pidieron a los egipcios alhajas de oro y plata, y muchísima ropa.

36. Y el Señor dió al pueblo gracia en los ojos de los egipcios, para que les prestasen lo que pedían; y *de esta manera* despojaron a los egipcios.

37. Partieron, en fin, los hijos de Israel de Ramesés a Socot, en número de unos seiscientos mil hombres de a pie, sin contar los niños.

38. También salió agregada a ellos una turba inmensa de gente de toda clase; ovejas, y ganados mayores, y todo género de animales en grandísimo número.

39. Y cocieron la harina que acababan de trasportar amasada de Egipto, e hicieron panes ácimos, cocidos al rescoldo, porque no habían podido echarles levadura, por la prisa que les metían los egipcios para que saliesen, no permitiéndoles ninguna dilación: ni habían podido pensar en disponer comida alguna para el viaje.

40. El tiempo que moraron en Egipto, *y antes en Canaán,* los hijos de Israel, fué de cuatrocientos treinta años.

41. Cumplidos los cuales, salió en un mismo día de la tierra de Egipto todo el ejército del Señor.

42. Digna es de ser consagrada al Señor esta noche, en que sacó a los hijos de Israel de la tierra de Egipto; y deben celebrarla todos los hijos de Israel en adelante perpetuamente.

43. Sobre lo cual dijo el Señor a Moisés y Aarón: Este ha de ser el rito de la Pascua *o cordero pascual.* Ningún extranjero comerá de ella.

44. Pero todo esclavo comprado será circuncidado, y entonces comerá.

45. El advenedizo y jornalero no comerán de ella.

46. El cordero se comerá dentro de la casa, ni sacaréis afuera nada de su carne, ni le quebraréis ningún hueso.

47. Todo el pueblo de los hijos de Israel celebrará la pascua.

48. Y si algunos de los extranjeros quisiese convertirse a vuestra religión y celebra la pascua del Señor, serán primero circuncidados todos los varones *de su casa; y* entonces la podrá celebrar legítimamente, y será como natural del país: pero quien no fuere circuncidado, no comerá de la pascua.

**49.** Una misma ley *o rito* guardará el nacional y el extranjero que mora entre vosotros.

**50.** Así lo hicieron todos los hijos de Israel, como el Señor tenía mandado a Moisés y a Aarón.

**51.** Y en el mismo día sacó el Señor de la tierra de Egipto a los hijos de Israel, repartidos en diversos escuadrones *o bandas.*

## CAPITULO XIII

*Ordena el Señor la oblación de los primogénitos, en memoria de lo sucedido de la salida de Egipto. Columna de nube y fuego que les sirve de guía por el camino.*

**1.** Habló después el Señor a Moisés, diciendo:

**2.** Conságrame todo primogénito que abre el vientre de tu madre, entre los hijos de Israel, tanto de hombres como de animales; porque míos son todos.

**3.** Acordáos, dijo Moisés al pueblo; *acordáos* de este día en que habéis salido de Egipto y de la casa de vuestra esclavitud, cómo el Señor os ha sacado con mano fuerte de este lugar: por cuya razón no comeréis en semejante día pan con levadura.

**4.** Salís hoy en el mes de las nuevas mieses, *o de la primareva.*

**5.** Cuando el Señor, pues, te hubiere introducido, *¡oh Israel!,* en la tierra del Cananeo, y del Heteo, y del Amorreo, y del Heveo, y del Jebuseo, que prometió con juramento a tus padres que te daría a ti, tierra que mana leche y miel, tú celebrarás este rito sagrado en dicho mes.

**6.** Por espacio de siete días comerás ácimos: y el día séptimo será también día solemne del Señor.

**7.** Comerás ácimos, *digo,* por siete días; ni aparecerá en tu casa, ni en todos tus términos, cosa alguna con levadura.

**8.** Y en aquel día contarás el suceso a tu hijo, diciendo: Esto y esto hizo por mí el Señor, cuando salí de Egipto.

**9.** Y será como una señal en tu mano, y como un recuerdo delante de tus ojos, a fin de que la ley del Señor esté siempre en tu boca; por cuanto con brazo fuerte te sacó de Egipto el Señor.

**10.** Observarás este rito todos los años al tiempo señalado.

**11.** Y cuando el Señor te habrá introducido en la tierra del Cananeo, como lo tiene jurado a ti y a tus padres, y te habrá dado la posesión de ella,

**12.** Separarás para el Señor todos los primogénitos, y todos los primerizos de tus ganados: todo lo que tuvieres de sexo masculino lo consagrarás al Señor.

**13.** Al primer nacido *o primerizo,* de asno le cambiarás por una oveja: caso que no le rescatares, le matarás. Pero a todos tus hijos primogénitos los rescatarás con dinero.

**14.** Y cuando tu hijo te preguntare el día de mañana: ¿Qué significa esto?, le responderás: El Señor nos sacó con brazo fuerte de la tierra de Egipto, de la casa de la esclavitud.

**15.** Porque como Faraón se hubiese obstinado en no querer dejarnos salir, mató el Señor a todos los primogénitos en tierra de Egipto, tanto de hombres como de bestias: por esta razón sacrifico yo al Señor todo primerizo que es del sexo masculino, y rescato todos los primogénitos de mis hijos.

**16.** Lo que has de tener como una señal impresa en tu mano, y como un recuerdo pendiente ante tus ojos, que te advierte habernos el Señor sacado de Egipto con brazo fuerte.

**17.** Habiendo, pues, Faraón despedido al pueblo *de Israel,* no guió Dios a éste por el camino del país de los filisteos, aunque era el más corto; considerando que tal vez se arrepentiría al ver que le movían guerras, y se volvería a Egipto.

**18.** Sino que los condujo rodeando por el camino del desierto, que está cerca del mar Rojo: y los hijos de Israel salieron de la tierra de Egipto armados.

**19.** Moisés llevó también consigo los huesos de José; el cual lo había hecho prometer con juramento a los hijos de Israel, al decirles: Dios os visitará: Llevaos de aquí mis huesos con vosotros.

**20.** Ellos, habiendo partido de Socot, acamparon en Etam, que está en la extremidad del Desierto.

**21.** E iba el Señor delante para mostrarles el camino; de día en una columna de nube, y por la noche en una columna de fuego; sirviéndoles de guía en el viaje, día y noche.

**22.** Nunca faltó la columna de nube durante el día, ni la columna de fuego por la noche delante del pueblo.

# CAPITULO XIV

*Persigue Faraón a los Israelitas. Divide Moisés con la vara las aguas del mar Bermejo; los Israelitas le pasan a pie enjuto, y quedan en él anegados los Egipcios.*

1. Y habló el Señor a Moisés, diciendo:

2. Da orden a los hijos de Israel que vuelvan *a su camino* y acampen frente de Fihahirot, que está entre Mágdalo y el mar, delante de Beelsefón; a la vista de este lugar sentaréis el campamento junto al mar.

3. Porque Faraón va a decir de los hijos de Israel: Están estrechados del terreno, y cerrados *de los montes* del desierto.

4. Y yo endureceré su corazón, y os perseguirá: con lo que seré glorificado en Faraón, y en todo su ejército y conocerán los egipcios que Yo soy el Señor. Ellos lo hicieron así.

5. Entre tanto avisaron al rey de los egipcios, que el pueblo iba huyendo; y trocóse el corazón de Faraón y de sus servidores en orden al pueblo, y dijeron: ¿En qué pensábamos al soltar a Israel para que dejase de servirnos?

6. Hizo, pues, uncir los caballos a su carroza, y tomó consigo a todo su pueblo.

7. Y llevó seiscientos carros *de guerra* escogidos y todos cuantos había en Egipto, y los capitanes de todo el ejército.

8. Y el Señor abandonó el corazón del rey de Egipto a la obstinación; el cual fué al alcance de los hijos de Israel: pero éstos habían salido amparados de una mano *todo*-poderosa.

9. Siguiendo, pues, las huellas los egipcios, halláronlos acampados junto al mar. Toda la caballería y carros de Faraón, y el ejército entero, estaban *ya* en Fihahirot, enfrente de Beelsefón.

10. Y así que Faraón se hubo acercado, alzando los hijos de Israel sus ojos, vieron en pos de sí a los egipcios; con los que se amedrentaron sobremanera.

11. Y clamaron al Señor, y dijeron a Moisés: ¿Acaso faltaban sepulturas en Egipto, para que nos hayas traído a que muriésemos en el desierto? ¿Qué designio ha sido el tuyo en sacarnos de Egipto?

12. ¿No te decíamos estando aún en Egipto: Déjanos que sirvamos a los egipcios? Porque mucho mejor nos era servirlos a ellos, que morir en el desierto.

13. Moisés, empero, respondió al pueblo: No temáis: estad firmes, y veréis los prodigios que ha de obrar hoy el Señor; pues esos egipcios que ahora estáis viendo, ya nunca jamás los volveréis a ver.

14. El Señor peleará por vosotros, y vosotros os estaréis quedos.

15. Y dijo el Señor a Moisés: ¿Por qué clamas a mí? Di a los hijos de Israel que marchen.

16. Y tú levanta tu vara, y extiende tu mano sobre el mar, y divídele, para que los hijos de Israel caminen por en medio de él a pie enjuto.

17. Yo entre tanto endureceré el corazón de los egipcios para que vayan en persecución vuestra; y seré glorificado en el exterminio de Faraón, y de todo su ejército, y de sus carros y caballería.

18. Entonces conocerán los egipcios que Yo soy el Señor, cuando habré hecho servir para mi gloria a Faraón, y a sus carros, y a su caballería.

19. En esto, alzándose el Angel de Dios, que iba delante del ejército de los israelitas, se colocó detrás de ellos; y con él juntamente la columna de nube, la cual dejaba la delantera,

20. Se situó a la espalda, entre el campo de los egipcios, y el de Israel: y la nube era tenebrosa *por la parte que miraba a aquéllos*, al paso que *para Israel* hacía clara la noche; de tal manera que no pudieron acercarse los unos a los otros durante todo el tiempo de la noche.

21. Extendiendo Moisés la mano sobre el mar, abrióle el Señor por el medio, y soplando toda la noche un viento recio y abrasador, le dejó en seco, y las aguas quedaron divididas.

22. Con lo que los hijos de Israel entraron por medio del mar en seco; teniendo las aguas como por muro a derecha e izquierda.

23. Los egipcios siguiendo al alcance, entraron en medio del mar tras ellos, con toda la caballería de Faraón, sus carros y gente de a caballo.

24. Estaba ya para romper el alba; y he aquí que el Señor, echando una mirada desde la columna de fuego y de nube sobre los escuadrones de los egipcios, hizo perecer su ejército.

25. Y trastornó las ruedas de los carros, los cuales caían precipitados al profundo *del mar*. Por lo que dijeron los egipcios: Huyamos de Israel, pues el Señor pelea por él contra nosotros.

26. Entonces dijo el Señor a Moisés: Extiende tu mano sobre el mar, para que se reúnan las aguas sobre los egipcios, sobre sus carros y caballos.

**27.** Luego que Moisés extendió la mano sobre el mar, se volvió éste a su sitio a rayar el alba; y huyendo los egipcios, las aguas los sobrecogieron, y el Señor los envolvió en medio de las olas.

**28.** Así las aguas vueltas a su curso, sumergieron los carros y la caballería de todo el ejército de Faraón, que había entrado en el mar en seguimiento de Israel: ni uno siquiera se salvó.

**29.** Mas los hijos de Israel marcharon por medio del mar enjuto, teniendo las aguas por muro a derecha e izquierda.

**30.** De esta suerte libró el Señor a Israel en aquel día de mano de los egipcios.

**31.** Y vieron en la orilla del mar los cadáveres de los egipcios, y cómo el Señor había descargado contra ellos su poderosa mano. Con ésto temió el pueblo al Señor, y creyó al Señor y a su siervo Moisés.

## CAPITULO XV

*Cántico de Moisés en alabanza y hacimiento de gracias al Señor, después de pasado el mar. Llegan los Israelitas a Mara, donde convierte Moisés las aguas amargas en dulces.*

**1.** Entonces Moisés y los hijos de Israel entonaron este himno al Señor, diciendo:
Cantemos alabanzas al Señor, porque ha hecho brillar su gloria y grandeza, y ha precipitado en el mar al caballo y al caballero.

**2.** El Señor es la fortaleza mía, y el objeto de mis alabanzas, porque él ha sido mi Salvador: Este es mi Dios, y yo publicaré su gloria: él Dios de mis padres, a quien he de ensalzar.

**3.** El Señor se ha aparecido como un valiente campeón: es su nombre Omnipotente.

**4.** A los carros de Faraón y a su ejército los ha precipitado al mar: sus mejores capitanes han sido sumergidos en el mar Rojo.

**5.** Sepultados quedan en los abismos: hundiéronse como una piedra hasta *lo más* profundo.

**6.** Tu diestra ¡oh Señor! ha demostrado su soberana fortaleza: Tu diestra, ¡oh Señor! *es la que* ha herido al enemigo *de tu pueblo.*

**7.** Y con la grandeza de tu gloria *y poderío,* has derribado a tus adversarios. Enviaste *los instrumentos de* tu cólera, la cual los ha devorado como *el fuego* a una paja.

**8.** Al soplo de tu furor se amontonaron las aguas: paróse la ola que iba corriendo: cuajáronse en medio del mar los abismos de las aguas.

**9.** Iré tras ellos, había dicho el enemigo, y los alcanzaré: partiré los despojos, y se hartará mi alma: desenvainaré mi espada, y los matará mi mano.

**10.** Sopló tu espíritu, ¡oh Señor! y el mar los anegó: hundiéronse como plomo en aguas impetuosas.

**11.** ¿Quién hay entre los fuertes a ti semejante, ¡oh Señor!? ¿Quién hay semejante a ti, tan grande en santidad: terrible, y digno de alabanza, y obrador de prodigios?

**12.** Extendiste tú la mano y la tierra los tragó.

**13.** Por tu misericordia te has hecho el caudillo del pueblo que redimiste, y le has conducido a fuerza de tu poder a tu santa morada.

**14.** Se levantaron los pueblos, y montaron en cólera: quedaron penetrados de grande ira y dolor los habitantes de la Palestina.

**15.** Conturbáronse los príncipes de Edón: los valientes de Moab se estremecieron, y quedáronse yertos los moradores todos de Canaán.

**16.** Caiga de recio sobre ellos el terror y espanto, a vista del gran poder de tu brazo; queden inmobles como una piedra, en tanto que pasa ¡oh Señor! tu pueblo; hasta que pase este pueblo tuyo que tú has adquirido.

**17.** *A estos hijos tuyos* tú los introducirás y establecerás ¡oh Señor! sobre el monte de tu herencia, sobre esa firmísima morada tuya, que tú te has fabricado: en *Sión* ¡oh Señor! santuario tuyo, que han fundado tus manos.

**18.** El Señor reinará eternamente, y más allá *de todos los siglos.*

**19.** Porque Faraón entró a caballo en el mar, con sus carros, y caballería, y el Señor replegó sobre ellos las aguas del mar: mas los hijos de Israel pasaron por medio de él a pie enjuto.

**20.** Entonces María, la profetisa, hermana de Aarón, tomó en su mano un pandero; y salieron en pos de ella todas las mujeres con panderos y danzas,

**21.** Cuyos coros guiaba, entonando la primera: Cantemos himnos al Señor, porque ha dado una gloriosa señal de su grandeza: ha precipitado en el mar al caballo y al caballero.

---

**20.** Es llamada profetisa por haber recibido de Dios el espíritu profético. (*Núm.* XII, v. 2). Su nombre puede significar *Estrella del Mar,* como dice San Jerónimo, *Señora, o Iluminadora* de la *mar,* y otras cosas.

**22.** En fin, Moisés sacó a los israelitas del mar Rojo, y fueron a salir al desierto de Sur, y anduvieron tres días por la soledad, sin hallar agua.

**23.** Llegaron después a Mara, y no podían beber las aguas de Mara por ser amargas. Por eso puso nombre apropiado al sitio, llamándole Mara, esto es, Amargura.

**24.** Aquí murmuró el pueblo contra Moisés diciendo: ¿Qué beberemos?

**25.** Mas él clamó al Señor: el cual le mostró un madero, habiéndole echado en las aguas, se endulzaron. Allí dió el Señor al pueblo *algunos* preceptos y leyes; y allí le probó,

**26.** Y dijo: Si escuchares la voz del Señor Dios tuyo e hicieres lo que es recto delante de él, y obedecieres sus mandamientos, y observares todos sus preceptos, no descargaré sobre ti plaga ninguna, de las que he descargado sobre el Egipto; porque Yo soy el Señor que te doy la salud.

**27.** De allí pasaron los hijos de Israel a Elim: donde había doce manantiales de aguas, y setenta palmeras, y acamparon *allí* junto a las aguas.

## CAPITULO XVI

*Envía el Señor codornices y pan del cielo a su pueblo ingrato. Le recomienda la observancia del Sábado, y que conserve en el Tabernáculo una porción de maná para memoria de la posteridad.*

**1.** Partió de Elim toda la multitud de los hijos de Israel, y vino a parar al desierto de Sim, que está entre Elim y *el monte* Sinaí, el día quince del segundo mes, después de la salida del país de Egipto.

**2.** Y murmuró en aquel desierto contra Moisés y Aarón el pueblo de los hijos de Israel.

**3.** A los cuales dijeron los hijos de Israel: ¡Ojalá hubiésemos muerto a manos del Señor en la tierra de Egipto, cuando estábamos sentados junto a las calderas *llenas* de carne, y comíamos pan cuanto queríamos! ¿Por qué nos habéis traído a este desierto para matar de hambre a toda la gente?

**4.** Pero el Señor le dijo a Moisés: Voy a hacer que os llueva pan del cielo: salga el pueblo, y recoja lo que basta para cada día: pues quiero probarle, a ver si se ajusta, o no, a mi ley.

**5.** Mas el día sexto prevengan lo que han de reservar, y así cojan doble de lo que solían coger cada día.

**6.** Entonces Moisés y Aarón dijeron a todos los hijos de Israel: Esta tarde conoceréis que el Señor es quien os ha sacado de la tierra de Egipto;

**7.** Y mañana veréis *brillar* el poder del Señor, pues ha oído que os quejáis de él. Por lo que hace a nosotros, ¿qué somos para que andéis murmurando contra nosotros?

**8.** Y añadió Moisés: Esta tarde misma os dará el Señor a comer carnes, y a la mañana pan, hasta que no queráis más: por cuanto ha oído vuestras quejas con que habéis murmurado contra él. Porque, ¿quién somos nosotros? Contra el Señor son, y no contra nosotros, vuestras murmuraciones.

**9.** Dijo Moisés también a Aarón: Di a todo el pueblo de los hijos de Israel: Venid, presentáos al Señor, porque ha oído vuestras murmuraciones.

**10.** Aún estaba hablando Aarón a toda la muchedumbre de los hijos de Israel cuando volviendo ellos los ojos hacia el desierto, he aquí que la majestad del Señor se apareció en medio de la nube,

**11.** *Desde donde* habló el Señor a Moisés, diciendo:

**12.** He oído las murmuraciones de los hijos de Israel. Diles: Esta tarde comeréis carnes, y a la mañana os saciaréis de pan: con lo que sabréis que soy el Señor Dios vuestro.

**13.** Llegada, pues, la tarde, vinieron *tantas* codornices, que cubrieron todo el campamento: y por la mañana se halló esparcido también un rocío alrededor de él.

**14.** El cual habiendo cubierto la superficie de la tierra, quedó en el desierto *sobre el suelo* una cosa menuda, y como machacada en almirez, semejante a la escarcha que cae sobre la tierra.

**15.** Lo que visto por los hijos de Israel, se dijeron unos a otros: ¿Manhú? que significa: ¿Qué es esto? Porque no sabían qué cosa fuese. A los cuales dijo Moisés: Este es el pan que el Señor os ha dado para comer.

---

**25.** De lo que se dice en el libro del Eclesiástico, *cap* XXXVIII, v. 5, parece inferirse que el madero de que aquí se habla tenía virtud natural para endulzar las aguas. Los Padres han considerado este leño como figura del madero de la cruz de Cristo, la cual endulza todas las amarguras de esta vida.

**14.** Puede traducirse: *Semejante a los granitos* blancos de *escarcha*, que cuando hiela *caen sobre la tierra.—Núm.* XI, *v.* 7.—*Ps.* LXXII, *v.* 24.— *Sap.* XVI, *v.* 20. *Joann,* VI, *v.* 31. Era un *maná* milagroso, por su virtud de alimentar, saber y otras muchas cualidades.

**16.** Ved lo que el *mismo* Señor ha ordenado: Recoja de ello cada uno cuanto basta para su sustento: así, pues, cogeréis un gomor por persona, según el número de almas que habitan en cada tienda.

**17.** Así lo lo hicieron los hijos de Israel, y recogieron quién más, quién menos.

**18.** Midiéronlo después por el gomor: ni quien más había recogido, por eso tuvo más, ni quien menos recogió, tuvo menos; sino que cada cual reunió tasadamente aquella porción que podía comer.

**19.** Advirtióles además Moisés: Ninguno reserve de ello para mañana.

**20.** Algunos no le obedecieron, sino que lo reservaron para el día siguiente, y empezó a hervir en gusanos, y se pudrió: por lo cual se enojó Moisés contra ellos.

**21.** Recogía, pues, cada uno de madrugada cuanto le podía bastar para su mantenimiento; y en calentando el sol, se derretía el maná *del campo.*

**22.** Pero el día sexto recogió cada uno el doble, es a saber, dos medidas de gomor por cabeza: de lo cual vinieron a dar cuenta a Moisés todos los príncipes del pueblo.

**23.** Y él les dijo: Esto es lo que tiene ordenado el Señor: Mañana es el día de Sábado, cuyo descanso está consagrado al Señor. Haced, pues, hoy todo lo que tengáis que hacer, y coced lo que haya de cocerse, y todo lo que sobrare guardadlo para mañana.

**24.** Hiciéronlo según y como Moisés lo había mandado, y el *maná* no se pudrió, ni se halló en él gusano alguno.

**25.** Dijo entonces Moisés: Este lo comeréis hoy; porque siendo el Sábado del Señor, hoy no le habrá en el campo.

**26.** Recogedle durante los seis días: pues el día séptimo es el Sábado del Señor, y por eso no se hallará.

**27.** Llegó el día séptimo; y habiendo salido algunos del pueblo a recogerle, no hallaron nada.

**28.** Por lo cual dijo el Señor a Moisés: ¿Hasta cuándo habéis de ser rebeldes a mis mandamientos y a mi ley?

**29.** Reflexionad que el Señor os ha encargado la observancia del sábado, y por eso el día sexto os ha doblado alimento: estése cada cual en su tienda: ninguno salga fuera de *los reales,* el día séptimo.

**30.** Y observó el pueblo el descanso del día séptimo.

**31.** Y la familia de Israel llamó aquel manjar Man; el cual era blanco, del tamaño de la simiente del cilantro, y su sabor como torta de flor de harina.

**32.** Dijo también Moisés: Esto es lo que ha mandado el Señor: Llena de maná un gomor, y guárdese para las generaciones venideras, a fin de que vean el pan con que yo os sustenté en el desierto, después que os saqué de la tierra de Egipto.

**33.** Dijo, pues, Moisés a Aarón: Toma un vaso, y echa en él todo el maná que pueda caber en un gomor, y colócale delante del Señor para que se conserve en vuestra posteridad,

**34.** Como Dios me tiene mandado. Aarón le puso *después* en el Tabernáculo, para que se conservase.

**35.** Y los hijos de Israel comieron maná por espacio de cuarenta años, hasta que llegaron a tierra poblada *en que debían habitar:* con este manjar fueron alimentados hasta que tocaron los confines de la tierra de Canaán.

**36.** Una medida de gomor es la décima parte de un efi.

## CAPITULO XVII

*Murmurando los Israelitas por falta de agua, el Señor la hace brotar milagrosamente de la piedra de Horeb. Victoria contra los Amalecitas, combatiendo Josué y orando Moisés.*

**1.** Habiendo, pues, partido toda la multitud de los hijos de Israel del desierto de Sin, haciendo sus detenciones en los lugares señalados por el Señor, acamparon en Rafidín, donde no tuvo el pueblo agua que beber,

**2.** El cual, levantando el grito contra Moisés, dijo: Danos agua para beber. Moisés les respondió: ¿Por qué os amotináis contra mí? ¿Cómo es que tentáis al Señor?

**3.** Allí, pues, el pueblo, hallándose acosado de la sed, y sin tener agua, murmuró contra Moisés, diciendo: ¿Por qué nos has hecho salir de Egipto para matarnos de sed a nosotros, y a nuestros hijos y ganados?

---

**33.** Esto es, para ponerle en el Arca, cuando esté hecha. Y en efecto, en un vaso de oro se conservó el maná dentro del Arca. (*Hebr.* IX, *v.* 4). *Manjar espiritual* llama San Pablo al maná; por razón del manjar verdaderamente divino que significaba, esto es, el Cuerpo de Jesucristo en la Eucaristía. Este pan sólo le comen los que dejan a Egipto, y sus deberes carnales y caminan hacia la tierra de promisión.

4. Clamó entonces Moisés al Señor, y le dijo: ¿Qué haré yo con este pueblo? Falta ya poco para que me apedree.

5. Dijo el Señor a Moisés: Adelántate al pueblo, llevando contigo algunos de los ancianos de Israel, y toma en tu mano la vara con que heriste el río, y vete,

6. Hasta la peña de Horeb, que yo estaré allí delante de ti: y herirás la peña, y brotará de ella agua para que beba el pueblo. Hízolo así Moisés, en presencia de los ancianos de Israel.

7. Y puso a este lugar el nombre de Tentación, por el alboroto de los hijos de Israel, y porque tentaron al Señor, diciendo: ¿Está o no está con nosotros el Señor?

8. Sobrevinieron, después los amalecitas y presentaron batalla a Israel en Rafidín.

9. Y dijo Moisés a Josué: Escoge hombres de *valor*, y ve a pelear contra los amalecitas: mañana yo estaré en la cima del monte, teniendo la vara de Dios en mi mano.

10. Hizo Josué lo que Moisés había dicho, y trabó combate con Amalec. Entre tanto, Moisés y Aarón, y Hur, subieron a la cima del monte.

11. Y cuando Moisés alzaba las manos, vencía Israel: mas si las bajaba un poco, Amalec tenía la ventaja:

12. Ya los brazos de Moisés estaban cansados: por lo que tomando una piedra, pusiéronla debajo, y sentóse en ella, y Aarón de una parte, y Hur de la otra le sostenían los brazos: los cuales de esta manera permanecieron inmobles hasta que se puso el sol.

13. Y Josué derrotó a Amalec, y pasó a cuchillo su gente.

14. Entonces el Señor dijo a Moisés: Escribe esto para memoria en un libro, y adviértelo a Josué, *a saber*: Que yo he de borrar de debajo del cielo la memoria de Amalec.

15. Edificó allí Moisés un altar al Señor, al que puso por nombre: EL SEÑOR ES MI EXALTACION, diciendo:

16. Ciertamente que la mano del Señor se extenderá desde su solio contra Amalec; y guerra le hará el Señor en la serie de todas las generaciones.

---

CAP. XVII. — 6. *Num.* XX, *v.* 4. El monte Horeb estaba junto a Sinaí. San Pablo vió en esta peña, que brotó agua, el misterio de Jesucristo.

12. La mayor parte de los Padres reconocen en Moisés con los brazos extendidos, la figura de Jesucristo clavado en la cruz.

## CAPITULO XVIII

*Jetró, suegro de Moisés, le trae a éste a Séfora, su mujer, y los dos hijos. Por consejo de Jetró reparte con otros el gobierno del pueblo.*

1. Pues, como hubiese oído Jetró, sacerdote de Madián, suegro de Moisés, todo lo que Dios había hecho a favor de Moisés y de Israel su pueblo, y cómo el Señor había sacado a Israel de Egipto,

2. Tomó a Séfora, mujer de Moisés, el cual se la había remitido,

3. Y a sus dos hijos, llamado el uno Gersam, por haber dicho el padre: He estado peregrino en tierra extraña;

4. Y el otro Eliecer: porque dijo: El Dios de mi padre fué mi protector, y me libró de la espada de Faraón.

5. Jetró, pues, suegro de Moisés, vino a encontrarle con sus hijos y la mujer de éste en el desierto en donde estaba acampado el pueblo, cerca del monte de Dios.

6. Y envió aviso a Moisés, diciendo: Yo, Jetró, suegro tuyo, vengo a encontrarte con tu mujer y tus dos hijos.

7. Moisés, habiendo salido a recibir a su suegro, le hizo profunda reverencia, y le besó, y se saludaron recíprocamente con palabras afectuosas. Y así que hubieron entrado en el pabellón,

8. Contó Moisés a su suegro todos los prodigios que había hecho el Señor contra Faraón y los egipcios, en favor de Israel, y todos los trabajos sufridos en el viaje, y cómo el Señor los había librado.

9. Alegróse Jetró al oír todos los beneficios que el Señor había hecho a Israel, y de que le hubiese sacado del poder de los egipcios,

10. Y dijo: Bendito sea el Señor, que os ha librado de las manos de los egipcios, y de las manos de Faraón: y ha sacado a su pueblo del poder de Egipto.

11. Ahora conozco bien que el Señor es grande sobre todos los dioses, como se ha visto *con los egipcios*, así que se han levantado tan orgullosamente contra su pueblo.

12. Ofreció, pues, Jetró, suegro de Moisés, holocaustos y hostias a Dios: y fueron Aarón y todos los ancianos de Israel a comer con él en la presencia de Dios.

13. Al día siguiente Moisés se sentó a despachar las causas del pueblo; el cual estaba alrededor de él desde la mañana hasta la noche.

**14.** Lo que observado por su suegro, es a saber, que acudía a todas las cosas del pueblo, dijo: ¿Qué viene a ser eso que practicas con el pueblo? ¿Por qué eres tú solo en dar audiencias, y está todo el pueblo esperando desde la mañana hasta la noche?

**15.** Respondióle Moisés: Viene a mí el pueblo, a fin de oír la determinación de Dios.

**16.** Y cuando se suscita entre ellos alguna diferencia, acuden a mí para que decida entre las partes, y les haga conocer los preceptos de Dios y sus leyes.

**17.** No haces bien en eso, replicó Jetró.

**18.** Con trabajo tan ímprobo te consumes, no solamente tú, sino también este pueblo que te rodea. Es empeño superior a tus fuerzas: no podrás sobrellevarle tú solo.

**19.** Escucha, pues, mis palabras y consejos, y Dios será contigo. Sé tú medianero del pueblo en las cosas pertenecientes a Dios, presentándole las súplicas que se le hacen,

**20.** Y enseñando al pueblo las ceremonias y los ritos del culto *Divino*, y el camino que deben seguir, y las obras que deben practicar.

**21.** Para lo demás escoge de todo el pueblo sujetos de firmeza y temerosos de Dios, amantes de la verdad, y enemigos de la avaricia, y de ellos establece tribunos, centuriones y cabos de cincuenta personas y de diez;

**22.** Los cuales sean jueces del pueblo continuamente. Y si ocurre alguna cosa grave, remítanla a ti, sentenciando ellos las de menos importancia; y así será para ti más llevadera la carga, partiéndola con otros.

**23.** Si esto hicieres, cumplirás las órdenes de Dios, y podrás cuidar que se ejecuten sus preceptos; y toda esta gente se volverá en paz a su morada.

**24.** Oídas estas razones, Moisés hizo todo lo que su suegro le había sugerido.

**25.** Y habiendo escogido de todo Israel hombres de *pulso* y firmeza, los constituyó jefes del pueblo, tribunos y centuriones, y capitanes de cincuenta hombres, y *de diez*, o decuriones.

**26.** Los cuales administraban justicia al pueblo en todo tiempo; y las causas más graves, las remitían a Moisés, juzgando ellos solamente las más fáciles.

**27.** Después de esto, se despidió de su suegro; el cual se volvió a su país.

## CAPITULO XIX.

*Llegan los Israelitas a Sinaí; sube Moisés a la montaña, y ordena al pueblo que se santifique para recibir la Ley de Dios; cuya gloria y majestad aparece sobre aquel monte.*

**1.** Al tercer mes de la salida de Israel de la tierra de Egipto, en el mismo día llegaron al desierto de Sinaí.

**2.** Porque habiendo partido de Rafidín, y llegado hasta el desierto de Sinaí, acamparon en este lugar; y allí fijó Israel sus tiendas en frente del monte.

**3.** De aquí subió Moisés hacia Dios, el cual le llamó desde la cima del monte, y dijo: Esto dirás a la casa de Jacob, y esto anunciarás a los hijos de Israel:

**4.** Vosotros mismos habéis visto lo que he hecho con los egipcios; de qué manera os he traído, cual águila sobre mis alas, y os he tomado por mi cuenta.

**5.** Ahora bien, si escucháreis mi voz, y observáreis mi pacto, seréis para mí entre todos los pueblos la porción escogida; ya que mía es toda la tierra.

**6.** Y seréis vosotros para mí un reino sacerdotal, y nación santa. Estas son las palabras que dirás a los hijos de Israel.

**7.** Bajó, pues, Moisés, y convocados los ancianos del pueblo, les expuso todo lo que el Señor le había mandado decirles.

**8.** Y respondió a una voz todo el pueblo: Haremos todo cuanto ha dicho el Señor. Y habiendo Moisés llevado al Señor la respuesta del pueblo,

**9.** El Señor le dijo: Ahora mismo vendré yo a ti en una densa y oscura nube, a fin de que el pueblo me oiga hablar contigo, y te dé crédito perpetuamente. Y Moisés refirió las palabras del pueblo al Señor.

**10.** Quien le dijo: Vuelve al pueblo, y haz que *todos* se purifiquen *entre* hoy y mañana, y laven sus vestidos;

**11.** Y estén preparados para el día tercero; porque en el día tercero descenderá el Señor a vista de todo el pueblo sobre el monte Sinaí.

**12.** Pero tú has de señalar límites al pueblo en el circuito, y decirles: Guardaos de subir al monte, ni os acerquéis alrededor de él. Todo el que se llegare al monte, morirá sin remisión.

**13.** No le ha de tocar la mano de hombre alguno; sino que ha de morir apedreado, o asaeteado: ya fuere bestia, ya hombre, perderá la vida. *Mas* cuando comenzare a sonar la bocina, salgan entonces hacia el monte.

14. Bajó, pues, Moisés del monte; y llegando al pueblo, le purificó; y después que lavaron sus vestidos,

15. Les dijo: estad apercibidos para el día tercero, y no os lleguéis a vuestras mujeres.

16. Ya que era venido el día tercero y rayaba el alba, de repente principiaron a oírse truenos, y a relucir los relámpagos y cubrióse el monte de una densísima nube, y el sonido de la bocina resonaba con grandísimo estruendo; con lo que se atemorizó el pueblo, que estaba dentro de los campamentos.

17. De donde sacado por Moisés para salir a recibir a Dios, se pararon todos a las faldas del monte.

18. Todo el monte Sinaí estaba humeando, por haber descendido a él el Señor entre llamas: subía el humo de él como de un horno, y todo el monte causaba espanto.

19. Al mismo tiempo el sonido de la bocina cada vez se sentía más recio, y se extendía a mayor distancia. Moisés hablaba, y Dios le respondía.

20. Descendió el Señor sobre el monte Sinaí, a la cima misma del monte, y llamó a Moisés a aquella cumbre. Adonde habiendo subido,

21. Díjole: Baja e intímale al pueblo que no se arriesgue a traspasar los límites para ver al Señor, por cuyo motivo vengan a perecer muchísimos de ellos.

22. Los sacerdotes, asimismo que se acercan al Señor, purifíquense; no sea que los castigue de muerte.

23. Dijo entonces Moisés al Señor: No se atreverá el pueblo a subir al monte Sinaí, puesto que tú me has intimado y mandado expresamente: Señala límites alrededor del monte, y santifícale.

24. Mas el Señor le dijo: Anda, baja: después subirás tú y Aarón contigo: pero los sacerdotes y el pueblo no traspasen los límites, ni suban hacia donde está el Señor; no sea que les quite la vida.

---

23. En cierto modo: *conságrale.*— Las señales terribles con que fué promulgada esta Ley, eran indicio, como dice el Apóstol (*Rom.* VIII, *v.* 15), del espíritu de *servidumbre* que caracterizaba la Ley antigua; así como el espíritu de *amor* forma el carácter de la nueva que nos ha dado Jesucristo, escribiéndola no en tablas de piedra, sino en los corazones de los fieles. *Hebr.* XII, *Gal.* IV.

25. Bajó Moisés al pueblo, y le refirió todas estas cosas.

## CAPITULO XX

*Promulgación de la ley o Decálogo. Atemorizados los Israelitas, piden que se les intimen las órdenes por medio de Moisés. Ordena Dios a éste que le haga construir un altar.*

1. *En seguida* pronunció el Señor todas estas palabras:

2. Yo soy el Señor Dios tuyo, que te ha sacado de la tierra de Egipto, de la casa de la esclavitud.

3. No tendrás otros dioses delante de mí.

4. No harás para ti imagen de escultura, ni figura alguna de las cosas que hay arriba en el cielo ni abajo en la tierra, ni de las que hay en las aguas debajo de la tierra.

5. No las adorarás ni rendirás culto. Yo soy el Señor Dios tuyo, el fuerte, el celoso, que castigo la maldad de los padres en los hijos hasta la tercera y cuarta generación, de aquéllos, *digo,* que me aborrecen;

6. Y que uso de misericordia hasta millares *de generaciones* con los que me aman y guardan mis mandamientos.

---

4. Se prohiben las pinturas y estatuas de falsos dioses. Ni quiso Dios que tuviesen estatuas o pinturas representativas del mismo Dios, para que los Hebreos no se le figurasen material y sensible. Es de advertir que los Egipcios adoraban al sol bajo la figura y nombre de Osiris y de Ammón y a la luna bajo la figura de Iside. Erigían estatuas al buey, al becerro, al cocodrilo, etc. Mas no se ha de entender prohibido para los Cristianos el uso de las imágenes, las cuales solamente nos sirven para hacer memoria de los beneficios divinos, y para manifestar nuestra gratitud a Dios, y adorarle en sus santos, excitándonos con la memoria de éstos a servir al Señor: sin que creamos que en el mármol, madera o pintura haya ninguna virtud divina, como falsamente se figuraban los Gentiles. Tal es el espíritu de la Iglesia en el culto de las imágenes y de sus santos.— *Lev.* XXVI, *v* 1.— *Deut.* IV, *v.* 15.— *Jos.* XXIV *v.* 14.— *Ps.* XCVI, *v.* 7.

5. La mayor parte de los Santos Padres entienden estas palabras de los hijos que son imitadores de los pecados de sus padres. Otros, como San Agustín, observan que los niños de los Cananeos sufrieron la pena de los pecados de sus padres, sin haber podido imitar sus culpas, y que Dios no hace injusticia cuando por los pecados de un Rey castiga al pueblo. De todo hemos de inferir que los caminos del Señor son muy distintos de los nuestros; que siempre obra con juticia, ni castiga jamás sin motivo; pero que no conocemos los motivos y fines que tiene; ni esto es de admirar, atendida la infinita distancia de nuestro entendimiento al de Dios.

**7.** No tomarás en vano el nombre del Señor tu Dios: porque no dejará el Señor sin castigo al que tomare en vano el nombre del Señor Dios suyo.

**8.** Acuérdate de santificar el día de sábado.

**9.** Los seis días trabajarás, y harás todas tus labores;

**10.** Mas el día séptimo es sábado, *o fiesta* del Señor Dios tuyo. Ningún trabajo harás en él, ni tú, ni tu hijo, ni tu hija, ni tu criado, ni tu criada, ni tus bestias de carga, ni el extranjero que habita dentro de tus puertas, *o poblaciones.*

**11.** Por cuanto el Señor en seis días hizo el cielo, y la tierra, y el mar, y todas las cosas que hay en ellos, y descansó en el día séptimo: por esto bendijo el Señor el día del sábado, y le santificó.

**12.** Honra a tu padre y a tu madre, para que vivas largos años sobre la tierra que te ha de dar el Señor Dios tuyo.

**13.** No matarás.

**14.** No fornicarás.

**15.** No hurtarás.

**16.** No levantarás falso testimonio contra tu prójimo.

**17.** No codiciarás la casa de tu prójimo, ni desearás su mujer, ni esclavo, ni esclava, ni buey, ni asno, ni cosa alguna de las que le pertenecen.

**18.** Entre tanto todo el pueblo oía las voces, *o truenos,* y los relámpagos, y el sonido de la bocina, y *veía* el monte humeando; de lo cual aterrados y despavoridos, se mantuvieron a lo lejos,

**19.** Diciendo a Moisés: háblanos tú, y oiremos: no nos hable el Señor, no sea que muramos.

**20.** Respondió Moisés al pueblo: No temáis; pues el Señor ha venido a fin de probaros, y para que su temor se imprima en vosotros, y no pequéis.

**21.** Así el pueblo se estuvo a lo lejos, y Moisés se acercó a la oscuridad *de la niebla* en donde estaba Dios.

**22.** Dijo además el Señor a Moisés: Esto dirás a los hijos de Israel: Ya habéis visto cómo Yo os he hablado desde el cielo.

**23.** No os haréis dioses de plata, ni de oro.

**24.** A mí me haréis un altar de tierra, y sobre él ofreceréis vuestros holocaustos, y hostias pacíficas, vuestras ovejas, y vacas, en todo lugar consagrado a la memoria de mi nombre: allí iré *Yo,* y te daré mi bendición.

**25.** Y si mi hicieres altar de piedra no le has de hacer de piedras labradas; porque si alzares pico sobre él, quedará profanado el altar.

**26.** No subirás por gradas a mi altar, porque no se descubra tu desnudez, *o indecencia.*

## CAPITULO XXI

*Da el Señor a su pueblo algunas leyes judiciales sobre los esclavos, hurto, homicidio y otras materias.*

**1.** Estas son las leyes judiciales que les has de intimar.

**2.** Si comprares un esclavo hebreo, seis años te servirá: al séptimo saldrá libre, de balde.

**3.** Cual era el vestido con que entró, tal ha de ser aquél con que saldrá. Si tenía mujer, la mujer también saldrá con él.

**4.** Mas si su señor le hubiere dado mujer *no hebrea,* y le hubiere parido hijos e hijas, la mujer y sus hijos serán de su señor, y él saldrá con su vestido.

**5.** Y si el esclavo dijere: Yo amo a mi Señor, y a mi mujer, e hijos; no quiero recobrar mi libertad:

**6.** El dueño le presentará ante los dioses, *esto es, a los jueces,* y arrimándole a los postes de la puerta *de su casa,* le horadará la oreja con una lezna, y quedará esclavo suyo para siempre.

**7.** Si alguno vendiere su hija para esclava, no saldrá como suelen salir las *otras* esclavas.

**8.** Si desagradare a los ojos de su dueño, a quien fué entregada, la despedirá; mas no tendrá facultad de venderla a otra gente *o familia,* si él la despreció.

**9.** Pero si la desposare con su hijo, la dará el trato propio de las hijas.

**10.** Mas si casa a su hijo con otra, dará marido a la muchacha, y vestidos, y no la defraudará del precio debido a su *perdida* virginidad.

**11.** Si no hiciere estas tres cosas, saldrá libre de balde, o sin pagar nada.

---

**12.** La tierra de Canaán representa en este lugar, como dice San Jerónimo, la tierra de los vivientes, esto es, el cielo. Por lo mismo observan los Padres que las promesas que se hacen aquí aunque son temporales, representan los bienes espirituales y eternos.—*Deut.* V. *v.* 16.—*Matth.* XV, *v.* 4. — *Ephes.* VI, *v.* 2.

**26.** Quería Dios que los altares se hiciesen entonces muy sencillos, para que su preciosidad y ornato no fuese ocasión de superstición o idolatría a los Hebreos rústicos y groseros.—*Deut.* XXVII, *v.* 5.- *Jos.* VIII, *v.* 31.

12. Quien hiriere a un hombre, matándole voluntariamente, muera sin remisión.

13. Y si no lo hizo adrede, sino que Dios dispuso que *casualmente* cayese en sus manos, yo te señalaré un lugar en que podrá refugiarse.

14. Al que de caso pensado, y a traición matare a su prójimo, le arrancarás *hasta* de mi altar, para que muera.

15. Quien hiriere a su padre, o madre, muera sin remedio.

16. El que hubiere robado un hombre y le vendiere, convencido del delito, muera irremisiblemente.

17. El que maldijere a su padre, o madre, sea sin remisión castigado de muerte.

18. Si riñieren entre sí dos hombres, y el uno hiriere a su prójimo con piedra, o con el puño, y éste no muriere, pero tuviere que guardar cama;

19. Si después se levantare, y anduviere por fuera apoyado sobre su bastón, quedará el percusor exento de la pena *de muerte;* pero con la obligación de resarcirle sus jornales *perdidos,* y los gastos de la curación.

20. Quien hiriere a palos a su esclavo o esclava, si muriere entre sus manos, será reo de crimen.

21. Mas si sobrevivieren uno o dos días, no estará sujeto a pena, porque hacienda suya es.

22. Si armando pendencia algunos hombres, uno de ellos hiriere a una mujer preñada, y ésta abortase pero no muriese, resarcirá el daño, según lo que pidiere el marido de la mujer, y juzgaren los árbitros.

23. Pero si le siguiese la muerte de ella, pagará vida por vida,

24. Y *en general, se pagará* ojo por ojo, diente por diente, mano por mano, pie por pie,

25. Quemadura por quemadura, herida por herida, golpe por golpe.

26. Si alguno hiriere en el ojo a su esclavo, o esclava, y los dejare tuertos, le dará libertad por causa del ojo que les sacó.

27. Del mismo modo si hiciere saltar un diente al esclavo, o esclava, los dejará ir libres.

28. Si un buey acornare un hombre o a una mujer, y resultare la muerte de éstos, será el buey muerto a pedradas, y no se comerán sus carnes: mas el dueño del buey quedará absuelto.

29. Pero si el buey acornaba del tiempo atrás, y requerido por ello su dueño, no le tuvo encerrado, y matare a hombre o a mujer, no sólo el buey será apedreado, sino también muerto su dueño.

30. Si *los jueces* le imponen solamente una multa, dará en rescate de su vida cuanto le fuere demandado.

31. Si acornare a un muchacho o muchacha, estará sujeto a la misma sentencia.

32. Si acometiere a un esclavo o esclava, dará treinta ciclos de plata al amo de ellos, y el buey morirá apedreado.

33. Si alguno destapa un pozo, o le abre *de nuevo,* y no le cubre, y viniere a caer en él un buey o asno,

34. Pagará el dueño del pozo el precio de las bestias: mas el animal muerto será suyo.

35. Si el buey de alguno hiriere al buey de otro, y éste muriere, venderán el buey vivo, y partirán su precio, y la carne del muerto la repartirán entre sí.

36. Pero si el dueño sabía ya que de tiempo atrás el buey acometía, y no le encerró, restituirá buey por buey, y será suyo todo entero el buey muerto.

## CAPITULO XXII

*Otras varias leyes judiciales sobre el hurto, depósitos, usura y otros delitos; y también sobre diezmos y primicias.*

1. Si alguno robare un buey u oveja, y los matare o vendiere, restituirá cinco bueyes por un buey, y cuatro ovejas por una oveja.

2. Si un ladrón fuese hallado forzando *de noche,* o socavando una casa, y siendo herido muriere, el matador no será reo de muerte.

3. Pero si lo hiciere después de salido el sol, cometió un homicidio, y así también debe él morir. El ladrón que no tuviere con qué restituir, él mismo ha de ser vendido.

---

2. Si se considera el espíritu de caridad y dulzura de la Ley nueva, no se puede deducir que a un Cristiano le sea lícito quitar la vida a otro que intenta robarle los bienes o hacienda. *No reprende,* dice San Agustín. Lib. I, de arb. c. 5, *la ley que permite que se quite la vida a estos tales, pero tampoco encuentra modo de excusar a los que la ejecutan.* Pero en todo caso, para no tener que temer el justo juicio de Dios, siempre es necesario que el ánimo esté libre de todo odio o deseo de vengarse; que haya vehementes señales de que el ladrón entra con el intento de matar; que en realidad se corra el riesgo de perder la vida sin quedarse para librarla otro recurso que su muerte, no siéndonos posible el huir, ni bastando sólo el herirle, y que se contenga dentro de los límites de una justa y moderada defensa.

**4.** Si lo que hurtó se hallare vivo en su poder, sea buey, sea asno, o sea oveja, debe restituir el doble.

**5.** Si alguno causare daño en un campo o viña, y dejare a su jumento pacer la heredad ajena, restituirá de lo mejor que tuviere en su campo o viña, a proporción del daño.

**6.** Si tomando cuerpo el fuego, prendiere en las espinas o *matorrales,* y abrasare los montones de los frutos, o las mieses que están por segar en los campos, pagará el daño aquél que encendió el fuego.

**7.** Si alguno depositare dinero, o alhaja en casa de su amigo, y se la robaren al depositario, si se halla el ladrón, restituirá el doble.

**8.** Si el ladrón no aparece, el dueño de la casa será presentado ante los jueces, y jurará no haber tocado al depósito de su prójimo,

**9.** Ni tenido parte en el hurto, ya sea del buey, ya del asno, ya de oveja, o bien de ropa, o cualquiera otra cosa que puede ocasionarle daño: la causa de ambos se ventilará ante los jueces, y si ellos le condenaren, restituirá el doble a su prójimo.

**10.** Si alguno diere a guardar a su prójimo un asno, buey, oveja, o cualquier jumento, y éste muriere, o fuere estropeado, o cogido por los enemigos sin que nadie lo haya visto,

**11.** Se interpondrá juramento de que no tocó la hacienda de su prójimo; y el dueño se dará por satisfecho con el juramento, y el otro no será obligado a resarcir.

**12.** Pero si la bestia ha sido robada *por descuido,* pagará el daño:

**13.** Si destrozada por alguna fiera, tráigasela muerta al dueño, y no tendrá que pagar nada.

**14.** El que pidiere prestadas cosas de este género a su prójimo, y alguna se estropeare o muriere no estando presente el dueño, será obligado a la restitución.

**15.** Pero si el dueño se hallare presente, no deberá restituir; mayormente si fuese alquilada, pues se paga el alquiler por el uso de ella.

**16.** Si alguno sedujese a una doncella todavía no desposada, y durmiere con ella, la dotará y tomará por mujer.

**17.** Si el padre de la doncella no quiere dársela, dará la cantidad de dinero correspondiente a la dote que suelen recibir las esposas.

**18.** No sufrirás que los hechiceros queden con vida.

**19.** El que pecare con una bestia, sea castigado de muerte.

**20.** Quien ofreciere sacrificio a otros dioses, si no es a sólo el Señor, será muerto.

**21.** No contristarás ni oprimirás al extranjero: ya que también vosotros fuísteis extranjeros en tierra de Egipto.

**22.** No haréis daño a la viuda ni al huérfano.

**23.** Si se lo hiciéreis, clamarán a mí y yo escucharé sus clamores,

**24.** Y encenderse ha mi enojo, y os haré perecer a cuchillo, y vuestras mujeres quedarán viudas, y huérfanos vuestros hijos.

**25.** Si prestares dinero al necesitado de mi pueblo, que mora contigo, no le has de apremiar como un exactor, ni oprimirle con usura.

**26.** Si recibieres de tu prójimo su vestido o *manta,* en prenda, se lo volverás antes de ponerse el sol:

**27.** Supuesto que no tiene otro con qué cubrirse y abrigar sus carnes, ni con qué dormir, o *arroparse de noche.* Si clamare a mí, le oiré, porque Yo soy misericordioso.

**28.** No hablarás mal de los jueces, ni maldecirás al príncipe de tu pueblo.

**29.** No serás perezoso en pagar tus diezmos y tus primicias: me darás el primogénito de tus hijos.

**30.** También has de hacer lo mismo con el de tus bueyes y ovejas; siete días estará con su madre, y el día octavo me le ofrecerás.

**31.** Seréis vosotros unos hombres consagrados a mi servicio: no comeréis la carne que antes haya sido gustada de las bestias; sino que la echaréis a los perros.

## CAPITULO XXIII

*Leyes sobre la recta administración de justicia y sobre las fiestas principales. Promete Dios a los Israelitas un Angel custodio para que los guíe. Otras promesas y prohibiciones.*

**1.** No dés oídos a calumniadores: ni te prestarás a decir falso testimonio en favor del impío.

**2.** No sigas la muchedumbre para obrar mal: ni en el juicio te acomodes al parecer del mayor número, de modo que te desvíes de la verdad.

**3.** Ni aun del pobre has de tener compasión tratándose de la justicia.

**4.** Si encuentras perdido el buey, o asno, de tu enemigo, se lo conducirás.

**5.** Si vieres caído con la carga el asno de aquél que te quiere mal, no te pases de largo, sino ayúdale a levantarle.

**6.** No tuerzas la justicia, condenando al pobre.

**7.** Huye de la mentira. No harás morir al inocente y al justo: porque yo aborrezco al impío.

**8.** No recibas regalos: porque deslumbran aun a los prudentes, y pervierten la sentencia de los justos.

**9.** No molestarás al forastero, ya que sabéis lo que es ser forastero; pues que vosotros mismos habéis estado en la tierra de Egipto como forasteros.

**10.** Seis años sembrarás tu tierra y cogerás sus frutos.

**11.** Mas el año séptimo la dejarás holgar, para que tengan que comer los pobres de tu pueblo, y lo que sobrare sirva de pasto a las bestias del campo; lo mismo harás con tu viña y tu olivar.

**12.** Seis días trabajarás: el séptimo descansarás, para que repose tu buey y tu asno; y se recree el hijo de tu esclava y del extranjero.

**13.** Observad todas las cosas que os he dicho. No juréis por el nombre de dioses extranjeros, ni aun *siquiera* le mentéis.

**14.** Tres veces cada año ¡oh Israel! me celebrarás fiesta *solemne*.

**15.** Observarás la solemnidad de los ácimos. Por siete días, como te tengo mandado, comerás pan sin levadura en el mes de los nuevos frutos, *que es* cuando saliste de Egipto: no te presentarás delante de mí con las manos vacías.

**16.** La otra solemnidad será en la siega de los frutos primerizos de tus labores, de todo aquéllo que hubieses sembrado en el campo. La *tercera* solemnidad en la recolección de todos los frutos del campo, al fin del año.

**17.** Tres veces al año se presentarán todos tus varones delante del Señor Dios tuyo.

**18.** No me ofrecerás con levadura la sangre de mi víctima: ni se reservará la grosura de mi víctima solemne hasta el día siguiente.

**19.** Ofrecerás en la casa del Señor Dios tuyo las primicias de los frutos de tu tierra. No cocerás el cabrito *o cordero* en la leche de su madre.

**20.** Mira que Yo enviaré el Angel mío que te guíe, y te guarde en el viaje, hasta introducirte en el país que te he preparado.

**21.** Reverénciale, y escucha su voz: por ningún caso le menosprecies; porque si haces algún mal, no te lo pasará: y en él se halla el nombre mío.

**22.** Que si tú escuchares su voz, y ejecutares todas las cosas que ordeno, seré enemigo de tus enemigos, y perseguiré a los que te persiguen.

**23.** Y mi Angel irá delante de ti, y te introducirá en el país del amorreo, y del heteo, y del fereseo, y del cananeo, y del heveo y jebuseo, a los cuales yo exterminaré.

**24.** No adorarás, ni darás culto a sus dioses: no imitarás sus obras, antes bien los destruirás, y harás pedazos sus estatuas.

**25.** Al Señor Dios tuyo servirás, para que yo eche la bendición sobre tus panes y tus aguas, y destierre de ti las enfermedades.

**26.** No habrá en tu país mujer que aborte, o sea estéril; prolongaré los días de tu vida.

**27.** Yo enviaré el terror de mi nombre por precursor tuyo delante de ti; y exterminaré todos los pueblos del país en que tú entrares, y haré que a tu presencia vuelvan las espaldas todos tus enemigos,

**28.** Arrojando delante tábanos, que ahuyenten al heveo, y al cananeo, y al heteo antes que tú entres *en su país.*

**29.** No te los quitaré de delante en un solo año; porque no quede la tierra desierta, y no se multipliquen las fieras en daño tuyo.

**30.** Los iré quitando de tu presencia poco a poco, mientras que tú vas creciendo, y señoreando la tierra.

**31.** Fijaré tus confines desde el mar Rojo hasta el mar de la Palestina, y desde el desierto *de la Arabia,* hasta el río *Eufrates.* Pondré en tus manos a los moradores del país, y los arrojaré de tu presencia.

**32.** No trabarás con ellos alianza, ni con sus dioses.

**33.** No habiten en tu tierra, no sea que te hagan pecar contra mí, incitándote a que sirvas a sus dioses, *o ídolos:* lo que sería ciertamente tu ruina.

## CAPITULO XXIV

*Moisés intima al pueblo las leyes que Dios le había dado; el cual se obliga a su observancia. Establécese una alianza entre Dios y el pueblo. Sube Moisés a la cima del monte para recibir las tablas de la ley, y permanece allí cuarenta días.*

**1.** Dijo después *Dios* a Moisés: Subid al Señor tú y Aarón, Nadab y Abiú, y los setenta ancianos de Israel, y le adoraréis desde lejos;

**2.** Y sólo Moisés subirá hasta el Señor, y los demás no se acercarán; ni subirá con él el pueblo

**3.** Vino, pues, Moisés, y refirió todas las cosas del Señor, y todas las leyes. Y todo el pueblo a una voz respondió: Todas las palabras que ha hablado el Señor las ejecutaremos.

**4.** Escribió, pues, Moisés todo cuanto dijo el Señor; y levantándose de mañana, edificó un altar *de tierra* al pie del monte, y *puso* doce piedras, *o aras,* según el número de las doce tribus de Israel.

**5.** Y eligió algunos jóvenes de los hijos de Israel, que ofrecieron holocaustos, e inmolaron víctimas pacíficas de becerros al Señor.

**6.** Tomó entonces Moisés la mitad de la sangre, y echóla en tazas: y derramó sobre el altar la otra mitad.

**7.** Y tomando el libro en que estaba escrita la alianza le leyó delante del pueblo; el cual dijo: Haremos todas las cosas que ha ordenado el Señor, y seremos obedientes.

**8.** Tomando entonces Moisés la sangre, roció con ella al pueblo, diciendo: Esta es la sangre de la alianza, que el Señor ha contraído con vosotros, mediante todo lo tratado.

**9.** Luego subieron Moisés y Aarón, Nadab y Abiú, y los setenta ancianos de Israel;

**10.** Y vieron al Dios de Israel: y la peana de sus pies parecía una obra hecha de zafiros, y como el cielo cuando está sereno.

**11.** Ni por eso la mano de Dios hirió a estos hijos de Israel, que habían avanzado mucho *hacia el monte;* sino que después de haber visto a Dios, comieron ellos y bebieron *lo mismo que antes.*

**12.** Mas Dios dijo a Moisés: Sube a lo *alto* del monte en donde estoy, y detente allí y te daré unas tablas de piedra con la ley y los mandamientos que tengo escritos *en ellas,* a fin de que los enseñes al pueblo.

**13.** Partieron, pues, Moisés y Josué su ministro; y Moisés al subir al monte de Dios,

**14.** Dijo a los ancianos: Aguardad aquí hasta que volvamos a vosotros. Ahí quedan con vosotros Aarón y Hur: si hubiere alguna disputa, recurriréis a ellos.

**15.** Subió, pues, Moisés al monte, al cual cubrió luego una nube.

**16.** Y la gloria del Señor se manifestó en *la cima del* Sinaí, cubriéndole con la nube por seis días; y al séptimo le llamó Dios de en medio de la nube oscura.

**17.** La gloria del Señor aparecía como un fuego ardiente, que abrasaba la cumbre del monte a los ojos de los hijos de Israel.

**18.** Y habiendo entrado Moisés en medio de aquella niebla, subió *a la cima del* monte, en donde estuvo cuarenta días y cuarenta noches.

## CAPITULO XXV

*Descripción del Tabernáculo o Santuario del Señor, para cuya construcción manda Dios que se le ofrezcan primicias y dones.*

**1.** Y habló el Señor a Moisés, diciendo:

**2.** Di a los hijos de Israel que separen para mí primicias *u ofrendas:* las que recibiréis de todos los que las ofrecieren de buena voluntad.

**3.** Las especies que debéis recibir son éstas: oro, plata y cobre,

**4.** *Ropas de color* de jacinto, de púrpura y de grana dos veces teñida, y lino fino, pelos de cabras.

**5.** Y pieles de carneros teñidas de encarnado, y pieles moradas, y maderas de setim, *o incorruptibles:*

**6.** Aceite para mantener las lámparas, aromas para componer el óleo *santo* destinado a ungir y perfumes de buen olor,

**7.** Piedras de ónix, *o cornerinas,* y demás pedrería para adornar el efod, y el racional.

**8.** Y me fabricarán un Santuario, y habitaré en medio de ellos.

**9.** *Le fabricaréis* conforme en todo al diseño del Tabernáculo, que te mostraré *ahora mismo,* y de todos los vasos para su culto. Haréisle de esta manera:

---

**8.** Todo esto representaba el misterio de una mejor alianza, consumada mediante la sangre de Cristo derramada sobre el ara de la cruz, como explica San Pablo, *Hebr.* IX, *v.* 20.

**11.** Esto lo dice porque, según el común modo de pensar, ver a Dios y morirse era todo uno. *Deut.* V, *v.* 24.— *Jud.* XIII, *v.* 22.

---

**18.** Todo este tiempo ayunó Moisés, no comiendo ni bebiendo. (*Deuter.* IX, *v.* 9). Así también Jesucristo, nuestro legislador, dió principio a su predicación y promulgación de la ley ayunando cuarenta días.

**7.** Era una ropa corta y sin mangas, que se ponía sobre todas las otras, y cubría principalmente las espaldas, que por eso se llama a veces *Superhumeral* o *Espaldar.* Había dos suertes de *Efod,* uno para los sacerdotes, el cual era de lino; y otro propio del Sumo Sacerdote, que era de oro, y de un tejido de oro, y de un tejido de color de jacinto, de púrpua, de carmesí, y de lino muy fino y muy bien torcido, lo que figuraba la variedad, hermosura y unión de las virtudes sacerdotales.

**10.** Formad un arca de madera de setim que tenga de longitud dos codos y medio, codo y medio de anchura, y de altura otro codo y medio.

**11.** Y la cubriréis por dentro y por fuera con *planchas* de oro purísimo, y encima labrarás una cornisa de oro alrededor;

**12.** Y cuatro anillos de oro que pondrás en los cuatro ángulos del Arca, dos en un lado y dos en otro.

**13.** Harás también unas varas de madera de setim, y las cubrirás *igualmente* con láminas de oro,

**14.** Y las meterás por los anillos de oro que están en los lados del Arca, y servirán para llevarla:

**15.** Las cuales estarán siempre metidas en los anillos, ni jamás se sacarán de ellos.

**16.** Y pondrás en el Arca *las tablas de* la Ley, que yo te daré.

**17.** Harás también el propiciatorio de oro purísimo: dos codos y medio tendrá su longitud, y la latitud codo y medio.

**18.** Harás asimismo dos querubines de oro *macizo* labrados a martillo, y los pondrás en las dos extremidades del oráculo o *propiciatorio.*

**19.** Un querubín estará en un lado, y otro en el otro;

**20.** Y han de cubrir entrambos lados del propiciatorio, extendiendo las alas sobre el propiciatorio, mirándose uno a otro con las caras vueltas hacia el propiciatorio, con el cual se ha de cubrir el Arca:

**21.** Dentro de la cual pondrás *las tablas* de la Ley, que te daré.

**22.** Desde allí te intimaré Yo mis órdenes; *desde* encima del propiciatorio, y desde en medio de los dos querubines puestos sobre el Arca del Testamento, te diré todas cuantas cosas hubiere de ordenar por tu medio a los hijos de Israel.

**23.** Harás también una mesa de madera de setim, la cual tenga dos codos de longitud, uno de latitud, y codo y medio de altura;

**24.** Y la cubrirás con láminas de oro purísimo, la ceñirás con una cornisa de oro.

**25.** Y sobre la cornisa labrarás una corona *o guirnalda* entretallada, de cuatro dedos de alto; y encima de ésta, otra coronita de oro.

**26.** Formarás asimismo cuatro anillos de oro, y pondráslos en las cuatro esquinas de la misma mesa, uno para cada pie de ella.

**27.** Los anillos de oro estarán debajo de la cornisa para meter las varas por ellos, a fin de que pueda transportarse la mesa.

**28.** Harás también de madera de setim estas varas, cubriéndolas con planchas de oro: y servirán para conducir la mesa.

**29.** También formarás de oro purísimo tazas y redoma, incensarios y copas, en que se han de hacer las libaciones.

**30.** Y sobre la mesa tendrás siempre puestos ante mi presencia los panes de la proposición.

**31.** Labrarás, igualmente de oro purísimo y a martillo, un candelero con su tronco y brazos, y vasitos, y bolitas, y lirios que broten del mismo.

**32.** Seis brazos saldrán de los lados, tres de un lado y tres de otro.

**33.** En cada brazo tres vasitos en figura de una nuez *abierta,* juntamente su bolita y su lirio: de la misma manera tres vasitos en forma de nuez en cada otro brazo, con su bolita y su lirio. Tal será la estructura de los seis brazos que han de salir del tronco.

**34.** En el mismo tronco del candelero habrá cuatro vasitos en forma de nuez, y en cada uno su bolita y su lirio.

**35.** De las bolitas en tres lugares del tronco, saldrán dos brazos, que vendrán a ser en todo seis brazos procedentes del mismo tronco.

**36.** Tanto las bolitas como los brazos, procederán del mismo tronco, y todo ello será de oro purísimo, trabajado a martillo.

**37.** Harás también siete lamparillas, y pondráslas sobre el candelero para que alumbren de frente *al Sancta Sanctorum.*

**38.** Las despabiladeras y las cazoletas donde se apagan las pavesas, serán igualmente de oro el más puro.

**39.** Todo el peso del candelero con todos sus utensilios, tendrá un talento de oro purísimo.

**40.** Mira *bien,* y hazlo fabricar conforme al diseño que se te ha propuesto en el monte.

## CAPITULO XXVI

*Descripción del Tabernáculo y de las cosas de que se componía.*

**1.** El tabernáculo has de hacerle así: Harás diez cortinas de trozal de lino fino, de color de jacinto, *o azul celeste,* de púrpura, y de grana dos veces teñidas, con variedad de bordados.

**2.** Cada cortina tendrá veinte y ocho codos de largo, y cuatro de ancho. Todas las cortinas serán de una misma medida.

**3.** Cinco cortinas se unirán entre sí, y las otras cinco se unirán del mismo modo.

**4.** Pondrás presilla de color de jacinto en los lados y cabos de las cortinas, para que puedan unirse las unas con las otras.

**5.** Cada cortina tendrá por ambas partes cincuenta presillas, dispuestas de tal modo que la una corresponda a la otra, y se puedan ajustar entre sí.

**6.** Harás asimismo cincuenta anillos, *o corchetes* de oro, con los que se han de trabar los velos de las cortinas, de manera que se forme una sola tienda, *o tabernáculo.*

**7.** También harás once cubiertas de pelos de cabra para el techo del tabernáculo.

**8.** Cada una de estas cubiertas tendrá treinta codos de largo, y cuatro de ancho: todas serán de una misma medida.

**9.** Cinco de ellas las juntarás aparte, y las otras seis las trabarás entre sí; de modo, que la sexta se doble por delante del techo.

**10.** Harás también en la orilla de cada cubierta cincuenta presillas, para que se pueda unir con la otra, y cincuenta presillas en la orilla de ésta para unirla a la contigua.

**11.** Harás asimismo cincuenta hebillas de bronce, mediante las cuales se traben las presillas, para que de todos los paños se forme un solo toldo.

**12.** Mas como de las cubiertas que sirven para toldo sobra una, con la mitad de ésta cubrirás la parte posterior del Tabernáculo.

**13.** Y como tienen las cubiertas dos codos de largo más que las cortinas, un codo colgará de una parte, y otro de otra, cubriendo los dos lados del Tabernáculo.

**14.** Harás también al Tabernáculo otra cubierta de pieles de carneros, almagradas; y sobre ésta, otra cubierta de pieles moradas.

**15.** Plantarás asimismo tablones de madera de setim, que sostengan el Tabernáculo:

**16.** Cada uno de los cuales tendrá de longitud diez codos, y de anchura codo y medio.

**17.** En los lados de cada tablón se harán dos muescas para encajar un tablón con otro, y de este modo se dispondrán todos los tablones.

**18.** Veinte de éstos se pondrán en el lado meridional que mira al austro.

**19.** Para los cuales fundirás cuarenta basas de plata; de suerte que dos basas sustenten dos ángulos de cada tablón.

**20.** En la misma forma se pondrán veinte tablones al otro lado del Tabernáculo que mira al norte:

**21.** Los cuales tendrán cuarenta basas de plata, dos basas debajo de cada tablón.

**22.** En la parte occidental del tabernáculo plantarás seis tablones,

**23.** Además de otros dos que se han de fijar a la espalda del Tabenáculo en las esquinas.

**24.** Y estarán trabados de abajo arriba, y asegurados todos con un mismo encaje: semejante trabazón se observará en los dos tablones que se han de colocar en las esquinas.

**25.** Así serán en todo ocho tablones los que *habrá en el fondo,* con diez y seis basas de plata: dando a cada tablón dos basas.

**26.** También harás cinco travesaños de madera de setim en un lado del Tabernáculo, que afiancen los tablones,

**27.** Y otros cinco al otro lado, y al occidente otros tantos:

**28.** Los cuales atravesarán los tablones de un extremo al otro.

**29.** Cubrirás asimismo con planchas de oro los tablones, y fundirás para ellos argollas de oro; por las cuales, pasando los travesaños, afirmen la tablazón: estos travesaños los cubrirás también con láminas de oro.

**30.** Así erigirás el Tabernáculo, conforme al modelo que se te ha mostrado en el monte.

**31.** Demás de esto, harás un velo de color de jacinto, y de púrpura, y de grana dos veces teñida, y de torzal de lino fino, con labores de tapicería, y tejido con hermosa variedad:

**32.** El cual colgarás ante cuatro columnas de madera de setim, que estarán también cubiertas de oro, y tendrán capiteles de oro con pedestales de plata.

**33.** Y el velo quedará pendiente por medio de sortijas; y estará delante del Arca del Testimonio; y servirá para separar el Santuario del Sancta Sanctorum.

**34.** Pondrás también el propiciatorio sobre el Arca del Testimonio en el Sancta Sanctorum.

**35.** Fuera del velo pondrás la mesa *de los panes,* y enfrente de la mesa el candelero en el lado meridional del Tabernáculo, porque la mesa estará en la parte septentrional.

---

9. Esto es, en el frontispicio del Tabernáculo.

**36.** Finalmente, para la entrada del Tabernáculo, harás una cortina *de color* de jacinto, y de púrpura, y de grana dos veces teñida, de torzal de lino fino, con labores de tapicería.

**37.** Y colgarás esta cortina ante las cinco columnas de madera de setim, cubiertas con láminas de oro, cuyos capiteles serán de oro, y las basas de bronce.

## CAPITULO XXVII

*Del altar y de los holocaustos; del atrio alrededor del Tabernáculo y de las lámparas.*

**1.** Harás también un altar de maderas de setim, que tendrá cinco codos de largo, y otros tantos de ancho, esto es, cuadrado, y tres codos de altura.

**2.** De sus cuatro esquinas saldrán cuatro puntos: y le cubrirás con láminas de bronce.

**3.** Para el servicio del altar fabricarás unas calderas, donde recoger las cenizas; y tenazas, y tridentes, y braseros. Todos estos instrumentos los harás de cobre.

**4.** Además un enrejado de bronce en forma de red, en cuyos cuatro ángulos habrá cuatro anillos de bronce,

**5.** Que pondrás debajo del plano *o fogón del altar;* y el enrejado llegará hasta el medio del altar.

**6.** Harás también dos varas de madera de setim, cubiertas con láminas de bronce,

**7.** Y las meterás por los anillos, y estarán a los dos lados del altar para trasportarle.

**8.** No le harás macizo, sino hueco y cóncavo por dentro, como se te ha mostrado en el monte.

**9.** Formarás asimismo el atrio del Tabernáculo, en cuya parte meridional habrá cortinas de torzal de lino fino. Cien codos tendrá de largo en un lado,

**10.** Y veinte columnas con otras tantas basas de bronce, cuyos capiteles con sus molduras serán de plata.

**11.** Igualmente en el lado septentrional habrá también a lo largo cortinas de cien codos, veinte columnas, y otras tantas basas de bronce, y sus capiteles de plata con sus molduras.

**12.** Además en lo ancho del atrio que mira al poniente, habrá cortinas por espacio de cincuenta codos, en diez columnas, con otras tantas basas.

1. Este era el altar de los holocaustos, donde se inmolaba mañana y tarde el sacrificio perenne del cordero sin mancha, y demás víctimas espontáneas o votivas. Estaba fuera del Tabernáculo, en medio del atrio: por lo que notó el Apóstol que Cristo murió en el ara de la cruz, fuera de la ciudad. *Hebr.* XIII, *v.* 12.

**13.** Del mismo modo en lo ancho del atrio que cae al oriente, se contarán cincuenta codos:

**14.** Donde se pondrán cortinas de quince codos por un lado, y tres columnas, con otras tantas basas,

**15.** Y en el otro lado también cortinas de quince codos, y tres columnas con otras tantas basas.

**16.** Pero a la entrada del atrio se pondrá una cortina de veinte codos de color jacinto y de púrpura, y de grana dos veces teñida, hecha de torzal de lino fino, y con artificio de bordador: abrazará cuatro columnas con otras tantas basas.

**17.** Todas las columnas que cercan el atrio, estarán revestidas con láminas de plata, con capiteles de plata, y basas de bronce.

**18.** En longitud ocupará el atrio cien codos, en anchura cincuenta, y su altura será de cinco codos. *Sus cortinas* se harán de torzal de lino fino, y tendrán basas de bronce.

**19.** De bronce harás todos los utensilios del Tabernáculo para cualquier uso y ministerio, y las *estacas o* clavos, tanto del mismo Tabernáculo, como del atrio.

**20.** Da orden a los hijos de Israel que te traigan aceite de olivas el más puro, y exprimido en mortero; para que arda siempre el candelero.

**21.** En el Tabernáculo del testimonio, afuera del velo que está pendiente delante del Arca del Testimonio. Aarón y sus hijos cuidarán de aderezar *las lámparas del* candelero, para que arda en presencia del Señor, hasta la mañana. Será este un culto perpetuo que rendirán los hijos de Israel de padres a hijos sucesivamente.

## CAPITULO XXVIII

*Descríbense las vestiduras sacerdotales.*

**1.** Además une contigo a tu hermano Aarón con sus hijos, separándolos de los otros hijos de Israel; para que me sirvan de sacerdotes: Aarón, Nadab y Abiú, Eleazar e Itamar.

**2.** Y harás a tu hermano Aarón unas vestiduras sagradas, para gloria y esplendor *del culto divino.*

1. Aquí se ve la vocación al sacerdocio: sobre la cual lease lo que dice el Apóstol *ad Hebr.* V. *v.* 4.

**3.** De lo cual tratarás con todos aquellos hombres entendidos, a los cuales he llenado Yo del espíritu de inteligencia, para que hagan las vestiduras de Aarón, con las cuales consagrado, ejerza mi sacerdocio.

**4.** Las vestiduras que han de hacer son éstas: El racional y el efod *o espaldar,* la túnica *exterior,* y la otra *interior* de lino ajustada, la tiara, y el cinturón. Estas serán las vestiduras sagradas que harán a tu hermano Aarón y a su hijos, para que ejerzan delante de mí las funciones del sacerdocio.

**5.** Para lo que emplearán oro, y jacinto, y púrpura, y grana dos veces teñida, y lino fino.

**6.** El efod le harán de oro, y de jacinto, y de púrpura, y de grana dos veces teñida, y de lino fino retorcido, obra tejida de varios colores.

**7.** Tendrá el efod por arriba dos aberturas sobre los hombros, que *abriéndose para ponerle,* se reunirán después.

**8.** Toda la obra será tejida, con una variedad agradable de oro, de jacinto, de púrpura, y grana dos veces teñida, y de lino fino retorcido.

**9.** Tomarás también dos piedras de ónix, y grabarás en ellas los nombres de los hijos de Israel:

**10.** Seis nombres en una piedra, y los seis restantes en la otra, por el orden de su nacimiento.

**11.** Por arte de escultor y grabadura de lapidario, esculpirás en ellas los nombres de los hijos de Israel, engastándolas y guarneciéndolas de oro.

**12.** Y las pondrás en uno y otro lado del efod, para memoria de los hijos de Israel. Y llevará Aarón sus nombres delante del Señor sobre los dos hombros, para recuerdo.

**13.** Harás asimismo unos broches de oro,

**14.** Y dos cadenillas de oro purísimo, trabadas entre sí, las que introducirás en los broches.

**15.** Harás también el racional del juicio, tejido de varios colores, conforme al tejido del efod, de *hilos de* oro, de jacinto *o azul celeste,* de púrpura, y de grana dos veces teñida, y de torzal de lino fino.

**16.** Será cuadrado y doble: tendrá de medida un palmo, tanto a lo largo como a lo ancho.

**17.** Colocarás en él cuatro órdenes de piedras preciosas. En el primer orden estarán la piedra sárdica, el topacio y la esmeralda.

**18.** En el segundo, el carbunclo, el zafiro y el jaspe.

**19.** En el tercero, el rubí, el ágata, y la amatista.

**20.** En el cuarto, el crisólito, el ónix y el berilo. Estarán engastadas en oro por su orden.

**21.** Y contendrán los nombres de los hijos de Israel. Sus doce nombres estarán grabados en ellas, según las doce tribus: en cada piedra un nombre.

**22.** En este racional pondrás dos cadenitas de oro muy puro, trabadas entre sí,

**23.** Y dos sortijas *o anillos* de oro que pondrás en las dos puntas superiores del racional.

**24.** Y juntarás las cadenas de oro con las sortijas que están en dichas puntas:

**25.** Y unirás las extremidades de las mismas cadenas con dos broches en los dos lados del efod, que miran al racional.

**26.** Harás también dos sortijas de oro, que pondrás en las puntas del racional, a las orillas, frente del efod, por la parte de adentro.

**27.** Igualmente otras dos sortijas de oro, que se han de colocar en ambos lados del efod, por la parte de abajo, donde corresponden los anillos inferiores del racional, para que éste se pueda trabar con el efod:

**28.** De modo que se aprieten las sortijas del racional con las del efod, pasando por ellas un cordón de jacinto; y así la unión quede hecha con arte, y no se pueda desprender el racional del efod.

**29.** Y *así* Aarón, siempre que entre al Santuario, llevará sobre su pecho, en el racional del juicio, los nombres de los doce hijos de Israel, para memoria eterna en el acatamiento del Señor.

**30.** En el mismo racional del juicio pondrás *estas dos palabras:* Doctrina y Verdad; las cuales Aarón llevará sobre su pecho cuando se presentare delante del Señor; y sobre su pecho llevará siempre el *racional del* juicio de los hijos de Israel en la presencia del Señor.

**31.** Harás también la túnica del efod, toda de *color de* jacinto:

---

**30.** Es cosa difícil determinar el significado de estas voces, dice San Agustín *in Exod. Quaest.* CXVII. Pero opina el Santo y también otros Santos Padres con San Jerónimo, que estas dos palabras estaban escritas en el Racional; y entonces serían un recuerdo para el Sumo Sacerdote de las dos principales cualidades que debían adornar su alma.

**32.** En medio de la cual por arriba habrá un cabezón o *abertura,* y una orla tejida alrededor, como se suele hacer en las extremidades de los vestidos, para que no se rompa fácilmente.

**33.** Pero abajo, a los pies de la misma túnica, harás alrededor como unas granadas de jacinto, y de púrpura, y de grana dos veces teñida, estremezcladas unas campanillas:

**34.** De suerte que a una campanilla de oro se siga una granada, y a otra campanilla de oro otra granada.

**35.** Con esta *túnica* se ha de revestir Aarón en las funciones de su ministerio, a fin de que se sienta el sonido cuando entra o sale del Santuario, a vista del Señor, y no pierda la vida.

**36.** Harás también una lámina de oro finísimo, en la cual mandarás grabar a buril: La Santidad al Señor.

**37.** Y la ligarás con un cordón de *color de* jacinto; de modo que esté fija sobre la tiara,

**38.** Y pendiente sobre la frente del Pontífice. Y Aarón cargará sobre sí los pecados cometidos por los hijos de Israel en todas las oblaciones y dones que habrán ofrecido y consagrado. Tendrá siempre esta lámina en su frente, para que el Señor le sea propicio.

**39.** Le harás, *en fin,* la túnica estrecha de lino fino, y la tiara de lo mismo, y el cinturón bordado de varios colores.

**40.** En cuanto a los hijos de Aarón les dispondrás túnicas de lino, y cinturones, y mitras para majestad y adorno.

**41.** Con todos estos ornamentos revestirás a tu hermano Aarón y a sus hijos juntamente con él. Y consagrarás las manos de todos ellos, y los santificarás para que me sirvan, en las funciones del sacerdocio.

**42.** Harás también calzoncillos de lino para que cubran la desnudez de sus carnes desde los lomos hasta las rodillas:

**43.** De los que usarán Aarón y sus hijos al entrar en el Tabernáculo del Testimonio, o al acercarse al altar para servir en el Santuario, a fin de que no mueran, como reos de transgresión. Estatuto perpetuo será éste para Aarón, y su posteridad.

## CAPITULO XXIX

*Ceremonias en la consagración del sumo sacerdote Aarón y de sus hijos. De los dos corderos primales que debían sacrificarse todos los días.*

**1.** Mas para consagrarlos sacerdotes míos, has de hacer también ésto: Toma de la vacada un becerro, y dos carneros sin tacha,

**2.** Y panes ácimos, y una torta sin levadura, amasada con aceite, como también buñuelos ácimos, untados con aceite: todo lo harás de la flor de la harina de trigo.

**3.** Y puesto en un canastillo, lo ofrecerás; y después el becerro, y los dos carneros.

**4.** Y harás que se acerquen Aarón y sus hijos a la entrada del Tabernáculo del Testimonio. Y después de haber lavado al padre y a sus hijos con agua,

**5.** Revestirás a Aarón de sus ornamentos, esto es, de la túnica de lino, y de la otra, y del efod, y del racional, que ajustarás con el cinturón.

**6.** Y le pondrás la tiara en la cabeza, y la lámina santa sobre la tiara;

**7.** Y derramarás sobre su cabeza el óleo de la consagración: y con este rito será consagrado.

**8.** También harás que se acerquen a ti sus hijos, y los revestirás con las túnicas de lino, y les ceñirás con el cinturón.

**9.** Lo mismo a Aarón que a sus hijos, y les pondrás las mitras: con lo que serán sacerdotes míos para culto perpetuo. Después que hubieres consagrado sus manos,

**10.** Traerás el becerro delante del Tabernáculo del Testimonio, y Aarón y sus hijos le pondrán las manos sobre la cabeza,

**11.** Y le degollarás en presencia del Señor, junto a la puerta del Tabernáculo del Testimonio.

**12.** Y tomando de la sangre del becerro, la pondrás con tu dedo, *mojado en ella,* sobre las puntas *de las esquinas del* altar, y derramarás al pie de su basa el resto de la sangre.

**13.** Sacarás también todo el sebo que cubre los intestinos, y la red, *o telilla* del hígado, y los dos riñones y la enjundia de encima; y lo ofrecerás quemándolo sobre el altar.

**14.** Pero las carnes del becerro, y la piel, y el estiércol, eso lo quemarás fuera del campamento; por cuanto es sacrificio por el pecado.

**15.** Tomarás después uno de los carneros; sobre cuya cabeza pondrán Aarón y sus hijos las manos.

**16.** Y después de haberle degollado tomarás su sangre, y la derramarás alrededor del altar.

**17.** Luego dividirás el mismo carnero en trozos; y lavados sus intestinos y pies, les pondrás sobre las carnes partidas y sobre la cabeza.

**18.** Y de esta suerte ofrecerás el carnero, quemándole todo entero sobre el altar: oblación que se hace al Señor, y hostia, cuyo olor Ie es sumamente agradable.

**19.** Asimismo tomarás el otro carnero, sobre cuya cabeza Aarón y sus hijos pondrán las manos:

**20.** Y habiéndole degollado, tomarás de su sangre, y teñirás con ella la extremidad de la oreja derecha de Aarón y de sus hijos, y los pulgares de su mano y pie derecho, derramando la *demás* sangre alrededor sobre el altar.

**21.** Y tomando de la sangre vertida sobre el altar, y del óleo de la consagración, rociarás a Aarón y sus vestiduras, y a los hijos también y a las vestiduras suyas. Y consagrados así ellos, y sus ornamentos,

**22.** Tomarás del carnero la grasa, la cola, y el sebo que cubre las entrañas, y la telilla del hígado, y los dos riñones y la enjundia de encima, y la espaldilla derecha; porque es carnero de consagración *de Aarón y sus hijos:*

**23.** Además de una torta de pan, un hojaldre amasado con aceite, y una lasaña del canastillo de los ácimos presentado al Señor;

**24.** Y pondrás todas estas cosas sobre las manos de Aarón y de sus hijos, los santificarás, elevándolas en la presencia del Señor.

**25.** Después recibirás de sus manos todo lo dicho, y lo quemarás sobre el altar en holocausto, para olor suavísimo en la presencia del Señor, por ser oblación suya.

**26.** Tomarás asimismo el pecho del carnero inmolado para la consagración de Aarón, y le santificarás, elevándole ante el Señor; y será porción tuya.

**27.** Igualmente santificarás el pecho consagrado, y la espaldilla que separaste del carnero.

**28.** Inmolado para la consagración de Aarón y de sus hijos, y serán la porción de Aarón y de sus hijos por derecho perpetuo en *las oblaciones de* los hijos de Israel, porque son *como* las primicias, y lo primero de las víctimas pacíficas que ofrecen ellos al Señor.

**29.** Las vestiduras santas de que ha de usar Aarón, las tendrán sus hijos después de su muerte, para que revestidos con ellas sean ungidos, y consagradas sus manos;

**30.** Por siete días las llevará el que de sus hijos fuere constituído Pontífice en lugar suyo y entrare en el Tabernáculo del Testimonio para hacer las funciones en el Santuario.

**31.** Tomarás también el carnero ofrecido en la consagración *del Pontífice,* y cocerás su carne en el lugar santo:

**32.** La cual comerán Aarón y sus hijos. También los panes puestos en el canastillo los comerán a la entrada del Tabernáculo del Testimonio,

**33.** Para que sea sacrificio que haga a Dios propicio *y favorable,* y queden santificadas las manos de los que le ofrecen. Ningún extraño comerá de estas cosas, porque son santas.

**34.** Que si algo sobrare de las carnes consagradas, o de los panes, hasta la mañana, lo quemarás: no se comerá, por ser cosa santificada.

**35.** Cuidarás de hacer todo esto que te he mandado en orden a Aarón y a sus hijos. Por siete días consagrarás sus manos:

**36.** Y en cada uno de estos días ofrecerás un becerro por el pecado, para que sea perdonado. Y después de inmolada la hostia por la expiación del pecado, purificarás el altar; y le ungirás para santificarle *de nuevo.*

**37.** Por espacio de siete días harás la purificación del altar, y le santificarás, y quedará santísimo. Cualquiera que le tocare, se santificará.

**38.** Esto es lo que has de ofrecer sobre el altar: Dos corderos primales cada día, perpetuamente,

**39.** Un cordero por la mañana, y otro por la tarde.

**40.** Con el un cordero ofrecerás la décima parte de *un efi de* la flor de harina de trigo, amasada con aceite *de oliva,* mojada en mortero, cuyo aceite tenga de medida la cuarta parte de hin; y vino en la misma cantidad para las libaciones.

**41.** A la tarde ofrecerás el otro cordero, conforme al rito de la ofrenda matutina y en la forma dicha, en sacrificio de suavísimo olor:

**42.** Sacrificio que se ha de ofrecer al Señor perpetuamente en vuestras generaciones, a la entrada del Tabernáculo del Testimonio, delante del Señor, donde Yo estableceré mi comunicación contigo.

**43.** Y allí daré mis órdenes a los hijos de Israel: y el altar será santificado con la *presencia de* mi gloria.

**44.** Santificaré igualmente el Tabernáculo del Testimonio junto con el altar, y a Aarón con sus hijos; para que ejerzan las funciones de sacerdotes míos.

**45.** Y habitaré en medio de los hijos de Israel, y seré su Dios.

**46.** Y sabrán que Yo soy el Señor Dios suyo, que los saqué de la tierra de Egipto, para morar entre ellos, Yo que soy el Señor su Dios.

## CAPITULO XXX

*Del altar de los perfumes; del medio siclo; pila de bronce; bálsamo sagrado e incienso, y otras cosas pertenecientes al Tabernáculo.*

**1.** Harás asimismo un altar de madera de setim para quemar los perfumes o *timiamas,*

**2.** Que tenga un codo de largo, y otro de ancho, es decir, cuadrado; con dos codos de altura: de cuyos *cuatro ángulos* saldrán unas puntas *o remates.*

**3.** Y le cubrirás del oro más puro tanto su enrejado, como los cuatro lados y las puntas. Y formarás alrededor de él una orladura *o cornisa* de oro,

**4.** Y debajo de la orladura, dos anillos de oro a cada lado, para introducir en ellos unas varas con que ha de ser transportado el altar.

**5.** Estas mismas varas las has de hacer también de madera de setim y las cubrirás de oro.

**6.** El altar lo colocarás enfrente del velo, que pende delante del Arca del Testimonio, y del propiciatorio, con que se cubre el Arca del Testimonio, donde yo te hablaré.

**7.** Y Aarón quemará sobre él, cada mañana, incienso de suave fragancia. Le quemará al tiempo de aderezar las lámparas;

**8.** Y al atizarlas al anochecer, quemará también el perfume delante del Señor: lo cual se observará entre vosotros perpetuamente, de generación en generación.

**9.** Nunca ofreceréis sobre este altar perfume de otra composición, ni oblación alguna, ni víctima, ni libaciones.

**10.** Una vez en el año hará Aarón la expiación del altar, rociando sus cuatro puntas con la sangre de la víctima ofrecida por el pecado, y con ella aplacará *a Dios* por vuestras generaciones. Será esta cosa santísima en el acatamiento del Señor.

**11.** Habló nuevamente el Señor a Moisés diciendo:

**12.** Cuando formares el encabezamiento de los hijos de Israel, cada uno dará alguna cosa al Señor en precio de su rescate; y empadronados que estén, no habrá entre ellos ningún desastre.

**13.** Y lo que dará cada uno de los que fueren alistados es un medio siclo, según el peso del templo. Un siclo tiene veinte óbolos. La mitad de un siclo es lo que se ha de ofrecer al Señor.

**14.** El que sea comprendido en el censo, por tener más de veinte años, pagará ese rescate.

**15.** El rico no dará más de medio siclo, ni el pobre dará menos.

**16.** Recogido el dinero ofrecido por los hijos de Israel, le depositarás para el servicio del Tabernáculo del Testimonio, a fin de que sea como una memoria de ellos en la presencia del Señor, y sirva de expiación para sus almas.

**17.** Habló asimismo el Señor a Moisés, diciéndole:

**18.** Harás también una concha, *o bacía de* bronce, elevada sobre una basa para que sirva para el lavatorio, y la colocarás entre el Tabernáculo del Testimonio, y el altar *de los holocaustos* y echada agua,

**19.** Se lavarán Aarón y sus hijos las manos y pies.

**20.** Cuando hubieren de entrar en el Tabernáculo del Testimonio, y llegarse al altar para ofrecer en él los perfumes al Señor:

**21.** No sea que de otro modo sean castigados de muerte. Estatuto perpetuo será este para Aarón y para todos los de su descendencia, que deben sucederle.

**22.** Habló todavía el Señor a Moisés

**23.** Diciendo: Tomarás drogas aromáticas, es a saber: el peso de quinientos siclos de mirra de la primera y más excelente; y la mitad, esto es, doscientos cincuenta siclos de cinamomo: doscientos cincuenta igualmente de caña aromática:

**24.** De casia, *o canela* quinientos siclos, al peso del Santuario, y de aceite de olivas la medida de un hin:

**25.** Con lo que formarás el óleo santo de la unción, ungüento compuesto según el arte de perfumería;

**26.** Y ungirás con él el Tabernáculo del Testimonio, y el Arca del Testamento,

27. Y la mesa con sus vasos, y el candelero y sus utensilios, el altar de los perfumes,

28. El de los holocaustos, y todos los muebles que pertenecen a su servicio.

29. Así santificarás todas estas cosas, y ellas quedarán santísimas, *o muy sagradas:* el que las tocare se santificará.

30. Ungirás a Aarón y a sus hijos, y los santificarás para que ejerzan las funciones de mi sacerdocio.

31. Dirás también a los hijos de Israel: Este óleo de la unción será consagrado a mí entre vosotros, y entre vuestros descendientes.

32. Nadie se ungirá con él: ni haréis otro de semejante composición; porque queda santificado, y por santo le habéis de tener.

33. Cualquier hombre que compusiere otro tal, y diere de él a persona extraña, será exterminado de su pueblo.

34. Dijo más el Señor a Moisés: Toma estos aromas; *es a saber,* estacte, y onique, y gálbano odorífero, e incienso el más *puro* y transparente: de todo esto en igual porción:

35. Y formarás un perfume compuesto por arte de perfumería, muy bien mezclado, puro, y dignísimo de ser ofrecido.

36. Y después de haberle reducido a menudísimo polvo, le pondrás delante del Tabernáculo del Testimonio, en cuyo lugar yo te apareceré. Santísimo será para vosotros este perfume.

37. Tal confección no la haréis para vuestros usos, por ser cosa consagrada al Señor.

38. Cualquiera que hiciere otra igual para recrearse con su fragancia, perecerá de en medio de sus gentes.

## CAPITULO XXXI

*De los artífices Beseleel, y Ooliab, escogidos por Dios para la construcción del Tabernáculo. De la fiesta del sábado y de las tablas de la Ley.*

1. Y habló el Señor a Moisés, diciendo:

2. He aquí que tengo escogido nominalmente a Beseleel, hijo de Uri, nieto de Hur, de la tribu de Judá,

3. Y le he llenado del espíritu de Dios, de saber, y de inteligencia, y de ciencia, en toda suerte de labores,

4. Para inventar cuanto se puede hacer artificiosamente de oro, y de plata, y de cobre,

5. Y de mármol y de piedras preciosas, y de diversas maderas.

6. Y le he dado por compañero a Ooliab, hijo de Abimasec, de la tribu de Dan; y he infundido en el corazón de todos los *demás artistas* hábiles cierta maestría, para que ejecuten todo lo que acabo de ordenarte,

7. El Tabernáculo de la Alianza, el Arca del Testamento, y el propiciatorio que está sobre ella, y todo lo perteneciente al Tabernáculo,

8. La mesa y sus vasos, el candelero *de oro* purísimo, con todo lo perteneciente a él, y el altar de los perfumes,

9. Y el de los holocaustos, y todos sus utensilios, la concha con su basa,

10. Las vestiduras sagradas que han de servir para *el Sumo* Sacerdote Aarón, y para sus hijos, cuando ejercerán sus funciones sagradas,

11. El óleo de la unción, y los perfumes aromáticos para el Santuario: todo cuanto yo te he mandado, ellos lo ejecutarán.

12. Asimismo habló el Señor a Moisés, diciendo:

13. Amonesta, y di a los hijos de Israel: Mirad que guardéis mi sábado; porque él es un monumento establecido entre mí, y vosotros y vuestros descendientes, a fin de que reconozcáis que yo soy el Señor que os santificó.

14. Guardad mi sábado; porque es sacrosanto para vosotros: el que le violare será castigado de muerte: el que trabajare en ese día, perecerá de en medio de su pueblo.

15. Durante los seis días trabajaréis; mas el día séptimo es el sábado, descanso consagrado al Señor. Cualquiera que en tal día trabajare, será castigado de muerte.

16. Observen los hijos de Israel el sábado, y celébrenle *para siempre* de generación en generación. Pacto es este sempiterno

17. Entre mí, y los hijos de Israel, y monumento perpetuo: porque los seis días hizo el Señor el cielo y la tierra, y en el séptimo cesó de la obra.

18. Concluídos estos razonamientos en el monte Sinaí, dió el Señor a Moisés las dos tablas de piedra, que contenían la Ley, escrita por el dedo de Dios.

## CAPITULO XXXII

*Forma el pueblo de Israel un becerro, y le adora como a Dios. Con todo Moisés le alcanza el perdón; y bajando del monte, quiebra las tablas de la Ley, abrasa el becerro, castiga de muerte a los idólatras, y vuelve a subir al monte.*

1. Mas viendo el pueblo que Moisés tardaba en bajar del monte, levantándose contra Aarón, dijo: Ea, haznos dioses que nos guíen, ya que no sabemos que se ha hecho de Moisés, de ese hombre que nos sacó de la tierra de Egipto.

2. Respondióles Aarón: Tomad los pendientes de oro de las orejas de vuestras mujeres, y de vuestros hijos e hijas, y traédmelos.

3. E hizo el pueblo lo que había ordenado, trayendo los pendientes a Aarón.

4. El cual, habiéndolos recibido, los hizo fundir y vaciar en un molde, y formó de ellos un becerro de oro: Dijeron entonces los *israelitas:* Estos son tus dioses, ¡oh Israel! que te han sacado de la tierra de Egipto.

5. Lo que visto por Aarón, edificó un altar delante del becerro, y mandó publicar a voz de pregonero, diciendo: Mañana es la gran fiesta del Señor.

6. Y levantándose de mañana, sacrificaron holocaustos y hostias pacíficas; y el pueblo todo se sentó a comer y beber, y se levantaron después a divertirse *en honor del becerro.*

7. Y el Señor habló a Moisés diciendo: Anda, baja: pecado ha tu pueblo, que sacaste de la tierra de Egipto.

8. Pronto se han desviado del camino que les enseñaste: se han formado un becerro de fundición y adorádole; y sacrificándole víctimas han dicho: Estos son tus dioses, ¡oh Israel! que te han sacado de la tierra de Egipto.

9. Y añadió el Señor a Moisés: Veo que ese pueblo es de dura cerviz:

10. Déjame desahogar mi indignación contra ellos, y acabarlos; que yo te haré a ti caudillo de una nación grande.

11. Moisés, empero, rogaba al Señor Dios suyo, diciendo: ¿Por qué, oh Señor, se enardece *así* tu furor contra el pueblo tuyo, que tú sacaste

de la tierra de Egipto con fortaleza grande y mano poderosa?

12. ¡Ah! que no digan, te ruego, jamás delos egipcios: Sacólos maliciosamente fuera *de Egipto* para matarlos en los montes, y exterminarlos de la tierra. Apláquese tu ira, perdona la maldad de tu pueblo.

13. Acuérdate de Abraham, de Isaac, y de Israel, tus siervos a los cuales por ti mismo juraste, diciendo: Multiplicaré vuestra descendencia como las estrellas del cielo, y toda esta tierra de que os tengo hablado, se la daré a vuestra posteridad, y la poseeréis para siempre.

14. Con esto se aplacó el Señor, y dejó de ejecutar contra su pueblo el castigo que había dicho.

15. Entonces Moisés bajó del monte, trayendo en su mano las dos tablas de la Ley, escritas por ambas partes,

16. Y labradas por Dios; así como era también *de la mano* de Dios la letra grabada en ellas.

17. Mas oyendo Josué el tumulto del pueblo que voceaba, dijo a Moisés: Alaridos de guerra se oyen en los campamentos.

18. Respondió él: No es gritería de gentes que se exhorten al combate, ni vocerío de los que fuerzan a otros a la fuga; lo que oigo yo es algazara de gentes que cantan.

19. Y habiéndose acercado ya al campamento, vió el becerro y las danzas; e irritado sobremanera, arrojó de la mano las tablas, y las hizo pedazos a la falda del monte;

20. Y arrebatando el becerro, que habían hecho, le arrojó al fuego, y redújole *después* a polvos, los cuales esparció sobre las aguas, y se los dió a beber a los hijos de Israel.

21. Dijo después a Aarón: ¿Qué es lo que te ha hecho este pueblo, para que acarrearas sobre él tan enorme pecado?

22. No se enoje mi señor, respondió Aarón: tú conoces bien a este pueblo, *y sabes* cuán inclinado es al mal.

23. Dijéronme: Haznos dioses que nos guíen; pues a aquel Moisés que nos sacó de la tierra de Egipto, no sabemos qué es lo que le ha sucedido.

24. Respondíles yo: ¿Quién de vosotros tiene oro? Trajéronle, y me lo dieron: le eché en el fuego y salió de él ese becerro.

---

4. San Jerónimo insinúa, y otros Santos Padres creen, que Aarón, hizo solamente una cabeza de becerro, no un becerro entero.

10. Quiere mostrar Dios con estas palabras el grande aprecio que hace de sus santos y de sus oraciones, y cuán grande es su divina.clemencia.

---

14. Aunque le castigó, como veremos después, no le destruyó ni exterminó.

**25.** Viendo, pues, Moisés que el pueblo estaba despojado (desde que Aarón le había puesto tal con la asquerosa abominación *del ídolo*, y dejándole desnudo *o desarmado* en medio de los enemigos),

**26.** Poniéndose a la puerta del campamento, dijo: El que sea del Señor, júntese conmigo. Reuniéronsele luego todos los hijos de Leví:

**27.** A los cuales dijo: Esto dice el Señor Dios de Israel: Ponga cada cual la espada a su lado: Pasad y traspasad por medio del campamento desde una a otra puerta, y cada uno mate *aunque sea* al hermano, y al amigo, y al vecino.

**28.** Ejecutaron los levitas la orden de Moisés y perecieron en aquel día como unos veinte y tres mil hombres.

**29.** Y Moisés les dijo: Hoy habéis consagrado vuèstras manos al Señor, matando cada uno *con santo celo, aun* al propio hijo y al hermano, por lo que seréis benditos.

**30.** Al día siguiente dijo Moisés al pueblo: Habéis cometido un pecado enormísimo: subiré al Señor a ver si puedo inclinarle de algún modo à que se apiade de vosotros.

**31.** Y habiendo vuelto al Señor, dijo: Dígnate escucharme, *oh, Señor:* Este pueblo ha cometido un pecado gravísimo: se ha fabricado dioses de oro. *Señor,* o perdónales esta culpa,

**32.** O sino lo haces, bórrame del libro tuyo *en que me* tienes escrito.

**33.** Respondióle el Señor: Al que pecare contra mí, a ése borraré Yo de mi libro.

**34.** Mas tú ve, y conduce a ese pueblo adonde te tengo dicho. Mi ángel irá delante de ti. Si bien yo en el día de la venganza castigaré todavía este pecado que han cometido.

**35.** En efecto, el Señor castigó al pueblo por el crimen del becerro, que Aarón les hizo.

## CAPITULO XXXIII

*Llanto del pueblo, a quien perdona el Señor por amor de Moisés. Desea éste ver el rostro y la gloria de Dios.*

**1.** Habló después el Señor a Moisés, diciendo: Anda, parte de ese lugar tú, y el pueblo tuyo que sacaste de la tierra de Egipto, a la tierra que tengo prometida con juramento a Abraham, a Isaac, y a Jacob, diciendo: A tu descendencia se la daré:

**2.** Y enviaré por precursor tuyo a un ángel, y echaré *del país* al cananeo, y al amorreo, y al heteo, y al fereceo, y al heveo, y al jebuseo;

**3.** A fin de que entres en la tierra que mana leche y miel. Porque yo no subiré *a aquel país* contigo; no sea que me viese obligado a destruirte en el camino, siendo como eres un pueblo de dura cerviz.

**4.** Oyendo el pueblo estas tremendas palabras, prorrumpió en llanto; y ninguno se vistió con su acostumbrado adorno.

**5.** Y dijo el Señor a Moisés: Di a los hijos de Israel: Eres pueblo de dura cerviz: si yo llego una vez a aparecer en medio de ti, te exterminaré. Ahora bien, quítate tus atavíos, para ver qué tengo de hacer contigo.

**6.** Despojáronse, pues, los hijos de Israel de sus galas, al pie del monte Horeb.

**7.** Moisés también recogiendo el Tabernáculo, le puso o *extendió* lejos, fuera del campamento; y le llamó Tabernáculo de la Alianza. Por lo cual todos los del pueblo que tenían alguna cosa que consultar, salían fuera del campamento, al Tabernáculo de la Alianza.

**8.** Y cuando Moisés salía para ir al Tabernáculo, se levantaban todas las gentes, y quedaba cada cual en pie a la puerta de su pabellón, siguiendo con sus ojos tras de Moisés, hasta que entraba en el Tabernáculo.

**9.** Entrado ya en el Tabernáculo de la Alianza, descendía la columna de nube, y quedaba fija en la puerta, y hablaba *Dios* con Moisés,

**10.** Viendo todos cómo la columna de nube quedaba fija en la puerta del Tabernáculo. Y así estaban ellos mismos también a las puertas de sus pabellones, adorando allí *al Señor.*

**11.** Y el Señor hablaba a Moisés cara a cara, como un hombre suele hablar a su amigo. Y cuando él volvía al campamento, el joven Josué, ministro *o servidor* suyo, hijo de Nun, no se apartaba del Tabernáculo.

---

**1.** Dice pueblo *tuyo,* y no *mío,* como solía antes, por la reciente idolatría del becerro. — *Gen.* XII, *v.* 7.

**11.** Josué tenía cerca de cincuenta años: pero es llamado *joven,* o *muchacho,* según el estilo de aquellos tiempos.— Véase II *Reg.* II. *c.* 14; o también para denotar la obediencia con que servía a Moisés, como un hijo a su padre.

12. Dijo Moisés al Señor: Tú me mandas que salga conduciendo a este pueblo; y no me haces saber quién es aquél a quien has de enviar conmigo, y eso habiéndome dicho: Te conozco, *o amo* particularmente, y has hallado gracia en mis ojos.

13. Si es así que yo he hallado gracia en tu presencia, muéstrame tu rostro para que yo te conozca, y halle gracia ante tus ojos: vuélvelos sobre esta nación, la cual es el pueblo tuyo.

14. Respondió el Señor: Yo mismo iré en persona delante de ti, y te procuraré el descanso.

15. Replicó Moisés: Si tú mismo no vas delante, no nos hagas salir de este sitio.

16. ¿Pues en qué podremos conocer yo y tu pueblo haber hallado gracia en tu acatamiento, si no vienes con nosotros, para que seamos respetados de todos los pueblos que habitan en la tierra?

17. Respondió el Señor a Moisés: También haré lo que me acabas de pedir; porque has hallado gracia en mis ojos, y téngote conocido, *o te amo* muy particularmente.

18. Díjole Moisés: Muéstrame tu gloria.

19. Respondió el Señor: Yo te mostraré a ti todo el bien, y pronunciaré el nombre *inefable* del Señor delante de ti. Yo usaré de misericordia con quien quisiere, y haré gracia a quien me pluguiere.

20. En cuanto a ver mi rostro, prosiguió el Señor, no lo puedes conseguir; porque no me verá hombre ninguno, sin morir.

21. Mas yo tengo aquí, añadió, un paraje especial mío: Tú, pues, te estarás sobre aquella peña;

22. Y al tiempo de pasar mi gloria, te pondré en el resquicio de la peña, y te cubriré con mi mano derecha, hasta que yo haya pasado.

23. Después apartaré mi mano, y verás mis espaldas; pero mi rostro no podrás verle.

---

20. El Señor, o un ángel, hablaba a Moisés desde la nube; mas éste no veía al que le hablaba. El señor le promete que le revelará su inefable y propio nombre de *Jehová* o *El que es:* nombre que no había revelado ni a Abraham, ni a Isaac, Jacob. etc. — Véase *S. Pablo ad Rom.* IX, *v.* 15, 16.

## CAPITULO XXXIV

*Vuelve Moisés al monte, donde Dios le manifiesta su gloria; y renueva por su medio la alianza con las Israelitas, escribiendo de nuevo el Decálogo.*

1. Dijo después *el Señor:* Labra dos tablas de piedra, semejantes a las primeras, y escribiré en ellas las palabras que contenían las tablas que hiciste pedazos.

2. Prepárate para mañana, a subir luego al monte Sinaí, y estarás conmigo sobre la cima del monte.

3. Ninguno suba contigo, ni aparezca nadie en todo el monte: ni aun los bueyes y ovejas pazcan enfrente de él.

4. Cortó, pues, dos tablas de piedra como las anteriores; y madrugando, subió con ellas antes del día al monte Sinaí, como le había ordenado el Señor,

5. Y descendido que hubo el Señor en medio de una nube, se estuvo Moisés con él, pronunciando *en alta voz* el nombre del Señor:

6. El cual, pasando, por delante de él, dijo: *Soberano* Dominador, Señor Dios, misericordioso, y clemente, sufrido, y piadosísimo, y verídico,

7. Que conservas la misericordia para millares, que borras las iniquidades y los delitos, y los pecados; en cuya presencia ninguno de suyo es inocente, y que castigas la maldad de los padres en los hijos, y nietos hasta la tercera y cuarta generación.

8. Al instante Moisés se postró de cara sobre el suelo, y adorando *a Dios*

9. Dijo: Señor, si he hallado gracia en tus ojos, suplícote que vengas con nosotros (siendo como es este pueblo de dura cerviz), y perdones nuestras maldades y pecados, y tomes posesión de nosotros.

10. Respondió el Señor: Yo estableceré alianza *con este pueblo* en presencia de todos; haré prodigios nunca vistos sobre la tierra, ni en nación alguna, para que vea ese pueblo, que tú conduces la obra terrible que Yo el Señor he de hacer.

11. Tú observa todas las cosas que yo te encomiendo en este día; y Yo mismo arrojaré delante de ti al amorreo, y al cananeo, y al heteo, al fereceo también, y al heveo, y al jebuseo.

12. Guárdate de contraer jamás amistades con los habitantes de aquella tierra, lo que ocasionaría tu ruina:

**13.** Antes bien, destruye sus altares, rompe sus estatuas, y arrasa los bosquetes *consagrados a sus ídolos.*

**14.** No quieras adorar a ningún Dios extranjero. El Señor tiene por nombre Celoso. Dios quiere ser amado él solo.

**15.** No hagas liga con los habitantes de aquellos países: no sea que después de haberse corrompido con sus dioses, y adorado sus estatuas *o simulacros,* alguno te convide a comer de las cosas sacrificadas.

**16.** Ni desposarás a tus hijos con las hijas de ellos: no suceda que después de haber idolatrado ellas, induzcan también a tus hijos a corromperse con la idolatría.

**17.** No te formes dioses de fundición.

**18.** Guardarás la fiesta de los ácimos. Por siete días comerás pan ácimo, como te tengo mandado, en el tiempo del mes de los nuevos frutos; porque en el mes de la primavera fué cuando saliste de Egipto.

**19.** Todos los primeros nacidos, que fueren del sexo masculino, serán míos: de todos los animales, tanto de vacas como de ovejas, el primerizo será mío.

**20.** El primerizo del asno le rescatarás con una oveja: en caso que no dieres el rescate, será muerto. Los primogénitos de tus hijos los redimirás: ni comparecerás en mi presencia con las manos vacías.

**21.** Seis días trabajarás: el día séptimo ni ararás ni segarás.

**22.** Celebrarás la fiesta de Pentecostés con las primicias de tus mieses de trigo; y otra fiesta, cuando al fin del año se recogen todos los frutos.

**23.** En tres tiempos del año se presentarán todos tus varones delante del Omnipotente Señor Dios de Israel.

**24.** Porque cuando yo hubiere arrojado de tu presencia aquellas naciones, y ensanchado tus términos, nadie pensará en invadir tu país, en el tiempo que tú subirás a presentarte al Señor Dios tuyo tres veces al año.

**25.** No ofrecerás con levadura la sangre de mi víctima: ni de la víctima solemne de la Pascua quedará nada para la mañana siguiente.

**26.** Ofrecerás las primicias de los frutos de tu tierra en la casa del Señor tu Dios. No cocerás el cabrito en la leche dé su madre.

**27.** Añadió el Señor a Moisés: Pon por escrito estas cosas, mediante las cuales he contraído alianza contigo, y con los hijos de Israel.

**28.** Mantúvose, pues, allí con el Señor por espacio de cuarenta días y cuarenta noches: *todo ese tiempo* estuvo sin comer ni beber cosa algu-

na: y escribió *el Señor* en las tablas los diez mandamientos de la alianza.

**29.** Y al bajar Moisés del monte Sinaí, traía consigo las dos tablas de la Ley; mas no sabía que a causa de la conversación con el Señor, despedía su rostro rayos de luz.

**30.** Aarón, pues, y los hijos de Israel, viendo resplandeciente la cara de Moisés, temieron acercársele.

**31.** Pero llamados por éste volvieron, así Aarón como los príncipes de la sinagoga.

**32.** Y después que les habló se llegaron también a él todos los hijos de Israel: a los cuales expuso todas las órdenes que había recibido del Señor en el monte Sinaí.

**33.** Y acabado el razonamiento, puso un velo sobre su rostro,

**34.** El cual se lo quitaba cuando entraba a tratar con el Señor, hasta que, saliendo, intimaba a los hijos de Israel todo lo que se le había ordenado.

**35.** Cuando salía Moisés *del Tabernáculo,* los israelitas veían su cara despidiendo rayos de luz; mas él la cubría de nuevo, siempre que les hablaba.

## CAPITULO XXXV

*Observancia del sábado. Ofrendas generosas de los Israelitas para la construcción del Tabernáculo.*

**1.** Congregada, pues, toda la muchedumbre de los hijos de Israel, les dijo: Estas son las cosas que el Señor ha mandado que se hagan.

**2.** Seis días trabajarás: el séptimo día será para vosotros santo; por ser el sábado y descanso del Señor. El que trabajare en él, será castigado de muerte.

**3.** No encenderéis fuego en ninguna morada vuestra en día de sábado.

**4.** Dijo asimismo Moisés a toda la congregación de los hijos de Israel: Este es el precepto que ha dado el Señor:

**5.** De vuestras cosas, dice, poned aparte las primicias que cada uno espontáneamente y de buen corazón quiera ofrecer al Señor: oro, plata, y cobre,

**6.** Jacinto, y púrpura, y grana dos veces teñida, y lino fino, pelo de cabra,

**7.** Pieles de carneros almagradas y moradas, maderas de setim,

---

**33.** San Pablo explica todo este hecho misterioso. II *Cor.* III.

**8.** Y aceite para mantener las lámparas, y *aromas* para confeccionar el ungüento, y los perfumes de suavísimo olor,

**9.** Las piedras oniquinas, y demás pedrería para ornato del efod o *superhumeral,* y del racional.

**10.** El que sea entre vosotros artífice hábil, venga a hacer las cosas que el Señor ha mandado:

**11.** Es a saber, el Tabernáculo y su techo, y la cubierta, las argollas, los tablones con los travesaños, las estacas y las basas:

**12.** El Arca y sus varas, el propiciatorio, y el velo que se ha de extender delante,

**13.** La mesa con sus varas y vasos y panes de la proposición.

**14.** El candelero que ha de sostener las lámparas, sus instrumentos, y candilejas, y el aceite para cebo de las luces:

**15.** El altar del incienso y sus varas, el óleo de la unción *sagrada,* el perfume compuesto de aromas, el velo para la entrada del Tabernáculo:

**16.** El altar de los holocaustos y su rejilla de bronce, con las varas para transportarle, y lo demás de su servicio, la concha para el lavatorio con su basa,

**17.** Las cortinas del atrio con las columnas y basas, el velo o *cortinón* para la puerta del atrio,

**18.** Las estacas del Tabernáculo y del atrio con sus cuerdas:

**19.** Los ornamentos que sirven para el ministerio del Santuario, las vestiduras del Pontífice Aarón y de sus hijos, para las funciones de mi sacerdocio.

**20.** Luego, pues, que se separaron de la presencia de Moisés los hijos de Israel,

**21.** Ofrecieron todos al Señor con ánimo prontísimo y devoto lo mejor de las cosas que tenían, para la fábrica del Tabernáculo del Testimonio, y para cuanto era necesario al culto *divino,* y para las vestiduras sagradas.

**22.** Hombres y mujeres presentaron sus ajorcas, y zarcillos, sortijas, y brazaletes: toda alhaja de oro fué puesta aparte para ser ofrecida al Señor.

**23.** Los que tenían jacinto, púrpura, y grana dos veces teñida, lino fino, y pelo de cabras, pieles de carneros almagradas, o también moradas,

**24.** Metales de plata y de cobre, los ofrecieron al Señor, con maderas de setim, para *emplearlo en* varios usos.

**25.** Además de ésto, mujeres industriosas que habían hilado, dieron sus hilados de co-

*lor de* jacinto, de púrpura, de escarlata, de lino fino,

**26.** De pelo de cabras, aprontándolo todo de su propia voluntad.

**27.** Los príncipes *o principales señores,* ofrecieron por su parte las oniquinas, y demás pedrería para el efod y el racional,

**28.** Y especies aromáticas, y aceite para mantener las lámparas, y para confeccionar el ungüento *u óleo de unción,* y componer el perfume de olor suavísimo.

**29.** Todos, así hombres como mujeres, ofrecieron con devoto corazón sus donativos para la ejecución de las obras, que Dios había mandado, por medio de Moisés. Todos los hijos de Israel consagraron al Señor voluntariamente sus dones.

**30.** Dijo también Moisés a los hijos de Israel: Sabed que el Señor ha nombrado en particular a Beseleel, hijo de Urí, nieto de Hur, de la tribu de Judá.

**31.** Y le ha llenado del espíritu de Dios, de saber, y de inteligencia, y de ciencia, y de toda maestría,

**32.** Para inventar y ejecutar toda suerte de labores en oro, y en plata, y en bronce,

**33.** Y en entalle de piedras, y en obras de carpintería; y ha infundido en su corazón todo cuanto se puede imaginar de artificioso:

**34.** *Y le ha dado por compañero* a Ooliab, hijo de Aquisamec, de la tribu de Dan;

**35.** Llenando a entrambos de sabiduría para ejecutar las artes de carpintero, de tapicero, y de bordador, y tejer toda suerte de telas *de color* de jacinto, y de púrpura, y de grana dos veces teñida, y de lino fino, y para inventar de nuevo las cosas que hicieren al caso.

## CAPITULO XXXVI

*Pónese en ejecución la fábrica del Tabernáculo o templo del Dios verdadero.*

**1.** Besebeel, pues, Ooliab, y todos los maestros, a quienes dió el Señor sabiduría e inteligencia para saber fabricar con arte las cosas necesarias al uso del santuario, pusieron manos a la obra, para ejecutar cuanto el Señor había mandado.

**2.** Y así Moisés habiéndolos llamado, e igualmente a todos los otros artífices peritos, a los cuales el Señor había dado inteligencia, y que se habían ofrecido de suyo a trabajar en la obra,

**3.** Les entregó todas las ofrendas de los hijos de Israel. Mientras estaban ellos empleados en sus labores, el pueblo todos los días por la mañana proseguía ofreciendo dones:

**4.** Por lo cual los artífices se vieron precisados a venir

**5.** A Moisés, y decirle: El pueblo da mucho más de lo necesario.

**6.** Con eso mandó publicar Moisés a voz de pregonero: Ni hombre, ni mujer ofrezca ya más para la fábrica del Santuario. Y así cesaron de ofrecer dones:

**7.** Visto que los ofrecidos bastaban, y aun sobraban.

**8.** Todos los hombres, pues, de talento y habilidad para las obras del Tabernáculo, hicieron diez cortinas de lino fino retorcido, *de color* de jacinto, de púrpura, de grana dos veces teñida, con varias labores y bordaduras.

**9.** Cada cortina tenía de largo veinte y ocho codos, y cuatro de ancho: todas las cortinas eran de una medida.

**10.** Y unió *Beseleel* cinco de estas cortinas la una con la otra, y del mismo modo las otras cinco.

**11.** Para lo que hizo cincuenta presillas o *cordones de color* de jacinto en la orilla de una cortina por ambos lados, y lo mismo en la orilla de la otra cortina,

**12.** Por manera que confrontasen las presillas una con otra, y recíprocamente se enlazasen.

**13.** A este fin fundió también cincuenta sortijas de oro, en las que trabasen las presillas de las cortinas las cuales formaran así un solo Tabernáculo o *pabellón.*

**14.** Hizo asimismo once cubiertas de pelos de cabra para cubrir el techo del Tabernáculo.

**15.** Cada cubierta tenía treinta codos de largo, y cuatro de ancho: todas las cubiertas eran de una misma medida.

**16.** Cinco de las cuales unió en una pieza, y las otras seis en otra.

**17.** E hizo cincuenta presillas en la orilla de una cubierta, y otras cincuenta en la orilla de la otra, para unirlas entre sí.

**18.** Hizo además cincuenta hebillas de bronce con que se trabasen; de suerte que de todas las cubiertas se hiciese una sola.

**19.** Otra cubierta del Tabernáculo la hizo de pieles de carneros almagradas, y otra sobrecubierta de pieles de *color de* jacinto o *moradas.*

**20.** Hizo también de madera de setim los tablones para el Tabernáculo, que debían colocarse de pie, *unidos entre sí.*

**21.** Cada uno tenía diez codos de largo, y codo y medio de ancho.

**22.** Dos encajes había en cada tablón para trabarse uno con otro. Todos los tablones de Tabernáculo estaban dispuestos de la misma suerte.

**23.** De los cuales veinte estaban a la parte meridional, hacia el austro,

**24.** Sobre cuarenta basas de plata. Poníanse dos basas debajo de cada tablón a sus dos esquinas, donde terminan los encajes en los ángulos de los lados:

**25.** En la misma forma por la parte del Tabernáculo que mira al aquilón, plantó veinte tablones,

**26.** Sobre cuarenta bases de plata, dos por cada tablón.

**27.** Pero al occidente, esto es, a la parte del Tabernáculo que mira hacia el mar, fijó seis tablones,

**28.** Con otros dos a las dos esquinas, detrás del Tabernáculo,

**29.** Los cuales de abajo arriba estaban unidos, y venían a formar *como una* pared firme. Lo mismo hizo en las esquinas de los dos lados.

**30.** De modo que en todo, eran ocho los tablones, asentados sobre diez y seis basas de plata, es a saber, a dos basas por tablón.

**31.** Hizo asimismo cinco travesaños de madera de setim, a fin de asegurar, y mantener unidos los tablones en un lado del Tabernáculo,

**32.** Y otros cinco para asegurar y mantener unidos los del otro lado; y fuera de éstos, otros cinco travesaños a la parte occidental del Tabernáculo, hacia el mar.

**33.** Hizo también otro travesaño, que por medio de los tablones cogía de una esquina a otra.

**34.** Estas mismas paredes de tablones las cubrió de planchas de oro haciendo de fundición sus basas de plata. Hizo también de otro las argollas por donde habían de pasar los travesaños; los que asimismo cubrió con chapas de oro.

**35.** También hizo el velo de *color de* jacinto, y de púrpura, y de grana de lino fino retorcido, tejido todo con variedad de colores y diversos recamos,

**36.** Y cuatro columnas de madera se setim; las cuales y sus capiteles cubrió de oro, habiendo fundido de plata sus basas.

**37.** Hizo, además, para la entrada del Tabernáculo, un velo de color de jacinto, de púrpura, de grana, y *tejido* de lino fino retorcido, obra de bordador;

**38.** Y *para sostenerle,* cinco columnas con sus capiteles, que cubrió de oro, vaciando de bronce sus basas.

## CAPITULO XXXVII

*Descríbense el Arca, el propiciatorio, la mesa, el candelero y el altar del incienso.*

**1.** Fabricó también Beseleel, de madera de setim, el Arca, la cual tenía dos codos y medio de largo, y codo y medio de ancho, y codo y medio también de alto: y la cubrió por dentro y por fuera de oro purísimo,

**2.** Formóle alrededor una cornisa de oro.

**3.** Y en sus cuatro esquinas puso cuatro anillos de oro fundido.

**4.** Hizo asimismo unas varas de madera de setim, que cubrió de oro.

**5.** Y las metió por los anillos, puestos en los costados del Arca, para transportarla.

**6.** E hizo igualmente el propiciatorio, esto es, el oráculo formado de oro purísimo, de dos codos y medio de largo, y codo y medio de ancho.

**7.** Labró también de oro, a martillo, dos querubines, los cuales puso en los dos lados del propiciatorio.

**8.** Un querubín a la extremidad de un lado, y el otro querubín a la extremidad del otro lado: ambos querubines en las extremidades más altas del propiciatorio, con las alas extendidas y cubriendo con ellas el propiciatorio, mirándose uno a otro, y también al propiciatorio.

**10.** Demás de esto hizo la mesa de madera de setim de dos codos de largo, uno de ancho, y codo y medio de alto.

**11.** Y cubrióla toda de oro purísimo, y le hizo alrededor una cornisa de oro.

**12.** Y sobre la cornisa una guirnalda de oro entretallada, de cuatro dedos, y sobre ésta otra *pequeña* guirnalda de oro.

**13.** Fundió también cuatro anillos de oro, que puso en las cuatro esquinas, a los cuatro pies de la mesa,

**14.** Debajo de la cornisa, y metió por ellos las varas para poder llevarla.

**15.** Estas varas las hizo también de madera de setim, y las cubrió de oro.

**16.** Además, para diversos usos de la mesa, hizo de oro acendrado tazas, redomas, copas, navetas, y los vasos para ofrecer las libaciones.

**17.** Hizo también el candelero de oro purísimo, trabajado a martillo; de cuyo tronco salían los brazos, con los vasitos, globitos, y lirios.

**18.** Seis brazos salían en todo, tres por un lado, y tres por otro.

**19.** Había en un brazo tres vasitos en forma de nuez, con sus correspondientes globitos y lirios; y otros tres vasitos en forma de nuez, igualmente con sus globitos y lirios en cada otro brazo. La labor era igual en los seis brazos que salían del tronco del candelero.

**20.** En el mismo astil del *candelero* había cuatro vasitos a manera de nuez, cada uno con su globito, y su lirio.

**21.** Había también un globito debajo de cada dos brazos, de los seis que salían del mismo tronco, tres globitos en tres lugares.

**22.** En suma, tanto los globitos como los ramos, salían del candelero mismo: todo ello labrado a martillo, y de oro purísimo.

**23.** Finalmente hizo siete lamparillas con sus despabiladeras, y las cazoletas donde se apagasen los pabilos, todo también de oro finísimo.

**24.** Un talento de oro pesaba el candelero con todos sus instrumentos.

**25.** Hizo, además, de maderas de setim, el altar de los perfumes, que tenía un codo en cuadro, y dos de alto: de cuyas esquinas salían *cuatro* puntas o *remates.*

**26.** Y le cubrió de oro purísimo, como igualmente a su rejilla, y los costados y las puntas.

**27.** Y le ciñó de una cornisa de oro, poniendo debajo de la cornisa, en cada lado, dos anillos de oro para meter por ellos las varas con que se pudiese trasportar.

**28.** Hizo estas varas de madera de setim, y cubriólas con planchas de oro.

**29.** En fin, dispuso la confección del óleo para las unciones de consagración, y el incienso de exquisitos aromas, según arte de perfumería.

## CAPITULO XXXVIII

*Del altar de los sacrificios, de la concha de bronce y del atrio. Suma del valor de las ofertas que se hicieron.*

**1.** Fabricó asimismo *Beseleel* de maderas de setim el altar de los holocaustos; el cual tenía cinco codos en cuadro, y tres de alto.

**2.** De cuyas cuatro esquinas salían *cuatro* puntas, y cubrióle con láminas de bronce.

**3.** Y para servicio de este altar, hizo diversos instrumentos de cobre, calderas, tenazas, tridentes, garfios, y braseros:

**4.** Una rejilla de bronce, a modo de red, y debajo de ella en el centro del altar, una hornilla;

**5.** Fundiendo cuatro anillos en las cuatro esquinas de la rejilla, para meter las varas con que se ha de llevar.

**6.** Las cuales hizo de madera de setim, cubriéndolas con láminas de bronce.

**7.** Y metiólas por los anillos que sobresalían en los lados del altar. Formado éste de tablas, no era macizo, sino cóncavo y vacío por adentro.

**8.** Fabricó también la concha de bronce con su basa, y la hizo de los espejos de *acero, que ofrecieron las piadosas* mujeres que hacían la vela en la puerta del Tabernáculo.

**9.** Formó después el atrio, en cuyo lado meridional había cortinas tiradas por espacio de cien codos, tejidas de torzal de lino fino,

**10.** *Colgadas en* veinte columnas de bronce con sus basas, siendo de plata los capiteles de las columnas y todas las molduras.

**11.** Del mismo modo en la parte septentrional, las cortinas, las columnas, las basas, y los capiteles de las columnas eran de igual medida, labor y metal.

**12.** Pero en la parte occidental las cortinas *solamente* cogían cincuenta codos; *afianzadas en* diez columnas que tenían sus basas de bronce; y los capiteles de las columnas con todas las molduras, eran de plata.

**13.** Por la parte que mira al oriente, puso cortinas por espacio de cincuenta codos.

**14.** Con las cuales se ocupaban quince codos por un lado, en tres columnas con sus basas,

**15.** Y otros quince codos por el otro lado, con otras tantas columnas y basas; porque en medio de los dos lados hizo la entrada para el Tabernáculo.

**16.** Todas las cortinas del atrio estaban tejidas de lino fino retorcido.

**17.** Las basas de las columnas eran de bronce; sus capiteles con todas las molduras de plata; y aun las mismas columnas del atrio las cubrió también de plata.

**18.** Y para la entrada de éste, hizo un velo o *cortinón* bordado de color de jacinto, de púrpura, de escarlata, y de torzal de lino fino; que tenía veinte codos de largo, y cinco de alto, conforme a la medida de todas las demás cortinas del atrio.

**19.** Y las columnas de dicha entrada eran cuatro, con sus basas de bronce, y sus capiteles y molduras de plata.

**20.** Las estacas *o clavazón* del Tabernáculo, y del atrio que le cercaba, las hizo también de bronce.

**21.** Estas son las cosas de que se componía el Tabernáculo del Testimonio, que fueron inventariadas de orden de Moisés, y consignadas a los levitas por mano del sacerdote Itamar, hijo de Aarón.

**22.** Las cuales trabajó Beseleel, hijo de Urí, nieto de Hur, de la tribu de Judá, mandándoselo el Señor por Moisés;

**23.** Y teniendo por compañero a Ooliab, hijo de Aquisamec, de la tribu de Dan, que fué asimismo excelente escultor y bordador, y recamador en jacinto, en púrpura, escarlata, y lino fino.

**24.** Todo el oro empleado en la fábrica del Santuario, y ofrecido entre los dones, ascendió a veinte y nueve talentos, y setecientos treinta siclos, según el peso del Santuario.

**25.** Los que le ofrecieron fueron los encabezados, de veinte años arriba, *esto es*, seiscientos y tres mil, quinientos y cincuenta hombres de armas tomar.

**26.** Demás de esto, se contaron cien talentos de plata, de que se fundieron las basas de las columnas del Santuario, y de la entrada, donde está pendiente el velo.

**27.** Cien basas se hicieron de los cien talentos, a talento por basa.

**28.** De mil setecientos setenta y cinco *siclos de plata*, hizo los capiteles de las columnas, y cubrió éstas de plata.

**29.** También fueron ofrecidos setenta talentos, y dos mil cuatrocientos siclos de cobre,

**30.** De que se fundieron las basas de las *columnas* que están a la entrada del Tabernáculo del Testimonio, y el altar de bronce con su rejilla, y todos los instrumentos concernientes al servicio de éste,

**31.** Y las basas *de las columnas* que hay en el atrio, tanto en su ámbito, como en la entrada, y todas las estacas del Tabernáculo y del atrio alrededor.

## CAPITULO XXXIX

*Descripción de las vestiduras sacerdotales. Concluído todo, Moisés bendice al pueblo.*

**1.** Hizo todavía *Beseleel,* de jacinto, de púrpura, de escarlata, y de lino fino las vestiduras con que se había de vestir Aarón, al tiempo de ejercer sus funciones en el Santuario, según mandó el Señor a Moisés.

**2.** Hizo, pues, el efod de oro, de jacinto, de púrpura, y de grana dos veces teñida, y de lino fino retorcido,

**3.** Siendo el todo un tejido de varios colores; y cortó hojas de oro muy delgadas, que redujo a hilos de oro, de modo que pudiesen entrar en el tejido de los otros hilos de los varios colores ya dichos.

**4.** Hizo en él dos aberturas, que se cerraban sobre los dos hombros,

**5.** Y un cinturón de los mismos colores como tenía el Señor mandado a Moisés.

**6.** Dispuso también dos piedras oniquinas, afianzadas y engastadas en oro, y grabados en ellas, según arte de lapidario, los nombres de los hijos de Israel.

**7.** Y colocólas en los dos lados del efod para memoria de los hijos de Israel, según había el Señor ordenado a Moisés.

**8.** Igualmente hizo el racional, tejido como el efod, con una mezcla de hilo de oro, de jacinto, de púrpura, y de grana dos veces teñida, y de lino fino retorcido,

**9.** Cuya forma era cuadrangular, el paño era doblado y de la medida de un palmo.

**10.** Y puso en él cuatro hileras de piedras preciosas. En la primera estaba el sardio o *granate,* el topacio, y la esmeralda:

**11.** En la segunda el carbunclo, el zafiro, y el jaspe:

**12.** En la tercera el ligurio o *rubí,* el ágata, y el ametista:

**13.** En la cuarta el crisólido, el ónix o *cornerina,* y el berilo; ceñidas estas piedras y engastadas en oro, cada una en su sitio.

**14.** Estas doce piedras tenían esculpidos los nombres de las doce tribus de Israel: un nombre en cada piedra.

**15.** En el racional pusieron también dos cadenillas de oro finísimo, enlazadas entre sí,

**16.** Y dos broches y otras tantas sortijas de oro: las sortijas se pusieron a los dos lados del racional,

**17.** De las cuales colgaban las dos cadenitas de oro, prendidas en los broches que sobresalían en las puntas del efod.

**18.** Entrambas, así por delante como por detrás, se ajustaban de tal suerte, que el efod y el racional quedaban mutuamente enlazados,

**19.** Apretados con el cinturón, y estrechamente atados con las sortijas, por medio de un cordón de jacinto, para que no se soltasen, ni se desprendiesen uno de otro, como se lo mandó el Señor a Moisés.

**20.** La túnica del efod la hicieron asimismo toda de jacinto,

**21.** Con un cabezón o *abertura* arriba en el medio, y una orla tejida alrededor del cabezón:

**22.** En lo bajo, hacia los pies unas granadas hechas *de color* de jacinto, de púrpura, de escarlata, y de lino fino retorcido,

**23.** Y campanillas de oro purísimo, las que pusieron entre las granadas por todo el oro de la túnica,

**24.** Entremezcladas una campanilla de oro, y una granada: de este adorno iba revestido el Pontífice en las funciones de su ministerio, según lo había mandado el Señor a Moisés.

**25.** Hicieron asimismo otras túnicas de lino fino, tejidas, para Aarón y sus hijos,

**26.** Y mitras también de lino fino con sus coronitas,

**27.** Y calzoncillos de lo mismo;

**28.** Además el ceñidor de lino fino retorcido, de jacinto, de púrpura, de grana dos veces teñida, con varios recamos, según tenía el Señor ordenado a Moisés.

**29.** Hicieron, finalmente la lámina de sagrada veneración, de oro acendradísimo, y grabaron en ella con buril de lapidario: La santidad al Señor.

**30.** Y ajustáronla a la tiara con una cinta de jacinto, según había ordenado el Señor a Moisés.

**31.** De esta manera quedó concluída toda la fábrica del Tabernáculo y del techo, o *tienda* del testimonio: e hicieron Ios hijos de Israel todas las cosas que el Señor había ordenado a Moisés.

**32.** Y presentaron a *Moisés* todos los materiales para el Tabernáculo y su techo, y todos los utensilios, anillos, tablas, varas, columnas y basas,

**33.** La cubierta de pieles de carnero almagradas, y otra sobrecubierta de pieles de jacinto o *moradas,*

**34.** El velo, el Arca, con sus varas, el propiciatorio,

**35.** La mesa con sus vasos, y panes de la proposición,

**36.** El candelero, las lámparas, y todo lo de su uso, con el aceite,

**37.** El altar de oro, el óleo de las consagraciones, y el incienso de los perfumes,

**38.** El velo de la entrada del Tabernáculo,

**39.** El altar de bronce con su rejilla, y varas, y todos sus instrumentos, la concha con su basa, las cortinas del atrio, y las columnas con sus basas,

**40.** El velo o *cortinón* de la entrada del atrio, sus cuerdas y estacas. Nada faltó de las cosas que se mandaron hacer para el servicio del Tabernáculo y del pabellón o *Santuario* de la alianza.

**41.** También las vestiduras que usan los sacerdotes en el Santuario, es a saber, Aarón y sus hijos,

**42.** Fueron presentadas por los hijos de Israel, según que Dios lo tenía ordenado.

**43.** Las cuales cosas, luego que Moisés las vió todas enteramente acabadas, las llenó de bendiciones.

## CAPITULO XL

*Erección y consagración del Tabernáculo: se manifiesta en él la gloria del Señor y queda cubierto de una nube.*

**1.** Entonces habló el Señor a Moisés diciendo:

**2.** En el primer mes, el día primero, erigirás el *pabellón o el* Tabernáculo del Testimonio.

**3.** Y pondrás en él el Arca, y extenderás el velo delante de ella;

**4.** Y entrada dentro la mesa pondrás encima, por su orden las cosas que se han dispuesto. Colocarás *después* el candelero con sus lámparas,

**5.** Y el altar de oro, en que ha de quemarse el incienso, delante del Arca del Testamento: a la entrada del Tabernáculo pondrás un velo.

**6.** Y delante de éste colocarás el altar de los holocaustos:

**7.** La concha del lavatorio, la cual llenarás de agua, *estará* entre el altar y el Tabernáculo.

**8.** Y pondrás cortinas alrededor del atrio y su entrada.

**9.** Y tomando el óleo de santificación, ungirás el Tabernáculo y las cosas de su uso, para que sean santificadas;

**10.** El altar de los holocaustos y todos sus instrumentos,

**11.** La concha con su basa: todo lo has de consagrar con el óleo destinado a la santificación o *consagración,* a fin de que todas sean cosas santísimas.

**12.** Harás venir después a Aarón y a sus hijos a las puertas del Tabernáculo del Testimonio; y después que estén lavados con el agua,

**13.** Los revestirás de los ornamentos sagrados para que sean mis ministros; y será su unción para sacerdocio sempiterno.

**14.** E hizo Moisés todo cuanto el Señor le había mandado.

**15.** Y así el primer mes del año segundo, en el día primero, fué erigido el Tabernáculo.

**16.** El cual alzó Moisés, poniendo los tablones y las basas, y travesaños, y asentando las columnas,

**17.** Y extendiendo la cubierta sobre el Tabernáculo, sobrepuestas las otras cubiertas, como el Señor tenía ordenado.

**18.** Puso, también el Testimonio o *las tablas de la Ley* en el Arca, cubriéndole con el propiciatorio, y metiendo por debajo las varas.

**19.** Y colocada el Arca dentro del Tabernáculo, colgó delante de ella el velo, en cumplimiento del precepto del Señor.

**20.** Fuera del velo, puso la mesa en el Tabernáculo del Testimonio, a la parte septentrional,

**21.** Puestos por orden delante *del Señor* los panes de la proposición, como tenía el Señor ordenado a Moisés.

**22.** Asimismo puso el candelero en el Tabernáculo del Testimonio enfrente de la mesa, a la parte meridional,

**23.** Colocadas por su orden las lámparas, conforme al mandato del Señor.

**24.** El altar de oro le puso también dentro del Tabernáculo del Testimonio, delante del velo;

**25.** Y quemó sobre él incienso de aromas, según tenía el Señor mandado a Moisés.

**26.** Puso igualmente el velo a la entrada del Tabernáculo del Testimonio;

**27.** En cuyo atrio sentó el altar del holocausto, donde ofreció holocaustos y sacrificios, según la disposición del Señor.

**28.** Colocó también la concha del *lavatorio* entre el Tabernáculo del Testimonio y el altar *del holocausto;* y la llenó de agua.

**29.** Y Moisés, y Aarón y los hijos de éste, lavaron sus manos y pies,

**30.** Al entrar en el Tabernáculo de la alianza y llegarse al altar conforme lo había mandado el Señor a Moisés.

**31.** Finalmente, alrededor del Tabernáculo y del altar, erigió el atrio, a cuya entrada puso un velo *o cortinón*. Concluídas todas estas cosas,

**32.** Una nube cubrió el Tabernáculo del Testimonio, y quedó todo lleno de la gloria del Señor.

**33.** Ni podía Moisés entrar en el Taber-náculo de la alianza, cubriendo como cubría la nube todas las cosas, y brillando por todas partes la majestad del Señor: todo lo cubría la nube.

**34.** Y siempre y cuando la nube se retiraba del Tabernáculo, marchaban los hijos de Israel por escuadrones o *bandas*.

**35.** Si la nube se quedaba encima parada, hacían alto en aquel mismo sitio.

**36.** Porque la nube del Señor entre día cubría el Tabernáculo, y por la noche aparecía allí una llama, a vista de todo el pueblo de Israel, en todas sus estancias.

# EL LEVÍTICO

# Introducción

El *Levítico* o «Ley de los sacerdotes» es el tercer libro del *Pentateuco y* en esencia un tratado ritual.

La primera parte trata de los sacrificios. Sabido es que el sacrificio constituye el acto más importante de la religión y se halla presente en casi todas las religiones conocidas. Según el texto sagrado, los sacrificios pueden ser de cuatro especies. El primero es el holocausto o cremación entera de la víctima en obsequio de Dios. Vienen luego los sacrificios expiatorios (tanto por el pecado voluntario como por el delito involuntario); en ellos se quemaba una parte de la víctima en honor de Dios y la otra parte correspondía a los sacerdotes por su ministerio. La víctima usual era el macho cabrío. El último tipo de sacrificios es el pacífico, en que se quemaban las vísceras y partes grasas del animal, comiéndose el sacerdote y el oferente la carne del mismo.

En el carácter sagrado de este banquete ve la teología una prefiguración de la comunión. La ley antigua sólo admitía como sacrificables cinco animales: la cabra, la oveja, la vaca, la paloma y la tórtola.

La segunda parte del *Levítico* está dedicada a la consagración de los sacerdotes, que han de provenir de la tribu de Leví (de ahí su título), destacada por su celo religioso.

La tercera parte trata de la distinción de las cosas puras e impuras y establece el valor de la consagración de las cosas materiales. El final del *Levítico* es un código de santidad, miscelánea de leyes especialmente influidas por esa idea de la santidad, sea ésta ritual o moral.

## CAPITULO PRIMERO

*De los holocaustos; y de los ritos con que deben ofrecerse al Señor.*

**1.** Y llamó el Señor a Moisés, y le habló desde el Tabernáculo del Testimonio, diciendo:

---

**2.** Erigido el Tabernáculo y preparadas todas las cosas necesarias para el culto divino, restaba que Dios declarase los ritos y ceremonias con que quería ser honrado. Eran los sacrificios figura del sacrificio de Cristo; de sólo el cual podía venir la remisión de los pecados. El buey es símbolo de la paciencia y de los trabajos, el cordero de la inocencia, etc. X, *v.* 11. — *Exod.* XXIX.

**2.** Habla a los hijos de Israel, y diles: Cuando alguno de vosotros quiera presentar al Señor una ofrenda de los ganados, esto es, una víctima de bueyes o de ovejas,

**3.** Si su oblación fuere holocausto, y de la vacada, ha de ofrecer macho sin tacha en la puerta del Tabernáculo del Testimonio, a fin de hacerse propicio al Señor:

**4.** Y pondrá la mano sobre la cabeza de la bestia, y *así* será acepta a Dios y servirá a su expiación.

**5.** Y ha de inmolar el becerro en la presencia del Señor; y los sacerdotes hijos de Aarón ofrecerán su sangre, derramándola alrededor del altar que está ante la puerta del Tabernáculo;

**6.** Y quitada la piel a la víctima cortarán en trozos los miembros;

7. Y pondrán fuego a la leña, dispuesta de antemano debajo del altar;

8. Y colocarán encima por orden los miembros hechos pedazos, es a saber, la cabeza, y todo lo que está pegado al hígado,

9. Y los intestinos y pies, lavados *antes* con agua; y el sacerdote lo quemará todo sobre el altar, en holocausto de olor suavísimo al Señor.

10. Pero si la ofrenda es holocausto de ganado menor, *esto es,* de ovejas o cabras, ha de ofrecer macho sin tacha;

11. Y le degollará delante del Señor, al lado del altar que mira al septentrión; y su sangre la derramarán los hijos de Aarón sobre todo el circuito del altar;

12. Y partirán los miembros, la cabeza y todo lo que está pegado al hígado, y lo colocarán sobre la leña, a la cual se pondrá fuego;

13. Lavando antes en agua los intestinos y los pies Y el sacerdote hará quemar toda la ofrenda sobre el altar en holocausto de olor suavísimo al Señor.

14. Pero si la ofrenda de holocausto hecha al Señor fuere de aves, *será* de tórtolas o de pichones;

15. La ofrecerá el sacerdote sobre el altar, y retorcido el pescuezo y abierta en él una herida, hará correr la sangre sobre el borde del altar:

16. El buche y las plumas lo arrojará junto al altar, al lado oriental, donde se echan las cenizas;

17. Le quebrantará los alones: mas no la cortará, ni la partirá con hierro; y puesto fuego debajo de la leña, la quemará sobre el altar. Holocausto es éste y oblación de olor suavísimo al Señor.

## CAPITULO II

*Ceremonias para las ofrendas de pan, y de las primicias.*

1. Cuando alguna persona ofreciere al Señor una oblación de harina en sacrificio de acción de *gracias,* será su ofrenda flor de harina, sobre la cual derramará aceite, y pondrá incienso,

2. Y la presentará a los sacerdotes hijos de Aarón: uno de los cuales tomará un puñado entero de flor de harina, con el aceite, y todo el incienso, y lo quemará sobre el altar, *como* para recuerdo, y olor suavísimo al Señor.

3. Lo restante del sacrificio será de Aarón y sus hijos, y se mirará como cosa sagrada y santa, por cuanto proviene de las oblaciones del Señor.

4. Y si ofreciere ofrenda de flor de harina cocida en horno, han de ser panes sin levadura, amasados con aceite, y lasañas también sin levadura untadas con aceite.

5. Si tu ofrenda fuere de cosa frita en sartén, será de flor de harina amasada con aceite, sin levadura,

6. Y la desmenuzarás, y echarás aceite sobre ella.

7. Y si la ofrenda se hiciere de cosa cocida en parrillas *o cazuela,* estará igualmente la flor de harina amasada con aceite:

8. Y ofreciéndola al Señor, la pondrás en manos del sacerdote:

9. Quien después de hecha la oferta al Señor, tomará parte de ella para memoria *delante de Dios,* y la quemará sobre el altar en olor suavísimo al Señor.

10. El resto será de Aarón y de sus hijos, siendo como es cosa santa y sagrada, *por tomarse* de las oblaciones del Señor.

11. Toda ofrenda que se ofrece al Señor ha de ser sin levadura; ni se ha de quemar sobre el altar en sacrificio al Señor cosa con levadura, ni con miel.

12. De estas cosas solamente podéis ofrecer primicias y presentes; mas no se pondrán sobre el altar en olor de suavidad.

13. Todo lo que ofrecieres en sacrificio, lo has de sazonar con sal: ni faltará del sacrificio la sal de la alianza con Dios. En todas tus ofrendas ofrecerás sal.

14. Pero cuando ofrecieres al Señor la oblación de las primicias de tus mieses de la espigas todavía verdes, las has de tostar al fuego, y desmenuzar como se hace con el grano; y ofrecerás así tus primicias al Señor,

15. Derramando encima aceite y poniendo incienso, por ser oblación del Señor:

16. De la cual el sacerdote quemará en memoria del don parte del grano desmenuzado, y del aceite y todo el incienso.

---

14. Las de cebada se ofrecían por Pascua, las de pan de trigo por Pentecostés, y por las fiestas de los Tabernáculos, las de todos los demás frutos: aquí se habla de las de cebada.

## CAPITULO III

*De las hostias pacíficas o sacrificios que se han recibido del Señor, o que se le piden. Toda grosura y sangre debe ofrecerse al Señor.*

1. Y si la oblación fuere una hostia pacífica, y quisiere ofrecerla de ganado vacuno, presentará delante del Señor un macho o hembra, que no tenga defecto;

2. Y pondrá la mano sobre la cabeza de su víctima, la cual será degollada en la entrada del Tabernáculo del Testimonio, y los sacerdotes, hijos de Aarón, derramarán la sangre alrededor del altar;

3. Y sacarán de la hostia pacífica para oblación del Señor el sebo que cubre las entrañas y toda la grosura interior;

4. Los dos riñones con el sebo que cubre los ijares, y con los riñones la telilla del hígado:

5. Y encendiendo la leña, quemarán todo esto como holocausto sobre el altar, para oblación de olor suavísimo al Señor.

6. Pero si su oblación y hostia pacífica fuere de ovejas, ora ofrezca macho, ora hembra, han de ser sin tacha.

7. Si ofreciere un cordero en la presencia del Señor,

8. Pondrá su mano sobre el cabeza de su víctima; la cual será degollada a la entrada del Tabernáculo del Testimonio; y los hijos de Aarón derramarán su sangre en torno del altar:

9. Y de esta hostia pacífica ofrecerán en sacrificio al Señor la grosura, y la cola entera.

10. Con los riñones, y el redaño que cubre el vientre y todas las entrañas, y ambos riñones, con el sebo pegado a los ijares, y con dos riñones, la telilla del hígado:

11. Y el sacerdote ofrecerá todo esto sobre el altar para sebo del fuego, y oblación del Señor.

12. Si su ofrenda fuere una cabra que ofreciere al Señor,

13. Le pondrá la mano sobre la cabeza, y la inmolará en la entrada del Tabernáculo del Testimonio. Y los hijos de Aarón verterán su sangre alrededor del altar;

14. Y tomarán de ella para cebo del fuego del Señor, la gordura que cubre el vientre, y la que cubre todas las entrañas;

15. Los dos riñones con la telilla que los cubre junto a los ijares, y con los riñones la enjundia del hígado:

16. Todo lo cual ofrecerá el sacerdote sobre el altar para nutrimiento del fuego, y olor suavísimo.

Toda grosura pertenecerá al Señor.

17. Por ley perpetua en todas vuestras generaciones y en todas vuestras moradas: no comeréis jamás ni sangre ni grasa.

## CAPITULO IV

*Rito para los sacrificios por los pecados del sacerdote, por los del príncipe, por los del pueblo, por los de un particular, cometidos por ignorancia culpable.*

1. Y habló el Señor a Moisés, diciendo:

2. Esto les dirás a los hijos de Israel: Cuando una persona pecare por ignorancia, haciendo alguna cosa de todas aquéllas que mandó el Señor que no se hiciesen,

3. Si el que peca es sacerdote, que está ungido, haciendo delinquir al pueblo, ofrecerá al Señor por su pecado un becerro sin tacha.

4. Y lo traerá a la puerta del Tabernáculo del Testimonio, a la presencia del Señor, le pondrá la mano sobre la cabeza, y le sacrificará al Señor.

5. Tomará también parte de su sangre, que meterá en el Tabernáculo del Testimonio;

6. Y habiendo mojado el dedo en la sangre, hará con ella siete aspersiones en presencia del Señor, hacia el velo del Santuario.

7. Y teñirá con la misma las puntas del altar de los perfumes, gratísimos al Señor, colocado en el Tabernáculo del Testimonio; pero toda la sangre restante, la vertirá en la basa del altar de los holocaustos, a la entrada del Tabernáculo.

---

1. Esto es, hostia ofrecida a Dios por cualquier beneficio recibido o que se deseaba recibir de Señor: pues los Hebreos con el nombre de *paz* entienden toda especie de bienes.

---

2. Se habla aquí de aquella ignorancia que es en algún modo culpable por negligencia, etc. Mas si alguno faltaba a la ley por malicia, y la culpa era pública, quedaba condenado, no a ofrecer sacrificio, sino a sufrir la pena impuesta por el juez. Pero estos sacrificios no tenían de suyo virtud para perdonar la culpa.

8. Después quitará el sebo del becerro sacrificado por el pecado, tanto el que cubre las entrañas, como los demás intestinos:

9. Los dos riñones y la telilla que está sobre ellos, junto a los ijares, y con los riñones la enjundia del hígado;

10. De la manera que se quita del becerro *ofrecido* como hostia pacífica: y lo quemará todo sobre el altar de los holocaustos.

11. Mas la piel, y todas las carnes, con la cabeza, y los pies, e intestinos, y el excremento,

12. Y lo restante del cuerpo, le llevará fuera del campamento a un lugar limpio, donde se suelen echar las cenizas *de las víctimas;* y pondrá fuego a todas estas cosas, colocadas sobre un montón de leña, y serán consumidas en el cenicero.

13. Pero si todo el pueblo de Israel pecare por ignorancia e hiciere por inadvertencia alguna cosa cosa prohibida por el Señor,

14. Y después conociere su pecado, ofrecerá por el pecado un becerro, que conducirá a la entrada del Tabernáculo.

15. Los ancianos del pueblo pondrán las manos sobre la cabeza del becerro en la presencia del Señor, ante la cual será degollado.

16. Y el sacerdote, que está ungido, meterá parte de la sangre en el Tabernáculo del Testimonio.

17. Haciendo con el dedo mojado *en dicha sangre* siete aspersiones hacia el velo,

18. Y con la misma sangre rociará las puntas del altar, que está ante el Señor en el Tabernáculo del Testimonio: la sangre restante la derramará al pie del altar de los holocaustos, colocado ante la puerta del Tabernáculo del Testimonio.

19. Y le quitará todo el sebo, el cual quemará sobre el altar:

20. Haciendo en todo con este becerro lo mismo que hizo antes con el otro; y orando por ellos el sacerdote, Dios les perdonará.

21. Al dicho becerro le sacará fuera del campamento, y le quemará también como al primero: por ser sacrificio por el pecado de todo el pueblo.

22. Si pecare un príncipe, *o cabeza de tribu o pueblo,* y por ignorancia hiciere alguna de las muchas cosas que prohíbe la ley del Señor,

23. Y después reconociere su pecado, ofrecerá en sacrificio al Señor un macho de cabrío, sin tacha.

24. Y pondrá sobre la cabeza de él su mano, y después de degollado en el lugar en que suele inmolarse el holocausto delante del Señor, porque es sacrificio por el pecado,

25. Mojará el sacerdote el dedo en la sangre de esta víctima por el pecado, tiñendo con ella las puntas del altar de los holocaustos, y derramando el resto al pie del dicho altar.

26. Pero el sebo le quemará encima, como se hace en las hostias pacíficas. Entonces el sacerdote hará oración por él, y por su pecado, y se le perdonará.

27. Si algún particular del común del pueblo pecare por ignorancia, cometiendo alguna cosa de las vedadas por la ley del Señor, y habiendo caído en culpa

28. Reconociere su pecado, ha de ofrecer una cabra sin tacha.

29. Y pondrá la mano sobre la cabeza de la víctima que se ofrece por el pecado, y la degollará en el lugar de los holocaustos;

30. Y el sacerdote mojará su dedo en la sangre, y tocando con ellas las puntas del altar de los holocaustos, derramará la restante junto a su base.

31. Y quitándole todo el sebo, como se suele quitar de las víctimas pacíficas, le quemará sobre el altar en olor de suavidad al Señor; y hará oración por el que ha cometido la falta, y será perdonado.

32. Pero si ofreciere por el pecado una víctima de ganado lanar, esto es, una oveja sin tacha,

33. Pondrá la mano sobre la cabeza de ésta, y la degollará en el lugar donde suelen degollar las víctimas de los holocaustos.

34. Y el sacerdote mojará en la sangre el dedo y tocando con ella las puntas del altar de los holocaustos, la demás la derramará al pie del altar.

35. Y quitando también toda la grasa, así como se quita del carnero sacrificado por hostia pacífica, la quemará sobre el altar como un incienso ofrecido al Señor, y orará por el que ofrece y por su pecado, y le será perdonado.

---

24. El altar significaba a Dios, y la sangre de la hostia se le ofrecía como en lugar de la sangre o vida del pecador.

## CAPITULO V

*De algunos otros sacrificios por varias culpas.*

1. Si una persona pecare, porque habiendo oído las palabras de uno que juró *hacer algo,* y pudiendo ser testigo de la cosa, o porque la vió, o porque la supo de cierto, con todo no quiso testificar, pagará la pena de su culpa.

2. Aquél que tocare cosa inmunda, ya sea cuerpo muerto por bestia, ya muerto de muerte natural, o bien cualquiera reptil, y se trascordare de su inmundicia, no deja *por eso* de ser culpable, y ha cometido una falta, *o contraído mancha.*

3. Del mismo modo si tocare cosa de inmundicia de algún hombre, en toda suerte de impureza, *o mancha legal,* con que suele mancharsè, y no parando la atención después lo advirtiere, incurrirá en la pena del delito.

4. La persona que jurare, y pronunciare con sus labios que ha de hacer algún mal, o algún bien, confirmando esto con juramento, y con sus palabras, y trascordada de ello, después reconociere su culpa,

5. Haga penitencia por el pecado,

6. Y ofrezca de los rebaños, una cordera o una cabra, y el sacerdote hará oración por dicha persona y por su pecado:

7. Pero si no pudiere ofrecer una res, ofrezca al Señor dos tórtolas, o dos pichones, uno por el pecado y otro en holocausto,

8. Y los entregará al sacerdote: el cual ofreciendo el uno por el pecado, le retorcerá la cabeza hacia las alitas, de manera que quede pegada al cuello, y no enteramente separada.

9. Y rociará con su sangre la pared del altar: y destilará al pie de él toda la restante; porque es sacrificio por el pecado.

10. Y quemará el otro en holocausto, como se acostumbra hacer. Y el sacerdote orará por este hombre y por su pecado, y se le perdonará.

11. Mas si no tuviere posibilidad para ofrecer dos tórtolas, o dos pichones, ofrecerá por su pecado la décima parte de un efi de flor de harina: en que no ha de mezclar aceite, ni poner encima incienso alguno, pues es ofrenda por el pecado.

12. Y la entregará al sacerdote; el cual tomando de ella un puñado entero, la quemará sobre el altar en memoria del que la ofrece,

13. Rogando por él y purificándole; pero la porción restante la retendrá el sacerdote para sí, como don *que le pertenece.*

14. Habló asímismo el Señor a Moisés, diciendo:

15. Si alguno peca por error, faltando a las ceremonias en las cosas consagradas al Señor, ofrecerá por su pecado un carnero sin tacha, de los rebaños, que pueda comprarse por dos siclos, según el peso del Santuario;

16. Y resarcirá el daño que ocasionó, y añadirá además una quinta parte, entregándola al sacerdote: el cual hará oración por él, ofreciendo el carnero, y quedará perdonado.

17. Si un hombre peca por ignorancia, haciendo alguna cosa de las prohibidas por la ley de Dios; y siendo culpable reconoce su culpa,

18. Ofrecerá un carnero sin tacha, de los rebaños, al sacerdote, a medida y proporción del pecado: el sacerdote rogará por él, pues lo hizo sin advertencia; y quedará perdonado,

19. Porque por yerro delinquió contra el Señor.

## CAPITULO VI

*De los sacrificios por pecados de malicia. Ceremonias en el holocausto diario del cordero. Fuego perpetuo; ofrendas en la consagración de los Sumos Sacerdotes, y en general por los pecados;*

1. Habló el Señor a Moisés, diciendo:

2. La persona que pecare, porque menospreciando al Señor, negó a su prójimo el depósito confiado a su fidelidad, o le quitó alguna cosa con violencia, o le defraudó con engaño,

3. O por que habiendo hallado alguna cosa perdida, la niega añadiendo un falso juramento, o hace cualquiera otra cosa de las muchas *de esta naturaleza* en que suelen pecar los hombres,

4. Convencida del delito, restituirá

5. Por entero, al dueño a quien causó el daño, todo lo que quiso defraudar, y además de eso la quinta parte.

6. Y ofrecerá por su pecado un carnero sin tacha, de los rebaños, y lo dará al sacerdote, a proporción y medida del delito:

7. El cual hará oración por él en presencia del Señor y le será perdonado cualquier pecado que haya cometido.

**8.** Habló también el Señor a Moisés, diciendo:

**9.** Da esta orden a Aarón y a sus hijos: La ley del holocausto ha de ser ésta: Será quemado en el altar durante toda la noche hasta la mañana: el fuego ha de ser el mismo del altar.

**10.** El sacerdote se revestirá de la túnica, y se pondrá los calzoncillos de lino, y recogerá las cenizas a que el fuego voraz lo habrá reducido, y poniéndolas junto al altar,

**11.** Se desnudará de las primeras vestiduras, y vestido con las otras *ordinarias*, llevará las cenizas fuera del campamento, y en lugar muy limpio hará que *los carbones, o huesos,* se consuman hasta reducirse a pavesas.

**12.** El fuego ha de arder siempre en el altar, y el sacerdote cuidará de cebarle echando leña cada día por Ia mañana; y puesto encima el holocausto, quemará sobre él la grasa de las hostias pacíficas.

**13.** Este es el fuego perpetuo, que nunca debe faltar en el altar.

**14.** La ley del sacrificio, y de las libaciones, que han de ofrecer los hijos de Aarón en la presencia del Señor y en el altar, es ésta:

**15.** Tomará el sacerdote un puñado de flor de harina mezclada con aceite, y todo el incienso que se haya puesto encima, y lo quemará en el altar en memoria y olor suavísimo al Señor.

**16.** La parte restante de la flor de harina la comerán sin levadura Aarón y sus hijos, y la comerán en el lugar santo del atrio del Tabernáculo.

**17.** La razón por que no tendrá levadura, es porque una parte de ella se ofrece como holocausto al Señor. Así será ésta una cosa sacrosanta, como el sacrificio por el pecado, y por el delito o *falta.*

**18.** Solamente los varones del linaje de Aarón la comeran. Será esta ley perpetua en los sacrificios del Señor, que pasará entre vosotros de generación en generación. Todo el que tocare estas cosas será santificado.

**19.** Habló aún el Señor a Moisés, diciendo:

**20.** Esta es la ofrenda que Aarón y sus hijos deben ofrecer a Dios en el día de su consagración: ofrecerán en sacrificio perpetuo la décima parte de un efi de flor de harina, la mitad por la mañana, y la otra mitad por la tarde;

**21.** Que amasada con aceite, se freirá en una sartén; y el sacerdote, que sucediere legítimamente a su padre, la ha de ofrecer caliente, para olor suavísimo al Señor:

**22.** Y toda entera será quemada en el altar;

**23.** Porque todo sacrificio de los sacerdotes debe ser consumido con el fuego, ni comerá nadie de él.

**24.** Habló aún el Señor a Moisés, diciendo:

**25.** Dí a Aarón y a sus hijos: Esta es la ley de la víctima *ofrecida* por el pecado: Será sacrificada en el acatamiento del Señor, en el lugar donde se ofrece el holocausto, siendo, como es, cosa sacrosanta.

**26.** El sacerdote que la ofrece, la comerá en el lugar santo, en el atrio del Tabernáculo.

**27.** Todo lo que tocare sus carnes, será santificado. Si cayere gota de su sangre sobre algún vestido, éste se lavará en el lugar santo.

**28.** La vasija de barro en que fué cocida, será quebrada; pero si el vaso fuere de cobre, se fregará y lavará con agua.

**29.** Todos los varones del linaje sacerdotal comerán de la carne de esta hostia, por ser cosa sacrosanta.

**30.** Mas en cuanto a la hostia sacrificada por el pecado, cuya sangre se introduce en el Tabernáculo del Testimonio, para *impetrar* la expiación, o *perdón* en el Santuario, no se comerá sino que será quemada al fuego.

## CAPITULO VII

*Prosiguen los diversos ritos que se han de observar en los sacrificios.*

**1.** Esta es también la ley de la hostia *ofrecida* por delito. Esta hostia es santísima:

**2.** Pòr eso donde se inmola el holocausto, se degollará también la víctima por delito: su sangre será derramada en torno del altar:

**3.** De ella ofrecerán la cola, y el sebo que cubre las entrañas,

---

**14.** La Vulgata llamó libaciones a los *sacrificios de la flor de harina* (como dice el texto hebreo) por el aceite que se derramaba al pie de altar.

**1.** Delito y pecado son voces que muchas veces usa promíscuamente la Escritura. Pero cuando se distinguen una de otra parece muy verosímil que *delito* significa entonces culpa de *omisión:* pues DELICTUM, dice S. Agustín: *¿Qué otra cosa suena sino* DERELICTUM?

4. Los dos riñones, y la grosura que está junto a los ijares, y con los riñones la telilla del hígado.

5. Y el sacerdote quemará todo esto sobre el altar: holocausto es del Señor, que se le ofrece por el delito.

6. Todos los varones del linaje sacerdotal comerán de estas carnes en el lugar santo: como que son cosa sacrosanta.

7. De la manera que se ofrece la hostia por el pecado, así se ha de ofrecer por el delito: una misma será la ley de entrambas hostias: las dos pertenecerán al sacerdote que las ofreciere.

8. Así como también le pertenecerá la piel de la víctima que ofrece por holocausto.

9. Y toda ofrenda de flor de harina que se cuece en horno, o se tuesta en parrillas o se fríe en sartén, será del sacerdote que la ofrece:

10. Ora sea amasada con aceite, ora sea enjuta, será distribuída entre los hijos todos de Aarón *que estén de semana*, en igual porción a cada uno.

11. La ley de la hostia pacífica que se ofrece al Señor es ésta:

12. Si la ofrenda fuere en hacimiento de gracias, ofrecerán panes sin levadura, amasados con aceite, y lasañas o *tortas* también sin levadura, untadas con aceite, y hojuelas fritas de flor de harina, sobadas también con aceite.

13. Además, con la víctima de acción de gracias, ofrecida en sacrificio pacífico presentarán panes con levadura;

14. Uno de éstos se ofrecerá por primicias al Señor, y será del sacerdote que derramare la sangre de la víctima,

15. Cuyas carnes serán comidas en el mismo día, sin dejar nada para el siguiente.

16. Si uno por voto, o espontáneamente ofreciere alguna víctima, será igualmente comida el mismo día: bien que si quedare algo para el día siguiente, se puede comer;

17. Mas lo que sobrare al tercer día, será consumido en el fuego.

18. Si alguno comiere carne de víctima pacífica en el día tercero, su oblación no valdrá nada, ni será de provecho al oferente: antes bien cualquiera persona que se contaminare con manjar semejante, será rea de prevaricación.

19. Carne *sacrificada* que hubiere tocado cosa inmunda, no se ha de comer, sino quemar al fuego: quien estuviere limpio podrá comer de la carne de la víctima *pacífica*.

20. Persona manchada que comiere de la carne de hostia pacífica, ofrecida al Señor, será exterminada de en medio de su pueblo.

21. Y la que habiendo tocado alguna cosa inmunda de hombre, o de jumento, o de cualquier otra cosa que pueda ensuciar *o causar inmundicia legal,* no deja de comer de las dichas carnes, será exterminada de la congregación de su pueblo.

22. Habló asimismo el Señor a Moisés, diciendo:

23. Dirás a los hijos de Israel: No comeréis grosura de ovejas, ni de buey, ni de cabra.

24. *Ni tampoco* la grasa de carne mortecina, o que ha sido presa de alguna bestia; *bien que* podéis guardarla para otros usos.

25. Si alguno comiere de la grasa que debe ser quemada en ofrenda del Señor, será exterminado de su pueblo.

26. Tampoco probaréis sangre de ningún animal, tanto de aves como de reses.

27. Toda persona que comiere sangre, será exterminada de su pueblo.

28. Habló también el Señor a Moisés, diciendo:

29. Diles a los hijos de Israel: Quien ofrece al Señor víctima pacífica, ha de ofrecer juntamente la oblación, esto es, las libaciones.

30. Tendrá en las manos la grosura de la víctima y el pecho; y después de haber consagrado ambas cosas con ofrecerlas al Señor, las entregará al sacerdote:

31. El cual quemará la grosura sobre el altar, pero el pecho será de Aarón y de sus hijos.

32. Igualmente la espaldilla derecha de las víctimas pacíficas pertenecerá como primicia al sacerdote.

33. El que entre los hijos de Aarón ofreciere la sangre y la grosura, ese mismo recibirá también como porción suya la espaldilla derecha.

34. Pues de la carne de las hostias pacíficas de los hijos de Israel he reservado el pecho que se eleva u *ofrece* delante de mí, y la espaldilla que se ha separado; y lo he dado al sacerdote Aarón, y a sus hijos por ley perpetua de todo el pueblo de Israel.

35. Este es *el derecho de* la unción o *sacerdocio* de Aarón, y de sus hijos en las ceremonias del Señor, desde el día que los consagró Moisés para ejercer las funciones del sacerdocio;

**36.** Y esto es lo que mandó Dios que les diesen los hijos de Israel, por culto o *estatuto* perpetuo en sus generaciones.

**37.** Esta es la ley del holocausto, y la del sacrificio por pecado, y por delito, y por las consagraciones y la de las víctimas pacíficas:

**38.** Ley que Dios intimó a Moisés en el monte Sinaí, cuando mandó a los hijos de Israel en aquel Desierto que ofreciesen al Señor sus ofrendas.

## CAPITULO VIII

*Moisés consagra Pontífice a Aarón, y sacerdotes a sus hijos. Del Tabernáculo y de sus utensilios.*

**1.** Y habló el Señor a Moisés, diciendo:

**2.** Toma a Aarón y a sus hijos, y sus vestiduras, y el óleo de la unción; un becerro por el pecado, dos carneros, y el canastillo con los ácimos.

**3.** Y congregarás a todo el pueblo ante la puerta del Tabernáculo.

**4.** Hizo Moisés lo que Dios mandó; y, congregada toda la muchedumbre ante la puerta del Tabernáculo,

**5.** Dijo: Esto es lo que ha mandado hacer el Señor.

**6.** Al mismo tiempo presentó a Aarón y a sus hijos. Y después de haberlos lavado,

**7.** Revistió al Pontífice con la túnica *estrecha* de lino, y ciñóle con el cinturón; le vistió después encima la túnica de jacinto, y sobre ésta el efod;

**8.** Al cual sujetando con el cinturón, unióle con el racional, sobre el que estaban *escritas estas palabras:* Doctrina y Verdad.

**9.** Cubrióle también la cabeza con la tiara, y sobre ésta en la frente colocó la lámina de oro, consagrada y santificada, como el Señor le tenía ordenado.

**10.** Tomó el óleo de la unción, con que ungió el Tabernáculo, y todos sus utensilios,

**11.** Y hechas siete aspersiones sobre el altar para santificarle, ungióle con todos sus vasos, y santificó asimismo con el óleo la concha y su basa.

**12.** Y derramándole sobre la cabeza de Aarón, le ungió y consagró:

**13.** Igualmente a los hijos de Aarón, después de haberlos presentado, los revistió tambien de túnicas de lino, y ciñó con cin-turón, y les puso en la cabeza las mitras, según lo que el Señor tenía ordenado.

**14.** Ofreció asimismo el becerro por el pecado; y después que Aarón y sus hijos pusieron sus manos sobre la cabeza del becerro,

**15.** Le degolló, y tomando la sangre, mojado en ella el dedo, tocó las cuatro puntas del altar alrededor: purificado el cual y santificado, derramó al pie del mismo la sangre restante.

**16.** Mas el sebo que cubría las entrañas, y la telilla del hígado, y los dos riñones con sus telas lo quemó sobre el altar:

**17.** Quemando, fuera del campamento, el becerro, con su piel y carnes, y el estiércol, conforme al mandato del Señor.

**18.** Ofreció también un carnero en holocausto: sobre cuya cabeza pusieron Aarón y sus hijos las manos,

**19.** Y él le sacrificó y derramó su sangre alrededor del altar.

**20.** Partió asimismo en trozos el carnero, y quemó en el fuego la cabeza, los miembros y la grasa,

**21.** Lavando primero los intestinos y los pies: de suerte que quemó todo el carnero a un tiempo sobre el altar, porque era holocausto de olor suavísimo para el Señor, como éste se lo había mandado.

**22.** Ofreció también el segundo carnero para la consagración de los sacerdotes, y pusieron sus manos sobre la cabeza de él Aarón y sus hijos.

**23.** Y Moisés, habiéndole inmolado, tomando de su sangre, tocó la ternilla de la oreja derecha de Aarón, y el pulgar de su mano derecha y del mismo modo. el del pie.

**24.** Presentó igualmente los hijos de Aarón; y habiendo tocado con la sangre del carnero sacrificado la ternilla de la oreja derecha de cada uno, y los pulgares de la mano derecha y pie derecho, derramó la demás sangre sobre el altar alrededor.

**25.** Separó después el sebo, la cola, y toda la grasa que cubre los intestinos, la telilla del hígado, y los dos riñones con sus sebos, y la espalda derecha;

**26.** Y tomando del canastillo de los ácimos, presentado ante el Señor un pan sin levadura, y una torta rociada con aceite, y una lasaña, púsolo sobre la grasa y la espalda derecha,

---

**23.** Con lo que denotaba su total consagración al servicio del Señor.

27. Entregándolo todo junto a Aarón, y a sus hijos, que lo elevaron delante del Señor;

28. Y recibiéndolo otra vez de sus manos Moisés, lo quemó sobre el altar del holocausto por ser ofrenda de consagración, sacrificio de olor suavísimo al Señor.

29. Después elevando delante del Señor el pecho del carnero de la consagración, le reservó como porción suya, conforme se lo había mandado el Señor.

30. Al fin cogiendo el ungüento, *u óleo de la consagración,* y la sangre puesta sobre el altar, roció a Aarón y sus vestiduras, e igualmente a sus hijos y las de éstos.

31. Y habiéndolos santificado, revestidos como estaban, les dió esta orden, diciendo: Coced las carnes *de las víctimas* a la puerta del Tabernáculo y comedlas allí: como también los panes de la consagración que están en el canastillo, según me lo ordenó el Señor, diciendo: Aarón y sus hijos los comerán.

32. Mas lo que restara de la carne y de los panes será consumido en el fuego.

33. Asimismo por siete días no saldréis de la puerta del Tabernáculo, hasta el día en que se cumpla el tiempo de vuestra consagración, la cual dura siete días;

34 Así como se ha hecho ahora para complemento de las ceremonias del sacrificio.

35. Día y noche moraréis en el Tabernáculo, haciendo la guardia en servicio del Señor, para que no muráis; porque así se me ha ordenado.

36. E hicieron Aarón y sus hijos todo cuanto dijo el Señor por medio de Moisés.

# CAPITULO IX

*Aarón, ya consagrado, ofrece a Dios las primicias de los sacrificios por sí y por el pueblo, y bendice a éste. El Señor manifiesta su gloria, y un fuego del cielo consume el holocausto.*

1. Llegado el día octavo, llamó Moisés a Aarón y a sus hijos y a los ancianos de Israel, y dijo a Aarón:

2. Toma de la vacada un becerro, *para sacrificio* por el pecado, y un carnero para holocausto, entrambos sin defecto alguno, y ofrécelos delante del Señor.

3. Dirás también a los hijos de Israel: Tomad un macho cabrío por el pecado, y un becerro, y un cordero primales, y sin tacha para holocausto:

4. Un buey y un carnero para hostias pacíficas e inmoladlos delante del Señor, ofreciendo en el sacrificio de cada uno, flor de harina, amasada con aceite: porque hoy os ha de aparecer el Señor.

5. Trajeron, pues, todas las reses que había mandado Moisés a la puerta del Tabernáculo, donde, estando presente todo el pueblo,

6. Dijo Moisés: Esto es lo que ha ordenado el Señor: ejecutadlo, y se os manifestará su gloria.

7. Dijo también a Aarón: Llégate al altar, y haz el sacrificio por tu pecado: ofrece el holocausto, y ruega por ti y por el pueblo; y sacrificada la hostia por el pueblo haz oración por él, conforme al precepto del Señor.

8. Luego al punto Aarón, llegándose al altar degolló el becerro por su pecado:

9. Cuya sangre le presentaron sus hijos; en la que mojando él el dedo, tiñó las puntas del altar, a cuyo pie derramó la restante.

10. Y echó en el fuego sobre el altar la grasa y los riñones, y la telilla del hígado, que se ofrecen por el pecado, conforme había el Señor ordenado a Moisés;

11. Pero la carne y la piel las quemó al fuego fuera del campamento.

12. Inmoló igualmente la víctima del holocausto; de la cual sus hijos le presentaron la sangre, que derramó alrededor del altar.

13. Presentáronse también la misma víctima partida en trozos, con la cabeza y los demás miembros; todo lo cual quemó en el fuego sobre el altar,

14. Lavados antes en agua los intestinos y los pies.

15. Además, degolló y ofreció por el pecado del pueblo el macho cabrío; y purificado el altar,

16. Hizo el holocausto,

17. Añadiendo al sacrificio las libaciones que juntamente se ofrecen, y quemándolas sobre el altar, sin omitir las ceremonias del holocausto matutino.

18. Degolló, asimismo, el buey y el carnero como hostias pacíficas del pueblo, y le presentaron sus hijos la sangre, la cual derramó sobre el altar alrededor.

19. Mas el sebo del buey, y la cola del carnero, y los riñones con su grosura, y la telilla del hígado,

20. Los pusieron sobre los pechos *de las víctimas;* y quemados sobre el altar los selvos,

**21.** Separó Aarón los pechos y espaldillas derechas, elevándolo delante del Señor, como había mandado Moisés;

**22.** Y extendiendo las manos hacia el pueblo, le bendijo. Concluídos de esta manera los sacrificios por el pecado, y los holocaustos, y las *víctimas* pacíficas, bajó del *altar*.

**23.** Y habiendo entrado Moisés y Aarón en el Tabernáculo del Testimonio, al tiempo de salir bendijeron al pueblo. Y la gloria del Señor se dejó ver de toda la muchedumbre;

**24.** Pues un fuego enviado por el Señor, devoró el holocausto, y los sebos que había sobre el altar. Lo cual, visto por las gentes del pueblo, postrándose sobre sus rostros, alabaron al Señor.

## CAPITULO X

*Nadab y Abiú, por haber ofrecido el incienso con fuego común, son abrasados con fuego del cielo. El Señor prohibe el vino a los sacerdotes, cuando han de entrar en el templo y ordena que coman ellos las carnes de las ofrendas.*

**1.** Pero Nadab y Abiú, hijos de Aarón, tomando los incensarios, pusieron en ellos fuego e incienso encima, ofreciendo ante el Señor fuego extraño: lo cual les estaba vedado.

**2.** Por lo que un fuego, venido del Señor les quitó la vida, y murieron en presencia del Señor.

**3.** Dijo entonces Moisés a Aarón: Esto es lo que tiene dicho el Señor: Yo haré conocer mi santidad en los que se llegan a mí, y a vista de todo el pueblo seré glorificado. Lo que oyendo Aarón, no habló palabra.

**4.** Moisés, empero, llamando a Misael y Elisafán, hijos de Ociel, tío paterno de Aarón, les dijo: Id y sacad a vuestros hermanos de delante del Santuario y llevadlos fuera de los reales.

**5.** Ellos fueron al instante, y cogiéndolos vestidos como estaban con las túnicas de lino, los sacaron fuera, conforme les era mandado.

**6.** Moisés, entonces, dijo a Aarón y a sus hijos Eleazar e Itamar: No descubráis vuestras cabezas, ni rasguéis vuestras vestiduras *en señal de duelo;* no sea que muráis vosotros, y el castigo se extienda a todo el pueblo. Vuestros hermanos y toda la casa de Israel hagan duelo por el incendio que ha suscitado el Señor:

**7.** Mas vosotros no habéis de salir de la puerta del Tabernáculo, si no queréis perecer; por cuanto está sobre vosotros el óleo de la unción santa. Los cuales lo hicieron todo conforme al precepto de Moisés.

**8.** Demás de esto, dijo el Señor a Aarón:

**9.** Ni tú ni tus hijos bebáis vino, ni bebida que pueda embriagar cuando entréis en el Tabernáculo del Testimonio, so pena de muerte: así, por ser éste un precepto perpetuo para vuestra posteridad;

**10.** Como para que tengáis conocimiento para discernir entre lo santo y lo profano, entre lo impuro y lo puro;

**11.** Y enseñéis a los hijos de Israel todas mis leyes, las cuales yo les he intimado por medio de Moisés.

**12.** Dijo entonces Moisés a Aarón y a Eleazar e Itamar, que eran los hijos que habían quedado a éste: Tomad lo que resta de la ofrenda del sacrificio del Señor, y comedlo sin levadura junto al altar, por ser cosa santísima.

**13.** Lo habéis de comer en lugar santo, como dado a ti y a tus hijos de las ofrendas del Señor, según se me ha ordenado.

**14.** De la misma suerte, tú y tus hijos, y tus hijas contigo, comeréis en un lugar perfectamente limpio el pecho que fué ofrecido y la espalda que fué separada; pues que para ti y para tus hijos son reservadas estas porciones de las víctimas pacíficas de los hijos de Israel:

**15.** Por cuanto al tiempo de quemar los sebos en el altar, elevaron la espalda y el pecho ante el Señor; y te tocan a ti y a tus hijos, por ley perpetua, conforme a la disposición del Señor.

**16.** Entre tanto Moisés, inquiriendo acerca del macho cabrío ofrecido por el pecado *del pueblo*, le halló enteramente quemado. Por lo que irritado contra los dos hijos de Aarón, Eleazar e Itamar, que quedaron vivos, dijo:

**17.** ¿Por qué no habéis comido en el lugar santo la víctima por el pecado, víctima cuya carne es sacrosanta, y que se os ha dado a vosotros, a fin de que, cargándoos sobre vosotros la iniquidad del pueblo, roguéis por él en el acatamiento del Señor,

**18.** Mayormente no habiendo sido introducida su sangre en el Santuario, y debiendo vosotros comer la víctima en él, como me ha sido mandado?

**19.** Respondió Aarón: En este día se ha ofrecido ante el Señor la víctima por el pecado, y también el holocausto: mas a mí me ha sucedido lo que ves. ¿Cómo, pues, me era posible comerla, ni agradar al Señor en tales ceremonias, teniendo yo el corazón cubierto de luto?

**20.** Lo que oído por Moisés, se dió por satisfecho.

## CAPITULO XI

*Qué animales son puros y se pueden comer, y cuáles no. Los hijos de Israel deben ser santos a imitación del Señor.*

**1.** Habló el Señor a Moisés y a Aarón, diciendo:

**2.** Decid a los hijos de Israel: De todos los animales de la tierra, éstos son los que podéis *lícitamente* comer.

**3.** Todo cuadrúpedo que tiene hendida la pezuña *en dos partes, y rumia,* podéis comerle.

**4.** Mas todo aquél que, aunque rumia y tiene pezuña, no la tiene partida, como el camello y otros semejantes, no le comáis, antes le tendréis por inmundo.

**5.** Así el querogrilo, *o puerco espín,* el cual rumia, y no tiene la uña partida, es inmundo;

**6.** También la liebre, que, si bien rumia, no divide la uña;

**7.** Y el cerdo, que teniendo hendida la uña, no rumia.

---

**2.** Prohibió Dios a su pueblo el alimentarse con la carne de ciertos animales. Primero, para que ejercitasen así la templanza y la religiosa obediencia. Segundo, para que acostumbrándose los Hebreos a una cierta limpieza exterior, se mantuviesen bien lejos de las inmundicias y convites de los idólatras; siendo esta prohibición como un muro de separación entre el pueblo de Dios y las demás naciones, sumergidas todas en la idolatría. Tercero, los animales declarados inmundos eran símbolos de los vicios de que quiere Dios libres a sus siervos: de suerte que la pureza exterior debía servir de disposición, y representaba la otra interior, mucho más agradable al Señor.—Véase *Tert. cont. Marc.* 11 *Cyrill, cont. Julián.* —. *Agus. cont. Adimant.*

**5.** Los Setenta Intérpretes trasladan o explican esta hendidura de manera que la pezuña quede dividida por medio en dos partes, como la tienen el buey, el ciervo, la cabra y la oveja; a distinción de los que tienen dividida en muchas uñas o dedos, como el perro, el gato etc. En los animales que *no rumian,* se simbolizan aquellos hombres que oyendo las palabras de la sabiduría las olvidan luego, porque no las meditan. Acerca de la significación de los vocablos de los animales de que se habla en este capítulo y en otros, hay mucha variedad de Intérpretes y Expositores.

**8.** De las carnes de éstos no comáis, ni toquéis sus cuerpos muertos, porque son inmundos para vosotros.

**9.** Los animales que se crían en el agua y que se pueden comer, son éstos: Todo aquél que tiene aletas y escamas, tanto en el mar como en los ríos y estanques, podéis comerle.

**10.** Al contrario, todos aquéllos que se mueven y viven en agua, que no tengan aletas y escamas, serán para vosotros abominables

**11.** Y detestables: no comeréis sus carnes y huiréis de sus cuerpos muertos.

**12.** Todos los animales acuáticos que no tienen aletas y escamas, serán inmundos.

**13.** Entre las aves, éstas son las que no debéis comer, y debéis evitar: el águila, el grifo o *quebranta huesos,* y el esmerejón,

**14.** Y el milano, y el buitre con sus especies;

**15.** Y el cuervo, y toda casta a él semejante;

**16.** Y el avestruz, y la lechuza, y el loro y el gavilán con toda su raza,

**17.** El buho, el somormujo y el ibis o *la cigüeña,*

**18.** El cisne, y el onocrótalo y el calamón,

**19.** El heriodión o *la garza,* el caradrión con sus especies, la abubilla tambión, y el murciélago.

**20.** Todo volátil que anda sobre cuatro pies, será para vosotros abominable:

**21.** Mas el que andando en cuatro pies, tiene más largas las patas de atrás, con las que salta sobre la tierra,

**22.** Podéis comerle; como es el brugo y los de su casta, y el ataco, y el ofiómaco, y la langosta, cada cual en su especie.

**23.** Pero todos los volátiles que tienen cuatro pies *iguales,* serán para vosotros execrables;

**24.** Y cualquiera que tocare su carne mortecina, contraerá mancha, y estará inmundo hasta la tarde;

**25.** Y si por necesidad carga con alguno de estos animales muerto, lavará sus vestidos, y quedará inmundo hasta ponerse el sol.

**26.** Todo animal que, bien tenga uña, no la tiene dividida, ni rumia, será impuro *o sucio;* y el que le tocare *muerto,* quedará contaminado.

**27.** Entre los demás animales que andan en cuatro pies, los que tienen una como manos sobre las cuales andan, serán inmundos: el que tocare sus carnes mortecinas, quedará inmundo hasta la tarde.

28. Y el que llevare semejantes carnes, lavará sus vestidos y será inmundo hasta la tarde: porque todos estos animales son inmundos para vosotros.

29. Asimismo de los animales que se mueven sobre la tierra, se contarán también los siguientes entre los inmundos: la comadreja, y el ratón, y el cocodrilo *terrestre*, cada cual en su especie,

30. El musgaño, y el camaleón, y el lagarto *o salamanquesa,* y la lagartija, y el topo:

31. Todos estos son inmundos: el que tocare sus carnes muertas, quedará inmundo hasta la tarde.

32. Y la cosa sobre que cayere algo de sus carnes muertas, quedará inmunda; ora sea utensilio de madera, o un vestido, bien sean pieles o paños *de Cilicia,* y cualesquiera instrumentos de algún uso, lavaránse con agua, y quedarán inmundos hasta la tarde; y de esta suerte quedarán después purificados.

33. Pero la vasija de barro, dentro de la cual cayere alguna de estas cosas, quedará inmunda, y por tanto debe ser quebrada.

34. Todo manjar que comáis, si sucede que se vierte sobre él agua *de esas vasijas inmundas,* quedará impuro; y todo licor de beber, salido de tales vasijas, quedará inmundo.

35. Y cualquier cosa sobre que cayere algo de tales carnes muertas, quedará inmunda; ora sean hornillos, ora trébedes, serán inmundos y se destruirán.

36. Pero las fuentes, las cisternas y todos los depósitos de aguas, no quedarán inmundos. Quien tocare cuerpo muerto en dichas aguas, quedará inmundo.

37. Si cayere sobre grano de sembrar, no le hará inmundo:

38. Mas si alguno hubiere mojado en agua la simiente y después la tocare carne mortecina, al punto quedará inmunda.

39. Si muriere por sí mismo un animal, que os es lícito comer, quien tocare su cuerpo muerto, quedará inmundo hasta la tarde.

40. Y el que comiere de él o le llevare, lavará sus vestidos y quedará inmundo hasta la tarde.

41. Todo lo que anda arrastrando por la tierra, será abominable, y no se tomará para comida.

42. Todo cuadrúpedo que anda sobre el pecho, y todo el que tiene muchos pies, o va arrastrando por el suelo, no le comeréis, porque es abominable.

43. No queráis manchar vuestras almas, ni toquéis tales cosas, por no ensuciaros.

44. Puesto que Yo soy el Señor Dios vuestro; sed santos vosotros, pues que Yo soy santo. No contaminéis vuestras almas con *tocar* ningún reptil de los que se mueven sobre la tierra.

45. Porque Yo soy el Señor, que os he sacado de la tierra de Egipto para ser vuestro Dios. Santos seréis, *pues,* porque yo soy santo.

46. Esta es la ley tocante a las bestias y a las aves y a todos los animales vivientes, que nadan en el agua, o andan arrastrando sobre la tierra;

47. A fin de que sepáis discernir entre lo inmundo y lo limpio, y lo que podéis comer y lo que debéis desechar.

## CAPITULO XII

*Ceremonias con que ha de purificarse la mujer que ha dado a luz.*

1. Y habló el Señor a Moisés, diciéndole:

2. Dirige tu palabra a los hijos de Israel, y les dirás: Si la mujer, conociendo al hombre, queda preñada y diere a luz un varón, quedará inmunda por siete días, separada como en los días de la regla menstrual.

3. Al día octavo será circuncidado el niño.

4. Mas ella permanecerá treinta y tres días purificándose de su sangre. No tocará ninguna cosa santa ni entrará en el Santuario hasta que se cumplan los días de su purificación.

5. Mas si diere a luz mujer, estará inmunda dos semanas, según el rito acerca del flujo menstrual, y por sesenta y seis días quedará purificándose de su sangre.

6. Cumplidos, en fin, los días de su purificación por hijo o por hija, traerá a la entrada del Tabernáculo del Testimonio un cordero primal para holocausto, y un pichón o una tórtola por el pecado, y los entregará al sacerdote;

7. El cual los ofrecerá al Señor, y rogará por ella y con esto quedará purificada del flujo de su sangre. Esta es la ley de la que diere a luz varón o mujer.

---

3. *Luc.* II, v. 21.— *Joann.* VII. v. 22.
6. Esto es, por inmundicia legal. Esta se llama pecado. porque trayendo origen del pecado original, demuestra claramente que nuestro linaje fue viciado en Adán. *San Agus. Quaest.* XI, *in Levit.*

8. Pero si sus facultades no alcanzan para poder ofrecer un cordero tomará dos tórtolas o dos pichones, el uno para holocausto y el otro para sacrificio por el pecado; y el sacerdote hará oración por ella, y así será purificada.

## CAPITULO XIII

*Leyes de policía sobre el discernimiento de la lepra; el cual pertenece a los sacerdotes.*

1. Y habló el Señor a Moisés y a Aarón, diciendo:

2. El hombre en cuya piel o carne apareciere color extraño, o postilla, o especie de mancha reluciente, que sea indicio de mal de lepra, será conducido al sacerdote Aarón, o a cualquiera de sus hijos;

3. El cual, si viere lepra en la piel, con el vello mudado en color blanco, y la parte misma que parece leprosa, más hundida que la piel y carne restante, *declarará que* es llaga de lepra, y el que la tiene será separado *de la compañía de otros*, al arbitrio del sacerdote.

4. Mas si apareciere sobre la piel una blancura reluciente, sin estar más hundida que ella, y el vello mantuviere su primer color, el sacerdote le recluirá por siete días;

5. Y al séptimo le registrará; y en caso que la lepra no hubiese cundido, ni penetrado más en la piel, le dejará encerrado todavía otros siete días;

6. Y al séptimo le reconocerá: si la lepra ya no blanquea, ni ha cundido en la piel, le dará por limpio, porque es sarna, *y no lepra*, y el hombre lavará sus vestidos, y quedará limpio.

7. Pero, si después de haber sido reconoci-

---

2. Porque al sacerdote toca el juzgar si uno está en estado de entrar en el Santuario. En esto se ve una figura del sacerdocio de la Ley nueva, al cual dió Jesucristo la facultad de atar y desatar. Mas hay la diferencia que los sacerdotes de la Ley antigua solamente declaraban o juzgaban si un hombre estaba inficionado de la lepra o no pero las de la Ley nueva, como que son depositarios de la autoridad que les dió Jesucristo contribuyen verdaderamente, ya con sus consejos, ya con las penitencias que imponen a los pecadores, y sobre todo con la absolución que les dan en nombre y con la autoridad de Jesucristo, a curar la impureza espiritual del pecado y a hacerles dignos de alimentarse del pan divino en la mesa de los ángeles. *Con. Trid. sess.* XIV, *can* 9. —Chrysost. *Iib.* III, *de Sacer.* — *Hier. in cap.* XVI, *Matth.*

do por el sacerdote y declarado limpio, de nuevo fuere creciendo la lepra, será presentado al mismo,

8. Y declarado inmundo.

9. Hombre que tenga llaga de lepra, será llevado al sacerdote,

10. Que le registrará, y si aparece en el cutis el color blanco, y mudado el color *natural* del pelo, y se descubre asimismo la carne viva,

11. Se reputará por lepra muy envejecida, y arraigada en la piel. Y así el sacerdote le dará por inmundo, y no le recluirá; porque patente es ya su inmundicia.

12. Mas si la lepra brotare, extendiéndose por la piel hasta cubrirla toda de pies a cabeza, en cuanto se descubre a la vista,

13. El sacerdote le reconocerá, y decidirá ser una lepra inocentísima, por haberse convertido toda ella en una blancura; y por lo mismo, aquel hombre se reputará limpio.

14. Al contrario, si se deja ver en él la carne viva,

15. Entonces será declarado inmundo por el sacerdote, y contado entre los inmundos: porque la carne viva, si está salpicada de lepra, es inmunda.

16. Mas si la piel se pone otra vez blanca, y la blancura cubre a todo el hombre,

17. Le reconocerá el sacerdote, y declarará ser limpio.

18. Pero, aquél en cuya piel o carne comenzó a formarse una úlcera, y fué curada,

19. Y en el mismo sitio aparece una postilla blanca, o algo roja, será conducido al sacerdote:

20. Quien, si observare que aquella parte está más hundida que la demás carne, y que los pelos se han vuelto blancos, le declarará inmundo; porque mal de lepra es el que ha sobrevenido en la úlcera.

21. Pero si el pelo es de color primero, y la postilla algo oscura, ni está más hundida que la carne inmediata, le recluirá por siete días,

22. En los cuales, si el mal cundiere, le declarará leproso:

23. Mas si no creciere, es cicatriz de úlcera, y el hombre será declarado limpio.

24. Carne y piel quemada con fuego, y curada, en que se formare una cicatriz blanquecida o bermejiza,

25. La observará el sacerdote. Si ve que se volvió blanca, y está más hundida que la piel restante, dará por inmundo al sujeto; porque llaga de lepra ha sobrevenido en la cicatriz.

**26.** Pero si el color de los pelos no está mudado, ni la parte llagada más hundida que la restante carne, y aquéllo que parecía lepra tirare a oscuro, le recluirá por siete días,

**27.** Y al séptimo le reconocerá: si la lepra hubiere cundido en la piel le dará por inmundo;

**28.** Pero si aquella peca blanquecina no se ha extendido más, es efecto de la quemadura, y así el sujeto será declarado por limpio, por ser una cicatriz de la quemadura.

**29.** El hombre o la mujer en cuya cabeza o barba brotare la lepra, los verá el sacerdote;

**30.** Y caso que aquella parte estuviere más hundida que la demás carne, y el pelo amarillo y más delgado que antes, los dará por inmundos, por cuanto es lepra de la cabeza y de la barba.

**31.** Mas si viere el lugar de la mancha igual a la carne inmediata, y el cabello negro, recluirá la persona por siete días.

**32.** Y el séptimo la visitará. Si la mancha no ha cundido, y el cabello está de su color, y el lugar tachado igual a la carne restante,

**33.** Será aquella persona raída a navaja, excepto el lugar de la mancha, y encerrada por otros siete días.

**34.** Si al día séptimo se viere que la mancha no se ha extendido, ni está más hundida que la otra carne, el sacerdote dará por limpio al sujeto, y éste, lavados sus vestidos, quedará *desde luego* limpio.

**35.** Mas si después de haber sido declarado limpio, se dilatare la mancha en la piel,

**36.** Ya no tiene que averiguar si el cabello se ha vuelto amarillo, pues evidentemente la tal persona es inmunda.

**37.** Al contrario, si la mancha se ha detenido, y los cabellos permanecen negros, entienda que está sana la persona, y declárela sin recelo por limpia.

**38.** El hombre o la mujer en cuyo cutis aparecieron manchas blancas,

**39.** Los mirará con atención el sacerdote: si hallare que un color blanquecino que tira a oscuro, reluce en la piel, sepa que no es lepra, sino ciertas manchas de color blanquecino, y que la persona está limpia.

**40.** El hombre a quien se le caen los cabellos de la cabeza, calvo es, pero limpio:

**41.** Y si se le cayeren los pelos de encima de la frente, es calvo por delante, pero limpio.

**42.** Mas si en la calva o media calva le salen pecas blancas o rojas,

**43.** Y el sacerdote las viere, sin duda le dará por infecto de lepra, nacida en la calva.

**44.** Eso supuesto, cualquiera que se fuere contaminado de la lepra, y separado a juicio del sacerdote,

**45.** Tendrá los vestidos descosidos *por varias partes,* la cabeza *rapada* y descubierta, tapando su boca con la ropa, y *avisará* gritando, estar contaminado e inmundo.

**46.** Todo el tiempo que estuviere leproso e inmundo, habitará solo, fuera de poblado.

**47.** Un vestido de lana o de lino, a que se pegare la lepra,

**48.** En el urdimbre, o en la trama, o también una piel, o cualquier otro ajuar hecho de pieles,

**49.** Si está infecto de manchas, blancas o rojas, se reputará por lepra, y se hará ver al sacerdote:

**50.** El cual después de haberla examinado, dejará encerrada la ropa por siete días,

**51.** Y al séptimo registrándola de nuevo, si hallare que ha cundido, es una lepra tenaz: dará por sucio el vestido, y toda otra cosa en que se hallare tal inmundicia,

**52.** Y por lo mismo se quemará en las llamas.

**53.** Que si viere que no ha cundido,

**54.** Mandará lavar la cosa en que está la lepra, y la volverá a encerrar por otros siete días.

**55.** Y viendo que no ha recobrado su primer aspecto, aunque no haya cundido la lepra, la declarará inmunda, y la echará al fuego, porque está la lepra extendida en la superficie del vestido, o internada en todo él.

**56.** Pero si el lugar de la lepra, después de lavado el vestido, está más oscuro, cortará aquel pedazo y le separará de la pieza entera.

**57.** Y si después se descubriere en las partes que antes estaban limpias, una lepra volátil, y vaga, debe *todo* quemarse al fuego.

**58.** Si se atajare, lavará en agua segunda vez las partes limpias *del vestido,* y quedarán purificadas.

**59.** Esta es la ley de la lepra en vestido de lana, y de lino, en el urdimbre o en la trama, y de todo ajuar hecho de piel: y el modo con que se debe purificar, o tener por apestado.

## CAPITULO XIV

*De las ceremonias y sacrificios para la purificación de la lepra.*

**1.** Habló el Señor a Moisés, diciendo:

**2.** Este es el rito para la purificación del leproso: Será llevado al sacerdote,

**3.** El cual, saliendo fuera del campamento, luego que hallare que la lepra está curada,

**4.** Mandará al que debe purificarse que ofrezca por sí dos pájaros vivos, de los que se permite comer, y un palo de cedro, y grana *o lana de este color,* con hisopo;

**5.** Y al uno de los pájaros le mandará degollar en una vasija de barro sobre agua viva:

**6.** Y al otro que ha dejado vivo, le mojará con el palo de cedro, la grana y el hisopo en la sangre del pájaro degollado;

**7.** Y con ella rociará siete veces al que debe ser purificado, para que lo sea legítimamente; y soltará al pájaro vivo, para que vuele al campo.

**8.** El hombre después de haber lavado sus vestidos, raerá todos los pelos de su cuerpo, y se lavará en agua; y purificado de esta manera entrará en el campamento: pero deberá permanecer siete días fuera de su tienda,

**9.** Y al día séptimo se rapará los cabellos de la cabeza, y la barba, y las cejas y todo el vello del cuerpo, y lavados de nuevo los vestidos, y el cuerpo,

**10.** Al octavo día tomará dos corderos sin mácula, y una oveja primal *también* sin defecto, y tres décimas de un efi de harina, amasada con aceite para el sacrificio, y además un sextario de aceite.

**11.** Y luego que el sacerdote que purifica al hombre, le hubiere presentado con todas estas cosas al Señor en la puerta del Tabernáculo del Testimonio,

**12.** Tomará uno de los corderos, y le ofrecerá por el delito con el sextario de aceite, y ofrecido todo ante el Señor,

**13.** Degollará el cordero donde se suele degollar la víctima por el pecado y el holocausto, esto es, en el lugar santo. Porque así como la víctima por el pecado, así también la víctima por el delito pertenece al sacerdote, siendo como es sacrosanta.

**14.** Después el sacerdote tomando de la sangre de la víctima inmolada por el delito, la pondrá sobre la ternilla de la oreja derecha del que se purifica, y sobre los pulgares de la mano y pie derechos,

**15.** Y del sextario de aceite derramará en su mano izquierda.

**16.** Y mojará en ella el dedo de su mano derecha y hará siete aspersiones ante el Señor.

**17.** Lo que quedare de aceite en la mano izquierda, lo echará sobre la ternilla de la oreja derecha del que se purifica, y sobre los pulgares de la mano y pie derechos, encima de la sangre derramada por el delito,

**18.** Y sobre la cabeza del hombre;

**19.** Y rogará por él al Señor, y ofrecerá el sacrificio por el pecado; en seguida degollará el holocausto,

**20.** Y le pondrá en el altar con sus libaciones, y el hombre quedará purificado según la ley.

**21.** En caso de ser pobre, y no poder hallar las cosas dichas, tomará un cordero para ofrecerle por el delito, a fin de que ruegue por él el sacerdote, y una décima de flor de harina, amasada con aceite para el sacrificio, y un sextario de aceite.

**22.** Y dos tórtolas, o dos pichones, uno por el pecado, y otro para el holocausto;

**23.** Y ofrecerá estas cosas el día octavo de su purificación al sacerdote en la puerta del Tabernáculo del Testimonio ante el Señor;

**24.** Y el sacerdote recibiendo el cordero por el delito, y el sextario de aceite, los elevará a un mismo tiempo.

**25.** Y degollado el cordero, teñirá con su sangre la ternilla de la oreja derecha del que se purifica, y los pulgares de la mano y pie derechos.

**26.** Y echará parte del aceite en su mano izquierda,

**27.** En el que mojará el dedo de la mano derecha, y hará siete aspersiones ante el Señor,

**28.** Y tocará también la ternilla de la oreja derecha del que se purifica, y los pulgares de la mano y pie derechos en el mismo lugar, bañado con la sangre derramada por el delito.

**29.** El resto del aceite que tiene en la mano izquierda, lo echará sobre la cabeza del que se purifica, con el fin de aplacar por él al Señor.

**30.** Igualmente ofrecerá las dos tórtolas, o los dos pichones,

**31.** El uno por el delito, y el otro en holocausto con sus libaciones.

---

31. De harina, de aceite, de vino etc.

**32.** Tal es el sacrificio del leproso que no puede procurarse todas las cosas *ordenadas* para su purificación.

**33.** Habló todavía el Señor a Moisés y Aarón, diciendo:

**34.** Cuando hubiéreis entrado en la tierra de Canaán, cuya posesión os daré yo, si la plaga de la lepra hubiese inficionado una casa,

**35.** Irá el dueño de ella a dar parte al sacerdote, y dirá: Paréceme que hay en mi casa una plaga de lepra.

**36.** Y el sacerdote antes de entrar en ella para reconocer si está contagiada, mandará sacar fuera de la casa todas las cosas; a fin de que no quede inmundo todo lo de dentro de la casa. Después entrará para examinar la lepra;

**37.** Y si viere en las paredes unos hoyitos, y *lugares* afeados con manchas como de color amarillo, o rojo, y más hundidos que los demás de la superficie,

**38.** Saldrá de la puerta de la casa, y la dejará inmediatamente cerrada por siete días,

**39.** Y volviendo el día séptimo la reconocerá: si hallare que ha cundido la lepra,

**40.** Mandará arancar las piedras en que hay lepra, y arrojarlas fuera de la ciudad en un lugar inmundo,

**41.** Y la misma casa raerla toda por dentro, y esparcir las raeduras fuera de la ciudad en un lugar inmundo,

**42.** Y reponer otras piedras en lugar de las que se hayan quitado, y revocar de nuevo las paredes de la casa.

**43.** Pero si después de quitadas las piedras, y raído el polvo, y revocada nuevamente la casa,

**44.** Entrando el sacerdote viere que ha vuelto la lepra y que las paredes están salpicadas de manchas, la lepra es tenaz, y la casa inmunda,

**45.** La derribarán luego, y arrojarán en un lugar inmundo fuera de la ciudad sus piedras y maderas y todo el escombro.

**46.** Quien entrare en la casa mientras está cerrada, quedará inmundo hasta la tarde:

**47.** Y el que durmiere, o comiere en ella lavará sus vestidos.

**48.** Pero si entrando el sacerdote viere que no ha cundido la lepra en la casa después que fué de nuevo revocada, la purificará, dándola por sana;

**49.** Y para su purificación tomará dos pájaros, un palo de cedro, grana e hisopo;

**50.** Y degollado un pájaro en una vasija de barro sobre agua viva,

**51.** Cogerá el palo de cedro con el hisopo y la grana, y el pájaro vivo, y mojará todo esto en la sangre del pájaro degollado, y en el agua viva, y rociará siete veces la casa,

**52.** Purificándola tanto con la sangre del pájaro como con el agua viva, y el pájaro vivo, y el palo de cedro, el hisopo, y la grana:

**53.** Y después de soltado el pájaro para que libre vuele por la campiña, hará oración por la casa, y quedará purificada según rito.

**54.** Esta es la ley acerca de toda especie de lepra y de llaga que *degenera en lepra,*

**55.** Sobre la lepra de los vestidos y de las casas,

**56.** De las cicatrices y de las postillas que salen fuera, de las manchas relucientes y de las varias mutaciones de colores sobre el cuerpo,

**57.** Para que se acierte a discernir cuándo una cosa está limpia o inmunda.

## CAPITULO XV

*Cómo debe hacerse la expiación y purificación de varias impurezas legales involuntarias.*

**1.** Habló el Señor a Moisés y Aarón, diciendo:

**2.** Dirigid la palabra a los hijos de Israel y decidles: El hombre que padece gonorrea será inmundo.

**3.** Y entonces se juzgará que está sujeto a este achaque, cuando a cada instante el humor sucio se apegare a su carne y se condensare.

**4.** Cualquiera cama en que durmiere y el sitio en que se sentare, quedará inmundo.

**5.** Quien quiera que tocare su lecho lavará sus vestidos: y ése mismo, después de lavado con agua, quedará inmundo hasta la tarde.

**6.** Quien se sentare donde él estuvo sentado, lavará también sus vestidos, y después de lavado con agua, quedará inmundo hasta la tarde.

**7.** Quien tocare su carne lavará sus vestidos, y lavado él también con agua, quedará inmundo hasta la tarde.

---

**2.** Todo hombre timorato mirará en esta ley una prueba de lo mucho que quiere Dios nuestra pureza interior y aun la exterior al considerar como, por cosas involuntarias y exteriores, sujetó a los Israelitas a sufrir la confusión y humillación de ser tenidos por inmundos y separados de las cosas santas; y a ofrecer sacrificio por su purificación.

**8.** Si el tal hombre escupiere sobre otro que está limpio, éste lavará sus vestidos, y después de haberse lavado en agua, estará inmundo hasta la tarde.

**9.** El albardón de la bestia sobre que aquél se sentare, quedará inmundo.

**10.** En suma, todo lo que hubiere estado debajo de quien padece dicho mal, quedará inmundo hasta la tarde. Quien algo de esto llevare, lavará sus vestidos; y él mismo, después de lavado en agua, quedará inmundo hasta la tarde.

**11.** Todo aquél a quien tocare el tal, sin que se haya antes lavado las manos, lavará sus vestidos; y él, después de lavado con agua, quedará inmundo hasta la tarde.

**12.** La vasija de barro que tocare, se romperá; y si la vasija es de madera, se lavará con agua.

**13.** Si viniere a sanar el que padece semejante enfermedad, contará siete días después de su curación, y lavados sus vestidos y todo el cuerpo en agua viva, quedará limpio.

**14.** Pero al día octavo tomará dos tórtolas o dos pichones, y se presentará al Señor en la puerta del Tabernáculo del Testimonio, y los entregará al sacerdote:

**15.** El cual sacrificará el uno por el pecado, y el otro en holocausto; y rogará por él ante el Señor, para que sea purificado de su gonorrea.

**16.** El hombre que ha conocido a la mujer, lavará con agua todo su cuerpo; y quedará inmundo hasta la tarde.

**17.** Con agua lavará el vestido y la piel, que tuviere puestos, y *piel y vestido* serán inmundos hasta la tarde.

**18.** La mujer con quien se habrá unido, se lavará con agua, y quedará inmunda hasta la tarde.

**19.** La mujer que padece la incomodidad ordinaria del mes, estará separada por siete días:

**20.** Cualquiera que la tocare, quedará inmundo hasta la tarde.

**21.** Aquéllo sobre que durmiere o se sentare en los días de su separación, quedará inmundo.

**22.** Quien tocare su lecho, lavará sus vestidos, y él mismo, después de lavarse en agua, quedará inmundo hasta la tarde.

**23.** Quien tocare cualquier mueble sobre que se haya ella sentado, lavará sus vestidos, y él mismo después de lavado con agua quedará manchado hasta la tarde.

**24.** Si el marido *inadvertidamente* se junta con ella en el tiempo de la sangre menstrual, quedará inmundo siete días, y toda cama en que durmiere quedará inmunda.

**25.** La mujer que padece flujo de sangre muchos días, fuera del curso ordinario, o aquélla que después de pasado el período mensual prosigue con el flujo, mientras le dura esta enfermedad quedará inmunda, como si estuviere en el tiempo de su menstruo.

**26.** Toda cama en que durmiere, y todo mueble sobre el cual se sentare, quedará inmundo.

**27.** Cualquiera que tocare estas dos cosas, lavará sus vestidos; y él mismo, después de haberse lavado en agua, quedará inmundo hasta la tarde.

**28.** Si la sangre para y cesa de fluir, contará siete días después de su purificación;

**29.** Y el octavo día ofrecerá por sí al sacerdote dos tórtolas o dos pichones a la entrada del Tabernáculo del Testimonio:

**30.** De los cuales el sacerdote sacrificará uno por el pecado, y otro en holocausto, y hará oración por ella delante del Señor para purificarla de su inmundicia.

**31.** Enseñaréis, pues, a los hijos de Israel que se guarden de la inmundicia, a fin de que no mueran a causa de su impureza, si profanaren mi Tabernáculo, colocado en medio de ellos.

**32.** Esta es la ley del que padece gonorrea, y del que se mancha uniéndose con mujer,

**33.** Y de la mujer que se para en sus períodos menstruales, o que padece flujo continuado de sangre, y del hombre que durmiere con ella.

## CAPITULO XVI

*Sacrificios que debe ofrecer el sumo sacerdote en el día solemnísimo de la Expiación o perdón general de los pecados.*

**1.** El Señor habló a Moisés después de la muerte de los dos hijos de Aarón, cuando por ofrecer fuego extraño fueron muertos;

---

16. De los versos 18 y 24 se deduce que se habla del uso del matrimonio. Con la modestia de tales purificaciones quería Dios (como observó Teodoreto en este lugar) refrenar la incontinencia aun entre las personas casadas contraria al buen orden y al fin mismo del santo matrimonio. En lo cual tenían, aun los paganos, tales sentimientos que avergüenzan a muchos cristianos.

**2.** Y le dió esta orden diciendo: Dí a tu hermano Aarón que no en todo tiempo entre en el Santuario que está del velo adentro, ante el propiciatorio que cubre el arca, so pena de muerte, (porque yo he de aparecer en una nube sobre el oráculo);

**3.** Sino en el día *de la Expiación,* en que antes habrá hecho estas cosas: Ofrecerá un becerro por el pecado, y un carnero en holocausto.

**4.** Se vestirá la túnica de lino; se pondrá los calzoncillos de lino, con que cubrirá sus vergüenzas; se ceñirá con un ceñidor de lino, y pondrá sobre su cabeza la tiara de lino: pues éstas son las vestiduras santas con las cuales, después de lavado, se ha de vestir.

**5.** Y recibirá de todo el pueblo de los hijos de Israel dos machos cabríos por el pecado, y un carnero para holocausto.

**6.** Y en habiendo ofrecido el becerro, y hecha oración por sí y por su casa;

**7.** Presentará los dos machos cabríos al Señor a la puerta del Tabernáculo del Testimonio,

**8.** Y echando suertes sobre los dos para ver cuál ha de ser inmolado al Señor, y cuál el macho cabrío emisario, *o que se ha de enviar al desierto:*

**9.** Aquél que por suerte tocare al Señor, le ofrecerá por el pecado;

**10.** Mas al que tocare ser macho cabrío emisario, le presentará vivo ante el Señor, para hacer las preces sobre él, y echarle al desierto.

**11.** Celebrado así este rito, ofrecerá el becerro, y hecha oración por sí y por su casa, le sacrificará:

**12.** Después tomará el incensario *o badil* que habrá llenado de las brasas del altar *de los holocaustos,* y cogiendo con la mano perfume confeccionado para incensar, entrará del velo adentro en el Sancta Sanctorum:

**13.** Para que, puestos los perfumes sobre el fuego, *en el altar de oro* la humareda y vapor de ellos cubra el oráculo que está sobre el *Arca del Testamento,* y con eso no muera.

**14.** Tomará, asimismo, parte de la sangre del becerro, y hará siete aspersiones con el dedo enfrente del propiciario, hacia el oriente.

**15.** Degollado después el macho cabrío, por el pecado del pueblo entrará su sangre del velo adentro, conforme a lo dispuesto acerca de la sangre del becerro, a fin de hacer las aspersiones enfrente del oráculo,

**16.** Y purificar el Santuario de las inmundicias de los hijos de Israel, y de sus prevaricaciones y de todos los pecados. El mismo rito observará con respecto al Tabernáculo del Testimonio, que se ha fijado entre ellos en medio de las inmundicias *que se cometen* en sus tiendas.

**17.** No haya persona ninguna en el Tabernáculo cuando entre el Pontífice dentro del Sancta Sanctorum para rogar por sí y por su casa, y por todo el pueblo de Israel, hasta que salga.

**18.** Y el Pontífice cuando habrá llegado al altar de los *perfumes,* colocado ante el Señor, hará oración por sí y cogiendo de la sangre del becerro y del macho cabrío, la derramará sobre las puntas del altar alrededor,

**19.** Y haciendo siete aspersiones con el dedo, le purificará y limpiará de las inmundicias de los hijos de Israel.

**20.** Y purificado que haya el Santuario *o sagrario,* y el Tabernáculo, y el altar, entonces ha de ofrecer el macho cabrío vivo;

**21.** Y puestas las dos manos sobre la cabeza de éste, confesará todas las iniquidades de los hijos de Israel, y todos los delitos y pecados de los mismos: los cuales descargados con imprecaciones *y plegarias* sobre la cabeza del animal, le echará al desierto por medio de un hombre destinado a este fin.

**22.** Y luego que el macho cabrío haya transportado todas las maldades de ellos a tierra solitaria, y quedado suelto en el desierto,

**23.** Volverá Aarón al Tabernáculo del Testimonio, y desnudándose de las vestiduras que tenía puestas antes al entrar al Santuario, y dejándolas allí,

**24.** Lavará su cuerpo en el lugar santo, y se revestirá de sus ornamentos *pontificales.* Y después que salido fuera, hubiere ofrecido el holocausto suyo y del pueblo, hará oración igualmente por sí que por el pueblo,

**25.** Y quemará sobre el altar la grosura ofrecida por los pecados.

**26.** El conductor del macho cabrío emisario, lavará sus vestidos y cuerpo en agua, y así entrará en el campamento.

**27.** Y al becerro y macho cabrío, que fueron inmolados por el pecado, y cuya sangre fué introducida en el·Santuario para cumplir la *ceremonia de la expiación,* los sacarán fuera del campamento, y quemarán en el fuego tanto sus pieles como las carnes y el excremento;

---

**11.** Los Judíos en esta fiesta de la *Expiación* hacían la confesión de sus pecados, repitiéndola con sumisión hasta diez veces.

**28.** Y el que los quemare lavará sus vestidos y cuerpo con agua, y así entrará en el campamento.

**29.** Y esto será para vosotros un estatuto perpetuo: En el mes séptimo, a los diez días del mes, mortificaréis vuestras almas, y no trabajaréis, ni los naturales ni los extranjeros que están domiciliados entre vosotros.

**30.** En este día se hará la expiación vuestra, y la purificación de todos vuestros pecados; y *así* quedaréis limpios delante del Señor:

**31.** Por cuanto es el sábado de los sábados, y habéis de hacer penitencia con tal culto religioso y perpetuo.

**32.** Esta expiación la hará el Sumo sacerdote, que recibió la unción santa, y cuyas manos fueron consagradas para ejercer el sacerdocio en lugar de su padre; y se vestirá la túnica de lino y las vestiduras sagradas,

**33.** Y purificará el Santuario y el Tabernáculo del Testimonio, y el altar y también a los sacerdotes, y a todo el pueblo.

**34.** Y será ley eterna para vosotros, el orar por los hijos de Israel, y por todos sus pecados una vez al año. Hízolo, pues, Moisés como el Señor lo había mandado.

# CAPITULO XVII

*Manda el Señor a los Hebreos que no ofrezcan sacrificios sino a él sólo y que no se ofrezcan éstos fuera del Tabernáculo. Les prohibe el comer jamás sangre de animales.*

**1.** Y habló el Señor a Moisés, diciendo:

**2.** Habla a Aarón y a sus hijos, y a todos los hijos de Israel, diciéndoles: Este es mandato expreso del Señor, que dice:

**3.** Cualquier hombre de la casa de Israel, que matare buey, u oveja o cabras en el campamento o fuera de él,

**4.** En lugar de ofrecerlos a la puerta del Tabernáculo en sacrificio al Señor, será reo de muerte; y así será exterminado de la socie-

dad de su pueblo, como si hubiese cometido un homicidio.

**5.** Por tanto, los hijos de Israel deben presentar al sacerdote las víctimas, en vez de matarlas, *como antes,* en el campo; para que sean consagradas al Señor ante la puerta del Tabernáculo del Testimonio, y sacrificadas *por los sacerdotes* al Señor como víctimas pacíficas.

**6.** El sacerdote, pues, derramará la sangre sobre el altar del Señor a la puerta del Tabernáculo del Testimonio, y quemará la grosura en olor de suavidad al Señor;

**7.** Y nunca más ya inmolen sus víctimas a los demonios, a cuyo culto se han prostituido. Ley sempiterna será ésta para ellos y sus descendientes.

**8.** Dirás también a los mismos: Cualquiera de la casa de Israel y de los advenedizos que moran entre vosotros, que ofreciere holocausto o víctima,

**9.** Y no la trajere a la entrada del Tabernáculo del Testimonio para que sea ofrecida al Señor, será exterminado de la sociedad de su pueblo.

**10.** Si algún hombre de la casa de Israel y de los forasteros habitantes entre ellos, comiere sangre, Yo fijaré sobre el tal mi rostro airado, y le exterminaré de la sociedad de su pueblo:

**11.** Por cuanto la vida del animal está *o se sustenta* con la sangre, y os la he dado yo para que con ella satisfagáis sobre el altar por vuestras almas, y la sangre sirva de expiación, *o rescate* por el alma.

**12.** Por eso tengo dicho a los hijos de Israel: Ninguno de vosotros comerá sangre, ni tampoco los forasteros que moran entre vosotros.

**13.** Cualquiera de los hijos de Israel y de los forasteros que moran entre vosotros, si caza, o prende fiera o ave, que sea lícito comer, derrame su sangre y cúbrala con tierra;

**14.** Porque la vida de todo animal está en la sangre: por cuya razón he dicho a los hijos de Israel: No comeréis sangre de ningunos animales; puesto que la vida de la carne está en la sangre; y todo aquél que la comiere, será castigado de muerte.

**15.** Cualquiera persona de los naturales, o extranjeros, que comiere carne de algún animal que se ha muerto por sí mismo o ha sido destrozado por alguna bestia, lavará sus vestidos, y su mismo cuerpo con agua, y quedará inmundo hasta la tarde; y de este modo se limpiará.

---

**1.** No se habla aquí de los animales que se mataban para el uso de las casas, sino únicamente de aquéllos que debían ofrecerse en sacrificio. *S. Agus. Quaest.* LVI, *in Levit.* Prohibe, pues, el Señor que se ofrezca sacrificio fuera del lugar destinado, el cual es el atrio, o la entrada del Tabernáculo; pues antes de la erección de éste, cualquiera le ofrecía donde quería y por mano de quien quería: lo que fué ahora prohibido y contenida así la idolatría, *v. 7.*

**16.** Mas si no lava su vestido y cuerpo, llevará *la pena de* su iniquidad.

## CAPITULO XVIII

*Grados del parentesco dentro de los cuales se prohibe el matrimonio. Sobre huir el adulterio y otros vicios comunes entre los Gentiles.*

**1.** El Señor habló a Moisés, diciendo:

**2.** Habla a los hijos de Israel, y diles *de mi parte:* Yo soy el Señor Dios vuestro:

**3.** No seguiréis las usanzas de la tierra de Egipto, donde habéis vivido: ni tomaréis los estilos del país de Canaán, donde yo he de introduciros, ni obraréis conforme a sus leyes.

**4.** Ejecutaréis mis determinaciones, y observaréis mis preceptos y por ellos os guiaréis. Yo el Señor Dios vuestro.

**5.** Guardad mis leyes y mandamientos; porque el hombre que los practique, hallará vida en ellos. Yo el Señor.

**6.** Nadie se juntará carnalmente con consanguínea, ni tendrá que ver con ella. Yo el Señor.

**7.** *¡Oh mujer!* no te unirás en matrimonio con tu padre: ni tú *¡oh varón!*, con tu madre; es madre tuya, no descubrirás nada en ella contra el pudor.

**8.** No tendrás que ver con la mujer de tu padre; porque carne de tu padre ha sido ella.

**9.** Ni tendrás que ver con hermana tuya de padre, o de madre, ora sea nacida en casa o fuera de ella.

**10.** No tendrás que ver con hija de tu hijo, ni con nieta por parte de hija: por ser sangre tuya.

**11.** Tampoco tendrás que ver con hija de la mujer de tu padre, a la cual dió a luz ella para tu padre, y es *medio* hermana tuya.

**12.** No tendrás que ver con la hermana de tu padre, porque es carne de tu mismo padre.

**13.** No tendrás que ver con la hermana de tu madre; porque es carne de tu madre.

**14.** No afrentes a tu tío paterno, desposándote con su mujer, la cual es tu parienta por afinidad.

**15.** No tendrás que ver con tu nuera; porque ella es mujer de tu hijo, y no le hagas tal afrenta.

**16.** No tendrás que ver con la mujer de tu hermano, porque es carne de tu hermano.

**17.** No contraerás matrimonio con madre e hija suya. Ni con hija del hijo o de la hija de tu mujer, haciéndoles *tal* afrenta: porque son carne de ella, y tal unión es un incesto.

**18.** No tomarás por esposa secundaria la hermana de tu esposa; ni tendrás que ver con ella viviendo todavía ésta.

**19.** No te llegues a la mujer mientras padece el menstruo, ni tengas que ver con ella.

**20.** No pecarás con la mujer de tu prójimo, ni te contaminarás con semejante unión.

**21.** No darás hijo tuyo para consagrarle al ídolo Moloc, ni profanarás el nombre de tu Dios. Yo el Señor.

**22.** No cometas pecado de sodomía, porque es una abominación.

**23.** No pecarás con bestia, ni te manches con ella. Tampoco la mujer se mezclará con bestia, por ser horrible maldad.

**24.** Huid de todas las impurezas, con las que se han ensuciado todas las naciones, que yo desterraré de vuestra vista,

**25.** Las cuales tienen contaminada la tierra: cuyas abominaciones residenciaré yo, para que ella arroje de sí con horror a sus moradores.

**26.** Guardad mis leyes y determinaciones, y no cometáis ninguna de tales abominaciones, tanto los que sois naturales, como los forasteros que habitan entre vosotros.

**27.** Porque todas estas cosas execrables las han hecho aquéllos que han habitado dicha tierra antes de vosotros, y la tienen inficionada.

**28.** Mirad, pues, no sea que también os arroje de sí con horror, como arrojó a la gente que os ha precedido, si hacéis semejantes cosas.

**29.** Cualquiera persona que incurriere en alguna de estas abominaciones, será exterminada de su pueblo.

**30.** Observad mis mandamientos. No hagáis lo que han hecho los que os precedieron *en este país*, ni os contaminéis con tales acciones. Yo el Señor Dios vuestro.

---

**5.** Según el sentido literal promete aquí una vida temporal larga y feliz a los que observaren la Ley. Pero los verdaderos hijos de Abraham según el espíritu, animados de la fe en Jesucristo, o Mesías que esperaban, cumplían perfectamente la Ley y por esta fe merecían la vida eterna. *Matth.* XIX, *v.* 16.—

**7.** Otros traducen: *No descubrirás en tu madre nada de lo que debe estar oculto, violando así el respeto debido a tu padre.*

## CAPITULO XIX

*Se inculcan varias leyes y preceptos morales y ceremoniales; y se añaden otros nuevos.*

**1.** Habló el Señor a Moisés, diciendo:

**2.** Habla a toda la congregación de los hijos de Israel, y les dirás: Sed santos; porque yo el Señor Dios vuestro soy santo.

**3.** Cada cual reverencie a su padre y a su madre. Guardad mis sábados, *o días festivos.* Yo el Señor Dios vuestro.

**4.** No queráis volveros a los ídolos: ni os forméis dioses de fundición. Yo el Señor Dios vuestro.

**5.** Si sacrificáreis al Señor una hostia pacífica, para tenerle propicio,

**6.** La comeréis en el día en que sea sacrificada, y en el siguiente: mas todo lo que sobrare para el día tercero, lo quemaréis al fuego.

**7.** Quien después de dos días comiere de ella, será profano y reo de impiedad;

**8.** Y pagará su merecido por haber profanado lo santo del Señor, *o lo a él consagrado,* y será exterminado de su pueblo.

**9.** Cuando segares las mieses de tu campo, no cortarás el fruto de la tierra hasta el suelo; ni respigarás lo que queda.

**10.** Ni tampoco en tu viña rebuscarás los racimos y granos de uvas caídas, sino que dejarás a los pobres y forasteros que los recojan. Yo el Señor Dios vuestro.

**11.** No hurtaréis. No mentiréis, y ninguno engañará a su prójimo.

**12.** No jurarás en falso por mi nombre; ni profanarás el nombre de tu Dios. Yo el Señor.

**13.** No harás agravio a tu prójimo, ni le oprimirás con violencia. No retendrás el jornal de tu jornalero hasta la mañana.

**14.** No hables mal de un sordo, ni pongas tropiezo ante los pies de un ciego: mas temerás al Señor Dios tuyo; porque Yo soy el Señor.

**15.** No harás injusticia, ni darás sentencia injusta. No tengas miramiento *con perjuicio de la justicia* o la persona del pobre, ni respetes la cara *o ceño* del poderoso. Juzga a tu prójimo según justicia.

**16.** No serás calumniador, ni chismoso en el pueblo. No conspires contra la vida de tu prójimo. Yo el Señor.

**17.** No aborrezcas en tu corazón a tu hermano, sino corrígele *y explícatele* abiertamente, para no caer en pecado por su causa.

**18.** No procures la venganza, ni conserves la memoria de la injuria de tus conciudadanos. Amarás a tu amigo *o prójimo* como a ti mismo. Yo el Señor.

**19.** Observad mis leyes. No harás que tu bestia doméstica se mezcle con animales de otra especie. No sembrarás tu heredad con variedad de semillas. No vestirás ropa tejida de dos cosas diversas.

**20.** Si un hombre tuviere cópula con mujer que sea esclava, ya casadera, pero todavía no rescatada ni en libertad, serán ambos a dos azotados, mas no muertos, pues ella no era libre:

**21.** Pero él ofrecerá por su delito un carnero a la entrada del Tabernáculo del Testimonio;

**22.** Y el sacerdote hará oración por él y por su pecado delante del Señor, que le será propicio, y su pecado le será perdonado.

**23.** Cuando hubiéreis entrado en la tierra *de promisión,* y plantado en ella árboles frutales, desecharéis los frutos primerizos; y así los *primeros* frutos que produzcan, los tendréis por inmundos, y no los comeréis.

**24.** Mas en llegando al cuarto año, todo el fruto de dichos árboles será consagrado a la gloria del Señor.

**25.** Finalmente, al quinto año comeréis sus frutos, recogiendo cuantos produzcan. Yo el Señor Dios vuestro.

**26.** No comeréis nada con sangre. No usaréis de agüeros, ni haréis caso de sueños.

**27.** No os cortaréis vuestros cabellos en forma de corona. Ni os raeréis la barba *de un modo supersticioso.*

**28.** No sajaréis vuestra carne por la muerte de nadie: ni haréis figuras algunas, o marcas sobre vosotros. Yo el Señor.

---

**2.**—. El Apóstol, I *Cor.* v III, *v.* 4, dice que el ídolo es *nada;* nombre que se le da en muchos lugares de la Escritura.

**9.** Los Rabinos dicen que debe dejarse para los pobres a lo menos una sexagésima parte de las espigas, y lo mismo en las viñas, olivares, etc.; y ésta parece que fué la costumbre entre ellos.

---

**18.** Ni privadamente ni en juicio debes desear la venganza para desfogar tu odio y rencor. *Amarás a tu amigo.* Entiéndese todo prójimo nuestro, y por consiguiente todos los hombres.

**26.** Una de las muchas locuras de los Gentiles era el querer adivinar lo venidero por el canto de las aves, el vuelo, la manera de comer, etc.

**28.** Los Gentiles creían aplacar los dioses infernales en duelo de las personas que amaban con la sangre de estas incisiones que se hacían y los Hebreos no estaban libres de estas supersticiones. *Jer.* XVI, *v.* 6; XL, *v.* 5.— *Ezech.* V, *v.* 1.

29. No prostituyas a tu hija; para que no se contamine la tierra y se llene de maldad.

30. Guardad mis sábados, y reverenciad con *temor* mi Santuario. Yo el Señor.

31. No os desviéis de *vuestro Dios* en busca de magos, ni consultéis a adivinos, porque seréis por ellos corrompidos. Yo el Señor Dios vuestro.

32. Ante la cabeza llena de canas, ponte en pie, y honra la persona del anciano; y teme al Señor Dios tuyo. Yo el Señor.

33. Si algún forastero viniere a vuestra tierra, y morare de asiento entre vosotros, no le zaheriréis:

34. Sino que vivirá entre vosotros como natural del país; y le amaréis como a vosotros mismos, porque también vosotros fuisteis forasteros en la tierra de Egipto. Yo el Señor Dios vuestro.

35. No cometáis injusticia en el juicio, en la regla *o vara de medir;* en el peso, en la medida.

36. La balanza sea justa y cabales las pesas: justo el modio, y el sextario, sin que le falte nada. Yo el Señor Dios vuestro, que os he sacado de la tierra de Egipto.

37. Guardad todos mis preceptos, y todas mis órdenes, y ponedlas por obra. Yo el Señor.

## CAPITULO XX

*Penas de muerte contra los que ofrecen sus hijos al ídolo Moloc. Contra los magos, contra los que maltratan a sus padres y contra los reos de otras maldades comunes entre los Cananeos.*

1. Habló el Señor a Moisés, diciendo:

2. Esto intimarás a los hijos de Israel: Cualquiera de los hijos de Israel, y de los extranjeros que habitan entre ellos, que diere alguno de sus hijos al ídolo Moloc, morirá sin remisión: el pueblo del país le apedreará.

3. Y yo mostraré mi saña contra él, y le arrancaré de en medio de su pueblo, por haber dado hijos suyos a Moloc, y profanado mi santuario y menospreciado mi santo nombre.

4. Pero si el pueblo no haciendo aprecio, y como teniendo en poco mi mandato, dejare sin castigo al hombre que dió *alguno* de sus hijos a Moloc, y no quisiere matarle,

5. Mostraré mi saña contra el tal hombre, y contra su parentela, y le arrancaré de en medio de su pueblo a él y a todos los que consintieron que idolatrara a Moloc.

6. La persona que se desvía *de mí* para ir a consultar a los magos y adivinos y se abandonare a ellos, yo mostraré mi saña contra ella, y la exterminaré de en medio de su pueblo.

7. Santificaos y sed santos, porque yo soy el Señor Dios vuestro.

8. Guardad mis preceptos, y ponedlos en práctica. Yo el Señor que os santifico.

9. El que maldijere a su padre o a su madre, castigado sea de muerte: maldijo al padre o a la madre, páguelo con su sangre.

10. Si alguno pecare con la mujer de otro, o cometiere adulterio con la que está casada con su prójimo, mueran sin remisión, así el adúltero como la adúltera.

11. El que pecare con su madrastra deshonrando *así* a su propio padre, muera juntamente con ella: caiga la sangre de ambos sobre ellos.

12. Si alguno pecare con su nuera, mueran ambos a dos, porque han cometido un *gran* crimen: caiga su sangre sobre ellos.

13. El que pecare con varón como si éste fuera una mujer, los dos hicieron cosa nefanda; mueran sin remisión: caiga su sangre sobre ellos.

14. El que teniendo por mujer a la hija, se casa después con la madre de ella, comete un crimen enorme: sea quemado vivo con ellas, ni quede entre vosotros rastro de tanta infamia.

15. El que pecare con alguna bestia, muera sin remisión: matad también la bestia.

16. La mujer que pecare con cualquiera bestia, sea muerta juntamente con la bestia: caiga su sangre sobre ellos.

17. Si alguno tuviere trato ilícito con su hermana, hija de su padre o de su madre, deshonrándose mutuamente, ambos cometieron un crimen execrable; serán muertos en presencia de su pueblo, por haberse conocido entre sí, deshonestamente, y pagarán la pena de su iniquidad.

18. Si alguno se juntare con mujer durante el flujo menstrual, y descubriere con ella lo que el pudor debió haber ocultado, y ella misma mostrare su inmundicia, ambos serán exterminados de su pueblo.

19. No tendrás que ver con tu tía materna o paterna: quien tal hace, su propia carne afrenta: pagarán ambos *la pena* de su delito.

**20.** El que pecare con la mujer de su tio paterno o materno, sin tener respeto al parentesco, ambos llevarán su merecido: morirán sin hijos.

**21.** El que casa con la mujer de su hermano, hace una cosa ilícita que mancha el honor de su hermano: quedarán sin hijos.

**22.** Guardad mis leyes y decretos, y ejecutadlos; para que la tierra en que váis a entrar y habitar, no os arroje también a vosotros con horror fuera de su seno.

**23.** No queráis seguir las costumbres de las naciones que yo he de arrojar de adelante de vosotros; pues por haber ellas hecho todas estas cosas, yo las abomino.

**24.** Mas a vosotros digo: Entrad en posesión de su tierra, la cual yo os daré por herencia, tierra que mana leche y miel. Yo el Señor Dios vuestro, que os he separado de todos los demás pueblos.

**25.** Separad, pues, también vosotros el animal puro del impuro, y el ave limpia de la inmunda: no contaminéis vuestras almas por causa de los animales y de las aves y demás vivientes que se mueven sobre la tierra, y que yo os he señalado como inmundos.

**26.** Seréis santos para mí; porque santo soy yo el Señor, y yo os he separado de los demás pueblos, para que fuéseis míos.

**27.** El hombre o la mujer que tenga espíritu pitónico, o de adivinación, sean castigados de muerte: los matarán a pedradas: caiga su sangre sobre ellos.

## CAPITULO XXI

*Varias leyes sobre los sacerdotes.*

**1.** Dijo también el Séñor a Moisés: Habla a los sacerdotes, hijos de Aarón, y diles: Nada haga el sacerdote en los funerales de sus conciudadanos, que le constituya inmundo, *según la ley,*

**2.** A no ser cercanos parientes y deudos, como lo es el padre y la madre, y el hijo y la hija, y también el hermano,

**3.** Y la hermana virgen, que no está todavía casada.

**4.** Por lo demás, ni aun en las exequias de un príncipe de su pueblo se *mezclará, ni* hará nada que pueda hacerle inmundo según la ley.

**5.** No se raerán los sacerdotes la cabeza ni la barba, ni harán incisiones en sus carnes.

**6.** Se conservarán en santidad para con su Dios y no profanarán su nombre; pues ofrecen el incienso del Señor y los panes de su Dios, y por lo tanto deben ser santos.

**7.** No contraerán matrimonio con mala mujer, ni con vil ramera, ni con la repudiada de su marido: estando como están consagrados a su Dios,

**8.** Y ofreciendo los panes de la proposición. Sean, pues, santos, porque santo soy yo el Señor, que los santificó.

**9.** Si la hija de un sacerdote fuere cogida en pecado, deshonrando así el nombre de su padre, será quemada viva.

**10.** El Pontífice, esto es, el sacerdote máximo entre sus hermanos, sobre cuya cabeza se derramó el óleo de la unción, y cuyas manos fueron consagradas para ejercer el sacerdocio, y que fué revestido de los sagrados ornamentos, no descubrirá su cabeza, ni rasgará sus vestiduras;

**11.** No entrará en ninguna casa donde haya un cadáver, ni aun en la muerte de su padre ni de su madre hará nada que pueda dejarle inmundo *según la ley.*

**12.** Ni saldrá entonces de los lugares santos, por no contaminar el Santuario; por cuanto tiene sobre sí el óleo de la unción santa de su Dios. Yo el Señor.

**13.** Se casará con mujer virgen:

**14.** Mas no con viuda, ni repudiada, ni deshonrada, ni ramera, sino con una doncella de su pueblo.

**15.** No mezclará la sangre de su linaje con gente plebeya: pues yo soy el Señor que le santificó.

**16.** Y habló el Señor a Moisés, diciendo:

**17.** Dile a Aarón: Ninguno en las familias de tu prosapia que tuviere algún defecto *en el cuerpo* ofrecerá los panes a su Dios;

**18.** Ni ejercerá su ministerio si fuere ciego, o cojo, si de nariz chica o enorme, o torcida,

**19.** Si de pie quebrado, o mano manca,

**20.** Si corcovado, si lagañoso, si tiene nube en el ojo, si sarna incurable, si algún empeine en el cuerpo, o fuere potroso.

**21.** Ninguno del linaje del sacerdote Aarón que tuviere defecto, se llegará a ofrecer víctimas al Señor, ni panes a su Dios.

---

20. Los hijos tenidos de unión tal no serán tenidos por hijos suyos; o bien, Dios no dará hijos a tales matrimonios. *S. Agus. in Levit. Quaest.*

27. *Deut.* XVIII, *v.* 11.—1 *Reg.* XXVIII, *v.* 7. El dios Apolo, por sobrenombre *Pitón.* A este dios atribuían la ciencia de las cosas futuras. *Act.* XVI, *v.* 16.

**22.** Comerá, no obstante, de los panes que se ofrecen en el Santuario;

**23.** Con tal que no entre del velo adentro, ni se acerque al altar; porque tiene defecto y no debe contaminar mi Santuario. Yo soy el Señor que los santifico.

**24.** Habló, pues, Moisés a Aarón y a sus hijos y a todo Israel todo cuanto se le había mandado *decir*.

## CAPITULO XXII

*Diferentes leyes sobre las ofrendas, sacrificios y defectos de que debían carecer Ias víctimas.*

**1.** Habló nuevamente el Señor a Moisés, diciendo:

**2.** Prevén a Aarón y a sus hijos que se abstengan de las oblaciones sagradas que me hacen los hijos de Israel; para que no contaminen las cosas santificadas en honor mío, que ofrecen ellos mismos. Yo el Señor.

**3.** Hazles saber a ellos y a sus sucesores, que cualquiera de su linaje que, siendo inmundo, tocare las cosas consagradas y ofrecidas al Señor por los hijos de Israel, perecerá ante el Señor. Yo soy el Señor.

**4.** Ninguno de la sangre de Aarón que sea leproso, o adolezca de gonorrea, comerá de las ofrendas consagradas a mí, hasta que sane. El que tocare a un inmundo, que es tal por haber tocado a un muerto, y el que tocare al manchado con polución,

**5.** Y el que toca a un reptil, o cualquiera cosa inmunda, cuyo contacto ensucia,

**6.** Será inmundo hasta la tarde, ni comerá de las cosas consagradas; pero lavado que haya su carne con agua,

**7.** Y puesto el sol, entonces ya purificado, podrá comer de las ofrendas santificadas, puesto que ellas son para alimento suyo.

**8.** Carne mortecina, o muerta por otra bestia, no comerán; ni se contaminarán con semejantes viandas. Yo el Señor.

**9.** Guarden mis preceptos, a fin de que no caigan en pecado, y no mueran en el Santuario, después de haberle profanado. Yo el Señor que los santifico.

**10.** Ninguno de otra estirpe *que la sacerdotal* coma de los sacrificios: ni el inquilino del sacerdote, ni su jornalero pueden comer de ellos.

**11.** Pero el esclavo comprado por el sacerdote, y el siervo nacido en su casa, ésos podrán comer.

**12.** Si la hija del sacerdote se casa con cualquiera del pueblo, no comerá de cosas santificadas, ni de las primicias:

**13.** Mas si, quedando viuda, o siendo repudiada, y sin hijos, volviere a la casa de su padre, se alimentará de los manjares de su padre como solía cuando doncella. Ningún extraño tiene facultad de comer de ellos.

**14.** Quien por ignorancia comiere de cosas santificadas, pagará una quinta parte sobre lo que comió, y la dará al sacerdote para el Santuario.

**15.** No profanen, *pues*, los hombres las cosas santificadas, que ofrecen al Señor los hijos de Israel.

**16.** Si no quieren sufrir la pena de su delito por haber comido de cosas santificadas. Yo el Señor que los santifico.

**17.** Y habló el Señor a Moisés, diciendo:

**18.** Hablarás a Aarón y a sus hijos y a todos los hijos de Israel, diciéndoles: Cualquiera hombre de la familia de Israel, y de los extranjeros que habitan entre vosotros, que presentare su ofrenda, ora cumpliendo votos, ora ofreciéndola espontáneamente, sea cual fuere la víctima que presenta para holocausto del Señor,

**19.** A fin de que la ofrezcáis vosotros, ha de ser un macho sin tacha, buey, cordero o cabrito.

**20.** Si tuviere defecto, no le ofreceréis, ni será aceptable.

**21.** Quien ofreciere víctima pacífica al Señor, o por voto, o voluntariamente, bien sea de bueyes o de ovejas, debe ofrecerla sin tacha, para que sea aceptable *al Señor:* no ha de tener vicio ninguno.

**22.** Si el animal es ciego, si estropeado, si tuviere matadura, o verrugas, o sarna, o empeines, no le ofrezcáis al Señor, ni hagáis quemar nada de él sobre el altar del Señor.

**23.** Buey u oveja, de oreja o cola cortadas, puedes ofrecerlos *al Señor* en sacrificio voluntario; mas con ellos no puedes cumplir el voto que hayas hecho.

**24.** Ningún animal que tenga quebrantado, o majado, o cortado, o quitado lo que está destinado para propagar la especie, le ofreceréis al Señor; y de ningún modo haréis *jamás* tales cosas en vuestra tierra.

**25.** De mano de un extranjero *o gentil,* nunca ofrezcáis panes a vuestro Dios, ni otro algún presente que quiera dar: porque todas sus cosas están contaminadas e impuras: no las recibáis.

**26.** Habló todavía el Señor a Moisés, diciendo:

27. Ternero, cordero, y cabrito, luego que hubieren nacido, estarán por siete días mamando de su madre. Desde el día octavo y en adelante, podrán ser ofrecidos al Señor.

28. Sea vaca, sea oveja, con sus crías no serán degolladas en un mismo día.

29. Si degolláreis una víctima en acción de gracias al Señor, para tenerle propicio,

30. La comeréis en el mismo día, no quedará nada para la mañana del día siguiente. Yo el Señor.

31. Guardad mis mandamientos, y cumplidlos. Yo el Señor.

32. No profanéis mi santo nombre; a fin de que yo sea santificado en medio de los hiios de Israel. Yo el Señor que os santifico,

33. Y que os he sacado de la tierra de Egipto para ser vuestro Dios. Yo el Señor.

# CAPITULO XXIII

*Ceremonias para la solemnidad del sábado y demás fiestas principales.*

1. Habló el Señor a Moisés, diciendo:

2. Habla a los hijos de Israel y diles: Estas son las fiestas del Señor que habéis de santificar:

3. Seis días trabajaréis; el día séptimo por ser el descanso del sábado, será santificado: en este día no haréis trabajo ninguno: porque es el sábado del Señor, el cual debe observarse en cualquier parte que os halléis.

4. Así, pues, las fiestas del Señor, que debéis celebrar a sus tiempos, son las siguientes:

5. En el mes primero, el día catorce del mes por la tarde, es la Pascua del Señor;

6. Y el día quince de éste es la solemnidad de los ácimos del Señor. Siete días comeréis panes sin levadura.

7. El primero de éstos será para vosotros solemnísimo y santo: ninguna obra servil haréis en él:

8. Sino que en los siete días ofreceréis holocausto al Señor: pero el séptimo día será para vosotros más solemne y santo que los demás; durante el cual no haréis obra ninguna servil.

9. Habló también el Señor a Moisés, diciendo:

10. Habla a los hijos de Israel, y diles: Cuando hubiéreis entrado en la tierra que os daré, y segado las mieses, ofreceréis al sacerdote manojos de vuestras espigas, primicias de vuestra siega:

11. El cual al otro día de la fiesta, elevará el hacecillo delante del Señor, para que sea aceptable a favor vuestro, y se lo consagrará.

12. Y en ese mismo día en que se consagrará el manojo, será sacrificado un cordero primal, sin mácula, en holocausto al Señor.

13. Y con él se presentarán como *ofrenda* o libación, dos décimas de flor de harina, heñida con aceite, para ser quemada, en olor suavísimo al Señor: asimismo por libación *u ofrenda* de vino, la cuarta parte de un hin.

14. No comeréis pan, ni polenta, ni puches de las mieses, hasta el día en que ofrezcáis las primicias de ellas a vuestro Dios. Estatuto es éste que deberéis observar eternamente de generación en generación, en todos los lugares en que habitáreis.

15. Contaréis, pues, desde el día segundo de la fiesta en que ofrecísteis el manojo de las primicias, siete semanas enteras,

16. Hasta el otro día de cumplida la séptima semana, que vienen a ser cincuenta días: y entonces ofreceréis nuevo sacrificio al Señor,

17. En todas partes en que habitáreis, dos panes de primicias, hechos de dos décimas de flor de harina con levadura, los que coceréis para primicias al Señor.

18. Con los panes ofreceréis siete corderos sin mácula, primales, y un ternero de la vacada, y dos carneros, en holocausto, con sus libaciones, para olor suavísimo al Señor.

19. Sacrificaréis también un macho cabrío por el pecado, y dos corderos del año por hostias pacíficas;

20. Los cuales elevados por el sacerdote ante el Señor, con los panes de las primicias, servirán para uso suyo.

21. Tendréis este día por solemnísimo y santísimo; no haréis en él obra ninguna servil. Ley sempiterna será ésta en todos los lugares en que habitáreis, y para toda vuestra posteridad.

---

8. Esto quiere decir *sacrificium in igne:* y así trasladan los Setenta Intérpretes la voz hebrea: *ofrenda encendida.*

16. Esto es, las primicias del grano en dos partes fermentadas. Con esta oferta reconocían el supremo dominio de Dios. Algunos creen que esta oferta tenía que hacerla cada familia.

**22.** Cuando segáreis las mieses de vuestros campos, no las cortaréis hasta el suelo, ni recogeréis las espigas que quedan, sino que las dejaréis para los pobres y peregrinos. Yo soy el Señor Dios vuestro.

**23.** Habló también el Señor a Moisés, diciendo:

**24.** Di a los hijos de Israel: El primer día del mes séptimo será para vosotros fiesta memorable: *le celebraréis* con el toque de las trompetas, y llamarse ha santo.

**25.** No haréis en él ninguna obra servil, y ofreceréis holocausto al Señor.

**26.** Y habló el Señor a Moisés, y le dijo:

**27.** El décimo día de este séptimo mes será el día solemnísimo de la Expiación, *o perdón* y se llamará santo y mortificaréis en él vuestras almas, y ofreceréis holocausto al Señor.

**28.** En todo este día no haréis ninguna obra servil; porque es día de propiciación, a fin de que os sea propicio el Señor Dios vuestro.

**29.** Cualquiera que en este día no hiciere penitencia, será exterminado de entre sus gentes,

**30.** Y yo raeré de la lista de su pueblo al que hiciere alguna labor.

**31.** Por tanto no trabajaréis poco ni mucho en este día. Ley sempiterna será ésta para vosotros y para vuestros descendientes, en cualquier lugar en que moréis.

**32.** Es *fiesta* o sábado de descanso: y desde el día nono del mes mortificaréis vuestras almas. Vuestras fiestas las celebraréis desde una tarde hasta la otra.

**33.** Habló todavia el Señor a Moisés, diciendo:

**34.** Di a los hijos de Israel: El día quince de este mismo mes séptimo empezarán las fiestas de los Tabernáculos, que se celebrarán en honor del Señor durante siete días.

**35.** El primero será solemnísimo y santísimo: en él no haréis ninguna obra servil.

**36.** Todos los siete días ofreceréis holocaustos al Señor. El día octavo también será solemnísimo y santísimo; y ofreceréis al Señor un holocausto por ser día de *gran* concurso, y de colecta, *o junta solemne.* No haréis en él ninguna obra servil.

**37.** Estas son las fiestas del Señor que tendréis por solemnísimas y santísimas, y en ellas ofreceréis al Señor oblaciones, holocaustos y libaciones, *u ofrendas de licor*, según el rito propio de cada día;

**38.** Además de los *sacrificios de los otros* sábados del Señor y de vuestros dones, y de las ofrendas que hiciéreis al Señor por voto o espontáneamente.

**39.** Desde el día quince, pues, del mes séptimo, cuando habréis ya recogido todos los frutos de vuestra tierra, celebraréis una fiesta al Señor por siete días. El día primero y el octavo serán como *días de* sábado, esto es, de descanso.

**40.** En el primer día cogeréis ramas con sus frutos de los árboles más bellos, y gajos *o ramos* de palmas, y de árboles frondosos, y de sauces de los torrentes, y os regocijaréis delante del Señor Dios vuestro,

**41.** Y celebraréis cada año esta solemne fiesta por espacio de siete días: Ley que será observada por toda vuestra descendencia. Celebraréis esta fiesta en el séptimo mes,

**42.** Y habitaréis por siete días en tiendas cubiertas de ramas: Todo el que es del linaje de Israel, estará en tiendas de campaña:

**43.** Para que aprendan vuestros descendientes cómo hice yo habitar en tiendas de campaña a los hijos de Israel al sacarlos de la tierra de Egipto. Yo el Señor Dios vuestro.

**44.** Esto dijo Moisés a los hijos de Israel acerca de las fiestas del Señor.

## CAPITULO XXIV

*Del aceite para las lámparas y de la calidad de los panes de la proposición; de la pena del blasfemo y de la del talión.*

**1.** Habló también el Señor a Moisés, diciendo:

**2.** Manda a los hijos de Israel que te traigan aceite de olivas, el más puro y clarificado para hacer arder continuamente las lámparas,

**3.** Fuera del velo *del Arca* del Testamento *colocada* en el Tabernáculo de la alianza. Y las colocará Aarón; *para que ardan toda la noche* desde la tarde hasta la mañana, delante del Señor: ceremonia que se observará con rito perpetuo por toda vuestra posteridad.

**4.** Estarán siempre colocadas sobre el candelero tersísimo, delante del Señor.

**5.** Recibirás también harina floreada, y harás cocer dos panes hechos de ella, que tendrán cada uno dos décimas *de un efi:*

---

40. De esta manera obsequió el pueblo y particularmente los niños, a Jesucristo, el día en que entró solemnemente en Jerusalén.

**6.** De los cuales colocarás seis en un lado, y seis en un otro ante el Señor, sobre la mesa limpísima:

**7.** Y encima de ellos pondrás incienso muy trasparente; para que este pan sea un monumento de oblación al Señor.

**8.** Cada sábado se mudarán *estos panes, poniéndose otros* ante la presencia del Señor, recibiéndolos de los hijos de Israel por pacto *o fuero* perpetuo.

**9.** Y serán de Aarón y de sus hijos por derecho perpetuo, para que los coman en el lugar santo; por ser cosa santísima, y ofrecida al Señor.

**10.** Entre tanto sucedió que un hijo de cierta mujer israelita, que le había tenido de un egipcio, *saliendo* de entre los hijos de Israel, trabó una riña en el campamento con un israelita.

**11.** Y habiendo blasfemado y maldecido el nombre *santo,* fué conducido a Moisés (llamábase la madre Solomit, hija de Dabri, de la tribu de Dan);

**12.** Y metiéronle en la cárcel, hasta saber lo que ordenaba el Señor.

**13.** El cual habló a Moisés,

**14.** Diciendo: Saca ese blasfemo fuera del campamento, y todos los que le oyeron pongan sus manos sobre la cabeza de él, y apedréele todo el pueblo.

**15.** Y dirás a los hijos de Israel: El hombre que maldijere a su Dios, pagará la pena de su pecado:

**16.** Muera irremisiblemente el que blasfemare el nombre del Señor: acabará con él a pedradas todo el pueblo, ora sea ciudadano, o bien extranjero. Quien blasfemare el nombre del Señor, muera sin remedio.

**17.** Quien hiriere a un hombre y le matare, muera irremisiblemente.

**18.** Quien hiriere, *o matare* a un animal, restituirá otro equivalente, a saber, animal por animal.

**19.** Quien ofendiere la persona de cualquiera de sus conciudadanos, se hará con él según hizo.

**20.** Rotura por rotura, ojo por ojo, diente por diente ha de pagar: cual fuere el daño causado, tal será forzado a sufrir.

**21.** Quien hiriere de muerte a un jumento, pagará otro; quien matare a un hombre, será ajusticiado.

---

**14.** Esto manifiesta cuán enorme es la blasfemia y la corrupción de nuestro siglo en que se oyen, casi a sangre fría, blasfemias continuas del santo nombre de Dios.

**22.** Sea igual entre vosotros la justicia; ya fuere extranjero, ya ciudadano el que pecare: porque Yo soy el Señor Dios vuestro.

**23.** Así habló Moisés a los hijos de Israel. Y en seguida sacaron éstos fuera del campamento al blasfemo, y le mataron a pedradas. E hicieron los hijos de Israel como el Señor había mandado a Moisés.

## CAPITULO XXV

*Leyes sobre el año sabático o séptimo; y del año quincuagésimo o del Jubileo.*

**1.** Y habló el Señor a Moisés en el monte Sinaí, diciendo:

**2.** Habla a los hijos de Israel, y diles: Entrado que hayáis en la tierra que yo os daré, dejadla descansar un año, *de siete en siete,* a honra del Señor.

**3.** Seis años sembrarás tu campo, y seis años podarás tu viña, y cogerás sus frutos.

**4.** Pero el año séptimo será para la tierra sábado, *en honor* del descanso del Señor, ni sembrarás el campo, ni podarás la viña.

**5.** No has de segar aquéllo que de suyo produjere la tierra: ni has de recoger *de los sarmientos* las uvas de *que ofrecías* tus primicias, como quien vendimia: porque es año de huelga para la tierra:

**6.** Sino que las comeréis tú y tu esclavo, tu esclava y tu jornalero, y los extranjeros que moran contigo:

**7.** Y todo lo que produzca la tierra servirá también para pasto de tus bestias y ganados.

**8.** Asimismo contarás siete semanas *de años; es decir, siete veces siete años,* que juntos hacen cuarenta y nueve años;

**9.** Y al mes séptimo, el día diez del mes, que es el tiempo de la fiesta de la Expiación, harás sonar la bocina por toda vuestra tierra,

**10.** Y santificarás el año quincuagésimo, y anunciarás remisión o *rescate general* para todos los moradores de tu tierra; pues éste es el año del jubileo. Cada uno recobrará su posesión, y cada cual se restituirá a su antigua familia:

---

**10.** La palabra hebrea que la Vulgata traduce *jubilaeus* significa el carnero, y figurativamente, la bocina, hecha del cuerno de carnero; la cual se tocaba en la solemnidad del año cincuentésimo, llamado por esta razón del Jubileo: parece derivada del verbo *volver, restituir,* etc., porque todas las cosas enajenadas volvían entonces a su dueño primero, los esclavos recobraban su libertad, etc.; de suerte que cada uno volvía a poseer los bienes raíces que tocaron a su familia en la primera división. *Josué* XIII *y siguientes.*

**11.** Por ser el año quincuagésimo, año del jubileo. No sembraréis ni segaréis, lo que de suyo naciere en el campo, ni recogeréis las primicias de la vendimia,

**12.** A fin de santificar el jubileo; sino que comeréis lo que primero se ponga delante.

**13.** El año del jubileo todos han de recobrar sus posesiones.

**14.** Cuando vendieres algo a tu conciudadano o lo comprares de él, no apremies a tu hermano, sino que ajustarás la compra según los años que faltan para el jubileo,

**15.** Y conforme a esta cuenta te lo venderá.

**16.** Cuantos más años falten de un jubileo a otro, tanto más crecerá el precio; y cuanto menos tiempo queda, tanto menos valdrá la compra; porque el que vende, vende el tiempo del usufructo.

**17.** No queráis apremiar a los que son de vuestra misma tribu: mas tema cada uno a su Dios; porque Yo soy el Señor Dios vuestro.

**18.** Ejecutad mis preceptos, guardad y cumplid mis decretos, para que podáis habitar sin temor alguno en el país,

**19.** Y la tierra os dé sus frutos, de que comáis hasta saciaros, sin recelar violencia de nadie.

**20.** Y si dijéreis: ¿Qué comeremos el año séptimo, si no hemos de sembrar, ni recoger nuestros frutos?

**21.** Yo derramaré mi bendición sobre vosotros y la tierra producirá tantos frutos como en tres años.

**22.** Y sembraréis el año octavo, y comeréis los frutos añejos hasta el año noveno: hasta que nazcan los nuevos frutos, comeréis los añejos.

**23.** La tierra asimismo no se venderá para siempre: por cuanto es mía, y vosotros sois advenedizos, y colonos míos.

**24.** Y así todo terreno de vuestra posesión se venderá con la condición de redimible.

**25.** Si empobrecido tu hermano vendiere su haciendilla, puede un pariente suyo, si quiere, redimir lo vendido por el otro.

**26.** Mas en caso de no tener pariente cercano, si él mismo puede hallar el precio con que redimirla,

**27.** Se computarán los frutos caídos desde la venta, y pagará el resto al comprador; y con eso recobrará su posesión.

**28.** Mas si no hallare arbitrio de juntar el precio, retendrá el comprador lo comprado hasta el año del jubileo: en el cual todo lo vendido se ha de restituir a su antiguo dueño y poseedor.

**29.** El que vendiere una casa dentro de los muros de una ciudad, tendrá durante el año entero libertad de redimirla.

**30.** Si no la redimiere, y hubiere pasado el año, la poseerá el comprador y sus herederos perpetuamente, y no podrá redimirse ni aun en el año del jubileo.

**31.** Si la casa está en una aldea sin muros, se venderá al tenor de los campos: si no ha sido redimida antes, en el jubileo volverá a su dueño.

**32.** Las casas que los levitas tienen en las ciudades siempre se pueden redimir:

**33.** Si no se redimen, en el jubileo volverán a sus dueños, porque las casas que en las ciudades tienen los levitas, se reputan como posesiones entre los hijos de Israel.

**34.** Pero sus campos junto a las ciudades, nunca se vendan, por ser herencia sempiterna.

**35.** Si tu hermano empobreciere, y no pudiendo valerse, le recibieres como forastero y peregrino, y viviere contigo,

**36.** No cobres usura de él, ni más de lo que prestaste. Teme a tu Dios, a fin de que tu hermano pueda vivir en tu casa.

**37.** No le darás tu dinero a logro, y de los comestibles no le exigirás aumento sobre aquéllo que le has dado.

**38.** Yo el Señor Dios vuestro, que os he sacado de la tierra de Egipto para daros la tierra de Canaán, y ser vuestro Dios.

**39.** Si tu hermano obligado de la pobreza se vendiere a ti, no le oprimirás con el servicio propio de los esclavos,

**40.** Sino que será tratado como jornalero y mozo de labranza: servirá en tu casa hasta el año del jubileo,

**41.** Y después saldrá libre con sus hijos, y volverá a su familia y a la herencia de sus padres:

**42.** Porque ellos son siervos míos, y yo les saqué de la tierra de Egipto, y *así* no han de ser vendidos en calidad de esclavos.

**43.** No aflijas, pues, a tu hermano, abusando de tu poderío, mas teme a Dios.

**44.** Vuestros esclavos y esclavas, han de ser de las naciones que os rodean;

**45.** Y de los extraños que vienen a morar entre vosotros, y los que de éstos nacieren en vuestra tierra, ésos tendréis por siervos,

**46.** Y por juro de herencia los dejaréis a vuestros descendientes, poseyéndolos por siempre jamás; pero a vuestros hermanos, los hijos de Israel, no los oprimáis abusando del poder.

**47.** Si un extranjero y peregrino se hiciere poderoso entre vosotros, y tu hermano viniendo a menos se vendiere a él, o a cualquiera de su linaje,

**48.** Después de la venta puede ser rescatado. Quien quiera de sus hermanos puede rescatarle;

**49.** Así el tio, como el primo, el pariente de consaguinidad como el de afinidad; y aun él mismo se rescatará, si puede,

**50.** Entrando en cuenta solamente los años desde el tiempo de su venta hasta el año del jubileo; y rebajando del dinero en que fué vendido el·salario que corresponde a un jornalero, según el número de años.

**51.** Si son muchos los años que faltan hasta el jubileo, según ellos habrá de pagar el precio:

**52.** Si pocos, hará la cuenta con el comprador, según el número de los años servidos,

**53.** Como si fuere a jornal, y le pagará el resto de años. El comprador no le ha de tratar con dureza estándolo tú mirando.

**54.** Caso que no pudiere ser rescatado por estos medios, saldrá libre con sus hijos el año del jubileo.

**55.** Porque los hijos de Israel son siervos míos, a los cuales saqué yo de la tierra de Egipto.

# CAPITULO XXVI

*Promesas hechas a los que observaren los Mandamientos; amenazas a los transgresores.*

**1.** Yo soy el Señor Dios vuestro: No os fabricaréis ídolos, ni estatuas, ni erigiréis columnas *o aras,* ni pondréis en vuestra tierra piedra señalada, con el fin de adorarla: porque yo soy el Señor Dios vuestro.

**2.** Guardad mis sábados, y tened profundo respeto a mi Santuario. Yo el Señor.

---

**2.** Los Hebreos antes de entrar en el templo se quitaban el calzado y dejaban a la entrada el bastón que llevaban en la mano: quitábanse el polvo que podían haber cogido sus pies; nunca atravesaban el templo para pasar de un lado a otro, y salían de él sin volver jamás las espaldas al Santuario. ¡Cuán de llorar es el poco respeto con que están en el templo del Dios vivo, en la presencia de Jesucristo, muchos cristianos de nuestros días!

**3.** Si seguís mis preceptos, y observáis mis mandatos y los cumplís, os enviaré lluvias a sus tiempos,

**4.** Y la tierra producirá sus granos, y estarán los árboles cargados de frutos.

**5.** Y *con tanta abundancia que* la trilla de las mieses alcanzará la vendimia, y la vendimia la sementera; y comeréis vuestro pan en hartura, y habitaréis en vuestra tierra sin temor ninguno.

**6.** Haré que reine la paz en vuestros confines. Dormiréis, y no habrá quien os espante. Ahuyentaré las bestias dañinas; y no entrará espada en vuestros términos.

**7.** Perseguiréis a vuestros enemigos, y caerán delante de vosotros.

**8.** Cinco de los vuestros perseguirán a cien extraños, y cien de vosotros a diez mil: vuestros enemigos caerán en vuestra presencia al filo de la espada.

**9.** Echaré sobre vosotros una mirada *benigna,* y os haré crecer y seréis multiplicados, y confirmaré mi alianza con vosotros.

**10.** Comeréis los frutos añejos de mucho tiempo, y *al fin* arrojaréis los añejos por la superabundancia de los nuevos.

**11.** Fijaré mi Tabernáculo en medio de vosotros, y no os desechará mi alma.

**12.** Andaré entre vosotros, y seré vuestro Dios, y vosotros seréis el pueblo mío.

**13.** Yo el Señor Dios vuestro que os he sacado de la tierra de los egipcios, a fin de que no fuéseis sus esclavos; y rompí las cadenas de vuestras cervices, para que alzáseis cabeza.

**14.** Pero si no me escucháreis, ni cumpliéreis todos mis mandamientos:

**15.** Si despreciáreis mis leyes y no hiciéreis caso de mis juicios, dejando de hacer lo que tengo establecido, e invalidando mi pacto;

**16.** Ved aquí la manera con que yo también me portaré con vosotros: Os castigaré prontamente con hambre, y con un ardor que os abrasará los ojos, y consumirá vuestras vidas. En vano haréis vuestras sementeras, pues será devorada por vuestros enemigos.

**17.** Os dirigiré una mirada con rostro airado, y caeréis a los pies de vuestros enemigos, y quedaréis sujetos a los que os aborrecen: os entregaréis a la fuga sin que nadie os persiga.

**18.** Y si aun con eso no me obedeciéreis, os castigaré todavía siete veces más, por causa de vuestros pecados,

**19.** Y quebrantaré el orgullo de vuestra rebeldía y haré desde lo alto que el cielo sea de hierro para vosotros y de bronce la tierra.

**20.** Se irá en humo todo vuestro trabajo: la tierra no producirá su esquilmo, ni los árboles darán frutos.

**21.** Si quisiéreis apostároslas conmigo, desobedeciendo mis órdenes, aumentaré siete veces más vuestras plagas, por causa de vuestros pecados;

**22.** Y enviaré contra vosotros las fieras del campo, para que os devoren a vosotros y a vuestros ganados, reduciéndoos a un corto número, y haciendo desiertos vuestros caminos.

**23.** Y si ni aun con eso quisiéreis enmendaros, sino que prosiguiéreis oponiéndoos a mí,

**24.** Yo también proseguiré oponiéndome a vosotros, y os castigaré siete veces más por vuestros pecados,

**25.** Y haré descargar sobre vosotros la espada, que os castigará por haber roto mi alianza. Y si os refugiáreis a las ciudades *muradas,* os enviaré peste, y seréis entregados en manos de vuestros enemigos,

**26.** Después que yo os hubiere quitado el apoyo del pan *que es vuestro sustento;* en tal extremo, que diez mujeres cocerán panes en un solo horno, y darán a *sus hijos* el pan por onzas; y comeréis, y nunca os saciaréis.

**27.** Pero si ni aun con todo eso me escucháreis, sino que prosiguiéreis pugnando contra mí,

**28.** Yo así mismo procederé contra vosotros con saña de enemigo, y os azotaré con siete nuevas plagas por vuestros pecados,

**29.** De suerte que vengáis a comer las carnes de vuestros hijos, y de vuestras hijas.

**30.** Destruiré vuestras alturas *en que adoráis a los ídolos,* y despedazaré vuestros simulacros. Caeréis entre las ruinas de vuestros ídolos, y mi alma os abominará,

**31.** En tanto grado que reduciré a soledad vuestras ciudades, y asolaré vuestros Santuarios, ni aceptaré ya más el olor suavísimo *de vuestros sacrificios.*

**32.** Talaré vuestra tierra, y quedarán atónitos viéndola vuestros enemigos, cuando entraren a morar en ella.

**33.** Y a vosotros os dispersarán por entre las naciones, y desenvainaré mi espada en pos de vosotros y quedará yerma vuestra tierra, y arruinadas vuestras ciudades.

**34.** Entonces la tierra gozará de sus sábados *o días de reposo,* mientras durare el tiempo de su soledad: cuando vosotros,

**35.** Estaréis en tierra enemiga, ella descansará, y hallará su reposo, estando sola *o desierta;* ya que no reposó en vuestros sábados, cuando habitábais en ella.

**36.** Y a los que de vosotros quedaren, infundiré espanto en sus corazones en medio de los países enemigos: estremeceránse al ruido de una hoja volante, huyendo de ella como de una espada: caerán sin que nadie los persiga;

**37.** Y se atropellarán unos a otros como quien huye de la batalla: ninguno de vosotros tendrá valor para resistir al enemigo:

**38.** Pereceréis entre las naciones; y la tierra enemiga os consumirá.

**39.** Y si todavía quedaren algunos de éstos, se irán pudriendo por sus iniquidades en el país de sus enemigos; y serán *cruelmente* afligidos por los pecados de sus padres y por los suyos:

**40.** Hasta que confiesen sus maldades, y las de sus mayores, con que prevaricaron, y se rebelaron contra mí.

**41.** Por donde yo también iré contra ellos, y los arrojaré a país enemigo, hasta tanto que su corazón incircunciso se confunda, y avergüence: entonces será cuando pedirán perdón de sus impiedades.

**42.** Y yo me acordaré de mi alianza que hice con Jacob y con Isaac, y con Abraham. Me acordaré también de la tierra;

**43.** La cual, despoblada de ellos, gozará de sus días de sábado, reducida a un yermo por causa de ellos. Mas entre tanto me pedirán perdón por sus pecados, por haber rechazado mis ordenanzas y despreciado mis leyes.

**44.** Y yo a pesar de eso, aun estando ellos en tierra enemiga, no los abandoné totalmente, ni los desamé tanto que los dejase perecer enteramente, y anulase mi pacto hecho con ellos. Porque *al fin yo* soy el Señor Dios suyo;

---

**44.** Ni aun después de haber desechado el pueblo de Israel al Mesías, Dios le abandonó enteramente, ni para siempre. Entonces mismo hizo salir de él los Apóstoles para establecer o formar la Iglesia, que se compuso de fieles israelitas; y es de fe que la dureza e incredulidad del pueblo judaico no ha de durar para siempre, sino que, como dice el Apóstol *(Rom.* IX, X, XI), después que hayan entrado en la Iglesia todas las naciones, entrará también Israel en ella, reconociendo a Jesucristo por Mesías.

**45.** Y tendré presente mi antigua alianza que hice con ellos, cuando a vista de las naciones los saqué de la tierra de Egipto, para ser su Dios. Yo soy el Señor.

Estos son los decretos, y preceptos, y leyes que Dios estableció entre sí y los hijos de Israel en el monte Sinaí por medio de Moisés.

# CAPITULO XVII

*Leyes sobre los votos y diezmos.*

**1.** Habló todavía el Señor a Moisés, diciendo:

**2.** Habla a los hijos de Israel, y diles: El hombre que hiciere un voto, y prometiere a Dios consagrarle su vida, pagará *para desobligarse* un *cierto* precio, según la tasa *siguiente.*

**3.** Si fuere varón de veinte años hasta sesenta, dará cincuenta siclos de plata del peso del Santuario.

**4.** Si es mujer, treinta.

**5.** Mas desde cinco años hasta veinte, el varón dará veinte siclos, la mujer diez.

**6.** Por el niño de un mes hasta cinco años, se darán cinco siclos, por la niña, tres.

**7.** El hombre de sesenta años arriba dará quince siclos, la mujer, diez.

**8.** Si es pobre, que no pueda pagar la tasa, se presentará al sacerdote, y dará lo que éste juzgare y viere que puede pagar.

**9.** Si alguno ofrece por voto un animal, que se puede sacrificar al Señor, será sagrado;

**10.** Y no se podrá trocar ni mejor por malo, ni peor por bueno; y si le trocare, tanto el trocado, como el de trueque, quedarán consagrados al Señor.

**11.** Quien ofreciere por voto un animal inmundo, que no se puede inmolar al Señor, le traerá al sacerdote,

**12.** El cual, examinando si es bueno o malo, tasará el precio.

**13.** Y si el oferente quisiere dar ese precio *para recobrarle*, debe añadir un quinto sobre la valuación.

**14.** Cuando un hombre ofrece con voto y consagra su casa al Señor, la reconocerá el sacerdote para ver si es buena, o mala, y se venderá según el precio que éste tasare.

**15.** Pero si el que hizo el voto quisiere redimirla dará una quinta parte sobre el precio de su tasación, y se quedará con ella.

**16.** Y si hiciere voto y consagrare al Señor un campo de su herencia, se tasará el precio a proporción del grano que se necesita para sembrarle. Si son necesarios treinta modios de cebada, véndase por cincuenta siclos de plata.

**17.** Si el voto de dar el campo le hace desde el principio del año del jubileo, será apreciado en todo su valor.

**18.** Mas si lo hace después de algún tiempo, calculará el sacerdote la suma, a proporción del número de años que faltan hasta el jubileo; y según eso será la rebaja del precio.

**19.** Si quien hizo el voto quiere redimir el campo, añadirá un quinto al precio tasado, y le poseerá de nuevo.

**20.** Pero si no quiere redimirle y se vende a otro cualquiera, aquél que le prometió con voto no podrá ya más redimirle.

**21.** Por cuanto venido que sea el día del jubileo, quedará consagrado al Señor, y la posesión consagrada pertenece al derecho de los sacerdotes.

**22.** Si el campo consagrado al Señor es comprado, y no habido por herencia de sus mayores,

**23.** El sacerdote calculará el precio conforme al número de años restantes hasta el jubileo, y el que hizo el voto dará este precio al Señor;

**24.** Mas en el jubileo será restituído al primer dueño que le vendió, y le tenía por juro de su herencia.

**25.** Todas las estimas se harán según el peso del siclo del Santuario. El siclo tiene veinte óbolos.

**26.** Nadie podrá consagrar ni ofrecer en voto los primogénitos, puesto que pertenecen al Señor. Sean de la vacada, o sean de los rebaños, del Señor son.

**27.** Si el animal es inmundo, el que le ofreció le rescatará, según valuación que tú hagas, añadiendo un quinto al precio. Si no quiere rescatarle, se venderá a otro en lo que tú le hubieres valuado.

**28.** Todo lo consagrado al Señor, sea hombre, sea animal, o sea campo, no se venderá, ni podrá ser redimido. Todo lo que una vez fuere así consagrado al Señor, será *para él, siendo como es* cosa santísima.

**29.** Y todo lo que de esta manera es ofrecido y consagrado por un hombre, no será rescatado, sino que debe ser muerto sin falta.

---

**29.** *Jos.* VI, *v.* 17, 25. Natural o civilmente, esto es, quedará como amortizado perpetuamente.

**30.** Todos los diezmos de la tierra, ya sean de granos, ya de frutos de árboles del Señor son, y a El están consagrados.

**31.** Y si uno quiere redimir sus diezmos, dará encima el quinto.

**32.** De todos los bueyes, ovejas y cabras, que cuenta el pastor con el cayado, la décima cabeza que salga, será para el Señor.

**33.** No se escogerá ni buena ni mala, ni se cambiará con otra: si se cambiare, quedará consagrado al Señor, sin poder redimirse, tanto lo cambiado, como lo que se haya dado en cambio.

**34.** Estos son los preceptos intimados por el Señor a Moisés, para los hijos de Israel, en el monte Sinaí.

# LOS NÚMEROS

## Introducción

*Los Números*, cuarto libro del *Pentateuco*, debe su título al censo que figura al principio del libro y en el capítulo 26. Abarca treinta y nueve años, desde el final del *Levítico* hasta la llegada del pueblo elegido a orillas del Jordán. Es un libro de carácter misceláneo en que se mezclan la historia y las leyes; de ahí que los exégetas lo hayan dividido para su estudio basándose en criterios geográficos.

La primera parte, referente al Sinaí, describe la organización del pueblo en doce tribus. El carácter militar de esta ordenación se evidencia en sus precisiones numéricas: 22.000 hombres dedicados al servicio del tabernáculo (los levitas) y 603.550 guerreros. En el desarrollo del relato se infiere que el autor no consideraba a Israel como un pueblo nómada sino como un ejército en movimiento. Es importante observar que la devoción del pueblo se revela en los donativos materiales ofrecidos al tabernáculo.

La segunda parte, denominada del desierto de Cadesbarne, relata el viaje del pueblo escogido hacia Canaán. Cronológicamente el lapso de tiempo es prolongado: en un momento dado el pueblo se detuvo treinta y ocho años. No faltan rebeliones internas, como la del levita Coré, que se enfrentó al privilegio sacerdotal de la familia de Aarón. Datán y Abirón, de la tribu de Rubén, protestaron también contra el privilegio de la tribu de Leví. Los rodeos, forzados por los idumeos, habitantes de aquellas tierras, prolongaron el viaje en exceso. Llegado el pueblo escogido a la llanura de Moab, se prepara para atravesar el Jordán e invadir la tierra prometida: Canaán.

La última parte del libro, geográficamente situada a orillas del Jordán, relata el episodio de Balaám. Al hablar Dios por boca de un animal, se enseña que la divinidad se sirve en ocasiones de lo más insospechado para confundir la soberbia de los sabios. Moisés y Aarón, guías hasta entonces de su pueblo, mueren sin entrar en la tierra de promisión. La travesía de las aguas del Jordán simboliza el bautismo. A la prevaricación de Baal sigue la guerra contra los madianitas, ejemplo de cómo había que actuar frente a los pueblos cananeos, condenados por Yavé. Los judíos luchan luego con los dos reinos amorreos, que, vencidos, son distribuidos entre las tribus de Rubén, Manasés y Gad. Las leyes que se promulgan para estas tribus señalan el final de la obra mosaica.

San Pablo nos enseña en una de sus epístolas que la peregrinación a Canaán, descrita en este libro, simbolizaba el camino del pueblo cristiano hacia la verdadera tierra prometida. Por otra parte, el guía Josué prefigura la imagen del salvador Jesús.

## CAPITULO PRIMERO

*Número de la gente de armas tomar que había en las tribus de Israel.*

1. Al segundo año de la salida de los hijos de Israel de Egipto, el primer día del mes segundo, habló el Señor a Moisés en el desierto del monte Sinaí en el Tabernáculo de la alianza, y le dijo:

2. Formad el censo de cuantos varones haya en todo el pueblo de los hijos de Israel, según los linajes y familias, con los nombres de cada uno.

3. Tú y Aarón contaréis todos los hombres fuertes de Israel de veinte años arriba, por sus companías.

4. Para lo que os acompañarán los príncipes de las tribus y familias según su linajes.

5. Cuyos nombres son estos: *De la tribu de* Rubén, Elisur, hijo de Sedeur.

6. De la de Simeón, Salamiel, hijo de Surisaddai.

7. De la de Judá, Nahasón, hijo de Aminadab.

8. De la de Isacar, Natanael, hijo de Suar.

9. De la de Zabulón, hijo de Helón.

10. De los hijos de José, por la tribu de Efraím, Elisama, hijo de Amiud. Por la de Manasés, Gamaliel, hijo de Fadasur.

11. De la tribu de Benjamín, Abidán, hijo de Gedeón.

12. De la de Dan, Ahiecer, hijo de Amisadai.

13. De la de Aser, Fegiel, hijo de Ocrán.

14. De la de Gad, Eliasaf, hijo de Duel.

15. De la de Neftalí, Abira, hijo de Enán.

16. Estos son los príncipes nobilísimos del pueblo, y los jefes del ejército de Israel dividido por sus tribus y linajes.

17. Y tomaron Moisés y Aarón a estos varones que habían sido designados por sus nombres,

18. Y congregaron toda la multitud el primer día del mes segundo, haciendo su alistamiento por linajes, por casas, por familias y cabezas, tomando el nombre de cada persona de veinte años arriba,

19. Como el Señor había mandado a Moisés. Hízole, pues, el censo en el desierto de Sinaí.

20. De la tribu de Rubén, primogénito de Israel, en sus linajes y familias y casas, con el nombre de cada individuo, todos los varones de veinte años arriba, aptos para la guerra.

21. Fueron cuarenta y seis mil quinientos.

22. De los descendientes de Simeón, por sus linajes y familias, y casas de sus parentelas con el nombre propio de cada persona, se contaron los varones todos de veinte años arriba, aptos para la guerra, y se hallaron

23. Cincuenta y nueve mil y trescientos.

24. De los descendientes de Gad, por sus linajes y familias, y casas de sus parentelas, con el nombre propio de cada uno, se contaron de veinte años arriba todos los que eran aptos para la guerra.

25. Y fueron cuarenta y cinco mil seiscientos y cincuenta.

26. De los descendientes de Judá por sus linajes, y familias, y casas de sus parentelas, se contaron por sus nombres todos los varones de veinte años arriba, que podían tomar las armas.

27. Y se hallaron setenta y cuatro mil y seiscientos.

28. De los descendientes de Isacar en sus linajes, familias y casas de sus parentelas desde veinte años arriba tomados los nombres de cada uno.

29. Se contaron aptos para la guerra en todos cincuenta y cuatro mil y cuatrocientos.

30. De los descendientes de Zabulón en sus linajes y familias, y casas de sus parentelas, se contaron por sus nombres de veinte años arriba todos los que podían ir a la guerra, y se hallaron

31. Cincuenta y siete mil y cuatro cientos.

32. De los descendientes de José por la línea de Efraím, según sus linajes, familias y casas de sus parentelas, se contaron por sus nombres, de veinte años arriba, aptos para la guerra,

33. Cuarenta mil y quinientos.

34. Por la línea de Manasés, según sus linajes, familias y casas de sus parentelas, se contaron por sus propios nombres, desde veinte años arriba aptos para la guerra,

---

2. Este segundo censo se hizo poco antes de partir del Sinaí el pueblo de Israel, y a fin de distribuir mejor las tribus alrededor del Tabernáculo en los campamentos, arreglar las marchas, saber de fijo la gente apta para la guerra, etc. *Exod.* XXX, *v.* 12.

**35.** Treinta y dos mil y doscientos.

**36.** De los descendientes de Benjamín, en sus linajes y familias y casas de sus parentelas, fueron contados por sus propios nombres todos los de veinte años arriba, aptos para la guerra, y halláronse

**37.** Treinta y cinco mil y cuatrocientos.

**38.** De los descendientes de Dan en sus linajes, familias y casas de sus parentelas, tomado el nombre de cada uno, se halló ser el número de todos los que podían tomar las armas, de veinte años arriba,

**39.** Sesenta y dos mil setecientos.

**40.** De los descendientes de Aser, en sus linajes, familias y casas de sus parentelas, se contaron por los nombres de cada uno, de veinte años arriba, aptos para las armas,

**41.** Cuarenta y un mil y quinientos.

**42.** De los descendientes de Neftalí en sus linajes, familias y casas de sus parentelas, se contaron por sus nombres, de veinte años arriba, todos de armas tomar.

**43.** Cincuenta y tres mil y cuatrocientos.

**44.** Este es el empadronamiento *de los hijos de Israel* que hicieron Moisés, Aarón y los doce príncipes de Israel, anotando a cada uno por su casa y familia.

**45.** Así, pues, todo el número de los hijos de Israel, alistados por sus casas y familias, de veinte años arriba, que podían salir a campaña, ascendió:

**46.** A seiscientos y tres mil quinientos y cincuenta hombres.

**47.** Pero los levitas, según las familias de su tribu, no entraron en el censo con ellos.

**48.** Porque el Señor habló a Moisés, diciendo:

**49.** No cuentes a la tribu de Leví, ni mezcles la suma de los levitas con la de los hijos de Israel.

**50.** Sino que los destinarás al cuidado del Tabernáculo del Testimonio, de todas sus alhajas, y de todo cuanto pertenece a las ceremonias. Ellos llevarán el Tabernáculo y todos sus utensilios; y se emplearán en su servicio, y tendrán su campamento alrededor de él.

**51.** Cuando hayáis de marchar, los levitas desarmarán el Tabernáculo: cuando os habréis de acampar, le armarán. Cualquier extraño que se arrimare, será castigado de muerte.

**52.** Los hijos de Israel asentarán su campamento, *y estarán* cada uno bajo su división *o estandarte,* según los varios escuadrones de que se compone su ejército.

**53.** Mas los levitas fijarán sus tiendas alrededor del Tabernáculo, y velarán en la guardia del Tabernáculo del Testimonio, a fin de que no descargue yo mi indignación sobre la muchedumbre de los hijos de Israel.

**54.** Hicieron, pues, los hijos de Israel todo lo que el Señor había mandado a Moisés.

## CAPITULO II

*Disposición de los cuatro campamentos para las tribus, alrededor del Tabernáculo hacia los cuatro puntos cardinales del mundo.*

**1.** Habló el Señor a Moisés y a Aarón, diciendo:

**2.** Los hijos de Israel acamparán alrededor del Tabernáculo de la Alianza, cada cual en su compañía, bajo las banderas y estandartes propios de su casa y linaje.

**3.** La tribu de Judá fijará sus pabellones hacia el oriente, dividida en la compañía de sus escuadrones, y el príncipe de ella será Nahasón, hijo de Aminadab.

**4.** Todos los combatientes de este linaje suman sesenta y cuatro mil y seiscientos.

**5.** Junto a ellos acamparán los de la tribu de Isacar, cuyo príncipe será Natahael, hijo de Suar.

**6.** Sus combatientes son en número de cincuenta y cuatro mil cuatrocientos.

**7.** De la tribu de Zabulón el príncipe será Eliab, hijo de Helón.

**8.** Todo el cuerpo de combatientes de su tribu es de cincuenta y siete mil y cuatrocientos.

**9.** El número de todos los que componen el campamento de Judá es de ciento y ochenta y seis mil y cuatrocientos. Estos repartidos en sus escuadrones marcharán los primeros.

**10.** En el campamento de los hijos de Rubén al mediodía, el príncipe será Elisur, hijo de Sedeur.

**11.** Todo el cuerpo de sus combatientes que han sido contados, es de cuarenta y seis mil y quinientos.

**12.** Junto a él acamparán los de la tribu de Simeón, cuyo príncipe es Salamiel, hijo de Surisaddai.

**13.** Todo el tercio de sus combatientes que han sido contados, es de cincuenta y nueve mil y trescientos.

**14.** De la tribu de Gad será príncipe Eliasaf, hijo de Duel.

**15.** Y todo el tercio de sus combatientes, que se han contado, es de cuarenta y cinco mil y seiscientos y cincuenta.

**16.** Todos los que han sido alistados en el campamento de Rubén ascienden a ciento y cincuenta y un mil cuatrocientos y cincuenta: los cuales repartidos en sus escuadrones marcharán en segundo lugar.

**17.** En seguida de éstos llevarán el Tabernáculo del Testimonio los levitas, después de desarmado, y *marcharán* según la distribución de sus oficios y divisiones. Con el mismo orden que se erigirá, se desarmará el Tabernáculo. Cada uno caminará en el puesto y por el orden que le corresponde.

**18.** Al poniente acamparán los hijos de Efraím, cuyo príncipe será Elisama, hijo de Amiud.

**19.** Toda la división de sus combatientes, después de numerados, es de cuarenta mil y quinientos.

**20.** Junto a ellos se acampará la tribu de los hijos de Manasés, cuyo príncipe será Gamaliel, hijo de Fadassur.

**21.** Y todo el cuerpo de sus combatientes, que fueron numerados, es de treinta y dos mil y doscientos.

**22.** De la tribu de los hijos de Benjamín, el príncipe será Abidán, hijo de Gedeon.

**23.** Y todo el tercio de sus combatientes, hecha de ellos la enumeración, es de treinta y cinco mil y cuatrocientos.

**24.** Todos los que se contaron en el campamento de Efraím, son ciento y ocho mil y cien hombres, repartidos en sus escuadrones. Estos marcharán los terceros.

**25.** A la parte del norte pondrán sus tiendas los hijos de Dan, cuyo príncipe será Ahiecer, hijo de Ammisadai.

**26.** Todo el cuerpo de sus combatientes, hecha la enumeración, es de sesenta y dos mil y setecientos.

**27.** A su lado acamparán los de la tribu de Aser, cuyo príncipe será Fegiel, hijo de Ocrán.

**28.** Todo el tercio de sus combatientes, después de numerados, fué de cuarenta y un mil y quinientos.

**29.** De la tribu de los hijos de Neftalí, el príncipe será Ahira, hijo de Enán.

**30.** Toda la división de sus combatientes

fué de cincuenta y tres mil y cuatrocientos.

**31.** Los numerados en el campamento de Dan han sido en todos ciento y cincuenta y siete mil y seiscientos: y éstos marchán los postreros.

**32.** Así el número del ejército de los hijos de Israel dividido en las familias de sus linajes y en escuadrones vino a ser de seiscientos y tres mil quinientos y cincuenta.

**33.** Bien que los levitas no entraron en esta numeración de los hijos de Israel: porque así lo había mandado el Señor a Moisés.

**34.** Y los hijos de Israel ejecutaron todo conforme al mandato del Señor. Acamparon por sus escuadrones y marcharon repartidos según las familias y casas de sus padres.

## CAPITULO III

*Destina Dios para su servicio a los Levitas en lugar de los primogénitos. Manda que se cuenten y se rescaten con una suma de dinero los primogénitos que sobrepujen al número de los Levitas.*

**1.** Estos son los descendientes de Aarón y de Moisés en el tiempo que habló el Señor a Moisés en el monte Sinaí.

**2.** Los nombres de los hijos de Aarón son éstos: Nadab, su primogénito, después Abiú, y Eleazar e Itamar.

**3.** Tales son los nombres de los hijos de Aarón, sacerdotes, que fueron ungidos y cuyas manos fueron llenadas o consagradas, para que ejerciesen las funciones del sacerdocio.

**4.** Pero murieron Nadab y Abiú, sin hijos, al ofrecer fuego profano en presencia del Señor, en el desierto de Sinaí; y Eleazar e Itamar ejercieron el oficio de sacerdotes en vida de su padre Aarón.

**5.** Y habló el Señor a Moisés, diciendo:

---

**2.** Sólo se hace mención aquí de los hijos de Aarón, en cuya descendencia había de quedar el sacerdocio. Los de Moisés van comprendidos en la familia de los Amramitas, de que se habla en el verso 27, por ser Moisés hijo de Amram, nieto de Caat y biznieto de Leví; y así quedaron confundidos entre los Levitas que eran como ministros de los sacerdotes. Ejemplo raro de moderación que este gran legislador y caudillo de los Hebreos dejó a los siglos venideros.

**4.** *Levit.* X, *v.* 1, 2.—I *Paral* XXIV, *v.* 2.

**6.** Haz acercar la tribu de Leví, y preséntala al *Sumo* sacerdote Aarón, para que los de esta tribu sean sus ministros, y hagan la guardia *en el Tabernáculo,*

**7.** Y ejerzan todo lo perteneciente al culto que me debe tributar el pueblo, ante el Tabernáculo del Testimonio.

**8.** Y guarden las alhajas del Tabernáculo dedicándose a su servicio.

**9.** Donarás, pues, los levitas

**10.** A Aarón y a sus hijos como un presente que les hacen los hijos de Israel. Pero a Aarón y a sus hijos los constituirás para ejercer las funciones sagradas del sacerdocio. Cualquier otro que se introduzca en este ministerio *sagrado,* será castigado de muerte.

**11.** Y habló el Señor a Moisés, diciendo:

**12.** Yo he tomado a los levitas de mano de los hijos de Israel en lugar de todos los primogénitos que nacen entre los hijos de Israel y así los levitas serán míos.

**13.** Ya que míos son todos los primogénitos. Desde que maté los primogénitos en la tierra de Egipto, consagré para mí todo lo primero que nace en Israel, así de hombres como de animales: son míos. Yo el Señor.

**14.** Habló, pues, el Señor a Moisés en el desierto de Sinaí, diciendo:

**15.** Cuenta los hijos de Leví por las casas y familias de sus padres, todos los varones de un mes arriba.

**16.** Contólos Moisés como lo había mandado el Señor.

**17.** Y éstos son los nombres de los hijos de Leví: Gersón, y Caat, y Merari.

**18.** Hijos de Gersón: Lebni y Semeí.

**19.** Hijos de Caat: Amram, Jesaar, Hebrón y Ociel.

**20.** Hijos de Merari: Moholi y Musi.

**21.** De Gersón se propagaron dos familias, la de Lebni y la de Semeí.

**22.** Cuyos individuos del sexo masculino, contados los de un mes arriba, fueron siete mil y quinientos.

**23.** Estos se acamparán detrás del Tabernáculo, al poniente.

**24.** A las órdenes del principe Eliasaf, hijo de Lael.

**25.** Y velarán en la guardia del Tabernáculo de la alianza.

**26.** Teniendo a su cuidado el mismo Tabernáculo, y sus cubiertas, el velo que se pone delante de la puerta del Tabernáculo de la alianza, y las cortinas del atrio; asimismo el velo que se cuelga en la entrada del atrio del Tabernáculo, y todo lo que sirve al ministerio del altar, las cuerdas del Tabernáculo y todos sus utensilios.

**27.** La descendencia de Caat abraza las familias de los amramitas, jesaaritas, hebronitas y ocielitas. Estas son las familias de los caatitas, contadas por sus nombres.

**28.** Todos los del sexo masculino de un mes arriba, que son ocho mil y seiscientos, harán la guardia del Santuario,

**29.** Acampando a la parte del mediodía.

**30.** Su príncipe será Elisafán, hijo de Ociel;

**31.** Y cuidarán del Arca, de la mesa, del candelero, de los altares y vasos del santuario, que sirven para el ministerio, y del velo *interior,* y de todo su aparato correspondiente.

**32.** Si bien Eleazar, hijo de Aarón, *Sumo* sacerdote, y primer príncipe de los levitas, tendrá la superintendencia de los que velan en la custodia del Santuario.

**33.** Finalmente, de Merari, son las familias moholitas y musitas, en las que contados por sus nombres,

**34.** Todos los del sexo masculino de un mes arriba, fueron seis mil y doscientos.

**35.** Su príncipe *será* Suriel, hijo de Abihaiel. Estos acamparán a la parte septentrional;

**36.** Y estarán a su cuidado los tablones del Tabernáculo y los travesaños, y las columnas con sus basas, y todo lo perteneciente a estas cosas.

**37.** E igualmente las columnas que cercan el atrio, sus basas, las estacas con sus cuerdas.

**38.** Delante del Tabernáculo de la Alianza, esto es, al oriente, fijarán sus tiendas Moisés y Aarón con sus hijos, velando en la custodia del Santuario en medio de los hijos de Israel. Cualquier extraño que se arrimare será muerto.

**39.** Todos los levitas que contaron Moisés y Aarón por mandato del Señor, familia por familia, en el sexo masculino, de un mes arriba, fueron veinte y dos mil.

**40.** Y dijo el Señor a Moisés: Cuenta los primogénitos de los hijos de Israel en el sexo masculino, de un mes arriba, y sacarás la suma de ellos.

**41.** Y apartarás para mí a los levitas, en lugar de todos los primogénitos de los hijos de Israel: Yo soy el Señor: Y los ganados *de los levitas* en vez de todos los primerizos de los ganados de los hijos de Israel.

**42.** Contó Moisés, como había mandado el Señor, los primogénitos de los hijos de Israel;

**43.** Y notados los varones por sus nombres, de un mes arriba, fueron veinte y dos mil doscientos y setenta y tres.

**44.** Y habló el Señor a Moisés, diciendo:

**45.** Toma los levitas en lugar de los primogénitos de los hijos de Israel, y los ganados de los levitas en vez de los *primerizos* de los ganados de aquéllos, y los levitas serán míos. Yo soy el Señor.

**46.** Mas por rescate de los doscientos y setenta y tres primogénitos de los hijos de Israel, que exceden al número de los levitas,

**47.** Recibirás cinco siclos por cabeza, según el peso del Santuario. El siclo tiene veinte óbolos.

**48.** Y darás este dinero a Aarón y a sus hijos por rescate de los primogénitos que hay de más.

**49.** Tomó, pues, Moisés el dinero de los que habían resultado de más, y por los cuales se pagaba el rescate a los levitas.

**50.** Siendo la suma que recibió por estos primogénitos de los hijos de Israel, mil trescientos y sesenta y cinco siclos al peso del Santuario.

**51.** Los que entregó a Aarón y a sus hijos, según el mandato que le había dado el Señor.

## CAPITULO IV

*Distribución de los cargos y oficios del Tabernáculo entre las tres familias de los Levitas.*

**1.** Habló el Señor a Moisés y a Aarón, diciendo:

**2.** Forma una lista de los hijos de Caat, entresacados de los levitas por sus casas y familias.

**3.** De treinta años arriba, hasta los cincuenta, de todos los que son admitidos para hacer la guardia y servir en el Tabernáculo de la alianza.

**4.** Este es el oficio de los hijos de Caat: Cuando se hubiere de mover el campamento,

**5.** Entrarán Aarón y sus hijos en el Tabernáculo de la alianza y en el Sancta Santorum, y quitarán el velo pendiente ante la puerta, y envolverán en él el Arca de Testamento.

**6.** Y pondrán además una sobrecubierta de pieles moradas, extendiendo encima de todo un paño de color de jacinto; y acomodarán las varas.

**7.** Envolverán asimismo la mesa de los panes de la proposición en un paño de color de jacinto, metiendo con ella los incensarios y las navetas, y las copas y las tazas para derramar las libaciones: los panes siempre estarán sobre la mesa.

**8.** Y extenderán por encima un paño de grana, sobre el cual pondrán asimismo una cubierta de pieles moradas, y acomodarán las varas.

**9.** Tomarán también un paño de color de jacinto, con que cubrirán el candelero, las lamparillas y sus atizadores, y despabiladeras, y todas las vasijas del aceite, y cuanto sirve para aderezar las lámparas.

**10.** Y pondrán encima de todo una cubierta de pieles moradas, y acomodarán las varas.

**11.** Y de la misma suerte envolverán el altar de oro, *o de los perfumes,* en un paño de color de jacinto, y extenderán encima una cubierta de pieles moradas, y acomodarán las varas.

**12.** Todos los vasos consagrados al ministerio del Santuario los envolverán en un paño de color de jacinto, y extenderán encima una cubierta de pieles moradas, y acomodarán las varas.

**13.** El altar también *de los holocaustos,* limpiado de la ceniza, le envolverán en una cubierta de púrpura.

**14.** Y con él pondrán todos los instrumentos que usan en sus servicios como los braseros, las horquillas y los tridentes, los garfios y badiles. Todas las cosas que son para el servicio del altar las cubrirán juntamente con la sobrecubierta de pieles moradas, y acomodarán las varas.

**15.** Y después que Aarón y sus hijos, al moverse el campamento, hubieren envuelto el Santuario y todos sus utensilios, entonces entrarán los hijos de Caat a cargar los fardos, y nunca tocarán los vasos del Santuario, de lo contrario morirán. Esta es la incumbencia de los hijos de Caat en el Tabernáculo de la alianza.

---

**6.** El texto hebreo, *y pondrán sus varas,* esto es, sobre los hombros de los Levitas. Las varas para llevar el Arca no se quitaban nunca de sus anillos o armellas (*Exod.* XXV, *v.* 15); pero tal vez para cubrir y envolver el Arca las sacaban los sacerdotes y volvían a ponerlas.

**16.** El jefe de ellos será Eleazar, hijo del *Sumo* sacerdote Aarón: a cuyo cuidado pertenece el aceite para aderezar las lámparas, y la confección del incienso y el sacrificio perpetuo, y el óleo de la unción, y todo lo perteneciente al culto del Tabernáculo, y todos los utensilios del Santuario.

**17.** Habló, pues, el Señor a Moisés y a Aarón, y les dijo:

**18.** No expongáis el linaje de Caat a que sea exterminado de entre los levitas.

**19.** Antes bien, para que ellos no perezcan, habéis de precaver que no toquen las cosas santísimas: *a cuyo fin* Aarón y sus hijos entrarán *en el Santuario;* y dispondrán lo que deba hacer cada uno *de los hijos de Caat,* y señalarán la carga que ha de llevar.

**20.** Los demás por ningún caso sean curiosos en mirar las cosas que hay en el Santuario, antes que estén envueltas; de lo contrario, morirán.

**21.** Habló después el Señor a Moisés, diciendo:

**22.** Cuenta también el número de los hijos de Gersón, por sus casas y familias y linajes,

**23.** De treinta años arriba hasta los cincuenta. Cuenta todos aquéllos que entran al servicio del Tabernáculo de la alianza.

**24.** El oficio de la familia de los gersonitas es éste:

**25.** Llevar las cortinas del Tabernáculo, y la cobertura del mismo, la segunda cubierta, y la sobrecubierta de pieles moradas, y el velo que cuelga en la entrada del Tabernáculo de la alianza.

**26.** Las cortinas del atrio y el velo *o antipara* de la entrada, que está antes del Tabernáculo. Todo lo perteneciente al altar, las cuerdas y los vasos del ministerio,

**27.** Lo han de llevar los hijos de Gersón, según las órdenes que recibirán de Aarón y sus hijos y así sabrá cada cual qué carga le corresponde.

**28.** Tal es la incumbencia de la familia de los gersonitas en el Tabernáculo de la alianza, y estarán sujetos a Itamar, hijo del *Sumo* sacerdote Aarón.

**29.** Del mismo modo contará los hijos de Merari por las familias y casas de sus padres.

**30.** De treinta años hasta los cincuenta, todos los que entran en el ejercicio de su ministerio, y al servicio de Tabernáculo del Testimonio.

**31.** Su incumbencia es ésta: Llevarán las tablas y travesaños del Tabernáculo, las columnas con sus bases.

**32.** Las columnas también que cercan el atrio, con sus pedestales y estacas, y cuerdas. Todos los instrumentos y muebles los recibirán por su cuenta, y así los llevarán.

**33.** Este es el oficio de la familia de los meraritas, y su ministerio en el Tabernáculo de la alianza; y estarán bajo el mando de Itamar, hijo del *Sumo* sacerdote Aarón.

**34.** Moisés, pues, y Aarón y los príncipes de la sinagoga, formaron la lista de los hijos de Caat por las familias y casas de sus padres,

**35.** De treinta años arriba, hasta cincuenta, todos los que entran al servicio en el Tabernáculo de la Alianza.

**36.** Y se hallaron ser dos mil setecientos y cincuenta.

**37.** Este es el número de los descendientes de Caat, que sirven en el Tabernáculo de la alianza: los cuales fueron contados por Moisés y Aarón, conforme al mandato del Señor comunicado a Moisés.

**38.** Fueron asimismo contados los hijos de Gersón por las familias y casas de sus padres,

**39.** De treinta años arriba hasta los cincuenta, todos los empleados en el ministerio del Tabernáculo de la alianza.

**40.** Y se hallaron ser dos mil seiscientos y treinta.

**41.** Esta es la suma de los gersonitas, que fueron contados por Moisés y Aarón, según la orden del Señor.

**42.** Igualmente se tomó la suma de los hijos de Merari por las familias y casas de sus padres.

**43.** De treinta años arriba hasta los cincuenta, todos los que entran a servir sus oficios en el Tabernáculo de la Alianza;

**44.** Y se hallaron ser tres mil y doscientos.

**45.** Este es el número de los hijos de Merari, contados por Moisés y Aarón, según lo mandó el Señor por medio de Moisés.

**46.** Todos los que se contaron de los levitas, y que hicieron alistar por sus nombres Moisés y Aarón, y los príncipes de Israel, según las parentelas, y casas de sus padres.

**47.** De treinta años arriba hasta los cincuenta, destinados a servir en el Tabernáculo, y a llevar las cargas.

**48.** Fueron en todos ocho mil quinientos y ochenta.

**49.** Por mandado del Señor los contó Moisés, señalando a cada cual su oficio y carga, como el Señor se lo había ordenado.

## CAPITULO V

*Los impuros han de estar fuera del campamento; leyes sobre la restitución y sobre los celos.*

**1.** Y habló el Señor a Moisés, diciendo:

**2.** Da orden a los hijos de Israel, que echen fuera del campamento a todo leproso y al que adolece de gonorrea, y al manchado por causa de algún muerto.

**3.** Así a hombres como a mujeres echadlos fuera del campamento para que no le contaminen, puesto que habito Yo en medio de vosotros.

**4.** Hiciéronlo así los hijos de Israel, y echaron a los tales fuera del campamento, según lo había ordenado el Señor a Moisés.

**5.** Además habló el Señor a Moisés, diciendo:

**6.** Dí a los hijos de Israel: Cuando un hombre o mujer cometiere alguno de los pecados en que suelen caer los mortales, y por descuido traspasare el mandato del Señor, y delinquiere,

**7.** Confesará su culpa, y restituirá al sujeto contra quien pecó el justo precio del daño que le habrá hecho con una quinta parte más.

**8.** Y si no hay persona a quien pueda hacerse esta restitución, se la dará al Señor, y será del sacerdote; excepto el carnero que se ofrece por el perdón para que sirva de sacrificio propiciatorio.

**9.** Asimismo todas las primicias que ofrecen los hijos de Israel, pertenecen al sacerdote;

**10.** Y todo cuanto ofrece cada uno al Santuario, y entrega en mano del sacerdote, será de éste.

**11.** Habló también el Señor a Moisés, diciendo:

**12.** Habla con los hijos de Israel, y diles: Si una mujer casada se extraviare, y despreciando al marido,

**13.** Durmiere con otro hombre, y el marido

no pudiere averiguarlo, sino que el adulterio está oculto, ni se la puede convencer con testigos por no haber sido cogida en flagrante:

**14.** Si se apodera del marido el espíritu de celos contra la mujer, la cual, o se ha deshonrado, o es tachada por falsa sospecha,

**15.** La llevará delante del sacerdote y ofrecerá por ella en oblación la décima parte de un saco de harina de cebada, sin verter aceite encima ni poner incienso: porque es éste un sacrificio por celos, y ofrenda para descubrir un adulterio.

**16.** El sacerdote, pues, la presentará y pondrá en pie ante el Señor,

**17.** Y tomará del agua santa *o del Santuario,* en un vaso de barro, y echará en ella un poquito de polvo del pavimento del Tabernáculo.

**18.** Y estando en pie la mujer delante del Señor, la descubrirá la cabeza, y la pondrá en las manos el sacrificio de recordación *o averiguación del pecado,* y la ofrenda de celos: y él tendrá las aguas amarguísimas *o funestas,* sobre las cuales ha pronunciado con execración las maldiciones,

**19.** Y la conjurará y dirá: Si no ha dormido contigo hombre ajeno, y si no te has deshonrado con hacer traición al marido, no te harán daño estas aguas amarguísimas sobre las cuales he amontonado maldiciones.

**20.** Pero si te has enajenado de tu marido y te has deshonrado, y dormiste con otro hombre,

**21.** Incurrirás en estas maldiciones. Póngate Dios por objeto de execración y escarmiento de todos en su pueblo: haga que se pudran tus muslos, y que tu vientre, hinchándose reviente:

**22.** Entren las aguas de maldición en tus entrañas, y entumeciendose tu regazo, púdranse tus muslos. A lo que responderá la mujer: Así sea, así sea.

**23.** Y el sacerdote escribirá en una cédula estas maldiciones, y las borrará en seguida con las aguas amarguísimas sobre las cuales descargó las maldiciones.

**24.** Y se las dará a beber a la mujer; y cuando ella haya acabado de beberlas,

**25.** Tomará el sacerdote de mano de la mujer el sacrificio por los celos, y le elevará en la presencia del Señor: y le pondrá sobre el altar: pero antes

**26.** Cogerá un puñado de la *harina* que se ha ofrecido en sacrificio, y la quemará sobre el altar; y entonces dará a beber las aguas amarguísimas a la mujer.

---

**8.** Lo que Dios dispone en este lugar enseña que debe restituírse lo robado o mal adquirido, aun en caso de no saberse el dueño de la cosa, ni el heredero; invirtiéndose en beneficio de la Iglesia o de los pobres, o en otros usos piadosos.

**27.** Bebidas las cuales, si ella ha pecado, y con desprecio de su marido se ha hecho rea de adulterio, la penetrarán las aguas de maldición, e hinchado el vientre, se le pudrirán los muslos, y aquella mujer vendrá a ser la execración y el escarmiento de todo el pueblo.

**28.** Pero si no ha pecado, no sentirá daño ninguno, y tendrá *muchos* hijos.

**29.** Esta es la ley *del sacrificio,* por los celos. Si la mujer hiciere traición a su marido, y se hubiere mancillado,

**30.** Y el marido, estimulado del espíritu de celos, la trajere a la presencia del Señor, y el sacerdote hiciere con ella todo lo que se ha escrito,

**31.** El marido será exento de culpa, y ella pagará la pena de su pecado.

## CAPITULO VI

*Institución y consagración de los nazarenos. Fórmula que debía usar el sacerdote al bendecir al pueblo.*

**1.** Y habló el Señor a Moisés, diciendo:

**2.** Habla a los hijos de Israel, y diles: Cuando un hombre o una mujer hicieren voto de santificarse y quisieren consagrarse al Señor,

**3.** Se abstendrán de vino y de todo lo que puede embriagar: no beberán vinagre hecho de vino, o de otra cualquiera bebida que pueda embriagar, ni tampoco zumo alguno exprimido de uvas: no comerán uvas frescas ni pasas.

**4.** Todo el tiempo que estarán consagrados por voto al Señor, no comerán fruto alguno de la viña desde la uva pasa hasta el granillo.

**5.** Todo el tiempo de su consagración o *nazareato,* no pasará navaja por su cabeza, hasta que se cumplan los días por los que se consagraron al Señor. Será santo, o conocerá *que es nazareo,* dejando crecer la cabellera de su cabeza.

**6.** Todo el tiempo de su consagración no entrará donde haya un muerto.

---

**2.** El hebreo dice: *Querrán ser nazareos en honor del Señor.* Se ve que había también mujeres que se consagraban a Dios con voto, profesando una vida más retirada que el común del pueblo. Dos especies había de *nazareos* o consagrados a Dios: unos que lo eran por toda su vida, como Sansón, Samuel, San Juan Bautista, Santiago el menor, etc., otros por tiempo determinado, como se lee de San Pablo. (*Act.* XXI, v. 23 ), de los cuales se habla en este lugar.

**7.** No asistirá a funerales, aunque sean de padre, o de madre, o de hermano, o hermana, a fin de no contraer mancha; por cuanto tiene sobre su cabeza la señal de hombre consagrado a su Dios.

**8.** Todos los días de su separación será santo o *consagrado* al Señor.

**9.** Y si alguno muriere repentinamente delante de él, su cabeza consagrada quedará inmunda; la cual raerá luego aquel mismo día en que comienza a purificarse, y otra vez en el séptimo.

**10.** Mas al octavo día ofrecerá dos tórtolas o dos pichones al sacerdote en la entrada del Tabernáculo de la alianza.

**11.** Y el sacerdote sacrificará el uno por el pecado y el otro en holocausto, y hará oración por él; porque pecó, y se manchó, a causa del muerto: y santificará de *nuevo* su cabeza en aquel día.

**12.** Y consagrará los días de su separación al Señor, ofreciendo un cordero primal por el pecado: pero de manera que los días precedentes *de su nazareato* no valga, por cuanto su santificación fué contaminada.

**13.** Esta es la ley de la consagración *de los nazareos.* Cumplidos que sean los días por los que se obligó con el voto, será conducido a la entrada del Tabernáculo de la alianza.

**14.** Y presentará al Señor la oblación, *esto es,* una cordera inmaculada primal, para holocausto, y una cordera inmaculada primal por el pecado, y un carnero inmaculado para hostia pacífica.

**15.** Además, un canastillo de panes ácimos amasados con aceite y lasañas *también* sin levadura, untadas de aceite con sus libaciones correspondientes.

**16.** Lo que ofrecerá el sacerdote en el acatamientos del Señor, y hará el sacrificio, así por el pecado como en holocausto.

**17.** Inmolará asimismo el carnero como hostia pacífica al Señor ofreciendo juntamente el canastillo de los ácimos y las libaciones debidas según rito.

**18.** Entonces ante la puerta del Tabernáculo de la alianza se le raerá al nazareo la cabellera consagrada a Dios; el sacerdote cogerá los cabellos, y los echará en el fuego que está debajo de la hostia pacífica.

**19.** Tomará también la espaldilla cocida del carnero, y del canastillo una torta sin levadura, y una lasaña ácima, y lo pondrá todo en mano del nazareo, después que se le hubiere raído la cabeza.

**20.** Y recibiendo nuevamente estas mismas cosas de mano del nazareo, las elevará en presencia del Señor; y estando santificadas pertenecerán al sacerdote, así como el pecho que se mandó separar, y la pierna. Hecho esto, puede ya el nazareo beber vino.

**21.** Esta es la ley del nazareo cuando hiciere su ofrenda al Señor en tiempo de su consagración, dejando aparte las cosas que tenga él posibilidad de hacer; según lo que prometió con voto en su corazón, así lo hará para cumplimiento de su santificación.

**22.** Habló también el Señor a Moisés, diciendo:

**23.** Dí a Aarón y a sus hijos: De esta suerte daréis la bendición a los hijos de Israel, diciéndoles:

**24.** El Señor te bendiga y te guarde.

**25.** El Señor te *muestre* apacible su rostro, y haya misericordia de ti.

**26.** Vuelva el Señor su rostro hacia ti, y te conceda la paz.

**27.** Así invocarán mi nombre sobre los hijos de Israel, y yo les echaré mi bendición.

## CAPITULO VII

*Ofrendas de los príncipes de las doce tribus de Israel en la dedicación del Tabernáculo y del altar. Dios habla a Moisés desde el propiciatorio.*

**1.** Después que Moisés concluyó el Tabernáculo, y le erigió, y le ungió y santificó con todas sus alhajas, juntamente con el altar y todos sus vasos,

**2.** Los príncipes de Israel y los jefes de las familias en cada tribu, que eran los superiores de los que habían sido alistados.

**3.** Presentaron por ofrenda al Señor seis carros cubiertos, y doce bueyes; entre cada dos capitanes ofrecieron un carro, y cada uno de ellos un buey, y los presentaron ante el Tabernáculo.

**4.** Sobre lo cual dijo el Señor a Moisés:

**5.** Recíbelos para que sirva al uso del Tabernáculo, y entrégalos a los levitas, según la calidad de su ministerio.

**6.** Con esto, Moisés, recibidos los carros y bueyes, entregóselos a los levitas.

**7.** Dos carros y cuatro bueyes los dió a los hijos de Gersón, conforme a lo que necesitaban.

**8.** Los otro cuatro carros y ocho bueyes dióselos a los hijos de Merari en atención a los oficios y cargos suyos, bajo el mandato de Itamar, hijo del *Sumo* sacerdote Aarón.

**9.** A los hijos de Caat no les dió carros, ni bueyes; porque ellos sirven en *lo más santo* del Santuario, y llevan las cargas sobre sus propios hombros.

**10.** Demás de ésto, los caudillos *o jefes* presentaron sus ofrendas delante del altar, para la dedicación del mismo altar en el día que fué ungido.

**11.** Y dijo el Señor a Moisés: Cada caudillo ofrezca en su día los dones para la dedicación del altar.

**12.** El primer día hizo su ofrenda Nahasón hijo de Aminadab, de la tribu de Judá.

**13.** Y fué su presente una fuente de plata, que pesaba ciento y treinta siclos, una taza de plata de setenta siclos, según el peso del Santuario: entrambas llenas de flor de harina amasada con aceite para el sacrificio.

**14.** Una naveta de oro que pesaba diez siclos, llena de incienso.

**15.** Un buey de la vacada, un carnero, y un cordero primal para holocautos.

**16.** Y un macho cabrío por el pecado.

**17.** Y para sacrificio pacífico dos bueyes, cinco carneros, cinco machos cabríos y cinco corderos primales. Esta fué la ofrenda de Nahasón, hijo de Aminadab.

**18.** El segundo día ofreció Natanael, hijo de Suar, caudillo de la tribu de Isacar.

**19.** Una fuente de plata que pesaba ciento y treinta siclos, una taza de plata de setenta siclos, según el peso del Santuario, entrambas llenas de flor de harina, amasada con aceite para el sacrificio.

**20.** Un naveta de oro que pesaba diez siclos, llena de incienso.

**21.** Un buey de la vacada, un carnero y un cordero primal para holocausto.

**22.** Y un macho cabrío por el pecado.

**23.** Y para sacrificios pacíficos dos bueyes, cinco carneros, cinco machos cabríos y cinco corderos primales. Esta fué la ofrenda de Natanael, hijo de Suar.

**24.** El tercer día, Eliab, hijo de Helón, caudillo de los hijos de Zabulón.

**25.** Ofreció una fuente de plata que pesaba ciento y treinta siclos, al peso del Santuario, entrambas llenas de flor de harina amasada con aceite para el sacrificio.

**26.** Un naveta de oro que pesaba diez siclos, llena de incienso.

---

**26.** En estos tres versos se repite en el hebreo tres veces es nombre inefable de Dios, tal vez para significar el misterio de la Trinidad de las Personas divinas que dan la bendición.

**27.** Un buey de la vacada, un carnero, y un cordero primal para holocausto.

**28.** Y un macho cabrío por el pecado.

**29.** Y para sacrificios pacíficos, dos bueyes, cinco carneros, cinco machos cabríos, y cinco corderos primales. Esta fué la ofrenda de Eliab, hijo de Helón.

**30.** El día cuarto Elisur, hijo de Sedeur, caudillo *o jefe* de los hijos de Rubén.

**31.** Ofreció una fuente de plata que pesaba ciento y treinta siclos, una taza de plata de setenta siclos, al peso del Santuario, entrambas llenas de flor de harina, amasada con aceite, para el sacrificio.

**32.** Una naveta de oro que pesaba diez siclos, llena de incienso.

**33.** Un buey de la vacada, un carnero y un cordero primal para holocausto.

**34.** Y un macho cabrío por el pecado.

**35.** Y para hostias pacíficas dos bueyes, cinco carneros, cinco machos cabríos y cinco corderos primales. Esta fué la ofrenda de Elisur hijo de Sedeur.

**36.** El día quinto Salamiel, hijo de Surisaddai, caudillo *o príncipe* de los hijos de Simeón.

**37.** Ofreció una fuente de plata que pesaba ciento y treinta siclos, una taza de plata de setenta siclos, al peso del Santuario, entrambas llenas de flor de harina, amasada con aceite para el sacrificio.

**38.** Una naveta de oro que pesaba diez siclos, llena de incienso.

**39.** Un buey de la vacada, un carnero y un cordero primal para holocaustos.

**40.** Y un macho cabrío por el pecado.

**41.** Y para hostias pacíficas dos bueyes, cinco carneros, cinco machos cabríos y cinco corderos primales. Esta fué la ofrenda de Salamiel, hijo de Surisaddai.

**42.** El día sexto Eliasaf, hijo de Duel, caudillo de los hijos de Gad.

**43.** Ofreció una fuente de plata que pesaba ciento y treinta siclos, una taza de plata de setenta siclos, según el peso del Santuario, entrambas llenas de flor de harina amasada con aceite para el sacrificio.

**44.** Una naveta de oro que pesaba diez siclos, llena de incienso.

**45.** Un buey de la vacada, un carnero y un cordero primal para holocausto.

**46.** Y un macho cabrío por el pecado.

**47.** Y para las hostias pacíficas dos bueyes, cinco carneros, cinco machos cabríos y cinco corderos primales. Esta fué la ofrenda de Eliasaf, hijo de Duel.

**48.** El día séptimo, el príncipe *o caudillo* de los hijos de Efraím, Elisama, hijo de Amiud.

**49.** Ofreció una fuente de plata que pesaba ciento y treinta siclos, una taza de plata de setenta siclos, al peso del Santuario, entrambas llenas de flor de harina amasada con aceite para el sacrificio.

**50.** Una naveta de oro, que pesaba diez siclos llena de incienso.

**51.** Un buey de la vacada, un carnero y un cordero primal para holocausto.

**52.** Y un macho cabrío por el pecado.

**53.** Y para hostias pacíficas, dos bueyes, cinco carneros, cinco machos cabríos y cinco corderos primales. Esta fué la ofrenda de Elisama, hijo de Amiud.

**54.** El día octavo el príncipe de los hijos de Manasés, Gamaliel, hijo de Fadasur.

**55.** Ofreció una fuente de plata, del peso de ciento y treinta siclos, una taza de plata que pesaba setenta siclos, al peso del Santuario, entrambas llenas de flor de harina amasada con aceite para el sacrificio.

**56.** Una naveta de oro, del peso de diez siclos: llena de incienso.

**57.** Un buey de la vacada, un carnero y un cordero primal para holocausto.

**58.** Y un macho cabrío por el pecado.

**59.** Y para hostias pacíficas dos bueyes, cinco carneros, cinco machos cabríos y cinco corderos primales. Esta fué la ofrenda de Gamaliel, hijo de Fadasur.

**60.** El día nono Abidán, hijo de Gedeón, príncipe de los hijos de Benjamín.

**61.** Ofreció una fuente de plata, que pesaba ciento y treinta siclos, y una taza de plata, de setenta siclos, al peso del Santuario, entrambas llenas de flor de harina amasada con aceite para el sacrificio.

**62.** Y una naveta de oro que pesaba diez siclos, llena de incienso.

**63.** Un buey de la vacada, un carnero y un cordero primal para holocausto.

**64.** Y un macho cabrío por el pecado.

**65.** Y para hostias pacíficas dos bueyes, cinco carneros, cinco machos cabríos y cinco corderos primales. Esta fué la ofrenda de Abidán, hijo de Gedeón.

**66.** El día décimo Ahiecer, hijo de Amisadai, príncipe de los hijos de Dán.

**67.** Ofreció una fuente de plata, que pesaba ciento y treinta siclos, una taza de plata de setenta siclos, al peso del Santuario, entrambas llenas de flor de harina amasada con aceite para el sacrificio.

**68.** Una naveta de oro, que pesaba diez siclos, llena de incienso.

**69.** Un buey de la vacada, un carnero y un cordero primal para holocaustos.

**70.** Y un macho cabrío por el pecado.

**71.** Y para hostias pacíficas dos bueyes, cinco carneros, cinco machos cabríos y cinco corderos primales. Esta fué la ofrenda de Ahiecier, hijo de Amisadai.

**72.** El undécimo día Fegiel, hijo de Ocrán, príncipe de los hijos de Aser.

**73.** Ofreció una fuente de plata de ciento y treinta siclos de peso: una taza de plata de setenta siclos, al peso del Santuario, ambas llenas de flor de harina amasada con aceite para el sacrificio.

**74.** Una naveta de oro, que pesaba diez siclos, llena de incienso.

**75.** Un buey de la vacada, un carnero y un cordero primal para holocausto.

**76.** Y un macho cabrío por el pecado.

**77.** Y para hostias pacíficas dos bueyes y cinco corderos primales. Esta fué la ofrenda de Fegiel, hijo de Ocrán.

**78.** El día duodécimo Ahira, hijo de Enán, príncipe de los hijos de Neftalí

**79.** Ofreció una fuente de plata que pesaba ciento y treinta siclos, una taza de plata de setenta siclos, al peso del Santuario, entrambas llenas de flor de harina amasada con aceite para el sacrificio.

**80.** Una naveta de oro, que pesaba diez siclos, llena de incienso.

**81.** Un buey de la vacada, un carnero y un cordero primal para holocausto.

**82.** Y un macho cabrío por el pecado.

**83.** Y para hostias pacíficas dos bueyes, cinco carneros, cinco machos cabríos y cinco corderos primales. Esta fué la ofrenda de Ahira, hijo de Enán.

**84.** Las cosas, pues, ofrecidas por los príncipes o *caudillos* de Israel, en la dedicación del altar cuando fué consagrado, fueron éstas: doce fuentes de plata; doce tazas de plata; doce navetas de oro.

**85.** Pesando cada fuente ciento y treinta siclos de plata, y setenta siclos cada taza y así pesaban juntos todos los vasos de plata dos mil y cuatrocientos siclos al peso del Santuario.

**86.** Las doce navetas de oro llenas de incienso, pesando cada una diez siclos de oro, y juntas ciento veinte siclos al peso del Santuario.

**87.** Doce bueyes de la vacada para holocausto, carneros doce, corderos primales doce, con sus libaciones; y doce machos cabríos por el pecado.

**88.** Para hostias pacíficas veinte y cuatro bueyes, sesenta carneros, sesenta machos cabríos, y sesenta corderos primales. Estas fueron las ofrendas en la dedicación del altar cuando fué ungido.

**89.** Y cuando entraba Moisés en el Tabernáculo de la alianza para consultar el oráculo, oía la voz del Señor que hablaba con él desde el propiciatorio, que estaba sobre el Arca del Testamento entre los dos querubines, desde donde hablaba a Moisés.

## CAPITULO VIII

*De la colocación del candelero, y de su materia y hechura. Ceremonias en la consagración de los levitas.*

**1.** Y habló el Señor a Moisés, diciendo:

**2.** Habla con Aarón, y dile: Puestas en el candelero las siete lamparillas, le colocaréis en la parte meridional. Dispón pues, que las luces miren al norte, hacia el frente de la mesa de los panes de la proposición: deben siempre alumbrar hacia la parte que mira al candelero.

**3.** Así lo hizo Aarón, y colocó las lamparillas en el candelero, como el Señor había ordenado a Moisés.

**4.** La hechura del candelero era en esta forma: tanto el astil de en medio, como todos los brazos, los cuales salían de ambos lados, eran de oro labrado a martillo; y Moisés le había hecho fabricar, arreglándose en todo el diseño que el Señor le había mostrado.

**5.** El mismo Señor habló tambien a Moisés, diciendo:

**6.** Separa los levitas de en medio de los hijos de Israel, y purifícalos.

**7.** Con estas ceremonias: sean rociados con el agua de la expiación, y córtense todos los pelos de su cuerpo; y habiéndo lavado sus vestidos, y limpiándose,

**8.** Tomarán un buey de la vacada, y para libación *u oblación* suya, flor de harina amasada con aceite. Tú también tomarás otro buey de la vacada *para ofrecer* por el pecado.

**9.** Y presentarás los levitas ante el Tabernáculo de la alianza, congregada toda la multitud de los hijos de Israel.

**10.** Y estando los levitas ante el Señor, los hijos de Israel pondrán sus manos sobre ellos.

**11.** Y Aarón ofrecerá los levitas como un don que los hijos de Israel hacen al Señor, para que le sirvan en las funciones de su ministerio.

**12.** Los levitas por su parte pondrán sus manos sobre la cabeza de los bueyes: de los cuales uno le sacrificarás por el pecado, y otro en holocausto del Señor, a fin de impetrar el perdón a favor de ellos.

**13.** Así presentarás los levitas ante Aarón y sus hijos: y después de ofrecidos al Señor, los consagrarás,

**14.** Y separarás de entre los hijos de Israel para que sean míos.

**15.** Y después de ésto entrarán en el Tabernáculo de la alianza para que me sirvan. De esta manera los purificarás y consagrarás para oblación del Señor: ya que me han sido dados como don por los hijos de Israel.

**16.** Y yo los he recibido en cambio de los primogénitos o primeros que salen del seno materno de Israel.

**17.** Porque míos son todos los primogénitos de los hijos de Israel, tanto de hombres como de bestias. Desde aquel día que maté a todos los primogénitos en la tierra de Egipto, los consagré para mi.

**18.** Y escogí los levitas en lugar de todos los primogénitos de los hijos de Israel.

**19.** Y entresacados de en medio del pueblo se los he dado a Aarón y a sus hijos para que me sirvan en el Tabernáculo de la alianza, en lugar de *los hijos de* Israel: y hagan oración por ellos, a fin de que no haya plaga en el pueblo, si osare acercarse al Santuario.

**20.** Hicieron, pues, Moisés y Aarón y todo el pueblo de los hijos de Israel, en orden a los levitas, lo que el Señor había mandado a Moisés.

**21.** Y fueron purificados, y lavados sus vestidos. Y Aarón los presentó en ofrenda al acatamiento del Señor, y oró por ellos.

**22.** Para que purificados, acudiesen a sus oficios en el Tabernáculo de la alianza delante de Aarón y de sus hijos. Como el Señor lo mandó a Moisés, así se hizo con los levitas.

**23.** Y habló el Señor a Moisés, diciendo:

**24.** Esta es la ley de los levitas: De veinticinco años arriba entrarán a servir en el Tabernáculo de la alianza.

**25.** Y en cumpliendo los cincuenta años de edad, dejarán de servir.

**26.** Y ayudarán solamente a sus hermanos en el Tabernáculo de la alianza, para custodiar las cosas que les fueron encomendadas; mas no harán los mismos trabajos *de antes.* Esto dispondrás respecto de los levitas en sus ministerios.

## CAPITULO IX

*Sobre la celebración de la Pascua al pie del Sinaí: descripción de la columna de nube y de fuego que guió a los Israelitas por espacio de cuarenta años.*

**1.** El segundo año después que salieron de la tierra de Egipto, en el primer mes había hablado el Señor a Moisés en el desierto del monte Sinaí, diciendo:

**2.** Celebren los hijos de Israel la Pascua a su tiempo.

**3.** Que es el día catorce de este mes a la tarde, observando todas las ceremonias y ritos de ella.

**4.** Mandó, pues, Moisés a los hijos de Israel que celebrasen la Pascua.

**5.** Los cuales la celebraron a su tiempo, el día catorce del mes a la tarde en el *desierto del monte Sinaí.* E hiciéronlo los hijos de Israel, observando todas las cosas que Dios había ordenado a Moisés.

**6.** Mas he aquí que unos que estaban inmundos por razón de un cadáver, y que, por tanto, no podían celebrar la Pascua en aquel día, llegándose a Moisés y a Aarón,

**7.** Les dijeron: Estamos inmundos por razón de un cadáver. ¿Por qué hemos de quedar privados por esto de presentar a su tiempo la ofrenda al Señor, como los demás hijos de Israel?

**8.** Respondióles Moisés: Aguardad que consulte al Señor para saber qué es lo que dispone acerca de vosotros.

**9.** Y el Señor habló a Moisés, diciendo:

**10.** Dirás a los hijos de Israel: El hombre de vuestra nación que hallare inmundo por ocasión de algún cadáver, o lejos en algún viaje, celebre la Pascua del Señor, *sacrificando el cordero.*

**11.** En el mes segundo a catorce del mes, por la tarde: le comerá con panes ácimos y lechugas silvestres.

**12.** No dejará nada de él para otro día, ni le quebrará hueso alguno: observará todas las ceremonias de la Pascua.

**13.** Mas si alguno estando limpio, y no habiendo estado de viaje, sin embargo dejó de celebrar la Pascua, será exterminado de la compañía de su pueblo, por no haber ofrecido a su tiempo el sacrificio pascual al Señor. Este tal pagará la pena de su pecado.

**14.** Asimismo, si entre vosotros hubiere algun extranjero o advenedizo, celebrará al Señor la Pascua, segun sus ceremonias y ritos: una misma será entre vosotros la ley para el extranjero que para el nacional.

**15.** *Es de recordar,* que el día en que se erigió el Tabernáculo, le cubrió una nube: mas desde la noche hasta la mañana apareció sobre el pabellón como una llama de fuego.

**16.** Y esto siguió siempre asi. Entre día le cubría una nube y por la noche una como llama de fuego.

**17.** Y cuando se comenzaba a mover la nube que cubría el Tabernáculo, entonces los hijos de Israel se ponían en marcha, y donde paraba la nube, allí acampaban.

**18.** A la orden del Señor marchaban, y a la orden del mismo plantaban el Tabernáculo. Todo el tiempo que la nube estaba parada sobre el Tabernáculo, se mantenían en el mismo sitio.

**19.** Y si sucedía que se detuviese por mucho tiempo fijo sobre él, los hijos de Israel estaban en centinela *esperando las órdenes* del Señor; y no se movían.

**20.** En todos aquellos días que posaba la nube sobre el Tabernáculo. A la orden del Señor armaban las tiendas, y a su orden las desarmaban.

**21.** Si la nube había estado parada desde la tarde hasta la mañana, y luego al amanecer iba dejando el Tabernáculo, marchaban: y si después de un día y de una noche se retiraba, desarmaban *luego* las tiendas.

**22.** Pero si por dos dias, o un mes, o más largo tiempo estaba sobre el Tabernáculo, permanecían los hijos de Israel en el mismo lugar, y no viajaban: mas luego que se apartaba, movian el campo.

**23.** A la señal del Señor fijaban las tiendas, y a la señal del mismo, partían; y estaban en observación, aguardando la señal del Señor como lo tenía El mandado por medio de Moisés.

## CAPITULO X

*Manda el Señor que se hagan dos trompetas de plata, y que al oirse su sonido y levantándose la columna de nube, levante el campamento y marche el pueblo de Israel.*

**1.** Y habló el Señor a Moisés, diciendo:

**2.** Hazte dos trompetas de plata, batida a martillo, con las que puedas avisar al pueblo cuando se ha de levantar el campamento.

**3.** Y cuando hicieres sonar las trompetas, se congregará cerca de ti toda la gente a la puerta del Tabernáculo de la alianza.

**4.** Si tocares una sola vez, acudirán a ti los príncipes y las cabezas del pueblo de Israel.

**5.** Pero si el sonido fuese más prolijo y quebrado, los que están a la parte oriental, moverán los primeros el campo.

**6.** Al segundo toque semejante, y sonido recio de la trompeta, recogerán las tiendas los que habitan al mediodía, y lo mismo harán los demás, en sonando reciamente las trompetas para la marcha.

**7.** Cuando se haya de congregar el pueblo, el sonido de las trompetas será sencillo y sin redoble.

**8.** Tocarán las trompetas los sacerdotes hijos de Aarón, y esto será un estatuto perpetuo en vuestras generaciones.

**9.** Si saliéreis de vuestra tierra a pelear contra los enemigos que os muevan guerra, tocaréis con redoble las trompetas; y el Señor Dios vuestro se acordará de vosotros para libraros de las manos de vuestros enemigos.

**10.** Cuando hubiéreis de celebrar un banquete, y días de fiesta, y las calendas, *o primer día del mes,* tocaréis las trompetas al ofrecer los holocaustos y víctimas pacíficas, para que vuestro Dios se acuerde de vosotros. Yo el Señor Dios vuestro.

**11.** El año segundo, en el segundo mes, a los veinte del mes, se alzó la nube de sobre el Tabernáculo de la alianza;

**12.** Y los hijos de Israel, divididos en sus escuadrones, partieron del desierto del Sinaí, y la nube vino a posar en el desierto Farán.

---

15. *Exod.* LX, *v.* 16, 32. — *Cap.* VII, *v.* 1.
18. I *Cor.* X, *v.* 1.
21. En hebreo: *Ora se retirase de día, ora de noche.*

---

**CAP. X.—12.** La rebeldía del pueblo de Israel fué la causa de que no entrase luego en la tierra de promisión.

**13.** Los hijos de Judá, divididos según sus escuadrones, se pusieron en marcha los primeros, conforme a la orden del Señor, comunicada por Moisés.

**14.** Era el príncipe *o caudillo* de ellos Nahasón hijo de Aminadab.

**15.** En la tribu de los hijos de Isacar, fué el príncipe Natanael, hijo de Suar.

**16.** En la tribu de Zabulón fué el príncipe Eliab, hijo de Helón.

**17.** Y desarmado el Tabernáculo, cargaron con él los hijos de Gersón y de Merari, y siguieron la marcha.

**18.** Partieron después por su orden, los hijos de Rubén, divididos en sus compañías, cuyo príncipe era Elisur, hijo de Sedeur.

**19.** En la tribu de los hijos de Simeón, el príncipe era Salamiel, hijo de Surisaddai.

**20.** En la tribu de Gad era el príncipe Eliasaf, hijo de Duel.

**21.** Tras éstos caminaron los caatitas llevando *en hombros* las cosas santas; y el Tabernáculo era llevado hasta el sitio donde se debía erigir.

**22.** Movieron asimismo su campamento los hijos de Efraím, divididos en sus compañías, y de cuyo cuerpo era príncipe Elisama, hijo de Amiud.

**23.** En la tribu de los hijos de Manasés, el príncipe era Gamaliel, hijo de Fadasur.

**24.** Y en la tribu de Benjamín era caudillo Abidán, hijo de Gedeón.

**25.** Los últimos que partieron del campamento fueron los hijos de Dan, divididos por sus escuadrones, en cuyo cuerpo el príncipe era Ahiecer, hijo de Amisadai.

**26.** En la tribu de los hijos de Aser era príncipe Fegiel, hijo de Ocrán.

**27.** Y en la tribu de los hijos de Neftalí, era príncipe Ahira, hijo de Enán.

**28.** Este es el orden de los campamentos, y la manera con que debían marchar los hijos de Israel por sus escuadrones, cuando levantaban el campo.

**29.** Dijo entonces Moisés a Hobab, hijo de Raguel Madianita, su pariente: Nosotros partimos para el país, cuyo dominio nos ha de dar el Señor: ven con nosotros para que te hagamos bien, *estableciéndote ventajosamente;* pues el Señor ha prometido bienes a Israel.

**30.** Hobab le respondió: No iré contigo sino que me volveré a mi tierra donde nací.

**31.** Pero Moisés: No quieras, dijo, abandonarnos ya que tú eres práctico de los sitios en que debemos acampar por el desierto, y nos servirás de guía.

**32.** Y si vinieses con nosotros, te daremos lo mejor de las riquezas que nos ha de dar el Señor.

**33.** Partieron, pues, del monte del Señor, caminando tres días, y el Arca de la alianza del Señor los precedía, señalándoles aquellos tres días el lugar del campamento.

**34.** La nube del Señor iba también sobre ellos de día, durante el viaje.

**35.** Y al mismo tiempo de alzar el Arca decía Moisés: Levántate, Señor, y sean disipados tus enemigos, y huyan de tu presencia los que te aborrecen.

**36.** Mas al asentarla, decía: Vuélvete, ¡oh Señor!, hacia la multitud del ejército de Israel.

# CAPITULO XI

*Murmuración de los Israelitas y su castigo: establecimiento de los setenta Ancianos. Envía Dios codornices al campamento.*

**1.** Entre tanto se suscitó murmullo en el pueblo, como quejándose contra el Señor por el cansancio. Lo que habiendo oído el Señor, enojóse; y encendido contra ellos, fuego del Señor, devoró a los que estaban en la extremidad del campamento.

**2.** Habiendo entonces clamado el pueblo a Moisés, éste oró al Señor, y quedó el fuego extinguido, *o absorbido, por la tierra.*

**3.** Por lo que llamó el nombre de aquel lugar *Incendio:* por haberse encendido contra ellos el fuego del Señor.

**4.** Porque sucedió que la gente allegadiza que había venido con ellos de *Egipto,* tuvo un ardiente deseo *de comer carne,* y poniéndose a llorar, uniéndosele también los hijos de Israel, dijeron: ¡Oh! ¡Quién nos diera carnes para comer!

---

**29.** Hobab, segun la opinión más verosímil, era hijo de Jetró, suegro de Moisés, llamado también Raguel; el cual al volverse a Madián (*Exod.* XVIII), dejaría a su hijo en compañía de Moisés.

---

**31.** Moisés, aunque confiado en las promesas infalibles de Dios, sabía que el Señor quería que emplease también los medios que dicta la prudencia: los cuales entran en el orden de la Divina Providencia.

**5.** Acordándonos estamos de aquellos pescados que de balde comíamos en Egipto: se nos vienen a la memoria los cohombros, y los melones, y los puerros, y las cebollas, y los ajos.

**6.** Seca está ya nuestra alma: nada ven nuestros ojos sino maná.

**7.** Era el maná semejante a la grana del cilandro, del color del bdelio, *o rubicundo.*

**8.** Y el pueblo iba alrededor del campamento, y recogiéndole, le reducía a harina en molino o le machacaba en un mortero, cociéndole en ollas, y haciendo de él unas tortitas de un sabor como de pan amasado con aceite.

**9.** Y cuando por la noche caía el rocío en el campo, caía también al mismo tiempo el maná.

**10.** Oyó, pues, Moisés que el pueblo estaba llorando, cada cual con su familia a la puerta de su pabellón, y encendióse en gran manera la indignación del Señor; y aun al mismo Moisés le pareció la cosa intolerable.

**11.** Por lo que dijo al Señor: ¿Por qué has afligido a tu siervo? ¿Cómo es que no hallo yo gracia delante de tus ojos? ¿Y por qué motivo me has echado a cuestas el peso de todo este pueblo?

**12.** Por ventura, he concebido yo toda esta turba, o engendrándola, para que tú me digas: Llévalos en tu seno, como suele un ama traer al niño que cría, y condúcelos a la tierra prometida con juramento a sus padres?

**13.** ¿De dónde tengo yo que sacar carnes para dar de comer a tanta gente?

Pues lloran y murmuran contra mí, diciendo: Danos carnes para comer.

**14.** No puedo yo solo soportar a todo este pueblo; porque me pesa demasiado.

**15.** Y si no lo llevas a mal, suplícote que me quites la vida, y halle yo gracia en tus ojos para no sufrir tantos males.

**16.** Dijo el Señor a Moisés: Reúneme setenta varones de los ancianos de Israel, los que tú conoces que son autorizados y maestros del pueblo, y los conducirás a la puerta del Tabernáculo de la alianza, y harás que estén allí contigo.

**17.** Y descenderé Yo, y te hablaré, y Yo tomaré de tu espíritu y lo comunicaré a ellos para que sostengan contigo la carga del pueblo, y no te sea demasiado grave, llevándola solo.

**18.** Dirás también al pueblo: Purificáos:

mañana comeréis carnes; ya que os he oído decir: ¿Quién nos dará carnes para comer? Mejor nos iba en Egipto. Sí: el Señor os dará carnes para que comáis.

**19.** No un día ni dos, ni cinco, ni diez, ni veinte.

**20.** Sino por todo un mes entero: hasta que os salgan por las narices, y os causen nausea; puesto que habéis desechado al Señor, que habita en medio de vosotros, y llorado en su presencia, diciendo: ¿A qué propósito salimos de Egipto?

**21.** Pero Moisés respondió: Hay en este pueblo seiscientos mil hombres de a pie; y tú dices: Yo les daré a comer carnes un mes entero.

**22.** ¿Por ventura se ha de matar tan grande muchedumbre de ovejas y de bueyes que les baste para comer? ¿O se habrán de juntar a una todos los peces del mar a trueque de hartarlos?

**23.** Replicóle el Señor: ¿Pues qué, acaso flaquea la mano del Señor? Bien presto verás si tiene efecto mi palabra.

**24.** Vino, pues, Moisés, y reunidos los setenta varones de los ancianos de Israel a los cuales colocó junto al Tabernáculo, refirió al pueblo las palabras del Señor.

**25.** Y descendió el Señor en la nube, y habló a Moisés, y tomando Espíritu que en él había, se los infundió a los setenta varones. Y luego que posó en ellos el Espíritu, comenzaron a profetizar, y continuaron siempre así en adelante.

**26.** Dos de los ancianos se habían quedado en el campamento, de los cuales uno se llamaba Eldad y otro Medad; y *también* posó sobre ellos el Espíritu; porque también estaban en la lista, aunque no habían ido al Tabernáculo.

**27.** Y como profetizasen en el campamento, vino corriendo un muchacho a dar aviso a Moisés diciendo: Eldad y Medad están profetizando en el campamento.

**28.** Al punto Josué hijo de Nun, ministro de Moisés, escogido entre muchos, dijo: Señor mío Moisés, no les permitas tal cosa.

**29.** Pero él respondió: ¿A qué fin tienes çelos por amor de mí? ¡*Ah!* ¿Quién me diera que todo el pueblo profetizase, y que el Señor concediese a todos su Espíritu?

**30.** Y volvióse Moisés al campamento con todos los ancianos de Israel.

---

**25.** O a manifestar su Espíritu divino.

**31.** Después de esto un viento excitado por el Señor, arrebatando del otro lado del mar, codornices, las transportó y arrojó sobre el campamento, alrededor de él, por espacio de una jornada de camino, y volaban en el aire a dos codos de altura sobre la tierra.

**32.** Con lo que acudiendo el pueblo todo aquel día y aquella noche y el día siguiente, juntó el que menos diez coros de codornices; y las pusieron a secar alrededor de los campamentos.

**33.** Todavía tenían las carnes entre los dientes, y no se había aún acabado semejante vianda, cuando de repente irritado el furor del Señor contra el pueblo, le castigó con una plaga sobremanera grande.

**34.** Por cuyo motivo fué nombrado aquel lugar *Sepulcros de concupiscencia;* porque allí quedó sepultada la gente que tuvo aquel antojo. Partidos, en fin, de los Sepulcros de concuspiscencia, vinieron a Haserot, donde acamparon.

## CAPITULO XII

*Murmuran María y Aarón contra su hermano el mansísimo Moisés, el cual honra nuevamente el Señor: María es herida de lepra; pero recobra la salud por la oración de Moisés.*

**1.** Y hablaron María y Aarón contra Moisés a causa de su mujer la Etiopisa.

**2.** Y dijeron: Pues qué, ¿por ventura el Señor ha hablado solamente por boca de Moisés? ¿Acaso no nos ha igualmehte hablado a nosotros? Lo que oyendo el Señor,

**3.** Pues era Moisés el hombre más manso de cuantos moraban sobre la tierra.

**4.** Al momento le dijo a él, y a Aarón y a María: Venid los tres solos al Tabernáculo de la alianza. Venidos que fueron,

**5.** Descendió el Señor en la columna de nube, y poniéndose a la entrada del Tabernáculo, llamó a Aarón, y a María. A los cuales, así que se presentaron,

**6.** Les dijo: Escuchad mis palabras: Si hubiere algún profeta entre vosotros del Señor, yo me apareceré a él en visión, o le hablaré entre sueños.

**7.** Pero no así a mi siervo Moisés, que es el más fiel o *confidente* en toda mi casa.

**8.** Porque yo a él le hablo boca a boca, y él ve claramente al Señor, y no por enigmas y figuras. ¿Pues como os habéis atrevido a hablar mal de mi siervo Moisés?

**9.** Y airado contra ellos se retiró.

**10.** Se apartó también la nube que estaba sobre el Tabernáculo; y he aquí que María *de repente* se vió cubierta de lepra, blanca como la nieve. Y como Aarón la mirase y viese toda cubierta de lepra,

**11.** Dijo a Moisés: Suplícote, Señor mío, que no nos imputes este pecado, que neciamente hemos cometido.

**12.** Y que no quede ésta como muerta y como un aborto que es arrojado del vientre de su madre: mira como la lepra ha consumido ya la mitad de su carne.

**13.** Clamó entonces Moisés al Señor, diciendo: ¡Oh, Dios! vuélvele, te ruego, la salud.

**14.** Respondió el Señor: ¿Si su padre le hubiera escupido en la cara, acaso no debiera siete días, por lo menos, estar sonrojada? Que esté separada siete días fuera del campamento, y después se la hará volver.

**15.** Fué, pues, María echada fuera del campamento por siete días; y el pueblo no se movió de aquel lugar, hasta que ella volvió.

## CAPITULO XIII

*De los exploradores enviados por Moisés a la tierra de Canaán. Todos ellos a excepción de Josué y Caleb amedrentan al pueblo.*

**1.** Habiendo el pueblo partido de Haserot, fijó sus tiendas en el desierto de Farán.

**2.** Donde habló el Señor a Moisés, diciendo:

**3.** Envía sujetos principales, uno de cada tribu, a registrar la tierra de Canaán, la cual tengo de dar a los hijos de Israel.

**4.** Hizo Moisés lo que mandaba el Señor, enviando desde el desierto de Farán algunos varones principales, cuyos nombres son éstos:

**5.** De la tribu de Rubén, Sammua, hijo de Cecur.

**6.** De la tribu de Simeón, Safat, hijo de Hurí.

---

**31.** Ya otra vez les había el Señor enviado como una lluvia de codornices para que comieran un día. *Exod.* XVI, *v.* 13: ahora se las envía para un mes. Las codornices van en bandadas numerosísimas de un país a otro. *Bochard.* Ps. LXXVII.

**7.** De la tribu de Judá, Caleb, hijo de Jefone.

**8.** De la tribu de Isacar, Igal, hijo de José.

**9.** De la tribu de Efraím, Osea, hijo de Nun.

**10.** De la tribu de Benjamín, Falti, hijo de Rafú.

**11.** De la tribu de Zabulón, Geddiel, hijo de Sodi.

**12.** De la tribu de José, por la estirpe de Manasés, Gaddi, hijo de Susi.

**13.** De la tribu de Dan, Ammiel, hijo de Gemalli.

**14.** De la tribu de Aser, Stur, hijo de Michael.

**15.** De la tribu de Neftalí, Nahabi, hijo de Vapsi.

**16.** De la tribu de Gad, Guel, hijo de Mací.

**17.** Estos son los nombres de los sujetos que envió Moisés a reconocer la tierra, y a Osea, hijo de Nun, le dió el nombre de Josué.

**18.** Enviólos, pues, Moisés a reconocer la tierra de Canaán, y díjoles: Subid por la parte del mediodía, y en llegando a los montes,

**19.** Reconoced la tierra qué tal es; y el pueblo que habita en ella, si es fuerte, o flaco, si pocos en número, o muchos;

**20.** Si la tierra en sí misma es buena o mala; qué tales las ciudades, si están muradas, o sin muros.

**21.** Si el terreno es pingüe o estéril, si de bosques, o sin árboles. Tened buen ánimo, y traednos de los frutos de la tierra. Era entonces el tiempo en que ya se pueden comer las uvas tempranas.

**22.** Habiendo, pues, partido, exploraron la tierra desde el desierto de Sín, hasta Rohob, a la entrada de Emat.

**23.** Y subiendo hacia el mediodía, vinieron a Hebrón, donde estaban Aquimán, y Sisai, y Tolmai, hijos de Enoc. Pues Hebrón fué fundada siete años antes que Tanais ciudad de Egipto.

**24.** Y prosiguiendo el viaje hasta el torrente del Racimo, cortaron un sarmiento con su racimo, el cual trajeron entre dos en un varal. Llevaron también granadas e higos de aquel sitio:

**25.** El cual fué llamado *Nehel-Escol*, esto es, torrente *o valle* del Racimo; porque de allí llevaron el racimo los hijos de Israel.

**26.** Habiendo vuelto los exploradores de la tierra, al cabo de cuarenta días, después de haber recorrido todo el país,

**27.** Se presentaron a Moisés y a Aarón, y a todo el pueblo de los hijos de Israel en el desierto de Farán, junto a Cades. Y hablando con ellos y con el pueblo todo, mostraron los frutos de la tierra.

**28.** Y dieron cuenta de su viaje, diciendo: Llegamos a la tierra que nos enviaste: la cual realmente mana leche y miel, como se puede ver por estos frutos.

**29.** Pero tiene unos habitantes muy valerosos, y ciudades grandes y fortificadas. Allí hemos visto la raza de Henac.

**30.** Amalec habita en la parte del mediodía. El heteo, y el jebuseo, y el amorreo, en las sierras, y el cananeo mora en las costas del mar y en las riberas del Jordán.

**31.** Entre tanto Caleb, para acallar el murmullo, que se levantaba en el pueblo contra Moisés, dijo: Ea, vamos allá, y tomemos posesión de la tierra; que *sin duda* la podremos conquistar.

**32.** Los otros, empero, que le habían acompañado, decían: De ningún modo podemos contrastar a este pueblo, siendo como es, más fuerte que nosotros.

**33.** Y desacreditaron entre los hijos de Israel la tierra que habían visto, diciendo: La tierra que hemos recorrido, se traga a sus habitantes: el pueblo que hemos visto es de una estatura agigantada.

**34.** Allí vimos unos hombres descomunales, hijos de Henac, de raza gigantesca, en cuya comparación nosotros parecíamos langostas.

---

**17.** Palabra hebrea que quiere decir *Salud de Dios, o Salvador dado por Dios.* En el Exodo cap. XVII, se le da ya este nombre por anticipación. Es el mismo nombre de Jesús, y así le traducen los Setenta Intérpretes. Josué fué en el nombre y en los hechos una imagen muy expresiva de nuestro adorable Salvador. *Jesús.* Act. VII.

**33.** Tal vez entonces reinaba en aquel país alguna epidemia. A pesar de que Dios había dicho a los Israelitas que al presentarse delante de Canaan aquella tierra *vomitaria a sus moradores* (*Lev.* XVII, *v.* 24), arrojando de sí a los que la profanaban con su execrable idolatría y abominables torpezas; con todo querían hacer pasar aquel clima por muy maligno y nocivo. Josué y Caleb, como ponían su confianza en Dios, contaban por nada los peligros y dificultades de la empresa.

## CAPITULO XIV

*Josué y Caleb procuran en vano apaciguar al pueblo. Aplaca Moisés la indignación del Señor: el cual no obstante los condena a morir a todos en el desierto a excepción de Josué y de Caleb.*

1. Oído esto, todo el pueblo alzó el grito, y estuvo llorando aquella noche.

2. Y todos los hijos de Israel, murmuraron contra Moisés y Aarón, diciendo:

3. Ojalá hubieramos muerto en Egipto; y haga el cielo que perezcamos en esta vasta soledad, y no nos introduzca Dios en esa tierra, donde muramos al filo de la espada, y sean llevados cautivos nuestras mujeres y niños. ¿Pues no será mejor volvernos a Egipto?

4. Y así dijéronse unos a otros: Nombrémonos un caudillo, y volvámonos a Egipto.

5. Lo que oyendo Moisés y Aarón, se postraron pecho por tierra delante de todo el concurso de los hijos de Israel.

6. Pero Josué, hijo de Nun, y Caleb, hijo de Jefone, que habían también ellos explorado la tierra, rasgaron sus vestidos.

7. Y dijeron al pueblo de los hijos de Israel: La tierra que recorrimos es en extremo buena.

8. Si el Señor nos fuere propicio, nos introducirá en ella, y nos hará dueños de un país que mana leche y miel.

9. No queráis ser rebeldes contra el Señor, ni temáis al pueblo de esa tierra, porque nos los comeremos a todos *tan facilmente* como el pan: se hallan destituídos de toda defensa: el Señor está con nosotros; no los temáis.

10. Mas como gritase todo el pueblo, y los quisiese matar a pedradas, se manifestó la gloria del Señor a todos los hijos de Israel sobre el Tabernáculo de la alianza.

11. Y dijo el Señor a Moisés: ¿Hasta cuándo ha de blasfemar de mí ese pueblo? ¿Hasta cuándo no ha de creerme, después de tantos milagros, como he hecho a su vista?

12. Herirélos, pues, con peste, y acabaré con ellos; y a ti te haré príncipe de una nación grande y más poderosa que ésta.

13. Replicó Moisés al Señor: Pero los egipcios, de cuyo poder sacaste a este pueblo,

14. Y también los moradores de este país, que han oído que tú, ¡oh, Señor! estás en medio de este pueblo y te dejas ver cara a cara, y que tu nube los ampara, y que tú vas delante de ellos de día en la columna de la nube, y de noche en la de fuego,

15. Sabrán, *Señor,* que has hecho morir tanta gente como si fuera un hombre solo, y dirán:

16. No ha tenido poder para introducirlos en la tierra que les prometió con juramento; y por eso los ha muerto en el desierto.

17. Sea, pues, engrandecida la fortaleza del Señor, como lo juraste, diciendo:

18. El Señor es paciente, y de mucha misericordia, que quita el pecado y las maldades: que a ninguno deja de *castigar* por inocente, *pues nadie lo es por sí,* que castiga el pecado de los padres en los hijos, hasta la tercera y cuarta generación.

19. Perdona, te ruego, el pecado de este pueblo, según la grandeza de tu misericordia, así como les has sido propicio desde que salieron del Egipto hasta este sitio.

20. Respondió el Señor: Queda perdonado conforme lo has pedido.

21. Juro por mi vida, que toda la redondéz de la tierra se llenará de la gloria del Señor.

22. Sin embargo, todos los hombres que han visto la majestad mía, y los prodigios que tengo hechos en Egipto, y en el desierto, y me han tentado ya por diez veces, y no han obedecido a mi voz,

23. No verán la tierra que prometí con juramento a sus padres: ni uno siquiera de los que han blasfemado de mí, la llegará a ver.

24. *Pero a* mi siervo Caleb, que lleno de otro espíritu me ha seguido, le introduciré yo en esa tierra que recorrió y su descendencia la poseerá.

25. Y por cuanto el amalecita y el cananeo están en los valles *vecinos,* levantad mañana el campo, y volveos al desierto por el camino del mar Rojo.

26. Y habló el Señor a Moisés y a Aarón, diciendo:

27. ¿Hasta cuándo esta perversísima gente ha de murmurar contra mí? He oído las quejas de los hijos de Israel.

28. Diles, pues: Juro por mi vida, dice el Señor, que he de hacer con vosotros puntualmente lo que he oído que hablábais.

29. En este desierto quedarán tendidos vuestros cadáveres. Cuantos fuisteis alistados de veinte años arriba, y habéis murmurado contra mí,

**30.** No encontraréis en esa tierra, la cual juré que os había de dar por morada; fuera de Caleb, hijo de Jefone, y de Josué, hijo de Nun.

**31.** Pero yo haré entrar en ella a vuestros pequeñuelos, de quienes dijisteis que vendrían a ser la presa de los enemigos; para que vean la tierra que vosotros desestimásteis.

**32.** Vuestros cadáveres yacerán en el desierto.

**33.** Andarán vuestros hijos vagando por el desierto por espacio de cuarenta años, pagando la pena de vuestra apostasía hasta que sean consumidos en el mismo desierto los cadáveres de sus padres.

**34.** A proporción del número de cuarenta días gastados en reconocer la tierra, contando año por día. Y así por espacio de cuarenta años pagaréis la pena de vuestras maldades, y experimentaréis mi venganza.

**35.** Porque del modo que lo tengo dicho, así trataré a toda esta generación perversísima que se ha levantado contra mí: en este desierto, se irá consumiendo, y en él morirá.

**36.** Y en efecto, todos aquellos hombres que Moisés envió a reconocer la tierra prometida, y a la vuelta hicieron murmurar al pueblo contra él, publicando falsamente que la tierra era mala,

**37.** Fueron heridos de muerte a la presencia del Señor.

**38.** Solamente Josué, hijo de Nun, y Caleb, hijo de Jefone, quedaron con vida de todos los que fueron a explorar la tierra.

**39.** Y habiendo referido Moisés una por una todas estas palabras del Señor a los hijos de Israel, el pueblo prorrumpió en amargo llanto.

**40.** Y luego al día siguiente, levantándose al amanecer, subieron a la cima del monte, y dijeron: Estamos prontos a ir al lugar de que habló el Señor: por cuanto *conocemos* haber pecado.

**41.** Moisés les dijo: ¿A qué fin queréis traspasar vosotros el mandato del Señor, cosa que nunca os saldrá bien?

**42.** No penséis, pues, en ir, porque el Señor no está con vosotros: sino es que queráis ser derrotados por vuestros enemigos.

**43.** El amalecita y el cananeo están enfrente de vosotros, al filo de cuya espada pereceréis, por no haber querido rendiros al Señor: ni el Señor estará con vosotros.

**44.** Con todo eso ellos ciegos *y obstinados,* subieron a la cima del monte: mas el Arca del Testamento del Señor y Moisés no se movieron de los campamentos.

**45.** Pero el amalecita y el cananeo que habitaban en la montaña, les salieron al encuentro, y batiéndolos y destrozándolos, los fueron persiguiendo hasta Horma.

## CAPITULO XV

*Leyes ceremoniales sobre primicias y libaciones. Suplicio de un hombre que recogía leña en sábado. Orden para que los Israelitas traigan en el vestido un recuerdo de la ley de Dios.*

**1.** Habló el Señor a Moisés, diciendo:

**2.** Habla con los hijos de Israel, y diles: Cuando hubiéreis entrado en la tierra de vuestra morada que os daré yo,

**3.** Y ofreciéreis al Señor holocausto o víctima *pacífica,* cumpliendo votos, o por oblación voluntaria, o ya quemando en vuestras solemnidades bueyes u ovejas en olor de suavidad al Señor.

**4.** Cualquiera que sacrificare víctima, ofrecerá con el sacrificio la décima parte de un efí de flor de harina, heñida con la cuarta parte de un hin de aceite.

**5.** Y dará la misma medida de vino para hacer las libaciones del holocausto o de la víctima. Por cada cordero,

**6.** Y carnero, se ofrecerán dos décimas de flor de harina que esté amasada con la tercera parte de un hin de aceite.

**7.** Y de vino para la libación, ofrecerá la tercera parte de la misma medida, en olor suavísimo al Señor.

**8.** Y si el holocausto, o la hostia es de bueyes en cumplimiento de voto, o por víctima pacífica,

**9.** Darás por cada buey tres décimas de flor de harina amasada con la mitad de la medida de un hin de aceite.

**10.** E igual porción de vino para las libaciones en ofrenda de olor suavísimo al Señor.

**11.** Esto harás en *el sacrificio.*

**12.** De cada buey, carnero, cordero, o cabrito,

---

**30.** Esta sentencia parece que sólo comprendía a aquellos hombres de veinte años arriba, que fueron alistados, capaces de tomar las armas, y que además habían irritado al Señor *tentándole diez veces* en el Desierto, esto es, provocando *muchas veces* su indignación Divina. De aquí se infiere que no solamente Eleazar entró en la tierra de promisión (Josué XIV, c. 18), sino toda la tribu de Leví, y las mujeres y niños de todas las tribus, y tal vez muchos .otras israelitas, que no incurrieron en los excesos de casi todo el pueblo.

**13.** Tanto los naturales como los forasteros

**14.** Han de ofrecer con este mismo rito los sacrificios.

**15.** Una misma será la ley y el estatuto, tanto para vosotros, como para los extranjeros, *o prosélitos vuestros.*

**16.** Habló el Señor a Moisés, diciendo:

**17.** Habla con los hijos de Israel, y diles:

**18.** Así que lleguéis a la tierra que os daré,

**19.** Y comáis del pan de aquel país, separaréis para el Señor las primicias

**20.** De vuestros alimentos. Así como separáis las primicias de las eras,

**21.** También de la pasta *de harina que gastáreis*, habéis de dar las primicias al Señor.

**22.** Cuando por ignorancia dejáreis de hacer alguna cosa de las que ha hablado el Señor a Moisés.

**23.** Y que por su medio os ha mandado a vosotros *y a vuestros descendientes* desde el día en que comenzó a dar leyes.

**24.** Si toda la muchedumbre del pueblo se olvidare de ponerla en ejecución, ofrecerá un becerro de la vacada en holocausto de olor suavísimo al Señor, con su ofrenda y libaciones, como lo pide el ceremonial, y un macho cabrío por el pecado.

**25.** Y el sacerdote hará oración por toda la multitud de los hijos de Israel; y se les perdonará porque no pecaron con advertencia: sin dejar por eso de ofrecer al Señor el holocausto *y el sacrificio* por sí y por su pecado y error.

**26.** Y así se le perdonará a todo el pueblo de Israel, y a los extranjeros agregados a ellos, por ser culpa que procede de ignorancia común a todo el pueblo.

**27.** Pero si una persona particular pecare por ignorancia, ofrecerá una cabra por su pecado.

**28.** Y el sacerdote rogará por la tal persona, en atención a que pecó delante del Señor por ignorancia; y le alcanzará el perdón, y quedará perdonada.

**29.** Una será la ley de los que pecaren por ignorancia, bien sean nacionales o bien forasteros.

**30.** Mas la persona que osare cometer algún pecado a sabiendas, ora sea ciudadano, ora extranjero, perecerá de en medio de su pueblo, porque fué rebelde al Señor.

**31.** Por cuanto despreció la palabra del Señor, y quebrantó su mandamiento: por lo mismo será exterminado, y llevará *la pena* de su iniquidad.

**32.** Aconteció estando los hijos de Israel en el desierto que hallaron a un hombre que estaba cogiendo leña en día de sábado.

**33.** Y le presentaron a Moisés y Aarón y a toda la sinagoga.

**34.** Los cuales le encerraron en la cárcel, no sabiendo qué debían hacer de él.

**35.** Y dijo el Señor a Moisés: Muera ese hombre: Mátele todo el pueblo a pedradas fuera del campamento.

**36.** Y habiéndole sacado afuera, le apedrearon, y quedó muerto, como el Señor lo había mandado.

**37.** Dijo asimismo el Señor a Moisés:

**38.** Habla con los hijos de Israel, y les dirás que se hagan unas franjas en los remates de sus mantos, poniendo en ellos cintas *o listones de color* de jacinto.

**39.** Para que viéndolas se acuerden de todos los mandamientos del Señor, y no vayan en pos de sus pensamientos, ni pongan sus ojos en objetos que corrompan su corazón.

**40.** Mas, antes bien, acordándose de los preceptos del Señor, los cumplan, y se conserven santos *y puros* para su Dios.

**41.** Yo el Señor Dios vuestro, que os saqué de la tierra de Egipto para ser vuestro Dios.

## CAPITULO XVI

*Sedición de Coré, de Datán y Abirón, y de sus secuaces, reprimida y castigada. Aarón aplaca la cólera de Dios.*

**1.** Pero he aquí que Coré, hijo de Isaar, hijo de Caat, hijo de Leví, y Datán, y Abirón, hijos de Eliab, y también Hon, hijo de Felet, de la tribu de Rubén,

**2.** Se amotinaron contra Moisés con otros doscientos cincuenta hombres de los hijos de Israel, varones de los más ilustres de la sinagoga, y que en tiempo de concilio *o asamblea*, eran convocados nominalmente.

**3.** Y presentándose delante de Moisés y Aarón, dijeron: Básteos ya *lo hecho hasta aquí:* puesto que todo este pueblo es de santos, y en medio de ellos está el Señor, ¿por qué causa os ensalzáis *tanto* sobre el pueblo del Señor?

---

**1.** Coré era primo hermano de Moisés y Aarón y, envidioso de la autoridad de sus primos, se conjuró contra ellos con Datán y Abirón, descendientes de Rubén, que era el primogénito de Jacob. Este suceso es una imagen de la rebelión de los herejes y cismáticos de todos los siglos, que confundiendo el abuso que proviene del hombre con la autoridad que viene de Dios, se han sustraído de la obediencia a las legítimas potestades de la Iglesia, so color de reformarla.

**4.** Lo que oyendo Moisés, postróse rostro por tierra.

**5.** Y *luego* hablando a Coré y a toda la multitud: Mañana, dijo, declarará el Señor quiénes son los suyos, y se apropiará los que son santos; y aquéllos que escogiere, esos se acercarán a él *o serán sus ministros.*

**6.** Haced, pues, esto: Tome cada cual su incensario, tú Coré, y todo tu séquito.

**7.** Y mañana, echado el fuego, poned sobre él incienso, delante del Señor: y al que escogiere, ese será santo: ¡Oh, hijos de Leví!, mucho os engreís.

**8.** Y añadió hablando con Coré: Escuchad, hijos de Leví:

**9.** ¿Os parece acaso poco que el Dios de Israel os haya separado de todo el pueblo, y allegado a sí, para que le sirviéseis en el culto del Tabernáculo, y estuviéseis ante el concurso del pueblo, ejerciendo por él el ministerio?

**10.** ¿Para eso te ha puesto a ti y a todos tus hermanos los hijos de Leví, cerca de sí, para que os arroguéis también el *Sumo* sacerdocio,

**11.** Y toda tu gavilla se subleve contra el Señor? Porque, ¿qué es Aarón para que murmuréis contra él?

**12.** En seguida Moisés envió a llamar a Datán y a Abirón, hijos de Eliab. Los cuales respondieron: Nosotros no vamos.

**13.** Pues qué, ¿te parece aún poco el habernos sacado de una tierra que manaba leche y miel, para hacernos morir en el desierto, sino que además de eso nos has de estar tiranizando?

**14.** Por cierto que nos has introducido en terreno donde corren arroyos de leche y miel, y que nos has dado posesiones de campos y viñedos: o, ¿por ventura, quieres sacarnos también los ojos? Nosotros no vamos.

**15.** Entonces Moisés, sumamente irritado, dijo al Señor: No atiendas a sus sacrificios: Tú sabes que ni siquiera un asnillo he tomado jamás de ellos, ni a ninguno he hecho daño.

**16.** Dijo después a Coré: Tú y toda tu cuadrilla presentaos mañana aparte delante del Señor; y Aarón se presentará separadamente.

**17.** Tomad cada cual vuestros incensarios, y echad en ellos incienso, ofreciendo al Señor doscientos y cincuenta incensarios; y tenga Aarón también el suyo.

**18.** Como lo hubiesen hecho así, estando presente Moisés y Aarón

**19.** Y habiendo agavillado contra ellos toda la gente a la puerta del Tabernáculo se manifestó a todos la gloria del Señor.

**20.** El cual hablando con Moisés y Aarón, dijo:

**21.** Apartaos de en medio de esa gavilla, y en un momento los consumiré.

**22.** Aquí *Moisés y Aarón* se postraron sobre su rostro, y dijeron: ¡Oh fortísimo Dios de los espíritus de todos los hombres! ¿Es posible que por el pecado de uno se ha de ensañar tu ira contra todos?

**23.** Entonces dijo el Señor a Moisés:

**24.** Manda a todo el pueblo que se retire de las tiendas de Coré, y de Datán, y de Abirón.

**25.** Y se levantó Moisés, y fuese hacia Datán y Abirón: y siguiéndole los ancianos de Israel,

**26.** Dijo a la gente: Retiráos de las tiendas de esos hombres impíos, y no toquéis cosa suya, porque no seáis envueltos en sus pecados.

**27.** Retirados que fueron de los alrededores de las tiendas de los dichos, saliendo Datán y Abirón, pusiéronse a la entrada de sus pabellones con las mujeres e hijos, y toda su gente.

**28.** Dijo entonces Moisés: en esto conoceréis que el Señor me ha enviado a ejecutar todas las cosas que véis, y que no las he forjado yo en mi cabeza.

**29.** Si éstos *que me acusan* murieren de la muerte ordinaria de los hombres, y fueren heridos del azote que suele también herir a los demás, no me ha enviado el Señor.

**30.** Pero si el Señor hiciere una cosa nunca vista, de manera que la tierra abriendo su boca se los trague a ellos y a todas sus casas, y bajen vivos al infierno, sabréis entonces que han blasfemado contra el Señor.

**31.** No bien hubo acabado de hablar, cuando la tierra se hundió debajo de los pies de aquéllos,

**32.** Y abriendo su boca se los tragó con sus tiendas, y todos sus haberes;

**33.** Y cubiertos de tierra bajaron vivos al infierno, y perecieron de en medio del pueblo.

**34.** Al punto todo Israel, que estaba al contorno, a los alaridos de los que perecían echó a huir, diciendo: No sea que nos trague también a nosotros la tierra.

**35.** Además de esto, un fuego enviado del Señor abrasó a los doscientos y cincuenta hombres que ofrecían el incienso.

---

**33.** Aunque no siempre la voz *infierno* en la Sagrada Escritura significa el lugar de los condenados, lo significa sin duda en este verso. Se abre y divide la tierra debajo los pies de aquéllos que han roto la unidad del cuerpo místico de la Iglesia.

**36.** Y el Señor habló a Moisés, diciendo:

**37.** Da orden a Eleazar, sacerdote, hijo de Aarón, que tome los incensarios que han quedado esparcidos en medio del incendio, y desparrame a una y otra parte el fuego que hay en ellos: por cuanto han quedado ya consagrados,

**38.** Con la muerte de los pecadores: y que los reduzca a planchas, las cuales clave en el altar, por haberse ofrecido en ellos incienso al Señor, y quedar a él consagrados; a fin de que los hijos de Israel las miren como una señal y recuerdo.

**39.** Tomó, pues, el sacerdote Eleazar los incensarios de bronce en que hicieron su ofrenda aquéllos que fueron devorados del incendio, y los redujo a planchas, que clavó en el altar.

**40.** A fin de que sirviesen en adelante a los hijos de Israel de escarmiento, para que ningún extraño, y que no sea del linaje de Aarón, se acerque a ofrecer incienso al Señor; porque no le acontezca lo que le aconteció a Coré y a todo su séquito, según la palabra del Señor a Moisés.

**41.** Pero al día siguiente toda la multitud de los hijos de Israel murmuraba contra Moisés y Aarón, diciendo: Vosotros habéis dado la muerte al pueblo del Señor.

**42.** Y como tomare cuerpo la sedición, y creciese el tumulto,

**43.** Moisés y Aarón se refugiaron en el Tabernáculo de la alianza: entrados dentro, la nube le cubrió, y apareció la gloria del Señor.

**44.** Y dijo el Señor a Moisés:

**45.** Retiráos de en medio de esa turba; que ahora mismo voy a acabar con ellos Y estando postrados en tierra *los dos,*

**46.** Dijo Moisés a Aarón: Toma el incensario, y cogiendo fuego del altar, pon encima el incienso y corre a toda prisa hacia el pueblo para rogar por él; porque ya el Señor ha soltado el dique de su ira, y la mortandad se encruelece.

**47.** Haciéndolo así Aarón, y corriendo al medio de la multitud, a la cual devoraba ya el incendio, ofreció el incienso.

**48.** Y puesto entre los muertos y los vivos, intercedió por el pueblo, y cesó la mortandad.

**49.** Los muertos fueron catorce mil y setecientos hombres, sin contar los que perecieron en la sedición de Coré.

**50.** Y Aarón, después que cesó el estrago, volvióse a Moisés a la puerta del Tabernáculo de la alianza.

## CAPITULO XVII

*El sacerdocio confirmado en Aarón con el prodigio de la vara, que florece y que fructifica.*

**1.** Y habló el Señor a Moisés, diciendo:

**2.** Habla con los hijos de Israel y haz que entreguen una vara por cada tribu; doce varas por todos los *doce* príncipes de las tribus, y escribirás el nombre de cada príncipe sobre su vara.

**3.** El nombre de Aarón estará en la vara de la tribu de Leví; y cada una de las otras familias o *tribus* tendrá su vara peculiar.

**4.** Y las pondrás en el Tabernáculo de la alianza delante *del Arca* del Testimonio, en donde te hablaré.

**5.** La vara de aquél que yo eligiere entre ellos florecerá; y *asi* haré cesar las quejas de los hijos de Israel, con que murmuran contra vosotros.

**6.** Habló, pues, Moisés con los hijos de Israel; y diéronle todos los príncipes las varas; una por cada tribu, y fueron doce las varas, sin la vara de Aarón.

**7.** Las cuales colocó Moisés ante el Señor en el Tabernáculo del Testimonio.

**8.** Y volviendo al día siguiente, halló que había florecido la vara de Aarón, puesta por la tribu de Leví: de suerte que, arrojando pimpollos, brotaron flores, de las que, abiertas las hojas, formaron almendras.

**9.** Sacó pues, Moisés todas las varas de la presencia del Señor, y las enseñó a todos los hijos de Israel, y cada uno las vió y recibió la suya.

**10.** Dijo entonces el Señor a Moisés: Vuelve la vara de Aarón al Tabernáculo del Testimonio para que allí se conserve por señal de la rebeldía de los hijos de Israel y cesen sus querellas contra mí, porque no mueran.

**11.** Hízolo Moisés como el Señor lo había mandado.

**12.** Mas los hijos de Israel dijeron a Moisés: He aquí que nos vamos consumiendo y pereciendo todos.

**13.** Cualquiera que se acerca al Tabernáculo del Señor, es herido de muerte. ¿Hemos de ser todos aniquilados hasta no quedar ninguno con vida?

---

**10.** Esta vara de Aarón, antes seca y después verde con hojas y frutos, es, según varios Santos Padres, símbolo de nuestro Divino Pontífice Jesús, primero humillado y muerto, y después resucitado y colmado de frutos. Orígenes (*Hom.* IX, *in Num.*), ve figurada en esta vara la cruz de Cristo; y San Bernardo a la virgen María que produce la flor de *Jesé.*

## CAPITULO XVIII

*En vez de posesiones hereditarias, señala Dios a los ministros sagrados las primicias, las ofrendas y los diezmos. Obligaciones de sacerdotes y levitas.*

**1.** Y dijo el Señor a Aarón: Tú y tus hijos, y la casa de tu padre contigo seréis responsables de la iniquidad que se cometa en el Santuario: y tú y tus hijos juntamente pagaréis las culpas de vuestro sacerdocio.

**2.** Demás de ésto, has de unir contigo a tus hermanos de la tribu de Leví y a la familia de tu padre para que te asistan y sirvan: mas tú y tus hijos ejerceréis vuestro ministerio en el Tabernáculo del Testimonio.

**3.** Los levitas, pues, estarán atentos a tus órdenes, y a todo cuanto haya que hacer con respecto al Santuario: con tal, empero, que no se arrimen a los vasos del Santuario y al altar, a fin de que ni mueran ellos, ni vosotros perezcáis juntamente con ellos.

**4.** Estén, sí, contigo, y velen en la guardia del Tabernáculo, y en todas las cosas de su servicio. No se mezclará con vosotros persona ninguna de otra estirpe.

**5.** Velad en la custodia del Santuario y en el ministerio del altar; para que no se encienda *mi* enojo contra los hijos de Israel.

**6.** Yo os he dado vuestros hermanos los levitas, entresacados de los hijos de Israel, y os los he entregado a vosotros como un don hecho al Señor, para que sirvan en el ministerio del Tabernáculo.

**7.** Ahora bien, tú y tus hijos conservad vuestro sacerdocio: y todas las cosas que pertenecen al servicio del altar, y están del velo adentro, han de ser administradas por los sacerdotes. Si algún extraño se introdujere, será muerto.

**8.** Dijo el Señor asimismo a Aarón: Mira que te tengo dada la custodia de mis primicias. Todas las cosas que son ofrecidas por los hijos de Israel, las he traspasado a ti y a tus hijos por razón del ministerio sacerdotal, en juro perpetuo.

**9.** Estas, pues, son las cosas que recibirás de las que son consagradas y ofrecidas al Señor. Toda ofrenda y sacrificio, y todo cuanto se me ofrece por pecado, y por delito, como que es cosa destinada al Santuario, será tuyo y de tus hijos.

**10.** En lugar santo lo comerás: solamente los varones comerán de ello: porque es cosa reservada para ti.

**11.** En cuanto a las primicias que votaren y ofrecieren los hijos de Israel, te las tengo dadas a ti y a tus hijos e hijas por derecho perpetuo: el que se halla limpio en tu casa comerá de ellas.

**12.** El aceite, vino y trigo más exquisitos, todo lo que se ofrece en primicias al Señor, a ti te lo he dado.

**13.** Todos los primeros frutos que cría la tierra, y se presentan al Señor, cederán para tu uso el que se halla limpio en tu casa, los comerá.

**14.** Todo lo que dieren por voto los hijos de Israel será tuyo.

**15.** Todos los primogénitos de cualquier especie, que se ofrecen al Señor, sean de hombres, o sean de animales, te pertenecerán a ti: con esta sola diferencia, que por el primogénito de hombre recibirás el rescate, y harás que sea redimido todo animal inmundo.

**16.** El rescate *del niño* se hará después de cumplir un mes, en cinco ciclos de plata, según el peso del Santuario. El ciclo tiene veinte óbolos.

**17.** Mas no harás redimir los primerizos de vaca, ni de oveja, ni de cabra porque son cosas consagradas al Señor. Solamente derramarás su sangre sobre el altar, y quemarás las grosuras en olor suavísimo al Señor.

**18.** Las carnes, empero, quedarán para uso tuyo, y serán tuyas, así como lo son el pecho consagrado y la espaldilla derecha.

**19.** Todas las primicias del Santuario, que ofrecen los hijos de Israel al Señor, te las he dado a ti, y a tus hijos e hijas por derecho perpetuo. Pacto es éste de sal o *inalterable* y eterno delante del Señor para ti y para tus hijos.

**20.** Por lo que dijo el Señor a Aarón: Vosotros no tendréis posesión ninguna en la tierra de vuestros hermanos, ni entraréis a la parte con ellos: Yo soy tu porción y tu herencia en medio de los hijos de Israel.

**21.** Porque en orden a los hijos de Leví les tengo ya dados todos los diezmos de Israel en lugar de posesiones, por el ministerio con que me sirven en el Tabernáculo de la alianza:

**22.** A fin de que los hijos de Israel no se acerquen más al Tabernáculo, y no cometan una falta que les acarree la muerte.

---

**1.** Seréis responsables de las faltas que se hagan contra el Santuario.

**19.** *Pacto de sal* por la sal, símbolo de la incorrupción o permanencia.

**23.** Sino que solos los hijos de Leví me han de servir en el Tabernáculo, y llevar los pecados del pueblo. Ley sempiterna será ésta para vosotros y vuestros descendientes. Los levitas ninguna otra cosa poseerán,

**24.** Contentándose con la ofrenda de los diezmos que tengo separados para sus usos y necesidades.

**25.** Sobre lo cual habló el Señor a Moisés, diciendo:

**26.** Da esta orden, e intima lo siguiente a los levitas: Después de recibidos de los hijos de Israel los diezmos que os he dado, habéis de ofrecer de ellos las primicias al Señor, esto es, la décima parte del diezmo.

**27.** A fin de que se os cuente como ofrenda de las primicias, tanto de las eras como de los lagares.

**28.** Y de todas cuantas cosas recibís, habéis de ofrecer primicias al Señor y dárselas al sacerdote Aarón.

**29.** Todo lo que ofreciéreis de los diezmos, y separáreis para dones al Señor, ha de ser lo mejor y más escogido.

**30.** Y les dirás: Si ofreciéreis todo lo más estimable y lo mejor de los diezmos, se os recibirá en cuenta, como si dieseis las primicias de las eras y de los lagares.

**31.** Y comeréis de estos diezmos tanto vosotros como vuestra familia en todos los lugares en que habitáreis, por ser una recompensa del servicio que hacéis en el Tabernáculo del Testimonio.

**32.** Mas no pequéis en esto, reservando para vosotros lo más exquisito y selecto, para que no amancilléis las ofrendas de los hijos de Israel, y no seáis castigados de muerte.

## CAPITULO XIX

*Sacrificio de la vaca roja; rito para hacer el agua lustral o purificatoria, y uso de esta agua.*

**1.** Y habló el Señor a Moisés y a Aarón, diciendo:

**2.** Estas son las ceremonias de una víctima que ha ordenado el Señor. Manda a los hijos de Israel que te traigan una vaca roja de edad perfecta, que ni tenga tacha, ni haya estado bajo el yugo.

**3.** Y la entregaréis al sacerdote Eleazar; el cual sacándola fuera del campamento, la degollará en presencia de todos,

**4.** Y mojando el dedo en la sangre de esta vaca, hará siete aspersiones hacia las puertas del Tabernáculo.

**5.** Y a vista de todos la quemará, entregando a las llamas tanto la piel y las carnes, como la sangre y el estiércol.

**6.** También echará en las llamas, en que arde la vaca, palo de cedro, hisopo y grana dos veces teñida.

**7.** Después de lo cual lavado los vestidos y su cuerpo, entrará en el campamento, y quedará inmundo hasta la tarde.

**8.** Igualmente el que la hubiere quemado lavará también sus vestidos y cuerpo y quedará inmundo hasta la tarde.

**9.** Y un hombre limpio recogerá las cenizas de la vaca, y las echará fuera del campamento en lugar limpísimo, a fin de que guardándolas con cuidado la multitud de los hijos de Israel, les sirvan para el agua de aspersión; puesto que la vaca fué quemada por el pecado.

**10.** Y el que llevó las cenizas de la vaca, después de lavar sus vestidos, quedará inmundo hasta la tarde. Será éste un rito santo y perpetuo entre los hijos de Israel, y los extranjeros *o prosélitos* que moren entre ellos.

**11.** El que tocare cadáver de hombre, y por esta causa estuviere inmundo siete días,

**12.** Será rociado con esta agua el tercer día y el séptimo, con lo cual quedará limpio. Si al tercer día no es rociado, no se podrá purificar al séptimo.

**13.** Todo el que hubiere tocado cadáver humano, y no fuere rociado con esta mixtura *de agua y ceniza,* profanará el Tabernáculo del Señor, y perecerá de en medio de Israel: puesto que no ha sido rociado con el agua de expiación, estará inmundo y su inmundicia permanecerá sobre él.

**14.** La ley para el hombre, que muere en su tienda, *o morada,* es ésta: Todos los que entran en su tienda y todos los muebles que allí hay, serán inmundos siete días.

**15.** Vasija que no tuviere cobertera *o tapón* atado a la boca, quedará inmunda.

**16.** Si alguno en el campo tocare cadáver de hombre muerto por violencia, o naturalmente; o tocare hueso de él, o su sepulcro, estará inmundo siete días.

**17.** Y tomarán parte de las cenizas de la vaca quemada por el pecado, y las mezclarán con agua viva en un vaso,

**18.** En que mojando un hombre limpio el hisopo, rociará con él toda la estancia y todo el ajuar, y a las personas mancilladas por semejante contacto.

---

**2.** Según San Jerónimo, este sacrificio se repetía todos los años; y ofrecían esta víctima en el monte de las olivas. Viva imagen de la pasión del Salvador y de la efusión de su sangre para expiar nuestras manchas.

**19.** Y de este modo el hombre limpio purificará al inmundo el tercero y séptimo día; y purificado así en el día séptimo, se lavará todo, y también sus vestidos, y quedará inmundo hasta la tarde.

**20.** Quien no fuere purificado con esta ceremonia, será su alma separada de la sociedad de la Iglesia, por haber profanado el Santuario del Señor, y no haber sido purificado con el agua lustral.

**21.** Este precepto tendrá fuerza de ley perpetua. El mismo que hace la aspersión con las aguas, lavará sus vestidos. Cualquiera que tocare las aguas de purificación estará inmundo hasta la tarde.

**22.** Todo lo que un inmundo tocare, quedará inmundo, y la persona que tocare algo de esto, estará inmunda hasta la tarde.

## CAPITULO XX

*Muerte de María. Aguas de contradicción. Niegan los Idumeos el paso a los Israelitas. Muerte de Aarón.*

**1.** Llegaron, pues, los hijos de Israel y todo aquel gentío al desierto de Sin, al mes primero *del año cuarenta de la salida de Egipto*, e hizo el pueblo su mansión en Cades. Allí murió María, y fué sepultada en el mismo lugar.

**2.** Y faltando agua al pueblo, se mancomunaron contra Moisés y Aarón.

**3.** Y amotinados dijeron: ¡Ojalá hubiésemos perecido allá entre nuestros hermanos delante del Señor!

**4.** ¿Por qué habéis conducido la Iglesia o *pueblo escogido* del Señor al desierto, para que muramos nosotros, y también nuestros ganados?

**5.** ¿Por qué nos hicísteis salir de Egipto, y nos habéis traído a este miserable terreno, que no se puede sembrar, que ni da higos, ni vides, ni granadas, y ni aun agua tiene para beber?

**6.** Con esto, Moisés y Aarón, separándose de la gente, y entrando en el Tabernáculo de la Alianza, se postraron contra el suelo, y clamaron al Señor, y dijeron: Oh, Señor *nuestro* Dios, escucha los clamores de este pueblo, y ábreles tus tesoros, una fuente de agua viva, a fin de que, apagada su sed, cesen de murmurar. En esto apareció la gloria del Señor sobre ellos.

**7.** Y habló el Señor a Moisés, diciendo:

**8.** Toma la vara, y congregad al pueblo tú y tu hermano Aarón, y hablaréis a la peña *esa* en presencia de toda la gente, y la peña brotará aguas. Y sacado que hubiéreis agua de la peña, beberá todo el pueblo con sus ganados.

**9.** Tomó, pues, Moisés *su* vara, que se guardaba en la presencia del Señor, según él se lo mandó.

**10.** Y congregada la multitud delante de la peña, les dijo: Oíd, rebeldes y descreídos: ¿Por ventura podremos nosotros sacaros agua de esta peña?

**11.** Y habiendo alzado Moisés la mano, y herido dos veces con la vara aquella peña, salieron aguas copiosísimas; por manera que pudo beber el pueblo y los ganados.

**12.** Dijo entonces el Señor a Moisés y a Aarón: Ya que no me habéis creído en orden a hacer conocer mi gloria a los hijos de Israel, no introduciréis vosotros este pueblo en la tierra que yo le daré.

**13.** Esta es el agua de contradicción, donde los hijos de Israel se querellaron contra el Señor, el cual manifestó en ellos su gloria.

**14.** Entre tanto Moisés envió desde Cades embajadores al rey de Idumea, que le dijesen: Esta petición te hace tu hermano Israel: Sabes bien todos los trabajos que hemos padecido,

**15.** Cómo nuestros padres bajaron a Egipto, y allí hemos habitado mucho tiempo, y los egipcios nos maltrataron a nosotros y a nuestros padres.

**16.** Y cómo clamamos al Señor y nos oyó, y envió su ángel, el cual nos sacó de Egipto. Ahora hallándonos ya en la ciudad de Cades, situada en tus últimos confines,

**17.** Te suplicamos nos permitas atravesar por tu tierra. No iremos por los campos, ni por las viñas, no beberemos agua de tus pozos, sino que marcharemos por el camino real, sin declinar a la derecha ni a la izquierda, hasta que estemos fuera de tus dominios.

**18.** A lo que respondió el idumeo: No pasarás por mi tierra: que si lo haces, saldré armado a tu encuentro.

**19.** Replicaron los hijos de Israel: Seguiremos *siempre* la carretera, y en caso de beber de tus aguas nosotros y nuestros ganados, pagaremos lo justo: no habrá dificultad alguna en el precio; sólo con que nos dejéis expedido el paso.

---

**1.** Este desierto de *Sin*, que así se lee, es diferente del otro de que se habla en el Exodo, *cap.* XVI, *v.* 1.— Moisés, después de haber hablado de la murmuración que movieron los que fueron a reconocer la tierra de Canaán, la cual sucedió el año segundo estando el pueblo en la mansión décimaquinta, pasa a la trigésima tercera, omitiendo aquí las otras mansiones intermedias y los sucesos de treinta y siete años, o porque no fueron de particular consideración, o por otra causa que no alcanzamos. — Véase *v.* 22, 25, 26. — *Cap.* XXXIII, *v.* 38.

**20.** Mas él respondió: No pasaréis. Y luego les salió al encuentro con infinita gente, y de mano armada.

**21.** Y no quiso otorgar lo que le rogaban, a saber, que les concediese paso por sus confines. Por cuya causa tiró Israel hacia otra parte.

**22.** Movido, pues, de Cades el campo, llegaron al monte Hor, que está en los límites de la Idumea,

**23.** Donde habló el Señor a Moisés, diciendo:

**24.** Vaya Aarón a incorporarse con su pueblo: porque no ha de entrar en la tierra que tengo dada a los hijos de Israel, por haber sido incrédulo a mis palabras allá en las aguas de contradicción.

**25.** Toma contigo a Aarón y a su hijo con él, y los conducirás al monte Hor.

**26.** Y después de desnudar al padre de sus vestiduras, se las revestirás a su hijo Eleazar. Aarón morirá allí, y será reunido con *sus padres.*

**27.** Moisés hizo lo que le mandó el Señor, y subieron al monte Hor a vista de todo el pueblo,

**28.** Donde despojando a Aarón de sus vestiduras, revistió con ellas a Eleazar su hijo.

**29.** Muerto aquél sobre la cima del monte, descendió *Moisés* con Eleazar.

**30.** Y toda la multitud, así que oyó que Aarón había muerto, hizo duelo por él treinta días en todas sus familias.

## CAPITULO XXI

*Victoria de los Israelitas sobre los Cananeos. Serpiente de metal. Sehón y Og vencidos.*

**1.** Y como hubiese oído Arad, rey de los cananeos, que habitaba al mediodía, que Israel había venido por el mismo camino de los exploradores, peleó contra él; y saliendo vencedor, se llevó los despojos.

**2.** En vista de esto, Israel, obligándose al Señor con voto, dijo: Si entregares a ese pueblo en mi mano, arrasaré sus ciudades.

**3.** Otorgó el Señor la súplica a Israel, y entrególe el cananeo; a quien él pasó a cuchillo, asolando sus ciudades: por lo que llamó el nombre de aquel lugar Horma, esto es, Anatema, o *desolación total.*

**4.** Partieron después del monte Hor, camino del mar Rojo, a fin de ir rodeando la Idumea. Y empezó el pueblo a enfadarse del viaje y del trabajo.

**5.** Y hablando contra Dios y Moisés dijo: ¿Por qué nos sacaste de Egipto para que muriésemos en el desierto? Falta el pan, no hay agua; nos provoca ya náusea este manjar sin sustancia.

**6.** Por lo cual el Señor envió contra el pueblo serpientes abrasadoras, por cuyas mordeduras murieron muchísimos.

**7.** Fué el pueblo a Moisés, y dijeron *todos:* Pecado hemos; pues hemos hablado contra el Señor y contra ti: suplícale que aleje de nosotros las serpientes. Hizo Moisés oración por el pueblo.

**8.** Y el Señor le dijo: Haz una serpiente de bronce, y ponla *en alto* para señal: quien quiera que siendo mordido la mirare, vivirá.

**9.** Hizo, pues, Moisés *una serpiente de bronce,* y púsola por señal, a la cual mirando los mordidos sanaban.

**10.** Partidos de aquí los hijos de Israel, acamparon en Obot.

**11.** De donde habiendo salido, plantaron sus tiendas en Jeabarim, en el desierto que mira a Moab, hacia la parte oriental.

**12.** Decampando de allí, vinieron al torrente de Zared.

**13.** Después dejando a éste, acamparon en frente *del* de Arnón, que está en el desierto, y a la frontera del amorreo: por cuanto el *torrente* Arnón es término de Moab, que divide a los moabitas de los amorreos.

**14.** De donde se dice en el libro de las guerras del Señor: Lo que hizo en el mar Rojo, eso mismo hará en los torrentes de Arnón.

**15.** Los escollos de los torrentes se abajaron *para que pasasen los israelitas,* y reposasen en Ar, y se acampasen en los confines de Moab.

**16.** Desde aquel sitio *pasaron a Beer, donde* apareció el pozo, acerca del cual dijo el Señor a Moisés: Junta al pueblo, que yo le daré agua.

**17.** Entonces entonó Israel este cántico: Brote agua del pozo (cantaron a una),

---

**26.** San Jerónimo y otros Santos Padres observan que ni Aarón en quien comenzó el Sacerdocio levítico, ni María que representaba los Profetas, ni Moisés que representaba la Ley, pudieron introducir al pueblo de Dios en la tierra de promisión, sino que estaba reservada esta gloria y poder a Josué, imagen de Jesucristo.

**30.** Véase el elogio de Aarón en el *Ecclesiástico* cap. XLV, *v.* 7.—*Malach.* II, *v.* 4, 5.

---

**8.** El mismo Jesucristo en su Evangelio (*Joann,* III, *v.* 14), nos hace conocer con esta milagrosa serpiente de metal la virtud de la santa cruz, en la cual había de ser él clavado para salvación de aquéllos que perecían por la mordedura de la antigua serpiente que engañó a nuestros primeros padres.

18. El pozo que los príncipes abrieron, y formaron con sus báculos los caudillos de Israel dirigidos por el legislador *Moisés.* De este desierto pasaron a Mattana.

19. De Mattana fueron a Nahaiel. De Nahaiel a Bamot.

20. De Bamot *fueron a donde* hay un valle en el territorio de Moab, hacia la cumbre de Fasga, que está en el desierto.

21. Desde allí envió Israel embajadores a Sehón, rey de los amorreos, diciendo:

22. Ruégote que me dejes pasar por tu tierra: no torceremos hacia los campos y viñas, ni beberemos agua de los pozos: marcharemos por el camino real, hasta que hayamos pasado tus términos.

23. No quiso Sehón permitir que Israel atravesase por su país: antes bien, juntando sus tropas, les salió al encuentro en el Desierto, y vino hasta Jasa, y le dió batalla.

24. Mas fué pasado a cuchillo por los hijos de Israel, y ocupada su tierra desde Arnón hasta Jeboc, y hasta *los confines de* los hijos de Ammón; porque las fronteras de los ammonitas estaban defendidas con fuertes guarniciones.

25. Apoderóse, pues, Israel de todas las ciudades, y ocupó las fortalezas de los amorreos, es a saber, Hesebón y sus aldehuelas.

26. La ciudad de Hesebón había venido a ser de Sehón, rey de los amorreos, quien hizo guerra contra el rey de Moab, y se apoderó de toda la tierra que había sido de su dominio hasta Arnón.

27. De donde quedó el proverbio: Venid a Hesebón: fortifíquese y restáurese la ciudad para el rey Sehón.

28. Salió fuego de Hesebón, y llamas del castillo de Sehón, y abrasaron a Ar de los moabitas y a los moradores de las alturas de Arnón:

29. ¡Ay de ti, Moab! Pereciste, oh pueblo de Camos. *Camos, vuestro Dios* ha entregado sus hijos a la fuga, y sus hijas al cautiverio de Sehón, rey de los amorreos.

30. Queda roto el yugo que los oprimía desde Hesebón hasta Dibón: sin aliento llegaron a Nofe, *y no pararon* hasta Medaba.

31. Los israelitas, pues, ocuparon el país del amorreo.

32. Moisés entre tanto envió exploradores a Jazer; cuyos lugarcillos tomaron y se hicieron dueños de los habitantes.

33. Dando después la vuelta, subieron por el camino de Basán, y les salió al encuentro Og, rey de Basán, con toda su gente para atacarlos en Edrai.

34. Pero dijo el Señor a Moisés: No le temas, porque en tus manos le tengo entregado a él y a todo su pueblo y tierra, y harás con él lo mismo que hiciste con Sebón, rey de los amorreos, que habitaba en Hesebón.

35. Mataron, pues, a este rey con sus hijos, y toda su gente sin dejar hombre con vida, y se apoderaron de su tierra.

## CAPITULO XXII

*Balaam es llamado de Balac, rey de los Moabitas, para que maldiga al pueblo de Israel; y reprendido por una burra, que habla milagrosamente.*

1. Pasando adelante, acamparon en las llanuras de Moab, cerca del Jordán, donde al otro lado está Jericó.

2. Mas viendo Balac, hijo de Sefor, de qué manera había tratado Israel a los amorreos,

3. Y cómo los moabitas le habían cobrado gran miedo, y que no podrían sostener sus ataques,

4. Dijo a los ancianos de Madián: Este pueblo va a destruir a todos los habitantes de nuestro país, del mismo modo que el buey suele comerse las yerbas hasta la raíz. Balac era en este tiempo rey de Moab.

5. Despachó, pues, mensajeros a Balaam, hijo de Beor, adivino que habitaba en la ribera del río de la tierra de los ammonitas, para que le llamasen y dijesen: Mira que ha salido de Egipto un pueblo que ha cubierto la superficie de la tierra, y está contra mí acampado.

6. Ven, pues a maldecir a dicho pueblo, porque es más fuerte que yo: por ver si así hallo medio de rechazarle y arrojarle de mi país: porque yo sé que será bendito aquél a quien tú bendijeres, y maldito aquél sobre quien descargues tus maldiciones.

7. Con esto partieron los senadores de Moab y los ancianos de Madián, llevando en sus manos la paga de la adivinación. Llegado que hubieron a Balaam, y así que expusieron todo lo que Balac les habia mandado decir,

---

4. Estos Madianitas, que habitaban al poniente de los moabitas en la Arabia Pétrea, no deben confundirse con los otros que moraban hacia la ribera oriental del mar Rojo.

5. Balaam en siríaco signitica *Intérprete* o *Adivino,* como se traslada en la Vulgata. Muchos de los Santos Padres creen que era un profeta del diablo o un hechicero, y así se infiere tambien del verso 1° del siguiente capítulo. Pero aun los malos profetas dlcen alguna vez cosas por Divina inspiración, como se vió despues en Caifás, etc.

**8.** Les respondió: Quedáos aquí esta noche, y os responderé lo que me dijere el Señor. Hospedáronse, pues, en casa de Balaam; y vino Dios y díjole:

**9.** ¿Qué quieren esos hombres que tienes en tu casa?

**10.** Respondió: Balac, hijo de Sefor, rey de los moabitas, me ha enviado

**11.** A decir: Sábete que un pueblo salido de Egipto ha cubierto la superficie de la tierra: ven y maldícele, por ver si puedo, peleando, ahuyentarle.

**12.** Dijo Dios entonces a Balaam: No vayas con ellos, ni maldigas a ese pueblo, siendo, como es, bendito *por mí.*

**13.** Levantándose, pues, de mañana, dijo a los príncipes *sus huéspedes:* Volveos a vuestra tierra, porque me ha prohibido el Señor ir con vosotros.

**14.** Vueltos los príncipes, dijeron a Balac: No ha querido Balaam venir con nosotros.

**15.** Entonces, Balac envió de nuevo mensajeros en mayor número, y más principales que los que antes había enviado.

**16.** Los que llegados a Balaam, dijeron: Esto dice Balac, hijo de Sefor: No difieras más el venir a mí:

**17.** Estoy pronto a honrarte y darte cuanto quisieres: ven y maldice a este pueblo.

**18.** Respondió Balaam: Aunque Balac me diese toda su casa llena de plata y oro, no podré alterar la orden del Señor mi Dios, para decir ni más ni menos de lo que él me haya dicho.

**19.** Ruégoos que os quedéis también aquí esta noche, y podré saber qué me responderá de nuevo el Señor.

**20.** Vino, pues, Dios a Balaam aquella noche, y díjole: Si esos hombres han venido a llamarte, levántate y vete con ellos; pero cuidado en no hacer más que lo que yo te mandare.

**21.** Levantóse Balaam de mañana, y aparejada su borrica, marchó con ellos.

**22.** Enojóse, después, Dios. Y así el ángel del Señor se atravesó en el camino delante de Balaam, el cual iba montado en la burra, y llevaba consigo dos mozos.

**23.** La burra, viendo el ángel parado en el camino con la espada desenvainada, desvióse a un lado, y se iba por el campo. Y como Balaam le diese palos, y quisiese encarrilarla por la senda,

**24.** Paróse el ángel en un lugar muy estrecho entre dos cercas con que estaban rodeadas unas viñas.

**25.** Al cual viendo la burra, se arrimó a la pared, y estropeó el pie del que iba montado. Pero éste proseguía en darle de palos.

**26.** Sin embargo, el ángel pasando a un sitio *todavia más* estrecho, donde no podía desviarse ni a la derecha ni a la izquierda, se le paró delante.

**27.** Y como viese la burra al ángel parado delante de ella, se echó en el suelo debajo del que la montaba; el cual, enfurecido, la apaleaba más fuerte con la vara, en los costados.

**28.** Entonces dispuso el Señor que la burra hablase y dijese a *Balaam:* ¿Qué te he hecho yo? ¿Por qué me pegas ya por tercera vez?

**29.** Respondió Balaam: Porque lo tienes merecido, y has hecho burla de mí: ¡ojalá tuviera yo una espada para envasártela!

**30.** Dijo la burra: ¿Pues no soy yo tu pollina, sobre la cual has solido ir siempre montado hasta el día de hoy? Di si jamás te he hecho una tal cosa. Jamás, le respondió él.

**31.** Al momento abrió el Señor los ojos de Balaam, y vió delante de sí al ángel parado en el camino con la espada desnuda, y postrándose en tierra le adoró.

**32.** Y el ángel le dijo: ¿Por qué das de palos por tercera vez a tu borrica? Yo he venido para oponerme a ti; porque tu idea es perversa y contraria a mí.

**33.** Que si la burra no se hubiese desviado del camino, cediéndome el lugar cuando me oponía a su paso, a ti te hubiera ya muerto, y ella viviera.

**34.** Dijo Balaam: He pecado, no conociendo que tú estabas contra mí: todavía si no gustas de que vaya, me volveré.

**35.** Respondió el ángel: Vete con ellos; mas guárdate hablar de otra cosa que lo que yo te ordenare. Fuése, pues, con aquellos señores.

---

**22.** Porque vió que Balaam, cegado por la codicia del oro iba resuelto a hacer, no lo que el Señor quería, sino la voluntad de Balac.

**28.** Del mismo modo que había el demonio movido la boca de la serpiente para que hablara a Eva, así ahora el ángel movió la lengua y labios de la borrica para formar el sonido de las palabras que pronunció el animal sin conocer la significación.— Véase lo que dice San Pedro. *Ep.* II. *c.* II, *v.* 16. De este suceso pudieron tomar ocasión los Gentiles para fingir que habló el caballo de Aquiles, el jumento de Baco, etc. Nada halla San Agustín más digno de asombro que la ciega estupidez y perversidad de Balaam, que parece no hizo alto en el milagro: tal vez pensaría que era cosa del espíritu maligno, a quien él solia consultar.

36. Llegado el aviso a Balac, salió a recibirle en un pueblo de los moabitas, situado en los últimos términos de Arnón.

37. Allí dijo a Balaam: Envié mensajeros a llamarte: ¿cómo no viniste al instante? ¿Será porque no puedo yo *honrar* y recompensar tu venida?

38. Al cual respondió él: Aquí me tienes. Mas ¿podré yo hablar otra cosa, sino lo que Dios pusiere en mi boca?

39. Caminaron, pues, juntos, y vinieron a una ciudad, puesta en los últimos confines de su reino.

40. Aquí Balac, habiendo hecho matar bueyes y ovejas, envió presentes a Balaam y a los príncipes que le acompañaban.

41. Venida la mañana, le llevó a las alturas de Baal, y le hizo ver desde allí la extremidad del pueblo o *campamento de Israel.*

## CAPITULO XXIII

*Balaam, después de haber erigido siete altares, disponiéndose para maldecir a los Israelitas, repite sobre ellos, sin quererlo, muchas bendiciones, y anuncia sus victorias.*

1. Entonces dijo Balaam a Balac: Levántame aquí siete altares o *aras, y* prepara otros tantos becerros, e igual número de carneros.

2. Después de haberlo hecho conforme había pedido Balaam, pusieron juntamente un becerro y un carnero sobre cada altar.

3. Dijo entonces Balaam a Balac: Aguárdate un poco junto al holocausto, mientras yo voy a ver si quizá el Señor viene a mi encuentro en cuyo caso te diré lo que me mandare.

4. Partido a toda prisa, le salió Dios al encuentro, y hablando con él Balaam: Siete altares, dijo, he erigido, y he puesto encima de cada uno un becerro y un carnero.

5. Mas el Señor le sugirió lo que había de responder a *Balac,* y díjole: Vuelve a Balac, y le dirás esto y esto.

6. Habiendo vuelto, halló a Balac que estaba aguardando junto a su holocausto, con todos los príncipes de los moabitas.

7. Y usando de su estilo profético, dijo: De Aram, de los montes del oriente me ha traído Balac, rey de los moabitas: Ven, dijo y maldice a Jacob: date prisa y echa imprecaciones contra Israel.

8. ¿Cómo he de maldecir yo a quien Dios no maldijo? ¿Cómo quieres que yo deteste a quien no detesta el Señor?

9. De lo alto de los riscos me pondré a mirarle, y desde las colinas le contemplaré. Pueblo que habitará separado, ni se contará en el número de las demás naciones.

10. ¿Quién podrá contar los granitos de polvo o la descendencia de Jacob; ni averiguar el número de los hijos de Israel? Ojalá pueda yo lograr el morir como los justos, y que sea mi fin semejante al suyo.

11. Al oir esto Balac, dijo a Balaam: ¿Qué es lo que haces? Te he llamado para que maldijeras a mis enemigos y tú al contrario les echas bendiciones.

12. Pero él, respondió: ¿Pues qué, puedo yo hablar otra cosa sino lo que me ha ordenado el Señor?

13. Dijo, pues, Balac: Ven conmigo a otro lugar de donde veas una parte de Israel, y no puedas ver todo el campamento: desde allí le maldecirás.

14. Y habiéndole conducido a un sitio elevado sobre la cumbre del monte Fasga, erigió Balaam siete altares, y habiendo puesto sobre cada uno un becerro y un carnero,

15. Dijo a Balac: Estate aquí junto a tu holocausto, mientras yo voy allá al encuentro *del Señor.*

16. Y habiendo salido el Señor al encuentro de Balaam, y sugerídole lo que había de responder, le dijo: Vuelve a Balac, y le dirás todo eso.

17. Vuelto que hubo, le halló junto a su holocausto con los príncipes de los moabitas. Preguntóle Balac: ¿Qué es lo que ha dicho el Señor?

18. A lo que tomando él su tono profético, dijo: Prepárate, ¡oh Balac! y escucha: atiende, hijo de Señor:

19. No es Dios como el hombre para que mienta, ni como hijo de hombre para estar sujeto a mudanza. Cuando él, pues, ha dicho una cosa, ¿no la hará? Habiendo hablado, ¿no cumplirá su palabra?

20. He sido traído *acá* para bendecir: yo no puedo menos de bendecir *a ese* pueblo.

21. No hay ídolo en la *estirpe de Jacob,* ni se ve simulacro en Israel. El Señor su Dios está con él, y en él resuena ya el sonido de las trompetas en señal de la victoria de su rey.

22. Sacóle Dios de Egipto: y es semejante a la del rinoceronte su fortaleza.

**23.** No hay en Jacob agüeros, ni hay adivinos en Israel. A su tiempo se dirá a Jacob y a Israel lo que habrá hecho Dios *en medio de ellos.*

**24.** He aquí un pueblo que asaltará como leona, y como león se erguirá: no se acostará hasta que trague la presa y beba la sangre de los que habrá degollado.

**25.** Dijo entonces Balac a Balaam: Ya que no le maldices, tampoco le bendigas.

**26.** ¿Pues qué, respondió Balaam, no te dije que yo había de hacer todo cuanto el Señor me mandase?

**27.** Díjole entonces Balac: Ven y te llevaré a otro sitio: por si pluguiere a Dios que desde allí los maldigas.

**28.** Y habiéndole llevado sobre la cima del monte Fogor, que mira al desierto,

**29.** Díjole Balaam: Levántame aquí siete altares, y prepara otros tantos becerros y el mismo número de carneros.

**30.** Hizo Balac lo que Balaam había dicho, y puso un becerro y un carnero sobre cada ara.

## CAPITULO XXIV

*Balaam vuelve a bendecir a Israel; vaticina el reino venidero de Jesucristo y otros sucesos.*

**1.** Pero viendo Balaam que era del agrado de Dios que bendijera a Israel, no fué más como antes había ido, en busca de agüero, sino que volviéndose hacia el desierto,

**2.** Y alzando los ojos, miró a Israel acampado en las tiendas, y distribuído por tribus; y arrebatado del espíritu de Dios,

**3.** Comenzó a profetizar, y dijo: Palabra *profética* de Balaam, hijo de Beor: Palabra de aquel hombre que tenía cerrados los ojos;

**4.** Palabra de aquel hombre que ha oído la voz de Dios; del que ha contemplado la visión del Todopoderoso del que ha caído, y con eso ha abierto los ojos:

**5.** ¡Oh, cuán bellos son tus tabernáculos, Jacob, y tus pabellones, oh Israel!

**6.** Son como valles de árboles frondosos, como huertas de regadío junto a los ríos, como tiendas que el Señor *mismo* ha fijado, como cedros plantados cerca de las aguas.

**7.** Fluirá permanemente el agua de su arcaduz, y su descendencia crecerá como las copiosas aguas *de los ríos.* Su rey será desechado por causa de Agag, y le será quitado el reino.

**8.** Sacó Dios de Egipto al pueblo suyo y su fortaleza es como la del rinoceronte. Devorará *Israel* los pueblos que sean sus enemigos, les desmenuzará los huesos, y atravesarlos ha con saetas.

**9.** Se echará a dormir como león y como leona, a quien ninguno osará despertar. Quien a tí te bendijere ¡*oh Israel!* también él será bendito; aquél que te maldijere, por maldito será tenido.

**10.** Entonces Balac, airado contra Balaam, dando una palmada, dijo: Yo te llamé para maldecir a mis enemigos; y tú al contrario los has ya bendecido por tres veces.

**11.** Vuélvete, pues, a tu lugar. Yo ciertamente tenía determinado el premiarte magníficamente; pero el Señor te ha privado del premio dispuesto.

**12.** Respondió Balaam a Balac: ¿Pues no dije yo a tus mensajeros, que me enviaste:

**13.** Aunque Balac me diese su casa llena de oro y plata, no podré traspasar el mandato del Señor Dios mío, para proferir por capricho mío cosa alguna, sea de bien o de mal; sino que diré lo que el Señor dijere?

**14.** No obstante, al volverme a mi pueblo, daré un consejo sobre lo que por último ha de hacer tu pueblo a éste *de Israel.*

**15.** Y prosigió de nuevo sus profecías, diciendo:
Palabra de Balaam, hijo de Beor; palabra de aquel hombre que tenía tapada la vista;

**16.** Palabra del que ha oído lo que ha dicho Dios, del que sabe la doctrina del Altísimo, y está viendo visiones del Omnipotente, del que cayendo abrió los ojos:

**17.** Yo le veré, mas no ahora: le contemplaré, mas no de cerca. De Jacob NACERÁ UNA ESTRELLA: y brotará de Israel una vara *o cetro* que herirá a los caudillos de Moab y destruirá todos los hijos de Set.

---

**17.** No solamente todos los Expositores Católicos, sino los mismos antiguos Maestros de la Sinagoga entendieron literalmente del Mesías esta grandiosa profecía, y por eso le llamaban *hijo de la estrella;* y Jesucristo es llamado *Resplandeciente estrella de la mañana.* — *Apoc.* XXII, *v.* 16. — *Matth.* II, *v.* 2.

18. La Idumea será posesión suya: la herencia de Seir pasará a sus enemigos; peleará Israel con valor.

19. De Jacob saldrá el que ha de dominar, y arruinar las reliquias de la ciudad.

20. Y echando una mirada hacia el país de Amalec, profetizando, dijo: Amalec ha sido la primera de las naciones *que han atacado a Israel;* mas su fin será el exterminio.

21. Dirigió asimismo su vista hacia el Cineo, y profetizando, dijo: Fuerte sin duda es tu morada; mas aunque pongas tu habitación sobre una roca,

22. Y seas *de lo más* escogido del linaje de Cin, ¿por cuánto tiempo podrás permanecer en ese estado? Porque has de ser presa del asirio.

23. Y aún siguió profetizando en estos términos: ¡Ay! ¿quién vivirá cuando Dios hará todas estas cosas?

24. Vendrá una gente en galeras desde Italia, vencerá a los asirios, destruirá a los hebreos, y al fin también ella misma perecerá.

25. Con esto se levantó Balaam, y regresó a su pueblo. Balac asimismo volvióse por el camino por donde había venido.

## CAPITULO XXV

*Las hijas de Moab y de Madián pervierten a los Israelitas, a quienes castiga Dios premiando al mismo tiempo el celo de Finees.*

1. En este tiempo estaba Israel acampado en Settim, y el pueblo prevaricó con las hijas de Moab.

2. Las cuales los convidaron a sus sacrificios. Comieron de ellos, y adoraron sus dioses.

3. E Israel se consagró a Beelfegor. Por lo que enojado el Señor,

4. Dijo a Moisés: Toma *contigo* todos los caudillos del pueblo, y haz colgar *a los culpables* en patíbulos a la luz del sol, para que mi saña se retire de Israel.

5. En consecuencia dijo Moisés a los jueces de Israel: Mate cada cual a sus allegados que se han consagrado a Beelfegor.

6. Cuando he aquí que uno de los hijos de Israel entró, a vista de sus hermanos, en casa de una ramera madianita, estándole miran-

do Moisés y todos los hilos de Israel, los cuales lloraban a las puertas del Tabernáculo.

7. Lo que viendo Finees, hijo de Eleazar, hijo del *Sumo* sacerdote Aarón, se levantó en medio del gentío y cogiendo un puñal,

8. Entró en pos del israelita en el dormitorio, y los envasó a entrambos juntamente, al hombre y a la mujer, en las mismas partes vergonzosas. Con lo que *Dios* detuvo el azote de los hijos de Israel.

9. Y quedaron muertos veinticuatro mil hombres.

10. Dijo entonces el Señor a Moisés:

11. Finees, hijo de Eleazar, hijo del *Sumo* sacerdote Aarón, ha apartado mi saña de sobre los hijos de Israel: porque fué arrebatado de celo mío contra ellos, para que yo mismo no aniquilase a los hijos de Israel en el *furor de* mi celo.

12. Por tanto, dile de mi parte que yo le doy ya la paz de mi alianza,

13. Y que mi sacerdocio le será dado a él y a su descendencia por un pacto eterno; porque celó la gloria de su Dios, y ha expiado el crimen de los hijos de Israel.

14. El nombre del israelita que fué muerto con la madianita era Zambri, hijo de Salú, caudillo de la familia y tribu de Simeón.

15. Y la mujer madianita que fue muerta en su compañía, llamábase Cozbi, hija de Sur, príncipe nobilísimo de los madianitas.

16. Habló después el Señor a Moisés, diciendo:

17. Conozcan los madianitas que sois sus enemigos y pasadlos a cuchillo;

18. Ya que tambíen ellos se han portado como enemigos contra vosotros, y os embaucaron con ardides por medio del ídolo Fogor, y de Cozbi, hija del príncipe de Madián, su hermana *o paisana,* la cual perdió la vida en el día de la mortandad, por sacrilegio de *adorar* a Fogor.

---

24. Profecía clarísima de los Romanos, que conquistaron la Siria, Mesopotamia y otras regiones.

---

9. San Pablo (I *Cor.* X, *v.* 8) habla de 23.000 muertos. No sabemos si hace alusión a los 23.000 que murieron por haber adorado al becerro; o si refiriéndose a este pasaje, deja de contar los que no murieron de la plaga que envió Dios, sino que fueron condenados por los Jueces.

## CAPITULO XXVI

*Nueva numeración de los hijos de Israel para la repartición de la tierra prometida.*

**1.** Derramada ya la sangre de los culpados, dijo el Señor a Moisés, y a Eleazar, hijo de Aarón, *Sumo* sacerdote:

**2.** Sacad toda la suma de los hijos de Israel de veinte años arriba por sus casas y familia, contando todos los que pueden ir a la guerra.

**3.** Según esto, Moisés y el *Sumo* sacerdote Eleazar recontaron en las campiñas de Moab; a las riberas del Jordán, enfrente de Jericó,

**4.** Los de veinte años arriba, como el Señor lo había mandado, cuyo número es el siguiente:

**5.** Rubén, primogénito de Israel: de él fué hijo Henoc, de quien viene la familia de los henoquitas; y Fallú, de quien la familia de los falluítas;

**6.** Y Hesrón, de quien la familia de los hesronitas; y Carmi, de quien la familia de los carmitas.

**7.** Estas son las familias de la estirpe de Rubén, cuyo número se halló ser cuarenta y tres mil setecientos y treinta hombres.

**8.** Hijos de Fallú, Eliab.

**9.** Hijos de éste, Namuel, Datán y Abirón. Estos, Datán y Abirón, son los caudillos de los pueblos que se levantaron contra Moisés y Aarón en la sedición de Coré, cuando se rebelaron contra el Señor,

**10.** Y abriendo la tierra su boca los tragó juntamente con Coré, muriendo muchísimos, al tiempo mismo que abrasó el fuego a los doscientos y cincuenta hombres. Y sucedió entonces el gran prodigio,

**11.** Que pereciendo Coré, no perecieron sus hijos.

**12.** Hijos de Simeón por sus parentelas: Namuel, del cual viene la familia de los namuelitas. Jamín, de éste la familia de jaminitas: Jaquín, de éste la familia de los jaquinitas;

**13.** Zaré, de éste la familia de los zareítas: Saúl, de éste la familia de los saulitas.

**14.** Estas son las familias de la estirpe de Simeón, que en todo componían veintidós mil y doscientos hombres.

**15.** Hijos de Gad por sus parentelas: Sefón, del cual la familia de los sefonitas:

Aggi, de éste la familia de los aggitas: Suni, de éste la familia de los sunitas.

**16.** Ozni, de éste la familia de los oznitas: Her, de éste la familia de los heritas.

**17.** Arod, de éste la familia de los aroditas: Ariel, de éste la familia de los arielitas.

**18.** Estas son las familias de Gad, cuya suma total fué cuarenta mil y quinientos.

**19.** Hijos de Judá, Her y Onán, que murieron ambos en tierra de Canaán.

**20.** Y así los hijos de Judá por sus parentelas fueron: Sela, del cual viene la familia de los selaitas: Farés, del cual la familia de los faresitas;

**21.** Hijos de Farés fueron Hesrón, del cual la familia de los hesronitas: y Hamul, del cual la familia de los hamulitas.

**22.** Estas son las familias de Judá, que componían en todo setenta y seis mil y quinientos hombres.

**23.** Hijos de Isacar por sus parentelas: Tola, del cual la familia de los tolaítas: Fuá, de quien la familia de los fuaítas.

**24.** Jasub, de quien la familia de los jasubitas: Semrán, de quien la familia de los semranitas.

**25.** Estas son las familias de Isacar, cuyo número total fueron sesenta y cuatro mil y trescientos hombres.

**26.** Hijos de Zabulón por sus parentelas: Sared, del cual la familia de los sareditas; Elón, del cual la familia de los elonitas: Jalel, del cual la familia de los jalelitas.

**27.** Estas son las familias de Zabulón, de que se hallaron sesenta mil y quinientos hombres.

**28.** Hijos de José por sus parentelas: Manasés y Efraím.

**29.** De Manasés nació Maquir, de quien la familia de los maquiritas. Maquir engendró a Galaad, del cual la familia de los galaaditas.

**30.** Los hijos de Galaad fueron Jecer, de quien es la familia de los jeceritas: y Helec, del cual la familia de los helecitas.

**31.** Y Asriel, del cual la familia de los asrielitas; y Sequém, del cual la familia de los sequemitas.

**32.** Y Semida, de quien la familia de los semidaítas; y Hefer, de quien la familia de los heferitas.

**33.** Hefer fué padre de Salfaad, el cual no tuvo hijos, sino solamente hijas, cuyos nombres son éstos: Maala y Noa, y Hegla, y Melca, y Tersa.

**34.** Estas son las familias de Manasés, que vieron el número de cincuenta dos mil y setecientos hombres.

**35.** Los hijos de Efraím por sus parentelas fueron los siguientes: Sutala, del cual la familia de los sutalaítas; Bequer, del cual la familia de los bequeritas; Teen, del cual la familia de los teenitas.

**36.** Hijo de Sutala fué Herán, del cual la familia de los heranitas.

**37.** Estas son las familias de los hijos de Efraím, cuyo número subía a treinta y dos mil y quinientos hombres.

**38.** Y éstos son los hijos de José por sus familias. Hijos de Benjamín por sus parentelas: Bela, del cual la familia de los belaítas; Asbel, del cual la familia de los asbelitas; Ahiram, del cual la familia de los ahiramitas.

**39.** Sufam, del cual la familia de los sufamitas; Hufam, del cual la familia de los hufamitas.

**40.** Hijos de Bela: Hered y Noemán. De Hered, la familia de los hereditas. De Noemán, la familia de los noemanitas.

**41.** Estos son los hijos de Benjamín por sus familias, cuyo número fué cuarenta y cinco mil y seiscientos hombres.

**42.** Hijos de Dan por sus parentelas: Suham, de quien es la familia de los suhamitas. Esta es la descendencia de Dan por sus familias.

**43.** Todos fueron suhamitas, cuyo número resultó ser sesenta y cuatro mil y cuatrocientos hombres.

**44.** Hijos de Aser por sus parentelas: Jemna, del cual es la familia de los jemnaítas: Jesuí, de quien es la familia de los jesuítas; Brié, de quien la familia de los brieítas.

**45.** Hijos de Brié: Heber, de quien la familia de los heberitas; y Melquiel, de quien la familia de los melquielitas.

**46.** El nombre de la hija de Aser, fué Sara.

**47.** Estas son las familias de los hijos de Aser, y su número cincuenta y tres mil y cuatrocientos hombres.

**48.** Hijos de Neftalí por sus parentelas: Jesiel, del cual la familia de los jesielitas; Guni, del cual la familia de gunitas.

**49.** Jeser, del cual la familia de los jeseritas; Sellem, de quien la familia de los sellemitas.

**50.** Estas son las parentelas de los hijos de Neftalí, por sus familias, cuyo número subía a cuarenta y cinco mil y cuatrocientos hombres.

**51.** Y esta es la suma de los hijos de Israel que fueron contados, seiscientos y un mil setecientos y treinta.

**52.** Habló, después el Señor a Moisés, diciendo:

**53.** Entre éstos se repartirá la tierra para que la posean, a proporción de su número, y la distinción de sus nombres y *familias.*

**54.** A los que son en mayor número darás mayor porción, y menor a los de menor número: a cada cual se le dará posesión según acaban ahora de ser contados.

**55.** Pero de manera que la tierra se reparta por suerte entre las tribus y familias;

**56.** Y todo lo que tocare por suerte, será lo que pertenezca al mayor o menor número *de hombres.*

**57.** He aquí también el número de los hijos de Leví por sus familias: Gersón, del cual la familia de los gersonitas; Caat del cual la familia de los caaditas; Merari, del cual la familia de los meraritas.

**58.** Las familias de Leví son las siguientes: La familia de Lobni, la familia de Hebroni o *Hebrón,* la familia de Moholi, la familia de Musi, la familia de Coré. Mas Caat engendró a Amram,

**59.** El cual tuvo por mujer a Jocabed, hija o *nieta* de Leví, que le nació en Egipto. Jocabed tuvo de su marido Amram, los *dos* hijos Aarón y Moisés, y María, hermana de éstos.

**60.** De Aarón nacieron Nadab y Abiú, y Eleazar e Itamar;

**61.** De los cuales Nadab y Abiú fueron muertos por haber ofrecido *incienso* ante el Señor *con* fuego extraño.

**62.** Todos los que fueron contados *de la familia de Leví* se halló que eran veintitrés mil varones de un mes arriba; porque no fueron puestos en el censo de los hijos de Israel, ni se les dió posesión alguna como a los demás.

**63.** Este es el número de los hijos de Israel que fueron alistados por Moisés y Eleazar, *Sumo* sacerdote, en las llanuras de Moab, a la orilla del Jordán, enfrente de Jericó;

**64.** Entre los cuales no se halló ninguno de los que antes fueron contados por Moisés y Aarón en el desierto de Sinaí.

**65.** Por cuanto el Señor tenía predicho que todos habían de morir en el desierto. Y así es que ninguno de ellos, quedó sino Caleb, hijo de Jefone, y Josué, hijo de Nun.

## CAPITULO XXVII

*Ley sobre las herencias en defecto de suce-
sión varonil. Dios hace ver a Moisés la
tierra prometida, y elige por sucesor a
Josué.*

1. En este tiempo acudieron las hijas de
Salfaad, hijo de Hefer, hijo de Galaad, hijo
de Maquir, hijo de Manasés, que fué hijo
de José; cuyos nombres son Maala, y Noa,
y Hegla, y Melca, y Tersa.

2. Las cuales presentándose a Moisés, y al
*Sumo* sacerdote Eleazar, y a todos los caudillos del pueblo en la puerta del Tabernáculo de la alianza, dijeron:

3. Nuestro padre murió en el desierto:
no tuvo parte en la sedición suscitada contra el Señor por Coré, sino que vino a morir, *como todos,* por su pecado: *mas* no dejó hijos varones. ¿Por qué razón se ha de
borrar de su familia el nombre suyo por
no haber tenido un hijo? Dadnos a nosotras
la herencia entre los parientes de nuestro
padre.

4. Y acudió Moisés a consultar sobre esto al Señor,

5. El cual le respondió:

6. La demanda de las hijas de Salfaad es
justa: dales posesión entre los parientes de
su padre, y sucédanle en la herencia.

7. Y dirás a los hijos de Israel lo siguiente:

8. Cuando un hombre muriere sin hijos,
pasara la herencia a su hija;

9. Si no tuviese hija, tendrá por herederos a sus hermanos;

10. Y si tampoco tuviere hermanos, daréis la herencia a los hermanos de su padre.

11. Mas si ni ·aun tíos paternos tuviere,
heredarán los deudos más cercanos; y quedará esto establecido por ley perpetua para
los hijos de Israel, como el Señor lo tiene
mandado a Moisés.

12. Dijo tambien el Señor a Moisés:
Sube a ese monte Ibarim, y contempla desde allí la tierra que yo he de dar a los hijos
de Israel,

13. Y después de haberla visto, pasarás
tú a reunirte con tu pueblo, del mismo
modo que pasó tu hermano Aarón.

14. Porque me ofendísteis *ambos* en el
desierto de Tsin al tiempo de la contradicción del pueblo, ni quisísteis glorifi-
carme delante de Israel, con motivo de las
aguas: éstas son las aguas de la contradicción ocurrida en Cades del desierto de
Tsin.

15. Respondióle Moisés:

16. Destine el Señor, Dios de los espíritus de todos los mortales, un varón que
gobierne esta multitud;

17. Que pueda ir delante de ellos y
guiarlos, y que los saque e introduzca: a
fin de que el pueblo del Señor no quede
como ovejas sin pastor.

18. A esto le dijo el Señor: Toma a
Josué, hijo de Nun, varón de espíritu y
pon tu mano sobre él, *o imponle las manos.*

19. Y se presentará delante del *Sumo*
sacerdote Eleazar y de todo el pueblo,

20. Y le darás tus órdenes públicamente,
y una parte de tu autoridad, a fin de que le
obedezca toda la congregación de los hijos
de Israel.

21. A petición suya consultará el *Sumo*
sacerdote Eleazar al Señor sobre los negocios que ocurrieren. Según lo què dijere Eleazar así obrará Josué, como igualmente todos los hijos de Israel y la demás
gente.

22. Hízolo Moisés como el Señor lo había mandado. Y tomando a Josué, le presentó al *Sumo* sacerdote Eleazar, y a todo
el concurso del pueblo.

23. Y puestas las manos sobre su cabeza,
repitió todas las cosas que había mandado
el Señor.

## CAPITULO XXVIII

*Sacrificios de cada día, de cada sábado, de
cada mes y de cada año.*

1. Dijo también al Señor a Moisés:

2. Da estos preceptos a los hijos de Israel, y les dirás: Cuidad de presentarme a
sus tiempos mis oblaciones, y los panes, y
todo lo que se queme delante de mí, cuyo
olor me es muy agradable.

3. Estos son los sacrificios que debéis
ofrecer: Dos corderos prima!es sin mancilla todos los días en holocausto perpetuo:

4. El uno le ofreceréis por la mañana, y
el otro por la tarde,

5. Con la décima parte de un efí de flor
de harina amasada con la cuarta parte de
un hin de aceite purísimo.

6. Este es el holocausto perpetuo que
ofrecísteis en el monte Sinaí de la víctima
abrasada en olor suavísimo al Señor.

7. Y por cada cordero ofreceréis la cuarta parte de un hin de vino, *derramándole* en el Santuario del Señor.

8. De la misma manera ofreceréis a la tarde otro cordero con todas las ceremonias del sacrificio de la mañana, y sus libaciones, en oblación de olor suavísimo al Señor.

9. Mas el día de sábado, ofreceréis *otros* dos corderos primales, sin mácula, y dos décimas de un efí de flor de harina amasada con aceite para el sacrificio, y también las libaciones,

10. Que según el rito se derraman cada sábado, en holocausto perpetuo.

11. Demás de ésto, en las calendas ofreceréis en holocausto al Señor dos becerros de la vacada, un carnero, siete corderos primales sin mácula,

12. Y tres décimas de flor de harina amasada con aceite en el sacrificio de cada becerro, y dos décimas de flor de harina amasada con aceite por cada carnero,

13. Y la décima parte de una décima de flor de harina amasada con aceite, en el sacrificio por cada cordero: es éste un holocausto de suavísima fragancia y de ofrenda quemada en honor del Señor.

14. Las libaciones *u ofrendas de vino* que se han de derramar por cada víctima, serán éstas: la mitad de un hin por cada becerro, la tercera parte por cada cordero. Tal será el holocausto de todos los meses que se suceden en el curso del año.

15. Asimismo se ofrecerá al Señor por los pecados un macho cabrío con sus libaciones, además del holocausto.

16. El día catorce del primer mes será la Pascua del Señor,

17. Y el quince fiesta solemne: por siete días comerán panes sin levadura.

18. El primero de dichos días será *particularmente* venerable y santo: ninguna obra servil haréis en él.

19. Y ofreceréis al Señor en sacrificio de holocausto dos becerros de la vacada, un carnero, siete corderos primales sin mácula.

20. Y en cada sacrificio la ofrenda de flor de harina amasada con aceite será de tres décimas por caba becerro, dos décimas por el carnero.

21. Y la décima de una décima por cada cordero, esto es, por cada uno de los siete corderos.

_____

7. Sobre el altar de los holocaustos.
11. Esto es, en los Novilunios o primer día de cada mes.

22. Además un macho cabrío por el pecado, para que os sirva de expiación *por los pecados;*

23. Sin contar el holocausto de la mañana, que siempre debéis ofrecer.

24. Así lo haréis en cada uno de los siete días para mantener el fuego *del altar,* y en olor suavísimo al Señor, que se elevará del holocausto, y de las libaciones que acompañarán a cada víctima.

25. El día séptimo será también para vosotros solemnísimo y santo: ninguna obra servil haréis en él.

26. Finalmente el día de los primeros frutos, cuando cumplidas *siete* semanas ofreceréis al Señor los nuevos frutos de la tierra, será venerable y santo: ninguna obra servil haréis en él.

27. Y ofreceréis por holocausto en olor suavísimo al Señor dos becerros de la vacada, un carnero, y siete corderos primales sin mácula.

28. Y en sus sacrificios tres décimas de flor de harina amasada con aceite por cada ternero, dos por los carneros.

29. Y la décima parte de una décima por cada uno de los siete corderos. Asimismo el macho cabrío,

30. Que se degüella *o inmola* por la expiación *del pecado,* además del holocausto perpetuo, y sus libaciones.

31. Todas las víctimas que ofreceréis, con sus libaciones, serán sin defecto alguno.

## CAPITULO XXIX

*Fiestas y sacrificios del mes séptimo. Fiesta de las Trompetas, de la Expiación y de los Tabernáculos.*

1. Asimismo el día primero del séptimo mes, será para vosotros memorable y santo: ninguna obra servil haréis en él, porque es el día del retumbante sonido de las trompetas.

2. Y ofreceréis en holocausto de olor suavísimo al Señor un becerro de la vacada, un carnero y siete corderos primales sin tacha.

3. Y para *oblación* de estos sacrificios tres décimas de flor de harina amasada con aceite por cada becerro, dos décimas por el carnero,

4. Una décima por cada uno de los siete corderos,

5. Y el macho cabrío por el pecado que se ofrece por la expiación *de los pecados del pueblo,*

**6.** Además del holocausto de las calendas del mes, con sus oblaciones, y el holocausto perpetuo con las libaciones acostumbradas: lo que ofreceréis *siempre* con las mismas ceremonias, como un olor suavísimo quemado delante del Señor.

**7.** El día décimo de este mes séptimo será también para vosotros santo y venerable, y mortificaréis vuestras almas *con el ayuno* y no haréis en él ninguna obra servil.

**8.** Y ofreceréis al Señor en holocausto de olor suavísimo un becerro de la vacada, un carnero, siete corderos primales sin tacha.

**9.** Y al sacrificarlos, la oblación de tres décimas de flor de harina amasada con aceite por cada becerro, dos décimas por el carnero;

**10.** Una décima parte de décima por cada uno de los siete corderos;

**11.** Un macho cabrío por el pecado, sin contar los demás que suelen ofrecerse por la expiación del delito, ni el holocausto perpetuo con sus ofrendas y libaciones.

**12.** Asimismo el día quince del mes séptimo, que será para vosotros santo y venerable, no haréis en él ninguna obra servil, sino que celebraréis fiesta solemne al Señor, continuada por siete días.

**13.** Y ofreceréis al Señor en holocausto de olor suavísimo trece becerros de la vacada, dos carneros, catorce corderos primales sin tacha;

**14.** Y en sus sacrificios la oblación *acostumbrada* de tres décimas de flor de harina amasada por aceite por cada uno de los trece becerros, dos décimas por cada uno de los dos carneros;

**15.** Y una décima de décima por cada uno de los catorce corderos;

**16.** Y un macho cabrío por el pecado, sin contar el holocausto perpetuo con su ofrenda y libación.

**17.** El segundo día ofreceréis doce becerros de la vacada, dos carneros y catorce corderos primales sin tacha.

**18.** Y observaréis las mismas ceremonias en orden a las ofrendas y libaciones por cada uno de los becerros, carneros y corderos;

**19.** Ofreciendo también un macho cabrío por el pecado, además del holocausto perpetuo, con su ofrenda de *harina* y libación.

**20.** El día tercero ofreceréis once becerros, dos carneros, catorce corderos primales sin tacha,

**21.** Con las ofrendas *de harina* y libaciones correspondientes según el rito a cada becerro, carnero y cordero;

**22.** Y un macho cabrío por el pecado, además del holocausto perpetuo, con la ofrenda de *harina* y libación.

**23.** El día cuarto ofreceréis diez becerros, dos carneros, catorce corderos primales sin defecto;

**24.** Haciendo según el rito prescrito, las oblaciones de *harina* y libaciones en cada becerro, carnero y cordero;

**25.** Y ofreciendo un macho cabrío por el pecado, además del holocausto perpetuo *diario* con su ofrenda de harina y libación.

**26.** El quinto día ofreceréis nueve becerros, dos carneros, catorce corderos primales sin tacha;

**27.** Observando el rito de las ofrendas *de harina* y libaciones en cada uno de los becerros, carneros y corderos;

**28.** Y añadiendo el macho cabrío por el pecado, además del holocausto perpetuo con su ofrenda de *harina* y libación.

**29.** El sexto día ofreceréis ocho becerros, dos carneros y catorce corderos primales sin tacha;

**30.** Ofreciendo según el rito las oblaciones *de harina* y libaciones respecto a cada uno de los becerros, carneros y corderos;

**31.** Y el macho cabrío por el pecado, además del holocausto perpetuo con su ofrenda *de harina* y libación.

**32.** El día séptimo ofreceréis siete becerros, dos carneros y catorce corderos primales sin tacha;

**33.** Añadiendo según el rito las oblaciones *de harina* y las libaciones por cada becerro, carnero y cordero;

**34.** Y un macho cabrío por el pecado, además del holocausto perpetuo con su ofrenda *de harina* y libación.

**35.** El día octavo, el cual es solemnísimo, no haréis ninguna obra servil.

**36.** Y ofreceréis en holocausto de olor suavísimo al Señor un becerro, un carnero y siete corderos primales sin tacha;

**37.** Añadiendo, según está prescrito, las ofrendas *de harina y libaciones* por cada becerro, carnero y cordero;

**38.** Además un macho cabrío por el pecado, fuera del holocausto perpetuo con su ofrenda y libación.

**39.** Esto es lo que habéis de ofrecer al Señor en vuestras solemnidades; además de los holocaustos, sacrificios libaciones y víctimas pacíficas que ofreceréis a *Dios* para cumplir vuestros votos, o bien espontáneamente.

## CAPITULO XXX

*Sobre la obligación de cumplir los votos y juramentos. Por quienes y con qué condiciones podían anularse.*

**1.** Refirió, pues, Moisés a los hijos de Israel todo lo que el Señor le había mandado;

**2.** Y dijo además a los príncipes de las tribus de los hijos de Israel: Este es el mandamiento expreso del Señor:

**3.** Si algún hombre hiciere voto al Señor, o se obligare con juramento, no quebrantará su palabra; sino que cumplirá todo lo prometido.

**4.** Si una mujer que todavía está en casa de su padre, siendo de menor edad hace algún voto, y se obliga con juramento; si su padre sabe el voto que hizo, y el juramento con que ligó su conciencia, y calla, queda obligado al voto;

**5.** Y cuanto prometió y juró, tanto pondrá por obra.

**6.** Pero si el padre luego que lo entendió contradijo, serán inválidos, así los votos como los juramentos: ni quedará obligada a la promesa; porque se opuso el padre.

**7.** Si teniendo ya marido, hace algún voto *cuando está aún en la casa de sus padres* y saliendo una vez de su boca la palabra ligare su conciencia con juramento,

**8.** En el día en que lo hubiere oído el marido sin contradecir, quedará obligada al voto, y cumplirá todo lo prometido.

**9.** Pero si luego que lo entendió se opuso, e invalidó las promesas y las palabras con que ligó ella su conciencia, el Señor se lo perdonará.

**10.** La viuda y la repudiada cumplirán todos cuantos votos hicieren.

**11.** La mujer casada que está en casa de su marido, y se obligare con voto y juramento,

**12.** Si el marido lo sabe, y calla y no se opone a la promesa, cumplirá todo aquéllo que ha prometido.

**13.** Pero si luego se opone, no le obligará la promesa; porque el marido la contradijo, y el Señor la dará por absuelta.

**14.** Si hiciere voto y se obligare con juramento a mortificar su alma con el ayuno o con la abstinencia de otras cosas, quedará al arbitrio del marido el que lo haga o no lo haga.

**15.** Mas si informado de ello el marido callare y difiriere su dictamen para otro día,

cumplirá la mujer todo lo que votó y prometió, ya que el marido así que lo supo, calló.

**16.** Pero si se opone después de *pasado* el día de haberlo sabido, cargará con la culpa de ella.

**17.** Estas son las leyes que intimó Dios a Moisés para entre el marido y la mujer, y entre el padre y la hija que todavía es de menor edad, o que *aún* permanece en la casa paterna.

## CAPITULO XXXI

*Son exterminados los Madianitas. Ley sobre el botín.*

**1.** Habló después el Señor a Moisés, diciendo:

**2.** Toma primero venganza de lo que han hecho a los hijos de Israel los madianitas, y después de eso irás a juntarte con tu pueblo.

**3.** Al punto Moisés: Ármese, dijo, alguna gente de entre vosotros para salir a dar batalla, y ejecutar la venganza que el Señor quiere tomar de los madianitas.

**4.** Escójanse mil hombres de cada tribu de Israel para salir a campaña.

**5.** Y fueron elegidos mil de cada tribu, esto es, doce mil, prontos para combatir.

**6.** Los que envió Moisés con Finees, hijo del sacerdote Eleazar; entregándole al mismo tiempo los instrumentos sagrados, y las trompetas para dar la señal *de combate.*

**7.** Trabada la batalla contra los madianitas, como los hubiesen vencido, mataron a todos los varones,

**8.** Y a sus reyes Evi, y Recem y Sur, y Rebe, cinco príncipes de la nación; pasando también a cuchillo a Balaam, hijo de Beor.

**9.** Y se apoderaron de sus mujeres y niños, y de todos los ganados, y de todos los muebles: saquearon cuanto pudieron haber a las manos.

**10.** Ciudades, aldeas y castillos, todo lo devoró el fuego.

**11.** Y tomando los despojos y todas cosas que pillaron, tanto de hombres como de bestias,

---

**2.** Cuando hicieron prevaricar al pueblo de Israel, enviando mujeres a su campamento. Esto es, a descansar con los patriarcas y justos en el seno de Abraham.

**12.** Lo condujeron a Moisés y al *Sumo* sacerdote Eleazar y a toda la multitud de los hijos de Israel: llevando los demás utensilios al campamento en las llanuras de Moab, a la orilla del Jordán, enfrente de Jericó.

**13.** A la vuelta Moisés y Eleazar, *Sumo* sacerdote, y todos los príncipes de la Sinagoga salieron a recibirlos fuera del campamento.

**14.** Y enojado Moisés contra los jefes del ejército, y los tribunos y centuriones que venían de la guerra,

**15.** Dijo: ¿Cómo es que habéis dejado con vida a las mujeres?

**16.** ¿No son ésas las mismas que por sugestión de Balaam sedujeron a los hijos de Israel, y os hicieron prevaricar contra el Señor con el pecaminoso culto de Fogor, por cuya causa fué también castigado el pueblo?

**17.** Matad, pues, todos cuantos varones hubiere, aun a los niños, y degollad a las mujeres que han conocido varón;

**18.** Reservaos solamente a las niñas y a todas las doncellas;

**19.** Y permaneced por siete días fuera del campamento. Quien hubiere muerto a hombre, o tocado cadáver, se purificará el día tercero y el séptimo.

**20.** Y así se purificará todo el botín: ropas, vasos, y cualquier utensilio hecho de pieles o pelos de cabra, o de madera.

**21.** El *Sumo* sacerdote Eleazar habló también así a los guerreros del ejército que habían combatido. Esta es la orden que ha dado el Señor a Moisés:

**22.** El oro, y la plata, y el cobre, y el hierro, y el plomo, y el estaño,

**23.** Y todo lo que pueda pasar por el fuego, con fuego será purificado; mas lo que no puede aguantar el fuego se santificará con el agua de expiación.

**24.** Lavaréis vuestros vestidos el día séptimo, y después de purificados entraréis en el campamento.

**25.** Dijo también el Señor a Moisés:

**26.** Haced el inventario de lo que se ha apresado, desde el hombre hasta la bestia, tú y Eleazar *Sumo* sacerdote, y los príncipes del pueblo.

**27.** Y dividirás por partes iguales el botín entre los que pelearon y fueron a la guerra, y entre toda la otra gente.

**28.** Y de la parte de los que combatieron, y se hallaron en la guerra, separarás para el Señor de cada quinientas cabezas una, tanto de las personas como de los bueyes, asnos y ovejas;

**29.** Y las darás a Eleazar *Sumo* sacerdote: porque son las primicias del Señor.

**30.** De la otra mitad perteneciente a los hijos de Israel, de cada cincuenta personas, o bueyes, o asnos, ovejas, o de cualquier especie de animales, tomarás una cabeza, la cual darás a los levitas que están encargados de la guarda *y servicio* del Tabernáculo del Señor.

**31.** Hiciéronlo, pues, Moisés y Eleazar como el Señor lo había mandado.

**32.** Y se halló que el botín tomado por las tropas combatientes quedaban seiscientas setenta y cinco mil ovejas;

**33.** Setenta y dos mil bueyes;

**34.** Y sesenta y un mil asnos.

**35.** Y de treinta y dos mil personas vírgenes del sexo femenino.

**36.** De todo lo cual fué dada la mitad a los que se hallaron en el combate, es a saber, trescientos y treinta y siete mil y quinientas ovejas;

**37.** De las que se sacaron para el Señor seiscientas y setenta y cinco.

**38.** De los treinta y seis mil bueyes, setenta y dos.

**39.** De los treinta mil y quinientos asnos, sesenta y uno.

**40.** De las diez y seis mil personas, tocaron al Señor treinta y dos almas.

**41.** Este número de primicias del Señor entregó Moisés al *Sumo* sacerdote Eleazar, como se le había mandado,

**42.** Sacándole de la mitad separada para los hijos de Israel que se hallaron en la batalla.

**43.** Y de la otra mitad que había tocado a lo restante del pueblo, es decir, de las trescientas y treinta y siete mil y quinientas ovejas;

**44.** Y de los treinta y seis mil bueyes;

**45.** Y de los treinta mil y quinientos asnos;

**46.** La de las diez y seis mil personas,

**47.** Tomó Moisés una cabeza por cada cincuenta, y dióselas por orden del Señor a los levitas que hacían la guardia en el Tabernáculo.

**48.** Entonces, llegándose a Moisés los jefes del ejército y los tribunos y centuriones, dijeron:

**49.** Nosotros tus servidores hemos revistado el número de combatientes que hemos tenido bajo nuestro mando, y no ha faltado ni siquiera uno.

**50.** Por esta causa ofrecemos cada cual en donativo al Señor todo el oro que hemos podido encontrar en el botín, ajorcas y manillas, anillos y brazaletes, y collares, para que ruegues por nosotros al Señor.

51. Recibieron, pues, Moisés y Eleazar *Sumo* sacerdote, todo el oro, en diversas joyas,

52. Que ofrecieron los tribunos y centuriones: el cual pesó dieciséis mil setecientos y cincuenta siclos.

53. Porque aquello que cada cual había tomado en el botín, era suyo propio.

54. Recibido el donativo, lo metieron dentro del Tabernáculo del Testimonio para monumento de los hijos de Israel en la presencia del Señor.

## CAPITULO XXXII

*Concesión hecha a las tribus de Rubén y de Gad, y a la media tribu de Manasés, con motivo de sus muchos ganados.*

1. Tenían los hijos de Rubén y de Gad muchos ganados, y un inmenso caudal en bestias. Y habiendo visto que las tierras de Jacer, y de Galaad eran propias para apacentar ganados,

2. Vinieron a Moisés y al *Sumo* sacerdote Eleazar, y a los príncipes del pueblo, y dijeron:

3. Atarot y Dibón, y Jacer, y Nemra, Hesebón y Eleale, y Sabán, Nebo y Beón,

4. Tierras que el Señor ha sujetado a la dominación de los hijos de Israel, son un país feracísimo para pasto de ganados; y nosotros tus siervos los tenemos en muchísimo número.

5. Por tanto te suplicamos que, si hemos hallado gracia en tus ojos, nos las des a nosotros tus siervos en posesión, y no nos hagas pasar el Jordán.

6. Respondióles Moisés: Pues qué, ¿han de ir vuestros hermanos a la guerra, y vosotros habéis de quedaros aquí sentados?

7. ¿Cómo es que desalentáis a los hijos de Israel, para que no osen pasar a la tierra que les ha de dar el Señor?

8. ¿No es esto mismo lo que hicieron vuestros padres, cuando los envié desde Cadesbarne a reconocer la tierra?

9. Después de haber llegado hasta el valle del Racimo, y recorrido todo el país, introdujeron el terror en el corazón de los hijos de Israel, para que no entraran en la tierra que les había señalado el Señor;

10. El cual irritado, juró diciendo:

11. No verán estos hombres, que salieron de Egipto, de edad de veinte años arriba, la tierra que tengo prometida con juramento a Abraham, Isaac y a Jacob; ya que no han querido seguirme,

12. Si no es Caleb, hijo de Jefone el ceneceo, y Josué, hijo de Nun: los cuales han cumplido mi voluntad.

13. Y así es que, enojado el Señor contra Israel, le ha traído girando por el desierto cuarenta años, hasta que se acabase toda aquella generación que pecó en la presencia del Señor.

14. Y he aqui, añadió *Moisés,* que habéis sucedido vosotros a vuestros padres; como hijos y retoños de hombres pecadores, a fin de atizar aún el furor del Señor contra Israel.

15. Pues, sino queréis seguirle abandonaré al pueblo en el desierto, y vosotros vendréis a ser la causa del exterminio de todos.

16. A'esto acercándose ellos más *a Moisés,* le dijeron: Fabricaremos apriscos para las ovejas, y establos para los jumentos; y ciudades fuertes para guardar nuestros niños:

17. Y después nosotros mismos, armados y prontos a combatir, marcharemos a la guerra al frente de los hijos de Israel hasta introducirlos en sus destinos. Entre tanto quedarán nuestros niños, y todas nuestras haciendas en ciudades muradas por temor de las asechanzas de las gentes del país.

18. No volveremos a nuestras casas hasta que los hijos de Israel posean su herencia.

19. Ni pretenderemos cosa alguna de allende del Jordán, pues tenemos ya nuestra posesión en su ribera oriental.

20. Respondióle Moisés: Si estáis en hacer lo que prometéis, apercibíos para ir a la guerra delante *del Arca* del Señor;

21. Y todo varón de armas tomar, pase armado el Jordán, hasta que el Señor destruya a sus enemigos.

22. Y se le sujete todo el país: entonces seréis inculpables para con el Señor, y delante de Israel; y obtendréis las regiones que deseáis con el beneplácito del Señor.

23. Empero, si no hacéis lo que decís, es indudable que pecaréis contra Dios; y tened entendido que vuestro pecado recaerá sobre vosotros.

24. Edificad, pues fortalezas para vuestros niños, y apriscos, y majadas para ovejas y bestias, y cumplid lo prometido.

25. Y dijeron los hijos de Gad y de Rubén a Moisés: Siervos tuyos somos, haremos lo que el Señor nuestro nos manda.

**26.** Dejaremos en las ciudades de Galaad nuestros niños y mujeres, y los ganados mayores y menores,

**27.** Mientras nosotros tus siervos iremos todos bien expeditos a la guerra, como tú, señor, lo ordenas.

**28.** En consecuencia Moisés dió sus órdenes al *Sumo* sacerdote Eleazar, y a Josué, hijo de Nun, y a las cabezas de las familias en cada tribu de Israel, y les dijo:

**29.** Si los hijos de Gad y los de Rubén pasaren todos el Jordán, y armados fueren con vosotros a combatir delante del Señor, dadles, después de conquistado el país, la tierra de Galaad en posesión.

**30.** Mas si no quisieren pasar armados con vosotros a la tierra de Canaán, *obligueseles* a que fijen su habitación entre vosotros.

**31.** Y respondieron los hijos de Gad y de Rubén: Como ha ordenado el Señor a sus siervos, así lo haremos.

**32.** Guiados por el Señor, pasaremos armados a la tierra de Canaán, y confesamos *públicamente* haber ya recibido nuestra posesión en este lado del Jordán.

**33.** Con esto Moisés dió a los hijos de Gad, y a los de Rubén, y a la media tribu de Manasés, hijo de José, el reino de Sehón, rey amorreo, y el reino de Og, rey de Basán, y el territorio de ellos con sus ciudades al contorno.

**34.** Por tanto los hijos de Gad reedificaron a Dibón, y Atarot, y Aroer,

**35.** Y a Etrot, y Sofán, y Jacer, y Jegbaa,

**36.** Y Betnemra, y Betarán, haciendo de ellas ciudades fuertes, y apriscos para sus ganados.

**37.** Y los hijos de Rubén reedificaron a Hesebón, a Eleale, y Cariataim,

**38.** Y a Nabo, y Baalmeón, y Sabama, mudándoles los nombres y poniéndoselos nuevos a las ciudades que habían reedificado.

**39.** Los hijos de Maquir, hijo de Manasés, marcharon contra el país de Galaad, y le asolaron, matando a los amorreos sus habitantes.

**40.** Así Moisés dió *una parte de* la tierra de Galaad al *linaje de* Maquir, hijo de Manasés, el cual habitó en ella.

**41.** Y Jair, *otro* hijo o *descendiente* de Manasés fué, y ocupó muchas aldeas que llamó Havot-Jair, esto es, Villas de Jair.

**42.** Del mismo modo Nobe pasó también, y ocupó Canat con sus aldehuelas, y de su nombre la llamó Nobe.

## CAPITULO XXXIII

*Enumeración de las cuarenta y dos mansiones de los Israelitas en el Desierto.*

**1.** Estas son las mansiones de los hijos de Israel después que salieron de Egipto divididos por escuadrones, bajo la guía de Moisés y Aarón;

**2.** Las que describió Moisés, según los lugares de los campamentos que iban mudando por orden del Señor.

**3.** Partidos, pues, de Ramasés los hijos de Israel el mes primero a quince del mismo, al otro día de la Pascua, por un efecto de la mano poderosa del Señor, viéndolo todos los Egipcios,

**4.** Y mientras que sepultaban a *todos* los primogénitos, muertos por el Señor, (el cual ejerció también la venganza en sus dioses),

**5.** Fueron a acampar en Soccot.

**6.** Y de Soccot vinieron a Etam, que está en los últimos términos del desierto.

**7.** Saliendo de aquí vinieron frente a Fihahirot, que mira a Beelsefón, y acamparon delante de Mágdalo.

**8.** Marchando de Fihahirot pasaron por medio del mar al desierto, y andando tres días por el desierto de Etam, acamparon en Mara.

**9.** Partiendo después de Mara, llegaron a Elim, donde había doce fuentes de agua, y setenta palmeras, y sentaron allí sus reales.

**10.** De allí levantando el campo, fijaron sus tiendas en la playa del mar Rojo. Y marchando del mar Rojo,

**11.** Acamparon en el desierto de Tsin,

**12.** De donde partiendo, vinieron a Dafca,

**13.** Y alzando el campo de Dafca, le pusieron en Alús.

**14.** Saliendo de Alús, fijaron los pabellones en Rafidim, donde faltó al pueblo agua para beber.

**15.** Dejando a Rafidim, acamparon en el desierto de Sinaí.

**16.** Al cabo salidos del desierto de Sinaí, vinieron a hacer alto en los Sepulcros del antojo o *concupiscencia.*

**17.** Y de los Sepulcros de la concupiscencia, fueron a Haserot.

**18.** De Haserot pasaron a Retma.

---

**4.** Echando Dios por tierra, como dice San Jerónimo, las estatuas de los ídolos.

19. Y marchando de Retma, sentaron los reales en Remmomfares.

20. Desde donde pasaron a Lebna.

21. De Lebna acamparon en Resa.

22. Marchando de Resa, vinieron a Celata.

23. De allí trasladaron los reales al monte Sefer.

24. Del monte Sefer vinieron a parar en Arada.

25. Moviendo de aquí pararon en Macelot.

26. Partidos de Macelot, acamparon en Tahat.

27. De Tahat mudaron el campo a Tare.

28. De donde fueron a parar a Metca.

29. De Metca pasaron a Hesmona.

30. Partidos de Hesmona, se acamparon en Moserot.

31. De Moserot trasladaron los reales a Benejaacán.

32. De Benejaacán marcharon al monte Gadgad,

33. De donde partiendo fueron a Jetebata.

34. De Jetebata pasaron a Hebrona.

35. Dejada Hebrona, se acamparon en Asiongaber.

36. Marchando de aquí, fueron a parar en el desierto de Tsin, donde está Cades.

37. Y habiendo salido de Cades, acamparon en *la falda del* monte Hor, en los últimos confines del país de Edom.

38. Allí subió el *Sumo* sacerdote Aarón al monte Hor por mandato del Señor; y allí murió a los cuarenta años de la salida de los hijos de Israel de Egipto, el mes quinto, el primer día del mes,

39. Siendo de edad de ciento veinte y tres años.

40. Aquí fué cuando Arad, rey de los cananeos, que habitaba hacia el mediodía, supo que venían los hijos de Israel *para entrar* en la tierra de Canaán.

41. Yéndose éstos del monte Hor, fijaron sus campamentos en Salmona.

42. Salidos de aquí, vinieron a Funón.

43. Partiendo de Funón, acamparon en Obot.

44. De Obot pasaron a Ijeabarim, que está en los confines de los moabitas.

45. Moviendo el campo de Ijeabarim, le asentaron en Dibongad.

46. De donde le trasladaron a Helmondeblataím.

47. Y habiendo salido de Helmondeblataím, vinieron a los montes de Abarim, enfrente de Nabo.

48. Dejando los montes de Abarim, pasaron a las campiñas de Moab, a orilla del Jordán, enfrente de Jericó.

49. Y allí fijaron sus tiendas desde Betsimot hasta Abelsatim, en los campos más llanos de los moabitas.

50. Aquí fué donde el Señor dijo a Moisés:

51. Intima a los hijos de Israel, y diles: Pasado que hubiéreis el Jordán, y entrados en la tierra de Canaán;

52. Exterminad a todos los moradores de ella: quebrad las aras, desmenuzad las estatuas, y asolad todos *los adoratorios* de las alturas;

53. Purificando así la tierra para habitar en ella; pues que yo os la he dado en posesión;

54. Y os la repartiréis por suerte: dando al mayor número mayor parte de ella, y menor a los que sean en número más pequeño. A cada cual se dará la heredad en el sitio que le cayere por suerte. La participación se hará por tribus y por familias.

55. Y si no quisiéreis matar a los moradores del país, los que quedaren serán para vosotros como punzones en los ojos, y rejones en los costados, y combatirán contra vosotros en la tierra de vuestra morada.

56. Y yo haré contra vosotros todo lo que tenía resuelto hacer contra ellos

# CAPITULO XXXIV

*Situación y confines de la tierra de Canaán. Sobre su repartición y los sujetos que deben hacerla.*

1. Habló aún el Señor a Moisés, diciendo:

2. Prevén a los hijos de Israel, y dales esta orden: Cuando hubiéreis entrado en la tierra de Canaán, y poseyéreis en ella lo que la suerte os habrá señalado, serán sus términos los siguientes:

3. La parte meridional comenzará desde el desierto de Tsin, confinante con Idumea, y tendrá por términos al oriente el mar Salado;

4. Y al mediodía serán sus límites lo largo del circuito que hace la cuesta del Escorpión, y pasarán por Senna, y llegarán por esta misma parte del mediodía hasta Cadesbarne: de allí a la aldea llamada Adar, extendiéndose hasta Asemona;

5. Y desde Asemona irán dando vuelta hasta el torrente de Egipto, y terminarán en la ribera del mar grande o *Mediterráneo*.

6. La parte occidental empezará desde el mar grande, y acabará en él.

7. Por el norte los confines empezarán de dicho mar tirando hasta el monte altísimo,

8. Desde donde irán a Emat hasta tocar los términos de Sedada,

9. Prosiguiendo hasta Cefrona, y la aldea de Enán. Esos serán los límites por la parte del norte.

10. Los confines por la parte de oriente comenzarán desde la aldea de Enán hasta Sefama,

11. Y desde Sefama bajarán a Rebla, enfrente de la fuente de Dafnim, de donde, siguiendo hacia el oriente, llegarán hasta el mar de Ceneret o *Genezaret*,

12. Y extendiéndose hasta el Jordán, tendrán por último límite el mar Salado. He aquí los límites y extensión de la tierra que poseeréis.

13. Y dió Moisés esta orden a los hijos de Israel, diciéndoles: Esta será la tierra que se os distribuirá por suerte, y la que ha mandado dar el Señor a las nueve tribus y media.

14. Puesto que la tribu de los hijos de Rubén con sus familias, y la tribu de los hijos de Gad, según el número de las suyas, y la media tribu de Manasés,

15. Esto es, dos tribus y media, han recibido su parte del Jordán acá, enfrente de Jericó, hacia el oriente.

16. Y dijo el Señor a Moisés:

17. Estos son los nombres de los varones que os repartirán la tierra: el *Sumo* sacerdote Eleazar, y Josué, hijo de Nun;

18. Y un príncipe de cada tribu,

19. Cuyos nombres son éstos: De la tribu de Judá, Caleb, hijo de Jefone.

20. De la tribu de Simeón, Samuel, hijo de Ammiud.

21. De la tribu de Benjamín, Elidad, hijo de Caselón.

22. De la tribu de los hijos de Dan, Bocci, hijo de Jogli.

23. Por los hijos de José, de la tribu de Manasés, Hanniel, hijo de Efod.

24. De la tribu de Efraím, Samuel, hijo de Seftán.

25. De la tribu de Zabulón, Elisafán, hijo de Farnac.

26. De la tribu de Isacar, el príncipe Faltiel, hijo de Ozán.

27. De la tribu de Aser, Ahiud, hijo de Salomi.

28. De la tribu de Neftalí, Fedael, hijo de Ammiud.

29. Estos son a los que mandó el Señor que repartieran a los hijos de Israel la tierra de Canaán.

## CAPITULO XXXV

*Se destinan cuarenta y ocho ciudades para los Levitas; y de éstas se señalan seis que lo sean de asilo o refugio para los que cometieren homicidio involuntario.*

1. Dijo todavía el Señor a Moisés en los campos de Moab, a orilla del Jordán, enfrente de Jericó:

2. Manda a los hijos de Israel que de sus posesiones den a los levitas,

3. Ciudades en que habitar, y sus campos inmediatos en la circunferencia, para que moren ellos en las poblaciones, y los campos extramuros sirvan para los ganados y bestias.

4. Estos campos extramuros de las ciudades medirán a la redonda el espacio de mil pasos:

5. Al oriente dos mil codos, y al mediodía igualmente otros dos mil: la misma medida tendrán hacia el mar, que mira al occidente, y la parte septentrional terminará en igual espacio: de suerte que las ciudades estén en medio, y los campos o *ejidos* por fuera *al rededor*.

6. De estas mismas ciudades, que daréis a los levitas, seis serán destinadas para el asilo de los fugitivos, a fin de que se refugie en ellas quien derramare sangre *humana;* y sin contar éstas habrá otras cuarenta y dos ciudades,

7. Siendo en todas, cuarenta y ocho con sus contornos.

8. Ahora, de estas ciudades que de las posesiones de los hijos de Israel se han de dar a los levitas, se tomarán más de los que más tienen, y menos a los que menos: cada *cual de las tribus* a proporción de su herencia, dará ciudades a los levitas.

9. Dijo aún el Señor a Moisés:

10. Habla con los hijos de Israel, y diles: Cuando hubiéreis pasado el Jordán, *y estuviéreis* en la tierra de Canaán,

11. Señalad las ciudades que deben ser asilo de los fugitivos que involuntariamente hayan derramado sangre *humana,*

12. En las que estando el refugiado, no podrá el pariente del muerto matarle, hasta que se presente delante del pueblo, y sea juzgada su causa.

13. De estas ciudades destinadas para asilo de los fugitivos,

14. Habrá tres del Jordán acá, y tres en la tierra de Canaán,

15. Tanto para los hijos de Israel, como para los advenedizos y peregrinos, a fin de que se acoja a ellas el que involuntariamente derramare sangre *humana.*

16. Si alguno hiriere con hierro, y muriere el herido, será reo de homicidio, y por tanto será muerto.

17. Si tirare una piedra, y el herido muere *del golpe,* incurrirá en la misma pena.

18. Si uno es herido con palo y muere, será vengada su muerte con la sangre del matador.

19. El pariente del muerto matará al homicida: luego que le hubiere a las manos le quitará la vida.

20. Si alguno por odio da empellones a otros, o le arroja encima alguna cosa con mala intención;

21. O si siendo enemigo le hiere a puñaladas, y éste otro viene a morir, el matador será reo de homicidio. El pariente del muerto, luego que le hallare, podrá matarle.

22. Mas si por accidente, y no por rencor

23. Ni anteriores enemistades, cometiere algo de lo dicho,

24. Y fuere probado esto en presencia del pueblo, ventilada la causa del homicidio entre el matador y el pariente del difunto,

25. El inocente será libertado de la mano del vengador, y por sentencia se le volverá a la ciudad en que se refugió, y allí morará hasta la muerte del *Sumo* sacerdote, que fué ungido con el óleo santo.

26. Si el matador, estando fuera de los límites de las ciudades destinadas para los desterrados

27. Fuere hallado y muerto por el que debe vengar la sangre del difunto, éste que le matare no quedará responsable;

28. Por cuanto debía el refugiado residir en la ciudad hasta la muerte del Pontífice; bien que después de muerto éste, pueda el homicida retornar a su patria.

29. Estas leyes serán perpetuamente observadas en todas vuestras poblaciones.

30. El homicida será sentenciado por dichos testigos: nadie será condenado por el testimonio de uno solo.

31. No recibiréis dinero *como en rescate* del que ha derramado sangre; sino que el matador morirá luego.

32. Los desterrados y retraídos por ningún motivo podrán volver a sus ciudades antes de la muerte del Pontífice:

33. No sea que profanéis la tierra de vuestra morada, la cual con la sangre de los inocentes se mancilla, ni puede purificarse sino por la sangre de aquél que derramó la de otro.

34. Y de esta manera será purificada vuestra tierra, en la cual tengo yo mi morada; pues Yo soy el Señor que habito entre los hijos de Israel.

## CAPITULO XXXVI

*Ley sobre el matrimonio de las hijas herederas.*

1. Y llegáronse los príncipes *o cabezas* de las familias de Galaad, hijo de Maquir, hijo de Manasés, de la estirpe de los hijos de José, y representaron a Moisés ante los príncipes de Israel, y dijeron:

2. El Señor *Dios* te tiene mandado a ti, que eres señor nuestro, repartir la tierra *de Canaán* por suerte a los hijos de Israel, y dar a las hijas de Salfaad hermano nuestro, la posesión debida a su padre;

3. Las cuales, si casaren con hombres de otra tribu, llevarán consigo su herencia, que traspasada así a otra tribu, se disminuirá nuestra posesión.

4. Y así sucederá que venido el año del jubileo, esto es, el año quincuagésimo de remisión, venga a confundirse la distribución de las suertes, y la posesión de los unos pase a los otros.

5. Respondió Moisés a los hijos de Israel, y por mandado del Señor les dijo: Ha dicho bien la tribu de los hijos de José.

---

25. Con esta ley quiso figurar el Espíritu Santo que con sólo la muerte del verdadero Pontífice Jesucristo podían los hombres recobrar la verdadera libertad. *Gol.* IV, *v.* 31.

**6.** Y así ésta es la ley promulgada por el Señor, sobre las hijas de Salfaad: Cásense con quien quisieren, con tal que sea con hombres de su tribu,

**7.** A fin de que no vengan a confundirse las posesiones de los hijos de Israel pasando de tribu en tribu. Así que todos los hombres *en este caso* tomarán mujeres de su tribu y linaje,

**8.** Y todas las mujeres *herederas* tomarán maridos de la misma tribu; para que la herencia se mantenga en las familias,

**9.** Ni se mezclen entre sí las tribus, sino que queden ni más ni menos,

**10.** Como fueron separadas por el Señor. Hiciéronlo, pues, las hijas de Salfaad como se había ordenado;

**11.** Y casaron Maala, y Tersa, y Hegla, y Melca, y Noa, con los hijos de su tío paterno,

**12.** De la familia de Manasés, hijo de José: y la posesión que se les había adjudicado, se conservó en la tribu y familia de su padre.

**13.** Tales son las leyes y las ordenanzas que dió el Señor por medio de Moisés a los hijos de Israel en las campiñas de Moab, en la orilla del Jordán, enfrente de Jericó.

---

**6.** Se dió esta ley para impedir que las tierras de una tribu pasaran a otra, y por lo mismo no hablaba sino con las hijas que heredaban a los padres por no tener hermanos. Así la Virgen María casó con San José, su pariente más cerca-no, por ser hija primogénita y heredera de sus padres: de modo que la genealogía de José que refieren los Evangelistas, prueba también que Jesucristo desciende de la tribu de Judá, por ser María Santísima prima hermana de José. — *Tob.* VII, *v.* 4.

# EL DEUTERONOMIO

## Introducción

El *Deuteronomio* (en griego «segunda ley») es el último libro del *Pentateuco*. Este título se refiere a la segunda promulgación de la ley por Moisés antes de que su pueblo entrara en la tierra de promisión.

El *Deuteronomio* se distingue de los anteriores libros de la *Biblia* por su estilo oratorio. Está compuesto por una serie de discursos de Moisés de estilo fluido aunque reiterativo. Expone Moisés principios de orden moral: el amor de Dios (y por tanto el odio a la idolatría) y el amor del prójimo (empezando por los más necesitados y los sacerdotes). En el capítulo doce aparece un precepto nuevo (la unidad del Santuario con exclusión de cualquier otro) que tiene por fin evitar la idolatría. Y para borrar los restos de la misma se insiste en la peregrinación al Tabernáculo, que más tarde se convertirá en peregrinación al templo de Jerusalén, santuario nacional.

La primera parte del *Deuteronomio* narra los sucesos ocurridos hasta llegar a la llanura de Moab. Relata el envío de exploradores a la tierra prometida, de donde vuelven con frutos de la tierra para dar cuenta de su misión. El pueblo se rebela ante la dificultad de conquistar esta tierra prometida y todos, menos Caleb, son condenados a perecer en el desierto. La narración termina con una exhortación a reconocer los beneficios divinos y a guardar la ley bajo pena de terribles castigos.

La segunda parte se inicia con la promulgación de los diez mandamientos. Sigue a ello una exhortación al amor de Dios y a la destrucción de los dioses paganos. Se exponen a continuación ciertas leyes particulares para las tribus de Israel. En líneas generales estas disposiciones jurídicas concuerdan con las formuladas en el *Éxodo*.

La tercera parte del *Deuteronomio* anima al pueblo elegido a renovar su alianza con Dios, episodio que se repite muchas veces en el Antiguo Testamento. A modo de apéndice figuran unos cánticos y el relato de la muerte del patriarca Moisés, que ya consideraba muy próxima.

El *Deuteronomio* es más un catecismo, un libro piadoso, que un código legal, ya que encierra una especie de teología moral escrita a modo de amonestación. Lo que parece haber movido a Moisés a exponer nuevamente las leyes es el grave peligro que corría su pueblo de olvidar los beneficios divinos y apartarse del culto verdadero.

# CAPITULO PRIMERO

*Recapitulación de los principales sucesos que acontecieron a Israel en el Desierto por espacio de cuarenta años.*

1. Estas son las palabras que habló Moisés a todo Israel antes de pasar el Jordán, en la campiña desierta, frente del mar Rojo, entre Farán y Tofel y Labán y Hacerot, donde hay *minas* de oro en abundancia,

2. A once jornadas de Horeb por el camino del monte Seir hasta Cadesbarne.

3. En el año cuadragésimo *de la salida de Egipto,* en el mes undécimo, el primer día del mes, anunció Moisés a los hijos de Israel todo lo que le mandó el Señor que les dijera.

4. Después que derrotó a Sehón, rey de los amorreos, que tenía su corte en Hesebón, y a Og, rey de Basán, que moró en Astarot y en Edras,

5. A la otra parte del Jordán, en el país de Moab.

Y Moisés comenzó a explicarles la ley *del Señor,* y a decirles:

6. Dios nuestro Señor nos habló en Oreb, diciendo: Bastante tiempo habéis permanecido junto a este monte;

7. Dad la vuelta, y marchad a las montañas de los amorreos y demás lugares vecinos, *extendiéndoos* por los llanos, y por los montes y valles que yacen al mediodía, y a la costa del mar *Mediterráneo,* por la tierra *más septentrional* de los cananeos y del Líbano, hasta el gran río Eufrates.

8. Mirad, dijo, que os la tengo dada: entrad y tomad posesión de la tierra acerca de la cual juró el Señor a vuestros padres Abraham, Isaac y Jacob, que se la daría a ellos, y después de ellos a su descendencia.

9. En aquel mismo tiempo os dije:

10. No puedo yo solo gobernaros; porque el Señor Dios vuestro os ha multiplicado, y en el día de hoy sois en grandísimo número como las estrellas del cielo.

11. (El Señor, Dios de vuestros Padres, añada aún a este número muchos millares, y os llene de bendiciones como lo tiene dicho).

12. Yo no puedo solo llevar el peso de vuestros negocios y pleitos.

13. Escoged de entre vosotros varones sabios y experimentados, de una conducta bien acreditada en vuestras tribus para que os los ponga por caudillos y *jueces.*

14. Entonces me respondísteis: Acertada cosa es la que quieres hacer.

15. Y así tomé de vuestras tribus varones inteligentes y esclarecidos y los constituí por príncipes vuestros, por tribunos y centuriones, y cabos de cincuenta y de diez hombres, que os instruyesen en cada cosa.

16. Y mandéles diciendo: Oídlos y haced justicia: ora sean ciudadanos, ora extranjeros.

17. Ninguna distinción haréis de personas: del mismo modo oiréis al pequeño que al grande: ni guardaréis miramiento a nadie, pues que vosotros sois jueces en lugar de Dios. Mas si alguna cosa difícil os ocurriere, dadme parte a mi, y yo determinaré.

18. En suma, os ordené todo cuanto debíais hacer.

19. Al fin, habiendo partido de Horeb, pasamos por aquel grande y espantoso desierto que vísteis camino de la montaña del amorreo como Dios nuestro Señor nos había mandado; y estando ya en Cadesbarne,

20. Os dije: Habéis llegado a la montaña del amorreo, de la cual nos ha de dar Dios nuestro Señor la posesión.

21. *Mira, ¡oh Israel!,* la tierra que te da tu Señor Dios; sube y ocúpala como Dios nuestro Señor lo prometió a tus padres: no tienes que temer, ni alarmarte por nada.

22. Y acudísteis a mí todos, y dijísteis: Enviemos personas que reconozcan la tierra, y nos informen por qué camino debemos subir, y a cuáles ciudades encaminarnos.

23. Habiéndome parecido bien el pensamiento, despaché doce hombres de entre vosotros, uno de cada tribu.

24. Los cuales puestos en camino, habiendo atravesado las montañas, llegaron hasta el valle del Racimo; y reconocida la tierra,

25. Cogiendo de sus frutos para muestra de la fertilidad, nos los trajeron y dijeron: Buena es la tierra que el Señor Dios nuestro nos ha de dar.

26. Mas vosotros no quisísteis subir: antes bien incrédulos a la palabra de Dios nuestro Señor,

27. Murmurásteis en nuestras tiendas, y dijísteis: El Señor nos aborrece, y por eso nos sacó de la tierra de Egipto, para entregarnos en las manos del amorreo, y acabar con nosotros.

28. ¿A dónde iremos? Los mensajeros nos han aterrado, diciendo: Es mucho el gentío que hay en el país y de más alta estatura que nosotros: las ciudades son grandes, y fortificadas *con muros que llegan* hasta el cielo: y allí hemos visto los hijos de los enaceos, *o gigantes.*

**29.** Entonces os dije yo: No temáis, ni tengáis miedo de ellos.

**30.** El Señor Dios, el cual es vuestro conductor, él mismo peleará por vosotros, como lo hizo en Egipto a vista de todos.

**31.** Y en el desierto (tú mismo *¡oh Israel!* lo has visto) el Señor tu Dios te ha traído *en brazos* por todo el camino que habéis andado hasta llegar a este lugar, a la manera que suele un hombre traer a su hijo chiquito.

**32.** Pero ni aun así creísteis al Señor vuestro Dios,

**33.** El cual ha ido él mismo delante de vosotros todo el viaje, y ha demarcado los sitios en que debíais plantar las tiendas, enseñándonos el camino, de noche con la columna de fuego, y de día con la de nube.

**34.** Y cuando el Señor oyó el rumor de vuestras quejas, indignado juró y dijo:

**35.** Ninguno de los hombres de esta pésima generación verá la excelente tierra que tengo prometida con juramento a sus padres,

**36.** Excepto Caleb, hijo de Jefone: ése la verá, y a ése le daré la tierra que pisó, y a sus hijos; porque ha seguido al Señor.

**37.** Ni es de maravillar ésta su indignación contra el pueblo; visto que aun contra mi, enojado el Señor por causa vuestra, dijo: Ni tampoco tú entrarás en esa tierra.

**38.** Mas Josué, hijo de Nun, ministro tuyo, ése entrará por ti: y *así* exhórtale y aliéntale, pues él es el que ha de repartir por suertes la tierra de Israel.

**39.** Vuestros pequeñuelos, de quienes dijísteis que serían llevados cautivos, vuestros niños que hoy no saben discernir el bien del mal, ésos son los que entrarán; y a ellos daré yo la tierra, y la poseerán.

**40.** Mas vosotros volveos atrás, y marchad al desierto por el camino *que conduce hacia* el mar Rojo.

**41.** Entonces me respondísteis: Hemos pecado contra el Señor: subiremos *a esa tierra,* y pelearemos conforme ha ordenado el Señor Dios nuestro. Y como armados os encamináseis hacia el monte,

**42.** Me dijo el Señor: Adviérteles que no vayan, ni peleen; porque yo no estoy con ellos; no sea que queden postrados a los pies de sus enemigos.

**43.** Os lo dije y no hicísteis caso; sino que oponiéndoos al mandamiento del Señor, e hinchados de soberbia, subísteis al monte.

**44.** Entonces, habiendo salido a vuestro encuentro el amorreo, que habitaba en las montañas, os persiguió, como suelen perseguir las abejas *al que las inquieta;* y os fué acuchillando desde Seir hasta Horma.

**45.** Y por más que llorásteis a la vuelta en presencia del Señor, no quiso escucharos, ni condescender con vuestros ruegos.

**46.** Por eso estuvísteis de asiento por mucho tiempo en Cadesbarne.

## CAPITULO II

*Continúa Moisés con su platica refiriendo los beneficios hechos por Dios al pueblo de Israel, hasta la conquista del reino de Sehón.*

**1.** Partidos de aquí, fuimos al desierto que guía al mar Rojo, como el Señor me había dicho; y anduvimos largo tiempo rodeando las montañas de Seir.

**2.** Y me dijo el Señor:

**3.** Bastante habéis ido rodeando por estos montes: id ahora hacia el septentrión:

**4.** Y tú da esa orden al pueblo diciéndole: Voso-tros pasaréis por los confines de vuestros hermanos los hijos de Esaú, que habitan en Seir, y os temerán.

**5.** Mas guardaos bien de moverles guerra, porque no os daré de su tierra ni siquiera la huella de un pie; por cuanto dí a Esaú en posesión las montañas de Seir.

**6.** Compraréis de ellos a dinero contante las vituallas que hubiéreis de comer; y también el agua que sacáreis *de sus pozos* para beber.

**7.** El Señor Dios tuyo ha echado su bendición en todo cuanto has puesto en tus manos: ha dirigido tu viaje, de manera que has andado cuarenta años por este vasto desierto, acompañándote el Señor Dios tuyo, y nada te ha faltado.

**8.** Pasado que hubimos *los confines de* nuestros hermanos los hijos de Esaú, que habitaban en Seir, por el camino llano desde Elat, y desde Asiongaber, llegamos al camino que conduce al desierto de Moab.

**9.** Aquí me dijo el Señor: No obres hostilmente contra los moabitas, ni trabes batalla con ellos: que no te daré ni un palmo de su tierra, puesto que la posesión de Ar se la he dado a los hijos de Lot.

**10.** Los emimeos, *o terribles* fueron sus primeros pobladores, pueblo numeroso y valiente, y de talla tan alta, que eran tenidos como gigantes de la raza de Enacim.

**11.** Y en realidad eran semejantes a los enaceos. Finalmente: los moabitas los llaman Emin.

**12.** En Seir, asimismo, habitaron antes los horreos, y arrojados éstos y destruídos, entraron en su lugar los hijos de Esaú, como lo hizo Israel en la tierra cuya posesión le dió el Señor.

**13.** Poniéndonos, pues, en camino para pasar el torrente Zared, arribamos a él.

**14.** El tiempo que gastamos desde Cadesbarne hasta el paso del torrente Zared fué de treinta y ocho años; a fin de que toda aquella generación de hombres aptos para la guerra, *alistados al salir de Egipto,* feneciese en los campamentos, como lo tenía jurado el Señor,

**15.** Cuya mano descargó contra ellos, haciendo que muriesen en los campamentos.

**16.** Muertos, finalmente, todos aquellos guerreros,

**17.** Me habló el Señor diciendo:

**18.** Tú vas a pasar hoy por las fronteras de Moab, y de una ciudad que tiene por nombre Ar;

**19.** Mas en llegando a las cercanías de los hijos de Ammón, guárdate de moverles guerra ni pelear contra ellos: que nada te daré de la tierra de los hijos de Ammón, por cuanto la dí en posesión a los hijos de Lot,

**20.** Tierra que fué considerada como país de gigantes; pues en ella moraron antiguamente unos gigantes que los ammonitas llaman zomzommim,

**21.** Pueblo grande y numeroso, y de altura descomunal, a semejanza de los enaceos. El Señor los exterminó por mano de los ammonitas, e hizo que éstos poblasen la tierra en su lugar;

**22.** Como lo había hecho con los hijos de Esaú que habitan en Seir, destruyendo a los horreos y entregándoles su tierra, la cual poseen hasta el día de hoy.

**23.** Del mismo modo a los heveos, que habitaban en Haserim hasta Gaza, los expelieron los capadocios, que salidos de la Capadocia acabaron con ellos y habitaron en su lugar.

**24.** Ea, *pues* preveníos, *os dijo entonces el Señor,* y pasad el torrente de Arnón: Sábete *¡oh Israel!,* que yo he puesto en tu mano a Sehón, rey de Hesebón, el amorreo: empieza desde luego a ocupar su tierra y hacerle la guerra.

**25.** Hoy comenzaré yo a infundir tu terror y espanto sobre los pueblos que habitan debajo de cualquier parte del cielo: de suerte que al oír tu nombre tiemblen, y como las mujeres que están de parto se estremezcan, y queden penetrados de dolor.

**26.** Envié, pues, mensajeros desde el desierto de Cademot a Sehón, rey de Hesebón, con proposiciones pacíficas, diciendo:

**27.** Pasaremos por tu tierra yendo por el camino real, sin torcer a la derecha ni a la izquierda.

**28.** Véndenos por su valor los víveres para nuestro sustento, y danos por nuestro dinero el agua que bebamos. Permítenos solamente el paso,

**29.** Como lo hicieron los hijos de Esaú que habitan en Seir, y los moabitas que moran en Ar; hasta que arribemos al Jordán, y entremos en la tierra que nos ha de dar el Señor Dios nuestro.

**30.** Mas no quiso Sehón, rey de Hesebón, concedernos el paso, por haber el Señor tu Dios *permitido que tuviese* endurecido su ánimo, y obstinado su corazón, a fin de entregarle en tus manos, como ahora ves.

**31.** Entonces me dijo el Señor: He aquí que he comenzado a entregarte a Sehón y su tierra: empieza tú a poseerla.

**32.** Salió, pues, Sehón con toda su gente a presentarnos batalla en Jasa.

**33.** Y el Señor Dios nuestro nos lo entregó; y le matamos a él, a sus hijos, y a toda su gente.

**34.** Al mismo tiempo tomamos todas las ciudades, quitando la vida a sus habitantes, hombres, mujeres y niños, sin perdonar cosa alguna.

**35.** Salvo las bestias, que fueron parte del botín, como los despojos de las ciudades que ocupamos,

**36.** Desde Aroer, ciudad situada en un valle sobre la ribera del torrente Arnón, hasta Galaad. Nó hubo aldea ni ciudad que escapara de ser presa nuestra: todas nos las entregó el Señor Dios nuestro;

**37.** Menos la tierra de los hijos de Ammón, a que no tocamos, y todo el país de la orilla del torrente Jeboc, y las ciudades de las montañas, y todos los demás lugares que nos vedó el Señor Dios nuestro.

## CAPITULO III

*Sigue la relación anterior; derrota del rey Og; repartición de tierra a las tribus de Rubén y Gad y media de Manasés; y de cómo negó el Señor a Moisés el entrar en la tierra de Promisión.*

**1.** Y tomando, pues, otro camino, nos dirigimos hacia Basán, donde nos salió al encuentro Og, rey de Basán, con toda su gente para darnos la batalla en Edrai.

**2.** Y me dijo el Señor: No le temas, porque así él como todo su pueblo y país, están entregados en tus manos: y harás con éste lo mismo que hiciste con Sehón, rey de los amorreos, que habitaba en Hesebón.

**3.** Así, pues, entregó también Dios nuestro Señor en nuestras manos a Og, rey de Basán, y a todo su pueblo; y a todos los pasamos a cuchillo, sin dejar uno,

**4.** Devastando al mismo tiempo todas sus ciudades: no hubo población que se nos escapara: *nos apoderamos de* sesenta ciudades, y *de* toda la comarca de Argob del reino de Og, en Basán.

**5.** Las ciudades todas estaban guarnecidas de muros altísimos, y con puertas, y trancas o *rastrillos;* sin contar los innumerables pueblos que no tenían murallas.

**6.** Y exterminamos aquella gente como habíamos hecho con Sehón, rey de Hesebón, acabando con todas las ciudades, con hombres, mujeres y niños.

**7.** Y llevamos los ganados, y los despojos de las ciudades,

**8.** Con los que nos hicimos entonces dueños de la tierra ocupada por los dos reyes amorreos que habitaban de este lado del Jordán, desde el torrente de Arnón hasta el monte Hermón,

**9.** Que los sidonios llaman Sarión, y los amorreos Sanir.

**10.** Y tomamos todas las ciudades de la llanura, y la tierra toda de Galaad y de Basán hasta Selca y Edraí, ciudades del reino de Og, rey de Basán.

**11.** Es de saber que Og, rey de Basán, era el único que había quedado *en esta tierra* de la casta de los gigantes. Se muestra su cama de hierro en Rabbat, ciudad de los hijos de Ammón, la cual tiene nueve codos de largo y cuatro de ancho, según la medida ordinaria de un hombre.

**12.** Tomamos, pues, entonces posesión de la tierra desde Aroer, situada sobre la ribera del torrente Arnón, hasta la mitad de la montaña de Galaad; y dí sus ciudades a las tribus de Rubén y de Gad.

**13.** La otra mitad del país de Galaad, y todo el de Basán, del reino de Og, con toda la comarca de Argob, lo entregué a la media tribu de Manasés. Todo este país de Basán es llamado tierra de los gigantes.

**14.** Jair, hijo *o descendiente* de Manasés, entró en posesión de todo el territorio de Argob hasta los términos de Gessuri y de Macati. Y puso su nombre a Basán, llamándole Havot Jair, es decir, Aldeas de Jair, hasta el día de hoy.

**15.** Dí también *a la familia* de Maquir parte de Galaad.

**16.** Y a las tribus de Rubén y de Gad les dí el país de Galaad hasta el torrente Arnón, con la mitad del torrente, y sus tierras hasta el arroyo de Jeboc, que parte términos con los hijos de Ammón.

**17.** Y la llanura del desierto, y *ribera* del Jordán, y los confines de Ceneret o *Genezaret* hasta el mar del desierto, llamado mar Salado o *Muerto,* hasta la raíz del monte Fasga hacia el oriente.

**18.** Entonces os di esta orden, diciendo *a los de estas tres tribus:* El Señor Dios vuestro os da esta tierra por heredad: todos los hombres robustos habéis de ir armados a la ligera al frente de vuestros hermanos los hijos de Israel,

**19.** Dejando las mujeres, y los niños, y las bestias: que ya sé que tenéis muchos ganados; y deberán quedar en las ciudades que os he dado,

**20.** Hasta tanto que conceda el Señor a vuestros hermanos descanso, como os le ha concedido a vosotros; y posean ellos también la tierra que les ha de dar a la otra parte del Jordán: entonces se volverá cada uno de vosotros a la posesión propia que os he dado.

**21.** A Josué también le previne en aquel tiempo, diciendo: Bien han visto tus ojos lo que ha hecho el Señor Dios vuestro con estos dos reyes: pues así lo hará con todos los reinos a que has de pasar.

**22.** No los temas: porque el Señor Dios vuestro peleará por vosotros.

**23.** Al mismo tiempo supliqué al Señor, diciendo:

**24.** Señor, Dios, tú has empezado a mostrar a tu siervo tu grandeza, y el poder excelso de tu brazo: como que no hay otro Dios en el cielo ni en la tierra que pueda hacer lo que tú haces, ni compararse contigo en fortaleza.

**25.** Permíteme, pues, pasar adelante, y ver esa bellísima tierra de la otra parte del Jordán, y aquel incomparable monte, y el Líbano.

**26.** Mas el Señor enojado contra mí por causa de vosotros, no quiso oírme; antes me dijo: Basta ya de eso: no me hables más de tal cosa.

**27.** Sube a la cumbre del Fasga, y tiende la vista a la redonda, al poniente y al norte, al mediodía y al oriente, y mira *de lejos la tierra prometida;* porque no has de pasar ese Jordán.

**28.** Da tus órdenes a Josué, y fortalécele y aliéntale, pues él es quien ha de conducir a ese pueblo y distribuirle la tierra que tú verás.

**29.** Con eso nos quedamos en este valle, en frente del templo del *ídolo* Fogor.

## CAPÍTULO IV

*Concluye Moises la plática con amonestaciones saludables y muy afectuosas. Predice su muerte, y señala tres ciudades de refugio.*

**1.** Ahora bien ¡oh Israel!, escucha los ritos y las leyes que yo te enseño, para que con su observancia tengas vida, y entres en posesión de la tierra que el Señor Dios de vuestros padres os ha de dar.

**2.** No añadáis a las palabras que yo os hablo ni quitéis nada de ellas: guardad los mandamientos del Señor Dios vuestro, que os intimo.

**3.** Bien han visto vuestros ojos lo que hizo el Señor còntra el *ídolo* Beelfegor, cómo exterminó de en medio de vosotros a todos sus adoradores.

**4.** Mas vosotros que os mantenéis fieles al Señor Dios vuestro, vivís todos hasta el día presente.

**5.** Bien sabéis que os he enseñado los preceptos y las leyes judiciales que me ordenó el Señor mi Dios: así, pues, los practicaréis en la tierra que habéis de poseer,

**6.** Y los observaréis y pondréis en ejecución. Pues tal debe ser vuestra sabiduría y cordura delante de las gentes, que oyendo referir todos aquellos preceptos, digan: Ved aquí un pueblo sabio y entendido, una gente esclarecida.

**7.** Ni hay otra nación por grande que sea, que tenga tan cercanos a sí los dioses, como está cerca de vosotros el Dios nuestro, y presente a todas nuestras súplicas y oraciones.

**8.** Porque, ¿qué otra nación hay tan ilustre, que tenga las ceremonias y preceptos judiciales, y toda una Ley como la que he de exponer hoy ante vuestros ojos ?

**9.** Consérvate, pues, a ti mismo, ¡oh Israel!, y guarda tu alma con mucha vigilancia.

---

**2.** No haréis lo contrario de lo que Dios os ha mandado, ni omitiréis lo que debéis hacer. Este es el sentido de la frase hebrea, que traduce la Vulgata, diciendo: *Non addetis: non auferetis, etc.*, la misma que en el verso 32 del capítulo siguiente se traduce: *Non declinabitis neque ad dexteram, neque ad sinistram.* Y con ambas expresiones quiere Moisés precaver la propensión de los judíos a la superstición e idolatría, impidiendo todo rito o práctica de las naciones idólatras entre quienes vivían, que pudiese adulterar o corromper el culto del verdadero Dios.

No te olvides de las *grandes* cosas que han visto tus ojos, ni se borren de tu corazón en todos los días de tu vida. Las has de contar a tus hijos y nietos,

**10.** Comenzando de aquel día que te presentaste delante del Señor Dios tuyo en Horeb, cuando el Señor me habló diciendo: Junta al pueblo delante de mí, para que oigan mis palabras, y aprendan a temerme todo el tiempo que vivan en la tierra, y así lo enseñen a sus hijos.

**11.** Entonces os acercásteis a la falda del monte, el cual arrojaba llamas que subían hasta el cielo, y estaba cercado de una oscura y tenebrosa nube.

**12.** Y el Señor os habló de en medio del fuego. Oísteis la voz de sus palabras, mas no vísteis figura alguna.

**13.** El os mostró su pacto, y os mandó que le guardárais, y los diez mandamientos que escribió en dos tablas de piedra.

**14.** Y al mismo tiempo me mandó a mí que os enseñase las ceremonias, y las leyes que debíais observar en la tierra que poseeréis.

**15.** Guardad, pues, con todo cuidado vuestras almas. No vísteis ninguna imagen el día que os habló el Señor desde en medio del fuego de Horeb;

**16.** Para que no fuera que, engañados, os formáseis alguna estatua esculpida, o imagen de hombre o de mujer,

**17.** O la figura de alguno de los animales que andan sobre la tierra, o de aves que vuelan debajo del cielo,

**18.** Y reptiles que arrastran por el suelo, o de peces que tienen su manida en las aguas debajo de la tierra.

**19.** Ni suceda tampoco que alzando los ojos al cielo, mirando el sol y la luna, y todos los astros del cielo, cayendo en error, adores, ¡oh Israel!, y reverencies las criaturas que el Señor Dios tuyo crió para el servicio de todas las gentes que viven debajo del cielo.

**20.** Pues a vosotros el Señor os escogió, y os sacó de Egipto, *como* de una fragua en que se derrite el hierro, para tener un pueblo que sea su posesión hereditaria, conforme lo sois vosotros al presente.

**21.** Mas el Señor se irritó contra mí a causa de *la falta que me hicieron cometer* vuestras murmuraciones, y juró que no pasaría yo el Jordán, ni entraría en esa fertilísima tierra que os ha de dar.

**22.** Ved, pues, que voy a morir en este lugar en que estoy; yo no pasaré el Jordán: vosotros sí lo pasaréis, y poseeréis aquella excelente tierra.

**23.** Guárdate, ¡oh Israel!, de olvidarte jamás del pacto que hizo contigo el Señor Dios tuyo, ni te formes imagen esculpida de las cosas que ha prohibido hacer el Señor;

**24.** Pues el Señor Dios tuyo es un fuego devorador, *un* Dios celoso.

**25.** Si después de haber tenido hijos y nietos, y morado de asiento en aquella tierra, engañados os fabricáreis algún ídolo, cometiendo esta maldad a los ojos del Señor Dios vuestro, para provocarle a saña,

**26.** Invoco desde hoy por testigos al cielo y a la tierra, que bien presto seréis exterminados de este país que habéis de poseer al otro lado del Jordán: no habitaréis en él largo tiempo; sino que os destruirá el Señor,

**27.** Y esparcirá por todas las naciones, y quedaréis reducidos a pocos entre las gentes adonde el Señor os ha de llevar.

**28.** Y allí serviréis a dioses fabricados por mano de hombres, al leño y a la piedra, que no ven, ni oyen, ni comen, ni huelen.

**29.** Cuando, empero, buscáreis allí al Señor Dios tuyo, ¡oh Israel!, le hallarás, con tal que le busques de todo corazón, y con alma plenamente contrita.

**30.** Y después que hayan alcanzado todas las cosas o *males* predichos en los últimos tiempos, te convertiras al Señor Dios tuyo y oirás su voz.

**31.** Porque el Señor Dios tuyo es un Dios lleno de misericordia: no te abandonará, ni te aniquilará totalmente, ni se olvidará del pacto que confirmó a tus padres con juramento.

**32.** Infórmate de *lo que ha pasado* de un polo del cielo al otro, desde los tiempos más remotos que te han precedido, desde que Dios crió al hombre sobre la tierra, y veas si alguna vez ha sucedido una cosa como ésta; o si jamás se ha dicho,

**33.** Que un pueblo que oyese la voz de Dios que le hablaba de en medio del fuego, como tú la oíste, sin haber perdido la vida;

**34.** Si vino Dios de propósito para entresacar para sí un pueblo de en medio de las naciones, con pruebas, señales y portentos, peleando con mano fuerte, y brazo extendido, y con visiones espantosas, como son todas las cosas que hizo por vosotros el Señor Dios vuestro en Egipto a vista de tus ojos;

**35.** Para que supieras que el Señor es el verdadero Dios, y que no hay otro *Dios* sino él.

**36.** El te hizo oír su voz desde el *alto* cielo para enseñarte, y en la tierra te mostró su terrible fuego, y oíste sus palabras *que salían* de en medio del fuego.

**37.** Por cuanto amó a tus padres, y eligió para sí su descendencia después de ellos. Y te sacó del Egipto, yendo delante de ti con su gran poder,

**38.** Para exterminar a tu entrada naciones populosísimas y más valientes que tú, y para introducirte y darte la posesión de su tierra, como lo estás viendo al presente.

**39.** Reconoce, pues, en este día, y quede grabado en tu corazón, que el Señor es el *único* Dios desde lo más alto del cielo hasta lo más profundo de la tierra, y que no hay otro sino él.

**40.** Guarda sus preceptos y mandamientos que yo te intimo, para que seas feliz tú y tus hijos después de ti, y permanezcas mucho tiempo sobre la tierra que te ha de dar el Señor Dios tuyo.

**41.** Entonces designó y destinó Moisés tres ciudades a esta parte del Jordán, hacia el oriente,

**42.** Adonde se refugiase aquél que sin querer matase a su prójimo, no siendo su enemigo uno o dos días antes, *o de tiempo atrás*, y pudiese retirarse seguro a una de dichas ciudades.

**43.** Estas fueron Bosor, en la tribu de Rubén, situada en el desierto, en una llanura; y Ramot en Galaad, perteneciente a la tribu de Gad; y Golán en Basán, la cual está en la tribu de Manasés.

**44.** Esta, *que sigue*, es la ley que propuso Moisés a los hijos de Israel;

**45.** Y éstos los preceptos y ceremonias, y leyes judiciales que intimó a los hijos de Israel, después que salieron de Egipto.

**46.** En esta parte del Jordán en el valle fronterizo al templo del *ídolo* Fogor en la tierra de Sehón, rey amorreo, que habitó en Hesebón, a quien destruyó Moisés. Pues los hijos de Israel que salieron de Egipto,

**47.** Poseyeron su tierra, y la de Og, rey de Basán, dos reyes amorreos que reinaban en esta parte del Jordán hacia el oriente.

---

30. Parece que este texto, debe entenderse de cuando, convertidas las demás naciones, Israel finalmente se convertirá también al Señor, y entrará en la Igesia de Jesucristo, como dice San Pablo *ad Rom.* XI, *v.* 25. Algunos lo entienden de los Judíos después de la cautividad de Babilonia; pues no volvieron a caer ya en idolatría.

34. En los tres días de tinieblas, antes de la salida los Hebreos vieron los Egipcios espectros horribles. *Sapisent.* XVII, *v.* 8, 9.

**48.** Desde Aroer, situada en la orilla del torrente Arnón, hasta el monte Sión, llamado también Hermón;

**49.** *Es decir,* toda la llanura de esta parte del Jordán al oriente hasta el mar del desierto *o mar Muerto,* y las faldas del monte Fasga.

## CAPITULO V

*Repite Moisés los preceptos del Decálogo, haciendo memoria de lo sucedido en el monte Sinaí.*

**1.** Moisés, pues, habiendo convocado a todo Israel, le dijo: Oye, ¡oh Israel!, las ceremonias y leyes que yo os propongo a vuestros oídos en el día de hoy: aprendedlas y ponedlas en ejecución.

**2.** Dios nuestro Señor hizo alianza con nosotros en Horeb:

**3.** Alianza que no la hizo *solamente* con nuestros padres, sino con nosotros también que al presente somos y vivimos.

**4.** Cara a cara nos habló en el monte, desde en medio del fuego.

**5.** Yo fuí en aquel tiempo intérprete y medianero entre el Señor y vosotros, para anunciaros sus palabras; porque temísteis aquel *gran* fuego, y no subísteis al monte. Y dijo:

**6.** Yo soy el Señor Dios tuyo que te saqué de la tierra de Egipto, de la casa de la esclavitud.

**7.** No tendrás otros dioses fuera de mí.

**8.** No te esculpirás estatua ni figura ninguna de las cosas que hay arriba en el cielo, o acá abajo en la tierra, o se mantienen en las aguas más abajo de la tierra.

**9.** No las adorarás ni les darás culto, porque yo soy el Señor Dios tuyo, Dios celoso que castigo en los hijos la maldad de los padres hasta la tercera y cuarta generación de los que me aborrecen,

**10.** Y que uso de misericordia por millares de generaciones con los que me aman y guardan mis mandamientos.

**11.** No tomarás en vano el nombre del Se-

ñor Dios tuyo; porque no quedará sin castigo el que por una cosa vana tomare su nombre en boca.

**12.** Cuida de santificar el día de sábado como te tiene mandado tu Señor Dios.

**13.** Seis dias trabajarás, y harás todos tus quehaceres;

**14.** El día séptimo es día de sábado, esto es, del descanso del Señor Dios tuyo. No harás en él ningún género de trabajo ni tú, ni tu hijo, ni la hija, ni el esclavo, ni la esclava, ni el buey, ni el asno, ni alguno de tus jumentos, ni el extranjero que se alberga dentro de tus puertas; para que como tú descansen también tu siervo y tu sierva.

**15.** Acuérdate que tú también fuiste siervo en Egipto, y que de allí te sacó el Señor Dios tuyo con mano poderosa y brazo levantado. Por eso te ha mandado que guardases el día de sábado.

**16.** Honra a tu padre y a tu madre, como el Señor Dios tuyo te tiene mandado, para que vivas largo tiempo, y seas feliz en la tierra que te ha de dar el Señor Dios tuyo.

**17.** No matarás.

**18.** No fornicarás.

**19.** No hurtarás.

**20.** No dirás contra tu prójimo falso testimonio.

**21.** No desearás la mujer de tu prójimo. No *codiciarás* la casa, ni la heredad, ni el esclavo, ni la esclava, ni el buey, ni el asno, ni cosa alguna de las que son suyas.

**22.** Estas palabras, y no más, son las que habló en alta voz el Señor a toda vuestra multitud en el monte, desde en medio del fuego y de la tenebrosa nube; y las escribió en las dos tablas de piedra, las cuales me entregó.

**23.** Mas vosotros después que oísteis aquella voz de en medio de las tinieblas, y vísteis arder el monte, acudísteis a mí todos los jefes de las tribus y los ancianos, y dijísteis:

**24.** Ya ves que Dios nuestro Señor nos ha mostrado su majestad y grandeza: oído hemos su voz en medio del fuego y hemos experimentado hoy que Dios ha hablado al hombre, sin que el hombre haya perdido la vida.

**25.** Ahora, pues: ¿por qué nos hemos de *exponer a* morir, y a que nos devore este terrible fuego? Puesto que si proseguimos más oyendo la voz de Dios nuestro Señor, nos costará la vida.

**26.** ¿Qué es el hombre, sea el que fuere, para poder escuchar la voz de Dios viviente hablando de en medio del fuego, como la hemos oído nosotros, y poder conservar la vida?

---

**4.** Esto es, de una manera tan clara y sensible, que no puede caber duda de su presencia Divina; o de que hablaba el mismo Dios, cuya voz se oía, aunque no se veía su forma o figura.

**9.** *Exod.* XXXIV, *v.* 14. Se entiende con penas temporales: las cuales sirvan de un saludable escarmiento a los otros y de gran mérito a los pacientes, si se hallan libres de culpa; así como de castigo, si imitan la impiedad de sus padres.

27. Mejor es que tú te acerques, y oigas todas las cosas que te dijere el Señor Dios nuestro. Tú nos las dirás después a nosotros, y nosotros habiéndolas oído, las cumpliremos,

28. Lo cual cuando oyó el Señor me dijo: He oído las palabras que te ha dicho ese pueblo: en todo han hablado bien.

29. Ojalá que siempre tengan tal espíritu y corazón, que me teman y guarden todos mis mandamientos en todo tiempo, para que sean felices ellos y sus hijos eternamente.

30. Anda, y diles: Retiráos a vuestras tiendas.

31. Tú entretanto quédate aquí conmigo; y yo te declararé todos mis mandamientos, y las ceremonias y leyes que les has de enseñar, para que las pongan por obra en la tierra cuya posesión les daré.

32. Guardad, pues, y cumplid las cosas que os tiene ordenadas el Señor Dios: no torceréis a la diestra, ni a la siniestra,

33. Sino que andaréis por el camino que Dios vuestro Señor os ha mandado, para que viváis y seáis dichosos, y se prolonguen vuestros días en la tierra que vais a poseer.

## CAPITULO VI

*Exhorta Moisés a la observancia del primero y máximo mandamiento, que es amar a Dios de todo corazón.*

1. Estos son los preceptos y ceremonias, y ordenamientos que me mandó el Señor Dios vuestro enseñaros, para que las observéis en la tierra que váis a poseer,

2. A fin de que temas, *¡oh Israel!*, al Señor Dios tuyo, y guardes todos los días de tu vida todos sus mandamientos y preceptos, que yo te ordeno a ti, y a tus hijos y nietos, para que tus días sean prolongados.

3. Escucha, ¡oh Israel!, y pon cuidado en hacer lo que el Señor te ha mandado, y te irá bien, y serás multiplicado más y más, según la promesa que te ha hecho el Señor Dios de

tus padres de darte una tierra que mana leche y miel.

4. Escucha, ¡oh Israel!: El Señor Dios vuestro es el solo *y único Dios y* Señor.

5. Amarás, *pues*, al Señor Dios tuyo con todo tu corazón, y con toda tu alma, y con todas tus fuerzas.

6. Y estos mandamientos, que yo te doy en este día, estarán estampados en tu corazón,

7. Y los enseñarás a tus hijos, y en ellos meditarás sentado en tu casa, y andando de viaje, y al acostarte, y al levantarte;

8. Y los has de traer para memoria ligados en tu mano y pendientes *en la frente* ante tus ojos;

9. Y escribirlos has en el dintel y puertas de tu casa.

10. Y cuando el Señor Dios tuyo te introdujere en la tierra que prometió con juramento a tus padres Abraham, Isaac y Jacob; y te diere ciudades grandes, y suntuosas, que tú no edificaste,

11. Casas llenas de toda suerte de bienes que tú no acumulaste, pozos que tú no cavaste, viñedos y olivares que no plantaste,

12. Y comieres y te saciares.

13. Cuida con gran diligencia de que no te olvides del Señor que te sacó de la tierra de Egipto, de la casa de la esclavitud. Al Señor Dios tuyo temerás, y a él sólo servirás; y cuando hayas de jurar lo has de hacer por su nombre *solamente*.

14. No habéis de iros en pos de dioses extranjeros de ninguna nación de las que os rodean.

15. Porque un Dios es celoso, es el Señor tu Dios que está en medio de ti: no sea que se irrite el furor del Señor Dios tuyo contra ti, y te extermine de sobre la faz de la tierra.

16. No tentarás al Señor Dios tuyo, como le tentaste *en el desierto* en el lugar de la tentación.

17. Observa los preceptos del Señor Dios tuyo, y los estatutos y ceremonias que te ha mandado.

18. Y haz lo que es agradable y bueno a los ojos del Señor, para que seas feliz, y entres en posesión de la fertilísima tierra que el Señor prometió con juramento a tus padres,

19. Asegurándoles que destruirá delante de ti a todos tus enemigos.

20. Y cuando el día de mañana te preguntare tu hijo, diciendo: ¿Qué significan estos estatutos, ceremonias, y leyes que Dios nuestro Señor nos ha mandado?

---

29. Habla el Señor acomodándose al estilo y expresiones de las hombres. Pero Dios que manifiesta aquí tanto deseo que el pueblo de Israel viva lleno de su santo temor, tiene en su poder el convertir así el espíritu del hombre; para lo cual quiere que coopere el libre albedrío; cooperación que es también efecto de la gracia de Dios, el cual da el *querer* y el *hacer*, como dice el Apóstol. Si niega a alguno esa gracia, es siempre por culpa del hombre; así como el de concederla es efecto de su divina miericordia: *Est miserentis Dei*, como dice San Agustín.

**21.** Le responderás: Nosotros éramos esclavos de Faraón en Egipto, y el Señor nos sacó de allí con mano poderosa,

**22.** Haciendo a nuestra vista maravillas y prodigios grandes y terribles contra Faraón y contra toda su corte,

**23.** Y nos sacó de allí para introducirnos y darnos la posesión de la tierra, que prometió con juramento a nuestros padres.

**24.** Por lo cual nos mandó el Señor practicar todas estas leyes, y temer al Señor Dios nuestro, para que seamos felices todos los días de nuestra vida, como lo somos hoy.

**25.** Y el Señor Dios nuestro tendrá misericordia de nosotros, *y nos llenará de bienes* si guardáremos y cumpliéremos delante de él todos sus preceptos, como nos ha mandado.

## CAPITULO VII

*Prohibe Dios a los Israelitas todo trato con los idólatras; les manda exterminar a los Cananeos; y promete toda suerte de felicidades a los que guardaren sus mandamientos.*

**1.** Cuando el Señor Dios tuyo te introdujere en la tierra que vas a poseer, y destruyere a tu vista muchas naciones, al heteo, y al gergeseo, y al amorreo, al cananeo, y al fereceo, y al heveo, y al jebuseo, siete naciones mucho más numerosas y robustas que tú,

**2.** Y te las entregare el Señor Dios tuyo, has de acabar con ellas sin dejar alma viviente. No contraerás amistad con ellas ni las tendrás lástima;

**3.** No emparentarás con las tales, dando tus hijas a sus hijos, ni tomando sus hijas para tus hijos,

**4.** Porque seducirán a tus hijos para que me abandonen, y adoren a dioses extranjeros: con lo que se irritará el furor del Señor, y bien presto acabará contigo.

**5.** Por el contrario, esto es lo que debéis hacer con ellos: derribad sus altares y haced pedazos las estatuas, talad sus bosques *profanos*, y quemad los ídolos.

**6.** Porque tú eres un pueblo consagrado al Señor Dios tuyo. Tu Señor Dios te ha escogido para que seas pueblo peculiar **suyo**, entre los pueblos todos que hay sobre la tierra.

**7.** No porque excediéseis en número a las demás naciones se unió el Señor a vosotros, y os escogió; puesto que al contrario sois en menor número que todos los otros pueblos:

**8.** Sino porque él Señor os amó, y ha cumplido el juramento que hizo a vuestros padres. Por eso con mano fuerte os sacó y redimió de la casa de la esclavitud, del poder de Faraón, rey de Egipto.

**9.** Por donde conocerás que el Señor Dios tuyo, él mismo es el Dios fuerte y fiel que guarda el pacto y *conserva* su misericordia por mil generaciones para con aquéllos que le aman, y observan sus mandamientos;

**10.** Y da luego el pago a los que le aborrecen, perdiéndolos sin más dilación, y dándoles al punto su merecido.

**11.** Guarda, pues, los preceptos y las ceremonias y leyes que yo te mando hoy observar.

**12.** Si después de oídas estas leyes las guardares y cumplieres, también el Señor Dios tuyo te guardará el pacto y la misericordia que juró a tus padres;

**13.** Y te amará, y multiplicará, y bendecirá el fruto de tu vientre, y el fruto de tu labranza, tus granos, y vendimia, el aceite y las vacadas, y los rebaños de tus ovejas en la tierra que juró a tus padres que te daría.

**14.** Bendito serás entre todos los pueblos: no se verá entre vosotros estéril en ningún sexo, así en los hombres como en los ganados.

**15.** Desterrará de ti el Señor toda dolencia; y aquellas enfermedades *o plagas* pésimas de Egipto, que tú sabes, no te las enviará a ti, sino a todos tus enemigos.

**16.** Exterminarás todos los pueblos que Señor Dios pondra en tus manos. No se apiaden de ellos tus ojos, ni sirvas a sus dioses; para que no sean ellos causa de tu ruina.

**17.** Tal vez dirá tu corazón: Estas naciones son más numerosas que yo, ¿cómo he de poder destruirlas?

**18.** *Mas no las temas;* acuérdate de lo que hizo el Señor Dios tuyo con Faraón y con todos los egipcios;

**19.** De aquellas terribles plagas que vieron tus ojos, y de los prodigios y portentos, y de la mano fuerte, y del brazo extendido con que te libertó el Señor Dios tuyo. Lo mismo hará con todos los pueblos a quienes temas.

---

3. Excepto en el caso de convertirse a la religión judaica, como es en el libro de Rut.

10. Así lo había ejecutado Dios con su su. pueblo. *Exod.* XXXII. — *Num.* XI; XVI, etc.

**20.** Además de esto el Señor Dios tuyo enviará tábanos contra ellos hasta consumir y perder a todos los que de ti escaparen y hubieren podido esconderse.

**21.** No tienes que temerlos; porque tu Señor Dios está en medio de ti, Dios grande y terrible.

**22.** El mismo irá consumiendo a tu vista estas naciones poco a poco y por partes. No podrás acabar con ellas de un golpe, a fin de que no se multipliquen contra ti las bestias fieras del país.

**23.** El Señor Dios tuyo pondrá a estos pueblos en tu poder, y los irás destruyendo hasta que del todo desaparezcan.

**24.** A sus reyes los entregará en tus manos, y borrarás sus nombres de debajo del cielo: nadie te podrá resistir hasta que los aniquiles.

**25.** Quemarás en el fuego sus ídolos: no codiciarás la plata y el oro de que fueron fraguados, ni tomarás poco ni mucho de estas cosas, no sea que te sirvan de ocasión de ruina, siendo como son abominables al Señor Dios tuyo.

**26.** Ni meterás cosa alguna de ídolo en tu casa, porque no vengas a ser anatema, como él lo es. La detestarás como inmundicia, y la abominarás como suciedad y horrores; por cuanto es un anatema.

## CAPITULO VIII

*Exhorta Moisés al pueblo a que se acuerde de los beneficios recibidos en el Desierto y de los castigos contra los malos.*

**1.** Haz todo lo posible por cumplir *exactamente* los mandamientos que hoy te ordeno, para que podáis vivir y multiplicaros, y entrar en posesión de la tierra que prometió el Señor con juramento a vuestros padres.

**2.** Y acuérdate de todos los caminos por donde te ha conducido el Señor Dios tuyo en el desierto, por espacio de cuarenta años, con el fin de atribularte y probarte, para que se descubriesen las intenciones de tu ánimo, si estabas o no en guardar sus mandamientos.

**3.** Afligióte con hambre, y te dió el maná, manjar que no conocías tú ni tus padres, para mostrarte que el hombre no vive de sólo pan, sino de cualquier cosa que Dios dispusiere.

**4.** Hace ya cuarenta años que vas de viaje, y con todo, ni el vestido con que te cubres se ha gastado por viejo, ni tu pie se ha lastimado, *ni roto tu calzado.*

**5.** Para que recapacites en tu corazón, que del mismo modo que un padre *corrige e* instruye a su hijo, así te ha *corregido e* instruído a ti el Señor Dios tuyo,

**6.** Con el fin de que guardes sus mandamientos, y andes por sus caminos, y le temas.

**7.** Porque el Señor tu Dios va a introducirte en esa tierra buena, llena de arroyos, y de estanques y de fuentes; en cuyos campos y montes brotan manantiales perennes de aguas;

**8.** Tierra de trigo y cebada, y de viñas; en la que nacen higueras, y granados, y olivos: tierra de aceite y de miel,

**9.** Donde sin escasez ninguna comerás el pan y gozarás en abundancia de todos los bienes: en cuyas piedras *o peñas* hallarás el hierro, y *mucho* cobre y metal en sus montes,

**10.** A fin de que cuando hubieres comido y te hubieres saciado, bendigas al Señor Dios tuyo por la bonísima tierra que te dió.

**11.** Está alerta, y guárdate de no olvidarte jamás del Señor Dios tuyo, ni dejar de observar sus mandamientos y leyes, y ceremonias que hoy te prescribo.

**12.** No sea que después de haber comido y de haberte saciado, y de haber fabricado bellas casas, y morado en ellas,

**13.** Y adquirido vacadas y rebaños de ovejas, y gran caudal de plata y de oro, y de todas las cosas,

**14.** Se engría tu corazón, y eches en olvido a tu Señor Dios que te sacó de la tierra de Egipto, de la casa de la esclavitud,

**15.** Y que ha sido tu guía por el vasto y espantoso desierto, donde había serpientes que abrasaban con su aliento, y escorpiones y dípsades, sin que tuvieses una gota de agua: la cual te la hizo salir a chorros de una piedra durísima.

**16.** Y te alimentó en el desierto con el maná, manjar desconocido de tus padres; y después de haberte afligido y probado, al fin se compadeció de ti.

---

20. Esto es, moscardones, avispones y otros insectos semejantes, como sucedió en Egipto; de los cuales el Señor se ha servido algunas veces después para abatir el orgullo de ejércitos enemigos. *Exod.* XXXIII, *v.* 28.— *Josué* XXIV, *v.* 12.

3. *Matth.* IV, *v.* 4.— *Luc.* IV, *v.* 4.

10. Los Hebreos tienen por gran falta el comer sin dar gracias a Dios. — Véase *I Thessal.* V. *v.* 18. — *I Timoth.* IV, *v.* 4.— Véase también el ejemplo que nos dió Jesucristo. *Luc.* XXII, *v.* 19. — *Matth.* XXVI. *v.* 30. — *I. Cor.* X, *v.* 31. Ejemplo que imitan todos sus verdaderos discípulos; y que tira a desterrar la impía y vana libertad de algunos que se llaman falsamente con el nombre de *filósofos.*

**17.** *Pero no antes,* para que no dijeras en tu corazón: Mi fuerza y la robustez de mi brazo me granjearon todas estas cosas,

**18.** Sino para que te acuerdes del Señor Dios tuyo por haberte él mismo dado fuerzas, a fin de cumplir así su pacto que juró con tus padres, como se ve en el presente día.

**19.** Mas si olvidado de tu Dios y Señor, te fueres en pos de dioses ajenos, y les rindieres culto y adoración, mira que desde ahora te protesto que perecerás sin remedio,

**20.** Como las naciones que deshizo el Señor a tu entrada: del mismo modo pereceréis vosotros si fuéreis desobedientes a la voz del Señor Dios vuestro.

## CAPITULO IX

*Recuérdales Moisés que son obra del Señor todas sus victorias; y para que se humillen les pone delante sus contínuas prevaricaciones.*

**1.** Escucha, Israel: Tú estás hoy día a punto de pasar el Jordán para conquistar naciones grandísimas, y más fuertes que tú, ciudades magníficas, y cuyos muros llegan hasta el cielo,

**2.** Un pueblo de grande y alta estatura, los hijos de los enaceos, que tú mismo has visto, y cuya fama has oído, y a quienes nadie puede contrarrestar.

**3.** Pues has de saber hoy que pasará delante de ti el mismo Señor Dios tuyo, fuego devorador y consumidor, que los ha de desmenuzar y consumir, y disipar delante de tus ojos rápidamente, como te lo ha prometido.

**4.** No digas en tu corazón cuando el Señor Dios tuyo los haya deshecho en tu presencia: Por razón de la justicia que ha visto en mí, me ha introducido el Señor en la posesión de esta tierra; siendo cierto que por sus impiedades son asoladas estas naciones.

**5.** Porque no por tus virtudes, ni por la rectitud de corazón entrarás a poseer sus tierras; sino porque aquéllas obraron impíamente, por eso al entrar tú han sido destruídas; y a fin de cumplir Dios su palabra, que confirmó con juramento a tus padres Abraham, Isaac y Jacob.

**6.** Ten, pues, entendido que no por tus virtudes te ha dado el Señor Dios tuyo en posesión esta excelente tierra; pues eres un pueblo de durísima cerviz.

**7.** Acuérdate y no te olvides que provocaste la ira al Señor Dios tuyo en el desierto. Desde el día que saliste de Egipto hasta este lugar, siempre has sido rebelde al Señor.

**8.** Pues ya en Horeb le provocaste, y airado te quiso destruir,

**9.** Cuando yo subí al monte para recibir las tablas de piedra, las tablas de la alianza que hizo el Señor con vosotros, y me mantuve en el monte cuarenta días y cuarenta noches, sin comer ni beber.

**10.** Entonces me dió el Señor dos tablas de piedra escritas con el dedo de Dios, y que contenían todas las palabras que os habló en el monte, desde el medio del fuego, estando junto todo el pueblo.

**11.** Pasados, como digo, los cuarenta días y cuarenta noches, me dió el Señor las dos tablas de piedra, las tablas de la alianza,

**12.** Y díjome: Vete, y desciende de aquí luego, pues ese tu pueblo, que sacaste de Egipto, ha abandonado bien presto el camino que le enseñaste, y se ha fundido un ídolo.

**13.** Díjome también el Señor: Veo que ese pueblo es de dura cerviz.

**14.** Déjame que le reduzca a polvo; y borre su nombre de debajo del cielo, y te haga caudillo de otra nación que sea más grande y poderosa que ésta.

**15.** Bajando, pues, del monte, el cual estaba ardiendo, y teniendo er las manos las dos tablas de la alianza,

**16.** Visto que habíais pecado contra el Señor Dios vuestro, y os habíais hecho un becerro fundido, y abandonado tan presto el camino que él os había enseñado,

**17.** Arrojé las tablas de mis manos, y las hice pedazos a vuestra vista.

**18.** Postréme después en el acatamiento del Señor, como antes, por espacio de cuarenta días y cuarenta noches, sin comer ni beber, por causa de todos aquellos pecados que cometísteis contra el Señor, y con que le provocásteis la ira.

**19.** Porque temí la indignación y saña que había concebido contra vosotros, y que le estimulaba a exterminaros. Y el Señor me oyó aún por esta vez.

**20.** Irritado asimismo en gran manera contra Aarón, quiso aniquilarle, e intercedí por él del mismo modo.

**21.** Y arrebatando vuestro pecado, es a saber, el becerro que habíais hecho, le eché al fuego, y desmenuzándole, y reduciéndole todo a polvo, le arrojé al arroyo que desciende del monte.

---

**20.** Esto no se expresa en el Exodo: y se ha de tener presente que hay muchas cosas que la Escritura no siempre dice el tiempo ni el lugar en que sucedieron. — Véase también lo que de Moisés dice San Pablo. *Hebr.* XII, *v.* 21.

*Ángel tocando el laúd* (detalle), de Melozzo da Forlì,
*fresco, Museos Vaticanos*

*EL BUEN SAMARITANO*, DE JACOPO BASSANO,
*óleo sobre tela, National Gallery, Londres*

*LA CAÍDA DE LOS ÁNGELES REBELDES,* DE LUCA GIORDANO,
*óleo sobre tela, Kunsthistorisches Museum, Viena*

*LA EXPULSIÓN DEL PARAÍSO* (DETALLE), DE MASACCIO (TOMMASO DI GIOVANNI),
*fresco, Capilla Brancacci, Santa María del Carmine, Florencia*

**22.** También en el lugar *que por eso se llamó* del Incendio, en el otro de la Tentación, y en el *llamado* Sepulcros de la Concupiscencia *o antojo,* provocásteis al Señor.

**23.** Y cuando os encaminó desde Cadesbarne, diciendo: Subid a tomar posesión de la tierra que os he dado, también despreciasteis el mandato del Señor Dios vuestro, y no le creísteis, y ni quisísteis escuchar su voz;

**24.** Sino que siempre habéis sido rebeldes desde el día que comencé a tratar con vosotros.

**25.** Estuve, pues, postrado delante del Señor cuarenta días y cuarenta noches, en que rendidamente le suplicaba que no acabase con vosotros, como lo tenía conminado.

**26.** Y orando, dije: ¡Ah! Señor Dios, no destruyas a tu pueblo, y a la herencia tuya, que rescataste con tu poderío; a los que sacaste de Egipto con mano esforzada.

**27.** Acuérdate de tus siervos Abraham, Isaac y Jacob: no mires la dureza de este pueblo, ni su impiedad y pecado:

**28.** No sea que digan los moradores de la tierra de donde nos has sacado: No podía el Señor introducirlos en la tierra que les prometió, y los aborrecía; por eso los sacó para matarlos en el desierto.

**29.** Ellos son tu pueblo y la herencia tuya que sacaste *de Egipto* con tu gran poder y a fuerza de tu brazo.

## CAPITULO X

*Refiere Moisés cómo dispuso unas nuevas tablas de la Ley, y estimula de nuevo a los Israelitas a servir y amar a Dios.*

**1.** En aquel tiempo me dijo el Señor: Lábrate dos tablas de piedra semejantes a las primeras, y sube a mí al monte; y harás una arca de madera,

**2.** Y yo escribiré en las tablas las palabras que hubo en las que antes quebrantaste, y las pondrás en el arca.

**3.** Hice, pues, un arca de madera de setim *o incorruptible:* y labradas dos tablas de piedra como las primeras, subí al monte con ellas en las manos.

**4.** Y escribió *el Señor* en estas tablas, como había hecho sobre las primeras, los diez mandamientos, que os intimó en el monte desde en medio del fuego, cuando fué congregado el pueblo; y me las dió.

**5.** Y a la vuelta, bajando del monte, puse las tablas en el Arca que había hecho, donde están todavía, como me mandó el Señor.

**6.** Después los hijos de Israel alzaron el campo de Berot, distrito de los hijos de Jacam, caminando a Mosera *al pie del monte Hor,* donde Aarón murió y fué sepultado: al cual sucedió en las funciones del sacerdocio su hijo Eleazar.

**7.** Desde allí pasaron a Gadgad, de donde habiendo partido acamparon en Jetebata, tierra de aguas y arroyos.

**8.** Por aquel tiempo separó el Señor la tribu de Leví para que llevara el Arca del Testamento del Señor, y le sirviese ante sus ojos en el ministerio, y para que diese *al pueblo* la bendición en su nombre, como lo hace hasta el presente.

**9.** Por lo cual Leví no tuvo porción, ni *entró a la parte en* la posesión con sus hermanos: por cuanto el mismo Señor es su herencia, según se lo prometió el Señor Dios tuyo.

**10.** Yo, pues, estuve en el monte, como la vez primera, cuarenta días y cuarenta noches; y también esta vez el Señor oyó mi súplica, y no pasó a exterminarte.

**11.** Antes me dijo: Anda, ve y capitanea el pueblo para que entre en posesión de la tierra que juré yo a sus padres que les daría.

**12.** Ahora bien, Israel, ¿qué pide de ti el Señor Dios tuyo, sino que temas a tu Señor Dios, y sigas sus caminos, y le ames, y que sirvas al Señor Dios tuyo con todo tu corazón, y con toda tu alma,

**13.** Y guardes sus mandamientos y ceremonias, que hoy te prescribo, para que seas feliz?

**14.** Mira cómo siendo del Señor Dios tuyo el cielo, y el cielo de los cielos, la tierra y todo cuanto hay en ella;

**15.** Esto no obstante, el Señor Dios se unió estrechísimamente con *entrañable* amor con tus padres y después de ellos escogió a su linaje, esto es, a vosotros de entre todas las naciones, como se ve hoy por experiencia.

**16.** Circuncidad, pues, las pasiones de vuestro corazón, y no seáis más de dura cerviz:

**17.** Porque el Señor Dios vuestro es el Dios de los dioses, y el Señor de los señores; Dios grande y poderoso y terrible, que no es aceptador de personas, ni se gana con dones;

**18.** Hace justicia al huérfano y a la viuda; ama al extranjero, y le da sustento y vestido.

**19.** Y así vosotros amad también a los extranjeros, pues lo fuísteis igualmente en la tierra de Egipto.

**20.** Temerás, *oh Israel,* al Señor Dios tuyo, y a él sólo servirás: con él te unirás y *únicamente* en su nombre harás tus juramentos.

21. Porque él es tu gloria, y el Dios tuyo: el que ha hecho por ti las cosas grandiosas y terribles que han visto tus ojos.

22. En número de setenta almas bajaron tus padres a Egipto: y estás viendo que el Señor Dios tuyo te ha multiplicado como las estrellas del cielo.

## CAPITULO XI

*Bienes prometidos a los que guarden los mandamientos, y calamidades que sobrevendrán a los transgresores.*

1. Ama, pues, a tu Señor Dios, y observa en todo tiempo sus preceptos y ceremonias, sus leyes y mandamientos.

2. Considerad hoy las cosas que ignoran vuestros hijos; los cuales no vieron los castigos del Señor Dios vuestro, ni su grandeza, ni el poder de su robusta mano, ni la fuerza de su brazo,

3. Ni las maravillas y prodigios que hizo en medio de Egipto contra el rey Faraón y todo su reino,

4. Y todo el ejército de los egipcios y sus caballos y carros: cómo los anegaron las olas del mar Rojo cuando iban en vuestro alcance, dejándolos el Señor destruidos *y aniquilados* hasta el día de hoy.

5. Acordáos asimismo de cuánto ha hecho por vosotros en el desierto, hasta que habéis llegado a este lugar;

6. Y lo sucedido con Datán y Abirón, hijos de Eliab, hijo que fué de Rubén; a los cuales la tierra, abriendo su boca, se los tragó con sus familias y tiendas y todo cuanto poseían en medio de Israel.

7. Vuestros ojos han visto todas estas grandes maravillas que hizo el Señor,

8. A fin de que guardéis todos sus mandamientos, que yo os intimo en el día de hoy, y podáis poneros en posesión de la tierra donde vais a entrar,

9. Y viváis en ella largo tiempo: *tierra* que mana leche y miel, y que el Señor prometió con juramento a vuestros padres, y a su descendencia.

10. Porque la tierra que vais a poseer, no es como la tierra de Egipto de donde salísteis, en la cual después de haber sembrado, se conducen *a fuerza de trabajo aguas* de regadío, como en las huertas:

11. Sino que es tierra de montes y de vegas, que aguarda las lluvias del cielo,

12. La cual Dios vuestro Señor siempre visita *con oportunos temporales,* teniendo puestos sus ojos en ella desde el principio del año hasta su fin.

13. Si obedeciéreis, pues, a los mandatos que yo os intimo hoy, amando a Dios vuestro Señor, y sirviéndole con todo vuestro corazón y toda vuestra alma,

14. Dará él a vuestra tierra la lluvia temprana y la tardía, para que cojáis granos y vino, y aceite,

15. Y dará heno en los prados para pasto de los ganados, a fin de que vosotros tengáis qué comer y quedéis saciados.

16. Guardáos que no se deje seducir vuestro corazón, y os apartéis del Señor, y sirváis a dioses extraños, y los adoréis:

17. No sea que irritado el Señor, cierre el cielo, y no caigan lluvias, ni la tierra produzca su fruto, y seáis luego exterminados del fertilísimo país que os ha de dar el Señor.

18. Grabad estas palabras mías en vuestros corazones, y en vuestras almas, y traedlas atadas para memoria en vuestras manos, y pendientes *sobre la frente* entre vuestros ojos.

19. Enseñad a vuestros hijos a meditarlas; ora estés, *oh Israel,* sentado en casa, o andando de camino, y al acostarte y al levantarte.

20. Las escribirás sobre los postes, y las puertas de tu casa;

21. A fin de que se multipliquen tus días, y los de tus hijos en la tierra que el Señor juró a tus padres que les daría para mientras que el mundo fuere mundo.

22. Porque si guardáreis los mandamientos que os intimo, y los cumpliéreis, amando al Señor Dios vuestro, y siguiendo todos sus caminos, estrechándoos con él;

23. El Señor destruirá todas esas naciones delante de vosotros, y las sojuzgaréis, aunque sean mayores y más fuertes que vosotros.

24. Todo lugar en que pusiéreis el pie, será vuestro. Extenderánse vuestros términos desde el desierto, y desde el Líbano, desde el gran río Eufrates hasta el mar occidental *o Mediterráneo.*

25. Nadie podrá resistiros. El Señor Dios vuestro esparcirá el terror y espanto de vuestro nombre por cualquier país donde entraréis, según os ha prometido.

26. Ya véis quo hoy os pongo delante la bendición y la maldición:

27. La bendición, si obedeciéreis a los mandamientos de Dios vuestro Señor, que yo os intimo hoy;

28. La maldición, si desobedeciéreis dichos mandamientos del Señor Dios vuestro, desviándoos del camino que yo ahora os muestro, y siguiendo a dioses ajenos que no tenéis conocidos.

29. Así cuando el Señor Dios tuyo te hubiere introducido en la tierra que vas a habitar, publicarás la bendición sobre el monte Garicim, y la maldición sobre el monte Hebal:

30. Montes que están a la otra parte del Jordán, siguiendo el camino que tira hacia poniente en tierra del cananeo, que habita en las campiñas enfrente de Galgala; la cual está junto a una vega que se dilata y extiende por largo trecho.

31. Porque vosotros pasaréis el Jordán para ocupar la tierra de que Dios vuestro Señor os ha de dar el dominio y la posesión.

32. Por tanto, mirad que cumpláis con las ceremonias y leyes que yo voy a proponer ahora delante de vosotros.

## CAPÍTULO XII

*Prohibe Dios a los Israelitas el ofrecer sacrificios fuera de aquel lugar que él señalare; y manda que se abstengan de comer sangre y otros manjares inmundos.*

1. Estos son los preceptos y ordenanzas que debéis observar en la tierra que os ha de dar el Señor Dios de vuestros padres, para que la poseáis todos los días de vuestra vida.

2. Asolad todos los lugares en donde las gentes, que habéis de conquistar, adoraron a sus dioses sobre los altos montes y collados, y a la sombra de todo árbol frondoso.

3. Destruid sus altares, y quebrad sus estatuas: entregad al fuego sus bosques *profanos;* desmenuzad los ídolos, y borrad sus nombres de aquellos lugares.

4. No lo habéis de hacer así con el Señor Dios vuestro;

5. Sino que iréis al lugar que Dios vuestro Señor escogiere de todas vuestras tribus para colocar allí su nombre o *Tabernáculo,* y poner en él su morada;

6. Y en aquel lugar ofreceréis vuestros holocaustos y víctimas, los diezmos y las primicias *de las obras* de vuestras manos, y los votos y donativos, y los primerizos de las vacas y ovejas.

7. Allí comeréis de ellos *en el atrio* a vista de Dios vuestro Señor, y os regocijaréis junto con vuestras familias, disfrutando de todos *los productos* del trabajo de vuestras manos, sobre los cuales el Señor Dios vuestro haya echado su bendición.

8. No haréis allí lo que aquí hacemos nosotros, cada cual lo que bien le parece.

9. Porque todavía no habéis llegado al lugar del reposo, ni a la posesión que os ha de dar el Señor Dios vuestro.

10. Pasaréis el Jordán, y habitaréis en tierra que os ha de dar el Señor Dios vuestro, donde libres de todos los enemigos del contorno tengáis descanso, y habitéis sin temor alguno.

11. En el lugar que Dios vuestro Señor eligiere para que allí esté su nombre, *o Tabernáculo,* allá habéis de llevar todas las cosas que os prescribo, los holocaustos y los sacrificios y los diezmos y las primicias *del trabajo* de vuestras manos, y todo lo preciso de los dones que prometísteis con voto al Señor.

12. Allí celebraréis vuestros banquetes delante del Señor Dios vuestro, vosotros y vuestros hijos e hijas, vuestros criados y criadas; y *también* los levitas que moran en vuestras ciudades, ya que no tienen otra parte ni posesión entre vosotros, *sino las ofrendas.*

13. Guárdate de ofrecer tus holocaustos en todo lugar que se te antoje;

14. Sino en aquél que Dios habrá escogido en una de tus tribus, allí ofrecerás los sacrificios, y harás todo lo que te ordeno.

15. Y si quieres comer, y te gusta la comida de carne, mata y come de la bendición que el Señor Dios tuyo te habrá dado en tus ciudades: ora sea cosa inmunda, esto es, defectuosa; ora limpia, esto es, entera y sin defecto, como las que pueden ser ofrecidas *a Dios.* De todas puedes comer, ni más, ni menos, que del corzo y del ciervo;

16. Salvo la sangre, la cual derrama como agua sobre la tierra.

17. No podrás comer en tus pueblos el diezmo de los granos, del vino y aceite, ni los primerizos de las vacas y ovejas, ni tampoco todas aquellas cosas que por voto y espontáneamente quisieres ofrecer, ni las primicias de tus productos:

---

29. Seis tribus responderán desde el monte Garicim a las bendiciones que pronunciarán los sacerdotes para los que guarden la Ley; y las otras seis desde el monte Hebal a las maldiciones contra los transgresores de ella. — Véanse los *cap.* XXVII y XXVIII y *Josué* VIII *v.* 30. La respuesta de las tribus era: *Así sea.*

---

17. Había una especie de *diezmo,* dice S. Gregorio, que cada uno del pueblo de Israel ponía aparte en sus trajes, para comérsele con su familia cuando fuese a adorar en el templo, en la ciudad de Jerusalén allí en el atrio del templo y convidar a los sacerdotes. — Véase *Deuter.* XIV, I, *v.* 22.

**18.** Sino que las has de comer delante del Señor Dios tuyo, en el lugar por él escogido, tú y tus hijos e hijas, y tus siervos y siervas, y los levitas que moran en tus ciudades; y tomarás así alimento con alegría delante del Señor tu Dios, usando de todo aquel bien que está en tu mano.

**19.** Mira que no desampares al levita mientras vivas sobre la tierra.

**20.** Cuando el Señor Dios tuyo hubiere dilatado tus términos, como te tiene prometido, y quisieres comer las carnes que apetece tu alma:

**21.** Si el lugar que tu Señor Dios escogiere para poner allí su nombre *o Tabernáculo* está muy distante, matarás reses de las vacadas y rebaños que tuvieres, como te lo he prevenido, y las comerás en tus pueblos a tu placer.

**22.** Como comes el corzo y el ciervo, así podrás comer de ellas: el limpio y el no limpio igualmente pueden comerlas.

**23.** Guárdate solamente de comer sangre: porque la sangre en los animales hace las veces de alma: y por esto no debes comer con la carne lo que es *la vida o alma* de ella,

**24.** Sino que la verterás como agua sobre la tierra;

**25.** Para que te vaya bien a ti, y a tus hijos después de ti, con hacer lo que es grato a los ojos del Señor.

**26.** Mas las cosas que hubieres consagrado y ofrecido por voto al Señor, las tomarás contigo, y vendrás al lugar que habrá escogido el Señor;

**27.** Y presentarás tus ofrendas de la carne y de la sangre sobre el altar del Señor Dios tuyo: la sangre de las víctimas la derramarás en torno del altar; pero sus carnes te las comerás.

**28.** Observa y escucha *bien* todo lo que yo te mando, para que tú y tus hijos después de ti seáis para siempre dichosos, ejecutando lo que es bueno y agradable a los ojos del Señor tu Dios.

**29.** Cuando el Señor Dios tuyo hubiere exterminado delante de tus ojos las naciones que vas a conquistar, y las sojuzgares, y ocupares su tierra,

**30.** Mira que no las imites después que a tu entrada fueren destruidas, ni andes averiguando sus ceremonias, diciendo: A manera del culto que dieron estas naciones a sus dioses, así le daré yo.

**31.** No has de dar tú un culto semejante al Señor Dios tuyo; porque ellas han hecho para honrar a sus dioses todas las abominaciones que detesta el Señor, ofreciéndoles los hijos e hijas, y quemándolos en el fuego.

**32.** Lo que yo te prescribo, eso sólo es lo que has de hacer en honor del Señor, sin añadir ni quitar nada.

## CAPITULO XIII

*Sea apedreado el que induce a la idolatría, y desoladas las ciudades donde se adoren dioses extranjeros.*

**1.** Si en medio de tu pueblo se presentare un profeta, o quien diga haber tenido alguna visión en sueños, y pronosticase alguna señal o prodigio;

**2.** Y sucediendo lo que predijo, te dijere: Vamos y sigamos a los dioses ajenos que no conoces, y sirvámosles;

**3.** No escucharás las palabras de aquel profeta o forjador de sueños; porque el Señor Dios vuestro os prueba para que se haga patente si le amáis o no con todo vuestro corazón y con toda vuestra alma.

**4.** Seguid al Señor Dios vuestro, y temedle, y guardad sus mandamientos, y oíd su voz: a él habéis de servir, y con él debéis estrecharos.

**5.** Pero aquel profeta o fingidor de sueños será castigado de muerte; porque trató de apartaros del Señor Dios vuestro que os sacó de la tierra de Egipto, y redimió del estado de servidumbre, para desviaros del camino que tu Señor Dios te ha enseñado; y así arrancarás el mal de en medio de ti.

**6.** Si un hermano tuyo, un hijo de tu madre, si tu hijo o tu hija, o tu mujer que es la prenda de tu corazón, o el amigo a quien más amas como a tu misma alma, quisiere persuadirte, y te dijere en secreto: Vamos y sirvamos a los dioses ajenos, no conocidos de ti, ni de tus padres,

**7.** Dioses de las naciones que te rodean vecinas o lejanas, de un cabo del mundo al otro,

**8.** No condesciendas con él, ni le oigas, ni la compasión te mueva a tenerle lástima, y a encubrirle.

**9.** Sino que al punto le matarás: tú serás el primero en alzar la mano contra él, y después hará lo mismo todo el pueblo.

---

**3.** Nunca se ha de dar oídos a ninguno cuya doctrina se dirija a retraer a los hombres del culto del verdadero Dios y de la observancia de sus preceptos; aun cuando por justa permisión y ocultos juicios de Dios hiciese cosas prodigiosas, acertase los sucesos venideros, etc.

**10.** Muera cubierto de piedras; por cuanto intentó apartarte *del culto* del Señor Dios tuyo, que te sacó de la tierra de Egipto, de la casa de la esclavitud.

**11.** Para que así oyéndolo todo Israel ninguno otro ose hacer cosa semejante.

**12.** Si en alguna de las ciudades que tu Señor Dios te dara para habitar, oyeres a algunos que dicen:

**13.** De tu seno han salido unos hijos de Belial, y han pervertido a los vecinos de su ciudad, diciendo: Vamos y sirvamos a dioses ajenos, que vosotros no conocéis:

**14.** Informate con cuidado, y averiguada bien la verdad del hecho, si hallares ser cierto lo que se dice, y que efectivamente se ha cometido una tal abominación,

**15.** Inmediatamente pasarás a cuchillo a los moradores de aquella ciudad, y la arrasarás con todas las cosas que en ella haya, *matando* hasta las bestias.

**16.** Y todas las *alhajas* y muebles que hubiere, los juntarás en medio de sus plazas, y los entregarás a las llamas aun con la misma ciudad, de manera que todo se consuma en honor del Señor Dios tuyo; y quede *la ciudad* como un sepulcro *y monumento* sempiterno. No será jamás reedificada,

**17.** Ni reservarás en tu poder cosa chica ni grande de este anatema: a fin de que deponga el Señor su enojo, y se compadezca de ti, y te multiplique, como tiene jurado a tus padres que lo hará,

**18.** Siempre que oyeres la voz del Señor Dios tuyo, guardando todos sus mandamientos, que yo te repito el día de hoy, para que hagas lo que es agradable a los ojos de tu Señor Dios.

## CAPITULO XIV

*Prohíbense los ritos gentílicos en los funerales: se renuevan las leyes sobre los animales limpios e inmundos y sobre diezmos.*

**1.** Portaos como hijos del Señor Dios vuestro. No hagáis en vuestra carne sajaduras, no os cortéis el cabello por razón de un muerto.

**2.** Porque tú eres, *oh Israel,* un pueblo consagrado al Señor Dios tuyo, y él te ha escogido para que seas su pueblo peculiar entre las naciones todas que hay sobre la tierra.

**3.** No comáis manjares que son inmundos.

**4.** Estos son los animales que debéis comer: el buey, y la oveja, y la cabra,

**5.** El ciervo, y el corzo, el búfalo, el capriciervo, el pigargo, el orige, el camello pardal

**6.** Todo animal, que tiene la uña hendida en dos partes y rumia, le podéis comer.

**7.** Mas no debéis comer de los que rumian y no tienen la uña hendida, como el camello, la liebre, el querogrilo: a éstos los tendréis por inmundos, porque aunque rumian, no tienen hendida la uña.

**8.** Asimismo tendréis por inmundo el cerdo; porque si bien tiene la uña hendida, no rumia. No comeréis de la carne de estos animales, ni tocaréis sus cuerpos muertos.

**9.** De todos los animales que moran en las aguas comeréis aquéllos que tienen aletas y escamas.

**10.** Los que están sin aletas y escamas no los comáis porque son inmundos.

**11.** Comed de todas las aves limpias.

**12.** No comáis de las inmundas: es a saber, el águila y el grifo; el esmerejón,

**13.** El ixión, y el buitre, y el milano con su casta,

**14.** Y toda raza de cuervos,

**15.** Y el avestruz, y la lechuza, y el laro, y el alcotán con su casta,

**16.** El herodión, el cisne, y el ibis,

**17.** Y el somormujo, el calamón, y el buho,

**18.** El onocrótalo, y el caradrión con sus especies, como también la abuvilla y el murciélago.

**19.** Todo lo que va arrastrando y tiene alas, será inmundo y no se comerá.

**20.** Comed todo aquello que es limpio.

**21.** Pero de carne mortecina no comáis nada: la darás al extranjero que se halla dentro de tus muros para que la coma, o se la venderás: por cuanto tú eres un pueblo consagrado al Señor Dios tuyo. No cocerás el cabrito en la leche de su madre.

**22.** Cada año separarás el diezmo de todos los frutos que nacen en tus tierras:

**23.** Y comerás en la presencia del Señor Dios tuyo, en el lugar que escogiere para que sea invocado en él su nombre, el diezmo de tu trigo, y vino, y aceite, y los primerizos de tus vacas y ovejas a fin de que aprendas a temer a tu Señor Dios en todo tiempo.

**24.** Mas cuando tuvieres que andar un largo camino, por estar lejos el lugar que tu Señor Dios hubiere escogido, y hubiese echado Dios sobre ti *o tu casa* su bendición de tal suerte que no pudieses llevar allá todas estas cosas,

**25.** Las venderás, y reducirás a dinero, le llevarás contigo, e irás al lugar que tu Señor Dios haya escogido:

**26.** Donde comprarás con aquel mismo dinero todo lo que te gustare, sea de vacas, o sea de ovejas, así como también vino y sidra, y cuanto apetece tu alma; y lo comerás delante del Señor Dios tuyo, y celebrarás un convite con tu familia,

**27.** Y al levita que habita dentro de tus muros, mira que no le abandones, porque no tiene otra parte en tu posesión.

**28.** De tres en tres años separarás otro diezmo de todas las cosas que te han nacido en aquel tiempo; y le depositarás en tu casa.

**29.** Y vendrá el levita, que no tiene otra parte ni otra herencia entre vosotros, y el extranjero, y el huérfano, y la viuda, que habitan contigo dentro de unos mismos muros, y comerán hasta saciarse: para que tu Señor Dios te bendiga en todas las obras de tus manos.

## CAPITULO XV

*Repítele la ley de remisión para el año séptimo y otras de indulgencia y misericordia para con el prójimo.*

**1.** Al séptimo año perdonarás las deudas;

**2.** El cual perdón se hará de esta manera: Aquél a quien su amigo, o prójimo, y hermano suyo deba algo, no podrá demandárselo, porque es éste el año de la remisión del Señor.

**4.** Del forastero advenedizo podrás exigir la deuda; pero no tienes facultad de obligar al vecino y hermano tuyo a la paga;

**4.** Y absolutamente no debe haber entre vosotros ningún menesteroso ni mendigo: para que tu Señor Dios te bendiga en la tierra cuya posesión te ha de dar.

**5.** Como escuches la voz del Señor Dios tuyo, y observes todas las cosas que te he mandado, y las que yo te intimo ahora, él te bendecirá como lo tiene prometido.

**6.** Prestarás a muchas gentes, y tú no necesitarás empréstito de nadie. Serás señor de muchísimas naciones; y nadie tendrá sobre ti dominio.

**7.** Si viniere a quedar pobre alguno de tus hermanos, que moran dentro de tus ciudades, en la tierra que tu Señor Dios te ha de dar, no endurezcas tu corazón, ni cierres para con él tu mano,

**8.** Sino ábrelas y préstale lo que vieres que él necesita.

**9.** Cuidado que no te sorprenda el desapiadado pensamiento de decir en tu corazón: Se acerca el año séptimo de la remisión; y apartes con eso los ojos de tu pobre hermano, rehusando darle prestado lo que pide: no sea que clame contra ti al Señor, y se te impute a pecado.

**10.** Sino que le darás lo que pide: ni usarás de superchería, *ni malicia* alguna al aliviar sus necesidades: para que te bendiga el Señor Dios tuyo en todo tiempo, y en todas las cosas en que pusieres la mano.

**11.** No faltarán pobres en la tierra de tu morada: por tanto, te mando que alargues la mano a tu hermano menesteroso, y pobre, que mora contigo en tu tierra.

**12.** Cuando alguno de tus hermanos hebreo o hebrea te fuere vendido, sólo te servirá seis años, y al séptimo le dejarás ir libre,

**13.** Y al que dieres libertad no le dejarás ir vacío;

**14.** Sino que le darás para pasar el camino algo de tus rebaños, de tu panera y de tu bodega, de los bienes con que el Señor Dios tuyo te ha bendecido.

**15.** Acuérdate que tú también fuiste esclavo en la tierra de Egipto, y que el Señor Dios tuyo te puso en libertad; y por esto te doy yo ahora este mandamiento.

**16.** Mas si tu siervo dijere: No quiero irme: por cuanto te ama a ti y a tu casa, y reconoce que le va bien contigo;

**17.** Tomarás una lezna, y le horadarás la oreja en la puerta de tu casa, y te servirá para siempre. Lo mismo harás con tu sierva.

**18.** No apartes de ellos tus ojos después de haberlos puesto en libertad; pues que te han servido seis años, como hubiera hecho un jornalero que gana su salario: *atiéndelos, pues* para que tu Señor Dios te bendiga en todas las cosas que hagas.

---

**4.** Haced de manera que sean socorridos los que por cualquier incidente vinieren a padecer miseria. Toda la legislación de Moisés tira a impedir que el pueblo sea devorado por los ricos; a quienes manda que con la abundancia de su caridad impidan que nadie se vea reducido a la mendicidad.

**19.** Consagrarás al Señor Dios tuyo todos los primerizos machos, que nacieren de tus vacas y ovejas. No pondrás al trabajo al primerizo de la vaca, ni esquilarás los primerizos de las ovejas.

**20.** Todos los años los comerás en presencia del Señor Dios tuyo en compañía de tu familia, en el lugar que habrá escogido el Señor.

**21.** Pero si el primerizo tuviere alguna tacha, *o defecto legal,* si fuere cojo, o ciego, o disforme en alguna parte del cuerpo, o estropeado, no será sacrificado al Señor Dios tuyo;

**22.** Sino que le comerás dentro de tu ciudad: tanto el hombre limpio como el inmundo podrán comer igualmente de él, ni más ni menos que de un corzo o de un ciervo.

**23.** Sólo te guardarás de comer su sangre; la cual has de derramar en el suelo como agua.

## CAPITULO XVI

*De las tres fiestas solemnísimas de Pascua, de Pentecostés y de los Tabernáculos. Sobre poner jueces rectos y huír las ocasiones de idolatría.*

**1.** Ten cuidado con el mes de los nuevos frutos, que es al principio de la primavera, para celebrar en él la Pascua del Señor Dios tuyo: por cuanto en este mes te sacó de Egipto tu Señor Dios durante la noche.

**2.** Y sacrificarás en la Pascua ovejas y bueyes al Señor Dios tuyo en el lugar que hubiere escogido el mismo Señor para establecer allí el culto de su Nombre.

**3.** No comerás durante esta fiesta pan con levadura: durante siete días comerás pan ácimo, pan de aflicción; porque con azoramiento saliste de Egipto: a fin de que te acuerdes del día de tu salida de Egipto todo el tiempo de tu vida.

**4.** No aparecerá levadura en todos los términos de tu país durante los siete días, ni quedará nada de la carne de la víctima inmolada en la tarde del primer día, hasta otro día por la mañana.

---

**2.** Por pascua entiende aquí Moisés todas las víctimas pascuales; y en primer lugar el cordero que era el sacrificio esencial, después las otras víctimas mandadas por Dios (*Núm.* XXVIII, *v.* 19, 23) y finalmente las víctimas pacíficas que en acción de gracias ofrecían muchos por devoción, durante los siete días de la fiesta. De estas víctimas pacíficas creen algunos que hablaban los Judíos. *Joann* XVIII, *v.* 28.

**5.** No podrás sacrificar el cordero pascual en cualquiera de tus ciudades que te dará el Señor Dios tuyo;

**6.** Sino solamente en el lugar que tu Señor Dios escogiere para establecer allí *el culto* de su nombre: e inmolarás la Pascua por la tarde al ponerse el sol, y en el tiempo en que saliste de Egipto.

**7.** Así que aderezarás, y comerás el cordero pascual en el lugar que tu Señor Dios eligiere; y a la mañana, levantándote, podrás volverte a tu casa.

**8.** Seis días comerás panes sin levadura, y el día séptimo por ser la solemne reunión en honor del Señor Dios tuyo, no trabajarás.

**9.** Contarás siete semanas, comenzando desde el día en que metieres la hoz en las mieses.

**10.** Y celebrarás la fiesta de las *Siete* Semanas, o *de Pentecostés,* al Señor Dios tuyo, con la oblación voluntaria del *fruto* de tus manos, que ofrecerás conforme a la bendición *recibida* de Dios tu Señor.

**11.** Y en su presencia celebrarás banquetes tú, tu hijo, y tu hija, tu siervo, y tu sierva, y el levita que reside en tu ciudad, el extranjero y el huérfano y la viuda que moran entre vosotros: todo en el lugar que tu Señor Dios señalare para establecer allí su culto o *Tabernáculo.*

**12.** Y, acordándote que fuiste esclavo en Egipto, observarás y harás lo que queda ordenado.

**13.** Celebrarás también la solemnidad de los Tabernáculos por siete días, después de recogidos los frutos de la era y del lugar;

**14.** Y en esta festividad celebrarás banquete tú, tu hijo e hija, tu esclavo y esclava, como también el levita y el extranjero, el huérfano y la viuda que viven dentro de tus ciudades.

**15.** Siete días celebrarás fiesta al Señor Dios tuyo en el lugar que hubiere escogido; y con eso tu Señor Dios echará la bendición sobre todas tus cosechas, y sobre todas las obras de tus manos, y estarás alegre.

**16.** Tres veces al año se presentarán todos tus varones ante el Señor Dios tuyo, en el lugar que señalare: en la fiesta de los ácimos, en la fiesta de las semanas o Pentecostés, y en la fiesta de los Tabernáculos. Nadie comparecerá con las manos vacías delante del Señor:

**17.** Sino que cada uno ofrecerá a proporción de lo que tuviere, a medida de la bendición que su Señor le habrá dado.

18. Constituirás jueces y magistrados en todas las ciudades, que el Señor Dios tuyo te diere en cada una de tus tribus: para que juzguen al pueblo con juicio recto;

19. Sin inclinarse más a una parte que a otra. No serás aceptador de personas, ni de dádivas; porque las dádivas ciegan los ojos de los sabios, y pervierten los dictámenes de los justos.

20. Administrarás la justicia con rectitud, para que vivas y poseas la tierra que te dará el Señor Dios tuyo.

21. No plantarás bosques ni árbol ninguno cerca del altar del Señor Dios tuyo.

22. No te fabricarás ni erigirás estatua; porque tu Señor Dios aborrece todas estas cosas.

## CAPITULO XVII

*Sobre el castigo de la idolatría; consultar a los sacerdotes; y elección y condiciones de un rey.*

1. No sacrificarás a tu Señor Dios oveja o buey que tenga tacha o algún vicio: por ser esto abominable delante del Señor Dios tuyo.

2. En el caso que se hallaren en tu país dentro de alguna de tus ciudades que Dios tu Señor te dará, hombre o mujer que cometan la maldad en presencia del Señor Dios tuyo, de quebrantar su pacto,

3. Yéndose a servir y adorar dioses ajenos, al sol, y a la luna, y a todas las estrellas del cielo, contraviniendo al mandamiento mío;

4. Y eso te fuere denunciado; si después de haber tenido el aviso hicieres diligentes pesquisas, y hallares ser cierto que tal abominación se ha cometido en Israel,

5. Sacarás al hombre y a la mujer, que cometieron tan enorme pecado, a la puerta de tu ciudad, y serán muertos a pedradas.

6. Por deposición de dos o tres testigos perderá la vida el que es digno de muerte. Ninguno será condenado a muerte por el dicho de un solo testigo contra él.

7. La mano de los testigos será la primera en *tirar piedras para* matarle, y después todo el pueblo acabará de apedrearle: a fin de expeler al malo de en medio de ti.

8. Si estando pendiente ante ti una causa, hallares ser difícil y dudoso el discernimiento entre sangre y sangre, entre pleito y pleito, entre lepra y lepra, y viéres que son varios los pareceres de los jueces que tienes en tu ciudad, marcha y acude al lugar que habrá escogido el Señor Dios tuyo,

9. Donde recurrirás a los sacerdotes del linaje levítico, y al que *como Sumo sacerdote* fuere en aquel tiempo juez *supremo* del pueblo; y los consultarás, y te manifestarán cómo has de juzgar según verdad.

10. Y harás todo lo que te dijeren los que presiden en el lugar escogido por el Señor, y lo que te enseñaren,

11. Conforme a su ley, y seguirás la declaración de ellos, sin desviarte a la diestra ni a la siniestra.

12. Mas quien se ensoberbeciere, y no quisiere obedecer la determinación del sacerdote que por aquel tiempo es ministro del Señor Dios tuyo, ni al decreto del juez, ese tal será muerto: con lo que arrancarás el mal de en medio de Israel.

13. Y todo el pueblo al oírlo temerá, para que en adelante ninguno se hinche de soberbia.

14. Cuando hubieres entrado en la tierra que te dará el Señor Dios tuyo, y poseídola y habitado en ella, y dijeres: Yo quiero poner sobre mí un rey como le tienen todas las naciones comarcanas:

15. Pondrás a aquél que tu Señor Dios señalare de entre tus hermanos. No podrás alzar por rey a hombre de otra nación y que no sea hermano tuyo.

16. Una vez que fuere establecido, no ha de reunir muchos caballos, ni engreído con su numerosa caballería, hará volver el pueblo a Egipto, mayormente teniéndoos mandado el Señor no volver jamás por aquel camino.

17. No tendrá número excesivo de mujeres, que con halagos se enseñoreen de su corazón, ni tesoros inmensos de oro y plata.

18. Luego que se hubiere sentado en su real solio, escribirá para su uso en un volumen este Deuteronomio o *recopilación* de la Ley, copiándole del ejemplar *original* que le darán los sacerdotes de la tribu de Leví;

19. Y le tendrá consigo, leyendo en él todos los días de su vida, para que aprenda el temor del Señor su Dios, y a guardar sus mandamientos y ceremonias prescritas en la Ley;

20. Y para que su corazón no se ensoberbezca sobre su hermanos, ni decline a la diestra, ni a la siniestra *de la Ley del Señor;* a fin de que reine largo tiempo, así él como sus hijos, sobre Israel.

## CAPITULO XVIII

*Derecho de los sacerdotes y Levitas. Prohibición de toda suerte de supersticiones. Promesa del Mesías y cómo se ha de discernir el profeta verdadero del falso.*

1. Los sacerdotes y levitas, y cuantos son de esta tribu, no tendrán parte ni herencia entre los demás hijos de Israel; porque se han de sustentar de los sacrificios del Señor y de sus ofrendas;

2. Y así ninguna otra cosa recibirán de lo que poseen sus hermanos; por cuanto el Señor mismo es su herencia, como se lo tiene dicho.

3. He aquí lo que los sacerdotes tendrán derecho de tomar del pueblo, y de los que ofrecen víctimas: Ya sacrifiquen buey, ya oveja, darán al sacerdote la espalda y el vientre:

4. También le darán las primicias del grano, del vino y del aceite, y parte de las lanas en el esquileo de sus ovejas.

5. Porque el Señor Dios tuyo le escogió a él de todas tus tribus, para que asista y sirva al culto divino perpetuamente, asi él como sus hijos.

6. Si saliere un levita de una de tus ciudades esparcidas por todo Israel, donde mora, *y sin estar de turno* quisiere venir por devoción al lugar escogido por el Señor,

7. Ejercerá su ministerio en nombre del Señor Dios tuyo, como todos los levitas sus hermanos, que en aquella sazón estarán *de servicio* en la presencia del Señor.

8. Recibirá la misma porción de alimento que los otros, además de lo que le es debido en su patria por razón de su patrimonio.

9. Cuando hubieres entrado en la tierra que tu Señor Dios te dará, guárdate de querer imitar las abominaciones de aquellas gentes.

10. No se vea en tu país quien purifique a su hijo o hija, pasándolos por el fuego; ni quien consulte adivinos, y haga caso de sueños y de agüeros: no haya hechicero,

11. Ni encantador, ni quien pida consejo a los que tienen espíritu pitónico, y a los astrólogos, ni quien intente averiguar por medio de los difuntos la verdad.

12. Porque todas estas cosas las abomina el Señor: y por haber cometido semejantes maldades aquellos pueblos, acabará con ellos a tu entrada.

13. Tú has de ser perfecto y sin mácula para con el Señor Dios tuyo.

14. Esas gentes, cuya tierra tú has de poseer, dan crédito a los agoreros y adivinos; pero tú has sido educado diversamente por el Señor Dios tuyo.

15. Tu Señor Dios te suscitará un *Profeta* de tu nación y de entre tus hermanos como yo. A él oirás,

16. Conforme se lo pediste al Señor Dios tuyo en Horeb, cuando se juntó todo el pueblo, diciendo: No oiga yo otra vez la voz del Señor Dios mío, ni vea más este fuego espantoso, porque no muera.

17. A lo que me contestó el Señor: En todo lo que ha dicho ha hablado bien ese pueblo.

18. Yo le suscitaré un profeta de en medio de sus hermanos semejante a ti, y pondré mis palabras en su boca, y les hablará todo lo que yo mandare.

19. Mas el que no quisiere escuchar las palabras que hablará en mi nombre, experimentará mi venganza.

20. Pero si un profeta, corrompido por la soberbia, emprendiere hablar en mi nombre lo que yo no le mandé decir, o hablare en nombre de dioses ajenos, será castigado de muerte.

21. Y si tú allá en tu interior replicares: ¿Cómo puedo yo discernir cuál es la palabra que no ha hablado Dios *de la que realmente me ha dicho?*,

22. Tendrás esto por señal: Si lo que aquel profeta hubiere vaticinado en el nombre del Señor, no se verificare; esto no lo habló el Señor, sino que se lo forjó el profeta por la soberbia de su espíritu, y por lo mismo no le temas, *ni respetes.*

## CAPITULO XIX

*Ciudades de refugio. Leyes sobre el homicidio involuntario y voluntario, y de la pena del Talión.*

1. Cuando el Señor Dios tuyo hubiere destruído las naciones, cuya tierra te ha de dar, y tú la poseyeres, y habitares en sus ciudades y casas,

2. Separarás tres ciudades en medio del país, cuya posesión te dará el Señor tu Dios,

---

15. Desde este verso 15 al 20 se habla literalmente del Cristo o *Mesías;* y éste era el común sentir de la Sinagoga en tiempo de Jesucristo; como se ve en los discursos del apóstol San Pedro y de San Esteban. *Act.* III, *v.* 22 y VII, *v.* 37, y *Joann.* I, *v.* 45; VI, *v.* 14.

3. Allanando con cuidado el camino y dividiendo en tres partes iguales toda la extensión de tu tierra, a fin de que así tenga lugar cercano adonde refugiarse quien anda huído por razón de homicidio *involuntario*.

4. Esta será la ley *o calidad* del homicida fugitivo, cuya vida debe salvarse: El que hiere a su prójimo, sin advertirlo, y de quien no consta que tuviese el día antes o el otro más allá ningún rencor contra él.

5. Sino que de buena fe salió, *por ejemplo,* con él al bosque a cortar leña, y al tiempo de cortarla se le fué el hacha de la mano, y saltando el hierro del mango hirió y mató a su amigo: éste tal se refugiará en una de las sobredichas ciudades, y salvará la vida:

6. No sea que arrebatado de dolor algún pariente de aquél cuya sangre fué derramada, le persiga y prenda si el camino es muy largo, y le quite la vida, no siendo reo de muerte; puesto que no se prueba que hubiese antes tenido odio alguno contra el muerto.

7. Por eso te mando yo que repartas las tres ciudades a iguales distancias entre sí.

8. Pero en ensanchando el Señor Dios tuyo tus términos, como lo tiene jurado a tus padres, y en dándote toda la tierra que les prometió,

9. Con la condición de que guardes sus mandamientos, y hagas lo que hoy te intimo, esto es, que ames a tu Señor Dios, y sigas sus caminos en todo tiempo, añadirás otras tres ciudades a las sobredichas, duplicando así el número de ciudades *de refugio:*

10. A fin de que no se derrame sangre inocente en medio de la tierra, cuya posesión te dará el Señor Dios tuyo; ni tú seas reo de este derramamiento.

11. Mas si alguno por el odio que tiene a su prójimo armare asechanzas a su vida, y arremetiendo contra él le hiriere y matare, huyéndose después a una de las ciudades sobredichas:

12. Los ancianos de la ciudad de él enviarán a sacarle del lugar del asilo, y prendiéndole le entregarán en mano del pariente del muerto, y se le quitará la vida.

13. No tendrás lástima de él; y con eso quitarás de en medio de Israel el crimen cometido por la efusión de sangre inocente; a fin de que te vaya prósperamente,

14. No te apropiarás, ni traspasarás los límites de tu prójimo, que fijaron los mayores en tu heredad, que te dará el Señor tu Dios en la tierra de que has de tomar posesión.

15. No bastará para *condenar a* nadie un sólo testigo, cualquiera que sea el pecado y el crimen; sino que todo se decidirá por deposición de dos o tres testigos.

16. Si un testigo falso depone contra un hombre, acusándole de prevaricación,

17. Comparecerán los dos, cuya causa se trata, ante el Señor en presencia de los sacerdotes y jueces que fueren en aquellos días.

18. Y si después de una exacta pesquisa, hallaren que el testigo falso ha dicho mentira contra su hermano,

19. Le impondrán la pena que él intentó hacer caer sobre tu hermano, y así arrancarás el mal de en medio del pueblo:

20. Para que oyéndolo los demás entren en temor, y de ningún modo osen hacer tales cosas.

21. No te compadecerás de él; sino que le harás pagar vida por vida, ojo por ojo, diente por diente, mano por mano, pie por pie.

## CAPITULO XX

*Leyes de la guerra. Orden de exterminar a los Cananeos.*

1. Cuando salieres a la guerra contra tus enemigos, y vieres su caballería y carros, y hallares que su ejército es más numeroso que el tuyo, no los temas; pues el Señor tu Dios, que te sacó de la tierra de Egipto, está contigo.

2. Al acercarse ya la hora del combate se pondrá el sacerdote *o pontífice* a la cabeza del ejército, y hablará al pueblo de esta manera:

3. Escuchad, oh Israel: Vosotros entráis hoy en batalla contra vuestros enemigos; no desmaye vuestro corazón, no os intimidéis, no volváis pies atrás, no los temáis:

4. Porque el Señor Dios vuestro está en medio de vosotros, y peleará por vosotros contra los enemigos para libraros del peligro.

5. Los capitanes asimismo a *la frente de* sus respectivos escuadrones gritarán, de modo que todos los oigan: ¿Hay alguno que ha edificado casa nueva, y no la haya estrenado todavía? Váyase, y vuélvase a su casa; no sea que muera en la batalla, y otro la estrene.

**6.** ¿Hay alguno que haya plantado una viña y todavía no ha podido disfrutar de ella? Váyase, y vuélvase a su casa; no sea que muera en la guerra, y la disfrute otro.

**7.** ¿Hay alguno que tenga mujer apalabrada, y aún no la ha tomado? Váyase, y vuélvase a su casa; no sea que muera en el combate, y la tome otro.

**8.** Dicho esto, añadirán aún, y dirán al pueblo: ¿Qué hombre hay aquí medroso y de corazón apocado? Váyase, y vuélvase a su casa, porque no comunique a sus hermanos el miedo de que él está poseído.

**9.** En callando los capitantes del ejército, concluída su amonestación, cada cual ordenará sus escuadrones para la batalla.

**10.** En el caso de acercarse a sitiar una ciudad, ante todas cosas le ofrecerás la paz:

**11.** Si la aceptare y te abriere las puertas, todo el pueblo, que hubiere en ella, será salvo y te quedará sujeto, y será tributario tuyo.

**12.** Mas si no quiere rendirse, y empieza contra ti las hostilidades, la batirás;

**13.** Y cuando el Señor Dios tuyo la hubiere entregado en tus manos, pasarás a cuchillo a todos los varones *de armas tomar* que hay en ella:

**14.** Mas no *harás daño* a las mujeres ni a los niños, bestias y demás cosas que hubiere en la ciudad. Repartirás entre la tropa todo el botín, y comerás de los despojos de tus enemigos, que tu Señor Dios te habrá dado.

**15.** Así harás con todas las ciudades, que están muy distantes de ti, y no son de aquéllas de que has de tomar posesión.

**16.** Porque en las ciudades que se te darán *en la tierra prometida*, no dejarás alma viviente;

**17.** Sino que a todos sin distinción los pasarás a cuchillo: es a caber, al heteo y al amorreo, y al cananeo y al fereceo, y al heveo y al jebuseo, como el Señor tu Dios te tiene mandado:

**18.** Para que no os enseñen a cometer todas las abominaciones que han usado ellos con sus dioses, y ofendáis a Dios vuestro Señor.

**19.** Cuando sitiares una ciudad por mucho tiempo, y la cercares con trincheras para tomarla, no has de cortar los árboles frutales, ni talar a golpes de hacha las arboledas del contorno; pues leños son, y no hombres que puedan aumentar contra ti el número de combatientes.

**20.** Si hay árboles que no dan fruta, sino que son silvestres y propios para otros usos, córtalos y forma de ellos máquinas, hasta tomar la ciudad que se resiste contra ti.

## CAPITULO XXI

*Leyes sobre el homicidio oculto; sobre la mujer cautiva; sobre el primogénito y el hijo incorregible; y sobre los cadáveres de los ajusticiados.*

**1.** Cuando en la tierra, que tu Señor Dios te ha de dar, se hallare un cadáver de un hombre asesinado, sin que se sepa quién le mató,

**2.** Saldrán los ancianos, y jueces, y medirán las distancias de todas las ciudades comarcanas desde el lugar del cadáver;

**3.** Y los ancianos de aquella ciudad que se hubiere averigüado estar más cercana que las otras, tomarán de la vacada una ternera que no haya traído yugo, ni arado la tierra;

**4.** Y la conducirán a un valle erial y peñascoso, que nunca haya sido labrado ni sembrado, y le cortarán allí el pescuezo.

**5.** Entonces se acercarán los sacerdotes, hijos de Leví, elegidos por el Señor tu Dios para que sean ministros suyos, y den la bendición en su nombre, y por sentencia de ellos se decida todo negocio, y lo que es limpio o inmundo:

**6.** Y los ancianos de dicha ciudad irán donde está el cuerpo muerto, y lavarán sus manos sobre la ternera que fué degollada en el valle,

**7.** Y dirán: Nuestras manos no han derramado esta sangre: ni nuestros ojos lo han visto:

**8.** Sé propicio, ¡oh Señor!, a tu pueblo de Israel, a quien rescataste, y no le imputes la sangre inocente *derramada* en medio de él. Con lo que no recaerá sobre ellos el reato del homicidio.

---

**17.** Sin duda es justo, dice Sán Agustín (*Quæst*, X, in Josué), este género de guerra que manda el Señor, en quien no cabe iniquidad, y que sabe lo que a cada uno se ha de guardar. En semejante ocasión el ejército solamente era ministro y ejecutor de Dios, que quería castigar las maldades y abominable idolatría de aquellas naciones.

**8.** Léase lo que dijo Jesucristo en la cruz: *Padre, perdónalos, no les imputes mi muerte, por que no saben lo que hacen;* y las palabras de San Esteban. Ac. I.

9. Y tú no quedarás responsable de esta efusión de sangre inocente, habiendo hecho lo mandado por el Señor.

10. Si saliendo a pelear contra tus enemigos, el Señor Dios tuyo los entregare en tus manos, y los cautivares,

11. Y vieres entre los cautivos una mujer hermosa, y enamorado de ella deseares tenerla por mujer,

12. La introducirás en tu casa y se raerá el cabello, y cortará las uñas,

13. Y dejará el vestido con que fué hecha prisionera, y quedándose de asiento en tu casa, llorará un mes a su padre y a su madre: después de esto te juntarás con ella, y tú serás su marido, y ella será mujer tuya.

14. Si andando el tiempo te desagradare, la despacharás libre; no podrás venderla por dinero, ni oprimirla con tiranía, ya que la desfloraste.

15. Si un hombre tuviere dos mujeres, una amada y otra desamada, y le dieren a luz hijos; y el hijo de la desamada fuere el primogénito:

16. Al tratar de repartir su hacienda entre los hijos, no podrá hacer mayorazgo al hijo de la querida prefiriéndole al hijo de la malquista, *o menos amada;*

17. Sino que ha de reconocer por primogénito al hijo de la malquista, y le dará de todos sus haberes porción doble: porque siendo el primero de sus hijos, a él le toca el mayorazgo.

18. Si un hombre tuviere un hijo rebelde y desvergonzado, que no atiende a lo que manda el padre y la madre, y castigado se resiste con desprecio a obedecer,

19. Préndanle, y llévenle ante los ancianos de su ciudad, y a la puerta donde está el juzgado,

20. Y les dirán: Este hijo nuestro es protervo y rebelde: hace befa de nuestras reprensiones: pasa la vida en merendonas y en disoluciones y convites.

21. Entonces, *dada la sentencia,* morirá apedreado por el pueblo de la ciudad: para que arranquéis el escándalo de en medio de vosotros, y todo Israel oyéndolo, tiemble.

22. Cuando un hombre cometiere delito de muerte, y sentenciado a morir fuere colgado en un patíbulo,

23. No permanecerá colgado su cadáver en el madero; sino que dentro del mismo día será sepultado: porque es maldito de Dios el que está colgado del madero; y tú por ningún acontecimiento has de manchar tu tierra, cuya posesión el Señor tu Dios te hubiere dado.

## CAPITULO XXII

*Varias leyes sobre la caridad con el prójimo y buen gobierno en las familias.*

1. Cuando veas que un buey o una oveja de tu prójimo andan perdidos, no te pasarás de largo, sino que los conducirás a tu hermano.

2. Si dicho tu hermano no es vecino tuyo, ni le conoces, los recogerás en tu casa, y detendrás contigo mientras tu hermano los busca y los recobra.

3. Lo mismo harás con un asno, y con la ropa, y cualquiera otra cosa que hubiere perdido tu hermano: si la hallares, no la dejes abandonada por ser cosa ajena.

4. Si vieres un asno o un buey de tu prójimo caídos en el camino, no pasarás sin hacer caso: sino que le ayudarás a levantarlos.

5. La mujer no se vista de hombre, ni el hombre se vista de mujer; por ser abominable delante de Dios quien tal hace.

6. Si yendo por un camino encontrares algún nido de pájaros en un árbol o en el suelo, y a la madre cobijando los pollitos o los huevos, no la cogerás con los hijos,

7. Sino que la dejarás que se vaya, contentándote con llevar los hijos; para que te vaya bien a ti y vivas largo tiempo.

8. Cuando edificares casa nueva, harás alrededor del terrado un pretil, para que no se derrame sangre en tu casa y no seas culpable de la caída o precipicio de otro.

9. No sembrarás en tu viña diversas simientes; porque así la simiente que sembraste, como los frutos que nacen de la viña, no quede todo inmundo *con la mezcla.*

10. No ararás con yunta de buey, y asno.

11. No te vestirás ropa entretejida de lana y lino.

12. Pondrás a los cuatro cabos del manto *o capa,* con que te cubres, unos cordoncillos *o flecos* en las franjas.

13. Si un hombre se casare con una mujer, y después disgustado de ella,

14. Buscare pretextos para repudiarla, infamándola, y diciendo: Yo tomé a ésta por mujer, y juntándome con ella, no la he hallado virgen,

---

8. Los tejados de las casas en la Judea solían ser como unos terrados.—Véase *Matth.* X, *v,* 27.

15. El padre y la madre de ella la tomarán, y presentarán las señales de la virginidad de su hija *en el tribunal* de los ancianos a la puerta de la ciudad.

16. Y dirá el padre: Yo entregué a este hombre mi hija por mujer; y porque la tiene ojeriza,

17. Le imputa un delito muy feo, diciendo: No he hallado virgen a tu hija. Pues ved aquí las señales de la virginidad de mi hija; y desplegarán la ropa delante de los ancianos de la ciudad.

18. Y prenderán éstos al marido, *si es culpable,* y le azotarán,

19. Multándole además en cien siclos de plata, que dará al padre de la muchacha, por haber infamado gravísimamente a una virgen de Israel: y la retendrá por mujer; ni podrá repudiarla en todos los días de su vida.

20. Mas si es verdad lo que le imputa, y la muchacha no fué hallada virgen,

21. La echarán fuera de la casa de su padre, y morirá apedreada por los vecinos de aquella ciudad, por haber hecho tan detestable cosa en Israel, pecando o *prostituyéndose* en casa de su mismo padre; y con ésto quitarás el escándalo de en medio de tu pueblo.

22. Si un hombre pecare con la mujer de otro, ambos a dos morirán, adúltero y adúltera, y quitarás el escándalo de Israel.

23. Si un hombre se desposó con una doncella virgen, y otro solicitándola dentro de la ciudad durmiere con ella,

24. Sacarás a entrambos a la puerta de la ciudad, y morirán apedreados: la doncella porque no gritó, estando como estaba en la ciudad; y el hombre porque deshonró a la mujer de su prójimo: con lo que quitarás el escándalo de en medio de ti.

25. Pero si el hombre halla en el campo a la doncella desposada, y la fuerza, él sólo ha de morir:

26. La doncella ninguna pena sufrirá, ni es culpada de muerte; porque así como un salteador se arroja sobre su hermano y le quita la vida, de la misma manera fué asaltada la doncella:

27. Estaba sola en el campo, dió voces, y no pareció ninguno que la valiese.

28. Si un hombre hallare a una doncella virgen que no está desposada, y forzándola la desflora, y se pone la cosa en tela de juicio,

29. Dará el agresor al padre de la doncella cincuenta siclos de plata, y la tomará por mujer, porque la desfloró: ni podrá repudiarla en todos los días de su vida.

30. Ningún hombre tomará por mujer a la de su padre, ni le hará este desacato

## CAPITULO XXIII.

*Varias leyes de policía sobre exclusión de la sinagoga, prohibición de la usura y sobre cumplimiento de votos.*

1. El eunuco, cuyas partes han sido majadas, cercenadas o cortadas, no entrará en la iglesia *o pueblo* del Señor.

2. Tampoco el bastardo, esto es, el nacido de mujer prostituta, podrá entrar en la iglesia del Señor, hasta la décima generación.

3. Los ammonitas y los moabitas no entrarán jamás en la iglesia del Señor, ni aun después de la décima generación:

4. Porque no quisieron socorreros en el viaje, negándoos el pan y el agua cuando salísteis de Egipto, y porque sobornaron contra ti a Balaam, hijo de Beor, de la Mesopotamia de Siria, para que te maldijese.

5. Aunque no quiso el Señor Dios tuyo oír a Balaam; antes porque te amaba, convirtió su maldición en bendición tuya.

6. Con estos pueblos no harás paz; ni les procurarás bienes jamás, en todos los días de tu vida.

7. No tendrás en abominación al idumeo, pues que es hermano tuyo; ni al egipcio, pues fuiste peregrino en su tierra.

8. Los descendientes de éstos entrarán a la tercera generación en la iglesia *o pueblo* del Señor.

9. Cuando salieres a campaña contra tus enemigos, te guardarás de toda acción mala.

10. Si hubiere alguno entre vosotros que se haya hecho inmundo a causa de algún sueño nocturno, saldrá fuera del campamento,

11. Y no volverá hasta que por la tarde se haya lavado con agua, y puesto el sol regresará a los reales.

12. Señalarás un lugar fuera del campamento, adonde vayas a hacer tus necesidades naturales,

13. Llevando un palo puntiagudo en el cinto, con el cual harás un hoyo, cubriendo después con la tierra sacada el excremento.

---

7. Descendientes de Esaú. — Y Jacob y sus hijos fueron bien acogidos.

**14.** Porque el Señor Dios tuyo anda en medio del campamento para librarle, y entregar en tus manos a los enemigos; y así tus reales deben estar limpios y no se debe ver en ellos cosa sucia, porque el Señor no te abandone.

**15.** No entregarás a su dueño el esclavo que a ti se acogiere.

**16.** Habitará contigo en el lugar que gustare, y vivirá tranquilo en una de tus ciudades, sin que le inquietes.

**17.** No haya entre las hijas de Israel ninguna ramera; ni el hombre fornicador entre los hijos de Israel.

**18.** No ofrecerás en la casa de tu Señor Dios para cumplir cualquier voto que hayas hecho, la paga de la prostitución, ni el precio del perro, por ser uno y otro abominable en la presencia del Señor Dios tuyo.

**19.** No prestarás a usura a tu hermano ni dinero, ni granos, ni otra cualquier cosa;

**20.** Sino solamente a los extranjeros. Mas a tu hermano le has de prestar sin usura lo que necesita; para que te bendiga el Señor Dios tuyo en todo cuanto pusieres mano en la tierra que vas a poseer.

**21.** Cuando hicieres algún voto al Señor Dios tuyo, no retardarás el cumplirle; porque tu Señor Dios te lo demandará: y si lo retardares, te será imputado a pecado.

**22.** Si no llegares a prometer o *hacer el voto*, no habrá en ti culpa.

**23.** Pero lo que una vez salió de tus labios, lo has de cumplir y ejecutar como lo prometiste al Señor Dios tuyo; puesto que de tu propia voluntad *lo has hecho*, y con tu misma boca lo has pronunciado.

**24.** Si entrares en la viña de tu prójimo, come cuantas uvas quisieres; mas no te lleves ninguna.

**25.** Si entras en el sembrado de tu amigo o *prójimo*, podrás cortar espigas y desgranarlas con la mano; mas no echar en ellas la hoz.

---

**20.** Permitió Dios que el pueblo hebreo prestara con usura a aquellos pueblos que debía exterminar por orden del Señor. Así San Ambrosio (Lib. de Tobia c. XV), dice: *Toma, pues, la usura, únicamente de aquél a quien te sea lícito matar sin cometer pecado.* De un modo semejante permitió antes a su pueblo, cuando salía de Egipto, el apoderarse de los bienes de los Egipcios: permitió dar libelo de repudio, tener muchas mujeres. Todo lo cual es ahora ilícito.

## CAPITULO XXIV

*Leyes acerca del repudio, y otras de humanidad con los deudores pobres, los extranjeros, los huérfanos y las viudas.*

**1.** Si un hombre toma una mujer, y después de haber cohabitado con ella, viniere a ser mal vista de él por algún vicio *notable*, hará una escritura de repudio, y la pondrá en mano de la mujer, y la despedirá de su casa.

**2.** Si después de haber salido toma otro marido,

**3.** Y éste también concibiere aversión a ella, y la diere escritura de repudio, y la despidiere de su casa, o bien si él viene a morir;

**4.** No podrá el primer marido volverla a tomar por mujer: pues quedó mancillada, y hecha abominable delante del Señor: no sufras que con un tal pecado sea contaminada la tierra, cuya posesión te ha de dar el Señor Dios tuyo.

**5.** Cuando un hombre acaba de casarse, no ha de ir a la guerra, ni se le impondrá cargo público; sino que se le permitirá emplearse enteramente en atender a su casa, y pasar un año en *paz* y alegría con su esposa.

**6.** No tomarás en prenda muela de molino, sea la de arriba o la de abajo; porque el que eso te ofrece, te empeña *lo necesario para* su propia vida.

**7.** Si fuere cogido un hombre que sonsacando a su hermano de entre los hijos de Israel, le haya vendido como esclavo y recibido el precio, será castigado de muerte, y con eso desterrarás la maldad de en medio de tu pueblo.

**8.** Guárdate bien de incurrir o *de merecer* la plaga o *azote* de la lepra; a cuyo fin has de hacer todo lo que te enseñaren los sacerdotes del linaje de Leví, conforme a lo que les tengo mandado, y ejecútalo puntualmente.

---

**1.** De estas palabras infieren algunos Expositores que Moisés toleró el divorcio únicamente por razón de adulterio u otras causas de que pudiese provenir daño a los hijos o infamia al marido: como por ejemplo si la mujer se cubría de lepra, o padecía otro mal pegadizo, si se dejaba tomar del vino, etc. Y aunque la adúltera tenía la pena de morir apedreada, si constaba el delito (*Levit.* XX, *v.* 19), y si era solamente sospechado, se averiguaba con las aguas de los celos (*Num.* V, *v.* 27); tal vez podía el marido o por compasión u otros motivos apartarse de su mujer, sin acusarla en juicio: como sucedió en los celos de San José cuando el misterio de la Encarnación del Hijo de Dios: *No queriendo infamarla o delatarla* (como traducen otros), *pensó dejarla ocultamente. Matth.* I, *v.* 19.

9. Acordáos de lo que hizo el Señor Dios vuestro con María en el viaje, después que salísteis de Egipto.

10. Cuando vayas a cobrar de tu prójimo alguna deuda, no entres en su casa para tomarle prenda;

11. Sino que te quedarás afuera, y él te sacará lo que tuviere.

12. Mas si es pobre, no pernoctará la prenda en tu casa:

13. Sino que se la restituirás antes que se ponga el sol, para que durmiendo en su ropa, te bendiga, y tengas mérito delante del Señor Dios tuyo.

14. No negarás el jornal a tu hermano menesteroso y pobre, o al forastero que mora contigo en la tierra y dentro de tus ciudades;

15. Sino que le pagarás en el mismo día antes de ponerse el sol el salario de su trabajo; porque es un pobre y con eso sustenta su vida: no sea que clame contra ti al Señor, y se te impute a pecado.

16. No se hará morir a los padres por los hijos, ni a los hijos por sus padres, sino que cada uno morirá por su pecado.

17. No harás injusticia al extranjero, ni al huérfano, ni tomarás a la viuda su ropa en prendas.

18. Acuérdate que fuiste esclavo en Egipto, y que el Señor Dios tuyo te libertó de allí. Por cuya razón te mando que hagas esto.

19. Cuando segares las mieses en tu campo, y por descuido dejares una gavilla, no vuelvas atrás a cogerla: sino que la dejarás para que se la lleve el forastero, el huérfano y la viuda; para que el Señor tu Dios te bendiga en todas las obras de tus manos.

20. Cuando cojas las aceitunas, no vuelvas a recoger las que quedaron en los árboles, sino que las has de dejar para el forastero, el huérfano y la viuda.

21. Cuando vendimiares tu viña, no has de rebuscar los racimos que quedan, sino que cederás en utilidad del forastero, del huérfano y de la viuda.

22. Acuérdate que tú también fuiste esclavo en tierra de Egipto, y por lo mismo te mando yo que hagas esto.

## CAPITULO XXV

*Leyes para la recta administración de justi-*

---

15. Lev. XIX, v. 13. – Tobias IV, v. 15.

*cia; para que el hermano se case con la viuda de su hermano; para que las medidas sean justas; y para que sean exterminados los Amalecitas.*

1. Si hubiere pleito entre algunos, y recurrieren a los jueces, adjudicarán éstos la palma de la justicia al que conocieren claramente que la merece; y al que vieren que es impío *o injusto,* le condenarán por la impiedad *o injusticia.*

2. Y si juzgaren ser el delincuente merecedor de azotes, le mandarán tender en el suelo, y le harán azotar en su presencia. A medida del delito será también el número de azotes;

3. Con tal que no pasen de cuarenta; a fin de que tu hermano no salga a tu vista ignominiosamente llagado.

4. No pondrás bozal al buey que trilla tus mieses en la era.

5. Si vivieren juntos dos hermanos, y uno de ellos muriese sin hijos, la mujer del difunto no se casará con ningún otro que con el hermano de su marido, el cual la tomará por mujer, y dará sucesión a su hermano;

6. Y al primogénito que de ella tuviere, le pondrá el nombre del otro hermano, *o será reputado por hijo de él,* a fin de que no se borre su nombre en Israel.

7. Mas si no quisiere recibir por mujer a la de su hermano, que por ley debe ser suya, irá dicha mujer a la puerta de la ciudad, *donde está el juzgado,* y querellándose a los ancianos, dirá: El hermano de mi marido no quiere resucitar el nombre de su hermano en Israel, ni tomarme por mujer.

8. Al punto le harán citar y le examinarán. Si respondiere: No quiero tomarla por mujer,

9. Entonces se llegará a él la mujer en presencia de los ancianos, y le quitará del pie el calzado, y le escupirá en el rostro, diciendo: Así se ha de tratar a un hombre que no hace revivir el nombre de su hermano.

---

4. I *Cor.* IX, *v.* 9. — I *Timoth.* V, *v.* 18. — Quiere Dios que los mismos animales que ayudan al hombre en sus fatigas, tengan alguna parte en el fruto de ellas: pero en esta lección de humanidad el principal objeto que tuvo Dios fueron los hombres que sirven a otros y singularmente los destinados a anunciarles la Divina palabra como observa San Pablo. I *Cor. v.* 7, 8, 9.

**10.** Y su casa será llamada en Israel casa del descalzado.

**11.** Si riñeren entre sí dos hombres, y el uno empezare a luchar con el otro, y queriendo la mujer del uno librar a su marido de las manos del más fuerte, metiere la mano, y le agarra por sus vergüenzas,

**12.** Harás cortar la mano de la mujer, sin moverte a compasión alguna por ella.

**13.** No tendrás en tu bolsa diferentes pesas, unas mayores, y otras menores o *defectuosas:*

**14.** Ni habrá en tu casa modio mayor y menor:

**15.** Tu peso será justo y fiel, y el modio cabal y entero: para que vivas largo tiempo en la tierra que el Señor Dios tuyo te dará:

**16.** Pues tu Señor Dios abomina de aquél que hace tales cosas; y aborrece toda injusticia.

**17.** Acuérdate de lo que hizo contigo Amalec en el viaje, cuando saliste de Egipto;

**18.** Cómo te asaltó acuchillando a los últimos de tu ejército, que cansados se quedaban atrás, estando tú muerto de hambre y de trabajos, y no tuvo temor de Dios.

**19.** Luego, pues, que el Señor Dios tuyo te diere reposo, y te sujetare todas las naciones del contorno en la tierra que te ha prometido, raerás el nombre de Amalec de debajo del cielo. Mira que no lo olvides.

## CAPITULO XXVI

*A quiénes y cómo debe hacerse la ofrenda de los diezmos y primicias de los frutos y qué diezmos se han de reservar para los pobres.*

**1.** Cuando hubieres entrado en la tierra, cuya posesión te ha de dar el Señor Dios tuyo, y obtenídola, y habitares ya en ella,

**2.** Separarás las primicias de todas tus cosechas, y las meterás en una banasta, e irás al lugar que el Señor Dios tuyo hubiese escogido para establecer allí su culto,

**3.** Y te presentarás al sacerdote que fuere por entonces, y le dirás: Yo confieso en este día delante del Señor Dios tuyo, que he entrado en la tierra que juró a nuestros padres que nos daría.

**4.** Entonces el sacerdote recibiendo la banasta de tu mano, la pondrá delante del altar del Señor Dios tuyo,

**5.** Y tú dirás en presencia del Señor tu Dios: *Labán* el siro procuraba destruir a mi padre *Jacob;* el cual descendió *después* a Egipto, y estuvo allí como extranjero con poquísimas personas; mas luego creció hasta formar una nación grande y robusta, y de infinita gente.

**6.** Pero los egipcios nos oprimieron y persiguieron, imponiéndonos cargas pesadísimas:

**7.** Por lo que clamamos al Señor Dios de nuestros padres; el cual nos oyó, y volvió los ojos para mirar nuestro abatimiento, y nuestros trabajos y angustias;

**8.** Y nos sacó de Egipto con mano fuerte, y brazo poderoso, con gran terror, y con señales y portentos,

**9.** Y nos introdujo en este país, entregándonos esta *fertilísima* tierra que mana leche y miel.

**10.** Y por eso ofrezco ahora las primicias de los frutos de la tierra que me dió el Señor. Dicho esto las dejarás en la presencia del Señor Dios tuyo; y después de haber adorado a tu Señor Dios,

**11.** Celebrarás un banquete *comiendo* de todos los bienes que te hubiere dado el Señor Dios tuyo a ti y a tu familia, tú y el levita, y el forastero que está contigo.

**12.** Cuando hubieres completado, o *acabado de dar* el diezmo de todos tus frutos, darás, cada tres años, el diezmo *peculiar* al levita y al forastero, y al huérfano y a la viuda, para que coman y se sacien dentro de tus ciudades:

**13.** Y dirás en presencia del Señor Dios tuyo: Yo he tomado de mi casa lo que fué consagrado *al Señor,* y dádolo al levita y al forastero, y al huérfano y a la viuda, como me tienes mandado: no he traspasado tus mandamientos, ni olvidándome de tus preceptos,

**14.** Nada he comido de estas cosas en mis lutos, ni las separé en ocasión de alguna inmundicia, ni he empleado nada de ellas en funerales. He obedecido a la voz del Señor Dios mío, y lo he ejecutado todo como me mandaste.

**15.** Vuelve los ojos desde tu Santuario, y desde la excelsa morada de los cielos, y echa la bendición sobre tu pueblo de Israel, y sobre la tierra que nos has dado, conforme juraste a nuestros padres, tierra que mana leche y miel.

**16.** Hoy te ha mandado el Señor tu Dios que observes estos mandamientos y leyes; y que los guardes y cumplas con todo tu corazón y toda tu alma.

17. Tú, *renovando la alianza*, has elegido hoy al Señor para que sea tu Dios, y tú sigas sus caminos, y practiques sus ceremonias y preceptos y leyes, y obedezcas a su imperio.

18. Y asimismo el Señor te ha escogido *nuevamente* para que seas un pueblo peculiar suyo (como te lo tiene dicho), y guardes todos sus mandamientos,

19. Y él, para loor y nombradía, y gloria suya, te haga la nación más ilustre de cuantas naciones ha criado; y seas el pueblo santo del Señor Dios tuyo, conforme lo tiene prometido.

## CAPITULO XXVII

*Ordena Moisés al pueblo que pasado el Jordán erija un altar de piedra, y que en las piedras se escriban los mandamientos de la Ley. Rito para bendecir a los que los observen, y para maldecir a los transgresores.*

1. Y Moisés con los ancianos de Israel, ordenó al pueblo, diciendo: Guarda todos los mandamientos que te intimo hoy.

2. Y pasado que hubieres el Jordán, *y entrado* en la tierra que te dará tu Señor Dios, erigirás unas grandes piedras que alisarás, *o encontrarás* con cal,

3. A fin de poder escribir en ellas todas las palabras de esta Ley, pasado que hayas el Jordán para entrar en la tierra que te dará el Señor Dios tuyo, tierra que mana leche y miel, conforme lo tiene jurado a tus padres.

4. Cuando, pues, hubiéreis pasado el Jordán, erigid las piedras que hoy os mando en el monte Hebal, alisándolas con *una capa de* cal.

5. Y levantarás también allí un altar al Señor tu Dios, de piedras que no haya tocado el hierro,

6. De piedras toscas y sin labrar, y ofrecerás encima de ellas holocaustos al Señor Dios tuyo,

7. Y sacrificarás hostias pacíficas, de que comerás allí, celebrando un banquete en presencia del Señor tu Dios.

8. Y escribirás en dichas piedras todas las palabras de esta Ley, con distinción y claridad.

9. Dijeron además Moisés y los sacerdotes del linaje de Leví a todo Israel: Atiende y escucha, ¡oh Israel!: Hoy has sido constituido pueblo del Señor Dios tuyo.

10. Escucharás, *pues,* su voz, y ejecutarás sus mandamientos, y leyes que yo te intimo.

11. En aquel día Moisés dió esta orden al pueblo diciendo:

12. Pasado que hayáis el Jordán, se pondrán Simeón, Leví, Judá, Isacar, José y Benjamín, sobre el monte Garicim, para bendecir al pueblo.

13. Y enfrente de ellos, en el monte Hebal, estarán para pronunciar las maldiciones Rubén, Gad, Aser, Zambulón, Dan y Neftalí.

14. Y entonarán los levitas, y dirán en alta voz a todos los varones de Israel:

15. Maldito *sea* el hombre que hace imagen, *o ídolo* de talla, o de fundición, obra de mano de artífices, abominada del Señor, y la coloca en lugar oculto; y todo el pueblo responderá, diciendo: Amén.

16. Maldito *sea* el que no honra a su padre y a su madre; y responderá todo el pueblo: Amén.

17. Maldito el que traspasa los linderos de *la heredad* de su prójimo; y responderá todo el pueblo: Amén.

18. Maldito el que hace errar al ciego en el camino; y responderá todo el pueblo: Amén.

19. Maldito el que tuerce la justicia *o el derecho* del extranjero, del huérfano, y de la viuda; y responderá todo el pueblo: Amén.

20. Maldito el que duerme con la mujer de su padre, y deshonra así su tálamo; y responderá todo el pueblo: Amén.

21. Maldito el que peca con cualquier bestia que sea; y responderá todo el pueblo: Amén.

22. Maldito el que duerme con su hermana, hija de su padre, o de su madre; y dirá todo el pueblo: Amén.

23. Maldito el que duerme con su suegra; y dirá todo el pueblo: Amén.

24. Maldito el que matase o *dañare gravemente* a traición a su prójimo; y dirá todo el pueblo: Amén.

25. Maldito el que recibe regalos para derramar la sangre inocente; y dirá todo el pueblo: Amén.

26. Maldito el que no persevera en *la fiel observancia* de todas las palabras de esta Ley ,ni las pone por obra; y dirá todo el pueblo: Amén.

---

13. Rubén: el cual por su feo delito había perdido sus derechos de primogénito.
15. Para darle culto privadamente.

## CAPITULO XXVIII

*Bendiciones prometidas a los que observen fielmente la Ley; y maldiciones fulminadas contra sus transgresores.*

1. Pero si oyeres la voz del Señor tu Dios, practicando y guardando todos sus mandamientos, que yo te intimo hoy, el Señor Dios tuyo te ensalzará sobre todas las naciones que pueblan la tierra.

2. Y vendrán sobre ti y alcanzarán todas estas bendiciones, con tal que obedezcas sus preceptos.

3. Bendito serás en la ciudad, y bendito en el campo.

4. Bendito el fruto de tu vientre, y benditos los frutos de tu tierra, y benditas las crías de tus jumentos, las majadas de tus vacas, y los apriscos de tus ovejas.

5. Benditos tus graneros, y benditos los repuestos *de tus frutos.*

6. Bendito serás en todas tus acciones desde el principio hasta el fin.

7. El Señor pondrá derribados a tus pies los enemigos que se levantasen contra ti: por un camino vendrán a acometerte, y por siete huirán de tu vista.

8. Echará el Señor su bendición sobre tus graneros, y sobre todo aquello en que pongas tu mano: y te bendecirá en la tierra que de él habrás recibido.

9. El Señor te constituirá por pueblo santo suyo, conforme te lo ha jurado; con tal que observes los mandamientos de tu Señor Dios, y sigas sus caminos.

10. Y verán todos los pueblos de la tierra que eres llamado con verdad pueblo de Dios; y te respetarán.

11. El Señor te colmará de todos los bienes *multiplicando* el fruto de tu vientre, el fruto de tus ganados, y el fruto de tu tierra; la cual prometió el Señor con juramento a tus padres que te la daría.

12. Abrirá el Señor su tesoro riquísimo, a saber, el cielo, para dar las lluvias a tu tierra en sus tiempos, y echará la bendición sobre todas las obras de tus manos. De suerte que tú prestarás a muchas gentes, y de nadie tomarás prestado.

13. El Señor te pondrá *siempre* a la cabeza *de los pueblos,* y no detrás de ellos, y estarás siempre encima y no debajo; con tal, empero, que obedezcas los mandamientos del Señor Dios tuyo, que te prescribo yo en este día, y los guardes y cumplas,

14. Sin desviarte de ellos ni a la diestra ni a la siniestra y no sigas ni adores dioses ajenos.

15. Pero si no quisieses escuchar la voz de tu Señor Dios, observando y practicando todos sus mandamientos y las ceremonias que hoy te prescribo, vendrán sobre ti, y te alcanzarán todas estas maldiciones.

16. Maldito serás en la ciudad, y maldito en el campo.

17. Maldito tu granero, y malditos tus repuestos *de frutos.*

18. Maldito el fruto de tu vientre, y los frutos de tu tierra, tus vacadas, y los rebaños de tus ovejas.

19. Maldito serás en todas tus acciones desde el principio hasta el fin de ellas.

20. Enviará el Señor sobre ti hambre y necesidad, y echará la maldición sobre cuanto obrares y pusieres tus manos; hasta desmenuzarte, y acabar contigo en poco tiempo, por causa de tus perversísimas acciones, por las cuales le habrás abandonado.

21. Hará el Señor que se te pegue la peste, hasta que acabe contigo, en la tierra en cuya posesión entrares.

22. El Señor te castigará con la carestía, con la calentura y el frío, con el ardor y la sequedad, con la corrupción del aire, y el añublo, y te perseguirá hasta que perezcas.

23. Volveráse de bronce el cielo que te cubre, y de hierro la tierra que pisas.

24. El Señor dará a tu tierra polvo en vez de lluvia, y descenderá del cielo ceniza sobre ti, hasta que quedes reducido a la nada.

25. El Señor te hará caer postrado a los pies de tus enemigos. Por un camino irás a pelear contra ellos, y no hallarás bastantes sendas por donde huir; y serás dispersado por todos los reinos de la tierra.

26. Tus cadáveres servirán de pasto a todas las aves del cielo y bestias de la tierra, sin que nadie cuide de ahuyentarlas.

27. Te herirá el Señor con las úlceras *y plagas* de Egipto, y en el sieso, y también con sarna y comezón; de tal manera que no tengas cura.

28. Te castigará el Señor con la locura *o delirio,* con la ceguedad y con frenesí:

---

4. Esto es, los que de ti nacerán. A este lugar parece que aludió Santa Isabel cuando dijo a la Virgen María: *Bendito el fruto de tu vientre. Luc.* I, *v.* 42, y entonces tuvo el lleno de su cumplimiento.

**29.** De suerte que andarás a tientas en medio del día, como suele andar un ciego rodeado de tinieblas; y así no acertarás en ninguna cosa que emprendas. Y en todo tiempo tendrás que sufrir calumnias, y serás oprimido por la fuerza, sin tener quien te libre.

**30.** Tomarás mujer, y otro la gozará. Edificarás casa, y no la podrás habitar. Plantarás viña, y no la vendimiarás.

**31.** Será degollado tu buey delante de ti, y no comerás de él. A tus ojos será robado tu asno, y no te le restituirán; tus ovejas serán dadas a tus enemigos, sin que haya quien te valga.

**32.** Tus hijos y tus hijas serán entregados a pueblo extraño, viéndolo tus ojos, y consumiéndose con la continua vista *de su miseria,* sin haber fuerza en tu mano *para librarlos.*

**33.** Los frutos de tu tierra y de todas tus fatigas se los comerá un pueblo desconocido para ti; y estarás sufriendo continuamente calumnias, y abrumado todos los días.

**34.** Y quedarás despavorido por el terror de las cosas que verán tus ojos.

**35.** Te herirá el Señor con úlceras malignísimas en las rodillas y en las pantorrillas, y de un mal incurable desde la planta del pie hasta la coronilla.

**36.** El Señor te transportará con tu rey, que habrás establecido sobre ti, a una nación que ni conoces tú, ni tus padres; en donde servirás a dioses extraños, al leño y a la piedra;

**37.** Y andarás perdido siendo el juguete y la fábula de todos los pueblos adonde te llevará el Señor.

**38.** Echarás mucha simiente en la tierra, y cogerás poco; porque las langostas lo devorarán todo.

**39.** Plantarás una viña, y la cavarás; mas no beberás vino, ni cogerás nada de ella; porque los gusanos la roerán.

**40.** Tendrás olivares en todos tus términos, y no te darán ni aun aceite con que ungirte, porque se caerán las aceitunas, y se pudrirán.

**41.** Tendrás hijos e hijas, y no gozarás del placer de poseerlos, porque serán llevados cautivos.

**42.** El añublo consumirá todos tus árboles y los frutos de tu tierra.

**43.** El extranjero que vive contigo en la tierra te sobrepujará, y se alzará sobre ti: y tú caerás y estarás debajo de él.

**44.** El te prestará, y tu no podrás prestarle: él estará siempre a la cabeza, y tú ocuparás el ínfimo lugar.

**45.** Todas estas maldiciones caerán sobre ti, y te oprimirán hasta que del todo perezcas: porque no escuchaste la voz del Señor tu Dios, ni observaste sus mandamientos y las ceremonias que te ha ordenado;

**46.** Y así en ti como en tu descendencia estarán viéndose siempre señales y prodigios *de la cólera de Dios.*

**47.** Por no haber servido al Señor Dios tuyo con gozo y alegría de corazón, habiéndote colmado de toda suerte de bienes.

**48.** Serás hecho esclavo de un enemigo que conducirá el Señor contra ti, *le servirás* con hambre, y sed, y desnudez, y todo género de miserias; y pondrá un yugo de hierro sobre tu cerviz, hasta que te aniquile.

**49.** Desde un país remoto, del cabo del mundo hará venir el Señor contra ti, con la rapidez que vuela el águila, *y se echa* impetuosamente *sobre la presa,* una nación cuya lengua no podrás entender:

**50.** Gente sumamente *fiera y* procaz, que no tendrá respeto al anciano, ni compasión del niño,

**51.** Y que devorará las crías de tus ganados, y los frutos de tus cosechas, de suerte que perezcas; pues no te dejará trigo, ni vino, ni aceite, ni manadas de vacas, ni rebaños de ovejas; hasta que te destruya,

**52.** Y aniquile enteramente en todas tus ciudades, y queden arruinados en toda tu tierra esos altos y fuertes muros en que ponías tu confianza. Quedarás sitiado dentro de tus ciudades en todo el país que te dará el Señor Dios tuyo.

**53.** Y llegarás *al extremo* de comer el fruto de tu vientre, la carne de tus hijos y de tus hijas que te hubiere dado el Señor Dios, por la estrechura y desolación a que te reducirá tu enemigo.

**54.** El hombre más delicado y más regalón de tu pueblo, se recatará de su hermano, y de su esposa misma que duerme en su seno.

**55.** Para no darles de la carne de sus hijos, que comerá por no hallar otra cosa durante el sitio, y en la necesidad extrema con que te aniquilarán tus enemigos dentro de todas tus ciudades.

---

**29.** Terrible maldición, cuyos efectos se ven aún hoy día en los Judíos: los cuales en medio de tanta luz como despiden los mismos libros del Antiguo Testamento, que ellos veneran, después de tantas pruebas de la Divinidad de Jesucristo, no lo reconocen por Mesías, y esperan a éste, cuando según las épocas evidentemente prefijadas en los Libros Santos, debe haber venido mucho tiempo hace: *Así es que hasta el día presente como dice el Apóstol* (II *Cor.* III), *a pesar de que se lee entre ellos a Moisés, tienen el velo delante de los ojos.*

**56.** La mujer tierna y delicada, que no sabía dar un paso, ni asentar la planta del pie sobre la tierra por su demasiada delicadeza y sensibilidad, no querrá dar a su mismo amado esposo parte de las carnes del hijo y de la hija,

**57.** Ni de las secundinas, *o masa inmunda* que sale de su vientre, ni del niño que ha nacido en aquel mismo punto: porque se comerá todo esto a escondidas, por falta de toda otra cosa con que resistir a un hambre tan cruel, durante el cerco y devastación con que te apurará tu enemigo dentro de tus ciudades.

**58.** Si no guardares y cumplieres todas las palabras de esta Ley, que van escritas en este volumen, y si no temieres aquel nombre glorioso y terrible, quiero decir al Señor Dios tuyo,

**59.** El Señor acrecentará tus plagas y las de tu descendencia, plagas grandes y permanentes, enfermedades malignas e incurables.

**60.** Y arrojará sobre ti todas las plagas de Egipto que tanto te horrorizaron, las cuales se apegarán a ti *estrechamente.*

**61.** Además de esto enviará el Señor sobre ti todas las dolencias y llagas, que no están escritas en el libro de esta Ley hasta aniquilarte.

**62.** Y quedaréis en corto número los que antes igualaban en multitud a las estrellas del cielo porque no has obedecido, *oh Israel,* a la voz del Señor Dios tuyo.

**63.** Y así como en otros tiempos se complació el Señor en haceros bien y multiplicaros, así se gozará en abatiros y arrastraros; para que seáis exterminados de la tierra en cuya posesión vais a entrar.

**64.** El Señor te desparramará, *oh Israel,* por todos los pueblos desde un cabo del mundo al otro; y allí servirás a dioses ajenos que ni tú ni tu padre conocisteis, *a dioses* de palo y de piedra.

**65.** Aun allí entre aquellas gentes no hallarás descanso, ni podrás asentar el pie; porque el Señor te dará allí un corazón espantadizo, y ojos desfallecidos, y un alma consumida de tristeza.

**66.** Y estará tu vida como pendiente delante de ti; temerás de noche y de día, y no confiarás de tu vida.

**67.** Por la mañana dirás: ¿Quién me diera llegar a la tarde? Y por la tarde: ¿Quién me diera llegar a mañana? Tan aterrado y despavorido estará vuestro corazón, y tan horribles serán las cosas que sucederán a vuestros ojos.

**68.** El Señor te volverá a llevar en navíos a Egipto, después que te dijo que no volvieras más a ver aquel camino. Allí seréis vendidos a vuestros enemigos por esclavos, y por esclavas *vuestras mujeres,* y aun no habrá quien quiera compraros.

## CAPITULO XXIX

*Renuevan los israelitas el juramento de su alianza con Dios. Terribles amenazas contra los que la quebranten.*

**1.** Estas son las palabras de la alianza que mandó el Señor a Moisés ratificar con los hijos de Israel en tierra de Moab, renovando la que hizo con ellos en Horeb.

**2.** Convocó entonces Moisés a todo Israel, y les dijo: Vosotros habéis visto todas las cosas que hizo el Señor en vuestra presencia en la tierra de Egipto contra Faraón, y todos sus ministros, y todo su reino.

**3.** Vísteis con vuestros ojos las grandes plagas con que los probó, aquellos prodigios y maravillas estupendas.

**4.** Y el Señor *por su justo juicio* no os ha dado hasta el presente un corazón que sienta, ni ojos que miren, ni oídos que quieran escuchar.

**5.** El Señor os ha conducido hasta aquí por el desierto, durante cuarenta años; sin que hayan gastado vuestros vestidos ni se ha roto de puro viejo el calzado de vuestros pies.

**6.** No habéis comido pan, ni bebido vino, o sidra, a fin de que *por el maná* conociérais que yo soy el Señor Dios vuestro.

**7.** Y llegásteis a este sitio, donde nos salieron al encuentro Sehón, rey de Hesebón, y Og, rey de Basán, para pelear contra nosotros; y los hemos derrotado.

**8.** Y apoderádonos de su tierra, y la hemos dado en posesión a Rubén, y a Gad, y a la media tribu de Manasés.

**9.** Ahora, pues, guardad las palabras *o condiciones* de esta alianza y cumplidlas, a fin de que os salga bien cuanto emprendáis.

---

**3.** Que contra ellos hizo en favor vuestro.

**4.** Para aprovecharos de tan grandes maravillas. El Señor les negó la gracia de entender y aprovecharse de los prodigios que hizo; pero se la negó en castigo de sus pecados. *Los juicios de Dios, aunque ocultos, son justísimos,* dice San Agustín, explicando este lugar. Al que cierra la ventana, dice A. Lapide, no le puede el sol alumbrar. Cerraban los Judíos sus ojos a la luz de la gracia; y así se portaban como si no los tuvieran.

10. Vosotros estáis hoy todos juntos en la presencia del Señor Dios vuestro, vuestros príncipes y tribus, los ancianos y los doctores: todo el pueblo de Israel.

11. Vuestros hijos y mujeres, y los extranjeros que moran entre vosotros en el campamento, sin excluir de este número los leñadores y aguadores, *todos estáis aqui;*

12. A fin de que, *oh Israel,* renueves la alianza del Señor Dios tuyo contigo, alianza jurada que hoy ratifica el Señor Dios tuyo contigo,

13. Para elevarte a ser pueblo suyo, y para ser él tu Dios, como te lo tiene dicho, y como lo juró a tus padres Abraham, Isaac y Jacob.

14. Ni yo concierto esta alianza, y confirmo estos juramentos con sólo vosotros,

15. Sino con todos, *con los presentes* y *con* los venideros.

16. Pues bien sabéis de qué manera hemos vivido en la tierra de Egipto, y cómo hemos atravesado por medio de las naciones, donde al pasar

17. Habéis visto las abominaciones y suciedades, esto es, sus ídolos, o el leño y la piedra, la plata y el oro que adoraban.

18. No sea *que por desgracia* se halle entre vosotros hombre o mujer, familia, o tribu, cuyo corazón esté hoy desviado del Señor Dios nuestro, y resuelto a servir a los dioses de aquellas gentes, y que brote entre vosotros la raíz que produzca hiel y amarguras.

19. Y que cuando el tal oyere las palabras de este juramento, se lisonjee a sí mismo, diciendo: Yo tendré paz, aunque me abandone al desorden de mi corazón; con lo que embriagado *con este error* arrastre tras sí a los inocentes.

20. Mas el Señor no le perdonará; antes se encenderá entonces más su furor y celo contra el tal hombre, y caerán sobre él de asiento todas las maldiciones que están escritas en este libro; y borrará el Señor su nombre de debajo del cielo,

21. Y le exterminará para siempre de todas las tribus de Israel; cumpliéndose las maldiciones que se contienen en este libro de la ley de la alianza.

22. Y preguntarán la generación venidera y los hijos que nacerán en adelante, y los extranjeros que vinieren de lejos, al ver las plagas de aquella tierra, y las enfermedades con que la afligiere el Señor:

23. El cual la abrazará con azufre y salitre ardiente, de suerte que ya no se siembre más, ni brote *yerba,* ni verde alguno; representando el asolamiento de Sodoma y de Gomorra, de Adama y de Seboim, que arrasó el Señor, encendido el furor de su ira;

24. Preguntarán, digo, todas las gentes: ¿Por qué causa trató así el Señor a esta tierra? ¿Qué saña e inmenso furor es éste?

25. Y responderán: Porque quebrantaron el pacto del Señor, que concertó con sus padres cuando los sacó de la tierra de Egipto,

26. Y sirvieron y adoraron a dioses ajenos, *a dioses* que no conocían, y a quienes no pertenecían.

27. Por esto se encendió el furor del Señor contra esta tierra, descargando sobre ella todas las maldiciones que estan escritas en este libro.

28. Y con ira y furor y con indignación grandísima, arrojó de este país a sus habitantes, desterrándolos a regiones extrañas, como se ve hoy por experiencia.

29. Arcanos del Señor Dios nuestro, manifestados a nosotros y a nuestros hijos hasta el fin de los siglos, para que *temerosos y obedientes* observemos todas las disposiciones de la Ley.

## CAPITULO XXX

*El Señor se reconciliará algún dia con su pueblo. Protesta final de Moisés.*

1. Según esto, cuando se cumpliere lo que te anuncio acerca de la bendición o maldición, que acabo de proponer ante tus ojos; y movido a penitencia tu corazón en medio de todas las naciones entre los cuales te habrá esparcido el Señor tu Dios,

2. Te volvieres a él con tus hijos, obedecieres a sus mandamientos, de todo tu corazón, y con toda tu alma, como te lo prescribo en este día,

3. El Señor Dios tuyo te hará volver de tu cautiverio, y tendrá misericordia de ti, y otra vez te congregará, *sacándote* de todos los pueblos por donde antes te desparramó.

4. Aunque hayas sido dispersado hasta las extremidades del mundo, de allí te sacará el Señor Dios tuyo,

5. Y te tomará, e introducirá en la tierra que poseyeron tus padres, y tu la volverás a ocupar y bendiciéndote, te multiplicará mucho más que a tus padres.

---

18. Esto es, que os acarree la indignación divina.

**6.** *Entonces* el Señor Dios tuyo circuncidará tu corazón, y el corazón de tus descendientes, para que ames al Señor Dios tuyo de todo tu corazón, y con toda tu alma, a fin de que *así* consigas la vida.

**7.** Y todas estas maldiciones las convertirá contra tus enemigos, y contra los que te aborrecen y persiguen.

**8.** Tú, empero, te convertirás, y escucharás la voz del Señor Dios tuyo, y cumplirás todos los mandamientos que hoy te intimo yo.

**9.** Y el Señor Dios tuyo manifestará su bendición en todas las obras de tus manos, en los hijos que saldrán de tu seno, y en la cría de tus ganados, en la fecundidad de tu tierra y en la abundancia de todas las cosas. Porque volverá el Señor a complacerse en colmarte de bienes, como se complació en orden a tus padres;

**10.** Con tal que oigas la voz de tu Señor Dios, y guardes sus preceptos y ceremonias prescritas en esta Ley; y te conviertas al Señor Dios tuyo de todo tu corazón, y con toda tu alma.

**11.** Este mandamiento que yo te intimo hoy no está sobre ti, ni puesto lejos de ti,

**12.** Ni situado en el cielo, de suerte que puedas decir: ¿Quién de nosotros podrá subir al cielo para que nos traiga ese mandamiento y le oigamos y pongamos por obra?

**13.** Ni está situado a la otra parte del mar, para que te excuses y digas: ¿Quién de nosotros podrá atravesar los mares, y traérnosle de allá, para que podamos oír y hacer lo que se nos manda?

**14.** Sino que el dicho mandamiento está muy cerca de ti: en tu boca está y en tu corazón, *y en tu mano*, para que le cumplas.

**15.** Considera que hoy he puesto a tu vista la vida y el bien de una parte, y de otra la muerte y el mal:

**16.** Con el fin de que ames al Señor tu Dios, y sigas sus caminos, y guardes sus mandamientos y ceremonias y ordenanzas para que vivas, y *el Señor* te multiplique y bendiga en la tierra, en cuya posesión entrarás.

**17.** Mas si tu corazón se apartare *del Señor*, y no quisieres obedecer, y seducido del error adorares dioses ajenos, y les sirvieres;

**18.** Desde hoy te profetizo que vas a perecer, y que morarás poco tiempo en la tierra, en cuya posesión, pasado el Jordán, entrarás.

**19.** Yo invoco hoy por testigos al cielo y a la tierra, de que te he propuesto la vida y la muerte, la bendición y la maldición. Escoge desde ahora la vida, para que vivas tú y tu posteridad,

**20.** Y ames al Señor Dios tuyo, y obedezcas a su voz, y te unas *íntimamente* a él (siendo él mismo, como es, vida tuya, y el que ha de darte larga vida), a fin de que habites en la tierra que juró el Señor a tus padres Abraham, Isaac y Jacob que les había de dar.

## CAPITULO XXXI

*Moises viendo cercana su muerte, se descarga de su oficio, y entrega el mando a Josué; manda que se escriba el Deuteronomio; y compone un maravilloso cántico.*

**1.** Habló, pues, Moisés todas estas cosas a todo Israel,

**2.** Y díjoles *después:* Yo me hallo hoy día en la edad de ciento veinte años: no puedo ya continuar en ser vuestro caudillo, mayormente habiéndome dicho el Señor: Tú no has de pasar ese *río* Jordán.

**3.** Mas el Señor Dios tuyo, *oh Israel*, irá delante de ti: él deshará a tu vista todas esas naciones, y las conquistarás; y este Josué pasará delante de ti, como lo tiene dicho el Señor;

**4.** Y hará Dios con ellas lo mismo que hizo con Sehón y con Og, reyes de los amorreos, y con sus reinos, y las exterminará.

**5.** Así, pues, cuando también os hubiere entregado estas naciones, haréis con ellas otro tanto, según os tengo mandado.

**6.** Portaos varonilmente, y con firmeza: no temáis, ni os amedrentéis a su vista: porque el Señor Dios tuyo él mismo, es, *oh Israel*, tu caudillo, y no te dejará ni te desamparará.

**7.** Después de esto, llamó Moisés a Josué, y díjole delante de todo Israel: Ten buen ánimo, y cobra aliento; porque tú has de introducir a este pueblo en la tierra que el Señor prometió con juramento a sus padres, y tú se la repartirás por suertes.

**8.** Y el Señor que es vuestro caudillo, él mismo será contigo: no te dejará, ni te desamparará: no temas, ni te amedrentes.

---

14. San Pablo explica el sentido más profundo de estos versos. *Rom.* X, *v.* 6, 7, 8: y los más doctos Hebreos refieren al tiempo del Mesías todo lo que se dice en este capítulo. El sentido literal es que los mandamientos de Dios son fáciles de entender y guardar, asistido el hombre del socorro de la gracia. — Véase S. Agustín, *Quaest.*

9. Escribió, pues, Moisés esta Ley, y entregósela a los sacerdotes, hijos de Leví, que llevaban el Arca del Testamento del Señor, y a todos los ancianos de Israel.

10. Y les mandó, diciendo: Al cabo de siete años, en el año de la remisión, en la fiesta de los Tabernáculos,

11. Cuando se juntan todos los israelitas para presentarse ante el Señor tu Dios, en el lugar escogido por el Señor, leerás las palabras de esta ley en presencia de todo Israel, que las oirá *atentamente;*

12. Haciendo tú congregar a todo el pueblo, así hombres como mujeres, y niños, y los extranjeros que moran en tus ciudades: para que escuchándolas aprendan, y teman al Señor Dios vuestro, y guarden y cumplan todas las palabras de esta ley;

13. Y a fin también de que sus hijos, que ahora están ignorantes de ella, puedan aprenderla, y reverencien al Señor Dios suyo todos los días que vivan en la tierra de que vais a tomar posesión pasado el Jordán.

14. Dijo entonces el Señor a Moisés: Mira, ha llegado ya el día de tu muerte: llama a Josué, y presentaos *los dos* en el Tabernáculo del Testimonio, para que le dé mis órdenes. Fueron, pues, Moisés y Josué, y se presentaron en el Tabernáculo del Testimonio,

15. Donde se apareció el Señor en la columna de nube, la cual se fijó en la entrada del Tabernáculo.

16. Y dijo el Señor a Moisés: He aquí que tú vas a descansar con tus padres; y ese pueblo se rebelará y prostituirá a dioses ajenos en la tierra, en que va a entrar para morar en ella: allí me abandonará, y quebrantará el pacto que tengo con él concertado,

17. Con lo cual se encenderá mi furor contra él en aquel día; y le abandonaré y esconderé de él mi rostro, y será consumido: todos los males y aflicciones caerán sobre él en tanto grado, que dirá en aquel día: Verdaderamente que por no estar Dios conmigo, me han acontecido estos males.

18. Pero yo entonces me esconderé de él y le ocultaré mi rostro, a causa de todas las maldades que habrá hecho, por haber seguido a dioses ajenos.

19. Por tanto, escribíos ahora este cántico, y enseñádselo a los hijos de Israel para que le tomen de memoria, y le canten; y este cántico me sirva de testimonio entre los hijos de Israel.

20. Porque yo los introduciré en una tierra que mana leche y miel, la que prometí con juramento a sus padres. Mas ellos cuando habrán comido, y se hayan hartado y engrosado se pasarán a los dioses ajenos, y los servirán, y blasfemarán de mí, y quebrantarán mi pacto.

21. Y cuando habrán sobrevenido *a Israel* muchos males y desastres, entonces este cántico dará contra él testimonio, cántico que estará en la boca de sus hijos, de suerte que jamás será olvidado. Porque bien sé yo sus pensamientos, y hoy sé lo que ha de hacer antes que le introduzca en la tierra que le tengo prometida.

22. Escribió, pues, Moisés el cántico *siguiente,* y le enseñó a los hijos de Israel.

23. Al mismo tiempo dió el Señor sus órdenes a Josué, hijo de Nun, y le dijo: Ten buen ánimo, y cobra aliento, porque tú has de introducir a los hijos de Israel en la tierra que les prometí, y yo seré contigo.

24. Cuando Moisés hubo acabado de escribir las palabras de esta ley en un volumen,

25. Mandó a los levitas, portadores del arca del Testamento del Señor, diciendo:

26. Tomad este libro, y ponedle al lado del arca del Testamento del Señor Dios vuestro, para que allí quede por testimonio contra ti, *oh Israel:*

27. Porque yo conozco tu obstinación, y tu indómita cerviz. Aun viviendo yo, y conversando con vosotros, siempre os habéis portado con rebeldía contra el Señor: ¿cuánto más en habiendo yo muerto?

28. Juntadme a todos los ancianos de vuestras tribus, y a los doctores; y oirán las palabras que les voy a hablar, e invocaré contra ellos al cielo y a la tierra.

29. Que bien sé yo que después de mi muerte os portaréis perversamente, y os desviaréis presto del camino que os he enseñado; y que os sobrevendrán desdichas en los últimos tiempos, cuando habréis pecado delante del Señor, irritándole con las obras de vuestras manos.

30. Pronunció, pues, Moisés, escuchando toda la sinagoga junta de Israel, las palabras de este cántico, hasta acabarle.

## CAPITULO XXXII

*Cántico profético de Moisés antes de morir, que es como un compendio de la Ley y de los motivos de su observancia.*

1. Oíd cielos, lo que voy a proferir: escuche la tierra las palabras de mi boca.

2. Destilen *y empápense* como lluvia los documentos míos: desciendan como el rocío mis palabras, como sobre la yerba la *menuda* lluvia, como llovizna sobre las dehesas.

3. Porque yo invocaré el nombre del Señor: ensalzad vosotros la grandeza de nuestro Dios.

4. Perfectas son *todas* las obras de Dios y rectos todos sus caminos. Dios es fiel y sin sombra de iniquidad, íntegro y justo.

5. Sus hijos, indignos ya de este nombre, pecaron contra él con sus inmundos *ídolos*: generación depravada y perversa.

6. ¿Así correspondes al Señor, pueblo necio e insensato? ¿Por ventura no es él tu padre, que te rescató, que te hizo, y te crió?

7. Acuérdate de los tiempos antiguos, recorre de una en una las generaciones: pregúntalo a tu padre, y él te informará; a tus antepasadòs, y te lo dirán.

8. Cuando el Altísimo dividía las naciones; cuando separaba los hijos de Adán, fijó *ya entonces* los límites de los pueblos de *Canaán*, según el número de los hijos de Israel.

9. Porque el Señor escogió a éstos como porción suya: tomó a Jacob por herencia propia.

10. Hallóle *después* en una tierra desierta en un lugar de horror, en una vasta soledad: condújole por diferentes rodeos *durante cuarenta años*, y le adoctrinó, y guardóle como la niña de sus ojos.

11. Como el águila incita a volar a sus polluelos *extendiendo las alas* y revoloteando sobre ellos: así el Señor extendió sus alas *sobre su pueblo*, y le tomó y trasportó sobre sus hombros.

12. El Señor fué su único caudillo; y no había con él dios ajeno.

13. Hízole dueño de una tierra superior *y excelente*, para que comiera de los frutos de los campos, para que chupara la miel *que se hace en las cavidades* de las peñas, y *gustara el rico* aceite de los olivos que se crían entre las más duras rocas,

14. La manteca de vacas, y la leche de ovejas, gordos corderos y carneros del país de Basán, machos de cabrío, la flor del trigo; y para que bebieran la sangre de las uvas en purísimo vino.

15. Engrosóse ese *pueblo* tan amado *de Dios, y viéndose opulento* se rebeló contra él. Ya engrosado, engordado, y abundante de todo, abandonó a Dios su Hacedor, y se alejó de Dios Salvador suyo.

16. Provocaron al Señor *con adorar* dioses ajenos, e incitaron su cólera con sus abominaciones *o idolatrías*.

17. *Porque* en lugar de ofrecer sus sacrificios a Dios, los ofrecieron a los demonios: a dioses no conocidos, a dioses nuevos y recién venidos, que jamás habían adorado sus padres.

18. *¡Pueblo insensato!* has abandonado al Dios que te engendró, y te olvidaste del Señor criador tuyo.

19. Violo el Señor, y encendióse en cólera, por ser sus *mismos* hijos e hijas los que *así* le provocaban.

20. Y dijo: Yo esconderé de ellos mi rostro, y estaré mirando su fin *desgraciado:* porque raza perversa es, son unos hijos infieles.

21. Ellos han querido como picarme de celos, *con adorar* lo que no era Dios, y me han irritado con sus vanidades: yo también los provocaré a celos, *con amar* a aquéllos que no eran pueblo mío, y los irritaré sustituyendo *en su lugar* una gente necia *y despreciable*.

22. Mi furor se ha encendido como un fuego *grande* que *los* abrasará hasta el abismo del infierno: arrasará la tierra y todas sus plantas, y arderán hasta los cimientos de los montes.

23. Amontonaré males y males sobre ellos, hasta apurar todas las flechas de mi aljaba.

24. Serán consumidos de hambre y devorados por las aves *carniceras* con mordiscos cruelísimos; armaré contra ellos los dientes de las fieras, y la *venenosa* rabia de las que van arrastrando y serpeando sobre la tierra.

25. Por defuera los desolará la espada, y dentro *de sus casas* el pavor *y espanto:* el joven y la doncella, el niño que aún mama y el anciano, *todos serán exterminados*.

26. Y diré *entonces:* ¿Dónde están esos *rebeldes*? Yo borraré de entre los hombres su memoria.

27. Pero lo difiero, porque veo tanta arrogancia en sus enemigos: no sea que éstos se engrían y digan: Nuestra mano robusta, y no el Señor, es la que ha hecho todo esto *contra Israel*.

28. Gente es ésta sin consejo ni prudencia.

29. ¡Ojalá que tuviesen sabiduría e inteligencia, y previesen sus postrimerías!

---

22. Parece una profecía de las calamidades de los Judíos por medio de los Caldeos y después de los Romanos, y al mismo tiempo una figura de los castigos de todos los réprobos antes y después del juicio final. II *Petri*, ult. *v.* 10, 12.

**30.** ¿Cómo podría jamás suceder *lo que ahora,* que un solo enemigo persiguiera diez mil? ¿No es esto porque su Dios los ha vendido, y los ha entregado el Señor?

**31.** Porque no es nuestro Dios como los dioses de ellos: júzguenlo los mismos enemigos.

**32.** La viña *del Señor es* ya *como* viña de Sodoma, y de los extramuros de Gomorra: sus uvas, son uvas de hiel; y llenos están de amargura sus racimos.

**34.** ¿Y acaso no tengo yo reservado todo esto, *dice el Señor,* acá en mis adentros, y sellado en mis tesoros *para el debido castigo?*

**35.** *Sí;* mía es la venganza, y yo les daré el pago a su tiempo, para derrocar su pie: cerca está ya el día de su perdición, y ese plazo viene volando.

**36.** El Señor juzgará a su pueblo, y será misericordioso con sus siervos, *cuando* verá debilitada su fortaleza, y que aún los encastillados desmayaron, y que fueron consumidos los que quedaron.

**37.** Y dirá *entonces:* ¿Dónde están sus dioses, en los cuales tenían puesta la confianza?

**38.** ¿*A quiénes invocaban* al comer la grosura de las víctimas ofrecidas y al beber el vino de sus *profanas* libaciones? Levántense *ahora y* vengan a socorreros, y a ampararos en la necesidad.

**39.** Ved cómo yo soy el solo *y único* Dios, y cómo no hay otro fuera de mí. Yo mato, y yo doy la vida: yo hiero, y yo curo: y no hay quien pueda librar a nadie de mi poder.

**40.** Alzaré mi mano al cielo, y diré: Vivo yo para siempre,

**41.** Que si aguzare mi espada *y la hiciere* como el rayo, y empuñare mi mano la justicia, tomaré venganza de mis enemigos, y daré el pago a los que me aborrecen.

**42.** Embriagaré de sangre suya mis saetas, de la sangre de los muertos y de los prisioneros, que *a manera de esclavos* van con la cabeza rapada; en sus carnes cebarse ha mi espada.

**43.** Ensalzad, oh naciones, a su pueblo, porque el Señor vengará la sangre de sus siervos, y tomará venganza de sus enemigos, y derramará su misericordia sobre la tierra del pueblo suyo.

**44.** Pronunció, pues, Moisés, con Josué, hijo de Nun, todas las palabras de este cántico en presencia del pueblo.

**45.** Y después que concluyó su razonamiento a todo Israel,

**46.** Les dijo: Grabad en vuestro corazón todas las cosas que yo os he intimado en este día; para que recomendéis a vuestros hijos que guarden, ejecuten y cumplan todo cuanto está escrito en esta Ley;

**47.** Porque no en vano se os han dado estos preceptos; sino a fin de que cada uno halle la vida en ellos, y ejecutándolos permanezcan largo tiempo en la tierra, en cuya posesión vais a entrar, pasado el Jordán.

**48.** En este mismo día habló el Señor a Moisés, diciendo:

**49.** Sube a esa montaña de Abarim, esto es, de los pasajes, al monte *o colina* de Nebo, que está en el país de Moab, enfrente de Jericó; y contemplarás la tierra de Canaán, cuya posesión yo entregaré a los hijos de Israel. *Y después* morirás en el monte,

**50.** Al cual habrás subido, y serás incorporado con tu pueblo; al modo que Aarón tu hermano murió en el monte Hor, y fué reunido con sus gentes,

**51.** Por cuanto prevaricásteis contra mí en medio de los hijos de Israel, *allá* en las aguas de contradicción, en Cades del desierto de Tsin: por no haberme honrado *como debíais,* entre los hijos de Israel.

**52.** Verás delante de ti la tierra que yo daré a los hijos de Israel, pero no entrarás en ella.

## CAPITULO XXXIII

*Bendice Moisés, antes de subir al monte, a las tribus de Israel, y les profetiza lo que les ha de suceder.*

**1.** Esta es la bendición que Moisés, varón de Dios, dió antes de su muerte a los hijos de Israel.

**2.** Dijo así: De Sinaí vino el Señor, y de Seir nos esclareció; resplandeció desde el monte Farán, y con él millares de santos. En su mano derecha *traía* la Ley *que nos dió desde en medio* del fuego.

**3.** El *Señor* amó a los pueblos: bajo su mano *protectora* están todos los santos; y aquéllos que se sientan a sus pies, recibirán sus instrucciones y doctrinas.

---

**32.** Esto es, como si mi pueblo no descendiera de los patriarcas santos Abraham, Isaac y Jacob, y como si debiera su origen a los hijos de Sodoma y de Gomorra, así ha seguido las costumbres corrompidas de estos pueblos. *Isai.* I *v.* 10.

**43.** Llenándola de bendiciones. — El Apóstol San Pablo cita este lugar, según la versión de los Setenta, en la cual se lee: *Naciones, alegraos con el pueblo del Señor;* lo que es una clara profecía de la vocación de los gentiles a la fe mediante la cual se hallan reunidos con el pueblo de Dios. *Rom.* XV, *v.* 10.

---

**2.** De santos ángeles que le servían.

**3.** O tribus descendientes de Jacob. *Gen.* XLVIII.

**4.** Moisés nos dió la ley la cual será la herencia de la numerosa posteridad de Jacob.

**5.** Ella será el rey *que mandará* en su recto *o amado* pueblo, estando los príncipes del pueblo unidos con las tribus de Israel.

**6.** Viva Rubén, y no muera, mas sea pequeño su número.

**7.** He aquí la bendición de Judá: Escucha, oh Señor, la voz de Judá, y dale entre su pueblo la parte que le has destinado: sus manos pelearán por Israel y serás su protector contra los enemigos.

**8.** Dijo después a Leví: Tu perfección, Señor, y tu doctrina fué concedida a tu varón santo, a quien probaste en la tentación y juzgaste en las aguas de la contradicción.

**9.** Aquéllos que dijeron a su padre y a su madre: No os conozco; y a sus hermanos: No sé quién sois; y ni a sus propios hijos perdonaron, éstos cumplieron tus mandamientos, y guardaron inviolable tu pacto.

**10.** Estos enseñarán tus derechos a Jacob, y tu ley a Israel: y cuando estés irritado, te ofrecerán incienso y holocaustos sobre tu altar.

**11.** Bendice, oh Señor, su fortaleza, y acepta las obras de sus manos. Hiere las espaldas de sus enemigos; y no levanten cabeza los que le aborrecen.

**12.** Y de Benjamín dijo: *Benjamín,* el muy amado del Señor, estará cerca de él con confianza: allí morará siempre como en cámara nupcial, y reposará en sus brazos.

**13.** Dijo también de José: Sea la tierra de José bendita del Señor, *colmada* de frutos *y bendiciones* del cielo, del rocío, y de los manantiales que brotan de debajo la tierra:

**14.** De los frutos que son producciones del sol y de la luna:

**15.** De *los que crecen en* la cumbre de los montes antiguos, y sobre los antiquísimos collados:

**16.** De todos los frutos de la tierra, y de toda la riqueza de ella. La bendición de aquel que se apareció en la zarza, venga sobre la cabeza de José, sobre la coronilla de la cabeza

---

**7.** En las palabras de esta profecía se denota que Judá será algún día la tribu que conducirá las otras; y designan el reinado de David, figura del reino espiritual del Mesías que había de salir de su linaje y de la tribu de Judá.

**16.** Tertuliano, San Jerónimo y otros Padres aplican todo esto a Jesucristo, a quien figura el nazareo José. Y en San Mateo C. II, v. 23, se dice que Jesucristo habitó en Nazaret, en cumplimiento de lo anunciado por los Profetas de que se llamaría Nazareo. — Véase Act. III. v. 6.

---

del nazareo, *o consagrado al Señor* entre sus hermanos.

**17.** Es cual la del toro primerizo su gallardía; como las del rinoceronte son sus astas; con ellas volteará las gentes hasta los fines de la tierra: Tal será la *gloria de la* numerosa tribu de Efraím, y tal *la de* los millares de hijos de la de Manasés.

**18.** A Zabulón le dijo: Regocíjate, oh Zabulón, en tu tráfico *por el mar;* como tú, Isacar, en la quietud de tu casa:

**19.** *Tus hijos* exhortarán los pueblos a ir al monte *santo del Señor,* donde le inmolarán víctimas de justicia. Chuparán como leche las riquezas de la mar, y los tesoros que esconden sus arenas.

**20.** Dijo también a Gad: Bendito sea Gad en su expansión *o ancho territorio:* se echó a descansar como un león, arrebató *de una vez* brazo y cabeza.

**21.** Y reconoció su prerrogativa en que *Moisés,* el doctor *de Israel,* debía ser depositado en su porción *o herencia.* El fué con los príncipes del pueblo *a la conquista de Canaán; y* cumplió los mandatos del Señor y su obligación con Israel.

**22.** Asimismo dijo a Dan: Dan como un joven león correrá *en busca de presa* desde Basán, y se extenderá mucho.

**23.** Y a Neftalí le dijo: Neftalí gozará de todo en abundancia: será colmado de las bendiciones del Señor; poseerá el mar *de Genesaret,* y el *país hacia el* mediodía.

**24.** Dijo también a Aser: Bendito sea en su prole. Será agradable a sus hermanos, y bañará en aceite sus pies.

**25.** *De* hierro y cobre será su calzado. Como en los días de juventud, así serás fuerte en los de tu vejez.

**26.** No hay otro Dios como el Dios del rectísimo *o muy amado Israel.* El que está sentado sobre los cielos es tu protector. Su gran poder es el que hace correr las nubes de una parte a otra.

**27.** Arriba en lo más alto *de los cielos* está su morada y *llegan* acá abajo sus brazos *o poder* eterno. Arrojará de tu presencia al enemigo, y le dirá: Quédate reducido a polvo.

**28.** *Con esto* Israel estará en su país seguro y separado. Tiende, oh Jacob, la vista por tu tierra *abundante* de trigo y de vino: el rocío caerá con tanta abundancia, que se oscurecerá el cielo.

---

**21.** Después de muerto. Murió Moisés en el monte Nebo, territorio de Gad.

**29.** Bienaventurado eres, oh Israel. ¿Quién hay semejante a ti, oh pueblo *afortunado*, que hallas tu salud en el Señor? El es el escudo que te cubre y defiende, y la espada que te llena de gloria. Tus enemigos rehusarán reconocerte: pero tú *los sojuzgarás*, y pondrás el pie sobre su cuello.

## CAPITULO XXXIV

*Muerte, sepultura y elogio de Moisés.*

**1.** Subió, pues, Moisés de la llanura de Moab al monte Nebo, sobre la cumbre de Fasga, enfrente de Jericó, y mostróle el Señor toda la tierra de Galaad hasta Dan,

**2.** Y toda la de Neftalí, y la comarca de Efraím y de Manasés, y todo el país de Judá, hasta el mar occidental o *Mediterráneo*,

**3.** Y la parte meridional, y la espaciosa vega de Jericó, ciudad de las palmas, hasta Segor.

**4.** Y el Señor le dijo: He ahí la tierra de la cual juré a Abraham, a Isaac, y a Jacob, diciendo: A tu descendencia se la daré. Tú la has visto con tus ojos, mas no entrarás en ella.

**5.** Y murió allí Moisés, siervo del Señor, en tierra de Moab, habiéndolo dispuesto así el Señor,

**6.** Quien le hizo sepultar en un valle del distrito de Moab, enfrente de Fogor: y ningún hombre hasta hoy ha sabido su sepulcro.

**7.** Era Moisés de ciento veinte años cuando murió: no se ofuscó su vista, ni los dientes se le movieron.

**8.** Y lloráronle los hijos de Israel por espacio de treinta días en las llanuras de Moab, después de los cuales concluyeron el luto los que lloraban.

**9.** Y Josué, hijo de Nun, estaba lleno del espíritu de sabiduría; porque Moisés le había impuesto las manos. Y los hijos de Israel le prestaron obediencia, y ejecutaron lo que mandó el Señor a Moisés.

**10.** Ni después se vió jamás en Israel un profeta como Moisés, con quien conversare el Señor cara a cara;

**11.** Ni que hiciese todos aquellos milagros y portentos que obró cuando le envió el Señor a tierra de Egipto contra Faraón y todos sus siervos, y su reino todo;

**12.** Ni que tuviere aquel universal poderío y obrase las grandes maravillas que hizo Moisés a vista de todo Israel.

CAP. XXXIV. — 6. Por ministerio de sus ángeles.
10. Esta comparación se ha de entender solamente respecto de los demás hombres, mas no de nuestro Señor Jesucristo, Dios y Hombre.

# JOSUÉ

# Introducción

Es éste el primero de una serie de libros del Antiguo Testamento que, según los tratadistas, se engloban por su temática en un conjunto que, para su estudio, bien pueden designarse como libros históricos.

Este libro lleva el nombre de Josué porque relata la historia del pueblo de Israel durante su gobierno. La autoría del libro es desconocida, si bien en el capítulo 24 se afirma que corresponde al mismo personaje. De todos modos, figuran en él varias noticias que sin lugar a dudas son posteriores a Josué. Lo único seguro es que su autor contó con documentos anteriores a la conquista de Jerusalén por David y de Guezer por el Faraón, suegro de Salomón.

El *Éxodo* nos cuenta que Josué era ayudante de Moisés y su lugarteniente militar. Por ello le tocó sucederle para llevar a cabo la conquista de la tierra prometida.

Narra este libro la conquista de las primeras ciudades cananeas y las principales batallas ganadas por Josué. Se explica a continuación la división de las nuevas tierras en diez partes, que serían ocupadas por las distintas tribus de Israel. Pero también ofrece este libro rasgos de carácter taumatúrgico: Dios había prometido a Josué que estaría con él y que obraría prodigios para permitirle ganar la confianza de su pueblo. Estos hechos milagrosos son tres: el paso del Jordán, el asedio y la toma de la ciudad de Jericó y la victoria de Josué en Gabaón, donde destruyó la coalición de los reyes enemigos.

Desde el punto de vista histórico, las conquistas de Josué y su pueblo son las propias de cualquier pueblo carente de patria que busca un territorio para establecerse por la fuerza.

## CAPITULO PRIMERO

*Alienta el Señor a Josué a la conquista de la tierra de Promisión; y Josué avisa al pueblo que se prevenga para pasar el Jordán precedido de las tribus de Rubén y de Gad, y la media tribu de Manasés.*

1. Y sucedió que después de la muerte de Moisés, siervo del Señor, habló el Señor a Josué, hijo de Nun, ministro de Moisés, y le dijo:

2. Mi siervo Moisés ha muerto: anda y pasa ese Jordán tú y todo el pueblo contigo, para entrar en la tierra que yo daré a los hijos de Israel.

3. Todo el lugar *de ella* que pisare la planta de vuestro pie, os le entregaré, como lo dije a Moisés.

**4.** Vuestros términos serán desde el desierto, y desde el Líbano hasta el grande río Eufrates, toda la tierra de los heteos, hasta el mar grande que cae al poniente *será vuestra.*

**5.** Ninguno *de esos pueblos* podrá resistiros en todo el tiempo de tu vida: como estuve con Moisés, así estaré contigo, no te dejaré, ni te desampararé.

**6.** Esfuérzate y ten buen ánimo: porque tú has de repartir por suerte a este pueblo la tierra que juré a sus padres que les daría.

**7.** Anímate, pues, y ármate de gran fortaleza para guardar y cumplir toda la ley que te prescribió mi siervo Moisés: no te desvíes de ella ni a la diestra ni a la siniestra; así obraras prudentemente.

**8.** Tu boca hable de continuo del libro de esta ley, y medita de día y de noche lo que en él se contiene, a fin de guardar y cumplir todas las cosas en él escritas; con lo cual irás por el recto camino, y procederás sabiamente.

**9.** Mira que yo soy el que te lo mando: buen ánimo, y sé constante; no temas ni desmayes; porque contigo está el Señor Dios tuyo a cualquier parte que vayas.

**10.** *Poco después* mandó Josué a los príncipes del pueblo, diciendo: Recorred el campamento, e intimad esta orden al pueblo, y decidle:

**11.** Haced provisión de víveres, porque después de tres días *de levantado el campo,* habéis de pasar el Jordán y entrar en posesión de la tierra que os ha de dar el Señor Dios vuestro.

**12.** Dijo asimismo a los hijos de las tribus de Rubén y de Gad, y a los de la media tribu de Manasés:

**13.** Acordáos del mandato que os dió Moisés, siervo del Señor, cuando os dijo: Dios vuestro Señor os ha concedido reposo, y os ha dado toda esta tierra.

**14.** Vuestras mujeres e hijos y vuestros ganados se quedarán en este territorio que os entregó Moisés del Jordán acá; pero todos los *más* esforzados y aguerridos, pasad armados a la frente de vuestros hermanos, y pelead a favor de ellos.

**15.** Hasta tanto que el Señor dé reposo a vuestros hermanos, como os le ha dado a vosotros, y posean también ellos la tierra que el Señor Dios vuestro les ha de dar: y entonces os volveréis al territorio cuya posesión se os ha dado, y habitaréis en el lugar que os señaló Moisés, siervo del Señor, a esta parte del Jordán, hacia el oriente.

**16.** Ellos respondieron a Josué y dijeron: Haremos todo cuanto nos has mandado, e iremos a doquiera que nos enviares.

**17.** Así como hemos obedecido a Moisés en todo, del mismo modo te obedeceremos también a ti: solamente *deseamos* que el Señor tu Dios sea contigo, como fué con Moisés.

**18.** El que contradijere tus palabras, y no quisiere obedecer tus órdenes, muera. Tú por tu parte anímate y obra varonilmente, *que nosotros te seguiremos por todo.*

## CAPITULO II

*Envía Josué dos exploradores para reconocer a Jericó y su territorio; los cuales escondidos por Raab, vuelven salvos al campamento.*

**1.** Entre tanto Josué, hijo de Nun, había enviado secretamente desde Setím dos hombres por exploradores, diciéndoles: Id y reconoced bien el terreno y la ciudad de Jericó. Los cuales partiendo *del campamento llegaron a Jericó,* y entraron en casa de una mujer pública, llamada Raab, y se hospedaron en ella.

**2.** Y dióse aviso al rey de Jericó, y fuele dicho: Mira que unos hombres israelitas han entrado aquí de noche para reconocer el terreno.

**3.** Con esta noticia el rey de Jericó mandó decir a Raab: Saca fuera esos hombres que han venido a ti, y están metidos en tu casa; porque son espías que han venido a reconocer todo el país.

**4.** Pero la mujer habiéndolos escondido respondió: Es verdad que vinieron a mi casa; mas yo no sabía de donde eran,

**5.** Y se salieron, siendo ya de noche, cuando se iban a cerrar las puertas, sin que yo sepa adónde marcharon: corred aprisa en su seguimiento, que los alcanzaréis.

---

**11.** Y entonces cesará ya el maná. Aún Dios enviaba el maná como se ve en el cap. V, v. 12; pero habiendo hallado ya los Hebreos harina y otros comestibles en el país conquistado de los Amorreos, podían alimentarse también de todos los víveres que había en el país. Tal vez se pone aquí para denotar la pronta obediencia de Josué en ejecutar la orden de Dios sobre el paso del Jordán.

---

**CAP. II.—** 4. Mintió Raab, y en esto faltó, pero es digna de alabanza por la fe que manifestó tener en el Dios de los Hebreos, cuyos prodigios había oído (*v.* 11, 24), y por el buen corazón con que salvó a los dos exploradores exponiendo su propia vida por salvar la de los Hebreos. Esta fe y generosidad suya son las que alaba el Apóstol.

**6.** Empero la mujer había hecho subir a los huéspedes al terrado de su casa, y cubiértolos con haces de lino que allí había.

**7.** Los pesquisidores enviados fueron tras ellos por el camino que lleva al vado del Jordán, y luego que salieron, al punto se cerraron las puertas *de la ciudad*.

**8.** Aún no dormían los que estaban escondidos cuando he aquí que la mujer sube a ellos, y les dice:

**9.** Yo sé que el Señor *vuestro Dios* os ha entregado el dominio de esta tierra; porque el terror de vuestro nombre se ha apoderado de nosotros, y todos los habitantes del país están amilanados.

**10.** Hemos oído que el Señor secó las aguas del mar Rojo para daros paso, cuando salísteis de Egipto, y la manera con que tratásteis a todos los reyes de los amorreos, que habitan al otro lado del Jordán, Sehón y Og, a los cuales habéis muerto.

**11.** Estas nuevas nos han consternado: ha desmayado nuestro corazón, y así que habéis llegado hemos quedado sin aliento a vuestra entrada: porque el Señor Dios vuestro es el mismo Dios que reina arriba en los cielos, y acá en la tierra.

**12.** Esto supuesto, juradme ahora por el Señor que así como yo he usado de misericordia con vosotros, así también la usaréis vosotros con la casa de mi padre, y me daréis una contraseña de seguridad,

**13.** Con que salvéis a mi padre y madre, a mis hermanos y hermanas, y todos sus bienes, y nos libréis de la muerte.

**14.** Ellos respondieron: A costa de nuestra vida salvaremos la vuestra, con tal que tú no hagas alguna traición; y cuando el Señor nos habrá entregado esta tierra, usaremos contigo de misericordia, y cumpliremos fielmente nuestra promesa.

**15.** Con esto, los descolgó con una cuerda desde la ventana, pues estaba su cabaña pegada al muro.

**16.** Pero *antes* les dijo: Marchaos hacia el monte; no sea que a la vuelta den con vosotros; y estad allí escondidos por tres días, hasta que hayan vuelto vuestros perseguidores, y entonces tomaréis vuestro camino.

**17.** Dijéronle ellos: Nosotros cumpliremos fielmente el juramento que nos has exigido,

**18.** Si cuando entráremos en la tierra estuviere por contraseña esta cinta de color de grana, atada a la ventana por donde nos has descolgado, y hubiéres tenido cuidado de reunir en tu casa a tu padre y madre, y hermanos, y toda tu parentela.

**19.** Mas si alguno se saliere *o estuviere* fuera de la puerta de tu casa, a él, no a nosotros deberá imputarse su muerte: pero respecto de todos los que contigo estuvieren dentro de tu casa, recaerá su sangre sobre nuestras cabezas, si alguno le tocare.

**20.** Pero si tú nos hicieres traición, y propalares ese convenio, quedaremos desobligados del juramento que has exigido de nosotros.

**21.** A lo que respondió ella: Como habéis dicho, así sea. Y luego que los despidió, y se fueron, colgó la cinta de color de grana en la ventana.

**22.** Ellos caminaron hasta llegar al monte, donde se detuvieron tres días, hasta que hubieron vuelto los que habían ido en su seguimiento; los cuales, después de haberlos buscado por todo el camino, no los hallaron.

**23.** Luego que éstos entraron en la ciudad, descendieron del monte los exploradores, y se volvieron; y repasando el Jordán, llegaron a Josué, hijo de Nun, y le contaron todo cuanto les había sucedido.

**24.** Y dijéronle: El Señor ha puesto en nuestras manos toda esta tierra, y todos sus moradores están amilanados con el terror *de nuestro nombre*.

## CAPITULO III

*El pueblo de Israel, precedido del Arca, pasa el Jordán.*

**1.** Josué, pues, levantándose antes del día, movió el campo y saliendo de Setím llegaron al Jordán él y todos los hijos de Israel, y se detuvieron allí tres días,

**2.** Pasados los cuales, dieron los heraldos una vuelta por medio del campamento,

---

**18.** Orígenes, San Jerónimo, San Ambrosio y especialmente San Agustín miran figurada en esta cinta de color de escarlata la sangre de Cristo. *Yo me acordaré de Raab.* Ps. LXXXVI. Sobre cuyas palabras dice San Agustín: *Esta es aquella meretriz de Jericó que tuvo fe en las promesas del Señor*, a la cual se dijo "que colgase la cinta de color rojo; esto es, que tuviese en la frente la señal de la sangre de Cristo. En verdad os digo que los publicanos y meretrices os precederían en el reino de los cielos, decía el Señor a los soberbios fariseos; os preceden, porque hacen fuerza, forcejan con la fe, y los que forcejan son los que roban el reino de los cielos".

**3.** Y comenzaron a publicar en alta voz: Luego que viéreis moverse el Arca del Testamento del Señor Dios vuestro, y que marchan los sacerdotes del linaje de Leví que la llevan, levantad también vosotros el campo, y marchad en pos de ellos.

**4.** Mas haya entre vosotros y el arca el espacio de dos mil codos, a fin de que la podáis ver de lejos y saber el camino por donde habéis de pasar: pues no habéis andado antes por él; pero mirad que no os acerquéis al arca.

**5.** Y dijo Josué al pueblo: Santificaos, porque mañana ha de obrar el Señor maravillas entre vosotros.

**6.** Y a los sacerdotes les dijo: Tomad el arca del Testamento, e id delante del pueblo; los cuales haciendo lo que les mandaba, la tomaron, y se pusieron en marcha delante de ellos.

**7.** Entonces el Señor dijo a Josué: Hoy comenzaré a ensalzarte a vista de todo Israel, para que vean que así como fuí con Moisés, así también soy contigo.

**8.** Tú, pues, manda a los sacerdotes que llevan el arca del Testamento, y diles: Luego que hubiereis puesto el pie en una parte de las aguas del Jordán, parad allí.

**9.** Y a los hijos de Israel, díjoles Josué: Llegáos acá, y oíd las palabras del Señor Dios vuestro.

**10.** Y añadió: En esto conoceréis que el Señor Dios vivo está en medio de vosotros, y que exterminará a vuestra vista al cananeo, y al heteo, y al heveo, y al fereceo, y al gergeseo también, al jebuseo y al amorreo.

**11.** Mirad, el arca del Testamento del Señor de toda la tierra irá delante de vosotros por medio del Jordán *para abriros el paso.*

**12.** Tened prevenidos doce varones de las tribus de Israel, uno de cada tribu.

**13.** Y luego que los sacerdotes, que llevan el arca del Señor Dios de toda la tierra, hubieren puesto las plantas de sus pies en las aguas del Jordán, las aguas de la parte de abajo proseguirán corriendo, mas las que vienen de arriba se pararán, amontonándose.

**14.** Salió, pues, el pueblo de sus tiendas para pasar el Jordán: y los sacerdotes que llevaban el arca del Testamento marchaban delante de él.

---

CAP. III. — 5. *La santificación* aquí es lo mismo que *purificación o preparación*: la cual solía hacerse lavando los vestidos, y separándose los maridos del trato con sus mujeres. *Exod.* XIX, *v.* 15. — *Josué* VII, *v.* 13. Y con esta purificación exterior se denotaba la del espíritu, sin la cual no puede el hombre considerar atentamente las grandes obras del Señor.

**15.** Y luego que éstos entraron en el Jordán, y comenzaron sus pies a mojarse en parte del agua (es de advertir que siendo el tiempo de la siega, el Jordán había salido de madre),

**16.** Las aguas que venían de arriba se separaron en un mismo lugar, y elevándose a manera de un monte, se descubrían a los lejos desde la ciudad llamada Adom hasta el lugar de Sartán; mas las que iban corriendo hacia abajo, fueron a desembocar en el mar del desierto (que ahora se llama Muerto) hasta desaparecer enteramente.

**17.** Mientras tanto el pueblo iba marchando hacia Jericó, y los sacerdotes que llevaban el arca de la alianza del Señor, estaban a pie quietos y a la orden *del Señor,* sobre el suelo enjuto, en medio del Jordán, y todo el pueblo iba pasando por el álveo del río, que había quedado en seco.

## CAPITULO IV

*Monumento erigido por Josué después del paso del Jordán.*

**1.** Luego que acabaron de pasar, dijo el Señor a Josué:

**2.** Escoge doce varones, uno de cada tribu;

**3.** Y mándales que tomen de en medio del álveo del Jordán, donde estuvieron parados los sacerdotes, doce piedras solidísimas, que colocaréis en el lugar del campamento, en que plantaréis esta noche las tiendas.

**4.** Llamó, pues, Josué a los doce varones que había elegido de entre los hijos de Israel, uno de cada tribu,

**5.** Y díjoles: Id delante del arca del Señor Dios vuestro al medio del Jordán, y traed de allí una piedra cada uno sobre vuestros hombros, conforme al número de las tribus de los hijos de Israel,

**6.** Para que sirvan de monumento entre vosotros; y cuando el día de mañana os preguntaren vuestros hijos, diciendo: ¿Qué significan esas piedras?,

**7.** Les habéis de responder: Desaparecieron las aguas del Jordán, a vista del arca del Testamento del Señor, cuando iba ella pasándole: por esto se pusieron esas piedras para eterno monumento de los hijos de Israel.

---

**15.** De las cebadas. Pasaron los Hebreos el Jordán a diez del mes de *Nisán*, tiempo de la siega de las cebadas en que el Jordán, por derretirse entonces las nieves del Líbano, se hincha y suele salir de madre. *Eccl.* XXIV, *v.* 86.

**8.** Hicieron, pues, los hijos de Israel lo que les ordenó Josué, trayendo de en medio de la madre del Jordán doce piedras, como el Señor lo había mandado a Josué, conforme al número de las tribus de los hijos de Israel, hasta el sitio en que acamparon, y colocáronlas allí.

**9.** Levantó también Josué otras doce piedras de en medio de la madre del Jordán donde estuvieron parados los sacerdotes que llevaban el arca del testamento; y allí permanecen hasta el día de hoy.

**10.** Entre tanto los sacerdotes, que llevaban el arca, estaban quedos en medio del Jordán, mientras que se ejecutaban todas las cosas que el Señor había mandado a Josué que intimara al pueblo, y que le había dicho Moisés. Y el pueblo dióse prisa a pasar el río.

**11.** Pasado que hubieron todos, pasó también el arca del Señor, y los sacerdotes marchaban *con ella* delante del pueblo.

**12.** Asimismo los hijos de Rubén y de Gad, y la media tribu de Manasés iban armados al frente de los hijos de Israel, como les había mandado Moisés.

**13.** Y estos combatientes, en número de cuarenta mil, iban delante, ordenados en filas y columnas, por las llanuras y campos de la ciudad de Jericó.

**14.** En aquel día engrandeció el Señor a Josué delante de todo Israel para que le temiesen *o respetasen*, como habían temido a Moisés mientras vivió.

**15.** Y habíale dicho el Señor:

**16.** Manda a los sacerdotes que llevan el arca del testamento, que salgan del Jordán.

**17.** Josué se lo mandó, diciendo: Salid del Jordán.

**18.** Y luego que salieron llevando el arca del testamento y comenzaron a pisar la ribera ,volvieron las aguas a su madre, y corrieron como solían antes.

**19.** Salió el pueblo del Jordán el día diez del mes primero, y sentó el campamento en Gálgala que cae al oriente de la ciudad de Jericó.

**20.** Colocó asimismo Josué en Gálgala las doce piedras que habían tomado del fondo del Jordán;

**21.** Y dijo a los hijos de Israel: Cuando preguntaren el día de mañana vuestros hijos a sus padres y les dijeren: ¿Qué significan estas piedras?,

**22.** Los instruiréis y diréis que a pie enjuto pasó Israel ese Jordán,

**23.** Secando el Señor Dios vuestro sus aguas a vuestra vista, hasta que hubísteis pasado;

**24.** A la manera que primero lo había hecho en el mar Rojo, al cual secó hasta que nosotros pasamos,

**25.** Para que reconozcan todos los pueblos de la tierra la mano todopoderosa del Señor, y vosotros asimismo temáis en todo tiempo al Señor Dios vuestro.

## CAPITULO V

*Circuncisión del pueblo. Celebración de la Pascua. Cesa el maná. Aparécese a Josué el Angel del Señor.*

**1.** Luego que todos los reyes de los amorreos que habitaban a la otra parte del Jordán hacia el poniente, y todos los reyes vecinos al mar grande, *o Mediterráneo*, oyeron que el Señor había secado las aguas del Jordán al presentarse los hijos de Israel hasta que hubieron pasado, desmayó su corazón, y no quedó aliento en ellos, temiendo la entrada de los hijos de Israel.

**2.** En este tiempo, *pues*, dijo el Señor a Josué: Hazte unos cuchillos de pedernal, y restablece otra vez la circuncisión entre los hijos de Israel.

**3.** Hizo Josué lo que el Señor le había mandado, y circuncidó a los hijos de Israel en el collado *llamado por eso* de la circuncisión.

**4.** He aquí la causa de la segunda circuncisión: Todos los varones del pueblo salidos de Egipto, los hombres todos de guerra murieron en el desierto, durante aquel larguísimo viaje de tantos rodeos,

**5.** Y todos ellos estaban circuncidados. Mas no lo estaban los que habían nacido en el desierto;

**6.** Los cuales anduvieron cuarenta años por aquella vastísima soledad, *disponiéndolo así Dios* hasta que hubieron muerto todos los que no habían obedecido a la voz del Señor, a quienes juró de antemano que no les dejaría ver la tierra que mana leche y miel.

---

**CAP. IV.** — 10. Espantado al ver las aguas suspendidas. — *Num.* XXXII, *v.* 28.

**14.** Estos cuatro versos deberían estar, según el orden cronológico, antes del verso 11. Semejantes transposiciones son frecuentes en este libro.

**19.** Cuarenta años menos cinco días, después que salieron de Egipto los Israelitas.

**20.** San Jerónimo dice que este monumento se veía aún en su tiempo; y algunos opinan que hablaba

de él San Juan Bautista (*Matth*. III, *v.* 9); pues Betabara, donde bautizaba el precursor, tuvo ese nombre por haber pasado allí el Jordán el pueblo de Israel.

**7.** Los hijos de éstos sucedieron en el lugar *y derechos* de sus padres, y fueron circuncidados por Josué: pues estaban incircuncisos, así como habían nacido, no habiéndolos circuncidado ninguno durante el camino.

**8.** Después que todos fueron circuncidados, se mantuvieron acampados en el mismo sitio, hasta quedar curados.

**9.** Dijo entonces el Señor a Josué: Hoy os he quitado de encima el oprobio del Egipto. Y se llamó el nombre de aquel sitio Gálgala, hasta el presente día.

**10.** Detuviéronse, pues, los hijos de Israel en Gálgala: y celebraron la pascua el día catorce del mes a la tarde en la llanura de Jericó;

**11.** Y al otro día comieron panes ácimos hechos de trigo del país, y harina o *polenta* del mismo año.

**12.** Y luego que ya comieron de los frutos de la tierra faltó el maná: ni usaron más los hijos de Israel de tal manjar, sino que se alimentaron de los frutos que había producido aquel año la tierra de Canaán.

**13.** Mientras Josué se hallaba en los alrededores de la ciudad de Jericó, alzó los ojos, y viendo delante de sí un varón que estaba en pie con la espada desenvainada, encaminóse a él y díjole: ¿Eres tú de los nuestros, o de los enemigos?

**14.** El cual respondió: No soy lo que piensas, sino que soy el príncipe o *caudillo* del ejército del Señor, que acabo de llegar.

**15.** Postróse Josué en tierra sobre su rostro y adorando *a Dios* dijo ¿Qué es lo que ordena mi Señor a su siervo?

**16.** Quítate, le dijo, el calzado de tus pies; pues el lugar que pisas es santo. E hízolo Josué como se le había mandado.

## CAPITULO VI

*A la presencia del Arca caen por sí mismos los muros de Jericó, y la ciudad es entrada a sangre y fuego, salvándose solamente Raab y los suyos. Imprecaciones contra los que vuelvan a edificar la ciudad.*

**1.** Entre tanto Jericó estaba cerrada y bien pertrechada por temor de los hijos de Israel, y nadie osaba salir ni entrar.

**2.** Mas el Señor dijo a Josué: Mira, yo he puesto en tu mano a Jericó y a su rey y a todos sus valientes.

**3.** Dad la vuelta a la ciudad una vez al día todos los hombres de armas. Y haréis esto por espacio de seis días.

**4.** Y al séptimo tomen los sacerdotes siete trompetas de las que sirven para el jubileo, y vayan delante del arca del testamento, y en esta forma daréis siete vueltas a la ciudad, tocando los sacerdotes sus trompetas;

**5.** Y cuando se oiga el sonido más continuado y después más cortado, e hiriere vuestros oídos, todo el pueblo gritará a una con grandísima algazara, y caerán hasta los cimientos los muros de la ciudad por todas partes y cada uno entrará por la que tuviere delante.

**6.** Con esto Josué, hijo de Nun, convocó a los sacerdotes y les dijo: Tomad el arca del testamento, y otros siete sacerdotes tomen siete trompetas de las del jubileo, y vayan delante del arca del Señor.

**7.** Y dijo asimismo al pueblo: Id y dad vuelta a la ciudad armados, yendo delante del arca del Señor.

**8.** Luego que Josué acabó de dar sus órdenes, comenzaron los sacerdotes a tocar las siete trompetas delante del arca del testamento del Señor,

**9.** Y todo el ejército armado marchaba en la vanguardia: el resto de la gente seguía detrás del arca y las trompetas resonaban por todas partes.

**10.** Mas Josué había mandado al pueblo, diciendo: No gritaréis, ni se oirá vuestra voz, ni saldrá palabra de vuestra boca, hasta tanto que llegue el día en que os diga: Gritad, y dad voces.

**11.** De esta manera el arca del Señor rodeó la ciudad una vez el *primer* día, y volviéndose al campamento, se mantuvo allí.

**12.** Al día siguiente levantándose Josué muy temprano, tomaron los sacerdotes el arca del Señor,

**13.** Y siete de ellos siete trompetas, de que se sirven en el jubileo, e iban delante del arca del Señor, andando y tocando las trompetas, precedidos de la gente armada; mas el resto del pueblo seguía detrás del arca, y resonaban las trompetas.

**14.** De esta suerte rodearon la ciudad una vez el segundo día, y se retiraron a los reales. Así lo hicieron seis días.

**15.** Pero el día séptimo levantándose muy temprano de mañana, dieron siete vueltas a la ciudad, según estaba ordenado.

**16.** Y cuando los sacerdotes, a la séptima vuelta, tocaron las trompetas, dijo Josué a todo Israel: Alzad el grito: porque el Señor os ha entregado la ciudad;

---

CAP. V.— 7. Por temor de ocasionarles la muerte; pues necesitaban algunos días de quietud para su curación, y no tenían día fijo para mudar de campamento. *Num.* IV, *v.* 22.

**17.** Y sea esta ciudad y todo lo que hay en ella, anatema sacrificado al Señor. Sólo Raab la ramera quede viva con todos los que están en su casa: por cuanto ocultó los exploradores que enviamos.

**18.** Ahora vosotros guardaos de tocar cosa chica ni grande, contraviniendo a las órdenes dadas; para no haceros reos de prevaricación y no envolver a todo el campamento de Israel en la culpa, y llenarle de turbación.

**19.** Mas todo lo que se hallare de oro y plata y de utensilios de cobre y hierro, sea consagrado a Dios, y guardado en sus tesoros.

**20.** Levantando, pues, el grito todo el pueblo, y resonando las trompetas, luego que la voz y el estruendo *de ellas* penetró los oídos del gentío, de repente cayeron las murallas, y subió cada cual por la parte que tenía delante de sí; y se apoderaron de la ciudad,

**21.** Y pasaron a cuchillo a todos cuantos había en ella, hombres y mujeres, niños y viejos: matando hasta los bueyes y las ovejas, y los asnos.

**22.** Y dijo Josué a los dos hombres que fueron enviados por exploradores: Entrad en la casa de aquella mujer pública y sacadla con todas las cosas que son suyas, como se lo prometísteis con juramento.

**23.** Y habiendo ellos entrado, sacaron fuera a Raab, y a sus padres, hermanos, y a todos sus muebles y alhajas y *a toda* la parentela, y los aposentaron fuera del campamento de Israel.

**24.** Después abrasaron la ciudad, y cuanto en ella había, menos el oro y la plata, y los muebles de cobre y de hierro, que fueron consagrados para el erario del Señor.

**25.** Mas Josué salvó la vida de Raab la mujer pública, y a toda la familia de su padre, y a todos los suyos y se avecindaron en medio de Israel, como se ve en el día de hoy: por haber ella escondido a los exploradores enviados a reconocer a Jericó. En aquel tiempo fulminó Josué esta imprecación, diciendo:

**26.** Maldito sea del Señor quien levantare y reedificare la ciudad de Jericó: muera su primogénito cuando eche sus cimientos, y perezca el postrero de sus hijos así que asiente las puertas.

**27.** El Señor, pues, estuvo con Josué, y su nombradía se divulgó por toda la tierra.

## CAPITULO VII

*Castiga Dios a los Israelitas por el hurto sacrílego de Acán; el cual muere apedreado por orden del Señor.*

**1.** Pero los hijos de Israel quebrantaron el mandamiento, y se apropiaron algo del anatema. Porque Acán, hijo de Carmi, hijo de Zabdi, hijo de Zaré, de la tribu de Judá, tomó alguna cosa de lo destinado al anatema: por lo cual se enojó el Señor contra los hijos de Israel.

**2.** Despachó Josué desde Jericó algunos hombres hacia Hai, que está junto a Betaven, al oriente de la villa de Betel, diciéndoles: Andad y reconoced la tierra. Los cuales, en cumplimiento de la orden reconocieron *a Hai*;

**3.** Y a la vuelta dijeron: No es menester que se mueva todo el ejército: basta que dos o tres mil hombres marchen y arrasen la ciudad: ¿para que se ha de fatigar inútilmente todo el pueblo contra poquísimos enemigos?

---

**17.** Esto es, destruído. La voz *anatema*, se aplica tanto a una cosa que se consagra a Dios perpetuamente, de suerte que no puede ya destinarse a usos privados o profanos; como a aquello que se quema en holocausto consumiéndose o aniquilándose en honor de Dios.

**23.** Hasta que fuesen purificados y dignos de ser agregados al pueblo del Señor. Por el respeto y veneración debida al Arca de Dios no se permitía que los incircuncisos o idólatras morasen en los campamentos de Israel; y así solamente después que Raab y sus parientes fueron instruidos en la Ley, y abrazaron el judaismo, y los hombres fueron circuncidados y las mujeres purificadas por medio de algún bautismo, quedaron incorporados en el pueblo de Dios. Raab casó después con Salomón de la tribu de Judá, de quien descendió David y de éste el Mesias. *Matth.* I, *v.* 5.

**26.** Véase el cumplimiento de esta profecía en la persona de Hiel que quiso reedificarla (III *Reg.* XVI, *v.* 34). Hállase después otra ciudad de Jericó, fabricada sin duda en las inmediaciones de la antigua. II *Reg.* X, *v.* 4. — *Luc.* XIX.

**CAP. VII.** — 1. Aunque solamente de Acán se expresa que pecó, es de creer que tuvo varios cómplices. Sobre todo debemos adorar los juicios de Dios y venerarlos como justos y santos, aunque con la débil luz del nuestro entendimiento no podamos comprenderlos. Muchas veces castiga Dios a todo un cuerpo por el pecado de uno de sus individuos o para imprimir grande horror al pecado y un saludable temor de la justicia Divina, o para que cada uno vele, no solamente sobre sí mismo, sino también sobre sus prójimos. Así San Pablo, I. *Cor.* V, *v.* 2, 6, imputa a toda la Iglesia de Corinto el escándalo de un solo incestuoso. II *Cor.* VII *v.* 11. Tal vez la codicia de Acán sólo fué ocasión de la muerte de los demás, que la merecerían por sus propios pecados. Y el Señor, como observa San Agustín (*Quaest.* VII, in Josué), obra justamente cuando castiga a unos con penas temporales por los pecados y faltas de los otros. III *Reg.* XVI. *v.* 34.

**4.** Marcharon, pues, tres mil combatientes: los que, volviendo al punto las espaldas,

**5.** Fueron batidos por los de la ciudad de Hai, quedando muertos treinta y seis hombres y siendo perseguidos de los contrarios desde la puerta *de Hai* hasta Sabarin, y acuchillados al huir cuesta abajo: con lo que se intimidó el corazón del pueblo, y se disolvía como agua.

**6.** Entonces Josué rasgó sus vestidos y estuvo postrado pecho por tierra delante del arca del Señor hasta la tarde, así como todos los ancianos de Israel, y cubrieron de ceniza sus cabezas.

**7.** Y exclamó Josué: ¡Ah Señor Dios! ¿Por qué has querido hacer pasar a este pueblo el río Jordán para entregarnos en manos del amorreo y exterminarnos? ¡Ojalá nos hubiésemos quedado como estábamos al otro lado del Jordán!

**8.** Señor Dios mío, ¿qué diré viendo a Israel volver las espaldas delante de sus enemigos?

**9.** Oiránlo los cananeos y todos los moradores de esta tierra, coligados entre sí nos cercarán. Y entonces, ¿qué será *de la gloria* de tu excelso nombre?

**10.** Y dijo el Señor a Josué: Levántate, ¿por qué yaces postrado en tierra?

**11.** Israel ha pecado, y violado mi pacto: han tomado *de lo destinado al* anatema; han robado y faltado a la fidelidad, y lo han escondido entre su equipaje.

**12.** Ya no podrá Israel hacer frente a sus enemigos, sino que huirá de ellos; por haberse contaminado *reservándose algo* del anatema: no estaré más con vosotros hasta que exterminéis al que es reo de esta maldad.

**13.** Levántate, *pues,* santifica al pueblo, y diles: Santificaos para mañana. Porque esto dice el Señor Dios de Israel: Oh Israel, el anatema *o hurto sacrílego* está en medio de ti: no podrás contrarrestar a tus enemigos, hasta que sea exterminado de en medio de ti el que se ha contaminado con este sacrilegio;

**14.** Y así mañana os presentaréis *delante del Señor* cada uno en vuestras tribus; y la tribu que saliere por suerte, se presentará por sus parentelas, y la parentela por casas, y cada casa por sus individuos, *todo por suerte.*

**15.** Y quien quiera que fuere hallado culpado de esta maldad, será quemado en el fuego con todos sus haberes: por cuanto ha violado el pacto del Señor, y cometido un crimen detestable en Israel.

**16.** Levantándose, pues, Josué muy de mañana, hizo que se presentara Israel por sus tribus, y cayó la suerte sobre la tribu de Judá.

**17.** Sorteadas las familias *o parentelas* de ésta, salió la familia de Zaré; sorteada ésta por casas, salió la casa de Zabdi;

**18.** Y sorteados los individuos varones de ésta, uno por uno, se descubrió ser Acán, hijo de Carmi, hijo de Zabdi, hijo de Zaré, de la tribu de Judá.

**19.** Dijo, pues, Josué a Acán: Hijo mio, da gloria al Señor Dios de Israel y confiesa y declárame qué has hecho, no me lo encubras.

**20.** Respondió Acán a Josué, y le dijo: Verdaderamente yo he pecado contra el Señor Dios de Israel; y he aquí lo que he hecho:

**21.** Vi entre los despojos una capa de grana muy buena, y doscientos siclos de plata, y una barra de oro de cincuenta siclos; y llevado de codicia, lo tomé y escondí debajo de la tierra en medio de mi tienda, y enterré el dinero en un hoyo.

**22.** Con esto Josué envió pesquisidores *o ministros,* los cuales corriendo a la tienda de Acán, halláronlo todo escondido en aquel mismo sitio, juntamente con el dinero,

**23.** Y sacando fuera de la tienda todas estas cosas, las presentaron a Josué y a todos los hijos de Israel, y lo arrojaron delante del Señor.

**24.** Tomando, pues, Josué y los hijos de Israel a Acán, hijo de Zaré, y con él el dinero y el manto y la barra de oro, con sus hijos también y sus hijas, bueyes, y asnos, y ovejas, y la misma tienda y todo cuanto tenía, lo llevaron al valle *llamado por eso* de Acor,

**25.** Donde dijo Josué: Ya que tú nos has llenado de turbación, extermínete el Señor en este día. Y apedreóle todo Israel, y fué consumido de las llamas *su cuerpo* y todo cuanto poseía.

**26.** Y arrojaron sobre él un gran montón de piedras, que permanecen hasta el día de hoy. Con eso la ira del Señor se apartó de ellos: y hasta hoy día se llama aquel lugar Valle de Acor.

---

**14.** Mandando Dios semejante escrutinio, es infalible el acierto. Fuera de este caso tanto las leyes eclesiásticas como las civiles prohiben las suertes para descubrir los delitos.

---

**21.** No había entonces moneda de oro ni plata; y ambos metales tenían el valor por su peso.

## CAPITULO VIII

*Conquista de la ciudad de Hai. Bendiciones y maldiciones pronunciadas en los montes Hebal y Garicim.*

**1.** Dijo después el Señor a Josué: No temas, ni te acobardes: toma contigo toda la gente de guerra, y puesto en marcha sube a la ciudad de Hai; sábete que tengo entregado en tus manos su rey y el pueblo, y la ciudad y su territorio.

**2.** Y tratarás a la ciudad de Hai y a su rey como trataste a Jericó y al rey de ella: bien que os repartiréis entre vosotros el botín y todos los animales. *Para el intento* pondrás una emboscada detrás de la ciudad.

**3.** Partió, pues Josué y con él todo el ejército de los combatientes, y se dirigieron contra Hai; y destacó de noche treinta mil soldados de los más valientes;

**4.** Y dióles orden diciendo: Poned una emboscada, a espalda de la ciudad: vosotros no os alejéis mucho de ella, y manteneos todos sobre las armas,

**5.** Que yo y la demás gente que tengo conmigo nos acercaremos por la parte opuesta de la ciudad, y en saliendo ellos contra nosotros, echaremos a huir, como antes hicimos, volviendo las espaldas,

**6.** Hasta que persiguiéndonos se alejen mucho de la ciudad, creyendo, como creerán, que huímos al modo que a la vez primera.

**7.** Entonces, mientras nosotros vamos huyendo y ellos siguiéndonos el alcance, saldréis de la emboscada, y saquearéis la ciudad, la cual el Señor Dios vuestro pondrá en vuestras manos.

**8.** Y apoderados de ella, le pegaréis fuego, ejecutándolo todo puntualmente como lo he mandado.

**9.** Así los despachó; y marcharon al sitio de la emboscada, y se apostaron entre Betel y Hai, a la parte occidental de la ciudad de Hai. Josué pasó aquella noche en medio del ejército;

**10.** Y levantándose al romper el día, pasó revista a su gente, y se puso en marcha con los ancianos *del pueblo* al frente del ejército, sostenido el grueso de sus valientes tropas.

**11.** Llegados que fueron, y subiendo por frente de la ciudad, hicieron un alto a la parte del norte, mediando un valle.

**12.** Había Josué escogido cinco mil hombres, y puéstolos en emboscada entre Betel y Hai, al poniente de esta ciudad.

**13.** Todo el resto del ejército marchaba formado en batalla con dirección al norte, de tal manera que sus últimas filas tocaban el lado occidental de la ciudad. Habiendo, pues, marchado Josué *al fin de* aquella noche, se apostó en medio del valle.

**14.** Lo cual como viese el rey de Hai, salió de mañana a toda prisa, de la ciudad con todo su ejército, y encaminó sus tropas hacia el desierto, sin saber que dejaba una emboscada a las espaldas.

**15.** Josué y todo Israel fueron cediendo el terreno, fingiendo miedo y echando a huir por el camino del desierto:

**16.** Con lo cual los de Hai alzando a una el grito, y animándose mutuamente los fueron persiguiendo. Y cuando estuvieron lejos de la ciudad,

**17.** Sin que hubiese quedado ni siquiera un hombre en Hai y en Betel que no fuera al alcance de los israelitas (dejando abiertas las puertas por donde salieron de tropel),

**18.** Dijo el Señor a Josué: Levanta el broquel que tienes en tu mano, contra la ciudad de Hai: porque voy a entregarla.

**19.** Alzado que hubo el broquel contra la ciudad, de repente salieron *al ver esta señal* los que estaban ocultos en la emboscada, y encaminándose hacia la ciudad, la tomaron y pegaron fuego *a varios edificios.*

**20.** Entonces los de Hai que iban persiguiendo a Josué, volviendo la cabeza, y viendo el humo de la ciudad que subía hasta el cielo, no tuvieron arbitrio para escapar por ningún lado; sobre todo cuando los que aparentaban huir y encaminarse al desierto, atacaron con el mayor denuedo a los que iban persiguiendo.

**21.** Viendo, pues, Josué y todo Israel *con esta seña* que la ciudad había sido tomada, y cómo iba subiendo el humo de ella, volviendo atrás hicieron cara a los de Hai, y los pasaron a cuchillo.

**22.** Porque al mismo tiempo los que habían tomado e incendiado la ciudad saliendo también de ella para unirse con los suyos, comenzaron a acuchillar a los enemigos, los cuales tomados en medio fueron de tal suerte destrozados por ambas partes, que de tanta muchedumbre, ninguno pudo salvarse;

CAP. VIII. — 2. Advierte San Agustín (*Quaest.* X, in Josue), que en ningún caso es lícito usar de mentiras, ni de falsas promesas para vencer al enemigo. Pero son lícitas en guerra justa las emboscadas y otros ardides con que se le oculta la verdad. Aquí nos hace ver Dios que la confianza en su omnipotencia no debe impedirnos que tomemos los medios ordinarios y legítimos para el logro de una empresa. Cap. VI, *v*, 24.

**23.** También prendieron vivo al mismo rey de la ciudad de Hai, y le presentaron a Josué.

**24.** Muertos así todos los que fueron persiguiendo a Israel camino del desierto, y pasados a cuchillo en el mismo sitio, volvieron los hijos de Israel, y asolaron la ciudad.

**25.** Los que perecieron en esta jornada entre hombres y mujeres fueron doce mil, vecinos todos de la ciudad de Hai.

**26.** Josué, empero, no bajó la mano con que había levantado en alto el broquel, hasta que fueron pasados a cuchillo todos los moradores de Hai.

**27.** Mas las bestias y demás botín de la ciudad se lo repartieron entre sí los hijos de Israel, como el Señor había ordenado a Josué,

**28.** El cual puso fuego *al resto* de la ciudad, y la redujo para siempre a un montón de escombros.

**29.** Colgó también de un patíbulo a su rey hasta la tarde al ponerse el sol, en que por mandado de Josué descolgaron el cadáver de la cruz, y le arrojaron en la misma entrada de la ciudad, levantando sobre él un gran montón de piedras, que permanece hasta el día de hoy.

**30.** Entonces edificó Josué un altar al Señor Dios de Israel en el monte Hebal,

**31.** Según lo había mandado Moisés, siervo del Señor, a los hijos de Israel, y está escrito en el libro de la ley de Moisés: el altar se hizo de piedras sin labrar, a que no había tocado hierro alguno; y ofreció sobre él holocaustos al Señor, y sacrificó víctimas pacíficas.

**32.** Asimismo escribió sobre piedras el Deuteronomio *o recopilación* de la ley de Moisés, que Moisés había explicado delante de los hijos de Israel.

**33.** Y todo el pueblo, tanto los extranjeros como los naturales, y los ancianos, y los caudillos, y jueces estaban en pie al uno y al otro lado del arca enfrente de los sacerdotes que llevaban *en hombros* el arca del testamento del Señor. La mitad de ellos junto al monte Garicim, y la otra mitad junto al monte Hebal, como lo había ordenado Moisés, siervo del Señor. Y ante todas cosas Josué bendijo al pueblo de Israel.

**34.** Después de esto, leyó todas las palabras de bendición y de maldición, y todas las cosas escritas en el libro de la ley.

**35.** Ninguna cosa omitió de las que Moisés había mandado: sino que una por una las repitió todas delante de toda la muchedumbre de Israel, de las mujeres y de los niños, y de los extranjeros, que moraban entre ellos.

## CAPITULO IX

*Los Gabaonitas engañan a los Hebreos y salvan sus vidas; mas quedan después obligados a perpetua servidumbre.*

**1.** Divulgados estos sucesos, todos los reyes de la otra parte del Jordán *adonde había pisado Israel,* que vivían en las montañas, y en los llanos, y en la costa del mar grande *o Mediterráneo,* como también los que habitaban junto al Líbano, el heteo y el amorreo el cananeo, y el fereceo, y el heveo, y el jebuseo,

**2.** Se reunieron todos de común acuerdo y consejo para pelear contra Josué y contra Israel.

**3.** Pero los habitantes de Gabaón, oyendo todo lo que Josué había hecho en Jericó y en Hai,

**4.** Discurriendo un ardid se proveyeron de víveres, cargaron sobre sus jumentos unos costales viejos, y pellejos de vinos rotos y retorcidos;

**5.** Pusiéronse calzado muy usado y lleno de remiendos en prueba de que era viejo, y vistiéronse de ropas también usadas, llevando asimismo unos panes consigo, como para el camino, duros y hechos pezados.

**6.** De este modo vinieron a presentarse a Josué, que a la sazón se hallaba en el campamento de Gálgala, y le dijeron a él y a todo Israel juntamente: Venimos de luengas tierras con el deseo de hacer paz con vosotros. A lo que los de Israel les respondieron y dijeron:

**7.** Cuidado que no seáis moradores de la tierra que nos pertenece como herencia nuestra; y nos esté prohibido hacer alianza con vosotros.

**8.** Mas ellos respondieron a Josué: Siervos tuyos somos. Preguntóles Josué: ¿Quiénes sois vosotros, y de dónde habéis venido?

**9.** Respondieron: De un país remotísimo han venido tus siervos en nombre del Señor Dios tuyo: por cuanto hemos oído la fama de su poder, todo lo que hizo en Egipto,

**10.** Y con los reyes de los amorreos que reinaron en la otra parte del Jordán, Sehón, rey de Hesebón, y Og, rey de Basán, que estaba en Astarot.

---

**32.** Algunos opinan que sería el *Decálogo:* o tal vez las *bendiciones* y *maldiciones* de que se habla en el cap. XXVII, del Deuteronomio; y son como un compendio de la ley.

**11.** Por lo cual nos dijeron nuestros ancianos, y todos los moradores de nuestra tierra: Tomad provisiones para un larguísimo viaje, e id a encontrarlos, y decidles: Siervos vuestros somos: haced alianza con nosotros.

**12.** Observad los panes que tomamos calientes de nuestras casas para venir hacia vosotros, cómo se han secado ya, y desmenuzado de puro añejos.

**13.** Estos pellejos que llenamos de vino eran nuevos, y ahora están ya rotos y desgarrados: la ropa que vestimos, y el calzado que traemos en los pies se han gastado, y casi se han consumido a causa de lo prolijo de tan largo viaje.

**14.** Tomaron, pues, de sus víveres; y no consultaron el oráculo del Señor.

**15.** Y Josué, tratándolos como amigos, hizo con ellos alianza, y les prometió que no les quitaría la vida, lo mismo les juraron los príncipes del pueblo.

**16.** Mas tres días después de hecha la alianza, supieron que habitaban en la vecindad, y que iban a entrar en sus tierras.

**17.** Con efecto movieron el campo los hijos de Israel, y al tercer día llegaron a sus ciudades, cuyos nombres son estos: Gabaón, Cafira, Berot, y Cariatiarim.

**18.** Y no les hicieron ningun daño, por cuanto se lo habían jurado los príncipes del pueblo en el nombre del Señor Dios de Israel. Por lo que todo el pueblo, *viéndose privado del pillaje,* murmuró contra los príncipes.

**19.** Los cuales respondieron: Se lo hemos jurado en el nombre del Señor Dios de Israel, y por tanto no podemos hacerles ningún daño.

**20.** Pero haremos esto con ellos: Queden enhorabuena salvos y con vida; para que no venga sobre nosotros la ira del Señor si perjuráremos:

**21.** Pero vivan con la condición de haber de cortar la leña, y acarrear el agua para el servicio de todo el pueblo.

Mientras los caudillos decían esto,

**22.** Josué convocó a los gabaonitas, y les dijo: ¿Por qué nos habéis querido engañar con fraude, diciendo: Nosotros somos de muy lejos, siendo así que habitáis en medio de nosotros?

**23.** Por esta causa estaréis sujetos a la maldición, y no faltará de vuestro linaje quien corte leña y acarree agua a la casa de mi Dios.

**24.** Respondieron ellos: Llegó a noticia de nosotros tus siervos que el Señor Dios tuyo tenía prometido a Moisés, su siervo, que os había de entregar toda la tierra y que destruiría todos sus habitantes: entramos, pues, en gran temor, y mirando por nuestras vidas tomamos este partido, compelidos del terror que nos inspirábais.

**25.** Mas ahora en tu mano estamos: haz de nosotros lo que te parezca bueno y justo.

**26.** En consecuencia Josué cumplió lo que les había prometido, y los libró de las manos de los hijos de Israel, para que no los matasen;

**27.** Y determinó en aquel mismo día que fuesen empleados en el servicio de todo el pueblo y del altar del Señor, cortando leña, y conduciendo agua al lugar que el Señor escogiese, *como lo hacen* hasta el presente.

## CAPITULO X

*Victorias prodigiosas de Josué, el cual hace parar el sol: manda quitar la vida a cinco reyes; y toma varias ciudades.*

**1.** Mas como Adonisedec, rey de Jerusalén, hubiese oído que Josué había conquistado a Hai, y arrasádola, (pues lo que había hecho con Jericó y su rey, lo mismo hizo con Hai y el rey de esta ciudad), y que los gabaonitas se habían pasado al partido de Israel, y se habían aliado con ellos,

**2.** Entró en grandísimo temor: por cuanto la ciudad de Gabaón era una ciudad grande, y una de las ciudades reales, y mayor que la de Hai, y muy valientes todos sus guerreros.

**3.** Por lo cual Adonisedec, rey de Jerusalén, envió *embajadores* a Oham, rey de Hebrón, y a Faram, rey de Jerimot, y también a Jafia rey de Laquis, y a Dabir, rey de Eglón, diciendo:

**4.** Venid a mí, y traedme socorro para conquistar a Gabaón; por haberse pasado a Josué y a los hijos de Israel.

**5.** Juntáronse, pues, y marcharon estos cinco reyes de los amorreos, el rey de Jerusalén, el rey de Hebrón, el rey de Jerimot, el rey de Laquis, el rey de Eglón juntamente con sus respectivos ejércitos, y acampando cerca de Gabaón, la sitiaron.

**6.** Mas los vecinos de la sitiada ciudad de Gabaón despacharon mensajeros a Josué, que a la sazón se hallaba acampado en Gálgala, para decirle: No rehuses socorrer a tus siervos: Acude presto a librarnos con tu auxilio; porque se han unido contra nosotros todos los reyes de los amorreos, que habitan en las montañas.

**7.** Al punto Josué subió de Gálgala y con él los guerreros más valientes de todo su ejército.

**8.** Y dijo el Señor a Josué: No les temas, pues yo los tengo entregados en tus manos; ninguno de ellos podrá resistirte .

**9.** Josué, pues, caminando desde Gálgala toda la noche, echóse sobre ellos de repente:

**10.** Y el Señor los desbarató a la vista de Israel, que hizo en ellos grande estrago en Gabaón y los fué persiguiendo camino de la cuesta de Betorón, y acuchillándolos hasta Aceca y Maceda.

**11.** Y mientras iban huyendo de los hijos de Israel, estando en la bajada de Betorón, el Señor llovió del cielo grandes piedras sobre ellos hasta Aceca; y fueron muchos más los que murieron de las piedras del granizo, que los que pasaron a cuchillo los hijos de Israel.

**12.** Entonces habló Josué al Señor en aquel día en que entregó al amorreo a merced de los hijos de Israel, y dijo en presencia de ellos: Sol, no te muevas de encima de Gabaón; ni tú luna, de encima del Valle de Ayalón.

**13.** Y paráronse el sol y la luna hasta que el pueblo del Señor se hubo vengado de sus enemigos. ¿Y no es esto *mismo* lo que está escrito en el libro de los Justos? Paróse, pues, el sol en medio del cielo, y detuvo su carrera sin ponerse por espacio de un día.

**14.** No hubo antes ni después día tan largo, obedeciendo el Señor, *por decirlo así*, a la voz de un hombre, y peleando por Israel.

**15.** Volvíase Josué con todo Israel al campamento de Gálgala.

**16.** Habían escapado los cinco reyes, y escondídose en una cueva de la ciudad de Maceda;

**17.** Y dieron aviso a Josué de haber hallado a los cinco reyes metidos en una cueva de la ciudad de Maceda.

---

**12.** Animado de vivísima fe, y deseoso de exterminar enteramente antes de la noche a los enemigos.

**13.** No consta qué libro es éste que se cita aquí, y también II *Reg.* I, *v.* 18, el cual sin duda se perdió. Tal vez sería una historia de los hombres más ilustres del pueblo de Israel, y quizá el mismo que en el *cap.* XXI, *v.* 14 de los *Números* se llama *Libro de las guerras del Señor.*

**14.** Lo cual es un milagro aún más grande que el detener al sol. En este mismo sentido dice *David, Ps.* CXLIV, *v.* 19, que Dios hará la voluntad de los que le temen. Tal es la eficacia de la oración.

**18.** Y mandó a los *soldados* que le acompañaban, diciéndoles: Haced rodar unas grandes piedras a la boca de la cueva, y dejad hombres cuidadosos para guardar a los que están encerrados:

**19.** Vosotros entre tanto no paréis de perseguir a los enemigos, hiriendo siempre la retaguardia de los fugitivos, ni dejéis entrar a guarecerse en sus ciudades a los que el Señor Dios ha entregado en vuestras manos.

**20.** Habiendo, pues, hecho gran mortandad en los enemigos hasta el punto de no dejar casi uno con vida, los que pudieron escapar de las manos de los israelitas se metieron en las ciudades fuertes:

**21.** Y se volvió todo el ejército a Josué, junto a Maceda, donde estaba entonces el campo, salvo y sin haber perdido un solo hombre; y ni siquiera uno *de los enemigos* se atrevió a chistar contra los hijos de Israel.

**22.** Entonces mandó Josué, diciendo: Abrid la boca de la cueva, y traedme acá los cinco reyes que están allí encerrados.

**23.** Hicieron los ministros lo que se les había mandado, y sacaron de la cueva a los cinco reyes, al rey de Jerusalén, al rey de Hebrón, al rey de Jerimot, al rey de Laquis, y al rey de Eglón.

**24.** Luego que le fueron presentados, llamó a toda la gente de Israel, y dijo a los príncipes *o jefes* del ejército que tenía consigo: Id y poned el pie sobre los cuellos de esos reyes. Y habiendo ellos ido y puesto el pie sobre los cuellos de los reyes sojuzgados,

**25.** Díjoles Josué: No temáis ni os acobardéis: esforzaos y mantened vuestro brío; que así tratará el Señor a todos vuestros enemigos contra quienes peleáis.

**26.** Después de esto Josué los hizo herir y quitar la vida; y los mandó colgar en cinco maderos, en los cuales estuvieron hasta la tarde.

**27.** Al ponerse el sol mandó a los que le acompañaban que los quitaran de los patíbulos, y descolgados los echaron en la cueva donde se habían escondido, y pusieron sobre la roca grandes piedras, que permanecen hasta el presente.

---

**24.** Moisés había ya predicho este suceso (*Deut.* XXXIII, *v.* 29), que sin duda ejecutó Josué por inspiración de Dios, que quiso así castigar la impiedad e infames vicios de aquellos reyes, apartar a los Hebreos del trato y unión con los Cananeos con la vista del desprecio con que se trataba a sus príncipes, y animarlos a proseguir con valor la guerra contra ellos.

**28.** En este mismo día se apoderó Josué de Maceda, y la pasó a cuchillo, matando a su rey y a todos sus habitantes, sin dejar siquiera uno, haciendo con el rey de Maceda lo mismo que había hecho con el rey de Jericó.

**29.** Desde Maceda marchó con todo Israel a Lebna, y comenzó a batirla.

**30.** Y el Señor la entregó con su rey en poder de Israel; y pasaron a cuchillo a todos los moradores, sin dejar alma viviente. Con el rey de Lebna hicieron lo mismo que habían hecho con el rey de Jericó.

**31.** De Lebna pasó a Laquis con todo Israel, y cercándola con todo el ejército, la combatió;

**32.** Y el Señor entregó a Laquis en manos de Israel, que la tomó al segundo día, y la pasó a cuchillo con toda la gente que había dentro, así como lo había hecho en Lebna.

**33.** En este tiempo Horam, rey de Gacer, vino a socorrer a Laquis; mas Josué le destrozó con todas sus tropas, sin dejar hombre con vida.

**34.** De Laquis pasó a Eglón, y cercólo,

**35.** Y la conquistó el mismo día; y pasó a cuchillo toda la gente que había en ella, ni más ni menos que lo había hecho en Laquis.

**36.** Marchó asimismo con todo Israel desde Eglón a Hebrón, y combatió contra ella:

**37.** Tomóla y la pasó a cuchillo con su rey; y lo mismo hizo en todos los lugares de aquella comarca, y con todos sus moradores, sin perdonar a nadie: como había hecho en Eglón, así hizo en Hebrón, acabando a filo de espada con cuanto había.

**38.** Desde aquí dió la vuelta a Dabir,

**39.** La tomó y desoló, e hizo pasar también a cuchillo a su rey y a todos los lugares circunvecinos: no dejó dentro alma viviente; lo que había hecho a Hebrón y Lebna y a sus reyes, eso mismo hizo a Dabir y a su rey.

**40.** De esta suerte arrasó Josué todo el país montañoso, el meridional, y el llano, y también a Asedot o *los lugares más bajos* con sus reyes: no dejó allí cosa con vida, sino que mató a todo viviente (como se lo tenía mandado el Señor Dios de Israel),

**41.** Desde Cadesbarne hasta Gaza. Tomó, y sin dejar la espada de la mano, asoló todo el país de Gosén hasta Gabaón,

**42.** Y todos sus reyes y territorios: porque el Señor Dios de Israel peleó por él.

**43.** Y volvióse con todo Israel a Gálgala, donde estaba el campamento.

## CAPITULO XI

*Alcanza Josué nuevas victorias, y sujeta casi toda la tierra de Canaán.*

**1.** Al oír esto Jabín, rey de Asor, envió mensajeros a Jobab, rey de Madón, y al rey de Semerón, y al rey de Acasaf;

**2.** Y a los reyes del norte, que habitaban en las montañas, y en las llanuras al mediodía de Cenerot; asimismo a los de las campiñas y de las regiones de Dor en la costa del mar,

**3.** Y a los cananeos del oriente y del occidente, y a los amorreos, y heteos, y fereceos, y jebuseos de las montañas, e igualmente a los heveos que habitaban en las faldas del monte Hermón, en el territorio de Masfa.

**4.** Pusiéronse todos en marcha con sus tropas, habiéndose juntado un gentío innumerable como la arena de las orillas del mar, y una multitud inmensa de caballos y carros.

**5.** Todos estos reyes se reunieron cerca de las aguas de Merom para pelear contra Israel.

**6.** Dijo entonces el Señor a Josué: No los temas, porque mañana a esta misma hora yo te entregaré todos esos para que sean pasados a cuchillo a vista de Israel: harás desjarretar sus caballos, y quemar sus carros.

**7.** Vino, pues, Josué de repente con todo su ejército contra ellos hasta las aguas de Merom, y acometiólos;

**8.** Y el Señor los entregó en manos de los israelitas que los acuchillaron, y fueron persiguiendo hasta la gran Sidón, y las aguas de Maserefot, y la campiña de Masfe, que yace a su oriente. De tal suerte los destrozó, que no dejó alma viviente de ellos;

**9.** Y ejecutó lo que le había mandado el Señor de desjarretar los caballos y quemar los carros.

**10.** Dió luego la vuelta, y tomó Asor, y degolló a su rey. Pues Asor de tiempo antiguo tenía el principado entre todos estos reinos.

**11.** Y pasó a cuchillo toda la gente que allí moraba, sin dejar persona viviente; sino que todo lo devastó enteramente, y a la ciudad misma la redujo a cenizas.

---

CAP. XI.— 4. Expresión hiperbólica de que se usa muchas veces en la Escritura. Josefo (Antiq. lib. V, cap. 1) dice que constaba de treinta mil hombres de a pie, diez mil de a caballo, y veinte mil carros armados de hoces.

12. Y se apoderó de todas las ciudades comarcanas y de sus reyes; y las pasó a cuchillo y las arrasó, como se lo había mandado el siervo de Dios Moisés.

13. Quemó Israel todas las ciudades, menos las situadas en los collados y alturas: de éstas solamente Asor, ciudad muy fuerte, fué abrasada del todo.

14. Y los hijos de Israel repartieron entre sí todos los despojos y los ganados de estas ciudades, después de haber quitado la vida a todos los habitantes.

15. Según el Señor lo tenía mandado a su siervo Moisés, así también Moisés se lo mandó a Josué y éste lo cumplió todo: no omitió ni un ápice de todos los mandamientos que había dado el Señor a Moisés.

16. Conquistó, pues, Josué todo el país montañoso meridional, y la tierra de Gosén, y la llanura y la parte occidental, y el monte de Israel, y sus campiñas;

17. Y parte de la cordillera que se levanta hacia Seir hasta Baalgad, sobre la llanura del Líbano, a la falda del monte Hermón; habiendo tomado, herido, y quitado la vida a todos sus reyes.

18. Duró mucho tiempo la guerra de Josué contra estos reyes:

19. *Pues* no hubo ciudad que de suyo se rindiese a los hijos de Israel, fuera de los heveos que habitaban en Gabaón: todas las conquistó a la fuerza.

20. Porque había decretado Dios el *dejar* que el corazón de los ciudadanos se endureciese, y que peleasen contra Israel, y así fuesen destruídos, y no mereciesen clemencia alguna, sino que perecieran, como el Señor tenía mandado a Moisés.

21. Por aquel tiempo acometió Josué, y mató a los enaceos o *gigantes* de las montañas, y los desarraigó de Hebrón y Dabir, y Anab, y de todos los montes de Judá y de Israel, asolando sus ciudades.

22. Ni uno siquiera dejó de la raza de los enaceos en la tierra de los hijos de Israel, sino los que quedaron en las ciudades de Gaza y de Get y de Azoto.

23. Conquistó, pues, Josué toda la tierra, como el Señor lo dijo a Moisés, y entregósela en posesión a los hijos de Israel, repartiéndola por sus tribus. Y cesó la guerra en el país.

## CAPITULO XII

*Recapitulación de las conquistas que hizo el pueblo de Israel. Cuéntanse treinta y un reyes destruidos por Moisés y Josué.*

1. Estos son los reyes a los cuales derrotaron los hijos de Israel, y cuya tierra poseyeron a la otra parte del Jordán, hacia el oriente, desde el torrente de Arnón hasta el monte Hermón, toda la región oriental que mira al desierto.

2. Sehón, rey de los amorreos, que habitó en Hesebón, reinó desde Aroer, ciudad situada sobre la ribera del torrente de Arnón, y desde el medio del valle y mitad de Galaad hasta el torrente Jaboc, que parte términos con el país de los hijos de Ammón;

3. Y desde el desierto hasta el mar de Cenerot, o *Genezaret*, hacia el oriente, y hasta el mar del desierto, que es el mar Salado o *Muerto*, a la parte oriental, por el camino que va a Betsimot, y por la parte austral hasta Asedot, o *los lugares bajos* en las vertientes del Fasga.

4. El reino de Og, rey de Basán, residuo de los rafeos o *gigantes,* que habitaba en Astarot y en Edrai, se extendía desde el monte Hermón y Saleca y el distrito de Basán, hasta los términos

5. De Gesuri y de Macati, y de la mitad de Galaad, y hasta confinar con Sehón, rey de Hesebón.

6. Moisés, siervo del Señor, y los hijos de Israel, derrotaron a los dos; y Moisés entregó el dominio de sus tierras a las tribus de Rubén y de Gad, y a la media tribu de Manasés.

7. Y éstos son los reyes del país, a quienes derrotó Josué, con los hijos de Israel, de esta otra parte del Jordán al poniente, desde Baalgad, en la campiña del Líbano, hasta la montaña, de la cual remata una parte en Seir: país que Josué repartió a las tribus de Israel por herencia, a cada una su porción,

8. Tanto en los montes como en los valles y campiñas. Porque los heteos, los amorreos, los cananeos, los fereceos, los heveos, y los jebuseos, habitaban en Asedot, y en el desierto, y hacia el mediodía.

9. Un rey de Jericó, un rey de Hai, la cual está a un lado de Betel.

10. Un rey de Jerusalén; un rey de Hebrón.

---

20. Explícase y se ilustra el sentido de este verso en el cap. XII, del libro Sabiduría.

**CAP. XII.**— 8. No solamente en las montañas, sino en las tierras bajas: en *Asedot*, esto es, en lugares bajos.

11. Un rey de Jerimot; un rey de Laquis.

12. Un rey de Eglón; un rey de Gacer.

13. Un rey de Dabir; un rey de Gader.

14. Un rey de Herma; un rey de Hered.

15. Un rey de Lebna; un rey de Odullam.

16. Un rey de Maceda; un rey de Betel.

17. Un rey de Tafua; un rey de Ofer.

18. Un rey de Afec; un rey de Sarón.

19. Un rey de Madón; un rey de Asor.

20. Un rey de Semerón; un rey de Acasaf.

21. Un rey de Tenac; un rey de Magedo.

22. Un rey de Cades; un rey de Jacanan del Carmelo.

23. Un rey de Dor, y de la provincia de Dor; un rey de las gentes de Galgal.

24. Un rey de Tersa; en todos treinta y un reyes.

## CAPITULO XIII

*Manda el Señor a Josué que reparta la tierra de Canaán entre las otras nueve tribus y media; y descríbese la que antes cupo a las de Rubén y de Gad, y media de Manasés.*

1. Era Josué anciano, y de edad avanzada, cuando el Señor le dijo: Tú estás viejo, y tienes ya muchos años, y queda por conquistar y dividir en suertes una tierra dilatadísima,

2. Es a saber, toda la Galilea, el territorio de los filisteos, y toda Gesuri,

3. Desde el río turbio, que baña el Egipto, hasta los términos de Acarón hacia el norte; la tierra de Canaán dividida entre cinco reyezuelos de los filisteos, *a saber,* el de Gaza, el de Azoto, el de Ascalón, el de Get y el de Acarón;

4. (Al mediodía de los cuales están los heveos), todo el país *propiamente dicho* de Canaán *o la Fenicia,* y Maara de los sidonios, hasta Afeca, y los términos de los amorreos,

5. Y sus confines; al oriente asimismo el territorio del Líbano, desde Baalgad al pie del monte Hermón, hasta entrar en Emat;

6. Como el país de todos los que habitan en las montañas desde el Líbano hasta las aguas de Maserepot, con los sidonios todos. Yo soy el que los he de exterminar delante de los hijos de Israel. Entre, pues, *todo este país* a ser parte de la herencia de Israel, como lo tengo mandado.

7. Y reparte ahora la tierra que deben poseer las nueve tribus, y la media tribu de Manasés,

8. Ya que la otra mitad, y las tribus de Rubén y Gad han ocupado la tierra que les entregó Moisés, siervo del Señor, a la otra parte del río Jordán, hacia el oriente;

9. Desde Aroer, situada sobre la ribera del torrente Arnón, y en medio del valle, y la campiña toda de Medaba, hasta Dibón,

10. Y todas las ciudades de Sehón, rey de los amorreos, que reinó en Hesebón, hasta los términos de los hijos de Ammón;

11. Además Galaad, y las comarcas de Gesuri, y de Macati, y todo el monte Hermón, y todo el territorio de Basán, hasta Saleca;

12. Todo el reino de Og, en el país de Basán, el cual reinó en Astarot y en Edrai, y descendía de los rafeos *o gigantes* que quedaron. Porque Moisés derrotó esos pueblos, y los destruyó.

13. Verdad es que los hijos de Israel no quisieron exterminar a los de Gesuri y Macati; y así han proseguido habitando en medio de Israel hasta el día presente.

14. A la tribu de Leví no le dió *Moisés* posesión alguna; pues los sacrificios y las víctimas del Señor Dios de Israel son su propia herencia, como *el mismo Señor* se lo había dicho.

15. Moisés, pues, dió su porción correspondiente a la tribu de los hijos de Rubén, según sus familias.

16. Y fuéle señalando el territorio desde Aroer (situada sobre la ribera del torrente Arnón, y en medio del valle en que está el mismo torrente), toda la llanura que llega hasta Medaba;

17. Y Hesebón con todas sus aldeas esparcidas por la campiña; e igualmente Dibón, y Bamotbaal, y la ciudad de Baalmaón,

---

23. Algunos intérpretes entienden por Galgal la Galilea superior, frecuentada por las naciones, a causa de sus muchos puertos, y llamada por eso *Galilea Gentium.*

24. Deshechos por Josué y los hijos de Israel. Aquí *rey* significa un príncipe o señor soberano de una ciudad o pequeño distrito.

CAP. XIII. — 8. Esto es, el *Nilo.* Los Hebreos en pena de sus pecados solamente tuvieron por poco tiempo el dominio de todo este país, habiendo faltado por su parte a las promesas hechas al Señor.

---

17. En el cap. XXXII de los *Números, v.* 34, se cuenta Dibón como de la tribu de Gad. Puede ser que perteneciese a las dos, así como Jerusalén pertenecía parte a Benjamín y parte a Judá.

**18.** Y Jasa y Cedimot, y Mefaat,

**19.** Y Cariataim, y Sabama y Saratusar en el monte del valle,

**20.** Betfogor, y Asedot, Fasga y Betiesimot,

**21.** Y todas las ciudades de la campiña, y los dominios todos de Sehón, rey de los amorreos, que reinó en Hesebón, a quien destrozó Moisés, como también a los príncipes de Madián, Hevi, y Recem, y Sur, y Hur, y Rebe, capitanes *del ejército* de Sehón, y moradores de aquella tierra.

**22.** (Los hijos de Israel pasaron también a cuchillo, como a todos los demás, al adivino Balaam, hijo de Beor).

**23.** En fin, el río Jordán vino a ser el término de los hijos de Rubén: ésta es la tierra, y las ciudades, y aldeas que se distribuyeron a los rubenitas, según sus familias.

**24.** Asimismo a la tribu de Judá, y a sus hijos divididos en sus familias, dió Moisés la tierra que debían poseer, cuya partición es ésta:

**25.** El distrito de Jaser y todas las ciudades de Galaad, y la mitad del país de los hijos de Ammón hasta Aroer, ciudad fronteriza de Rabba;

**26.** Y desde Hesebón hasta Ramot, Masfe, y Betonim; y desde Manaím hasta los confines de Dabir.

**27.** En el valle de Betrán y Betnemra y Socot y Safón, resto del reino de Sehón, rey de Hesebón: el Jordán es también el límite de esta partición, hasta el cabo del mar de Ceneret, *o Genezaret que está* a la otra parte del Jordán, hacia el oriente:

**28.** Esta es la tierra de los hijos de Gad, sus ciudades y aldeas, repartido todo entre sus familias.

**29.** Dió también *Moisés* a la media tribu de Manasés y a sus hijos la tierra que debían poseer, repartida entre sus familias.

**30.** La cual principiando en Manaím abraza todo Basán y todos los dominios de Og, rey de Basán, y todas las aldeas de Jair que pertenecen a Basán *en número* de sesenta poblaciones;

**31.** Y la mitad de Galaad, y Astarot, y Edrai, ciudades del reino de Og en Basán: todo esto fué dado a los hijos de Maquir, hijo de Manasés, esto es, a la mitad de los hijos de Maquir, según sus familias.

**32.** Estas son las posesiones que repartió Moisés en las campiñas de Moab a la otra parte del Jordán, enfrente de Jericó, hacia el oriente.

**33.** Mas a la tribu de Leví no le dió porción ninguna de tierra; porque el Señor Dios de Israel él mismo es su herencia, como se lo tiene dicho.

## CAPITULO XIV

*Efraím y Manasés, hijos de José, forman dos tribus separadas. Justa petición de Caleb, otorgada por Josué.*

**1.** Esto es lo que poseyeron los hijos de Israel en la tierra de Canaán, según la repartición que hicieron el *Sumo* sacerdote Eleazar, y Josué, hijo de Nun, y los príncipes de las familias en cada una de las tribus de Israel,

**2.** Distribuyéndolo todo por suerte entre las nueve tribus y media, como el Señor lo había ordenado a Moisés,

**3.** Pues que a las otras dos tribus y media les tenía dada ya Moisés su porción a la otra parte del Jordán; sin contar con los levitas, quienes no recibieron porción alguna de tierra entre sus hermanos,

**4.** Sino que entraron en su lugar los hijos de José, Manasés y Efraím, divididos en dos tribus; ni tuvieron los levitas en la tierra otra porción que ciudades para habitar, y sus ejidos *o campos vecinos,* para mantener sus bestias y ganados.

**5.** Como el Señor lo había mandado a Moisés, así lo ejecutaron los hijos de Israel, y repartiéronse la tierra *de Canaán.*

**6.** Con esta ocasión presentáronse a Josué, en Gálgala, los hijos de Judá, y Caleb, hijo de Jefone, ceneceo, le habló de esta manera: Tú sabes lo que acerca de mí y de ti dijo el Señor en Cadesbarne a Moisés, varón de Dios.

**7.** Cuarenta años tenía yo cuando me envió Moisés, siervo del Señor, desde Cadesbarne a reconocer la tierra, y le referí lo que me parecía verdad.

---

**25.** Lo que Sehón, rey de los Amorreos, había quitado a los Ammonitas, vencido éste, se lo apropiaron los Israelitas: los cuales no parece que faltaron a la orden de Dios de no tocar a los Ammonitas (*Deuter.* II, *v.* 37), pues el país era ya de Sehón. *Judic.* XI, *v.* 13.

---

**CAP. XIV.** — 2. Quiso Dios que el repartimiento de la tierra de Promisión se hiciera por suerte, no solamente para quitar todo motivo de quejas y resentimientos, sino principalmente para que se acreditara la verdad de las predicciones de Jacob, *Gen* XLIX, y de Moisés, *Deut.* XXXIII; y por consiguiente la infalible providencia con que el Soberano dueño del orbe cumplía a su pueblo lo que le había prometido.

**5.** Dividida en doce suertes.

**6.** Véase lo que se dice en los *Números* cap. XIV, *v.* 24, y *Deuter.* I, *v.* 36.

**8.** Pero mis hermanos, los que fueron conmigo, desanimaron al pueblo. Eso no obstante, yo seguí el partido del Señor mi Dios;

**9.** Por lo que Moisés juró en aquel día, diciendo: La tierra que pisaron tus pies, será posesión tuya, y de tus hijos perpetuamente: por cuanto has seguido al Señor Dios mío.

**10.** Así el Señor me ha conservado la vida como lo prometió, hasta el día presente. Cuarenta y cinco años ha que dió el Señor esta orden a Moisés, cuando Israel andaba por el desierto: hoy tengo ochenta y cinco años,

**11.** Con tan robusta salud como la que tenía en aquel tiempo en que fuí enviado al reconocimiento: el vigor de entonces dura en mí hasta hoy, tanto para hacer la guerra como para caminar.

**12.** Dame, pues, esa montaña o *territorio montañoso* que, oyéndolo tú mismo, me prometió el Señor, donde hay *aún* enaceos o *gigantes*, y ciudades grandes y fuertes, por ver si el Señor me ayuda, *como espero*, y puedo dar cabo de ellos, como me lo tiene prometido.

**13.** Bendíjole entonces Josué, y le entregó *la posesión de* Hebrón,

**14.** Y desde aquel tiempo Hebrón fué de Caleb, hijo de Jefone, ceneceo, hasta el día de hoy: por haber seguido al Señor Dios de Israel.

**15.** Hebrón se llamaba antiguamente Cariat Arbe: allí está enterrado *Arbe*, el hombre mayor entre los enaceos o *gigantes*. Y cesaron *por entonces* las guerras en la tierra *de Canaán*.

## CAPITULO XV

*Territorios que tocaron por suerte a la tribu de Judá y a sus ciudades.*

**1.** Ahora, pues, la porción que tocó por suerte a los hijos de Judá, según sus familias, fué ésta: desde donde termina la Idumea, el desierto de Tsin, hacia el mediodía, y hasta la extremidad del lado meridional.

**2.** Su principio es desde la punta del mar Salado, y desde la lengua de éste que mira al mediodía,

**3.** Y se extiende hacia la subida del Escorpión, y pasa hasta el Sina o *Tsin:* de allí sube a Cadesbarne, y llega a Esrón, avanzándose hacia Addar, y dando vuelta a Carcaa;

**4.** Y de allí pasando hacia Asemona, llega hasta el torrente de Egipto, y termina en el mar grande. Estos son los límites del territorio *de Judá* por el lado del mediodía.

**5.** Por la parte oriental el principio será el mar Salado o *Muerto*, hasta la embocadura del Jordán: por la del norte, desde la lengua que forma el mismo mar hasta las corrientes del dicho río,

**6.** Y tocan sus confines en Bet Hagla, y pasando por el norte a Bet Araba, suben hasta la piedra de Boen, hijo de Rubén.

**7.** Y siguen caminando hasta los confines de Débera en el valle de Acor, mirando hacia el norte contra Gálgala, la cual está enfrente de la subida de Adommin, por la parte austral del torrente, y pasan *dichos límites de Judá* las aguas llamadas Fuente del Sol, y vienen a salir a la Fuente de Rogel.

**8.** De aquí suben por el valle del hijo de Ennom, arrimándose al lado meridional de los jebuseos, donde está la ciudad de Jerusalén, y subiendo de allí hasta la cumbre del monte *Moria*, que está enfrente de Geennom, al occidente, en la extremidad del valle de Rafaím, o *de los gigantes*, hacia el norte,

**9.** Bajando de la cima del monte hasta la fuente de Neftoa, y llegan hasta las aldeas del monte Efrón; y descienden hacia Baala, que es Cariatiarim, esto, es, ciudad de los bosques;

**10.** Y desde Baala van rodeando hacia el occidente hasta el monte Seir, y por el norte se arriman al lado del monte Jarim hacia Queslón, de donde descienden a Betsamés, y pasan hasta Tamna;

**11.** Llegan hasta el lado septentrional de Acarón, inclinándose hacia Secrona, y pasan el monte Baala, y arribando a Jebneel, quedan cerrados por el occidente en el mar *Mediterráneo*.

**12.** Estos son por todos lados los términos de los hijos de Judá, según sus familias.

**13.** Mas a Caleb, hijo de Jefone, dió Josué en posesión particular en medio de los hijos de Judá, como le había mandado el Señor, *la ciudad* de Cariat Arbe, padre de Enac, la misma que Hebrón,

---

CAP. XV. — 4. O brazo más oriental del Nilo. — El Mediterráneo es llamado el Mar grande.

8. La parte alta de Jerusalén, hacia el mediodía donde estaba el monte Sión, pertenecía a la tribu de Judá; la baja, hacia el Norte, con el monte Moria que estaba en medio, donde fué edificado el templo por Salomón, pertenecía a la de Benjamín. II *Esdras* XI, *v.* 36.

**14.** Y Caleb exterminó de ella a tres hijos de Enac: Sesai, Ahimán y Tolmai, *que habían quedado* de la raza de Enac;

**15.** Y avanzando desde allí llegó a los habitantes de Dabir, que antes se llamaba Cariat-Sefer, esto es, ciudad de las letras.

**16.** Aquí dijo Caleb: A quien asaltare a Cariat-Sefer, y se apoderare de ella, yo le daré por mujer a mi hija Axa.

**17.** Y tomóla Otoniel, hijo de Cenez, hermano menor de Caleb; y dióle éste por mujer a su hija Axa,

**18.** A la cual caminando juntos, aconsejó el marido que pidiera a su padre una heredad. Axa, pues, yendo sentada en su asno, dió un suspiro, y Caleb le dijo: ¿Qué tienes?

**19.** A lo que respondió ella: Dame tu bendición, *y concédeme una gracia:* Me has dado una tierra de secano hacia el mediodía; agrégame otra de regadío. Y Caleb le dió otra heredad, colina y vega, todo regadío.

**20.** Esta es la posesión de la tribu de Judá, según sus familias.

**21.** Las ciudades de los hijos de Judá en las extremidades meridionales por las fronteras de Idumea, eran: Cabseél, y Eder, y Jagur,

**22.** Y Cina, y Dimona, y Adada,

**23.** Y Cades, y Asor, y Jetnam,

**24.** Cif, y Telem, y Balot,

**25.** Asor la nueva, y Cariot, Hesrón, la misma que Asor.

**26.** Amán, Sama, y Molada,

**27.** Asergadda, y Hasemón, y Betfelet,

**28.** Y Hasersual, y Bersabée, y Baciotia,

**29.** Y Baala, y Jim, y Esem,

**30.** Y Eltolad, y Cesil, y Harma,

**31.** Y Síceleg, y Medemena, y Sensenna,

**32.** Lebaot, y Selim, y Aen, y Remón: entre todas veinte y nueve ciudades y sus aldeas.

**33.** En las llanuras: Estaol y Sarea, y Asena,

**34.** Y Zanoé, y Engannim, y Tafúa, y Enaím,

**35.** Y Jerimot, y Adullam, Soco, y Aceca,

**36.** Y Saraím, y Aditaím, y Gedera, y Gederotaím: catorce ciudades y sus aldeas.

**37.** Sanán, y Hadasa, y Magdalgad,

**38.** Delean, y Masefa, y Jectel,

**39.** Laquis, y Bascat, y Eglón,

**40.** Quebbón, y Lehemán, y Cetlis,

**41.** Y Giderot, y Betdagón, y Naama, y Maceda: diez y seis ciudades y sus aldeas.

**42.** Lebana, y Eeter, y Asán,

**43.** Jefta, y Esna, y Nesib,

**44.** Y Ceila, Accib, Maresa: nueve ciudades y sus aldeas.

**45.** Acarón con sus aldeas y lugarcillos.

**46.** Desde Acarón hasta el mar todo el país que mira hacia Azoto, con sus dependencias.

**47.** Azoto con sus villas y cortijos. Gaza con sus villas y alquerías hasta el torrente de Egipto, y el mar grande o *Mediterráneo*, es su término.

**48.** Y en los montes: Samir, y Jeter, y Socot,

**49.** Y Danna, y Cariatsenna, que es Dabir,

**50.** Anaba, e Istemo, y Anim,

**51.** Gosen, y Osón, y Gilo: once ciudades y sus aldeas.

**52.** Arab y Ruma, y Esaán.

**53.** Y Janum, y Betafúa, y Afeca.

**54.** Atmata, y Cariat-Arbe, que es Hebrón, y Sior: nueve ciudades y sus aldeas.

**55.** Maón, y Carmel, y Zif, y Jota,

**56.** Jezrael, y Jucadam, y Zanoe,

**57.** Acaín, Gabaa, Tamna: diez ciudades y sus aldeas.

**58.** Halul, y Bessur, y Gedor,

**59.** Maret, y Betanot, y Eltecón: seis ciudades y sus aldeas.

**60.** Cariátbaal, la misma que Cariatiarim, o *ciudad de las selvas*, y Arebba: dos ciudades y sus aldeas.

**61.** En el desierto: Betaraba, Meddín, y Sacaca,

**62.** Y Nebsán, y Hir y ciudad de la sal, y Engaddi: seis ciudades y sus aldeas.

**63.** Pero a los jebuseos que habitaban en Jerusalén, no pudieron exterminarlos los hijos de Judá; y así el jebuseo prosiguió habitando en Jerusalén con los hijos de Judá hasta el presente.

---

**14.** Algunos años después, muerto ya Josué.

**63.** Aunque la tribu de Judá tomó e incendió a Jerusalén (*Judic.* I *v.* 8), los Jebuseos volvieron a pòblarla y la poseyeron hasta que David tomó la fortaleza de Sión, y los sujetó. (II *Reg.* V, *v.* 8).

## CAPITULO XVI

*Territorio que cayó por suerte a la tribu de Efraím.*

1. A los hijos de José tocó por suerte *el territorio* desde el Jordán enfrente de Jericó y desde sus aguas, hacia el oriente, hasta el desierto que sube de Jericó al monte de Betel;

2. Y su línea tira de Betel a Luza, y atraviesa la comarca de Arqui hacia Atarot,

3. Y baja por el occidente tocando los términos de Jefleti hasta entrar en la comarca de Betorón de abajo, y Gacer, y sus límites terminan en el mar grande o *Mediterráneo.*

4. Estas son, *en general,* las regiones que poseyeron los hijos de José, Manasés y Efraím.

5. El distrito de los hijos de Efraím repartido entre sus familias y la posesión de éstos, vino a ser hacia el oriente desde Atarot Addar hasta Betorón de arriba.

6. Y sus confines se extienden hasta el mar. La línea por Macmetat mira al norte y da vuelta por el oriente hacia Tanatselo, y pasa desde el oriente hasta Janoé.

7. Desde Janoé baja hasta Atarot y Naarata, y toca en Jericó, y termina en el Jordán.

8. De Tafúa pasa la línea en frente del mar *Mediterráneo* al valle del cañaveral, y remata en el mar salado. Esta es la posesión de la tribu de los hijos de Efraím, distribuída en sus familias.

9. También fueron separadas ciudades con sus aldeas o *dependencias* para los hijos de Efraím, dentro de la posesión de los hijos de Manasés.

10. Mas los hijos de Efraím no exterminaron al cananeo que habitaba en Gacer, en medio de Efraím, y siguió viviendo entre ellos, siéndoles tributario hasta el día de hoy.

---

CAP. XVI. — 1. Esto es, de la fuente de Jericó, cuyas aguas endulzó Eliseo. IV *Reg.* II, *v.* 19.

8. Es aquí lo mismo que el Mediterráneo. — La palabra *salsissimum* de la Vulgata parece añadida al texto: pues el territorio que tocó por suerte a la tribu de Manasés distaba mucho del mar Muerto que es el que en la Escritura se llama *mar Salado,* y así es que en el verso 9 del capítulo siguiente se lee *mare,* sin el tal epíteto, y se ve que la tribu de Manasés confinaba con el Mediterráneo. Además la palabra *Salado,* ni está en el original hebreo, ni en la versión caldea, ni en la de los Setenta.

## CAPITULO XVII

*Territorio que tocó a la otra media tribu de Manasés. Confírmase la herencia dada a las hijas de Salfaad. Se aumenta la porción de los hijos de José.*

1. Esta es la porción que tocó por suerte a la tribu de Manasés (primogénito que fué de José), o a Maquir, primogénito de Manasés y padre de Galaad, que fué hombre belicoso, y poseyó el país de Galaad y de Basán,

2. Y *también* a los demás hijos de Manasés, a proporción de sus familias, a los hijos de Abiecer, y a los hijos de Helec, y a los hijos de Esriel, y a los hijos de Sequem, y a los hijos de Hefer y a los de Semida: éstos son los *seis* hijos o *nietos* varones de Manasés, hijo de José, cabezas de familias.

3. Mas como Salfaad, hijo de Hefer, hijo de Galaad, hijo de Maquir, hijo de Manasés, no tenía hijos, sino solamente hijas (cuyos nombres son: Maala, y Noa, y Hegla, y Melca, y Tersa),

4. Vinieron éstas a presentarse a Eleazar *Sumo sacerdote,* a Josué, hijo de Nun, y a los príncipes, diciendo: El Señor ordenó por medio de Moisés que se nos diese posesión en medio de nuestros hermanos. Dióles, pues, Josué, tierras en herencia conforme a la orden del Señor, en medio de los hermanos de su padre.

5. Así tocaron a Manasés diez porciones *en la tierra de Canaán,* sin contar la tierra de Galaad y de Basán, tras el Jordán:

6. Porque las *cinco* hijas de Manasés poseyeron su herencia en medio de los hijos de esta tribu. Y la tierra de Galaad cupo en suerte a los otros hijos de Manasés.

7. Y fueron los términos de Manasés, desde Aser a Macmetat, que mira a Siquem, extendiéndose a mano derecha al lado de los que habitan en Fuente de Tafúa.

8. Porque la tierra de Tafúa había caído en suerte a Manasés, mas la ciudad de Talúa, que está en los confines de Manasés, fué dada a los hijos de Efraím.

---

CAP. XVII. — 1. Maquir fué *primogénito* y unigénito al mismo tiempo de Manasés.

2. Es el mismo que se llama *Azriel* en el libro de los Números cap. XXVI, *v.* 31: y el que se llama aquí *Abiezer,* allí se nombra en la Vulgata *Jezer,* y en hebreo *Aiezel:* diversidad que puede provenir de la varia pronunciación de los nombres, como entre nosotros sucede.

**9.** Dichos confines van descendiendo por el valle del cañaveral hacia el mediodía del torrente de las ciudades de Efraím, que están en medio de las de Manasés: *de suerte que* la frontera de Manasés pasa al norte del torrente y va a terminar en el mar.

**10.** Así que la posesión de Efraím está al mediodía, y al norte la de Manasés, terminando ambas en el mar; y se encuentran con la tribu de Aser por el norte, y con la tribu de Isacar por el oriente.

**11.** Con efecto, Manasés tuvo por herencia en *los confines* de Isacar y de Aser a Betsán con sus aldeas, a Jeblaam con las suyas, a los habitantes de Dor con sus villas y a los de Endor con sus aldeas; asimismo a los habitantes de Tenac con sus aldeas; y a los de Magedo con las suyas, y la tercera parte de la ciudad de Nofet.

**12.** Mas no pudieron los hijos de Manasés destruir *enteramente los moradores* de estas ciudades; sino que los cananeos comenzaron a repoblar su tierra *junto con ellos.*

**13.** Bien que después que los hijos de Israel cobraron fuerzas, subyugaron a los cananeos, y se los hicieron tributarios: mas no los mataron.

**14.** Y los hijos de José se dirigieron a Josué, y le dijeron, *hablando Manasés:* ¿Por qué me has dado una sola suerte o parte de posesión, siendo así que soy un pueblo tan numeroso a quien el Señor ha colmado de bendiciones?

**15.** Josué les respondió: Si eres un pueblo numeroso sube a los bosques, y extiéndete, haciendo desmontes en el país de los fereceos, y de los rafaimitas, ya que la posesión del monte de Efraím es para ti estrecha.

**16.** Replicáronle los hijos de José: No podremos ganar el país de las montañas; porque los cananeos que habitan en la llanura donde está Betsán y sus aldeas, y Jezrael que ocupa el medio del valle, usan de carros armados de *hoces* o hierros *afilados.*

**17.** Dijo entonces Josué a la casa de José, Efraím y Manasés: Pueblo crecido eres y de gran valentía: no tendrás una herencia sola,

**18.** Sino que subirás a las montañas, y desmontarás, y limpiarás trechos de tierra para tu habitación; y podrás alargarte más y más exterminando a los cananeos, que dices tienen carros armados de *hoces* o hierros *afilados*, y que son muy fuertes.

## CAPITULO XVIII

*Se fija el Tabernáculo en Silo, territorio de Benjamín, y demárcase el territorio que se ha de dar a las otras siete tribus .*

**1.** Y se congregaron en Silo todos los hiios de Israel, y fijaron allí el tabernáculo del testimonio: y tenían sojuzgada la tierra.

**2.** Mas quedaron siete tribus de los hijos de Israel, las cuales no habían recibido todavía sus posesiones.

**3.** Díjoles, pues, Josué: ¿Hasta cuándo os consumiréis en la ociosidad, y os estaréis sin entrar a poseer la tierra que os ha dado el Señor Dios de vuestros padres?

**4.** Elegid tres personas de cada tribu para que yo las envíe y vayan a dar una vuelta por el país, y hagan de él una demarcación conforme al número de cada gente, y me traigan el plan *o estado* que hayan formado.

**5.** Dividid entre vosotros todo el país en siete partes: Judá se quedará dentro de sus límites en la región del mediodía, y la casa de José al norte.

**6.** La tierra intermedia demarcadla en siete partes, y vendréis a mí en este lugar, para que os las sortee aquí en presencia del Señor Dios vuestro:

**7.** Porque los levitas no tienen parte alguna entre vosotros, sino que su heredad es el sacerdocio del Señor; y Gad y Rubén y la media tribu de Manasés ya recibieron sus posesiones al otro lado del Jordán, hacia el oriente; las cuales les dió Moisés, siervo del Señor.

**8.** Como, pues, estuviesen ya a punto de marchar los sujetos elegidos para demarcar la tierra, dióles Josué esta orden, diciendo: Rodead la tierra, y demarcadla, y volved a mí para que yo aquí en Silo, delante del Señor, eche las suertes.

**9.** Con esto partieron, y habiéndola reconocido la dividieron en siete partes, que las describieron en un libro o *cuaderno,* y volviéronse a Josué en el campamento de Silo,

**10.** El cual echó las suertes delante del Señor allí en Silo, y dividió la tierra en siete partes entre los hijos de Israel.

---

**6.** La palabra *mediam* de la Vulgata no se halla ni en el hebreo ni en los Setenta: y muchos creen que debe decir *aliam*, haciendo este sentido: *Todo el resto de la tierra*, quitadas las posesiones de Judá, Efraím y de la media tribu de Manasés.

11. Y salió la primera suerte a los hijos de Benjamín, distribuídos por familias, para que poseyeran su porción de terreno entre los hijos de Judá y los hijos de José.

12. Así que sus términos fueron por la parte del norte desde el Jordán, tirando al lado septentrional de Jericó, y subiendo desde allí por el occidente a las montañas llegan hasta el desierto de Betaven,

13. Y pasando por el lado meridional cerca de Luza, por otro nombre Betel, de allí bajan a *la ciudad* de Atarotaddar, cerca del monte que cae al mediodía de Betorón de abajo;

14. Aquí tuercen los términos o *frontera*, y dan vuelta hacia el mar por el mediodía del monte que mira a Betorón de la parte del mediodía, y vienen a parar en Carlat-baal, llamada también Cariatiarim, ciudad de los hijos de Judá. Este es el lado *del* territorio hacia el mar por el poniente.

15. Por el mediodía comienzan los términos desde Cariatiarim hacia el mar, y llegan hasta la fuente de las aguas de Neftoa;

16. Después se dejan caer hasta el cabo del monte, que mira al valle de los hijos de Ennom, y yace al norte en la extremidad del valle de Rafaim, *o de los gigantes:* de aquí bajan a Geennom (esto es, al valle de Ennom), tocando en el lado austral del jebuseo, y llegan hasta la fuente de Rogel,

17. Avanzando hacia el norte, y saliendo a Ensemes, esto es, la fuente del sol;

18. Corren después hasta los cerros que están enfrente de la subida de Adommim, de donde descienden a Abenboen, esto es: a la piedra de Boen, hijo de Rubén, y pasan por la parte del norte a la campiña, y descienden a una llanura;

19. Hacia el norte se extienden más allá de Bet-hagla; y rematan en la punta septentrional del mar salado o *Muerto*, en la embocadura del Jordán que mira al mediodía,

20. El cual es su límite por el oriente. Esta es la posesión de los hijos de Benjamín según sus familias, demarcados sus lindes por todo su alrededor.

21. Y sus ciudades fueron Jericó y Bet-hagla, y el valle de Casis,

22. Bet-Araba y Samaraím, y Betel,

23. Y Avim, y Afara, y Ofera,

24. La ciudad de Emona, y Ofni, y Gabée: doce ciudades son sus aldeas,

25. Gabaón, y Rama, y Berot,

26. Y Mesfe, y Cafara, y Amosa,

27. Y Recem, y Jarefel, y Tarela,

28. Y Sela, Elef, y Jebús, la misma que Jerusalén, Gabaat y Cariat: catorce ciudades con sus aldeas. Esta es la posesión de los hijos de Benjamín, según sus familias.

## CAPITULO XIX

*Territorio de las otras seis tribus, y porción dada a Josué.*

1. La segunda suerte tocó a los hijos de Simeón, según sus familias; y su herencia,

2. Vino a caer en medio de la posesión de los hijos de Judá: *a saber* en Bersabée, *llamada* también Sabée, y Molada,

3. Y Haser-sual, Bala y Asem,

4. Y Eltolad, Betul, y Harma,

5. Y Síceleg, y Betmarcabot, y Hasersusa,

6. Y Betleboat, y Sarohén: trece ciudades con sus aldeas.

7. Ain, y Remmón, y Atar, y Asán, cuatro ciudades con sus aldeas;

8. Todos los lugarcillos alrededor de estas ciudades hasta Balaat, y Beer-Ramat a la parte del mediodía. Esta es la herencia de los hijos de Simeón, a proporción de sus familias,

9. En la posesión y territorio de los hijos de Judá; porque era este territorio demasiado grande, y por eso los hijos de Simeón recibieron su posesión en medio de la de aquéllos.

10. La tercera suerte tocó a los hijos de Zabulón por sus familias: los límites de su posesión se extienden *por el occidente* hasta Sarid;

11. Suben del mar *Mediterráneo*, y de Merala, y llegan a Debbaset, hasta el torrente que está enfrente de Jeconam.

12. Vuelven de Sared por el oriente hasta los confines de Ceselettabor, salen a Daberet, y suben hacia Jafie;

13. De donde corren hasta la región oriental de Getefer y Tacasín, y prosiguen con dirección a Remmón, Amtar, y Noa.

14. Después dan la vuelta por el norte de Hanatón, y terminan en el valle de Jeftael,

15. *E incluyen también* a Catet, y Naalol, y Semerón, y Jedala, y Belém: doce ciudades con sus aldeas.

16. Esta es la herencia de la tribu de los hijos de Zabulón, distribuída entre sus familias, con las ciudades y aldeas.

---

CAP. XIX. — 2. Dos nombres que significan una misma ciudad. A Bersabée llamaríanla también *Sabée*. — Véase I, *Paral*. IV, *v*, 28.

17. La cuarta suerte salió a Isacar por familias,

18. Y comprende a Jezrael, y Casalot, y Sunem,

19. Y Hafaraím, y Sehón, y Anaharat,

20. Y Rabbot, y Cesión, y Abes,

21. Y Ramet y Engannim y Enhadda, y Betfeses;

22. Y sus términos se extienden hasta el Tabor, y Sehesima, y Betsames, y acaban en el Jordán: diez y seis ciudades con sus aldeas.

23. Esta es la posesión de los hijos de Isacar, y las ciudades y aldeas para sus familias.

24. La quinta suerte salió a la tribu de los hijos de Aser según sus familias;

25. Y fueron sus términos Halcat, y Calí, y Beten, y Axaf,

26. Y Elmelec, y Amaad, y Mesal: y llegan hasta el Carmelo del mar, y a Sihor, y a Labanat;

27. Desde donde vuelven por el oriente hacia Betdagón, y pasan por Zabulón, y el valle de Jeftael al norte, hasta Betemec, y Nehiel; y se extienden por la izquierda hacia Cabul,

28. Y Abrán, y Rohob, y Hamón, y Canná, hasta Sidón la grande,

29. Y dan vuelta hacia Horma, hasta la ciudad fortísima de Tiro, y hasta Hosa; y acaban en el mar junto al territorio de Acciba,

30. E incluyen a Amma, y Afec, y Rohob: veintidós ciudades con sus aldeas.

31. Esta es la posesión de los hijos de Aser, y las ciudades y sus aldeas según sus familias.

32. La sexta suerte tocó a los hijos de Neftalí, divididos en sus familias,

33. Y comienzan sus términos desde Helef y Elón en Saananim y Adami, por otro nombre Neceb, y desde Jepnael hasta Lecum, y acaban en el Jordán;

34. Y vuelven los lindes por la parte del occidente hacia Azanotabor, y de allí salen a Hucuca, y pasan a Zabulón por el lado del mediodía, y a Aser por el poniente, y hacia Judá por el lado del Jordán al oriente.

35. Sus ciudades muy fuertes son Assedim, y Ser, y Emat, y Reccat, y Ceneret,

36. Y Edema, y Arama, y Asor,

37. Y Cedes, y Edrai, y Enhasor,

38. Y Jerón, y Magdalel, Horem, y Betsames: diez y nueve ciudades con sus aldeas.

39. Esta es la posesión de la tribu de Neftalí, sus ciudades y aldeas para sus familias.

40. A la tribu de Dan salió la séptima suerte para sus familias.

41. Y los lindes de su posesión fueron Sara y Estaol, e Hirsemes, esto es, ciudad del sol,

42. Selebin, y Ayalón, y Jotela,

43. Elón, y Temna, y Acrón,

44. Eltece, Gebbetón, y Balaat,

45. Y Jud, y Barac, y Getremmón,

46. Y Mejarcón, y Arecón con la frontera que mira a Jope;

47. Y aquí rematan sus términos.

Pero los hijos de Dan avanzaron, y batieron a Lesem, y la tomaron; pasáronla después a cuchillo, y la ocuparon y habitaron en ella, llamándola Lesem-Dan, del nombre de su padre.

48. Esta es la posesión de la tribu de los hijos de Dan, y las ciudades y aldeas para sus familias.

49. Luego que Josué, hijo de Nun, hubo acabado de repartir la tierra por suerte a cada una de las tribus, diéronle los hijos de Israel a él su porción en medio de ellos,

50. Conforme al precepto del Señor: *a saber*, la ciudad de Tamnat Saraa en el monte de Efraím, que había pedido; la cual ciudad reedificó, y habitó en ella.

51. Estas son las posesiones que Eleazar, *Sumo* sacerdote, y Josué, hijo de Nun, y los príncipes de las familias y de las tribus de los hijos de Israel distribuyeron por suerte en Silo, delante del Señor, a la puerta del Tabernáculo del testimonio; y así repartieron la tierra *de Canaán*.

## CAPITULO XX

*Señálanse las ciudades de asilo, y se declaran los privilegios de los refugiados.*

1. Habló el Señor a Josué, y le dijo: Habla a los hijos de Israel y diles:

2. Separad las ciudades para los que hayan de refugiarse, de que os hablé por medio de Moisés,

3. Para que sirvan de asilo a todo el que matare a un hombre sin querer; y pueda así evadir la cólera de quien es pariente cercano *del muerto,* y quiere vengar su sangre.

4. Luego que se refugiare a una de estas ciudades, se presentará en las puertas *o juzgado* de la ciudad, y expondrá a los ancianos de ella todo lo que pueda comprobar su inocencia; y después de esto le darán acogida y lugar donde habite.

**5.** Y si el que quiere vengar la muerte viniere persiguiéndole, no le entregarán en sus manos: por cuanto no mató su prójimo a sabiendas, ni se prueba que hubiese sido dos o tres días atrás su enemigo.

**6.** Así estará retirado en aquella ciudad hasta tanto que comparezca en juicio para dar razón de su hecho, y después hasta que muera el Sumo sacerdote que a la sazón fuere. Entonces podrá volver el homicida, y entrar en su patria y casa de donde había huído.

**7.** Señalaron, pues, a Cedes en Galilea, sobre el monte de Neftalí, y a Siquem en el monte de Efraím, y en el monte de Judá a Cariat-Arbe, por otro nombre Hebrón.

**8.** Y de la otra parte del Jordán hacia el oriente de Jericó, destinaron a Bosor, situada en la llanura del desierto, de la tribu de Rubén, y a Ramot en Galaad, de la tribu de Gad, y a Gaulón en Basán, de la tribu de Manasés.

**9.** Estas ciudades fueron señaladas para todos los hijos de Israel y para los forasteros que habitaban entre ellos, a fin de que se retirase a ellas el que sin querer hubiese muerto a un hombre, y así no muriese a manos del pariente ansioso de vengar la sangre derramada, antes de presentarse aquél delante *del juzgado* del pueblo para defender su causa.

## CAPITULO XXI

*Ciudades separadas para los Levitas. Los Israelitas viven en reposo.*

**1.** Recurrieron los príncipes de las familias de Levi a Eleazar, *Sumo* sacerdote, y a Josué, hijo de Nun, y a los caudillos de las familias de cada tribu de los hijos de Israel;

**2.** Y habláronles en Silo en la tierra de Canaán, y dijeron: El Señor mandó por medio de Moisés que se nos diesen ciudades para habitar, y sus alrededores para alimentar nuestras bestias.

---

CAP. XXI.— 1. Componíase la tribu de Leví de tres grandes familias, que tomaban el nombre de los tres hijos de Leví: Caat, Gersón y Merari. Mas Aarón, aunque descendía de Caat, formaba como una cuarta familia, que tenía mayores prerrogativas por razón del sacerdocio que le había sido adjudicado. Y así vemos que el Señor dirigió las suertes de modo que a la familia de Aarón le tocara habitar en las tribus de Judá y de Benjamín, para que estuviesen más cerca del templo que había de edificarse algún día en Jerusalén.

**3.** Diéronles, pues, los hijos de Israel de sus posesiones, conforme al mandamiento del Señor, ciudades y sus alrededores.

**4.** Y salieron por suerte a la familia de Caat para los hijos del sacerdote Aarón, trece ciudades en las tribus de Judá, de Simeón, y Benjamín;

**5.** Y a los demás hijos de Caat que restaban, esto es, a los levitas, tocaron diez ciudades de las tribus de Efraím, de Dan, y de la media tribu de Manasés.

**6.** A los hijos de Gersón les salió la suerte de recibir trece ciudades de las tribus de Isacar, de Aser, y de Neftalí, y de la *otra* media tribu de Manasés en Basán.

**7.** Y a los hijos de Merari, para sus familías, doce ciudades de las tribus de Rubén, de Gad, y de Zabulón.

**8.** Dieron, pues, los hijos de Israel a los levitas estas ciudades con sus alrededores, como lo mandó el Señor por medio de Moisés, distribuyéndolas a cada uno por suerte.

**9.** Estos son los nombres de las ciudades de las tribus de Judá, y de Simeón que dió Josué

**10.** A los hijos de Aarón de las familias de Caat, descendientes del tronco de Leví, que lógraron la primera suerte:

**11.** Cariat-Arbe, *ciudad* del padre de Enac, llamada Hebrón, en el monte de Judá, y sus ejidos al contorno.

**12.** Sus heredades y aldeas las tenía dadas en posesión a Caleb, hijo de Jefone.

**13.** Dió, pues, Josué a los hijos de Aarón, *Sumo* sacerdote, la ciudad de refugio Hebrón y sus alrededores, y Lobna con los suyos,

**14.** Y Jeter, y Estemo,

**15.** Y Holón, y Dabir,

**16.** Y Aín, y Jeta, y Betsames con sus contornos: nueve ciudades en las dos tribus, como queda dicho.

---

**4.** Habitaban también las ciudades que se señalaron a los Levitas muchas familías de las tribus en cuyo territorio estaban dichas ciudades, y que tenían el dominio de las tierras vecinas, como se ve en varios lugares de la Escritura, en que se manda a los Hebreos que hagan participar a los Levitas del pan que cuecen, de los animales que matan, etc. Véase *Num.* XV, *v.* 19. — *Deut.* XII, *v.* 12, 19, XIV *v.* 27; XVI, *v.* 11, XXVI, *v.* 12. Los Levitas solamente tenían los alrededores de la ciudad por espacio de dos mil codos para pastos y crías de sus ganados y bestias. *Num.* XXXV, *v.* 4; ni se les quitaba la libertad de vivir en otra parte.

**13.** La ciudad de Hebrón había sido dada a Caleb por orden del Señor pero, o Caleb generosamente la cedió, o lo que es más probable, dió habitación dentro de ella a los hijos de Aarón, y se quedó con el dominio de sus campos.

17. Y de la tribu de los hijos de Benjamín, a Gabaón y Gabae,

18. Y Anatot, y Almón con sus contornos: cuatro ciudades.

19. Todas las ciudades juntas de los hijos del Sumo sacerdote Aarón vinieron a ser trece con sus alrededores.

20. A los demás hijos de Caat, de la estirpe de Leví, repartidos en sus familias, se les dieron:

21. De la tribu de Efraím la ciudad de refugio Siquem con todos sus alrededores, en el monte de Efraím, y Gacer.

22. Y Cibsaím, y Bet-horón con sus alrededores: cuatro ciudades.

23. Y de la tribu de Dan, a Elteco, y Gabatón,

24. Y Ajalón, y Getremmón con sus alrededores: cuatro ciudades.

25. Y de la media tribu de Manasés a Tanac, y Getremmón con sus contornos: dos ciudades.

26. En todo se dieron diez ciudades y sus alrededores a los *levitas* hijos de Caat que eran de inferior grado *al sacerdotal.*

27. También a los hijos de Gersón, de la estirpe de Leví, dió de la media tribu de Manasés dos ciudades con sus alrededores, *a saber,* Gaulón en Basán, y Bosra, que eran ciudades de refugio.

28. Y de la tribu de Isacar, a Cesión y Daberet,

29. Y Jaramot, y Engannín con sus alrededores: cuatro ciudades.

30. De la tribu de Aser, a Masal, y Abdón,

31. Y Helcat, y Robob con sus alrededores: cuatro ciudades.

32. De la tribu de Neftalí la ciudad de refugio Cedes, en Galilea, y Hammot-Dor, y Cartán con sus alrededores: tres ciudades.

33. Todas las ciudades dadas a las familias de Gersón fueron trece con sus contornos.

34. Asimismo a los hijos de Merari, levitas de inferior grado se les dieron, según sus familias, Jecnán, y Carta,

35. Y Damma, y Naalol: cuatro ciudades de la tribu de Zabulón, con sus alrededores.

36. De la tribu de Rubén, a la otra parte del Jordán, enfrente de Jericó, a Bosor, en el desierto *llamado* Misor, y a Jaser, y Jetsón, y Mefaat: cuatro ciudades de refugio con sus alrededores.

37. De la tribu de Gad, las ciudades de asilo Ramot en Galaad, y Manaím, y Hese-

bón, y Jaser: cuatro ciudades con sus alrededores.

38. Todas las ciudades de los hijos de Merari para sus familias y casas fueron doce.

39. Así las ciudades de los levitas en medio de la posesión de los hijos de Israel fueron en todas cuarenta y ocho,

40. Con sus alrededores, distribuídas a proporción de las familias.

41. De este modo dió el Señor Dios a Israel toda la tierra que había prometido con juramento a sus padres que se daría; *y en efecto* los israelitas la poseyeron y habitaron.

42. Y dióles paz con todas las naciones del contorno; y ninguno de los enemigos osó resistirles, sino que todos se sujetaron a su dominio.

43. Ni una sola palabra de todo lo que prometió darles, quedó sin efecto; sino que todo se verificó puntualmente.

## CAPITULO XXII

*Retíranse a sus casas y posesiones las tribus auxiliares de Rubén y de Gad, y la media de Manasés; y levantan un altar cerca del Jordán.*

1. Por este tiempo convocó Josué a los rubenitas, y gaditas, y a la media tribu de Manasés,

2. Y díjoles: Habéis cumplido todo lo que os mandó Moisés, siervo del Señor; y a mí también me habéis obedecido en todo;

3. Ni en tan largo tiempo hasta el día de hoy habéis desamparado a vuestros hermanos, observando el mandamiento del Señor Dios vuestro.

4. Ahora, pues, que ya el Señor Dios vuestro ha dado sosiego y paz a vuestros hermanos, como lo prometió, volveos e id a vuestras casas, y a la tierra de vuestra posesión que os entregó Moisés, siervo del Señor, a la otra parte del Jordán;

5. Solamente os encargo que guardéis atentamente y pongáis por obra el mandamiento de la ley que os intimó Moisés, siervo del Señor, que es de amar al Señor Dios vuestro, y seguir todos sus caminos, observar todos sus mandamientos, y estar con él unidos, y servirle con todo el corazón, y con toda vuestra alma.

6. Con esto les dió Josué su bendición, y despachólos; y se volvieron a sus casas.

7. Moisés había dado a la media tribu de Manasés su posesión en Basán: por eso a la otra mitad restante le dió Josué la herencia entre los demás hermanos suyos en este lado del Jordán, al poniente. En fin al remitirlos a sus casas, después de bendecirlos,

8. Les dijo: Vosotros volvéis a vuestras casas con mucho caudal y riqueza, *cargados* de plata y oro, de cobre y de hierro, y de toda suerte de vestidos: repartid con vuestros hermanos el botín de los enemigos.

9. Con esto los hijos de Rubén y los hijos de Gad, y la media tribu de Manasés se separaron de los hijos de Israel que estaban en Silo, en el país de Canaán, y se pusieron en camino para volver a Galaad, país que poseían, y que les había señalado Moisés, conforme al mandamiento del Señor.

10. Llegados que fueron a las cercanías de Jordán, en tierra de Canaán, edificaron a la orilla del dicho río un altar de grandísima magnitud.

11. Lo que oído por los hijos de Israel, y recibidas noticias ciertas de que los hijos de Rubén y de Gad, y la media tribu de Manasés habían edificado un altar en la tierra de Canaán en las cercanías del Jordán, enfrente de los *demás* hijos de Israel,

12. Congregáronse todos en Silo para ir a hacerles la guerra.

13. Entre tanto enviaron hacia ellos a tierra de Galaad a Finées, hijo de Eleazar, *Sumo* sacerdote,

14. Y con él a diez de los principales jefes, uno de cada tribu:

15. Los cuales fueron a los hijos de Rubén y de Gad y de la media tribu de Manasés, en la tierra de Galaad, y les dijeron:

16. Esto nos manda deciros todo el pueblo del Señor: ¿Qué prevaricación es la vuestra? ¿Cómo habéis abandonado al Señor Dios de Israel, erigiendo un altar sacrílego, y apostatando de su culto?

17. ¿Os parece aún poco el haber pecado con *adorar* a Beelfegor, y el que permanezca hasta hoy día entre nosotros la mancha de este delito, después de haber costado la vida a tantos de nuestro pueblo?

18. Hoy habéis vosotros abandonado al Señor, y mañana se ensañará su ira contra todo Israel.

19. Y si creéis que es inmunda la tierra de vuestra posesión, mudaos a la nuestra en que está el tabernáculo del Señor, y venid a morar entre nosotros: mas no desertéis del Señor y de nuestra comunión, alzando un altar contra el altar del Señor Dios vuestro.

20. ¿No es así que por haber Acán hijo de Zaré, traspasado el mandato del Señor, descargó su ira sobre todo el pueblo de Israel? Y era él un solo hombre, y ojalá hubiese perecido él solo por su atentado.

21. Respondieron los hijos de Rubén y de Gad y de la media tribu de Manasés a los principales de Israel enviados a ellos:

22. El muy fuerte Señor Dios, Dios el Señor fortísimo sabe bien nuestra intención; y también Israel podrá conocerla: si es que con ánimo de apostatar hemos levantado este altar, no nos ampare el Señor, antes nos castigue al momento;

23. Y si lo hemos hecho con el designio de ofrecer sobre él holocaustos, sacrificios y víctimas pacíficas, el mismo Señor nos lo demande y lo juzgue.

24. Muy al contrario: el pensamiento y designio que hemos tenido ha sido porque podrá suceder que algún día digan vuestros hijos a los nuestros: ¿Qué tenéis vosotros que hacer con el Señor Dios de Israel?

25. El Señor puso por lindes entre nosotros y vosotros, oh hijos de Rubén y de Gad, el río Jordán; y por tanto vosotros no tenéis parte en el Señor. Y con esta ocasión podrían vuestros hijos retraer a los nuestros del temor del Señor. Así que habiendo meditado sobre eso,

26. Dijimos: Levantemos un altar, no para ofrecer holocaustos, ni víctimas,

27. Sino para testimonio entre nosotros y vosotros, entre nuestra posteridad y la vuestra, de que también somos nosotros siervos del Señor, y tenemos derecho a ofrecer holocaustos, víctimas y hostias pacíficas: a fin de que por ningún caso digan mañana vuestros hijos a los nuestros: No tenéis vosotros parte en el Señor.

28. Que si se les antojare decirlo, podrán responderles: Mirad aquí el altar del Señor que levantaron nuestros padres, no para holocaustos, ni sacrificios, sino para testimonio entre vosotros y nosotros.

29. Guárdenos el cielo de tal maldad que nos apartemos del Señor, y dejemos de seguir sus pasos, erigiendo un altar para ofrecer holocaustos, sacrificios y víctimas, fuera del altar del Señor Dios nuestro que está erigido delante de su tabernáculo.

30. Oídas estas razones, el sacerdote Finées, y los principales del pueblo que los israelitas habían enviado con él, se apaciguaron y admitieron con suma satisfacción la respuesta de los hijos de Rubén y de Gad, y de la media tribu de Manasés;

31. Y díjoles el sacerdote Finées, hijo de Eleazar: Ahora conocemos que el Señor está con nosotros, *y no nos abandonará;* puesto que estáis tan ajenos de semejante prevaricación, y que habéis librado a los hijos de Israel *del temor* de la *justa* venganza del Señor.

32. Después dejando Finées a los hijos de Rubén y de Gad, se volvió con los principales del pueblo desde la tierra de Galaad, que confina con Canaán, a los hijos de Israel, y dióles cuenta de todo;

33. Y habiéndolo oído, quedaron satisfechos: y alabaron a Dios los hijos de Israel, y ya no hablaron más de salir contra ellos a hacerles guerra y asolar la tierra de su posesión.

34. Y los hijos de Rubén y de Gad pusieron por titulo al altar que habían edificado: Testimonio nuestro de que el Señor mismo es el Dios *nuestro y suyo.*

## CAPITULO XXIII

*Plática en que Josué, siendo ya de edad avanzada, exhorta al pueblo al culto del verdadero Dios y a la observancia de su Ley.*

1. Pasado ya mucho tiempo, después que había el Señor dado paz a Israel, sojuzgadas todas las naciones circunvecinas; siendo ya Josué anciano, y de edad muy avanzada,

2. Convocó a tode Israel con los ancianos, príncipes, capitanes y magistrados, y les dijo: Yo estoy viejo, y muy entrado en días;

3. Y vosotros véis todo lo que ha hecho Dios vuestro Señor a todas las naciones del contorno, y cómo él mismo ha peleado por vosotros.

4. Considerad que os ha repartido por suerte toda la tierra desde la parte oriental del Jordán hasta el mar grande *o Mediterráneo;* y que todavía quedan en ella muchas naciones.

5. El Señor Dios vuestro las exterminará y disipará de vuestra presencia, y poseeréis el país, según que os lo tiene prometido,

6. Sólo con que vosotros os esforcéis y andéis solícitos en guardar todas las cosas escritas en el libro de la ley de Moisés, sin desviaros de ellas, ni a la diestra ni a la siniestra,

7. No sea que tratando con esas gentes que han de quedar entre vosotros, vengáis a jurar por el nombre de sus dioses, les sirváis y déis culto:

8. Sino antes bien perseverad adheridos al Señor Dios vuestro, como lo habéis estado hasta este día.

9. Entonces sí que exterminará el Señor Dios a vuestra vista naciones grandes y robustísimas; y nadie podrá resistiros.

10. Uno solo de vosotros hará huír a mil de los enemigos; porque Dios vuestro Señor peleará él mismo por vosotros, como lo tiene prometido.

11. Una sola cosa habéis de procurar con todo esfuerzo, que es amar al Señor Dios vuestro.

12. Mas si os queréis adherir a los errores de estas gentes que habitan entre vosotros, y celebrar con ellas matrimonios y contraer amistades,

13. Tened entendido desde ahora para entonces que el Señor Dios vuestro no las exterminará de vuestra presencia; sino que serán para vosotros como una trampa, como un lazo, y una piedra de tropiezo junto a vosotros, y como una espina en vuestros ojos, hasta que os disipe y arranque de esta excelente tierra que os ha dado.

14. Ved aquí que estoy yo para concluir la carrera de todos los mortales, y vosotros quedaréis bien convencidos que de todas las promesas que os hizo Dios, ni una sola ha quedado sin efecto.

15. Pues así como de hecho ha cumplido lo que prometió y todo os ha sucedido prósperamente, así también descargará sobre vosotros todos los males con que os ha amenazado, hasta arrancaros y exterminaros de esta fertilísima tierra que os ha dado,

16. Por haber faltado al pacto del Señor Dios vuestro, que estableció con vosotros, y servido a dioses ajenos, y adorádolos; el furor del Señor se levantará pronta y velozmente contra vosotros, y seréis arrojados de esta tierra excelente que os ha dado.

---

16. No es esto tanto una amenaza como una profecía de lo que había de suceder después en el cautiverio de Babilonia, y sobre todo después de la muerte del Mesías y fundación de la Iglesia.

## CAPITULO XXIV

*Ultima exhortación y protesta de Josué: su
muerte y la de Eleazar.*

1. Finalmente, congregó Josué *por última
vez* todas las tribus de Israel en Siquem; y llamó a los ancianos, y príncipes, y jueces, y magistrados, y se presentaron delante del Señor.

2. Y habló así al pueblo: Esto dice el Señor
Dios de Israel: Vuestros padres, Taré, padre de
Abraham, y de Nacor, habitaron al principio a
la otra parte del río, y sirvieron a dioses ajenos.

3. Mas yo saqué a vuestro padre Abraham de
los confines de la Mesopotamia, y le conduje a
la tierra de Canaán; y multipliqué su linaje,

4. Y díle a Isaac: y a éste le dí también a
Jacob y Esaú; de los cuales a Esaú le entregué
la montaña de Seir en posesión: mas Jacob y
sus hijos bajaron a Egipto.

5. Allí envié a Moisés y Aarón; y castigué a
Egipto con muchas señales y portentos;

6. Y os saqué de él a vosotros y a vuestros
padres, y vinisteis al mar Rojo, y los egipcios
persiguieron a vuestros padres con grande aparato de carros de guerra y caballos hasta el mar
Rojo.

7. Entonces llamaron los hijos de Israel al
Señor; el cual puso tinieblas *muy densas* entre
vosotros y los egipcios e hizo volver sobre éstos
el mar, y los anegó en él. Vuestros ojos vieron
todas las cosas que hice en Egipto, *dice el Señor:*
y habitasteis mucho tiempo en el desierto.

8. Al fin os introduje en la tierra del amor-
rreo, que habitaba a la otra parte del Jordán; y
cuando combatían contra vosotros los entregué en vuestras manos, y os apoderasteis de su
tierra, y los pasasteis a cuchillo.

9. Levantóse Balac, hijo de Sefor, rey de
Moab, y movió guerra contra Israel. Y envió a
llamar a Balaam, hijo de Beor, para que os
maldijese:

10. Mas yo no quise escucharle; antes al
contrario, por boca de él os bendije, y os libré
de su mano.

11. Pasasteis después el Jordán y vinisteis a
Jericó, donde se armaron contra vosotros los
vecinos de aquella ciudad, los amorreos, los
fereceos, los cananeos, los heteos, los gergeseos, los heveos y jebuseos, y los entregué en
vuestras manos.

12. Yo envié delante de vosotros enjambres
de avispones, con que lancé de sus tierras a los
dos reyes amorreos, y no por medio de vuestra espada y arco;

13. Y os dí tierras que vosotros no habíais
labrado, y ciudades que no habíais edificado,
para que habitaseis en ellas, y os dí viñas y olivares que no habíais plantado.

14. Ahora, pues, *yo os digo:* Temed al Señor,
y servidle con un corazón bien perfecto y sincero, y quitad de en medio de vosotros los
dioses a quienes sirvieron vuestros padres en
Mesopotamia y en Egipto, y servid a *solo* el
Señor.

15. Pero si os parece malo el servir al Señor,
libres sois: escoged hoy, según lo que más os
agrade, a quién debéis antes servir, si a los dioses a quienes sirvieron vuestros padres en Mesopotamia, o a los dioses de los amorreos en
cuya tierra habitáis; que yo y mi casa serviremos al Señor.

16. Respondió el pueblo y dijo: Lejos de
nosotros el abandonar al Señor y servir a dioses ajenos.

17. El señor Dios nuestro es quien nos sacó
a nosotros y a nuestros padres de la tierra de
Egipto, de la casa de la esclavitud, y obró a
nuestros ojos milagros grandiosos, y nos guardó en todo el camino por donde anduvimos y
en todos los pueblos por donde pasamos;

18. Y echó a todas las naciones, a los amorreos habitantes del país en que nosotros hemos entrado. Así que serviremos al Señor;
pues él es nuestro Dios.

---

CAP. XXIV. — 2. Quiso Josué antes de morir
que el pueblo renovase la alianza hecha con el Señor
en el monte Sina. A cuyo fin le reunió junto a
Siquem, donde Abraham. el padre de todos los
Israelitas, habia erigido el primer altar en honor de
Dios, que se le apareció por primera vez, asegurándole que daría a su posteridad la tierra de Canaán; y
a la vista de los montes de Elebal y Garicim, donde
luego de pasado el Jordán, fueron publicadas las
bendiciones.

7. Es regular que viviesen aún muchos de los que,
cincuenta y siete años antes, al salir de Egipto, no
habían aun cumplido *los* veinte años de edad, y habian sido testigos de las maravillas del Señor contra
Faraón. Es de advertir que Dios quitó la vida en el
Desierto, y no permitió que entraran en la tierra de
promisión a los que murmuraron en Cadesbarne, y
pasando de veinte años estaban ya alistados; mas no
a los que no llegaban a esta edad, ni a las mujeres.

---

14. No se conocía en este tiempo culto público
idolátrico en Israel según opina S. Agustín, *Quaest.*
XXXIX, in Josué; pero se cree que algunos secretamente en sus casas convervaban ciertos ídolos de los
venerados en Egipto y en las mismas naciones que
habían sojuzgado, a quienes daban un culto. Cfr en
*Amós* cap. V, *v.* 26; en los *Hechos Apostólicos* cap.
VII, *v.* 43; y en otros lugares de la Escritura. Esto es,
los ídolos de oro y plata tomados en la guerra.

**19.** Dijo Josué al pueblo: No podréis servir al Señor: porque es un Dios santo, *un Dios* fuerte y celoso, que no sufrirá vuestras maldades y pecados.

**20.** Pues en caso de que abandonéis al Señor, y sirváis a dioses ajenos, se volverá contra vosotros, y os afligirá y os arruinará, por más beneficios que os haya hecho.

**21.** Replicó el pueblo a Josué: No: no será así como tú dices, sino que serviremos al Señor.

**22.** Y Josué dijo al pueblo: Testigos sois vosotros mismos de que habéis escogido al Señor para servirle. A lo que respondieron: Testigos somos.

**23.** Ahora bien, añadió, arrojad de en medio de vosotros los dioses ajenos: y rendid vuestros corazones al Señor Dios de Israel.

**24.** Respondió el pueblo a Josué: Al Señor Dios nuestro serviremos, y seremos obedientes a sus mandatos.

**25.** Con esto Josué ratificó en aquel día la alianza; y propuso al pueblo en Siquem los preceptos y las leyes.

**26.** Escribió también todas las palabras di-

---

**26.** Esto es, en el fin del Deuteronomio: el cual se guardaba dentro del Arca. *Deuter.* XVII, *v.* 18; XXI, *v.* 26. Se cree que el Arca se había llevado a Siquem, y colocado en un pabellón erigido cerca de una grande encina, que algunos opinan era la misma junto a la cual se apareció Dios a Abraham: *Gen* XII, *v.* 6, y donde Jacob enterró los ídolos de Labán. *Gen.* XXXV, *v.* 4.

chas en el libro de la ley del Señor, y tomó una piedra muy grande, y la colocó debajo de una encina que estaba junto al tabernáculo del Señor,

**27.** Y dijo a todo el pueblo: Ved aquí esta piedra que os dará testimonio de que oyó las palabras que os habló el Señor: no sea que después queráis negarlo, y mentir al Señor Dios vuestro.

**28.** Despidió en seguida al pueblo, para que cada uno se fuera a su tierra.

**29.** Concluídas estas cosas, murió Josué, hijo de Nun, siervo del Señor, siendo de ciento y diez años;

**30.** Y le sepultaron en los términos de su posesión en Tamnat-Sare, ciudad situada en la montaña de Efraím, al norte del monte Gaas.

**31.** Israel sirvió al Señor todos los días de la vida de Josué y de los ancianos que vivieron largo tiempo después de Josué, y tenían presentes todas las maravillas que el Señor había obrado a favor de Israel.

**32.** Asimismo los huesos de José, que los hijos de Israel habían traído de Egipto, los sepultaron en Siquem en una parte de la heredad que compró Jacob a los hijos de Hemor, padre de Siquem por cien corderas, y tocó en posesión a los hijos de José.

**33.** Murió también Eleazar, hijo de Aarón, y le sepultaron en Gabaat, posesión dada a su hijo Finées, en el monte de Efraím.

# JUECES

# Introducción

En la historia de Israel los jueces son personajes que en momentos difíciles combaten a los opresores de sus tribus. Tras la victoria, el prestigio subsiguiente hacía que fueran reconocidos como gobernantes y que ejercieran sus dotes guiando a las gentes de su tribu. Al ser varias las tribus con un juez al frente de cada una de ellas puede ocurrir que coincida su gobierno, con ello se superpone su cronología y puede crear cierta confusión.

Este libro narra la historia de Israel desde la muerte de Josué hasta la de Sansón.

No se sabe quién fue su autor ni se conoce la época de su composición, aunque tal vez pudiera ser Samuel. Las cronologías expuestas en el texto son oscuras e inexactas: la suma de los años de gobierno de los jueces no se ajusta a la realidad histórica ni a la concordancia interna de la obra, según se ha dicho.

Las tribus de Israel, dispersas por territorio cananeo y luchando continuamente para subsistir, no formaban una unidad con organización política propia. Origina ello un mal que Moisés había intentado evitar con todas sus fuerzas: las alianzas matrimoniales con los cananeos y las desviaciones de tipo idólatra. Cuando Israel prevarica y se dedica al culto de dioses paganos, Dios le castiga con invasiones. Tiene lugar después la penitencia y Dios, apiadado, envía a un libertador o juez. Es un Dios misericordioso y lleno de piedad para con los suyos pero también es el Dios justiciero que castiga implacablemente las transgresiones. En la obra se describen dos clases de jueces: los mayores, cuya historia queda más o menos desarrollada en el texto, y los menores, de los que sólo se hace una breve mención. El primer juez tras la muerte de Josué fue Otoniel; siguieron después doce jueces, el último de los cuales fue Sansón. Le sucedió Helí, y a este Samuel, de quienes ya se habla en el *Libro de los Reyes*.

## CAPITULO PRIMERO

*Victorias de los Israelitas, los cuales se contentan con hacer tributarios a los Cananeos, en lugar de exterminarlos.*

1. Muerto Josué, los hijos de Israel consultaron al Señor, diciendo: ¿Quién marchará delante de nosotros contra el cananeo, y será nuestro caudillo para *continuar* la guerra?

2. Y respondió el Señor: *La tribu* de Judá marchará delante de vosotros: Yo le he entregado en sus manos aquel país.

3. Dijo entonces Judá *a la tribu de* Simeón, su hermano: Ven conmigo a la tierra que me ha cabido en suerte, y pelea contra el cananeo, que yo iré también después contigo a la *conquista* de la tuya: y Simeón le acompañó.

---

**CAPITULO PRIMERO.** — 1. Muerto Josué, se gobernaba cada tribu por medio de sus propios príncipes o cabezas, acudiendo para la resolución de los casos más difíciles al Supremo consejo o Sanedrín de los setenta Ancianos o Senadores. *Num.* XI, *v.* 16. Mas aquí Dios, sin designarles ningún caudillo particular para salir contra los Cananeos, solamente dispone que la tribu de Judá comience la guerra. Era la más fuerte y numerosa.

**4.** Púsose, pues, Judá en marcha; y el Señor entregó en sus manos al cananeo y al fereceo, y mataron de ellos en Becec diez mil hombres.

**5.** Encontraron en Becec a Adonibecec, y pelearon contra él, y derrotaron al cananeo y al fereceo.

**6.** Entre tanto huyó Adonibecec: mas yéndole al alcance le prendieron y le cortaron las extremidades de las manos y de los pies.

**7.** Entonces dijo Adonibecec: Sesenta reyes, a quienes fueron cortadas las extremidades de las manos y de los pies, recogían debajo de mi mesa las sobras de la comida: como yo hice así, me ha pagado Dios. Y lleváronle a Jerusalén, donde murió.

**8.** Pues los hijos de Judá habiendo atacado a Jerusalén, la tomaron, e hicieron en ella gran mortandad; y entregaron toda la ciudad a las llamas.

**9.** Saliendo de aquí fueron a pelear contra el cananeo, que habitaba en las montañas, hacia el mediodía, y en los llanos.

**10.** Prosiguiendo Judá la marcha contra el cananeo que moraba en Hebrón, llamada antiguamente Cariat-Arbe, derrotó a Sesai, y Ahimán, y Tolmai.

**11.** Habiendo asimismo partido de allí, encaminóse contra los habitantes de Dabir, cuyo nombre antiguo era Cariat-Sefer, esto es, ciudad de las letras.

**12.** Aquí dijo Caleb: Al que asaltare a Cariat-Sefer, y la destruyere, le daré por mujer a mi hija Axa.

**13.** Y habiéndola conquistado Otoniel, hijo de Cenez, hermano menor de Caleb, dióle su hija Axa por mujer:

**14.** A la cual, estando de camino, sugerió su esposo que pidiese a su padre una heredad. Y como ella, yendo sentado sobre su asno, comenzase a suspirar, díjole Caleb: ¿Qué tienes?

**15.** A lo que respondió ella: Dame tu bendición, *concediéndome una gracia:* Ya que me has dado terreno secano, dámele también de regadío. Con eso Caleb le dió una heredad de tierra de regadío alta y baja.

**16.** Los hijos, empero, de *Jetró*, Cineo, deudo o *suegro* de Moisés, trasmigraron de la ciudad de las Palmas con los hijos de Judá, al desierto de la pertenencia de esta *tribu*, hacia el mediodía de *la ciudad de* Arad, y habitaron en su compañía.

**17.** Prosiguió adelante Judá con su hermano Simeón, y juntas las dos tribus derrotaron al cananeo, que habitaba en Sefaat, y le pasaron a cuchillo. Y púsose por nombre a esta ciudad, Horma, que quiere decir anatema.

**18.** Además Judá se apoderó de Gaza con todos sus términos, y de Ascalón y Acarón con los suyos.

**19.** Y el Señor estuvo a favor de Judá, quien se hizo dueño de las montañas; pero no pudo exterminar a los moradores del valle, porque tenían muchos carros falcados.

**20.** Y dieron, como lo había dispuesto Moisés, la ciudad de Hebrón a Caleb, el cual extirpó de ella a los tres hijos de Enac.

**21.** Mas los hijos de Benjamín no destruyeron a los jebuseos que moraban en Jerusalén; y así quedaron habitando en dicha ciudad con los hijos de Benjamín hasta el día de hoy.

**22.** La casa de José marchó también contra Betel, y estuvo el Señor con ellos.

**23.** Pues cuando estaban sitiando esta ciudad, que antes se llamaba Luza,

**24.** Vieron salir de ella un hombre, y dijéronle: Muéstranos por dónde se podrá entrar en la ciudad y usaremos contigo de misericordia.

**25.** El se lo mostró, y pasaron la ciudad a cuchillo; pero libraron a aquel hombre, y a toda su familia:

**26.** El cual, puesto en libertad, retiróse a la tierra de Hetim, donde fundó una ciudad y llamóla Luza, nombre que hasta ahora conserva.

**27.** Asimismo Manasés no destruyó a Besán ni a Tanac con sus aldeas, ni a los moradores de Dor y Jeblaam y Magedo con sus aldeas: por lo cual los cananeos comenzaron a vivir junto con ellos.

**28.** Pero después que Israel cobró fuerzas, los hizo tributarios, si bien no quiso exterminarlos.

---

**7.** En aquellos tiempos casi cada ciudad tenía su señor o príncipe y tal vez los reyes de una misma ciudad fueron sucesivamente vencidos por Adonibecec, y tratados de aquel modo. El cortar los dedos pulgares de manos y pies, se hacía a fin de inutilizar al hombre para la guerra.

**8.** Josué hizo prisionero y mató a Adonisedec (*Josué* c. X), y entonces ocuparían los Israelitas la parte llamada Jerusalén; pero posteriormente los Jebuseos que eran dueños de la ciudadela de Sión la volvieron a tomar.

**10.** Josué había también tomado y pasado a cuchi-

llo la ciudad de Hebrón; pero varios Enaceos o gigantes se apoderaron después de ella: y a estos derrotó Caleb con el auxilio de la tribu de Judá,

**19.** Los Judíos para cubrir su poca fe y pusilanimidad, y excusarse de no haber exterminado sus enemigos, solían decir siempre: *No hemos podido: tienen estas gentes carros con hoces, o falcados etc.:* palabras que con ironía les echaba en rostro *Josué,* Cap. XVII, *v.* 18.

**29.** Tampoco Efraím exterminó al cananeo que ocupaba a Gacer, sino que habitó con él.

**30.** Zabulón no destruyó a los habitantes de Setrón y Nahalol, sino que permaneció el cananeo en medio de su país, pagándole tributo.

**31.** Ni menos Aser extirpó a los moradores de Acco y de Sidón, y de Ahalab, y de Acacib, y de Helba, y de Afec, y de Rohob:

**32.** Antes bien moró en medio de los cananeos que habitaban aquella tierra, y nos los exterminó.

**33.** Del mismo modo Nefatalí no quiso acabar con los habitantes de Betsames y de Betanat, sino que vivió entre los cananeos naturales de la tierra, haciendo tributarios a los betsamitas y betanitas.

**34.** Mas el amorreo estrechó en la montaña a los hijos de Dan, y no les permitió extenderse bajando a los llanos:

**35.** Antes bien habitó en el monte Hares, que quiere decir, monte de tiestos, y en Ayalón y en Salebim. Pero la casa de José prevaleció contra él, y le hizo su tributario.

**36.** Los lindes del amorreo fueron la subida del Escorpión, Petra, y los lugares más altos.

## CAPITULO II

*Un Angel reprende a los Israelitas su infidelidad e ingratitud; se arrepienten; pero luego caen otra vez en la idolatría.*

**1.** Después de esto, subió el Angel del Señor desde Gálgala al lugar *que se llamó* de los lloradores, y *en nombre de Dios* dijo: Yo soy el que os saqué de Egipto y os he introducido en la tierra de promisión con juramento a vuestros padres: y os aseguré que nunca jamás invalidaría mi pacto con vosotros;

**2.** Con sola la condición de que no hicierais alianza con los naturales de esta tierra, sino que derribárais sus altares. Mas vosotros no habéis querido escuchar mi voz. ¿Por qué habéis hecho esto?

**3.** Por lo mismo yo tampoco he querido exterminarlos de vuestra presencia, a fin de que tengáis enemigos, y sus dioses sean para vuestra ruina.

**4.** Al decir el Angel del Señor estas palabras a todos los hijos de Israel, alzaron éstos el grito, y se pusieron a llorar:

**5.** De donde aquel lugar se llamó el lugar de los lloradores, o de las lágrimas y ofrecieron allí sacrificios al Señor.

**6.** Despedido que fué el pueblo *o ejército* por Josué y vueltos los hijos de Israel a disfrutar cada cual la posesión que le había tocado en suerte,

**7.** Sirvieron al Señor todos los días de la vida de Josué, y de los ancianos que vivieron después de él por largo tiempo, y habían visto todas las obras *maravillosas* que había hecho el Señor por Israel.

**8.** Pero muerto Josué, hijo de Nun, siervo del Señor, de ciento y diez años,

**9.** Y sepultado en el término de su posesión en Tamnatsare, en la montaña de Efraím, al norte del monte Gaas,

**10.** y toda la dicha generación pasando de este mundo a unirse con sus padres, sucedieron otros que no conocían al Señor, ni habían visto los prodigios que había hecho a favor de Israel.

**11.** Entonces los hijos de Israel pecaron a vista del Señor, y sirvieron a los ídolos;

**12.** Y apostataron del Señor Dios de sus padres que los había sacado de la tierra de Egipto, y se fueron tras los dioses ajenos, dioses de los pueblos circunvecinos, y los adoraron; y provocaron a saña al Señor,

**13.** Abandonándole a él por servir a Baal y Astarot.

**14.** De lo cual irritado el Señor contra los israelitas, los entregó en las manos de los saqueadores, que los cautivaron y vendieron a los enemigos comarcanos: ni pudieron ya contrarrestar a sus adversarios;

**15.** Antes bien, doquiera que quisiesen volverse, la mano del Señor, descargaba sobre ellos, como se lo tenía dicho y jurado: con lo que se vieron en extremo afligidos.

**16.** Suscitó el Señor jueces que los librasen de las manos de sus opresores; pero ni aun a los jueces quisieron escuchar;

**17.** Prostituyéndose de *nuevo* a dioses ajenos, y adorándolos. Dejaron presto el camino por donde anduvieron sus padres, y por más que oyeron *de su boca* los mandamientos del Señor, hicieron todo lo contrario.

---

CAP. II. — 1. Oprimidos con el tiempo los Israelitas a causa de su condescendencia criminal con los cananeos. Este suceso es posterior a la muerte de Josué, que se cuenta en los versos 8 y 9, y todo este capítulo y los siete primeros versos del siguiente son como la suma o argumento de todo lo contenido en este libro.

---

**5.** En lances extraordinarios, mayormente cuando no estaba aún edificado el Templo, se ofrecían sacrificios aun fuera del Tabernáculo.

**18.** Cuando el Señor les suscitaba jueces, mientras éstos vivían, se apiadaban de ellos, y oía los gemidos de los atribulados y los libraba de la crueldad de sus verdugos:

**19.** Mas luego que moría el juez reincidían y hacían cosas mucho peores que las que habían hecho sus padres, siguiendo a los dioses ajenos, sirviéndolos y adorándolos. No dejaron sus devaneos, ni el obstinado tenor de vida a que se habían acostumbrado.

**20.** Así el furor del Señor se inflamó contra Israel, y dijo: Por cuanto esta gente ha invalidado el pacto que yo había hecho con sus padres y se ha desdeñado de escuchar mi voz.

**21.** Yo no exterminaré las naciones que dejó Josué cuando murió;

**22.** Porque quiero experimentar si viviendo los hijos de Israel entre ellas, siguen o no el camino del Señor, y andan por él, así como le siguieron y anduvieron por él sus padres.

**23.** Por esto dejó el Señor todas estas naciones, y no quiso acabarlas luego, ni las entregó en manos de Josué.

## CAPITULO III

*De los tres jueces Otoniel, Aod y Samgar, los cuales libran a los Israelitas de la opresión.*

**1.** Estas son las naciones que dejó subsistir el Señor con el fin de instruir por medio de ellas a Israel, y a todos los que no tenían experiencia de las guerras de los cananeos;

**2.** Para que andando el tiempo aprendieran sus hijos a pelear contra sus enemigos, y se acostumbrasen a semejantes combates:

**3.** Cinco sátrapas o *príncipes* de los filisteos, y todos los cananeos, y sidonios y heveos habitantes del monte Líbano desde la cordillera de Baal-Hermón hasta la entrada de Emat.

**4.** Y dejólos para probar también con ellos a Israel si obedecería o no los mandamientos del Señor, que había intimado a sus padres por medio de Moisés.

**5.** Así, pues, los hijos de Israel habitaron en medio del cananeo, y del heteo, y del amorreo, y del fereceo, y del heveo, y del jebuseo:

**6.** Y se casaron con sus hijas y dieron las suyas a los hijos de ellos, y sirvieron a sus dioses.

**7.** Con lo que pecaron los hijos de Israel en la presencia del Señor, y se olvidaron de su Dios, por servir a Baal y a Astarot.

**8.** Y airado el Señor contra los hijos de Israel, entregóios en manos de Cusán Rasataím, rey de Mesopotamia; y le estuvieron sujetos ocho años.

**9.** Y clamaron los israelitas al Señor el cual les suscitó un salvador que los libertó, a saber, Otoniel hijo de Cenez, hermano menor de Caleb.

**10.** El espíritu del Señor estuvo en él y juzgó o *gobernó* a Israel: y saliendo a campaña, puso el Señor en sus manos Cusán, Rasataím, rey de Siria, *o Mesopotamia,* y le juzgó.

**11.** De resultas quedó en paz el país por cuarenta años; y murió Otoniel, hijo de Cenez.

**12.** Pero los hijos de Israel volvieron de nuevo a pecar a la vista del Señor: el cual fortaleció contra ellos a Eglón, rey de Moab; por haber Israel pecado en la presencia del Señor.

**13.** Y unió los hijos de Ammón y de Amalec a Eglón, quien se puso en marcha con ellos, y derrotó a Israel, y se apoderó de la ciudad de las palmas.

**14.** Y los hijos de Israel estuvieron sujetos a Eglón, rey de Moab, diez y ocho años.

**15.** Clamaron después al Señor, quien les suscitó un salvador llamado Aod, hijo de Gera, hijo de la *tribu* de Benjamín; el cual era ambidiestro. *Sucedió que* enviaron los hijos de Israel *los* presentes o *tributo* a Eglón, rey de Moab, por mano de Aod.

**16.** Aod proveyóse de una daga de dos cortes, con su guarnición, larga como la palma de la mano, y ciñósela debajo del sayo en el muslo derecho.

**17.** Presentó, pues, los regalos a Eglón, rey de Moab, el cual era en extremo grueso.

**18.** Luego que le hubo presentado los regalos, se marchó *Aod* con los compañeros con quienes había venido.

**19.** Pero volviéndose desde Gálgala, donde estaban los ídolos, dijo al rey: Tengo que decirte, oh rey, en secreto una palabra. Mandóle el rey que no prosiguiese; y habiendo salido todos los que estaban con él,

**20.** Acercóse Aod al rey, que estaba solo, sentado en su habitación de verano, y díjole: Tengo que decirte una palabra de parte de Dios. Al punto se levantó el rey de su silla,

**21.** Y Aod tirando con su mano izquierda de la daga que llevaba al lado derecho, se la envasó en el vientre

**22.** Con tanta fuerza que la guarnición *o puño* entró tras la hoja en la herida, y quedóse cubierta y encajada en la mucha grosura: ni sacó del vientre la daga, sino que como se la metió, así la dejó en él; y al instante los excrementos salieron del cuerpo por sus conductos naturales.

**23.** Después de lo cual Aod habiendo cerrado muy bien las puertas del cuarto, y asegurándolas con llave,

**24.** Se salió por una puerta excusada. Y entrando los criados del rey, y viendo cerradas las puertas del aposento, dijeron: Tal vez está satisfaciendo alguna necesidad corporal en la habitación del verano;

**25.** Y después de haber aguardado mucho tiempo, hasta avergonzarse de tanto esperar, y viendo que ninguno les abría, echaron mano de la llave, abrieron el cuarto y hallaron el cadáver de su señor tendido en el suelo.

**26.** Pero mientras ellos andaban alborotados, Aod se escapó, y pasando por el lugar de los ídolos, desde donde había vuelto atrás, llegó a Seirat.

**27.** Tocó luego la trompeta, o *al arma,* en el monte de Efraím; y los hijos de Israel descendieron con él, llevándole a su frente.

**28.** Aod les dijo: Seguidme: porque el Señor ha entregado en nuestras manos a los moabitas nuestros enemigos. Siguiéronle, pues, y se apoderaron de los vados del Jordán, que son paso para Moab; y no dejaron pasar a ningún moabita,

**29.** Sino que mataron en aquella sazón cerca de diez mil de ellos, todos hombres robustos y esforzados; de suerte que ninguno de ellos pudo escapar.

**30.** Quedó, pues, Moab, humillado en aquel día, bajo la mano de Israel; y el país estuvo en paz ochenta años.

**31.** Después de Aod floreció Samgar, hijo de Anat, que mató a seiscientos filisteos con una reja de arado; y éste fué también defensor *y libertador* de Israel.

---

**22.** Aunque Eglón fuese un opresor o tirano, y procurase apartar a los Israelitas del verdadero culto de Dios, no sería lícito el hecho de Aod, si Dios no se lo hubiese mandado con señales ciertas según lo acostumbraba en aquellos tiempos, en que hacía conocer su voluntad de una manera sensible. Mas al presente ya no habla a los hombres sino por su santa Ley, en que se manda respetar como sagradas las personas de los Soberanos. El ejemplo de David con Saúl (I *Reg.* XXIV y XXVI), y el de todos los fieles en los primeros siglos de la Iglesia, aun con respecto a los emperadores idólatras y perseguidores de la Religión, no deja duda en que cuando el príncipe abusa de la potestad que le ha dado Dios, las armas de los discípulos de

## CAPITULO IV

*Barac alentado por Débora, la profetisa, derrota a Sísara, general del ejército del rey Jabín. Sísara es muerto por Jael, mujer de Haber.*

**1.** Pero los hijos de Israel volvieron a pecar delante del Señor, después de la muerte de Aod;

**2.** Y entrególos el Señor en manos de Jabín, rey de Canaán, que reinó en Asor, y tuvo por general de su ejército a uno llamado Sísara, el cual habitaba en Haroset de las naciones.

**3.** Clamaron, pues, los hijos de Israel al Señor: porque teniendo Jabín novecientos carros falcados, los había oprimido en extremo por espacio de veinte años.

**4.** Vivía en aquel tiempo Débora, profetisa, mujer de Lapidot, la cual regía al pueblo;

**5.** Y tenía su asiento debajo de una palma, que se llamó *por eso* de su mismo nombre entre Rama y Betel, en el monte de Efraím: y los hijos de Israel acudían a Débora en todos sus litigios.

**6.** Ella, *pues,* envió a llamar a Barac, hijo de Abinoem, *natural* de Cedes de Neftalí, y le dijo: El Señor Dios de Israel te da esta orden: Anda y conduce el ejército al monte Tabor, llevando contigo diez mil combatientes de la tribu de Neftalí y de la de Zabulón:

**7.** Que yo llevaré a un sitio del torrente Cisón, a Sísara, general del ejército de Jabín, con todos sus carros y su gente, y los entregaré en tus manos.

**8.** Y díjole Barac: Si vienes conmigo, iré; mas si no quieres venir conmigo, tampoco iré yo.

**9.** A lo que respondió Débora: Bien está, iré contigo, mas por esta vez no se te atribuirá a ti la victoria: pues Sísara será entregado por medio de una mujer. Partió, pues, luego Débora, y se fué a Cedes con Barac:

**10.** El cual, convocados los de Zabulón y Neftalí, marchó con diez mil combatientes, teniendo a Débora en su compañia.

---

Jesucristo son la oración, la humildad y la paciencia.

**31.** No teniendo otras armas, se serviría de una reja de arado. El texto hebreo puede entenderse de una lanza, semejante a un aguijón de bueyes.

Pero de cualquier modo, esta acción extraordinaria o milagrosa atemorizó tanto a los enemigos, que mientras vivió Samgar nada emprendieron contra el pueblo de Israel.

**6.** Barac fué juez de Israel junto con Débora, mas la principal autoridad residía en esta valerosa matrona, por medio de la cual el espíritu de Dios dirigía a su pueblo.

**11.** Es de advertir que Haber, cineo, se había separado mucho tiempo antes de los otros cineos sus hermanos, hijos de Hobab, pariente de Moisés, y había establecido su morada extendiéndose hasta el valle llamado Sennim, no lejos de Cedes.

**12.** En esto tuvo Sísara aviso de que Barac, hijo de Abinoem, había subido al monte Tabor:

**13.** Por lo que juntó los novecientos carros falcados, e hizo mover todo su ejército, desde Haroset de las naciones, hasta el torrente Cisón.

**14.** Entonces dijo Débora a Barac: Ea, vamos; porque este es el día en que el Señor ha puesto en tus manos a Sísara: mira que el mismo Señor es tu caudillo.

Bajó al punto Barac del monte Tabor, y con él los diez mil soldados;

**15.** Y el Señor aterró a Sísara, y a todos sus carros de guerra, y su gente, la cual fué pasada a cuchillo al presentarse Barac: en tanto grado, que Sísara, saltando de su carro, echó a huir a pie.

**16.** Y Barac fué persiguiendo a los carros fugitivos y al ejército hasta *la ciudad de* Haroset de las naciones; y toda la muchedumbre de los enemigos pereció, sin quedar uno.

**17.** Entre tanto, Sísara, huyendo, vino a parar en la tienda de Jahel, mujer de Haber, cineo: por cuanto había paz entre Jabín, rey de Asor, y la casa de Haber, cineo.

**18.** Y habiendo salido Jahel a recibir a Sísara, le dijo: Entrad, señor mío, entrad en mi casa y no temáis. Entró, pues, en la tienda, y después que ella le cubrió con un manto,

**19.** Le dijo Sísara: Dame por tu vida un poco de agua, que me muero de sed. Abrió ella un odre de leche, y le dió de beber y volvió a cubrirle *con la ropa.*

**20.** Y díjole Sísara: Ponte a la puerta del pabellón, y si viene alguno preguntándote, y diciendo: ¿Hay aquí alguno? responde que no hay nadie.

**21.** Jahel, pues, mujer de Haber, tomó un clavo *o estaca* de la tienda, y asimismo un martillo: y entrando sin ser vista ni sentida, aplicó el clavo sobre una de las sienes de Sísara, y dando un golpe con el martillo traspasóle el cerebro hasta la tierra, y Sísara desfalleció y murió, juntando el sueño con la muerte.

**22.** Cuando he aquí que Barac venía en seguimiento de Sísara, y Jahel, saliéndole al encuentro, le dijo: Ven, y te mostraré al hombre que buscas. Entrado que hubo en su estancia, vió a Sísara que yacía muerto, y el clavo atravesado por sus sienes.

**23.** Así humilló Dios en aquel día a Jabín, rey de Canaán, ante los hijos de Israel:

**24.** Los cuales cobraron cada día más bríos contra Jabín, rey de Canaán, a quien oprimieron con mano poderosa, hasta que le destruyeron enteramente.

## CAPITULO V

*Cántico en acción de gracias, de Débora de Barac por la victoria contra Jabín.*

**1.** En aquel día Débora, y Barac, hijo de Abinoem, cantaron *este himno*, diciendo:

**2.** Oh varones de Israel, vosotros que voluntariamente habéis expuesto vuestras vidas, bendecid al Señor.

**3.** Escuchad, reyes, estadme atentos, oh príncipes: Yo soy, yo soy la que celebraré al Señor, y entonaré himnos al Señor Dios de Israel.

**4.** Oh Señor, cuando saliste de Seir, y pasaste por las regiones de Edóm, se estremeció la tierra, y los cielos y las nubes se disolvieron en aguas.

**5.** Los montes se liquidaron a la vista del Señor, como el monte Sinaí delante del Señor Dios de Israel.

**6.** En los días de Samgar, hijo de Anat, en los días de Jahel estaban desiertos los caminos: los que tenían que viajar andaban por veredas tortuosas o *extraviadas.*

**7.** Se habían acabado en Israel los valientes, habían desaparecido, hasta que Débora levantó su cabeza y se dejó ver como una madre para Israel.

**8.** Nuevo y *maravilloso* modo de guerrear escogió el Señor, y él mismo, *por medio de una mujer,* destruyó las fuerzas de los enemigos; no se veía lanza ni escudo entre cuarenta mil soldados de Israel .

**9.** Mi corazón os ama, oh príncipe de Israel: vosotros que con buena voluntad os expusisteis al peligro, bendecid al Señor.

---

**21.** Creyendo agradar a Dios, matando al enemigo de su pueblo. — No podría excusarse de horrorosa perfidia la acción de Jahel, si las alabanzas que después se la da la Débora inspirada de Dios, no nos aseguraran que lo hizo por un movimiento extraordinario del espíritu del Señor; y si en sus palabras aparece alguna ficción o mentira, ésta fué de Jahel, aunque el designio u obra viniese de Dios, como vemos en el suceso de Raab y otros.

**10.** Los que cabalgáis en lúcidas caballerías, los que estáis sentados en los tribunales, los que andáis *ya libremente* por los caminos públicos, hablad vosotros *y bendecid al Señor.*

**11.** Donde se estrellaron los carros de guerra, donde las huestes enemigas se anegaron, allí sean publicadas las venganzas del Señor, y su clemencia para con los valientes de Israel. El pueblo se congregó entonces *libremente* en las puertas *de las ciudades,* y recobró su superioridad.

**12.** Ea, vamos, Débora, vamos, ea, prepárate para entonar un cántico *al Señor.* Animo, oh Barac, vamos, toma, hijo de Abinoem, los prisioneros que has hecho.

**13.** Se han salvado las reliquias del pueblo *de Dios:* el Señor ha combatido al frente de los valientes.

**14.** Sirvióse de uno *de la tribu* de Efraím para derrotar a *los cananeos* en la persona de los amalecitas: después se sirvió de uno *de la tribu* de Benjamín contra tus pueblos, oh Amalec: De Maquir, *primogénito de Manasés,* descendieron los príncipes, y de Zabulón los que han capitaneado *hoy* el ejército para combatir.

**15.** También los caudillos de Isacar han ido con Débora y seguido las pisadas de Barac; el cual se ha arrojado a los peligros, dejándose caer *sobre el enemigo* como quien se despeña a una sima. Mas dividido entonces Rubén en partidos contra sí mismo, se suscitaron discordias entre sus valientes.

**16.** ¿Por qué te estás ahí quieto, oh Rubén, entre los dos términos *de Israel y de sus enemigos,* oyendo los balidos de tus rebaños? Pero dividido Rubén en partidos contra sí mismo, sus valientes solo se ocuparon en disputar entre sí *sobre lo hacedero.*

**17.** Los de Galaad estaban en reposo a la otra parte del Jordán: y Dan atendía a sus navíos *y comercio:* lo mismo que Aser *que* habitaba en la costa del mar, y se mantenía en sus puertos.

**18.** Empero Zabulón y Neftalí fueron a exponer sus vidas en el país de Merome.

**19.** Vinieron los reyes *enemigos* y pelearon *contra ellos:* los reyes de Canaán pelearon *contra Israel* en Tanac, junto a las aguas de Magedo: mas no pudieron llevar presa alguna.

**20.** Desde el cielo se hizo guerra contra ellos: las estrellas, permaneciendo en su orden y curso, pelearon contra Sísara.

**21.** El torrente de Cisón arrastró sus cadáveres, el torrente de Cadumín, el torrente de Cisón. Huella, oh alma mía, a los *orgullosos* campeones.

**22.** Saltáronseles a sus caballos las uñas de los pies con la impetuosidad de la huída, cayendo por los precipicios los más valientes de los enemigos.

**23.** Maldecid a la tierra de Meroz, dijo el Angel del Señor: maldecid a sus habitantes, pues no quisieron venir al socorro *del pueblo* del Señor, a ayudar a sus más esforzados guerreros.

**24.** Bendita entre *todas* las mujeres Jahel, esposa de Haber, cineo, bendita sea en su pabellón.

**25.** Pidióle Sísara agua, y le dió leche, y en taza de príncipes le ofreció la nata.

**26.** Con la izquierda tomó un clavo, y con la diestra un martillo de obreros, y mirando dónde heriría a Sísara en la cabeza, dióle el golpe y taladróle con gran fuerza las sienes.

**27.** Cayó Sísara entre los pies de Jahel, perdió las fuerzas, y expiró después de haberse revolcado por el suelo delante de Jahel, quedando tendido en tierra, exánime y miserable.

**28.** *Mientras esto pasaba* estaba mirando la madre de Sísara desde la ventana, y daba voces, diciendo desde su cuarto: ¿Cómo tarda tanto en volver su carro?

**29.** ¿Cómo son tan pesados los pies de sus cuatro caballos? La más discreta entre las mujeres de Sísara respondió así a la suegra:

**30.** Quizá está ahora repartiendo los despojos, y se está escogiendo para él la más hermossa de las cautivas; se separan de entre todo el botín ropas de diversos colores para Sísara, y variedad de joyas para adorno de los cuellos.

**31.** Perezcan, Señor, *como Sísara* todos tus enemigos: y brillen como el sol en su oriente los que te aman.

**32.** Estuvo después todo el país en paz cuarenta años.

## CAPITULO VI

*Vuelve Israel a idolatrar, y en castigo cae en poder de los Madianitas. Dios elige a Gedeón para librarle.*

**1.** Pero, *muerto Barac,* pecaron nuevamente los hijos de Israel en la presencia del Señor, el cual los entregó en manos de los madianitas por siete años:

---

**32.** Esto es, desde la muerte de Aod hasta la de Barac.

**2.** Quienes los oprimieron en tanto grado, que se vieron obligados a abrir grutas y cuevas en los montes para guarecerse, y a fabricar lugares muy fuertes para defenderse.

**3.** Pues cuando los israelitas habían hecho la sementera, se presentaban los madianitas, los amalecitas, y los otros pueblos orientales,

**4.** Y plantando en medio de ellos sus tiendas, *o cabañas,* estando aún en yerba los sembrados, lo talaban todo *desde el Jordán* hasta las puertas de Gaza: y no dejaban a los israelitas nada de lo que es necesario para la vida; ni ovejas, ni bueyes, ni asnos.

**5.** Porque venían ellos con todos sus ganados y tiendas, y a manera de langostas cubría todos los campos una multitud innumerable de hombres y de camellos, desolándolo todo por donde pasaban.

**6.** Con lo que los israelitas fueron en extremo humillados bajo la *dominación* de los madianitas.

**7.** Al fin clamaron al Señor pidiendo auxilio contra ellos;

**8.** Y el Señor les envió un profeta, el cual les habló de esta manera: Esto dice el Señor de Israel: Yo soy el que os hice salir de Egipto, y os saqué de la casa de la esclavitud,

**9.** Y os libré de las manos de los egipcios, y de todos los enemigos que os maltrataban, y a vuestra entrada los eché de su tierra, y os la entregué a vosotros.

**10.** Y dije: Yo soy el Señor Dios vuestro; no temáis a los dioses de los amorreos, en cuya tierra habitáis: pero vosotros no habéis querido escuchar mi voz .

**11.** Después *de estas reconvenciones* vino el ángel del Señor, y sentóse debajo de una encina que había en Efra, y era pertenencia de Joas, cabeza de la familia de Ezri. Y como Gedeón, su hijo, estuviese sacudiendo y limpiando el grano en un lugar para esconderle de los madianitas.

**12.** Apareciósele el ángel del Señor, y le dijo: El Señor es contigo, oh tú el más valeroso de los hombres.

**13.** A lo que respondió Gedeón: Suplícote, Señor mío, me digas: Si el Señor está con nosotros, ¿cómo es que nos han sobrevenido todos estos males? ¿Dónde están aquellas maravillas suyas que nos han contado nuestros padres, refiriéndonos cómo el Señor los sacó de Egipto? Lo cierto es que ahora el Señor nos ha desamparado y entregado en manos de Madián.

**14.** Entonces el *ángel que representaba* al Señor echó una mirada sobre él, y díjole: Anda, ve con ese tu valor y libertarás a Israel del poder de Madián: sábete que soy Yo el que te envío.

**15.** Respondió Gedeón y dijo: Ah Señor mío, ruégote que me digas, ¿cómo he de poder yo libertar a Israel? Tú ves que mi familia es la ínfima en la tribu de Manasés, y yo el menor en la casa de mi padre.

**16.** Díjole el *ángel* del Señor: Yo seré contigo, y derrotarás a Madián como si fuese un solo hombre.

**17.** Replicó él: Si es que yo he hallado gracia delante de ti, dame una señal de que eres tú quien me hablas,

**18.** Ni te retires de este sitio, hasta que yo vuelva a ti, y te traiga *un presente como para* un sacrificio, y te lo ofrezca. Respondió *el ángel:* Aguardaré hasta que vuelvas.

**19.** Con esto Gedeón fué a su casa, y coció un cabrito, y panes ácimos, que hizo de un modio de harina; y poniendo la carne en un canasto, y echando en una olla el caldo de la carne, llevólo todo debajo de la encina y se lo presentó.

**20.** Díjole el ángel del Señor: Toma la carne y los panes ácimos, y ponlo sobre aquella peña, y derrama encima el caldo. Y habiéndolo hecho así,

**21.** Extendió el ángel del Señor la punta del báculo que tenía en la mano, y tocó la carne y los panes ácimos, y salió fuego de la piedra y consumió la carne y los panes ácimos, y el ángel del Señor desapareció de sus ojos.

**22.** Viendo Gedeón que era un ángel del Señor, dijo: ¡Ay de mí, Señor Dios *mío,* que he visto al ángel del Señor cara a cara!

**23.** Respondióle el Señor: La paz sea contigo: no temas, que no morirás.

**24.** Edificó, pues, allí Gedeón un altar al Señor, y llamóle Paz del Señor: nombre que dura hasta hoy día. Y estando él todavía en Efra, que pertenece a la familia de Ezri,

**25.** Díjole el Señor aquella noche: Toma un toro de tu padre y otro de siete años; y destruye el altar de Baal, que es de tu padre; y corta el bosquete que está junto al altar.

---

CAP IV. — 22. Aquí y en otros lugares de la Escritura se ve la opinión que tenían comúnmente de que el hombre no podía ver un espíritu celestial, sin que esta visión le quitase la vida: opinión que reinaba también entre los gentiles.

**26.** Y erigirás un altar al Señor Dios tuyo encima de esta peña sobre que pusiste antes el sacrificio, y tomando el segundo toro le ofrecerás en holocausto sobre el montón de leña que habrás cortado del bosquete.

**27.** Gedeón, pues, habiendo tomado consigo diez de sus criados, hizo lo que el Señor le había mandado: si bien temiendo a la familia de su padre y a los vecinos de aquella ciudad, no lo quiso hacer de día, sino que lo ejecutó todo de noche.

**28.** A la mañana, levantándose los vecinos del pueblo, vieron destruído el altar de Baal, y cortado el bosquete, y colocado el segundo toro sobre un altar recientemente erigido.

**29.** Y dijéronse unos a otros: ¿Quién ha hecho esto? Y haciendo pesquisas del autor de ello, se les dijo: Gedeón, hijo de Joás, ha hecho todas estas cosas.

**30.** Por lo que dijeron a Joás: Sácanos aquí tu hijo para que muera, pues ha destruído el altar de Baal, y cortado el bosquete.

**31.** Respondióles Joás: Pues qué, ¿sois vosotros los vengadores de Baal para combatir por él? Haga Baal que quien es su adversario, muera antes de que amanezca el día de mañana: si Baal es Dios, vénguese *él mismo* del que ha derribado su altar.

**32.** Desde aquel día Gedeón fué llamado Jerobaal, por haber dicho Joás: Vénguese Baal del que le derribó su altar.

**33.** Entre tanto todos los de Madián y de Amalec, y los pueblos orientales se juntaron a una, y pasando el Jordán acamparon en el valle de Jezrael *para robar y talar*.

**34.** Mas el espíritu del Señor se apoderó de Gedeón, el cual tocando la trompeta convocó a la familia de Abiecer, para que le siguiese.

**35.** Envió asimismo mensajeros a toda *la tribu* de Manasés, que también le siguió; e igualmente a las otras de Aser, y de Zabulón, y de Neftalí, que asimismo salieron a juntarse con él.

**36.** Gedeón dijo entonces al Señor: Si has de salvar a Israel por mi mano, como lo has dicho,

**37.** *He aquí que yo* extenderé este vellocino de lana en la era: si el rocío cayere en el vellocino, quedando todo el terreno enjuto, reconoceré en esto que por mi mano has de libertar a Israel, según tienes dicho.

**38.** Hízose así; y levantándose antes de amanecer, exprimió el vellocino, y llenó una taza del rocío que salió de él.

**39.** Dijo de nuevo a Dios: No se irrite contra mí tu furor, si aún hago una prueba más buscando otra señal por medio del vellocino. Suplícote *ahora lo contrario*, que sólo el vellocino esté seco, y se vea mojada del rocío toda la tierra;

**40.** Y Dios lo hizo aquella noche como se lo había pedido; y solo el vellocino quedó enjuto, y todo el terreno se halló cubierto de rocío.

## CAPITULO VII

*Victoria prodigiosa de Gedeón, el cual con trescientos hombres asalta de un modo extraordinario y derrota el ejército enemigo.*

**1.** Jerobaal, pues (el mismo que Gedeón), levantándose antes del día, vino con toda su gente a la fuente llamada Harad, estando el campamento de los madianitas en el valle, al norte de un cerro muy alto.

**2.** Dijo entonces el Señor a Gedeón: Mucha gente tienes contigo: no será Madián entregado en manos de ella, porque no se gloríe contra mí Israel, y diga: Mi valor me ha libertado.

**3.** Habla al pueblo y haz pregonar de manera que lo oigan todos: El que sea medroso y cobarde, que se vuelva. Y se volvieron del monte de Galaad y retiráronse veintidós mil hombres de la tropa, quedándose solamente diez mil.

**4.** Mas el Señor dijo a Gedeón: Aún hay mucha gente: guíalos al agua, que allí los experimentaré; y el que yo te dijere que vaya contigo, vaya; y a quien yo prohibiere ir, vuélvase.

---

**31.** Joás adoraba a Baal, como los otros ciudadanos de Efra; y era de Joás el altar de Baal de que se ha hablado *v.* 25; mas Gedeón, su hijo, le había ya referido la visión del Señor y convertido.

**27.** Gedeón pediría esta señal a Dios para reanimar con la vista de un prodigio a su pueblo envilecido y abatido por causa de su infidelidad. El mismo Dios movería el corazón de Gedeón a que lo pidiera; pues la Iglesia reconoce en este vellón mojado de rocío una figura de Jesucristo concebido en el seno de María: y aludiendo a esto dijo David, que el Mesías bajaría del cielo *como lluvia sobre el vellón, y como rocío que destila sobe la tierra. Ps.* LXXI, *v.* 6.

*DAVID Y JONATÁN* (DETALLE), DE GIOVANNI BATTISTA CIMA DA CONEGLIANO,
*óleo sobre madera, National Gallery, Londres*

*San Juan el Bautista en el desierto*, de Cristofano Allori,
óleo sobre tela, Galleria degli Uffizi, Florencia

*ANIMALES ENTRANDO EN EL ARCA DE NOÉ* (DETALLE), DE JACOPO BASSANO, *óleo sobre tela, Museo del Prado, Madrid*

*LA CAÍDA DEL HOMBRE,* DE HUGO VAN DER GOES,
*panel de un díptico, Kunsthistorisches Museum, Viena*

**5.** Pues como las tropas bajasen al agua, dijo el Señor a Gedeón: Los que bebieren el agua llevada a su boca con la mano, como la cogen los perros con la lengua, los separarás a un lado; mas los que hubieren puesto las rodillas en tierra para beber *con más comodidad*, quedarán en otra parte.

**6.** Fueron, pues, los que bebieron el agua llevándola a su boca con la mano, trescientos hombres: todo el resto de la tropa había doblado sus rodillas para beber *más cómodamente*.

**7.** En seguida dijo el Señor a Gedeón: Con estos trescientos hombres que han tomado *con la mano* el agua para llevarla a su lengua, os libertaré, y haré caer a Madián en vuestro poder. Retírese a su estancia toda la demás tropa.

**8.** Y tomando víveres a proporción del número de la gente, y las trompetas, mandó volver todo el resto de la tropa a sus tiendas, y él con sólo los trescientos hombres se dispuso para el combate. El campamento de Madián estaba abajo en el valle.

**9.** Aquella misma noche le dijo el Señor: Levántate y desciende al campamento *de los enemigos;* porque los he entregado en tus manos:

**10.** Pero si temes ir solo, baje contigo Fara tu criado.

**11.** Y cuando oyeres lo que hablan *los madianitas*, quedarás más animoso, y asaltarás después con más confianza su campamento.

Partió, pues Gedeón, con su criado Fara, hacia aquel paraje del campamento donde estaban las centinelas del ejército *enemigo*.

**12.** Es de advertir que los madianitas y amalecitas, y todos los pueblos orientales yacían tendidos en el valle, como una muchedumbre de langostas; y sus camellos eran sin número, como las arenas en la orilla del mar.

**13.** Así que se acercó Gedeón, oyó que uno contaba a su camarada cierto sueño, y refería en esta forma lo que había visto: Acabo de tener un sueño, en que veía venir rodando un pan de cebada cocido en el rescoldo, y bajar hacia el campamento de Madián, y que chocando contra un pabellón lo trastornó con el golpe, y lo echó por tierra.

**14.** Respondió aquel a quien se lo contaba: Lo que esto significa es la espada de Gedeón, hijo de Joás, israelita; porque Dios ha entregado en sus manos a Madián y a todo su campamento.

**15.** Gedeón, oído el sueño y su interpretación, adoró *al Señor;* y vuelto al campo de Israel, dijo a los suyos: Ea, vamos *al instante;* porque el Señor ha entregado en nuestras manos el campamento de Madián.

**16.** Dividió luego los trescientos hombres en tres cuerpos: y puso en manos de cada uno una trompeta, y una vasija de barro vacía, y dentro de ésta una tea encendida,

**17.** Y díjoles: Lo que me viereis hacer, hacedlo vosotros: yo entraré por un lado de los reales; imitad lo que yo hiciere.

**18.** Cuando sonare la trompeta que tengo en mi mano, sonad también vosotros Ias vuestras alrededor del campamento, y gritad todos a una: Al Señor, y a Gedeón, *victoria.*

**19.** Entrando, pues, Gedeón por un lado del campó, seguido de sus trescientos hombres, al comenzar la vela de la media noche, y despertados los centinelas, comenzaron *Gedeón y los suyos* a tocar las trompetas, y a quebrar unas vasijas con otras.

**20.** Y haciendo resonar el ruido alrededor del campamento, por tres puntos diferentes, rotas las vasijas, tomaron las luces en la mano izquierda, y prosiguiendo en tocar las trompetas que tenían en la derecha, gritaron todos: La espada del Señor y de Gedeón.

**21.** Manteniéndose cada uno quieto en su puesto alrededor de los reales enemigos. Con todo esto las tropas de Madián se alborotaron, y dando gritos y aullidos echaron a huir:

**22.** Y sin embargo los trescientos hombres seguían tocando sin cesar las trompetas. Y el Señor hizo que *los enemigos* tirasen de sus espadas unos contra otros *sin conocerse;* de suerte que se degollaban entre sí:

**23.** Huyendo *los que escaparon* hasta Betseta, y hasta los confines de Abelmehula, en Tebbat. Al mismo tiempo los israelitas de las tribus de Neftalí, y de Aser, y todos los de la de Manasés, *al saber la victoria*, gritando todos a una, fueron persiguiendo a los madianitas.

**24.** Y Gedeón despachó mensajeros a toda la montaña de Efraím, para que dijesen a sus moradores: Bajad al encuentro de los madianitas, y ocupad *el vado de* las aguas hasta Betbera, y lo largo del Jordán. Así, pues, todo Efraím tocó al arma, y se adelantó a tomar los vados de las aguas y la orilla del Jordán hasta Betbera.

**25.** Y habiendo hecho prisioneros *dos príncipes* de los madianitas, Oreb y Ceb, mataron a Oreb en la peña de Oreb y a Ceb en el lagar de Ceb. Y persiguieron a los madianitas: y llevaron las cabezas de Oreb y de Ceb, a Gedeón al otro lado del río Jordán.

## CAPITULO VIII

*Sosiega Gedeón la tribu de Efraím; vence a Ceb y Salmana; manda hacer un efod; y después de haber gobernado cuarenta años, muere; y el pueblo vuelve a idolatrar.*

**1.** Entonces dijéronle los efraimitas: ¿Qué es esto que has hecho con nosotros de no llamarnos cuando saliste a combatir contra Madián? Y se querellaron agriamente, faltando poco para llegar a atropellarle.

**2.** Respondióles Gedeón; Pues, ¿qué hazaña podía yo hacer que igualara a la que vosotros habéis hecho? ¿por ventura no vale más un racimo de Efraím que *todas* las vendimias de Abiecer?

**3.** El Señor puso en vuestras manos los príncipes de Madián, Oreb y Ceb: ¿qué cosa pude yo hacer igual a la que vosotros habéis hecho? Con esta respuesta calmó la cólera, en que ardían contra él.

**4.** Cuando Gedeón, *después de la derrota de Madián,* llegó al Jordán, lo vadeó con los trescientos hombres que tenía consigo; los cuales por el cansancio no podían perseguir a los fugitivos.

**5.** Por lo que dijo a los vecinos de Socot: Dadme, os ruego, pan para la tropa que viene conmigo, pues está muy desfallecida, a fin de que podamos perseguir a Cebée y a Salmana, reyes de Madián.

**6.** Respondieron los principales de Socot: Pues qué, ¿tienes ya en tu poder maniatados a Cebée y a Salmana, para pedirnos que demos pan a tu ejército?

**7.** Replicóles él: Cuando el Señor habrá entregado en mis manos a Cebée y a Salmana, yo destrozaré vuestros cuerpos con las espinas y abrojos del desierto.

**8.** Moviendo de allí vino a Fanuel, y propuso lo mismo a los habitantes de aquel lugar, que también le respondieron como los de Socot.

___

**2.** Es una especie de proverbio para denotar que la menor empresa de los Efraimitas sobrepuja cuanto jamás pueda hacer la familia de Abiecer, y aun toda la tribu de Manasés entera.

**9.** Y díjoles asimismo: Cuando vuelva felizmente vencedor, destruiré esa torre.

**10.** Entre tanto Cebée y Salmana estaban descansando con todo su ejército; porque de todas las tropas de los pueblos orientales habían quedado quince mil hombres, habiendo sido muertos ciento y veinte mil soldados que manejaban la espada.

**11.** Gedeón, pues, tomando el camino hacia los *árabes scenitas,* o que habitaban en tiendas de campaña, a la parte oriental de Nobe y Jegbaa, derrotó el campamento de los enemigos; los cuales estaban descuidados, imaginando que ya no tenían que temer nada.

**12.** Cebée y Salmana echaron a huir: mas persiguiéndolos Gedeón, los prendió, después de haber desbaratado todo su ejército.

**13.** Y volviendo de la batalla *al otro día* antes de salir el sol,

**14.** Cogió a un muchacho de los habitantes de Socot, y le preguntó por los nombres de los principales y ancianos o *senadores* de Socot, y señaló setenta y siete sujetos.

**15.** Con esto, entró en Socot, y les dijo: Aquí tenéis a Cebée y a Salmana, sobre los cuales me zaheristeis diciendo: ¿Acaso tienes ya en tu poder maniatados a Cebée y a Salmana para que nos pidas que demos de comer a tus soldados desfallecidos de hambre y cansancio?

**16.** Tomó, pues, a los ancianos de la ciudad, y destrozó y desmenuzó sus cuerpos con espinas y abrojos del desierto.

**17.** Arrasó también la torre de Fanuel, pasando a cuchillo a los moradores de la ciudad.

**18.** Dijo después a Cebée y a Salmana: ¿Qué traza tenían aquellos hombres que matasteis en el Tabor? Respondiéronle: Eran parecidos a ti y uno de ellos así como hijo de rey.

**19.** Replicóles Gedeón: Hermanos míos eran, hijos de mi madre. Vive Dios que si les hubieseis conservado la vida yo tampoco os la quitaría a vosotros.

**20.** Dijo entonces a Jeter, su primogénito: Anda, ve y mátalos: mas Jeter no sacó la daga, porque tenía miedo, siendo como era muchacho.

___

**8.** Fanuel es el sitio donde Jacob había luchado con el ángel: "por donde Jacob llamó aquel lugar Fanuel, diciendo: yo he visto a Dios cara a cara, y mi vida ha quedado en salvo". *Génesis,* c. XXXII, *v.* 30.

21. Y Cebée y Salmana dijeron: Ven tú y danos el golpe, pues a proporción de la edad es la fuerza del hombre. Acercóse Gedeón y mató a Cebée y a Salmana: y tomó después todos los adornos y lunetas *de oro*, con que suelen engalanarse los cuellos de los camellos de los reyes.

22. Después de esto, todos los israelitas dijeron a Gedeón: Sé tú nuestro príncipe, y después de ti tu hijo y tu nieto, ya que nos' has librado del poder de Madián.

23. A los cuales él respondió: No seré yo príncipe vuestro, ni tampoco lo será mi hijo; sino que el Señor será quien domine y *reine* sobre vosotros.

24. Y añadióles: Una sola cosa os pido: Dadme los zarcillos *o pendientes* que habéis hallado en el botín. Porque los ismaelitas acostumbraban a traer zarcillos de oro.

25. Respondiéronle: Los daremos con grandísimo gusto; y extendiendo en tierra una capa, echaron en ella los zarcillos cogidos en el botín.

26. Y estos zarcillos que pidió Gedeón, pesaron mil setecientos siclos de oro, sin contar los dijes y joyeles y vestidos de púrpura que solían usar los reyes de Madián, y además de los *collares* o sartales de oro de los camellos.

27. De todo esto hizo Gedeón un efod, que puso en su *patria* la ciudad de Efra. Pero todo Israel idolatró por causa de este efod, *después de la muerte de dicho caudillo;* y el tal efod vino a ser la ruina de Gedeón y de toda su casa.

28. Quedaron, pues, los madianitas humillados delante de los hijos de Israel, y no pudieron después levantar cabeza; sino que todo el país estuvo en paz durante cuarenta años que gobernó Gedeón.

29. Partió después Jerobaal o *Gedeón,* hijo de Joás, y habitó en su casa;

30. Y tuvo setenta hijos propios; porque tenía muchas mujeres.

31. Y una de sus mujeres secundarias que estaba en Siquem, le dió un hijo que se llamó Abimelec.

---

21. Los Arabes e Ismaelitas tuvieron siempre gran veneración a la luna; costumbre que de ellos ha Pasado a los Turcos: y estas lunitas que ponían en el cuello o antepecho de sus camellos manifestaban dicha veneración.

27. Creen San Agustín, Teodoreto y otros Intérpretes que se habla del Efod, ornamento del Sumo Pontífice, y dicen que pecó Gedeón en hacerle, aunque no gravemente, según da a entender San Agustín, Quaest. 41, in Judic. Pero después los descendientes de Gedeón tomaron ocasión del Efod para caer en la superstición, y finalmente en la idolatría.

32. Al fin murió Gedeón, hijo de Joás, en próspera vejez, y fué colocado en el sepulcro de Joás, su padre, en Efra, *ciudad* de la familia de Ezri.

33. Mas después que murió Gedeón, apostataron *otra vez* los hijos de Israel, y se prostituyeron a los ídolos, y pactaron alianza con Baal, para que fuese su Dios:

34. No acordándose del Señor Dios suyo que los libertó de las manos de todos sus enemigos, que tenían alrededor:

35. Ni usaron de piedad con la casa de Jerobaal, *esto es,* de Gedeón, por todos los beneficios que había hecho a Israel.

## CAPITULO IX

*Mata Abimelec a todos sus hermanos, usurpa tiránicamente el mando por medio de los Siquimitas. Su fin desastrado.*

1. Por este tiempo Abimelec, hijo de Jerobaal, se fué a Siquem a los hermanos de su madre, y trató con ellos y con toda la parentela de la casa del padre de su madre, diciendo:

2. Proponed a todos los ciudadanos de Siquem: ¿Qué es lo que os parece mejor: que os dominen setenta hombres hijos todos de Jerobaal, o que uno solo sea el señor? Y considerar al mismo tiempo que yo soy carne y sangre vuestra.

3. Propusieron, pues, los hermanos de su madre todas estas razones a todos los ciudadanos de Siquem, e inclinaron su corazón en favor de Abimelec, diciendo: El es nuestro hermano.

4. Y diéronle setenta siclos de plata del templo de Baalberit, con los cuales tomó a su sueldo gente necesitada y vagabunda, que le siguió.

5. Y pasando a la casa de su padre en Efra, degolló a todos sus setenta hermanos, hijos de Jerobaal, sobre una misma piedra; escapando solamente Joatam, el hijo más pequeño de Jerobaal, que se quedó escondido.

6. Y congregáronse todos los vecinos de Siquem, y los de la ciudad de Mello; y fueron y alzaron por rey a Abimelec, junto a la encina que estaba en Siquem.

---

CAP. IX.— 4. Baalberit: Dios de las alianzas;

**7.** Lo cual entendido por Joatam, subió al monte Garicim, y puesto sobre la cumbre, clamó a voz en grito, y dijo: Ciudadanos de Siquem, oidme; así os oiga Dios.

**8.** Juntáronse los árboles para ungir un rey sobre ellos, y dijeron al olivo: Reina sobre nosotros.

**9.** El cual respondió: ¿Cómo puedo yo desamparar mi pingüe licor de que se sirven los dioses y los hombres, por ir a ser superior entre los árboles?

**10.** Dijeron, pues, los árboles a la higuera: Ven y reina sobre nosotros.

**11.** La cual les respondió: ¿Debo yo abandonar la dulzura y suavidad de mi fruto por ir a ser superior entre los otros árboles?

**12.** Se dirigieron después los árboles a la vid, diciendo: Ven y reina sobre nosotros.

**13.** La cual les respondió: pues qué, ¿puedo yo abandonar mi vino, que alegra a Dios *en los sacrificios* y a los hombres *en los convites*, a trueque de ser reina de los árboles?

**14.** Finalmente los árboles todos dijeron a la zarza: Ven y reina sobre nosotros.

**15.** La cual respondió: Si es que con verdad y *buena fe* me constituís por reina vuestra, venid y reposad a mi sombra: y sino, salga fuego de la zarza, y abrase los cedros del Líbano.

**16.** Ahora, pues, considerad si habéis hecho una acción justa e inocente, en constituir por rey vuestro a Abimelec: si os habéis portado bien con Jerobaal y su casa, correspondiendo a los beneficios de aquel que combatió por vosotros,

**17.** Y expuso su vida a los peligros por libertaros del poder de los madianitas,

**18.** Vosotros que ahora os habéis alzado contra la casa de mi padre, y degollado a sus hijos, setenta personas, sobre una misma piedra, y constituído por rey sobre los habitantes de Siquem a Abimelec, hijo de una esclava suya, por que es vuestro hermano;

**19.** Si os habéis, pues, portado con justicia y sin pecado con Jerobaal y su casa, regocijaos hoy con Abimelec, y regocíjese Abimelec con vosotros.

**20.** Mas si habéis obrado perversamente de Mello: salga igualmente fuego de los vecinos de Siquem y de la ciudad de Mello que devore a Abimelec.

**21.** Dicho esto, huyó, y se fué a Bera, donde habitó por temor de su hermano Abimelec.

**22.** Reinó, pues, Abimelec sobre Israel tres años.

**23.** Pero envió el Señor un espíritu pésimo entre Abimelec y los habitantes de Siquem; los cuales comenzaron a detestarle,

**24.** Echando la culpa de la muerte atroz de los setenta hijos de Jerobaal, y de la efusión de su sangre a *dicho* Abimelec, su hermano, y demás principales de Siquem que le habían ayudado.

**25.** Y así armaron asechanzas contra él en lo alto de los montes, y mientras aguardaban que viniera, *o pasara*, cometian latrocinios, saqueando a los pasajeros, de lo cual fué avisado Abimelec.

**26.** Entre tanto llegó Gaal, hijo de Obed, con sus hermanos, y entró en Siquem; con cuya venida cobrando ánimo los vecinos de Siquem,

**27.** Salieron por los campos, talaron las viñas de *Abimelec y de los suyos,* y pisaron las uvas; y formando danzas de cantores, entraron en el templo de su dios, y mientras comían y bebían maldecían a Abimelec;

**28.** Gritando Gaal, hijo de Obed: ¿Quién es Abimelec, y qué ciudad es Siquem para que nos sujetemos a él? Por ventura, ¿no es éste el hijo de Jerobaal? ¿el que ha destinado a un Cebul, criado suyo, para mandar a los descendientes de Emor, padre de Siquem? Pues, ¿por qué nosotros hemos de estarle sujetos?

**29.** ¡Ojalá me diese alguno el mando de este pueblo para quitar de en medio a Abimelec! Entre tanto se avisó a Abimelec para que juntase un ejército numeroso y viniese.

**30.** Porque Cebul, gobernador de la ciudad, oídas las palabras de Gaal, hijo de Obed, montó en gran cólera,

**31.** Y envió secretamente mensajeros a Abimelec, diciendo: Mira que Gaal, hijo de Obed, ha venido a Siquem con todos los de su parentela, y anda levantando la ciudad contra ti.

---

**7.** Joatam, para demostrar a los Siquimitas la injusticia que habian cometido eligiendo por rey al tirano Abimelec, se sirve de un elegante apólogo o metáfora — Por la higuera, el olivo y la vid, que rehusan el principado, entienden algunos a Otoniel, Débora y Gedeón, —que fueron excelentes Jueces y sólo aceptaron el mando por obedecer a Dios, y no por voluntad suya, sabiendo que el que tiene cargo Público debe consagrarse al bien del pueblo, y que sucede muchas veces que pierde su propio bienestar y tranquilidad, por tener que procurar el de los demás.

**14.** La zarza o cambrón nada produce sino espinas; y es a propósito para significar un hombre cruel, un impío o tirano.

**32.** Sal, pues, de noche con la tropa que tienes contigo, y estate escondido en los campos:

**33.** Y muy de mañana, cuando esté para salir el sol, déjate caer sobre la ciudad; y cuando Gaal salga contra ti con su gente, haz contra él lo que pudieres.

**34.** Abimelec, pues, marchó de noche con todo su ejército, y puso emboscadas en cuatro partes junto a Siquem.

**35.** Saliendo Gaal, hijo de Obed, púsose a la entrada de la puerta de la ciudad. Entonces salió Abimelec de la emboscada con todo su ejército.

**36.** En viendo Gaal aquella gente, dijo a Cebul: ¿No ves que gentío desciende por los montes? Cebul le respondió: Las sombras de los montes se te representan como cabezas de hombres, y en eso está tu engaño.

**37.** Replicó Gaal: Mira cómo se descuelga la gente del cerro intermedio, y un escuadrón tira por el camino que va hacia la encina.

**38.** Díjole Cebul: ¿Dónde está ahora aquel tu orgullo con que decías: Quién es Abimelec para que hayamos de estarle sujetos? ¿No es esa la gente que despreciabas? Sal, y pelea contra él.

**39.** Salió, pues, Gaal, delante de todo el pueblo de Siquem, y vino a las manos con Abimelec,

**40.** El cual le hizo huir, y persiguiéndole le obligó a meterse en la ciudad, y perecieron muchísimos de los suyos hasta la puerta de Siquem.

**41.** Abimelec se detuvo en Ruma; pero Cebul, *juntando los de su partido,* echó de la ciudad a Gaal y a sus compañeros, no permitiendo que permaneciesen dentro.

**42.** Sin embargo, al día siguiente el pueblo de Siquem *del partido de Gaal* salió a campaña: de lo cual avisado Abimelec,

**43.** Movió su ejército, y le dividió en tres escuadrones, armando emboscadas en el campo. Y viendo que el pueblo salía de la ciudad se levantó y se echó sobre ellos

**44.** Con su escuadrón, cercando y batiendo la ciudad: entre tanto los otros dos escuadrones iban persiguiendo a los contrarios desparramados por el campo.

**45.** Estuvo, pues, Abimelec batiendo todo aquel día la ciudad, hasta que la tomó; y pasando a cuchillo a todos sus habitantes, la arrasó y aún la sembró de sal.

**46.** Como hubiesen oído esto los que moraban en la torre de Siquem, se retiraron al templo de su dios Berit, en donde habían hecho alianza con Abimelec, y de lo cual le venía al lugar aquel nombre *de Berit:* lugar que estaba muy fortificado.

**47.** Abimelec, por su parte, oyendo que los refugiados en la torre de Siquem estaban allí todos hacinados,

**48.** Subió al monte Selmón con toda su gente, y tomando una segur cortó la rama de un árbol, y echándosela al hombro dijo a sus compañeros: Haced presto lo que me veis hacer.

**49.** Ellos luego cortando a porfía ramas de árboles seguían a su caudillo; y cercando con ellas la fortaleza, pusiéronle fuego; por manera que con el humo y las llamas perecieron mil personas entre hombres y mujeres de los que se habían acogido en la torre de Siquem.

**50.** Partido de aquí, Abimelec fué a la ciudad de Tebes; la que bloqueó, y sitió con su ejército.

**51.** Había en medio de la ciudad una torre muy alta, donde se había refugiado toda la gente, así hombres como mujeres, y todos los principales de la ciudad; y habiendo cerrado y asegurado bien la puerta, se colocaron sobre el techo de la torre para defenderse por entre sus almenas.

**52.** Y llegando Abimelec al pie de la torre, la combatía valerosamente, y acercándose a la puerta procuraba incendiarla;

**53.** Cuando he aquí que una mujer, arrojando desde arriba un pedazo de una piedra de molino, dió con ella en la cabeza de Abimelec, y le rompió el cerebro.

**54.** Entonces Abimelec, llamando a toda prisa a su escudero, le dijo: Saca tu espada y mátame, porque no se diga que fuí muerto por una mujer. El escudero ejecutando el mandato, le acabó de matar.

**55.** Y muerto que fué, todos los israelitas que le seguían volvieron a sus casas.

**56.** Así dió Dios a Abimelec el pago del mal que había hecho contra su padre, matando a sus setenta hermanos.

**57.** Y así también pagaron los siquimitas la pena de cuanto habían hecho, y les alcanzó la maldición de Joatam, hijo de Jerobaal.

---

**54.** Semejantes ejemplos leemos en la historia profana; pero la Religión condena igualmente al que recurre a este medio, y al que le proporciona.

## CAPITULO X

*Tola y Jair jueces de Israel; vuelve este pueblo a·
idolatrar, y queda esclavo de los Filisteos y
Ammonitas; pero arrepintiéndose le socorre el
Señor.*

1. Después de Abimelec, fué caudillo de
Israel Tola, hijo de Fúa, y tío de Abimelec, de
la tribu de Isacar, que habitó en Samir de la
montaña de Efraím.

2. Y gobernó a Israel veintitrés años y murió y fué sepultado en Samir.

3. A este sucedió Jair, galaadita, que fué
juez de Israel veintidós años;

4. Y tenía treinta hijos que cabalgaban en
treinta pollinos, y eran señores de treinta poblaciones en el país de Galaad; las cuales de
su nombre se llamaron Havot Jair, esto es, villas de Jair, hasta el día presente.

5. Murió Jair, y fué sepultado en un lugar
llamado Camón.

6. Pero los hijos de Israel, añadiendo nuevos pecados a los antiguos, cometieron la maldad delante del Señor, adorando a los ídolos,
al Baal y a Astarot, y a los dioses de Siria y de
Sidón, y de Moab y de los hijos de Ammón,
y de los filisteos; y abandonaron al Señor, y
dejaron de adorarle.

7. Airado el Señor contra ellos, los entregó
en manos de los filisteos y de los hijos de Ammón.

8. Con lo cual fueron afligidos y oprimidos cruelmente, por espacio de diez y ocho
años todos los habitantes de la otra parte del
Jordán en el país de los Amorreos que pertenece a Galaad.

9. Tanto que los hijos de Ammón, atravesando el Jordán, devastaban las *tribus* de Judá
y de Benjamín y de Efraím; y así se vio Israel
en una extrema aflicción.

10. Clamaron, pues, los israelitas al Señor,
diciendo: Pecado hemos contra ti; porque dejamos al Señor Dios nuestro, y hemos servido a los ídolos.

11. Mas el Señor les dijo: Pues qué, ¿no fuisteis oprimidos por los egipcios y los amorreos,
y por los hijos de Ammón y los filisteos,

12. Y también por los sidonios, amalecitas
y cananeos, y clamasteis a mí, y os libré de
sus manos?

13. Y con todo eso, ahora me habéis abandonado, y dado culto a dioses extraños: por
tanto no os libraré ya más en adelante.

14. Id, y clamad a los dioses que os habéis
escogido: que os libren ellos en el tiempo de
la tribulación.

15. Dijeron entonces al Señor los hijos de
Israel: Hemos pecado: haz tú de nosotros lo
que te agradare: líbranos solamente ahora de
*nuestros opresores.*

16. Dicho esto, arrojaron fuera de sus confines todos los ídolos de los dioses ajenos, y
sirvieron al Señor Dios; el cual se compadeció de sus miserias.

17. Entre tanto los hijos de Ammón con
gran algazara fijaron los reales en Galaad; y
juntándose contra ellos los hijos de Israel
acamparon en Masfa.

18. Entonces los príncipes de Galaad convinieron entre sí, diciéndose unos a otros: El
primero de nosotros que comenzare a pelear
contra los hijos de Ammón, será caudillo del
pueblo de Galaad.

## CAPITULO XI

*Victoria de Jefté elegido juez o caudillo de Israel.
Voto que hace al Señor antes de la batalla.*

1. Había en aquel tiempo un hombre de
Galaad llamado Jefté, varón muy esforzado y
guerrero, que tuvo por padre a Galaad y por
madre a una meretriz.

2. Este Galaad tuvo también de su esposa
*legítima* hijos; los cuales así que fueron grandes echaron a Jefté de casa, diciendo: No
puedes tú ser heredero en casa de nuestro padre; porque has nacido de otra madre.

3. Jefté, pues, huyendo y guardándose de
ellos, se fué a vivir en la tierra de Tob: donde
se le allegaron hombres menesterosos y aventureros, que le seguían como a su príncipe.

4. Por aquellos días los hijos de Ammón
hacían guerra contra Israel.

5. Y como le estrechasen fuertemente, resolvieron los ancianos o *senadores* de Galaad ir a
traer de la tierra de Tob a Jefté en su auxilio.

6. Y dijéronle: Ven, y serás nuestro príncipe, y pelearás contra los hijos de Ammón.

---

CAP. XI. — 1. Generalmente creen los expositores que por *meretriz* se entiende aquí una concubina o mujer ilegítima, tomada sin las formalidades
del matrimonio.

2. Que no era su mujer legítima.

3. Que vivían de las presas que hacían a los enemigos. Es de notar que la voz *latro* y *latrocinari* no
tenían antiguamente la odiosa significación que les
damos ahora. En los escritores latinos y griegos vemos llamarse así los soldados que iban a servir a los
príncipes sin paga fija, y se mantenían con el botín
que pillaban a los enemigos. Y así lo hacían Jefté y
sus soldados, haciendo la guerra a los Ammonitas
y Filisteos, enemigos de Israel.

**7.** Respondióles Jefté: ¿Pues no sois vosotros los que me aborrecisteis y echasteis de la casa de mi padre? ahora venís a mí compelidos de la necesidad.

**8.** A esto dijeron los príncipes de Galaad a Jefté: por eso mismo venimos ahora a buscarte, para que vengas con nosotros y pelees contra los hijos de Ammón, y seas el caudillo de todos los habitantes *del país* de Galaad.

**9.** Replicóles Jefté: Si verdaderamente habéis venido a buscarme para pelear por vosotros contra los hijos de Ammón, ¿cuando el Señor los haya entregado en mis manos, he de ser yo vuestro príncipe?

**10.** Respondiéronle: El Señor que oye estas cosas, sea él mismo mediador y testigo de que cumpliremos nuestras promesas.

**11.** Con eso Jefté se puso en camino con los principales o *senadores* de Galaad, y todo el pueblo lo eligió por príncipe suyo, y Jefté confirmó todos sus tratados delante del Señor en Masfa.

**12.** Envió luego Jefté embajadores al rey de los hijos de Ammón, que le dijesen en su nombre: ¿Qué tienes tú conmigo, que has venido contra mí para talar mi país?

**13.** Respondióles el rey de los ammonitas: Es porque Israel al venir de Egipto se apoderó de mi país desde los términos de Arnón hasta Jaboc y el Jordán: ahora, pues, restitúyemele pacíficamente.

**14.** Volvió Jefté a enviar los mismos embajadores, mandándoles que dijesen al rey de Ammón:

**15.** Esto dice Jefte: Nunca Israel se apoderó del país de Moab ni del país de los hijos de Ammón:

**16.** Sino que cuando salió de Egipto, anduvo por el desierto, costeando el mar Rojo hasta que llegó a Cades;

**17.** Desde donde despachó embajadores al rey de Idumea, diciendo: Permíteme atravesar por tu tierra; el cual no quiso condescender con sus ruegos. Envió asimismo embajadores al rey de Moab, que también se desdeñó de dar el paso. Quedóse, pues, Israel, en Cades,

**18.** Y fué rodeando por un lado la Idurnea y la tierra de Moab; y viniendo a la parte oriental de la tierra de Moab, acampó en esta otra parte de Arnón; ni quiso entrar en los términos de Moab, pues Arnón es el confín de la tierra de Moab.

**19.** Envió después Israel embajadores a Sehón, rey de los amorreos, que habitaba en Hesebón, y dijéronle: Permíteme pasar por tu tierra hasta el río:

**20.** Pero despreciando también éste la petición de Israel, no le dejó pasar por su distrito, sino que juntando infinita gente, salió contra él en Jasa, y se le opuso fuertemente.

**21.** Mas el Señor le entregó con todo su ejército en manos de Israel; el cual le derrotó y se apoderó de todo el país de los amorreos moradores de aquella tierra,

**22.** Y de toda su comarca desde Arnón hasta Jaboc, y desde el desierto hasta el Jordán.

**23.** De esta manera el Señor Dios de Israel deshizo a los amorreos, combatiendo contra ellos su pueblo de Israel; ¿y tú ahora quieres ser dueño de su tierra?

**24.** Pues qué, ¿no *crees tú que* se te deben a tí de derecho los países que posee tu dios o *idolo* Camos? Es, pues, muy justo que ceda en posesión nuestra lo que Dios nuestro Señor se ha adquirido con la victoria:

**25.** A no ser que tú seas de mejor condición que Balac, hijo de Sefor, rey de Moab: o puedas hacer constar que movió *semejante* querella contra Israel, y le hizo la guerra,

**26.** Mientras poseyó éste a Hesebón y sus aldeas, a Aroer y sus lugarcillos y a todas las ciudades vecinas al Jordán, por espacio de trescientos años. ¿Cómo en tanto tiempo nada habéis intentado sobre tal restitución?

**27.** Y así yo no falto contra tí, sino que tú eres el que me haces agravio, declarándome una guerra injusta. El Señor, árbitro de lo tratado en este día, sea juez entre Israel y los hijos de Ammon.

**28.** Mas el rey de los ammonitas no quiso dar oídos a las razones de Jefté, propuestas por medio de los embajadores.

**29.** Así, pues, el espípitu del Señor se derramó sobre Jefté, quien recorriendo el país de Galaad y el de Manasés, y *pasando* por Masfa de Galaad, y avanzando de allí hacia los ammonitas,

**30.** Hizo un voto al Señor, diciendo: Si entregares en mis manos a los hijos de Ammón,

---

**7.** Aunque los que echaron de casa a Jefté fueron sus hemanos; pero a estos Ancianos o *Senadores* del país tocaba impedir una tal injusticia.

**13.** Algunos creen que el rey de los Ammonitas lo era también de los Moabitas, y por eso pedía como suya la tierra de los Moabitas que los Israelitas ocupaban. Estos dos pueblos de Moabitas y Ammonitas, descendientes de los hijos de Lot, solían ser siempre muy amigos.

**31.** El primero, sea el que fuere, que saliere de los umbrales de mi casa, y se encontrare conmigo cuando yo vuelva victorioso de los ammonitas, le ofreceré al Señor en holocausto.

**32.** Marchó después Jefté contra los hijos de Ammón para presentarles la batalla, y el Señor se los entregó en sus manos.

**33.** Y destruyó veinte ciudades, desde Aroer hasta entrar en Mennit, y hasta Abel, circuída de viñas, causando grandísimo estrago: con lo que los hijos de Ammón fueron humillados por los hijos de Israel.

**34.** Pero al volver Jefté a su casa en Masfa, su única hija, pues no tenía otros hijos, salió a recibirle con panderos y danzas.

**35.** A cuya vista rasgó sus vestidos, y dijo: ¡Ay de mí, hija mía!, tú me has engañado y tú misma has sido engañada; porque yo he hecho un voto al Señor, y no podré dejar de cumplirle.

**36.** Al cual respondió ella: Padre mío, si has dado al Señor tu palabra, haz de mí lo que prometiste, ya que te ha concedido la gracia de vengarte de tus enemígos y vencerlos.

**37.** Dijo después a su padre: Otórgame esto sólo, que te suplico: y es que me dejes ir dos meses por los montes a llorar mi virginidad con mis compañeras.

**38.** Respondióle Jefté: Vete enhorabuena; y dejóla ir por dos meses. Habiéndose, pues, ido con sus compañeras y amigas, lloraba en los montes su virginidad.

**39.** Acabados los dos meses volvióse a su padre, que cumplió en su hija lo que había votado: la cual era *y se quedó* virgen. De allí vino la costumbre en Israel, que después se ha conservado siempre,

**40.** De juntarse las hijas de Israel una vez al año, a llorar a la hija de Jefté Galaadita por espacio de cuatro días.

## CAPITULO XII

*Sedición de los de Efraím castigada por Jefté.*
*Muere éste, y le suceden Abesán, Ahialón,*
*y Abdón*

**1.** Y sucedió que se amotinaron los de Efraim; los cuales pasando hacia el norte, fueron a decir a Jefté: ¿Cómo yendo tú a pelear contra los ammonitas, no quisiste convocarnos para que fueramos contigo? Por este *desaire* vamos a quemar tu casa.

**2.** Respondioles él: Mi pueblo y yo teníamos una gran contienda con los hijos de Ammón: os llamé para que me dieseis socorro, y no quisisteis hacerlo.

**3.** Viendo eso me expuse al peligro, y salí *con poquísima gente* contra los hijos de Ammón, y el Señor los entregó en mis manos: ¿por dónde, pues, he merecido yo que os levantéis contra mí para hacerme la guerra?

**4.** Por lo cual Jefté reunió a sí a todos los varones de Galaad, y peleó *o se defendió* contra Efraím. Y derrotaron los galaaditas a los de Efraím. que decían: Galaad es un fugitivo de Efraím, que *no puede escapar,* pues habita en medio de Efraím y de Manasés.

**5.** Ocuparon también los galaaditas los vados del Jordán, por donde habían de pasar a la vuelta los de Efraím. Y cuando llegaba allí alguno de los fugitivos de Efraím y les decía: Os ruego que me dejéis pasar; le preguntaban los galaaditas: ¿No eres tú efrateo? Y respondiendo él: No lo soy;

**6.** Replicábanle: Pues di scibbolet (que significa espiga). Mas él pronunciaba sibbolet; porque no podía expresar el nombre de la espiga con las mismas letras. Y al punto asiendo de él, le desollaban en el mismo paso del Jordán. De suerte que perecieron en la *guerra* de aquel tiempo cuarenta y dos mil hombres de Efraím.

**7.** Murió Jefté, galaadita, después de haber juzgado *o gobernado* a Israel seis años, y fue sepultado en su ciudad de Galaad .

**8.** Después de esto fué juez de Israel Abesán, *natural* de Belén.

**9.** El cual tuvo treinta hijos, y otras tantas hijas, las que casó enviándolas fuera de su casa *o familia,* y trajo a ella igual número de mujeres que tomó para sus hijos. Este juzgó a Israel siete años;

**10.** Y murió y fué sepultado en Belen.

**11.** Le sucedió Ahialón, zabulonita que gobernó a Israel diez años.

**12.** Y murió y fué sepultado en Zabulón.

**13.** Después de éste, fué juez de Israel Abdón, hijo de Illel de Faratón,

---

CAP XII. — 1. Una semejante queja de los Efraimitas contra Gedeón se ha visto en el cap. VIII, *v.* 1. Sentían aquellos que la tribu de Manasés, de que era Jefté, aumentase tanto su reputación.

**14.** Que tuvo cuarenta hijos, y de éstos treinta nietos que montaban sobre setenta pollinos, y juzgó a Israel ocho años.

**15.** Y murió y fué sepultado en Faratón, en la tierra de Efrím, en el monte Amalec.

## CAPÍTULO XIII

*Los Israelitas recaen en la idolatría, y son dominados por los Filisteos. Nacimiento de Samsón, anunciado por un ángel; circunstancias muy notables.*

**1.** Mas los hijos de Israel cometieron nuevamente la maldad ante los ojos del Señor: el cual los entregó en manos de los filisteos por cuarenta años.

**2.** En esta sazón había un hombre natural de Saraa y de la tribu de Dan, llamado Manué, cuya mujer era estéril.

**3.** A la cual se apareció el ángel del Señor, y le dijo: Tú eres estéril y sin hijos; pero concebirás, y tendrás un hijo.

**4.** Mira, pues, que no bebas vino, ni sidra, ni comas cosa alguna inmunda:

**5.** Porque has de concebir y dar a luz un hijo, a cuya cabeza no tocará navaja; pues ha de ser nazareo, *o consagrado* a Dios, desde su infancia, y desde el vientre de su madre; y él ha de comenzar a libertar a Israel del poder de los filisteos.

**6.** Ella fué a contárselo a su marido, diciendo: Un varón de Dios ha venido a mí, el cual tenía el rostro de ángel, sumamente respetable, a quien preguntando yo quién era, de dónde venía, y cómo se llamaba, no ha querido decírmelo.

**7.** Solamente me ha respondido: Sábete que concebirás,. y darás a luz un hijo: mira que no bebas vino ni sidra, ni comas cosa alguna inmunda: por cuanto el niño ha de ser nazareo *o consagrado* a Dios desde su infancia, desde el vientre de su madre hasta el dia de su muerte.

**8.** Oró, pues, Manué al Señor, y dijo: Ruégote, Señor, que aquel varón de Dios que enviaste, vuelva otra vez, y nos ensene qué debernos hacer con el niño que nacera .

**9.** Y otorgó el Señor la súplica de Manué, y se apareció segunda vez el ángel del Señor a su esposa, estando sentada en el campo. Pero no estaba con ella su marido Manué: Y al ver ella al ángel,

**10.** Corrió apresurada a avisar a su marido y le dijo: Mira que se me ha aparecido aquel personaje que había visto antes.

**11.** Levantóse Manué, y siguió a su mujer: y llegándose a dicho personaje, díjole: ¿Eres tú el que hablaste a mi mujer? Respondió él: Yo soy.

**12.** Díjole Manué: Cuando se verifique tu promesa, ¿qué quieres que haga el niño? ¿de qué deberá abstenerse?

**13.** Respondió el ángel de Señor a Manué: Absténgase de todo cuanto dije a tu mujer.

**14.** Esto es no coma nada de lo que nace de la vid no beba vino ni sidra ni coma cosa inmunda: en suma, que cumpla y guarde lo que le tengo mandado.

**15.** Dijo entonces Manué al ángel del Señor: Ruégote condesciendas con mis súplicas, y que te aderecemos un cabrito.

**16.** Respondióle el ángel: Por más que me instes, no probaré tu comida: pero si quieres hacer un holocausto, ofréceselo al Señor. Y es que no sabía Manué que fuese un ángel del Señor.

**17.** Y asi le dijo: ¿Cuál es tu nombre, para que, cumplida que sea tu promesa, te demos las gracias?

**18.** Al cual respondió él: ¿Por qué me preguntas mi nombre, siendo como es admirable *o misterioso?*

**19.** Tomó, pues, Manué un cabrito y las libaciones correspondientes, y le puso sobre una piedra, ofreciéndoselo al Señor, que obra maravillas. Entre tanto él y su mujer estaban a la mira;

**20.** Y al subir la llama del altar hacia el cielo, subióse también con ella el ángel del Señor. Lo cual visto por Manué y su mujer, se postraron en tierra sobre su rostro;

**21.** Y no vieron más al ángel del Señor; con lo que al instante conoció Manué ser aquel un ángel del Señor.

**22.** Y dijo a su mujer: Moriremos luego, pues que hemos visto a Dios.

**23.** Respondióle la mujer: Si el Señor quisiera matarnos, no hubiera recibido de nuestras manos el holocausto y las libaciones, ni mostrádonos todas estas cosas, ni predíchonos lo venidero.

---

**14.** Puede 1traducirse: *machos o mulos* —Véase antes c. X, *v.* 4, y téngase presente la diversidad de tiempos y de costumbres.

**CAP. XIII.** — 2-5. Es notable la semejanza que existe entre la anunciación, por el ángel, del nacimiento de Samson y la del nacimiento del Bautista. Lucas, c. I. *v.* 7, 11, 15, 31; c. II, 28.

---

**14.** O licor que pueda embriagar.

**16.** Manué no conocía que fuese un ángel.

24. Dió a luz, pues, ella un hijo, y púsole por nombre Samsón; y el niño creció, y el Señor le bendijo.

25. Y el espíritu del Señor empezó a manifestarse en él, cuando estaba en los campamentos de Dan entre Saraa y Estaol.

## CAPITULO XIV

*Cásase Samsón con una Filistea. Enigma que propuso a sus compañeros a quienes lo descifró su esposa.*

1. Con el tiempo Samsón bajó a Tamnata; y viendo allí una mujer de las hijas de los filisteos,

2. Volvióse y habló a su padre y a su madre, diciendo: He visto en Tamnata una mujer entre las hijas de los filisteos, la que os ruego me la toméis por esposa.

3. Dijéronle su padre y su madre: Pues qué, ¿no hay mujeres entre las hijas de tus hermanos, y en todo nuestro pueblo, que quieres tomar esposa de la nación filistea, gente incircuncisa? Dijo Samsón a su padre: Pide a ésta para esposa mía: pues me ha caído en gracia.

4. Mas sus padres no sabían ser casa dispuesta por el Señor; y que Samsón buscaba ocasión de dar contra los filisteos: por cuanto en aquel tiempo los filisteos dominaban sobre Israel.

5. Bajó, pues, Samsón con su padre y madre a Tamnata; y al llegar a las viñas de la ciudad, se dejó ver un león cachorro, feroz y rugiendo, el cual arremetió contra él.

6. Mas el espíritu del Señor entró en Samsón, y despedazó éste al león haciéndole trizas, como si hubiese sido un cabrito; y eso que no tenía arma alguna en la mano: mas no quiso manifestar nada de esto al padre, ni a la madre.

7. Bajó, pues, con ellos *a Tamnata*, y habló con la mujer que le había caído en gracia.

8. Pasado algún tiempo, volviendo para casarse con ella, apartóse del camino para ver el cuerpo muerto del león, y he aquí que encontró en su boca un enjambre de abejas, y un panal de miel;

9. El que habiendo cogido con las manos, se lo iba comiendo por el camino; y volviendo a unirse con su padre y su madre les dió parte de él, y comieron ellos también; mas no quiso descubrirles que había tomado la miel de la boca del león.

10. En fin, fué su padre a casa de la mujer, y dispuso un convite para su hijo Samsón: que tal era la costumbre de los jóvenes *novios.*

11. Habiéndose visitado los vecinos del lugar, diéronle treinta compañeros para que le obsequiasen;

12. A los cuales dijo Samsón: Voy a proponeros un enigma, que si me lo descifráis dentro de estos siete días del convite, os daré treinta vestidos, y otras tantas túnicas:

13. Pero si no pudiereis acertar, me daréis vosotros a mí los treinta vestidos, y las treinta túnicas. Respondiéronle ellos: Propón el enigma, para que nos enteremos.

14. Díjoles, pues: Del devorador salió manjar; y del fuerte salió dulzura. En tres dias no pudieron desatar el enigma.

15. Mas cuando instaba ya el día séptimo, dijeron a la mujer de Samsón: Acaricia a tu esposo y persuádele que te descubra la significación del enigma: que si no lo haces, te quemaremos a ti y a la casa de tu padre: por ventura, ¿nos habéis convidado a las bodas, para dejarnos en cueros?

16. Ella, pues, no cesaba de llorar delante de Samsón, y se le quejaba diciendo: Tú me has aborrecido; no me amas, y por eso no quieres declararme el enigma que propusiste a los jóvenes de mi pueblo. A lo que respondió: No quise decírselo a mi padre, ni a mi madre, y ¿quieres que te lo diga a ti?

17. Ella, no obstante, proseguía llorando delante de su esposo los siete días del convite; y al fin del séptimo dia importunándole más y más, le declaró Samsón el enigma; y ella inmediatamente lo descubrió a sus paisanos.

18. Estos, pues, el mismo día séptimo, antes de ponerse el sol, le dijeron: ¿Qué cosa más dulce que la miel; ni quién más fuerte que el león?

---

CAP. XIV. — 2. Samsón busca para esposa a una Filistea contra la expresa prohibición de Dios. (*Deut.* VII, *v.* 3). Pero casi todos los expositores creen que no pecó en eso, suponiendo que lo hizo por especial instinto del cielo, como parece se indica en el verso 4.

8. Solían los Hebreos hacer mediar bastante tiempo entre la promesa del matrimonio y el día de la boda.

---

11. En el Evangelio estos compañeros son llamados *amigos del esposo:* también a la novia se le daban algunas jóvenes para compañia durante los días de la boda.

14. San Agustín (*Serm.* CVII, de temp.) dice que con esta expresión se denota misteriosamente a Jesucristo salido del devorador, esto es, de la muerte, siendo el Señor el manjar, *o pan bajado del cielo.*

Respondióles Samsón: Si no hubiéseis arado con mi novilla, no descifrarais mi enigma.

19. Apoderóse de él después el espíritu del Señor, y fuese a Ascalón, donde mató treinta hombres; y quitándoles los vestidos, se los dió a los que descifraron el enigma. Y enojado sobremanera, volvióse a la casa de su padre.

20. Entre tanto su mujer, *creyéndose abandonada*, tomó por marido a uno de los amigos y compañeros de Samsón en las bodas.

## CAPITULO XV

*Quema Samsón los trigos de los Filisteos y mata mil de ellos con la quijada de un jumento.*

1. Pasado algún tiempo, acercándose ya la siega de los trigos, fué Samsón con deseo de visitar a su mujer, y llevóle un cabrito de leche. Pero al querer entrar en su aposento, como acostumbraba, el padre de ella se lo impidió, diciendo:

2. Yo creí que la habías aborrecido, y por eso la dí a un amigo tuyo; pero tiene una hermana más joven y más hermosa: tómala por mujer en lugar de la otra.

3. Respondióle Samsón: De hoy más no tendrán motivo de quejarse de mí los filisteos, si les pago todo el daño que me han hecho.

4. Marchóse, pues, y tomó trescientas raposas, y atólas apareadas cola con cola ligando teas en medio;

5. Las cuales encendidas, soltó las raposas a fin de que corriesen por todas partes. Metiéronse luego por entre las mieses de los filisteos; e incendiadas éstas, se quemaron así las mieses ya hacinadas como las que estaban por segar; extendiéndose tanto la llama, que abrasó hasta las viñas y los olivares.

6. Y dijeron los filisteos: ¿Quién ha ha hecho esto? Respondiéronles: Samsón, yerno del tamnateo, es el que lo ha hecho, porque su *suegro* le quitó su mujer y se la dió a otro. Oído esto, vinieron los filisteos y quemaron a la mujer y a su padre.

7. Díjoles Samsón: Aunque habéis ejecutado esto, no obstante he de tomar yo otra venganza de vosotros, después de la cual me daré por satisfecho.

8. Hizo, pues, gran destrozo en ellos: de manera que atónitos se quedaban sentados puesta una pierna sobre otra *sin saber qué hacerse*. Después de lo cual, retirándose Samsón, habitó en la cueva de la peña de Etam.

9. Entre tanto los filisteos, entrando por la tierra de Judá, acamparon en un lugar, que después se llamó Lequi, esto es, quijada, donde fué derrotado su ejército.

10. Y los de la tribu de Judá les preguntaron: ¿Por qué motivo venís contra nosotros? Respon-dieron ellos: Venimos para llevarnos atado a Samsón, y retornarle el mal que nos ha hecho.

11. Bajaron, pues, tres mil hombres de Judá a la cueva de la peña de Etam; y dijeron a Samson: ¿No sabes que estamos sujetos a los filisteos? ¿Cómo has osado cometer tal desafuero *para nuestra ruina?* A los cuales respondió: Como ellos hicieron conmigo, así he hecho yo con ellos.

12. Pues sábete, le dicen, que venimos a prenderte y a entregarte atado en manos de los filisteos. Díjoles Samsón: Juradme y prometedme que no me mataréis.

13. No te mataremos, respondieron: solamente te entregaremos atado. Atáronle, pues, con dos cuerdas nuevas, y le sacaron de la peña de Etam.

14. Llegado que hubo al lugar *que después se llamó* Quijada, saliéronle a recibir los filisteos con grande algazara, se apoderó de él el espíritu del Señor; y como se consume el lino al sentir el fuego, así *en un momento* rompió y deshizo Samsón las ligaduras con que estaba atado.

15. Y hallando a mano en el suelo una quijada o mandíbula de asno, agarróla, y mató *después* con ella mil hombres.

16. Con cuyo motivo dijo: Con una quijada de asno los enemigos destrocé: con una mandíbula de asno a mil hombres maté.

17. Y acabando de cantar estas palabras, arrojó de su mano la quijada y llamó aquel sitio Ramat-lequi, que quiere decir: Elevación de la quijada.

18. Y acosado en extremo de la sed, clamó al Señor, y dijo: Tú eres el que has salvado y concedido por medio de tu siervo tan gran victoria; pero he aquí que me muero de sed, y así vendré a caer en manos de los incircuncisos.

19. El Señor entonces abrió *una fuente por entre* una muela de la quijada del asno, y brotaron aguas de ella: de las que habiendo bebido refociló su espíritu, y recobró las fuerzas. Por eso es llamado aquel lugar hasta hoy, fuente del que invocó *a Dios* en Lequi.

20. Y Samsón, *elegido juez*, gobernó a Israel veinte años en tiempo *de las guerras* de los filisteos.

## CAPITULO XVI

*Sale Samsón de Gaza, arrancando y llevándose las puertas de la ciudad. Descubre Dalila el secreto de las fuerzas de Samsón: los Filisteos le sacan los ojos, destituído ya de sus fuerzas; pero las recobra, y muere matando millares de enemigos.*

1. Fué después Samsón a Gaza, donde vió una mujer pública, y entró en su casa.

2. Lo que sabiendo los filisteos, y propalándose entre ellos que Samsón había entrado en la ciudad, cercaron la casa, y pusieron centinelas a la puerta de la ciudad, y estuvieron en acecho toda la noche, con el fin de matarle por la mañana al tiempo de salir.

3. Samsón durmió hasta la media noche; y entonces levantándose, fué y arrancó las dos hojas de la puerta de la ciudad con sus pilares y cerrojos o *barras,* y echándoselas a cuestas, llevólas a la cima del monte que mira hacia Hebrón.

4. Después de esto enamoróse de una mujer que habitaba en el valle Sorec, llamada Dalila.

5. Vinieron *luego* a ella los príncipes de los filisteos, y le dijeron: Engáñale *con caricias,* y averigua de él de dónde le viene tan gran fuerza, y cómo le podremos sojuzgar para castigarle después de atado: que si lo consigues, te daremos cada uno mil y cien siclos de plata.

6. En vista de esto Dalila habló así a Samsón: Dime por tu vida: ¿en qué consiste tu grandísima fuerza, y cuál es la cosa con que atado no podrías escaparte?

7. Respondióle Samsón: Si me ataren con siete cuerdas de nervios recientes y todavía húmedos. quedaré sin fuerzas como los demás hombres.

8. Lleváronla, pues, los príncipes de los filisteos siete cordeles, como había dicho, con los cuales ella le ató:

9. Quedáronse aquéllos en acecho, escondidos en la casa, aguardando en una pieza retirada el fin de este suceso. Luego Dalila le gritó: Samsón, los filisteos se echan sobre ti. Mas él rompió las ataduras, como cualquiera rompería un hilo torcido de borra de estopa, así que le hiciera sentir el fuego. Con esto no se supo en qué consistía su fuerza.

10. Entonces le dijo Dalila: Tú te has burlado de mí, y me has mentido: por lo menos ahora descúbreme con qué debieras ser atado.

11. Respondióle: Si me ataren con cuerdas nuevas, que nunca hayan servido, quedaré débil y semejante a los demás hombres.

12. Atóle, por consiguiente, Dalila con ellas; y preparadas en el aposento las asechanzas, gritó: Samsón, los filisteos se echan sobre ti. Mas él rompió las ligaduras como hilachas de tela.

13. Díjole Dalila otra vez: ¿Hasta cuándo me has de engañar y mentir? Declárame ya con qué debes ser atado. Respondióle Samsón: Si entretejes mis siete trenzas de cabellos con los lizos de la tela, y revueltas a un clavo, hincas éste en tierra, quedaré sin fuerzas.

14. Lo cual después que ejecutó Dalila, gritóle: Samsón, los filisteos se echan sobre ti. Mas él despertando del sueño arrancó juntamente el clavo con las trenzas de cabellos y los lizos de la tela.

15. Díjole entonces Dalila: ¿Cómo puedes decir que me amas, cuando tu corazón no está unido conmigo? Por tres veces me has mentido, no queriendo decirme en qué consiste tu grandísima fuerza.

16. Como, pues le importunase, y estuviese continuamente alrededor de él por muchos días sin dejarle respirar un punto, desmayó el ánimo de Samsón, y cayó en un mortal abatimiento.

17. Entonces, descubriéndole la verdad la dijo: Nunca jamás ha pasado navaja por mi cabeza; porque yo soy nazareo, esto es, consagrado a Dios desde el vientre de mi madre: si fuere rapada mi cabeza, se retirará de mi la fortaleza mía, y perderé las fuerzas, y seré como los demás hombres.

18. Viendo Dalila que le había manifestado todo su corazón, envió a decir a los príncipes de los filisteos: Venid aún por esta vez, porque ya me ha descubierto su corazón: los cuales fueron, llevando consigo el dinero que prometieran.

19. Y ella habiéndole hecho dormir sobre sus rodillas, y reclinar la cabeza en su regazo, llamó a un barbero que le cortó a Samsón las siete guedejas de su cabello. Y después comenzó Dalila a empujarle y echarle de sí; pues al punto le desamparó la fuerza.

20. Y díjole en seguida: Samsón, los filisteos se echan sobre ti. El cual despertando del sueño, dijo en su interior: Saldré como hice antes, y me desembarazaré de ellos; no conociendo o *advirtiendo* que el Señor se había retirado de él.

**21.** Así, pues, habiéndole prendido los filisteos le sacaron luego los ojos, y amarrado con cadenas lo condujeron a Gaza, donde encerrado en una cárcel, le hicieron que moliese, *moviendo la rueda de una tahona.*

**22.** Ya habían comenzado a crecerle cabellos,

**23.** Cuando los príncipes de los filisteos se juntaron todos para ofrecerle sacrificios solemnes a su dios Dagón y celebrar banquetes, diciendo: Nuestro dios nos ha puesto en las manos a Samsón, nuestro enemigo.

**24.** Lo que viendo el pueblo, alababa también a su dios y repetía lo mismo: Nuestro dios nos ha puesto en las manos a nuestro enemigo, que ha asolado a nuestra tierra y matado muchísimos de sus habitantes.

**25.** Y dándose mutuamente alegres parabienes, después de bien comidos y bebidos dieron orden de que fuese conducido allí Samsón para divertirse burlándose de él. El cual, sacado de la cárcel, fué para ellos objeto de diversión: y le hicieron quedar en pie entre dos columnas.

**26.** Entonces dijo al muchacho que le guiaba: Déjame tocar las columnas que sostienen todo este edificio, para recostarme sobre ellas, a fin de descansar un poquito.

**27.** Es de advertir que el edificio estaba lleno de hombres y mujeres; y se hallaban allí todos los príncipes de los filisteos, y cerca de tres mil personas de ambos sexos, mirando desde las azoteas y techos del edificio las burlas que se hacían a Samsón.

**28.** Pero él, invocando al Señor, dijo: ¡Oh Señor Dios, acuérdate de mí: y restitúyeme ahora, oh Dios mío, mi anterior fuerza para vengarme de mis enemigos, y hacerles pagar de una sola vez el haberme privado de mis dos ojos.

**29.** Y agarrando las dos columnas en que estribaba el edificio, una con la derecha y otra con la izquierda,

**30.** Dijo: Muera aquí Samsón con los filisteos. Sacudidas fuertemente las columnas, cayó el edificio sobre todos los príncipes, y la demás gente que allí había. De esta manera Samsón mató muchos más en su muerte que antes había matado en vida.

**31.** Después, acudiendo sus hermanos con toda la parentela, tomaron su cuerpo, y le colocaron entre Saraa y Estaol, en el sepulcro de su padre Manué. Fué juez de Israel veinte años.

## CAPITULO XVII

*Idolo de Micas, que poco después de muerto Josué, fué ocasión de la idolatría de Israel en la tierra de Canaán.*

**1.** Hubo en aquel tiempo un hombre de la montaña de Efraím, llamado Micas.

**2.** El cual dijo a su madre: Los mil y cien siclos de plata que habías apartado para ti, y acerca de los cuales jurabas, estando yo presente, *que te los había hurtado,* sábete que yo los tengo, y que están en mi poder. Respondióle ella: Colme el Señor a mi hijo de bendiciones.

**3.** Volvió, pues, Micas a su madre los siclos de plata. Y ella le dijo: Consagré y ofrecí con voto al Señor esta plata, para que recibiéndola mi hijo de mi mano, haga una imagen de talla y de fundición; y por lo mismo ahora te la entrego.

**4.** Luego que Micas restituyó a su madre la plata, separó ella doscientas monedas de plata, y dióselas a un platero para que hiciera de ellas una imagen de talla y de fundición, que se colocó en la casa de Micas.

**5.** El cual asimismo dedicó en ella una capillita a Dios, e hizo efod y terafín, esto es, un vestido *o aparato* sacerdotal, e ídolos; y consagró las manos de uno de sus hijos el cual quedó hecho sacerdote suyo.

**6.** En aquellos días no había rey *o magistrado supremo* en Israel; sino que cada cual practicaba lo que le parecía mejor.

**7.** Hubo también en este tiempo otro joven, natural de Belén de Judá, de esta misma estirpe de Judá *por parte de la madre:* el cual era de la tribu de Leví, y tenía allí su habitación. Pero dejando la ciudad de Belén, quiso mudarse a otra parte donde hallase mejor su conveniencia.

**8.** Y como siguiendo su camino hubiese llegado a la montaña de Efraím, y desviándose un poco hacia la casa de Micas,

**9.** Le preguntó éste de dónde venía. A lo que respondió: Yo soy un levita de Belén de Judá, y voy a establecerme en donde pudiere, y viere que me tiene más cuenta.

**10.** Díjole Micas: Quédate en mi casa. y me servirás de padre y sacerdote, y te daré todos los años diez siclos de plata, dos vestidos, y el sustento necesario.

**11.** Condescendió y quedóse en casa de Micas, quien le trató como a uno de sus hijos.

**12.** Y Micas le consagró las manos; y tuvo en su casa a este joven en calidad de sacerdote.

**13.** Diciendo: Ahora estoy cierto que Dios me hará bien, pues tengo conmigo un sacerdote del linaje de Leví.

## CAPITULO XVIII

*Seiscientos hombres de la tribu de Dan, que iban a buscar terreno para establecerse roban a Micas el ídolo y el sacerdote. Se apoderan de la ciudad de Lais, y colocan allí el ídolo.*

**1.** En aquellos días no había rey, *o supremo magistrado* en Israel, y la tribu de Dan andaba buscando *más* tierra donde habitar; porque hasta entonces no había podido ponerse en posesión de toda la que le había tocado en suerte como a las demás tribus.

**2.** Con esta mira los hijos de Dan despacharon desde Saraa y Estaol cinco varones muy esforzados de su linaje y familia, para que reconociesen y registrasen bien el país *de su suerte;* y dijéronles: Id y reconoced la tierra. Los cuales puestos en camino, en llegando a la montaña de Efraím, entraron en casa de Micas, y descansaron allí.

**3.** Y conociendo por el habla *o acento* al joven levita, en la casa en que estaba hospedado, preguntáronle: ¿Quién te ha traído acá? ¿qué es lo que aquí haces? ¿cómo es que has venido a esta tierra?

**4.** El cual les respondió: Esto y esto hizo conmigo Micas; y me tiene asalariado para que sea su sacerdote.

**5.** Rogáronle entonces que consultara al Señor para que pudieran saber si su viaje sería feliz, y llegaría a efectuarse su empresa.

**6.** Respondióles: Id en paz; que Dios mira con buenos ojos vuestro designio, y el camino que lleváis.

**7.** Partiendo de allí los cinco exploradores llegaron a la ciudad de Lais: y vieron que aquel pueblo habitaba en ella sin sombra de recelo, como acostumbran vivir los sidonios, tranquilo y sosegado, sin que nadie le molestara, rico en extremo, y distante de Sidón, y apartado de todos sobre el resultado de su comisión,

**8.** Con lo que habiendo vuelto a sus hermanos de Saraa y Estaol, y preguntados sobre el resultado de su comisión, respondieron:

**9.** Vamos y marchemos contra ellos; porque hemos visto que es un país muy opulento y fértil: no os descuidéis ni perdáis tiempo: vamos a ocuparle; que no nos costará trabajo alguno.

**10.** Entraremos en un pueblo que vive en una total confianza, en un país espaciosísimo, y el Señor nos entregará un territorio donde ninguna cosa falta de cuantas produce la tierra.

**11.** Partieron, pues, de la tribu de Dan, esto es, de Saraa y Estaol, seiscientos hombres armados y a punto de pelear:

**12.** Y caminando hicieron alto en Cariatiarim, de la *tribu de* Judá: el cual lugar desde aquel tiempo fué llamado Campamento de Dan, y está a las espaldas de Cariatiarim.

**13.** Desde allí pasaron a la montaña de Efraím; y llegados a la casa de Micas,

**14.** Aquellos cinco hombres, enviados antes a examinar el territorio de Lais, dijeron a los demás compañeros suyos: Ya sabéis que en esta casa hay efod y terafím y un simulacro de talla y de fundición: ved sobre esto lo que queréis hacer.

**15.** Y apartándose un poco, entraron en la habitación del joven levita, que vivía en casa de Micas, y saludáronse con palabras amistosas.

**16.** Entre tanto los seiscientos hombres, armados como estaban, se pusieron ante la puerta.

**17.** Pero los que habían entrado en la vivienda del joven se empeñaron en llevarse la estatua de talla, el efod, y los terafím, y la imagen hecha de fundición, mientras el sacerdote estaba en la puerta *con algunos que le entretenían,* y los seiscientos varones esforzados, aguardando no lejos de allí.

**18.** En fin, los que habían entrado se llevaron la estatua de talla, el efod, los ídolos, y la imagen de fundición, a los cuales dijo el sacerdote: ¿Qué es lo que hacéis?

**19.** Respondiéronle: Chitón, y pon el dedo en tu boca; y ven con nosotros, que te tendremos por padre y sacerdote. ¿Qué es mejor para ti, ser sacerdote en casa de un particular, o en toda una tribu y familia de Israel?

**20.** Oído lo cual, cedió a estas razones, y tomando el efod, y los ídolos, y la estatua de talla, fuése con ellos.

**21.** Iban ya caminando, llevando delante de sí los niños, y los ganados, y todo el bagaje más precioso,

**22.** Y hallábanse ya lejos de la casa de Micas, cuando los hombres que moraban en casa de éste, alborotándose fueron tras de ellos,

**23.** Y comenzaron a dar gritos a sus espaldas: mas *algunos* de ellos volviéndose a mirar lo que era, dijeron a Micas: ¿Qué es lo que quieres? ¿Por qué gritas?

**24.** Es bueno, respondió él, que me habéis robado los dioses que yo hice para mí, y al sacerdote y todo cuanto tengo, y decís: ¿Qué es lo que tienes?

**25.** Replicáronle los hijos de Dan: Guárdate de hablarnos más palabras sobre esto; no sea que se echen sobre ti hombres llenos de indignación, y vengas a perecer con toda tu casa.

**26.** Dicho esto, prosiguieron su camino; y Micas viendo que podían más que él, volvióse a su casa.

**27.** Y los seiscientos hombres se llevaron al sacerdote, y todo lo que arriba dijimos; y llegando a Lais, hallaron aquel pueblo tranquilo y descuidado: y lo pasaron a cuchillo, e incendiaron la ciudad,

**28.** Sin que nadie acudiese a socorrerla, por estar lejos de Sidón, y no tener trato ni comercio con ninguna gente. Estaba situada esta ciudad en la comarca de Rohob: y reedificándola, habitaron en ella;

**29.** Llamándola ciudad de Dan, del nombre de su padre, que fué hijo de Israel, en lugar de que antes se llamaba Lais.

**30.** Y en ella colocaron la imagen, y establecieron a Jonatán, hijo de Gersam, hijo de Moisés, y a sus descendientes por sacerdotes en toda la tribu de Dan, hasta el día de su cautiverio.

**31.** Y permaneció entre ellos el ídolo de Micas todo el tiempo que estuvo en Silo la casa o *tabernáculo* de Dios. No había en aquel tiempo rey o jefe *supremo* en Israel.

## CAPITULO XIX

*Horrendo e inaudito insulto de los vecinos de Gábaa contra un Levita, y su mujer y cómo excitó éste las demás tribus a la venganza.*

**1.** Hubo un cierto levita que habitaba al lado de la montaña de Efraím, el cual se había casado con una mujer de Belén de Judá.

**2.** Esta mujer lo dejó, y volvióse a Belén a la casa de su padre, con quien estuvo cuatro meses.

**3.** Su marido, queriendo reconciliarse con ella, fué a buscarla y acariciarla para traérsela otra vez consigo; y llevóse por compañía un criado con dos jumentos. La mujer lo recibió bien, y condújolo a casa de su padre. Luego que su suegro tuvo noticia y llegó a divisarlo, fué a su encuentro lleno de gozo.

**4.** Y lo abrazó. El yerno permaneció en casa del suegro tres días, comiendo y bebiendo con él familiarmente.

**5.** Mas al cuarto día, levantándose antes de amanecer, quiso partirse; pero detúvole el suegro y le dijo: Toma primero un bocado de pan para adquirir fuerzas, y después partirás.

**6.** Con esto se sentaron juntos, y comieron y bebieron. Dijo entonces el suegro a su yerno: Ruégote que te quedes hoy todavía aquí, y pasemos el día juntos alegremente.

**7.** Pero él levantándose, se puso en acción de querer marcharse. Con todo, el suegro a fuerza de instancias lo detuvo y lo hizo quedar consigo.

**8.** Venida la mañana disponía el levita su viaje; mas el suegro le dijo otra vez: Ruégote que tomes un bocado para que cobres fuerzas. y en entrando más el día podrás emprender tu viaje. Comieron, pues, juntos,

**9.** Y levantándose el joven para marcharse con su mujer y el criado, el suegro le habló nuevamente diciéndole: Mira que el sol está ya muy inclinado al ocaso, y que se acerca la noche: quédate también hoy conmigo, y pasa el día alegremente, que mañana partirás para volver a tu casa.

**10.** No quiso el yerno condescender a sus ruegos, sino que al punto se puso en camino, y llegó hasta enfrente de Jebús, que por otro nombre se llama Jerusalén, llevando consigo los dos jumentos cargados y a su mujer.

**11.** Ya estaba cerca de Jebús, y se acababa el día: por lo que le dijo su criado: Ven por tu vida, torzamos el camino hacia la ciudad de los jebuseos, y paremos en ella.

**12.** Respondióle el amo: No entraré yo en población de gente extraña, que no es de los hijos de Israel, sino que tiraré hasta Gábaa.

**13.** Y en llegando allá posaremos en ella, o a lo menos en la ciudad de Rama.

---

CAP. XIX. — 10. La voz *concubina*, de que se usa en este lugar y en otros muchos, significaba entre los Hebreos una verdadera esposa, aunque tomada sin las solemnidades acostumbradas, sin señalarle dote, etc., y así es que en el verso 1° se llama *uxor*.

**14.** Pasaron, pues, de largo la ciudad de Jebús, continuando su viaje, y el sol se les puso cerca de Gábaa, la cual está en la tribu de Benjamín;

**15.** Y se acogieron a ella para quedarse allí. Luego que entraron dirigiéronse a la plaza de la ciudad, donde se sentaron; y no hubo uno siquiera que quisiera hospedarlos en su casa.

**16.** Cuando he aquí que al anochecer apareció un hombre anciano que volvía del campo y de su labranza, el cual era también de la montaña de Efraím, y habitaba como forastero en Gábaa; pues los hombres de aquel territorio eran hijos de Jemini, *o benjamitas*.

**17.** Y levantando el anciano sus ojos vió a aquel hombre sentado en la plaza de la ciudad con su pequeño bagaje, y le preguntó: ¿De dónde vienes, y adónde te diriges?

**18.** El cual le respondió: Venimos de Belén de Judá, y vamos a nuestra casa, que está al lado de la montaña de Efraím, de donde habíamos ido a Belén. Y ahora pasamos a la casa de Dios, y nadie nos quiere dar hospedaje.

**19.** Aunque tenemos paja y heno para las bestias, y pan y vino para el gasto mío y de *mi mujer* tu sierva, y del criado que viene con nosotros: nada nos falta sino posada.

**20.** El anciano le respondió: La paz sea contigo: yo te daré lo necesario: ruégote únicamente que no te detengas *más* en la plaza.

**21.** Con esto llevóle a su casa, y dió de comer a las caballerías, y después que se lavaron los pies, los convidó a su mesa.

**22.** Estando cenando, y mientras con los manjares y bebida refocilaban sus cuerpos fatigados del viaje, vinieron unos vecinos de aquella ciudad, hijos de Belial (esto és, sin freno *ni temor de Dios*), y cercando la casa del anciano, comenzaron a dar golpes en la puerta, gritando al dueño de la casa, y diciéndole: Sácanos fuera ese hombre que entró en tu casa, que queremos abusar de él.

**23.** Y salió a ellos el anciano, y les dijo: No queráis, hermanos, no queráis cometer semejante maldad: ya que se ha hospedado este hombre en mi casa, desistid de semejante locura.

**24.** *Y, como fuera de sí, añadió:* Yo tengo una hija doncella, y este hombre tiene su mujer; os las sacaré fuera para que abuséis de ellas, y saciéis vuestra pasión: solamente os ruego que no cometáis con un hombre ese crimen *nefando y* contra la naturaleza.

**25.** No querían ceder a sus razones: lo que visto por el levita, sacóles su mujer y la abandonó a sus ultrajes; y habiendo abusado de ella toda la noche, la dejaron libre al venir la mañana.

**26.** Entonces la mujer vino al rayar el día a la puerta de la casa donde estaba su señor, y allí se cayó muerta.

**27.** Así que fué ya de día, levantóse su marido y abrió la puerta con ánimo de *buscar a su mujer, y* proseguir su viaje; y he aquí que su mujer yacía postrada delanté de la puerta con las manos extendidas sobre el umbral.

**28.** Creyéndola él dormida, le decía: Levántate y vámonos. Mas como no respondiese, y viendo después que estaba muerta, tomóla y púsola sobre su asno, y regresó a su casa.

**29.** Apenas hubo entrado, tomó una cuchilla, y dividiendo el cadáver de su mujer junto con los huesos en doce partes o trozos, los envió a todas las tribus de Israel.

**30.** A tal espectáculo todos a una clamaban: No se ha visto cosa semejante en Israel desde el día en que salieron de Egipto nuestros padres hasta ahora: decid vuestro parecer, y decretad de común acuerdo lo que se ha de hacer en este caso.

# CAPITULO XX

*Las once tribus toman venganza de la de Benjamín por el insulto hecho al Levita.*

**1.** En consecuencia salieron todos los hijos de Israel, mancomunados como si fuesen un solo hombre, desde Dan hasta Bersabée, y *aun* desde la tierra de Galaad, *y se reunieron* en la presencia del Señor de Masfa:

**2.** Todos los caudillos de los pueblos, y las tribus todas de Israel concurrieron a la reunión del pueblo de Dios, en número de cuatrocientos mil guerreros de a pie.

---

**18.** A Silo, donde estaba el Tabernáculo y el Arca del Señor.

**24.** Debe decirse lo mismo de esta oferta, que de la que hizo Lot. *Gen.* XIX. Del hebreo y de la versión de los Setenta se infiere que el marido obligó con la fuerza a su mujer a que saliera fuera, lo que es más reprendible aún. En tal apuro debía resistir cuanto pudiese a la infame pasión de aquellos malvados; y en todo evento hubiera quedado puro, y sido mártir de la castidad. Véase 1 *Reg.* XI, *v.* 7 y siguientes.

3. (No se ocultó a los hijos de Benjamín que los hijos de Israel habían subido a Masfa). Preguntado, pues, el levita, marido de la mujer muerta, en qué forma se había cometido tan atroz atentado,

4. Respondió: Llegué a Gábaa de Benjamín con mi mujer, y allí me aposenté.

5. Cuando he aquí que unos hombres de aquella ciudad cercaron de noche la casa, donde posaba, y quisieron matarme; y abusaron de mi mujer con tan furiosa e increíble lujuria, que por último vino a morir.

6. Tomándola luego yo, dividí en trozos el cadáver, y enviélos a todos los términos de vuestro territorio: atento que nunca jamás se cometió en Israel una maldad tan grande, ni exceso tan abominable.

7. Presentes estáis todos aquí, oh hijos de Israel: resolved, pues, qué debéis hacer.

8. A lo que todo el pueblo que allí estaba, le respondió *a una voz*, como si hablase por boca de un solo hombre: No volveremos a nuestras tiendas, ni nadie se retirará a su casa,

9. Hasta que de común acuerdo hagamos esto contra Gábaa:

10. Escójanse de todas las tribus de Israel diez hombres por cada ciento, y cien por cada mil, y mil por cada diez mil, para que conduzcan víveres al ejército, y podamos nosotros pelear contra Gábaa de Benjamín, y darle el pago que merece su maldad.

11. De este modo se juntó Israel, como si fuera un solo hombre, contra esta ciudad; con el mismo designio y la misma resolución.

12. En seguida enviaron mensajeros a toda la tribu de Benjamín, que les dijesen: ¿Cómo se ha cometido entre vosotros una maldad tan detestable?

13. Entregad los hombres de Gábaa que perpetraron tan gran crimen, para que mueran y se quite de en medio de Israel ese escándalo. Mas los benjamitas no quisieron dar oídos a la proposición de sus hermanos los hijos de Israel:

14. Sino que de todas las ciudades pertenecientes a su tribu acudieron a Gábaa para socorrerlos, y pelear contra todo el pueblo de Israel.

15. Y se alistaron veinticinco mil benjamitas, toda gente de guerra: sin contar los moradores de Gábaa.

16. Que eran setecientos hombres muy esforzados, y que peleaban igualmente con la izquierda que con la derecha, y tan diestros en tirar con la honda, que podían herir a un cabello con una piedra sin errar jamás el tiro.

17. Por la parte de Israel, excluídos los hijos de Benjamín, se hallaron cuatrocientos mil hombres que sabían manejar las armas, y que estaban preparados para la guerra.

18. Los cuales saliendo a campaña, vinieron a la casa de Dios, esto es, a Silo, donde consultaron al Señor, y dijeron: ¿Quién será en nuestro ejército el caudillo para pelear contra los hijos de Benjamín? Respondióles el Señor: Sea *la tribu* de Judá vuestro caudillo.

19. Con esto los hijos de Israel sin perder tiempo, marchando de mañana, plantaron sus reales junto a Gábaa.

20. Y avanzando en orden de batalla contra Benjamín, empezaron a batir la ciudad.

21. Mas los hijos de Benjamín, haciendo una salida de Gábaa, mataron aquel día veintidós mil hombres de los hijos de Israel.

22. Confiados éstos en su valor y muchedumbre, volvieron luego a presentar batalla en el mismo lugar en que habían antes peleado.

23. Pero acudieron primero *humildes* al Señor, y lloraron delante de él hasta la noche, y le consultaron, diciendo: ¿Debemos salir otra vez a pelear contra los hijos de Benjamín, nuestros hermanos, o no? Respondióles el Señor: Marchad contra ellos y dad la batalla.

24. Partieron, pues, los hijos de Israel el día siguiente a pelear contra los hijos de Benjamín.

25. Salieron éstos de las puertas de Gábaa, y acometiéndolos, hicieron en los hijos de Israel una mortandad tan grande, que dejaron tendidos por tierra diez y ocho mil combatientes.

26. Por cuyo desastre todos los hijos de Israel vinieron a la casa de Dios, y pusiéronse a llorar en presencia del Señor, y ayunaron aquel día hásta la tarde, y le ofrecieron holocaustos y víctimas pacíficas,

27. Y le consultaron sobre su estado. En este tiempo residía allí el arca de la alianza de Dios;

28. Y Finées, hijo de Eleazar, hijo de Aarón, presidía en el santuario. Consultaron, pues, al Señor, y le dijeron: ¿Debemos proseguir la guerra contra los hijos de Benjamín, nuestros hermanos, o cesar de

ella? Respondióles el Señor: Salid; que mañana los entregaré en vuestras manos.

**29.** Con esto los hijos de Israel pusieron emboscadas alrededor de la ciudad de Gábaa;

**30.** Y por tercera vez marcharon con su ejército en batalla contra Benjamín, como la primera y la segunda.

**31.** Pero los hijos de Benjamín salieron de rebato y osadamente de la plaza, y fueron persiguiendo por largo trecho a los contrarios, que *de propósito* huían: de manera que los iban hiriendo y acuchillando como el primero y segundo día, y dejaron tendidos en el suelo unos treinta hombres de los que iban huyendo por dos veredas, de las cuales la una conducía a Betel y la otra a Gábaa;

**32.** Y creyeron derrotarlos ni más ni menos que antes. Mas los hijos de Israel fingiendo de industria la huída, pusieron la mira en apartarlos de la ciudad, y como en retirada atraerlos a los veredas sobredichas.

**33.** Entonces saliendo todos los hijos de Israel de sus puestos, se ordenaron en batalla en un sitio llamado Baaltamar. Al mismo tiempo los que estaban emboscados alrededor de la ciudad comenzaron también a dejarse ver poco a poco,

**34.** Avanzando por la parte occidental de la ciudad. Entre tanto otros diez mil hombres destacados del grueso del ejército de Israel, *volviendo de frente,* provocaban a los habitantes de la ciudad a que saliesen al combate. Con esto se empeñó la acción contra los hijos de Benjamín; los cuales no advirtieron que por todos lados les estaba aguardando la muerte.

**35.** Con efecto el Señor los castigó a la vista de los hijos de Israel, que mataron de ellos en aquel día veinticinco mil y cien hombres, toda gente guerrera y valiente.

**36.** Pues los hijos de Benjamín, viéndose que iban de vencida, habían echado a huír: lo que advertido por los hijos de Israel, les abrieron paso para que huyesen y viniesen a caer en la emboscada que tenían preparada de antemano junto a la ciudad.

**37.** Saliendo entonces de repente los hijos de Israel de donde estaban escondidos, acuchillaron a los benjamitas que huían delante de ellos; y entraron en la ciudad y la pasaron a cuchillo.

**38.** Es de advertir que los hijos de Israel se habían convenido antes, en que luego que los de la emboscada se apoderasen de la ciudad, encendiesen un *gran* fuego, para que con la humareda que subiría a lo alto diesen a entender que eran ya dueños de la plaza.

**39.** Lo cual observado por los hijos de Israel en el mismo ardor del combate (cuando los hijos de Benjamín, creyendo que huían, los aguijaban con más empeño por haberles muerto ya treinta hombres),

**40.** Y viendo subir de la ciudad una columna de humo, y asimismo mirando Benjamín hacia atrás, y reconociendo la ciudad perdida, y que las llamas subían a lo alto:

**41.** Al punto los que habían fingido huír, vuelta la cara, los rebatían con el mayor esfuerzo. Visto esto, los hijos de Benjamín echaron a huír,

**42.** Tomando el camino del desierto, persiguiéndolos aun hasta allí los enemigos. Demás de esto, los que habían incendiado la ciudad los acometieron de frente.

**43.** Así sucedió que por ambos lados eran acuchillados por los enemigos y morían sin remedio. Los que cayeron muertos y quedaron tendidos por el suelo al oriente de la ciudad de Gabáa en aquel mismo lugar,

**44.** Fueron diez y ocho mil hombres, guerreros todos muy valientes.

**45.** Los otros que habían quedado de Benjamín al ver esto, huyeron hacia el desierto, tirando a refugiarse en la peña llamada Remmón. Pero como estaban desordenados y huían dispersos, en la misma fuga fueron muertos cinco mil hombres. A los que tiraron adelante los fueron también persiguiendo, y mataron aun otros dos mil.

**46.** Por donde los que perecieron de Benjamín en diversos sitios vinieron a ser en todos veinticinco mil combatientes, gente toda muy guerrera.

**47.** Con lo que solo quedaron de toda la gente de Benjamín seiscientos varones que pudieron escapar y guarecerse en el desierto, y estuvieron de asiento en la peña de Remmón cuatro meses.

**48.** Pero los hijos de Israel, vueltos del combate, pasaron a cuchillo todo el resto de la ciudad, desde los hombres hasta las bestias. Y todas las demás ciudades y lugarcillos de Benjamín fueron consumidos por las voraces llamas.

# CAPITULO XXI

*Es arruinada Jabes-Galaad. Restauración de la tribu de Benjamín.*

1. Habían hecho los hijos de Israel un juramento en Masfa, diciendo: Ninguno de nosotros dará sus hijas por mujeres a los hijos de Benjamín.

2. Después, *pesarosos,* vinieron todos a la casa de Dios en Silo, y permaneciendo delante de ella hasta el anochecer, levantaron el grito, y con grandes alaridos comenzaron a llorar, diciendo.

3. ¿Por qué, oh Señor Dios de Israel, ha sucedido esta calamidad en tu pueblo, que se haya acabado hoy una de nuestras tribus?

4. Y levantándose el día siguiente al rayar el alba, erigieron un altar en que ofrecieron holocaustos y víctimas pacíficas, y dijeron:

5. ¿Quién es en todas las tribus de Israel el que no se unió al ejército del Señor? Porque estando en Masfa se habían obligado con un solemne juramento a matar a los que faltasen.

6. Mas ahora arrepentidos los israelitas de lo hecho contra Benjamín, su hermano, comenzaron a decir: Acabóse una tribu de Israel.

7. ¿De dónde tomarán mujeres *los pocos que han quedado de ella,* habiendo jurado nosotros a una no darles nuestras hijas?

8. Dijeron, pues: ¿Quién hay de las tribus todas de Israel que no haya comparecido ante el Señor en Masfa? Y hallóse que los moradores de Jabes-Galaad no estuvieron en el ejército;

9. Y que ni aun mientras los israelitas estaban en Silo, pareció allí ninguno de ellos.

10. Con esto destacaron diez mil hombres muy valientes, dándoles esta orden: Id, y pasad a cuchillo a los moradores de Jabes-Galaad, sin perdonar a sus mujeres y niños.

11. Y habéis de ejecutarlo de modo, que matando a todos los varones y a las mujeres casadas, dejéis, empero, con vida a las doncellas.

12. Halláronse en Jabes-Galaad cuatrocientas doncellas por casar y condujéronlas al campamento de Silo, en tierra de Canaán.

13. Luego despacharon mensajeros a los hijos de Benjamín, que se mantenían en la peña Remmón, con la comisión de concederles la paz.

14. Vinieron, pues, entonces los hijos de Benjamín, y se les dieron por mujeres las doncellas de Jaber-Galaad: mas no hallaron otras que poderles dar a este modo.

15. Todo Israel tuvo gran pesar, y se arrepintió en extremo de la destrucción de una de las tribus de Israel.

16. Y dijeron los ancianos: ¿Qué haremos con los demás que han quedado sin mujeres? Todas las mujeres de Benjamín han perecido.

17. Y debemos precaver con gran solicitud y el mayor empeño que no se acabe una tribu de Israel.

18. No obstante, no podemos darles nuestras hijas, ligados como estamos con el juramento, y con la maldición que nos echamos, diciendo: Maldito sea el que diere alguna hija suya en matrimonio a un benjamita;

19. Tomaron, pues, este partido, y dijeron: He aquí que viene la solemnidad del Señor que se celebra todos los años en Silo, *en la llanura* situada al norte de la ciudad de Betel, y al oriente del camino que desde Betel va a Siquem y al mediodía de la ciudad de Lebona.

20. Y dieron orden a los hijos de Benjamín, diciéndoles: Id, y escondeos en las viñas.

21. Y cuando viereis venir a las doncellas de Silo, según costumbre, a formar sus danzas *en esta llanura,* salid de repente de las viñas, y coged cada cual una para mujer, y marchaos a la tierra de Benjamín;

22. Porque cuando vengan sus padres y hermanos, y comenzaren a querellarse contra vosotros y acusaros de esta violencia, nosotros les diremos: Tened lástima de ellos; pues no las han tomado como los vencedores toman las cautivas por derecho de guerra, sino como esposos que después de haberlas pretendido con ruegos no se las dísteis; y así la culpa *de la violencia* es vuestra.

23. Hiciéronlo así los hijos de Benjamín como se les había mandado; y cogieron de las doncellas que danzaban cada cual una para esposa suya, y fueronse a su tierra, y reedificaron las ciudades y las poblaron.

24. Asimismo los hijos de Israel regresaron a sus moradas, tribu por tribu y familia por familia. En aquellos días no había rey o *magistrado supremo en* Israel: sino que cada cual hacia lo que le parecía mejor.

---

CAP. XXI. — 9. El no querer concurrir a una guerra en que toda la nación estaba empeñada, había sido una especie de rebelión de los vecinos de Galaad.

# RUT

# Introducción

Este libro de corta extensión suele ir unido en las versiones antiguas al de los *Jueces*, pues pertenece a la misma época. En él se describen las costumbres familiares en tiempo de los jueces de Israel. Cuenta cómo buscó asilo una familia de Belén en la región de Moab a donde se trasladó; allí muere el jefe de la familia así como sus dos hijos ya casados. Diez años más tarde la madre, Noemí, decide regresar a Belén. Con ella vuelve también una de sus nueras, Rut la moabita, quien en virtud de las leyes matrimoniales estaba destinada a reavivar una familia ya desaparecida contrayendo nuevos esponsales.

Nada se sabe del autor de este libro, si bien se adivina claramente su objetivo principal: dar a conocer la ascendencia del rey David y, por tanto, la genealogía de Jesucristo. La piedad y religiosidad de Rut, así como el de su suegra Noemí son un hermoso modelo lleno de humanidad y temor de Dios.

## CAPITULO PRIMERO

*Elimelec belemita huye al país de Moab con Noemí su mujer, y sus dos hijos. Muerto aquél y éstos, se vuelve Noemí a Belén con Ruth, moabita, nuera suya que por seguirla abandona su patria.*

1. En tiempo que Israel era gobernado por jueces, sucedió bajo el gobierno de uno de éstos que hubo una *grande* hambre en aquella tierra. Por lo que un hombre, natural de Belén de Judá, se fué a morar en el país extranjero de la tierra de Moab con su mujer y dos hijos.

2. Llamábase Elimelec, y su mujer Noemí, y los dos hijos, uno Mahalón, y el otro Quelión, efrateos, o de Belén de Judá. Y habiendo entrado en el país de Moab, habitaban allí.

3. Sucedió, pues, que murió Elimelec, marido de Noemí, quedando ésta sola con sus dos hijos,

4. Quienes se casaron con mujeres moabitas, de las cuales llamábase la una Orfa y la otra Rut. Vivieron allí diez años.

5. Y al cabo murieron ambos a dos, a saber, Mahalón y Quelión; con lo que Noemí quedó privada de los dos hijos y del marido.

6. Resolvió, pues, volverse del país de Moab con sus dos nueras a su patria, por haber oído que el Señor había vuelto sus ojos hacia su pueblo, y dádole alimentos.

7. Luego que salió del lugar de su peregrinación con ambas nueras, puesta ya en camino para volver a la tierra de Judá,

8. Les dijo: Volveos a casa de vuestras madres. El Señor use de misericordia con vosotras, como la habéis usado vosotras con los difuntos y conmigo.

9. Concédaos el hallar descanso en las casas de los maridos que la buena suerte os deparare. Besólas en seguida, y ellas a voz en grito empezaron a llorar,

10. Y decir: Contigo iremos a tu pueblo.

11. A las cuales replicó Noemí: Volveos, hijas mías; ¿para qué venir conmigo? ¿Tengo yo por ventura más hijos en mi seno, para que de mí podáis esperar otros maridos?

**12.** Idos, hijas mías, volveos; porque yo estoy ya consumida de la vejez, e incapaz de nuevo matrimonio; y aun dado caso que pudiera esta noche concebir y dar a luz hijos,

**13.** Si quisieseis esperarlos a que creciesen, y llegasen a los años de la pubertad, seríais antes viejas que esposas. Os suplico, hijas mías, que no prosigáis: mirad que vuestra aflicción no hace más que acrecentar la mía; porque la mano del Señor está levantada contra mí.

**14.** Entonces a voz en grito echaron de nuevo a llorar. Orfa besó a su suegra y volvióse; mas Rut se quedó con ella.

**15.** Y díjola Noemí: Ya ves que tu cuñada se ha vuelto a su pueblo, y a sus dioses: anda, vete con ella.

**16.** Respondió Rut: No me instes más sobre que te deje y me vaya; porque a do quiera que tú fueres, he de ir yo, y donde tú morares, he de morar yo igualmente. Tu pueblo es mi pueblo, y tu Dios es mi Dios.

**17.** En la tierra en que murieres tú, allí moriré yo; y donde fueres sepultada, allí lo seré yo igualmente. No me haga Dios bien, si otra cosa que la muerte sola me separare de ti.

**18.** Viendo, pues, Noemí que Rut con ánimo resuelto estaba determinada a seguirla, no quiso contradecirla más, ni persuadirla que se volviese a los suyos.

**19.** Así caminaron juntas, y llegaron a Belén. Apenas entraron en la ciudad, voló luego la no-ticia, y las mujeres decían: Esta es aquella Noemí.

**20.** A las cuales dijo: No me llaméis Noemí (esto es, graciosa); sino llamadme Mara (que significa amarga), porque el Todopoderoso me ha llenado de grande amargura.

**21.** Salí de aquí colmada; y el Señor me ha hecho volver vacía: ¿por qué, pues, me llamáis Noemi habiéndome humillado el Señor, y afligídome el Todopoderoso?

**22.** Volvió, pues, Noemí con Rut, moabita, su nuera, de la tierra de su peregrinación: regresando a Belén cuando comenzaban a segarse las cebadas.

## CAPITULO II

*Rut, obligada de la necesidad, va a respigar en la heredad de Booz, pariente de su suegra, y es recibida con agrado. Vuelve alegre a su suegra, por la cual sabe que Booz es pariente suyo.*

**1.** Tenía Elimelec, marido de Noemí, un pariente consanguíneo, hombre poderoso y de gran caudal, llamado Booz.

**2.** Y Rut la moabita dijo a su suegra: Si me das tu licencia iré al campo, y recogeré las espigas que se escapen de las manos de los segadores, donde quiera que hallare buena acogida en algún padre de familia que se muestre compasivo para conmigo. Respondióle Noemí: Anda, hija mía.

**3.** Fué, pues, y empezó a recoger espigas detrás de unos segadores. Por fortuna el dueño de aquel campo era el *mencionado* Booz, de la parentela de Elimelec.

**4.** Y he aquí que el mismo Booz llegó a Belén; y saludó a los segadores, diciendo: El Señor sea con vosotros; los cuales le respondieron: Bendí-gate el Señor.

**5.** Preguntó Booz al mancebo, mayoral de los segadores: ¿De quién es esta muchacha?

**6.** Respondióle: Esta es la moabita que vino con Noemí del país de Moab.

**7.** Y ha pedido permiso para ir trás de los segadores tomando las espigas que quedan; y desde la mañana hasta ahora se está en el campo, sin haberse retirado ni por un momento a su casa.

**8.** Dijo entonces Booz a Rut: Oye, hija, no vayas a otra heredad a respigar, ni te apartes de este sitio; sino júntate con mis muchachas,

**9.** Y síguelas donde estuviere la siega: porque he dado orden a mis criados para que nadie se meta contigo; antes bien, si tuvieres sed, vete al hato, y bebe agua, de la misma que beben también mis criados.

**10.** Ella entonces, inclinando su rostro hasta la tierra, le hizo una profunda reverencia, y dijo: ¿De dónde a mí tanta dicha que haya encontrado gracia en tus ojos, y te dignes tratarme con tanta bondad, siendo yo una mujer extranjera?

---

**22.** *Cuando comenzaban a segarse las cebadas.* La siega de las cebadas es la primera del año en Palestina. Se efectúa hacia el fin de abril.

---

**CAP. II. — 8.** Estas muchachas eran las criadas de Booz, que estaban destinadas a recoger las mieses segadas por los hombres. Seguía Rut detrás de ellas recogiendo las espigas sueltas.

**11.** A la cual respondió Booz: Me han contado lo que has hecho con tu suegra, después de la muerte de tu marido, y cómo has abandonado a tus padres y el país nativo, por venir a un pueblo que te era antes desconocido.

**12.** El Señor te premie por tu acción, y recibas un cumplido galardón del Señor Dios de Israel, a quien has recurrido, y debajo de cuyas alas te has amparado.

**13.** Respondióle Rut: He hallado gracias en tus ojos, oh señor mío, pues que *así* has consolado y hablado al corazón de esta esclava tuya, que ni merece contarse en el número de tus criados.

**14.** Y díjola Booz: A la hora de comer, vente aquí, y come el pan, y moja tu bocado en el vinagre, *con mis gentes.*

Sentóse, pues, a un lado de los segadores, y Booz le dió una porción de polenta, de la que comió hasta saciarse, y guardó las sobras.

**15.** Levantóse luego de allí, para respigar como antes. Y Booz dió esta orden a sus criados, diciendo: Aunque quisiera ella segar con vosotros *para sí,* no se lo estorbéis:

**16.** Antes de propósito dejar caer de vuestros manojos algunas espigas, para que estando en el suelo las pueda tomar sin rubor; mientras las recoja nadie la reprenda.

**17.** Estuvo, pues, respigando en el campo hasta la tarde; y vareando y sacudiendo las espigas recogidas, se halló con cerca de un efi de cebada, esto es, tres modios;

**18.** Y cargando con ellos volvióse a la ciudad, y mostróselos a su suegra; tras esto sacó y dióle las sobras de la comida, de que ella se había saciado.

**19.** Preguntóla su suegra: ¿Dónde has espigado hoy, y dónde has empleado tu trabajo? Bendito sea el que se ha apiadado de ti. Declaróle Rut en qué campo había espigado, y dijo que el amo de él se llamaba Booz.

**20.** A lo cual contestó Noemí: Bendito sea del Señor; pues la misma buena voluntad que tuvo a los vivos, la conserva todavía a los difuntos; y añadió: Ese hombre es pariente nuestro.

**21.** Díjola Rut: Pues también me ha mandado que me incorpore con sus segadores hasta tanto que se acabe la siega de todas las mieses.

**22.** Respondióle la suegra: Más vale, hija mía, que vayas a espigar entre sus criadas; no sea que en el rastrojo de otro se te opusiese alguno a que respigases.

**23.** Juntóse, pues, con las criadas de Booz, y respigó entre ellas todo el tiempo restante, hasta que las cebadas y los trigos se recogieron en las trojes.

## CAPITULO III

*Noemí procura casar a Rut con Booz.*

**1.** Y después que volvió a su suegra, la dijo ésta: Hija mía, yo voy a procurarte descanso, y a disponer que lo pases bien.

**2.** Ese Booz, con cuyas criadas andas junta en el campo, es nuestro pariente, y esta noche avienta la cebada en su era.

**3.** Lávate, pues, y úngete *con los perfumes,* y ponte los mejores vestidos, y encamínate a la era: procura que no te vea hasta que haya acabado de comer y beber.

**4.** Entonces, cuando se fuere a dormir, nota bien el sitio donde duerme, e irás y alzarás la capa por la parte con que se cubre los pies, y echaráste allí, y te pondrás a dormir. El mismo te dirá, *como pariente más cercano,* lo que debes hacer.

**5.** Respondióle Rut: Yo haré cuanto tú me mandares.

**6.** Fuese, pues, a la era, e hizo todo lo que la suegra le había ordenado.

**7.** Y cuando Booz hubo comido y bebido y alegrádose, e ido a dormir junto a un montón de gavillas, se llegó Rut calladamente, y alzando la capa por los pies, echóse allí.

---

CAP. III. — 4. Si este hecho se mira con ojos carnales, tiene ciertamente un aspecto poco decente, como notó S. Ambrosio; mas no sucede así si se considera el fin, el motivo y el sentido misterioso que encierra. Noemí, sabia y prudente, conocía la sólida virtud de su nuera, y la probidad y honradez de Booz. Creía que éste era el pariente más inmediato, a quien por lo mismo tocaba el desposarse con la viuda de su hijo. Y recelando que un hombre como Booz, rico y de edad avanzada no condescendería fácilmente en recibir por esposa a una viuda pobre y extranjera de origen, excogitó un cierto modo de sorprenderle. Cuanto hizo Booz antes de efectuar el matrimonio, demuestra que solamente por amor a la justicia, y para obedecer la ley, se desposó con Rut, y así que todo fué obra de Dios. Mas pasando de la figura a la profecía, acordémonos que *nosotros en otro tiempo éramos gentiles en cuanto al origen,* como dice el Apóstol (*Ephes.* 11 *v.* 11), "estábamos en aquel tiempo sin Cristo, extraños de la sociedad de Israel, sin tener parte en el Testamento, sin esperanza de la promesa y sin Dios en este mundo". A nosotros, pues, nos representaba aquella mujer extranjera y gentil de origen, echada a los pies de Booz, y pidiéndole con el hecho mismo que la reciba por esposa.

**8.** Cuando he aquí que a media noche despertó el hombre, despavorido y turbado al ver una mujer echada a sus pies.

**9.** Y díjola: ¿Quién eres? Y ella respondió: Soy Rut, esclava tuya: extiende tu manto sobre tu sierva; por cuanto eres *el* pariente *más* cercano *de mi marido.*

**10.** A lo que dijo Booz: Bendita seas del Señor, hija mía, que has sobrepujado tu primera bondad *y cordura,* con la que manifiestas ahora, pues *siendo joven como eres,* no has ido a buscar jóvenes, ni pobres, ni ricos, *sino a los que la ley dispone.*

**11.** Por tanto no temas; que yo haré contigo cuanto me has dicho; puesto que todas las gentes de mi ciudad saben que tú eres mujer de virtud.

**12.** No niego yo ser pariente; pero hay otro más cercano que yo.

**13.** Descansa esta noche, que venida la mañana, si él quiere quedarse contigo por el derecho de proximidad, sea enhorabuena; mas si no quiere, vive el Señor, que yo sin falta te tomaré: y así duerme hasta mañana.

**14.** Durmió, pues, a sus pies hasta el fin de la noche. Y levantándose antes que los hombres pudiesen conocerse unos a otros, díjola Booz: Procura que nadie sepa que has venido acá.

**15.** Y añadió: Extiende el manto con que te cubres, y tenle bien asido con entrambas manos. Extendiéndole ella, y teniéndole, le midió seis modios de cebada, y cargóselos a cuestas. Así cargada entró en la ciudad.

**16.** Y fué a su suegra, la cual le preguntó: ¿Qué has hecho, hija mía, *sobre lo que te encargué?* Contóla Rut todo lo que había hecho Booz por ella.

**17.** Y añadió: He aquí seis modios de cebada que me ha dado, diciéndome: No quiero que vuelvas a tu suegra con las manos vacías.

**18.** Dijo entonces Noemí: Espera, hija mía, hasta que veamos en qué para la cosa. Porque Booz es hombre *honrado,* que no parará hasta que cumpla lo que te ha prometido.

---

**9.** Y por haber muerto él sin hijos debes tomarme por esposa, para que no se acabe su familia en Israel.

**15.** O el velo grande con que las mujeres orientales se cubrían desde la cabeza hasta los pies.

## CAPITULO IV

*Cásase Booz con Rut, la cual le da a luz un hijo llamado Obed, padre de Isaí, abuelo de David.*

**1.** Fué, pues, Booz a las puertas o *juzgado* de la ciudad, y sentóse allí; y viendo pasar aquel pariente de quien se habló arriba, llamóle por su nombre, y le dijo: Llégate por un momento, y siéntate aquí. Llegóse él, y sentóse.

**2.** Entonces Booz, convocando a diez varones de los ancianos de la ciudad, díjoles: Sentaos aquí.

**3.** Luego que se sentaron, habló así al pariente: Noemí, que ha vuelto del país de Moab, está para vender una parte de la heredad de nuestro hermano Elimelec.

**4.** Lo cual he querido que tú sepas, y decírtelo en presencia de todos los circunstantes, y de los ancianos de mi pueblo. Si tú quieres poseerla por el derecho de parentesco, cómprala y poséela. Y si no gustas de eso, decláralo para que yo sepa lo que debo hacer; puesto que no hay otro pariente sino tú, que eres el primero, y yo que soy el segundo. A lo que respondió él: Pues yo compraré la heredad.

**5.** Replicóle Booz: Luego que compres esa posesión debes también casarte con Rut, la moabita, que fué consorte del difunto, para hacer revivir el nombre de tu pariente en su herencia.

**6.** El respondió: Renuncio el derecho de parentesco; porque no es razón que yo arruine la posteridad de mi familia: usa tú del derecho mío, al que protesto renunciar espontáneamente.

**7.** Era costumbre antigua en Israel entre los parientes, que cuando uno cedía el derecho al otro, para que la cesión fuese válida, se quitaba aquél su calzado y dábaselo a su pariente. Esta era la *fórmula y* testimonio de cesión en Israel.

**8.** Por lo cual dijo Booz a su pariente: Quítate el calzado, y él al punto se lo quitó del pie.

---

**5.** Cuando el que debía desposarse con la viuda no era hermano del difunto sino pariente, y aun remoto, tenía obligación de casarse con ella, pero menos rigurosa que el hermano.

**7.** San Agustín cree que la orden de Dios de no casarse con Moabitas hasta la décima generación no se extendía a las que se convertían a la Religión.

**9.** Entonces Booz dijo a los ancianos y a todo el pueblo: Vosotros sois testigos en este día de que yo entro en posesión de todas las cosas que poseía Elimelec, y Quelión, y Mahalón, por entrega que me hace Noemí;

**10.** Y recibo en matrimonio a Rut la moabita, mujer que fué de Mahalón, para resucitar el nombre del difunto en su herencia, a fin de que no se borre su nombre de entre su familia, de entre sus hermanos y de su pueblo. Vosotros, repito, sois testigos de este acto.

**11.** Entonces todo el pueblo que estaba en la puerta, respondió con los ancianos: Nosotros somos testigos. El Señor haga que esa mujer que entras en tu casa, sea como Raquel y Lía, las cuales fundaron la casa de Israel; para que sea *como aquéllas* dechado de virtud en Éfrata, y tenga un nombre célebre en Belén;

**12.** Y sea tu casa como la casa de Fares (hijo de Tamar y de Judá), por la posteridad que el Señor te diere de esta joven.

**13.** Tomó, pues, Booz a Rut, y desposóse con ella, y en su matrimonio el Señor le hizo la gracia de que Rut concibiera y diese a luz un hijo.

**14.** Con cuyo motivo las mujeres dijeron a Noemí: Bendito sea el Señor que no ha permetido que faltase heredero en tu familia, y ha querido conservar el nombre de ella en Israel.

**15.** Para que tengas tú también quien consuele tu alma, y sea el sostén de tu vejez. Pues que te ha nacido un niño de tu nuera, la cual te ama, y es para ti mucho mejor que si tuvieses siete hijos.

**16.** Noemí, recibido el niño *o recién nacido*, le puso en su regazo, haciendo con él oficio de ama y de niñera.

**17.** Y las mujeres vecinas suyas, congratulándose con ella, decían: Ha nacido un hijo a Noemí, y pusiéronle por nombre Obed. Este fué padre de Isaí, que lo fué de David.

**18.** He aquí las generaciones *o la posteridad* de Fares. Fares fué padre de Esrón.

**19.** Esrón de Aram, Aram de Aminadab.

**20.** Aminadab de Nahasón, Nahasón de Salmón.

**21.** Salmón fué padre de Booz, Booz lo fue de Obed.

**22.** Obed de Isaí, Isaí fué padre de David.

---

**18-22.** Otras tres veces están citados, en las libros Santos, por su importancia, estos mismos datos genealógicos. I *Paralipómenon*, c. II, *v.* 10, 12; *Mateo*, c. I, *v.* 3-6; *Lucas*, c. III, *v.* 32-33.

# LOS DOS LIBROS DE SAMUEL

# Introducción

Este texto bíblico describe cómo salió Israel de su estado de disgregación política para formar una única nación organizada.

Nada se sabe del autor del libro ni de la época en que fue escrito. La historia que narra no está completa y la cronología que se desprende del relato es deficiente.

Ante la potencia de los pueblos invasores, el pueblo de Israel formula su deseo de tener un rey como las demás naciones. En realidad es una protesta contra la teocracia política hasta entonces dominante. Dios, apiadado de su pueblo, le otorga finalmente este rey. En premio a la piedad de David, Dios le promete la perpetuidad de su descendencia, detalle en el que puede verse la promesa mesiánica. Con Samuel, Saúl y David, Israel se convirtió en la nación más poderosa del mediodía de Siria. Fue, históricamente hablando, la época más gloriosa del pueblo escogido. El texto recibe el nombre de Samuel por haber sido éste quien ungió a los reyes Saúl y David.

# LIBRO PRIMERO DE SAMUEL

## CAPITULO PRIMERO

*Nace Samuel de Ana, que era estéril, y después de destetado, es consagrado al Señor por medio del sacerdote Helí.*

**1.** Hubo un hombre en la *ciudad de* Ramataimsofín, en las montañas de Efraím, cuyo nombre era Elcana, hijo de Jeroham, hijo de Eliú, hijo de Tohú, hijo de Suf, *de la tribu de Leví, domiciliado en la* de Efraím.

**2.** Y tenía dos mujeres, una llamada Ana, y la otra Fenena. Fenena tenía hijos, mas Ana carecía de ellos.

**3.** Subía este hombre desde su ciudad a Silo en los días señalados, a adorar y ofrecer sacrificios al Señor de los ejércitos. Allí residían entonces los dos hijosde Helí, Ofni y Finées, sacerdotes del Señor.

**4.** Venido uno de dichos días *solemnes* ofreció Elcana su sacrificio, y distribuyó después lo que le correspondía de la víctima entre su mujer Fenena y todos sus hijos e hijas; dándoles las porciones de ella.

**5.** Pero a Ana, *que no tenía hijos,* dióle su sola porción, entristecido, porque la amaba; aunque el Señor la había hecho estéril.

**6.** Además Fenena, su rival, la mortificaba también y angustiaba en gran manera; en tanto grado, que le echaba en rostro el que el Señor la había hecho estéril.

---

CAP. I. — 3. *Por ejércitos del Señor* se entienden en la Sagrada Escritura los ángeles, y también las estrellas y planetas; *y ejército del Señor* se llama igualmente su pueblo de Israel, que tiene a Dios por Rey y Caudillo.

7. Y así lo hacía todos los años cuando llegado el tiempo subían al templo del Señor; y de este modo la zahería. Con esto Ana se ponía a llorar, y no probaba la comida.

8. Díjole, pues, Elcana su marido: Ana, ¿por qué lloras? ¿cómo es que no comes? ¿y por qué se aflige así tu corazón? ¿Acaso no soy yo para ti mejor que diez hijos que tuvieses?

9. Y después de haber comido y bebido en Silo, levantóse Ana; y estando el *sumo* sacerdote Helí sentado en su silla, *o audiencia*, delante de la puerta del templo *o tabernáculo* del Señor,

10. Vino Ana con el corazón lleno de amargura y oró al Señor derramando copiosas lágrimas.

11. E hizo un voto diciendo: Señor *Dios* de los ejércitos, si te dignares volver los ojos para mirar la aflicción de tu sierva, y te acordares de mí, y no olvidándote de tu esclava, dieres a tu sierva un hijo varón, le consagraré al Señor por todos los días de su vida, y no pasará jamás navaja por su cabeza.

12. Como repitiese muchas veces sus ruegos delante del Señor, Helí estuvo observando el movimiento de sus labios.

13. Porque Ana hablaba sólo en su corazón; por manera que únicamente movía los labios pero no se le oía ni siquiera una palabra. Y así Helí la tuvo por ebria,

14. Y le dijo: ¿Hasta cuándo durará tu embriaguez? *Vete* a digerir un poco el vino de que estás llena.

15. Respondióle Ana: No es, mi señor, lo que decís: la verdad es que yo soy una mujer afligidísima; y no es que haya bebido vino, ni cosa que pueda embriagar, sino que estaba derramando mi corazón en la presencia del Señor:

16. No tengas a tu sierva por alguna de las hijas *licenciosas* de Belial; porque sólo la vehemencia de mi dolor y aflicción es la que me ha hecho hablar así hasta ahora.

17. Entonces Helí la dijo: Vete en paz, y el Dios de Israel te conceda la petición que le has hecho.

18. Respondióle Ana: ¡Ojalá tu sierva halle gracia en tus ojos! Fuese después la mujer *a su posada*, y tomó alimento, y desde entonces ya no se vió melancólico su semblante.

19. Por la mañana se levantaron *todos*, adorando al Señor; y poniéndose en camino regresaron a su casa en Ramata. Elcana conoció a Ana su mujer, y el Señor se acordó de ella *y de su oración*.

20. Luego concibió Ana, y a su tiempo dió a luz un hijo, a quien puso por nombre Samuel, por haberlo pedido *fervorosamente* al Señor.

21. Subió, pues Elcana, su marido, con toda su familia a ofrecer al Señor una hostia solemne, y cumplir su voto.

22. Pero Ana no fué, habiendo dicho a su marido: No iré hasta que el niño esté destetado, y le lleve yo para presentarle al Señor, y se quede allí para siempre.

23. Díjola Elcana su marido: Haz lo que mejor te parezca, y quédate hasta destetarle: yo suplico al Señor que se digne perfeccionar su obra. Quedóse, pues, Anna en su casa, y dió de mamar al hijo, hasta que le destetó.

24. Y destetado, llevóle consigo, con tres becerros, y tres modios de harina, y un cántaro de vino a la casa del Señor, en Silo. El niño era todavía pequeñito.

25. Y sacrificaron un becerro; y presentaron el niño a Helí, diciendo Ana:

26. Oyeme, señor mío, por vida tuya: Yo soy, mi señor, aquella mujer que estuvo aquí orando al Señor delante de ti.

27. Por este niño oré y el Señor otorgóme la súplica que le hice:

28. Por tanto, se lo tengo ofrecido, a fin de que le sirva mientras viva. Con esto, adoraron al Señor; y Ana, estando orando, prorrumpió en este cántico:

## CAPITULO II

*Cántico de Ana. Impiedad de los hijos de Helí, a quien se vaticina la ruina de su casa y familia.*

1. Saltó de gozo en el Señor mi corazón, y mi Dios me ha ensalzado: ya puedo responder a boca llena a mis enemigos, pues toda la causa de mi alegría es, *oh Señor*, la salud que he recibido de ti.

2. Nadie es santo, como lo es el Señor: no hay otro *Dios* fuera de ti; ninguno es fuerte como nuestro Dios.

---

11. Su hijo debería como Levita servir el Tabernáculo, cuando le tocase el turno, desde veinticinco o treinta años hasta cincuenta. — Véase *Núm.* IV, *v.* 2; VIII, *v.* 24. Ana, empero, moralmente cierta de que su marido, que era religioso y la amaba, no se opondría a la promesa, ofreció el hijo a Dios, para que le sirviese en el templo desde los primeros años hasta la muerte; y además el que lo haría nazareno perpétuo.

3. Cesad, pues, de hablar con soberbia y jactancia; no uséis ya de aquel vuestro antiguo lenguaje: porque Dios, que todo lo sabe, él sólo es el Señor, y él lleva a efecto sus altísimos designios.

4. Quebróse el arco o *la fortaleza* de los fuertes, y los flacos han sido revestidos de vigor.

5. Los que estaban antes colmados de bienes, se han alquilado por un pedazo de pan; y los que se hallaban acosados del hambre han sido *plenamente* saciados. La que era estéril, ha venido a ser madre de muchos hijos, y la que estaba rodeada de ellos, perdió todos sus bríos.

6. Porque el Señor es el que da la muerte y da la vida, el que conduce al sepulcro y libra de él;

7. El Señor el que empobrece y enriquece, el que abate y ensalza.

8. Levanta del polvo al mendigo, y del estiércol ensalza al pobre, para que se siente entre los príncipes, y ocupe un trono de gloria. Porque del Señor son los polos o *cimientos* de la tierra, y él asentó sobre ellos el mundo.

9. El dirigirá *todos* los pasos de sus santos, mas los impíos serán por él reducidos a silencio en medio de tinieblas; porque no estará firme el hombre por su propia fuerza.

10. Temblarán delante del Señor sus adversarios. Tronará desde el cielo y *lanzará rayos* sobre ellos. El Señor juzgará a toda la tierra, y dará el imperio de ella a su rey, y ensalzará la gloria y el poder de su Cristo.

11. Después de esto volvióse Elcana a su casa en Ramata; y el niño servía *en el tabernáculo,* en la presencia del Señor, bajo la dirección del *sumo* sacerdote Helí.

12. Mas los hijos de Helí eran hijos de Belial, que no conocían o *respetaban* al Señor,

13. Ni la obligación de los sacerdotes para con el pueblo, sino que cuando alguno, fuese el que fuese, había inmolado una víctima, venía el criado del sacerdote, mientras se cocían las carnes, y trayendo en su mano un garfio o *horquilla* de tres dientes,

14. Lo metía en el perol, o en el caldero, o en la olla, o en la marmita, y todo lo que prendía con él, lo tomaba para sí el sacerdote. Esto hacían con todos los de Israel que venían a Silo.

15. Y aun antes que quemasen la grosura de la víctima, venía el criado del sacerdote. Y decía al que inmolaba: Dame de la carne para guisársela yo al sacerdote, *según su gusto;* pues no he de tomar de ti la carne cocida, sino cruda.

16. Decíale el que inmolaba: Quémese ahora primero la grosura, según el rito, y llévate después todo lo que quisieres. Mas él respondía diciendo: No; ahora me la has de dar: de lo contrario te la quitaré yo por fuerza.

17. Era, pues, el pecado de estos hijos *de Helí* enormísimo a los ojos del Señor: por cuanto retraían a la gente de sacrificar al Señor.

18. Entre tanto el niño Samuel revestido de un efod o *sobrepelliz* de lino, ejercía su ministerio en la presencia del Señor.

19. Y hacíale su madre una túnica pequeña; y se la llevaba los días solemnes, cuando subía con su marido a ofrecer el *anual* sacrificio solemne.

20. Y bendijo Helí a Elcana y a su mujer, diciéndole a él: El Señor te conceda sucesión de esta mujer en pago de la prenda que has *consagrado* y depositado en manos del Señor. Después de lo cual se volvieron a su casa.

21. En efecto, el Señor visitó a Ana; la cual concibió y dió a luz tres hijos y dos hijas. Entre tanto el niño Samuel iba haciéndose grande en la presencia del Señor.

22. Helí, empero, era muy viejo, y llegó a saber el modo de portarse de sus hijos con todo el pueblo; y que dormían con las mujeres que ve-nían a velar *y orar* en la puerta del Tabernáculo,

23. Y les dijo *únicamente:* ¿Por qué hacéis todas estas cosas que me dicen de vosotros? ¿esos crímenes detestables de que habla todo el pueblo?

24. No más, hijos míos; que es muy desagradable lo que ha llegado a mis oídos de que hacéis prevaricar al pueblo del Señor.

25. Si un hombre peca contra otro hombre, puédese alcanzar de Dios el perdón: mas si aquel hombre *que ha de ser el mediador* peca contra el Señor,

¿quién rogará por él? No escucharon los hijos de Helí la voz de su padre; porque el Señor había resuelto quitarles la vida.

---

CAP. II. — 25. Y en castigo de sus crímenes, les negó la gracia de conversión. — Palabras son éstas que denotan bien la gravedad de los pecados de los sacerdotes, y de aquéllos que abusan en ofensa de Dios de las cosas destinadas para hacérnosle propicio, y para alcanzar el perdón de nuestros pecados. No quiere decir que la misericordia no los perdone, sino que es muy difícil el alcanzarla, cuando se peca con los mismos medios que nos da el Señor para obtener su gracia. Endurecidos y obstinados en el pecado los hijos de Helí, merecieron que Dios los *abandonase a los perversos deseos de su corazón,* como dice el Apóstol. *Rom.* 1, *v.* 24.

**26.** Entre tanto el niño Samuel iba adelantando y creciendo, y era grato no menos al Señor que a los hombres.

**27.** Vino a la sazón un varón de Dios a Helí, y díjole: Esto dice el Señor: ¿No es así que yo me manifesté visiblemente a la familia de *Aarón,* tu padre, cuando estaba en Egipto en la casa *y bajo el yugo* de Faraón;

**28.** Y que le escogí entre todas las tribus de Israel por sacerdote mío, para que subiese a *ofrecer sobre* mi altar, y me quemase perfumes, y anduviese vestido del efod en mi presencia; y dí a la casa de tu padre una parte en todos los sacrificios de los hijos de Israel?

**29.** Pues, ¿cómo habéis hollado o *envilecido* mis víctimas y mis dones, que yo mandé ofrecer en el templo; y has tenido tú más respeto a tus hijos que no a mí, comiendo con ellos lo principal *o mejor* de todos los sacrificios de mi pueblo de Israel?

**30.** Por tanto, el Señor Dios de Israel dice: Yo había declarado y prometido que tu familia, y la familia de tu padre, serviría el ministerio del *sumo sacerdocio* delante de mí perpetuamente. Mas ahora dice el Señor: Lejos de mí tal cosa: porque yo honraré a todo el que me glorificare; pero los que me menospreciaren, serán deshonrados.

**31.** He aquí que llega el tiempo en que cortaré tu brazo *o tu poder,* y el brazo de la casa de tu padre; de suerte que no haya anciano en vuestra familia.

**32.** Y cuando todo Israel estará en medio de la prosperidad, verás a tu rival en el templo; mientras en tu casa no habrá jamás anciano.

**33.** Con todo no apartaré absolutamente a tus descendientes de mi altar; pero será para que viéndolo llores contínuamente de envidia, y se consuma de dolor tu alma; y una gran parte de tu casa morirá al llegar a la edad varonil.

**34.** Y servíráte de señal esto que ha de acontecer a tus dos hijos Ofni y Finées: *a saber,* que en un día morirán ambos.

**35.** Y yo me proveeré de un sacerdote fiel que obre según mi corazón y mi alma; y le fundaré una casa sólida y duradera, y caminará siempre delante de mí ungido.

**36.** Entonces sucederá que todo aquél que hubiere quedado de tu casa y familia, vendrá para que se interceda por él *con el*

---

**35.** Este sacerdote fué Sadoc, el cual fué Sumo Pontífice después de Abiatar. — *Ungido:* o de rey que yo eligiese.

*sumo sacerdote,* a fin de que se le dé una pequeña moneda de plata y una torta de pan; y dirá: Suplícote que me admitas a algún ministerio sacerdotal, para tener que comer un bocado de pan.

## CAPITULO III

*Llama Dios a Samuel y le revela el castigo de Helí; a quien el joven lo declara sencillamente.*

**1.** Entre tanto, el joven Samuel proseguía sirviendo al Señor bajo la dirección de Helí; y la palabra del Señor *o revelación* era *rara, y por consiguiente* de mucha estima: no era común en aquellos días la profecía.

**2.** Sucedió, pues, un día que estando Helí, cuyos ojos habían perdido ya la facultad de ver, acostado en su aposento,

**3.** Y Samuel durmiendo *junto a él* en el templo del Señor donde estaba el arca de Dios; he aquí que el Señor, antes que fuese apagada la lámpara de Dios, *o candelero de oro,*

**4.** Llamó a Samuel; y respondiendo éste: Aquí estoy,

**5.** Corrió al punto a Helí, y díjole: Heme aquí, pues que me has llamado. Helí le dijo: No te he llamado, vuélvete a dormir. Fuése Samuel, y acostóse de nuevo.

**6.** Volvió el Señor por segunda vez a llamar a Samuel, y levantándose éste fué a Helí, y le dijo: Heme aquí, ya que me has llamado. Helí le respondió: Hijo mío, yo no te he llamado: vuélvete a dormir.

**7.** Y es que Samuel no conocía todavía la voz del Señor; pues hasta entonces no le había sido revelada la palabra del Señor.

**8.** Repitió el Señor y llamó por tercera vez a Samuel; el cual levantándose volvió a Helí,

**9.** Diciendo: Heme aquí, pues que me has llamado. Con esto reconoció Helí que era el Señor quien llamaba al joven, y dijo a Samuel: Vete a dormir; y si te llamare otra vez, responderás: Hablad, oh Señor, que

---

CAP. III.—1. Eran raros en aquella época los Profetas. Dos solos se notan en todo el libro de los Jueces (cap. IV y VI); y el apóstol San Pedro caracteriza los tiempos de Samuel y de Saúl, etc., suponiendo que eran la época de los profetas. *Act.* III, *v.* 24. Samuel, profeta del Señor, apareció en medio de las tinieblas de la ignorancia, y de la depravación de costumbres.

3. Al amanecer se apagaban las lámparas del candelero de oro (*Exod.* XXVII, *v.* 21), de lo que se infiere que Dios hizo sentir su voz a Samuel siendo aún de noche.

vuestro siervo escucha. Volvióse, pues, Samuel a su aposento, y se puso otra vez a dormir.

10. Vino entonces el Señor, y llegándose *a Samuel*, le llamó como las otras veces: Samuel, Samuel. A lo que respondió Samuel: Hablad, Señor, que vuestro siervo os escucha.

11. Y dijo el Señor a Samuel: Mira, yo voy a hacer una cosa en Israel, que a todo aquél que la oyere, le retiñirán *de terror* ambos oídos.

12. En aquel día yo verificaré cuanto tengo dicho contra Helí y su casa: daré principio a ello, y lo concluiré.

13. Porque ya le predije que había de castigar perpetuamente su casa por causa de su iniquidad: puesto que sabiendo lo indignamente que se portan sus hijos, nos los ha corregido *como debía*.

14. Por lo cual he jurado a la casa de Helí, que su iniquidad no se expiará jamás ni con víctimas ni con ofrendas.

15. Durmió después Samuel hasta la mañana, y *a su tiempo* abrió las puertas de la casa del Señor: pero temía descubrir a Helí la visión.

16. Llamóle, pues, Helí, y le dijo: ¿Samuel, hijo mío? El cual respondió: Aquí estoy.

17. Y le preguntó Helí: ¿Qué es lo que te ha dicho el Señor? Ruégote no me encubras nada: el Señor te castigue severamente si me ocultares alguna cosa de cuanto te ha dicho.

18. Manifestóle, pues, Samuel una por una todas las palabras, sin ocultarle nada; y Helí respondió: El es el Señor: haga lo que sea agradable a sus ojos,

19. Samuel, empero, iba creciendo, y el Señor estaba con él: y todas sus predicciones ni una siquiera dejó de verificarse. Con lo que conoció todo Israel, desde Dan hasta Bersabée, que Samuel era un verdadero profeta del Señor.

20. Y el Señor prosiguió apareciéndosele en Silo, porque en Silo fué donde se manifestó a Samuel *la primera vez,* conforme a la palabra del Señor. Y cumplióse cuanto dijo Samuel a todo el pueblo de Israel.

## CAPITULO IV

*Derrotan los Filisteos a los Israelitas: se apoderan del Arca del Testamento, y quedan muertos los dos hijos de Helí.*

1. Sucedió por aquellos días, que los filisteos se juntaron para hacer la guerra *a los is-* *raelitas.* Israel se puso también en campaña para combatir a los filisteos, y acampó junto a la *piedra llamada después* piedra del socorro. Los filisteos, por su parte, avanzaron hasta Afec.

2. Y presentaron a Israel la batalla. Comenzada ésta, Israel volvió las espaldas a los filisteos; quienes mataron en aquel choque, y dejaron tendidos por el campo, al pie de cuatro mil hombres.

3. Vuelto el grueso del ejército al campamento, dijeron los ancianos de Israel: ¿Cómo es que el Señor nos ha derrotado hoy delante de los filisteos? Traigamos aquí de Silo el arca de la alianza del Señor y venga en medio de nosotros para que nos salve de la mano de nuestros enemigos.

4. Envió, pues, el pueblo a Silo, y trajeron de allí el arca de la alianza del Señor de los ejércitos, que está sentado sobre los querubines; y los dos hijos de Helí, Ofni y Fineés, acompañaban el arca de la alianza de Dios.

5. Luego que el arca de la alianza del Señor llegó al campamento, dió voces todo Israel con grande algazara, que resonaron por todo el país.

6. Y oyéndolas los filisteos, dijeron: ¿Qué gritería es ésta que se oye en el campamento de los hebreos? Y supieron que era por haber llegado al campamento el arca del Señor.

7. Con esto se atemorizaron los filisteos, y dijeron: El Dios de ellos ha venido a sus reales; y añadían gimiendo:

8. ¡Ay de nosotros! No estaban, *no*, ayer ni antes de ayer con tanta alegría. ¡Tristes de nosotros! ¿Quién nos librará de la mano de ese Dios excelso? Ese es aquel Dios que castigó al Egipto con toda suerte de plagas, *y que condujo a Israel* por el desierto.

9. Pero ánimo, filisteos: tened valor. No seáis esclavos de los hebreos, como ellos lo han sido de vosotros *tantos años.* Esforzaos y pelead *con denuedo.*

10. Dieron, pues, los filisteos la batalla, y quedó derrotado Israel; y todos *los que pudieron* huyeron a sus casas. El destrozo de los israelitas fué tan grande, que quedaron muertos treinta mil infantes.

11. Fué tomada el arca de Dios, y muertos los dos hijos de Helí, Ofni y Finées.

---

11. Observa San Agustín que el Arca del Señor no podía servir de defensa a los transgresores de la Ley, a los cuales condena la misma Ley que está dentro del Arca.

**12.** Aquel mismo día un soldado de la tribu de Benjamín, *escapado* de la batalla, vino corriendo a Silo, rasgado el vestido y cubierta de polvo la cabeza *en señal de dolor*.

**13.** Al tiempo que llegó, estaba Helí sentado en su silla *de audiencia, a la entrada del templo*, mirando hacia el camino; porque su corazón se hallaba en un contínuo sobresalto por el arca del Señor. Habiendo entrado, pues, aquel soldado, publicó luego la noticia por la ciudad, y toda la gente prorrumpió en grandes alaridos.

**14.** Helí, oído el clamor general, dijo: ¿Qué ruido tumultuoso es ése? Llegó entonces aquel hombre a toda prisa a Helí, y díole la noticia.

**15.** Helí tenía a la sazón noventa y ocho años, y sus ojos habían cegado, de suerte que no podía ver.

**16.** Dijo, pues, el soldado a Helí: Yo soy el que acabo de venir de la batalla, y yo el que hoy escapé del combate. Díjole Helí: ¿Qué ha sucedido, hijo mío?

**17.** A lo que respondió el hombre, que había traído la nueva, diciendo: Huyó Israel delante de los filisteos, y ha sido grande el destrozo del ejército; y además han quedado muertos tus dos hijos, Ofni y Finées, y el arca de Dios ha sido tomada.

**18.** Apenas el hombre hubo nombrado el arca de Dios, cayó Helí de espaldas de la silla junto a la puerta, y quebrándose la cerviz, murió: siendo como era ya hombre anciano y de una edad decrépita. Fué Helí juez de Israel cuarenta años .

**19.** Estaba preñada una nuera suya, mujer de Finées y cercana al parto; la cual al oír Ia noticia del cautiverio del arca de Dios, y de la muerte de su suegro, y de su marido, sorprendida repentinamente de los dolores, inclinóse y dió a luz.

**20.** Cuando estaba ya expirando, dijéronle los que le asistían: Buen ánimo: que has tenido un hijo. Mas ella *penetrada de dolor*, no les contestó, ni se dió por entendida.

**21.** Llamó, sí, al niño Icabod, diciendo: Acabóse la gloria de Israel: a causa de haber sido tomada el arca de Dios, y muerto su suegro y su marido.

**22.** Y dijo: Acabóse la gloria de Israel, porque el arca de Dios había sido tomada.

## CAPITULO V

*Los filisteos ponen el Arca del Señor en el templo de su ídolo Dagón, el cual cae por*

*tierra hecho pedazos a los pies del arca. Envíanla a los Israelitas para librarse de los males que les causaba.*

**1.** Tomaron, pues, los filisteos el arca de Dios y la trasportaron de la piedra del socorro a la *ciudad* de Azoto.

**2.** Llevada que fué allá, metiéronla en el templo de Dagón, colocándola junto al ídolo Dagón.

**3.** Mas al otro día, habiéndose levantado muy temprano los azocios, hallaron que Dagón yacía boca abajo en el suelo delante del arca del Señor; y alzaron a Dagón y le repusieron en su lugar.

**4.** Al día siguiente levantándose también de madrugada, encontraron a Dagón tendido en tierra sobre su pecho delante del arca del Señor: mas la cabeza de Dagón y las dos manos cortadas *del tronco*, estaban sobre el umbral de la puerta,

**5.** De suerte que sólo el tronco de Dagón había quedado allí *donde cayó*. Por esta razón, aun en el día de hoy, los sacerdotes de Dagón, y todos los que entran en su templo, no ponen el pie sobre el umbral del templo de Dagón en Azoto.

**6.** Tras esto, la mano del Señor descargó terriblemente sobre los azocios, y los asoló; e hirió a los de Azoto y su comarca en la parte más secreta de las nalgas. Al mismo tiempo las aldeas y campos de aquel país comenzaron a bullir; y apareció una gran multitud de ratones, con lo que toda la ciudad quedó consternada por la gran mortandad que causaban.

**7.** Viendo, pues, tal plaga los vecinos de Azoto dijeron: No quede más entre nosotros el arca del Dios de Israel, porque es muy pesada su mano sobre nosotros y sobre nuestro dios Dagón.

**8.** Y habiendo enviado a buscar todos los sátrapas o *príncipes* de los filisteos, les dijeron: ¿Qué haremos del arca del Dios de Israel? A lo que respondieron los geteos: Llévese por los contornos. Llevaron, pues, el arca del Dios de Israel de un lugar a otro.

---

CAP. V. — 2. O para honrar a su dios con tan bella oferta, como dice San Agustín. *De Civ. Dei.* XVII, c. 4, o para presentarle esta más preciosa parte del botín que había tomado, como dice Josefo, *Antiq. Iib.* VI, c. I. Créese que este ídolo Dagón era la Venus de Ascalón, adorada en la figura de una mujer que terminaba en pez.

9. Y conforme la iban así conduciendo de ciudad en ciudad, el Señor descargaba su mano sobre ellas, causando una mortandad grandísima; y hería a los moradores de cada pueblo desde el menor hasta el mayor; de modo que sus hemorroides, hinchadas y caídas, se corrompían; por lo que los geteos, discurriendo entre sí, se hicieron unos asientos de pieles.

10. Y enviaron el arca de Dios a Acarón. Mas llegada que fué allí, exclamaron los acaronitas, diciendo: Nos han traído el arca del Dios de Israel para que nos mate a nosotros y a nuestro pueblo.

11. Por lo cual hicieron que se juntasen todos los sátrapas de los filisteos, los cuales dijeron: Devolved el arca de Dios de Israel, y restitúyase a su lugar; a fin de que no acabe con nosotros y con nuestro pueblo.

12. Porque se difundía por todas las ciudades el terror de la muerte; y la mano de Dios descargaba terriblemente sobre ellas: pues aun los que no morían estaban llagados en las partes más secretas de las nalgas; y los alaridos de cada ciudad subían hasta el cielo.

## CAPITULO VI

*Es restituída el Arca del Señor.*

1. Estuvo, pues, el arca del Señor en el país de los filisteos por espacio de siete meses.

2. Y convocando los filisteos a los sacerdotes y adivinos, les dijeron: ¿Qué haremos del arca del Señor? Instruídnos en qué forma debemos remitirla a su lugar. A lo que respondieron:

3. Si remitís el arca del Dios de Israel, no habéis de remitirla vacía; sino pagadle *con algún presente* lo que debéis por el pecado, y entonces sanaréis; y conoceréis por qué la mano de Dios no cesa de castigaros.

4. Dijeron ellos: ¿Qué es lo que debemos pagarle en *expiación* por el pecado? A lo que les contestaron:

5. Haréis de oro cinco *figuras* de hemorroides, y otras tantas *figuras* de *ratones*, también de oro, conforme al número de las provincias de los filisteos; pues que todos vosotros y vuestros sátrapas habéis padecido una misma plaga. Por tanto, haréis unas figuras de hemorroides, y otras de los ratones que han talado la tierra, y daréis gloria al Dios de Israel: a ver si con esto levanta su mano de vosotros y de vuestros dioses y de vuestro país.

6. ¿Por qué endurecéis vuestros corazones, como endureció el suyo el Egipto y Faraón? ¿No es así que después de haber sido castigado *con varias plagas*, entonces soltó a los israelitas, para que se fuesen?

7. Ahora, pues, manos a la obra, haced un carro nuevo, y uncid al carro dos vacas recién paridas, que no hayan traído yugo; y encerrad en la boyera sus ternerillos.

8. Tomaréis después el arca del Señor, y la pondréis en el carro; colocando a su lado en un cofrecito las figuras de oro que le consagrasteis por el pecado y dejadla ir.

9. Y estaréis en observación, y si viéreis que toma el camino que va a su país hacia Betsamés, *sabed que* el Dios de Israel es quien nos ha causado tan grande mal: pero si no, no ha sido él; y sabremos que no es su mano la que nos ha azotado, sino que ha sido un efecto casual.

10. Hiciéronlo, pues, así puntualmente; y tomando dos vacas que daban de mamar a sus becerrillos, las uncieron al carro, y encerraron los ternerillos en la boyera.

11. Y pusieron sobre el carro el arca de Dios y el cofrecito que contenía los ratones de oro, y las figuras de las hemorroides.

12. Mas las vacas, habiendo comenzado a marchar se dirigieron vía recta por el camino que va a Betsamés, y seguían *como de acuerdo* el mismo camino, tirando adelante, y mugiendo, sin desviarse a la diestra ni a la siniestra. Los sátrapas de los filisteos fueron siguiendo detrás *en observación* hasta llegar al territorio de Betsamés.

13. Estaban los betsamitas segando el trigo en un valle, y alzando los ojos vieron el arca, cuya vista los llenó de gozo.

14. El carro llegó al campo del betsamita Josué, y se paró en él. Había allí una gran piedra, y haciendo pedazos la madera del carro, pusieron encima las vacas y las ofrecieron en holocausto al Señor.

---

CAP. VI. — 3. Sabréis entonces que vuestros males son efectos de la ira del Dios de los Hebreos, ofendido con las irreverencias que habéis cometido contra el Arca santa en que reside.

**15.** Mas los levitas bajaron el arca de Dios, y el cofrecito que estaba a su lado, donde venían los votos de oro, y colocáronla sobre aquella gran piedra. Entonces los betsamitas ofrecieron holocaustos *delante del arca,* e inmolaron en aquel día víctimas al Señor;

**16.** Lo cual vieron los cinco sátrapas de los filisteos, y el mismo día se volvieron a Acarón.

**17.** Y éstas *son las ciudades que ofrecieron* las hemorroides hechas de oro, que los filisteos tributaron al Señor para expiar el pecado: Azoto, Gaza, Ascalón, Get, Acarón, una cada ciudad.

**18.** Y los ratones de oro que ofrecieron, fueron tantos cuantas eran las poblaciones de los filisteos en las cinco provincias, comenzando desde las ciudades muradas, hasta las aldeas que no tienen muros; *todo el país* hasta la *piedra* grande *llamada después* Abel, sobre la cual habían colocado el arca del Señor, *piedra* que hasta hoy día está en la heredad de Josué, betsamita.

**19.** Mas el Señor castigó a los moradores de Betsamés, *y ciudades vecinas,* porque se pusieron a mirar *con curiosidad lo interior* del arca del Señor *contra lo mandado;* y mató setenta hombres *de los ancianos* del pueblo, y cincuenta mil del vulgo. Y prorrumpieron todos en llanto, al ver que el Señor había herido al pueblo con tan grande mortandad.

**20.** Por lo que dijeron los ciudadanos de Betsamés: ¿Quién podrá estar en la presencia de este Señor, de este Dios tan santo? ¿Y a qué lugar podrá trasladarse?

**21.** Enviaron, pues, mensajeros a los habitantes de Cariatíarin, diciendo: Los filisteos han restituído el arca del Señor: Bajad, y lleváosla otra vez.

## CAPITULO VII

*El Arca es llevada a Cariatíarin. Se convierten los Israelitas al Señor, y triunfan de los Filisteos.*

**1.** Vinieron, pues, los de Cariatíarin y transportaron el arca del Señor, y colocáronla en casa de Abinadab, que habitaba en Gábaa; consagrando a su hijo Eleazar, para que cuidase del arca del Señor.

**2.** Y sucedió que desde el día en que el arca del Señor llegó a Cariatíarin, pasó mucho tiempo (pues ya era el año vigésimo), y toda la casa de Israel gozó de paz siguiendo al Señor.

**3.** Porque Samuel habló a toda la casa de Israel, diciendo: Si de todo corazón os convertís al Señor, arrojad de en medio de vosotros los dioses ajenos, los Baales y los Astarot: y preparad vuestros corazones para el Señor y servidle a él solo; y os libertará del poder de los filisteos.

**4.** Entonces los hijos de Israel arrojaron de sí los Baales y los Astarot, y sirvieron a sólo el Señor.

**5.** Dijo también Samuel: Convocad en Masfa a todo Israel, para que yo haga oración por vosotros al Señor.

**6.** Congregáronse, pues, en Masfa, y sacaron agua y la derramaron en presencia del Señor ayunando aquel día, y diciendo: Hemos pecado contra el Señor. Y Samuel ejerció allí en Masfa las funciones de juez de Israel.

**7.** Mas oyendo los filisteos que los israelitas se habían congregado en Masfa, salieron sus sátrapas o *príncipes* contra Israel: lo cual sabiendo los hijos de Israel, temieron el encuentro de los filisteos.

**8.** Y dijeron a Samuel: No ceses de clamar por nosotros al Señor Dios nuestro, para que nos salve de las manos de los filisteos.

**9.** Tomó Samuel un cordero de leche, y ofrecióle entero en holocausto al Señor; y clamó Samuel al Señor por Israel, y oyó el Señor sus ruegos.

**10.** En efecto, mientras Samuel ofrecía el holocausto, comenzaron los filisteos el combate contra Israel; mas el Señor tronó en aquel día con espantoso estruendo contra los filisteos, y los aterró de tal suerte, que fueron derrotados por Israel.

**11.** Y los israelitas, habiendo salido de Masfa, persiguieron a los filisteos, y los fueron acuchillando hasta un lugar que cae debajo de Betcar.

**12.** Tomó, pues, Samuel una piedra y púsola entre Masfa y Sen, y llamó aquel lugar: piedra del socorro, diciendo: Hasta este lugar nos ha socorrido el Señor.

---

**18.** *Betsamés:* significa *luto o llanto:* nombre que se cree dado a aquel lugar por causa de la gran mortandad de los Betsamitas en castigo de la irreligiosa curiosidad con que miraron o registraron el Arca santa, abriéndola tal vez con el pretexto de ver si los Filisteos habían quitado las tablas de la Ley. Ya se ha dicho (*Núm.* IV, *v.* 15, 20), que aun a los Levitas les era prohibido bajo pena de muerte el mirar descubierta el Arca y los vasos sagrados, que ellos llevaban durante la peregrinación por el Desierto.

**10.** Por medio de algún sacerdote. Dícese muchas veces que hace uno lo que de orden suya hace otro. Nótese que el cordero pascual debía ser grandecito, y que ya no mamase; pero en cuanto a las demás víctimas, podían ofrecerse al cabo de siete dias de nacidas. *Exod.* XXII, *v.* 30. — *Lev.* XXII, *v.* 27.

**13.** Quedaron entonces humillados los filisteos, y ya no se atrevieron a venir más a las tierras de Israel. Así, pues, la mano del Señor se hizo sentir sobre los filisteos mientras vivió Samuel.

**14.** Y fueron restituídas a Israel las ciudades que los filisteos le tenían usurpadas, desde Acarón hasta Get, con sus términos; y libró *Samuel* a los israelitas de mano de los filisteos, y hubo paz entre Israel y el amorreo.

**15.** Continuó, pues, Samuel siendo juez de Israel, durante su vida.

**16.** E iba todos los años a Belén, y de allí a Gálgala, y después a Masfa, juzgando, *o administrando justicia* a Israel en estos lugares.

**17.** Volvíase después a Ramata, por tener allí su casa, donde juzgaba también a Israel; y donde asimismo edificó un altar al Señor.

## CAPITULO VIII

*Los Israelitas piden a Samuel que les de un rey, como tienen las otras naciones; sin querer atender a las reflexiones que les hace el Profeta.*

**1.** Mas como Samuel fuese ya viejo, sustituyó a sus hijos por jueces de Israel, *a modo de tenientes suyos.*

**2.** Llamábase su hijo primogénito Joel, y el segundo Abía: los cuales daban audiencia en Bersabée.

**3.** Mas no siguieron las pisadas de su padre Samuel, sino que se dejaron arrastrar por la avaricia, recibiendo regalos y torciendo la justicia.

**4.** Por lo que juntándose todos los ancianos de Israel, vinieron a Samuel que estaba en Ramata,

**5.** Y dijéronle: Ya ves que tú has envejecido, y que tus hijos no siguen tus pasos: constitúyenos un rey que nos gobierne, como lo tienen todas las naciones.

**6.** Este lenguaje desagradó a Samuel, al oír que le decían: Constitúyenos un rey que nos gobierne. Con todo, hizo oración *y consultó* al Señor.

**7.** Y el Señor le dijo: Escucha la voz de ese pueblo, *y condesciende* a todo lo que te pide: porque no te han desechado a ti, sino a mí para que no reine sobre ellos.

**8.** Hacen lo que han hecho siempre desde el día en que los saqué de Egipto hasta hoy: como me abandonaron a mí por servir a dioses ajenos, así hacen contigo.

**9.** Ahora, pues, otórgales su petición; pero primero hazles presente y anúnciales el poder del rey que reinará sobre ellos.

**10.** Refirió, pues, Samuel al pueblo que le había pedido rey todas las palabras del Señor,

**11.** Y dijo: Esta será la potestad del rey que os de mandar: tomará vuestros hijos, y los destinará para guiar sus carros, y para ser sus guardias de a caballo, y para que corran delante de sus tiros de cuatro caballos.

**12.** De ellos sacará sus tribunos y centuriones, los cultivadores de sus tierras, los segadores de sus mieses, y los artífices de sus armas y de sus carros.

**13.** Hará asimismo que vuestras hijas sean sus perfumeras, sus cocineras y sus ganaderas.

**14.** *Y, lo que es más*, os quitará también lo mejor de vuestros campos, viñas y olivares, y lo dará a sus criados.

**15.** Además diezmará vuestras mieses, y los productos de las viñas para darlos a sus eunucos *o ministros*, y a otros de sus criados.

**16.** Tomará también vuestros siervos y siervas y vuestros robustos jóvenes, y vuestros asnos, y los hará trabajar para él.

---

**15.** Aun después de elegido rey Saúl, continuó Samuel gozando de grande autoridad. Y parece que siguió administrando justicia al pueblo, y siendo el consejero de la nación y del mismo rey en los negocios concernientes a la Religión y al Estado. Samuel vivió cerca de cien años, y era de cuarenta cuando fué hecho juez o gobernador de Israel.

**16.** Aquí se da la idea de un excelente pastor del pueblo, que va visitando el país, y ofreciéndose a todos para que sin gastos ni viajes pudiesen terminar sus disputas y pleitos. Aunque Samuel fué ofrecido por su madre al servicio del Tabernáculo, aquí se ve cómo el voto particular debe ceder siempre al bien público y a la voluntad de Dios. Samuel edificó en Ramata un altar al Señor: el cual para consuelo del profeta, o para avivar la piedad del pueblo que concurría allí para tratar con Samuel, dispensó en esta ocasión la Ley que lo prohibía. Deuter. XII, v. 3, 4, 5.

---

**CAP. VIII.** — **6.** Dios se había declarado Rey de su pueblo escogido y le había gobernado de un modo diferente que a las otras naciones. Mas deslumbrados los Israelitas con el esplendor de los reyes de las naciones vecinas, quisieron también tenerle. Samuel consultó luego a Dios lo que había de hacer; y Dios quiso que antes de condescender, explicara a los judíos la manera con que trataban los reyes vecinos a sus pueblos. Era muy común el despotismo en los soberanos de Oriente. Pero el Señor previendo todo esto, había prescrito ya otras reglas a los futuros reyes de Israel. *Deuter.* XVII, v. 14.

**17.** Diezmará asimismo vuestros ganados, *y todos* vosotros vendréis a ser esclavos suyos.

**18.** Por lo que alzaréis el grito en aquel día a causa del rey que os elegísteis: y entonces el Señor no querrá oír vuestros clamores; porque vosotros mismos pedisteis tener un rey.

**19.** Pero el pueblo no quiso dar oídos a las razones de Samuel, sino que dijeron *todos*: No, no: ha de haber rey sobre nosotros.

**20.** Y nosotros hemos de ser como todas las naciones: nuestro rey nos administrará la justicia, y saldrá a nuestro frente y combatirá por nosotros en todas las guerras.

**21.** Oyó Samuel todas las palabras del pueblo, y las hizo presentes al Señor.

**22.** Pero el Señor dijo a Samuel: Haz lo que te piden, y nómbrales un rey. Dijo, pues, Samuel a los ancianos de Israel: Váyase cada cual a su ciudad.

## CAPITULO IX

*Buscando Saúl unas pollinas de su padre, llega donde estaba Samuel; el cual le declara que ha de ser rey de Israel.*

**1.** Vivía en esta sazón un hombre de la tribu de Benjamín, llamado Cis, hijo de Abiel, hijo de Seror, hijo de Becorat, hijo de Afía, hijo de Jemini, varón fuerte y valeroso.

**2.** Tenía éste un hijo llamado Saúl, joven gallardo y de tan bella presencia que no le había más bien dispuesto entre todos los israelitas; sobrepujando lo que va de hombros arriba a todos ellos.

**3.** Habíanse perdido unas pollinas de Cis, padre de Saúl; por lo que dijo Cis a Saúl su hijo: Toma contigo un criado, y anda a ver si encuentras las pollinas. Ellos habiendo atravesado la montaña de Efraím,

**4.** Y el territorio de Salisa, sin haberlas hallado, pasaron asimismo a tierra de Salim, y no parecían; y también a tierra de Jemini, y en ninguna parte dieron con ellas.

**5.** Venidos, finalmente, al territorio de Suf, dijo Saúl al criado que le acompañaba: Ven y volvámonos; no sea que mi padre, dejado ya el cuidado de las pollinas, esté en pena por nosotros.

**6.** Respondióle el criado: Mira que en esta ciudad habita un varón de Dios, varón insigne: todo cuanto anuncia, se verifica sin falta: vamos, pues, allá, por si nos da luz acerca del objeto de nuestro viaje.

**7.** Dijo entonces Saúl a su criado: Bien está, iremos; pero, ¿qué presente llevaremos al varón de Dios? No hay ya pan en nuestras alforjas, ni tenemos dinero, ni cosa alguna que darle.

**8.** Replicó de nuevo el criado a Saúl, y dijo: He aquí la cuarta parte de un siclo de plata, con que me encuentro por casualidad: se la daremos al varón de Dios, cuando vayamos a saber de él lo que debemos hacer.

**9.** (Antiguamente en Israel solían hablar así: Venid, y vamos al Vidente. Pues el que hoy se llama Profeta, se llamaba entonces Vidente).

**10.** Respondió Saúl a su criado: Dices muy bien: vamos allá. Y fueron a la ciudad donde vivía el varón de Dios.

**11.** Al subir la cuesta que conduce a ella, encontraron unas doncellas que salían por agua, y las preguntaron: ¿Está aquí el Vidente?

**12.** Respondieron diciendo: Aquí está: no le tienes muy lejos de ti. Date prisa, porque ha venido hoy a la ciudad, por ser día en que el pueblo ha de ofrecer sacrificio en el lugar excelso.

**13.** Entrando en la ciudad, luego le hallaréis, pues no habrá subido todavía al lugar excelso a comer. Porque el pueblo no comerá hasta que él llegue, por cuanto él es quien bendice el sacrificio, y después se ponen a comer los convidados. Así, pues, subid presto, que ahora le hallaréis.

**14.** Con esto subieron a la ciudad. Y andando por ella, vieron a Samuel que venía hacia ellos para subir al lugar excelso.

**15.** Es de saber que un día antes de la llegada de Saúl, el Señor le había revelado a Samuel secretamente, diciéndole:

---

**8.** Muchas veces se nota en la Sagrada Escritura el uso común entre los antiguos de no presentarse nunca a un profeta, a un rey o a un gran señor sin llevarle algún presente en señal de veneración y a manera de tributo. Así lo hicieron los Magos al ir a adorar a Jesús. Véase aquí mismo Cap. X, *v.* 27.

**13.** Después del sacrificio pacífico se celebraba un convite. Samuel, como se ha dicho más arriba (cap. VII), había erigido un altar en una cumbre del monte. Muchas veces se hace mención en la Escritura de *los lugares excelsos,* que comúnmente, en otros lugares de la Escritura, se entienden en mala parte; pues se solía adorar a los ídolos.

---

CAP. IX. — 5. *Suf:* cerca de Ramata, patria de Samuel.

**16.** Mañana a esta misma hora te enviaré un hombre de la tierra de Benjamín, y le ungirás por caudillo de mi pueblo de Israel; y él salvará a mi pueblo de las manos de los filisteos: porque yo he vuelto mis ojos hacia el pueblo mío, por cuanto sus clamores han llegado hasta mí.

**17.** Y así fué, que luego que Samuel vió a Saúl, díjole el Señor: Ese es el hombre de quien te hablé: ese reinará sobre mi pueblo.

**18.** Acercóse, pues, Saúl a Samuel estando en medio de la puerta, y díjole: Suplícote me informes dónde está la casa del Vidente. Y Samuel le respondió, diciendo:

**19.** Yo soy el Vidente: Sube delante de mí al lugar excelso; porque hoy comerás conmigo, y mañana te despacharé, después de haberte manifestado todo lo que tienes en tu corazón.

**20.** Y acerca de las pollinas que perdiste tres días hace, no estés con cuidado porque ya parecieron. Mas, ¿y de quién será todo lo mejor de Israel? Por ventura, ¿no será para ti, y para toda la casa de tu padre?

**21.** A lo que replicando Saúl, dijo: ¿Pues no soy yo hijo de Jemini, de la tribu más pequeña de Israel? ¿Y no es mi familia la última entre todas las de la tribu de Benjamín? ¿Por qué me hablas de esa manera?

**22.** Empero, Samuel tomando consigo a Saúl y al criado, introdújolos en la sala del convite, y los colocó a la cabecera de la mesa, *distinguiéndolos* sobre todos los convidados, que eran como unas treinta personas.

**23.** Y dijo Samuel al cocinero: Saca la porción que te di, mandándote que la guardases aparte.

**24.** Sacó entonces el cocinero una espaldilla, y púsola delante de Saúl. Y dijo Samuel: Mira, eso quedó reservado: tómalo y come; puesto que de propósito lo he hecho reservar para ti, cuando he convidado al pueblo. Y comió Saúl con Samuel aquel día.

**25.** Y habiendo bajado del lugar excelso a la ciudad, Samuel conversó con Saúl en el terrado. Allí se echó Saúl y durmió.

**26.** Por la mañana, levantándose al rayar el día, Samuel llamó a Saúl que estaba en el terrado, diciendo: Ven, y te despacharé. Fué Saúl, y marcharon los dos, a saber, él y Samuel.

**27.** Y cuando descendían a la parte más baja de la ciudad, dijo Samuel a Saúl: Di al criado que pase y vaya delante de nosotros, mas tú párate un poco, que quiero comuni-

carte lo que ha dicho *y dispuesto sobre ti* el Señor.

## CAPITULO X

*Saúl ungido rey por Samuel, es elegido y proclamado en Masfa.*

**1.** Entonces sacó Samuel una redomita de óleo o *bálsamo,* y derramóla sobre la cabeza de Saúl, y besóle, diciendo: He aquí que el Señor te ha ungido para príncipe sobre su herencia, y tú librarás a su pueblo de las manos de sus enemigos que le rodean. Esta señal tendrás de que Dios te ha ungido para príncipe.

**2.** Cuando hoy te hayas separado de mí encontrarás dos hombres junto al sepulcro de Raquel en la frontera de Benjamín, hacia la parte meridional, que te dirán: Se han hallado ya las pollinas que fuiste a buscar; y no pensando ya tu padre en ellas, está inquieto por causa de vosotros, y dice: ¿Qué le habrá sucedido a mi hijo?

**3.** Y luego que partas de allí, y pases más adelante,. en llegando a la encina de Tabor, encontrarás tres hombres, que irán a adorar a Dios en Betel, uno que llevará tres cabritos, otro tres hogazas de pan, y el tercero una bota de vino.

**4.** Y habiéndote saludado te darán dos panes, que tú recibirás de su mano.

**5.** Después que llegues al collado de Dios, donde está el presidio de los filisteos, y entres en la ciudad, encontrarás una compañía o *coro* de profetas, que bajan del lugar excelso, precedidos de salterio, tambor y flauta, y cítara, y ellos profetizando.

**6.** Y te arrebatará el espíritu del Señor, y profetizarás con ellos, y quedarás mudado en otro hombre.

**7.** Cuando vieres, pues, cumplidas todas estas señales, haz *osadamente* cuanto te ocurra deber hacer; porque contigo está el Señor.

---

CAP. X. — 1. El uso de ungir a los reyes fue en el pueblo hebreo como una predicción del Mesías, el cual debía ser juntamente *Rey, Sacerdote y Profeta.* S. Ag. *Ps.* 44. — Muchos Santos Padres creen que se hacía la unción de los reyes con el mismo óleo que la de los Sacerdotes de que se habla. *Exod.* XXX, *v.* 23.

3. *Betel:* Tenían los Hebreos gran veneración a este lugar por la aparición de la misteriosa escala. *Gen.* XXVIII.

**8.** Después descenderás antes que yo a Gálgala (donde iré a encontrarte), para ofrecer holocaustos, y sacrificar víctimas pacíficas *al Señor*. Me aguardarás siete días, hasta tanto que yo llegue, y te declare lo que debes hacer.

**9.** Así que Saúl volvió las espaldas y se separó de Samuel, mudóle Dios el corazón en otro, y le sucedieron aquel día todas estas señales.

**10.** *En efecto,* llegados al collado arriba dicho, he aquí que se encuentra con un coro de profetas, y arrebatado del espíritu del Señor se puso a profetizar, *o cantar* en medio de ellos.

**11.** Y viendo los que le habían conocido poco antes, cómo estaba con los profetas profetizando, dijéronse unos a otros: ¿Qué es esto que ha sucedido al hijo de Cis? Pues qué, ¿también Saúl es uno de los profetas?

**12.** Sobre lo cual respondieron algunos: ¿Y quién es el padre de estos otros profetas? Por donde pasó a proverbio: Pues qué, ¿también Saúl es uno de los profetas ?

**13.** Y cesó Saúl de profetizar, y fuése al lugar alto, *a Gábaa, su patria.*

**14.** Y un tío suyo le dijo a él y a su criado: ¿Adónde habéis ido? Respondiéronle: A buscar las pollinas; y no habiéndolas encontrado, nos dirigimos a Samuel.

**15.** Díjole su tío: Cuéntame lo que te ha dicho Samuel.

**16.** Respondió Saúl: Nos hizo saber que habían parecido las pollinas. Mas no le descubrió nada de lo que Samuel le había dicho acerca del reino.

**17.** Después de esto convocó Samuel al pueblo delante del Señor, en Masfa.

**18.** Y dijo a los hijos de Israel: Esto dice el Señor Dios de Israel: Yo saqué a Israel de Egipto, y os libré de las manos de los egipcios y de las manos de todos los reyes que os oprimían.

**19.** Mas vosotros en el día habéis desechado a vuestro Dios, sólo el cual os ha salvado de todos los males y tribulaciones, y habéis dicho: No más así: establécenos un rey que nos gobierne. Ahora, pues, presentaos delante del Señor por el orden de vuestras familias.

**20.** Y sorteó Samuel todas las tribus de Israel, y cayó la suerte sobre la tribu de Benjamín.

**21.** Sorteó después las familias de la tribu de Benjamín, y tocó la suerte a la familia de Metri, y finalmente a Saúl, hijo de Cis. Buscáronle luego, mas no pudieron encontrarle.

**22.** Con esto consultaron al Señor para saber si comparecería allí Saúl. A lo que respondió el Señor: A estas horas está escondido en su casa.

**23.** Fueron, pues, corriendo, y trajéronle de allí; y así que estuvo en medio del pueblo, se vió que era más alto que todos los demás todo lo que va de hombros arriba.

**24.** Dijo entonces Samuel a todo el pueblo: Ya véis a quién ha elegido el Señor, y que no hay en todo el pueblo uno semejante a él. Y gritó todo el pueblo, diciendo: Viva el rey.

**25.** En seguida expuso Samuel al pueblo la ley de la monarquía, y escribióla en un libro, que depositó *en el tabernáculo* delante del Señor; después de lo cual despidió Samuel a todo el pueblo, cada cual a su casa.

**26.** También Saúl se fué a su casa, en Gábaa; siguiéndole parte del ejército, aquéllos cuyos corazones había movido el Señor.

**27.** Al contrario, los hijos de Belial, *o los inobedientes al Señor,* dijeron: ¿Por ventura podrá éste salvarnos? Y le despreciaron, y no le ofrecieron los donativos *acostumbrados:* mas él disimuló, haciendo como que no lo entendía.

## CAPITULO XI

*Guerras de los Amonitas contra la ciudad de Jabes de Galaad. Saúl la socorre y vence a aquéllos; y es confirmado rey en Gálgala.*

**1.** Pasado casi un mes, Naás, amonita, se puso en movimiento y comenzó a batir a Jabes de Galaad. Y todos los habitantes de Jabes dijeron a Naás: Haz alianza con nosotros, y seremos siervos *o tributarios* tuyos.

**2.** Respondióles Naás, amonita: Haré alianza con vosotros en sacándoos a todos el ojo derecho, y poniéndoos por oprobio de todo Israel.

**3.** Dijéronle los ancianos de Jabes: Concédenos siete días, a fin de enviar mensajeros por todos los términos de Israel, y si no hubiere quien nos defienda, nos rendiremos a ti.

**4.** Llegaron, pues, los mensajeros a Gábaa, *patria* de Saúl, y refirieron lo dicho, escuchándolo el pueblo; todo el cual a voz en grito echó a llorar.

5. Venía a la sazón Saúl del campo en pos de sus bueyes, y preguntó: ¿Qué llanto es ése del pueblo? Y contáronle lo que habían enviado a decir los habitantes de Jabes.

6. Al oírlo quedó arrebatado del espíritu del Señor. E irritado sobremanera,

7. Tomó los dos bueyes, y los hizo trozos; los que envió por todos los términos de Israel por medio de unos mensajeros que dijesen: Así serán tratados los bueyes de todo aquél que no saliere a campaña, y no siguiere a Saúl y a Samuel. Con esto se apoderó del pueblo el temor del Señor, y salieron todos *a una,* como si fueran un hombre solo.

8. Pasó *Saúl* revista de ellos en Becec, y halláronse trescientos mil hombres de los hijos de Israel, y treinta mil de *sola* la tribu de Judá.

9. Y respondieron a los mensajeros que habían venido de Jabes: Diréis a los habitantes de Jabes de Galaad: Mañana, en calentando el sol, seréis socorridos. Partieron, pues, los mensajeros, y llevaron esta nueva a los habitantes de Jabes, que la recibieron con grande alegría.

10. Los cuales dijeron *a los enemigos:* Mañana saldremos a vosotros, y nos trataréis como os pluguiere.

11. Venido, pues, el día siguiente, dividió Saúl el ejército en tres cuerpos, y al rayar el alba entró por medio de los reales de los amonitas, y los estuvo acuchillando hasta que el sol comenzó a calentar: desparramándose de tal suerte los que escaparon, que no quedaron dos de ellos juntos.

12. Entonces dijo el pueblo a Samuel: ¿Quiénes son los que decían: Saúl ha de ser acaso nuestro rey? Entréganos esos hombres, y los mataremos.

13. Mas Saúl les dijo: Ninguno ha de morir en este día; ya que hoy el Señor ha salvado a Israel.

14. Después dijo Samuel al pueblo: Venid y vamos a Gálgala, y confirmemos allí *a Saúl en* el reino.

15. Encaminóse, pues, todo el pueblo a Gálgala, y allí reconocieron *nuevamente* por rey a Saúl en presencia del Señor, e inmolaron al Señor víctimas pacíficas; regocijándose

mucho en aquel sitio así Saúl como todos los hijos de Israel.

## CAPITULO XII

*Justificación de la buena conducta de Samuel testificada por el pueblo, a quien convence de ingrato para con Dios: le exhorta a ser fiel al Señor; y le promete que continuará rogando por él.*

1. Entonces dijo Samuel a todo el pueblo de Israel: Ya veis que he condescendido con vosotros en todo lo que me habéis propuesto; y que os he dado un rey.

2. Y este rey se halla ya al frente de vosotros. Yo ya soy viejo y lleno de canas, y mis hijos con vosotros están. Entre vosotros he vivido desde mi juventud hasta hoy día: aquí me tenéis presente.

3. Declarad contra mí delante del Señor y de su ungido, si acaso yo he usurpado el buey o el asno *u otra cosa* de ninguna persona, si he calumniado a nadie, si le he oprimido, si he aceptado cohecho, *ni regalo alguno* de quien quiera que sea: que hoy os satisfaré, y lo restituiré.

4. A lo que dijeron: No nos has calumniado ni oprimido, ni has tomado de nadie cosa chica ni grande.

5. Repúsoles Samuel: Testigo es el Señor contra vosotros, y testigo su ungido en este día de que no habéis hallado nada que decir contra mi conducta. Respondieron: Testigo.

6. Y dijo Samuel al pueblo: Sí: testigo me es aquel Señor que crió a Moisés y a Aarón, y sacó a vuestros padres de la tierra de Egipto.

7. Ahora bien, compareced vosotros para que yo delante del Señor os haga cargo en juicio de todas las misericordias que os hizo a vosotros y a vuestros padres.

8. *Acordáos* de cómo Jacob entró en Egipto, y de qué manera clamaron vuestros padres al Señor: el cual envió a Moisés y Aarón, y sacó vuestros padres de Egipto, y los estableció en este país.

9. Mas aquéllos se olvidaron del Señor Dios suyo: por lo que los entregó en poder de Sísara, capitán general del ejército de Hasor y en poder de los filisteos, y en poder *también* del rey de Moab, que les hicieron guerra.

10. Pero después clamaron al Señor, diciendo: Hemos pecado; pues abandonamos al Señor, y hemos servido a Baal y a Astarot: ahora, pues, líbranos de las manos de nuestros enemigos y te serviremos.

---

CAP. XI. — 5. Ahora nos parece una cosa muy extraña ver a un rey que iba a arar su tierra, mas no lo era entonces. David, elegido rey, volvió a apacentar sus rebaños. Aun entre los Romanos se vió llamar para cónsul a quien estaba arando; y el mismo concepto tenían los Griegos de las labores del campo.

**11.** Con efecto, el Señor envió a Jerobaal, y a Badán, y a Jefté y a Samuel y os libró del poder de vuestros enemigos que os rodeaban, y vivisteis en seguridad.

**12.** Pero viendo que Naás, rey de los amonitas, marchaba contra vosotros, me dijisteis: No ha de ser como hasta aquí, sino que nos ha de mandar un rey: siendo así que era entonces el *mismo* Señor Dios vuestro el que reinaba en medio de vosotros.

**13.** Ahora bien, aquí tenéis a vuestro rey; ya que vosotros escogisteis y pedisteis tenerle: ya veis cómo el Señor os ha dado rey.

**14.** *Con todo,* si temiereis al Señor y le sirviereis, y escuchareis su voz, y no fuereis rebeldes a sus palabras, entonces, así vosotros como el rey que os gobierna, seréis *dichosos,* siguiendo al Señor Dios vuestro.

**15.** Mas si no escuchareis la voz del Señor, y fuereis rebeldes a sus mandatos, descargará sobre vosotros la mano del Señor, como *hizo* sobre vuestros padres.

**16.** Pero aguardad ahora un poco, y veréis este prodigio que va el Señor a hacer delante de vuestros ojos.

**17.** ¿No estamos ahora en la siega de los trigos? Pues yo voy a invocar al Señor, y enviará *repentinamente* truenos, y lluvias; a fin de que entendáis y veáis cuán grande es delante del Señor el mal que habéis hecho pidiendo un rey.

**18.** Clamó, pues, Samuel al Señor, y el Señor envió truenos y lluvias en aquel mismo día:

**19.** Con lo que todo el pueblo temió en gran manera al Señor y a Samuel, y dijeron todos juntos a Samuel: Ruega por tus siervos al Señor Dios tuyo, para que no muramos; porque a todos los demás pecados nuestros hemos añadido aún la maldad de pedir un rey que nos gobernase.

**20.** Dijo entonces Samuel al pueblo: No temáis. Vosotros *es verdad* habéis cometido todos esos pecados; sin embargo, no os apartéis del camino del Señor, sino servidle de todo vuestro corazón.

**21.** Ni queráis descarriaros en pos de cosas vanas, que no os aprovecharán de nada, ni os librarán; puesto que no son más que vanidad *y mentira.*

**22.** Porque el Señor, por amor de su nombre grande *y santo,* no desamparará su pueblo, habiendo jurado tomaros por propio pueblo suyo.

**23.** Por lo demás, lejos de mí cometer tal pecado contra el Señor, que yo cese *nunca* de rogar por vosotros: yo os enseñaré siempre el recto y buen camino.

**24.** Así, pues, temed al Señor y servidle de veras y de todo vuestro corazón, ya que habéis visto las maravillas que ha obrado entre vosotros.

**25.** Mas si os obstináis en la malicia, pereceréis juntamente vosotros y vuestro rey.

## CAPITULO XIII

*Guerra entre los Filisteos e Israelitas: éstos temen y se esconden. Saúl es desobediente a Dios, por quien es reprobado. Medio de que se valen los Filisteos para tener desarmado a Israel.*

**1.** Era Saúl cuando comenzó a reinar, *inocente como un* niño de un año, y reinó *así* dos años sobre Israel.

**2.** Y escogióse tres mil hombres de Israel; de los cuales dos mil estaban con Saúl *enfrente* de Macmas, y en el monte de Betel; y los otros mil con Jonatás *enfrente de* Gábaa de Benjamín: y despidió todo el resto del pueblo, cada uno a su casa.

**3.** Y Jonatás pasó a cuchillo la guarnición de los filisteos, puesta en Gábaa: lo que supieron *luego* los filisteos. Y Saúl mandó publicarlo a son de trompeta por todo el país, diciendo: Sepan esto los hebreos.

**4.** Y corrió por todo Israel la noticia de que Saúl había destrozado la guarnición de los filisteos: con lo que cobró Israel aliento contra ellos; y acudió con algazara a Saúl en Gálgala.

**5.** También los filisteos se congregaron para pelear contra Israel, con treinta mil carros de guerra, seis mil caballos, y gente *de a pie,*

---

**17.** Tiempo en que allí jamás llueve ni truena. La siega se hacía a fines de junio y principio de julio; y en este tiempo jamás habían visto llover en aquel país, particularmente en Judea, según dice San Jerónimo. In *Amos* Cap. IV, *v.* 7.

---

**1.** Puede traducirse: *Un año llevaba Saúl desde que había comenzado a reinar, e iba corriendo el segundo de su reinado en Israel,* etc.

**3.** Estos Israelitas habitaban la otra parte del Jordán, y por eso son llamados *Hebreos:* esto es, *hombres de la otra parte.*

**5.** En vez de *treinta mil,* el texto siríaco y el árabe dicen *tres mil.* La mayor parte de los críticos observan con razón que en lugar de *schelosch, tres,* se puso por equivocación de algún amanuense *scheloschim,* treinta.

en tanto número como las arenas de la orilla del mar; y avanzando, se acamparon en Macmas, al oriente de Betavén *o Betel.*

**6.** Viéndose los Israelitas estrechados, *o en apuro* (estando ya desalentado todo el pueblo), ocultáronse en cuevas y subterráneos, y entre peñascos, y en las grutas y cisternas.

**7.** Parte de los hebreos pasaron el Jordán, retirándose a la tierra de Gad y de Galaad. *En suma* estando todavía Saúl en Gálgala, cayó todo el pueblo que le seguía en un terror grande.

**8.** Estuvo Saúl esperando siete días, según el plazo señalado por Samuel; mas Samuel no compareció en Gálgala; y poco a poco se le iba marchando toda la gente.

**9.** Dijo, pues, Saúl: Traedme el holocausto y las hostias pacíficas. Y él mismo ofreció el holocausto.

**10.** Acabado que hubo de ofrecer el holocausto, he aquí que llegaba Samuel, y Saúl le salió al encuentro para saludarle.

**11.** Y díjole Samuel: ¿Qué has hecho? Respondió Saúl: Como vi que me iba abandonando la gente, y que tú no venías en el plazo señalado, y los filisteos por una parte se habían juntado en Macmas,

**12.** Dije para mí: Ahora los filisteos bajarán contra mí a Gálgala, y yo aún no he aplacado al Señor. Forzado, pues de la necesidad, he ofrecido el holocausto.

**13.** Dijo Samuel a Saúl: Has obrado neciamente, no cumpliendo los mandatos que te

intimó el Señor Dios tuyo. Que si eso no hicieras, desde ahora hubiera el Señor asegurado para siempre tu reino sobre Israel.

**14.** Mas ya tu reino no durará por mucho tiempo. El Señor se ha buscado un varón, según su corazón; al cual ha llamado a ser caudillo de su pueblo; por cuanto tú no guardaste lo mandado por el Señor.

**15.** Con esto se retiró Samuel, y subió de Gálgala a Gábaa de Benjamín. Lo restante de la gente avanzó siguiendo a Saúl contra unos *enemigos* que asaltaban en el cerro de Benjamín a los que iban de Gálgala a Gábaa. Saúl, hecha la revista de la gente que tenía, se halló con unos seiscientos hombres.

**16.** Estaban, pues, Saúl y Jonatás su hijo, y su tropa, en Gábaa de Benjamín: los filisteos, empero, habían puesto su campo en Macmas

**17.** Y saliendo tres bandas de filisteos al pillaje, una tomó el camino de Efra hacia la tierra de Sual.

**18.** Otra marchó por el camino que va a Betorón y la tercera se dirigió hacia el camino del collado que domina al valle de Seboím, enfrente del desierto.

**19.** En toda la tierra de Israel no se hallaba un herrero: porque los filisteos habían tomado esta precaución, para que los hebreros no forjasen espadas ni lanzas.

**20.** Por manera que todo Israel tenía que acudir a los filisteos para aguzar la reja, el azadón, la segur, y el escardillo.

**21.** Por esto estaban embotados los filos de las rejas, y azadones, y horquillas, y segures; y hasta para componer una aguijada había que recurrir a ellos.

**22.** Y así fué que venido el día de la batalla, no se halló entre toda la gente que tenía consigo Saúl y Jonatás quien tuviese en su mano espada o lanza, a excepción de Saúl y de su hijo Jonatás.

**23.** Y salió un cuerpo de filisteos, y avanzó hasta más allá de Macmas.

---

Aunque la Escritura nos dice que los magistrados, las mujeres, etc., se servían de asnos (como de más comodidad), sería muy ridículo inferir de aquí que los Cananeos y Filisteos no usaban de caballos para la guerra.

**8.** Esperó Saúl siete días, pero no enteros; pues el séptimo ya ofreció el sacrificio; y apenas éste acababa de ser ofrecido, cuando llegó Samuel. A los ojos de los hombres pudo parecer excusable esta acción de Saúl; pero no según los juicios de Dios siempre rectos e infalibles. Las excusas que dió Saúl no eran para alcanzar el perdón, sino para disculpar su inobediencia al precepto de Dios, y nacían de su soberbia, como notó San Gregorio. — También es de notar que antiguamente todo hombre apto para las armas estaba obligado a salir contra el enemigo; de suerte que el ejército era la nación entera, como sucede aún hoy en día entre los Maronitas, Drusos, etc. Un filósofo incrédulo, hablando de la Siria, observa que una pequeña extensión de tierra puede contener allí una población muchísimo mayor que en otras partes, y concluye haciendo ver que no debe admirarse que un pequeño reino como el de los Judíos juntase doscientos o trescientos mil hombres contra el enemigo. Así discurre un autor favorito de los incrédulos en su *Viaje a Siria y Egipto.*

**22.** Esta falta de artífices petenece a una época anterior; esto es, a los tiempos de Helí o de Samsón. Continuó esta privación en tiempo de Samuel; y tal vez por esto se adiestrarón los Hebreos en el manejo de la honda y del arco. Como los Filisteos tenían varias guarniciones en diferentes pueblos de la Judea, hallaban en ellos los Judíos artífices filisteos para los instrumentos de labranza y demás obras de herrería.

## CAPITULO XIV

*Jonatás lleno de confianza en Dios, desbarató*
*acompañado de su escudero, el ejército de*
*los Filisteos; y por causa de un juramento de*
*su padre estuvo a punto de perder la vida.*

**1.** Sucedió un día que Jonatás, hijo de Saúl,
dijo al joven su escudero: Ven, y lleguemos
hasta donde están apostados los filisteos, que
es más allá de aquel lugar. Pero no dió parte
de esto a su padre.

**2.** Y estaba Saúl *acampado* en la extremidad del territorio de Gábaa, debajo de un granado que había en Magrón. Y tenía consigo
un tercio de gente como de unos seiscientos
hombres.

**3.** Aquías, hijo de Aquitob, hermano de
Icabod, hijo de Finées, y nieto de Helí, *sumo*
sacerdote del Señor en Silo, estaba revestido
del efod. Asimismo el pueblo no sabía adónde había ido Jonatás.

**4.** Entre los repechos por donde intentaba
Jonatás atravesar hasta el apostadero de los
filisteos, descollaban por entrambos lados altos peñascos y dos picos cortados por uno y
otro lado a manera de dientes; de los cuales
uno se llamaba Boses, y el otro Sene.

**5.** El uno se levantaba enfrente a Macmas
por la parte del norte, y el otro al mediodía
hacia Gabáa.

**6.** Dijo, pues, Jonatás al joven su escudero:
Ven, y pasemos al apostadero de estos incircuncisos; quizá el Señor combatirá por nosotros, y venceremos: porque le es igualmente
fácil a Dios el dar la victoria con mucha que
con poca gente.

**7.** Respondióle su escudero: Haz cuanto te
pareciere: ve adonde gustares, que yo te seguiré a todas partes.

**8.** Añadió Jonatás: Mira: nosotros nos vamos acercando a esos hombres. Si luego que
nos hayan descubierto nos dijeren:

**9.** Esperad ahí hasta que vayamos a vosotros, quedémonos quietos, y no avancemos
hacia ellos.

**10.** Pero si dijeren: Llegáos acá, avancemos, porque los ha puesto el Señor en nuestras manos. Esto nos servirá de señal.

---

CAP. XIV. — 1. La empresa de Jonatás, considerada con la sola luz de la prudencia humana, parece temeraria; pero no si se considera la fe y esperanza que tuvo en Dios, fundada en las solemnes
promesas que el Señor de todo lo criado había hecho al pueblo de Israel; y especialmente en la que
acababa de hacer (Cap. IX, *v.* 16) de la completa
victoria que Saúl conseguiría de los Filisteos.

**11.** Luego, pues, que los dos fueron descubiertos por la guardia de los filisteos, dijeron
éstos: He allí los hebreos que van saliendo de
las cavernas, donde se habían escondido.

**12.** Y algunos soldados de la guardia *avanzada*, dirigiéndose a Jonatás y a su escudero,
les dijeron: Acercáos a nosotros, que tenemos que deciros una cosa. Con esto dijo
Jonatás a su escudero: Subamos; sígueme:
porque el Señor los ha entregado en manos
de Israel.

**13.** Subió, pues, Jonatás, trepando con
manos y pies, y en pos de él su escudero; y
*arremetiendo los enemigos*, unos caían a los
pies de Jonatás, y a otros mataba su escudero que le había seguido.

**14.** Y este fué el primer destrozo en que
Jonatás y su escudero mataron como unos
veinte hombres, en el espacio de tierra que
suele arar una yunta de bueyes en medio día.

**15.** Esparcióse luego un terror pánico por
todos los reales de los filisteos y *demás tropa* que estaba en la campaña; pues aun toda
la tropa de aquellas bandas que habían salido al pillaje, se llenó de pavor, y conmovióse el país; y el suceso fué como un milagro
de Dios.

**16.** Entre tanto las avanzadas de Saúl,
apostadas en Gábaa de Benjamín, repararon,
y vieron una multitud de gente tendida en el
suelo, y otros que huían y escapaban por todos lados.

**17.** Dijo entonces Saúl a los que con él estaban: Inquirid y averiguad quién se ha salido de nuestro campamento. Habiéndolo
averiguado hallaron que faltaban Jonatás y
su escudero.

**18.** Dijo Saúl a Aquías: Acércate al arca de
Dios (porque en aquel día el arca de Dios se
hallaba allí con los hijos de Israel).

**19.** Mientras que Saúl estaba hablando
con el sacerdote, se oyó un ruido confuso,
como de un grande alboroto, *que viniendo*
de los reales de los filisteos iba creciendo
poco a poco, y se percibía cada vez más.
Entonces dijo Saúl al sacerdote: Baja tus manos, *deja de consultar.*

**20.** Al punto Saúl y toda su gente alzaron
el grito, y fueron hasta el lugar del alboroto,
y hallaron que los filisteos habían tirado de
las espadas unos contra otros, siendo grandísima mortandad.

**21.** Además los hebreos que en los días
anteriores se habían pasado a los filisteos, y
estaban con éstos en el campamento, volviéronse a incorporar con los israelitas que estaban con Saúl y Jonatás.

**22.** Asimismo todos los israelitas escondidos en la montaña de Efraím, habiendo sabido que los filisteos huían, se juntaron con los suyos para pelear: por lo que se hallaba ya Saúl con cerca de unos diez mil hombres.

**23.** En aquel día salvó el Señor a Israel, y el combate prosiguió hasta Betavén.

**24.** Reuniéronse entonces los israelitas, y Saúl juramentó al pueblo, diciendo: Maldito sea el hombre que probare bocado antes de la noche, hasta que yo me haya vengado de mis enemigos. Y toda la gente se abstuvo de comer.

**25.** Llevó, pues, toda aquella turba de gentes a un bosque, donde se hallaba miel en la superficie del campo.

**26.** Entrando que hubo el pueblo en el bosque, vio destilar la miel: mas nadie osó tomarla y acercársela a la boca; porque temían todos *violar* el juramento *del rey.*

**27.** Pero Jonatás, que no había oído la protesta que su padre había hecho al pueblo con juramento, alargó la punta del bastón que tenía en la mano, y mojóla en un panal de miel, y aplicóla a su boca; con lo que recubrió el vigor de sus ojos.

**28.** Entonces le advirtió uno del pueblo, diciéndole: Tu padre ha obligado al pueblo con juramento, diciendo: Maldito sea el hombre que probare hoy bocado. (Estaban ya todos desfallecidos).

**29.** A lo que respondió Jonatás: Mi padre lo ha echado a perder todo *con ese juramento.* Vosotros mismos habéis visto cómo mis ojos han recobrado un nuevo vigor por haber gustado un poquito de esa miel.

**30.** ¿Pues cuánto más se habría repuesto la gente, si hubiese comido de lo que encontró en el despojo de sus enemigos? ¿Por ventura no se hubiera hecho mayor estrago en los filisteos?

**31.** Sin embargo, fueron acuchillando a los filisteos en este día, desde Macmas hasta Ayalón. Mas el pueblo quedó sumamente fatigado.

**32.** Y entregándose al saqueo, tomó carneros, y bueyes, y becerros, y los degollaron en tierra, y comió el pueblo la carne con sangre.

**33.** De lo que avisaron a Saúl, diciéndole que el pueblo había pecado contra el Señor comiendo carne con sangre. Y Saúl dijo: Habéis prevaricado: Traed presto rodando una gran piedra.

**34.** Y añadió Saúl: Esparcíos entre la gente, y decidles que traiga acá cada uno su buey, su carnero, *y demás animales;* degolladlos sobre esa piedra, y después comed; así no pecaréis contra el Señor, comiendo la carne con sangre. Trajo luego todo el pueblo cada uno por su mano hasta que fué de noche, la res que había de matar.

**35.** Saúl edificó en aquel sitio un altar al Señor; siendo éste el primero que erigió.

**36.** Dijo después Saúl: Echémonos esta noche sobre los filisteos, y acabemos con ellos antes que amanezca, sin dejar hombre con vida. Respondió el pueblo: Haz todo lo que bien te parezca. Mas el sacerdote dijo:

Acerquémonos antes aquí a consultar a Dios.

**37.** Y consultó Saúl al Señor, diciendo: ¿Seguiré el alcance de los filisteos? ¿Los entregarás en las manos de Israel? Y no le dió el Señor respuesta en aquel día.

**38.** Por lo que dijo Saúl: Haced venir aquí todos los principales del pueblo, y averiguad y ved por culpa de quién sucede hoy esto.

**39.** Vive el Señor, que es el Salvador de Israel, que si la causa de esto es mi hijo Jonatás, morirá sin remisión: a lo cual ninguno de todo el pueblo le contradijo.

**40.** Y dijo a todo Israel: Separáos vosotros a un lado, y yo con mi hijo Jonatás estaremos al otro. Y contestó el pueblo a Saúl: Haz lo que bien te pareciere.

**41.** Dijo entonces Saúl al Señor Dios de Israel: Oh Señor Dios de Israel, danos a entender, ¿por qué causa no has respondido hoy a tu siervo? Si la culpa esta en mí o en Jonatás, mi hijo, decláralo: pero si tu pueblo es el culpado, manifiesta tu santidad. Y cayó la suerte sobre Jonatás y Saúl, quedando libre el pueblo.

**42.** Dijo entonces Saúl: Echad suertes entre mí y Jonatás, mi hijo: y salió Jonatás.

**43.** Dijo, pues, Saúl a Jonatás: Declárame qué es lo que has hecho. Jonatás lo confesó todo, diciendo: Gusté ansiosamente con la punta del bastón que traía en la mano, un poquito de miel; y he aquí *que voy* a morir *por eso:* aquí me tienes; yo moriré.

**44.** Díjole Saúl: Tráteme Dios con todo el rigor de su justicia, si tú, oh Jonatás, no mueres sin remedio.

**45.** El pueblo empero, dijo a Saúl: ¡Conque ha de morir Jonatás, que acaba de salvar de un modo maravilloso a Israel! Ni hablarse debe de tal cosa. Vive el Señor, que no ha de caer en tierra ni un solo cabello de su cabeza porque él ha obrado en este día con beneplácito y asistencia de Dios. En efecto, el pueblo libertó a Jonatás de la muerte.

**46.** Y retiróse Saúl, dejando de perseguir a los filisteos: los cuales se volvieron a sus tierras.

**47.** Saúl, luego que vió afirmado su trono en Israel, peleaba contra todos los enemigos de la comarca, contra Moab, y contra los hijos de Amnón, y de Edóm, y los reyes de Soba, y los filisteos; y adonde quiera que llevaba sus armas, volvía vencedor.

**48.** En fin, reunido su ejército deshizo a los amalecitas; y libertó a Israel de las manos de los que le asolaban.

**49.** Los hijos de Saúl fueron Jonatás, Jesuí, y Melquisua: y los de las hijas que tuvo, la primogénita se llamaba Merob, y la menor Micol.

**50.** La mujer de Saúl se llamaba Aquinoam, hija de Aquimaas. El capitán general de sus ejércitos se llamaba Abner, hijo de Ner, primo hermano de Saúl.

**51.** Porque Cis, padre de Saúl, y Ner, padre de Abner, eran hijos de Abiel.

**52.** Por lo demás, en todo el tiempo de Saúl hubo guerra muy viva contra los filisteos. Por cuya razón luego que Saúl tenía noticia de algún varón esforzado y hábil para la guerra, le tomaba consigo.

## CAPITULO XV

*Nueva desobediencia de Saúl en dejar con vida al rey Agag: es reprobado de Dios por segunda vez.*

**1.** Después de esto dijo Samuel a Saúl: El Señor me envió a ungirte rey sobre su pueblo de Israel: Escucha, pues, ahora lo que te manda el Señor.

**2.** Esto dice el Señor de los ejércitos: Tengo bien presente todo cuanto Amalec hizo contra Israel; y cómo se le opuso en el camino, cuando subía de Egipto.

**3.** Ve, pues, ahora y destroza a Amalec, y arrasa cuanto tiene: no le perdones, ni codicies nada de sus bienes; sino mátalo todo, hombres y mujeres, muchachos y niños de pecho, bueyes y ovejas, camellos y asnos.

**4.** Conforme a esto, Saúl convocó al pueblo, y pasándole revista, como *cuenta el pastor sus* corderos, se halló con doscientos mil hombres de a pie *de todas las tribus de Israel*, y diez mil de la de Judá.

**5.** Llegado Saúl con ellos cerca de *la ciudad de* Amalec, puso emboscadas en el torrente.

**6.** Y dijo a los cineos: Marchad, retiráos, y separáos de los amalecitas, no sea que os destruya juntamente con ellos, por cuanto vosotros ejercísteis la misericordia con los hijos de Israel, cuando venía de Egipto. Retiráronse, pues, los cineos de entre los amalecitas.

**7.** Y Saúl fué destrozando a los amalecitas desde Hevila hasta Sur, en la frontera de Egipto.

**8.** Tomó vivo a Agag, rey de Amalec; y pasó a cuchillo a todo el pueblo.

**9.** Pero Saúl y el ejército perdonaron a Agag, y reservaron los mejores rebaños de ovejas y de vacas, y los carneros, y las mejores ropas, y en general todo lo bueno, y no lo quisieron destruir. Todo lo vil y despreciable, eso fué lo que destruyeron.

**10.** Entonces habló el Señor a Samuel, y le dijo:

**11.** Pésame de haber hecho rey a Saúl; porque me ha abandonado y no ha ejecutado mis órdenes. De lo que contristado Samuel, estuvo toda la noche clamando al Señor.

**12.** Y habiéndose levantado antes del día para marchar por la mañana en busca de Saúl, tuvo aviso de que éste había ido al Carmelo, y erigido *allí* un arco triunfal, y que de vuelta había bajado a Gálgala. Llegó, en fin, Samuel a Saúl, cuando estaba éste ofreciendo al Señor un holocausto de las primicias del botín que había traído de los amalecitas.

**13.** Así que llegó, le dijo Saúl: Bendito seas tú del Señor; yo he cumplido con su orden.

**14.** Replicóle Samuel: ¿Pues qué balido es éste de rebaños, que resuena en mis oídos, y el mugido de bueyes que oigo ?

---

CAP. XV. — 2. No solamente los Amalecitas habían rehusado el paso a los Israelitas al venir de Egipto, sino que habían asesinado a los que medio muertos de hambre y cansancio se habían quedado detrás del ejército. *Deuter.* XV, *v.* 18.

11. Cuando Dios ofendido de los pecados de un hombre, le priva de sus beneficios, le dice en la Escritura que se arrepiente de lo que ha hecho primero a favor suyo: no que le venga nada de nuevo, ni mude de parecer. S. Agust. Conf. I, c. 4.

**15.** Respondió Saúl: Los han traído del país de Amalec: pues el pueblo ha conservado las mejores ovejas y vacas para inmolarlas al Señor Dios tuyo. Mas el rèsto lo matamos.

**16.** Samuel entonces dijo a Saúl: Permíteme hablar, y te declararé lo que me ha dicho el Señor en la noche. Habla, respondió Saúl.

**17.** Dijo, pues, Samuel: ¿No es verdad que siendo tú tan pequeño a tus ojos fuiste hecho cabeza de las tribus de Israel, y que te ungió el Señor para rey sobre Israel?

**18.** El Señor te envió a esta empresa, diciendo: Anda, y pasa a cuchillo a los perversos amalecitas, y pelea contra ellos hasta su total exterminio.

**19.** Pues, ¿por qué no has obedecido la voz del Señor, y te has enamorado del botín, pecando a los ojos del Señor?

**20.** Respondió Saúl a Samuel: Antes bien he obedecido la voz del Señor, siguiendo el camino que me ordenó, y he traído Agag, rey de Amalec, y pasado a cuchillo los amalecitas.

**21.** Verdad es que el pueblo ha separado del despojo ovejas y vacas, como primicias de lo que se debía destruir, para inmolarlas al Señor su Dios en Gálgala.

**22.** Dijo entonces Samuel: Por ventura, ¿el Señor no estima más que los holocaustos y las víctimas el que se obedezca su voz? La obediencia vale más que los sacrificios, y el ser dócil importa más que el ofrecer la grosura de los carneros.

**23.** Porque el desobedecer *al Señor,* es como un pecado de magia, y como crimen de idolatría el no querer sujetársele. Por tanto, ya que tú has desechado la palabra del Señor, el Señor te ha desechado a ti, y no quiere ya que seas rey.

**24.** Dijo Saúl a Samuel: Pecado he, por haber quebrantado el mandato del Señor, y *despreciado* tus dictámenes, temiendo al pueblo, y condescendiendo con él.

**25.** Mas ahora ruégote que sobrelleves mi pecado, *y me obtengas el perdón,* y vuélvete conmigo a fin de que *contigo* adore yo al Señor.

**26.** Respondióle Samuel: No volveré contigo: porque tú has desechado la palabra del Señor, y el Señor te ha desechado a ti para que no seas rey de Israel.

**27.** Y volviendo Samuel la espalda para marcharse, asióle Saúl de la extremidad de la capa, la cual se rasgó.

**28.** Díjole entonces Samuel: Asi el Señor ha rasgado hoy *y arrancado* de ti el reino de Israel, y dádoselo a otro mejor que tú.

**29.** Y aquel *Señor* a quien se debe el triunfo en Israel no *te* perdonará, ni se arrepentirá *de esto;* porque no es él un hombre para que tenga que arrepentirse.

**30.** A lo que dijo Saúl: Yo he pecado; más *ruégote que* me honres ahora delante de los ancianos de mi pueblo, y en presencia de Israel, y te vuelvas conmigo, a fin de que *a tu lado* adore al Señor Dios tuyo.

**31.** Volvióse, pues, Samuel, y siguió a Saúl, y adoró Saúl al Señor.

**32.** Dijo entonces Samuel: Traedme *aquí* a Agag, rey de Amalec; y fuéle presentado Agag, que estaba gordísimo, y temblando.

**33.** Y dijo Agag: ¿Con que así me ha de separar *de todo* la amarga muerte?

**34.** Y Samuel respondió: Así como tu espada ha dejado sin hijos a tantas madres, así tu madre será otra de las mujeres que quedarán sin hijos. Y le hizo pedazos delante del Señor, en Gálgala.

**35.** Y retiróse Samuel a Rámata, y Saúl a su casa en Gábaa.

**36.** Y no volvió jamás Samuel a visitar a Saúl en toda su vida. Sin embargo, lloraba por Saúl, porque el Señor se había arrepentido de haberle constituído rey de Israel.

## CAPITULO XVI

*Samuel pasa por orden de Dios a Belén, y unge a David por rey de Israel. Es Saúl agitado de un espíritu maligno; y llama a David para que le divierta tañendo el arpa.*

**1.** Entonces dijo el Señor a Samuel: ¿Hasta cuándo has tú de llorar a Saúl, habiéndole yo desechado para que no reine sobre Israel? Llena tu cuerna o *botijo* de óleo, y ven; que quiero enviarte a Isaí, *natural* de Belén; porque de entre sus hijos me he provisto de un rey.

**2.** A lo que respondió Samuel: ¿Cómo tengo que ir? Lo sabrá *luego* Saúl, y me quitará la vida. Dijo el Señor: Tomarás contigo un becerro de la vacada, y dirás que has ido allí a ofrecer sacrificios al Señor.

**3.** Y convidarás a Isaí a *comer de* la víctima, y yo te revelaré lo que has de hacer, y ungirás al que yo te señale.

**4.** Hízolo, pues, Samuel como el Señor le había mandado. Fué a Belén, y extrañándolo los ancianos de la ciudad; y saliéndole a recibir, le dijeron: ¿Es de paz tu venida?

**5.** De paz, respondió Samuel: Vengo a ofrecer sacrificio al Señor: purificáos, y venid conmigo al sacrificio. Purificó, pues, a Isaí y a sus hijos, y convidólos al sacrificio.

**6.** Así que hubieron entrado después *en la sala del convite,* viendo Samuel a Eliab, dijo *en su interior:* ¿Si será éste el que el Señor ha escogido para ungido suyo?

**7.** Respondió el Señor a Samuel: No mires a su buena presencia, ni a su grande estatura; porque no es ése el que he escogido, y yo no juzgo por lo que aparece a la vista del hombre: pues el hombre no ve más que lo exterior; pero el Señor ve el *fondo del* corazón.

**8.** Llamó después Isaí a Abinadab, y presentóle a Samuel, el cual dijo: No es éste el escogido del Señor.

**9.** Trájole también a Samma; del cual dijo Samuel: Tampoco es éste el escogido del Señor.

**10.** Así le fué presentando Isaí sus siete hijos; y díjole Samuel: A ninguno de éstos ha elegido el Señor.

**11.** Y añadió Samuel a Isaí: ¿No tienes ya más hijos? A lo que contestó: Aún tengo otro pequeño, que está apacentando las ovejas. Dijo Samuel a Isaí: Envía por él y tráele aquí; que no nos pondremos a la mesa hasta que él venga.

**12.** Envió por él Isaí y se lo presentó. Era David *un joven* rubio, de gallarda presencia y hermoso rostro. Dijo entonces el Señor: Ea, úngele; porque ése es.

**13.** Tomó pues Samuel el cuerno del óleo que *había traído,* y ungióle a presencia de sus hermanos, y desde aquel día en adelante el espíritu del Señor quedó difundido en David; y Samuel volvióse a Rámata.

**14.** Al contrario el espíritu del Señor se retiró de Saúl; y atormentábale un espíritu maligno por permisión del Señor.

**15.** Por lo que dijeron a Saúl sus cortesanos: Ya ves cómo te atormenta un espíritu malísimo.

**16.** Si tú, señor nuestro, lo mandas, tus siervos que tienes aquí delante buscarán un hombre hábil en tocar el harpa, para que cuando el Señor *permita que* te agite el mal espíritu, la toque y sientas algún alivio.

**17.** Respondió Saúl a sus criados: Enhorabuena, buscadme alguno que sea hábil en tañer y cantar, y traédmele.

**18.** A lo que contestando uno de los criados, dijo: Poco ha vi un hijo de Isaí, natural de Belén, muy diestro en tañer *el harpa,* mozo muy valiente y hábil para la guerra, prudente en el hablar, y de gallarda presencia, y muy favorecido del Señor.

**19.** Con esto Saúl hizo decir a Isaí: Envíame tu hijo David, que está con tus ganados.

**20.** En vista de lo cual tomó Isaí un asno, que cargó de panes, de un cántaro de vino, y de un cabrito recental, y envióselo a Saúl por mano de su hijo David.

**21.** Y fué David y se presentó a Saúl; el cual le cobró mucho cariño, e hízole su escudero.

**22.** Y envió Saúl decir a Isaí: Quédese David cerca de mi persona; porque ha hallado gracia en mis ojos.

**23.** Con esto siempre que asaltaba el mal espíritu a Saúl, tomaba David el harpa y tañíala; con lo que Saúl se recreaba y sentía mucho alivio, pues se retiraba de él el espíritu malo.

## CAPITULO XVII

*Guerra de los Filisteos contra Israel. Sale David a pelear contra el gigante Goliat, le derriba, y le corta la cabeza.*

**1.** *Sucedió después de algún tiempo* que los filisteos, juntando sus escuadrones para pelear, se reunieron en Soco de Judá, y acamparon entre Soco y Aceca, en los confines de Domnim.

**2.** También se reunieron Saúl y los hijos de Israel, y viniendo al valle del Terebinto, ordenaron allí sus escuadrones para pelear contra los filisteos.

**3.** Estaban éstos acampados en un lado del monte, y los israelitas en el lado opuesto, mediando el valle entre ellos.

**4.** Y salió de los reales de los filisteos un hombre bastardo, llamado Goliat, *natural* de Get, cuya estatura era de seis codos y un palmo.

**5.** Traía en su cabeza un morrión de bronce, e iba vestido de una coraza escamada del mismo metal, que pesaba cinco mil siclos.

**6.** Botas de bronce cubrían sus piernas y defendía sus hombros un escudo de dicho metal.

**7.** El ástil de su lanza era grueso como el enjullo de un telar, y el hierro *o punta* de la misma pesaba seiscientos siclos, e iba delante de él su escudero.

**8.** Este hombre vino a presentarse delante de los escuadrones de Israel, dando voces y diciéndoles: ¿Por qué habéis venido para dar batalla? ¿No soy yo un filisteo y vosotros siervos de Saúl? Escoged de entre vosotros alguno que salga a combatir cuerpo a cuerpo.

**9.** Si tuviere valor para pelear conmigo y me matare, seremos esclavos vuestros; mas si yo prevaleciere y le matare a él, vosotros seréis los esclavos, y nos serviréis.

**10.** Y decía *después jactándose:* Yo he desafiado hoy a los batallones de Israel, diciéndoles: Dadme acá un campeón, y mida sus fuerzas conmigo cuerpo a cuerpo.

**11.** Saúl, empero, y todos los israelitas, oyendo tal desafío del filisteo, quedaron asombrados y llenos de miedo.

**12.** David, según queda dicho, era hijo de un varón efrateo de la ciudad de Belén, en Judá, llamado Isaí, el cual tenía ocho hijos, y era hombre anciano, y de los más avanzados en edad en el tiempo de Saúl.

**13.** Sus tres hijos mayores siguieron a Saúl en la guerra: de los cuales el primogénito se llamaba Eliab, el segundo Abinadab, y el tercero Samma.

**14.** David era el menor de todos. Habiendo, pues, los tres mayores seguido a Saúl,

**15.** David se había ido *de la corte* de Saúl, y vuelto a apacentar la grey de su padre en Belén.

**16.** Entre tanto se presentaba el filisteo mañana y tarde, y continuó haciéndolo por espacio de cuarenta días.

**17.** En este intermedio dijo Isaí a su hijo David: Toma para tus hermanos un efi de harina de cebada y estos diez panes, y corre al campamento a llevárselos;

**18.** Y estos diez quesos los llevarás al tribuno *o coronel;* y verás si tus hermanos están buenos, informándote en qué compañía están.

**19.** Pues así ellos como los demás hijos de Israel estaban con Saúl, para pelear contra los filisteos, en el valle del Terebinto.

**20.** Madrugó, pues, David, y encargando a uno el cuidado del ganado, se puso con su carga en camino, como se lo había mandado Isaí. Y llegó al lugar de Magala, junto al ejército, al tiempo que éste habiendo salido a dar la batalla, levantaba el grito en señal de combate.

**21.** Porque ya Israel había formado en batalla sus escuadrones, igualmente los filisteos estaban dispuestos para la acción.

**22.** A vista de esto David, dejando cuanto había traído al cuidado de quien se lo guardase entre los bagajes, fué corriendo al lugar de la batalla, y se informaba de la salud y bienestar de sus hermanos.

**23.** Aún no había terminado de hablar cuando compareció aquel hombre bastardo llamado Goliat, filisteo, *natural* de Get, que salía del campamento de los filisteos repitiendo los mismos insultos que siempre: los cuales oyó David.

**24.** Todos los Israelitas, así que vieron aquel hombre, huyeron de su presencia temblando de miedo.

**25.** Y decía uno *de los soldados* de Israel: ¿No habéis visto ese hombre que se presenta *al combate?* Pues a insultar a Israel viene. Al que le matare, le dará el rey grandes riquezas, y a su hija por esposa, y eximirá de tributos en Israel la casa de su padre.

**26.** Preguntó David a los que tenía cerca de sí: ¿Qué es lo que darán al que matare a ese filisteo, y quitare el oprobio de Israel? Porque a la verdad, ¿quién es ese filisteo incircunciso para que insulte así *impunemente* a los escuadrones del Dios vivo?

**27.** Referíale la gente las mismas palabras, diciendo: Esto y esto se dará al que le matare.

**28.** Y habiéndole oído hablar así con la gente, Eliab, su hermano mayor, indignóse contra él, y le dijo: ¿Por qué has venido aquí, dejando abandonadas en el desierto aquellas poquitas ovejas *que tenemos?* Bien conocida tengo yo tu altanería, y la malicia de tu corazón. A ver la batalla es a lo que has venido.

**29.** Respondióle David: ¿Qué mal he hecho yo? ¿He hecho más que hablar?

**30.** Desvióse luego de él, y fuese a otro paraje, y entabló la misma conversación, repitiéndole la gente la misma respuesta de antes.

**31.** Oídas, de varios las palabras que habló David, fueron referidas delante de Saúl:

**32.** A cuya presencia conducido, le habló David *de esta manera:* Nadie desmaye a causa *de los insultos* de ese filisteo: yo, siervo tuyo, iré y pelearé contra él.

---

**15.** Es necesario suponer que hacía ya mucho tiempo que David había dejado la corte y vuelto a la casa de su padre a apacentar sus rebaños. Así no es de admirar que con la mudanza en el cuerpo que se hace en los años de la juventud, y el traje de pastor con que se presentó, no le conociese Saúl.

**33.** Mas Saúl dijo a David: No tienes tú fuerza para resistir a ese filisteo, ni para pelear contra él; pues tú eres muchacho todavía, y él es un varón aguerrido desde su mocedad.

**34.** Replicóle David a Saúl: Apacentaba tu siervo el rebaño de su padre, y venían un león o un oso, y apresaba un carnero de en medio de la manada;

**35.** Y corría yo tras ellos y los mataba, y les quitaba la presa de entre los dientes, y al volverse ellos contra mí, los agarraba yo de las quijadas, y los ahogaba y mataba.

**36.** Así es cómo yo, siervo tuyo, maté tanto al león como al oso, y lo propio haré con ese filisteo incircunciso. Iré, pues, *contra él* ahora *mismo*, y quitaré el oprobio de *nuestro* pueblo: porque, ¿quién es ese filisteo incircunciso que ha tenido la osadía de maldecir al ejército del Dios vivo?

**37.** Y añadió David: El Señor que me libró de las garras del león y del oso, él mismo me librará también de las manos de ese filisteo. Dijo Saúl a David: Anda, pues, y el Señor sea contigo.

**38.** Y vistióle Saúl con sus ropas *o con armadura de su palacio,* y púsole en la cabeza un yelmo de acero, y armóle de coraza.

**39.** Ciñéndose luego David la espada de Saúl sobre su vestido *de guerra,* comenzó a probar si podía andar así armado; porque no estaba hecho a ello. Y dijo a Saúl: Yo no puedo caminar con esta armadura; pues no estoy acostumbrado a ella. Por tanto, se desarmó.

**40.** Tomando el cayado, que llevaba siempre en la mano, escogió del torrente cinco guijarros bien lisos, metióselos en el zurrón de pastor que traía consigo, tomó la honda en su mano, y fuése en busca del filisteo.

**41.** Venía éste caminando con paso grave y acercándose hacia David, llevando delante su escudo.

**42.** Mas así que el filisteo vió y miró a David, le menospreció, por ser éste un joven rubio y de linda presencia;

**43.** Y le dijo: ¿Soy yo acaso algún perro para que vengas contra mí con un palo? Por lo que maldijo el filisteo a David, *jurando* por sus dioses.

**44.** Y añadió: Ven acá, y echaré tus carnes a las aves del cielo y a las bestias de la tierra.

**45.** Mas David respondió al filisteo: Tú vienes contra mí con espada, lanza y escudo; pero yo salgo contra ti en el nombre del Señor de los ejércitos, del Dios de las legiones de Israel, a las cuales tú has insultado en este día.

**46.** Y el Señor te entregará en mis manos y yo te mataré y cortaré tu cabeza; y daré hoy los cadáveres del campo de los filisteos a las aves del cielo y a las bestias de la tierra; para que sepa todo el mundo que hay Dios en Israel;

**47.** Y conozca todo este concurso de gente que el Señor salva sin espada ni lanza; porque él es el árbitro de la guerra, y él os entregará en nuestras manos.

**48.** Como se moviese, pues, el filisteo, y viniese acercándose a David, apresuróse éste y corrió al combate contra el filisteo.

**49.** Y metiendo su mano en el zurrón, sacó una piedra que disparó con la honda, e hirió al filisteo en la frente, en la cual quedó clavada; y cayó el filisteo en tierra sobre su rostro.

**50.** Así venció David al filisteo con una honda y una piedra; herido que le hubo, le mató. Y no teniendo David a mano ninguna espada,

**51.** Fué corriendo y echóse encima del filisteo, le quitó la espada, desenvainóla, y acabándole de matar, le cortó la cabeza. Viendo, pues, los filisteos muerto al más valiente de los suyos, echaron a huir.

**52.** Pero los hijos de Israel y de Judá los acometieron con grande gritería, y fueron acuchillándolos hasta llegar al valle y hasta las puertas de Acarón; y cayeron heridos muchos filisteos por el camino de Saraim y hasta Get y Acarón.

**53.** Vueltos los hijos de Israel de perseguir a los filisteos, saquearon su campamento.

**54.** Y tomando David la cabeza del filisteo, la llevó a Jerusalén; pero sus armas las colocó en su casa.

**55.** Es de advertir que al ver Saúl que David se dirigía contra el filisteo, preguntó a Abner, general de las tropas: Abner, ¿de qué familia es este joven? Y Abner respondió: Juro por tu vida, oh rey, que no lo sé.

**56.** Díjole el rey: Infórmate de quién es hijo.

**57.** Y cuando David volvió después de haber muerto al filisteo, tomóle Abner y presentóle a Saúl, llevando David la cabeza del filisteo en la mano.

---

**54.** Aunque la ciudadela de Jerusalén estaba en poder de los Jebuseos, la ciudad era de los Hebreos. Muchos opinan que se dice esto aquí por anticipación; y que la cabeza de Goliat la llevó David a Jerusalén cuando transportó allí el Arca del Señor. Asimismo envió la espada de Goliat al Tabernáculo del Señor, que estaba en Nobe, en señal de reconocimiento.

**58.** Y díjole Saúl: Oh joven, ¿de qué familia eres? Y respondió David: Soy *el hijo* de vuestro siervo Isaí, natural de Belén.

## CAPITULO XVIII

*Amistad íntima de Jonatás con David y envidia furiosa de Saúl; quien finalmente le da por esposa a su hija menor, Micol.*

**1.** Al punto que David acabó de hablar con Saúl, el alma de Jonatás se unió estrechamente con el alma de David; y amóle Jonatás como a su propia vida.

**2.** Desde aquel día quiso Saúl tenerle siempre consigo, y no le permitió volverse a casa de su padre.

**3.** Y contrajeron entonces David y Jonatás una *grande* amistad; pues que amaba éste a David como a sí mismo.

**4.** De aquí es que se quitó Jonatás la túnica que vestía y diósela a David con otras ropas suyas, hasta su espada y arco y aún el tahalí.

**5.** Salía David a todas las expediciones a que le enviaba Saúl, y conducíase con mucha prudencia. Dióle después Saúl mando sobre *alguna* gente de guerra, y se ganó la afición de todo el pueblo, y particularmente de los criados de Saúl.

**6.** Asimismo cuando volvió David, después de haber muerto al filisteo, salieron las mujeres de todas las ciudades de Israel a recibir al rey Saúl, cantando y danzando, y mostrando su regocijo con panderos y sonajas.

**7.** Las mujeres en sus danzas cantaban y repe-tían *este estribillo:* Saúl ha muerto a mil, y David *ha muerto* a diez mil.

**8.** Semejante expresión irritó a Saúl en gran manera, y le dejó sumamente disgustado; y dijo: A David le han dado diez mil, y a mí me han dado mil, ¿qué le falta ya, sino ser rey?

**9.** Por este motivo desde entonces en adelante ya no miraba con buenos ojos a David.

**10.** Otro día sucedió que el espíritu malo, permitiéndolo Dios, volvió a apoderarse de Saúl, que andaba por su palacio *hablando* como un frenético. David tañía el *harpa* delante de él, como los demás días. Y teniendo Saúl *a mano* una lanza,

**11.** Arrojóla contra David, pensando poderle clavar en la pared: mas David huyó el cuerpo por dos veces, y evitó el golpe.

**12.** Comenzó, pues, Saúl a temer a David, viendo que el Señor estaba con éste, y que él le había dejado.

**13.** Por lo cual le alejó de su persona, y le hizo tribuno de mil hombres; con los cuales hacía David sus expediciones a vista del pueblo.

**14.** Manejábase David en todo con mucha cordura, y el Señor le asistía.

**15.** Pues como observase Saúl su extremada prudencia, comenzó a recelarse de él.

**16.** Al contrario, todo Israel y Judá amaban a David, como a quien iba al frente de ellos en las expediciones que se hacían.

**17.** Por lo que dijo Saúl a David: He aquí a Merob, mi hija mayor: Voy a dártela por esposa. Tú sobre todo séasme valiente, y pelea en servicio del Señor. Al mismo tiempo decía Saúl para consigo: No sea yo el que le mate; sino sean los filisteos los que lo hagan.

**18.** David, empero, respondió a Saúl: ¿Quién soy yo, o cuál ha sido mi vida, ni de qué consideración goza en Israel la familia de mi padre para llegar a ser yo yerno del rey?

**19.** Mas sucedió después que llegado el tiempo en que Merob, hija de Saúl, debía desposarse con David, fué dada por mujer a Hadriel, molatita.

**20.** Pero Micol, la otra hija de Saúl, se había aficionado a David; de lo que se alegró Saúl luego que se lo dijeron.

**21.** Porque dijo Saúl *interiormente:* Se la daré, para que sea ella la causa de su ruina, y muera a manos de los filisteos. Y así dijo Saúl a David: Por dos títulos *o servicios* vas a ser luego mi yerno.

**22.** Y dió esta orden a sus cortesanos: Hablad a David como que sale de vosotros, diciéndole: Ya ves que estás en gracia del rey, y que todos sus criados te aman: procura, pues, ahora llegar a ser yerno del rey.

**23.** Hicieron los cortesanos que llegase esto a oídos de David; el cual respondió: ¿Por ventura os parece cosa fácil el ser yerno del rey, mayormente siendo yo pobre y humilde de condición?

---

CAP. XVIII. — 7. Aunque la alabanza era justa, pues el haber muerto a Goliat equivalía a la derrota de un ejército; con todo, la comparación era indiscreta.

10. Puede traducirce que estaba en su palacio hablando enfáticamente al estilo de los profetas.

---

17. En cumplimiento de lo ofrecido cuando mataste a Goliat.

**24.** Diéronle parte a Saúl sus cortesanos, diciendo: David ha respondido esto y esto.

**25.** Dijo entonces Saúl: Hablad así a David: El rey no necesita de dote para su hija: únicamente exige de ti las cabezas de cien incircuncisos filis-teos, para vengarse así de sus enemigos. Pero el designio de Saúl era hacer caer a David en manos de los filisteos.

**26.** Luego, pues, que los criados de Saúl refirieron a David lo que les había dicho Saúl, aceptó gustoso David el partido que le proponían para llegar a ser yerno del rey.

**27.** Y de allí a pocos días marchó con la gente que comandaba, y mató a doscientos filisteos: entregando al rey este número de incircuncisos, a fin de llegar a ser yerno suyo.

Con esto dióle Saúl a su hija Micol por esposa.

**28.** Y conoció claramente que el Señor estaba con David. Y Micol, hija de Saúl, amaba mucho a David.

**29.** Comenzó, pues, Saúl a recelar más y más de David: por manera que su aversión hacia él fué siempre en aumento.

**30.** En esta sazón salieron a campaña los caudillos de los filisteos, y desde el punto que se dejaron ver, se manejaba David con más *arte* y prudencia que todos los demás oficiales de Saúl; por donde se hizo más y más célebre su nombre

## CAPITULO XIX

*Saúl resuelve quitar la vida a David: peligros en que éste se vió; y cómo le libran de ellos Jonatás y Micol.*

**1.** Saúl, empero, habló a Jonatás, su hijo, y a todos sus criados o *cortesanos* a fin de que matasen a David. Mas Jonatás, hijo de Saúl, amaba cordialmente a David;

**2.** Y así le avisó, diciendo: Saúl mi padre busca cómo matarte: ruégote, pues, que mires por ti, y te vayas mañana a un lugar oculto, en el cual te estés escondido,

**3.** En el campo donde quieras; mientras yo procuraré estar con mi padre, y le hablaré de ti, y te haré saber cuanto hubiere observado.

**4.** Habló, pues, Jonatás a Saúl, su padre, a favor de David, y le dijo: No hagas daño, oh rey, a David, siervo tuyo; puesto que nada malo ha obrado contra ti, antes bien te ha hecho servicios importantísimos.

**5.** El puso su vida en el mayor riesgo, y mató al filisteo: con lo cual dió el Señor una gran victoria a todo Israel. Tú lo viste y te llenaste de gozo. Pues, ¿por qué quieres ahora pecar, derramando sangre inocente, matando a David que no es culpable de nada?

**6.** Oyendo esto Saúl, y aplacado con las razones de Jonatás, hizo este juramento: Vive el Señor que no se le quitará la vida.

**7.** Llamó luego Jonatás a David; y contóle todas estas cosas y le presentó nuevamente a Saúl, y se quedó David en la corte de Saúl, como antes.

**8.** Suscitóse de nuevo la guerra: y saliendo David a campaña peleó contra los filisteos, y destrozando gran número de ellos, ahuyentó los demás.

**9.** Mas el espíritu malo, permitiéndolo el Señor, asaltó *otra vez* a Saúl. Estaba éste sentado en su palacio, y tenía una lanza en la mano; y mientras David tañía el harpa *delante de él*,

**10.** Tiró Saúl a traspasarle con la lanza *y clavarle* en la pared. Mas David declinó el golpe; y la lanza, sin haberle herido, fué a dar en la pared, y escapó David al instante, y se libertó aquella noche.

**11.** Saúl envió en seguida a sus guardias a la casa de David para que asegurasen su persona, y le matasen al otro día por la mañana. Pero avisóselo a David su esposa Micol, diciendo: Si esta noche no te pones a salvo, mañana morirás.

**12.** Y descolgóle Micol por una ventana; y de esta suerte escapó David, y huyendo se puso en salvo.

**13.** En seguida tomó Micol una estatua *o bulto*, y púsola sobre la cama de David, y le envolvió la cabeza con una piel peluda de cabra, y cubrió la estatua con la ropa *de la cama.*

**14.** Envió, pues, Saúl guardias a prender a David: y se les respondió que estaba enfermo.

**15.** Despachó por segunda vez otras gentes con orden de ver a David, diciéndoles: Traédmele acá en su cama, para que sea muerto.

---

**25.** Entre los Hebreos, como en varias otras naciones, el esposo compraba en cierto modo, y pagaba el dote de la mujer que tomaba por esposa y este dote se lo quedaba para sí el padre de la novia.

**16.** Llegados que fueron allí los enviados de Saúl, hallaron que en la cama sólo había una estatua o *bulto,* que tenía envuelta la cabeza con una piel de cabra.

**17.** Por lo que dijo Saúl a Micol: ¿Cómo me has burlado de esta manera y dejado escapar a mi enemigo? Y respondió Micol a Saúl: Porque él me dijo: Déjame ir, si no te mataré.

**18.** Así huyó David, y puso en salvo su vida, y fué a encontrar a Samuel en Rámata, y contóle todo cuanto Saúl había hecho con él; y después fuéronse ambos a Nayot, donde moraron *algún tiempo.*

**19.** Dióse aviso a Saúl, diciéndole: Mira que David está en Nayot de Rámata.

**20.** Envió, pues, Saúl soldados para prender a David: los cuales habiendo visto un coro de profetas que profetizaban o *cantaban alabanzas a Dios,* y a Samuel que presidía entre ellos, fueron también arrebatados del espíritu del Señor, y comenzaron a alabar a Dios, como los otros.

**21.** Habiéndose referido esto a Saúl, envió otros soldados; los cuales asimismo se pusieron a alabar a Dios. Despachó otros por tercera vez, que igualmente se pusieron a cantar las alabanzas de Dios. Entonces Saúl, lleno de cólera,

**22.** Marchó él mismo en persona a Rámata, y habiendo llegado hasta la gran cisterna de Socot, preguntó, diciendo: ¿Dónde se hallan Samuel y David? Y le respondieron: Están allá en Nayot junto a Rámata.

**23.** Con esto encaminóse a dicho lugar, y apoderóse también de Saúl el espíritu del Señor, e iba cantando por el camino las alabanzas de Dios hasta llegar a Nayot de Rámata.

**24.** Y despojado de sus vestiduras *reales,* púsose a cantar con los demás delante de Samuel, y todo lo restante del día y de aquella noche estuvo postrado por tierra desnudo *de toda insignia.* De donde aquel proverbio: ¿Pues qué, también Saúl entre los profetas?

## CAPITULO XX

*Admirable lealtad de Jonatás para con David desgraciado.*

**1.** Entre tanto huyó David de Nayot, que está cerca de Rámata, y viniendo a verse con Jonatás, prorrumpió en estas palabras: ¿Qué he hecho yo? ¿En qué he pecado, y cuál es mi delito contra tu padre, que anda así buscándome para matarme?

**2.** Respondió Jonatás: No temas, no morirás; porque no hará mi padre cosa chica ni grande, sin comunicármela a mí primero. ¿Cómo? ¿esta sola resolución me habría acaso ocultado mi padre? No, de ninguna manera.

**3.** E hizo sobre ello nuevo juramento a David, *asegurándole su amistad.* Mas David replicó: Tu padre sabe muy bien que yo he hallado gracia en tus ojos, y habrá dicho: No conviene que sepa esto Jonatás, a fin de que no reciba pesar. Porque yo te juro por el Señor y por tu vida *que está tan resuelto tu padre a matarme,* que sólo hay un punto, por decirlo así, desde mí a la muerte.

**4.** Respondióle Jonatás a David: Haré por ti todo cuanto me insinuares.

**5.** Díjole David: Mira, mañana son las calendas, en que yo, según costumbre, suelo sentarme a la mesa con el rey: ahora, pues, permíteme que vaya a esconderme en el campo hasta la tarde del día tercero.

**6.** Si tu padre preguntare por mí, le responderás: David me pidió licencia para ir prontamente a Belén, su patria; por cuanto todos los de su tribu o *familia* celebran allí un sacrificio solemne.

**7.** Si dijere: Bien está; no tendré que temer. Pero si se enojare, ten por cierto que su mala voluntad *hacia mí* ha llegado al colmo.

**8.** Haz, pues, esta merced a tu siervo, ya que quisiste que yo, *a pesar de ser* tu criado, hiciese contigo y te jurase la más estrecha alianza. Y si tú adviertes en mí alguna culpa o *delito,* dame tú mismo la muerte, y no me hagas comparecer delante de tu padre.

**9.** A lo que respondió Jonatás: Libre serás de que te suceda esto: porque no es posible que yo conozca de cierto que el odio de mi padre contra ti ha llegado a lo sumo, sin que yo te lo avise.

**10.** Replicó David a Jonatás: Y si tu padre por desgracia te diere una respuesta áspera, al hablarte de mí, ¿por quién lo sabré?

**11.** Respondióle Jonatás: Ven, y salgamos al campo. Habiendo salido ambos al campo,

**12.** Dijo Jonatás a David: Señor Dios de Israel, si yo mañana o en otro día averiguare el designio de mi padre y resultar algo de bueno a favor de David, y no enviare luego a decírselo, y hacérselo saber,

---

CAP. XX.— **6.** David pudo efectivamente ir al convite de Belén, y hallarse al tercer día escondido en el paraje donde convinieron ambos.

**13.** No hagáis, oh Señor, bien a Jonatás, sino mucho mal. Pero si continuare la mala voluntad de mi padre contra ti, te lo avisaré también, y te daré licencia a fin de que te vayas en paz; y el Señor sea contigo, como estuvo con mi padre.

**14.** Y tú, si yo viviere, me tratarás con toda la bondad posible, mas si yo muriese,

**15.** Tendrás siempre compasión y tratarás con bondad a mi familia, cuando el Señor desarraigare uno por uno de la faz de la tierra a todos los enemigos de David. *De otra manera*, arrebate *también* el Señor a Jonatás de su casa, y tome *Dios* venganza de los enemigos de David.

**16.** De esta suerte hizo Jonatás alianza con la casa de David; y el Señor tomó, *en efecto*, venganza de los enemigos de David.

**17.** Jonatás repitió a David sus juramentos por lo mucho que le quería; pues que le amaba como a su misma alma.

**18.** Díjole más: Mañana son las calendas, y serás echado de menos;

**19.** Porque se verá tu asiento vacío aun al día siguiente. Por tanto, marcharás luego de aquí, y te dirigirás el primer día después de la fiesta al sitio en que debes esconderte, y te sentarás junto a la peña llamada Ecel.

**20.** Cerca de ella dispararé yo tres saetas, como que me ejercito en tirar al blanco.

**21.** Enviaré también un muchacho tras ellas, diciéndole: Anda y tráeme las saetas.

**22.** Si yo dijere al muchacho: Mira que las saetas están más acá de ti, tómalas: tú entonces ven a mí, pues es señal de que estás seguro, y vive el Señor que no hay de temer. Mas si dijere yo al criado: Vete en paz; pues el Señor quiere que te retires.

**23.** En cuanto a lo que tú y yo hemos tratado, sea el Señor para siempre testigo entre los dos.

**24.** Con esto David fué a esconderse en el campo; y llegaron las calendas, y sentóse el rey a comer.

**25.** Y estando el rey sentado en su silla, que estaba junto a la pared, según costumbre,

levantóse Jonatás, y sentóse Abner a un lado de Saúl, y echóse de ver vacío el puesto de David.

**26.** No dijo Saúl nada aquel día; porque pensó que tal vez le había sucedido a David el no hallarse limpio ni purificado.

**27.** Venido el segundo día *de la fiesta,* vióse también desocupado el asiento de David. Entonces dijo Saúl a su hijo Jonatás: ¿Por que no ha venido a comer ni ayer ni hoy el hijo de Isaí?

**28.** Y respondió Jonatás: Rogóme con mucha instancia que le dejara ir a Belén,

**29.** Diciéndome: Dame licencia; por cuanto se celebra un sacrificio solemne en nuestra ciudad, y me ha convidado *con muchas instancias* uno de mis hermanos: si he hallado, pues, gracia a tus ojos, permíteme dar una vuelta por alli, y ver a mis hermanos. Por este motivo no ha venido a la mesa del rey.

**30.** Saúl, empero, indignado contra Jonatás, le dijo: ¡Hijo de prostituta, *hijo desamorado y perverso!* ¿Piensas que yo ignoro el amor que tienes al hijo de Isaí, para confusión tuya, e ignominia de tu envilecida madre?

**31.** Sábete que mientras viva el hijo de Isaí sobre la tierra, ni tú estarás seguro, ni lo estará tu *derecho al* reino. Así, pues, envía ahora mismo por él, y tráemele acá; porque ha de morir.

**32.** Mas Jonatás respondió a su padre Saúl, diciendo: Pero, ¿por qué ha de morir? ¿Qué es lo que ha hecho?

**33.** Y *al oír* Saúl *esto* agarró la lanza para atravesarle. Entonces conoció Jonatás que su padre tenía resuelto matar a David.

**34.** Y levantóse Jonatás de la mesa lleno de indignación y de furor, y no comió bocado aquel día segundo de las calendas, apesadumbrado por causa de David, y por la afrenta recibida de su padre.

**35.** Al rayar el día siguiente fué Jonatás al campo, conforme a lo acordado con David, llevándose consigo un muchacho;

**36.** Al cual dijo: Anda y tráeme las saetas que iré tirando. Estando corriendo el muchacho, disparó otra saeta más lejos.

**37.** Llegado el muchacho al lugar de la primera saeta que había tirado Jonatás, dió éste voces y le gritó: Mira, allí más adelante de ti está la saeta.

**38.** Gritóle otra vez Jonatás al muchacho, diciéndole: Date prisa, no te detengas. En fin, el muchacho recogió las saetas, y trájoselas a su amo;

---

**16.** Quiso el Señor castigar a Saúl, aun en sus descendientes, por lo que había perseguido a David; y así no pudo tener cumplido efecto la alianza de éste con la casa de Jonatás.

**25.** Jonatás se levanta para saludar a Abner, que era generalísimo de las tropas; después del cual debía sentarse David, y en seguida los demás capitanes.

**39.** Sin entender el motivo de lo que se hacía, porque solamente Jonatás y David lo sabían.

**40.** Dió después Jonatás sus armas al muchacho, diciéndole: Anda y llévalas a la ciudad.

**41.** Y así que éste hubo marchado, salió David del sitio en que estaba, que miraba al mediodía, e hizo por tres veces una profunda reverencia a Jonatás, postrándose hasta el suelo; y besándose el uno al otro, lloraron juntos: pero David mucho más.

**42.** En conclusión, Jonatás dijo a David: Vete en paz: todo aquello que los dos hemos jurado en el nombre del Señor, diciendo: El Señor sea testigo entre mí y entre ti, y entre mi descendencia y la tuya para siempre...

**43.** Y levantóse David y se fué: mas Jonatás volvióse a la ciudad.

## CAPITULO XXI

*David fugitivo pide de comer a Aquimelec, quien le da los panes santos de la proposición: toma la espada de Goliat; y pasa a la corte de Aquis, donde se finge loco.*

**1.** Partió, después, David a Nobe a encontrar al *sumo* sacerdote Aquimelec. El cual quedó sorprendido de ver llegar a David, y díjole: ¿Cómo es que vienes solo, sin que nadie te acompañe?

**2.** Respondióle David: El rey me ha encargado una comisión, diciendo: Nadie sepa el negocio a que te envío, ni las órdenes que te he dado. Por cuyo motivo aun a mis gentes les he mandado que me esperen en tal y tal lugar.

**3.** Ahora, pues, si tienes a mano aunque no sean más que cinco panes, dámelos; o cualquier cosa que hallares, *pues tenemos grande necesidad.*

**4.** A lo que respondió el sacerdote, diciéndole: No tengo a mano panes de legos o *comunes,* sino solamente el pan santo. *Con todo, te lo daré,* si es que tus criados están limpios, mayormente en cuanto a mujeres.

**5.** Respondió David al *sumo* sacerdote, diciéndole: Por lo que toca a mujeres nos hemos contenido desde ayer y antes de ayer, después

que partimos; y los cuerpos de mi gente se han conservado puros. A la verdad, el camino profano es, pero aún se purificará mi gente lavando sus cuerpos *y vestidos.*

**6.** Dióle, pues, el *sumo* sacerdote el pan santificado; por no haber allí otro pan, que los de la proposición, que se habían quitado de ante la presencia del Señor para poner otros calientes.

**7.** Hallábase aquel día allí dentro del tabernáculo del Señor uno de los criados de Saúl, llamado Doeg, idumeo, el más poderoso de los pastores de Saúl.

**8.** Dijo todavía David a Aquimelec: ¿Tienes aquí a mano alguna lanza o espada? Pues no he traído conmigo ni espada ni armas; porque urgía la orden del rey.

**9.** Díjole el *sumo* sacerdote: Aquí tienes la espada del filisteo Goliat, a quien tú mataste en el valle del Terebinto: envuelta está en un paño detrás del efod. Si quieres llevarla, tómala, pues aquí no hay sino ésta. Díjole David: No hay otra comparable con ella, dámela.

**10.** Con esto se puso David en camino, huyendo por temor de Saúl, y fuése a Aquis, rey de Get.

**11.** Mas los cortesanos de Aquis, luego que vieron a David, dijeron al rey: ¿No es éste aquel David *respetado como* rey en su país? ¿No es éste aquél en cuya alabanza cantaban en medio de sus danzas: Mató Saúl a mil, y David mató a diez mil?

**12.** Paró David la consideración en esto que decían de él, y concibió grandísimo temor de Aquis, rey de Get.

**13.** Y así comenzó a demudar su semblante delante de ellos, y dejábase caer entre los brazos de la gente, dando de cabezadas contra las puertas, y haciendo correr la saliva por su barba.

**14.** Dijo, pues Aquis a sus criados: ¿Habéis visto un tal mentecato? ¿Por qué me le habéis traído aquí?

**15.** ¿Nos faltan acaso dementes, que habéis traído también a éste para que hiciese locuras en mi presencia? ¿Un hombre semejante ha de hallar entrada en mi casa?

---

**42.** Parece que Jonatás, no acabando la cláusula comenzada, manifiesta con esta reticencia el vivo dolor que le causa el separarse de su tierno amigo. Semejante reticencia usa el Señor al entrar en Jerusalén. — Véase *Luc.* XIX, *v.* 42.

**5.** *Puros* o sin mancha, legal que obligue a lavarlos. —Aunque San Pablo, II *Cor.* IV, *v.* 7 y 1

*Tessal.* IV, *v.* 4, usa la palabra *vas* para significar el *cuerpo,* no hallándose igual uso en el Viejo Testamento, parece más probable entenderla del *vestido.* La última cláusula de este verso es tan oscura, que se ha interpretado de muchas maneras. Pero nos parece más verosímil la traducción que hemos puesto. Añadida la purificación de los vestidos a la continencia que todos habían observado, creyó David, y también Aquimelec, que no desagradaría a Dios el comer de aquellos panes en tanta necesidad.

# CAPITULO XXII

*Alléganse muchos a David, refugiado en la cueva de Odollam: desde donde va a encontrar al rey de Moab, y por consejo del profeta Gad vuélvese al país de Judá. Saúl manda matar a los sacerdotes del Señor; pero Abiatar se acoge a David.*

**1.** Con esto salió de allí David, y refugióse en la cueva de Odollam: lo que habiendo sabido sus hermanos y toda la familia de su padre, bajaron allí a encontrarle.

**2.** Allegáronse *también* todos aquellos que se hallaban angustiados, y oprimidos de deudas, y en amargura de corazón: de los cuales se hizo caudillo, y juntó como unos cuatrocientos hombres bajo su mando.

**3.** Partióse de aquí David para Masfa, que es el *país* de Moab, y dijo al rey de Moab: Ruégote permitas que mi padre y mi madre se queden con vosotros, hasta tanto que yo sepa lo que Dios dispone de mi.

**4.** Y dejólos encomendados al rey de Moab, con quien estuvieron todo el tiempo que David permaneció en aquella fortaleza de *Masfa.*

**5.** Pero el profeta Gad dijo a David: No te estés más en esta fortaleza; marcha y vete a la tierra de Judá. Partió, pues, David, y vino al bosque de Haret.

**6.** Y supo Saúl que David y la gente que tenía, se habían dejado ver. Estando, pues, Saúl en Gábaa, y hallándose *un día* en un bosque cerca de Ramá, teniendo en su mano la lanza, y rodeado de todos sus criados,

**7.** Dijo a los que se hallaban con él: Oídme ahora, hijos de Jemini, *vosotros que sois de mi tribu:* ¿El hijo de Isaí os dará acaso a todos vosotros campos y viñas, y os dará a todos los tribunos y centuriones,

**8.** Para que os hayáis todos conjurado contra mí, sin haber una persona que me informe *de lo que hace David;* mayormente después que aun el hijo mio se ha coa-

ligado con el hijo de Isaí? ¿No hay uno siquiera de vosotros que se duela de mi suerte, ni que me dé un consejo; viendo que mi hijo ha sublevado contra mí a un criado mío, que no cesa hasta hoy de armarme asechanzas?

**9.** Doeg, idumeo, que se hallaba presente, y era el más acreditado entre los criados de Saúl, respondiendo, dijo: Yo ví al hijo de Isaí en Nobe, en casa del *sumo* sacerdote Aquimelec, hijo de Aquitob.

**10.** El cual consultó al Señor por él y le dió víveres, y lo que es más, la espada de Goliat el filisteo.

**11.** Envió luego el rey a llamar al *sumo* sacerdote Aquimelec, hijo de Aquitob, y a todos los sacerdotes de la casa de su padre, que se hallaban en Nobe; los cuales vinieron todos a presentarse al rey.

**12.** Dijo entonces Saúl a Aquimelec: Oye, hijo de Aquitob. El cual respondió: ¿Qué es lo que mandas, señor?

**13.** Díjole Saúl: ¿Por qué os habéis conjurado contra mí, tú y el hijo de Isaí, y le diste los panes y la espada, y consultaste por él a Dios, para que siguiera sublevándose contra mí, y poniéndome asechanzas hasta el día de hoy?

**14.** A lo que respondió Aquimelec: ¿Y quién hay entre todos tus criados tan leal como David, yerno del rey, pronto a tus órdenes y respetado en toda tu casa?

**15.** ¿Es por ventura *hoy la primera* vez que yo he consultado por él a Dios? Lejos de mí otra idea: no sospeche el rey tal cosa de mí, su siervo, ni de toda la casa de mi padre; porque tu siervo no sabe nada de ese negocio *de conjuración.*

**16.** Dijo el rey: Morirás sin falta, Aquimelec, tú y toda la casa de tu padre.

**17.** Y en seguida dijo el rey a los de su guardia que le rodeaban: Embestid y matad a los sacerdotes del Señor; porque están coaligados con David, y sabiendo que iba huido, no me lo denunciaron. Pero los criados del rey no quisieron poner sus manos en los sacerdotes del Señor.

---

CAP. XXII.— 1. En los montes de la Palestina son muchas las cuevas de gran capacidad en donde se refugian las gentes en tiempos de guerra, etc. De ésta se habla en II *Reg.* XXIII, *v.* 13; I *Paral.* XI, *v.* 15. Estrabón dice que hacia la Arabia e Iturea había una que podía contener cuatro mil hombres.

2. Era ya conocida de todos la caridad de David para con los pobres y afligidos. Muchos de éstos tal vez no hubieran tenido reparo en empuñar la espada contra Saúl.

---

8. Se puede inferir de aquí que Jonatás, después de lo que se ha referido en el cap. XV, *v.* 33, no se dejaba ver de Saúl.

17. Loable inobediencia, siendo tan evidente la injusticia y la impiedad de semejante orden. Lo mismo puede suceder en lo que un padre mande hacer a sus hijos.

**18.** Entonces dijo el rey a Doeg: Embiste tú, y arrójate sobre los sacerdotes.

**19.** Después de esto pasó a cuchillo a Nobe, ciudad de los sacerdotes, matando a hombres y mujeres, muchachos, y niños de pecho, hasta los bueyes, los asnos y las ovejas.

**20.** Con todo, pudo escapar un hijo de Aquimelec, hijo de Aquitob, que se llamaba Abiatar, y se fué huyendo a David.

**21.** Y le contó cómo Saúl había hecho matar a los sacerdotes del Señor.

**22.** Respondióle David a Abiatar: Bien conocí yo aquel día que estando allí Doeg, idumeo, se lo noticiaría a Saúl: yo soy el culpado en la muerte de toda la casa de tu padre.

**23.** Quédate conmigo, no temas: si alguno atentare contra mi vida, atentará también contra la tuya; y estando en mi compañía, *salvándome yo* serás tú igualmente salvo.

## CAPITULO XXIII

*David defiende de los Filisteos a Ceila; huye al desierto de Cif; renuévase la alianza entre David y Jonatás; y perseguido de Saúl, en ninguna parte halla seguridad sino en el pecho de Jonatás.*

**1.** Después de esto avisaron a David, diciendo: Mira que los filisteos están sitiando a Ceila y saquean las eras, *o mieses del país.*

**2.** Consultó, pues, David al Señor, diciendo: ¿Iré, y podré yo vencer a los filisteos? Respondióle el Señor: Anda, que derrotarás a los filisteos, y librarás a Ceila.

**3.** Pero las gentes que tenía David consigo le dijeron: Ya ves que nosotros, aun *aquí,* en medio de la Judea, no estamos sin miedo: ¿cuánto más si fuéremos a Ceila contra los batallones de los filis-teos?

**4.** Consultó nuevamente David al Señor. El cual le respondió, diciendo: Marcha y ve a Ceila, que yo entregaré en tus manos a los filisteos.

**5.** Partió, pues, David con sus gentes a Ceila: peleó contra los filisteos, y haciendo en ellos gran destrozo, llevóse sus ganados, y salvó a los habitantes de Ceila.

**6.** Es de saber que cuando Abiatar, hijo de Aquimelec, se refugió a David en Ceila, se llevó consigo el efod *del sumo sacerdote.*

**7.** Luego que tuvo Saúl aviso de la llegada de David a Ceila, dijo: Dios me le ha puesto en las manos: tomado está, habiéndose metido en una ciudad que tiene puertas y cerraduras.

**8.** Con eso Saúl mandó a toda su tropa que saliese *disimuladamente* a campaña contra Ceila para cercar a David, y a su gente.

**9.** Y advertido David de que Saúl trazaba secretamente su ruina, dijo al sacerdote Abiatar: Ponte el efod *para consultar al Señor.*

**10.** *Y en seguida* dijo David: Señor Dios de Israel: tu siervo ha oído decir que Saúl se prepara para venir a Ceila, y destruirla por mi causa.

**11.** ¿Me entregarán los ciudadanos de Ceila en manos de Saúl? ¿Vendrá, en efecto, Saúl como ha oído decir tu siervo? Señor Dios de Israel, manifiéstalo a este siervo tuyo. Y respondió el Señor: Sí; vendrá.

**12.** Dijo todavía David: ¿Los de Ceila, me entregarán a mí y a toda mi gente en manos de Saúl? Y respondió el Señor: Os entregarán.

**13.** Por lo que dispuso David marcharse de allí con toda su gente, que eran como unos seiscientos hombres; y saliendo de Ceila, andaban de una a otra parte sin asiento fijo. Tuvo Saúl aviso de haber huído David de Ceila y puéstose en salvo: por lo cual aparentó no querer moverse.

**14.** Entre tanto se estaba David en el desierto en lugares muy fuertes, y se fijó en el monte del desierto de Cif, monte muy espeso. Saúl, entre tanto, no cesaba de buscarle: mas el Señor siempre le libertó de sus manos.

**15.** Y supo David que Saúl había salido para quitarle la vida: por lo que se mantuvo en el desierto de Cif, *escondido* en el bosque.

**16.** En este tiempo Jonatás, hijo de Saúl, se puso en camino, y fué allí a encontrarle; y le confortó *acordándole las promesas* de Dios, y diciéndole:

**17.** No temas: porque Saúl mi padre *por más que haga,* no podrá tomarte. Tú serás rey de Israel, y yo seré el segundo en tu reino; y aun mi *mismo* padre está persuadido de esto.

---

CAP. XXIII. — 9. Al Sacerdote revestido del efod para consultar al Señor sugiérele David la petición que debe hacer a Dios, y el Sacerdote responde después en nombre del Señor.

**18.** Renovaron entonces los dos su alianza en presencia del Señor: y David quedóse en el bosque, pero Jonatás se volvió a su casa.

**19.** Mas los cifeos fueron a encontrar a Saúl en Gábaa, y dijéronle: ¿No sabes que David está escondido entre nosotros en los parajes más fuertes del bosque, hacia el cerro de Haquila, que cae a mano derecha del desierto?

**20.** Ahora, pues, si deseas dar con él, no tienes más que venir: que corre de nuestra cuenta el entregarle en tus manos.

**21.** A lo que respondió Saúl: Benditos seáis vosotros del Señor, pues os habéis condolido de mi suerte.

**22.** Id, pues, y practicad todas las diligencias posibles, informándoos mañosamente hasta aseguraros bien del sitio donde tiene su asiento ordinario, o quien le haya visto allí; porque él se recela de mi, y sabe que ando armándole asechanzas.

**23.** Registrad y ved todos los escondrijos donde se oculta, y volved a mí, bien averiguada la cosa, para ir con vosotros *a golpe seguro.* Pues aunque se meta en las entrañas de la tierra, yo iré allí con todos los batallones de Judá, y le sacaré.

**24.** Con esto se despidieron, y se volvieron a Cif delante de Saúl. Estaban entonces David y su gente en el desierto de Maón, en la llanura que está a la derecha de Jesimón.

**25.** Salió, pues, Saúl con su tropa en busca de David; lo que sabiendo éste, se retiró luego a una roca dentro del desierto de Maón, y se quedó allí. Noticioso de ello, Saúl fué al alcance de David, en el desierto de Maón.

**26.** Iba Saúl por un lado del monte, y David con los suyos por el otro: y ya no tenía esperanza de poder escapar de las manos de Saúl; pues éste con su gente tenía encerrado a David y a los suyos, como en un círculo, para tomarlos en medio.

**27.** Cuando he aquí que llegó un mensaje a Saúl, diciendo: Ven a toda prisa, que los filisteos han hecho una irrupción en el país.

**28.** Con esta nueva, desistiendo Saúl de perseguir a David, volvióse y marchó contra los filisteos. Por donde llamaron a aquel sitio: La peña de separación.

---

**23.** Las tribus estaban distribuídas en porciones de mil hombres, de los cuales cada ciento tenían su capitán particular.

# CAPITULO XXIV

*David puesto en ocasión de matar a Saúl no lo hace, y prohibe a los suyos el hacerlo: por cuyo motivo reconoce Saúl la inocencia de David.*

**1.** No obstante, retiróse David de allí, y fué a vivir en los lugares más fuertes de Engadi.

**2.** Y como Saúl volviese después de haber perseguido a los filisteos, le avisaron, diciendo: Mira que David está en el desierto de Engadi.

**3.** Tomando, pues, Saúl tres mil hombres escogidos en todo Israel, salió en busca de David y de su gente; yendo hasta por las rocas más escarpadas, accesibles a solas las cabras monteses.

**4.** Y llegó a unas majadas de ovejas, que encontró en el camino. Había allí una cueva, donde entró Saúl a desocupar el vientre; y David estaba con los suyos escondido en lo más interior de ella.

**5.** Dícenle, pues, a David sus criados: He aquí el día *feliz* del cual te dijo el Señor: Yo pondré en tus manos a tu enemigo, para que hagas de él lo que gustares. Entonces David se levantó, y cortó sin ser sentido la orla del manto de Saúl.

**6.** E inmediatamente le remordió a David su conciencia de haber cortado la orla del manto de Saúl,

**7.** Y dijo a sus compañeros: No permita el Señor que jamás haga yo una tal cosa contra mi señor, contra el ungido del Señor, de extender mi mano contra él, siendo como es el ungido del Señor.

**8.** Y contuvo David con sus palabras a los suyos, no permitiéndoles que se echasen sobre Saúl. Saliendo, pues, éste de la cueva proseguía el camino comenzado;

**9.** Cuando se fué también David en pos de Saúl y salido ya afuera, dió voces a espaldas de Saúl, diciendo: Mi rey y señor. Volvió Saúl la cabeza, y postrándose David hasta el suelo, le hizo una profunda reverencia,

---

**CAP. XXIV.—** 6. Pensaba David muy de otra manera: y contento de hacer lo posible para salvar su propia vida, estuvo siempre muy distante de obrar contra su legitimo Soberano, manifestando constantemente unos sentimientos muy conformes a las máximas divinas del Evangelio. — Véase *Rom.* XIII, *v.* 1, 5, etc. Y así hasta de haber cortado un pedacito del manto real de Saúl, para darle con esto una prueba de fidelidad y respeto, tuvo después algún remordimiento, porque a primera vista parecía injuriosa a la majestad real aquella acción.

10. Y dijo a Saúl: ¿Por qué das oídos a las palabras de aquéllos que te dicen: David anda maquinando tu ruina?

11. Hoy ves con tus mismos ojos que el Señor te ha puesto en mis manos en la cueva: me asaltó, *o me propusieron* el pensamiento de matarte, pero me he abstenido de hacerlo, porque dije entre mí: No levantaré yo mi mano contra mi señor: por cuanto es el ungido del Señor.

12. Observa, pues, oh padre mío, y reconoce si es la orla de tu clámide *o manto* la que tengo en mi mano, y cómo al cortar la extremidad de tu vestido no he querido extender mi mano contra ti. Considera ahora tú mismo, y persuádete de que no soy culpable en nada, ni de injusticia, ni de pecado contra ti: tú, por el contrario, andas poniendo asechanzas a mi vida para quitármela.

13. Juzgue el Señor entre mí y entre ti, y hágame él justicia respecto de ti; pero yo jamás pondré la mano en tu persona.

14. De impíos es hacer acciones impías, según dice el antiguo proverbio; y así Dios me libre de extender mi mano contra ti.

15. Pero, ¿a quién persigues, oh rey de Israel? ¿Quién es al que tú persigues? Persigues a un perro muerto, a una pulga.

16. Sea juez el Señor, y sentencie entre mí y entre ti: examine y juzgue mi causa, y me libre de tus manos.

17. Luego que David acabó de hablar tales palabras a Saúl, dijo éste: ¿No es esta voz la tuya, hijo mío David? Y al mismo tiempo lanzó Saúl un grito, y comenzó a llorar.

18. Y dijo a David: Más justo eres tú que yo: porque tú no me has hecho sino bienes, y yo te he pagado con males.

19. Tú has mostrado hoy el bien que me has hecho, puesto que me ha entregado el Señor en tus manos, y no me has quitado la vida.

20. Porque, ¿quién es el que hallando a su enemigo *desprevenido*, le deja ir sin hacerle daño? El Señor te dé la recompensa por lo que hoy has hecho conmigo.

21. Y ahora, sabiendo de cierto como sé que tú has de reinar y poseer el reino de Israel,

22. Júrame por el Señor que no extinguirás mi descendencia después de mi muerte, ni borrarás mi nombre de la casa de mi padre.

23. Y juróselo David. Con lo cual se retiró Saúl a su casa: pero David y los suyos se subieron a lugares más seguros.

## CAPITULO XXV

*Muere Samuel. Nabal trata con dureza a David; pero Abigail aplaca a éste con su prudencia; y muerto Nabal, la toma David por esposa.*

1. Habiendo muerto Samuel, congregóse todo Israel a celebrar con lágrimas sus exequias, y sepultáronle en *el sepulcro de su casa*, en Rámata. David entonces pasó al desierto de Farán.

2. A la sazón vivía un hombre en el desierto de Maón, que tenía su hacienda en el Carmelo: el cual era sumamente rico, y tenía tres mil ovejas y mil cabras. Cabalmente hacía entonces esquilar sus rebaños en el Carmelo.

3. Llamábase este hombre Nabal, y su esposa Abigail, mujer de gran prudencia y hermosura: al contrario, su marido era duro, y muy perverso y malicioso, el cual descendía del linaje de Caleb.

4. Pues como David oyese en el desierto que Nabal estaba esquilando sus ovejas,

5. Envió diez jóvenes, diciéndoles: Subid al Carmelo, e id a casa de Nabal; saludadle de mi parte, cortésmente.

6. Y decidle: La paz *o felicidad* sea con mis hermanos y contigo, y paz a tu casa, y paz a cuantas cosas tienes.

7. He sabido que tus pastores que moraban con nosotros en el desierto hacen el es-

---

CAP. XXV.— 1. La opinión más probable fija la muerte de Samuel dos años antes que la de Saúl. De lo que se cuenta de Samuel en este libro se deduce la santidad y grandeza de este varón incomparable, de este sabio profeta y rectísimo Juez de Israel, que entre otras cosas memorables instituyó los colegios y academias de Profetas, donde floreció tanto el estudio de la Religión unido con la oración y piedad: institución que duró hasta la cautividad de Babilonia. San Agustín y otros Doctores observan que así como Ana, de estéril, pasa milagrosamente a ser fecunda, y dió a luz a Samuel, así la Sinagoga en el tiempo de su mayor abatimiento, y en medio de la general corrupción de costumbres cuando, a manera de mujer estéril, parecía incapaz de dar ningún fruto de vida, produjo a Jesucristo. El mismo Samuel fué figura de que la Sinagoga debía ceder el lugar a la Iglesia de Cristo, como el mismo Samuel le cedió a otro personaje más grande y de mayor dignidad, esto es, a David, figura del Mesías, fundador de una nueva Iglesia y de un nuevo pueblo, compuesto de todas las tribus de la tierra, reunidas en la común fe del Mesías *San Agustín.*

quileo: jamás les hemos molestado, nunca les ha faltado ninguna res del rebaño durante el tiempo que han andado con nosotros por el Carmelo.

8. Infórmate de tus criados, y te lo dirán. Por tanto hallen ahora gracia en tus ojos estos siervos tuyos, ya que venimos en tal alegre día; y danos a tus siervos y a David tu hijo, lo que cómodamente pudieres.

9. Llegados, pues, los mozos de David, dijeron a Nabal todas estas cosas de parte de David y aguardaron en silencio *la respuesta.*

10. Pero Nabal les respondió: ¿Quién es David? ¿Y quién es el hijo de Isaí *para que yo le ofrezca presentes?* Cada día se ven más esclavos que andan fugitivos de sus amos.

11. ¿Con que tomaré yo mis panes y mis aguas, y la carne de las reses que he hecho matar para mis esquiladores, y lo daré a unos hombres que no sé de dónde son?

12. Con esto volvieron los mozos de David a tomar su camino, y habiendo llegado, contáronle todo lo que Nabal había respondido.

13. Entonces David dijo a sus gentes: Tome cada cual su espada. Tomaron todos sus espadas, y David también la suya, y siguieron a David como unos cuatrocientos hombres, quedándose doscientos con el bagaje.

14. Entre tanto uno de los criados de Nabal avisó a su mujer Abigail, diciendo: Mira que David acaba de enviar del desierto unos mensajeros para cumplimentar a nuestro amo; y él los ha desechado con desprecio.

15. Estos hombres han sido muy buenos para nosotros: ni nos han inquietado, ni jamás nos ha faltado nada, mientras hemos estado juntos en el desierto.

16. *Antes bien* nos servían como de muro, tanto de día como de noche, todo el tiempo que anduvimos entre ellos apacentando los rebaños.

17. Por tanto considera y reflexiona lo que debes hacer: porque está para caer sobre tu marido y tu casa una gran desgracia; ese amo nuestro es un hijo de Belial, *tan violento* que nadie se atreve a hablarle.

18. Tomó, pues, Abigail a toda prisa doscientos panes y dos pellejos de vino, y cinco carneros cocidos, y cinco medidas de grano tostado, y cien atadijos de pasas, y doscientos panes de higos secos, y cargólo todo sobre asnos.

19. Y dijo a sus criados: Id delante de mí, que yo iré siguiendo detrás de vosotros. Mas no dijo nada a Nabal su marido.

20. Habiendo, pues, montado en un asno, y bajando a la falda del monte, encontró a David y a su gente que venían hacia ella; la cual fué *luego* a su encuentro.

21. Había dicho David *por el camino:* A la verdad que ha sido bien en vano guardar todo lo que éste tenía en el desierto, sin que se le haya perdido nada de cuanto poseía, pues que me ha vuelto mal por bien.

22. Trate el Señor con toda su severidad a los enemigos de David, como juro yo que no dejaré de aquí a mañana cosa con vida de todo lo perteneciente a Nabal, ni un perro siquiera.

23. Abigail, empero, así que vió a David, bajo al instante del asno, e hízole una profunda reverencia, postrándose en tierra sobre su rostro.

24. Y echóse a sus pies, y díjole: Recaiga sobre mí, señor mio, *el castigo de* la iniquidad *de mi marido:* ruégote solamente que permitas a tu esclava el que te hable, y te dignes escuchar lo que va a decirte tu sierva.

25. No hagas, te ruego, mi señor y mi rey, ningún caso de la injusticia de Nabal; porque es un insensato, y su mismo nombre denota su necedad. Mas yo, sierva tuya, no vi a los criados que tú, señor mío, enviaste.

26. Ahora, pues, mi señor: vive Dios, y vive tu alma, que el Señor es quien te ha estorbado, *haciéndome salir a mí,* el derramar sangre y te ha tenido la mano. Que sean desde luego *tan débiles* como Nabal tus enemigos, y cuantos maquinan contra mi señor.

27. Mas ahora recibe, señor mío, este presente que te ofrece tu esclava, y repártele, oh mi señor, entre la gente que traes contigo.

28. Perdónale, mi señor, a tu sierva ese pecado *de Nabal;* porque seguramente edificará el Señor para ti una casa estable, por cuanto tú, dueño mío, peleas por el Señor: no se halle, pues, culpa ninguna en ti, en todos los días de tu vida.

29. Y si alguna vez se levantare algún hombre que te persiga y quisiere atentar a tu vida, será guardada el alma de mi señor y conservada como en un ramillete de vivientes en el seno del Señor Dios tuyo: y al contrario, el alma de tus enemigos será agitada y expelida *de la vida* como una piedra tirada con la honda.

30. Pues cuando el Señor te hubiere dado, oh dueño mío, todos los bienes que ha predicho en orden a ti, y te haya constituído caudillo sobre Israel,

31. No tendrás tú, señor mío, este pesar y remordimiento de corazón de haber derramado sangre inocente, y vengádote por ti mismo: y cuando Dios te habrá colmado de bienes te acordarás, oh mi señor, de tu esclava.

32. Respondió David a Abigail: Bendito sea el Señor Dios de Israel por haberte hoy enviado a mi encuentro, y bendito sea el consejo que me has dado.

33. Bendita seas tú, que me has estorbado hoy el ir a derramar sangre, y a tomarme venganza por mi mano,

34. Que sino, juro por el Señor Dios de Israel, el cual me ha prohibido hacerte daño, que a no venir tú tan presto a encontrarme, no hubiera quedado en casa de Nabal de hoy a mañana cosa con vida, ni siquiera un perro.

35. En fin, recibió David de su mano todo lo que había traído y díjole: Vuélvete en paz a tu casa: ya ves que he hecho lo que me has pedido, y que lo he hecho por consideración a tu persona.

36. Con esto volvióse Abigail a Nabal, y hallóle celebrando en casa un convite como banquete de rey; y el corazón de Nabal rebosaba de alegría, pues estaba atestado de vino: y así no le habló palabra chica ni grande hasta la mañana.

37. Pero al amanecer, cuando ya Nabal había digerido el vino, contóle su mujer lo que había pasado, y *al oirlo* se le heló interiormente el corazón, y se quedó *inmóvil* como una piedra.

38. Al cabo de diez dias el Señor hirió de muerte a Nabal, el cual *en seguida* murió..

39. Y habiendo sabido David la muerte de Nabal, dijo: Bendito sea el Señor que me ha vengado de la afrenta que me hizo Nabal, y que preservó a su siervo del mal que *iba a hacer* y que ha hecho recaer la iniquidad de Nabal sobre su propia cabeza. Envió, después, David a tratar con Abigail sobre casarse con ella.

40. En consecuencia, los mensajeros de David fueron a verse con Abigail en el Carmelo, y le dijeron: David nos envia a ti para tomarte por esposa suya.

41. Y levantándose ella, se inclinó hasta la tierra, y dijo, *como si hablase con David:* Tu sierva se tendría por dichosa de ser empleada en lavar los pies de los criados de mi señor.

42. En seguida Abigail se dispuso luego, y montó en su asno acompañándola cinco doncellas criadas suyas, y siguió a los enviados de David, con el cual se desposó.

43. Además de ella, tomó David a Aquinoam, natural de Jezrael y ambas fueron esposas suyas.

44. Pero ya antes Saúl había dado su hija Micol, mujer de David, a Falti, hijo de Lais, que era de Gallim.

## CAPITULO XXVI

*Vuelve Saúl a perseguir a David en el desierto de Cif; y estando durmiendo en su tienda le quita David de la cabecera de la cama la lanza: con lo que reconoce nuevamente Saúl su iniquidad.*

1. Y *otra vez* vinieron los cifeos a Gábaa y dijeron a Saúl: Mira que David está escondido en el cerro de Haquila, enfrente del desierto.

2. Con eso Saúl se puso en camino, y acompañado de tres mil hombres escogidos de todo Israel, bajó al desierto de Cif para ir en busca de David.

3. Acampó Saúl en Gabáa, *o cerro* de Haquila, frente por frente del desierto sobre el camino: y estaba David en dicho desierto. Mas oyendo que Saúl había venido allí en su seguimiento,

4. Envió espías, y supo con toda certeza que realmente había venido.

5. Y partiendo en secreto, fué al lugar donde estaba Saúl; y observado el sitio en que dormían Saúl y Abner, hijo de Ner; general de sus tropas, y que Saúl dormía en su tienda, y alrededor de él toda la demás gente,

6. Dijo David al heteo Aquimelec, y a Abisaí, hijo de Sarvia, hermano de Joab: ¿Quién quiere venir conmigo al campamento de Saúl? Respondió Abisaí: Yo iré contigo.

7. Fueron, pues, David y Abisaí de noche al campamento, y hallaron a Saúl echado y durmiendo en su tienda, y la lanza hincada en tierra a su cabecera; y a Abner con la tropa, que dormían alrededor de Saúl.

8. Dijo entonces Abisaí a David: Dios ha puesto en tus manos a tu enemigo, ahora. pues, voy a clavarle en tierra de una sola lanzada, y no será menester repetir el golpe.

9. Mas David dijo a Abisaí: De ningún modo le mates: porque, ¿quién podrá alzar sin pecado, su mano contra el ungido del Señor?

**10.** Y añadió: Vive Dios que a no ser que el Señor le mate, o llegue el día de su muerte natural, o perezca en alguna batalla, *no morirá.*

**11.** Líbreme Dios de levantar mi mano contra el ungido del Señor. Ahora, pues, toma la lanza que tiene a su cabecera, y el jarro del agua, y vámonos.

**12.** Llevóse, pues, David la lanza y el jarro del agua que tenía Saúl junto a su cabeza, y se fueron, sin que hubiese persona que los viese, ni sintiese, o que despertase, sino que todos dormían poseídos de un sueño *profundo* que el Señor les había enviado.

**13.** David, pues, cuando hubo pasado a la parte opuesta, paróse a lo lejos en alto del cerro, habiendo entre él y el campamento enemigo un gran trecho;

**14.** Y llamó desde allí en alta voz a la gente de Saúl, y a Abner, hijo de Ner, diciéndole: ¿Qué? ¿No me respondes, oh Abner? Y respondiendo éste, dijo: ¿Quién eres tú, que tanto gritas e incomodas al rey?

**15.** Replicóle David: ¿No eres tú un hombre *de valor*? ¿Y hay otro ninguno en Israel que te iguale? Pues, ¿cómo no has guardado al rey tu señor?, puesto que ha entrado uno de la plebe con intento de matar a tu señor el rey.

**16.** No es esto cumplir bien tu obligación. Vive Dios, que sois reos de muerte vosotros que no habéis guardado a vuestro dueño, el ungido del Señor; y si no, ved ahora dónde está la lanza del rey, y el jarro del agua que tenía a su cabecera.

**17.** Reconoció Saúl la voz de David, y le dijo: ¿No es esta tu voz, hijo mío David? Y David respondió: Mi voz es, señor y rey mío;

**18.** Añadiendo: ¿Por qué motivo persigue mi señor a éste tu siervo? ¿Qué le he hecho yo, o qué delito he cometido?

**19.** Oye, pues, ahora, te ruego, mi rey y señor, las palabras de tu siervo: Si es el Señor el que te incita contra mí, acepte el olor de este sacrificio; mas si son los hombres, malditos sean en la presencia del Señor, ellos que me han hoy desterrado para que no habite en la heredad del Señor, como quien dice: Anda y sirve a dioses ajenos.

**20.** Ahora, pues, no sea derramada en tierra mi sangre en presencia del Señor. ¿Y era necesario que el rey de Israel saliese a campaña para perseguir a una pulga, o así como se va tras de una perdiz en los montes?

**21.** Y dijo Saúl: He pecado; vuelve, hijo mío David, que no te haré mal ninguno de este día en adelante; visto que has mirado hoy con tanto aprecio mi vida: que bien se ve cuán neciamente he procedido, y que he sido mal informado en muchísimas cosas.

**22.** A lo que respondiendo David, dijo: Aquí está la lanza del rey: pase acá uno de sus criados, y llévela.

**23.** Por lo demás, el Señor remunerará a cada cual conforme a su justicia y fidelidad. El te había entregado hoy en mi poder, y no he querido levantar mi mano contra el ungido del Señor.

**24.** Pues así como tu vida ha sido hoy tan estimada en mis ojos, así lo sea también la mía en los ojos del Señor, y me libre él de cualquier tribulación.

**25.** *Por último*, dijo Saúl a David: Bendito seas, hijo mío David: sin duda ejecutarás tú grandes empresas, y será grande tu poder. Después David se fué por su camino, y Saúl volvióse a su casa.

## CAPITULO XXVII

*David, temiendo la inconstancia de Saúl, se refugia en la ciudad de Siceleg, que le concede el rey Aquis, desde donde hace varias correrías contra los enemigos.*

**1.** Mas David dijo en su corazón: Al fin algún día vendré a caer en manos de Saúl. ¿No me vale más huir y ponerme en salvo en tierra de filisteos, para que Saúl pierda las esperanzas y cese de andarme buscando por todo el país de Israel? Huiré, pues, de sus dominios.

**2.** Y así David partió con sus seiscientos hombres, y fuése a Aquis, rey de Get, hijo de Maoc.

**3.** Y habitó David en Get con Aquis, él y los suyos, cada cual con su familia, y David con sus dos esposas Aquinoam, jezraelita, y Abigail, viuda de Nabal, del Carmelo.

**4.** Dieron noticia a Saúl de que David había huído a Get; con lo que no cuidó más de buscarle.

**5.** David, empero, dijo a Aquis: Si he hallado gracia en tus ojos, déseme habitación en una de las ciudades de este país para morar allí, pues ¿a qué fin ha de residir tu siervo en la corte del rey?

**6.** Con esto le dió Aquis en aquel día la ciudad de Siceleg; por cuya causa vino a ser Siceleg de los reyes de Judá, los cuales la poseen hasta el día presente.

**7.** El tiempo que vivió David en tierra de los filisteos, fué de cuatro meses.

**8.** Durante los cuales salía David con su gente a hacer correrías sobre Gesuri y Gerci, y sobre los amalecitas: porque antiguamente estaban habitadas aquellas aldeas *por estos pueblos* desde el camino de Sur hasta la tierra de Egipto.

**9.** Y asolaba David todo el país, sin dejar con vida hombre ni mujer; y llevándose ovejas y bueyes, y asnos, y camellos, y ropas, daba la vuelta y se presentaba a Aquis.

**10.** Y decíale Aquis: ¿Hacia qué lado te has dejado caer hoy? David le respondía: Hacia la parte meridional de Judá; *o bien* hacia el mediodía de Erameel; o hacia el mediodía de Ceni.

**11.** No dejaba David hombre ni mujer con vida; ni conducía prisionero ninguno a Get: No sea caso, decía, que hablen contra nosotros. Esta era la conducta de David, y éste era su proceder todo el tiempo que habitó en el país de los filisteos.

**12.** Por donde Aquis vino a fiarse de David, diciendo *entre sí:* Muchos son los daños que ha hecho contra su pueblo de Israel; y por lo mismo se quedará ya para siempre adicto a mi servicio.

## CAPITULO XXVIII

*Guerra de los Filisteos contra los Israelitas: consulta Saúl a una Pitonisa; le aparece Samuel, el cual le anuncia su próxima ruina.*

**1.** Acaeció en aquellos días que los filisteos reunieron sus fuerzas para prepararse a la guerra contra Israel; y dijo Aquis a David: Ten entendido que has de salir conmigo a campaña tú y los tuyos.

**2.** Respondió David: Ahora has de ver lo que hará tu siervo. Y yo, díjole Aquis, te confiaré para siempre la guarda de mi persona.

**3.** Había ya muerto Samuel, y llorádole todo Israel *amargamente*, habiéndole sepultado en Rámata, su patria, y Saúl, *por consejo suyo*, había limpiado el reino de magos y adivinos.

---

CAP. XXVIII. — 2. Tampoco puede aprobarse aquí la ficción de David. Son estas faltas en las vidas de los santos, dice San Agustín, como lunares pequeños en un bellísimo y candidísimo cuerpo: los cuales desaparecen a la brillante luz de la claridad y de las grandes acciones a que les mueve la gloria de Dios. Algunos expositores excusan aquí a David, por ser, dicen, muy vagos y generales los términos de la respuesta que dió, y admitir varios sentidos.

3. Se cree que Saúl, por consejo de Samuel, hizo esto al principio de su reinado, en cumplimiento de lo mandado por Dios. —*Lev.* XIX, *v.* 31.

**4.** Reunidos, pues, los filisteos, fueron y plantaron sus reales en Sumam. Asimismo Saúl, juntando todas las tropas de Israel, fué a Gelboe.

**5.** Y visto el *grande* ejército de los filisteos, temió y desmayó su corazón sobremanera.

**6.** Consultó, pues, al Señor; mas no le respondió, ni por sueños, ni por los sacerdotes, ni por los profetas.

**7.** Dijo entonces Saúl a sus criados: Buscadme una mujer que tenga espíritu de Pitón, e iré a encontrarla, y a consultar *al espíritu* por medio de ella. Respondiéronle sus criados: En Endor hay una mujer que tiene espíritu pitónico.

**8.** Disfrazóse, luego, y mudado el traje se puso en camino, acompañado de dos hombres. Fué de noche a casa de la mujer, y díjole: Adivíname por *el espíritu de* Pitón, y hazme aparecer quien yo te dijere.

**9.** Respóndióle la mujer: Sabes bien cuanto ha hecho Saúl por estirpar de todo el país los magos y adivinos. ¿Por qué, pues, vienes a armarme un lazo para hacerme perder la vida?

**10.** Mas Saúl le juró por el Señor, diciendo: Vive Dios, que no te vendrá por esto mal ninguno.

**11.** Díjole entonces la mujer: ¿Quién es el que debo hacerte aparecer? Respondióle: Haz que se me aparezca Samuel.

**12.** Mas luego que la mujer vió a Samuel, exclamó a grandes gritos diciendo a Saúl: ¿Por qué me has engañado? Tú eres Saúl.

**13.** Y díjole el rey: No temas. ¿Que es lo que has visto? He visto, respondió la mujer, *como* un dios que salía de dentro de la tierra.

**14.** Replicóle Saúl: ¿Qué figura tiene? La de un varón anciano, dijo ella, cubierto con un manto. Reconoció, pues, Saúl que era Samuel, y le hizo una profunda reverencia, postrándose en tierra sobre su rostro.

**15.** Pero Samuel dijo a Saúl: ¿Por qué has turbado mi reposo, haciéndome levantar? Respondió Saúl: Me veo en un estrechísimo apuro: los filisteos me han movido guerra, y Dios se ha retirado de mí, y no ha querido responderme, ni por medio de los profetas, ni por sueños. Por esta razón te he llamado, a fin de que me declares lo que debo hacer.

**16.** Respondióle Samuel: ¿A qué viene el consultar conmigo, cuando el Señor te ha desamparado, y pasádose a tu rival?

---

7. El espíritu de Pitón quiere decir el espíritu de Apolo, divinidad famosa entre los gentiles por razón de sus oráculos.

17. Porque el Señor te tratará como te predije yo de su parte. Arrancará de tus manos el reino, y le dará a tu prójimo, a David, *tu yerno*;

18. Por cuanto no obedeciste a la voz del Señor, ni quisiste hacer lo que la indignación de su ira exigía contra los amalecitas: por esto el Señor ha hecho contigo lo que estás padeciendo hoy día.

19. Y además el Señor te entregará a ti y a Israel en manos de los filisteos. Mañana tú y tus hijos estaréis conmigo; y también el campamento de Israel lo abandonará el Señor en poder de los filisteos.

20. Cayó Saúl al instante tendido en tierra, despavorido al oír las palabras de Samuel, y estaba además falto de fuerzas, a causa de no haber comido en todo el día.

21. Mas aquella mujer entró donde estaba Saúl, que se hallaba sumamente conturbado diciéndole: Bien ves que tu esclava te ha obedecido, y que he expuesto mi vida, y dado crédito a lo que me has dicho:

22. Ahora, pues, escucha tú también la voz de tu sierva, y permite que te ponga delante un bocado de pan, para que comiendo recobres las fuerzas y puedas hacer tu viaje.

23. Pero Saúl lo rehusó y le dijo: No comeré. Con todo sus criados y la mujer le instaron a ello, y al cabo, rendido a sus ruegos, se levantó del suelo, y sentóse sobre una cama *o tarima*.

24. Tenía la mujer en casa un ternero cebado, y fué corriendo y lo mató; y tomando harina, la amasó, y coció unos panes sin levadura:

25. Y lo presentó todo delante de Saúl y sus criados. Así que hubieron comido, partieron, y anduvieron toda aquella noche.

## CAPITULO XXIX

*Aquis despide a David del ejército, por no fiarse de él los caudillos de los Filisteos.*

1. Entre tanto se reunieron en Afec todas las tropas de los filisteos; e Israel por su parte acampó junto a la fuente que había en Jezrael.

2. Los sátrapas de los filisteos marchaban al frente de sus tropas, divididas en compañías de a ciento, y regimientos de a mil hombres: mas David y su gente iban en la retaguardia con Aquis.

3. Y dijeron los príncipes de los filisteos a Aquis: ¿Qué hacen aquí esos hebreos? Respondióles Aquis: Pues ¿qué? ¿No conocéis a David que sirvió a Saúl, rey de Israel, y está en mi compañía días hace, o ya años, sin que haya yo tenido queja de él desde el día en que se pasó a mí hasta el presente?

4. Mas los príncipes de los filisteos se irritaron contra él, y le dijeron: Retírese ese hombre, y estése quedo allá en el lugar que le señalaste, y no venga con nosotros a la guerra, no sea que comenzado el combate se revuelva contra nosotros: porque, ¿de qué otro modo podrá aplacar a su Señor, sino a costa de nuestras cabezas?

5. ¿No es éste aquel David, de quien cantaban a coro en las danzas: Saúl mató a mil y David mató a diez mil?

6. Llamó, pues, Aquis a David, y díjole: Vive el Señor que tú eres justo y bueno en mis ojos; y que es tal la conducta que has observado en el ejército, que no he hallado en ti falta ninguna, desde el día en que te pasaste a mí hasta el presente: pero no eres del gusto de los sátrapas.

7. Vuélvete, pues, y vete en paz, por no incomodar con tu vista a los sátrapas filisteos.

8. Dijo David a Aquis: Pues, ¿qué he hecho yo y qué has visto en mí, siervo tuyo, desde el día en que me presenté a ti hasta hoy, para que no pueda yo ir a pelear contra los enemigos del rey mi señor?

9. Respondió Aquis, y le dijo: En cuanto a mí, bien sé que me eres fiel, y téngote por un ángel de Dios; pero los príncipes de los filisteos han dicho resueltamente: No ha de ir con nosotros al combate.

10. Por tanto, disponte para mañana por la mañana con todos los siervos de tu señor, que contigo vivieron; y levantándoos antes de amanecer, al romper el alba ponéos en camino.

11. Levantóse, pues, David con su gente siendo aún de noche, para partir por la mañana, y volverse al país de los filisteos. Mas los filisteos subieron a Jezrael.

## CAPITULO XXX

*David derrota a los Amalecitas, que saquearon a Siceleg en su ausencia, y les quita la presa.*

1. David y los suyos llegaron a los tres días a Siceleg, cuando ya los amalecitas habían hecho una incursión por la parte del mediodía, hasta Siceleg, y tomado esta ciudad, y pegádola fuego;

2. Llevándose cautivas las mujeres, sin dejar persona chica ni grande. No mataron a nadie, sino que se los llevaron a todos consigo, y se marcharon.

3. Pues como David y su gente llegasen a la ciudad, y la encontrasen abrasada, y que sus mujeres, sus hijos e hijas habían sido llevadas cautivas,

4. Levantaron el grito David y la tropa que le acompañaba, deshechos en lágrimas hasta más no poder.

5. También las dos esposas de David, Aquinoam, la jezraelita, y Abigail, la viuda de Nabal, del Carmelo, habían sido hechas cautivas.

6. Y hallóse David en extremo angustiado: porque el pueblo trataba de apedrearle, estando todos poseídos de la mayor amargura por la pérdida de sus hijos e hijas. Pero David *puso su confianza, y* se confortó con el Señor Dios suyo,

7. Y dijo a Abiatar, *sumo* sacerdote, hijo de Aquimelec: Tráeme el efod. Y Abiatar trajo a David el efod.

8. Y, *revestido de él Abiatar,* consultó David al Señor, diciendo: ¿Perseguiré a estos salteadores, y los alcanzaré o no? Respondió el Señor: Persíguelos; porque sin duda los alcanzarás, y les quitarás la presa.

9. Partió, pues, David con los seiscientos hombres que le seguían, y anduvieron hasta el torrente Besor; donde algunos, de puro cansados, se detuvieron.

10. Mas David tiró adelante con cuatrocientos hombres; quedándose atrás doscientos que por el cansancio no pudieron pasar el torrente Besor.

11. Y hallaron en el campo un hombre egipcio, el cual llevaron a David: y diéronle pan para que comiese y agua para que aliviase su sed,

12. Y además un pedazo de pan de higos secos, y dos cuelgas de pasas. Comido que hubo, se le volvió el alma al cuerpo, y recobró el aliento; pues no había probado pan ni bebido agua en tres días y tres noches.

13. Díjole entonces David: ¿De quién eres tú? ¿De dónde vienes y adónde vas? El cual respondió: Yo soy un esclavo egipcio, que sirvo a un amalecita. Mi amo me ha dejado abandonado, porque caí enfermo antes de ayer.

14. Pues nosotros hicimos una incursión hacia la parte meridional de Cereti y hacia Judá, y al mediodía de Caleb, y hemos quemado Siceleg.

15. Díjole David: ¿Y podrás tú guiarme adonde está esa gente? Respondió el egipcio:

Júrame por el nombre de Dios que no me matarás, ni me entregarás en manos de mi amo, y yo te llevaré a donde está aquella tropa. Juróselo David.

16. Guiados, pues, por el egipcio, he aquí que hallan a los amalecitas tendidos en tierra por todo el campo, comiendo y bebiendo, y como celebrando un día de fiesta por todo el botín y despojos que habían tomado en el país de los filisteos y en el de Judá.

17. Cargó, David, sobre ellos, y los siguió acuchillando desde aquella tarde hasta la tarde del día siguiente: y no escapó nadie, excepto cuatrocientos jóvenes, que montando en sus camellos echaron a huir.

18. De esta manera recobró David todo cuanto habían pillado los amalecitas, y libertó a sus dos esposas.

19. Ninguna cosa se perdió: desde el más chico hasta el grande, tanto hijos como hijas, los despojos, y en fin cuanto habían quitado, otro tanto recuperó David.

20. Y *además* se llevó todos los rebaños y ganados mayores, e hizo que fuesen delante de él; por lo que decían sus gentes: Esta es la presa que ha hecho David.

21. Llegado, David, adonde estaban los doscientos hombres, que de puro cansados se habían quedado y no habían podido seguirle, y a los cuales dejó mandado que descansaran en la orilla del torrente Besor, salieron éstos a recibirle a él y a la tropa que le acompañaba. Luego que David estuvo cerca de ellos, los saludó con agrado.

22. Mas todos los malignos y perversos de entre los hombres que habían ido con David, comenzaron a decir: Ya que no vinieron con nosotros, no les daremos cosa alguna de la presa que hemos recobrado: conténtese cada uno con que se le vuelva su mujer e hijos, y recibido ésto, váyase.

23. David, empero, dijo: No habéis de disponer así, hermanos míos, de las cosas que nos ha dado el Señor; ya que él nos ha protegido y entregado en nuestras manos a los salteadores que se arrojaron contra nosotros, *y nos saquearon.*

24. Nadie habrá que apruebe vuestra proposición: porque igual parte deberá caber al que se halló en el combate, y al que se quedó guardando el bagaje: y así la partición deberá ser igual.

25. Y desde aquel día en adelante fué éste un punto ya decidido y establecido, y una ley en Israel hasta el presente.

**26.** Llegó, en fin, David a Siceleg, y envió dones de la presa a los ancianos de Judá, parientes suyos, diciendo: Recibid esa expresión de lo que hemos tomado a los enemigos del Señor.

**27.** Y envió *también* a los que vivían en Betel y en Ramot hacia el mediodía, a los de Jeter,

**28.** Aroer, y Sefamot, y Estamo,

**29.** A los de Racal, y de las ciudades de Jerameel, y de las de Ceni,

**30.** Y a los de Arama, y del lago de Asán, y a los de Atac,

**31.** De Hebrón, y finalmente a los demás que habitaban en aquellos lugares en los cuales David y su gente habían estado algún tiempo alojados.

## CAPITULO XXXI

*Israel es derrotado; Saúl sus hijos quedan muertos, a cuyos cuerpos dan sepultura los de Jabes Galaad.*

**1.** Entre tanto se dió la batalla entre los filisteos e israelitas; y volvieron éstos las espaldas a los filisteos, y quedaron *muchos de Israel* muertos en el monte Gelboe.

**2.** Y los filisteos arrojáronse sobre Saúl y sus hijos, y mataron a Jonatás, y Abinadab, y Melquisua, hijos de Saúl;

**3.** Y toda la fuerza del combate vino a descargar sobre Saúl, a quien alcanzaron los flecheros e hirieron gravemente.

**4.** Dijo entonces Saúl a su escudero: Desenvaina tu espada, y quítame la vida; porque no lleguen esos incircuncisos y me maten,

mofándose de mí. Mas su escudero no quiso hacerlo, sobrecogido de un sumo terror. Con esto Saúl desenvainó su espada, y arrojóse sobre ella.

**5.** Al ver el escudero muerto a Saúl, echóse él mismo también sobre su espada, y murió junto con él.

**6.** Así murió Saúl en aquel día y con él tres de sus hijos, su escudero, y cuantos se hallaban cerca de su persona.

**7.** Y viendo los israelitas que vivían en la otra parte del valle y pasado el Jordán, que habían huído los soldados de Israel, y muerto Saúl y sus hijos, abandonaron sus ciudades y escaparon; y vinieron los filis-teos y se alojaron en ellas.

**8.** Amanecido el día siguiente, fueron los filisteos a despojar los muertos entre los cuales hallaron a Saúl y a tres hijos tendidos sobre el monte Gelboe.

**9.** Cortáronle a Saúl la cabeza, y le despojaron de sus armas; y enviaron la noticia por todo el país de los filisteos, para que se publicara la victoria en el templo de los ídolos, y en los pueblos.

**10.** Colocaron las armas de Saúl en el templo de Astarot, y colgaron su cuerpo en el muro de Betsán.

**11.** Pero los moradores de Jabes Galaad, oído lo que los filisteos habían hecho con Saúl,

**12.** Salieron todos los más esforzados, anduvieron toda la noche, y quitaron el cadáver de Saúl, y los cadáveres de sus hijos del muro de Betsán; y volviéndose a Jabes Galaad, allí los quemaron:

**13.** Y recogidos sus huesos los sepultaron en el bosque de Jabes, ayunando siete días.

# LIBRO SEGUNDO DE SAMUEL

## CAPITULO PRIMERO

*David hace quitar la vida al que dijo había muerto a Saúl y le traía la corona: muestra su dolor por la muerte de Saúl, de Jonatás y demás Israelitas; y forma un cántico lúgubre a este intento.*

**1.** Muerto Saúl, hacía ya dos días que David se hallaba en Siceleg, de vuelta de la derrota de los amalecitas;

**2.** Cuando al tercer día compareció un hombre que venía del campamento de Saúl, rasgados sus vestidos y cubierta de polvo la cabeza; y llegándose a David, postróse sobre su rostro, haciéndole una profunda reverencia.

**3.** Preguntóle David: ¿De dónde vienes? He podido escapar, respondió él, de los reales de Israel.

**4.** Díjole David: ¿Pues qué ha sucedido?, decláramelo. Se trabó la batalla, respondió él, ha echado a huir la tropa, han quedado tendidos muchos en el campo, y hasta Saúl y su hijo Jonatás han perecido.

**5.** Dijo David al joven que le daba esta nueva: ¿Cómo sabes tú que han muerto Saúl y Jonatás su hijo?

---

**25.** David renovó la antigua costumbre. *Num.* XXXI, *v.* 27. — *Josué* XXII, *v.* 8.

**6.** Respondióle aquel mozo: Llegué yo casualmente al monte Gelboe, al tiempo que Saúl se había arrojado sobre la punta de su lanza: y cuando ya los carros de guerra y la caballería *del enemigo* se le acercaban,

**7.** Volviéndome entonces a mirar atrás, y viéndome me llamó. Y habiéndole respondido yo: Estoy a tu mandar;

**8.** Preguntóme: ¿Quién eres tú? Díjele: Soy un amalecita.

**9.** Ponte sobre mí, dijo él, y mátame; porque estoy ya en la agonía, y no acaba de salir mi alma.

**10.** Por lo que poniéndome sobre él le acabé de matar; bien cierto de que no podría sobrevivir después de tal desastre. Tomé la diadema de su cabeza, y el brazalete de su brazo, y te lo traigo a ti, que eres mi señor.

**11.** Al punto David asió sus vestidos, y los rasgó; haciendo lo mismo cuantos le acompañaban:

**12.** Y plañeron y lloraron, y ayunaron hasta la tarde por amor de Saúl y de Jonatás su hijo y del pueblo del Señor, y de la casa de Israel, porque habían sido pasados a cuchillo.

**13.** Dijo después David al joven que había traído la noticia: ¿De dónde eres tú? Soy hijo, le respondió, de un hombre extranjero, amalecita.

**14.** Replicóle David: Pues, ¿cómo has osado levantar tu mano para matar al ungido del Señor?

**15.** Y llamando a uno de sus soldados, le dijo: Arrójate sobre ese hombre, y mátale. En efecto, *se echó sobre él,* y le hirió, y mató;

**16.** Diciendo David al mismo tiempo: A nadie, sino a ti mismo se impute tu muerte, porque tu propia boca ha dado testimonio contra ti, con haber dicho: Yo maté al ungido del Señor.

**17.** Entonces fué cuando David compuso el siguiente cántico fúnebre sobre *la muerte de* Saúl, y de su hijo Jonatás:

**18.** *Cántico llamado* del Arco, que mandó que se enseñase a los hijos de Judá, como está escrito en el libro de los Justos. Dijo, pues, así: Considera, oh Israel, quiénes son los que fueron heridos y perdieron la vida sobre tus colinas.

**19.** La flor de Israel ha perecido sobre tus montañas. ¡Cómo han sido muertos esos campeones!

**20.** ¡*Ah!* No sea contada en Get esta nueva:

no sea contada en las plazas de Ascalón; para que no hagan fiesta por ellas las hijas de los filisteos, para que no salten de gozo las hijas de los incircuncisos.

**21.** Montes de Gelboe, ni el rocío ni la lluvia caigan ya *jamás* sobre vosotros; ni campos haya de donde sacar *la ofrenda de* las primicias; puesto que allí es donde fué arrojado por el suelo el escudo de los fuertes, el escudo de Saúl, como si no hubiese sido ungido *rey* con el óleo *santo.*

**22.** Nunca disparó flecha Jonatás que no se tiñera en sangre de los heridos, que no se clavara en las entrañas de los valientes. Jamás dió golpe en vano la espada de Saúl.

**23.** Saúl y Jonatás, amables, y gloriosos durante su vida, más ligeros que las águilas, más fuertes que los leones, han sido inseparables hasta la muerte.

**24.** Llorad, pues, oh hijas de Israel, *llorad* sobre Saúl, que os adornaba con delicados ropajes de grana; y os daba joyeles de oro para engalanaros.

**25.** Mas, ¿cómo es, que así hayan los valientes perecido en el combate? ¿Cómo es, *oh montes de Gelboe,* que Jonatás ha sido muerto en vuestras alturas?

**26.** ¡Oh, hermano mío Jonatás! Gallardo sobremanera, y digno de ser amado más que la más amable doncella, yo lloro por ti. Del modo que una madre ama un hijo único que tiene, así te amaba yo.

**27.** ¡Cómo han caído esos valientes, y se han perdido las armas con que peleaban!

## CAPITULO II

*David es proclamado en Hebrón rey de Judá; mas Abner levanta por rey sobre las demás tribus a Isboset: guerra entre los dos reyes.*

**1.** Después de todo esto, consultó David al Señor, diciendo: ¿Iré a alguna de las ciudades de Judá? Respondióle el Señor: Ve. Preguntó más David: ¿A cuál? Dijo el Señor: A Hebrón.

**2.** En consecuencia David se puso en camino con sus dos esposas Aquinoam de Jezrael, y Abigail, viuda de Nabal del Carmelo.

---

CAP. PRIMERO. — 16. No es menester tener por verdadero todo lo que dijo este Amalecita a David.

24. David, apartando la vista de los vicios o defectos de Saúl, alaba las virtudes civiles y militares de este rey. Por lo demás los Padres Expositores sagrados dicen que Saúl reprobado por Dios, figura de la Sinagoga, y que David, perseguido, lo fué de la Iglesia.

**3.** Asimismo se llevó allá toda la gente que tenía consigo, cada uno con su familia, y se avecindaron en los lugares comarcanos de Hebrón;

**4.** Adonde acudieron los varones *o ancianos* de Judá, y allí le ungieron por rey de la casa de Judá. Supo entonces David que los de Jabes de Galaad habían dado sepultura a Saúl.

**5.** Y les envió comisionados para que les dijesen de su parte: Benditos seáis del Señor, pues habéis hecho tal obra de misericordia con Saúl, vuestro Señor, y le habéis dado sepultura.

**6.** El Señor desde ahora se os mostrará sin duda alguna misericordioso y fiel; mas yo también me mostraré agradecido por esa acción que habéis hecho.

**7.** Buen ánimo, y cobrad aliento; porque aunque ha muerto Saúl vuestro señor, la casa de Judá me ha ungido a mí por su rey.

**8.** Entre tanto Abner, hijo de Ner, capitán general del ejército de Saúl, tomó a Isboset, hijo de Saúl, y le paseó por todo el campamento.

**9.** Y le hizo declarar rey de Galaad, de Gesuri, de Jezrael, de Efraím, de Benjamín y de todo Israel.

**10.** Cuarenta años tenía Isboset, hijo de Saúl, cuando comenzó a reinar, y dos años reinó *tranquilamente* sobre Israel. No había más que la tribu de Judá que siguiese a David.

**11.** El tiempo que habitó David en Hebrón, reinando sobre la casa de Judá, fué de siete años y seis meses.

**12.** Entonces Abner, hijo de Ner levantó el campo, y con el ejército de Isboset, hijo de Saúl, se fué a Gabaón.

**13.** Pero Joab, hijo de Sarvia, por su parte, y los soldados de David, salieron a su alcance, y los encontraron cerca del estanque de Gabaón; donde acamparon los unos frente a los otros, dejando en medio el estanque.

**14.** Dijo entonces Abner a Joab: Salgan al campo algunos jóvenes, y escaramucen delante de nosotros. Respondió Joab: Salgan enhorabuena.

**15.** Salieron, pues, y se presentaron doce jóvenes de la tribu de Benjamín por parte de Isboset, hijo de Saúl, y doce de los jóvenes de David.

**16.** Y asiendo cada uno *por los cabellos* la cabeza de su contrario, se atravesaron mutuamente el costado con las dagas, y murieron todos a un mismo tiempo: de donde fué llamado aquel sitio, campo de los valientes de Gabaón.

**17.** Y trabóse aquel día una batalla muy reñida; mas las tropas de David hicieron volver la espalda a Abner y a los soldados de Israel.

**18.** Estaban allí a la sazón tres hijos de Sarvia: Joab, Abisaí y Asael. Era Asael extremadamente ligero de pies, como un corzo de los que andan por las selvas.

**19.** Iba, pues, Asael al alcance de Abner, sin desviarse a la derecha ni a la izquierda, corriendo tras él incesantemente.

**20.** Y volvió Abner la vista atrás, y dijo: ¿No eres tú Asael? Asael soy, respondió él.

**21.** Pues tuerce, le dijo Abner, a la derecha o a la izquierda, y acomete a cualquiera de esos jóvenes, y apodérate de sus despojos. Mas Asael no quiso dejar de irle a los alcances.

**22.** Segunda vez repitió Abner a Asael: Retírate, deja de seguirme: no me pongas en términos de que me vea forzado a coserte en tierra *con la lanza*, y después no tenga valor para mirar la cara de tu hermano Joab.

**23.** Mas él no hizo caso, ni quiso desviarse. Entonces Abner le hirió con la parte inferior de la lanza en una ingle, y atravesóle de parte a parte, dejándole muerto en el mismo sitio; y todos cuantos pasaban por el lugar en que Asael cayó muerto, se detenían.

**24.** Mas Moab y Abisaí continuaron hasta ponerse el sol en el alcance de Abner que iba huyendo, y llegaron hasta el collado del acueducto, que está enfrente del valle, camino del desierto de Gabaón.

**25.** Reuniéronse *entonces* los hijos de Benjamín alrededor de Abner y formando en columna, se apostaron en la cima de un cerro,

**26.** Desde donde Abner gritó a Joab diciendo: ¿No se saciará de sangre tu espada, sino hasta el total exterminio? ¿No sabes que es cosa peligrosa reducir a desesperación al enemigo? ¿No será ya tiempo de decir al pueblo que deje de perseguir a sus hermanos?

**27.** Vive el Señor, respondió Joab, que si hubieses hablado antes, desde la mañana habría cesado la tropa de seguir al alcance a sus hermanos.

**28.** Al punto Joab mandó sonar la bocina, y detúvose e hizo alto todo el ejército, dejando de perseguir a Israel, y de pelear contra él.

---

CAP. 7. — 7. Y como Saúl sabré también defenderos de vuestros enemigos.

**29.** Y Abner con los suyos caminó toda aquella noche por la campiña, y pasaron el Jordán, y atravesado todo el país de Bethorón, volvieron a su campamento *en Manahim.*

**30.** Joab, por su parte, cesando de perseguir a Abner, volvió atrás, juntó toda su gente, y faltaron de los soldados de David diez y nueve hombres, sin contar a Asael.

**31.** Pero las gentes de David mataron a trescientos y sesenta de los benjamitas, y demás gente de Abner.

**32.** A Asael le llevaron consigo, y enterráronle en Belén, en el sepulcro de su padre. Joab, empero, y su gente caminaron toda la noche, y al rayar el día llegaron a Hebrón.

## CAPITULO III

*Abner, resentido de la represión que le dió Isboset, trata con David de reducir todo Israel a su obediencia, y es muerto alevosamente por Joab, sobrino de David, quien le llora amargamente.*

**1.** Duró, pues, largo tiempo la lucha entre la casa de Saúl y la casa de David. *Pero* David iba siempre adelantando, y haciéndose más fuerte, mientras que la casa de Saúl iba decayendo cada día.

**2.** Naciéronle a David varios hijos en Hebrón: el primero fué Amnón, que le dió a luz Aquinoam de Jezrael;

**3.** El segundo Queleab, nacido de Abigail, viuda de Nabal del Carmelo; el tercero fué Absalón, hijo de Maca, la hija de Tolmai, rey de Gessur;

**4.** El cuarto Adonías, hijo de Hagit, y el quinto Safatia, hijo de Abital;

**5.** El sexto, finalmente, Jetraam, hijo de Egla, mujer *también* de David. Estos *hijos* le nacieron a David en Hebrón.

**6.** Continuando, pues, la guerra entre la casa de Saúl, y la de David, gobernaba Abner, hijo de Ner, de la casa de Saúl.

**7.** Había tenido Saúl una mujer secundaria llamada Resfa, hija de Aya; sobre la cual dijo Isboset a Abner:

**8.** ¿Cómo te has acercado a la mujer secundaria, *viuda* de mi padre? Mas él, sumamente indignado por estas palabras de Isboset, respondió: ¿Acaso valgo yo tan poco como un *vil* perro contra la tribu de Judá: yo que he sostenido la casa de Saúl tu padre, y a sus hermanos y allegados, y no he querido entregarte en manos de David? Y en pago de esto, ¿vas buscando ahora cómo hacerme cargos por razón de una mujer?

**9.** Que Dios trate con todo su rigor a Abner, si no procurare a favor de David lo que tiene el Señor prometido con juramento,

**10.** Esto es, el trasladar el reino de la casa de Saúl *a la suya,* y alzar el trono de David sobre Israel y sobre Judá, desde Dan hasta Bersabée.

**11.** No se atrevió Isboset a replicarle porque le temía.

**12.** Pero Abner envió mensajeros que de su parte dijesen a David: ¿A quién pertenece *todo* este país *sino a ti*? Y además le añadiesen: Haz conmigo las amistades, que yo te ofrezco todas mis fuerzas, y reducir a tu obediencia todo Israel.

**13.** Respondióle David: Bien está: Yo haré contigo las amistades; pero una cosa exijo de ti, y te prevengo; y es, que ni verás mi cara, sin que primero me hayas traído a Micol, hija de Saúl: bajo ésta condición podrás venir, y verme.

**14.** En seguida envió David embajadores a Isboset, hijo de Saúl, diciendo: Restitúyeme mi mujer Micol; la cual se me dió por esposa por haber muerto yo cien filisteos.

**15.** Inmediatamente envió Isboset a buscarla, quitándosela a su *segundo* marido Faltiel, hijo de Lais;

**16.** El cual la fué siguiendo y llorando, hasta Bahurim, donde le dijo Abner: Anda y vuélvete. Y volvióse.

**17.** Comenzó, después, Abner a tratar con los ancianos de Israel, y les dijo: Hace ya tiempo que vosotros deseábais tener a David por rey.

**18.** Reconocedle, pues, ahora por tal; ya que el Señor ha hablado y ha dicho de David: Por mano de mi siervo David salvaré a mi pueblo de Israel del poder de los filisteos y de todos sus enemigos.

**19.** Del mismo modo habló Abner a los de Benjamín. Y fuése a Hebrón para comunicar a David lo acordado con los de Israel, y con todos los de Benjamín.

**20.** Llegó, pues, allí acompañado de veinte personas. Y David dió un banquete a Abner y a los que le acompañaban.

**21.** Dijo después Abner a David: Voyme a marchar para reunir a ti, mi rey y señor, todo Israel, y concertar contigo, a fin de que *seas reconocido* y reines sobre todos como deseas. Luego que David hubo despedido a Abner y marchádose éste contento,

---

**16.** Y habiendo llegado Abner a David, presentóle a Micol.

**22.** Llegó Joab con las tropas de David; las cuales habiendo muerto a una partida de ladrones, venían con un botín grandísimo. No estaba ya Abner en Hebrón con David; pues cuando llegó Joab con toda la tropa, ya David había despedido a Abner. e ídose éste contento.

**23.** Mas no faltó quien diese la nueva a Joab, diciéndole: Vino Abner, hijo de Ner, a hablar al rey y éste ha salido a despedirle, y Abner se ha vuelto contento.

**24.** *Oído que hubo esto* Joab, entró al rey, diciéndole: *Señor* ¡qué es lo que has hecho! Sé que Abner acaba de venir a ti. ¿Por qué le has dejado ir y que se marche libremente?

**25.** ¿No conoces quién es Abner, hijo de Ner, y que no ha venido a ti sino para engañarte, y espiar el estado de tus cosas, y enterarse de todo cuanto estás haciendo?

**26.** Y luego que Joab salió de con David, despachó correos tras de Abner, y le hizo volver, sin saber nada David, desde la cisterna de Sira.

**27.** Vuelto Abner a Hebrón, llamóle Joab aparte, llevándole al medio de la puerta *o juzgado de la ciudad,* con pretexto de hablarle, urdida ya la traición; y allí hirió en una ingle, y le mató para vengar la sangre de Asael su hermano.

**28.** Al oír David lo que había sucedido, dijo: Séame Dios testigo para siempre de que yo y todo mi reino somos inocentes en la muerte de Abner, hijo de Ner.

**29.** Caiga su sangre sobre la cabeza de Joab y sobre toda la casa de su padre. No falte jamás de la casa de Joab un flujo vergonzoso *que los vuelva estériles,* como ni tampoco leprosos, y hombres que lleven rueca *en vez de espada* y haya siempre quienes mueran a cuchillo, y gentes que vayan mendigando el pan.

**30.** Joab, pues, y Abisaí, su hermano, mataron a Abner por haberles éste muerto a su hermano Asael en la batalla de Gabaón.

**31.** David, empero, dijo a Joab, y a todo el pueblo que estaba con él: Rasgad vuestros vestidos, y vestíos de sacos, y haced duelo en los funerales de Abner. El mismo rey David iba siguiendo el féretro.

**32.** Sepultado que fué Abner en Hebrón, levantó el grito el rey David, y lloró sobre el sepulcro de Abner, acompañándole asimismo en el llanto todo el pueblo.

**33.** Y el rey plañendo y deshaciéndose en lágrimas por Abner, dijo: No has muerto, oh Abner, como mueren los cobardes:

**34.** Jamás tus manos se vieron atadas, ni cargados de grillos tus pies, sino que tú caiste *como suelen los buenos,* a manos de los malvados. Y todo el pueblo, repitiendo lo mismo, siguió llorando por él.

**35.** Levantándose, pues, David y toda la gente para ir a comer siendo aún de día claro, juró David diciendo: No me haga Díos bien, y hágame sí mucho mal, si antes de ponerse el sol probare yo pan, ni cosa ninguna.

**36.** Lo que oyó todo el pueblo, quedando *muy* prendado de lo que había hecho el rey a vista de toda la muchedumbre.

**37.** Con lo cual conoció toda la plebe y todo Israel en aquel día que el rey no había tenido parte alguna en el asesinato de Abner, hijo de Ner.

**38.** Dijo también el rey a sus criados: ¿Acaso ignoráis que hoy ha perdido Israel un príncipe y un príncipe grande?

**39.** Yo me hallo todavía sin fuerzas aunque ungido rey, y esos hijos de Sarvia son demasiado violentos para mí. Dé el Señor la pena al malhechor, conforme a su maldad.

## CAPITULO IV

*Baana y Recab asesinan alevosamente a Isboset; y David les manda quitar la vida en pago de su delito.*

**1.** Cuando Isboset, hijo de Saúl, oyó que Abner había perecido en Hebrón, desmayó su corazón, y todo Israel quedó consternado.

**2.** Tenía este hijo de Saúl dos caudillos de tropas ligeras *o guerrillas,* de los cuales uno se llamaba Baana y el otro Recab, hijos de Remmón de Berot, de la tribu de Benjamín; pues Berot era contada entre las *ciudades* de Benjamín;

**3.** Aunque los berotitas se habían refugiado en Getaim, y morado allí como forasteros hasta entonces.

**4.** Quedábale a Jonatás, hijo de Saúl, un hijo tullido de los pies porque siendo de cinco años, cuando llegó de Jezrael la funesta noticia de Saúl y de Jonatás, tomóle su ama de leche en brazos y echó a huir; y con la precipitación de la fuga cayó, y el niño quedó cojo. Llamábase Mifiboset.

---

**22.** *Ladrones.* Se llamaron así antiguamente las tropas ligeras, o guerrillas.

**5.** Marcharon, pues, los hijos de Remmón, beronita, Recab, y Baana, y entraron en la mayor fuerza del sol en casa de Isboset, el cual estaba sobre su cama durmiendo la siesta. La portera de la casa limpiando trigo, se había quedado dormida.

**6.** Con esto Recab y Baana, su hermano, entraron sin ser vistos en la casa, tomando *en la mano* unas espigas del trigo, e hirieron a Isboset en la ingle, y escapáronse.

**7.** Pues al entrar ellos dormía Isboset sobre su lecho en la cámara, donde le mataron, y cortándole la cabeza, anduvieron toda la noche camino del desierto,

**8.** Y la presentaron a David en Hebrón, diciéndole: He aquí la cabeza de Isboset, hijo de Saúl, tu enemigo, que atentaba a tu vida. Dios ha vengado hoy al rey mi señor de Saúl y de su linaje.

**9.** Pero David respondió a Recab y Baana, su hermano, hijos de Remmón, beronita, diciéndoles: Vive el Señor que ha librado mi alma de todos los apuros,

**10.** Que si al que me trajo la nueva diciendo: Saúl es muerto; y pensaba darme buena noticia, le hice prender y matar en Síceleg, cuando parecía se le debían dar albricias por la noticia.

**11.** ¿Cuánto más, oh hombres malvados, que habéis asesinado a un inocente dentro de su misma casa, sobre su cama, he de vengar ahora su sangre en vosotros que la habéis derramado con vuestras manos, y extirparos de la tierra?

**12.** Dió, pues, David la orden a su gente, y los mataron; y cortándoles las manos y los pies, los colgaron junto al estanque de Hebrón: pero la cabeza de Isboset la pusieron en el sepulcro de Abner, en Hebrón.

## CAPITULO V

*Reconocido David por rey de todo Israel, traslada su corte a Jerusalén, de donde arroja los Jebuseos, y vence después a los Filisteos.*

**1.** Después de esto se presentaron todas las tribus de Israel a David, en Hebrón, diciendo: Aquí nos tienes: hueso tuyo y carne tuya somos.

**2.** A más de que tiempo atrás, cuando Saúl era nuestro rey, tú eras el que capitaneabas a Israel, y a ti te ha dicho el Señor: Tú apacentarás a mi pueblo de Israel, y tú serás su caudillo.

**3.** Vinieron, también, los ancianos de Israel a tratar con el rey en Hebrón, y capituló allí con ellos el rey David delante del Señor: después de lo cual le ungieron por rey de todo Israel.

**4.** Treinta años tenía David cuando comenzó a reinar, y reinó cuarenta.

**5.** En Hebrón reinó sobre Judá siete años y seis meses; y en Jerusalén reinó treinta años sobre todo Israel y Judá.

**6.** Porque *a pocos días* el rey con toda la gente que tenía consigo se dirigió hacia Jerusalén contra los Jebuseos, moradores de aquel territorio, y dijéronle a David los sitiados: No entrarás acá dentro *de esta plaza,* si no echas *primero* de ella a los ciegos y cojos, los cuales están diciendo: No entrará David acá.

**7.** Sin embargo, David se apoderó del alcázar de Sión, que se llama *hoy día* ciudad de David.

**8.** Para lo cual había ofrecido en aquel día *del asalto* un premio al que batiese a los jebuseos, y ganando lo alto de los muros, arrojase de allí a los ciegos y a los cojos, enemigos *enconados* de David: de donde se dice por refrán, ni ciego ni cojo no entrarán en el templo.

**9.** Habitó, pues, David en el alcázar, y llamóle ciudad de David; e hizo construir varios edificios alrededor, e interiormente, comenzando desde Mello.

**10.** De esta suerte, iba fortificándose y engrandeciéndose más y más; y el Señor Dios de los ejércitos estaba con él.

**11.** Además, Hirán, rey de Tiro, envió embajadores a David y le remitió maderas de cedro, y carpinteros y canteros para levantar edificios; y fabricaron la casa de David.

**12.** Y David *en todo esto* reconoció que el Señor le había confirmado en el reino sobre Israel, y elevado *para siempre* al gobierno de su pueblo de Israel.

**13.** Tomó, también, David en Jerusalén, después que vino de Hebrón, otras mujeres de segundo y de primer orden, de que le nacieron otros hijos e hijas.

**14.** He aquí los nombres de los hijos que le nacieron en Jerusalén: Samua, Sobab, Natán, y Salomón,

**15.** Jebahar, Elisua, Nefeg,

**16.** Jafía, Elisama, Eiloda y Elifalet.

**17.** Luego que oyeron los filisteos que David había sido ungido rey sobre Israel, se pusieron todos en movimiento para ir contra David: lo que sabiendo éste, se atrincheró en una posición muy fuerte.

---

CAP. IV. — 6. ¡Bello ejemplo de la antigua sencillez de costumbres! En el Evangelio se habla también de una portera de la casa o palacio del príncipe de los sacerdotes.

**18.** Entre tanto los filisteos, habiendo avanzado, se extendieron por el valle de Rafaím;

**19.** Y David consultó al Señor, diciendo: ¿Será bien que yo acometa a los filisteos? ¿Los entregarás en mis manos? Ve, respondió el Señor, que en tus manos los pondré infaliblemente.

**20.** Bajó, pues, David a Baal Farasim, y allí los derrotó. Por lo que dijo: El Señor ha dispersado delante de mí a mis enemigos, como agua que se derrama. Por eso llamó aquel sitio Baal Farasim.

**21.** Y los filisteos dejaron allí sus ídolos, los cuales recogieron David y su gente.

**22.** Todavía, los filisteos, porfiaron en salir a campaña, y se desparramaron por el valle de Rafaím.

**23.** Consultó David al Señor, diciendo: ¿Acometeré a los filisteos, y los entregarás tú en mis manos? Respondióle el Señor: No los acometas de frente, sino da la vuelta por sus espaldas, y embístelos por enfrente de los perales;

**24.** Y cuando sintieres el ruido de uno que anda por entre las copas de los perales, entonces darás el combate; porque entonces saldrá el Señor a tu frente para atacar el campamento de los filisteos.

**25.** Hízolo así David, como el Señor se lo había mandado, y fué batiendo a los filisteos desde Gabáa hasta la entrada de Gecer.

## CAPITULO VI

*David traslada el Arca desde Cariatiarim a Jerusalén, dejándola primero en la casa de Obededom, por el terrible suceso de Oza. Castiga Dios a Micol por haberse mofado de la santa alegría de David.*

**1.** Reunió, después, David nuevamente todos los soldados más escogidos de Israel, en número de treinta mil;

**2.** Y se puso en marcha con toda la gente *principal* de la tribu de Judá que con él estaba, para traerse *de Cariatiarim* el arca de Dios, en presencia de la cual es invocado el nombre del Señor de los ejércitos, que está sentado encima de ella sobre los querubines.

**3.** Y pusieron el arca de Dios en un carro nuevo, sacándola de casa de Abinadab, que habitaba en Gabáa; siendo Oza y Ahio, hijos de Abinadab, los que iban guiando el carro nuevo.

**4.** Luego que sacaron el arca de Dios de la casa de Abinadab, en cuya custodia estaba en Gabáa, Ahio iba delante del arca.

**5.** David y todo Israel festejaban al Señor con toda suerte de instrumentos de madera, con cítaras, y liras, y tambores, y sistros, y címbalos.

**6.** Mas así que llegaron a la era de Nacón, extendió Oza la mano hacia el arca de Dios, y la sostuvo, porque los bueyes cojeaban y la habían hecho inclinar.

**7.** Y el Señor indignado en gran manera contra Oza, castigóle por su temeridad y quedó allí muerto junto al arca de Dios.

**8.** Contristóse David, por haber castigado Dios a Oza: y llamóse aquel lugar castigo de Oza: nombre que conserva hasta hoy.

**9.** Por lo que David concibió en aquel día *un gran* temor al Señor, y dijo: ¿Cómo ha de ir a mi casa el arca del Señor?

**10.** Y así no quiso que se llevase el arca del Señor a su casa, en la ciudad de David, sino que la trasladó a casa del *levita* Obededom, geteo.

**11.** Estuvo, pues, el arca del Señor en casa de Obededom de Get tres meses, y bendijo el Señor a Obededom y a toda su casa.

**12.** Dieron, luego, aviso al rey David de que el Señor había echado la bendición sobre Obededom y sobre todas sus cosas, por causa del arca de Dios. Fué, pues, David y trasladó el arca de Dios de la casa de Obededom a la ciudad de David, con grandes regocijos; e iban junto a David siete coros *de músicos,* y un becerro para el sacrificio:

**13.** Y a cada seis pasos que andaban los que llevaban el arca del Señor, inmolaba un buey y un carnero.

**14.** Y ceñido David de un efod de lino, danzaba con todas sus fuerzas delante *del arca* del Señor;

**15.** Y de este modo, acompañado de toda la casa de Israel, conducía el arca del testamento del Señor con júbilo y al son de las trompetas *o clarines.*

---

CAP. VI. — 3. El Arca debía ser llevada en hombros por los sacerdotes. *Num.* IV, *v.* 5. Tal vez por eso sólo castigó Dios a los que guiaban el carro, que no eran sino simples Levitas, y no descendientes de Caat. *Num.* IV. *v.* 15; XVIII, *v.* 3: XXXI, *v.* 9. El castigo de Oza debe inspirar un santo temor a los sacerdotes y ministros del Señor.

---

**7.** Por tocar el Arca no siendo sacerdote, ni Levita de la familia de Caat.

**14.** Este efod era como un ceñidor para sostener algo levantada la túnica interior, y dejar mas ágiles los pies.

**16.** Mas al entrar el arca del Señor en la ciudad de David, Micol, hija de Saúl, mirando desde una ventana, vió al rey David bailando y saltando delante del Señor; y desprecióle en su corazón.

**17.** Introdujeron, pues, *los levitas* el arca del Señor, y colocáronla en su sitio, en medio del tabernáculo que le había mandado levantar David: el cual ofreció holocaustos y víctimas pacíficas *en acción de gracias* delante del Señor.

**18.** Así que acabó de ofrecer los holocaustos y las víctimas pacíficas, bendijo al pueblo en el nombre del Señor *Dios* de los ejércitos.

**19.** Y distribuyó a toda la muchedumbre de israelitas *que le habían acompañado*, tanto a hombres como mujeres, a cada persona, una torta de pan, un pedazo de carne de buey asada, y flor de harina frita en aceite. Con esto se retiró la gente, cada cual a su casa.

**20.** David también entró en la suya para bendecirla; y Micol, hija de Saúl, saliendo a recibirle, le dijo: ¡Qué bella figura ha hecho hoy el rey de Israel, despojándose *de sus insignias* delante de las criadas de sus siervos, y desnudándose, ni más ni menos de lo que haría si fuese un bufón!

**21.** Pero David respondió a Micol: Delante del Señor, que me eligió en lugar de tu padre y de toda tu descendencia, y que me mandó ser el caudillo del pueblo del Señor en Israel,

**22.** Bailaré yo, y me abatiré todavía más de lo que he hecho; y seré despreciable a los ojos míos; y a los de las criadas, de que has hablado, pareceré más glorioso.

**23.** Por lo que Micol, hija de Saúl, no tuvo hijos todo el tiempo que vivió.

## CAPITULO VII

*David intenta edificar un templo al Señor: apruébale Natan este pensamiento; pero le declara por orden de Dios, que estaba reservada la ejecución a un hijo suyo. David da gracias a Dios por los beneficios recibidos.*

**1.** Estando ya el rey *David* de asiento en su casa, y habiéndole concedido el Señor paz por todas partes con todos sus enemigos,

**2.** Dijo al profeta Natán: ¿No reparas que yo habito en una casa de cedro, mientras el arca de Dios está debajo de pieles?

**3.** No te detengas, respondió el profeta Natán al rey: Haz lo que te dicta tu corazón, pues el Señor está contigo.

**4.** Mas aquella misma noche he aquí que el Señor habló a Natán, diciéndole:

**5.** Anda y dile a mi siervo David: Esto dice el Señor: ¿Con que tú piensas en edificarme casa para mi habitación?

**6.** Pues yo no he habitado en ninguna casa, desde el día que saqué a los hijos de Israel de la tierra de Egipto hasta el presente, sino que he habitado en pabellones y tiendas.

**7.** Por ventura en todos los lugares por donde pasé con todos los hijos de Israel, he hablado nunca a alguna de las tribus, a quien hubiese yo encargado el gobierno de mi pueblo de Israel, ni le he dicho jamás: ¿Por qué no me edificas una casa de cedro?

**8.** Ahora bien, tú dirás a mi siervo David: Esto dice el Señor de los ejércitos: Yo te saqué de las dehesas donde apacentabas el ganado, a fin de que fueses caudillo de mi pueblo de Israel.

**9.** Por todas partes donde has andado he estado contigo: he exterminado delante de ti a todos tus enemigos, y he hecho tu nombre tan célebre como el de los grandes de la tierra.

**10.** También colocaré en un lugar estable a mi pueblo de Israel, le estableceré en él, y en él habitará, sin ser inquietado más: ni los hijos de iniquidad volverán a humillarle como hacían antes,

**11.** Desde el tiempo en que constituí jueces sobre mi pueblo de Israel, y yo te daré la paz con todos tus enemigos. Además, el Señor es el que te promete *desde ahora* que él mismo dará un firme estar a tu casa.

**12.** Y cuando hayas terminado tus días, e ido a descansar con tus padres, yo levantaré después de ti a un hijo tuyo, que nacerá de ti, y consolidaré su reino.

**13.** Este edificará un templo en que será adorado mi nombre, y yo afirmaré su regio trono para siempre.

**14.** Yo seré su padre, y él será mi hijo que si en algo obrare mal, yo le corregiré *paternalmente* con vara de hombres, y con castigo de hijo de hombres.

**15.** Mas no apartaré de él mi misericordia, como la aparté de Saúl, a quien arrojé de mi presencia.

---

**23.** Micol fué castigada por Dios con la esterilidad.

**14.** Estas palabras deben entenderse de Cristo, hijo de Dios por naturaleza. *Hebr*. I. *v*. 5. En segundo lugar de Salomón, hijo por la adopción de la conquista de Get.

**16.** Antes tu casa será estable, y verás permanecer eternamente tu reino, y tu trono será firme para siempre.

**17.** Conforme a todas estas palabras *de Dios,* y conforme a toda esta revelación, así habló Natán a David.

**18.** Entonces David fué a presentarse delante del Señor *en el tabernáculo,* y permaneciendo allí *en oración,* dijo: ¿Quién soy yo, Señor Dios *mío,* y cuál es mi casa, para haberme elevado hasta este punto?

**19.** Y pareciéndote aún, oh Señor Dios, que esto era poco a tus ojos, has querido asegurar a tu siervo *la permanencia de* su casa para los siglos venideros, que tal es la ley *o el deseo de los hijos* de Adán, oh Señor Dios.

**20.** ¿Qué más podrá decir ahora David hablando contigo, puesto que tú, Señor Dios *mío,* conoces tu siervo *y su gratitud?*

**21.** Por amor de tu palabra y según tu corazón has hecho estas grandes maravillas, y aun las has manifestado a tu siervo.

**22.** En lo cual, oh Señor Dios *mío* has ostentado tu grandeza: que nadie hay semejante a ti, ni hay Dios fuera de ti, según todas las cosas que hemos oído con nuestros mismos oídos.

**23.** Y ¿qué nación hay sobre la tierra comparable a tu pueblo de Israel, al cual tú has ido a rescatar para hacer de él un pueblo tuyo, en el cual has engrandecido tu nombre con las maravillas obradas a favor suyo, y a cuya presencia has hecho *tan* espantosos prodigios para sacarle de la esclavitud de Egipto, y castigar a aquella tierra, su gente y su dios *o rey?*

**24.** Pues tú escogiste a Israel para que fuese siempre tu pueblo; y tú, oh Señor Dios, quisiste hacerte su Dios.

**25.** Ahora, pues, oh Señor Dios, mantén siempre viva la promesa que has hecho a tu siervo para él y para su casa, y hazlo como los has dicho;

**26.** Para que tu nombre sea eternamente engrandecido, y se diga: El Señor de los ejércitos es el Dios de Israel. Sí: la casa de tu siervo David será estable delante del Señor.

**27.** Porque tú, oh Señor de los ejércitos, Dios de Israel, revelaste y dijiste a tu siervo: Yo te fundaré una casa *estable:* de aquí es que tu siervo se ha animado para dirigirte esta plegaria.

**28.** Ahora, pues Señor y Dios *mío,* tú eres Dios, y se cumplirán tus palabras. Ya has prometido a tu siervo tales bienes.

**29.** Empieza desde luego, y echa la bendición sobre la casa de tu siervo, para que siempre subsista en tu acatamiento; puesto que tú, oh Señor Dios, has hablado y dicho que la casa de tu siervo será bendita con tu bendición eternamente.

## CAPITULO VIII

*Conquistas gloriosas del rey David: con cuyo motivo le felicita el rey de Emat.*

**1.** Después de esto derrotó David a los filisteos, y los humilló, y les arrancó de la mano el freno del tributo.

**2.** También destrozó a los moabitas; *y a los prisioneros,* haciéndolos tender en el suelo, los midió a cordel: dos fueron las cuerdas con que los midió, *y sorteó una* para dar muerte, y otra para salvarles la vida. Con esto, quedaron los moabitas sujetos a David y tributarios suyos.

**3.** Destrozó, igualmente, David a Adarecer, hijo de Rohob, rey de Soba, cuando salió a campaña para extender sus dominios hasta el río Eufrates;

**4.** E hízole mil y setecientos prisioneros de a caballo, y veinte mil de a pie, desjarretando asimismo todos los caballos de los carros *de guerra,* sin dejar más que *los necesarios para* cien de éstos.

**5.** Acudieron los sirios de Damasco a socorrer a Adarecer, rey de Soba, y David pasó a cuchillo a veinte y dos mil de ellos.

**6.** Con lo que puso David guarniciones en la Siria de Damasco, Ia cual le quedó sujeta y tributaria; y guardóle el Señor en todas las expediciones que hizo.

**7.** Y llevóse las armas de oro que tenían los cortesanos de Adarecer, y trájolas a Jerusalén.

**8.** Asimismo sacó de Bete y de Berot, ciudades de Adarecer, inmensa cantidad de cobre.

**9.** Entonces, oyendo Tou, rey de Emat, que David había destrozado todas las fuerzas de Adarecer,

**10.** Envió a Joram, su hijo, a cumplimentar a David, a fin de congratularse con él, y darle gracias por haber vencido y deshecho a Adarecer; pues Tou era enemigo de Adarecer. Joram trajo consigo alhajas de oro, de plata y de cobre;

---

CAP. VIII. — 1. Libertando de él a Israel con la conquista de Get.

11. Las que David consagró también al Señor, además de la plata y oro que le había ya consagrado, de todas las naciones que había sojuzgado,

12. De la Siria, de Moab, de los ammonitas, de los filisteos, de los amalecitas y de los despojos de Adarecer, hijo de Rohob, rey de Soba.

13. Adquirió, también, David gran nombradía cuando en el valle de las salinas, al volver de la conquista de Siria, mató a diez y ocho mil hombres.

14. Puso gobernadores y guarniciones en la Idumea, quedándole toda ella sujeta; y guardóle el Señor en todas las expediciones que hizo.

15. Reinó, pues, David sobre todo Israel y daba audiencia, y administraba justicia a todo su pueblo.

16. Joab, hijo de Sarvia, era el general de sus tropas; Josafat, hijo de Ahilud, era secretario *o cronista.*

17. Sadoc, hijo de Aquitob, y Aquimelec, hijo de Abiatar, eran los sumos sacerdotes; y Saraías, le servía de escribano.

18. Banaías, hijo de Joiada, era capitán de los cereteos y feleteos. Pero los hijos de David eran los primeros después del rey.

## CAPITULO IX

*Trata David con suma humanidad a Mifiboset, hijo de Jonatás; y le concede su mesa.*

1. Dijo, también, David: ¿Si habrá quedado alguno de la casa de Saúl, a quien pueda yo hacer bien por amor de Jonatás?

2. Había a la sazón, un criado de Saúl, llamado Siba. Hízole venir el rey, y díjole: ¿Eres tú Siba? Sí, señor, respondió él. Siba soy, para lo que queráis mandarme.

3. Preguntóle el rey: ¿Vive por ventura alguno de la casa de Saúl, para que pueda yo hacerle grandes mercedes? Respondió Siba: Sí, *señor:* vive todavía un hijo de Jonatás, estropeado de los pies.

4. ¿Dónde está? replicó David. Está, dijo Siba, en Lodabar, en casa de Maquir, hijo de Ammiel.

5. Envió, pues, David por él, y le hizo venir de Lodabar, de la casa de Maquir, hijo de Ammiel.

6. Llegado que fué Mifiboset, hijo de Jonatás, hijo de Saúl, a la presencia de David, postróse sobre su rostro, haciéndole una profunda reverencia. Díjole, entonces, David: ¿Mifiboset? Aquí tienes, señor, respondió él, a tu siervo.

7. Y David: No tienes que temer, le dijo, pues yo pienso colmarte de mercedes por amor de Jonatás, tu padre, y restituirte todas las heredades de tu abuelo Saúl: y tú comerás siempre a mi mesa.

8. Mifiboset, haciéndole profunda reverencia, dijo: ¿Quién soy yo, siervo tuyo, para que te hayas dignado poner los ojos en un perro muerto cual soy yo?

9. Llamó, pues, el rey a Siba, criado de Saúl, y díjole: He dado al hijo de tu amo todo cuanto po-seía Saúl, y todos los bienes de su casa.

10. Por tanto, cuida tú con tus hijos y criados de labrarle las tierras, y de proveer a *Mica,* el hijo de tu amo *Mifiboset,* lo necesario para sus alimentos. En cuanto a Mifiboset, hijo de tu *difunto* señor, comerá siempre a mi mesa. Es de saber que Siba tenía quince hijos, y veinte siervos.

11. Y dijo Siba al rey: Como tú se lo has mandado, así lo hará, mi señor y rey, este tu siervo. En cuanto a Mifiboset, *repitió David,* comerá a mi mesa como uno de los hijos del rey.

12. Tenía Mifiboset, un hijo chiquito, llamado Mica, y toda la familia de Siba estaba al servicio de Mifiboset.

13. Mas éste vivía en Jerusalén, porque todos los días comía a la mesa del rey. Era Mifiboset cojo de ambos pies.

## CAPITULO X

*Envía David embajadores al rey de los Ammonitas para darle el pésame por la muerte de su padre: son ultrajados; y David declarándole la guerra, destroza su ejército y el de los aliados.*

1. Aconteció, después de esto, que murió el rey de los hijos de Ammón, y sucedióle en el trono su hijo Hanón.

2. Dijo entonces David: Quiero demostrar mi afecto y compasión a Hanón hijo de Naás, según hizo su padre conmigo. Envióle, pues, embajadores para consolarle de la muerte de su padre. Mas luego que llegaron éstos al país de los hijos de Ammón,

---

17. Cuando Abiatar se refugió al lado de David (I *Reg.* XXII, *v.* 20), creó entonces Saúl por Pontífice a Sadoc, y después conservaron ambos el Sumo sacerdocio, ejerciéndole por turno.

CAP. IX. — 2. Sería el citado principal o mayordomo, como José en casa de Putifar, o como aquél de que se habla en *Luc.* XII, *v.* 42.

3. Dijeron los magnates de los ammonitas a Hanón su señor: ¿Crees tú que David te ha enviado éstos para consolarte, y honrar así la memoria de tu padre, y no más bien que te ha enviado sus criados para espiar y reconocer el estado de la ciudad, y destruirla *algún día?*

4. Con esto, Hanón hizo prender a los criados de David, y raerles la mitad de la barba, y cortarles los vestidos hasta cerca de la cintura, y los despachó.

5. Lo que sabido por David, envió luego a encontrarlos, porque se hallaban sumamente avergonzados, y a decirles: Deteneos en Jericó, hasta que os crezca la barba, y entonces volveréis.

6. Mas los ammonitas, reflexionando en la injuria hecha a David, tomaron a su sueldo veinte mil infantes de la Siria de Rohob y de la Siria de Soba, mil hombres del rey de Maaca, y doce mil de Istob.

7. De lo que informado David, despachó *contra ellos* a Joab con todas las tropas.

8. Salieron, pues, los ammonitas, y formáronse en batalla frente a la entrada de la puerta *de la ciudad;* pero los sirios de Soba y de Rohob, de Istob y de Maaca estaban aparte en el campo.

9. Viendo, pues, Joab que iban a acometerle de frente y por retaguardia, escogió entre todos los soldados de Israel a los más valientes, y se puso en orden de batalla contra los sirios,

10. Y el resto del ejército entregósele a su hermano Abisaí, el cual marchó de frente contra los hijos de Ammón.

11. Y díjole Joab: Si los sirios prevalecieren contra mí, tú vendrás a socorrerme; y si los ammonitas prevalecieren contra ti, iré yo a auxiliarte.

12. Pórtate como hombre de valor, y peleemos por nuestro pueblo y por la ciudad de nuestro Dios: por lo demás, el Señor dispondrá lo que sea de su mayor agrado.

13. Con esto, Joab atacó con sus tropas a los sirios: los cuales huyeron al instante, volviéndoles las espaldas.

14. Y cuando los hijos de Ammón vieron que los sirios habían huído, echaron también ellos a huir delante de Abisaí, retirándose a la plaza. Y Joab dejó el país de los hijos de Ammón, y volvióse a Jerusalén.

15. Entre tanto los sirios, viéndose derrotados por Israel, volvieron a rehacerse.

16. Adarecer hizo venir a los sirios que habitaban a la otra parte del río, y juntó de ellos un ejército al mando de Sobac, general de las armas de Adarecer.

17. Avisado de esto David, reunió todas las tropas de Israel, pasó el Jordán, y fué a Helam, y los sirios presentando la batalla a David, pelearon contra él.

18. Pero Israel los puso en fuga, y destrozó David setecientos carros de los sirios, y cuarenta mil caballos; e hirió al capitán general Sobac, que murió al instante.

19. Pues como todos aquellos reyes que seguían el partido de Adarecer se viesen vencidos por Israel, se llenaron de pavor, y volvieron las espaldas a presencia de Israel, cincuenta y ocho mil hombres. Al fin hicieron paces con los israelitas, y se les sujetaron; y no se atrevieron más los sirios a prestar socorro a los ammonitas.

# CAPITULO XI

*Adulterio de David con Betsabé, a cuyo marido Urías hace David morir alevosamente. Pasados los días del duelo, se casa David con Betsabé.*

1. Y acaeció a la vuelta de un año, al tiempo que suelen los reyes salir a campaña, que David envió a Joab y con él a sus oficiales y a todo el ejército de Israel, a talar el país de los ammonitas, y sitiaron a Raba, *su capital.* David, empero, se quedó en Jerusalén.

2. Entre tanto, sucedió que *un día,* levantándose David de su cama después de la siesta, se puso a pasear por el terrado del palacio, y vió *en otra casa de* enfrente, una mujer que se estaba lavando *en su baño;* y era de extremada hermosura.

3. Envió, pues, el rey a saber quién era aquella mujer y le dijeron que era Betsabé, hija de Eliam, mujer de Urías, heteo.

4. David la hizo venir a su palacio, habiendo enviado primero a algunos que la hablasen de su parte; y entrada que fué a su presencia, durmió con ella: la cual se purificó luego de su inmundicia;

5. Y volvió preñada a su casa. De lo que dió aviso a David, diciendo: He concebido.

6. En seguida despachó David un correo a Joab, diciéndole: Envíame a Urías, heteo. Envióselo Joab.

7. Y llegado Urías, preguntóle David en qué estado estaban Joab y sus tropas, y cómo iban las cosas de la guerra.

**8.** Dijo después David a Urías: Vete a tu casa: lava tus pies, *y descansa*. Salido que fué Urías de palacio, le envió el rey en seguida comida de su real mesa.

**9.** Mas Urías durmió delante de la puerta de palacio con otros criados, *u oficiales* de su señor, y no fué a su casa.

**10.** Contáronselo, luego, a David, diciéndole: Urías no ha ido a su casa. Por lo que dijo David a Urías: ¿No has llegado de un viaje? Pues, ¿cómo no has bajado a *descansar en* tu casa?

**11.** Respondió Urías a David: El arca de Dios, e Israel y Judá, están en tiendas de campaña, y mi señor Joab, y los siervos de mi señor duermen en el duro suelo. ¿E iría yo a mi casa a comer y beber, y dormir con mi mujer? Por la vida, y por la salud de mi rey, juro que no haré tal cosa.

**12.** Díjole entonces David: Quédate también aquí hoy, que mañana te despacharé. Quedóse, pues, Urías en Jerusalén aquel día y el siguiente.

**13.** Convidóle David, a comer y beber en su mesa, y procuró embriagarle: mas él, saliendo al anochecer, se fué a dormir en su tarima *del cuerpo de guardia* con los oficiales de su señor, y no bajó a su casa.

**14.** Llegada que fué la mañana, escribió David una carta a Joab, y remitiósela por mano de Urías.

**15.** Decíase en ella: Pon a Urías al frente donde esté lo más recio del combate; y desamparadle para que sea herido y muera.

**16.** Estando, pues, Joab en sitio de la ciudad, puso a Urías frente al puesto donde sabía que estaban los más valientes de los enemigos:

**17.** Los cuales, habiendo hecho una salida de la ciudad, cargaron sobre Joab, y entre éstos también Urías, heteo.

**18.** Inmediatamente, Joab despachó aviso a David de todo lo ocurrido en el choque,

**19.** Dando esta orden al correo: Luego que hubieres acabado de referir al rey cuanto ha pasado en el ejército,

**20.** Si ves que él se irrita, y dice: ¿Por qué os fuísteis a pelear tan cerca del muro? ¿No sabíais que de lo alto de él se arrojan con furia muchos dardos?

**21.** ¿Quién mató Abimelec, hijo de Jerobaal? ¿No fué una mujer la que en Tebes desde la muralla arrojó sobre él un pedazo de una piedra de molino, y le mató? ¿Cómo, pues, os arrimasteis al muro? Tú, entonces, dirás: También quedó muerto tu siervo Urías, heteo.

**22.** Partió, pues, el correo; y llegando refirió a David todo lo que Joab le había mandado,

**23.** Y le habló de esta manera: Los sitiados han tenido una *pequeña* ventaja sobre nosotros: hicieron una salida contra nuestro campamento; mas echándonos sobre ellos, los rechazamos hasta las puertas de la ciudad.

**24.** Pero los ballesteros desde lo alto del muro, arrojaron sus tiros sobre tus siervos, de que murieron algunos de tus soldados, y entre ellos también Urías, heteo, tu siervo.

**25.** Dirásle a Joab: No desmayes por ese fracaso; porque los acaecimientos de la guerra son varios, y una vez éste, otra vez aquél, perecen algunos al filo de la espada. Reanima a tus guerreros contra la ciudad, y esfuérzalos hasta destruirla.

**26.** Supo la mujer de Urías que había muerto su marido, y le hizo el duelo.

**27.** Acabados los *siete* días del luto, David la hizo venir a su palacio, y la tomó por esposa; y ella le dió *después* un hijo. Mas esto que hizo David fué *sumamente* desagradable a los ojos del Señor.

## CAPITULO XII

*David arrepentido y perdonado en cuanto a la culpa, mas no en cuanto a la pena. Muere el hijo nacido de Betsabé. Nace después Salomón. Victoria contra los Ammonitas.*

**1.** El Señor, pues, envió Natán a David, al cual dijo Natán luego de llegado: Había dos hombres en una ciudad de *tu reino*, el uno rico, y el otro pobre.

**2.** Tenía el rico ovejas y bueyes en grandísimo número.

**3.** El pobre no tenía nada más que una ovejita que había comprado y criado, y que había crecido en su casa entre sus hijos, comiendo de su pan, bebiendo en su vaso, y durmiendo en su seno, y la quería como si fuera una hija suya.

**4.** Mas habiendo llegado un huésped a casa del rico, no quiso éste tocar a sus ovejas, ni a sus bueyes para dar el convite al forastero que le había llegado; sino que quitó la ovejita al pobre, y aderezóla para dar de comer al huésped que tenía en casa.

**5.** Oído esto David, altamente indignado contra aquel hombre, dijo a Natán: Vive Dios, que hombre que tal hizo es reo de muerte.

**6.** Pagará cuatro veces la oveja, por haber hecho ese atentado, y no haber tenido consideración *al pobre*.

**7.** Dijo entonces Natán a David: Ese hombre eres tú. Eso dice el Señor Dios de Israel: Yo te ungí rey de Israel, y te libré de la mano de Saúl.

**8.** Te dí la casa de tu señor, y puse a tu arbitrio sus mujeres. Te hice dueño también de la casa de Israel y de Judá; y si esto es poco, te añadiré *aún* cosas mucho mayores.

**9.** ¿Cómo, pues, has vilipendiado mi palabra, haciendo el mal delante de mis ojos? A Urías, heteo, le hiciste perder la vida, y te has tomado su mujer para mujer tuya, matándole a él con la espada de los hijos de Ammón.

**10.** Por lo cual no se apartará jamás de tu casa la espada *de la muerte*; por que me has despreciado, y has quitado la mujer a Urías, heteo, para que fuese mujer tuya.

**11.** He aquí, pues, lo que dice el Señor: Yo haré salir de tu propia casa los desastres contra ti, y te quitaré tus mujeres delante de tus ojos, y dárselas he a otro, el cual dormirá con ellas a la luz de este sol.

**12.** Porque tú has cometido el pecado ocultamente; pero yo haré esto que digo, a vista de todo Israel, y a la luz misma del sol.

**13.** Dijo David a Natán: Pequé contra el Señor. Respondióle Natán: También el Señor, *que ve tu dolor,* te ha perdonado el pecado: No morirás.

**14.** Pero como tú has sido la causa de que los enemigos del Señor hayan blasfemado contra él, el hijo que te ha nacido *del adulterio,* morirá irremisiblemente.

**15.** Dicho esto se retiró Natán a su casa.

Con efecto, el Señor hirió al niño que la mujer de Urías había dado a luz para David, y fué desahuciado.

**16.** No obstante, David rogó al Señor por el niño, y ayunó con rigor extremado; y retirándose aparte, se estuvo postrado en tierra.

**17.** Fueron a él los más ancianos o principales de sus domésticos, para obligarle *a fuerza de ruegos* a que se levantase del suelo; mas él no quiso hacerlo, ni tomar con ellos alimento.

**18.** Murió el día séptimo, el infante, y los criados de David temían darle la noticia de la muerte, porque decían: Si cuando aún el niño vivía le hablábamos, y no quería escucharnos, ¿cuánto más se afligirá ahora si le decimos que el niño ha muerto?

**19.** David, empero, observando que sus criados andaban en murmullo, conoció ser muerto el niño; y así les dijo: ¿Es que ha muerto ya el niño? Y respondieron: Ha muerto.

**20.** Entonces David se levantó del suelo, lavóse y ungióse; y mudando de ropa entró en la casa del Señor y le adoró. Pasando, pues, a su palacio, pidió que le pusiesen la mesa, y comió.

**21.** Y dijéronle sus criados: ¿De qué provendrá eso? Tú ayunabas y llorabas por el niño cuando aún vivía, y ahora que ha muerto, te has levantado y has comido?

**22.** Respondióle David: He ayunado y llorado por el niño, mientras vivía, porque decía yo: ¿Quién sabe si el Señor me le dejará, y si queda con vida el niño?

**23.** Mas ahora que ya ha muerto, ¿a qué fin he de ayunar? Por ventura, ¿podré restituirle a la vida? Antes bien, iré yo a él; pero él no volverá a mí.

**24.** Consoló, después, David a Betsabé su esposa, y estuvo, y durmió con ella: la cual dió a luz un niño, a quien *David* puso por nombre Salomón, y a quien amó el Señor.

**25.** Y por medio del profeta Natán le puso *también* el nombre de AMADO DEL SEÑOR, en atención al amor que el Señor le tenía.

**26.** Entretanto, prosiguió Joab el asedio de Rabbat de los ammonitas; y estando para dar el asalto a esta ciudad regia,

**27.** Remitió correos a David, diciendo: He combatido a Rabbat, y está para ser tomada la ciudad de las aguas.

**28.** Junta, pues, ahora el resto del ejército, y ven a batir la ciudad y tomarla; a fin de que, conquistándola yo, no se me atribuya a mí el honor de la victoria.

**29.** Juntó, pues, David todas las tropas, y marchó contra Rabbat, y la tomó por asalto.

**30.** Y quitó de la cabeza de su rey la corona, que pesaba un talento de oro, y tenía piedras preciosísimas; la cual fué puesta sobre la cabeza *o trono* de David. Demás de esto llevó de la ciudad muchísimos despojos.

---

CAP. XII. — 13. Y me pesa de todo corazón. Las mismas palabras pronunció Saúl: *pero el corazón era diferente* (dice San Agustín cont. *Faust* XXII, c. 67), y la vista de Dios percibía esta diferencia:

**31.** A los habitantes los sacó fuera, y mandó que *unos* fuesen aserrados, haciendo pasar sobre *otros* narrias o *carros con ruedas* de hierro, y despedazarlos con cuchillos, y arrojarlos en los hornos de ladrillos. Así trató a todas las ciudades de los ammonitas. En seguida volvióse David con todo su ejército a Jerusalén.

## CAPITULO XIII

*Comienzan los desastres de la casa de David; incesto de Amnón, a quien asesina su hermano Absalón.*

**1.** Sucedió, después, que Amnón, hijo de David, se enamoró de una hermana de Absalón, *también* hijo de David, llamada Tamar, la cual era en extremo hermosa;

**2.** Y creció tanto en él esta pasión, que de amor suyo vino a enfermar; pues como Tamar era virgen, parecíale *muy* dificultoso poder hacer con ella cosa alguna deshonesta.

**3.** Tenía Amnón un amigo que se llamaba Jonadab, hijo de Semmaa, hermano de David, sumamente astuto.

**4.** Díjole, pues, éste a Amnón: ¿En qué consiste, príncipe mío, que cada día te vas poniendo más flaco? ¿Por qué no te descubres conmigo? Respondióle Amnón: Estoy enamorado de Tamar, hermana de Absalón, mi hermano.

**5.** Replicó Jonadab: Quédate en cama, como que estás malo, y cuando venga tu padre a visitarte, dile: Suplícote que venga mi hermana Tamar a darme la comida; y me componga ella misma algún plato con que me alimente.

**6.** Púsose, pues, Amnón en cama, y empezó a fingirse enfermo: y habiendo venido el rey a visitarle, díjole Amnón: Ruégote que venga *a verme* mi hermana Tamar, y que a presencia mía, me haga un par de hojuelas, que coma yo de su mano.

**7.** Con esto David envió un recado a casa de Tamar, y la hizo decir: Anda, ve a casa de tu hermano Amnón, y hazle alguna cosa de comer.

**8.** Pasó Tamar a casa de su hermano Amnón, que estaba en cama; y tomando harina, la amasó, y batiéndole hizo a vista de él unos pastelillos;

**9.** Y después de cocidos, los puso en un plato y se los presentó. Mas Amnón no quiso comer: y dijo: Salgan todos fuera de aquí. Salido que hubieron todos,

**10.** Dijo Amnón a Tamar: Entra la comida en mi aposento, para que la reciba yo de tu mano. Cogió, pues, Tamar los pastelillos que había aderezado, y entrósclos a su hermano Amnón en el aposento.

**11.** Y así que le presentó el plato, asió de ella, diciéndole: Ven, hermana mía, duerme conmigo.

**12.** La cual le respondió: No quieras hacerme violencia, hermano mío, no, pues no es esto permitido en Israel: no hagas tal villanía.

**13.** Porque yo no podré sufrir mi oprobio, y tú serás tenido por un insensato en Israel. Mejor será que hables al rey *para casarte conmigo,* que no rehusará entregarme a ti.

**14.** Mas Amnón no quiso aquietarse con estos ruegos, sino que prevaleciendo en fuerzas, la violentó y durmió con ella.

**15.** Y en seguida le tomó tan extraordinaria aversión, que era más intenso el odio que concibió contra ella, que el amor con que antes la amaba; y así la dijo Amnón: Levántate, y vete de aquí.

**16.** Replicóle Tamar: El ultraje que ahora me haces echándome *de esta manera,* es mayor que el que me has hecho antes. Pero Amnón no quiso escucharla.

**17.** Antes llamando a uno de sus criados, le dijo: Hazla salir de aquí, y cierra tras ella la puerta.

**18.** Estaba Tamar vestida de una ropa talar *de varios colores,* traje que acostumbraban usar las doncellas hijas del rey. El criado, pues, de Amnón la hizo salir fuera *del aposento,* y cerró tras ella la puerta.

**19.** Entonces Tamar, esparciendo ceniza sobre su cabeza, y rasgando su ropa talar, se fué dando gritos y cubriéndose con ambas manos la cabeza.

**20.** Díjole Absalón, su hermano: ¿Es caso que tu hermano ha abusado de ti? Mas por ahora, hermana *mía,* calla, que al fin es hermano tuyo: no te desesperes por esa desgracia. Con eso Tamar se quedó en casa de su hermano Absalón, consumiéndose *interiormente* de tristeza y dolor.

---

**CAP. XIII.** — **13.** Aunque esté prohibido por la Ley; viendo que de lo contrario pereces.
**20.** Pues se interesa el honor de la familia real en que no se sepa esta infamia; y porque en los males domésticos el silencio es parte del remedio.

---

**31.** Algunos Expositores no hallan cómo excusar de pecado esta acción de David.

**21.** Habiendo David oído este suceso, se afligió sobremanera: mas no quiso contristar el ánimo de su hijo Amnón; porque le amaba *muy particularmente* por ser su primogénito.

**22.** Absalón no habló de esto con Amnón ni en bien ni en mal; a pesar de que le tomó *grande* odio, por haber violado a su hermana Tamar.

**23.** Al cabo de dos años acaeció que Absalón hacía el esquileo de sus ovejas en Baalasor, que está cerca de la ciudad de Efraím *o Efrem,* y convidó Absalón a todos los hijos del rey.

**24.** A este fin fué a ver al rey y le dijo: Te hago presente que se esquilan las ovejas de tu siervo: venga, pues, te suplico, el rey con sus criados a la casa de su siervo.

**25.** Respondió el rey a Absalón: No quieras, hijo mío, no quieras pretender que vayamos todos, pues te sería muy costoso. Y como le hiciese nuevas instancias, David rehusó siempre ir y echóle su bendición.

**26.** Mas Absalón replicó: Ya que tú no quieres venir, venga, te suplico, con nosotros a lo menos mi hermano Amnón. Díjole el rey: No hay necesidad de que vaya contigo.

**27.** Al fin le importunó tanto Absalón, que dejó ir con él a Amnón con todos sus hermanos.

El convite que Absalón tenía dispuesto era como un banquete de un rey.

**28.** Y había ordenado y dicho a sus criados: Estad alerta; y cuando Amnón estuviere tomado del vino, y os diere yo la señal heridle entonces y matadle: no tenéis que temer; que yo soy el que os lo mando. Coraje y portaos como valientes.

**29.** Hicieron, pues, los criados de Absalón lo que éste les había mandado contra Amnón. Con lo que levantándose *de la mesa* todos los hijos del rey, montaron cada uno en su mula, y echaron a huir.

**30.** Estando todavía en el camino, llegó a oídos de David el rumor de que Absalón había asesinado a todos los hijos del rey, sin quedar ni siquiera uno sólo.

**31.** Levantóse, al instante el rey, y rasgó sus vestidos, y postróse sobre la tierra: y se rasgaron asimismo los vestidos todos los criados que le asistían.

**32.** Entonces Jonadab, hijo de Semmaa, hermano de David, dijo al rey: No se imagine el rey mi señor que hayan sido asesinados todos los hijos del rey. Sólo Amnón es el que ha perecido: porque Absalón tenía jurado perderle desde el día en que violó a Tamar, hermana suya.

**33.** No piense, pues, ni dé crédito el rey mi señor a esa voz que corre de que todos los hijos del rey han sido asesinados: porque sólo Amnón es el que ha muerto.

**34.** Entre tanto se escapó Absalón.

Un criado que estaba de atalaya, tendiendo la vista, vió venir mucha gente por un camino extraviado al lado del monte.

**35.** Dijo entonces Jonadab al rey: Mira allí los hijos del rey: conforme lo ha dicho tu siervo, ha sucedido.

**36.** Apenas acabó de hablar, cuando se dejaron ver también los hijos del rey: y luego que llegaron, alzaron el grito y echaron a llorar. Deshacíanse asimismo en lágrimas el rey y todos sus criados.

**37.** Absalón, empero, huyo y fué a refugiarse en casa de Tolomai, hijo de Ammiud, rey de Gesur.

Y David lloraba continuamente a su hijo.

**38.** Permaneció Absalón tres años en Gesur, después que huyó y se retiró allí.

**39.** Al cabo, el rey David dejó de perseguir a Absalón, por habérsele templado la pena de la muerte de Amnón.

## CAPITULO XIV

*David por la industria de Joab se reconcilia con Absalón. Hermosura de éste: sus hijos, y cómo al fin logra volver a la presencia de su padre David.*

**1.** Advirtiendo, pues, Joab, hijo de Sarvia, que el corazón del rey se inclinaba *ya* a Absalón,

**2.** Envió a Tecua, e hizo venir de allí una mujer sagaz, a la cual dijo: Finge que estás de duelo, y ponte un vestido de luto, y no te unjas, a fin de que parezcas ser una mujer que hace muchísimo tiempo que está de duelo por un difunto.

**3.** Y te presentarás al rey y le dirás esto y esto. Y la instruyó Joab en todo lo que había de decir.

**4.** Así, pues, presentándose la mujer de Tecua al rey, postróse en tierra delante de él, y haciéndole profunda reverencia, le dijo: Oh rey, sálvame.

---

21. La Ley imponía pena de muerte a Amnón; y David creyó que podría perturbarse la tranquilidad del reino, publicando el delito, y ejecutando el castigo.

---

CAP. XIV. — 1. *Sarvia:* hermana de David.

5. Díjole el rey: ¿Qué es lo que tienes? ¡Ay de mí! respondió ella, soy una mujer viuda, pues se me ha muerto mi marido.

6. Tenía tu sierva dos hijos, que riñeron entre sí en el campo, donde no había nadie que pudiese separarlos, y el uno hirió al otro, y le mató.

7. Y he aquí que ahora toda la parentela, conjurándose contra tu sierva, dice: Entréganos al que mató a su hermano, para hacerle morir en venganza de la sangre de su hermano, a quien quitó la vida; y acabemos con ese heredero. De esta suerte pretenden extinguir la sola centella que me había quedado, para que no reste de mi marido nombre ni reliquia sobre la tierra.

8. Respondió el rey a la mujer: Vete a tu casa, que yo daré providencia en favor tuyo.

9. Replicó la mujer tecuita al rey: Recaiga sobre mí la culpa, oh rey y señor mío, y sobre la casa de mi padre, y queden sin ella el rey y su trono.

10. Dijo el rey: Si alguno se metiere contigo, hazle venir delante de mí; que no se atreverá a incomodarte más.

11. Añadió ella: Por el Señor Dios suyo pido al rey que reprima *con su autoridad* la multitud de parientes que quieren vengar con la muerte de mi hijo la sangre del difunto, y haga que no le maten de manera alguna. Díjola el rey: Vive Dios que no caerá en tierra ni un cabello de tu hijo.

12. Dijo entonces la mujer: Permita mi rey y señor que esta sierva suya le hable una palabra. Habla, respondió el rey.

13. Dijo, pues, la mujer: ¿Cómo, *señor,* has pensado tú hacer lo mismo en daño del pueblo de Dios, y por qué ha resuelto el rey hacer ese mal, en lugar de hacer volver a su hijo del destierro?

14. Todos nos vamos muriendo, y deslizando como el agua derramada por tierra, la cual nunca vuelve atrás: ni Dios quiere que perezca ningún hombre; antes bien está propenso siempre a revocar la sentencia, a fin de que no perezca enteramente el que está abatido.

15. Por esto, pues, he venido yo ahora a proponer a mi rey señor esta súplica, en presencia del pueblo. Porque dijo tu sierva: Hablaré al rey, a ver si de algún modo puedo obtener la gracia que le pediré.

16. En efecto el rey me la ha otorgado, librando a su sierva de las manos de todos aquéllos que intentaban exterminarnos a mí y a mi hijo de la heredad o *pueblo* de Dios.

17. Con que bien podrá suplicar tu esclava que la palabra del rey mi señor a *favor de mi hijo* se cumpla a *favor de Absalón,* como un sacrificio *acepto a Dios;* porque mi señor el rey es como un ángel de Dios, que no se mueve ni por bendiciones *o aplausos,* ni por maldiciones. De aquí es que el Señor Dios tuyo está contigo.

18. A lo que respondiendo el rey, dijo a la mujer: No me ocultes nada de lo que voy a preguntarte. Y ella: Hablad, mi rey y señor.

19. ¿No es verdad, prosiguió el rey, que todo lo que me has dicho es cosa dispuesta por Joab? Respondió la mujer, y dijo: Por vida tuya (que Dios conserve), oh mi rey y señor, que has dado directamente en el blanco; pues realmente tu siervo Joab es el mismo que me lo ha mandado, y el que ha puesto en boca de tu sierva todas las palabras que te ha dicho.

20. La parábola de que me he valido, quien la ha dispuesto es tu siervo Joab. Mas tú, oh rey mi señor, eres sabio como lo es un ángel de Dios, para entender todas las cosas del mundo.

21. Dijo entonces el rey a Joab: Concedo la gracia que pides: anda, pues, y haz volver a mi hijo Absalón.

22. Aquí Joab, postrándose en tierra sobre su rostro, hizo una profunda reverencia al rey, dióle las gracias, y añadió: Oh rey y señor mío, hoy ha reconocido tu siervo que ha hallado gracia en tus ojos, pues que has otorgado la súplica que te he hecho.

23. En seguida levantóse Joab, y pasó a Gesur, de donde se trajo a Absalón a Jerusalén.

24. Pero el rey había dicho: Vuelva a su casa: mas no comparezca en mi presencia. Volvió, pues, Absalón a su casa; mas no vió la cara del rey.

25. No había en todo Israel hombre tan hermoso ni de tan gallarda presencia como Absalón: desde la planta del pie hasta la coronilla de la cabeza, no había en él el menor defecto.

26. Cuando se cortaba el cabello (lo que ejecutaba una vez al año, pues le incomodaba la cabellera), pesaban los cabellos de su cabeza, *o se apreciaban, en* doscientos siclos del peso común.

27. Tuvo Absalón tres hijos, y una hija llamada Tamar, de extremada hermosura.

---

9. En caso de que haya culpa en otorgar el perdón de un fratricidio.

**28.** Dos años hacía que estaba Absalón en Jerusalén, y no había visto la cara del rey.

**29.** Mandó, pues, llamar a Joab para enviarle al rey, y no quiso venir. Despachándole segundo recado, y no queriendo venir tampoco,

**30.** Dijo a sus criados: Ya sabéis el campo de Joab, que linda con el mío, donde la cebada está para se-garse: id y pegadle fuego. Al punto los criados de Absalón pusieron fuego a las mieses. Y viniendo los criados de Joab, rasgados sus vestidos, le dijeron: Los criados de Absalón han puesto fuego a una parte de tu campo.

**31.** Fué, pues, Joab a casa de Absalón, y le dijo: ¿Por qué motivo tus criados han puesto fuego a mis mieses?

**32.** Respondióle Absalón: *Es que* yo envié a llamarte, rogándote que vinieras, para que dijeses de mi parte al rey: ¿A qué fin he vuelto de Gesur? Para esto mejor me era estarme allí. Alcánzame, pues, la gracia de que pueda ver la cara del rey: que si aún se acuerda de mi delito, quíteme la vida.

**33.** Entonces Joab presentándose al rey le dió cuenta de todo esto: después de lo cual fué llamado Absalón, que entró donde el rey estaba, y arrojándose a sus pies le adoró; y el rey besó a Absalón.

## CAPITULO XV

*Absalón, ganado el favor del pueblo, se conjura contra su padre David, y se hace proclamar rey de Hebrón. Huye David de Jerusalén y hace volver a esta ciudad el Arca y los sacerdotes, y a Cusai para que desbarate con su sabiduría los consejos de Aquitofel.*

**1.** Después de esto Absalón se equipó de carrozas, tomó gentes de a caballo, y cincuenta guardias que fuesen *corriendo* delante de él.

**2.** Y levantándose de madrugada, se ponía a la entrada de la puerta; y a todos los que tenían negocios que tratar, y venían a pedir justicia al rey, llamábalos Absalón, y decíales: ¿De dónde eres tú? Respondíale el hombre: Yo, siervo tuyo, soy de tal tribu de Israel.

**3.** Y Absalón le hablaba así: Tus pretensiones me parecen razonables y justas: la lástima es que no hay persona puesta por el rey para oirte. Y añadía Absalón:

**4.** ¡Oh, quien me constituyese juez *o gobernador* de esta tierra, para que viniesen a mí todos los que tienen negocios, y yo les hiciese justicia!

**5.** Además, cuando alguno se acercaba para hacerle reverencia, le alargaba la mano, y dándole un abrazo le besaba.

**6.** Esto hacía con todos los de Israel que venían a que el rey los oyese y juzgase: con lo cual robaba *al rey* los corazones de los israelitas.

**7.** Pero cumplido el año cuadragésimo, dijo Absalón al rey David: Permíteme que vaya a cumplir en Hebrón unos votos que tengo hechos al Señor.

**8.** Pues cuando tu siervo estaba en Gesur, en la Siria, hizo muy de veras este voto al Señor: Si el Señor me restituyere a Jerusalén, le ofreceré un sacrificio.

**9.** Respondióle el rey David: Anda enhorabuena. Con esto se puso en camino, y marchó a Hebrón.

**10.** Y despachó Absalón emisarios por todas las tribus de Israel, diciendo: Luego que oigáis el sonido de la trompeta, decid: Absalón ha sido alzado rey en Hebrón.

**11.** Fueron también con Absalón doscientos hombres de Jerusalén, que había convidado: los cuales le siguieron con sencillez de corazón, sin saber nada de sus designios.

**12.** Hizo venir asimismo a Aquitofel, gilonita, consejero de David, de su ciudad de Gilo. Al tiempo, pues, que estaban inmolando las víctimas, formábase una recia conjuración; e iba creciendo el número de la gente que corría de tropel al partido de Absalón.

**13.** Llególe, pues, a David un mensajero, diciendo: Todo Israel se va con plena voluntad en pos de Absalón.

**14.** Entonces David dijo a sus criados, que tenía consigo en Jerusalén: Daos prisa, huyamos: de lo contrario vamos a caer en manos de Absalón. Apresurémonos a salir; no sea que nos sorprenda, y se arroje sobre nosotros, y pase a cuchillo la ciudad.

**15.** Respondiéronle al rey sus criados: Todo cuanto nos ordenare el rey nuestro señor lo ejecutaremos gustosos tus siervos.

**16.** Salió, pues, el rey con toda su familia a pie; y dejó a diez de sus mujeres secundarias, para custodia del palacio.

**17.** Salido que hubo a pie con todos los israelitas que le acompañaban, se paró al estar ya lejos de su casa;

---

**8.** En Hebrón, sepultura de los antiguos Patriarcas, lugar de mi nacimiento, y en donde mi padre fue ungido y proclamado Rey.

18. Y todos sus criados iban a su lado. E iban delante del rey las legiones de Cereti y de Feleti, y todos los geteos, guerreros valientes, que en número de seiscientos hombres de a pie, le habían seguido desde Get.

19. Dijo entonces el rey a Etai, geteo: ¿Para qué vienes con nosotros? Vuélvete y quédate con el *nuevo* rey: pues tú eres extranjero, que estás fuera de tu patria.

20. Ayer llegaste a Jerusalén; ¿y hoy has de verte obligado a salir con nosotros? Yo por mí iré adonde hubiere de ir; pero tú vuélvete y llévate a tus hermanos *los seiscientos geteos*. El Señor, que es fiel y misericordioso, recompensará el celo y la lealtad con que me has servido.

21. Pero Etai le respondió: Vive Dios, y vive el rey mi señor, que doquiera que tú, oh rey y señor mío, estuvieres, o para morir o para vivir, allí estará tu siervo.

22. Con esto dijo David a Etai: Ven, pues, y pasa *el torrente Cedrón*. Y pasó Etai, geteo, con todos los que le acompañaban, y la demás gente.

23. Lloraban todos con grandes sollozos; y fué pasando toda la muchedumbre. Pasó también el rey el torrente Cedrón, y encaminóse toda la gente por el camino que tira al desierto.

24. Vino asimismo el *sumo* sacerdote Sadoc, acompañado de todos los levitas que llevaban el arca del testamento de Dios, y la colocaron allí. Abiatar se mantuvo *junto a ella*, hasta que acabó de pasar todo el pueblo que salía de la ciudad.

25. Dijo entonces el rey a Sadoc: Vuelve a llevar a la ciudad el arca de Dios: que si yo hallare gracia a los ojos del Señor, él me volverá aquí, y me dejará ver otra vez su arca y su tabernáculo.

26. Y si me dijere: No eres acepto a mis ojos: a su disposición estoy, haga de mí lo que fuere de su mayor agrado.

27. Y añadió el rey al *sumo* sacerdote Sadoc: Oh vidente, vuélvete en paz a la ciudad con tu hijo Aquimaás, y con Jonatás, hijo de Abiatar; estén con vosotros esos dos hijos vuestros.

28. Yo voy a ocultarme en los campos del desierto, hasta tanto que me enviéis otras noticias del estado de las cosas.

29. Sadoc, pues, y Abiatar, volvieron el arca de Dios a Jerusalén, donde se quedaron.

30. Entre tanto David subía la cuesta de los olivos, y subía llorando, caminando a pie descalzo y tapada la cabeza; e igualmente subía llorando con la cabeza tapada todo el pueblo que le acompañaba.

31. Y recibió aviso David de que Aquitofel entraba también en la conjuración de Absalón. Oh Señor, exclamó entonces, desconcierta, te ruego, los consejos de Aquitofel.

32. Estando ya para llegar David a la cumbre del monte *desde* donde había de adorar al Señor, he aquí que se le presentó Cusai, araquita, con el vestido rasgado, y la cabeza cubierta de polvo.

33. Díjole David: Si quieres venir conmigo, me servirás de carga;

34. Pero si te volvieres a la ciudad y dijeres a Absalón: Siervo tuyo soy, oh rey: como serví a tu padre, así te serviré a ti; entonces podrás desconcertar los consejos de Aquitofel.

35. Allí tienes contigo a Sadoc y Abiatar, *sumos* Sacerdotes: todo cuanto oyeres decir en la casa del rey, se lo comunicarás a ellos.

36. En su compañía están dos hijos suyos, Aquimaás, hijo de Sadoc, y Jonatás, hijo de Abiatar, y por ellos me enviaréis a decir todo lo que supiereis.

37. Cusai, pues, amigo de David, se volvió a Jerusalén; adonde llegó al mismo tiempo que entraba también Absalón.

## CAPITULO XVI

*Siba calumnia a su amo Mifiboset, y consigue los bienes de éste. Maldiciones de Semeí contra David, y paciencia de este príncipe. Consejo diabólico que Aquitofel da a Absalón.*

1. Apenas hubo David bajado un poco de la cima del monte, se dejó ver Siba, criado de Mifiboset, que venía a su encuentro con dos asnos cargados de doscientos panes, y cien kilos de pasas, y cien panes de higos secos, y un pellejo de vino.

2. Díjole el rey: ¿Para qué todo eso? Los jumentos, respondió Siba, son para que monte la familia del rey; los panes y la fruta para que coman tus criados; y el vino para que pueda beber por el desierto el que desfalleciere.

3. Preguntó más el rey: ¿Dónde está el hijo de tu señor? Y Siba respondió: Se ha quedado en Jerusalén, diciendo: Hoy me restituirá la casa de Israel el reino de mi padre.

4. Dijo el rey a Siba: Sean tuyas todas las cosas que poseía Mifiboset. A lo que contestó Siba: Lo que yo pido, oh rey y señor, es el hallar gracia en tus ojos.

**5.** Llegó, pues, el rey David hasta Baurim; y he aquí que salía *de esta ciudad* un hombre de la parentela de Saúl, llamado Semeí, hijo de Gera; el cual le seguía de cerca, echándole maldiciones.

**6.** Y arrojaba piedras contra David y todos sus criados, mientras todo el pueblo y todos los guerreros iban en filas al lado derecho y al izquierdo del rey.

**7.** Estas eran las palabras que decía Semeí, maldiciendo al rey: Anda, anda, hombre sanguinario, hombre de Belial;

**8.** Ahora te ha dado el Señor el pago de toda la sangre derramada de la casa de Saúl: por cuanto tú le usurpaste el reino, el Señor le ha traspasado a manos de tu hijo Absalón: mira como te ves oprimido de males, por haber sido tú un hombre sanguinario.

**9.** Entonces Abisaí, hijo de Sarvia, dijo al rey: ¿Y por qué ese perro muerto ha de estar maldiciendo al rey mi señor? Iré, y le cortaré la cabeza.

**10.** Mas el rey le replicó: ¿Qué tengo yo con vosotros, oh hijos de Sarvia? Dejadle maldecir, pues el Señor ha dispuesto el *permitirle* que maldiga a David: ¿y quién osará pedirle razón del por qué lo ha dispuesto así?

**11.** Dijo también el rey a Abisaí y a todos sus criados: Vosotros estáis viendo que un hijo mío, nacido de mis entrañas, busca cómo quitarme la vida. Pués ¿qué mucho que me trate así ahora un hijo de Jemini? Dejadle que *me* maldiga, conforme a la permisión del Señor;

**12.** Quizá el Señor se apiadará de mí, y me volverá bienes por las maldiciones que en este día recibo.

**13.** Así, pues, David proseguía su camino acompañado de sus gentes; pero Semeí iba al lado por la loma del monte, maldiciendo, y arrojando piedras contra David, y esparciendo polvo.

**14.** En fin, el rey y toda su gente llegaron fatigados a *Baurim,* donde descansaron.

**15.** Entre tanto Absalón, con los de su partido, entró en Jerusalén, acompañado también de Aquitofel.

**16.** Cusai, araquita, amigo de David, fué a presentarse a Absalón, diciéndole: Dios te guarde, oh rey, oh rey, Dios te guarde.

**17.** Respondióle Absalón: ¿Y ésta es la gratitud tuya para con tu amigo? ¿Cómo no has ido a acompañar a tu amigo?

**18.** De ningún modo, respondió Cusai: porque yo he de ser de aquél a quien ha elegido el Señor, y todo este pueblo y todo Israel; y con él estaré.

**19.** A más de que ¿a quién debo servir yo? ¿No es al hijo del rey? Como he obedecido a tu padre, de la misma manera te obedeceré también a ti.

**20.** Dijo entonces Absalón a Aquitofel: Tratad entre los dos qué es lo que debemos hacer.

**21.** Y dijo Aquitofel a Absalón: Abusa de las mujeres de tu padre, las cuales dejó para guardar el palacio: a fin de que sabiendo todo Israel que has hecho esta afrenta a tu padre, se comprometan más en tu partido.

**22.** Levantaron, pues, un pabellón para Absalón en el terrado *del palacio:* y a vista de todo Israel fué a estar con las mujeres secundarias de su padre.

**23.** Los consejos que daba Aquitofel eran mirados entonces como oráculos del mismo Dios: tan estimados eran los consejos de Aquitofel así cuando estaba al lado de David, como cuando estaba con Absalón.

## CAPITULO XVII

*Aquitofel se ahorca, porque Absalón no sigue su consejo de perseguir a David sin perder tiempo.*

**1.** Dijo, pues, Aquitofel a Absalón: Me escogeré doce mil hombres, y partiré esta noche a perseguir a David;

**2.** Y echándome sobre él mientras estarán todos cansados y desmayados, le derrotaré; y luego que huyere toda la gente que tiene consigo, quedará el rey desamparado, y acabaré con él.

**3.** Con lo cual conduciré otra vez a aquella gente, como se hace volver a un hombre solo: por cuanto tú no buscas sino una sola persona; y *muerta ésta,* todo el pueblo quedará en paz.

**4.** Pareció bien a Absalón y a los ancianos todos de Israel este pensamiento de Aquitofel.

**5.** No obstante, dijo Absalón: Llamad a Cusai de Araqui, y oigamos también su dictamen.

**6.** Venido que fué Cusai a la presencia de Absalón, díjole éste: Tal es el parecer que ha dado Aquitofel. ¿Debemos seguirle, o no? ¿Qué consejo das tú?

---

CAP. XVI. — 10. Sobre estas palabras dice San Ambrosio (Lib. 1. de *David* c. VI): *¡Oh altísima, oh paciencia altísima, oh invención grande para devorar las injurias!* Atiende David a la primera causa de sus infortunios adorando las disposiciones de la Justicia de Dios y aceptando con humildad el castigo.

7. Respondió Cusai a Absalón: Por esta vez no me parece bueno el consejo de Aquitofel.

8. Y añadió Cusai: No ignoras que tu padre y la gente que le sigue son varones muy esforzados, y *en la actualidad* de ánimo exasperado, como una osa embravecida en un bosque cuando le han robado sus cachorrillos. Sobre todo, tu padre es un hombre aguerrido, y *así* no se detendrá con su gente.

9. A estas horas estará tal vez escondido en cavernas, u otro lugar que habrá escogido; y si al primer choque cayere alguno *de los nuestros,* se publicará luego por todas partes que el ejército que sigue al partido de Absalón ha sido derrotado.

10. Y *al oir esto,* los más valientes *de tu ejército, cuyo* corazón es como de leones, desmayarán de temor; pues sabe todo el pueblo de Israel que tu padre es un varón esforzado, y que es gente valerosa la que le sigue.

11. Por donde me parece que será mejor consejo éste: Reúnase contigo todo el pueblo de Israel, desde Dan hasta Bersabée, innumerable que es como las arenas del mar; y tú te pondrás en medio de todos.

12. Y nos echaremos sobre David en cualquier lugar en que se hallare; *y siendo nosotros tantos,* le cubriremos como el rocío que suele cubrir la tierra, no dejando con vida ni uno siquiera de los que le siguen.

13. Y si se metiere dentro de alguna ciudad, ceñirá todo Israel con maromas aquella ciudad, y la arrastraremos hasta el torrente: de suerte que no quede de ella ni una piedrecita.

14. Dijo entonces Absalón con todos los ancianos de Israel: Mejor es el consejo de Cusai, araquita, que el de Aquitofel. Así por disposiclón del Señor fué disipado el consejo de Aquitofel, que era *para ellos* el más acertado; porque el Señor quería descargar todo el mal sobre Absalón.

15. En seguida dijo Cusai a los *sumos* sacerdotes Sadoc y Abiatar: Esto y esto ha aconsejado Aquitofel a Absalón y a los ancianos de Israel; y yo le he aconsejado esto otro.

16. Ahora, pues, enviad cuanto antes a decir a David: No pares esta noche en las campiñas del desierto; antes bièn pasa sin dilación a la otra parte *del Jordán. No* suceda que sea arrollado el rey con toda su gente.

17. Entre tanto Jonatás y Aquimaás estaban *a la mira,* a la fuente de Roger. Fué *allí* una criada, y dióles el aviso, marcharon a llevar al rey la noticia; pues ellos no podían entrar en la ciudad, por no ser vistos.

18. Con todo, los vió un muchacho, y los delató a Absalón: mas ellos a toda prisa se metieron en casa de cierto vecino de Bahurim, el cual tenía un pozo en su patio y se escondieron en él.

19. La mujer de la casa tomó una cubierta, y la extendió sobre la boca del pozo, como para secar cebada mondada; y así quedó oculta la cosa.

20. Y habiendo llegado los criados de Absalón a la casa, preguntaron a la mujer: ¿Dónde están Aquimaás y Jonatás? Respondióles: Pasaron de corrida, sin hacer más que beber un poco de agua. Con eso los que los buscaban, no encontrándolos, se volvieron a Jerusalén.

21. Así que se fueron, subieron los otros del pozo, y prosiguiendo su camino, dieron aviso al rey David, diciendo: Levantad el campo, y pasad prontamente el río; pues esto y esto ha aconsejado Aquitofel contra vosotros.

22. Marchó, pues, David con toda su gente, y pasó el Jordán antes de amanecer, sin que quedase a la otra parte ni siquiera uno.

23. Mientras tanto Aquitofel, viendo que no se había seguido su consejo, aparejó su asno, montó, y se fué a su casa *de Gilo,* su patria; y dispuestos los negocios de su familia, se ahorcó; y fué sepultado en el sepulcro de su padre.

24. David llegó a los campamentos; y Absalón pasó *después* el Jordán, seguido de todo Israel.

25. Dió Absalón el mando de su ejército a Amasa, en lugar de Joab, *que seguía el partido de David.* Era Amasa hijo de un varón natural de Jezrael, llamado Jetra, el cual había casado con Abigail, hija de Naás, *padre de David,* y hermana de Sarvia, madre de Joab.

26. Acampó Israel con Absalón en tierra de Galaad.

27. Luego que David llegó a los campamentos, Sobi, hijo de Naás, de Rabbat, *ciudad* de los ammonitas, y Maquir, hijo de Ammihel, de la ciudad de Lodabar, y Bercellai, de Rogelim, en Galaad,

28. Le ofrecieron camas, y alfombras, y vasijas de barro, y trigo y cebada, y harina, y polenta, y habas, y lentejas y garbanzos tostados.

---

25. *Naas* e *Isaí* parece que son una misma. persona. I. *Par.* II. *v.* 13.

**29.** Y miel, y manteca de vacas; ovejas y terneros gordos; y lo dieron todo a David y a la gente que le acompañaba, para que comiesen, persuadidos de que estarían todos acosados del hambre y de la sed, hallándose en un desierto.

## CAPITULO XVIII

*Derrota del ejército de Absalón: muerte desgraciada de éste, y llanto que por ella hace David.*

**1.** David, pues, habiendo pasado revista a su gente, eligió tribunos y centuriones que la mandasen.

**2.** Y dió a Joab el mando de un tercio del ejército; el del segundo tercio a Abisaí, hijo de Sarvia y hermano de Joab; y el del otro tercio a Etai, natural de Get. Dijo después el rey a sus tropas: Yo quiero salir también con vosotros *al combate.*

**3.** Respondiéronle: No debes venir de ningún modo; pues aun cuando los enemigos nos hagan huir, no habrán logrado gran cosa: ni aunque muera la mitad de nosotros, no quedarán muy satisfechos; por que tú solo vales por diez mil. Así, mejor es que te quedes en la ciudad para poder socorrernos.

**4.** Díjoles el rey: Haré lo que bien os pareciere. Y púsose en la puerta de la ciudad, mientras iba desfilando el ejército en cuerpos de a ciento, y de a mil hombres.

**5.** Entonces dió a Joab, y a Abisaí y a Etai esta orden: Conservadme a mi hijo Absalón. Y oyó todo el ejército que el rey recomendaba a todos los caudillos que conservasen a Absalón.

**6.** Salió, en fin, el ejército a pelear contra Israel, y dióle la batalla en el bosque de Efraím,

**7.** Donde fué derrotado el ejército de Israel por las tropas de David. La mortandad fué grande: quedaron allí tendidos veinte mil hombres;

**8.** Y los restantes se dispersaron por todo aquel país, y fueron muchos más los que perecieron *huyendo* por el bosque, que los que murieron a filo de espada en aquel día.

**9.** Y sucedió que *huyendo* Absalón montado en un mulo, se encontró con la gente de David, y como se metiese el mulo debajo de una frondosa y grande encina, se le enredó a Absalón la cabeza en dicho árbol, y pasando adelante el mulo en que iba montado, quedó él colgado en el aire entre el cielo y la tierra.

**10.** Viólo uno, y avisó a Joab, diciendo: He visto a Absalón colgado en una encina.

**11.** Respondió Joab, al hombre que le daba la noticia: Si le viste, ¿por qué no le has cosido con la tierra a puñaladas y te habría yo dado diez siclos de plata y *honrádote con* un tahalí?

**12.** Pero él replicó a Joab: Aunque pusieras en mis manos mil monedas de plata, no extendería yo mi mano contra el hijo del rey; pues que, oyéndolo nosotros, te mandó el rey a ti, y a Abisaí, y a Etai, diciendo: Conservadme a mi hijo Absalón.

**13.** Y aun cuando me hubiera arrojado a hacer una acción tan temeraria, no se hubiera podido ocultar esto al rey; y ¿me habrías tú entonces defendido?

**14.** Dijo Joab: No será lo que dices: yo mismo le he de atravesar a tu vista. Cogió, pues, tres dardos, *orejones* en su mano, y clavólos en el corazón de Absalón; y como todavía palpitase colgado de la encina,

**15.** Acudieron corriendo diez jóvenes escuderos de Joab, y le acabaron de matar a cuchilladas.

**16.** Al punto Joab hizo tocar la trompeta, y contuvo al ejército para que no persiguiese a Israel, que iba huyendo; queriendo perdonar a la muchedumbre.

**17.** A Absalón le descolgaron, y echáronle en una grande hoya en el bosque, formando sobre él un elevadísimo montón de piedras; mientras tanto, todo Israel huyó, cada uno a su casa.

**18.** Absalón, cuando aún vivía, se había erigido un monumento que se conserva en el valle del rey. Porque decía: Ya que no tengo hijos, esto servirá para memoria de mi nombre. Dió, pues, su nombre a este monumento, el cual se llama aun hasta hoy día: La mano de Absalón.

**19.** Dijo en seguida Aquimaás, hijo de Sadoc: Iré corriendo a dar la nueva al rey de que el Señor *le ha vengado* y le ha hecho justicia contra sus enemigos.

**20.** Respondióle Joab: No serás tú el mensajero en esta ocasión, sino en otra: hoy no quiero que vayas tú a llevar las noticias, pues ha muerto el hijo del rey.

**21.** Y así dijo Joab a Cusi: Ve tú y refiere al rey lo que has visto. Cusi hizo una profunda reverencia a Joab, y echó a correr.

---

**CAP. XVIII.** — 10. Contribuiría tal vez su misma gran cabellera a que no pudiese desenredarse fácilmente. Cap. XIV, *v.* 26.

**11.** *Tahalí:* o cíngulo militar.

**22.** Instó Aquimaás, hijo de Sadoc, nuevamente a Joab, diciendo: ¿Qué inconveniente hay en que yo vaya corriendo tras de Cusi? Respondióle Joab: ¿Para qué quieres ir a correr, hijo mío? Serás el portador de una mala noticia.

**23.** ¿Qué importa, replicó, que yo corra? Anda, pues, dijo Joab. Con esto Aquimaás, corriendo por un atajo, se adelantó a Cusi.

**24.** Estaba a la sazón David sentado entre las dos puertas *de la ciudad*. Y el centinela apostado encima de la puerta sobre la muralla, tendiendo la vista, vió un hombre solo que venía corriendo;

**25.** Y dió voces y se lo avisó al rey; el cual dijo: Si viene solo, trae buenas nuevas. Y mientras él apretaba el paso, y se acercaba más,

**26.** Vió el centinela otro hombre que venía corriendo; y gritando desde lo alto, dijo: Me parece divisar a otro hombre que viene corriendo solo. Dijo el rey: También ese trae buenas nuevas.

**27.** Añadió el atalaya: El modo de correr del primero me hace pensar que es Aquimaás, hijo de Sadoc. *Ese* es buen sujeto, dijo el rey: *sin duda que* trae buenas noticias.

**28.** En esto Aquimaás, gritando *de lejos*, dijo al rey: Señor, Dios te guarde. Y postrándose en tierra delante del rey, haciéndole profundo acatamiento, dijo: Bendito sea el Señor Dios tuyo que ha entregado en tus manos a los que se habían sublevado contra el rey mi señor.

**29.** Y dijo el rey: ¿Está vivo y sano mi hijo Absalón? Respondióle Aquimaás: Cuando Joab, tu siervo, me envió a ti, oh rey, vi que se había levantado un gran tumulto: no sé otra cosa.

**30.** Díjole el rey: Pasa y ponte aquí; y apenas se apartó, y se puso en su sitio,

**31.** Compareció Cusi y al llegar, dijo: Albricias, rey y señor, mío: porque el Señor ha sentenciado hoy a tu favor contra el poder de todos los que se rebelaron contra ti.

**32.** Mas el rey preguntó a Cusi: ¿Está vivo y sano mi hijo Absalón? Respondióle Cusi: Tengan la suerte de ese joven los enemigos del rey mi señor, y cuantos se levantaren contra él para dañarle.

**33.** Entonces el rey, lleno de tristeza, subióse a la torre *o cuarto* que estaba sobre la puerta, y echó a llorar, diciendo mientras subía: ¡Hijo mío Absalón! ¡Absalón, hijo mío! ¡Quién me diera, Absalón, hijo mío, que yo muriera por ti! ¡Oh hijo mío Absalón!

## CAPITULO XIX

*Varios sucesos después de la victoria. Cesa David de llorar a Absalón. Reconcíliase con los conjurados, y vuelve a Jerusalén; perdona a Semeí; restituye la mitad de los bienes a Mifiboset; despide a Bercellai, reteniendo consigo a Camaán. Contienda de Israel con Judá en favor de David.*

**1.** Y avisaron a Joab que el rey estaba llorando, y que hacía duelo por su hijo.

**2.** Con lo que la victoria en aquel día convirtióse en luto para todo el ejército; pues la gente oyó decir aquel día: El rey está traspasado de dolor por causa de su hijo.

**3.** Y así las tropas se abstuvieron de hacer su entrada en la ciudad, como suele abstenerse un ejército derrotado que viene huyendo de una batalla.

**4.** El rey cubrió su cabeza, y exclamaba en alta voz: ¡Hijo mío Absalón! ¡Absalón, hijo mío! ¡Hijo mío!

**5.** Mas Joab entrando en la casa donde el rey estaba díjole: Tú has cubierto hoy de confusión los rostros de todos tus siervos que han salvado tu vida y la vida de tus hijos e hijas, y la vida de tus esposas *o reinas*, y la de tus demás mujeres secundarias.

**6.** Amas a los que te aborrecen, y aborreces a los que te aman; y hoy has mostrado que nada se te da de tus capitanes, ni de tus soldados: y verdaderamente acabo de conocer ahora que si Absalón viviese y todos nosotros hubiésemos perecido, entonces estarías contento.

**7.** Ahora, pues, ven y sal afuera, habla a tus soldados y manifiéstales que estás satisfecho de ellos: porque yo te juro por el Señor, que si tú no sales, ni un hombre sólo ha de quedar contigo esta noche; y te hallarás en un peligro el mayor de cuantos has tenido desde tu juventud hasta el día de hoy.

**8.** Con esto salió el rey y se sentó a la puerta *de la ciudad;* y sabiendo el pueblo que el rey estaba allí, vino toda la gente a presentarse delante de él. Entre tanto los de Israel huyeron a sus tiendas.

**9.** Además todo el pueblo esparcido por todas las tribus de Israel, a competencia decía: El rey nos libró del poder de nuestros enemigos, él nos salvó de las manos de los filisteos: y ahora ha tenido que huir de esta tierra por causa de Absalón.

---

CAP. XIX. — 4. Según se usaba en los lutos.

10. Y pues que Absalón, a quien ungimos por nuestro rey, ha muerto en la batalla, ¿qué es lo que esperáis? ¿Por qué no hacéis volver al rey?

11. Advertido el rey David de esta buena disposición de todo Israel a su favor, envió a decir a los sacerdotes Sadoc y Abiatar: Hablad a los ancianos de Judá y decidles: ¿Cómo sois los últimos en procurar que el rey vuelva a su casa?

12. Vosotros sois hermanos míos: sois carne y sangre mía. ¿Por qué, pues, sois los postreros en hacer volver al rey?

13. Decid también *de mi parte a Amasa*: Por ventura, ¿no eres tú carne y sangre mía? No me haga el Señor ningún bien, y sí mucho mal, si no te hiciere general perpetuo de mis tropas, en vez de Joab.

14. De esta suerte ganó el corazón de todos los varones de Judá, como si fuesen un solo hombre, y *unánimemente* enviaron a decir al rey: Vuelve con todos los tuyos.

15. Volvió, pues, el rey, y vino hasta el Jordán; y todo Judá fué hasta Gálgala para recibir al rey, y hacer que pasase el Jordán.

16. También Semeí, hijo de Gera, de la tribu de Benjamín, natural de Bahurim, acudió a toda prisa, y vino con los de la tribu de Judá a encontrar al rey David,

17. Con mil hombres de Benjamín, e iba con ellos Siba, criado de la casa de Saúl, con sus quince hijos y veinte siervos. Y rompiendo por el Jordán *para ponerse* delante del rey,

18. Atravesaron el vado, a fin de hacer pasar la familia del rey, y ponerse a sus órdenes. Luego que el rey hubo pasado el Jordán, Semeí, hijo de Guera, postrándose a sus pies,

19. Le dijo: No quieras castigar, señor, mi maldad, ni te acuerdes de las injurias recibidas de tu siervo en el día que saliste, oh rey y señor mío, de Jerusalén, y no las conserves, oh rey, en tu corazón;

20. Porque reconozco yo, tu siervo, el crimen que cometí, y por eso he venido hoy el primero de toda la casa de José a recibir al rey mi señor.

21. A lo que respondiendo Abisaí, hijo de Sarvia, dijo: ¿Cómo? ¿Por estas palabras se ha de escapar de la muerte Semeí, habiendo maldecido al ungido del Señor ?

22. Mas David dijo: ¿Qué tengo yo que ver con vosotros, oh hijos de Sarvia? ¿Por qué hacéis hoy conmigo el oficio de diablos *o tentadores*? ¿Es hoy día de hacer morir a un hijo de Israel? ¿Puedo acaso olvidar que en este día he sido hecho *nuevamente* rey de Israel?

23. Y así dijo a Semeí: No morirás. Y se lo juró.

24. También Mifiboset, hijo de Saúl, descendió al encuentro del rey y *en señal de dolor* no se había lavado los pies, ni hecho la barba, ni mudado sus vestidos, desde el día que salió el rey de *Jerusalén*, hasta que regresó felizmente.

25. Presentóse, pues, al rey en Jerusalén, y díjole el rey: ¿Por qué no fuiste conmigo, Mifi-boset?

26. El cual respondió: ¡Ah! mi criado, oh rey y señor mío, se burló de mí: pues estando como estoy impedido de las piernas, le había dicho que me aparejase un asno para montar y seguirte;

27. Y sobre no hacerlo, fué a calumniarme a mí, siervo tuyo, delante de ti que eres mi rey y señor. Mas tú, oh señor y rey mío, tú eres como un ángel de Dios: haz lo que fuere de tu agrado.

28. Porque la casa de mi padre no ha merecido del rey mi señor, sino la muerte; y con todo me colocaste a mí, siervo tuyo, entre los que comen en tu mesa: ¿de qué, pues, puedo yo quejarme justamente? O ¿cómo podré todavía reclamar nada del rey?

29. Mas el rey le dijo: ¿Para qué te cansas en hablar más? Ya te tengo dicho que tú y Siba os repartáis las posesiones.

30. Sobre lo cual respondió Mifiboset al rey: Tómelo todo si quiere, puesto que el rey mi señor ha vuelto felizmente a su casa.

31. Asimismo Bercellai de Galaad, saliendo de Rogelim, acompañó al rey en el paso del Jordán, dispuesto a seguirle aun a la otra parte del río.

---

13. Amasa era hijo de su hermana Abigail. — Quiso David humillar la arrogancia de Joab y castigarle por la muerte de Absalón. Amasa había sido general de las tropas de Absalón. Cap. XVII. *v.* 25.

---

21. Los Hebreos y otros Orientales se raían la barba sobre el labio superior y en las mejillas, dejando crecer el pelo en el mento y hasta las orejas.

24. David no quiso entrar en más examen sobre la calumnia contra Mifiboset que quizá había creído ligero: y así partió la diferencia. Según el texto hebreo puede entenderse que la propiedad de los bienes quedó por entero para Mifiboset, y que solamente se partió el usufructo.

**32.** Era este Bercellai, galaadita, muy anciano, es a saber, de ochenta años; y el mismo que proveyó de víveres al rey mientras moraba en los campamentos, *o en Manahím,* porque era hombre riquísimo.

**33.** Díjole, pues, el rey: Vente conmigo para que descanses *y vivas felizmente* en mi compañía en Jerusalén.

**34.** A lo que respondió Bercellai al rey: ¿Y estoy en edad ahora de ir con el rey a Jerusalén?

**35.** Ochenta años tengo en el día: ¿acaso tienen vigor mis sentidos para discernir entre lo dulce y lo amargo? ¿O puede deleitar a su siervo la comida y bebida? ¿O está ya para oír la voz de los cantores y cantoras? ¿A qué fin tu siervo ha de servir de carga al rey mi señor?

**36.** Te acompañará tu siervo un poco más allá del Jordán. Por lo demás no necesito de esa *recompensa o* mudanza de vida.

**37.** Y suplícote que dejes volver a éste tu siervo a morir en su patria, y a que sea sepultado junto a su padre y su madre. Aquí tienes *a mi hijo* Camaam, tu siervo: éste puede ir contigo, mi rey y señor, y haz con él lo que bien te parezca.

**38.** Respondióle el rey: Venga, pues, conmigo Camaam: yo haré por él todo lo que quisieres; y cuanto tú me pidieres te será concedido.

**39.** Finalmente, habiendo pasado el rey el Jordán con toda la gente, besó a Bercellai, le llenó de bendiciones; y volvióse Bercellai a su casa.

**40.** El rey marchó a Gálgala, llevando a Camaam en su compañía. Cuando pasó el rey el Jordán le acompañaba toda la tribu de Judá, y solamente se había hallado allí la mitad del pueblo de Israel.

**41.** Y así todos los de Israel acudiendo juntos al rey, le dijeron: ¿Por qué razón nuestros hermanos los de Judá se han apoderado de ti, haciendo pasar el Jordán a nuestro rey y a su familia y a toda su comitiva?

**42.** Es, respondieron todos los de Judá a los de Israel, porque el rey nos pertenece más de cerca que a vosotros. Pero, ¿por qué os habéis de enojar por eso? Por ventura, ¿hemos comido a expensas del rey, o recibido de él algunos regalos?

**43.** Replicaron los de Israel a los de Judá, diciendo: Diez veces valemos más que vosotros para con el rey, y David, *como rey,* más nos pertenece a nosotros que a vosotros. ¿Por qué nos habéis hecho este agravio, y no se nos avisó a nosotros primero, para que

fuésemos y trajésemos nuestro rey? Pero los de Judá respondieron con muchas aspereza *y tesón* a los de Israel.

## CAPITULO XX

*Sedición de Seba contra el rey David, apaciguada con la muerte del rebelde, en cuyo intermedio Joab asesina alevosamente a Amasa.*

**1.** Aconteció que se hallaba allí un hombre *malvado, un hijo* de Belial, llamado Seba, hijo de Bocri, de la tribu de Benjamín; el cual tocó la trompeta, diciendo: Nada tenemos que hacer con David, ni que esperar cosa alguna del hijo de Esaí: y vuélvete, Israel, a tu casa.

**2.** Y separóse todo Israel de David, siguiendo a Seba, hijo de Bocri. Mas los de la tribu de Judá fueron acompañando a su rey desde el Jordán hasta Jerusalén.

**3.** Y así que hubo llegado el rey a su casa en Jerusalén, tomó las diez mujeres secundarias que había dejado para guardar el palacio, y púsolas en clausura, dándoles alimentos; pero no se llegó más a ellas, sino que estuvieron encerradas hasta el día que murieron, viviendo como viudas.

**4.** Dijo después el rey a Amasa: Convócame a todos los *soldados* de Judá para dentro de tres días, y te presentarás tú con ellos.

**5.** Fué, pues, Amasa a convocar a la gente de Judá, y detúvose más del plazo que el rey le había señalado.

**6.** Por lo que dijo David a Abisaí: Ahora nos ha de dar más que hacer Seba, hijo de Bocri, que Absalón: toma los soldados de tu señor, y corre tras él, no sea que se apodere de alguna de las ciudades fuertes, y se nos escape de las manos.

**7.** Salieron, pues, con él las tropas de Joab, y los cereteos y los feleteos; y todos los valientes partieron de Jerusalén en persecución de Seba, hijo de Bocri.

**8.** Y estando ya junto a la gran peña de Babaón, salió Amasa a encontrarlos. Estaba Joab vestido de una túnica estrecha, llevando sobre ella ceñida su daga pendiente con su vaina hasta la ingle, fabricada con tal arte, que a un ligero movimiento podía salirse fuera, y darse el golpe.

**9.** Dijo, pues, Joab a Amasa: Dios te guarde, hermano mío; y con la mano derecha asió la barbilla de Amasa en ademán de besarle.

10. Y no habiendo hecho Amasa ningún reparo en la daga o *cuchillo* que tenía Joab, le hirió éste en el costado, y derramó por tierra sus entrañas, y sin repetir el golpe le dejó allí muerto. Luego Joab y Abisaí, su hermano, continuaron en seguimiento de Seba, hijo de Bocri.

11. Algunos soldados de las tropas de Joab, parándose junto al cadáver de Amasa, diieron: Mirad el que quiso ser compañero o *general* de David en lugar de Joab.

12. Entre tanto Amasa, revolcado en su sangre, yacía tendido en medio del camino. Advirtió uno que toda la gente se paraba a verle; y apartó el cadáver de Amasa del camino a un campo, y cubrióle con una ropa, para que los que pasasen no se detuviesen por su causa.

13. Retirado ya del camino, pasaba adelante toda la tropa que iba con Joab para seguir el alcance de Seba, hijo de Bocri.

14. Entre tanto, éste había atravesado por todas las tribus de Israel hasta Abela y Betmaaca; y había reunido a su lado lo más escogido del ejército *de Israel.*

15. Llegaron, pues, y pusieron sitio a Abela y Betmaaca, cercando la ciudad con trincheras, y quedó la plaza sitiada, y toda la gente de Joab se esforzaba para batir el muro.

16. Entonces una mujer *muy* sabia de aquella ciudad dió voces, diciendo: Oíd, escuchad: Decid a Joab que se acerque, para que pueda yo hablarle.

17. Acercóse Joab, y la mujer le dijo: ¿Eres tú Joab? Yo soy, le respondió. Oye, le dijo ella, las palabras de tu sierva. Ya te escucho contestó Joab.

18. Antiguamente, prosiguió la mujer, se decía por proverbio: Los que buscan consejo, búsquenle en Abela. Y de este modo lograban su designio.

19. ¿No soy yo la que doy respuestas verdaderas *y justas* a Israel? ¿Y tú quieres arruinar una ciudad, y asolar una metrópoli en Israel? ¿Por qué destruyes la herencia del Señor?

20. Respondiendo Joab, dijo: No, lejos de mí una tal cosa: no vengo yo para arruinar ni asolar.

21. No es ésa mi intención, sino que busco a un hombre del monte de Efraím, llamado Seba, hijo de Bocri, que se ha rebelado contra el rey David: entregadnos ese hombre solo, y nos retiraremos *al instante* de la ciudad. Dijo entonces la mujer a Joab: Pues ahora mismo te echarán su cabeza por el muro.

22. Con efecto, se presentó la mujer donde estaba todo el pueblo; y les habló con tanta cordura, que cortando ellos la cabeza a Seba, hijo de Bocri, se la arrojaron a Joab; el cual tocó a retirada, y regresaron las tropas cada cual a su casa. Joab volvióse a Jerusalén, cerca del rey.

23. De este modo quedó Joab con el mando *en jefe* de todo el ejército de Israel, siendo Banaías, hijo de Joiada, capitán de los cereteos y feleteos.

24. Y Adurám, superintendente de las rentas; Josafat, hijo de Ahfud, secretario o *cronista;*

25. Siva, escribano; y Sadoc y Abiatar, *sumos* sacerdotes;

26. E Ira de Jair, era sacerdote de David.

## CAPITULO XXI

*Causa y remedio de una grande hambre que sufrió Israel al tiempo de David. Guerra de éste contra los Filisteos.*

1. Hubo también hambre en tiempo de David por tres años continuos; sobre lo cual consultó David el oráculo del Señor. Y respondióle el Señor: Esto sucede por causa de Saúl y de su casa sanguinaria; porque mató él a los gabaonitas.

2. Llamando, pues, el rey a los gabaonitas, habló con ellos. Es de saber que los gabaonitas no eran de Ios hijos de Israel, sino un resto de los amorreos; y los israelitas les habían jurado *que no les quitarían la vida.* Mas Saúl quiso acabar con ellos so color de celo por el bien de los hijos de Israel y de Judá.

3. Dijo, pues, David a los gabaonitas: ¿Qué queréis que yo haga por vosotros? ¿Y qué satisfacción puede dárseos, a fin de que roguéis por la herencia del Señor?

4. Respondiéronle los gabaonitas: No es nuestra querella sobre plata ni oro, sino contra Saúl y su casa: ni pretendemos que muera ningún hombre de Israel. A los cuales replicó el rey: Pues, ¿qué queréis que haga por vosotros?

---

CAP. XX.— 18. La ciudad de Abela sería célebre por la instrucción o natural talento y buena índole de sus moradores, entre los cuales se distingue esta mujer.

---

CAP. XXI. — 1. Por medio del sacerdote Abiatar.

**5.** Respondieron ellos: Al hombre que nos oprimió y asoló tan inicuamente, debemos aniquilarle de tal suerte que ni uno siquiera quede de su linaje en todos los términos de Israel.

**6.** Dénsenos, *al menos*, siete de sus hijos, para que los crucifiquemos a honra del Señor, en Gabáa, *patria* de Saúl, que fué en otro tiempo el escogido del Señor. Dijo el rey: Yo os los daré.

**7.** Bien que perdonó el rey a Mifiboset, hijo de Jonatás, y nieto de Saúl, en atención a la sagrada alianza que se habían jurado mutuamente David y Jonatás, hijo de Saúl.

**8.** Tomó, pues, el rey dos hijos de Resfa, hija de Aya, que los había tenido de Saúl, llamados Armoni y Mifiboset, y cinco hijos de Micol, hija de Saúl, habidos de Hadriel, hijo de Bercellai, natural de Molati;

**9.** Y entrególos en manos de los gabaonitas, que los crucificaron en un monte delante del Señor: así perecieron junto estos siete varones, muertos en los primeros días de la siega, cuando comenzaban a segar las sebadas.

**10.** Pero Resfa, hija de Aya, tomando un *saco* de cilicio, extendióle a sus pies sobre una piedra, *y se estuvo allí* desde el principio de la siega hasta que cayó sobre los cadáveres lluvia del cielo, impidiendo que los devorasen de día las aves del cielo, y de noche las fieras.

**11.** Refirieron a David lo que había hecho Resfa, hija de Aya, mujer secundaria de Saúl.

**12.** Entonces, David fué y tomó los huesos de Saúl y de Jonatás su hijo, *recibiéndolos* de los ciudadanos de Jabes de Galaad, que los habían hurtado de la plaza de Betsan, donde los colgaron los filisteos cuando mataron a Saúl en Gelboe,

**13.** Y trasportó de allí los huesos de Saúl y de su hijo Jonatás, y recogiendo los huesos de los crucificados,

**14.** Los hizo sepultar, con los de Saúl y de Jonatás su hijo, en la tierra de Benjamin, a un lado del sepulcro de Cis, su padre. Ejecutado así todo lo ordenado por el rey, se mostró después Dios propicio con la tierra.

**15.** Entre tanto los filisteos renovaron la guerra contra Israel; y salió David con sus tropas a pelear contra ellos. Y sucedió que hallándose David cansado,

**16.** Jesbibenob, del linaje de Arafa, que llevaba una lanza, cuyo hierro pesaba trescientas onzas, y ceñía una espada flamante, intentó herir a David.

**17.** Pero le defendió Abisaí, hijo de Sarvia, el cual hirió y mató al filisteo. Con este motivo los soldados de David juraron, diciendo: No saldrás ya más con nosotros a la guerra, a fin de que no se apague la antorcha de Israel.

**18.** Otra guerra hubo también en Gob contra los filisteos, en la cual Sobocai, natural de Husati, mató a Saf, del linaje de Arafa, de la raza de los gigantes.

**19.** Hubo después en Gob una tercera guerra contra los filisteos, en la cual Adeodato, hijo de Saltus, que tejía telas de colores en Belén, mató a Goliath de Get, que llevaba una lanza, cuyo ástil era como un enjullo de telar.

**20.** La cuarta guerra fué en Get, donde se presentó un hombre de estatura descomunal, que tenía seis dedos en cada mano y en cada pie, esto es, veinticuatro dedos, y era de la raza *gigantesca* de Arafa.

**21.** Vino a insultar a Israel; pero matóle Jonatán, hijo de Samaa, hermano de David.

**22.** Eran estos cuatro hombres naturales de Get, del linaje del *gigante* Arafa, y fueron muertos por David y su gente.

## CAPITULO XXII

*Cántico de David en acción de gracias a Dios por haberle librado de todos sus enemigos; en el cual vaticina la conversión de los gentiles.*

**1.** Cantó David asimismo al Señor las palabras de este cántico el día en que le hubo librado el Señor de las manos de todos sus enemigos, y de la persecución de Saúl.

**2.** Y dijo:
El Señor es el baluarte mío y mi fortaleza, y él es mi Salvador.

---

9. Los crucificaron como víctimas de expiación para aplacar la indignación divina. La expresión *coram Domino* significa varias veces en honor o por mandato del Señor. Puede también entenderse que los sacrificaron sobre el monte vecino a Gabáa y a la vista del altar que estaba en la cima del monte.

---

16. Célebre gigante.

**CAP.- XII.** — 1. Este cántico es el Salmo 17. Por error de los copistas se halla una pequeña trasposición de palabras en el verso 45 de este capítulo: de modo que debe leerse: *Un pueblo desconocido de mí me servirá; en oyéndome, me obedecerá*. v. 46. Los hijos extraños, etc.

3. Dios es mi defensa, en él esperaré; es mi escudo y el apoyo de mi salvación: él es el que me ensalza *sobre mis enemigos,* y él es mi amparo. *Sí,* Salvador mío, tú me librarás de *toda violencia* o iniquidad.

4. Invocaré al Señor, a quien se debe toda alabanza, y seré salvo de mis enemigos.

5. Porque yo me vi rodeado de mortal congoja y acometido de una furiosa mul

titud de gente inicua, que me llenó de espanto.

6. Con las fajas mortuarias estuve ya atado, y halléme cogido en los lazos de la muerte.

7. En mi tribulación invocaré al Señor y clamaré a mi Dios: y él desde su templo oirá mi voz, y llegarán a sus oídos mis clamores.

8. Se conmovió y se estremeció la tierra: agitáronse los cimientos de los montes, y se hicieron pedazos; porque *el Señor* se mostró con ellos enojado.

9. El humo de sus narices, *o su enojo,* se levantó en alto; y despedía de su boca fuego devorador, que convirtió en brasas los carbones.

10. Abajó, o hizo inclinar los cielos, y descendió *teniendo* una densa niebla debajo de sus pies.

11. Subió, después, sobre los querubines, y voló; voló sobre las alas de los vientos.

12. Puso las tinieblas alrededor de sí para ocultarse: zarandeó las aguas de las nubes del cielo.

13. Los rayos refulgentes de su presencia encendieron cual fuego ascuas ardientes.

14. Tronará el Señor desde *lo alto* del cielo. El Altísimo hará resonar su voz.

15. Arrojó centellas *contra mis enemigos,* y los disipó; rayos, y los destruyó.

16. Quedaron, entonces, patentes los abismos del mar, y descubiertos los cimientos de la tierra a las amenazas del Señor, y al resuello impetuoso de su furor.

17. Extendió su mano desde el cielo, y me tomó: y de entre olas inmensas me sacó a salvo.

18. Libróme de mi poderosísimo enemigo, y de los que me aborrecían; los cuales eran más fuertes que yo.

19. Y me anticipó su socorro en el día de la tribulación; y ha sido *siempre* el Señor mi firme apoyo.

20. Sacóme fuera, a un sitio espacioso, y púsome en plena libertad, porque fuí grato a sus ojos.

21. El Señor me recompensará según mi justicia; y me tratará según la pureza de mis manos.

22. Pues yo seguí atentamente las sendas del Señor; ni me separé de mi Dios con hechos impíos.

23. Como que siempre tengo delante de mis ojos todas sus leyes, y no soy rebelde a sus preceptos.

24. Con *seguir a* Dios seré un varón perfecto, y me guardaré de ir en pos de mi iniquidad.

25. El Señor me dará la recompensa conforme a mi justicia, y según la pureza de mis manos delante de sus ojos.

26. Con los santos tú, *oh Dios,* te mostrarás santo; y perfecto con los perfectos.

27. Serás fuerte con los fuertes; y al perverso le tratarás como a tal.

28. Tú salvarás al pueblo humilde; y con una mirada abatirás a los erguidos.

29. Tú eres, Señor, mi antorcha; y tú alumbrarás, oh Señor, mis tinieblas.

30. Contigo correré armado *a destrozar al enemigo:* yendo con mi Dios no habrá muro que yo no salte.

31. La senda de Dios es inmaculada, y *como* acrisolada al fuego la palabra del Señor. Escudo es de todos los que en él esperan.

32. ¿Quién es Dios fuera del Señor? ¿Y quién es fuerte sino nuestro Dios?

33. Dios es el que me revistió de fortaleza; y allanó perfectamente mi camino.

34. Hizo mis pies tan ligeros como los de los ciervos, *y al fin* me colocó en el lugar elevado en que me hallo.

35. El es el que adiestra mis manos para la batalla, y hace mis brazos *firmes* como un arco de bronce.

36. Tú me has cubierto, Señor, con el escudo de tu protección, y tu benignidad me ha engrandecido.

37. Tú ensanchaste el camino debajo de mis pies, y no desfallecerán jamás mis plantas.

38. Perseguiré a mis enemigos, y los exterminaré: no volveré atrás hasta acabar con ellos.

39. Los consumiré y haré añicos, de suerte que no puedan ya reponerse. Caerán *todos* bajo mis pies.

40. *Porque* ceñísteme, *Señor,* de fortaleza para la batalla, y derribaste a mis plantas a cuantos se alzaron contra mí.

41. Hiciste que volvieran las espaldas mis enemigos y aborrecedores: yo daré cabo de ellos.

---

**18-12.** Texto paralelo en I *Paralipómenon.* Cap. XX, p. 4-8.

**42.** Por más que griten nadie acudirá a su socorro: clamarán al Señor, mas no los escuchará.

**43.** Disipárelos como polvo de la tierra; los aplastaré y desmenuzaré como lodo de las calles.

**44.** Tú me libertarás, *Señor*, de las contradicciones de mi pueblo; me conservarás para que sea yo la cabeza de las naciones: un pueblo a quien no conozco me servirá.

**45.** Los hijos extraños me harán resistencia; mas en oyéndome, me obedecerán.

**46.** Estos hijos extraños se desmayarán *así que yo los mire*, y se encogerán de miedo en sus escondrijos.

**47.** Viva *para siempre* el Señor, y bendito sea mi Dios. Sea engrandecido el Dios fuerte que me ha salvado.

**48.** Tú, oh Dios, que me has vengado, y has derribado naciones a mis pies.

**49.** Tú eres el que me has sacado de las manos de mis enemigos, y me has ensalzado sobre los que me resistían, y Tú el que me librarás del hombre inicuo.

**50.** Por todo lo cual cantaré, oh Señor, tus alabanzas en medio de las naciones, y entonaré cánticos en honor de tu *santo* nombre.

**51.** A Ti que has salvado milagrosamente al rey *que has escogido*, y usas de tantas misericordias con David tu cristo *o ungido*, y las usarás con su descendencia para siempre.

## CAPITULO XXIII

*Cántico último de David. Catálogo de sus más ilustres campeones.*

**1.** Estas son las últimas palabras *proféticas* de David. Dijo David, hijo de Isaí; dijo el varón a quien fué dada palabra *o promesa del Cristo o* ungido del Dios de Jacob; *dijo* el egregio cantor de Israel:

**2.** El espíritu del Señor habló por mí, su palabra ha estado sobre mi lengua.

**3.** Es el Dios de Israel quien me ha hablado; el fuerte de Israel es quien habla; el dominador de los hombres, el justo dominador de los que temen a Dios.

**4.** Ellos serán como la luz de la aurora que brilla por la mañana cuando sale el sol sin nube alguna; y como yerba que brota de la tierra después de la lluvia.

**5.** No mereció ciertamente mi casa a los ojos de Dios, que el Señor hiciese conmigo una alianza eterna, una alianza firme y del todo inmutable. Porque él me ha salvado de todos los peligros; ha cumplido todos mis deseos, no dejándome nada que apetecer.

**6.** Mas los transgresores *de la ley* serán desarraigados todos como espinas, a las cuales nadie toca con la mano.

**7.** Sino que se arma *o cubre de* hierro, o toma una asta de lanza, y mete fuego en ellas para abrasarlas y reducirlas a la nada.

**8.** Estos son los nombres de los valientes del *reinado* de David: *Jesbaam,* el que está sentado en cátedra, sapientísimo príncipe entre los tres *más distinguidos;* aunque parece *débil y delicado* como el tierno gusanillo que roe el madero, él fué el que mató en un solo choque a ochocientos hombres.

**9.** Después de éste fué Eleazar, ahohita, hijo de su tío paterno, uno de los tres valientes que estaban con David cuando le insultaban los filisteos, reunidos allí *en Jesdomín* para dar la batalla;

**10.** Y huyendo los israelitas, Eleazar se mantuvo firme, y estuvo hiriendo a los filisteos hasta que, cansado su brazo, se quedó yerto con la espada en la mano. El Señor concedió en aquel día una gran victoria. Y la tropa que había huído volvió para recoger los despojos de los muertos.

**11.** El tercero fué Semma, hijo de Age, de Arari. Juntáronse *un día* los filisteos en un apostadero, donde había un campo sembrado de lentejas; y habiendo huido el ejército por miedo de los filisteos,

**12.** El se plantó en medio del campo y se defendió, derrotando a los filisteos; e hízole Dios conseguir una gran victoria.

**13.** Ya tiempo antes estos tres, que eran los principales entre los treinta, habían salido a reunirse con David al tiempo de la siega en la cueva de Odollam; estando los filisteos acampados en el valle de los gigantes.

**14.** David estaba en un puesto fuerte, y por entonces los filisteos tenían guarnición en Belén.

**15.** Dijo, pues, David con mucho anhelo: ¡Ah! si alguno me diera a beber agua de aquella cisterna que hay en Belén junto a la puerta.

---

CAP. XXIII. — 1. Suele mirarse este cántico como el testamento de David. Algunos creen que fué la última composición suya.

**16.** Al punto estos tres valientes atravesaron el campamento de los filisteos, fueron a sacar agua de la cisterna que hay en Belén junto a la puerta, y se la trajeron a David; pero David no quiso beberla, sino que hizo libación de ella, *o la derramó* en obsequio del Señor,

**17.** Diciendo: Dios me libre de una tal cosa. ¡Y yo bebería la sangre de estos hombres que han ido a exponer la vida! No quiso, pues, beberla. Tal acción hicieron estos tres valientes.

**18.** Asimismo Abisaí, hermano de Joab, e hijo de Sarvia, era el principal entre los tres *valientes del segundo ternario*. Este es el que enristró su lanza contra trescientos y los mató; él era famoso entre los tres.

**19.** Y entre los tres el de mayor reputación y el principal de ellos: mas no igualó a los tres primeros.

**20.** El segundo fué Banaías, hijo de Joiada, varón fortísimo, de grandes hazañas, natural de Cabseel: éste destrozó a los dos terribles leones de Moab; y en tiempo de una nevada bajó a una cisterna, y allí mató a un *fuerte* león.

**21.** Este mismo quitó la vida a un egipcio, varón de prodigiosa estatura, que tenía una lanza en la mano. Yendo, pues, contra él con un palo, le arrancó a viva fuerza la lanza de la mano, y le mató con ella.

**22.** Esto hizo Banaías, hijo de Joiada,

**23.** Famoso entre los tres campeones, que eran los más ilustres de los treinta. Sin embargo, no igualaba a los tres primeros; y David le hizo su consejero y secretario.

**24.** Entre los treinta se contaban Asael, hermano de Joab; Elehanán, de Belén, hijo de un tío paterno de Asael;

**25.** Semma, de Harodi; Elica, de Harodi;

**26.** Helés, de Falti; Hira de Tecua, hijo de Aces.

**27.** Abiecer, de Anatot; Mobonnai, de Husati;

**28.** Selmón, de Ahot; Maharai, de Netofat;

**29.** Heled, hijo de Baana, que también era de Netofat; Itai, hijo de Ribai, de Gabaat, de los hijos de Benjamín;

**30.** Banaia de Faratón; Hedai, del torrente de Gaas;

**31.** Abialbón, de Arbat; Azmavet, de Beromi;

**32.** Eliaba, de Salaboni; Jonatán de los hijos de Jasén;

**33.** Semma, de Orori; Ayam de Aror, hijo de Sarar;

**34.** Elifelet, hijo de Aashai, hijo de Macati; Eliam, de Gelón, hijo de Aquitofel;

**35.** Hesrai, del Carmelo; Farai, de Arbi;

**36.** Igaal, de Soba, hijo de Natán; Bonni de Gadi;

**37.** Selec, de Amnnoni; Naharai, de Berot, escudero de Joab, hijo de Sarvia;

**38.** Ira, de Jetri; Gareb, también jetrita;

**39.** Urías, heteo: en todos treinta y siete.

## CAPITULO XXIV

*Enojado el Señor contra David por haber hecho el censo del pueblo, le deja escoger uno de tres castigos, y en consecuencia mueren de peste setenta mil hombres.*

**1.** Encendióse de nuevo el furor del Señor contra Israel; y así permitió para su daño que David mandase hacer el censo de toda la gente de Israel y de Judá.

**2.** Dijo, pues, *este* rey a Joab, general de sus ejércitos: Recorre todas las tribus de Israel desde Dan hasta Bersabée, y forma un censo del pueblo a fin de que sepa yo el número de la gente.

**3.** Respondió Joab al rey: Así multiplique el Señor Dios tuyo a tu pueblo sobre lo que ahora es, de suerte que venga a ser cien veces más numeroso, y lo vea el rey mi señor: pero, ¿y qué es lo que pretende mi señor el rey con hacer eso?

**4.** Sin embargo, Ia voluntad del rey pudo más que las representaciones de Joab, y de los capi-tanes del ejército; y así salió Joab con los capitanes de la presencia del rey para hacer el empadronamiento del pueblo de Israel.

---

CAP. XXIV. — 1. I. *Par.* XXI *v.* 1. El pueblo pagó la pena del pecado de David. El proceder de los pastores o gobernadores tiene estrechísima relación con el de los pueblos gobernados. Por culpa de aquéllos se hacen peores éstos; y a veces por las culpas de éstos se empeora la conducta de aquéllos. Mas teniendo los que gobiernan quien los ha de juzgar, deben por lo mismo guardarse los súbditos de juzgar a sus propios pastores. *S. Georg. Mor.* XXIX, *v.* 14. In *Job* XXV, *v.*16.

**5.** Y habiendo pasado el Jordán, llegaron a Aroer, al lado derecho de la ciudad, que está en el valle de Gad.

**6.** Y pasando por Jacer, entraron en Galaad, y en la tierra baja de Hodsi, y llegaron hasta los bosques de Dan; y dando la vuelta por los contornos de Sidón,

**7.** Pasaron junto a los muros de Tiro, y atravesando toda la tierra de los heveos y cananeos llegaron hasta Bersabée, al mediodía de Judá.

**8.** Así recorridas todas las provincias, regresaron a Jerusalén después de nueve meses y veinte días.

**9.** Y presentó Joab al rey la suma del encabezamiento del pueblo, y halláronse de Israel ochocientos mil hombres fuertes y aptos para la guerra; de Judá se contaron quinientos mil combatientes.

**10.** Pero a David le remordió su conciencia después que se formó el censo del pueblo, y dijo al Señor: Pecado he gravísimamente en este negocio: mas ruégote, Señor, que perdones este pecado de tu siervo, porque *reconozco que* he obrado muy neciamente.

**11.** Por la mañana, así que David se hubo levantado, habló el Señor a Gad, profeta y vidente de David, diciendo:

**12.** Anda y dile a David: He aquí lo que dice el Señor: Tres cosas se te dan a escoger *en castigo:* elije de ellas la que quieres que yo te envíe.

**13.** Presentándose, pues, Gad a David, se lo intimó diciendo: O por siete años será tu país afligido de la hambre; o por tres meses andarás huyendo de tus enemigos que te irán persiguiendo; o a lo menos por tres días habrá peste en tu reino. Delibera, pues, ahora, y mira qué respuesta he de dar al que me ha enviado.

**14.** Respondió David a Gad: En un estrechísimo apuro me veo: pero más quiero yo caer en las manos del Señor (cuya misericordia es tan grande), que no en manos de hombres.

**15.** Envió, pues, el Señor la peste a Israel desde aquella mañana hasta el tiempo señalado, y murieron del pueblo desde Dan hasta Bersabée, setenta mil hombres.

**16.** Y habiendo extendido el ángel del Señor su mano sobre Jerusalén para desolarla, el Señor se apiadó de su angustia, y dijo al ángel exterminador del pueblo: Basta, detén ya tu mano. Estaba entonces el ángel del Señor junto a la era de Areúna, jebuseo.

**17.** Y dijo David al Señor, así que vió que el ángel castigaba el pueblo: Yo soy el que he pecado; yo el que tengo la culpa. ¿Qué han hecho éstos que son unas ovejas? ¡*Oh Señor!* ruégote que descargues tu mano sobre mí, y sobre la casa de mi padre.

**18.** Y aquel mismo día vino Gad a David y le dijo: Sube a la era de Areúna, jebuseo, y levanta en ella un altar al Señor.

**19.** Fué, pues, David allá, en cumplimiento del mandato que le intimó Gad en nombre del Señor.

**20.** Areúna, alzando los ojos, advirtió que el rey y sus criados se encaminaban hacia él.

**21.** Y saliendo al encuentro, hizo al rey profunda reverencia pegado el rostro la tierra, y dijo: ¿Qué motivo hay para que el rey mi señor venga a casa de su siervo? Al cual respondió David: Para comprarte esa era, y edificar en ella un altar al Señor; a fin de que cese la mortandad que se extiende por el pueblo.

**22.** Mas Areúna replicó a David: Tómela el rey mi señor, conságrela como bien le parezca: ahí tienes los bueyes para el holocausto, y el carro y los yugos de los bueyes para que sirvan de leña.

**23.** Todas estas cosas dió el rey Areúna al rey *David, y* añadióle: El Señor Dios tuyo acepte tu sacrificio.

**24.** Respondió el rey y le dijo: No ha de ser como tú quieres, sino que te pagaré lo que vale; que no quiero ofrecer yo al Señor mi Dios holocaustos que no me cuesten nada. Y así compró David la era y los bueyes por cincuenta siclos de plata.

**25.** Y edificó David un altar al Señor, ofreciendo en él holocaustos y hostias pacíficas: con lo que se mostró el Señor propicio a la tierra, y cesó la mortandad en Israel.

---

**15.** Parece que duró la mortandad dos dias enteros y parte de otro.

**16.** En el monte Moria, donde se edificó después el templo.

---

**19.** Joab, o por error o por adulación, aumentaría la suma de los varones de la tribu de Judá que era la tribu regia; incluyendo tal vez parte de las tribus de Dan y de Simeón, que confinaban con la de Judá, y habitaban una parte del antiguo territorio de ella.

**24.** Esto es, los bueyes, y el lugar que ocupaba el altar. Pero por todo el monte o suelo en que debía edificarse el Templo dió seiscientos siclos de oro. I *Par.* XXI, *v.* 25.

# LOS DOS LIBROS DE LOS REYES

# Introducción

La narración de este texto bíblico se inicia con el relato del magnífico reinado de Salomón; prosigue después con la lamentable situación del pueblo de Israel, dividido en dos reinos, Israel y Judá, que guerrean entre sí. Pero lo que más preocupa al autor sagrado es la vida religiosa de la nación. Explica la pugna entre la religión verdadera y los restos del paganismo cananeo, animados por la tendencia de los hebreos a la veneración de diversos dioses y al culto de divinidades ajenas: las fenicias primero, las asirias y caldeas más tarde. Finalmente las dos monarquías en que se dividió la de Salomón son sometidas a Asiria y Caldea; los judíos que no se perdieron entre las naciones gentiles, purificados de su pecado de idolatría, volvieron luego a trabajar por la restauración de Jerusalén y a preparar la venida del Mesías.

# LIBRO PRIMERO DE LOS REYES

## CAPITULO PRIMERO

*David, pasmado de frío en su vejez, recibe por mujer a la joven Abisag para que le abrigue; la cual se conserva pura y casta. Salomón es ungido rey.*

**1.** El rey David era ya viejo y de edad muy avanzada; y por más que le cubrían con ropa, no podía entrar en calor.

**2.** Por lo que dijéronle sus criados: Buscaremos para el rey, nuestro señor, una virgen jovencita, que, *siendo su esposa,* viva con el rey y le abrigue, y duerma a su lado para que le comunique algún calor.

**3.** Buscaron, pues, por todas las tierras de Israel una jovencita hermosa, y hallaron a Abisag, de Sunam, y trajéronsela al rey.

**4.** Era esta doncella de extremada hermosura, y dormía con el rey, y le servía; pero el rey la dejó virgen.

**5.** Entre tanto, engreído Adonías, hijo de Haggit, dijo: Yo reinaré. Con esta mira se hizo carrozas y tomó guardias de a caballo, y cincuenta hombres que le escoltasen.

**6.** Ni por eso su padre le reprendió nunca, ni le dijo: ¿Por qué haces eso? Era Adonías de hermosísima presencia, y el segundogénito, después de Absalón.

**7.** Y estaba de inteligencia con Joab, hijo de Sarvia, y con Abiatar *sumo* sacerdote, los cuales favorecían su partido.

**8.** Mas el *otro sumo* sacerdote Sadoc, Banaías, hijo de Joiada, el profeta Natán, Semei, y Rei, y la principal fuerza del ejército de David, no estaban por Adonías.

---

**CAP. I. — 1.** Los muchos y grandes afanes en un reinado de cuarenta años lleno de guerras exteriores, de rebeliones domésticas y de tantas otras aflicciones y enfermedades como él mismo describe en los Salmos, habían abatido y enervado su cuerpo, antes robusto y fuerte, y privándole casi de todo su calor natural.

---

**5.** Reina y esposa de David.

9. Adonías, pues, habiendo hecho degollar carneros y becerros, y todo género de reses gordas, junto a la peña de Sohelet, que está cerca de la fuente de Rogel, convidó a todos sus hermanos, hijos del rey, y a todos los varones de Judá, criados del rey.

10. Mas no convidó al profeta Natán, ni a Banaías, ni a los militares más valientes, ni a Salomón, su hermano.

11. Por lo que dijo Natán a Betsabé, madre de Salomón: ¿No has oído que Adonías, hijo de Haggit, se ha hecho rey, sin que David nuestro señor lo sepa?

12. Ahora, pues, ven y toma mi consejo, y salva tu vida y la de tu hijo Salomón.

13. Anda, ve, y preséntate al rey David, y dile: ¿No es verdad, oh rey y señor mío, que tu me juraste a mí, esclava tuya, diciendo: Tu hijo Salomón reinará después de mí; y él se sentará en mi trono? Pues, ¿cómo es que reina Adonías?

14. Y antes que tú acabes de hablar al rey, llegaré yo después de ti, y apoyaré tus razones.

15. Entró, pues, Betsabé, al cuarto del rey; el cual era ya muy viejo; y Abisag, sunamite, le asistía.

16. Betsabé se inclinó, haciéndole una profunda reverencia. Y el rey le dijo: ¿Qué es lo que quieres?

17. Respondió ella, diciendo: Tú juraste, mi señor a tu esclava por el Señor Dios tuyo, que Salomón mi hijo reinaría después de ti, y se sentaría en tu trono.

18. Y he aquí que a estas horas está ya reinando Adonías, sin saberlo tú, oh rey y señor mío.

19. Ha hecho degollar bueyes, y toda suerte de víctimas o *reses* cebadas, y muchísimos carneros, y ha convidado a todos los hijos del rey y también al sumo sacerdote Abiatar, y a Joab, general del ejército; pero no ha convidado a tu siervo Salomón.

20. Sin embargo, oh rey y señor mío, todo Israel tiene vueltos sus ojos hacia ti, esperando que declares quién debe sentarse después de ti en tu solio, oh rey y señor mío.

21. Pues sucederá que luego que el rey mi señor hubiere ido a descansar con sus padres, yo y Salomón, mi hijo, seremos *tratados como criminales.*

22. Estaba, todavía, hablando Betsabé con el rey, cuando he aquí que llega el profeta Natán.

23. Y entraron recado al rey, diciendo: Aquí está el profeta Natán. El cual se presentó al rey, y postrándose hasta el suelo, le hizo profunda reverencia.

24. Y le dijo: Oh rey y señor mío: ¿Has dicho tú acaso: Reine después de mí Adonías, y sea él el que ocupe mi trono?

25. Porque hoy ha salido, y ha hecho degollar bueyes y reses gordas, y muchísimos carneros, y ha convidado a todos los hijos del rey y a los caudillos del ejército, y también a Abiatar, sumo sacerdote; los cuales han comido y bebido a su lado diciendo: Viva el rey Adonías.

26. Mas a mí, tu siervo, ni al sumo sacerdote Sadoc, ni a Banaías, hijo de Joiada, como ni a tu siervo Salomón, no nos ha convidado.

27. ¿Es posible que mi señor el rey haya dado realmente tal orden? ¿Y que no me hayas comunicado a mí, siervo tuyo, quién debe sentarse en el trono del rey mi señor después de él?

28. Mas el rey David respondió, y dijo: Llamadme a Betsabé. Así que hubo ésta entrado y estuvo delante del rey,

29. Juró el rey, y dijo: Vive Dios, que ha librado mi alma de todo peligro;

30. Que así como te juré por el Señor Dios de Israel, diciendo: Tu hijo Salomón reinará después de mí, y él se sentará sobre mi trono en mi lugar; así lo ejecutaré hoy.

31. Y Betsabé, inclinando el rostro hasta la tierra, hizo reverencia al rey, y dijo: Viva para siempre David mi señor.

32. Dijo, después, el rey David: Llamadme al sumo sacerdote Sadoc, y al profeta Natán, y a Banaías, hijo de Joiada. Y así que estuvieron éstos en su presencia,

33. Les dijo: Juntad mis criados o *guardias:* haced montar a mi hijo Salomón en mi mula, y conducidle a Gihón.

34. Y allí le ungirán por rey de Israel el sumo sacerdote Sadoc, y el profeta Natán; y tocaréis la trompeta, y diréis: Viva el rey Salomón.

35. Volveréis, después, acompañándole, y vendrá él a sentarse sobre mi trono, y reinará en mi lugar; y a él entregaré el gobierno de Israel y de Judá.

36. Banaías, hijo de Joiada, respondió al rey, diciendo: Así sea: así lo confirme el Señor y Dios del rey mi amo.

37. Como el Señor ha protegido al rey mi amo, así guarde a Salomón, y ensalce su trono, aún más que el trono de mi amo el rey David.

---

21. Se me mirará como se mira a una adúltera, y a mi hijo como si fuera un bastardo.

---

33. Fuente, o sitio muy concurrido.

**38.** Con esto, salieron el sumo sacerdote Sadoc, y el profeta Natán, y Banaías, hijo de Joiada, con las *guardas de* cereteos y feleteos, y haciendo montar a Salomón en la mula del rey David, le condujeron a Gihón.

**39.** El sumo sacerdote Sadoc tomó del tabernáculo la vasija del óleo *sagrado*, y ungió a Salomón, y tocaron las trompetas, y gritó todo el pueblo: Viva el rey Salomón.

**40.** Todo el mundo se fué tras de él; y una tropa de gentes tocaban flautas y se alegraban con grande júbilo, resonando la tierra con sus aclamaciones.

**41.** Oyéronlas, Adonías y sus convidados, cuando ya estaba el banquete acabado. Pero Joab, así que oyó el sonido de la trompeta, dijo: ¿Qué es esta algazara, y alboroto de la ciudad?

**42.** Aún estaba hablando cuando llegó Jonatás, hijo de Abiatar el sumo sacerdote; y díjole, Adonías: Entra, que tú eres un hombre valeroso, y portador de buenas nuevas.

**43.** No por cierto, respondió Jonatás a Adonías: porque David, el rey nuestro señor, ha declarado por rey a Salomón,

**44.** Y ha enviado con él al *sumo* sacerdote Sadoc, y al profeta Natán, y a Banaías, hijo de Joiada, con los cereteos y feleteos; y le han hecho montar en la mula del rey.

**45.** Y Sadoc, sumo sacerdote, y el profeta Natán le han ungido por rey en Gihón, y han regresado de allí en medio de aclamaciones de júbilo, que resuenan por toda la ciudad: estas son las voces de alborozo que habéis oído.

**46.** En suma, Salomón está ya sentado en el trono real.

**47.** Y los criados del rey han entrado ya a felicitar a David nuestro rey y señor diciendo: Haga Dios el nombre de Salomón más glorioso todavía que tu mismo nombre, y engrandezca su trono aun más que el tuyo. Y el rey, desde su cama, ha adorado *al Señor,*

**48.** Y ha dicho: Bendito sea el Señor Dios de Israel, que me ha concedido el ver hoy con mis ojos al *hijo mío* sentado en mi solio.

**49.** Con esto, quedaron atónitos todos los convidados de Adonías; y levantándose, se fueron cada uno por su lado.

**50.** Mas Adonías, temiendo a Salomón, marchóse y fué a refugiarse a un lado del altar.

**51.** De lo cual avisaron a Salomón, diciendo: Sábete que Adonías, temiendo al rey Salomón, marchóse y fué a refugiarse a un lado del altar, y dice: Júreme hoy el rey Salomón que no hará morir al filo de la espada a su siervo.

**52.** A lo que respondió Salomón: Si fuere hombre de bien, no caerá en tierra ni uno siquiera de sus cabellos; pero si se portare malamente, morirá.

**53.** Envió, pues, Salomón quien le sacase del altar: y presentándose Adonías, hizo al rey Salomón profunda reverencia, y Salomón le dijo: Vete a tu casa.

## CAPITULO II

*Ultimas instrucciones del rey David a su hijo Salomón. Muerte de Adonías, por haber aspirado al trono. Abiatar es privado del pontificado: Joab muerto dentro del Tabernáculo. Muere Semei por haber desobedecido al rey.*

**1.** Estando ya David cercano al día de su muerte, dió estas instrucciones a su hijo Salomón, diciendo:

**2.** Yo voy al lugar adonde van a parar todos los mortales. Ten tú buen ánimo y pecho varonil.

**3.** Y observa los mandamientos del Señor Dios tuyo, siguiendo sus caminos, guardando sus ceremonias, sus preceptos, sus leyes y sus estatutos, como está escrito en la ley de Moisés: para que aciertes en todo cuanto hagas, y en cuanto pongas la mira.

**4.** De esta manera el Señor confirmará la palabra que me dió, diciendo: Si tus hijos procedieren bien, y anduvieren en mi presencia, siguiendo la verdad con todo su corazón y con toda su alma, ocupará siempre alguno de tu linaje el trono de Israel.

**5.** Tú sabes ya cómo se ha portado conmigo Joab, hijo de Sarvia: y lo que hizo con los dos caudillos del ejército de Israel, Abner, hijo de Ner, y Amasa, hijo de Jeter; a los cuales asesinó, derramando su sangre en tiempo de paz, como se hace en la guerra, y ensangrentando el talabarte de que estaba ceñido, y el calzado que cubría sus pies.

**6.** Tú, pues, obrarás conforme a tu sabiduría; y no aguardarás a que su vejez le conduzca tranquilamente al sepulcro.

**7.** Al contrario, a los hijos de Bercellai, galaadita, les mostrarás tu reconocimiento, y les harás comer a tu mesa; pues salieron a recibirme *y socorrerme* cuando iba yo huyendo de Absalón, tu hermano.

8. Ahí te queda también Semeí, hijo de Gera, hijo de Jemini, *natural* de Bahurím, el cual vomitó contra mí horrendas maldiciones cuando yo me retiraba a los campamentos. Mas porque salió a recibirme al repasar yo el Jordán, le juré por el Señor, diciendo: No te quitaré la vida.

9. *Pero* tú no permitas que quede impune su delito: sabio eres para conocer cómo le has de tratar; y harás que acabe su vejez con muerte violenta.

10. Fué, pues, David a descansar con sus padres, y le sepultaron en la ciudad de David.

11. El tiempo que reinó David sobre Israel fue de cuarenta años. En Hebrón reinó siete años, y treinta y tres en Jerusalén.

12. Y sucedió Salomón en el trono a su padre David, y quedó su reino firmísimamente establecido.

13. Mas Adonías, hijo de Haggit, fué a encontrar a Betsabé, madre de Salomón, la cual le dijo: ¿Es de paz tu venida? De paz respondió él.

14. Y añadió: Tengo que hablar contigo. Habla, respondió ella. Y Adonías:

15. Ya sabes, dijo, que la corona me tocaba a mí, y que todo Israel me había preferido para que fuese su rey: pero el reino ha sido transferido, y puesto en poder de mi hermano; porque le tenía destinado el Señor para él.

16. Ahora, pues, una sola cosa te pido, no me hagas el desaire de negármela. Explícate, dijo ella.

17. Adonías, entonces, dijo: Suplícote que digas al rey Salomón (ya que no puede negarte cosa alguna) que me dé por esposa a la sunamite Abisag.

18. Bien está, contestó Betsabé, yo hablaré por tí al rey.

19. Pasó, pues, Betsabé a ver al rey Salomón para hablar a favor de Adonías, y levantóse el rey a recibirla, y la saludó con profunda reverencia: sentóse después en su trono; y pusieron un trono *o asiento real* para la madre del rey, la cual se sentó a su derecha.

20. Y le dijo: Una gracia bien pequeña vengo a pedirte; no me hagas el desaire de negármela. Respondió el rey: Pide, madre mía, que no es razón que yo te disguste.

21. Dijo entonces ella: Pues dése Abisag de Sunam por esposa a Adonías, tu hermano.

22. Respondió el rey Salomón, y dijo a su madre: ¿Por qué me pides la sunamite Abisag para Adonías? Pide también para él mi reino: pues él es mi hermano mayor, y tiene de su parte el *sumo* sacerdote Abiatar, y a Joab, hijo de Sarvia.

23. Por lo cual juró el rey Salomón por el Señor, diciendo: Tráteme Dios con todo el rigor de su justicia, si no es verdad que en daño de su propia vida ha entablado Adonías esta pretensión.

24. Ahora, pues, vive Dios, que me ha establecido y colocado sobre el solio de mi padre David, y que me ha fundado casa como lo tenía prometido, que hoy ha de morir Adonías.

25. En seguida dió sus órdenes a Banaías, hijo de Joiada el cual le quitó la vida. Así murió Adonías.

26. Dijo asimismo el rey a Abiatar, *sumo* sacerdote: Retírate a la posesión que tienes en Anatot. Tú, a la verdad, mereces la muerte: pero yo no te quito hoy la vida, por cuanto llevaste el arca del Señor Dios delante de mí para David, y acompañaste a dicho mi padre en todos los trabajos que padeció.

27. Con esto, Salomón desterró a Abiatar, para que no ejerciese más las funciones de *sumo* sacerdote del Señor: con lo cual se cumplió la palabra pronunciada por el Señor en Silo, contra la casa de Helí.

28. Llegó esto a oídos de Joab; quien había seguido el partido de Adonías, y no el de Salomón. Refugióse, pues, Joab al tabernáculo del Señor, y asióse de la punta del altar.

29. Diéronle cuenta al rey Salomón de que Joab se había refugiado al tabernáculo del Señor, y de que estaba al lado del altar; y envió Salomón a Banaías, hijo de Joiada, diciendo: Anda, ve, y mátale.

30. Fué, pues, Banaías al tabernáculo del Señor, y dijo a Joab: El rey te manda que salgas fuera. No saldré, respondió Joab; sino que moriré aquí. Dió Banaías parte al rey, diciendo: Esto me ha dicho Joab, y esto me ha respondido.

---

CAP. II. — 9. En desagravio de su majestad real que ultrajó. — David había perdonado las injurias hechas a su persona; pero creyó que no podía defraudar a la vindicta pública del Castigo de los delitos del Estado; y por eso advirtió a su hijo que cumpliese con su deber.

10. Que era una parte de la Jerusalén que conquistó David a los Jebuseos. Veíase su sepulcro en tiempo de los Apóstoles, *Act.* II. *v.* 29, y en el de San Jerónimo Ep. ad Marcell. Léase el elogio de David en el cap. XLII del Eclesiástico.

**31.** Y el rey le contestó: Hazlo como él ha dicho: mátale, y dale sepultura; y con esto me lavarás a mí y a la casa de mi padre de la sangre inocente que derramó Joab.

**32.** Y el Señor hará recaer su sangre sobre su cabeza; puesto que él asesinó a dos varones justos, y mejores que él, atravesando con su espada, sin que mi padre David lo supiese, a Abner, hijo de Ner, general del ejército de Israel, y a Amasa, hijo de Jeter, general del ejército de Judá.

**33.** Recaiga, pues, la sangre de éstos sobre la cabeza de Joab, y sobre la cabeza de sus descendientes para siempre. Mas a David y a su descendencia, a su casa y a su trono, dé el Señor paz sempiterna.

**34.** Subió, pues, Banaías, hijo de Joiada; y acometiéndole, le quitó la vida, y fué sepultado en *una* casa suya en el desierto.

**35.** Después de esto el rey dió a Banaías, hijo de Joiada, el mando del ejército en lugar del difunto; y nombró o *confirmó* sumo sacerdote a Sadoc, en vez de Abiatar.

**36.** Envió también el rey a llamar a Semeí, y le dijo: Hazte una casa en Jerusalén y habita en ella, de donde nunca saldrás para ir a ésta o a la otra parte:

**37.** Porque ten entendido que en cualquier día que salieres y pasares el torrente de Cedrón perderás la vida; y tu sangre recaerá sobre tu cabeza.

**38.** Respondió Semeí al rey: Está muy bien: como lo manda el señor mi rey, así lo hará tu siervo. Habitó, pues, Semeí largo tiempo en Jerusalén.

**39.** Mas al cabo de tres años acaeció que unos esclavos de Semeí se le huyeron a la *jurisdicción de* Aquis, hijo de Maaca, rey de Get; y fué Semeí avisado de que sus esclavos se hallaban en Get.

**40.** Con lo que Semeí fué y aparejó su jumento, y marchó a verse con Aquis en Get para recobrar sus esclavos, de donde en efecto se los trajo consigo.

**41.** Dieron luego parte a Salomón de que Semeí había ido de Jerusalén a Get, y vuelto.

**42.** Y enviando el rey a llamarle, le dijo: ¿No te juré yo por el Señor, y te previne que en cualquier día que salieses para ir acá o acullá, se te quitaría la vida? Y tú me respondiste: Justa es la orden que acabo de oir.

**43.** ¿Cómo es, pues, que has traspasado el juramento del Señor, y el precepto que yo te puse?

**44.** Y añadió el rey a Semeí: Tú bien sabes, y tu misma conciencia es testigo de todo el mal que hiciste a mi padre David. El Señor ha hecho caer sobre tu cabeza el castigo de tu maldad.

**45.** Mas el rey Salomón será bendito, y el trono de David será estable para siempre delante del Señor.

**46.** En seguida dió el rey sus órdenes a Banaías, hijo de Joiada, el cual saliendo afuera le hirió, y le dejó muerto.

## CAPITULO III

*Salomón toma por esposa a una hija de Faraón. Pide al Señor la sabiduría. Sentencia entre dos mujeres sobre un niño.*

**1.** Salomón, pues, afianzado que hubo su trono, emparentó con Faraón, rey de Egipto, desposándose con su hija; la que condujo a la ciudad de David, mientras que acababa de edificar su casa y templo del Señor, y los muros alrededor de Jerusalén.

**2.** Mientras tanto el pueblo ofrecía sacrificios en los lugares altos; porque no estaba todavia edificado el templo del Señor.

**3.** Y Salomón amó al Señor, y siguió los preceptos de David su padre: solamente que ofrecía sacrificios y quemaba incienso en los lugares altos.

**4.** Partió, pues, para Gabaón, a fin de ofrecer allí sus sacrificios: por cuanto era éste el más grande entre los lugares excelsos; mil víctimas ofreció Salomón en holocausto sobre aquel altar en Gabaón.

**5.** Y apareció el Señor por la noche en sueños a Salomón, diciendo: Pide lo que quieres que yo te otorgue.

---

CAP. III. — 1. Créese que la hija de Faraón abrazó la religión de los Hebreos. *Ps.* XLIV, *v.* 11, 12. No obstante, algunos opinan que volvió después a idolatrar, y fué causa de la caida de Salomón.

3. En altos lugares, esto es, en ciertos lugares como Betel, Síquem, Hebrón, Galgal, Gabacón, etc., que los Hebreos veneraban por haber estado allí el Arca del Señor. Pero después de erigido el Tabernáculo, no podían ofrecerse sacrificios fuera de él, aunque el Señor toleraba alguna vez la costumbre antigua. S. Aug. Quaest. XXXVI, in Jud.

5. En sueños. Esto es un éxtasi o visión profética.

---

31. Era Joab reo de dos homicidios voluntarios, traidor y rebelde contra su Soberano.

6. Respondió Salomón: Tú usaste de gran misericordia con tu siervo David, mi padre; así como él anduvo en tu presencia con verdad y justicia, y rectitud de corazón para contigo; tú le conservaste tu gran misericordia, y le diste un hijo que se sentase sobre su trono, según que hoy se verifica.

7. Ahora, pues, Señor Dios, tú me has hecho reinar a mí, siervo tuyo, en lugar de mi padre David; mas yo soy *aún como* un niño chiquito, que no sabe la manera de conducirse.

8. Por otra parte, se halla tu siervo en medio del pueblo que tú escogiste, pueblo infinito que no puede contarse ni reducirse a número por su muchedumbre.

9. Da, pues, a tu siervo un corazón dócil para que sepa hacer justicia, y discernir entre lo bueno y lo malo; porque *si no*, ¿quién será capaz de gobernar este pueblo, este pueblo tuyo tan numeroso?

10. Agradó esta oración al Señor; por haber pedido Salomón semejante gracia.

11. Y díjole el Señor: Por cuanto has hecho esta petición, y no has pedido para ti larga vida, ni riquezas, ni la muerte de tus enemigos; sino que has pedido sabiduría para discernir lo justo:

12. Sábete que yo he otorgado tu súplica, y dádote un corazón sabio, y de tanta inteligencia que no le ha habido semejante antes de ti, ni le habrá después.

13. Pero aun esto que no has pedido, te lo daré, es a saber, riquezas y gloria: por manera que no habrá habido en todos los tiempos pasados ningún rey que te iguale:

14. Y si tú siguieres mis caminos, y observares mis preceptos y mis leyes, conforme lo hizo tu padre, te concederé larga vida.

15. Luego que despertó Salomón, conoció la cualidad o *verdad* de aquel sueño; y llegado a Jerusalén, presentóse ante el arca del testamento del Señor, y ofreció holocaustos y víctimas pacíficas, y dió un gran banquete a todos sus cortesanos.

16. En aquella sazón acudieron al rey dos mujeres públicas, y presentándose a su tribunal,

17. Dijo una de ellas: Dígnate escucharme, oh señor mío: Yo y esta mujer vivíamos en una misma casa, y yo dí a luz en el mismo aposento en que ella estaba.

18. Tres días después de mi parto, dió a luz también ella: nos hallabamos las dos juntas, y no había en la casa nadie, sino nosotras dos.

19. Mas el hijo de esta mujer murió una noche; porque estando ella durmiendo le sofocó.

20. Y levantándose en silencio a una hora intempestiva de la noche, tomó a mi niño del lado de esta sierva tuya, que estaba dormida, y se le puso en su seno, y a su hijo muerto le puso en el mio.

21. Cuando me incorporé por la mañana para dar de mamar a mi hijito, lo hallé muerto; pero mirándole con mayor atención así que fué día claro, reconocí no ser el mío, que yo había dado a luz.

22. A esto respondió la otra mujer: Es falso: tu hijo es el que murió, y el que vive és el mío. La otra, por el contrario, decía: Mientes; pues mi hijo es el vivo, y el tuyo es el muerto; y de esta manera altercaban en presencia del rey.

23. Dijo entonces el rey: La una dice: Mi hijo es el vivo, el muerto es el tuyo. La otra responde: No, que tu hijo es el muerto, y el vivo es el mío.

24. Ahora bien, dijo el rey, traedme una espada. Y así que se la hubieron traído:

25. Partid, dijo, por medio al niño vivo, y dad la una mitad a la una, y la otra mitad a la otra.

26. Mas entonces la mujer que era madre del hijo vivo, clamó al rey (porque se le conmovieron sus entrañas por amor a su hijo): Dale, te ruego, oh señor, a ella el niño, y no le mates. Al contrario decía la otra: Ni sea mío ni tuyo, sino divídase.

27. Entonces el rey pronunció esta *sentencia:* Dad a la primera el niño vivo, y ya no hay que matarle, pues ella es su madre.

28. Divulgóse por todo Israel la sentencia dada por el rey, y se llenaron todos de *un respetuoso* temor hacia él, viendo que le asistía la sabiduría de Dios para administrar justicia.

## CAPITULO IV

*De los principales oficiales y gobernadores que tenía Salomón; idea de la majestad y gloria de este rey.*

1. Reinaba, pues, Salomón sobre todo Israel;

2. Y éstos eran sus principales ministros: Azarías, hijo del sumo sacerdote Sadoc:

3. Elihoref y Ahías, hijos de Sisa, secretarios: Josafat, hijo de Ahilud, canciller:

**4.** Banaías, hijo de Joiada, general de los ejércitos: Sadoc y Abiatar, sumos sacerdotes:

**5.** Azarías, hijo de Natán, superintendente de los que asistían al rey: Zabud, hijo de Natán, sacerdote, privado o *confidente* del rey:

**6.** Y Ahisar, mayordomo mayor: y Adoniram, hijo de Ada, superintendente de las rentas.

**7.** Tenía también Salomón doce intendentes repartidos en todo Israel, los cuales proveían de víveres al rey, y a su palacio. Cada uno de éstos suministraba durante un mes al año todo lo necesario.

**8.** Y he aquí sus nombres: Denur, *intendente* en *toda* la montaña de Efraím:

**9.** Bendecar, en Macés, y en Salebím, y en Betsamés, y en Elón, y en Betanán:

**10.** Benesed, en Arubot; y a éste le pertenecía *también* Soco, y todo el territorio de Efer:

**11.** Benabinadab, que tenía toda la provincia de Nefatdor: estuvo éste casado con Tafet, hija de Salomón:

**12.** Bana, hijo de Ahilud, tenía la intendencia de Tanac y de Magedo, y de todo el país de Betsán, que está cerca de Sartana, debajo de Jezrael, desde Betsán hasta Abelmuhula, enfrente de Jecmaam:

**13.** Bengaber, en Ramat de Galaad, tenía las villas de Avotjair, hijo de Manasés, en Galaad, y gobernaba todo el país de Argob, que está en Basán, a sesenta poblaciones grandes y muradas, cuyas puertas se cerraban con barras de bronce.

**14.** Ahinadab, hijo de Addo, presidía en Manaím.

**15.** Aquimaás en Neftalí, quien estuvo asimismo casado con Basemat, hija de Salomón:

**16.** Baana, hijo de Husi, en Aser, y en Balot:

**17.** Josafat, hijo de Farué, en Isacar:

**18.** Semeí, hijo de Ela, en Benjamín.

**19.** Gaber, hijo de Huri, en la tierra de Galaad, en la tierra *que fué* de Sehón, rey de los amorreos y de Og, rey de Pasán; y cuidaba de todo lo de aquel país.

**20.** Judá e Israel formaban un pueblo innumerable como las arenas del mar; y comían y bebían con alegría.

**21.** Extendíase el dominio de Salomón sobre todos los reinos del país de los filisteos, desde el río *Eufrates* hasta las fronteras de Egipto: los cuales le traían presentes, y le estuvieron sujetos todo el tiempo que vivió.

**22.** Las provisiones para la mesa de Salomón o *gasto de su palacio*, eran cada día treinta coros de flor de harina, y sesenta de harina *común:*

**23.** Diez bueyes cebados y veinte de pasto, y cien carneros, sin contar la caza de ciervos, corzos, y búfalos, y aves cebadas, o *volatería;*

**24.** Porque era el señor de todo el país de la otra parte del río, desde Tafsa hasta Gaza, y de todos los reyes de aquellas regiones; y estaba en *paz* con todos los confinantes de las fronteras.

**25.** Así es que Judá e Israel vivían sin zozobra ninguna, cada cual a la sombra de su parra o de su higuera, desde Dan hasta Berzabée, todo el tiempo que reinó Salomón.

**26.** Demás de esto tenía Salomón en sus caballerizas cuarenta mil caballos para carros de *guerra*, y doce mil de montar;

**27.** A los cuales mantenían los sobredichos *doce* proveedores del rey: los mismos que con gran esmero proveían a su debido tiempo la mesa del rey Salomón de todo lo necesario.

**28.** Y asimismo conducían al lugar donde se hallaba el rey, cebada y paja para los caballos y bestias de carga, según la orden que se les tenía dada.

**29.** Dió además Dios a Salomón una sabiduría y prudencia incomparable, y una magnanimidad inmensa como la arena que está en las playas del mar.

**30.** Aventajaba la sabiduría de Salomón a la sabiduría de todos los orientales y de los egipcios.

**31.** Era más sabio que todos los hombres: más sabio que Etán el ezrahita, y que Hemán, y Caicol, y Dorda, hijos de Mahol; y era muy celebrado en todas las naciones comarcanas.

**32.** Pronunció también tres mil parábolas; y sus cánticos fueron mil y cinco.

**33.** Trató asimismo de todas las plantas, desde el cedro que se cría en el Líbano hasta el hisopo que brota de las paredes; y discurrió acerca de todos los animales y de las aves, de los reptiles, y de los peces.

---

CAP. IV. — 5. *Azarías:* Sumiller o camarero mayor. Es muy difícil interpretar bien estos empleos.

8. Estos oficiales eran llamados por los nombres de sus padres por los cuales eran sin duda más conocidos: Hijo de Hur, hijo de Decar, hijo de Hesedi, hijo de Abinadáb, etc.

26. Estas eran cuatro mil, de a diez caballos cada una. II. *Paral.* IX, *v.* 25. La mayor parte de los Expositores reprueban esto a Salomón.

32. Una parte de ellas se halla en el libro de los *Proverbios*, desde el cap. X al fin de ellos.

**34.** Por lo que venían de todos los países a escuchar la sabiduría de Salomón, y enviados de todos los reyes de la tierra entre los cuales se había esparcido la fama de su sabiduría.

## CAPITULO V

*Preparativos para la fábrica del Templo. Hiram se ofrece a suministrarle los materiales.*

**1.** Además de eso Hiram, rey de Tiro, envió sus embajadores a Salomón, habiendo sabido que le habían ungido rey en lugar de su padre; porque Hiram había sido siempre amigo de David.

**2.** Salomón despachó también una embajada a Hiram, diciéndole:

**3.** Bien sabes el deseo que tuvo mi padre David, y que no pudo edificar el templo al nombre del Señor su Dios, a causa de las guerras que tenía con sus vecinos, hasta que el Señor se los puso bajo las plantas de sus pies.

**4.** Mas ahora el Señor mi Dios me ha dado reposo por todas partes, y no tengo enemigo ni obstáculo alguno:

**5.** Por lo cual pienso edificar un templo al nombre del Señor Dios mío, como lo dejó el Señor ordenado a mi padre David, diciendo: Tu hijo, a quien pondré en tu lugar sobre tu solio, ése ha de edificar el templo al nombre mío.

**6.** Da, pues, orden a tus gentes que me corten cedros del Líbano, y mis gentes se juntarán con las tuyas, y por el salario de éstas te daré todo lo que pidieres; porque bien sabes que no hay en mi pueblo quien sepa labrar la madera como los sidonios.

**7.** Así que oyó Hiram la embajada de Salomón, alegróse sobremanera, y exclamó: Bendito sea hoy el Señor Dios que dió a David un hijo sapientísimo para gobernar un pueblo tan numeroso.

**8.** Inmediatamente Hiram envió a decir a Salomón: He oído todo lo que me pides: cumpliré todos tus deseos en orden a las maderas de cedro y de abeto.

**9.** Mis siervos las trasportarán desde el Líbano al mar, y haré acomodarlas en almadías o *balsas,* dirigiéndolas al lugar que me señalares, y las haré arrimar allí, y tú las man-

darás recoger. Entre tanto me suministrarás lo que necesite para el mantenimiento de mi casa.

**10.** Daba, pues, Hiram a Salomón maderas de cedro y de abeto, cuantas éste quería;

**11.** Y Salomón por su parte daba a Hiram para sustento de su palacio veinte mil coros de trigo, y veinte mil de aceite purísimo. Todo ésto daba anualmente Salomón a Hiram.

**12.** Dió también el Señor a Salomón la sabiduría, como se lo había prometido. Y tenían paz entre sí Hiram y Salomón, e hicieron alianza recíproca.

**13.** Tras esto escogió el rey Salomón obreros de todo Israel, y fueron los pedidos treinta mil hombres:

**14.** Los cuales enviaba al Líbano por su turno, diez mil cada mes; de modo que estaban dos meses en sus casas. Adoniram era el que cuidaba del cumplimiento de esta disposición.

**15.** Tuvo también Salomón setenta mil hombres para la conducción de los materiales, y ochenta mil canteros en el monte:

**16.** Sin contar los sobrestantes de cada una de las obras, en número de tres mil y trescientos, los cuales dirigían la gente y los obreros.

**17.** Mandó también el rey que sacasen piedras grandes, piedras de gran precio para los fundamentos del templo, y las cuadrasen:

**18.** Lo cual ejecutaron los canteros de Salomón con los de Hiram; particularmente los giblios, que fueron los que pulieron las maderas y las piedras para la fábrica del templo.

## CAPITULO VI

*Descríbese la fábrica del Templo.*

**1.** Comenzóse a edificar la casa del Señor en el año cuatrocientos y ochenta después de la salida de los hijos de Israel de la tierra de Egipto, el año cuarto del reinado de Salomón sobre Israel, en el mes de Cío, esto es, el mes segundo.

**2.** Y la casa que el rey Salomón edificaba al Señor tenía sesenta codos de largo, veinte de ancho, y treinta de alto.

---

**CAP. V.** — **7.** En muchos pueblos gentiles se respetaba el Dios de los Hebreos como un Dios particular de dicho pueblo. I *Reg.* IV. — *Dan.* VI, *v.* 16.

**9.** Esto es, de los que trabajen para ti en mi casa.

**11.** Esto es, de la gente quo mantenía el rey, o de dichos operarios.

**CAP. VI.** — **1.** Salomón tomó de los Egipcios los nombres de algunos meses como es el présente, que por la mayor parte corresponde a nuestro Abril. El mes segundo del año santo y el octavo del civil.

3. Delante del templo había un pórtico de veinte codos de largo, según la medida de lo ancho del templo: y tenía diez codos de ancho delante de la fachada del templo.

4. En el templo hizo ventanas trasversales o *claraboyas;*

5. Y junto al muro que cercaba el templo fabricó estancias entre las paredes del edificio, alrededor del templo, y del oráculo o *Sancta Sanctorum;* e hizo lados o *parapetos* en todo el contorno.

6. El piso bajo o *suelo* tenía cinco codos de ancho, el de enmedio seis codos, el tercero siete; y en todo el edificio por de fuera asentó las vigas de tal modo que no estuviesen metidas en las paredes del templo.

7. La fábrica de la casa *del Señor* se hizo de piedras labradas *de antemano;* sin que durante la obra de la casa del Señor, se oyese en ella ruido de martillo, ni de hacha o *azuela,* ni de ninguna otra herramienta.

8. La puerta del piso de en medio estaba al lado derecho del edificio, y por un caracol se subía a la estancia de en medio, y de ésta al tercer alto.

9. Así edificó la casa y la perfeccionó, y cubrióla con artesonados de cedro.

10. Y edificó habitaciones con tablas alrededor de todo el edificio, de cinco codos de altura, y cubrió la casa con maderas de cedro.

11. Después de lo cual habló el Señor a Salomón, diciendo:

12. En esta casa que has edificado (si tú siguieres mis preceptos, y practicares mis determinaciones, y guardares todos mis mandamientos, sin desviarte de ellos), verificaré en tu persona la promesa que hice a David, tu padre;

13. Y habitaré en medio de los hijos de Israel, y no desampararé nunca al pueblo mío de Israel.

14. Edificó, pues, Salomón el templo, y concluyóle.

15. Las paredes del edificio las revistió por dentro de tablas de cedro desde el suelo hasta el remate de las paredes, y hasta el techo; cubriéndolo todo por dentro con madera de cedro: cubrió asimismo el pavimento del templo con tablas de abeto.

16. En la parte posterior del templo formó de tablas de cedro un edificio o *división* de veinte codos desde el pavimento hasta lo más alto; y le destinó para lugar interior del oráculo o Sancta Sanctorum.

17. El templo desde la puerta del oráculo *hasta abajo,* tenía cuarenta codos.

18. Y todo el edificio por dentro estaba revestido de cedro con sus ensambladuras y junturas hechas con mucho primor, y artificiosamente esculpidas: todo estaba cubierto de tablas de cedro, de tal forma que no se podía ver ni una sola piedra de la pared.

19. El oráculo lo había edificado en el fondo del templo, en la parte más interior, para colocar allí el arca del testamento del Señor.

20. Tenía este oráculo, o *Sancta Sanctorum,* veinte codos de largo, veinte codos de ancho, y veinte codos de alto; y le cubrió y revistió de oro purísimo. Cubrió también *de oro* el altar o *mesa* de cedro.

21. Aun la parte del templo que estaba delante del oráculo la cubrió con oro acendrado, clavando las planchas de oro con clavos de lo mismo.

22. No había parte alguna dentro del templo que no estuviese cubierta de oro; y de oro cubrió también todo el altar *de los perfumes, que está* delante *de la puerta* del oráculo.

23. Dentro del oráculo puso dos querubines hechos de madera de olivo, de diez codos de alto.

24. Cinco codos tenía cada una de las dos alas del querubín; y así había diez codos desde la punta de una ala hasta la punta de la otra.

25. Igualmente el segundo querubín era de diez codos con la misma dimension; pues los dos querubines eran de una misma hechura.

26. Esto es, el un querubín tenía de altura diez codos, y otros tantos el otro.

27. Estos querubines los colocó en medio del templo interior, *u oráculo,* y tenían extendidas sus alas, y el ala de un querubín tocaba a la pared, y el ala del segundo tocaba a la otra pared; y las otras dos alas se tocaban entre sí en el punto de en medio del templo *u oráculo.*

28. Cubrió también de oro los querubines.

29. E hizo adornar todas las paredes del templo alrededor con varias molduras y relieves, figurando en ellas querubines y palmas, y diversas figuras, que parecían saltar y salirse de la pared.

---

CAP. VI.— 2. Esto es, la parte llamada *Sancta,* y la otra llamada *Sancta Sanctorum.*

7. En las mismas canteras.

20. Sobre el altar habia de colocarse el Arca.

29. Estos dos querubines, con la longitud de sus alas extendidas, ocultaban todo lo ancho del *Sancta Sanctorum* y la mitad de su altura, sirviendo como sombra o dosel al Arca.

30. El mismo pavimento del templo, tanto en la parte interior *u oráculo*, como en la exterior, lo cubrió de oro.

31. Y a la entrada del oráculo hizo dos puertecillas de madera de olivo, y sus postes *o columnas* eran de cinco caras.

32. En estas dos puertas de madera de olivo entalló figuras de querubines, y de palmas, y bajo relieves de mucho realce, y los cubrió de oro; cubriendo también de oro, tanto los querubines como las palmas, y todas las demás molduras.

33. E hizo a la entrada del templo postes de madera de olivo cuadrangulares,

34. Y dos puertas de madera de abeto, una a un lado, y otra a otro; y ambas puertas eran de dos hojas, que se abrían sin desunirse.

35. En ellas esculpió querubines y palmas, y varias molduras de mucho relieve, cubriendo *o adornando* cada cosa con láminas de oro, trabajado todo a escuadra y regla.

36. Y edificó el atrio interior con tres órdenes de piedras labradas, y un orden de madera de cedro.

37. Echáronse los cimientos de la casa del Señor el año cuarto, en el mes de Cío;

38. Y al año undécimo, en el mes de Bul, esto es, el mes octavo, se concluyó la casa del Señor en todas sus partes, y con todos sus utensilios. Y edificóla Salomón en siete años.

## CAPITULO VII

*Salomón edifica su palacio. Forma dos columnas de bronce para el Templo, y el mar de bronce.*

1. Fabricó después Salomón, y acabó enteramente en trece años, su propia casa.

2. Construyó asimismo la casa *o palacio* del bosque del Líbano que tenía cien codos de largo y cincuenta de ancho, y treinta de alto; y había cuatro galerías entre columnas de cedro; pues de los maderos de cedro había formado columnas:

3. Y revistió de tablas de cedro toda la bóveda, la cual estribaba sobre cuarenta y cinco columnas *o pilares*. Cada hilera tenía quince columnas,

4. Asentadas una enfrente de otra

5. Y paralelas, con igual espacio entre columna y columna; y sobre las columnas había travesaños cuadrangulares, todos iguales.

6. Hizo también un pórtico de columnas que tenía cincuenta codos de largo y treinta de ancho. Además, un segundo pórtico delante del pórtico grande, con columnas y arquitrabes sobre las columnas.

7. De la misma forma hizo el pórtico del trono, donde estaba el tribunal *del rey*, y cubrióle de madera de cedro desde el pavimento hasta la techumbre

8. Y el estrado *o solio*, donde se sentaba para hacer justicia, estaba en medio de este pórtico, y era de igual labor.

Fabricó asimismo Salomón para la hija de Faraón (que había tomado por esposa) una casa *o habitación* de la misma arquitectura que la casa del pórtico.

9. Todos estos edificios, desde los cimientos hasta lo más alto de las paredes, y por fuera hasta el atrio principal, eran de piedras de gran valor, aserradas por todas partes con la misma regla y medida.

10. Los cimientos eran también de piedras de mucho precio, piedras grandes de diez o de ocho codos;

11. Y de allí arriba piedras igualmente apreciables, cortadas a una misma medida, y revestidas también de cedro.

12. El atrio grande tenía a la redonda tres órdenes de piedras de sillería, y uno *de vigas* de cedro labrado; y lo mismo tenía el atrio interior del templo del Señor, y su pórtico.

13. Demás de esto, el rey Salomón hizo venir de Tiro a Hiram,

14. Hijo de una mujer viuda, de la tribu de Neftalí, y de padre tirio; artífice dotado de gran saber, inteligencia y maestría para ejecutar todo género de obras de bronce. El cual, habiéndose presentado al rey Salomón, le hizo todas sus obras.

15. Primeramente fundió dos columnas de bronce, cada una de diez y ocho codos de alto; daba vuelta a cada columna un cordón, *o moldura*, de doce codos.

16. Fundió asimismo dos capiteles de bronce para ponerlos sobre los remates de las columnas: el un capitel tenía cinco codos de alto, y otros tantos el otro;

---

38. Y seis meses.

CAP. VII. — 2. Así llamada, o por las columnas de cedro traídas del Líbano, o por tener cerca una frondosa arboleda, semejante a la del Líbano, como se deduce del caldeo.

---

15. Columnas de bronce. Para la puerta del atrio del Templo.

De doce codos era la circunferencia de cada columna.

17. Y estaban rodeados como de una red de cadenas entrelazadas entre sí con maravilloso artificio. Los dos capiteles de las columnas eran de fundición; en cada uno de los cuales había siete hileras de mallas o *trenzas*.

18. Y para complemento de las columnas hizo dos órdenes de mallas o *redes* que circuían y cubrían los capiteles asentados sobre *pezones* de granadas: lo mismo hizo con el segundo capitel que con el primero.

19. Los capiteles puestos sobre los remates de las columnas en el pórtico, estaban labrados en forma de azucena, y eran de cuatro codos.

20. Y además sobresalían otros dos capiteles encima de las columnas entre las mallas, proporcionados a la medida de cada columna; y así en el segundo capitel, *como en el primero*, se veían doscientas granadas colocadas alrededor con simetría.

21. Y asentó las dos columnas en el pórtico del templo; y alzado que hubo la de la derecha, llamóla Jaquín: levantada igualmente la segunda, le puso por nombre Booz.

22. Sobre las cabezas de las columnas puso remates, que tenían la figura de azucena: y con esto quedó concluída la obra de las columnas.

23. Hizo también de fundición una gran concha, toda redonda, de diez codos, *de diámetro*, de un borde al otro tenía cinco codos de profundidad, y un cordón o *moldura de unos* treinta codos ceñía toda su circunferencia.

24. Más bajo del borde corría una obra de talla por *cada* diez codos, la cual rodeaba la concha: los dos órdenes de estas molduras acanaladas eran *también* de fundición.

25. El mar, o *concha*, estaba sobre doce bueyes; de los cuales, tres miraban al septentrión, tres al occidente, tres al mediodía, y tres al oriente, y la concha se apoyaba sobre ellos, quedando las partes posteriores *del cuerpo* de los bueyes enteramente ocultas hacia la parte de adentro.

26. Tenía este baño un palmo de grueso: su borde era semejante al borde de una copa, y a la hoja de una azucena abierta: cabían en él dos mil batos.

27. Fundió también diez basas de bronce:

cada una tenía cuatro codos de largo, cuatro de ancho y tres de alto.

28. Todas las labores de las basas eran obra entretallada con molduras entre las junturas;

29. Y entre guirnaldas y festones *se veían* leones y bueyes, y querubines, y asimismo sobre las junturas: debajo de los leones y bueyes colgaban unas como coyundas de bronce.

30. Cada basa se sostenia sobre cuatro ruedas con ejes de bronce, y a las cuatro esquinas debajo del baño había como cuatro espaldillas, *o zocalillos* de fundición, uno enfrente de otro.

31. En el remate de la basa había por adentro una concavidad donde encajaba la pila del baño; y lo que se descubría por fuera en espacio de un codo, era perfectamente redondo, y la boca entera tenía codo y medio: en las esquinas sostenidas de los zócalos había varias esculturas; y los intermedios de los zócalos eran cuadrados, no redondos.

32. Las cuatro ruedas puestas en los cuatro ángulos de la basa, estaban debajo de la basa, correspondiéndose una a otra: cada rueda tenía codo y medio de alto.

33. Las ruedas eran como las que suelen hacerse para un carro; con sus ejes y rayos, y llantas, y cubos, todo de fundición;

34. Porque aun aquellos cuatro hombrillos *o zocalillos* a las cuatro esquinas de cada basa estaban fundidos con la misma basa en un molde, y unidos con ella.

35. En lo alto de la basa había un cerco redondo de medio codo, hecho de tal manera que pudiese asentar encima la concha; y tenía sus molduras y varias labores de relieve, todo de una pieza;

36. Y en los costados que también eran de bronce, y en las esquinas esculpió querubines, y leones, y palmas, con tal arte, que no parecían esculpidos, sino sobrepuestos alrededor, y *tan al vivo* como un hombre que está de pie.

37. A este tenor fabricó las diez basas, fundidas de un mismo modo, y de una misma medida y entalladura.

---

25. Llamada MAR por su gran cantidad de agua.

26. Cabían cómodamente, o llenándole del modo regular, unas tres mil setecientas cincuenta arrobas de agua pero cabía mucha mayor cantidad llenado enteramente. I. *Par.* IV, *v.* 5. —

---

27. Para otras tantas conchas menores. Estas conchas parece que eran para uso del templo, y se movían sobre ruedas de bronce. II *Par.* IV, *v.* 6. La grande era inmovible, y con su agua se lavaban los sacerdotes. Las pequeñas servían para lavar la carne de las víctimas antes de ponerla sobre el altar, etc.

32. Unidas por medio de dos ejes.

36. Alude a la figura de los dos querubines, la cual se parecía a la de un hombre que está en pie.

**38.** Fundió también diez conchas o *baños* de bronce; en cada concha cabían cuarenta batos, y era de cuatro codos, y asentó una concha sobre cada una de las diez basas.

**39.** Y colocó las diez basas, cinco a la mano derecha del templo, y cinco a la izquierda; y la gran concha *o mar* a la derecha del templo entre oriente y mediodía.

**40.** Hizo también Hiram calderos y cuencos y calderillos, y concluyó todo cuanto le ordenó hacer el rey Salomón para el templo del Señor;

**41.** Es a saber, las dos columnas, y los dos cordornes de los capiteles de las columnas, y las dos mallas que cubrían los dos cordones que estaban sobre las cabezas de las columnas:

**42.** Cuatrocientas granadas en las dos mallas: dos órdenes de granadas en cada malla, que cubrían los cordones de los capiteles, asentados sobre las cabezas de las columnas;

**43.** Las diez bases y las diez conchas sobre las basas;

**44.** El mar y los doce bueyes de debajo del mar,

**45.** Y los calderos, cuencos y calderillos. Todos los vasos que hizo Hiram al rey Salomón para el servicio de la casa del Señor eran de bronce fino.

**46.** Hízolos fundir el rey en las llanuras del Jordán en una tierra gredosa, entre Socot y Sartán.

**47.** Y puso Salomón todos estos vasos *en el templo;* y por su excesivo número no se tuvo cuenta con el peso del metal.

**48.** Mandó hacer también Salomón todo aquello que debía servir para la casa del Señor; el altar de oro y la mesa de oro, sobre la cual se habían de poner los panes de la proposición;

**49.** Y los candeleros de oro, cinco a la derecha y cinco a la izquierda delante del oráculo, *todos* de oro acendrado, con unas como flores de lis, y encima *de los candeleros* las lámparas *o mecheros,* y despabiladeras de lo mismo,

**50.** Y tenajuelas, y arrejaques, y tazas, y morterillos e incensarios de finísimo oro. Los quicios de las puertas de la casa interior del Santo de los Santos y de las puertas del templo eran asimismo de oro.

**51.** Así completó Salomón toda la obra que tenía trazada para la casa del Señor, y metió en ella el oro, la plata y todos los vasos que su padre David había consagrado *a*

*Dios,* y lo mandó guardar todo en los tesoros de la casa del Señor.

## CAPITULO VIII

*Dedicación solemnísima del Templo, al cual se traslada el Arca; oración de Salomón; número de víctimas inmoladas.*

**1.** Entonces se congregaron en Jerusalén todos los ancianos de Israel con los príncipes de las tribus y las cabezas de las familias de los hijos de Israel, al *llamamiento del* rey Salomón para trasladar el Arca del Testamento del Señor desde la ciudad de David, esto es, desde Sión.

**2.** Juntóse, pues, todo Israel, ante el rey Salomón en el día solemne del mes Etaim, que es el mes séptimo.

**3.** Y acudieron todos los ancianos de Israel: y los sacerdotes tomaron el arca del Señor,

**4.** Y el Tabernáculo de la Alianza *en que estaba,* y todos los vasos del santuario que había en el Tabernáculo; y llevábanlos los sacerdotes y levitas.

**5.** Mas el rey Salomón y toda la multitud de Israel reunida a él, iban delante del arca, e inmolaban ovejas y bueyes sin tasa ni número.

**6.** Por fin, los sacerdotes colocaron el arca del Señor en el lugar destinado del oráculo del templo, en el Sancta-Sanctorum, debajo de las alas de los querubines.

**7.** Pues estos querubines tenían extendidas sus alas sobre el sitio del Arca, y cubrían por arriba el Arca y sus varas;

**8.** Y las varas que antes salían algún tanto afuera, dejándose ver sus cabos fuera del santuario delante del oráculo, ya no se descubrían más por fuera; y de esta manera han quedado allí hasta el día de hoy.

**9.** Dentro del arca no había otra cosa sino las dos tablas de piedra que había puesto en ella Moisés en Horeb, cuando el Señor hizo la alianza con los hijos de Israel, luego que salieron de la tierra de Egipto.

**10.** Y sucedió que al salir los sacerdotes del Santuario, una niebla llenó la casa del Señor;

**11.** De manera que los sacerdotes no podían estar allí para ejercer su ministerio por causa de la niebla; porque la gloria del Señor tenía ocupada de lleno la casa del Señor.

**12.** Entonces dijo Salomón: El Señor tiene dicho que había de morar en una niebla.

**13.** No he descansado ¡oh Dios! hasta ver concluída una casa para tu habitación, para trono tuyo firmísimo para siempre.

**14.** Y volviéndose el rey hacia toda la congregación de Israel, le deseó y pidió para ella toda suerte de felicidades; pues todo Israel se hallaba allí reunido.

**15.** Y añadió Salomón: Bendito sea el Señor Dios de Israel, el cual por su propia boca predijo a David, mi padre, lo que con su poder ha ejecutado, diciendo:

**16.** Desde el día que saqué de Egipto a mi pueblo de Israel, yo no me escogí ninguna ciudad entre todas las tribus de Israel, para edificar en ella casa donde se invocase mi Nombre; escogí, sí, a David para que fuese el jefe de mi pueblo de Israel.

**17.** Quiso, pues, David, mi padre, edificar una casa al Nombre del Señor Dios de Israel.

**18.** Pero el Señor dijo a mi padre David: Bien has hecho en haber ideado en tu corazón el fabricar una casa a mi Nombre, formando en tu mente tal designio.

**19.** Con todo, no me edificarás tú la casa; sino un hijo tuyo que descenderá de ti, ése ha de edificar la casa a mi Nombre.

**20.** El Señor puso en ejecución la palabra que pronunció; y yo ocupé el lugar de mi padre, y me senté sobre el trono de Israel como el Señor lo había dicho, y he edificado la casa al Nombre del Señor Dios de Israel.

**21.** Y en ella he escogido el lugar para el Arca, dentro de la cual está *la Ley, que es* la Alianza del Señor, hecha con nuestros padres, cuando salieron de la tierra de Egipto.

**22.** Púsose después Salomón *de rodillas* ante el·Altar del Señor, a vista de la asamblea de Israel, y levantando las manos hacia el cielo,

**23.** Dijo: ¡Oh Señor Dios de Israel! no hay Dios semejante a ti, ni arriba en el cielo, ni acá abajo en la tierra: tú guardas el pacto y usas de misericordia con tus siervos, que andan en tu presencia con todo su corazón.

**24.** Tú has cumplido a tu siervo David, mi padre, la palabra que le diste; pronuncióla tu boca, y la ejecutaron tus manos, como lo acredita este día.

**25.** Ahora, pues, Señor Dios de Israel, confirma a tu siervo David, mi padre, lo que le

prometiste, diciendo: No faltará jamás de tu linaje quien se siente ante sí sobre el trono de Israel, con tal empero que tus hijos vigilen sobre sus pasos, y anden delante de mí como tú has andado en mi presencia.

**26.** Sí, ¡oh Señor Dios de Israel! confírmense *hoy* tus promesas hechas a tu siervo David, mi padre.

**27.** Mas en efecto: ¿es creíble que verdaderamente Dios ha de habitar sobre la tierra? Porque si los cielos, ni los altísimos cielos no pueden abarcarte, ¿cuánto menos esta casa que yo he fabricado?

**28.** Como quiera ¡oh Señor Dios mío! atiende a la oración de tu siervo, y a sus súplicas; escucha los himnos y las plegarias que tu siervo pronuncia hoy en tu presencia;

**29.** Estén tus ojos abiertos de día y de noche sobre esta casa, sobre la casa de la cual dijiste: Mi Nombre será en ella invocado; de modo que oigas la oración que tu siervo te hace en este sitio,

**30.** Y escuches las súplicas de tu siervo y de Israel, pueblo tuyo, sobre cuanto te pidan en este lugar. *Sí,* tú los oirás ¡oh Señor! desde el lugar de tu mansión en el cielo, y en oyéndolos te mostrarás con ellos propicio.

**31.** Si un hombre pecare contra su prójimo, y tuviera que hacer algún juramento con que quede obligado, y viniere a tu casa *o templo,* ante tu altar para prestar *o confirmar* el juramento,

**32.** Tú estarás escuchándole desde el cielo; y harás justicia a tus siervos, condenando al impío, y haciendo caer sobre su cabeza *el castigo* de su mal proceder; y absolviendo al justo, y recompensándole según su justicia.

**33.** Si tu pueblo de Israel huyere a la presencia de sus enemigos (porque vendrá día en que pecará contra ti), y haciendo penitencia, y dando gloria a tu Nombre, vinieren *sus hijos* a orar y a implorar tu misericordia en esta *tu* casa,

**34.** Oyelos tú desde el cielo, perdona el pecado de tu pueblo de Israel, y restitúyelos a la tierra que diste a sus padres.

**35.** Si el cielo se cerrare, y no lloviere por causa de sus pecados, y orando en este lugar hicieren penitencia, dando gloria a tu *Santo* Nombre, y en su aflicción se convirtieren de sus culpas,

**36.** Atiéndelos, *Señor,* desde el cielo, y perdona los pecados de tus siervos y de Israel, pueblo tuyo: y enséñales el buen camino por donde deben andar, y envía lluvias a *esta* tu tierra, cuya posesión diste a tu pueblo.

---

14. En medio del Arca había una especie de tribuna o trono para el rey. II *Par.* VI, *v.* 18.

**37.** Si viniere hambre al país, o peste, o infección de aire, o tizón, o langosta, o añublo; si los enemigos le devastaren sitiando sus ciudades; en toda plaga, en toda suerte de calamidad *que viniere;*

**38.** Siempre que cualquier particular de tu pueblo de Israel recurriere a ti con votos y plegarias, y reconociendo la llaga *que ha hecho el pecado* en su corazón, levantare a ti sus manos en esta casa;

**39.** Tú le escucharás *benigno* desde el cielo, desde aquel lugar de tu morada, y te le mostrarás propicio; y darás a cada uno según sus obras, conforme vieres su corazón (porque sólo tú conoces el corazón de todos los hijos de los hombres);

**40.** A fin de que te teman mientras viven sobre la tierra que diste a nuestros padres.

**41.** Asimismo cuando el extranjero, que no pertenece a tu pueblo de Israel, viniere de lejanas tierras por amor de tu Nombre (puesto que se esparcirá por todas partes la fama de tu grande Nombre y de tu poderosa mano,

**42.** Y de tu fuerte brazo) cuando viniere, digo, y orare en este lugar,

**43.** Tú lo oirás desde el cielo, desde aquel firmamento en que tienes tu habitación, y otorgarás todo cuanto te suplicare el extranjero; para que así todos los pueblos del mundo aprendan a temer tu Nombre, como tu pueblo de Israel; y sepan por experiencia que tu Nombre es invocado en esta casa que yo he edificado.

**44.** Si tu pueblo saliere a campaña contra sus enemigos, doquiera que tú lo enviares, hará oración a ti, mirando hacia la ciudad *de Jerusalén* que tú elegiste, y hacia la casa que yo he edificado a tu Nombre,

**45.** También tú oirás desde el cielo sus oraciones y súplicas, y les harás justicia.

**46.** Que si pecaren contra ti, (pues no hay hombre que no peque) y airado los abandonares en poder de sus enemigos, y fueren llevados cautivos a tierra enemiga, lejos o cerca de aquí,

**47.** Y ellos en el lugar de su cautiverio se arrepintieren de corazón, y convertidos te pidieren perdón en medio de su esclavitud, diciendo: Hemos pecado, hemos procedido inicuamente, hemos hecho acciones impías;

**48.** Y se volvieron a ti de todo su corazón, y con toda su alma, en la tierra enemiga a donde fueren conducidos esclavos, e hicieren oración a ti, mirando hacia su tierra, que diste a sus padres, y hacia la ciudad que tú elegiste, y hacia el Templo que he edificado a tu Nombre,

**49.** Tú, *Señor,* oirás desde el cielo, desde esa firmísima morada en que tienes puesto tu solio, sus oraciones y sus plegarias, y saldrás a su defensa;

**50.** Y *siendo* propicio a tu pueblo que pecó contra ti, perdonarás todas las iniquidades con que contra ti hubieren prevaricado; e infundirás misericordia en aquellos que los tuvieren cautivos, para que los traten con compasión.

**51.** Porque ellos son el pueblo tuyo y la heredad tuya, y los sacaste de la tierra de Egipto de en medio del horno *o crisol* del hierro.

**52.** Estén, *pues,* atentos tus ojos a las súplicas de tu siervo y de Israel, tu pueblo, y óyelos en cualquiera ocasión que te invocaren;

**53.** Ya que tú, ¡oh Señor Dios! los escogiste de todos los pueblos de la tierra para posesión tuya, como lo declaraste por boca de tu siervo Moisés, cuando sacaste de Egipto a nuestros padres.

**54.** Luego que Salomón hubo acabado de proferir toda esta oración y plegaria al Señor, levantóse de ante el Altar del Señor (porque había hincado ambas rodillas en tierra, teniendo levantadas las manos hacia el cielo);

**55.** Y puesto en pie, bendijo a toda la congregación de Israel, diciendo en alta voz:

**56.** Bendito sea el Señor que ha dado reposo a su pueblo de Israel, conforme a todas las promesas que hizo; no ha faltado ni una sola palabra en orden a todos los bienes que él prometió por boca de Moisés, siervo suyo.

**57.** El Señor Dios nuestro sea con nosotros, como estuvo con nuestros padres, y no nos desampare ni nos deseche;

**58.** Antes bien incline hacia sí nuestros corazones, para que andemos por todos sus caminos guardando sus mandamientos y ceremonias, y todos los preceptos *judiciales* que prescribió a nuestros padres.

**59.** Y estas mis palabras, con que acabo de orar al Señor, estén presentes día y noche ante el Señor Dios nuestro, para que en todo tiempo ampare a su siervo y a su pueblo de Israel;

**60.** A fin de que todas las naciones de la tierra reconozcan que el Señor es *el verdadero* Dios, y que fuera de él no hay otro.

**61.** Sea también nuestro corazón recto para con Dios nuestro Señor; de suerte que obedezcamos sus preceptos, y observemos sus mandamientos, como *hacemos hoy.*

**62.** Después de esto el rey, y con él todo Israel, sacrificaban víctimas delante del Señor.

**63.** Y las víctimas que Salomón degolló y sacrificó al Señor como hostias pacíficas, fueron veintidós mil bueyes, y ciento y veinte mil ovejas: *y de esta manera* dedicaron el templo del Señor, el rey y los hijos de Israel.

**64.** En este mismo día hizo el rey consagrar aquella parte del atrio que estaba delante de la casa del Señor, ofreciendo allí holocaustos y víctimas, y la grosura de las hostias pacíficas; atento que el altar de bronce erigido al Señor, no era tan grande que pudiesen caber en él los holocaustos y los sacrificios, y las grosuras de las hostias pacíficas.

**65.** Celebró, pues, entonces Salomón una fiesta solemnísima, y con él todo Israel, congregado en grandísimo número desde la entrada de Emat hasta el río de Egipto, en la presencia del Señor Dios nuestro, por espacio de siete días, y despues otros siete, esto es, catorce días.

**66.** Y el día octavo *de esta última fiesta* despidió las gentes; Ias cuales llenando de bendiciones al rey, se volvieron a sus casas, alegres y con el corazón lleno de gozo por todos los beneficios que había hecho el Señor a David, su siervo, y a Israel, su pueblo.

## CAPITULO IX

*El Señor se aparece otra vez a Salomón, y confirma sus promesas. Manda este rey edificar varias ciudades; y envía su armada a Ofir, en busca de oro.*

**1.** Habiendo acabado Salomón de construir la casa o *Templo,* del Señor, y el palacio real, y todas las obras que había ideado y querido hacer,

**2.** Apareciósele el Señor por segunda vez *en sueños,* como se le había aparecido en Gabaón,

**3.** Y le dijo: He oído tu oración y la súplica que me has hecho; he santificado esta casa que me has edificado, a fin de que permanezca en ella mi Nombre para siempre; y en todo tiempo mis ojos y mi corazón estarán fijos sobre este lugar.

**4.** Por lo que a ti toca, si tú anduvieres en mi presencia, como anduvo tu padre, con un corazón recto y sencillo, e hicieres todo lo que te tengo mandado, y guardares mis leyes y mandamientos,

**5.** Yo aseguraré para siempre el trono de tu reino sobre Israel, como se lo prometí a tu padre David, diciendo: Será siempre de tu linaje el que ocupe el trono de Israel.

**6.** Mas si vosotros y vuestros hijos obstinadamente os apartareis de mí, dejando de seguirme, y no guardando mis mandamientos y ceremonias que os he prescrito; antes bien os fuereis en pos de dioses extranjeros, dándoles culto y adoración,

**7.** Yo arrancaré a Israel de la tierra que le di, y arrojaré lejos de mí ese templo que he consagrado a mi Nombre, e Israel vendrá a ser el escarnio y la fábula de todas las gentes.

**8.** Y esta *casa, hecha cenizas,* se mirará como un ejemplo *de mi justicia:* cualquiera que pasare por delante de ella, quedará pasmado, y prorrumpirá en exclamaciones, y dirá: ¿Por qué ha tratado así el Señor a este país y a esta casa?

**9.** Y le responderán: Porque abandonaron al Señor Dios suyo, que sacó a sus padres de la tierra de Egipto, y se fueron tras los dioses ajenos, y los adoraron y dieron culto: por eso el Señor ha descargado sobre ellos todos estos males.

**10.** Pasados, pues, los veinte años que Salomón empleó en edificar las dos casas, esto es, el Templo del Señor y la casa del rey,

**11.** (Suministrándole Hiram, rey de Tiro, las maderas de cedro y abeto, y el oro, todo cuanto había necesitado) entonces Salomón dió a Hiram veinte poblaciones en tierra de Galilea.

**12.** E Hiram salió de Tiro para ver las poblaciones que Salomón le había dado, y no le agradaron.

**13.** Y así dijo: ¿Conque éstas son, hermano mío, las ciudades que me has dado? Y llamólas tierras de Cabul *nombre que conservan* hasta el día de hoy.

**14.** También había enviado Hiram al rey Salomón ciento y veinte talentos de oro.

**15.** Tan grandes fueron las expensas del rey Salomón en la fábrica de la casa del Señor, y *de los edificios* de Mello, y en los muros de Jerusalén, de Heser, de Mageddo y de Gazer.

---

CAP. IX. — 11. Hasta el cubrimiento de los gastos. Parece que estas poblaciones estaban fuera de los límites de tierra de Promisión. *Josué* XIX, *v.* 27. — II *Par.* VIII, *v.* 2. Estas poblaciones se las volvió Hiram a Salomón, o le dió otras suyas.

13. Esto es, tierra arenosa y seca, o también llena de espinas.

16. (*Es de saber* que Faraón, rey de Egipto, había ido *a sitiar* a Gazer, y después de haberla tomado, e incendiado. y pasado a cuchillo a los Cananeos, sus moradores, se la dió en dote a su hija, mujer de Salomón).

17. Salomón, pues, reedificó a Gazer, y a Bet-Horón la de abajo,

18. Y a Balaat, y a Palmira en el Desierto:

19. Y todos los lugares que le pertenecían, y estaban sin muros, los fortificó, como también las ciudades en que tenía sus carros *de guerra,* y las ciudades en que estaba la tropa de a caballo; en suma *acabó* cuanto quiso fabricar en Jerusalén, y en el Líbano, y en todas las tierras de sus dominios.

20. A toda la gente que había quedado de los Amorreos, y Heteos, y Ferezeos, y Heveos, y Jebuseos, los cuales no eran del número de los hijos de Israel,

21. A los hijos, *digo,* de estos pueblos, que se mantenían en el país por no haberlos podido exterminar los hijos de Israel, los hizo Salomón tributarios, como lo son hasta hoy día.

22. Mas de los hijos de Israel dispuso Salomón que ninguno estuviese sujeto a servidumbre, sino que éstos eran destinados a las armas, y eran ministros suyos, y príncipes, y capitanes, y comandantes de los carros de guerra y de la caballería.

23. Había puesto también Salomón por inspectores de todas las obras quinientos y cincuenta jefes, que tenían a sus órdenes la gente, y dirigían las tareas que les habían señalado.

24. La hija de Faraón pasó de la ciudad de David al palacio que le había fabricado Salomón; el cual edificó entonces a Mello.

25. Ofrecía asimismo Salomón tres veces al año holocaustos y víctimas pacíficas sobre el altar que había erigido al Señor; ante el cual hacía quemar los perfumes, después que quedó el templo del todo acabado.

26. Hizo, también, equipar Salomón una flota en Asiongaber, que cae junto a Aliat, sobre la costa del mar Rojo, en la Idumea;

27. Y envió Hiram en esta flota algunas de sus gentes, hombres inteligentes en la náutica, y prácticos de la mar, con las gentes de Salomón.

28. Y habiendo navegado a Ofir, tomaron de allí cuatrocientos y veinte talentos de oro, y trajéronlos al rey Salomón.

---

25. Esto es, en las dos Pascuas y en la fiesta de los Tabernáculos.

## CAPITULO X

*La reina de Sabá, oída la fama de Salomón, viene a visitarle, y le hace grandes presentes. Magnificencia y riquezas de esta princesa.*

1. También la reina de Sabá, oída la fama de Salomón, vino en el nombre del Señor a hacer prueba de él con varias cuestiones oscuras.

2. Y entrando en Jerusalén con gran pompa de acompañamiento y de riquezas, con camellos cargados de aromas, y de oro sin cuento, y de piedras preciosas, fué a ver al rey Salomón, y propúsole todas las cuestiones que traía meditadas en su corazón.

3. Y satisfizo Salomón a todas sus preguntas: no hubo cosa que fuese oscura para el rey, y a la cual no le respondiese.

4. Viendo, pues, la reina de Sabá toda la sabiduría de Salomón y la casa o *templo* que había edificado,

5. Y la manera con que era servida su mesa, y las habitaciones de sus criados, y las varias clases de los ministros, y sus vestidos, y los coperos, y los holocaustos que ofrecía en el templo del Señor, se quedó atónita.

6. Y dijo al rey: Verdadera es la fama de lo que oí en mi tierra,

7. Sobre tus cosas, y sobre tu sabiduría; y no he dado crédito a los que me la contaban, hasta tanto que yo misma he venido y lo he visto por mis ojos, y he experimentado que no me habían dicho la mitad de lo que es en realidad. Tu sabiduría y tus hechos son mucho más grandes de lo que me habían contado.

8. ¡Dichosos los que están contigo! ¡Dichosos tus criados, los cuales gozan siempre de tu presencia, y escuchan tu sabiduría!

9. Bendito sea el Señor Dios tuyo, que te ha amado y puesto sobre el trono de Israel, por el amor que siempre ha tenido a este pueblo, y te ha constituído rey para que ejerzas la equidad y la justicia.

10. Dió después ella al rey ciento y veinte talentos de oro, y grandísima cantidad de aromas y piedras preciosas: nunca jamás en adelante se trajo *a Jerusalén* tanta cantidad de aromas, como la que regaló la reina de Sabá al rey Salomón.

---

CAP. X. — 1. Inspirada del cielo y deseosa de adorar al Dios de Israel, del cual había oído tantos prodigios, y particularmente los que obraba por medio de Salomón.

**11.** (Es de saber, que también la flota de Hiram, que conducía oro de Ofir, trajo asimismo de allí muchísima madera de tino y piedras preciosas;

**12.** Y el rey hizo de este tino los balaústres del templo del Señor y del palacio real, las cítaras y las liras para los cantores: nunca se volvió a traer ni se ha visto jamás semejante madera de tino hasta el día de hoy).

**13.** El rey Salomón por su parte dió a la reina de Sabá todo cuanto ella quiso y le pidió; sin contar los presentes que de su grado le hizo con regia magnificencia. Ella se volvió y partió para su tierra con sus criados.

**14.** Era la cantidad de oro que cada año percibía Salomón de seiscientos sesenta y seis talentos de oro,

**15.** Sin contar lo que le traían los recaudadores de los tributos, y los negociantes, y todos los tenderos o *especieros*, y todos los reyes de Arabia, y los gobernadores de los países *de sus dominios.*

**16.** Hizo también el rey Salomón doscientos escudos o *adargas* de oro finísimo, empleando seiscientos siclos de oro en las planchas de cada uno de estos escudos.

**17.** Además trescientas rodelas o *escudos menores* de oro de ley. Cubrían cada rodela trescientas minas de oro; y colocólas el rey en la casa del bosque del Líbano.

**18.** Hizo asimismo el rey Salomón un trono grande de marfil, y lo guarneció de oro *purísimo* muy amarillo.

**19.** Tenía el trono seis gradas, y lo alto del trono por el respaldo era redondo, y por uno y otro salían dos brazos o *apoyos* que sostenían el asiento, y junto a cada uno de estos brazos había dos leones.

**20.** Sobre las seis gradas estaban de uno y otro lado doce leoncillos; en ningún otro reino *del mundo* se fabricó jamás obra semejante.

**21.** Fuera de esto, todos los vasos en que bebía el rey Salomón eran también de oro; e igualmente toda la vajilla de la casa o *palacio* del bosque del Líbano era de oro finísimo; no se usaba la plata *para dichos vasos,* ni *casi* se hacía aprecio de ella en tiempo de Salomón.

**22.** Pues la flota del rey se hacía a la vela, e iba con la flota de Hiram una vez cada tres años a Tarsis a traer de allí oro y plata, y colmillos de elefantes, y monas, y pavos reales.

**23.** Así el rey Salomón sobrepujó a todos los reyes de la tierra en riquezas y sabiduría; .

**24.** Y todo el mundo deseaba ver el rostro de Salomón, para oír la sabiduría que había infundido Dios en su corazón;

**25.** Y todos le enviaban presentes cada año, vasos de plata y de oro, ropas, armas o *arneses* de guerra, y también aromas, caballos y mulos;

**26.** Y juntó Salomón *muchos* carros de guerra, y tropa de caballería; y tuvo a su disposición mil y cuatrocientos carros, y doce mil hombres de caballería, que distribuyó por las ciudades fortificadas y en Jerusalén cerca de su persona.

**27.** E hizo que fuese tan abundante en Jerusalén la plata como las piedras, y tan común el cedro como los cabrahigos que nacen en las campiñas.

**28.** De Egipto y de Coa se hacía saca de caballos para Salomón; pues los comisarios del rey compraban en Coa, y los conducían al precio concertado.

**29.** Un tiro de cuatro caballos sacado de Egipto costaba seiscientos siclos de plata, y cada caballo ciento y cincuenta; y a este tenor le vendían los caballos todos los reyes de los Heteos y de la Siria.

## CAPITULO XI

*Salomón, pervertido por las mujeres extranjeras, adora sus ídolos; es castigado por el Señor; y muere.*

**1.** Pero el rey Salomón amó apasionadamente muchas mujeres extranjeras; *y especialmente* a la hija de Faraón, a las mujeres Moabitas y Ammonitas, Idumeas, Sidonias y Heteas,

**2.** Naciones de las cuales mandó el Señor a los hijos de Israel: No tomaréis de ellas mujeres para vosotros, ni ellos se casarán con las vuestras; porque infaliblemente pervertirán vuestros corazones, para que sigáis a sus dioses. A tales mujeres, pues, se unió Salomón con un amor ardentísimo;

**3.** Tanto, que tuvo setecientas mujeres en calidad de reinas, y trescientas mujeres secundarias; y las mujeres pervirtieron su corazón.

**4.** Y siendo ya viejo, vino a depravarse su corazón por causa de las mujeres, hasta hacerle seguir los dioses ajenos; de suerte que su corazón ya no era puro y sincero para con el Señor Dios suyo, como lo fué el corazón de David, su padre.

**5.** Antes bien daba culto Salomón a Astarté, diosa de los Sidonios, y a Moloc, ídolo de los Ammonitas.

**6.** Con lo que desagradó Salomón al Señor, y no perseveró en servirle, como le sirvió David, su padre.

**7.** Entonces fué cuando erigió Salomón un templo a Camos, ídolo de Moab, sobre el monte que está en frente de Jerusalén, y a Moloc, ídolo de los hijos de Ammón.

**8.** Y a este tenor complació a todas sus mujeres extranjeras; las cuales quemaban inciensos y ofrecían sacrificios a sus dioses.

**9.** Por lo que se irritó el Señor contra Salomón, porque había enajenado su corazón del Señor Dios de Israel que por dos veces se le había aparecido,

**10.** Y amonestado particularmente sobre no seguir a dioses ajenos; mas él no guardó el mandato del Señor.

**11.** Dijo, pues, el Señor a Salomón: Porque te has portado así, y no has guardado mi pacto y los preceptos que te di, rasgaré y dividiré tu reino, y se lo daré a un siervo tuyo.

**12.** Mas no lo ejecutaré en tus días por amor de David, tu padre; lo desmembraré cuando se halle en poder de tu hijo;

**13.** Aunque no se lo quitaré todo entero, sino que dejaré a tu hijo una tribu, por amor de David, mi siervo, y de Jerusalén, mi ciudad escogida.

**14.** Suscitó, pues, el Señor por enemigo de Salomón a Adad, Idumeo, de sangre real, que habitaba en Edom.

**15.** Porque sucedió que habiendo estado David en la Idumea, e ido allí Joab, general del ejército, a dar sepultura a los que habían sido muertos, y pasar a cuchillo a todos los Idumeos del sexo masculino,

**16.** (Pues seis meses se detuvo allí Joab con todo Israel, hasta acabar con todos los varones de la Idumea),

**17.** Este Adad escapó, acompañado de algunos Idumeos, criados de su padre, y fué a refugiarse en Egipto. Era entonces Adad todavía niño de pocos años.

**18.** Y habiendo salido de Madián pasaron a

Farán, y tomando consigo gentes de Farán, entraron en Egipto, y se presentaron a Faraón, rey de Egipto, quien dió a Adad casa, y señalóle alimentos, y lo adjudicó tierras.

**19.** Y Adad cayó tanto en gracia a Faraón, que lo casó con una hermana carnal de la reina Tafnes, su esposa.

**20.** De esta hermana de Tafnes tuvo un hijo llamado Genubat, al cual crió Tafnes en el palacio de Faraón; de suerte que Genubat vivía en el palacio de Faraón con los hijos del rey.

**21.** Y cuando supo Adad que David había ido a descansar en el sepulcro con sus padres, y que había *también* muerto Joab, general de sus tropas, dijo a Faraón: Déjame volver a mi patria.

**22.** Respondióle Faraón: Pués, ¿qué te falta en mi casa, para que quieras irte a tu país? A lo que contestó Adad: Nada; pero sin embargo te ruego que me des licencia para ir allá.

**23.** También le suscitó Dios a Salomón otro enemigo que fué Razón, hijo de Elíada, el cual se había huído de Adarezer, rey de Soba, su señor.

**24.** Y juntó gente contra él, y se hizo capitán de ladrones o *de guerrillas;* a los cuales hacía David cruda guerra. Retiráronse después a Damasco, y habitaron allí, e hicieron rey de Damasco a Razón.

**25.** Y fué Razón enemigo de Israel todo el reinado de Salomón; y éste fué otro azote con el de Adad, por el odio contra Israel, después que reinó en la Siria.

**26.** Asimismo Jeroboam, hijo de Nabat, Efrateo, de Sareda, criado de Salomón, cuya madre era una mujer viuda llamada Sarva, se sublevó contra el rey.

**27.** La causa de esta rebelión fué porque Salomón edificó a Mello, y terraplenó la hondonada o *valle* de la ciudad de David, su padre.

**28.** Era Jeroboam hombre valiente y poderoso; y Salomón viéndolo mozo de buena índole y activo, le había dado la superintendencia de los tributos de toda la casa de José.

**29.** Sucedió, pues, en aquel tiempo, que saliendo Jeroboam de Jerusalén, se encontró con él en el camino Ahías, Silonita, profeta, que llevaba una capa nueva; y estaban los dos solos en el campo.

**30.** Tomando, pues, Ahías la capa nueva, que traía puesta, la rasgó en doce partes,

---

**CAP. XI.** — **5.** Todo por el desordenado amor a las mujeres, a las cuales no quería disgustar. Se duda mucho de la salvación eterna de este príncipe, que había sido en su juventud tan amado de Dios y tan favorecido en toda suerte de bienes temporales.

**9.** La primera en Gabaón (*cap. III, v.* 5): la segunda en Jerusalén (*cap. IX, v.* 2).

**13.** La pequeña tribu de Benjamín se consideraba como unida con la de Judá.

---

**27.** Esto es, la hondonada que había entre la parte de la ciudad llamada Jebus y la otra en que vivía *David,* que era la altura o colina llamada *Sión.*

**28.** O de las tribus de Efraím y Manasés.

**31.** Y dijo a Jeroboam: Toma para ti diez pedazos; porque esto dice el Señor Dios de Israel: He aquí que yo voy a dividir el reino que tiene Salomón, y te daré a ti diez tribus;

**32.** Si bien le dejaré a él *para su hijo* una tribu por amor de mi siervo David, y de Jerusalén, ciudad que yo tengo escogida entre todas las tribus de Israel.

**33.** Porque me ha abandonado a mí, y ha adorado a Astarte, diosa de los Sidonios, y a Camos, dios de Moab, y a Moloc, dios de los hijos de Ammón; y no ha seguido mis caminos practicando la justicia en mi presencia, y mis mandamientos, y mis leyes, como su padre David.

**34.** No por eso quitaré de sus manos parte alguna del reino; sino que le dejaré gobernar todo el tiempo de su vida por amor a David, mi siervo, a quien elegí; el cual observó mis mandamièntos y preceptos.

**35.** Quitaré, *sí*, el reino de las manos de su hijo, y te daré a ti diez tribus.

**36.** Y a su hijo le dejaré una tribu, a fin de que le quede para siempre a mi siervo David *un descendiente que, como* una lámpara, *brille* en mi presencia en Jerusalén, ciudad que yo escogí para que en ella sea venerado mi Nombre.

**37.** Pero a ti yo te levantaré, y reinarás a medida de tus deseos, y serás rey de Israel.

**38.** Ahora bien, si tú obedecieres todo cuanto yo te mandare, y siguieres mis caminos, e hicieres lo que es recto a mis ojos, guardando mis mandamientos y mis preceptos, como lo hizo David, mi siervo, yo seré contigo, y te fundaré una casa estable, como la edifiqué a David, y te haré Señor de Israel.

**39.** Y con esto humillaré el linaje de David, bien que no para siempre.

**40.** De aquí fué que Salomón tentó hacer matar a Jeroboam; mas éste se escapó y fué a refugiarse en Egipto cerca de Sesac, rey de Egipto, y allí estuvo hasta la muerte de Salomón.

**41.** En orden a las demás cosas de Salomón, y todos sus hechos y sabiduría, todo está escrito en el libro de los anales del reinado de Salomón.

**42.** El tiempo que reinó Salomón en Jerusalén sobre todo Israel fué de cuarenta años.

**43.** Y pasó.Salomón a descansar con sus padres; y lo sepultaron en la ciudad de David su padre, sucediéndole en el reino su hijo Roboam.

## CAPITULO XII

*Roboam, mal aconsejado, es causa de la separación de las diez tribus de Israel; las cuales alzan por rey a Jeroboam; y éste las hace idolatrar para apartarlas de ir a Jerusalén.*

**1.** Fué, pues, Roboam a Siquem, por haberse congregado allí todo el pueblo de Israel, para proclamarlo rey.

**2.** Entre tanto Jeroboam, hijo de Nabat, estando aún en Egipto, fugitivo de la presencia del rey Salomón, oída su muerte, volvió a Egipto;

**3.** Pues enviaron a llamarlo. Con lo cual se presentó Jeroboam con toda la multitud de Israel, y hablaron a Roboam en estos términos:

**4.** Tu padre nos impuso un yugo muy pesado: y así ahora tú suaviza algún tanto la extrema dureza del gobierno de tu padre, y el pesadísimo yugo que nos puso encima, y te rendiremos vasallaje.

**5.** Respondióles Roboam: Retiráos por ahora y volved a mí dentro de tres días. Retirado el pueblo,

**6.** El rey Roboam llamó a consejo a los ancianos que tenía cerca de sí Salomón, su padre, cuando vivía, y les dijo: ¿Qué me aconsejáis vosotros que yo responda a este pueblo?

**7.** Dijéronle ellos: Si tú, en el día, condesciendes con este pueblo, y te acomodas a él, y otorgas su petición, y le hablas con dulzura, serán para siempre vasallos tuyos.

**8.** Mas Roboam desatendió el consejo de los ancianos, y consultó a los jóvenes que se habían criado con él y le hacían la corte,

**9.** Y les dijo: ¿Qué me aconsejáis vosotros que responda a este pueblo, que me ha dicho: Aligéranos un poco el yugo que tu padre nos impuso?

**10.** Respondiéronle los jóvenes que se habían criado con él: A esta gente que te ha dicho: Tu padre puso un yugo pesado sobre nosotros, alívianosle tú, le has de responder así: Es más grueso mi dedo meñique que el espinazo de mi padre.

**11.** Ahora bien, si mi padre os impuso un yugo pesado, yo aumentaré aún el peso de vuestro yugo: mi padre os azotó con correas, mas yo he de azotaros con escorpiones.

---

**32.** Toda la tribu de Judá y una parte de la de Benjamín.

**34.** Ninguna parte del reino quitaré yo a Salomón en todos los días de su vida; pero a su hijo sólo le dejaré una.

---

**CAP. XII.** — **11.** Unos azotes con puntas de hierro, llamados por su figura *escorpiones.*

12. Compareció, pues, Jeroboam con todo el pueblo delante de Roboam al tercer día, en conformidad de lo que el rey había mandado, diciendo: Volved a mí dentro de tres días.

13. Y el rey respondió al pueblo con dureza, desechando el consejo que le habían dado los ancianos;

14. Y hablóles según el consejo de los jóvenes, diciendo: Mi padre os impuso un yugo pesado; pues yo añadiré aún más peso a vuestro yugo: mi padre os azotó con correas, mas yo os azotaré con escorpiones.

15. Y no quiso el rey condescender con el pueblo; por cuanto el Señor lo había dejado de su mano, en cumplimiento de su palabra que por boca de Ahías, Silonita, dirigió a Jeroboam, hijo de Nabat.

16. Viendo, pues, el pueblo que el rey no había querido atenderlo, replicóle diciendo: ¿Qué tenemos nosotros que ver con *la familia de* David? ¿Ni qué herencia *o provecho* esperamos del hijo de Isaí? Vete a tus estancias, oh Israel; y tú, *oh hijo de* David, gobierna ahora tu casa. Con eso Israel se retiró a sus estancias.

17. Mas todos los hijos de Israel, que habitaban en las ciudades de Judá, reconocieron por rey a Roboam.

18. Despachó luego Roboam a Aduram, superintendente de los tributos; pero todo el pueblo de Israel lo mató a pedradas. Entonces Roboam a toda prisa tomó su coche, y huyó a Jerusalén.

19. Y separóse Israel de la casa de David, como lo está aún en el día de hoy.

20. Y sucedió que luego que supo todo Israel que Jeroboam habia vuelto, congregados en cortes le enviaron a llamar, y aclamáronle rey sobre todo Israel, sin que nadie siguiera el partido de la casa de David, fuera de la sola tribu de Judá.

21. Llegado, pues, Roboam a Jerusalén, juntó toda la casa de Judá, y la tribu de Benjamín, escogiendo ciento y ochenta mil hombres aguerridos para que peleasen contra la casa de Israel, y redujesen el reino a la obediencia de Roboam, hijo de Salomón.

22. Pero el Señor dirigió su palabra a Semeías, varón de Dios, diciendo:

23. Habla a Roboam, hijo de Salomón, rey de Judá, y a toda la casa de Judá y de Benjamín, y a los demás del pueblo, y diles:

24. Esto dice el Señor: No salgáis a campaña, ni peleéis contra vuestros hermanos, los hijos de Israel; vuélvase cada cual a su casa; porque yo soy el que he dispuesto lo sucedido. Obedecieron ellos las palabras del Señor, y volviéronse según el Señor se lo había mandado.

25. Jeroboam, empero, reedificó a Siquem en los montes de Efraím, y fijó allí su residencia; desde la cual fué después y edificó a Fanuel.

26. Al mismo tiempo discurría Jeroboam en su interior, y decía: Presto volverá este reino a ser de la casa de David;

27. Porque si este pueblo ha de subir a Jerusalén a ofrecer sacrificios en el Templo del Señor, se convertirá el corazón de este pueblo hacia Roboam, rey de Judá, *que fué* su señor, y me quitarán a mí la vida, y se reconciliarán con él.

28. Y después de discurrido mucho, mandó hacer dos becerros de oro y dijo al pueblo: No subáis ya a Jerusalén. He aquí, oh Israel, tus dioses, los que te sacaron de la tierra de Egipto.

29. Y colocó el uno en Betel y el otro en Dan.

30. Fué este suceso ocasión del pecado; pues todo el pueblo iba hasta Dan a adorar el becerro.

31. Hizo también adoratorios en lugares elevados, y puso por sacerdotes a gentes del vulgo, y que no eran del linaje de Leví;

32. Y estableció un día de fiesta solemne en el mes octavo, a los quince del mes, a semejanza de la solemnidad que se celebraba en Judá; y subiendo él mismo al altar que había erigido en Betel, ofreció *por su mano* sacrificios a los becerros de oro que había fabricado; y estableció en Betel sacerdotes en los *adoratorios de los* lugares elevados que había erigido.

33. El día quince del mes octavo, día que él por su capricho hizo solemne para los hijos de Israel, fué cuando subió al altar, que había erigido en Betel, y quemó el incienso, *arrogandose el sacerdocio.*

---

20. Y los restos de la de Benjamín reunidos con ella.

25. A la otra parte del Jordán.

28. Con esto pensaba poner un obstáculo invencible a la reunión de las diez tribus con la de Judá.

29. Dos extremos del reino.

30. O de la pública idolatría de Israel.

# CAPITULO XIII

*A Jeroboam le predice un profeta la des-
trucción del altar de Betel y el nacimiento de Josías. Manda que prendan al
profeta, y se le seca la mano. El altar se
destruye: y el profeta, al volverse, es
muerto por un león, por no haber obedecido a Dios.*

**1.** Mas he aquí que mientras Jeroboam es-
taba en el altar y echaba el incienso, llegó de
Judá a Betel por orden del Señor un varón de
Dios,

**2.** Y exclamó contra el altar, diciendo de
parte del Señor: Altar, altar, oye lo que dice
el Señor: Tiempo vendrá en que ha de nacer
en la familia de David un hijo que se llamará
Josías; el cual hará degollar sobre ti los sacerdotes de los lugares altos, que ahora queman
sobre ti inciensos, y él quemará sobre ti huesos de hombres.

**3.** Y al mismo tiempo, en prueba de la verdad de su predicción, añadió: Esta será la señal que os hará conocer que Dios es quien os
habla: *He aquí que* va a partirse el altar, y se
derramará la ceniza que hay en él.

**4.** Así que oyó el rey las palabras que el varón de Dios pronunció en alta voz contra el
altar de Betel, extendió su mano desde el altar, diciendo: Prended a ése. Mas al punto se-
cósele la mano que había extendido contra el
profeta, ni pudo retirarla hacia sí.

**5.** Al mismo tiempo se hizo pedazos el altar, y se derramó la ceniza que había en él,
conforme a la señal que había predicho el varón de Dios en nombre del Señor.

**6.** Dijo entonces el rey al varón de Dios:
Ruega al Señor Dios tuyo, y ora por mí, para
que me sea restituída mi mano. Hizo el varón
de Dios oración al Señor, y el rey recobró su
mano, y quedó como antes estaba.

**7.** Por lo que dijo el rey al varón de Dios:
Ven conmigo a casa a comer, y te llenaré de regalos.

**8.** Mas el varón de Dios respondió al rey:
Aunque me dieras la mitad de tu casa no iría
yo contigo, ni comería pan, ni bebería agua en
este lugar;

**9.** Porque así me lo tiene mandado expresamente el Señor con este precepto: No comerás *allí* pan, ni beberás agua, ni te volverás
por el mismo camino que fuiste.

**10.** Y con efecto, se fué por otro camino, y
no volvió por el mismo que había tomado viniendo a Betel.

**11.** Moraba a la sazón en Betel cierto profeta anciano; a quien fueron sus hijos y le
contaron todo lo que aquel día había hecho
en Betel el varón de Dios, refiriendo a su padre las palabras que había hablado al rey.

**12.** Díjoles su padre: ¿Qué camino tomó?
Mostráronle sus hijos el camino por donde se
había vuelto el varón de Dios que había venido de Judá.

**13.** Y dijo a sus hijos: Aparejadme el asno.
Y habiéndole ellos aparejado, montó en él,

**14.** Y fué en busca del siervo de Dios; y hallóle sentado a la sombra de un terebinto, y díjole:
¿Eres tú el varón de Dios, que vino de Judá? Yo
soy, le respondió.

**15.** Pues ven conmigo, dijo, a casa a tomar
un bocado.

**16.** Mas él le respondió: Yo no puedo volver atrás, ni ir contigo, ni comeré pan, ni beberé agua en este lugar;

**17.** Por cuanto el Señor me habló de su
propia boca, diciendo: No comas *allí* pan, ni
bebas agua, ni vuelvas por el camino por
donde fueres.

**18.** Díjole el otro: Yo también soy profeta como tú; y un Angel me ha venido a decir en
nombre del Señor: Hazle volver contigo a tu casa, para que coma pan y beba agua. Engañóle,

**19.** Y le hizo volver consigo. Comió, pues,
el pan en su casa, y bebió agua.

**20.** Y cuando estaban sentados a la mesa, el
Señor habló al profeta que había hecho volver
atrás al otro;

**21.** Y exclamó dicho profeta y dijo al varón
de Dios, venido de Judá: Esto dice el Señor:
Porque has sido desobediente a la orden expresa del Señor, y no has guardado el mandamiento que te intimó el Señor Dios tuyo,

**22.** Sino que has vuelto atrás, y comido el
pan, y bebido el agua en este lugar, en el que
Dios te mandó no comer pan ni beber agua, no
será llevado tu cadáver al sepulcro de tus padres.

**23.** Después que el varón de Dios, a quien
hizo volver atrás, hubo comido y bebido, *el
profeta anciano* le aparejó el asno.

**24.** Y luego que partió, encontrólo un león
por el camino y lo mató, y quedó su cadáver
tendido en medio del camino. Estaba el asno
parado junto a él, y el león se estaba también
cerca del cadáver.

---

CAP. XIII. — 2. Josías nació cerca 340 años después de esta profecía.

---

24. La muerte temporal, recibida con espíritu de
penitencia y resignación proporcionó al Profeta la
vida eterna.

**25.** En esto sucedió que unos pasajeros vieron el cadáver tendido en el camino, y al león parado junto al cadáver; y fueron y divulgaron esto en la ciudad donde habitaba aquel anciano profeta.

**26.** Oyéndolo, pues, el profeta que le había hecho volver atrás, dijo: El varón de Dios es, que fué desobediente a la orden del Señor; y el Señor lo entregó a un león que lo ha despedazado y muerto, según se lo había ya anunciado el Señor.

**27.** En seguida dijo a sus hijos: Aparejadme el asno. Aparejáronsele;

**28.** Y marchando, halló el cadáver tendido en el camino, y al asno y al león parados junto al cadáver; sin que el león se lo hubiese comido, ni hecho daño al asno.

**29.** Tomó, pues, el profeta el cadáver del varón de Dios, y cargólo sobre el asno, y volviéndose se lo llevó consigo a su ciudad para hacerle el duelo;

**30.** Y puso el cadáver en su sepulcro, y lloráronle, diciendo: ¡Ay! ¡ay! ¡hermano mío!

**31.** Y después de concluídas las exequias, dijo a sus hijos: Cuando yo muera, enterradme en el sepulcro en que yace el varón de Dios; poned mis huesos junto a los suyos;

**32.** Porque infaliblemente se verificará lo que anunció de parte del Señor contra el altar que está en Betel, y contra todos los adoratorios de las alturas que hay en las ciudades de Samaria.

**33.** Después de todos estos sucesos, no se convirtió Jeroboam de su vida perversa; antes al contrario, creó sacerdotes de los lugares altos, hombres del común del pueblo; todo el que quería se consagraba, y quedaba hecho sacerdote de los lugares altos.

**34.** Este fué el pecado de la casa de Jeroboam, y por eso fué destruída y arrancada de la superficie de la tierra.

## CAPITULO XIV

*La mujer de Jeroboam consulta al profeta Ahías, quien le intima la muerte del hijo, y el exterminio de toda la familia. Irrupción de Sesac en Jerusalén; y muerte de Roboam.*

**1.** Por aquel tiempo enfermó Abía, hijo de Jeroboam.

**2.** Y dijo Jeroboam a su mujer: Anda y disfrázate, para que no seas conocida por mujer

---

**34.** Unos veintidós años después de su rebelión.

de Jeroboam; y ve a Silo, donde está el profeta Ahías, el que me predijo había de reinar yo sobre este pueblo.

**3.** Toma también contigo diez panes, una tora y una orza de miel; y ve a visitarle, que él te dirá lo que ha de acontecer a este chico.

**4.** Hizo la mujer de Jeroboam lo que éste le había dicho; y partiendo para Silo, llegó a casa de Ahías; el cual ya no veía, porque se le había ofuscado la vista a causa de su mucha edad.

**5.** Pero el Señor dijo a Ahías: Mira que aquí entra la mujer de Jeroboam a consultarte sobre su hijo que está enfermo. Esto y esto es lo que le has de responder. Pues como ella entrase disimulando ser quien era,

**6.** Oyó Ahías el ruido de sus pisadas al entrar por la puerta, y dijo: Entra, esposa de Jeroboam: ¿Para qué finges ser otra? Ello es que yo tengo comisión de darte una mala nueva.

**7.** Ve, y di a Jeroboam: Esto dice el Señor Dios de Israel: Yo te ensalcé de en medio del pueblo, y te hice caudillo de mi pueblo de Israel.

**8.** Yo dividí el reino de la casa de David, y te lo dí a ti; mas tú no has sido como mi siervo David, que guardó mis mandamientos, y me siguió con todo su corazón, haciendo lo que era agradable a mis ojos;

**9.** Sino que has obrado peor que todos cuantos te han precedido, y te forjaste dioses ajenos y de fundición para provocarme a ira, y a mí me has desechado y vuelto las espaldas.

**10.** Por tanto yo voy a llover desastres sobre la casa de Jeroboam, y destruiré de la casa de Jeroboam hasta los perros, y así lo precioso como lo vil *y desechado* en Israel; y barreré los rezagos de la familia de Jeroboam, como suele barrerse la basura, hasta que no quede rastro.

**11.** Los de *la casa de* Jeroboam que murieren en poblado, serán comidos de los perros, y los que murieren en el campo, serán devorados por las aves del cielo; porque el Señor es el que lo ha dicho.

**12.** Anda tú, pues, ahora, y vete a tu casa; y en el punto mismo que pondrás tus pies en la ciudad, morirá el hijo,

**13.** Y lo llorará todo Israel, y le dará sepultura; siendo éste el único de *la familia* de Jeroboam que recibirá sepultura; por cuanto es el único de dicha familia a quien el Señor Dios de Israel ha mirado con agrado.

**14.** Entretanto el Señor ha escogido ya un rey para Israel, que exterminará la casa de Jeroboam en nuestros días y en este tiempo *en que vivimos.*

**15.** Y el Señor Dios batirá a Israel, al modo que una caña suele ser batida de las aguas; y arrancará a Israel de esta buena tierra que dió a sus padres, y lo arrojará *cautivo* más allá del río *Eufrates,* en castigo de haber consagrado bosques *a los ídolos* para irritar al Señor.

**16.** Y abandonará el Señor a Israel por los pecados de Jeroboam, el cual *no solamente* pecó él, *sino que* hizo pecar a Israel.

**17.** Marchó, pues, la mujer de Jeroboam; y siguiendo su camino llegó a Tersa, al tiempo de poner el pie sobre el umbral de su casa murió el hijo.

**18.** Y lo sepultaron, y loróle todo Israel, conforme lo había predicho el Señor por boca de su siervo el profeta Ahías.

**19.** En cuanto a los demás hechos de Jeroboam, las guerras que tuvo y su modo de reinar, todo se halla escrito en el Libro de los Anales de los Reyes de Israel.

**20.** Reinó Jeroboam veinte y dos años; bajó al sepulcro como sus padres; y sucedióle en el trono su hijo Nadab.

**21.** Al mismo tiempo Roboam, hijo de Salomón, reinó en Judá. Cuarenta y un años tenía Roboam cuando empezó a reinar; y reinó diez y siete años en Jerusalén, ciudad escogida por el Señor entre todas las tribus de Israel, para establecer en ella su culto. Su madre era Ammonita, y llamábase Naama.

**22.** Y la tribu de Judá ofendió al Señor irritándole con pecados mucho mayores que los que cometieron sus padres en medio de sus maldades.

**23.** Porque erigió altares y simulacros, y bosques sobre los collados altos, y debajo de todo árbol frondoso.

**24.** Y aun hubo también en el país hombres afeminados, que renovaron todas las abominaciones de aquellos pueblos que el Señor había destruído al presentarse los hijos de Israel.

**25.** Mas el año quinto del reinado de Roboam, vino Sesac, rey de Egipto, a Jerusalén,

**26.** Y se apoderó de los tesoros del templo del Señor, y de los tesoros del rey, y robó todas las alhajas, hasta los escudos de oro que había hecho Salomón;

**27.** En lugar de los cuales puso Roboam escudos de cobre, entregándolos al cuidado de los capitanes de guardias y de los que hacían centinela a la puerta del palacio del rey.

**28.** Y cuando entraba el rey en el templo del Señor, llevaban estos escudos los que tenían el cargo de ir delante, y después volvíanlos a la armería de las guardias.

**29.** Las demás cosas de Roboam, y todo cuanto hizo, está escrito en el Libro de los Anales de los Reyes de Judá.

**30.** Y hubo siempre guerra entre Roboam y Jeroboam.

**31.** Durmió Roboam con sus padres, y fué sepultado con ellos en la ciudad de David. Su madre se llamó Naama, Ia cual era de nación Ammonita. Sucedióle en el reinado su hijo Abiam.

## CAPITULO XV

*Al impío Abiam, rey de Judá, sucede Asa, su hijo, que hace guerra a Baasa, rey de Israel. A Asa sucede su hijo Josafat. Nadab y Baasa reyes de Israel.*

**1.** En el año décimo octavo del reinado de Jeroboam, hijo de Nabat *en Israel,* comenzó a reinar Abiam en Judá.

**2.** Tres años reinó éste en Jerusalén. Llamábase su madre Maaca, hija de Abesalom *o Absalom.*

**3.** Imitó Abiam todos los pecados cometidos por su padre antes de él; ni fué su corazón sincero para con el Señor Dios suyo, como lo había sido el corazón de su abuelo David.

**4.** Mas por amor de David le concedió el Señor su Dios una antorcha en Jerusalén, dándole por sucesor un hijo suyo, para conservar *la gloria de* Jerusalén:

**5.** Por cuanto David había procedido rectamente en los ojos del Señor, y en nada se desvió *notablemente* de cuanto le tenía mandado todo el tiempo de su vida, salvo el suceso de Urías, Heteo.

**6.** Sin embargo, durante la vida de Roboam continuó la guerra entre éste y Jeroboam.

**7.** Los demás sucesos de Abiam y todos sus hechos, ¿no es así que están escritos en los Anales de los Reyes de Judá? Hubo también una *terrible* batalla entre Abiam y Jeroboam.

**8.** Y fué Abiam a dòrmir con sus padres, y sepultáronlo en la ciudad de David, sucediéndole en el trono su hijo Asa.

---

19. Ver también Vigouroux, loc. cit.
CAP. XIV. — 24. No sólo las mujeres se consagraban al infame culto de Priapo, de Venus, etc., sino también los hombres.

9. El año vigésimo, pues, de Jeroboam, rey de Israel, entró a reinar Asa, rey de Judá

10. Y reinó cuarenta y un años en Jerusalén. Llamábase su madre Maaca, hija de Abesalom.

11. E hizo Asa lo que era justo delante del Señor, como su padre David;

12. Y extirpó del país a los afeminados: y lo limpió de todas las inmundicias de los ídolos fabricados por sus padres.

13. Y además echó de su lado a su madre Maaca, para que no presidiese en las ceremonias de Priapo, en el bosque que le había consagrado; y arruinó su caverna, e hizo pedazos el obscenísimo simulacro, y lo quemó en el torrente de Cedrón.

14. No quitó, empero, los lugares altos. Por lo demás el corazón de Asa fué sincero para con Dios todo el tiempo que vivió.

15. Trasladó asimismo al templo del Señor la plata, y el oro, y las alhajas que su padre había consagrado y ofrecido con voto.

16. Continuó la guerra entre Asa y Baasa, rey de Israel, mientras que vivieron ambos.

17. Y avanzó Baasa, rey de Israel, por las tierras de Judá, y edificó a Rama, a fin de impedir *con esta fortaleza* que no pudiese salir ni entrar ninguno del partido de Asa, rey de Judá.

18. Entonces Asa, tomando toda la plata y el oro que había quedado en los tesoros del templo del Señor, y en los del palacio real, entrególo todo a sus criados y enviólos a Benadad, hijo de Tabremón y nieto de Hezión, rey de Siria, que habitaba en Damasco, con orden de decirle:

19. Ya sabes que hay alianza entre los dos, como la hubo entre mi padre y el tuyo; por tanto, te remito esos presentes de plata y oro, y te pido que vengas y rompas la alianza que tienes con Baasa, rey de Israel, para que éste se retire de mis dominios.

20. Condescendiendo Benadad con el rey Asa, despachó los capitanes de su ejército contra las ciudades de Israel, y se apoderaron de Ahión, y de Dan, y de Abelcasa de Maaca, y de todo el país de Cennerot, es a saber, de toda la tierra de Neftalí.

21. Lo cual sabido por Baasa, suspendió las obras de Rama, y volvióse a Tersa.

22. Entre tanto el rey Asa publicó un bando por toda la tierra de Judá, que decía: Nadie queda exento *de acudir a Rama*. Con esto recogieron la piedra y madera empleada por Baasa en la construcción de Rama, y con ellas edificó el rey Asa a Gabáa de Benjamín y a Masfa.

23. El resto de las acciones de Asa, y todas sus proezas, y cuanto hizo, y las ciudades que fundó, ¿no es así que está todo escrito en el Libro de los Anales de los Reyes de Judá? Asa, pues, siendo viejo adoleció de los pies,

24. Y pasó a descansar con sus padres, y fué sepultado con ellos en la ciudad de su padre David, sucediéndole en el reino su hijo Josafat.

25. El segundo año de Asa, rey de Judá, empezó a reinar en Israel Nadab, hijo de Jeroboam, y tuvo dos años la corona.

26. Y se portó mal en la presencia del Señor, siguiendo las pisadas de su padre y los pecados con que éste hizo pecar a Israel.

27. Mas Baasa, hijo de Ahía de la tribu de Isacar, le armó asechanzas, y lo mató en Gebbetón, ciudad de los Filisteos, al tiempo que Nadab y todo Israel estaban sitiando esta ciudad.

28. Matóle, pues, Baasa, el año tercero de Asa, rey de Judá, y reinó en su lugar.

29. Así que fué rey, exterminó toda la familia de Jeroboam; no dejó con vida ni una sola persona de su linaje; sino que lo extirpó enteramente, según lo había predicho el Señor por boca de su siervo Ahías, Silonita,

30. En pena de los pecados cometidos por Jeroboam, y de los que había hecho cometer a Israel, y por el delito *o idolatría* con que había irritado al Señor Dios de Israel.

31. Las demás cosas de Nadab y todas sus acciones, ¿no es así que están escritas en el Libro de los Anales de los Reyes de Israel?

32. Hubo guerra entre Asa, *rey de Judá*, y Baasa, rey de Israel, mientras vivieron.

33. El año tercero de Asa, rey de Judá, comenzó a reinar en todo Israel Baasa, hijo de Ahías, y reinó en Tersa veinticuatro años.

34. Procedió Baasa mal delante del Señor, siguiendo las pisadas de Jeroboam y los pecados con que éste había hecho pecar a Israel.

## CAPITULO XVI

*El profeta Jehú predice a Baasa el exterminio de su linaje. Reinados de Ela, de Zambri, de Amri, y de Acab.*

**1.** Después *de esto* habló el Señor a Jehú, hijo de Hanani, contra Baasa, diciendo:

**2.** *Dirás a Baasa:* Puesto que yo te levanté del polvo haciéndote caudillo de mi pueblo de Israel, y tú has seguido el camino de Jeroboam, induciendo al pecado a mi pueblo de Israel, provocándome a ira con sus excesos,

**3.** He aquí que yo arrancaré de la faz de la tierra tu descendencia y la de tu familia: y haré de tu casa lo que he hecho de la de Jeroboam, hijo de Nabat.

**4.** El que del linaje de Baasa muriere en la ciudad, será comido de los perros; y el que muriere en el campo, será pasto de las aves del cielo.

**5.** Las demás cosas de Baasa, y todo cuanto hizo, y sus combates, ¿no está todo escrito en el Libro de los Diarios de los Reyes de Israel?

**6.** Acabó, pues, Baasa su vida con sus padres, y fué sepultado en Tersa, y sucedióle en el trono su hijo Ela.

**7.** Mas como el profeta Jehú, hijo de Hanani, había pronunciado la sentencia del Señor contra Baasa y contra su casa, en castigo de todos los pecados que había hecho en presencia del Señor, irritándolo con las obras de sus manos, por cuyo motivo merecería ser tratado como la casa de Jeroboam; por esta razón le quitó él la vida, es a saber, al profeta Jehú, hijo de Hanani.

**8.** A los veinte y seis años *del reinado* de Asa, rey de Judá, reinó Ela, hijo de Baasa, sobre Israel, en Tersa, por espacio de dos años.

**9.** Porque se rebeló contra él su siervo Zambri, comandante de la mitad de la caballería. Estaba, pues, Ela en Tersa bebiendo *y banqueteando,* y hallábase ya beodo en casa de Arsa, gobernador de Tersa;

**10.** Cuando arrojándose Zambri de golpe sobre él con gran furia, hirióle y lo mató en el año veintisiete de Asa, rey de Judá, y entró a reinar en su lugar.

**11.** Luego que llegó a ser rey, y se hubo sentado en el trono, exterminó toda la casa de Baasa, y todos sus deudos y amigos, no dejando vivo ni siquiera un perro.

**12.** De esta suerte acabó Zambri con toda la casa de Baasa, conforme a la sentencia del Señor, intimada a Baasa por boca del profeta Jehú,

**13.** En castigo de todos los pecados de Baasa y de los de Ela, su hijo: quienes pecaron e hicieron pecar a Israel, provocando a ira al Señor Dios de Israel con sus vanidades *o vanos dioses.*

**14.** Las demás cosas de Ela y todas sus acciones, ¿no están escritas en el Libro de los Anales de los Reyes de Israel?

**15.** El año veintisiete de Asa, rey de Judá, reinó Zambri por siete días en Tersa, estando el ejército *de Israel* sitiando a Gebbetón, ciudad de los Filisteos.

**16.** Pero habiéndose sabido que Zambri se había rebelado y muerto al rey, todo Israel alzó por rey suyo a Amri, que a la sazón se hallaba en el campamento mandando el ejército de Israel.

**17.** Marchó, pues, Amri y con él todo Israel a Gebbetón, y pusieron sitio a Tersa.

**18.** Y viendo Zambri que la ciudad iba a ser tomada, entró en el palacio, y se abrasó junto con la casa real, y murió

**19.** En sus pecados, *esto es, por los* que había cometido, viviendo mal en la presencia del Señor, y siguiendo las pisadas de Jeroboam, y el pecado *de idolatria* con que hizo pecar a Israel.

**20.** Las demás acciones de Zambri, y su conjuración y tiranía, ¿no está todo escrito en el Libro de los Diarios de los Reyes de Israel?

**21.** Entonces se dividió el pueblo de Israel en dos facciones: la mitad del pueblo seguía a Tebni, hijo de Ginet, con ánimo de alzarle rey; y la otra mitad a Amri.

**22.** Mas la gente que estaba a favor de Amri pudo más que el partido de Tebni, hijo de Ginet; y murió Tebni, y reinó Amri.

**23.** El año treinta y uno de Asa, rey de Judá, reinó Amri *solo y pacíficamente* sobre Israel por espacio de doce años: seis de ellos en Tersa.

**24.** Y compró el monte de Samaria a Semer por dos talentos de plata; y a la ciudad que en él fundó, dió el nombre de Samaria, del nombre de Semer, dueño del monte.

**25.** E hizo Amri el mal delante del Señor, y sobrepujó en la maldad a todos cuantos le habían precedido;

**26.** Y en todo imitó el proceder de Jeroboam, hijo de Nabat. y en sus pecados, con que hizo pecar a Israel, provocando la ira del Señor Dios de Israel con sus vanidades *o idolatrías.*

**27.** El resto de las acciones de Amri y las guerras que tuvo, ¿no está todo escrito en el Libro de los Anales de los Reyes de Israel?

**28.** Y pasó Amri a descansar con sus padres, y fué sepultado en Samaria, sucediéndole en el reino su hijo Acab.

**29.** El año treinta y ocho *del reinado* de Asa, rey de Judá, comenzó a reinar en Israel Acab, hijo de Amri. Reinó este Acab, hijo de Amri, sobre Israel, en Samaria, veintidós años.

**30.** E hizo Acab, hijo de Amri, más males en la presencia del Señor que todos sus predecesores.

**31.** Pues no se contentó con imitar los pecados de Jeroboam, hijo de Nabat, sino que además tomó por mujer a Jezabel, hija de Etbaal, rey de los Sidonios, por donde vino a servir a Baal y adorarlo.

**32.** Y erigió un altar a Baal en el templo que le había edificado en Samaria,

**33.** Y le plantó y consagró un bosque. Y prosiguió Acab en su mal obrar, irritando al Señor Dios de Israel, más que todos los reyes de Israel, sus predecesores.

**34.** En su tiempo Hiel, natural de Betel, reedificó a Jericó: cuando echó los cimientos, perdió a Abiram su primogénito; y cuando colocó las puertas, murió Segub, el último de sus hijos; conforme a lo que había predicho el Señor por boca de Josué, hijo de Nun.

## CAPITULO XVII

*Elías cierra el cielo durante tres años para que no llueva. Retirado en el desierto, provéenle los cuervos de alimento: se hospeda después en casa de la viuda de Sarefta, a cuyo hijo resucita.*

**1.** Mas Elías de Tesbe, habitante de Galaad, dijo a Acab: Vive el Señor Dios de Israel, de quien yo soy siervo, que no ha de caer rocío ni lluvia en estos años, sino hasta que yo lo dijere.

**2.** Y le habló el Señor, diciéndole:

**3.** Sal de aquí, y encamínate hacia el Oriente, y escóndete en el arroyo de Carit, que está en frente del Jordán.

**4.** Allí beberás del arroyo; y *ya he* mandado yo a los cuervos que te lleven allí de comer.

**5.** Fuése, pues, y ejecutó las órdenes del Señor; y retiróse junto al arroyo de Carit, que corre en frente del Jordán;

**6.** A donde los cuervos le llevaban pan y carne por la mañana, y asimismo pan y carne por la tarde; y bebía del arroyo.

**7.** Mas pasados algunos días, secóse el arroyo; porque faltaron las lluvias sobre la tierra.

**8.** Por tanto, hablóle el Señor y le dijo:

**9.** Anda y vete a Sarefta, *ciudad* de los Sidonios, y fija en ella tu morada; porque yo tengo allí dispuesto que una mujer viuda te sustente.

**10.** Partió, pues, y se fué a Sarefta, y al llegar a la puerta de la ciudad, encontrose con una mujer viuda que andaba recogiendo leña; y llamándola le dijo: Dame en un vaso un poco de agua para beber.

**11.** Yendo ella a traérsela, gritó tras de la mujer, diciéndole: Tráeme también, te ruego, un bocado de pan en tu mano.

**12.** Vive el Señor Dios tuyo, respondió ella, que pan yo no lo tengo; no tengo más que un puñado de harina en la orza, y un poco de aceite en la alcuza: he aquí que estoy tomando dos palitos *de leña* para ir a cocerla para mí y para mi hijo, y comérnosla; y después *de consumidos estos residuos* morirnos *de hambre.*

**13.** Díjole Elías: No temas: anda, ve y haz lo que has dicho; mas primero haz para mí de ese poquito de harina un panecillo, cocido debajo del recoldo, y tráemelo, que después lo harás para ti y para tu hijo.

**14.** Porque esto dice el Señor Dios de Israel: No vendrá menos la harina de la orza, ni menguará el aceite de la alcuza, hasta el día en que el Señor enviará lluvia sobre la tierra.

**15.** Fuése, pues, la mujer e hizo lo que Elías le había dicho; y comió Elías, ella y toda su casa. Desde aquel día

**16.** No faltó nunca harina en la orza, ni se disminuyó el aceite de la alcuza; según lo que había prometido el Señor por boca de Elías.

**17.** Sucedió después que enfermó el hijo de aquella mujer dueña de la casa, y la enfermedad era mortal: de suerte que quedó sin respiración ninguna.

**18.** Por lo cual dijo a Elías: ¿Qué te he hecho yo, oh varón de Dios? ¿Has entrado en mi casa para renovar la memoria de mis pecados, y *en castigo de ellos* hacer morir a mi hijo?

**19.** Respondióle Elías: Dame tu hijo. Y tomándole en su regazo, llevóle al aposento *de arriba*, donde estaba hospedado, y púsole sobre su cama.

**20.** Y clamó al Señor diciendo: ¡Oh Señor Dios mío! ¿aun a esta viuda, que me sustenta del modo que puede, la has afligido, quitando la vida a su hijo?

**21.** Después de esto se tendió, y encogióse sobre el niño por tres veces, y clamó al Señor diciendo: ¡Señor Dios mío! Ruégote que vuelva el alma de este niño a sus entrañas.

**22.** Oyó el Señor la súplica de Elías, y volvió el alma del niño a entrar en él, y resucitó.

**23.** Entonces Elías tomó el niño y bajóle de su aposento al cuarto bajo de la casa, y entregóselo a su madre diciéndole: Aquí tienes vivo a tu hijo.

**24.** Y dijo la mujer a Elías: Ahora acabo de reconocer en esto que tu eres un varón de Dios, y que verdaderamente la palabra de Dios está en tu boca.

## CAPITULO XVIII

*Elías se presenta a Acab. Prueba con un evidente testimonio del cielo que el Dios de Israel es el verdadero, y Baal dios falso: mata a todos los sacerdotes de este ídolo; y hace llover con abundancia.*

**1.** Mucho tiempo después habló el Señor a Elías en el tercer año *del hambre,* diciendo: Anda y preséntate a Acab; porque quiero enviar lluvias a la tierra.

**2.** Partió, pues, Elías a presentarse a Acab. Entre tanto el hambre era extrema en Samaria.

**3.** Y Acab llamó a Abdías, mayordomo de su palacio. (Era Abdías muy temeroso de Dios;

**4.** Pues cuando Jezabel hacía matar a los profetas del Señor, recogió él cien profetas, y escondiólos en cuevas, cincuenta en una cueva y cincuenta en otra; y proveyóles de pan y agua).

**5.** Dijo, pues, Acab a Abdías: Da una vuelta por el país hacia todas las fuentes y por todos los valles, para ver si podemos hallar yerba, y conservar la vida a los caballos y mulos, a fin de que no mueran todas las bestias.

**6.** Y se repartieron entre sí las provincias para recorrerlas. Acab iba por un camino y Abdías separadamente por otro.

**7.** Estando Abdías de camino, salióle al encuentro Elías; ante el cual, luego que lo cono-

ció, postróse sobre su rostro, diciendo: Mi señor, ¿eres tu Elías?

**8.** Y respondió este: Yo soy. Anda y di a tu amo: Aquí está Elías.

**9.** Replicó Abdías: ¿En qué he pecado yo, que me entregas a mi, siervo tuyo, en manos de Acab, para que me haga morir?

**10.** Vive el Señor Dios tuyo, que no hay gente en mi reino, a donde no haya enviado mi amo a buscarte; y habiendo respondido todos: No está aquí; él, visto que no parecias, ha conjurado uno por uno a los reinos y naciones *para que te prendan.*

**11.** Ahora bien, tu me dices a mí: Anda, y di a tu amo: Aquí está Elías.

**12.** Y sucederá que apenas me habré apartado de ti, el Espíritu del Señor te trasportará a donde yo no sepa; y despues que habré dado la noticia a Acab, no hallándote él, me quitará a mí la vida. Y *en verdad que* tu siervo teme al Señor desde su infancia.

**13.** ¿Por ventura, señor mío, no ha llegado a tu noticia lo que hice yo cuando Jezabel mataba a los profetas del Señor; cómo escondí a cien de estos profetas, cincuenta en una cueva y cincuenta en otra, proveyéndoles de pan y agua?

**14.** ¿Y después de eso me encargas ahora que vaya a decir a mi amo: Aquí está Elías, para que me haga matar?

**15.** Respondió Elías: Vive el Señor de los ejércitos, a quien yo sirvo, que hoy mismo me he de presentar a Acab.

**16.** Partió, pues, Abdías a encontrar a Acab; y dióle el recado. Salió Acab al encuentro de Elías,

**17.** Y así que lo vió le dijo: ¿Eres acaso tú el que traes alborotado a Israel?

**18.** A lo que respondió Elías: No he alborotado yo a Israel; sino tú y la casa de tu padre, que habéis despreciado los mandamientos del Señor, y seguido a los Baales *o falsos dioses.*

**19.** No obstante, manda ahora mismo juntar delante de mí a todo Israel en el monte Carmelo, y a los cuatrocientos y cincuenta profetas de Baal, y a los cuatrocientos profetas de los bosquetes, a quienes sustenta Jezabel.

**20.** Envió, pues, Acab a llamar a todos los hijos de Israel, y congregó a todos los profetas *de Baal* en el monte Carmelo.

**21.** Entonces Elías acercándose a todo el pueblo, dijo: ¿Hasta cuándo habeis de ser como los que cojean hacia dos lados? Si el Señor es Dios, seguidle; y si lo es Baal, seguid a Baal. Mas el pueblo no le respondió palabra.

---

**22.** En esto se ve la fe de la inmortalidad del alma.

**CAP. XVIII.** — 2. Con este nombre se entendía entonces todo el reino de las diez tribus cuya corte o capital era Samaria.

4 Profetas: esto es, hombres religiosos. I *Reg.* XIX, *v.* 20.

**22.** De nuevo dijo Elías al pueblo: He quedado yo solo de los profetas del Señor; cuando los profetas de Baal son en número de cuatrocientos y cincuenta personas.

**23.** *Con todo,* dénsenos dos bueyes; de los cuales escojan ellos uno, y haciéndolo pedazos, pónganlo sobre la leña, sin aplicarle fuego; que yo sacrificaré el otro buey, lo pondré sobre la leña, y tampoco le aplicaré fuego.

**24.** Invocad vosotros el nombre de vuestros dioses, y yo invocaré el nombre de mi Señor; y aquel Dios que mostrare oír, enviando el fuego, ése sea tenido por *el verdadero Dios.* Respondió todo el pueblo diciendo a una voz: Excelente proposicion.

**25.** Dijo, pues, Elías a los profetas de Baal: Escoged para vosotros el buey, y comenzad los primeros, ya que sois en mayor número, e invocad los nombres de vuestros dioses, sin poner fuego a *la leña.*

**26.** Ellos, tomando el buey que les fué dado, lo inmolaron, y no cesaban de invocar el nombre de Baal desde la mañana hasta el mediodía, diciendo: Baal, escúchanos. Pero no se oía voz, ni había quien respondiese; y saltando sobre el ara que había hecho, pasaban de una parte a otra.

**27.** Siendo ya el mediodía, burlábase Elías de ellos, diciendo: Gritad más recio; porque ese dios quizá está en conversación con alguno, o en alguna posada, o de viaje: tal vez está durmiendo, y así es menester despertarlo.

**28.** Gritaban, pues, ellos a grandes voces: y se sajaban, según su rito, con cuchillo y lancetas, hasta llenarse de sangre.

**29.** Mas pasado ya el mediodía, y mientras proseguían en sus invocaciones, llegó el tiempo en que suele ofrecerse el sacrificio, sin que se oyese ninguna voz, ni hubiese quien respondiera, ni atendiera a los que oraban.

**30.** Dijo *entonces* Elías a todo el pueblo: Acercaos a mí; y acercándose a él el pueblo, reparó el altar del Señor que había sido arruinado.

**31.** Tomó doce piedras, segun el número de las tribus, de los hijos de Jacob, a quien habló el Señor, diciendo: Israel será tu nombre.

**32.** Y con dichas piedras edificó el ara *o altar* en el nombre del Señor: e hizo alrededor del altar una reguera, como dos pequeños surcos,

**33.** Y acomodó la leña; y dividiendo el buey en trozos, púsolo sobre la leña.,

**34.** Y dijo: Llenad cuatro cántaros de agua, y vertedla sobre el holocausto y sobre la leña. Y dijo después: Hacedlo segunda vez. Y habiéndolo hecho segunda vez. añadió: Repetidlo aún por tercera vez. E hicieron lo mismo por tercera vez;

**35.** De suerte que corrían el agua alrededor del altar, y quedó la reguera llena de agua.

**36.** Siendo ya el tiempo de ofrecer el holocausto acercóse el profeta Elías, y dijo: ¡Oh Señor Dios de Abraham, y de Isaac, y de Israel! muestra hoy que tu eres el Dios de Israel, y que yo soy tu siervo, y que por tu mandato he hecho todas estas cosas.

**37.** ¡Oyeme, oh Señor! ¡escúchame! a fin de que sepa este pueblo que tú eres el Señor Dios, y que tú has convertido de nuevo sus corazones.

**38.** De repente bajó fuego del cielo, y devoró el holocausto, y la leña, y las piedras, y aun el polvo, consumiendo el agua que había en la reguera.

**39.** Visto lo cual por todo el pueblo, postráronse todos sobre sus rostros, diciendo: El Señor es el Dios, el Señor es el *Dios verdadeŕo.*

**40.** Entonces les dijo Elías: Prended a los profetas de Baal, y que no se escape ninguno de ellos. Presos que fueron, los mandó llevar Elías al arroyo de Cisón; y allí les hizo quitar la vida.

**41.** Dijo entonces Elías a Acab: Anda, come y bebe; porque ya oigo el ruido de una gran lluvia que viene.

**42.** Fué Acab a comer y beber; mas Elías se subió a la cima del Carmelo, donde arrodillado en tierra, y puesto su rostro entre las rodillas,

**43.** Dijo a su criado: Anda, ve y observa hacia el mar. Habiendo ido el criado y mirado, volvió diciendo: No hay nada. Replicóle Elias: Vuelve hasta siete veces.

**44.** Y a la séptima vez he aquí que subía del mar una nubecilla pequeña como la huella de un hombre. Y dijo Elías; Anda, y dí a Acab: Engancha el tiro a tu carruaje, y marcha luego, para que no te ataje la lluvia.

**45.** Y mientras se hacía esto, e iba de una parte a otra, se oscureció el cielo en un momento, y vinieron nubes y vientos y empezó a caer una gran lluvia. Así, pues, montando Acab en su coche, se fué a Jezrael.

**46.** Al punto la mano *o virtud* del Señor se hizo sentir sobre Elías, el cual recogiendo las faldas del vestido en su cintura, iba corriendo delante de Acab hasta que llegó a Jezrael.

# CAPITULO XIX

*Elías perseguido de muere por Jezabel, se retira al monte, donde es confortado y favorecido del Señor que le manda ungir dos reyes. Vocación de Eliseo.*

**1.** Contó Acab a Jezabel cuanto había hecho Elías, y cómo había pasado a cuchillo todos los profetas *de Baal,* sin dejar uno.

**2.** Y envió Jezabel a decir a Elías: Trátenme los dioses con todo su rigor, si mañana a estas horas no te hiciere pagar con tu vida la que quitaste a cada uno de aquellos profetas.

**3.** Oído esto, se atemorizó Elías, y se fué huyendo por donde le llevaba su imaginación. Al llegar a Bersabée de Judá, dejó alli su criado.

**4.** Y prosiguió su camino una jornada por el Desierto; y habiendo llegado allá, y sentádose debajo de un enebro pidió para su alma la separación del cuerpo, diciendo: Bástame ya, Señor, *de vivir:* llévate mi alma; pues no soy yo *de* mejor *condición* que mis padres.

**5.** Y tendiéndose en el suelo, quedóse dormido a la sombra del enebro: cuando he aquí que el Angel del Señor lo tocó y dijo: Levántate, y come.

**6.** Miró *atrás,* y vió a su cabecera un pan cocido al rescoldo y un vaso de agua: comió, pues, y bebió, y se volvió a dormir.

**7.** Mas el Angel del Señor volvió segunda vez a tocarle, y le dijo: Levántate, y come; porque te queda que andar un largo camino.

**8.** Levantándose Elías, comió y bebió: y confortado con aquella comida, caminó cuarenta días y cuarenta noches hasta llegar a Horeb, *o Sinaí,* monte de Dios.

**9.** Llegado allá hizo asiento en una cueva, y dirigiéndole el Señor la palabra, le dijo: ¿Qué haces ahí, Elías?

**10.** A lo que respondió él: Me abraso de celo por ti ¡oh Señor Dios de los ejércitos! porque los hijos de Israel han abandonado tu alianza, han destruído tus altares, han pasado a cuchillo tus profetas; he quedado yo solo, y me buscan para quitarme la vida.

**11.** Díjole el Señor: Sal fuera, y ponte sobre el monte en presencia del Señor; y he aquí que pasará el Señor, y delante de él correrá un viento fuerte e impetuoso, capaz de trastornar los montes y quebrantar las peñas: no está el Señor en el viento. Después del viento vendrá un temblor de tierra: tampoco está el Señor en el terremoto.

**12.** Tras el terremoto un fuego: no está el Señor en el fuego. Y tras el fuego el soplo de una aura *apacible y* suave.

**13.** Habiendo oído esto Elías, cubrió su rostro con el manto, y saliendo fuera, paróse a la puerta de la cueva, y de repente oye una voz que le dice: ¿Qué haces aquí Elías?

**14.** Abrasarme de celo, respondió él, por el Señor Dios de los ejércitos; porque los hijos de Israel han abandonado tu alianza, han derribado tus altares y pasado a cuchillo a tus profetas; he quedado solamente yo, y me buscan para quitarme la vida.

**15.** Díjole el Señor: Anda, y vuélvete por el mismo camino del Desierto hacia Damasco; llegado allá, ungirás a Hazael por rey de Siria.

**16.** Y a Jehú, hijo de Namsi, lo ungirás rey de Israel; y ungirás también a Eliseo, hijo de Safat, natural de Albelmeula, por profeta sucesor tuyo.

**17.** Y sucederá que el que escapare de la espada de Hazael, será muerto por Jehú; y el que se librare de la espada de Jehú, lo hará morir Eliseo.

**18.** Mas yo me reservaré en Israel siete mil varones que nunca doblaron su rodilla ante Baal, ninguno de los cuales ha besado su propia mano, y *extendídola después* en señal de adorarle.

**19.** Partido que hubo de allí Elias, halló a Eliseo, hijo de Safat, arando con doce yuntas de bueyes, y él era uno de los que araban con una de las doce yuntas; y Elías, así que llegó a él, le echó su manto encima.

**20.** Eliseo dejando al instante los bueyes fuese corriendo en pos de Elías, a quien dijo: Permíteme que vaya a dar el ósculo *de despedida* a mi padre y a mi madre, y luego te seguire. Respondióle: Anda, y vuelve, que lo que a mí me tocaba hacer contigo yo ya lo he hecho.

**21.** Apenas se hubo separado de él, y *despedido de sus padres,* tomó el par de bueyes, y degollólos, y con la madera del arado

---

CAP. XIX. — 17. Armado de celo contra mis enemigos.

cocíó sus carnes, y dióselas a la gente para que comiese; después de lo cual púsose en camino, y fué siguiendo a Elías, y le servía.

## CAPITULO XX

*Guerra contra Benadad, rey de Siria, y victorias milagrosas de Israel. Acab es gravemente reprendido por haber perdonado a Benadad, y hecho con él alianza.*

**1.** Después Benadad, rey de Siria, reunido todo su ejército, toda su caballería y carros *armados,* y teniendo consigo treinta y dos reyes, *o pequeños príncipes* salió a campaña contra Samaria, y le puso sitio.

**2.** Y envió mensajeros a la ciudad, que dijesen a Acab, rey de Israel:

**3.** Esto dice Benadad: Tu plata y tu oro es mío, y tus mujeres y sus gallardos hijos míos son.

**4.** A lo que contestó el rey de Israel: Tuyo soy yo, mi rey señor, como tu dices, y tuyas son todas mis cosas.

**5.** Volviendo de nuevo los mensajeros dijeron: Esto dice Benadad, que nos vuelve a enviar a ti: Me has de dar tu plata y tu oro, y tus mujeres, y tus hijos.

**6.** Mañana, pues. a esta misma hora enviaré a ti mis siervos, los cuales registrarán tu palacio y las cosas de tus criados *o cortesanos,* y tomarán con sus propias manos cuanto les agradare, y se lo llevarán.

**7.** Entonces el rey de Israel convocó a todos los ancianos de su pueblo. y dijo: Advertid y notad cómo nos está armando asechanzas puesto que envió a pedirme mis mujeres y mis hijos, y el oro y la plata, y no le he dicho que no.

**8.** Respondiéronle todos los ancianos y el pueblo todo: No le des oídos, ni condesciendas con él.

**9.** Y así contestó a los enviados de Benadad: Decid a mi señor el rey: Todo cuanto me pediste al principio a mí, siervo tuyo, lo haré: mas esto que ahora pides no puedo hacerlo.

**10.** Volviéndose los mensajeros, llevaron a Benadad esta respuesta; el cual despachólos nuevamente, diciendo *por medio de ellos a Acab:* Háganme los dioses no bien, sino mucho mal, si todo el polvo *o tierra* de Samaria ha de ser bastante para que repartido entre mis soldados le quepa a cada uno un puñado.

**11.** Mas el rey de Israel les respondió:

Decidle *a vuestro amo* que no cante la victoria antes de la batalla.

**12.** Cuando recibió Benadad esta respuesta estaba bebiendo con los reyes en sus pabellones, y dijo a sus tropas: Cercad la ciudad. Y la cercaron.

**13.** Cuando he aquí que un profeta presentándose a Acab, rey de Israel, le dijo: Esto dice el Señor: ¿Has visto bien toda esta multitud innumerable? Pues mira, hoy la pondré yo en tus manos, para que sepas que yo soy el Señor.

**14.** Respondió Acab. ¿Por medio de quién? Y díjole el profeta: Por medio, dice el Señor, de los mozos de a pie de los príncipes de las provincias. ¿Y quién, replicó Acab, comenzará la batalla? Tú, respondió el profeta.

**15.** Contó, pues, Acab los mozos de a pie de los príncipes y halló ser doscientos treinta y dos; pasó después revista del pueblo, y halló *aptos para pelear* siete mil entre todos los hijos de Israel.

**16.** Y a eso del medio día hicieron una salida. Mas Benadad estaba bebiendo en su tienda, ya embriagado, y con él los treinta y dos reyes *o señores* que habían venido a su socorro.

**17.** Salieron, pues, los mozos de los príncipes de las provincias al frente de la tropa. Envió Benadad batidores, los cuales volvieron diciendo: Son unos hombres que han salido de Samaria.

**18.** Y dijo Benadad: Ora venga para tratar de paz y *ganar treguas,* ora para pelear, tomadlos vivos.

**19.** Avanzaron, pues, los criados de los príncipes de las provincias, seguidos del resto del ejército;

**20.** Y cada uno de ellos mató al que se le puso delante; con lo que huyeron los Siros, y fué Israel persiguiéndolos. Huyó también Benadad, rey de Siria, a *uña* de caballo, con los de su caballería.

**21.** Y saliendo asimismo el rey de Israel, derrotó caballos y carros, haciendo un gran estrago en los Siros.

**22.** Entonces acercándose un profeta al rey de Israel, díjole: Anda y esfuérzate, y reflexiona y mira lo que has de hacer; porque el año que viene volverá contra ti el rey de Siria.

**23.** En efecto, los criados *o cortesanos* del rey de Siria le dijeron: Los dioses de los montes son sus dioses; por eso nos han vencido; así es mejor que peleemos contra ellos en los llanos, y los venceremos.

**24.** Tú, empero, toma estas disposiciones: separa de tu ejército a todos esos reyes, y pon en su lugar los primeros *y más valientes* capitanes.

**25.** Reemplaza el número de los soldados que han muerto, y la caballería, y los carros de guerra como tuviste antes, y pelearemos contra ellos en campo llano, y verás cómo los venceremos. Abrazó Benadad su dictamen, e hízolo así.

**26.** Pasado, pues, un año, hizo Benadad revista de los Siros, y salió a campaña y fué a Afec para pelear contra Israel.

**27.** Pasóse también revista de los hijos de Israel, los cuales prevenidos de víveres marcharon al encuentro de sus enemigos, y acamparon en frente de ellos, a manera de dos puequeños hatos de cabras; al paso que los Siros inundaron *todo* el país.

**28.** (Entonces un varón de Dios vino a encontrar al rey de Israel, y le dijo: Esto dice el Señor: Por cuanto han dicho los Siros: El Señor es Dios de los montes y no es Dios de los valles, por lo mismo yo entregaré en tu mano toda esa gran muchedumbre; con lo que acabareis de conocer que yo soy el Señor).

**29.** Entre tanto los dos ejércitos por espacio de siete días estuvieron formados en batalla uno en frente de otro, y al séptimo día se dió la acción; en la cual los hijos de Israel mataron de los Siros en un día cien mil hombres de infantería.

**30.** Los que pudieron salvarse, huyeron a la ciudad de Afec, y cayó el muro sobre veintisiete mil hombres que habían quedado. Huyendo también Benadad, entró en la ciudad; y escondióse en lo más retirado de su palacio.

**31.** Y dijéronle sus criados: Nosotros hemos oído decir que los reyes de la casa de Israel son clementes *y piadosos:* vistámonos, pues, de sacos con sogas al cuello, y presentémonos así al rey de Israel; que tal vez nos salvará las vidas.

**32.** Vistiéronse, pues, los sacos, ciñéndoselos en la cintura, y pusiéronse las sogas al cuello, y se presentaron al rey de Israel diciéndole: Benadad, tu siervo, dice: Sálvame, te ruego, la vida. A lo que respondió el rey: Si vive todavía, él es mi hermano.

**33.** Lo cual tuvieron ellos por feliz presagio; y al instante le tomaron la palabra de la boca, y dijeron: Sí, Benadad, tu hermano, *aún vive.* Y él les dijo: Id y traédmelo acá. Presentósele luego Benadad, y Acab le hizo subir en su carroza.

**34.** Díjole Benadad: Las ciudades que mi padre quitó al tuyo, yo las restituiré; y tú te harás plazas *y calles* en Damasco *mi capital,* como las hizo mi padre en Samaria, y hecho este convenio contigo, me marcharé. Hizo, pues, Acab alianza con él, y dejóle ir *libre.*

**35.** Entonces uno de los hijos o *discípulos* de los profetas dijo de parte del Señor a un compañero suyo: Hiéreme. Mas el otro no quiso herirle.

**36.** Y él le dijo: Por cuanto no ha querido obedecer la voz del Señor, lo mismo será apartarte de mí que te matará un león. En efecto, a pocos pasos distante de él, encontróle un león y lo mató.

**37.** Habiendo después hallado a otro hombre, le dijo: Hiéreme: y éste lo hirió e hizo una llaga.

**38.** Fuése así el profeta, y salió al encuentro del rey en el camino: habiendo desfigurado su fisonomía, llenándose de polvo la cara y los ojos.

**39.** Y así que hubo pasado el rey dió voces tras de él, diciendo: Habíase avanzado tu siervo para batir más de cerca al enemigo; y como hubiese huido un hombre *de los prisioneros,* otro me lo trajo, y díjome: Guarda a ese hombre; que si lo dejas escapar, tu vida responderá por la suya, o me pagarás un talento de plata.

**40.** Mas como yo agitado o *turbado* me volviese a un lado y a otro, el hombre desapareció de repente. Respondióle el rey: Tú mismo te has pronunciado la sentencia.

**41.** Entonces él limpióse de repente el polvo de la cara, y conoció el rey de Israel ser uno de los profetas.

**42.** El cual dijo al rey: Esto dice el Señor: Por cuanto has dejado escapar de tus manos un hombre digno de muerte, tu vida pagará por la suya, y tu pueblo por el pueblo suyo.

**43.** Mas el rey de Israel se volvió a su casa, no haciendo caso de lo que le decía el profeta, y entró lleno de furor en Samaria.

---

CAP. XX. — 30. Esto es, murieron al pie de las murallas arruinadas, y a los tiros de las máquinas de los Hebreos.

34. Es señal de sujecion en un rey el tener que señalar en su propia capital sitio para habitar los vasallos de otro rey, los cuales no le estén sujetos. y paguen tributo a su propio príncipe.

# CAPITULO XXI

*Nabot rehusa vender su viña al rey Acab. Jezabel hace matar a Nabot, y usurpa su viña. Predicción de Elías contra la casa de Acab.*

1. Después de estas cosas sucedió en aquel tiempo que Nabot, Jezralita, tenía en Jezrael una viña cerca del palacio de Acab, rey de Samaria.

2. Habló pues, Acab a Nabot, diciendo: Dame tu viña para hacerme una huerta, estando como está vecina y contigua a mi palacio, y en cambio de ella te daré otra viña mejor, o si te tiene más cuenta, su justo precio en dinero.

3. Respondióle Nabot: Dios me libre de darte yo la heredad de mis padres.

4. Fuése Acab a su casa indignado y bramando *de cólera* por la respuesta que le había dado Nabot, Jezraelita, diciendo: No te doy yo la heredad de mis padres. Y echándose sobre su cama, volvió su rostro hacia la pared, y no quiso comer nada.

5. Entró a verle Jezabel, su mujer, y díjole: ¿Qué es esto? ¿Qué motivo tienes para estar triste? ¿Y por qué no quieres comer?

6. Respondióle: He hablado a Nabot, Jezraelita, y le he dicho: Dame tu viña a dinero contante, o si quieres, yo te daré en cambio de ella otra viña mejor. A lo que me ha contestado: No te doy yo mi viña.

7. Entonces le dijo Jezabel, su mujer: ¡Vaya que es grande tu autoridad, y si que gobiernas bien el reino de Israel! Levántate y toma alimento, y sosiega tu ánimo, que yo te daré la vida de Nabot, Jezraelita.

8. A este fin escribió ella una carta en nombre de Acab, sellándola con el sello real; y envióla a los ancianos y a los principales de aquella ciudad, convecinos de Nabot.

9. La sustancia de la carta era ésta: Promulgad un ayuno, y haced sentar a Nabot entre los principales del pueblo,

10. Y sobornad a dos hombres hijos de Belial, que digan contra él este falso testimonio: Ha blasfemado contra Dios y contra el rey. Después sacadle fuera, y apedreadle hasta que muera.

11. Los ancianos y principales de la ciudad, conciudadanos de Nabot y que vivían con él, hiciéronlo puntualmente conforme había mandado Jezabel, y según el contenido de la carta que les había enviado.

12. Promulgaron el ayuno, y a Nabot lo hicieron sentar entre los primeros del pueblo.

13. Y habiendo introducido a dos hombres, hijos del diablo, los hicieron sentar enfrente de Nabot; los cuales, al fin como hombres diabólicos, atestiguaron contra él en presencia del pueblo, diciendo: Nabot ha blasfemado contra Dios y contra el rey. En vista de este testimonio sacáronlo fuera de la ciudad, y lo mataron a pedradas.

14. Enviaron luego a decir a Jezabel: Nabot ha sido apedreado y muerto.

15. Luego que supo Jezabel que Nabot había sido apedreado y muerto, dijo a Acab: Anda y toma posesión de la viña de Nabot, Jezraelita, que no quiso complacerte, y dártela por dinero contante; puesto que ya no vive Nabot, sino que ha muerto.

16. Así que oyó Acab la muerte de Nabot, se puso en camino, y bajaba a la viña de Nabot, Jezraelita, para tomar posesión de ella.

17. Mas el Señor habló a Elías, Tesbita, diciendo:

18. Marcha, y sal al encuentro de Acab, rey de Israel, que está en Samaria: Sábete que va a la viña de Nabot para tomar posesión de ella.

19. Pero tú le has de hablar en estos términos: Esto dice el Señor: Cometiste un homicidio, y tras de esto vas a usurpar *la viña del muerto*. A lo que añadirás después: He aquí lo que dice el Señor: En este lugar en que los perros lamieron la sangre de Nabot, en el mismo lamerán también tu sangre.

20. Díjole Acab: ¿Por ventura me tienes por enemigo tuyo, *para que así vaticines contra mi?* Sí que te tengo por tal, respondió Elías; porque te has prostituído a hacer la maldad delante del Señor.

21. He aquí que yo lloveré sobre ti desastres, y extirparé tu posteridad, y no dejaré de la casa de Acab alma viviente, matando hasta los perros y a todos los tuyos en Israel desde el mayor hasta el menor.

---

CAP. XXI. — 3. Y de violar con esto la Ley que lo prohibe. *Lev.* XXV. *v.* 23. La Ley prohibía la venta perpetua de las posesiones.

9. En señal de que hay que tratar un asunto de mucha gravedad, y de que necesitáis el auxilio de Dios. I *Esdr.* VIII, *v.* 21.

---

19. Acab se arrepintió; Y la predicción se cumplió en su hijo Joram por sus pecados. Cap. XXII, *v.* 38. — IV *Reg.* IX. *v.* 25. Pero no duró mucho la enmienda, y al fin murió infelizmente.

**22.** Yo asolaré tu casa como la de Jeroboam, hijo de Nabat, y como la de Baasa, hijo de Ahía: porque tú no has hecho sino provocarme a ira, y has hecho pecar a Israel.

**23.** E igualmente ha hablado el Señor contra Jezabel, diciendo: Los perros se comerán a Jezabel en el campo de Jezrael.

**24.** Si muriere Acab en la ciudad, se lo comerán los perros: si muriere en el campo, lo devorarán las aves del cielo.

**25.** (Lo cierto es que no hubo jamás otro tal como Acab; el cual se prostituyo *o se vendió* para obrar lo malo delante del Señor; porque lo instigó su mujer Jezabel,

**26.** E hízose abominable en tanto grado, que se iba tras los ídolos fabricados por los Amorreos, a los cuales había el Señor destruido al llegar los hijos de Israel).

**27.** Mas así que Acab oyó estas palabras, rasgó sus vestidos, cubrió su carne con un cilicio, ayunó, y durmió envuelto en el saco *de penitencia,* y andaba cabizbajo *o humillado.*

**28.** Por lo que habló el Señor a Elías, Tesbita, diciendo:

**29.** ¿No has visto cómo Acab se ha humillado delante de mi? Pues ya que por mi respeto se ha humillado, no enviaré aquellos castigos durante su vida, pero si los enviaré sobre su casa en los días de su hijo.

## CAPITULO XXII

*Guerra desgraciada de Israel y de Judá contra la Siria. Acab, que había hecho poner preso al profeta Miqueas, muere atravesado de una saeta: y le sucede el impío Ocozías. A Josafat, su hijo Joram.*

**1.** Tres años se pasaron sin guerra entre la Siria e Israel;

**2.** Pero al tercer año fué Josafat, rey de Judá a visitar al rey de Israel.

**3.** (Había dicho el rey de Israel a sus criados *o cortesanos:* ¿No sabéis que Ramot de Galaad es plaza nuestra, y *con todo* no cuidamos de recobrarla del poder del rey de Siria?)

**4.** Y dijo a Josafat: ¿Vendrás conmigo a la guerra contra Ramot de Galaad?

**5.** Respondió Josafat al rey de Israel: Somos los dos una misma cosa, y una misma cosa son tu pueblo y el mío, y tuya es mi caballería. Y añadió: Josafat al rey de Israel:

Consulta, te ruego, al Señor en este día, para que sepamos su voluntad.

**6.** Juntó, pues, el rey de Israel a sus profetas en número de cerca de cuatrocientos, y díjoles: ¿Debo emprender la guerra contra Ramot de Galaad, o estarme quieto? Empréndela, respondieron ellos; que el Señor entregará la, plaza en poder del rey.

**7.** Mas Josafat dijo: ¿No hay aquí algún profeta del Señor, a fin de consultar por medio de él?

**8.** Respondióle el rey de Israel: Uno ha quedado, por cuyo medio podemos consultar al Señor: mas yo lo aborrezco, porque nunca me profetiza cosa buena, sino mala: ese es Miqueas, hijo de Jemla. Replicó Josafat: Oh rey, no hables de esa manera.

**9.** Llamó, pues, al rey de Israel a un eunuco *o camarero,* y díjole: Anda, ve y trae luego acá a Miqueas, hijo de Jemla.

**10.** Estaban el rey de Israel y Josafat, rey de Judá, sentados cada uno en su trono, vestidos de traje real en la era *o plaza* contigua a la puerta de Samaria; y todos los profetas *falsos* profetizando delante de los dos.

**11.** Y Sedecías, hijo de Canaana, se había hecho fabricar unos cuernos de hierro, y dijo: Esto dice el Señor: Con estos aventarás la Siria, hasta que no dejes rastro de ella.

**12.** A este tenor los demás profetas profetizaban, diciendo: Sal a campaña contra Ramot de Galaad, ve en hora buena; que el Señor la entregará en manos del rey.

**13.** Al mismo tiempo el mensajero que había ido a llamar a Miqueas, lo previno, diciendo: Mira que todos los profetas están acordes en anunciar prósperos sucesos al rey; sea, pues, tu lenguaje semejante al suyo, y anuncia buenas nuevas.

**14.** Respondióle Miqueas: Vive el Señor, que no hablaré otra cosa que lo que el Señor me dijere.

**15.** Llegó, pues, delante del rey, el cual le preguntó: Miqueas, ¿debemos ir a hacer la guerra contra Ramot de Galaad, o estarnos quietos? Respondióle Miqueas: Anda, y ve en hora buena; que el Señor la entregará en manos del rey.

**16.** Replicóle el rey: Te conjuro una y mil veces en el nombre del Señor, que no me digas sino la verdad.

---

16. Irónicamente: aludiendo a la respuesta o anuncio del falso profeta.

**17.** Entonces dijo él: Yo vi a todo Israel dispersado por los montes, a semejanza de ovejas sin pastor: y dijo el Señor: Estos no tienen caudillo: vuélvase cada uno en paz a su casa.

**18.** Al oír esto el rey de Israel dijo a Josafat: ¿Por ventura no te lo dije, que éste jamás me profetiza cosa buena, sino siempre mala?

**19.** Pero Miqueas, *ratificándose,* añadió: Por tanto, oye la palabra del Señor: He visto al Señor sentado sobre su solio, y a toda la milicia celestial que estaba a su rededor a la derecha y a la izquierda.

**20.** Y dijo el Señor: ¿Quién engañará a Acab, rey de Israel, para que vaya y perezca en Ramot de Galaad? Sobre lo cual uno dijo una cosa, y otro otra.

**21.** Mas salió *del abismo* el espíritu *maligno,* y presentóse al Señor, diciendo: Yo lo engañaré *si me lo permites.* Preguntóle el Señor: ¿De qué manera?

**22.** Y él respondió: Saldré y seré un espíritu mentiroso en la boca de todos sus profetas. Y dijo el Señor: Lo engañarás, y lograrás tu intento: vete, y haz lo que dices.

**23.** Mira, pues, *concluyó Miqueas,* mira que el Señor ha puesto o *dejado entrar* el espíritu de mentira en la boca de todos tus profetas que están aquí; mientras que el *mismo* Señor tiene decretados contra ti desastres.

**24.** Acercóse entonces Sedecías, hijo de Canaana, y dió un bofetón a Miqueas, diciendo: ¿Con qué a mí me ha desamparado el Espíritu del Señor, y te ha hablado a ti?

**25.** Respondió Miqueas: Tú lo verás en aquel día, cuando irás huyendo de escondrijo en escondrijo. para ocultarte *y salvarte.*

**26.** Pero el rey de Israel dijo: Prended a Miqueas, y esté bajo la custodia de Amón, gobernador de la ciudad, y de Joás, hijo de Amelec;

**27.** A quienes diréis: Esto manda el rey: Meted a ese hombre en la cárcel, y alimentad-le con pan de dolor y agua de aflicción, hasta que yo vuelva victorioso.

**28.** A lo que dijo Miqueas: Si tu vuelves victorioso, el Señor no habló por mi boca. Y añadió: Pueblos todos, estad alerta, *y sedme testigos.*

**29.** Salió pues, el rey de Israel a campaña con Josafat, rey de Judá, contra Ramot de Galaad.

**30.** Y dijo el rey de Israel a Josafat: Toma tus armas y entra en batalla, vestido de tus ropas. Mas el rey de Israel mudó de traje, y entró *disfrazado* en la pelea.

**31.** Había mandado el rey de Siria a los treinta y dos comandantes de sus carros de guerra, diciendo: No pelearéis contra ninguno chico ni grande, sino contra solo el rey de Israel.

**32.** Como viesen, pues, los capitanes de los carros a Josafat, se figuraron que era el rey de Israel, y arrojándose encima, peleaban contra él. Josafat entonces dió voces *al Señor;*

**33.** Por donde conocieron los capitanes de los carros que no era el rey de Israel, y lo dejaron.

**34.** Mas un soldado flechó su arco, y disparando al aire, casualmente hirió al rey de Israel entre el pulmón y el estómago. Por lo que dijo el rey a su cochero: Toma la vuelta y sácame del combate, porque estoy gravemente herido.

**35.** Dióse, pues, la batalla en aquel día; y el rey de Israel, *aunque herido,* estaba en su carroza, vuelto de cara a los Siros. Pero murió por la tarde, habiendo corrido la sangre de la herida hasta el fondo de la carroza.

**36.** Y antes de ponerse el sol, un rey de armas o *pregonero* tocó la trompeta por todo el ejército avisando que cada uno se volviese a su ciudad y a su país.

**37.** Muerto, pues, el rey, fué conducido a Samaria, donde lo sepultaron.

**38.** Y lavaron su carroza y las riendas de los caballos en el estanque de Samaria; y los perros lamieron su sangre, conforme a la palabra que había el Señor pronunciado.

**39.** Las demás acciones de Acab, y todo cuanto hizo, y la casa de marfil que edificó, y todas las ciudades que fundó, todas estas cosas, ¿no están escritas en el Libro de los Anales de los Reyes de Israel?

**40.** Pasó finalmente Acab a descansar con sus padres, y sucedióle en el reino su hijo Ocozías.

---

21. Dios es representado aquí como un rey entre sus ministros y consejeros Y en esta especie de parábola es digno de observarse: primero, que no solamente Dios pero ni tampoco sus ministros, o espíritus celestiales, pueden servir para la falsedad o engaño, sino solamente el espíritu malo: segundo, que Dios conocía el engaño de que se serviría el demonio, pero lo permitía para castigo de Acab, y sin la permisión divina nada puede hacer el demonio (S. Ag. Quaest. XLIV, in Jud.): tercero que Dios queriendo castigar a aquel impío rey, permitió que consultase a los magos y les diese crédito.

**41.** Josafat, empero, hijo de Asa, había comenzado a reinar sobre Judá el año cuarto de Acab, rey de Israel.

**42.** Treinta y cinco años tenía cuando comenzó a reinar, y reinó veinticinco en Jerusalén. Llamábase su madre Azuba, hija de Salai.

**43.** Josafat siguió en todo los pasos de su padre Aza, sin desviarse jamás; haciendo lo que era recto delante del Señor.

**44.** Mas no quitó los lugares altos; pues todavía el pueblo sacrificaba y ofrecía incienso *a Dios* en las alturas.

**45.** Y el rey Josafat mantuvo la paz con el rey de Israel.

**46.** Las demás cosas de Josafat, y sus hechos y batallas, ¿no está todo esto escrito en el Libro de los Anales de los Reyes de Judá?

**47.** Además exterminó del país las reliquias de los afeminados, que habían quedado del tiempo de su padre Asa.

**48.** No había por entonces rey establecido en Idumea.

**49.** El rey Josafat había formado una flota para hacerla navegar a Ofir, y traer de allí oro; pero no pudo efectuarse, porque naufragaron las naves en Asiongaber.

**50.** Entonces Ocozías, hijo de Acab, dijo a Josafat: Vaya mi gente a navegar con la tuya; pero Josafat no quiso convenir en ello.

**51.** Al fin pasó a descansar Josafat con sus padres, y fué sepultado con ellos en la ciudad de su padre David; y sucedióle en el reino su hijo Joram.

**52.** Ocozías, hijo de Acab, había comenzado a reinar sobre Israel en Samaria el año décimo séptimo de Josafat, rey de Judá; y reinó sobre Israel dos años.

**53.** E hizo lo malo delante del Señor, y siguió el camino de su padre y de su madre, y las huellas de Jeroboam, hijo de Nabat, el cual indujo a pecar a Israel.

**54.** Sirvió también a Baal, y lo adoró, e irritó al Señor Dios de Israel, haciendo todo lo malo que había hecho su padre.

# LIBRO SEGUNDO DE LOS REYES

## CAPITULO PRIMERO

*Reinado de Ocozías. Elías le intima la muerte: y hace bajar fuego del cielo contra los que envía el rey para prenderle. Muere Ocozías, y sucédele en el trono Joram, su hermano.*

**1.** Después de la muerte de Acab rebeláronse los Moabitas contra Israel.

**2.** Sucedió también que Ocozías cayó desde la ventana de un aposento alto *del palacio* que tenía en Samaria, y enfermó de la caída. Y despachó unos mensajeros, diciéndoles: Id a consultar a Beelzebub, dios de Accarón, si podré convalecer de esta enfermedad.

**3.** Al mismo tiempo el Angel del Señor habló a Elías, Tesbita, diciendo: Marcha, y sal al encuentro de los mensajeros del rey de Samaria, y diles: Pues qué: ¿no hay Dios en Israel que vais a consultar al Beelzebub, dios de Accarón?

**4.** Por tanto, esto dice el Señor: De la cama en que te has acostado no te levantarás, sino que morirás infaliblemente. Dicho esto, marchóse Elías.

**5.** Y volviéronse los mensajeros a Ocozías. Al cual les dijo: ¿Por qué os habéis vuelto?

**6.** A lo que respondieron. Hemos encontrado un hombre, y nos ha dicho: Id y volved al rey que os ha enviado, y decidle: Esto dice el Señor: ¿Acaso no hay Dios en Israel, que envías a consultar a Beelzebub, dios de Accarón? Por lo mismo, pues, de la cama en que te acostaste no te levantarás, sino que morirás sin remedio.

**7.** Preguntóles el rey: ¿Qué figura y traje tiene ese hombre que os ha salido al encuentro, y dicho estas palabras?

**8.** Respondieron ellos: Es un hombre cubierto de pelo, y que va ceñido con un cinto de cuero. Dijo el rey: Ese es Elías, Tesbita.

**9.** Y destacó un capitán de cincuenta soldados, con los cincuenta que le estaban subordinados; el cual salió en busca de él; y hallándolo sentado en la cima del monte, le dijo: Varón de Dios, el rey ha mandado que bajes de ahí.

---

**44.** Aunque ya sólo debía hacerlo en Jerusalén.
**48.** La Idumea, sujetada por David se sustrajo del dominio de sus sucesores en tiempo de Joram, hijo de Josafat IV *Reg.* VIII, *v.* 6.

10. Elías en respuesta dijo al capitán de los cincuenta: Si yo soy varón de Dios, baje fuego del cielo, que te devore a ti y a tus cincuenta. Descendió, pues, fuego del cielo, y lo devoró a él y a los cincuenta soldados que consigo tenía.

11. Destacó nuevamente *Ocozías* contra él otro capitán de cincuenta hombres con sus cincuenta; el cual le dijo: Varón de Dios, el rey lo manda: baja presto.

12. Respondió Elías: Si yo soy varón de Dios, caiga fuego del cielo, y devórete a ti y a tus cincuenta. Bajó, pues, fuego del cielo, y lo devoró a él y a sus cincuenta.

13. Tercera vez destacó *Ocozías* otro capitán de cincuenta hombres con sus cincuenta; el cual luego que llegó, se hincó de rodillas en frente de Elías, y suplicóle diciendo: Varón de Dios, sálvame la vida, y salva también la de tus siervos que me acompañan.

14. Ya sé que ha bajado fuego del cielo, y devorado a los dos primeros capitanes de cincuenta hombres y a los cincuenta que cada uno mandaba. Mas ahora yo te suplico que te apiades de mí.

15. Entonces el Angel del Señor habló a Elías, diciendo: Desciende *y vete* con él, no temas. Levantóse, pues; y marchó con él a encontrar al rey,

16. Al cual dijo: Esto dice el Señor: Por cuanto enviaste mensajeros a consultar a Beelzebub, dios de Accarón, como si no hubiera Dios en Israel, a quien pudieras consultar: por esto de la cama en que te acostaste, no te levantarás; sino que morirás indefectiblemente.

17. Murió, pues, según la palabra del Señor, pronunciada por Elías; y como no tenía hijo ninguno, sucedióle en el trono su hermano Joram, en el año segundo de *el otro* Joram, hijo de Josafat, rey de Judá.

18. En orden a lo demás que hizo Ocozías, ¿no está todo escrito en el Libro de los Anales de los Reyes de Israel?

## CAPITULO II

*Elías es milagrosamente arrebatado del mundo. Hereda su espíritu Eliseo, el cual obra luego muchos milagros.*

1. Y sucedió que cuando el Señor quiso arrebatar al cielo a Elías en torbellino *de fuego,* venían Elías y Eliseo caminando de Gálgala.

2. Y dijo Elías a Eliseo: Quédate aquí, porque el Señor me envía a Betel. Al cual respondió Eliseo: Te juro por el Señor y por tu vida, que no te dejaré. Llegados que fueron a Betel,

3. Fueron los hijos o *discípulos* de los profetas que estaban allí a encontrar a Eliseo y dijéronle: ¿No sabes tú cómo hoy se te lleva el Señor a tu amo? Sí que lo sé, respondió él: callad.

4. Dijo *nuevamente* Elías a Eliseo: Quédate aquí, porque el Señor me envía hasta Jericó. Te juro por el Señor y por tu vida, le respondió. que no te dejaré. Así que llegaron a Jericó,

5. Acercándose a Eliseo los hijos de los profetas que moraban allí. y dijéronle: ¿No sabes tú que hoy el Señor se llevará a tu amo? Sí que lo sé, respondió él; pero callad.

6. Díjole otra vez Elías: Quédate aquí, porque el Señor me envía hasta el Jordán. Replicó Eliseo: Júrote por el Señor y por tu vida que no me apartaré de ti. Marcharon, pues, ambos a dos;

7. Y fuéronles siguiendo cincuenta de hijos de los profetas, los cuales se detuvieron a lo lejos en frente de ellos, mientras que los dos se pararon en la orilla del Jordán.

8. Entonces Elías se quitó el manto, y doblóle, e hirió *con él* las aguas, las cuales se dividieron a uno y otro lado, y pasaron los dos a pie enjuto.

9. Así que hubieron pasado, dijo Elías a Eliseo: Pide lo que quieras que yo haga por ti, antes que sea de ti separado. Y Eliseo dijo: Pido que sea duplicado en mí tu espíritu.

10. Contestó Elías: Cosa difícil es la que has pedido. No obstante, si tú me vieres al tiempo que sea arrebatado de tu lado, tendrás lo que has pedido; mas si no me vieres, no lo tendrás.

11.Así proseguían su camino andando y hablando entre sí, cuando he aquí que un carro de fuego, con caballos *también* de fuego separó *de repente* al uno del otro; y Elías subió al cielo en un torbellino.

---

CAP. PRIMERO. — 11. Habló también con tono insolente insultando así a Dios en la persona de su Profeta.

CAP. II. — 9. El don de profecía y el de los milagros.

11. La opinión de que Elías ha de venir al fin del mundo para preparar los caminos del Señor antes del día terrible del juicio, a fin de reunir los hijos con los padres, esto es, la Sinagoga con la Iglesia, para formar de todos un pueblo santo y perfecto, está apoyada en las Santas Escrituras. V. *Malach,* IV, *v.* 5.

**12.** Estaba Eliseo mirándolo, y gritaba: ¡Padre mío, Padre mío: carro *armado* de Israel, y conductor suyo! Y ya no lo volvió a ver más. Entonces asió sus vestidos, y rasgólos en dos partes *en señal de dolor.*

**13.** Recogió después el manto, que se le había caído a Elías, y volviéndose se paró en la ribera del Jordán;

**14.** Y con el manto que se le cayera a Elías hirió las aguas, las cuales no se dividieron. Por lo que dijo: ¿Dónde está ahora el Dios de Elías? Hirió *nuevamente* las aguas, y se dividieron a un lado y a otro; con lo que pasó Eliseo.

**15.** Así que vieron esto los hijos de los profetas, que habían venido de Jericó, y estaban en la orilla opuesta, dijeron: El espíritu de Elías ha reposado sobre Eliseo, y saliéndole al encuentro, le hicieron profunda reverencia postrados en tierra.

**16.** Y le dijeron: Aquí hay entre tus siervos cincuenta hombres robustos que pueden ir en busca de tu amo: no sea que el Espíritu del Señor lo haya arrebatado y arrojado sobre algún monte o en algún valle. Respondió Eliseo: No tenéis que enviarlos.

**17.** Tanto le importunaron que al cabo condescendió, y les dijo: *Pues bien,* enviadlos. Enviaron, pues, cincuenta hombres, que habiéndole buscado tres días, no lo hallaron.

**18.** Por lo que se volvieron a Eliseo, que moraba en Jericó, el cual les dijo: ¿No os respondí yo: No tenéis que enviarlos?

**19.** *Por este tiempo* dijeron también a Eliseo los vecinos de la ciudad: Bien ves que la situación de esta ciudad es bellísima; como tú mismo, señor, lo estás conociendo; pero las aguas son muy malas.

**20.** A lo que les contestó: Traedme una vasija nueva, y echad sal en ella. Habiéndola traído,

**21.** Se fué al manantial de las aguas, echó en él la sal, y dijo: Esto dice el Señor: Yo he hecho saludables estas aguas, y nunca más serán causa de muerte ni de esterilidad.

**22.** Desde entonces quedaron saludables las aguas hasta el día de hoy; conforme a la palabra pronunciada por Eliseo.

**23.** De aquí pasó a Betel, y cuando iba subiendo por el camino, salieron de la ciudad unos muchachuelos, y le motejaban, diciendo: ¡Sube, oh calvo; calvo, sube!

**24.** Elías volviéndose hacia ellos, los miró, y maldijo en nombre del Señor, y saliendo dos osos del bosque, despedazaron a cuarenta y dos de aquellos muchachos.

**25.** Partió en seguida Eliseo al monte Carmelo, desde donde se volvió a Samaria.

## CAPITULO III

*Reinado de Joram. Unense los reyes de Judá, de Israel, y de Edom contra el de Moab; y por la intercesión de Eliseo alcanzan sobre él la victoria. Evitando el rey de Moab la ruina de su ciudad, sacrificando a su primogénito.*

**1.** Joram, hijo de Acab, comenzó a reinar sobre Israel en Samaria el año décimo octavo de Josafat, rey de Judá; y reinó doce años.

**2.** E hizo el mal delante del Señor; mas no como su padre y madre; pues quitó las estatuas de Baal, que había hecho su padre.

**3.** No obstante imitó los pecados de Jeroboam, hijo de Nabat, que hizo pecar a Israel; ni se apartó de ellos.

**4.** Es de saber que Mesa, rey de Moab, criaba muchos ganados, y pagaba al rey de Israel cien mil corderos y cien mil carneros con sus vellones.

**5.** Pero muerto Acab, rompió la alianza que tenía con el rey de Israel.

**6.** Por esta causa el rey Joram salió entonces de Samaria, y pasó revista de todo Israel.

**7.** Y envió decir a Josafat, rey de Judá: El rey de Moab se me ha rebelado: ven conmigo a hacerle guerra. Respondió Josafat: Iré; lo que es mío, es tuyo; mi pueblo es pueblo tuyo, y mis caballos tuyos son.

**8.** Y añadió: ¿Qué camino tomaremos? A lo que respondió Joram: El camino del desierto de Idumea.

**9.** Marcharon, pues, el rey de Israel, el rey de Judá y el rey de Idumea, y anduvieron rodeando siete días de camino, y halláronse sin agua para el ejército, y para las bestias que llevaban detrás.

**10.** Dijo entonces el rey de Israel: ¡Ay, ay, ay de nosotros! El Señor nos ha juntado aquí tres reyes para entregarnos en poder de Moab.

---

CAP. II. — 12. Sobre Elías ver Sanda: "Elías und die religiösen Verhältinisse seiner Zeit" en: Biblis Zeitfr. VII, 1-2.

# Su Santidad el Papa Juan Pablo II

Nació el 18 de mayo de 1920 en Wadowice, sur de Polonia. Su familia estaba conformada por su padre Karol Wojtyla, un militar del ejército austrohúngaro, su madre, Emilia Kaczorowsky, una joven sileciana de origen lituano, y un hermano adolescente de nombre Edmund.

A los 9 años de edad recibió un duro golpe: el fallecimiento de su madre al dar a luz a una niña que murió antes de nacer. Años más tarde falleció su hermano y en 1941 perdió a su padre.

De joven, el futuro Pontífice mostró una gran inquietud por el teatro y las artes literarias polacas. Tanto que pensó seriamente en la posibilidad de continuar estudios de filología y lingüística polaca, pero un encuentro con el cardenal Sapieha durante una visita pastoral, le hizo considerar la posibilidad de seguir la vocación que tenía impresa –entonces aún sin develarse plenamente– en el corazón: el sacerdocio.

Al desatarse la Segunda Guerra Mundial los alemanes cerraron todas las universidades de Polonia con el objetivo de invadir no sólo el territorio sino también la cultura polaca. Karol Wojtyla y un grupo de jóvenes organizaron una universidad clandestina en donde él estudió filosofía, idiomas y literatura. Poco antes de decidir su ingreso al seminario, el joven Wojtyla tuvo que trabajar arduamente como obrero en una cantera. Según relata el Pontífice, esta experiencia le ayudó a conocer de cerca el cansancio físico, así como la sencillez, la sensatez y el fervor religioso de los trabajadores y los pobres.

En 1942 ingresó al Departamento de Teología de la Universidad Jaguelloniana. Durante estos años tuvo que vivir oculto, junto con otros seminaristas, bajo la protección del Cardenal de Cracovia.

El 1 de noviembre de 1946, a la edad de 26 años, Karol Wojtyla fue ordenado sacerdote en el Seminario Mayor de Cracovia y celebró su primera Misa en la Cripta de San Leonardo en la Catedral de Wavel. Al poco tiempo obtuvo la licenciatura de Teología en la Universidad Pontificia de Roma y más adelante se doctoró en Filosofía. Durante algún tiempo trabajó como profesor de ética en la Universidad Católica de Dublín y en la Universidad Estatal de Cracovia, donde interactuó con importantes representantes del pensamiento católico polaco, especialmente de la vertiente conocida como «tomismo lublinense».

El 23 de septiembre de 1958 fue consagrado Obispo Auxiliar del Administrador Apostólico de Cracovia, monseñor Baziak, convirtiéndose en el miembro más joven del Episcopado polaco. Participó activamente en el Concilio Vaticano II, especialmente en las comisiones responsables de elaborar la Constitución Dogmática sobre la Iglesia, *Lumen Gentium,* y la Constitución Conciliar *Gaudium et Spes.* Durante estos años, el entonces obispo Wojtyla combinaba la producción teológica con una intensa labor apostólica, especialmente entre los jóvenes, con quienes compartía tanto momentos de reflexión y oración como espacios de distracción y aventura al aire libre.

El 13 de enero de 1964 falleció monseñor Baziak, y monseñor Wojtyla ocupó la sede de Cracovia como titular. Dos años después, el Papa Pablo VI convirtió a Cracovia en Arquidiócesis. Durante su labor como Arzobispo, monseñor Wojtila se caracterizó por la integración de los laicos en las tareas pastorales, la promoción del apostolado juvenil y vocacional, la construcción de templos, la promoción humana y formación religiosa de los obreros y el aliento del pensamiento y las publicaciones católicas.

En mayo de 1967, a los 47 años de edad, el arzobispo Wojtyla fue nombrado cardenal por el Papa Pablo VI. En 1974 ordenó a 43 nuevos sacerdotes, en la ceremonia más numerosa desde que terminó la Segunda Guerra Mundial.

En 1978 murió Pablo VI y fue elegido nuevo Papa el cardenal Albino Luciani, de 65 años, quien tomó el nombre de Juan Pablo I. Conocido como el «Papa de la Sonrisa», falleció a los 33 días de su nombramiento. El 15 de octubre de 1978, luego de un nuevo cónclave, el cardenal polaco Karol Wojtyla fue elegido como sucesor de San Pedro, rompiendo con la tradición de más de 400 años de elegir Papas de origen italiano. El 22 de octubre de 1978 fue investido como Sumo Pontífice, bajo el nombre de Juan Pablo II.

# Advocaciones

*En cada lugar se venera una imagen; desde la aldea más pequeña hasta la gran ciudad tiene un santo o una virgen al cual acudimos los creyentes con especial devoción.*

## El Divino Niño Jesús

Cuentan que la devoción al Niño Jesús empezó en el Monte Carmelo, en Israel, pues a ese lugar cercano a Nazaret iba frecuentemente el Divino Niño acompañado de sus padres José y María y de sus abuelos, San Joaquín y Santa Ana, a pasear y a rezar. Los piadosos hombres que allí se reunían para orar le fueron tomando gran aprecio y cariño al amabilísimo niño.

Después de que el Divino Redentor subió al cielo, los religiosos que habitaban en el Monte Carmelo siguieron recordando con gran cariño su imagen infantil. Luego, cuando los carmelitas se extendieron por Europa, llevaron la devoción al Divino Niño por todas partes.

San Antonio de Padua, hacia 1200, y San Cayetano, hacia 1500, le tuvieron mucha devoción al Niño Jesús, y por eso en muchos cuadros se los representa llevando en sus brazos al Divino Niño. Pero quienes más contribuyeron a difundir la devoción al Niño Jesús fueron Santa Teresa de Jesús y San Juan de la Cruz. De Santa Teresa se narra que subiendo por una escalera hacia un corredor, le pareció ver al Niño Jesús que la saludaba muy amablemente. Desde entonces la santa llevó siempre en sus viajes una estatuilla del Divino Niño, y dispuso que en todas las casas de su comunidad hubiera una imagen del Niño Jesús. La santa gozaba componiendo y cantando villancicos al Niño de Belén. Le gustaba mucho éste:

*Véante mis ojos*
*Dulce Jesús bueno*
*Véante mis ojos*
*Muérame yo luego.*

San Juan de la Cruz, en una Navidad, emocionado ante una hermosa imagen del Niño Jesús, exclamó lleno de entusiasmo: "Mi dulce y tierno Jesús, si amores me han de matar, ahora tienen lugar".

Los padres y las hermanas de la orden del Carmelo, siguiendo el ejemplo de sus santos fundadores, Santa Teresa y San Juan de la Cruz, se han propuesto propagar donde quiera que lleguen la devoción al Niño Jesús.

En el año de 1636 Nuestro Señor le hizo a la Venerable Margarita del Santísimo Sacramento una promesa que se ha hecho muy famosa: *Todo lo que quieras pedir, pídemelo por los méritos de mi infancia, y tu oración será escuchada.*

### Súplica para tiempos difíciles

DIVINO NIÑO JESÚS:

*Tengo mil dificultades:*
*Ayúdame.*
*De los enemigos del alma:*
*Sálvame.*
*En mis desaciertos:*
*Ilumíname.*
*En mis dudas y penas:*
*Confórtame.*
*En mis soledades:*
*Acompáñame.*
*En mis enfermedades:*
*Fortaléceme.*
*Cuando me desprecien:*
*Anímame.*
*En las tentaciones:*
*Defiéndeme.*
*En las horas difíciles:*
*Consuélame.*
*Con tu corazón paternal:*
*Ámame.*
*Con tu inmenso poder:*
*Protégeme.*
*Y en tus brazos, al expirar:*
*Recíbeme.*
*Amén.*

**11.** Pero dijo Josafat: ¿No hay aquí algún profeta del Señor, para implorar por medio de él el socorro del Señor? A esto respondió uno de los criados del rey de Israel: Aquí está Eliseo hijo de Safat, que daba aguamanos, *o servía* a Elías.

**12.** Dijo Josafat: El Señor habla por su boca. Fueron, pues, a encontrarlo el rey de Israel, y Josafat, rey de Judá, y el rey de Idumea.

**13.** Mas Eliseo dijo al rey de Israel: ¿Qué tienes tú que ver conmigo? Anda, ve a los profetas de tu padre y de tu madre. Díjole el rey de Israel: ¿Por qué habrá juntado el Señor estos tres reyes para entregarlos en manos de Moab?

**14.** Vive el Señor de los ejércitos, en cuya presencia estoy, respondió Eliseo, que si no respetara la persona de Josafat, no te hubiera atendido, ni aun siquiera mirádote la cara.

**15.** Mas ahora traedme acá uno que taña el arpa. Y mientras éste cantaba al son del arpa, la virtud del Señor se hizo sentir sobre Eliseo, el cual dijo:

**16.** Esto dice el Señor: Cavad en la madre de este torrente, haciendo fosas y mas fosas;

**17.** Pues el Señor dice así: No veréis viento, ni lluvia, y la madre de este torrente se henchirá de aguas, y beberéis vosotros, y vuestras tropas, y vuestras bestias.

**18.** Y esto aún es lo de menos en los ojos del Señor; porque además entregará también a Moab en vuestras manos.

**19.** Y destruiréis todas las plazas fuertes, y todas las ciudades principales, y cebaréis todos los manantiales de aguas, y sembraréis de piedras todos los campos mas fertiles.

**20.** Con efecto, llegada la mañana, al tiempo que suele ofrecerse el sacrificio, ya las aguas venían corriendo por el camino de Edom; e inundóse de agua *todo* aquel terreno.

**21.** Al mismo tiempo los Moabitas, todos a una, oyendo que aquellos reyes habían salido a campaña contra ellos, convocaron a todos los hombres aptos para la guerra, y vinieron a esperarlos en las fronteras.

**22.** Y habiéndose levantado al apuntar el día, luego que los rayos del sol brillaron sobre las aguas, les parecieron éstas rojas como sangre.

**23.** Por lo cual dijeron: Sangre de batalla es; los reyes han peleado contra si, y se han acuchillado unos a otros; corre ahora, oh Moab, a recoger la presa.

**24.** En efecto, corrieron al campamento de Israel; mas los Israelitas, puestos sobre las armas, dieron contra los Moabitas, y los pusieron en fuga. Con esto fueron tras ellos los vencedores, y destrozaron a Moab;

**25.** Destruyeron sus ciudades; llenaron de piedras, que cada uno echaba, los campos más fértiles; cegaron todos los manantiales de las aguas, y cortaron todos los árboles frutales; de suerte que solamente quedaron los muros de ladrillo *o el castillo;* mas la ciudad fué cercada por los honderos, y en gran parte derribada.

**26.** Habiendo visto, pues, el rey de Moab que los enemigos prevalecian, tomó consigo setecientos hombres valerosos con espada en mano, para forzar el campo del rey de Idumea, *y escaparse;* pero no pudo lograr su intento.

**27.** Y arrebatando a su hijo primogénito, que debía sucederle en el reino, ofrecióle en holocausto sobre la muralla; cosa que causó grande horror a los Israelitas; y así al punto se retiraron de alli volviendo a sus casas.

## CAPITULO IV

*Eliseo multiplica el aceite de una pobre viuda: alcanza del Señor un hijo a una mujer de Sunam; le resucita.*

**1.** Vino a clamar a Eliseo la mujer de uno de los profetas, diciendo: Mi marido, siervo tuyo, ha muerto; y bien sabes que tu siervo era temeroso de Dios. Pero ahora viene su acreedor a llevarse mis dos hijos y hacerlos esclavos suyos.

**2.** Díjola Eliseo: ¿Qué quieres qué yo haga por ti? Dime: ¿qué tienes en tu casa? Ella respondió: No tiene tu esclava otra cosa en su casa, sino un poco de aceite para ungirse.

**3.** A la cual dijo: Anda y pide prestadas a todos tus vecinos vasijas vacias en abundancia.

**4.** Entra después en tu casa, y cierra la puerta, en estando dentro tú y tus hijos; y echa de aquel aceite en todas estas vasijas, y cuando estuvieren llenas las pondrás aparte.

**5.** Fuése pues, la mujer, y cerróse en casa con sus hijos; presentábanle éstos las vasijas, y ella las llenaba.

**6.** Llenas ya las vasijas, dijo a uno de los hijos: Tráeme todavía otra vasija. Y respondió él: No tengo más. Entonces cesó *de multiplicarse* el aceite.

**7.** Fué luego ella, y se lo contó todo al varón de Dios, el cual dijo: Anda, vende el aceite y paga a tu acreedor; y de lo restante sustentaos tú y tus hijos.

**8.** Pasaba un día Eliseo por *la ciudad de* Sunam, y habia en ella una señora de *gran* consideración, que lo detuvo a comer; y como pasase por alli frecuentemente, se detenía a comer en dicha casa.

**9.** Y dijo la señora a su marido: Advierto que este hombre que pasa con frecuencia por nuestra casa, es un varón santo de Dios.

**10.** Dispongamos, pues, para él un cuartito, y pongamos en él una cama, y una mesa, y una silla, y un candelero, para que cuando viniere a nuestra casa, se recoja en el.

**11.** En efecto, habiendo llegado cierto día, se apòsentó en este cuartido, y allí reposó.

**12.** Y dijo a su criado Giezi: Llama a esa Sunamitis. Llamóla Giezi; y ella se presentó a Eliseo,

**13.** El cual dijo a su criado: Dile *de mi parte:* Veo que nos has asistido en todo con mucho esmero. ¿Qué quieres que haga por ti? ¿Tienes algún negocio, sobre el cual pueda yo hablar al rey o al general del ejército? Respondió ella: Yo vivo *felizmente* en medio de mis gentes.

**14.** ¿Qué quiere, pues, replicó *Eliseo,* que haga yo por ella? Respondió Giezi: No hay que preguntárselo, supuesto que no tiene hijos, y que su marido es ya viejo.

**15.** En consecuencia mandó que la llamase *otra vez,* y venido que hubo, y parádose ante la puerta *por respeto al profeta,*

**16.** Le dijo Eliseo: *El año que viene,* en este tiempo y en esta misma hora, dándote Dios vida, llevarás un hijo en tus entrañas. A lo que respondió ella: No quieras, señor mío, no quieras por tu vida ¡oh varón de Dios!, engañar a tu sierva.

**17.** Mas en efecto. Ia mujer concibió y dió a luz un hijo al tiempo y a la hora misma señalada por Eliseo.

**18.** El niño fué creciendo: y habiendo salido un día para ir a encontrar a su padre, que estaba con los segadores,

**19.** Dijo a su padre: La cabeza me duele, me duele la cabeza. Dijo el padre a un criado: Tómalo y llévalo a su madre.

**20.** Habiéndolo este tomado y llevado a su madre, lo tuvo ella sobre sus rodillas hasta el medio día, en que murió.

**21.** Subió luego arriba, y púsole sobre la cama del varón de Dios, y cerró la puerta; y habiendo salido,

**22.** Llamó a su marido, a quien dijo: Despacha conmigo, te ruego, alguno de los criados y una borrica, para ir yo corriendo al varón de Dios, y volver *luego.*

**23.** Díjole él: ¿Por qué quieres ir a visitarlo? hoy no es día de calendas, ni de sábado. Mas ella respondió: Déjame ir.

**24.** Hizo, pues, aparejar la borrica, y dijo al criado: Arrea, y date prisa, no me hagas detener en el camino; y haz esto que te mando.

**25.** Partió, pues, y fué a encontrar al varón de Dios en el monte Carmelo; quien al verla venir hacia él, dijo a Giezi, su criado: Mira, aquella es la Sunamitis.

**26.** Sal a su encuentro, y dile: ¿Lo pasáis bien tú, tu marido y tu hijo? Bien, respondió ella.

**27.** Mas así que llegó al monte y a la presencia del varón de Dios, se echó a sus pies y acercándose Giezi para apartarla, díjole el varón de Dios: Déjala; porque su alma está llena de amargura, y el Señor me lo ha ocultado, y no me ha revelado nada de eso.

**28.** Dijo entonces ella: ¿Por ventura oh señor, te pedí yo un hijo? ¿No te dije que no me engañaras?

**29.** Y él dijo a Giezi: Pon haldas en cinta, y toma en tu mano mi báculo y marcha; si te encontrares con alguno, no *te pares* a saludarlo; si alguno te saludare, no *te detengas* a responderle; y pondrás mi báculo sobre el rostro del niño.

**30.** Sin embargo, la madre del niño dijo *a Eliseo:* Júrote por el Señor y por tu vida que no me iré sin ti. Con esto se puso Eliseo en camino, y la fué siguiendo.

**31.** Entre tanto Giezi había ido delante de ellos, y puesto el báculo sobre la cara del niño, el cual ni hablaba ni sentía. Y así volvió en busca de Eliseo, y dióle parte, diciendo: El niño no ha resucitado.

**32.** Entró, pues, Eliseo en la casa, y halló al niño muerto, y tendido sobre su cama.

**33.** Entrado que hubo, cerróse dentro con el niño, e hizo oración al Señor.

**34.** Subió después *sobre la cama,* y echóse sobre el niño, poniendo su boca sobre la boca de él, y sus ojos sobre los ojos, y sus manos sobre las manos; y encorvado así sobre el niño, la carne del niño entró en calor.

**35.** Tras esto, levantándose dió dos vueltas por la habitación, y subió otra vez y recostóse sobre el niño. Entonces el niño bostezó siete veces, y abrió los ojos.

**36.** Y llamó a Giezi y díjole: Avisa a esa Sunamitis. Vino ella y se presentó a Eliseo, el cual la dijo: Toma a tu hijo.

**37.** Acercóse ella, y arrojóse a sus pies, y lo veneró postrándose hasta el suelo; y tomando a su hijo, se salió.

**38.** Y Eliseo se volvió a Gálgala. Había por aquel tiempo hambre en el país; y los hijos de los profetas habitaban en su compañía. Por lo que dijo a uno de sus sirvientes: Pon una olla grande, y cuece un potaje para los hijos de los profetas.

**39.** En esto, uno de ellos salió al campo a tomar yerbas silvestres, y halló una como parra *o vid silvestre,* de que tomó unas tueras, cuantas pudo llevar en la falda de su vestido, y así que volvió las hizo rajas, y las echó en la olla del potaje, sin saber qué cosa era.

**40.** Sirviéronselas, pues, a los compañeros para que comiesen; mas luego que probaron aquel potaje, gritaron diciendo: La muerte está en esta olla, ¡oh varón de Dios! y no pudieron atravesar bocado.

**41.** Mas él: Traedme, dijo, harina; y así que se la trajeron, la echó en la olla, y dijo: Ve repartiendo *potaje* a la gente para que coma; y no hubo más rastro de amargura en la olla.

**42.** Vino a la sazón un hombre de Baalsalisa, que traía para el varón de Dios panes de primicias, veinte panes de cebada, y *espigas de* trigo nuevo en su alforja. Y dijo Eliseo *a su criado:* Dáselo a la gente para que coma.

**43.** A lo que respondió el criado: ¿Qué es todo eso para ponerlo delante de cien personas? Replicó Eliseo nuevamente: Dáselo a la gente para que coma; porque esto dice el Señor: Comerán, y sobrará.

**44.** Finalmente lo puso delante de la gen-

te, y comieron todos, y sobró, según la palabra del Señor.

## CAPITULO V

*Cura Eliseo la lepra a Naamán Siro; la cual contrae Giezi, por haber recibido presentes de Naamán.*

**1.** Naamán, general de los ejércitos del rey de Siria era un hombre de gran consideración y estima para con su amo; pues por su medio había el Señor salvado la Siria; y era un varón esforzado y rico, pero leproso.

**2.** Habían salido de Siria guerrillas, y cautivado en tierra de Israel a una doncellita, que entró después a servir a la mujer de Naamán,

**3.** La cual dijo a su señora: ¡Ah si mi amo fuera a verse con el profeta que está en Samaria! Sin duda curaría de la lepra.

**4.** Oído que hubo esto Naamán, entró a ver a su señor, y dióle parte, diciendo: Esto y esto ha dicho una doncella de tierra de Israel.

**5.** El rey de Siria le respondió: Anda en hora buena; que yo escribiré al rey de Israel.

Partió, pues, llevando consigo diez talentos de plata, con seis mil monedas de oro y diez mudas de vestidos;

**6.** Y entregó la carta al rey de Israel, escrita en estos términos: Por esta carta que recibirás, sabrás que te he enviado a Naamán, mi criado, para que lo cures de su lepra.

**7.** Leído que hubo la carta del rey de Israel, rasgó sus vestidos, y dijo: ¿Soy yo por ventura Dios, que puede quitar y dar la vida, para que éste me envíe a decir que yo cure a un hombre de la lepra? Reparad, y veréis cómo anda buscando pretextos contra mí.

**8.** Lo que habiendo llegado a noticia de Eliseo, varón de Dios, esto es, que había el rey de Israel rasgado sus vestidos, envió a decirle: ¿Por qué has rasgado tus vestidos? Que venga ese hombre a mí, y sabrá que hay profeta en Israel.

**9.** Partió, pues, Naamán con sus caballos y carrozas, y paróse a la puerta de la casa de Eliseo.

**10.** Y envióle a decir Eliseo por tercera persona: Anda y lávate siete veces en el Jordán, y tu carne recobrará la sanidad, y quedarás limpio.

---

**39.** *Tueras: o coloquíntidas. Coloquinta* es una planta que se parece a la del *pepino:* su fruto es del tamaño y figura de una naranja: blanco y suave por dentro pero de un gusto tan amargo que por eso se llama *hiel de tierra.* — *Calmet.*

**40.** O veneno mortal hay en esta olla.

---

CAP. V. — 2. *Guerrilla* o partidas de tropa ligera II *Reg.* III. *v.* 22.

**11.** Indignado Naamán, se retiraba diciendo: Yo pensaba que él hubiera salido *luego* a recibirme, y que, puesto en pie, invocaría el nombre del Señor Dios suyo, y tocaría con su mano el lugar de la lepra, y me curaría.

**12.** Pues qué, ¿no son mejores el Abana y el Farfar, ríos de Damasco, que todas las aguas de Israel, para lavarme en ellos y limpiarme? Como volviese, pues, las espaldas, y se retirase enojado,

**13.** Se llegaron a él sus criados, y le dijeron: Padre, *señor,* aun cuando el profeta te hubiese ordenado una cosa dificultosa, claro está que debieras hacerla; ¿pues cuánto más ahora que te ha dicho: Lávate, y quedarás limpio?

**14.** Fué, pues, y lavóse siete veces en el Jordán, conforme a la orden del varón de Dios, y volvióse su carne como la carne de un niño tierno, y quedó limpio.

**15.** Volviendo en seguida con toda su comitiva al varón de Dios, se presentó delante de él, diciendo: Verdaderamente conozco que no hay otro Dios en todo el universo, sino sólo el de Israel. Ruégote pues, que admitas este presente de tu siervo.

**16.** Mas él respondió: Vive el Señor *Dios,* ante cuya presencia estoy, que no lo recibiré. Y por más instancias que le hizo, de ningún modo quiso condescender.

**17.** Al fin dijo Naamán: Sea como tú quieres; pero te suplico que me permitas a mí, siervo tuyo, el llevarme la porción de tierra que cargan dos mulos; porque ya no sacrificará tu siervo de aquí adelante holocaustos ni víctimas a dioses ajenos, sino sólo al Señor.

**18.** Mas una cosa hay solamente por la que has de rogar al Señor a favor de tu siervo y es que cuando entrare mi amo en el templo de Remmón para adorarlo apoyándose sobre mi mano, si yo me inclino en el templo de Remmón, *para sostenerlo* al tiempo de hacer él su adoración en el mismo lugar, el Señor me perdone a mí, siervo tuyo, este ademán.

**19.** Respondióle Eliseo: Vete en paz.

Partió, pues, Naamán; y era entonces la mejor estacion del año.

**20.** Giezi, empero, sirviente del varon de Dios, dijo: Mi amo ha andado muy comedido con este Naamán de Siria, no queriendo aceptar nada de lo que le ha traído. Vive Dios que he de ir corriendo a alcanzarlo y sacar de él alguna cosa.

**21.** Echó ,pues, a correr en seguimiento de Naamán; el cual viéndolo venir corriendo hacia sí, saltó luego del coche a su encuentro, y dijo: ¿Va todo bien?

**22.** Bien, contesto Giezi. *Pero* mi amo me envía a decirte: Acaban de llegar dos jóvenes de la montaña de Efraím, de los hijos de los profetas; dame para ellos un talento de plata y dos mudas de vestidos.

**23.** Dijo Naamán: Mejor es que tomes dos talentos; y lo obligó a tomarlos: *y poniendo* y atando en dos talegos los dos talentos de plata y las dos mudas de vestidos, hizo que dos de sus siervos cargaran con ellos, y que los llevasen yendo delante de Giezi.

**24.** Llegado que hubo, ya al anochecer, tomólos de sus manos, y los guardó en su casa, y despachó los hombres, los cuales se marcharon.

**25.** Entró después, y púsose delante de su amo Eliseo: el cual le preguntó: ¿De dónde vienes, Giezi? Y él respondió: No ha ido tu siervo a ninguna parte.

**26.** Mas Eliseo replicó: Pues qué, ¿no estaba yo presente en espíritu cuando aquel hombre saltó de su coche para-ir a tu encuentro? Ahora bien, tú has recibido dinero, y has recibido ropas para comprar olivares, y viñas, y ovejas, y bueyes, y esclavos y esclavas.

**27.** Pero también la lepra de Naamán se te pegará a ti y a tu descendencia para siempre En efecto, salió Giezi de su presencia cubierto de lepra *blanca* como nieve.

## CAPITULO VI

*Nuevos prodigios del profeta Eliseo: Benadad, rey de Siria, sitia a Samaria, la reduce a un hanbre terrible: Joram, rey de Israel, manda matar a Eliseo; pero no se efectúa su orden.*

**1.** Dijeron los híjos o *discípulos* de los profetas a Eliseo: Bien ves que el lugar donde habitamos en tu compañía es para nosotros angosto.

**2.** Vamos hasta el Jordán, y tome cada cual de nosotros maderas del bosque para edificarnos allí un lugar en que habitar. Respondió Eliseo: Id *en hora buena.*

**3.** Ven, pues, díjole uno de ellos, tú también con tus siervos. Y contestó él: Iré.

**4.** Fuése, pues, con ellos, y habiendo llegado al Jordán, se pusieron a cortar maderas.

---

15. Luc. 4, 27.

5. Y acaeció que mientras uno derribaba un árbol, se le cayó en el agua el hierro del hacha, y exclamó diciendo *a Eliseo:* ¡Ay! ¡ay de mí, señor mío! ¡ay! que esta hacha la había tomado prestada!

6. Y dijo el varón de Dios: ¿Dónde ha caído? Y señalóle él el lugar. Cortó, pues, Eliseo un palo, y arrojólo allí; y salió nadando el hierro.

7. Y díjole: Tómalo: y alargó la mano, y lo tomó.

8. Hacía el rey de Siria la guerra a Israel; y tenido consejo con sus criados *o palaciegos,* dijo: Pongamos emboscadas en tal y tal lugar.

9. Mas el varón de Dios envió a decir al rey de Israel: Guárdate de pasar por tal lugar, porque los Siros están allí emboscados.

10. Por lo cual el rey de Israel destacó gente a aquel puesto, indicado por el varon de Dios, y ocupólo de antemano y se resguardó allí repetidas veces.

11. Turbó este suceso el ánimo del rey de Siria; y habiendo convocado a sus criados *u oficiales,* dijo: ¿Por qué no me descubrís quién es el que me hace traición para con el rey de Israel?

12. A lo que uno de sus criados *u oficiales,* respondió: No es nada·de eso, ¡oh rey y señor mío! sino que el profeta Eliseo, que está en Israel, manifiesta al rey de Israel todo cuanto secreto hablas en lo más retirado de tu gabinete.

13. Dijo él entonces: Id y averiguad dónde se halla, para enviar yo a prenderlo. Diéronle *luego aviso,* diciendo que estaba en Dotán.

14. Con esta noticia destacó allá caballos y carros de guerra, y las mejores tropas de su ejército; los cuales llegando de noche, cercaron la ciudad.

15. Y al apuntar el día, habiéndose levantado el criado del varón de Dios, y salido fuera, vió el ejército alrededor de la ciudad con los caballos y carros, y fué a dar aviso a su amo, diciendo: ¡Ay! ¡ay, señor mío! ¡ay! ¿qué es lo que haremos?

16. Mas él respondió: No tienes que temer: porque tenemos mucha más gente nosotros que ellos.

17. Y Eliseo, después de haber hecho oración, dijo: Señor, ábrele los ojos a éste para que vea; y abrió el Señor los ojos del criado, y miró, y vió el monte lleno de caballos, y de carros de fuego, que rodeaban a Eliseo.

18. En esto se acercaban hacia él los enemigos; y Eliseo hizo oración al Señor, diciendo: Ciega, te suplico, a esta gente. Y el Señor los

cegó *o deslumbró,* para que no viesen conforme lo había pedido Eliseo.

19. Entonces Eliseo, *llegándose a ellos,* les dijo: No es éste el camino, ni ésta es la ciudad: seguidme a mí, que yo os enseñaré el hombre que buscáis. Dicho ésto los condujo a Samaria;

20. Y entrado que hubieron en Samaria, dijo Eliseo: Señor, abre los ojos a éstos, para que vean. Y abrióles el Señor los ojos, y reconocieron que estaban en medio de Samaria.

21. Así que los vió el rey de Israel, dijo a Eliseo: ¿Padre mío, los haré morir?

22. Mas él respondió: No, *de ningún modo* les quitarás la vida; pues no los has hecho prisioneros con tu espada, ni con tu arco, para poder privarlos de la vida; antes bien, preséntales pan y agua, para que coman y beban, y se vuelvan a su señor.

23. Pusiéronles, pues, comida en grande abundancia, y comieron y bebieron; y dióles *el rey* libertad, y volvieron a su señor. *Desde entonces* no volvieron más las guerrillas *o partidas ligeras* de Siria a hacer correrías en las tierras de Israel.

24. *Algún tiempo* después de estos sucesos, Benadad, rey de Siria, juntó todas sus tropas, y fué a sitiar a Samaria.

25. Y padeció Samaria una grande hambre; y duró tanto el sitio, que llegó a venderse la cabeza de un asno en ochenta monedas de plata, y un cuartillo de un cabo de palomina, en cinco monedas de plata.

26. Y pasando el rey de Israel por la muralla, clamó a él una mujer, diciendo: ¡Sálvame, *socórreme,* oh rey, mi señor!

27. El cual respondió: No te salva el Señor, ¿cómo puedo yo salvarte? ¿Tengo acaso trigo en los trojes, ni vino en las bodegas? ¿Qué es lo que quieres? añadió el rey. Ella respondió:

28. Esta mujer me dijo: Da tu hijo para que comamos hoy; que mañana comeremos el mío.

29. Cocimos, pues, mi hijo, y nos lo comimos. Al día siguiente, le dije yo: Da tu hijo· para· que nos lo comamos; mas ella lo ha escondido.

30. Oído esto, el rey rasgó sus vestidos, y prosiguió andando por la muralla; y vió todo el pueblo el cilicio *o saco* que llevaba vestido a raíz de sus carnes.

31. Dijo entonces el rey: Tráteme Dios con todo el rigor de su justicia si la cabeza de Eliseo, hijo de Safat; quedare hoy sobre sus hombros.

**32.** Estaba a la sazón Eliseo sentado en su casa, y estaban con él los ancianos o *senadores*. Despachó, pues, el rey un hombre para que fuera a *cortarle la cabeza, y* antes que llegase este enviado, dijo Eliseo a los ancianos. ¿No sabéis que ese hijo del homicida *Acab* ha enviado a cortarme la cabeza? Tened, pues, cuidado cuando llegare el enviado *o ejecutor* de tener cerrada la puerta y de no dejarlo entrar; porque ya estoy oyendo las pisadas de su señor que viene tras de él.

**33.** Aún estaba hablando con ellos cuando compareció el enviado que venía a él; y dijo: Tú ves cuántos males nos envía Dios: ¿qué tengo ya que esperar del Señor?

## CAPITULO VII

*Eliseo predice para el día siguiente abundancia de granos en Samaria, y se verifica; abandonan los Sirios el sitio.*

**1.** Y respondió a eso Eliseo: Oíd la palabra del Señor: He aquí lo que el Señor dice: Mañana a estas horas el modio de flor de harina se venderá por un siclo, y un siclo costarán dos modios de cebada en la puerta de Samaria.

**2.** Uno de los capitanes, que servía de bracero al rey, respondió al varón de Dios, y dijo: Aunque el Señor hiciese compuertas en el cielo, y *lloviese trigo,* ¿podrá nunca suceder lo que tú dices? Contestóle Eliseo: Veráslo con tus ojos; mas no comerás de ello.

**3.** Había cuatro hombres leprosos cerca de la entrada de la puerta *de la ciu*dad, los cuales se dijeron unos a otros: ¿Para qué queremos estar aquí hasta morir?

**4.** Si tratamos de entrar en la ciudad, moriremos de hambre: si nos quedamos aquí, moriremos *también*; vamos, pues, y pasémonos al campamento de los Sirios; si tuvieron compasión de nosotros, viviremos; que si nos quisieren matar, de cualquier modo también habríamos de morirnos acá.

**5.** Con esto al anochecer se pusieron en camino para pasar al campamento de los Sirios; y llegados que fueron en la entrada del campo de los Sirios, no hallaron allí a nadie.

**6.** Porque el Señor había hecho resonar en los reales de los Sirios estruendo de carros *falcados y* de caballos, y de un numerosísimo ejército; con lo que se dijeron unos a otros: Sin duda el rey de Israel ha asalariado contra nosotros a los reyes de los Heteos y de los Egipcios, y se han echado sobre nosotros.

**7.** Por esto escaparon de noche, abandonando sus tiendas, y caballos y asnos en el campamento; pensando solamente en salvar sus vidas con la fuga.

**8.** Luego, pues, que aquellos leprosos hubieron llegado a la entrada del campamento, entraron en una tienda, y comieron y bebieron, y sacaron de ella plata y oro, y vestidos, y fueron a esconderlo. Volvieron después, y entraron en otra tienda, y escondieron también lo que de allí pillaron.

**9.** Pero, dijéronse unos a otros: No obramos bien, pues este día es día de albricias; si nosotros callamos, y no damos aviso hasta la mañana, se nos hará de esto un crimen. Ea, pues, vamos, y llevemos la nueva al palacio del rey.

**10.** Venidos a la puerta de la ciudad, dieron la noticia diciendo: Hemos ido al campamento de los Sirios, y no hemos hallado allí a nadie, sino sólo los caballos y los asnos atados, y las tiendas que están todavía en pie.

**11.** Fueron, pues, los guardias de la puerta, y avisaron la novedad a los de dentro del palacio del rey;

**12.** El cual se levantó, siendo aún de noche, y dijo a sus criados: Yo os diré lo que han hecho con nosotros los Sirios: saben que nos morimos de hambre, y por eso se han salido del campamento, y están escondidos por los campos, diciendo: Cuando salgan de la ciudad, los tomaremos vivos, y entonces podremos entrar en ella.

**13.** Mas uno de sus criados le respondió: tomemos los cinco caballos que han quedado en la ciudad (ya que sólo éstos restan de todos los que había en Israel, por haber sido consumidos los otros), y enviemos a hacer con ellos la descubierta.

**14.** Trajeron, pues, dos caballos, y envió el rey dos hombres al campamento de los Sirios, diciendo: Id y observad lo que hay.

**15.** Los cuales marcharon, y fueron siguiendo *a los Sirios* hasta el Jordán, y vieron como todo el camino estaba lleno de vestidos y de muebles, que los Sirios habían arrojado con la precipitación de la huída; y volviéndose los enviados, dieron parte al rey.

**16.** Entonces el pueblo salió, y saqueó los reales de los Sirios: y de resultas un modio de flor de harina valió un siclo, y un siclo dos modios de cabada; conforme a la palabra del Señor.

17. Había puesto el rey a la puerta *de la ciudad* aquel capitán que le servía de bracero: al cual atropelló el gentío a la entrada de la puerta, y murió conforme a lo que había predicho el varón de Dios, cuando fué el rey a buscarlo.

18. Con esto se cumplió la palabra del varón de Dios que había predicho al rey: Mañana a estas horas dos modios de cebada se venderán por un siclo, y por un siclo un modio de flor de harina, en la puerta de Samaria;

19. En la cual ocasión replicó aquel capitán al varón de Dios, diciendo: Aunque Dios abra las compuertas del cielo *para llover trigo*, ¿podrá verificarse nunca lo que tú dices? y le respondió Eliseo: Lo verás con tus ojos; mas no comerás de ello.

20. Así le aconteció, como le estaba predicho, pues lo atropelló el pueblo a la puerta, y quedó muerto.

## CAPITULO VIII

*Después de un hambre de siete años, vuelve la Sunamitis a su casa y recobra los bienes. Vaticina Eliseo la muerte de Benadad, y que Hazael sería rey de Siria. Reinados de Joram, rey de Judá, y de su hijo Ocozías, los cuales siguen las impiedades de sus antecesores.*

1. Habló Eliseo a la mujer *Sunamitis,* cuyo hijo había resucitado, y le dijo: Márchate con tu familia, y vete fuera de tu país a habitar donde te parezca mejor; porque Dios ha llamado el hambre, y ella se apoderará de la tierra *de Israel* por siete años.

2. Hizo, pues, la mujer lo que le dijo el varón de Dios, y salió con su familia fuera de su país, y permaneció largo tiempo en tierra de Filisteos.

3. Terminados los siete años, regresó la mujer del país de los Filisteos, y acudió al rey para que se le restituyesen su casa y sus heredades.

4. Estaba entonces el rey hablando con Giezi, criado del varón de Dios, y decíale: Cuéntame todas las maravillas que ha hecho Eliseo;

5. Y mientras él estaba contando al rey cómo había resucitado a un muerto, compareció la mujer, a cuyo hijo había resucitado, reclamando ante el rey su casa y sus heredades. Y dijo Giezi: Esta es, oh rey mi señor, aquella mujer, y éste su hijo, a quien resucitó Eliseo.

6. Y preguntóle el rey a la mujer, la cual se lo contó. Inmediatamente el rey envió con ello un eunuco *o ministro,* a quien dijo: Haz que se le restituya todo lo que le pertenece, y todos los réditos de sus heredades, desde el día que salió de su tierra hasta el presente.

7. Vino asimismo Eliseo a Damasco, a tiempo que Benadad, rey de Siria, estaba enfermo; y avisáronselo a éste, diciendo: El varón de Dios ha llegado aquí.

8. Y dijo el rey a Hazael: Toma contigo unos regalos, y sal a encontrar al varón de Dios, y consulta por su medio al Señor, preguntando: ¿Si podré escapar de esta mi enfermedad?

9. Fué, pues, Hazael a encontrarlo, llevando consigo presentes de todas las cosas más preciosas de Damasco en cuarenta camellos cargados, y al llegar a su presencia, dijo: Tu hijo Benadad, rey de Siria, me ha enviado a ti para saber si podrá él sanar de su enfermedad.

10. Respondióle Eliseo: Ve, y dile: Tu enfermedad no es mortal, pero el Señor me ha hecho conocer que él ha de morir sin remedio.

11. Y estuvo el varón de Dios *un rato* parado con él, y se conturbó hasta demudar su semblante, y echóse a llorar.

12. Díjole entonces Hazael: ¿Por qué llora mi señor? Porque sé, respondió, los males que has de hacer a los hijos de Israel. Tú entregarás a las llamas sus ciudades fuertes, y pasarás a cuchillo sus jóvenes, y estrellarás *contra el suelo* sus niños, y abrirás el vientre de las mujeres en cinta.

13. Replicó Hazael: Pues qué, ¿soy yo siervo tuyo, otra cosa más que un perro *muerto,* para que pueda ejecutar cosas tan grandes y *terribles?* A lo que respondió Eliseo: El Señor me ha manifestado que tú serás el rey de Siria.

14. Habiéndose separado Hazael de Eliseo, volvió a su amo, el cual le preguntó: ¿Qué te ha dicho Eliseo? Respondió él: Díjome que recobrarías la salud.

15. Llegado el día siguiente tomó *Hazael* un paño acolchado; empapólo en agua, y extendióle sobre el rostro del rey; el cual murió, y reinó Hazael en su lugar.

16. Al quinto año, de Joram, hijo de Acab, rey de Israel, y de Josafat, rey de Judá, entró a reinar Joram, hijo de Josafat, rey de Judá.

17. Treinta y dos años tenía cuando empezó a reinar, y ocho años reinó en Jerusalén.

18. Y siguió los pasos de los reyes de Israel, como los había seguido la casa de Acab; porque una hija de Acab era su mujer, y obró el mal en presencia del Señor.

**19.** Mas el Señor no quiso exterminar a Judá por amor de su siervo David, según la promesa que le había hecho de conservarle a él y a sus hijos perpetuamente una lámpara ardiente.

**20.** En su tiempo se rebeló la Idumea contra Judá, y eligióse un rey propio.

**21.** Por lo que Joram marchó contra Seira con todos sus carros de guerra y asaltó de noche y desbarató a los Idumeos que lo habian cercado, y a los comandantes de los carros de guerra; mas el pueblo huyó a sus estancias.

**22.** Sin embargo, la Idumea sacudió el yugo de Judá hasta hoy día. En aquel mismo tiempo, se rebeló también Lobna.

**23.** Las otras cosas de Joram y todo cuanto hizo, ¿no es así que se halla todo escrito en el Libro de los Anales de los Reyes de Judá?

**24.** En fin, Joram durmió con sus padres, y fué con ellos sepultado en la ciudad de David; y le sucedió en el reino su hijo Ocozías.

**25.** El año duodécimo de Joram, hijo de Acab, rey de Israel, entró a reinar Ocozías, hijo de Joram, rey de Judá.

**26.** Hallábase Ocozías en la edad de veintidós años cuando comenzó a reinar, y reinó un año en Jerusalén: llamábase su madre Atalía, hijo de *Acab, que lo era de* Amri, rey de Israel.

**27.** Y siguió los mismos pasos que la casa de Acab, y obró el mal en la presencia del Señor, a imitación de la casa de Acab; como quien era yerno de éste.

**28.** Asocióse con Joram, hijo de Acab, para hacer la guerra contra Hazael, rey de Siria en Ramot de Galaad; e hirieron los Sirios a Joram,

**29.** El cual se volvió a Jezrael a curarse de las heridas que le habían hecho los Sirios en el sitio de Ramot cuando peleaba contra Hazael, rey de Siria. Y Ocozías, hijo de Joram, rey de Judá, pasó a Jezrael a visitar a Joram, hijo de Acab, porque estaba allí enfermo.

## CAPITULO IX

*Eliseo envía un profeta a ungir a Jehú por rey de Israel. Fin desdichado de Joram, de Ocozías y de Jezabel, a la cual comen los perros, según Elias había vaticinado.*

**1.** Por este tiempo el profeta Eliseo llamó a uno de los hijos de los profetas, y le dijo: Recoge tus faldas y cíñete, y toma esta redomita de óleo en tu mano, y ve a Ramot de Galaad.

**2.** Llegado allá irás a verte con Jehú, hijo de Josafat, hijo de Namsi, y luego que entres le llamarás aparte de sus hermanos, y le meterás en un aposento retirado.

**3.** Y tomando la redomita de óleo, la derramarás sobre su cabeza, diciendo: Esto dice el Señor: Yo te he ungido rey sobre Israel. Dicho ésto, abrirás la puerta, y huirás sin detenerte allí.

**4.** Marchó, pues, este joven, ministro del profeta, a Ramot de Galaat,

**5.** Y entrando en el lugar de la ciudad donde estaban sentados los príncipes del ejército, dijo: Una palabra tengo que decirte ¡oh príncipe! Preguntó Jehú: ¿A quién de todos nosotros? Y respondió él; A ti ¡oh príncipe!

**6.** Al punto se levantó, y entró en su aposento, y el otro derramó el óleo sobre su cabeza, diciendo: Esto dice el Señor Dios de Israel: Yo te he ungido rey del pueblo mío de Israel.

**7.** Y exterminarás la casa de Acab, tu señor, y yo tomaré venganza de la sangre de mis siervos, los profetas, y de la sangre de todos los siervos del Señor, derramada por Jezabel:

**8.** Y extirparé toda la familia de Acab, y mataré de la casa de Acab hasta los perros; desde lo más estimado hasta lo más *vil* y desechado en Israel:

**9.** Y trataré a la casa de Acab como a la casa de Jeroboam, hijo de Nabat, y como a la casa de Baasa, hijo de Ahía:

**10.** Y a Jezabel la comerán los perros en el campo de Jezrael, sin que haya quien la entierre. Dicho esto, abrió la puerta, y echó a correr.

**11.** Mas Jehú salió a donde estaban los oficiales de su señor; los cuales le preguntaron: ¿Va todo bien? ¿A qué ha venido a ti ese mentecato? Respondióles Jehú: Vosotros conocéis a ese hombre, y lo que puede haber dicho.

**12.** No es verdad, replicaron ellos; pero sea lo que fuere, cuéntanoslo. Jehú les dijo: Tal y tal cosa es lo que me ha dicho; y ha añadido: Esto dice el Señor: Yo te he ungido rey de Israel.

**13.** Levantáronse entonces a toda prisa, y tomando cada uno su propio manto, pusiéronle debajo de los pies de Jehú en forma de tribunal; y a son de trompetas lo proclamaron, diciendo: Jehú es *nuestro* rey.

**14.** Por tanto se conjuró Jehú, hijo de Josafat, hijo de Namsi, contra Joram; después que éste con todo Israel tenía sitiada la plaza de Ramot de Galaad contra Hazael, rey de Siria,

**15.** Y se había retirado a Jezrael para curarse de las heridas que los Sirios le habían hecho en el combate contra Hazael, rey de Siria. Dijo entonces Jehú: Si os parece, nadie salga ni huya de la ciudad, para que no vaya a dar la noticia en Jezrael.

**16.** Partió luego él, y tomó el camino de Jezrael, donde estaba enfermo Jorám; a quien Ocozías, rey de Judá, había ido a visitar.

**17.** En efecto, el atalaya que estaba sobre la torre de Jezrael, vió la comitiva de Jehú, que venía caminando, y dijo: Allá veo un pelotón de gente. Y dijo Joram *a uno de los circunstantes:* Toma un carro, y despacha alguno que les salga al encuentro; y el que vaya pregunte: ¿Va todo bien?

**18.** Con esto el que montó en el carro fué corriendo al encuentro de Jehú, y díjole: Esto dice el rey: ¿Está todo en paz? Respondió Jehú: ¿Qué te importa a ti de la paz, *o de la guerra?* Ponte atrás, y sígueme. Al instante el atalaya dió aviso, diciendo: Llegó a ellos el mensajero, y no vuelve.

**19.** Por lo que despachó *Jorám* un segundo carro de caballos, y así que llegó *el correo* a *Jehú,* dijo: Esto dice el rey: ¿Tenemos paz? Mas Jehú respondió: ¿Qué te importa a ti si hay paz? Ponte atrás, y sígueme.

**20.** Luego avisó el atalaya, diciendo: Ha llegado hasta ellos, y no vuelve; y el modo de andar del que viene se parece al de Jehú, hijo de Namsi, pues camina con *atropellamiento* y precipitación.

**21.** Entonces dijo Joram: Pon el coche. Pusiéronle el coche, y salió Joram rey de Israel, en compañía de Ocozías rey de Judá, cada cual en su coche, y fueron al encuentro de Jehú, y halláronle en el campo de Nabot, Jezraelita.

**22.** Apenas vió Joram a Jehú, dijo: ¿Tenemos, paz, Jehú?, ¿Qué paz *puede haber,* le respondió, mientras permanecen aún en su vigor las fornicaciones *o idolatría* de tu madre Jezabel, y sus muchas hechicerías?

**23.** Al punto Joram volvió las riendas, y echó a huír, diciendo a Ocozías: ¡Traición, Ocozias!

**24.** Pero Jehú flechó su arco, y atravesó a Joram por las espaldas; de suerte que la saeta le pasó de parte a parte el corazón, y de repente cayó muerto en su coche.

**25.** Y Jehú dijo al capitán Badacer: Tómalo, y arrójalo en el campo de Nabot, Jezraelita; porque me acuerdo que cuando tú y yo sentados en el carro de guerra íbamos siguiendo a Acab, padre de éste, el Señor pronunció esta *terrible* sentencia contra él, diciendo:

**26.** Yo juro, dice el Señor, que en este campo tomaré venganza en ti, de la sangre de Nabot y de la sangre de sus hijos, que *te* vi ayer derramar. Tómalo, pues, y arrójalo en el campo, conforme a la palabra del Señor.

**27.** Al ver esto Ocozías, rey de Judá, echó a huír por el camino de la casa del huerto. Y corrió Jehú tras de él, diciendo: Matad también a éste dentro de su coche. Y lo hirieron en la cuesta de Gaver junto a Jeblaam, y siguió huyendo hasta Mageddo, donde murió.

**28.** Y pusiéronlo sus criados dentro de su coche, y lleváronlo a Jerusalén, y lo sepultaron en la ciudad de David en el sepulcro de sus padres.

**29.** Ocozías había comenzado a reinar sobre Judá el año undécimo de Joram, hijo de Acab.

**30.** Entró, pues, Jehú en Jezrael: Jezabel empero, informada de su llegada, se pintó los ojos con antimonita, y adornóse la cabeza, y púsose en una ventana a mirar.

**31.** Cómo entraba Jehú por la puerta *de la ciudad, y* dijo: ¿Es posible que pueda tener paz o *prosperidad* éste *que, como* Zambri, ha muerto a su señor?

**32.** Alzó Jehú la cabeza hacia la ventana, y preguntó: ¿Quién es ésa? Y dos o tres eunucos hicieron a Jehú una profunda reverencia.

**33.** A los cuales dijo él: Arrojadla de ahí abajo. Arrojáronla, y quedó la pared salpicada con su sangre; y holláronla con sus pies los caballos.

**34.** Y después que Jehú entró *en el palacio* para comer y beber, dijo a sus gentes: Id a ver aquella maldita, y dadle sepultura; que al fin es hija de un rey.

**35.** Y habiendo ido para darle sepultura, no hallaron sino la calavera, y los pies, y las extremidades de las manos.

**36.** Volviendo a Jehú con la noticia, dijo éste: Esto es aquello mismo que pronunció el Señor por medio de su siervo Elías, Tesbita, cuando dijo: En el campo de Jezrael comerán los perros las carnes de Jezabel;

**37.** Y estarán las carnes *o huesos* de Jezabel en el campo de Jezrael, como está el estiércol sobre la haz de la tierra; de suerte que los pasajeros dirán: ¡Y ésta es aquella Jezabel!

## CAPITULO X

*Acaba Jehú con el linaje de Acab y con los
sacerdotes de Baal, cuyo templo destruye:
Con todo eso persevera en la idolatria
ocasionando muchos males a Israel.
Sucédele en el trono su hijo Joacaz.*

1. Quedaban de Acab setenta hijos en
Samaria. En consecuencia escribió Jehú una
carta, y envióla a Samaria a los magnates de
la ciudad, y a los ancianos, y a los ayos de
los hijos de Acab. Decía en ella:

2. Luego que recibáis esta carta los que
tenéis a vuestra disposición los hijos de
vuestro señor, y los carros de guerra, y los
caballos, y las ciudades fuertes, y las armas,

3. Elegid el mejor y que más os agradare
de los hijos de vuestro señor, y colocadlo
sobre el trono de su padre, y combatid por
la casa de vuestro señor.

4. Intimidáronse ellos sobremanera, y dijeron: No han podido dos reyes hacerle
frente: ¿cómo podrémos resistirle nosotros?

5. Enviaron, pues, los mayordomos de
palacio y magistrados de la ciudad, y los
ancianos y los ayos a decir a Jehú: Vasallos
tuyos somos, haremos cuanto mandares; ni
pensamos en elegir rey sobre nosotros; haz
todo lo que bien te pareciere.

6. Mas él les volvió a escribir segunda
carta, en la cual les decía: Si sois de los
míos, y me prestáis obediencia, tomad las
cabezas de los hijos de vuestro señor, y
venid a veros conmigo mañana a estas horas en Jezrael. Eran los hijos del rey en
número de setenta; los cuales se criaban en
las casas de los magnates de aquella ciudad.

7. Luego que recibieron esta carta, tomaron a los setenta hijos del rey y los mataron; y metieron sus cabezas en unas canas-
tas, y se las remitieron a Jezrael.

8. Llegó, pues, un mensajero, y dió a
Jehú el aviso, diciendo: Han traído las cabezas de los hijos del rey. A lo que respondió Jehú: Ponedles en dos montones a la
entrada de la puerta hasta la mañana.

9. Y luego que amaneció, salió él, y puesto en pie dijo a todo el pueblo: Vosotros
*que* sois justos, *decidme: Si yo* he conspirado contra mi señor, y le he quitado la vida,
¿quién ha degollado a todos éstos?

10. Por tanto considerad ahora cómo no
ha caído en tierra una sola palabra de las
que habló el Señor contra la casa de Acab,
y cómo ha ejecutado el Señor lo que predijo por medio de Elías, su siervo.

11. Hizo, pues, matar Jehú a cuantos habían quedado de la familia de Acab en
Jezrael, y a todos sus magnates, y familiares, y sacerdotes, sin dejar ninguno con vida.

12. De aqui partió para Samaria, y al llegar a la casa del Esquileo que está junto al
camino,

13. Se encontró con *los hijos de* los hermanos de Ocozías, rey de Judá, y preguntóles: ¿Quiénes sois vosotros? Los cuales
respondieron: Somos hermanos de
Ocozías; y venimos a saludar a los hijos del
rey y a los hijos de la reina.

14. Dijo Jehú: Prendedlos vivos. Presos
que fueron vivos, los degollaron junto a
una cisterna vecina a la casa del Esquileo,
en número de cuarenta y dos hombres, sin
perdonar a ninguno.

15. Pasando adelante halló a Jonadab, hijo de Recab, que le salía al encuentro; y
Jehú lo saludó, y dijo: ¿Es tu corazón recto
*y propenso* hacia mi, como lo es mi corazón
hacia el tuyo? Sí, por cierto, respondió
Jonadab. Si lo es, replicó Jehú, dame tu mano. Y él le dió la mano. E hízole Jehú subir
en su coche,

16. Diciéndole: Ven conmigo, y verás mi
celo por el Señor. Y así que lo tuvo en el
coche,

17. Llevólo a Samaria, donde acabó de
matar a cuantos habían quedado allí *de la
casa* de Acab, sin dejar uno siquiera; conforme a la palabra del Señor pronunciada
por Elías.

18. Juntó también Jehú todo el pueblo, y
le dijo: Acab tributó algún culto a Baal; pero yo se lo tributaré mayor.

19. Ahora, pues, convocadme a todos los
profetas de Baal, y a sus adoradores todos,
y a todos sus sacerdotes; ninguno deje de
venir, porque voy a hacer un sacrificio
grandioso a Baal, todo aquel que faltare,
morirá. Mas Jehú trazaba astutamente todo
esto para acabar con todos los adoradores
de Baal.

20. Y así es que dijo: Promulgad una
fiesta solemne a Baal. Y echó un bando,

21. Y lo hizo publicar en todos los términos de Israel. Con esto acudieron todos
los ministros de Baal; no quedó ni uno siquiera que no asistiese. Y entraron en el
templo de Baal, y llenóse la casa de Baal de
cabo a cabo.

**22.** Dijo también a los que tenían el cargo de las vestiduras: Sacad vestiduras para todos los ministros de Baal. Y sacáronles las vestiduras.

**23.** Después de esto, entrando Jehú con Jonadab, hijo de Recab, en el templo de Baal, dijo a los adoradores de Baal: Registrad bien, y mirad que no haya con vosotros ninguno de los siervos del Señor, sino solos los siervos de Baal.

**24.** Entraron pues, para ofrecer las víctimas y holocaustos. Mas Jehú tenía dispuestos afuera ochenta hombres, a quienes había dicho: Cualquiera que dejare escapar algunos de estos hombres que yo entrego en vuestras manos, pagará con su vida la vida del que escapare.

**25.** Concluído que fué el holocausto, dijo Jehú a sus soldados y capitanes: Entrad dentro, y matadlos; que ninguno escape. Y los soldados y capitanes los pasaron a cuchillo, arrojando fuera los cadáveres. De aquí marcharon a la ciudad del templo de Baal,

**26.** Y sacaron fuera del templo la estatua de Baal, y la quemaron y redujeron a cenizas.

**27.** Destruyeron asimismo el templo de Baal, e hicieron en su lugar letrinas que permanecen hasta hoy día.

**28.** Así Jehú exterminó *del país* de Israel a Baal.

**29.** Mas con todo esto no se apartó de los pecados de Jeroboam, hijo de Nabat, que hizo pecar a Israel, ni abandonó los becerros de oro que subsis-tían en Betel y en Dan.

**30.** Por lo demás el Señor dijo a Jehú: Por cuanto has ejecutado con celo lo que era justo y agradable a mis ojos, y cumplido todo lo que tenía resuelto en mi corazón contra la casa de Acab, tus hijos hasta la cuarta generación, ocuparán el trono de Israel.

**31.** Empero Jehú no tuvo cuidado de caminar con todo su corazón por la ley del Señor Dios de Israel; puesto que no se apartó de los pecados de Jeroboam, el cual había hecho pecar a Israel.

**32.** En aquellos días comenzó el Señor a indignarse contra Israel; y así Hazael lo derrotó, y devastó en todos sus confines,

**33.** Desde el Jordán hacia el Oriente *arruinando* toda la tierra de Galaad, de Gad, y de Rubén, y de Manasés: desde Aroer,

situada junto al torrente de Arnón, hasta Galaad y Basán.

**34.** Las otras cosas de Jehú, y todo cuanto hizo, y sus proezas de valor, ¿acaso no están ya escritas en el Libro de los Anales de los Reyes de Israel?

**35.** Al fin durmió Jehú con sus padres, y fué sepultado en Samaria, y su hijo Joacaz le sucedió en el reino.

**36.** El tiempo que reinó Jehú sobre Israel en Samaria fué de veintiocho años.

## CAPITULO XI

*Atalía hace matar toda la sucesión real de Judá por reinar sola; pero se libra el niño Joás, que pasados seis años es proclamado rey por medio del Sumo sacerdote Joíada, quien manda matar a Atalía.*

**1.** Por otra parte, Atalía, madre de Ocozías, viendo muerto a su hijo, se alzó *con el mando,* y mató toda la prosapia real.

**2.** Bien que Josabá, hija del rey Joram, hermana de Ocozías, sacando a Joás, hijo de Ocozías, de en medio de los *demás* hijos del rey, al tiempo que los iban matando, lo robó, sacándole del dormitorio con su ama de leche, y lo escondió de la furia de Atalía para que no fuese muerto.

**3.** Y estuvo por espacio de seis años oculto con su ama de leche en la casa del Señor: mientras tanto reinó Atalía en el país *de Judá.*

**4.** Pero a los siete años Joíada, convocando a los centuriones y soldados, los introdujo consigo en el Templo del Señor, e hizo liga con ellos; y juramentándolos en la casa del Señor, les mostró el hijo del rey,

**5.** Y dióles orden diciendo: He aquí lo que debéis hacer:

**6.** La tercera parte de vosotros que entra de semana, esté atenta en centinela *hacia* la habitación del rey; otra tercera parte guarde la puerta del Sur, y la última tercera parte cuide de la puerta que cae detrás de la habitación de los escuderos o *guardias,* y haréis la guardia a la casa de Mesa.

**7.** Finalmente, de todos los que saliéreis de semana, dos *terceras* partes estaréis de guardia en la Casa del Señor, cerca de la persona del rey,

**8.** Y lo rodearéis teniendo las armas en vuestras manos; que si alguno intenta entrar en el recinto del Templo *para insultarle,* sea muerto; y estaréis al lado del rey, ora entre, ora salga.

---

**26.** Para pasto de las fieras. San Agustín llama *impia esta* ficción.

**9.** Ejecutaron los centuriones puntualmente todo lo que les había ordenado el *Sumo* sacerdote Joíada, y tomando cada uno sus gentes, así los que entraban de semana como los que salían, se presentaron al *Sumo* sacerdote Joíada,

**10.** El cual les dió las lanzas y armas *o escudos* del rey David, que se guardaban en la casa del Señor.

**11.** Y apostáronse todos con las armas en la mano desde la derecha del templo *o atrio,* hasta la izquierda del altar y del templo, alrededor del rey.

**12.** Entonces Joíada sacó fuera al hijo del rey, y púsole la diadema sobre la cabeza, y *el libro de* la ley; e hiciéronle rey, y lo ungieron; y dándo palmadas le proclamaron, diciendo: ¡Viva el rey!

**• 13.** En esto oyó Atalía las voces del pueblo que corría, y acudiendo al tropel de gente que estaba en el templo del Señor,

**14.** Vió al rey colocado sobre el trono, según se acostumbraba, y a los cantores y trompetas junto a él, y a toda la gente del país llena de regocijo, tocando los clarines; por lo que rasgó sus vestidos y gritó: ¡Traición, traición!

**15.** Mas Joíada dió orden a los centuriones que mandaban la tropa, diciéndoles: Sacadla fuera del recinto del templo; y cualquiera que la siga, sea pasado a cuchillo. Pues había dicho el *Sumo* sacerdote: No sea muerta en el templo del Señor.

**16.** Con esto se apoderaron de ella, y la llevaron a empellones por la calle de la entrada de los caballos, junto al palacio y allí fué muerta.

**17.** Después asentó Joíada el pacto del Señor con el rey y con el pueblo, de que sería pueblo del Señor: y asimismo *un tratado* entre el rey y el pueblo.

**18.** E *inmediatamente* entró todo el pueblo de la tierra en el templo de Baal, y derribaron sus aras, e hicieron añicos sus imágenes, y delante del mismo altar mataron a Matán, sacerdote de Baal. Y el *Sumo* sacerdote puso guardias en la casa del Señor.

**19.** Y capitaneando a los centuriones y a las legiones de Cereteos y Feleteos, y a todo el pueblo de la tierra condujeron al rey desde el templo del Señor, y por el camino de la puerta de los escuderos lo llevaron a palacio, donde se sentó sobre el trono de los reyes *de Judá.*

**20.** Y todo el pueblo de la tierra se regocijó, y quedó en reposo la ciudad; después que Atalía pereció a filo de espada en la casa del rey.

**21.** Siete años tenía Joás cuando entró a reinar.

# CAPITULO XII

*Joás restaura el Templo, y por librarse de Hazael le da sus tesoros, y es muerto a traición.*

**1.** El año séptimo *del reinado* de Jehú *en Israel* entró a reinar Joás, y reinó cuarenta años en Jerusalén. Llamábase su madre Sebia, *y era* de Bersabée.

**2.** Procedió Joás rectamente delante del Señor todo el tiempo que tuvo por director al *Sumo* sacerdote Joíada.

**3.** Verdad es que no quitó *el sacrificar a Dios en* los lugares altos; porque todavía el pueblo sacrificaba y ofrecía incienso en las alturas.

**4.** Y Joás había dicho a los sacerdotes: Todo el dinero de cosas consagradas que fuere presentado en el templo del Señor por los *forasteros* que pasaren, y el que se ofrece por rescate de la persona, y el que voluntariamente y al arbitrio de su corazón trae cada cual al templo del Señor,

**5.** Lo han de recibir los sacerdotes según su turno para reparar las quiebras de la casa *del Señor,* según vieren que necesite repararse alguna cosa.

**6.** Sin embargo, los sacerdotes no habían cuidado hasta el año veintitrés del reinado de Joás, de hacer los reparos del templo.

**7.** Entonces llamó el rey Joás al pontífice Joíada y a los sacerdotes, y les dijo: ¿Por qué no habéis hecho los reparos *en la fábrica* del templo? No tenéis, pues, que recibir de aquí en adelante el dinero en vuestros turnos *o semanas,* sino dejadlo para reparar el templo

**8.** Y así se prohibió a los sacerdotes el continuar recibiendo del pueblo el dinero, y el cuidar de *la fábrica* y reparos de la casa.

**9.** Entonces el pontífice Joíada mandó hacer un arca, y abrir encima de ella un agujero; y colocóla cerca del altar, a mano derecha de los que entraban en la casa del Señor. Y los sacerdotes que estaban de guardia en las puertas echaban en ella todo el dinero que se ofrecía al templo del Señor.

**10.** Y cuando veían que había mucho dinero en el arca, venía un secretario del rey, y con el pontífice sacaban y contaban el dinero, que se hallaba en la casa del Señor,

---

**CAP. XII.** — 9. Depués para mayor comodidad de los oferentes fué colocada fuera del atrio de los sacerdotes. II *Paral.* XXIV, *v.* 8.

11. Y entregábanle con su cuenta y razón en mano de los sobrestantes de los obreros de la casa del Señor; quienes pagaban con él a los carpinteros y albañiles que trabajaban en la casa del Señor.

12. Y hacían los reparos, y a los que labraban las piedras; y asimismo compraban con él la madera y piedra que se labraba; a fin de que fuese perfectamente restaurada la casa del Señor en todas las partes que necesitaban de algún gasto para repararla.

13. Pero de este dinero, que se ofrecía al templo del Señor, no se hacían los cántaros o *vasijas*, ni los tridentes o *arrejaques*, ni los incensarios, ni las trompetas, ni vaso alguno de oro y plata;

14. Porque todo era empleado en los que trabajaban en restaurar el templo del Señor;

15. Ni se tomaban cuentas a aquellos hombres que recibían el dinero para distribuirle a los obreros, sino que lo manejaban sobre su buena fe.

16. Es de advertir que no se metía en el templo del Señor el dinero *ofrecido* por los delitos, o por los pecados, pues éste era propio de los sacerdotes.

17. En aquel tiempo Hazael, rey de Siria, salió a campaña, y poniendo sitio a Get la tomó, y enderezó su mira contra Jerusalén.

18. Por cuya razón Joás, rey de Judá, tomó todas las ofrendas sagradas, que habían ofrecido Josafat, y Joram, y Ocozías, reyes de Judá, sus mayores, y las que él mismo había ofrecido, y toda la plata que se pudo hallar en los tesoros del Templo del Señor, y en el palacio real, y envióla al rey de Siria, Hazael, que con eso se retiró de Jerusalén.

19. Las demás cosas de Joás y todos sus hechos, ¿no es así que están escritos en el Libro de los Anales de los Reyes de Judá?

20. Por último subleváronse unos criados *u oficiales* de Joás, y formando entre sí una conjuración, le mataron en la casa o *palacio* de Mello, a la bajada de Sella.

21. Los criados que le quitaron la vida fueron Josacar, hijo de Semaat, y Jozabad, hijo de Somer, y muerto que fué, sepultáronle con sus padres en la ciudad de David, sucediéndole en el reino su hijo Amasías.

## CAPITULO XIII

*Reinados de Joacaz, rey de Israel, y de su hijo Joás. Muere Eliseo, cuyo cadáver resucita a un muerto.*

1. El año veintitrés *del reinado* de Joás, hijo de Ocozías, rey de Judá, reinó Joacaz, hijo de Jehú, sobre Israel en Samaria por espacio de diecisiete años.

2. E hizo el mal en la presencia del Señor, y siguió los pecados de Jeroboam, hijo de Nabat (el cual hizo pecar a Israel), y no se arrepintió de ellos.

3. Con lo que se encendió el furor del Señor contra Israel, y entrególo por mucho tiempo en poder de Hazael, rey de Siria, y en poder de Benadad, hijo de Hazael.

4. Mas Joacaz hizo sus plegarias ante la presencia del Señor, y oyólo el Señor, vista la angustia de Israel, destrozado por el rey de Siria;

5. Y envió el Señor a Israel un salvador que lo libró del poder del rey de Siria; de suerte que los hijos de Israel pudieron vivir en sus habitaciones *con tranquilidad,* como en los tiempos anteriores.

6. Mas no por eso se desviaron de los pecados con que la casa de Jeroboam hizo pecar a Israel, sino que los imitaron: tanto que aun el bosque de Samaria quedó en pie.

7. A Joacaz no le había quedado de la gente *de guerra* más que cincuenta soldados de a caballo, y diez carros *de guerra,* y diez mil hombres de a pie; porque el rey de Siria los había pasado a cuchillo, y deshecho como al polvo de la era en que se trilla.

8. Las otras cosas de Joacaz, y todos sus hechos, y su valor, ¿no está escrito todo esto en el Libro de los Anales de los Reyes de Israel?

9. En fin, Joacaz durmió con el sueño de la muerte con sus padres, y lo sepultaron en Samaria, sucediéndole en el trono su hijo Joás.

10. El año treinta y siete *del reinado* de Joás, rey de Judá, comenzó a reinar, *asociado a su padre* Joás, hijo de Joacaz, sobre Israel en Samaria, *y reinó* por espacio de diez y seis años.

11. E hizo el mal en la presencia del Señor; ni se apartó de ninguno de los pecados de Jeroboam, hijo de Nabat, (que hizo pecar a Israel), sino que los imitó.

**12.** Las demás cosas de Joás, y todos sus hechos, y su valor, y cómo hizo guerra contra Amasías, rey de Judá, ¿no está todo escrito en el Libro de los Anales de los Reyes de Israel?

**13.** Joás fué a descansar *en el sepulcro* con sus padres; y Jeroboam ocupó su trono, después que fué Joás sepultado en Samaria con los demás reyes de Israel.

**14.** *Y sucedió antes que* estando Eliseo enfermo de la enfermedad de que murió, pasó a visitarle Joás, rey de Israel: y llorando delante de él, decía: Padre mío, padre mío, carro *armado* de Israel y conductor suyo.

**15.** Y díjole Eliseo: Trae acá un arco y unas flechas; y habiéndole traído un arco y flechas,

**16.** Dijo al rey de Israel: Pon tu mano sobre el arco. Cuando tuvo puesta la mano, puso Eliseo sus manos sobre las del rey,

**17.** Y dijo: Abre la ventana que cae al Oriente. Luego que la abrió, dijo Eliseo: Dispara una saeta. Disparóla. Y dijo Eliseo: Saeta es ésta de salvación por el Señor, y saeta de salvación contra la Siria; porque tú derrotarás la Siria en Afec hasta consumirla.

**18.** Dijo más: Toma saetas; y habiéndolas tomado, díjole de nuevo: Hiere la tierra con un dardo. Y habiéndola herido tres veces, cesó *de tirar*.

**19.** E irritóse contra él el varón de Dios, y dijo: Si hubieses tirado cinco, o seis, o siete veces, hubiera herido a la Siria hasta exterminarla: mas ahora la vencerás por tres veces.

**20.** Murió al fin Eliseo, y sepultáronlo. Aquel mismo año entraron por el país los guerrilleros o *tropas ligeras* de Moab.

**21.** Y unos hombres que iban a enterrar a un muerto, viendo a los guerrilleros, echaron el cadáver en el sepulcro de Eliseo, y al punto que tocó los huesos de Eliseo, el muerto resucitó y se puso en pie.

**22.** Hazael, pues, rey de Siria, tuvo acosado a Israel en todo el reinado de Joacaz.

**23.** Mas al cabo el Señor se compadeció de ellos, y volvió hacia ellos sus ojos, a causa del pacto que tenía hecho con Abraham, e Isaac, y Jacob; y no quiso enteramente perderlos, ni abandonarlos del todo hasta el tiempo presente.

**24.** Finalmente, murió Hazael, rey de Siria, y sucedióle Benadad, su hijo.

**25.** Entonces Joás, hijo de Joacaz, recobró del poder de Benadad, hijo de Hazael, las ciudades o *plazas* que había éste tomado a su padre Joacaz por derecho de guerra. Tres veces lo derrotó Joás, y restituyó a Israel aquellas ciudades.

## CAPITULO XIV

*Reinado de Amasías, rey de Judá: es abatido por Joás rey de Israel, cuyo hijo Jeroboam II acaba de libertar a Israel.*

**1.** En el segundo año de Joás, hijo de Joacaz, rey de Israel, entró a reinar Amasías, hijo de *el otro* Joás, rey de Judá.

**2.** Veinticinco años tenía cuando comenzó a reinar; y reinó veintinueve años en Jerusalén. Llamábase su madre Joadán, natural de Jerusalén.

**3.** E hizo lo que era justo en la presencia del Señor; mas no como David, su padre. En todo imitó el proceder de su padre Joás;

**4.** Aunque tampoco quitó los lugares excelsos, pues todavía sacrificaba el pueblo, y quemaba incienso en las alturas.

**5.** Luego que entró en posesión del reino, hizo quitar la vida a sus criados, que habían muerto al rey, su padre;

**6.** Aunque no mató a los hijos de los que lo habían muerto, conforme a lo que se halla escrito en el libro de la ley de Moisés, según el precepto del Señor, que dice: No morirán los padres por los hijos, ni los hijos por los padres, sino que cada uno morirá por su pecado *personal*.

**7.** Este mismo derrotó diez mil Idumeos en el valle de las Salinas, y tomó a viva fuerza a Petra, a la cual llamó Jectehel, nombre que conserva hasta hoy día.

**8.** Entonces envió Amasías embajadores a Joás, hijo de Joacaz, hijo de Jehú, rey de Israel, diciendo: Ven, y veámonos *las caras*.

**9.** Y Joás, rey de Israel, envió a Amasías, rey de Judá, esta respuesta: El cardo del Líbano envió a decir al cedro que está en el Líbano: Da tu hija por mujer a mi hijo. Mas las bestias salvajes que habitan en el Líbano pasaron y pisotearon al cardo *orgulloso*.

**10.** Como tú has vencido y derrotado a los Idumeos, por esto se ha engreído tu corazón. Conténtate con esa gloria, y estáte quedo en tu casa: ¿a qué fin quieres acarrearte males para perderte tú y Judá contigo?

CAP. XIII. — 21. Véase el elogio de Eliseo en el c. XLVIII, *v.* 13 del Eclesiástico.

**11.** Pero Amasías no quiso aquietarse. Por lo cual Joás, rey de Israel, salió a campaña, y encontrándose él y Amasías, rey de Judá, junto a Betsamés, ciudad de Judá.

**12.** Fué *el ejército de* Judá derrotado por *el de* Israel; y cada cual huyó a su casa.

**13.** Y Joás, rey de Israel, hizo prisionero en *la batalla* de Betsamés a Amasías, rey de Judá, hijo de Joás, hijo de Ocozías, y llevólo a Jerusalén; y abrió una brecha de cuatrocientos codos en la muralla de Jerusalén; desde la puerta de Efraím hasta la puerta de la esquina.

**14.** Y tomó todo el oro y plata y todas las alhajas que se hallaron en el templo del Señor, y en los tesoros del rey, y los rehenes; y volvióse a Samaria.

**15.** Las demás acciones de Joás y el valor con que peleó contra Amasías, rey de Judá, ¿todo eso no está escrito en el Libro de los Anales de los Reyes de Israel?

**16.** Finalmente, Joás pasó a descansar con sus padres, y fué sepultado en Samaria con los reyes de Israel, sucediéndole en el reino su hijo Jeroboam *segundo*.

**17.** Mas Amasías, hijo de Joás, rey de Judá, vivió quince años después de la muerte de Joás, hijo de Joacaz, rey de Israel.

**18.** Lo restante, empero, de las acciones de Amasías, ¿no está todo escrito en el Libro de los Anales de los Reyes de Judá?

**19.** Contra éste se suscitó una conjuración en Jerusalén, por causa de la cual se huyó a Laquís; pero destacaron gentes a Laquís, y allí lo mataron.

**20.** Transportáronle después de allí en *un carro tirado de* caballos, y fué sepultado en Jerusalén con sus padres en la ciudad de David.

**21.** Luego todo el pueblo de Judá tomó a Azarías, que era de dieciseis años, y proclamóle rey en lugar de Amasías, su padre.

**22.** Este reedificó a Elat, y la restituyó a Judá, después que el rey pasó a descansar con sus padres.

**23.** El año décimoquinto del reinado de Amasías, hijo de Joás, rey de Judá, entró a reinar en Samaria Jeroboam, hijo de Joás, rey de Israel, y reinó cuarenta y un años.

**24.** Y obró el mal delante del Señor: en nada se apartó de todos los pecados de Jeroboam, hijo de Nabat, que hizo pecar a Israel.

**25.** Restableció en el primitivo estado los límites *del reino* de Israel, reconquistando desde la entrada de Emat hasta el mar del Desierto; conforme a la palabra del Señor Dios de Israel, pronunciada por su siervo el profeta Jonás, hijo de Amati, natural de Get, *ciudad situada* en Ofer.

**26.** Porque vió el Señor la amarguísima aflicción de Israel, y que habían perecido a *filo de espada* hasta los que estaban en la cárcel, y los más desvalidos, y que no había quien socorriese a Israel.

**27.** Ni había decretado el Señor borrar el nombre de Israel de debajo del cielo; y así los liberó por mano de Jeroboam, hijo de Joás.

**28.** Las demás cosas de Jeroboam, y todo cuanto *hizo, y* el valor con que combatió, y cómo restituyó a Israel *las ciudades de* Damasco y Emat, *que habían sido* de Judá, ¿no está todo eso escrito en el Libro de los Anales de los Reyes de Israel?

**29.** En fin, Jeroboam fué a reposar con sus padres, los reyes de Israel, y sucedióle en el reino su hijo Zacarías.

## CAPITULO XV

*A Azarías, rey de Judá, le sucede su hijo Joatán. En el reino de Israel a Zacarías sucede Sellum; a éste, Manahem; a éste, Faceía; y después Facee, en cuyo tiempo son llevados a Siria prisioneros muchos Israelitas.*

**1.** El año veintisiete *del reinado* de Jeroboam, rey de Israel, entró a reinar Azarías, hijo de Amasías, rey de Judá.

**2.** Dieciséis años tenía cuando comenzó a reinar, y reinó cincuenta y dos años en Jerusalén. Llamábase su madre Jequelía, natural de Jerusalén.

**3.** E hizo lo que era agradable al Señor, imitando en todo y por todo a su padre Amasías.

**4.** Verdad es que no demolió los lugares excelsos, pues todavía el pueblo sacrificaba y quemaba inciensos *a Dios* en las alturas.

**5.** Mas el Señor castigó al rey; el cual estuvo leproso hasta el día de su muerte, y habitó separado en una casa aislada. Mientras tanto Joatam, hijo del rey, gobernaba el palacio, y administraba justicia al pueblo de aquella tierra.

---

CAP. XV. — 5. Por usurpador del sacerdocio. II *Paral.* XXVI.

**6.** Las demás cosas de Azarías y todos sus hechos, ¿no están escritos en el Libro de los Anales de los Reyes de Judá?

**7.** Pasó, en fin, Azarías a descansar con sus padres, y fué sepultado con sus antepasados en la ciudad de David, sucediéndole en el reino su hijo Joatam.

**8.** El año treinta y ocho *del reinado* de Azarías, rey de Judá, reinó Zacarías, hijo de Jeroboam, sobre Israel, en Samaria, por espacio de seis meses;

**9.** E hizo el mal delante del Señor, así como lo habían hecho sus padres. No se desvió de los pecados de Jeroboam, hijo de Nabat, que hizo pecar a Israel.

**10.** Conjuróse contra él Sellum, hijo de Jabés, y acometiéndolo en público, lo mató y reinó en su lugar.

**11.** Las demás cosas de Zacarías, ¿no están todas escritas en el Libro de los Anales de los Reyes de Israel?

**12.** Esta es la palabra que dió el Señor a Jehú: diciendo: Tus hijos hasta la cuarta generación se sentarán en el trono de Israel; y así se cumplió.

**13.** Sellum, pues, hijo de Jabés, se apoderó del reino el año trigésimo nono de Azarías, rey de Judá, y reinó un solo mes en Samaria.

**14.** Porque Manahem, hijo de Gadi, marchó desde Tersa, y fué a Samaria, e hiriendo a Sellum, hijo de Jabés, lo mató y reinó en su lugar.

**15.** Las demás acciones de Sellum y la conjuración que tramó engañosamente, ¿no está ya escrito esto en el Libro de los Anales de los Reyes de Israel?

**16.** Entonces fué cuando Manahem se apoderó de Tapsa y *mató a* todos sus moradores y *devastó* su territorio desde Tersa; porque no quisieron abrirle las puertas, y mató a todas las mujeres preñadas, a las cuales hizo rasgar *el vientre.*

**17.** El año trigésinio nono *del reinado* de Azarías, rey de Judá, comenzó a reinar pacíficamente en Samaria sobre Israel, Manahem, hijo de Gadi, y reinó diez años;

**18.** E hizo lo que era malo delante del Señor. No se apartó de los pecados de Jeroboam, hijo de Nabat, que hizo pecar a Israel todo el tiempo de su reinado.

**19.** Ful, rey de los Asirios, vino entonces a esta tierra, y dió Manahem a Ful mil talentos de plata para que lo ayudase, y lo asegurase en el trono.

**20.** E hizo pagar Manahem este dinero a to-dos los poderosos y ricos de Israel, a razón de cincuenta siclos de plata por cabeza, para darlo al rey de los Asirios. Con eso el rey de los Asirios se retiró y no se detuvo en el país.

**21.** Las demás cosas de Manahem y todas sus acciones, ¿no están ellas escritas en el Libro de los Anales de los Reyes de Israel?

**22.** En fin, Manahem fué a descansar con sus padres; y su hijo Faceía entró a reinar en su lugar.

**23.** El año quincuagésimo *del reinado* de Azarías, rey de Judá, comenzó a reinar Faceía hijo de Manahem, sobre Israel, en Samaria, y reinó dos años.

**24.** E hizo lo que era malo a los ojos del Señor; no se apartó de los pecados de Jeroboam, hijo de Nabat, que hizo pecar a Israel.

**25.** Conjuróse contra él Facee, hijo de Romelía, general suyo; el cual le acometió con cincuenta hombres naturales de Galaad, en Samaria en la torre de la casa real, cerca de Argob y de Arie; y quitóle la vida, y reinó en su lugar.

**26.** Las demás cosas de Faceía y todas sus acciones, ¿no están ya escritas en el Libro de los Anales de los Reyes de Israel ?

**27.** El año quinquagésimo segundo *del reinado* de Azarías, rey de Judá, ocupó el trono Facee, hijo de Romelía, el cual reinó sobre Israel en Samaria por espacio de veinte años;

**28.** E hizo lo malo en la presencia del Señor: no se apartó de los pecados de Jeroboam, hijo de Nabat, que hizo pecar a Israel.

**29.** En el reinado de Facee, rey de Israel, vino Taglatfalasar, rey de Asur, y se apoderó de Ayón, y de Abel-Casa de Maaca, y de Janoé, y de Cedes, y de Asor, y de Galaad, y de Galilea, y de todo el país de Neftalí; y transporto sus habitantes a la Asiria.

**30.** Mas Osee, hijo de Ela, formó una conjuración contra Facee, hijo de Romelía, y armóle asechanzas, e hirióle y lo mató, y reinó en su lugar, en el año vigésimo de Joatam, hijo de Ozías.

**31.** Las demás cosas de Facee y todo cuanto hizo, ¿no está todo escrito en el Libro de los Anales de los Reyes de Israel ?

**32.** El año segundo de Facee, hijo de Romelía, rey de Israel, ocupó el trono Jonatam, hijo de Ozías, rey de Jodá.

**33.** Veinticinco años tenía cuando comenzó a reinar; y reinó dieciséis años en Jerusalén. Llamábase su madre Jerusa, hija de Sadoc.

---

**14.** *Gadi* era general del ejército de Zacarías.

**34.** Hizo lo que era agradable a los ojos del Señor; y se condujo en todo conforme se había conducido su padre Ozías.

**35.** Verdad es que no arruinó los lugares excelsos: todavía siguió el pueblo sacrificando y ofreciendo incienso *a Dios* en las alturas. Edificó la puerta más alta de la casa del Señor.

**36.** Las demás cosas de Joatam y todos sus hechos, ¿no están ya escritas en el Libro de los Anales de los Reyes de Judá?

**37.** En aquellos días comenzó el Señor a enviar contra Judá a Rasín, rey de la Siria, y a Facee, hijo de Romelía.

**38.** Pasó Joatam a descansar con sus padres, y fué sepultado con ellos en la ciudad de David, su padre, sucediéndole en el reino su hijo Acaz.

## CAPITULO XVI

*Acaz, idólatra rematado, profana el templo del Señor. Conspiración de los reyes de Israel y de Siria contra este príncipe.*

**1.** El año décimo séptimo de Facee, hijo de Romelía, subió al trono Acaz, hijo de Joatam, rey de Judá.

**2.** Veinte años tenía Acaz cuando comenzó a reinar, y dieciséis años reinó en Jerusalén. No hizo lo que era agradable a los ojos del Señor Dios suyo, como David, su padre;

**3.** Sino que siguió las huellas de los reyes de Israel; y además de eso consagró su propio hijo, haciéndolo pasar por el fuego, según la idolatría de las naciones que disipó el Señor delante de los hijos de Israel.

**4.** Asimismo sacrificaba víctimas y quemaba incienso en las alturas, y en los collados, y debajo de cualquier árbol frondoso.

**5.** Entonces Rasín, rey de Siria, y Facee, hijo de Romelía, rey de Israel, subieron a sitiar a Jerusalén; y después de haber tenido cercado a Acaz, no pudieron vencerlo.

**6.** Por aquel tiempo Rasín, rey de Siria; volvió a incorporar a Aila con la Siria; y arrojó de Aila a los Judíos; y vinieron los Idumeos a ocuparla, y han habitado en ella hasta el día de hoy.

**7.** Entonces Acaz despachó embajadores a Teglatfalasar, rey de los Asirios, para que le dijesen: Siervo tuyo soy, y tu hijo; ven y sálvame de las manos del rey de Siria y de las manos del rey de Israel, que se han coligado contra mí.

**8.** Y habiendo recogido cuanta plata y oro pudo hallarse en la casa del Señor, y en los tesoros del rey, remitióselo como un presente al rey de los Asirios;

**9.** El cual condescendió con sus deseos. Marchó, pues, el rey de los Asirios contra Damasco, y destruyóla. Transportó sus moradores a Cirene: y a Rasín le quitó la vida.

**10.** Entonces el rey Acaz fué a Damasco a recibir a Teglatfalasar, rey de los Asirios; y viendo el altar de Damasco, envió el rey Acaz al *Sumo* sacerdote Urías un modelo de él, que representaba exactamente todas sus labores.

**11.** Y el *Sumo* sacerdote Urías fabricó un altar, conforme en todo a las órdenes que le había comunicado el rey Acaz desde Damasco. Hízolo esto el *Sumo* sacerdote Urías, ínterin que el rey Acaz volvía de Damasco.

**12.** Y el rey, llegado que hubo de Damasco, vió aquel altar, y lo veneró, y subió a ofrecer *en él* holocaustos, y su sacrificio.

**13.** E hizo las libaciones y derramó la sangre de las víctimas pacíficas sacrificadas sobre el altar.

**14.** Trasladó el altar de bronce, que estaba en la presencia del Señor, desde la fachada del templo, y de su sitio y lugar propio en el templo del Señor, y colocólo a un lado de aquel altar, al Septentrión.

**15.** Además, dió el rey Acaz al *Sumo* sacerdote Urías esta orden: Ofrecerás sobre este altar grande el holocausto de la mañana y el sacrificio de la tarde, y el holocausto del rey con su sacrificio, y el holocausto de todo el pueblo de la tierra con sus sacrificios y libaciones; y has de derramar sobre este altar toda la sangre de los holocaustos, y toda la sangre de las víctimas. En cuanto al altar de bronce estará pronto a disposición mía.

**16.** Hizo, pues, el *Sumo* sacerdote Urías todo cuanto el rey Acaz le había mandado.

**17.** Quitó también el rey Acaz las basas entalladas, y las conchas puestas encima de ellas, y la gran concha *o mar* la quitó igualmente de encima de los bueyes de bronce que la sostenían, y dejóla sobre el pavimento enlosado.

---

**CAP. XVI.** —5. Esto acaeció en el año primero del reinado de Acaz; pero el año siguiente se apoderaron del reino de Acaz. En tiempo del sitio profetizó Isaías el nacimiento del *Mesías* o del *Emmanuel, que nacería de una virgen* Isaia. VII, *v.* 12 y sigts. — Véase II Paralip.

**6.** *Judíos.* Esta es la primera vez que la Escritura da este nombre a los hijos de Israel.

**18.** Asimismo quitó el Musac del sábado, fabricado en el templo; y por causa del rey de los Asirios, hizo en la parte interior del templo del Señor el pasadizo para ir a él *desde su palacio* que antes estaba en la parte de afuera.

**19.** Las otras cosas que hizo Acaz, ¿no están ellas escritas en el Libro de los Anales de los Reyes de Judá?

**20.** En fin, Acaz pasó a descansar con sus padres, y fué sepultado con ellos en la ciudad de David, sucediéndole en el reino su hijo Ezequías.

## CAPITULO XVII

*Salmanasar se apodera de todo el país de Israel, y se lleva cautivas a Asiria las diez tribus, enviando a Samaria colonias de Asirios, origen de los Samaritanos.*

**1.** El año duodécimo del reinado de Acaz, rey de Judá comenzó a reinar *pacíficamente* sobre Israel en Samaria Osee, hijo de Ela, y reinó nueve años.

**2.** E hizo el mal delante del Señor; aunque no tanto como los reyes de Israel sus predecesores.

**3.** Contra éste vino Salmanasar, rey de los Asirios, y Osee se hizo su feudatario, y le pagaba tributo.

**4.** Mas como descubriese el rey de los Asirios que Osee había enviado embajadores a Sua, rey de Egipto, con intención de rebelarse contra el rey de los Asirios, y no pagarle el acostumbrado anual tributo, habiéndolo tomado prisionero, lo encerró en una cárcel.

**5.** Porque *Salmanasar* comenzó haciendo correrías por todo el país, y *al fin* acercándose a Samaria la tuvo sitiada tres años;

**6.** Hasta que el año nono *del reinado* de Osee fué tomada Samaria por el rey de los Asirios, y trasladados a Asiria los Israelitas, los cuales colocó en Hala y en Habor, ciudades de la Media, junto al río Gozán.

**7.** La causa fué porque los hijos de Israel habían pecado, adorando dioses ajenos, contra el Señor Dios suyo que los había sacado de la tierra de Egipto, del poder de Faraón, rey de Egipto;

**8.** Y siguiendo los ritos *o prácticas* de las naciones que el Señor había destruído delante de los hijos de Israel, y los ritos *o costumbres* de los reyes de Israel, que habían hecho lo mismo.

**9.** Habían, *pues*, los hijos de Israel ofendido al Señor Dios suyo con su mal proceder; y habíanse erigido *altares en los* lugares altos en todas sus ciudades, desde las torres de guardas hasta las plazas fuertes *o grandes ciudades.*

**10.** Y habían plantado bosques *o arboledas*, y levantado estatuas en todo collado alto, y debajo de todo árbol frondoso,

**11.** Quemando allí incienso sobre los altares, a imitación de las naciones que había dispersado el Señor así que entraron *en aquella tierra*; y habían cometido acciones muy criminales provocando la ira del Señor.

**12.** Adoraron las inmundicias *o ídolos* contra el precepto con que se lo había prohibido el Señor.

**13.** Sobre lo cual no cesó el Señor de amonestarlos, así en Israel como en Judá, por medio de todos los profetas y videntes, diciendo: Convertíos de vuestras pésimas costumbres, observad mis preceptos y ceremonias, conforme a todas las leyes que promulgué a vuestros padres, y como os lo he enviado a decir por medio de mis siervos, los profetas.

**14.** Mas ellos no dieron oídos; antes endurecieron su cerviz, *o se obstinaron*, imitando la dureza de sus padres, los cuales no quisieron obedecer al Señor Dios suyo.

**15.** Y desecharon sus leyes y el pacto que había concertado con sus padres, despreciando las amonestaciones con que los reconvino; y siguiendo las vanidades *o ídolos* se infatuaron, e imitaron a las naciones circunvecinas, sobre las cuales les había prevenido el Señor que no hicieran lo que ellas hacían.

**16.** Y abandonaron todos los preceptos del Señor Dios suyo, y formáronse dos becerros de fundición, y bosques, y adoraron toda la milicia *o constelaciones* del cielo; y dieron culto a Baal;

**17.** Y consagraron a sus hijos e hijas por medio del fuego; y se ocuparon en adivinaciones y agüeros; *en suma*, se abandonaron a toda maldad delante del Señor, provocándole a ira.

**18.** Por tanto el Señor se indignó altamente contra Israel, y lo arrojó de delante de sí, y no quedó sino la sola tribu de Judá.

**19.** Mas ni aun la misma tribu de Judá observó los mandamientos del Señor Dios suyo; antes bien imitó los *extravíos o* errores en que había incurrido Israel.

**20.** Y así el Señor desechó a todo el linaje de Israel, y castigóle y entrególe en manos de sus opresores, hasta que lo arrojó *enteramente* de su presencia,

---

CAP. XVII. — 16. *Bosques* o arboledas consagradas a los ídolos.

21. Enojado ya desde aquel tiempo en que Israel, separándose de la casa de David, eligió por rey suyo a Jeroboam hijo de Nabat; pues Jeroboam apartó del Señor a Israel, y le hizo cometer el pecado grande *de idolatría.*

22. Imitaron los hijos de Israel todas las maldades de Jeroboam, ni jamás se apartaron de ellas.

23. Hasta tanto que el Señor arrojó de su presencia a Israel, como lo tenía predicho por medio de todos los profetas, sus siervos. Y fué Israel transportado de su tierra a la Asiria, *en donde se halla* hasta hoy día.

24. Y en lugar de los hijos de Israel hizo venir el rey de los Asirios gentes de Babilonia, y de Cuta, y de Ava, de Emat, y de Sefarvaím, y las puso en las ciudades de Samaria; y estas gentes poseyeron la Samaria, y habitaron en sus ciudades.

25. Mas cuando comenzaron a morar en ellas, no temían al Señor *ni le adoraban;* por lo que el Señor envió contra dichas gentes leones que las iban despedazando.

26. Dieron aviso de esto al rey de los Asirios y le dijeron: Las gentes que tu has transportado para poblar las ciudades de Samaria, ignoran el culto del Dios de aquel país, y el Señor ha enviado contra ellas leones, que las van despedazando, por cuanto no saben ellas el culto del Dios de aquella tierra.

27. En consecuencia el rey de los Asirios dió orden, diciendo: Llevad allá uno de los sacerdotes que se han traído de allí cautivos, y vaya a habitar con ellas, y enséñeles el culto del Dios de aquel país.

28. Habiendo, pues, ido uno de los sacerdotes que habían sido traídos cautivos de Samaria, habitó en Betel, y les enseñaba la manera de honrar al Señor.

29. Con todo eso, cada uno de dichos pueblos se fabricó su dios, que colocaron en los adoratorios de las alturas, que habían erigido los de Samaria; cada nación *puso el dios suyo* en las poblaciones donde habitaba.

30. Porque los Babilonios pusieron a *su dios* Socotbenot, y los Cuteos a Nergel, y los de Emat a Asima.

31. Los Heveos pusieron a Nebahaz, y a Tartac. Mas los que eran de Sefarvaím quemaban sus hijos en honor de Adramelec y de Anamelec, dioses de Sefarvaím;

32. Y no obstante *todos estos pueblos* adoraban al Señor. Crearon del bajo pueblo sacerdotes para los lugares altos, y colocábanlos en los adoratorios de las alturas.

33. Y adorando al Señor, servían juntamente a sus dioses, según el rito de las naciones de donde habían sido transportados a Samaria.

34. Hasta el día presente perseveran en la costumbre antigua: no temen al Señor, ni observan sus ceremonias, ni los ritos, leyes, ni mandamientos intimados por el Señor a los hijos de Jacob, a quien puso el sobrenombre de Israel,

35. Con quienes había firmado el pacto, y a quienes había dado este precepto, diciendo: No temáis, *ni reverenciéis* a dioses ajenos; no los adoréis ni les deis culto ninguno, ni les ofrezcáis sacrificios,

36. Sino al Señor Dios vuestro que os sacó de la tierra de Egipto con grande fortaleza y con el poder de su brazo: a ése habéis de temer, a ése adorar, y a ése ofrecer sacrificios.

37. Observad asimismo y cumplid constantemente las ceremonias y los ritos, y leyes, y mandamientos que os dió por escrito, y no temáis a los dioses extranjeros.

38. Y no echéis en olvido el pacto que hizo con vosotros, ni tributéis culto a dioses ajenos;

39. Sino temed al Señor Dios vuestro, y él os librará de las manos de todos vuestros enemigos.

40. Mas ellos no hicieron caso de eso, sino que procedieron según su antigua costumbre.

41. Recibieron, pues, dichas gentes, el culto del Señor; pero continuaron como antes en servir a sus ídolos; y lo que hicieron sus padres, eso mismo hacen hasta hoy día, sus hijos y nietos.

## CAPITULO XVIII

*El santo rey Ezequías restablece el culto puro del Señor: se ve muy estrechado por el tirano Senaquerib rey de Asíria, cuyo general Rabsaces vomita mil amenazas contra Ezequías y blasfemias contra Dios.*

1. El año tercero *del reinado* de Osee hijo de Ela, rey de Israel, comenzó a reinar Ezequías, hijo de Acaz, rey de Judá.

---

23. Este cautiverio de los israelitas continuaba aun cuando fué escrito este libro, que comúnmente se atribuye a *Esdras.* La tribu de Judá había sido trasladada, pero cuando esto se escribía, había ya vuelto a su tierra, lo que no sucedió con las otras diez tribus.

**2.** Veinticinco años tenía cuando subió al trono, y reinó veintinueve años en Jerusalén. Llamábase su madre Abi, hija de Zacarías.

**3.** Hizo Ezequías lo que era bueno y agradable a los ojos del Señor, imitando en todo a su padre David.

**4.** Destruyó los lugares altos, quebró las estatuas, taló los bosques *de los ídolos,* e hizo pedazos la serpiente de bronce que había hecho Moisés; porque hasta aquel tiempo le quemaban incienso los hijos de Israel; y llamóla Nohestán.

**5.** Puso su esperanza en el Señor Dios de Israel; y así no tuvo semejante en todos los reyes de Judá, sus sucesores, como ni tampoco en los que le precedieron.

**6.** Mantúvose unido al Señor, y no se apartó de sus sendas; sino que observó los mandamientos que el Señor dió a Moisés.

**7.** Por eso también el Señor estaba con él, y portábase Ezequías sabiamente en cuanto emprendía. Asimismo sacudió el yugo del rey de los Asirios, y no quiso ser tributario suyo.

**8.** Arruinó a los Filisteos hasta Gaza, y taló todo su país desde las torres *o atalayas* de los guardas, hasta las ciudades fuertes.

**9.** El año cuarto del reinado de Ezequías, que era el séptimo *del reinado* de Osee hijo de Ela, rey de Israel, vino Salmanasar, rey de los Asirios, contra Samaria, y la sitió,

**10.** Y se apoderó de ella. Pues Samaria fué tomada después de un sitio de tres años, el año sexto *del reinado* del rey Ezequias, esto es, el nono del de Osee rey de Israel.

**11.** Y el rey de los Asirios transportó a los Israelitas a la Asiria, y colocólos en Hala y en Habor, ciudades de la Media, junto al río Gozán;

**12.** Porque no quisieron obedecer a la voz del Señor Dios suyo, sino que violaron el pacto, y no escucharon ni practicaron nada de cuanto les tenía mandado Moisés, siervo del Señor.

**13.** El año décimo cuarto *del reinado* del rey Ezequías, subió Sennaquerib, rey de los Asirios a la conquista de todas las ciudades fuertes de Judá, y se apoderó de ellas.

**14.** Entonces Ezequías, rey de Judá, envió a decir por medio de embajadores al rey de los Asirios, que se hallaban en Laquís: He faltado a lo que debía; pero retírate de mis *tierras,* que yo sufriré todo lo que me impusieres. En vista de esto el rey de los Asirios echó de contribuciones a Ezequías, rey de Judá, trescientos talentos de plata, y treinta talentos de oro.

**15.** Dióle, *pues,* Ezequías toda la plata que se hallaba en la casa del Señor, y en los tesoros reales;

**16.** Y entonces fué cuando Ezequías mandó arrancar *de* las puertas del templo del Señor las planchas de oro con que él mismo las había guarnecido, y diolas al rey de los Asirios.

**17.** Mas el rey de los Asirios *faltando a lo prometido,* envió desde Laquís a Jerusalén contra el rey Ezequías a Tartán, y a Rabsaris, y a Rabsaces con mucha tropa; los cuales, poniéndose en camino vinieron a Jerusalén, e hicieron alto cerca del acueducto del estanque superior, situado sobre el camino del campo del Batanero,

**18.** Y llamaron al rey. Pero salieron a verse con ellos Eliacim, hijo de Helcías, mayordomo *mayor,* Sobna, secretario *o doctor de la ley,* y Joahe, hijo de Asaf, canciller.

**19.** A los cuales dijo Rabsaces: Decid a Ezequías: Esto dice el gran rey, el rey de los Asirios: ¿qué confianza es ésa en que estáis?

**20.** ¿Has acaso formado el designio de prepararte para el combate? En qué apoyas tu esperanza para que así te atrevas a oponerte a mí?

**21.** ¿Por ventura esperas en Egipto, que es un bastón de caña quebrada, sobre el cual si un hombre se apoyare, rompiéndose se le hincará en la mano y se la horadará? Tal es Faraón, rey de Egipto, para todos los que confían en él.

**22.** Que si me decís: Nosotros la esperanza la tenemos en el Señor Dios nuestro: ¿no es ése el mismo Dios cuyos lugares altos y altares ha destruído Ezequías, intimando a Judá y Jerusalén esta orden: Desde hoy habéis de adorar a Dios en Jerusalén, *y sólo* delante de este altar?

**23.** Ahora, pues, venid a donde está el rey de los Asirios, mi señor, y yo os daré dos mil caballos, y ved si *tan siquiera* podéis hallar quien los monte.

**24.** Mas ¿cómo podréis resistir *ni* a uno de los más pequeños sátrapas *o capitanes* que sirven a mi señor? ¿Confías acaso en el Egipto por sus carros *armados* y su caballería?

**25.** Pues qué, ¿no es por orden del Señor cómo yo he venido a ese país para arruinarlo? Marcha contra ese país, me dijo el Señor, y arrásalo.

---

CAP. XVIII.— 5. Desde el cisma de Jeroboam. 7. O dábale acierto en todas las empresas.

**26.** Entonces Eliacim, hijo de Helcías, y Sobna, y Joahe dijeron a Rabsaces: Rogámoste que nos hables a nosotros, tus siervos, en siríaco, pues entendemos esa lengua, y no en lengua hebrea, la cual entiende el pueblo que está sobre la muralla.

**27.** Respondióles Rabsaces, diciendo: Pues qué, ¿acaso mi Señor me ha enviado para deciros estas cosas a tu señor y a ti, y no más bien a decirlas a esas gentes que están sobre el muro, expuestas a tener que comer junto con vosotros sus excrementos, y a beber sus propios orines?

**28.** En seguida puesto en pie gritó en alta voz, diciendo en hebreo: Oíd las palabras del gran rey, del rey de los Asirios:

**29.** Esto dice el rey: Cuidado no os engañe Ezequías: pues él no ha de poder libraros de mis manos.

**30.** No os inspire confianza en el Señor, diciéndoos: Sin falta nos librará el Señor y no caerá esta ciudad en poder del rey de los Asirios.

**31.** No queráis dar oídos a Ezequías; porque he aquí lo que *os* dice el rey de los Asirios: Capitulad conmigo lo que os tiene en cuenta, y salid a *rendiros* a mí; *y con esto* comerá cada cual el fruto de su viña y de su higuera, y beberéis del agua de vuestras cisternas;

**32.** Hasta tanto que yo vaya y os traslade a un país semejante al vuestro, a una tierra fructífera y abundante de vino, tierra de pan llevar, y de viñas, y de olivares, tierra de aceite y de miel. Con eso viviréis *en paz* y no moriréis. No queráis escuchar a Ezequías, que os engaña diciendo: El Señor nos librará.

**33.** ¿Por ventura los dioses de las gentes han libertado su tierra del poder del rey de los Asirios?

**34.** ¿Dónde está el dios de Emat, y de Arfad? ¿dónde el dios de Sefarvaím, de Ana y de Ava? ¿Libraron acaso a Samaria de caer en mi poder ?

**35.** ¿Cuáles son entre todos los dioses de la tierra los que han salvado su región de caer en mis manos, para que el Señor pueda librar a Jerusalén de caer en las mismas?

**36.** A todo ello calló el pueblo, y no le respondió palabra; pues habían tenido orden del rey de no dar ninguna respuesta.

**37.** Después de esto Eliacim, hijo de Helcías, mayordomo mayor de *palacio*, y Sobna, secretario, y Joahe, hijo de Asaf, can-

---

**32.** Senaquerib os mudará de país como hace con otros pueblos vencidos; pero si os rendís, sacaréis mejor partido.

---

ciller, volvieron a Ezequías, rasgados sus vestidos, y refiriéronle las palabras de Rabsaces.

## CAPITULO XIX

*Ezequías envía a llamar al profeta Isaías, y acuden ambos al Señor, el cual envía un ángel que mata a ciento ochenta mil Asirios. Profecía de Isaías; muerte de Sennaquerib.*

**1.** Y así que lo oyó el rey Ezequías, rasgó sus vestiduras, y cubrióse de un saco, y se fué a la casa del Señor.

**2.** Y envió a Eliacim, su mayordomo mayor, y a Sobna, su secretario, y a los más ancianos de los sacerdotes cubiertos de sacos, *a hablar* a Isaías profeta, hijo de Amós,

**3.** Los cuales le dijeron: Esto dice Ezequías: Día es éste de tribulación, y de amenazas y de blasfemias: llegaron los hijos hasta el punto de nacer; pero la que está de parto no tiene fuerzas *para darlos a luz.*

**4.** Mas el Señor Dios tuyo habrá *sin duda* oído todas las palabras de Rabsaces, enviado de su amo, el rey de los Asirios, a ultrajar al Dios vivo, y a llenarlo de denuestos con las palabras que acaba de escuchar el Señor tu Dios: haz, pues, oración por estos pocos *Israelitas* que han quedado.

**5.** Fueron, pues, con este *mensaje* los ministros del rey Ezequías a Isaías.

**6.** Y díjoles Isaías: Esto diréis a vuestro amo: Así habla el Señor: No tienes que intimidarte por las palabras que has oído, con las cuales han blasfemado contra mí los criados del rey de los Asirios.

**7.** Yo voy a enviarle cierto espíritu *de temor, y* oirá una nueva, y se volverá a su país, donde le haré perecer al filo de la espada.

**8.** Entre tanto Rabsaces, habiendo sabido que el rey de los Asirios se había ido de Laquís, volvióse, y hallólo que estaba batiendo a Lobna.

**9.** Mas *Sennaquerib*, habiendo oído que Taraca, rey de Etiopía, había salido a campaña contra él, al tiempo de marchar contra ese rey envió embajadores a Ezequías, diciéndoles:

**10.** Esto diréis a Ezequías, rey de Judá: No te dejes engañar del Señor Dios tuyo, en quien pones tu confianza; y no digas: Jerusalén no será entregada en poder del rey de los Asirios,

**11.** Ya que tú mismo has oído lo que han hecho los reyes de los Asirios en todos los demás países, y cómo los han asolado. ¿Serás por ventura tú sólo el que podrás librarte?

**12.** ¿Acaso los dioses de las naciones libraron a algunas de aquellas que fueron exterminadas por mis padres, es a saber, a Gozán, y Harán, y Resef, y a los hijos de Edén que estaban en Telasar?

**13.** ¿Dónde está el rey de Emat, y el rey de Arfad, y el rey de la ciudad de Sefarvaím, y de Ana y de Ava?

**14.** Luego que Ezequías recibió la carta de mano de los embajadores, y la hubo leído, se fué al templo del Señor, y extendióla delante del Señor,

**15.** Y oró en su acatamiento, diciendo: Señor Dios de Israel, que estás sentado sobre los querubines, tú eres el solo Dios de todos los reyes de la tierra; tú criaste el cielo y la tierra.

**16.** Inclina tus oídos, y escucha; abre, ¡oh Señor! tus ojos y mira: oye todas las palabras *blasfemas* de Sennaquerib, el cual ha enviado a blasfemar entre nosotros dèl Dios vivo.

**17.** Cierto es, Señor, que los reyes de los Asirios han desolado las gentes y todas sus tierras,

**18.** Y han arrojado al fuego a sus dioses, y destruídolos; porque no eran dioses, sino obras de la mano del hombre, hechas de madera y de piedra.

**19.** Ahora, pues, ¡oh Señor Dios nuestro! sálvanos de la mano de éste; para que sepan todos los reinos de la tierra que tú eres el Señor, el solo Dios.

**20.** Entonces Isaías, hijo de Amós, envió a decir a Ezequías: Esto dice el Señor Dios de Israel: He oído la plegaria que me has hecho acerca de Sennaquerib, rey de los Asirios.

**21.** He aquí la sentencia que contra él ha pronunciado el Señor: La virgen hija de Sión te ha menospreciado y escarnecido: detrás de ti ha me-neado su cabeza la hija de Jerusalén.

**22.** ¿A quién piensas que has insultado tú, y de quién has blasfemado? ¿Contra quién has levantado la voz, y alzado en alto tus ojos *insolentes*? Contra el Santo de Israel.

**23.** Por la boca de tus siervos has denostado al Señor, y has dicho: Con la muchedumbre de mis carros *armados* he subido sobre los montes encumbrados, a la cima del Líbano, y he cortado sus altos cedros y sus mejores abetos *o hayas*: he penetrado hasta sus últimos extremos; y las *frondosas* selvas de su Carmelo

**24.** Yo las he cortado. Yo he bebido las aguas ajenas, y con mi tránsito he agotado todas las aguas encerradas.

**25.** Pues qué, ¿no has oído decir tú lo que yo hice desde el principio? Desde *antes* de los siglos primeros tengo yo ideado esto *para castigo suyo,* y ahora lo ejecuto: las ciudades fuertes por sus *valerosos* combatientes quedarán reducidas a unas colinas desiertas.

**26.** Y los que las habitaban, quedando faltos de fuerza en sus brazos, temblaron y se amilanaron; y vinieron a quedar como el heno del campo y como la yerba verde de los tejados, que se seca antes de llegar a la sazón.

**27.** Yo *desde el principio* preví *también* tu habitación, tus salidas y tus entradas, y tu marcha, y el furor con que te alzarías contra mí.

**28.** Tú has enloquecido contra mí, ha llegado hasta mis oídos *el ruido de* tu soberbia. Yo te pondré, pues, un anillo en tus narices y una mordaza en tus labios, y te haré volver por el camino por donde viniste.

**29.** Empero a ti ¡oh Ezequías! te doy esta señal: Come este año lo que hallares, y al año siguiente lo que por sí mismo naciere; pero al tercer año sembrad y segad; plantad viñas y comed sus frutos.

**30.** Y todo lo que restare de la casa de Judá, echará *otra vez* hondas raíces, y afuera producirá frutos;

**31.** Porque de Jerusalén saldrán unos restos de *pueblo,* y de ese monte Sión saldrá la gente que se ha de salvar. Esto es lo que hará *por su pueblo* el celo del Señor de los ejércitos.

**32.** Por lo cual he aquí lo que acerca del rey de los Asirios dice el Señor: No pondrá el pie en esta ciudad, ni disparará contra ella saeta alguna, ni el *soldado* cubierto con su broquel la asaltará, ni la cercará con trincheras.

**33.** Por el camino que ha venido se volverá, y no entrará en la ciudad, dice el Señor.

**34.** Pues yo ampararé a esta ciudad, y la salvaré por amor de mí y por amor de David, siervo mío.

---

**22.** Esto es, contra el Señor Dios que salva a Israel: modo de hablar de que Usó Isaís varias veces. — *Isal.* XLVII, v. 4. — XLVIII.

**28.** Como se hace con algunos animales para sujetarlos.

**31.** Como semillas de otro.

35. En efecto, aquella noche vino el Angel del Señor, y mató en el campamento de los Asirios a ciento y ochenta y cinco mil hombres. Y levantándose muy de mañana el rey de los Asirios Sennaquerib, vió todos aquellos cuerpos muertos, y levantó el campo, y se marchó;

36. Y volvióse a Nínive, donde fijó su asiento,

37. Y mientras que estaba adorando en el templo a su Dios Nesroc, lo mataron a puñaladas sus hijos Adramelec y Sarasar, y huyéronse a tierra de los Armenios, reinando en su lugar su hijo Asaradón.

## CAPITULO XX

*A Ezequías, enfermo de muerte, le prolonga el Señor la vida. La sombra del sol retrocede milagrosamente. Reprende Isaías la vanidad del rey: al cual sucede en el trono su hijo, el impío Manasés.*

1. Por aquel tiempo enfermó, de muerte Ezequías, y vino a visitarle Isaías profeta, hijo de Amós, y díjole: Esto dice el Señor Dios: Dispón tus cosas; porque vas a morir, va a tener fin tu vida.

2. *Entonces* Ezequías volvió su rostro hacia la pared, e hizo oración al Señor diciendo:

3. ¡Ah Señor! acuérdate, te suplico, que yo he andado delante de ti con sinceridad y rectitud de corazón, haciendo lo que es agradable a tus ojos. Y derramó Ezequías abundancia de lágrimas.

4. Mas antes que Isaías hubiese pasado la mitad del atrio, hablóle el Señor, diciendo:

5. Vuelve y di a Ezequías, caudillo de mi pueblo: Esto dice el Señor Dios de tu padre David: Oído he tu oración, y visto tus lágrimas: yo te doy la salud: de aquí a tres días subirás al templo del Señor.

6. Y alargaré quince años tu vida: además de eso te libraré del poder del rey de los Asirios a ti y a esta ciudad; a la cual protegeré por amor mío, y por amor de David mi siervo.

7. Y dijo Isaías: Traedme una masa de higos. Traída que fué, y aplicada sobre la úlcera del rey, quedó éste curado.

8. Había dicho antes Ezequías a Isaías: ¿Cuál será la señal de que el Señor me dará la salud, y de que dentro de tres días he de subir al templo del Señor?

9. Respondióle Isaías: He aquí la señal que dará el Señor de que cumplirá la palabra que ha pronunciado: ¿Quieres que la sombra *en ese reloj solar* se adelante diez líneas, o que retroceda otros tantos grados?

10. A lo cual respondió Ezequías: Fácil es que la sombra se adelante diez líneas: no deseo yo que suceda esto, sino que vuelva atrás diez grados.

11. Entonces el profeta Isaías invocó al Señor, e hizo retroceder la sombra de línea en línea por los diez grados que había ya andado en el reloj de Acaz.

12. En aquel tiempo Berodac Baladán, hijo de Baladán, rey de Babilonia, envió cartas y presentes a Ezequías, por haber entendido que había estado enfermo.

13. Tuvo gran contento Ezequías con la venida de los embajadores, y mostróles la casa o *fábrica* de los perfumes, y el oro, y la plata, y las varias confecciones aromáticas, y los ungüentos o *aceites de olor*, y la pieza de sus alhajas *y armas*, y todo cuanto tenía en sus tesoros. No hubo cosa en su palacio, ni de cuanto poseía, que Ezequías no se la mostrase.

14. Mas el profeta Isaías vino a ver al rey Ezequías y le preguntó: ¿Qué han dicho esos hombres? ¿Y de dónde han venido a verte? Al cual contestó Ezequías: Han venido a mi de lejanas tierras, de Babilonia.

15. Díjole Isaías: ¿Qué han visto en tu casa? Respondió Ezequías: Han visto todo cuanto hay en palacio: nada hay en mis tesoros que no les haya yo mostrado.

16. Dijo entonces Isaías a Ezequías: Escucha la palabra del Señor:

17. He aquí que vendrá tiempo en que todas esas cosas que hay en tu casa y cuantas han atesorado tus padres hasta el día presente, serán transportadas a Babilonia: no quedará cosa alguna, dice el Señor.

18. Y aun tus mismos hijos que saldrán de ti engendrados, serán llevados cautivos, y vendrán a ser eunucos o *cortesanos* en el palacio del rey de Babilonia.

---

CAP. XX. — 2. O porque ésta miraba hacia el templo, o para orar con mayor recogimiento.

CAP. XX.—12. Y tal vez para saber la causa del prodigio sucedido en el reloj.

**19.** Respondió Ezequías a Isaías: Justa es la sentencia del Señor pronunciada por tu boca; reine *a lo menos* durante mi vida la paz y la verdad.

**20.** En orden a los demás hechos de Ezequías, y su gran fortaleza, y cómo fabricó el estanque, y el acueducto con que introdujo las aguas en la ciudad, ¿no está todo esto escrito en el Libro de los Anales de los Reyes de Judá?

**21.** En fin, Ezequías fué a reposar con sus padres, sucediéndole en el reino su hijo Manasés.

## CAPITULO XXI

*Reinado abominable del impío Manasés a quien sucede e imita su hijo Amón. Muerto éste por sus Criados, reina en Judá el piadoso Josías, su hijo.*

**1.** De doce años era Manasés cuando comenzó a reinar, y cincuenta y cinco años reinó en Jerusalén; llamábase su madre Hafsiba.

**2.** E hizo el mal en la presencia del Señor, venerando los ídolos de las naciones que el Señor exterminó en presencia de los hijos de Israel.

**3.** Y volvió a reedificar los lugares excelsos, derribados por su padre Ezequías, y erigió altares a Baal, y plantó bosques *en honor suyo,* como había hecho Acab, rey de Israel, y adoró todos los astros del cielo, y les rindió culto.

**4.** Y erigió altares *profanos* en la casa del Señor, de la cual el Señor había dicho: Estableceré mi Nombre en Jerusalén;

**5.** Y en los dos atrios del templo del Señor edificó altares a todos los astros del cielo.

**6.** E hizo pasar por el fuego a su propio hijo; y se dió a adivinaciones, y a observar los agüeros, y estableció pitones o *nigrománticos,* y multiplicó los adivinos, haciendo el mal delante del Señor, e irritándolo.

**7.** Además el ídolo del bosque que había plantado, lo colocó en el templo del Señor; templo del cual el Señor dijo a David y a Salomón, su hijo: En este templo y en Jerusalén, *ciudad* que tengo escogida entre todas las tribus de Israel, estableceré mi Nombre para siempre;

**8.** Y no permitiré que en adelante haya de mover Israel su pie de la tierra que di a sus padres; con tal que guarde todos mis mandamientos, y la ley toda que le intimó mi siervo Moisés.

**9.** El empero no quiso obedecer, sino que se dejó engañar de Manasés para obrar el mal, *e idolatrar,* aun más que las naciones exterminadas por el Señor a la vista de los hijos de Israel.

**10.** Y así habló el Señor por boca de sus siervos los profetas, diciendo:

**11.** Por cuanto Manasés, rey de Judá, ha cometido estas horrendas abominaciones, que sobrepujan a todas cuantas hicieron antes que él los Amorreos, y ha hecho también pecar a Judá con sus inmundicias o *idolatrías;*

**12.** Por tanto, esto dice el Señor Dios de Israel: Sabed que yo lloveré sobre Jerusalén y Judá tales calamidades, que a cualquiera que las oyere contar, le retiñirán *de terror* ambas orejas;

**13.** Y mediré a Jerusalén con la misma cuerda que he medido a Samaria, y con la misma plomada que a la casa de Acab: y raeré a Jerusalén como suelen raerse, *o borrarse,* las tablillas *de escribir,* pasando y repasando el *mango del* punzón repetidas veces por encima de ellas, a fin de que nada quede.

**14.** Abandonaré los restos de mi heredad, en-tregándolos en manos de sus enemigos, y serán saqueados y hechos presa de todos sus adversarios

**15.** Por haber obrado el mal en mi presencia, y haberse obstinado en irritarme desde el día en que salieron sus padres del Egipto hasta el día de hoy.

**16.** Además de esto Manasés derramó arroyos de sangre inocente hasta inundar a Jerusalén; sin contar los otros pecados con que indujo a pecar a Judá para que hiciera lo malo delante del Señor.

**17.** Las demás acciones de Manasés, y todo cuanto hizo, y el pecado que cometió, ¿todo esto no está escrito en el Libro de los Anales de los Reyes de Judá?

**18.** Al fin murió Manasés con sus padres, y fué sepultado en el jardín de su casa *llamado* huerto de Oza; y sucedióle en el reino su hijo Amón.

**19.** Veintidós años tenía Amón cuando comenzó a reinar, y reinó dos años en Jerusalén. Llamóse su madre Mesalemec, hija de Harús de Jeteba.

**20.** E hizo lo malo en la presencia del Señor, como lo había hecho Manasés su padre,

**21.** Y siguió en todo y por todo el proceder de su padre, y sirvió a los ídolos inmundos como los había servido su padre, y los adoró.

---

**21.** Véase su elogio en el libro del *Eclesiástico, c.* XLVIII, *v.* 19; XLIX, *v.* 5.

**22.** Y abandonó al Señor Dios de sus padres, y no anduvo por las sendes del Señor.

**23.** Unos criados suyos le armaron asechanzas, y asesináronlo en su casa.

**24.** Mas el pueblo del país mató a todos los que se habían conjurado contra el rey Amón; y proclamaron por rey en su lugar a Josías, hijo suyo.

**25.** Las demás acciones de Amón, ¿no están ya escritas en el Libro de los Anales de los Reyes de Judá?

**26.** Y fué sepultado en su sepulcro en el huerto de Oza, y sucedióle en el trono su hijo Josías.

## CAPITULO XXII

*Comienza, Josías a restaurar el Templo y culto divino; y aplaca con su piedad la cólera de Dios.*

**1.** De edad de ocho años era Josías cuando entró a reinar, y reinó treinta y un años en Jerusalén. Llamóse su madre Idida, hija de Hadaía, de Besecat.

**2.** El hizo lo que era agradable a los ojos del Señor, y siguió la sendas de David, su padre, sin desviarse a la derecha ni a la siniestra.

**3.** Y en su año décimo octavo envió el rey Josías a Safán, hijo de Asía, hijo de Mesulam, escribano o *secretario* del templo del Señor, dándole esta orden:

**4.** Ve a Helcías, Sumo sacerdote, y dile que mande recoger el dinero que ha entrado en el templo del Señor, que han recibido del pueblo los porteros del templo,

**5.** Y se dé a los obreros por mano de los sobrestantes de la casa del Señor; a fin de que vayan pagando a los que trabajan en el templo del Señor para repararlo:

**6.** Es a saber, a los carpinteros y albañiles, y a los que recomponen lo que se halla ya gastado o *destrozado;* y para que se compren maderas y piedras de cantería, a fin de reparar el templo del Señor.

**7.** Pero no se les pida cuenta del dinero que reciban, sino que lo tengan a su disposición y sobre su conciencia.

**8.** Con esta ocasión dijo el *Sumo* pontífice Helcías a Safán, secretario: He hallado en el templo del Señor el libro de la ley. Y entregó Helcías aquel volumen a Safán; el cual lo leyó.

**9.** Volvió el secretario Safán al rey y dióle cuenta de lo que había hecho en cumplimiento de las órdenes recibidas diciéndole: Tus siervos han recogido todo el dinero que se ha hallado en la casa del Señor, y lo han entregado a los sobrestantes de la fábrica del templo del Señor para que lo distribuyan entre los obreros.

**10.** El secretario Safán dijo además al rey: El pontífice Helcías me ha dado este libro. Y leyólo Safán en presencia del rey;

**11.** Quien al oír las palabras del libro de la ley del Señor, rasgó sus vestiduras,

**12.** Y dió esta orden al pontífice Helcías, y a Ahicam, hijo de Safán, y a Acobor, hijo de Mic, y a Safán, secretario, y a Asaías, ministro del rey:

**13.** Id, y consultad al Señor acerca de mí y acerca del pueblo y de todo Judá sobre las palabras de este libro que se ha hallado, porque grande es la cólera del Señor que se ha encendido contra nosotros, visto que nuestros padres no escucharon las palabras de este libro, ni pusieron en ejecución lo que nos estaba prescrito.

**14.** Fueron, pues, el Pontífice Helcías, y Ahicam, y Acobor, y Safán, y Asaías a casa de Holda profetisa, mujer de Sellum, híjo de Tecua, y nieto de Araas *jefe* del guardarropa, la cual habitaba en Jerusalén en la *parte llamada* Segunda, y hablaron con ella.

**15.** Y Holda les respondió: Esto es lo que dice el Señor Dios de Israel: Decid al varón que os ha enviado a mí:

**16.** Esto dice el Señor: He aquí que yo descargaré sobre este lugar y sobre sus habitantes las calamidades que el rey de Judá ha leído en este libro de la ley;

**17.** Porque me han abandonado a mí, y ofrecido sacrificios a los dioses ajenos, provocándome a ira en todas sus obras; y encenderáse mi furor contra este lugar, y no se apagará.

**18.** Y al rey de Judá que os ha enviado a consultar al Señor, diréisle así: Esto dice el Señor Dios de Israel: Por cuanto has escuchado las palabras de este libro,

CAP. XXII. — 8. El original escrito Por Moisés; o, según otros expositores, el acta de renovación de la alianza entre el Señor y su pueblo, que hizo Moisés, poco antes de su muerte en las llanuras de Moab, después de haber sido el mediador de la primera hecha en el monte Horeb: *acta* que hizo poner a un lado del Arca del Señor; y en la que se contienen aquellas terribles amenazas, cuya lectura tanto espantó a Josías. *Deut.* XXXI, *v.* 26.II *Paralip.* XXXIV, *v.* 14.

19. Y se ha atemorizado tu corazón, y te has humillado delante del Señor, oídas las amenazas contra este lugar y sus moradores, es a saber, que vendrían a ser objeto de pasmo y execración, y rasgaste tus vestidos, y lloraste en mi presencia, yo también te he escuchado, dice el Señor.

20. Por eso yo te reuniré con tus padres, y haré que vayas a descansar en paz en tu sepulcro, a fin de que no vean tus ojos todos los males que yo voy a llover sobre este lugar.

## CAPITULO XXIII

*Lee Josías el Deuteronomio delante del pueblo: renueva la alianza con el Señor, y esmérase en todo lo restante de su corta vida en la observancia de la Ley, y destrucción de la idolatría.*

1. Volvieron, pues, a referir al rey lo que había dicho la profetisa. El cual dió luego orden, y se congregaron en su presencia todos los ancianos de Judá y de Jerusalén.

2. Y subió el rey al templo del Señor, acompañado de todos los varones de Judá y de los moradores de Jerusalén, de los sacerdotes y profetas, y de todo el pueblo, chicos y grandes, y leyó delante de ellos todas las palabras del Libro de la Alianza hallado en la casa del Señor.

3. Y puesto el rey en pie sobre su tribuna *o trono*, hizo pacto *o alianza* delante del Señor, de que *todos* seguirían al Señor y guardarían sus preceptos y amonestaciones y ceremonias con todo el corazón y con toda el alma, y restablecerían *en su observancia* las palabras de esta alianza escritas en aquel libro; y ratificó el pueblo este pacto *o promesa*.

4. Al mismo tiempo mandó el rey al pontífice Helcías y a los sacerdotes de segundo orden, y a los porteros, que arrojasen del templo del Señor todos los vasos *o alhajas* consagradas a Baal, y al *ídolo del* Bosque y a todos los astros del cielo, y los quemó fuera de Jerusalén en el valle de Cedrón, e hizo llevar las cenizas a Betel.

5. Y exterminó los agoreros, instituidos por los reyes de Judá en las ciudades de Judá y alrededores de Jerusalén para sacrificar en los lugares altos; y a aquellos que quemaban incienso a Baal y al sol, a la luna y a los doce signos *del zodíaco*, y a todos los astros del cielo.

6. Hizo también sacar el *ídolo del* Bosque de la casa del Señor, y llevarlo fuera de Jerusalén, al valle de Cedrón, donde lo quemó, y redujo a cenizas, que hizo esparcir sobre los sepulcros del pueblo.

7. Asimismo destruyó las casillas o *pabellones* de los afeminados, que se habían formado en la casa del Señor; para quienes las mujeres tejían unos como pabellones *al servicio del ídolo del* Bosque.

8. Recogió también a todos los sacerdotes de las ciudades de Judá y profanó los lugares altos, donde sacrificaban los sacerdotes, desde Gábaa hasta Bersabée: y derribó los altares de las puertas *de Jerusalén*, situadas a la entrada de la *casa o* puerta de Josué, príncipe de la ciudad, que habitaba a mano izquierda de la puerta de la ciudad.

9. Ni de allí en adelante los sacerdotes *que habían sacrificado* en las alturas subieron al altar del Señor en Jerusalén: sólo se les permitía el comer los panes ázimos en compañía de sus hermanos.

10. Profanó asimismo el lugar de Tofet, situado en el Valle del hijo de Ennón; a fin de que nadie consagrara su hijo o su hija a Moloc, haciéndolos pasar por el fuego.

11. Quitó también los caballos que los reyes de Judá tenían consagrados al Sol a la entrada del Templo del Señor, junto a la vivienda del eunuco Natanmelec; la cual estaba en Farurim; y los carros del Sol los entregó a las llamas.

12. Destruyó igualmente el rey los altares colocados sobre el terrado del cuarto o *habitación* de Acaz, erigidos por los reyes de Judá; como también los altares puestos por Manasés en los dos atrios del templo del Señor; y desde aquí fué corriendo a esparcir la ceniza de ellos en el torrente de Cedrón.

13. Además profanó el rey los lugares altos de *junto a* Jerusalén, que estaban a la derecha del monte *Olivete, llamado* del Escándalo, erigidos por Salomón, rey de Israel, al ídolo de los Sidonios Astarot, y a Camos, escándalo de Moab, y Melcom, oprobio de los hijos de Ammón;

14. Y destruyó las estatuas, y taló los bosques *sacrílegos*, y llenó aquellos lugares de huesos de muertos.

---

20. Esto es, durante tu vida no descargaré contra mi pueblo las calamidades predichas.

` CAP. XXII. — 6. Esto es, del vulgo que adoraba al ídolo. Los pobres que no podían costearse sepulcro, se enterraban en Tofet, en el valle Cedrón.

7. O del impuro ídolo Astarté.

**15.** A más de esto el altar que había en Betel y en lugar excelso, formado por Jeroboam, hijo de Nabat, el que hizo pecar a Israel, uno y otro lo destruyó, y abrasó, y redujo a cenizas; y quemó también el bosque.

**16.** Y volviendo los ojos Josías, vió los sepulcros que había en el monte, y envió a sacar los huesos de los sepulcros, y quemólos sobre el altar, con lo que lo profanó, según la palabra del Señor, pronunciada por el varón de Dios que había predicho estas cosas.

**17.** Añadió: ¿De quién es aquel *túmulo* o monumento que veo? Respondiéronle los vecinos de aquella ciudad: Es el sepulcro del varón de Dios que vino de Judá y profetizó estas cosas que acabas de ejecutar sobre el altar de Betel.

**18.** Y dijo el rey: Dejadle, ninguno mueva sus huesos; y así quedaron intactos sus huesos con los del profeta, venido de Samaria.

**19.** Finalmente, quitó Josías todos los adoratorios de las alturas que había en las ciudades de Samaria, fabricados por los reyes de Israel para irritar al Señor, y ejecutó con ellos lo mismo que había hecho en Betel.

**20.** Y degolló a todos los sacerdotes de las alturas, que estaban allí encargados de los altares; y quemó sobre estos altares huesos humanos, y volvióse a Jerusalén.

**21.** Por último, dió esta orden a todo el pueblo: Celebrad la Pascua al Señor Dios vuestro, conforme se halla escrito en este Libro de la Alianza.

**22.** Jamás se celebró Pascua igual desde el tiempo de los Jueces que gobernaron a Israel, ni en todo el tiempo de los reyes de Israel, y de los reyes de Judá,

**23.** Como fué esta Pascua que se celebró en honor del Señor en Jerusalén, el año décimo octavo del rey Josías.

**24.** Extirpó igualmente Josías a los pitones o *magos* y a los adivinos, y las figuras de ídolos, y las inmundicias y abominaciones que habían quedado en el país de Judá y de Jerusalén, a fin de restablecer en su vigor las palabras de la ley escritas en el Libro hallado por Helcías, *Sumo* sacerdote, en el templo del Señor.

**25.** No hubo entre sus predecesores ningún rey que del modo que éste se convirtiese al Señor con todo el corazón, y con toda su alma, y con todas sus fuerzas, siguiendo en todo la ley de Moisés; ni después de él nació otro que le fuese semejante.

**26.** Sin embargo de eso, no depuso el Señor su terrible enojo y grande indignación contra Judá por los ultrajes con que le había provocado Manasés.

**27.** Y así dijo el Señor: Yo arrojaré de mi presencia también a Judá, como arrojé a Israel; y desecharé a Jerusalén, esa ciudad que yo había escogido, y el templo del cual dije: Aquí es donde mi Nombre sera invocado.

**28.** En cuanto a las demás acciones de Josías y todas las cosas que hizo, ¿no está todo esto escrito en el Libro de los Anales de los Reyes de Judá?

**29.** En su reinado, Faraón Necao, rey de Egipto, se puso en marcha hacia el río Eufrates para batir al rey de los Asirios, y salió contra el rey Josías, que al primer encuentro quedó muerto en Mageddo.

**30.** Y sus criados lleváronle muerto desde Mageddo, y le transportaron a Jerusalén, y sepultáronlo en su sepulcro. Entonces el pueblo de la tierra tomó a Joacaz, hijo de Josías, al cual ungieron y proclamaron rey en lugar de su padre.

**31.** Veintitrés años tenía Joacaz cuando comenzó a reinar, y reinó tres meses en Jerusalén; su madre se llamaba Amital, hija de Jeremías, de Lobna.

**32.** E hizo Joacaz el mal en presencia del Señor, imitando todo el proceder de sus padres.

**33.** Y el rey Faraón Necao lo puso en cadenas en Rebla, situada en tierra de Emat, privándole del reino de Jerusalén; y echó al país una contribución de cien talentos de plata y un talento de oro.

**34.** Después de esto Faraón Necao estableció rey a Eliacim, hijo de Josías, en lugar de Josías, su padre, mudándole el nombre en el Joakim. Pero a Joacaz se lo llevó consigo, y condújolo a Egipto, donde murió.

**35.** Joakim dió la plata y oro a Faraón, habiendo impuesto a todo el país un tributo personal para sacar la suma ordenada por Faraón, exigiendo de cada uno de sus vasallos así la plata como el oro, a proporción de su posibilidad, para dárselo a Faraón Necao.

**36.** Veinticinco años tenía Joakim cuando comenzó a reinar, y reinó once años en Jerusalén; llamábase su madre Zebida, y era hija de Fadaía, *natural* de Ruma.

**37.** E hizo el mal delante del Señor, a imitación de todo lo que habían hecho sus padres o *abuelos*.

## CAPITULO XXIV

*Rebélase Joakim contra el rey de Babilonia; y le sucede su hijo Joaquín. Nabucodonosor se apodera de Jerusalén, y se lleva presos a Babilonia a Joaquín y a sus principales vasallos; pone por rey a Matanias, llamado también Sedecias.*

1. En tiempo de éste vino Nabucodonosor, rey de Babilonia; y Joakim estuvo sujeto a él por tres años, después de los cuales se le rebeló.

2. Entonces el Señor envió contra él cuadrillas de tropa ligera de Caldeos, cuadrillas de Sirios, y cuadrillas de Moabitas, y cuadrillas de Ammonitas; a los cuales envió contra Judá, a fin de destruirlo, conforme lo había predicho el Señor por boca de sus siervos los profetas.

3. Esto sucedió en cumplimiento de la palabra que el Señor había pronunciado de que arrojaría de su presencia a Judá, a causa de todos los pecados cometidos por Manasés,

4. Y de la sangre inocente que derramó, inundando a Jerusalén con la sangre de personas inocentes; por esta razón no quiso el Señor aplacarse.

5. Las otras cosas de Joakim y todos sus hechos: ¿no está todo escrito en el Libro de los Reyes de Judá? En fin Joakim pasó a descansar con sus padres.

6. Y sucedióle en el reino Joaquín, su hijo.

7. Ni de allí en adelante intentó el rey de Egipto salir de su tierra, por cuanto el rey de Babilonia se había alzado con todo lo que había sido del rey de Egipto, desde el río de Egipto hasta el río Eufrates.

8. Diez y ocho años tenía Joaquín cuando comenzó a reinar, y reinó tres meses en Jerusalén; llamábase su madre Nohesta, hija de Elnatán, de Jerusalén.

9. E hizo Joaquín lo malo delante del Señor, siguiendo en todo el proceder de su padre.

10. Por aquel tiempo vinieron contra Jerusalén los capitanes de Nabucodonosor, rey de Babilonia, y cercaron la ciudad con trincheras.

11. Vino también Nabucodonosor, rey de Babilonia, al sitio de la ciudad con sus oficiales para batirla.

12. Entonces Joaquín, rey de Judá, salió a verse con el rey de Babilonia en compañía de su madre, y criados, y de sus príncipes, y de sus eunucos *o validos;* y recibióle el rey de Babilonia el año octavo de su reinado.

13. Y tomó Nabucodonosor todos los tesoros del templo del Señor, y los tesoros de la casa real, e hizo pedazos todos los vasos de oro, que había hecho Salomón, rey de Israel para el templo del Señor, como el Señor lo tenía predicho.

14. Y llevóse cautiva toda la corte de Jerusalén, todos sus príncipes y toda la fuerza del ejército, en número de diez mil, y a todos los artífices y maquinistas o *ingenieros*, sin dejar más que la ínfima plebe.

15. Transportó asimismo a Babilonia a Joa-quín, y a su madre, y a sus mujeres, y a los eunucos *o validos;* y llevó *igualmente* cautivos de Jerusalén a Babilonia a los jueces del país.

16. Además a todos los varones robustos, en número de siete mil, y mil artífices e ingenieros; en suma, todos los hombres valerosos y aguerridos; y condújoles el rey de Babilonia cautivos a dicha ciudad.

17. Y en lugar de Joaquín puso a Matanías su tío paterno, a quien impuso el nombre de Sedecías.

18. Veintiún años tenía Sedecías cuando comenzó a reinar, y reinó once años en Jerusalén: llamábase su madre Amital, hija de Jeremías, de Lobna.

19. E hizo el mal en la presencia del Señor ni más ni menos que Joakim.

20. Porque la ira del Señor iba creciendo contra Jerusalén y contra Judá, hasta tanto que los arrojara de su presencia. Y rebelóse Sedecías contra el rey de Babilonia.

## CAPITULO XXV

*Ruina de Jerusalén y de su Templo: transmigración universal de los Judios a Babilonia, excepto unos pocos a quienes dejaron para cultivar la tierra.*

1. Pero el noveno año del reinado *de Sedecias,* el mes décimo, a los diez días del mes, vino el mismo Nabucodonosor, rey de Babilonia, con todo su ejército sobre Jerusalén, y le puso sitio, y levantó trincheras alrededor de ella.

2. Con lo que la ciudad quedó cerrada y circunvalada hasta el año undécimo del reinado de Sedecías,

**3.** Y día nueve *del mes cuarto;* y fué creciendo el hambre en la ciudad, de modo que faltó el pan *o alimento* a la gente del pueblo.

**4.** Al cabo quedó abierta una brecha en la ciudad; y toda la gente de guerra huyó de noche por el camino de la puerta, que está entre los dos muros, junto al jardín del rey, mientras los Caldeos estrechaban el cerco de la ciudad. Huyó, pues, Sedecías por el camino que va a las llanuras del Desierto.

**5.** Mas el ejército de los Caldeos fué persiguiéndolo, y lo alcanzó en la llanura de Jericó, y todos los soldados que lo acompañaban fueron dispersados, y lo abandonaron.

**6.** Hecho prisionero el rey, lo condujeron a Reblata al rey de Babilonia; el cual pronunció sentencia contra él.

**7.** E hizo matar a los hijos de Sedecías a la presencia de éste, y después sacarle los ojos, y atado con cadenas lo llevó consigo a Babilonia.

**8.** El mes quinto, a los siete del mes, corriendo el año diez y nueve del rey de Babilonia, Nabuzardán, vasallo de este rey y general de su ejército, entró en Jerusalén.

**9.** Y puso fuego al templo del Señor, y al palacio del rey, y a las casas de Jerusalén, y entregó a las llamas todos los edificios.

**10.** Y todo el ejército de los Caldeos que seguía a su general, arrasó por todos lados los muros de Jerusalén.

**11.** Al resto del pueblo que había quedado en la ciudad, y a los desertores que se habían pasado al rey de Babilonia, y a la ínfima plebe, los transportó Nabuzardán, general del ejército, a otra parte;

**12.** Dejando solamente a gentes pobres del país para cultivar las viñas y los campos.

**13.** Mas los Caldeos haciendo trozos las columnas de bronce que había en el templo del Señor, las basas y el mar de bronce colocado en la casa del Señor, trasladaron todo este metal a Babilonia.

**14.** Asimismo se llevaron las ollas de cobre, y las jarras, y los tridentes, y las copas, y los morterillos, y todas las vasijas de cobre que se usaban en el ministerio.

**15.** Llevóse también el general del ejército los incensarios y las ampollas, tanto los vasos de oro como los de plata,

**16.** Juntamente con las dos columnas, el mar *o la concha* y las bases que había hecho Salomón para el templo del Señor: el peso del bronce de todos los vasos era inmenso.

**17.** Una de las columnas tenía dieciocho codos de altura y un capitel de bronce encima, de tres codos de alto; y en torno del capitel de la columna una *como* red, con granadas, todo de bronce: el adorno de la otra columna era el mismo.

**18.** Además, se llevó el general del ejército a Saraías, primer sacerdote, y a Sofonías, segundo sacerdote, y a tres porteros.

**19.** Y también a un eunuco de la ciudad, bajo cuya inspección estaba la gente de guerra, y a cinco señores del servicio doméstico del rey, hallados en la ciudad; y a Sofer, inspector del ejército, que amaestraba a los soldados bisoños del país, y a sesenta varones del pueblo que se hallaron en la ciudad.

**20.** Todos los cuales condujo consigo Nabuzardán, general del ejército, a Reblata, a presencia del rey de Babilonia;

**21.** El cual en *la misma* Reblata, territorio de Emat, les hizo quitar la vida. Y la tribu de Judá fué transportada fuera de su tierra.

**22.** Para gobernar la gente que había quedado en el país de Judá por disposición de Nabucodonosor, rey de Babilonia, nombró a Godolías, hijo de Ahicam, hijo de Safán.

**23.** Lo que sabido por todos los oficiales del ejército y la gente que estaba con ellos, esto es, que el rey de Babilonia había dado el gobierno a Godolías, acudieron luego a éste en Masfa, Ismael, hijo de Natanías, y Johanán, hijo de Caree, y Saraías, hijo de Tanehumet, Netofatita, y Jezonías, hijo de Maacati, así ellos como sus compañeros.

**24.** Y Godolías les aseguró con juramento a ellos y a sus compañeros, diciendo: No temáis de estar sujetos a los Caldeos: quedaos en el país, y obedeced al rey de Babilonia, y lo pasaréis bien.

**25.** Pero al séptimo mes sobrevino Ismael, hijo de Natanías y nieto de Elisama, de la estirpe real, acompañado de diez hombres; los cuales hirieron a Godolías, que murió de las heridas, juntamente con los Judíos y Caldeos que estaban con él en Masfa.

**26.** De resultas de esto, todo el pueblo, chicos y grandes, y los oficiales del ejército huyeron a Egipto por temor de los Caldeos.

--------

**18.** *Segundo* Sacerdote: que ejercía las funciones de Sumo Sacerdote en caso de enfermedad del Pontífice.

**27.** A los treinta y siete años de la transmigración de Joaquín, rey de Judá, el día veintisiete del mes duodécimo, sucedió que Evilmerodac, rey de Babilonia, el mismo año en que comenzó a reinar, levantó a Joaquín del estado de abatimiento en que yacía, y sacóle de la cárcel;

**28.** Y hablóle con amor, y lo puso un trono o *asiento* superior al de los demás reyes subyugados que tenía consigo en Babilonia,

**29.** Y le hizo mudar los vestidos que había usado en su prisión, y comía siempre a su mesa todo el tiempo que vivió.

**30.** Señalóle asimismo alimentos para siempre en adelante; los cuales le daba el rey diariamente todos los días de su vida.

---

**27.** Se cree que es el mismo que *Baltasar*, hijo y sucesor de Nabucodonosor. *Dan* V, *v.* 1.

**28.** Para hacer más majestuosa su corte. — Véase *Judic.* I. *v.* 7. Y lo mismo leemos que hacía Alejandro Magno con los reyes Poro y Taxile.

**CAP. XXV.** — **38:** F. Kauten en "Assyrien u. Babylonien", Friburgo 1899 ha estudiado la historia profana de todo este período, relacionando sus datos con los de la Historia Santa. Véase también el libro III de Vigouroux, La Bible et les découvertes modernes.

# LOS DOS LIBROS DE LAS CRÓNICAS

# Introducción

Estos dos libros recibieron en griego el título de *Paralipómenos*, que significa «de las cosas omitidas». La intención de la obra es trazar una historia desde el principio del mundo hasta la cautividad babilónica. Contiene, pues, una historia de Israel narrada teniendo como base el templo de Jerusalén y el culto legítimo.

Este texto bíblico fue compuesto a la vuelta del cautiverio, cuando Israel se sentía reducido a provincia del imperio persa, sin más personalidad que la que le era conferida por su ley y su religión. De modo que la vida espiritual del pueblo se centró en torno a la autoridad religiosa. Desde este punto de vista patrimonial e histórico, Israel, el pueblo escogido por Yavé, contempla su historia pasada.

El texto se compone de una serie de documentos compilados, retocados a base de aclaraciones, adiciones, correcciones y supresiones para amoldarlos mejor a los propósitos del autor. Éste cita cuidadosamente sus fuentes, que si bien llegan a catorce, probablemente podrían reducirse a una o dos obras generales sobre la historia de Israel. No sabemos quién es el autor de la obra, si bien ha sido en ocasiones atribuida a Esdras. A juzgar por las genealogías de Zorobabel, puede fijarse la época de su composición alrededor del siglo IV, en la época griega.

La primera parte está formada por listas genealógicas que llegan hasta David. La segunda cuenta la historia de David, si bien omite sus pecados. La tercera relata la ejecución por Salomón de la gran obra preparada por David. La cuarta y última parte cuenta la historia de Judá hasta el decreto de Ciro que permitía la restauración del templo.

# LIBRO PRIMERO DE LAS CRÓNICAS

## CAPITULO PRIMERO

*Genealogía desde Adán hasta Abraham: hijo de éste, y descendencia de Ismael y de Esaú.*

1. Adam, Set, Enós,
2. Cainán, Malaleel, Jared,
3. Henoc, Matusalé, Lamec,
4. Noé, Sem, Cam y Jafet.
5. Hijos de Jafet: Gomer, y Magog, y Madai, y Javán, Tubal, Mosoc, Tiras.

---

CAP. PRIM. — 3. El mismo nombre que Matusalem.

**6.** Hijos de Gomer: Ascenez, y Rifat, y Togorma.

**7.** Hijos de Javán: Elisa, y Tarsis, Cetim y Dodanim.

**8.** Hijos de Cam: Cus, y Mesraim, y Fut, y Canaán.

**9.** Hijos de Cus: Sabá y Hevila, Sabata, y Regma, y Sabataca. Hijos de Regma: Sabá y Dadán.

**10.** Cus engendró también a Nemrod; el cual empezó a ser poderoso en la tierra.

**11.** Mesraim engendró a Ludim, y a Anamim, y a Laabim, y a Neftuim,

**12.** Y también a Fetrusim y Sasuim, de los cuales salieron los Filisteos y Caftoreos.

**13.** Canaán tuvo por su primogénito a Sidón, y después engendró al Heteo,

**14.** Y al Jebuseo, y al Amorreo, y al Gergeseo,

**15.** Y al Heveo, y al Araceo, y al Sineo,

**16.** Como también al Aradio, y al Samareo y al Hamateo.

**17.** Hijos de Sem: Elam, y Asur, y Arfaxad, y Lud, y Aram, y Hus, y Hul, y Geter, y Mosoc.

**18.** Arfaxad engendró a Salé, el cual engendró después a Heber.

**19.** A Heber le nacieron dos hijos, el nombre del uno es Faleg, porque en su tiempo fué dividida la tierra, y el nombre de su hermano era Jectán.

**20.** Jectán engendró a Elmodad, y a Salep, y a Asarmot, y a Jare;

**21.** Como también a Adoram, y a Huzal y a Decla.

**22.** Y asimismo a Hebal, y Abimael, y a Sabá,

**23.** Y a Ofir, y Hévila, y a Joab: todos estos fueron hijos de Jectán.

**24.** *Descendientes de* Sem: Arfaxad, Salé,

**25.** Heber, Faleg, Ragau,

**26.** Serug, Nacor, Taré,

**27.** Abram, el mismo que Abraham.

**28.** Hijos de Abraham: Isaac e Ismael;

**29.** Y éstos son sus descendientes: El primogénito de Ismael fué Nabajot, despúes Cedar, y Adbeel, y Mabsam,

**30.** Y Masma, y Duma, Masa, Hadad, y Tema,

**31.** Jetur, Nafis, y Cedma. Estos son los hijos de Ismael.

**32.** Los hijos de Cetura, mujer de segundo orden de Abraham, fueron: Zamrán, Jecsán, Madán, Madián, Jesboc y Sué. Hijos de Jec-

sán: Sabá y Dadán. Los de Dadán: Asurim, y Latusim, y Laomim.

**33.** Los hijos de Madián fueron Efa, Efer, Henoc, Abida, y Eldaa: todos éstos descendían de Cetura.

**34.** Abraham engendró asimismo a Isaac, de quien fueron hijos Esaú e Israel.

**35.** Hijos de Esaú: Elifaz, Rahuel, Jehús, Ihelom y Coré.

**36.** Hijos de Elifaz: Temán, Omar, Sefí, Gatán, Cenez: de Tamna *tuvo a* Amalec.

**37.** Hijos de Rahuel: Nahat, Zara, Samma, Meza.

**38.** Hijos de Seir: Lotán, Sobal, Sebeón, Ana, Disón, Eser, Disán.

**39.** Hijos de Lotán: Hori, Homam: hermana de Lotán fué Tamna.

**40.** Hijos de Sobal: Alián y Manahat, y Ebal, Sefí y Onam. Hijos de Sebeón: Aja y Ana. Hijo de Ana: Disón.

**41.** Hijos de Disón: Hamram, y Esebán, y Jetrán y Carán.

**42.** Hijos de Eser: Balán y Zaván, y Jacán. Hijos de Disán: Hus y Arán.

**43.** Estos *que siguen* son los reyes que reinaron en el país de Edom o *Idumea,* antes que los hijos de Israel tuviesen rey: Balé, hijo de Beor; y el nombre de su ciudad o *corte* fué Denaba.

**44.** Muerto Balé, sucedióle en el reino Jobab, hijo de Zaré, *natural* de Bosra.

**45.** Después de la muerte de Jobab entró a reinar en su lugar Husam del país de Temán.

**46.** Muerto que fué Husam, le sucedió en el reino Abad, hijo de Badad, el que deshizo los Madianitas en la tierra de Moab: su ciudad fué Avit.

**47.** Muerto Adad, reinó en su lugar Semla, de Masreca.

**48.** Murió asimismo Semla, y sucedióle Saúl, de Rohobot, *ciudad situada* junto al río *Eufrates.*

**49.** Muerto también Saúl, reinó en su lugar Balanán, hijo de Acobor.

**50.** Vino también a morir éste, y tuvo por sucesor en el trono a Adad, cuya ciudad fué Fau, y su mujer llamóse Meetabel, hija de Matred, que lo era de Mezaad.

**51.** Luego que murió Adad, comenzaron a regir la Idumea gobernadores o *jueces* en lugar de reyes; el gobernador Tamna, el gobernador Alva y el gobernador Jetet,

**52.** El gobernador Oolibama, el gobernador Ela, el gobernador Finón,

**53.** El gobernador Cenez, el gobernador Temán, el gobernador Mabsar,

---

**19.** En naciones y lenguas diferentes.

**54.** El gobernador Magdiel, el gobernador Hiram. Estos fueron los gobernadores de Idumea.

## CAPITULO II

*Descendencia de Isaac por la línea de Jacob o Israel, padre de Judá, hasta Isaí, padre de David.*

**1.** Los hijos de Israel, fueron: Rubén, Simeón, Leví, Judá, Isacar y Zabulón,

**2.** Dan, José, Benjamín, Neftalí, Gad y Aser.

**3.** Hijos de Judá: Her, Onan y Sela. Estos tres le nacieron de la Cananea, hija de Sué. Mas Her, primogénito de Judá, fué hombre malo delante del Señor, y quitóle el Señor la vida.

**4.** Judá tuvo de Tamar, su nuera, a Farés y a Zara: así, pues, todos los hijos de Judá fueron cinco.

**5.** Hijos de Farés: Hesrón y Hamul.

**6.** Hijos de Zara: Zamri, y Etán, y Emán, Calcal también y Dara, en todos cinco.

**7.** Hijo de Carmí: Acar, el que turbó a Israel por haber pecado en el hurto de las cosas consagradas a Dios.

**8.** Hijo de Etam: Azarías.

**9.** Los hijos que le nacieron a Hesrón fueron Jerameel, y Ram, y Calubi.

**10.** Ram engendró a Aminadab; Aminadab engendró a Nahasón, príncipe de los hijos de Judá.

**11.** Nahasón engendró a Salma, de quien procedió Booz.

**12.** Booz engendró a Obed, el cual engendró a Isaí.

**13.** E Isaí tuvo por primogénito a Eliab, su hijo segundo fué Abinadab, el tercero Simmaa,

**14.** El cuarto Natanael, el quinto Raddai.

**15.** El sexto Asom, el séptimo David.

**16.** Hermanas de éstos fueron Sarvia y Abigaíl. Hijos de Sarvia, tres: Abisaí, Joab y Asael.

**17.** Abigaíl fué madre de Amasa, cuyo padre fué Jeter, Ismaelita.

**18.** Caleb, hijo de Hesrón, casó con Azuba, de la cual tuvo a Jeriot; y fueron hijos de ella Jaser, y Sobab, y Ardón.

**19.** Muerta que fué Azuba, casó Caleb con Efrata, la cual le dió a Hur.

---

CAP. II. — 7. En el botín de Jericó.

11. *Salma:* Llamado también *Salmón* en el libro de Rut y en el Evangelio.

**20.** Hur fué padre de Uri, y Uri lo fué de Bezeleel.

**21.** Después Hesrón casó, a la edad de sesenta años, con la hija de Maquir, padre de Galaad, la cual le dió a Segub.

**22.** Este Segub engendró a Jair, el cual fué señor de veintitrés ciudades en tierra de Galaad;

**23.** Pero Jesur y Aram tomaron las ciudades *o villas* de Jair y de Canat con sus sesenta aldeas, que todas eran del hijo de Maquir, padre de Galaad;

**24.** Siendo ya muerto Hesrón, Caleb *su hijo,* casó con Efrata. Hesrón tuvo también por mujer a Abia, la cual le parió a Asur, fundador de Tecua.

**25.** Al primogénito de Hesrón, Jerameel, le nacieron estos hijos: Ram, primogénito, y Buna, y Aram, y Asom, y Aquía.

**26.** Otra mujer tuvo también a Jerameel, llamada Atara, que fué madre de Onam.

**27.** Los hijos de Ram, primogénito de Jerameel, fueron Moos, Jamín y Acar.

**28.** De Onam fueron hijos Semei y Jada. Hijos de Semei: Nadad y Abisur.

**29.** Llamóse Abihaíl la mujer de Abisur, la cual le dió a Ahobbán y Molid.

**30.** Los hijos de Nadab fueron Saled y Apfaim. Saled murió sin hijos.

**31.** Apfaim tuvo por hijo a Jesí, el cual engendró a Sesán, y Sesán a Oholai.

**32.** Los hijos de Jada, hermano de Semei, fueron Jeter y Jonatán; mas Jeter murió sin hijos.

**33.** Jonatán, empero, engendró a Falet y a Ziza. Estos fueron los descendientes de Jerameel.

**34.** Sesán no tuvo hijos, sino hijas, y *tomó* un esclavo egipcio, llamado Jeraa,

**35.** A quien dió una hija por mujer, la cual le dió a Etei.

**36.** Etei engendró a Natán, y Natán a Zabad.

**37.** Zabad engendró a Oflal, y Oflal a Obed.

**38.** Obed engendró a Jehú, y Jehú a Azarías.

**39.** Azarías engendró a Helles, y Helles a Elasa.

**40.** Elasa engendró a Sisamoi, y Sisamoi a Sellum.

**41.** Sellum engendró a Icamías, e Icamías a Elisama.

**42.** Hijos de Caleb, hermano de Jerameel: Mesa, su primogénito, y padre de Zif; y los descendientes de Maresa, padre de Hebrón.

**43.** Hijos de Hebrón: Coré y Tafua, y Recem, y Samma.

**44.** Samma engendró a Raham, padre de Jercaam, y Recem a Sammai.

**45.** Hijo de Sammai, Maón; y Maón padre de Betsur.

**46.** Efa, mujer secundaria de Caleb, dió a Harán, y a Mosa, y a Gesez. Harán engendró a Gezez.

**47.** Hijos de Jahaddai: Regom, y Joatán; y Jesán, y Falet, y Efa, y Saaf.

**48.** Maaca, mujer de segundo orden de Caleb, dió a luz a Saber y Tarana.

**49.** Saaf, príncipe de Madmena, engendró a Sué, que fué príncipe de Macbeda y príncipe de Gabáa. Hija de Caleb fué asimismo Acsa.

**50.** Hijos de Caleb, hijo de Hur primogénito de Efrata, fueron *también* éstos: Sobal, príncipe o *fundador* de Cariatiarim:

**51.** Salma, príncipe de Betlehem; Harif, príncipe de Betgader.

**52.** Y Sobal, príncipe de Cariatiarim, el cual poseía la mitad del lugar del Descanso, tuvo también hijos:

**53.** Y de su familia en Cariatiarim *descienden* los Jetreos, y Afuteos, y Semateos, y Masereos: de los cuales salieron los Saraitas y Estaolitas.

**54.** Hijos de Salma, o *Salmón:* Betlehem y Netofatí, cabezas de la casa de Joab; y la mitad del *territorio llamado* del Descanso fué *de los descendientes* de Sarai.

**55.** Hay también familias de doctores de la Ley, que habitan en Jabes, y viven en tiendas, cantando y tañendo. Estos son los Cineos, que descienden de Camat, padre de la casa o *linaje* de Recab.

## CAPITULO III

*Descendencia del rey David*

**1.** Estos son los hijos que tuvo David nacidos en Hebrón: Amnón el primogénito, de Aquinoam la Israelita; el segundo Daniel, de Abigaíl del Carmelo;

**2.** El tercero Absalom, hijo de Maaca, que era hija de Tolmai, rey de Jesur; el cuarto Adonías, hijo de Aggit;

**3.** El quinto Safatía, hijo de Abital; el sexto Jetraham, de su mujer Egla.

**4.** Esos seis le nacieron en Hebrón, donde reinó siete años y seis meses. Reinó después treinta y tres años en Jerusalén.

**5.** Los hijos que le nacieron en Jerusalén son Simmaa y Sobab, y Natán, y Salomón, todos cuatro de Betsabée, hija de Ammiel.

**6.** Además Jebaar, y Elisama,

**7.** Y Elifatet, y Noge, y Nefeg, y Jafía.

**8.** Otro Elisama, y Eliada, y Elifelet, en todos nueve.

**9.** Estos son todos los hijos de David sin contar los hijos de las mujeres de segundo orden; y tuvieron una hermana llamada Tamar.

**10.** Hijo de Salomón fué Roboam, cuyo hijo Abía engendró a Asa. De éste nació también.Josafat,

**11.** Padre de Joram; el cual Joram engendró a Ocozías, de quien nació Joás.

**12.** Amasías, hijo de éste, engendró a Azarías. De Azarías fué hijo Joatán,

**13.** Padre de Acaz, que lo fué de Ezequías, del cual nació Manasés.

**14.** Manasés fué padre de Amón, que lo fué de Josías.

**15.** Los hijos de Josías fueron Joanán, el primogénito, el segundo Joakim, el tercero Sedecías, el cuarto Sellum.

**16.** De Joakim nacieron Jeconías y Sedecías.

**17.** Hijos de Jeconías fueron Asir, Salatiel,

**18.** Melquiram, Fadaya, Senneser, y Jecemías, Sama, y Nadabías.

**19.** De Fadaya nacieron Zorobabel, y Semei: Zorobabel fué padre de Mosollam, de Hananías, y de Salomit, hermana de éstos,

**20.** Y de otros cinco, es a saber: Hasabán, y Ohol, y Baraquías, y Hasadías, y Josabesed.

**21.** Hijo de Hananías fué Faltías, padre de Jeseías, de quien fué hijo Rafaías: de este Rafaías fué hijo Arnán, de quien nació Obdía, cuyo hijo fué Sequenías.

**22.** Hijo de Sequenías fué Semeya, del cual nacieron Hatus y Jegaal, Baría, Naaría y Safar, que son seis, *contado el padre.*

**23.** De Naaría fueron hijos los tres, Elioenai, y Ezequías, y Ezricam.

**24.** De Elionai fueron hijos los siete, Odvía, Eliasub, y Feleya, y Accub, y Johanán, y Dalaya, y Anani.

---

**55.** *Escriba* significa también *Jurisconsulto.* — Los *Recabitas* de que se habla en este verso y en otros lugures de la Escritura (*Jerem.* XXXV, *v.* 6, 7), se dedicaban mucho al estudio y meditación de la Ley, y a conservarla y propagarla.

**CAP. III. 9.** En el *Libro segundo* de los Reyes, cap. V. v. 14, se cuentan once hijos de David (con inclusión de los cuatro habidos con Betsabée ), porque probablemente no se incluyeron dos que murieron en la infancia.

## CAPITULO IV

*Otros descendientes de Judá, y de Simeón; y lugares donde habitaron. Destruyen los hijos de éste el linaje de Cam, y destrozan a los Amalecitas.*

1. Hijos o *descendientes* de Judá: Farés *su hijo*, Hesrón, y Carmi, y Hur, y Sobal.

2. Raías, hijo de Sobal, engendró a Jaat, del cual nacieron Aumai y Laad. De éstos descienden los Sarateos.

3. Esta también es la estirpe de Etam: Jezrael, y Jesama, y Jedebós, que tuvieron una hermana llamada Asalelfuni.

4. Fanuel fué padre *de los habitantes* de Gedor, y Ezer fué padre de los de Hosa. Estos fueron los descendientes de Hur, primogénito de Efrata, padre de *la ciudad de* Betlehem, *llamada antes Efrata.*

5. Asur, padre o *fundador* de Tecua, tuvo dos mujeres, Halaa y Naara.

6. Naara le dió a luz a Oozón, a Hefer, a Temaní, y a Ahastarí; todos éstos hijos de Naara.

7. Hijos de Halaa: Seret, Isaar y Etnán.

8. Cos fué padre de Anob, y Soboba, y de la familia de Aharehel, hijo de Arum.

9. Pero Jabes fué el más ilustre entre sus hermanos, al cual le puso su madre el nombre de Jabes, *que significa dolor,* diciendo: Le he dado a luz con dolor.

10. Este Jabes invocó al Dios de Israel, diciendo: ¡Oh, si me llenases de bendiciones! ¡Si dilatases mis términos, y tu mano me protegiese, y me librases de todo mal! Y otorgóle Dios lo que pidió.

11. Caleb, hermano de Sua, engendró a Mahir, el cual fué padre de Estón.

12. Estón engendró a Befrata, y a Fesé, y a Tehinna, padre o *fundador* de la ciudad de Naás: éstos son los pobladores de Reca.

13. Hijos de Cenez: Otoniel y Saraya; hijos de Otoniel, Hatat y Maonati.

14. Maonati engendró a Ofra; y Saraya engendró a Joab, príncipe del valle de los Artífices; porque allí habitaban los artesanos.

15. Hijos de Caleb, hijo de Jefone, fueron Hir, y Ela, y Naam. Hijo de Ela, Cenez.

16. Asimismo hijo de Jaleleel: Zif y Zifa, Tiria y Asrael.

17. Hijos de Ezra, Jeter, y Mered, y Efer, y Jalón; engendró también a María, y a Sammai, y a Jesba, padre de *los habitantes de* Estamo.

18. Mujer suya fué también Judaya, que dió a luz a Jared, padre o *fundador de la ciudad de Gedor,* y a Heber, padre de *la de* Soco, y a Icutiel, padre de *la de* Zanoe. Estos son los hijos de Betía, hija de Faraón, con la cual casó Mered.

19. Hijos de su mujer Odaya, hermana de Naam, padre o *fundador* de Ceila, fueron Garmi y Estamo, que fué de Macati.

20. Hijos de Simón: Amnón, y Rinna, hijo de Hanán, y Tilón. Hijos de Jesi: Zoet y Benzoet.

21. Hijos de Sela, tercer hijo de Judá: Her, padre de Leca, y Laada, padre de Maresa, y las familias de los que labran lino fino en casa del juramento.

22. Y *Joakim, cuyo nombre significa* aquél que hizo parar el Sol, y *los habitantes de Cozeba, esto es,* los hombres de la mentira, y *Joás y Saraf, esto es,* el Desesperado y el Abrasador, que fueron príncipes en Moab y volvieron después a Lahem o *Betlehem.* Estas son memorias antiguas.

23. Los tales son los que hacían vasijas de tierra, los alfareros que habitaban en los plantíos y en los cercados, en las casas pertenecientes al rey ocupados en sus obras, y allí se establecieron.

24. Los hijos de Simeón fueron Namuel y Jamín, Jarib, Zara y Saúl.

25. De éste fué hijo Sellum, que engendró a Mapsam, del cual nació Masma.

26. Hijo de Masma fué Hamuel; hijo de éste, Zacur; e hijo de Zacur, Semei.

27. Semei tuvo dieciséis hijos y seis hijas; mas sus hermanos no tuvieron muchos hijos, y toda su posteridad no pudo igualar el número de los descendientes de Judá.

28. Su habitación fué en Bersabée, y en Molada y en Hasarsual,

29. Y en Bala, y en Asom, y en Tolad,

30. Y en Batuel, y en Horma, y en Siceleg,

31. Y en Betmarcabot, y en Hasarsusim, y en Betberai y en Saarim. Estas fueron sus ciudades hasta el reinado de David.

32. También fueron pueblos suyos Etam, y Aén, Remmón, y Toquén, y Asán, cinco ciudades.

33. Además todas las aldeas del contorno de estas ciudades hasta Baal, *o Baalat:* ésta es su habitación y la distribución de mansiones.

34. Mosobab igualmente y Jembec, y Josa, hijo de Amasías,

35. Y Joel, y Jehú, hijo de Josabías, hijo de Saraya, que lo fué de Asiel;

**36.** Y Elioenai, y Jacoba, e Isuaya, y Asaya, y Adiel, e Ismael, y Banaya.

**37.** Además Ziza, hijo de Sefei, hijo de Allón, que lo fué de Idaya, hijo de Semri, hijo de Samaya.

**38.** Estos son los jefes famosos de las parentelas o *linajes* de la tribu de Simeón, cuyas familias se multiplicaron sobremanera.

**39.** En consecuencia partieron a fin de ocupar a Gador hasta la parte oriental del valle, en busca de pastos para su ganado,

**40.** Y encontraron dehesas abundantes y de muy buena calidad: un terreno espaciosísimo, tranquilo y fértil, donde antes habían habitado los del linaje de Cam.

**41.** Estos, pues, que hemos señalado arriba por sus nombres, sobrevinieron en tiempo de Ezequías, rey de Judá, y arrasaron las cabañas de aquéllos, y a los moradores que hallaron allí los aniquilaron, según aparece hasta el día de hoy; y entraron a habitar en su lugar, por haber hallado allí abundantísimos pastos.

**42.** Y acabaron con las reliquias de los hijos de Simeón, pasaron también al monte Seir, llevando por caudillos a Faltías y Naarías, y a Rafaías, y a Oziel, hijos de Jesí;

**43.** Y acabaron con las reliquias de los Amalecitas que habían podido salvarse, y habitaron allí en lugar de ellos hasta hoy día.

## CAPITULO V

*Descendientes de Rubén y de Gad, y de la media tribu de Manasés, y cómo al fin por su idolatría fueron llevados cautivos a Asiria.*

**1.** He aquí los hijos de Rubén, primogénito de Israel. (En efecto fué éste su primogénito; mas por haber violado el tálamo de su padre, los derechos de primogenitura se dieron a los hijos de José, hijo *también* de Israel, y aquél no fué reputado como primogénito.

**2.** De Judá el cual era el más poderoso entre todos sus hermanos, descendieron los príncipes; pero los derechos de primogenitura fueron adjudicados a José) .

**3.** Los hijos, pues, de Rubén, primogénito de Israel, fueron Enoc y Fallú. Esrón y Carmí.

**4.** Hijo de Joel fué Samía; hijo de Samía, Gog; hijo de Gog, Semei.

**5.** Hijo de Semei, Mica; de Mica fue hijo Reja; de Reja, Baal.

**6.** De éste fué hijo Beera, uno de los príncipes de la tribu de Rubén, y a quien llevó cautivo Telgatfalnasar, rey de los Asirios.

**7.** Sus hermanos y toda su parentela, cuando fueron contadas sus familias, tenían por príncipes a Jehiel y a Zacarías.

**8.** En cuanto a Bala, hijo de Azaz, hijo de Samma, hijo de Joel, éste habitó en Aroer, extendiéndose hasta Nebo y Beelmeón.

**9.** Habitó también hacia el lado oriental hasta la entrada del Desierto y el río Eufrates; por cuanto poseían gran número de ganados en la tierra de Galaad.

**10.** Y en tiempo de Saúl pelearon contra los Agarenos, los pasaron a cuchillo, y ocuparon las tiendas en que éstos habitaban por todo el país que cae al oriente de Galaad.

**11.** Pero los hijos de Gad habitaron en frente de ellos en la tierra de Basán hasta Selca;

**12.** Cuyo jefe era Joel, y Safán el segundo. Janai y Safat estaban *mandando* en Basán.

**13.** Siete fueron los hermanos de éstos, repartidos en sus familias y linajes, Micael y Mosollam, y Sebé, y Jorai, y Jacán, y Zié, y Heber.

**14.** Estos son los hijos de Abihaíl, hijo de Huri, hijo de Jara, hijo de Galaad, hijo de Micael, hijo de Jesesi, hijo de Jeddo, hizo de Buz.

**15.** Asimismo sus hermanos, hijos de Abdiel, hijo de Guní, cabezas de sus familias y parentelas;

**16.** Los cuales habitaron en Galaad y en Basán, y en sus aldeas, y en todos los arrabales de Sarón de extremo a extremo.

**17.** Todo éstos *y sus descendientes* se hallan en el censo hecho en tiempo de Joatam, rey de Judá, y en el del tiempo de Jeroboam, rey de Israel.

**18.** Los hijos de Rubén, y de Gad, y de la media tribu de Manasés, hombres aguerridos, armados de broqueles y espadas, que manejaban el arco, y estaban experimentados en el arte de la guerra, eran cuarenta y cuatro mil setecientos y sesenta cuando salían a campaña.

**19.** Tuvieron guerra con los Agarenos: a los cuales los Itureos, los de Nafis y de Nodab,

**20.** Vinieron a socorrer. Con todo eso fueron entregados en su poder los Agarenos y todos los demás confederados suyos: porque en el trance de la batalla invocaron a Dios, que los oyó por haber confiado en él.

**21.** Y se apoderaron de todo cuanto poseían: de cincuenta mil camellos, de doscientos y cincuenta mil ovejas, de dos mil asnos, con cien mil prisioneros.

**22.** De los heridos murieron muchos: porque de su cuenta había tomado Dios aquella batalla. Los vencedores habitaron en el país de los vencidos hasta la transmigración *a Babilonia.*

**23.** Asimismo los hijos de la media tribu de Manasés ocuparon el terreno que hay desde los confines de Basán hasta Baal Hermón, Sanir y el monte Hermón, pues eran en gran número.

**24.** Los príncipes o *cabezas* de sus familias fueron éstos: Efer, y Jesí, y Eliel, y Ezriel, y Jeremías, y Odoías, y Jediel, varones esforzados y poderosos, y caudillos muy celebrados en sus familias.

**25.** Mas abandonaron al Dios de sus padres, e idolatraron yendo en pos de los dioses de aquellas naciones a las cuales el mismo Dios había destruido después que llegaron.

**26.** Por tanto el Dios de Israel movió el ánimo de Ful, rey de los Asirios, y *después* el de Telgatfalnasar, rey de Asur; y transportó las tribus de Rubén y de Gad y la media tribu de Manasés, y las condujo a Lahela, y a Habor, y a Ara, y a las riberas del río Gozán, donde permanecen hasta hoy día.

## CAPITULO VI

*Genealogía de los hijos de Leví, familias, ministerios y ciudades de los Levitas, ciudades de refugio.*

**1.** Hijos de Leví: Gersón, Coat y Merari.

**2.** Hijos de Caat: Amram, Isaar, Hebrón y Oziel.

**3.** Hijos de Amram: Aarón, Moisés y María. Hijos de Aarón: Nadab, y Abiú, Eleazar e Itamar.

**4.** Eleazar engendró a Finees, y Finees a Abisué.

**5.** Abisué engendró a Bocci, y Bocci a Ozi.

**6.** Ozi engendró a Zaraya, y Zaraya a Merayot.

**7.** Merayot engendró a Amarías, y Amarías a Aquitob.

**8.** Aquitob engendró a Sadoc, y Sadoc a Aquimaas.

**9.** Aquimaas engendró a Azarías, y Azarías a Johanán.

**10.** Johanán engendró a Azarías; éste es aquél que ejercitó las funciones del sacerdocio en el templo edificado por Salomón en Jerusalén.

**11.** Azarías engendró a Amarías, y Amarías a Aquitob.

**12.** Aquitob engendró a Sadoc, Sadoc a Sellum.

**13.** Sellum engendró a Helcías, y Helcías a Azarías.

**14.** Azarías engendró a Saraías, y Saraías a Josedec.

**15.** Josedec dejó su patria cuando el Señor trasladó al pueblo de Judá y de Jerusalén por medio de Nabucodonosor.

**16.** Los hijos, pues, de Leví fueron: Gersón, Caat y Merari.

**17.** Los nombres de los hijos de Gersón fueron: Lobni y Semei.

**18.** Los hijos de Caat fueron: Amram e Isaar, Hebrón y Oziel.

**19.** Hijos de Merari: Moholi y Musi. Y éstos son los descendientes de Leví según sus familias.

**20.** De Gersón fué hijo Lobni; Jahat lo fué de éste; de Jahat lo fué Zamma.

**21.** De Zamma fue hijo Joá; de Joá lo fué Addo; de Addo, Zara; y de Zara, Jetrai.

**22.** Hijos de Caat: Aminadab, hijo suyo; Coré lo fué de Aminadab; Asir de Coré.

**23.** De Asir fué hijo Elcana; de Elcana, Abiasaf; de Abiasaf lo fué Asir.

**24.** De Asir, Tahat; de Tahat fué hijo Uriel; de éste, Ozías; de Ozías lo fué Saúl.

**25.** Hijos de Elcana: Amasai y Aquimot,

**26.** Y Elcana. De Elcana fué hijo Sofai; de éste, Nahat.

**27.** Y de Nahat, Eliab. De éste, Jeroham; y de Jeroham, Elcana.

**28.** Hljos de Samuel: Vasení, su primogénito, y Abía.

**29.** Hijos de Merari: Moholi, de quien fué hijo Lobni; de éste, Semei; de Semei, Oza.

**30.** De Oza lo fué Sammaa, de Sammaa, Haggía, y de Haggía, Asaya.

**31.** Estos son los que constituyó David prefectos de los cantores del Templo del Señor, después que se hizo la colocación del Arca *en Jerusalén.*

---

CAP. VI. — 28. El primogénito de Samuel es llamado *Johel* (1 *Reg.* VIII, *v.* 2); y el segundo Abía.

**32.** Y ejercitaban su ministerio cantando delante del Tabernáculo del Testimonio, hasta que Salomón hubo fabricado el Templo del Señor en Jerusalén; y servían su ministerio según el turno de sus *familias.*

**33.** He aquí los nombres de los que servían juntamente con sus hijos: De los hijos de Caat, Hemam era cantor, hijo de Johel, hijo de Samuel,

**34.** Hijo de Elcana, hijo de Jeroham, hijo de Eliel, hijo de Tohú,

**35.** Hijo de Suf, hijo de Elcana, hijo de Mahat, hijo de Amasai,

**36.** Hijo de Elcana, hijo de Johel, hijo de Azarías, hijo de Sofonías,

**37.** Hijo de Tahat, hijo de Asir, hijo de Abiaaf, hijo de Coré,

**38.** Hijo de Isaar, hijo de Caat, hijo de Leví, hijo de Israel.

**39.** Adèmás Asaf, hermano *o pariente de Emán,* que estaba a su derecha. Era Asaf hijo de Baraquías, hijo de Samaa,

**40.** Hijo de Micael, hijo de Basaya, hijo de Melquía,

**41.** Hijo de Atanai, hijo de Zara, hijo de Adava,

**42.** Hijo de Atán, hijo de Zamma, hijo de Semei,

**43.** Hijo de Jet, hijo de Gersón, hijo de Leví.

**44.** Y sus hermanos, hijos de Merari, estaban a la izquierda, Etán, hijo de Cusi, hijo de Abdi, hijo de Maloc,

**45.** Hijo de Hasabías, hijo de Amasías, hijo de Helcías,

**46.** Hijo de Amasai, hijo de Boni, hijo de Somer,

**47.** Hijo de Moholi, hijo de Musi, hijo de Merari, hijo de Leví.

**48.** Los demás Levitas, hermanos de éstos, fueron destinados a todo el *restante* servicio del Tabernáculo de la Casa del Señor.

**49.** Pero Aarón y sus hijos ponían a quemar las víctimas sobre el altar de los holocaustos, y *el incienso* sobre el altar de los perfumes; empleándose en todo lo concerniente al Sanctasanctórum, y en hacer oración por Israel, conforme a todo lo mandado por Moisés, siervo de Dios.

**50.** Los descendientes de Aarón son éstos: Eleazar, su hijo, Finees, hijo de Eleazar, Abisué, hijo de Finees;

**51.** Bocci, de Abisué; Ozi, hijo de Bocci; Zaraya, de Ozi.

**52.** Merayot, hijo de Zaraya; Amaría, de Merayot; Aquitob, de Amaría;

**53.** Sadoc, de Aquitob; Aquimaas de Sadoc.

**54.** Y he aquí los parajes en donde habitaron estos hijos de Aarón, es decir los lugares y términos que les tocaron por suerte, principiando por las familias de Caat.

**55.** Señalóseles, pues, a éstos a Hebrón en tierra de Judá, y sus ejidos al contorno:

**56.** Mas los campos de la ciudad y las aldeas fueron de Caleb, hijo de Jefone.

**57.** Dieron, pues, a los hijos de Aarón estas ciudades: Hebrón, ciudad de refugio, y Lobna, y sus ejidos:

**58.** Y asimismo Jeter y Estemo con sus ejidos, y también Helón y Davir con los suyos;

**59.** E igualmente Asán, y Betsemes, y sus ejidos.

**60.** De la tribu de Benjamín les dieron Gabee y sus ejidos, y Almat con sus ejidos, y Anatot con sus ejidos: en todo trece ciudades, repartidas entre sus familias.

**61.** A los restantes descendientes de Caat y a sus familias diéronles diez ciudades de la media tribu de Manasés.

**62.** Asimismo a los hijos de Gersom, divididos en sus familias, les dieron trece ciudades de las tribus de Isacar, y de Aser, y de Neftalí, y de la *media tribu* de Manasés, *que estaba* en el territorio de Basán.

**63.** Igualmente a los hijos de Merari, divididos en sus familias, diéronles por suerte doce ciudades de la tribu de Rubén, y de la tribu de Gad, y de la tribu de Zabulón.

**64.** Dieron también los hijos de Israel a los Levitas varias ciudades con sus ejidos.

**65.** Diéronles por suerte estas ciudades de la tribu de los hijos de Judá, de la tribu de los hijos de Simeón, y de la tribu de los hijos de Benjamín: ciudades que llamaron de sus propios nombres.

**66.** Igualmente los descendientes de los hijos de Caat fueron dueños de varias ciudades de la tribu de Efraím;

**67.** Y así les dieron Siquem, ciudad de refugio, con sus ejidos en el monte Efraím, y Bazer, con sus ejidos:

**68.** También Jecmaán con sus ejidos, y asimismo Bet-Horón,

**69.** Y Helón con sus ejidos, y Getremmón del mismo modo.

**70.** Así como en la media tribu de Manasés fué señalada Aner con sus ejidos, y Baalam con los suyos, a los restantes del linaje de los hijos de Caat.

**71.** A los hijos empero del linaje de Gersom les tocó en la media tribu de Manasés: Gaulón en Basán con sus ejidos, y Astarot con los suyos.

**72.** En la tribu de Isacar: Cedes con sus ejidos, y Daberet con los suyos.

**73.** Asimismo Ramot con sus ejidos, y Anem con los suyos.

**74.** En la tribu de Aser: Masal con sus ejidos, y Abdón con los suyos;

**75.** Como también Hucac con sus ejidos, y Rohob con los suyos.

**76.** En la tribu de Neftalí: Cedes en la Galilea con sus ejidos, y Hamón con los suyos, y Cariataim con los suyos.

**77.** A los demás del linaje de Merari les dieron en la tribu de Zabulón, Remmono con sus ejidos, y Tabor con los suyos.

**78.** Y de la otra parte del Jordán, enfrente de Jericó al oriente del Jordán, en la tribu de Rubén, Bosor en el desierto con sus ejidos, y Jasa con los suyos.

**79.** Asimismo Cademot y sus ejidos, y Mefaat con los suyos.

**80.** Demás de esto en la tribu de Gad, Ramot en Galaad con sus ejidos, y Manaim con los suyos.

**81.** Y también Hesebón con sus ejidos, y Jezer con los suyos.

## CAPITULO VII

*Descendientes de Isacar, de Benjamín, de Neftalí, de Manasés, de Efraím y de Aser.*

**1.** Hijos de Isacar, cuatro: Tola y Fua, Jasub y Simerón.

**2.** Hijos de Tola: Ozi, y Rafaya, y Jeriel, y Jemai, y Jebsem, y Samuel, cabezas de varias parentelas y familias. De la estirpe de Tola se contaron en tiempo de David veintidós mil y seiscientos varones muy valerosos.

**3.** Hijo de Ozi: Izrahía; del cual nacieron Micael, y Obadía, y Joel, y Jesía, todos cinco príncipes o *cabezas* de varias familias.

**4.** Y con ellos había en sus ramas y familias treinta y seis mil hombres muy esforzados y adiestrados en el manejo de las armas, porque tuvieron muchas mujeres e hijos.

**5.** Y de sus hermanos esparcidos por toda la tribu: de Isacar se contaron hasta ochenta y siete mil valerosísimos combatientes.

**6.** Hijos de Benjamín, tres: Bela, Becor y Jadiel.

**7.** Hijos de Bela: Esbón, y Ozi, y Oziel, y Jerimot, y Urai, todos cinco cabezas de familia de valerosos combatientes, el número de los cuales fué de veintidós mil treinta y cuatro.

**8.** Hijos de Becor: Zamira, y Joás, Eliezer, y Elioenai, y Amri, y Jerimot, y Abía, y Anatot, y Almat, todos hijos de Becor.

**9.** Y el número de éstos, según sus familias de donde procedieron varias parentelas, fué de veinte mil y doscientos combatientes valerosos.

**10.** Hijo de Jadihel fué Balán, hijos de Balán: Jehús y Benjamín, y Aod, y Canana, y Zetán, y Tarsis, y Ahisahar.

**11.** Todos éstos fueron descendientes de Jadihel, cabezas de sus familias, en que se contaron diecisiete mil y doscientos varones, valerosos combatientes.

**12.** También lo fueron Sefam y Hafam, hijos de Hir, y Hasim, hijo de Aher.

**13.** Los hijos de Neftalí fueron Jasiel, y Guní, y Jeser, y Sellum: éstos son los hijos *o nietos* de Bala.

**14.** Fué hijo o *descendiente* de Manasés, Esriel; y una Sira, mujer suya de segundo orden, le dió a Maquir, padre de Galaad.

**15.** Maquir dió mujeres a sus hijos Hapfim y Safán; y tuvo una hermana llamada Maaca: su nieto se llamó Salfaad, que *solamente* tuvo hijas.

**16.** *Otra* Maaca, *segunda* mujer de Maquir dió a luz un hijo que llamó Farés, quien tuvo un hermano llamado Sarés; cuyos hijos fueron Ulam y Recén.

**17.** Hijo de Ulam fué Badán: éstos son los descendientes de Galaad, hijo de Maquir, hijo de Manasés.

**18.** Su hermana Regina dió a luz a *Isod, que significa* el Varón hermoso, y a Abiezer, y a Mohola.

**19.** Hijos de Semida eran Ahín y Sequem, y Leci, y Aniam.

**20.** Hijos de Efraím: Sutula, Bared su hijo, Tahat su nieto, Elada su hijo, Tahat, su hijo, Zabad, su hijo,

**21.** Y Sutala, hijo de éste, cuyos hijos fueron Ezer y Elad, pero los habitantes del país de Get los mataron, porque habían bajado a invadir sus posesiones.

**22.** Por eso Efraím, su padre, los lloró por mucho tiempo, y vinieron sus hermanos a consolarle.

**23.** Después estuvo con su mujer, la cual concibió y dió a luz un hijo a quien puso el nombre de Bería, por haber nacido en medio de las aflicciones de su casa.

**24.** Hija suya fué Sara que reedificó a Bethorón la de abajo y la de arriba, y a Ozensara.

**25.** También fueron sus hijos Rafa, y Resef, y Tale, de quien nació Taán;

**26.** El cual engendró a Laadán, cuyo hijo fue Ammiud, que fué padre de Elizama,

**27.** De quien nacio Nun, que tuvo por hijo a Josué.

**28.** La posesión y habitación de ellos fué Betel con sus aldeas, y Norán hacia el oriente, y al occidente Gazer con sus aldeas, y asimismo Siquem con las suyas, hasta la ciudad de Aza con las suyas.

**29.** Y junto *a la tribu de* los hijos de Manasés tuvieron a Betsán con sus aldeas, a Tanac con las suyas, a Mageddo con las suyas, a Dor con las suyas. En estos lugares habitaron los hijos de José, hijo de Israel.

**30.** Hijos de Aser: Jemna, y Jesua, y Jesui, y Baría, y Sara, hermana de éstos.

**31.** Hijos de Baría: Heber y Melquiel; éste es el padre de Barsahit.

**32.** Heber engendró a Jelfat, y a Somer, y a Hotam, y a Suaa, hermana de éstos.

**33.** Los hijos de Jeflat: Fosec y Camaal, y Asot: éstos son los hijos de Jeflat.

**34.** Hijos de Somer: Ahí, y Roaga, y Haba, y Aram.

**35.** Y los hijos de Helem, su hermano: Sufa, y Jemna, y Selles, y Amal.

**36.** Hijos de Sufa: Sué, Harnafer, y Sual, y Beri, y Jamra,

**37.** Y Bosor, y Hod, y Samma, y Salusa, y Jetrán, y Bera.

**38.** Hijos de Jeter o *Jetrán*: Jefone, y Fasfa, y Ara.

**39.** Hijos de Olla: Aree, y Haniel, y Resia.

**40.** Todos éstos son descendientes de Aser, cabezas o *troncos* de familias, y principales jefes, los más escogidos y esforzados: el número de los que estaban en edad de tomar las armas era de veintiséis mil.

## CAPITULO VIII

*De otros descendientes de Benjamín hasta Saúl, y de los hijos de éste.*

**1.** El primogénito de Benjamín fué Bale, Asbel el segundo, y el tercero Ahara;

**2.** El cuarto Nohaa, y Rafa el quinto.

**3.** Los hijos de Bale fueron Addar, y Gera, y Abiud,

**4.** Con Abisué y Naamán, y Ahoé;

**5.** Y además *otro* Gera, y Setufán, y Huram.

**6.** Estos son los hijos de Ahod, cabezas de las familias de los habitantes de Gabáa, que fueron trasladados a Manahat,

**7.** Es a saber, Naamán, y Aquía, y Gera, el mismo que los trasladó; y de quien nacieron Oza y Ahiud.

**8.** Y Saharaim, después que repudió a sus mujeres Husim y Bara, tuvo hijos en el país de Moab.

**9.** Y de su mujer Hodes tuvo a Jobab, y a Sebia, y a Mosa, y Molcom;

**10.** Asimismo a Jehús, y a Sequía, y a Marma. Estos son sus hijos, cabezas de sus familias.

**11.** Mehusim engendró a Abitob y a Elfaal.

**12.** Hijos de Elfaal: Heber y Missaam, y Samad: éste edificó a Ono, y a Lod y a sus aldeas o *dependencias*.

**13.** Baría y Sama fueron cabezas de las familias habitantes en Ajalón: éstos arrojaron a los moradores de Get.

**14.** Ahio, y Sesac, y Jerimot,

**15.** Y Zabadía, y Arod, y Heder,

**16.** Y también Micael, y Jesfa, y Joha, descendientes de Baría.

**17.** Y Zabadía, y Mosollan, y Hezeci, y Heber,

**18.** Y Jesamari, y Jezlia, y Jobab, hijos de Elfaal.

**19.** Y Jacim, y Zecri, y Zabdi,

**20.** Y Elioenai, y Seletai, y Eliel,

**21.** Y Adaya, y Baraya, y Samarat, hijos de Semei.

**22.** Y Jesfam, y Heber, y Eliel,

**23.** Y Abdón, y Zecri y Hanán.

**24.** Y Hananía, y Elam, y Anatotía,

**25.** Y Jefdaya y Fanuel, hijos de Sesac;

**26.** Y Samsari, y Sohoría, y Otolía,

**27.** Y Jersía, y Elía, y Zecri, hijos de Jeroham.

**28.** Estos son los patriarcas y príncipes *o troncos* de las familias què habitaron en Jerusalén.

**29.** En Gabaón habitaron Abigabaón, (cuya mujer se llamó Maaca),

**30.** Y su hijo primogénito Abdón, y Sur, y Cis, y Baal, y Nadab;

**31.** Como también Gedor, y Ahío, y Zaquer, y Macellot.

**32.** Macellot engendró a Samaa; y éstos habitaron con sus hermanos en Jerusalén, frente a los otros hermanos suyos.

**33.** Ner engendró a Cis, y Cis a Saúl, y Saúl engendró a Jonatás, y a Melquisua, y a Abinadab, y a Esbaal.

**34.** Hijo de Jonatás fué Meribbaal, de quien lo fué Mica.

**35.** Hijos de Mica fueron Fitón, y Melec, y Taraa, y Ahaz.

**36.** Ahaz engendró a Joada, y Joada a Alamat, y a Azmot y a Zamri; y Zamri engendró a Mosa.

**37.** Mosa engendró a Banaa, cuyo hijo fué Rafa, del cual nació Elasa, que engendró a Asel.

**38.** Asel tuvo seis hijos, cuyos nombres son: Ezricam, Bocru, Ismahel, Saría, Obdía y Hanán: todos éstos hijos de Asel.

**39.** Los hijos de Esec, su hermano, fueron: Ulam el primogénito, Jehús el segundo, Elifalet, el tercero.

**40.** Los hijos de Ulam fueron varones robustísimos y de gran valor, hábiles flecheros, padres de muchos hijos y nietos, hasta *llegar* a ciento y cincuenta. Todos éstos fueron descendientes de Benjamín.

## CAPITULO IX

*Primeros moradores de Jerusalén después del cautiverio; en especial los Sacerdotes y Levitas. Repítese la descendencia de Saúl.*

**1.** Hízose, pues, el censo de todo Israel; cuya suma se halla escrita en el Libro de los Reyes de Israel y de Judá. Y fueron los Israelitas transportados a Babilonia por sus pecados.

**2.** Los que después habitaron los primeros en sus posesiones y ciudades fueron *de cuatro clases:* Israelitas, Sacerdotes, Levitas y los Natineos.

**3.** Se establecieron en Jerusalén varios de los hijos de Judá y de los de Benjamín, como también de los hijos de Efraím y de Manasés.

**4.** *De la tribu de Judá* Otei, hijo de Ammiud, hijo de Amri, hijo de Omrai, hijo de Bonni, uno de los descendientes de Farés, hijo de Judá.

**5.** *Y de la línea* de Siloni: Asaya el primogénito y sus hijos.

**6.** De los descendientes de Zara: Jehuel y sus hermanos *o parientes,* seiscientos y noventa.

**7.** De la tribu de Benjamín: Salo, hijo de Mosollam, hijo de Odvía, hijo de Asana;

**8.** Y Jobanía, hijo de Jeroham, y Ela, hijo de Ozi, hijo de Mocori; y Mosollam, hijo de Safatías, hijo de Rahuel, hijo de Jebanías,

**9.** Con sus hermanos *o parientes,* que divididos en sus familias eran novecientos cincuenta y seis. Todos éstos fueron cabezas *o troncos* de varias familias de su linaje.

**10.** De los sacerdotes, empero, fueron Jedaya, Joyarib y Jaquín.

**11.** Asimismo Azarías, hijo de Helcías, hijo de Mosollam, hijo de Sadoc, hijo de Marayot, hijo de Aquitob, pontífice de la Casa de Dios.

**12.** Además Adaías, hijo de Jeroham, hijo de Fasur, hijo de Melquías, y Mahasai, hijo de Adiel, hijo de Jezra, hijo de Mosollam, hijo de Mosollamit, hijo de Emmer;

**13.** Juntamente con los parientes de estos príncipes de sus familias, en números de mil setecientos y sesenta, hombres robustos y vigorosos para soportar las fatigas del ministerio de la Casa de Dios.

**14.** De los Levitas fueron Semeya, hijo de Hasub, hijo de Ezricam, hijo de Hasebía, uno de los hijos de Merari;

**15.** Y Bacbacar carpintero, y Galal, y Matanías, hijo de Mica, hijo de Zecri, hijo de Asaf;

**16.** Y Obdías, hijo de Semeya, hijo de Galal, hijo de Iditún; y Baraquías, hijo de Asa, hijo de Elcana, que habitó en las aldeas de Netofati.

**17.** Los *jefes de los* porteros eran Sellum, y Accub, y Telmón, y Abimam: su hermano Sellum era el principal.

**18.** Hasta este tiempo, parte de los Levitas hacían por su turno la guardia en la puerta *del Templo, llamada* del rey, sita al oriente.

**19.** Sellum, hijo de Coré, hijo de Abiasaf, hijo del *viejo* Coré, asistía *allí* con sus hermanos y la familia de su padre; esto es, los Coritas, que tienen la superintendencia de las obras concernientes al ministerio, y guardan los patios del Tabernáculo, y cuyas familias hacen por turno la guardia en la entrada del campamento *o morada* del Señor.

**20.** Finées, hijo de Eleazar, era su jefe en el servicio del Señor.

**21.** Zacarías, hijo de Mosollamia, era el portero de la puerta del Tabernáculo del Testimonio.

**22.** Todos estos elegidos para ostiarios *o guardas* de las puertas, eran doscientos y doce, y estaban empadronados en el censo de sus propias villas; a los cuales David y el profeta Samuel por su fidelidad establecieron,

**23.** Tanto a ellos como a sus hijos para guardar por sus turnos las puertas del Templo del Señor y las del Tabernáculo.

---

**CAP IX.** — 2. O *Gabaonitas,* los cuales servían para las faenas pesadas del Templo, como cortar leña, conducir agua, etc., siendo como criados de los Levitas. *Natineos. Natan* significa *entregado* o *donado.* — Veáse *Josué* IX.

**24.** Estaban *los jefes de* los ostiarios colocados según la dirección de los cuatro vientos, esto es, al oriente y al poniente, al norte y al mediodía.

**25.** Pero sus hermanos, *los otros porteros,* vivían en las aldeas, y venían los sábados por su turno de semana en semana.

**26.** A dichos cuatro Levitas estaban subordinados todos los ostiarios, y cuidaban de las viviendas y de los tesoros *o alhajas* del Templo del Señor.

**27.** *Por esto* tenían cada uno su habitación alrededor del Templo del Señor, y abrían a su tiempo las puertas por la mañana.

**28.** Del linaje de éstos eran los que guardaban las cosas destinadas al servicio *del Templo;* porque todas ellas se metían y sacaban por cuenta.

**29.** De éstos mismos, que tenían a su cargo los utensilios del Santuario, algunos cuidaban de la flor de harina, y del vino, y del aceite, y del incienso, y de los aromas.

**30.** Pero eran los hijos de los sacerdotes los que hacían la confección de los perfumes con las especies aromáticas.

**31.** El Levita Matatías, primogénito de Sellum, Corita, cuidaba de las cosas que se freían en sartén.

**32.** De los hijos de Caat, hermanos de éstos, había algunos que estaban encargados de los panes de la proposición, para renovarlos cada sábado.

**33.** Estos eran los principales *o los jefes* de los cantores entre las familias de los Levitas, los cuales moraban en las habitaciones unidas al Templo, a fin de poder aplicarse incesantemente día y noche a su ministerio.

**34.** Los jefes de los Levitas, príncipes de sus familias, estaban *siempre* en Jerusalén.

**35.** En Gabaón se estableció Jehiel, restaurador de Gabaón; llamábase su mujer Maaca.

**36.** Su hijo primogénito fué Abdón, *y fueron hijos también* Sur, Cis, y Baal, y Ner, y Nadab;

**37.** Asimismo Gedor, y Ahío, y Zacarías, y Macellot.

**38.** Macellot engendró a Camaán: éstos y sus hermanos habitaron en Jesusalén, enfrente de otros hermanos suyos.

**39.** Ner después engendró a Cis, Cis a Saúl, y Saúl a Jonatás, y a Melquisua, y a Abinadab, y a Esbaal.

**40.** Hijo de Jonatás fué Meribbaal: de Meribbaal lo fué Mica.

**41.** Hijos de Mica fueron Fitón, y Melec, y Taraa, y Ahaz.

**42.** Ahaz engendró a Jara, y Jara engendró a Alamat, y a Azmot, y a Zamri. Zamri engendró a Mosa.

**43.** Mosa engendró a Banaa, cuyo hijo Rafaya engendró a Elasa, del cual nació Asel.

**44.** Asel tuvo seis hijos, cuyos nombres fueron: Ezricam, Bocru, Ismael, Saría, Obdía, Hanán: éstos son los hijos de Asel.

## CAPITULO X

*Muerte infeliz de Saúl y de sus hijos, y su sepultura en Jabes de Galaad.*

**1.** Peleando los Filisteos contra Israel, fueron los Israelitas puestos en fuga por los Palestinos, y cayeron *muchos* heridos de muerte en el monte Gelboé.

**2.** Y avanzando los Filisteos en seguimiento de Saúl y de sus hijos, mataron a Jonatás, y a Abinadab, y a Melquisua, hijos de Saúl.

**3.** Y arreciando la batalla alrededor de Saúl, dieron con él los flecheros, y lo hirieron con sus flechas.

**4.** Por lo que dijo Saúl a su escudero: Desenvaina tu espada, y mátame, para que no vengan estos incircuncisos y hagan escarnio de mí. Mas el escudero, sobrecogido de temor *y respecto,* no quiso hacerlo. Entonces Saúl arrancó su espada, y se arrojó sobre ella.

**5.** Lo que visto por su escudero, y cómo Saúl era muerto, arrojóse también él sobre su espada, y murió.

**6.** Feneció, pues, Saúl, con sus tres hijos; y toda su familia tuvo la misma suerte.

**7.** En vista de lo cual los Israelitas que habitaban en las campiñas, echaron a huir; y muertos ya Saúl y sus hijos, abandonaron sus ciudades y se desparramaron por varias partes. Y entonces vinieron los Filisteos y habitaron allí.

**8.** Al día siguiente los Filisteos despojando a los muertos, hallaron a Saúl y a sus hijos tendidos en el monte Gelboé.

**9.** Y habiéndolo despojado, y cortado la cabeza, y quitándole las armas, lo llevaron a su tierra para conducirlo por todas partes, y exponerlo en los templos de sus ídolos a la vista del pueblo.

**10.** Sus armas las consagraron al templo de su Dios, y su cabeza la clavaron en el templo de Dagón.

---

31. Y se ofrecían después en sacrificio, *Levit.* II, *v.* 5; VII, *v.* 12.

---

CAP. X.— 1. *Palestinos o Filisteos.*

11. Cuando oyeron los vecinos de Jabes de Galaad todo lo que los Filisteos habían ejecutado con el cuerpo de Saúl,

12. Los más esforzados de ellos marcharon a una, y tomaron los cadáveres de Saúl y de sus hijos, y los trajeron a Jabes, y sepultaron sus huesos debajo de una encina que había en Jabes; y ayunaron siete días.

13. Murió, pues, Saúl en pena de sus maldades, por haber desobedecido el mandamiento que le había intimado el Señor, y no haberlo guardado; y además por haber consultado a la Pitonisa,

14. Y no haber puesto su esperanza en el Señor: el cual por lo mismo le quitó la vida, y trasladó su reino a David, hijo de Isaí.

## CAPITULO XI

*David, rey de todo Israel, en Jerusalén. Hazañas de sus valientes; y heroica acción de David en no beber el agua tan deseada.*

1. Congregóse al fin todo Israel alrededor de David en Hebrón, diciéndole: Somos tu carne y hueso.

2. Aun antes de ahora, cuando Saúl reinaba todavía, tú eras el que sacabas a Israel a campaña, y lo volvías otra vez a casa; porque a ti te dijo el Señor Dios tuyo: Tú serás el pastor de mi pueblo de Israel, y tú serás su príncipe.

3. Vinieron, pues, todos los ancianos de Israel al rey en Hebrón, e hizo David alianza con ellos, en presencia del Señor; y ungiéronle por rey de Israel, conforme a la palabra del Señor promulgada por ministerio de Samuel.

4. Y marchó David con todo Israel a Jerusalén: ésta es Jebús, donde tenían su asiento los Jebuseos, moradores del país.

5. Y los que de éstos habitaban en Jebús, dijeron a David: No entrarás aquí. Pero David conquistó la fortaleza de Sión, la cual fué después llamada Ciudad de David.

6. Había dicho antes: El que fuere el primero en vencer a los Jebuseos, será hecho príncipe y general *del ejército*. Acometió, pues, el primero Joab, hijo de Sarvia, y quedó constituído príncipe.

7. Y habitó David en el alcázar; que por esto fué llamado Ciudad de David.

8. Y edificó al rededor de la ciudad, desde *el valle de* Mello hasta el otro extremo: y Joab reparó el resto de la ciudad.

9. David iba haciendo progresos y cobrando vigor, y estaba con él el Señor de los ejércitos.

10. Estos son los principales entre los valientes de David, que le ayudaron para que fuere reconocido rey de todo Israel, según la palabra del Señor anunciada a Israel.

11. Y ésta es la lista de los campeones de David: Jesbaán, hijo de Hecamoni, caudillo de treinta, que vibró su lanza contra trescientos, a quienes hirió en un solo combate.

12. Después de éste, Eleazar (hijo de su tío paterno) Ahohita, el cual era uno de los *tres principales* campeones.

13. Este, *con Semma,* acompañó a David en Festdomin, cuando los Filisteos se juntaron en aquel sitio para dar batalla, y los campos de aquel país estaban llenos de cebada, y el pueblo había huido a vista de los Filisteos.

14. Mas estos *Eleazar y Semma* se mantuvieron a pie firme en medio del campo, y le defendieron, habiendo desbaratado a los Filisteos: con lo que el Señor hizo un gran beneficio a su pueblo.

15. Estos tres, de los treinta caudillos, son los que bajaron a la peña en que se hallaba David junto a la cueva de Odollam, cuando los Filisteos se habían acampado en el valle de Rafaím.

16. Estaba, pues, David en su puesto fortificado, y los Filisteos tenían una guarnición en Betlehem.

17. Vínole entonces a David un deseo, y dijo: ¡Oh quién me diera agua de la cisterna que está junto a la puerta de Betlehem!

18. Al punto estos tres *capitanes* pasaron por medio de los reales de los Filisteos, y sacando agua de la cisterna que está continua a la puerta de Betlehem, la llevaron a David para que la bebiese, el cual no quiso, sino que la ofreció como libación al Señor,

19. Diciendo: Lejos de mí el hacer tal cosa en presencia de mi Dios, que yo beba la sangre de estos hombres que con riesgo de sus vidas me han traído esta agua. Por cuya causa no quiso beberla. Esto hicieron aquellos tres esforzadísimos varones.

20. Asimismo Abisaí, hermano de Joab, era el principal de *otros* tres. También éste enristró su lanza contra trescientos, a los cuales mató; y él era el más famoso entre los tres,

21. Y entre los tres del segundo ternario el más esclarecido y principal de ellos: pero nunca igualó a los tres primeros.

**22.** Banaías, hijo de Joíada, varón fortísimo, que había hecho muchas hazañas, era *natural* de Cabseel: él mató a los dos arieles *o grandes leones* de Moab; y es el mismo que se metió dentro de una cisterna, y mató en medio de ella a un león, en ocasión de una nevada.

**23.** Mató también él mismo a un Egipcio, cuya estatura era de cinco codos, y que tenía una lanza semejante al enjullo de un telar. Arremetió, pues, contra él con un palo, y le arrebató la lanza que tenía en la mano, y con esta misma lanza lo mató.

**24.** Estas cosas hizo Banaías, hijo de Joíada, que era el de mayor nombradía entre los tres valientes;

**25.** Principal entre los treinta: mas no igualaba a los tres primeros *o del primer ternario:* Y David lo escogió por su íntimo consejero.

**26.** En el ejército los más valientes eran Asahel, hermano de Joab, y Elcanán, que era de Betlehem, hijo de *Dodo,* su tío paterno.

**27.** Sammot de Arori, Hellés de Falón,

**28.** Ira de Tecua, hijo de Accés, Abiezer de Anatot,

**29.** Sobboca de Husat, Ilai de Aho,

**30.** Maharai de Netofat, Heled de Netofat, hijo de Baana.

**31.** Etai, hijo de Ribai, de Gabaat, de *los hijos o* tribu de Benjamín, Banaya de Faratón.

**32.** Hurai, del torrente Gaas, Abiel, de Arbat, Azmot, de Bauram, Eliaba, de Salabón.

**33.** Los hijos de Asén, Gezonita, Jonatán, hijo de Sage de Arari,

**34.** Ahiam, hijo de Sacar de Arari,

**35.** Elifal, hijo de Ur,

**36.** Hefer de Mecerat, Ahía de Felón,

**37.** Hesro del Carmelo, Naarai, hijo de Asbai,

**38.** Joel, hermano de Natán, Mibahar, hijo de Agarai,

**39.** Selec Ammonita, Naarai de Berot, escudero de Joab, hijo de Sarvia,

**40.** Ita Jetreo, Gareb Jetreo,

**41.** Urías Heteo, Zabad, hijo de Oholí,

**42.** Adina, hijo de Siza, de la tribu de Rubén, príncipe de los Rubenitas, y con él otros treinta.

**43.** Hanán, hijo de Maaca, y Josafat Matanita,

**44.** Ozías Astarotita, Samma, y Jehiel, hijos de Hotam, de Aror.

**45.** Jediel, hijo de Samri, y Joa su hermano, de Tosa,

**46.** Eliel de Mahumi, y Jeribai, y Josaya hijos de Elnaem; y Jetma de Moab, Eliel, y Obed, y Jasiel de Masobia.

# CAPITULO XII

*Cuáles fueron los que siguieron a David antes y después de la muerte de Saúl.*

**1.** Estos son los que vinieron a juntarse con David en Siceleg, cuando aún andaba huyendo de Saúl, hijo de Cis: los cuales eran fortísimos y excelentes guerreros,

**2.** Hábiles tiradores de arco y que se servían igualmente de ambas manos para arrojar piedras con la honda, y asestar las flechas; parientes de Saúl, y de la tribu de Benjamín.

**3.** El principal era Ahiecer, y después Joás, hijos los dos de Sammaa de Gabaat, y Jaziel, y Fallet, hijos de Azmot, y Baraca, Jehú, de Anatot.

**4.** Asimismo Samaías, de Gabaón, el más valiente de los treinta, y cabeza de treinta; Jeremías, y Jeheziel, y Joanán; y Jezabad de Gaderot.

**5.** Eluzai, y Jerimut, y Baalía, y Samaría, y Safatía de Haruf.

**6.** Elcana, y Jesía, y Azareel, y Joezer, y Jesbaam de Carehim.

**7.** Joela, y Zabadía, hijos de Jeroham de Gedor.

**8.** Además de éstos se pasaron a David, mientras estaba escondido en el Desierto, hombres muy valientes y bravos campeones de la tribu de Gad, armados de broquel y lanza: sus caras como caras de leones, y ligeros como cabras monteses.

**9.** Ezer era el principal, Obdías el segundo, Eliab el tercero,

**10.** Masmana el cuarto, Jeremías el quinto,

**11.** Eti el sexto, Eliel el séptimo,

**12.** Joanán el octavo, Elzebad el nono,

**13.** Jeremías el décimo, Macbanai, el undécimo.

**14.** Estos eran de la tribu de Gad, y caudillos del ejército, y el que menos mandaba cien soldados, y mil el que más.

**15.** Estos son los que pasaron el Jordán el mes primero, cuando suele salir de madre, inundando las riberas; y pusieron en fuga a todos los que moraban en los valles, asi al oriente como al poniente.

---

CAP. XII. — 3. Véase II *Reg.* XXIII *v.* 8, 13. Estos valientes oficiales se llamaban los *Treinta,* prescindiendo del número de los que contenía aquel escogido cuerpo.

**16.** Vinieron también varios de la tribu de Benjamín y de Judá a la fortaleza en que se hallaba David.

**17.** Y salióles David al encuentro, y dijo: Si habéis venido a mí de paz, con ánimo de socorrerme, mi corazón se unirá con el vuestro; mas si me armáis asechanzas favoreciendo a mis contrarios, puesto que yo tengo mis manos limpias de todo pecado, el Dios de nuestros padres sea testigo y juez.

**18.** Entonces Amasai, caudillo de los treinta, movido de Espíritu *superior o divino,* dijo: Tuyos somos, oh David, y contigo estamos, oh hijo de Isaí; paz, paz a ti; y paz a tus defensores; ya que a ti te defiende tu Dios. Recibiólos, pues, David y los hizo oficiales principales de su ejército.

**19.** También de la tribu de Manasés se pasaron a David cuando iba éste con los Filisteos al combate contra Saúl, si bien no peleó con ellos; porque los príncipes de los Filisteos, tenido consejo le hicieron volver, diciendo: A costa de nuestra vida se reconciliará con Saúl, su señor.

**20.** Así, pues, cuando regresó a Siceleg se pasaron a él de los de Manasés, Ednas, Jozabán, y Jedihel, y Micael, y Ednas, y Jozabad, y Eliú, y Salati, comandantes de mil hombres de Manasés.

**21.** Estos ayudaron a David contra las guerrillas: pues eran todos hombres muy valerosos, y dióles mando en el ejército.

**22.** Y a este tenor cada día acudían gentes a David para prestarle auxilio, hasta juntarse en gran número, como un ejército de Dios.

**23.** Este es igualmente el número de los principales del ejército que vinieron a encontrar a David, cuando estaba en Hebrón, para trasladar a él el reino de Saúl, según la palabra del Señor.

**24.** De los hijos de Judá, armados de broquel y lanza, y pronto para la batalla, seis mil y ochocientos.

**25.** De los hijos de Simeón, varones fortísimos para la guerra, siete mil y ciento.

**26.** De los hijos de Leví, cuatro mil y seiscientos.

**27.** Asimismo Joíada, caudillo de los del linaje de Aarón, tenía consigo tres mil y setecientos.

**28.** *Vino* también Sadoc, joven de excelente índole, con veintidós cabezas de familia, descendientes de la casa de su padre.

**29.** De los hijos de la tribu de Benjamín,

parientes de Saúl, vinieron tres mil, porque una gran parte de ellos estaba todavía por la casa de Saúl.

**30.** Pero de los hijos de Efraím eran veinte mil y ochocientos, varones esforzadísimos y de gran reputación en sus parentelas;

**31.** Y de la media tribu de ·Manasés eran dieciocho mil, todos alistados por sus nombres, los que vinieron a alzar por rey a David.

**32.** De los hijos de Isacar vinieron también doscientos de los principales, hombres instruidos, que sabían discernir cada uno de los tiempos, a fin de prescribir lo que debía practicar Israel; y todo el resto de la tribu seguía su consejo.

**33.** Igualmente de Zabulón vinieron en su ayuda con un corazón sincero cincuenta mil, prontos a salir en campaña, y bien provistos de toda suerte de armas.

**34.** Y de Neftalí mil de los principales, con treinta y siete mil hombres armados de broquel y lanza.

**35.** Asimismo de Dan veintiocho mil y seiscientos preparados para dar batalla.

**36.** Y de Aser, a punto de guerra y prontos para acometer, cuarenta mil.

**37.** Finalmente, de las tribus de Rubén, y de Gad, y de la media tribu de Manasés, a la otra parte del Jordán, ciento y veinte mil bien armados.

**38.** Todos estos varones guerreros prontos a pelear, se reunieron en Hebrón con un corazón *sano* y sincero, para alzar a David por rey de todo Israel; del mismo modo todos los demás Israelitas estaban de común acuerdo sobre hacer rey a David.

**39.** Mantuviéronse allí con David por espacio de tres días, comiendo y bebiendo; porque sus hermanos les habían preparado víveres.

**40.** Además los *pueblos* vecinos, hasta los de Isacar, y Zabulón, y Neftalí les traían en asnos, y camellos, y mulos, y bueyes, panes o *víveres* para su sustento; harina, panes de higos, pasas, vino, aceite, vacas y carneros en grande abundancia: porque reinaba el gozo en Israel.

## CAPITULO XIII

*Traslación del Arca del Testamento desde Cariatiarím a la casa de Obededom. Castigo de Oza.*

**1.** Tuvo después David consejo con los tribunos y centuriones, y con todos los principales,

---

**22.** Esto es, *poderoso y formidable.*

2. Y dijo a toda la asamblea de Israel: Si os parece bien, y el asunto que voy a proponer es inspirado del Señor Dios nuestro, enviemos a llamar a todos los demás hermanos nuestros, esparcidos por todas las regiones de Israel, y a los sacerdotes y Levitas que viven en los ejidos *o contornos* de las ciudades, para que se reunan con nosotros,

3. Y traslademos a nuestra morada el Arca de nuestro Dios; ya que no lo hemos procurado hacer en tiempo de Saúl.

4. A lo que respondió toda la asamblea, que así se ejecutase, porque a todo el pueblo había parecido bien la propuesta.

5. Con eso David convocó a todo Israel desde *el río* Sihor de Egipto hasta la entrada de Emat, para trasladar el Arca de Dios desde Cariatiarím *a Jerusalén.*

6. Y subió David, acompañado de todo Israel, el collado de Cariatiarím, situado en la tribu de Judá, para trasladar de allí el Arca del Señor Dios que está sentado sobre los querubines en donde se invoca su *santo* Nombre.

7. Y lleváronse de la casa de Abinadab, en un carro nuevo, el Arca de Dios; y Oza y su hermano guiaban el carro.

8. Entretanto David y todo Israel expresaban su júbilo delante *del Arca* de Dios, cantando con todo esfuerzo, y tañendo cítaras, salterios, y panderos, y címbalos *o platillos*, y trompetas.

9. Mas llegados a la era de Cidón *o Nacón*, extendió Oza su mano para sostener el Arca; porque un buey retozando la había hecho ladear un poco.

10. Irritóse por esto el Señor contra Oza, y lo hirió mortalmente por haber tocado, *no siendo sacerdote*, el Arca, y cayó allí muerto delante del Señor.

11. Y contristóse David por haber separado el Señor a Oza, y llamó aquel lugar Separación de Oza, *nombre que conserva* hasta hoy día.

12. Y tuvo entonces *como* miedo a Dios, y dijo: ¿Cómo puedo yo meter en mi casa el Arca de Dios?

13. Y por esta razón no la condujo a su casa, es a saber, a la ciudad de David; sino que la hizo llevar a casa de Obededom de Get.

14. Estuvo, pues, el Arca de Dios tres meses en casa de Obededom: y el Señor bendijo dicha casa y todas sus cosas.

## CAPITULO XIV

*Prosperidad de David en paz y en guerra.*

1. Asimismo Hiram, rey de Tiro, envió embajadores a David; y además maderas de cedro, arquitectos y carpinteros para que le fabricasen un palacio.

2. Y reconoció David que el Señor le había confirmado rey de Israel, y que su reino había sido ensalzado para bien de Israel, pueblo suyo.

3. Tomó también David por esposas otras mujeres en Jerusalén, de que tuvo hijos e hijas.

4. Estos son los nombres de los hijos que le nacieron en Jerusalén, Samua, y Sodab, y Natán, y Salomón,

5. Y Jebahar, y Elisua, y Elifalet,

6. Y Noga, y Nafeg, y Jafia,

7. Y Elisama, y Baaliada, y Elifalet.

8. Mas así que oyeron los Filisteos que David había sido ungido rey de todo Israel, salieron todos a campaña para embestirlo: lo que sabido por David, fué a su encuentro.

9. Los Filisteos, siguiendo su marcha, extendieron sus tropas por el valle de Rafaím.

10. Entonces consultó David al Señor, diciendo: ¿Acometeré yo a los Filisteos, y los entregarás tú *¡oh Señor!* en mis manos? Respondióle el Señor: Acomete; que yo los pondré en tus manos.

11. Y habiendo avanzado ellos hasta Baalfarasim, allí los derrotó David, y dijo: Ha disipado Dios por mi mano a los enemigos, como se disipan *o se derraman* las aguas: y por esto se llamó aquel lugar Baalfarasim.

12. Y los *Filisteos* dejaron allí sus dioses, los cuales David mandó entregar a las llamas.

13. Otra vez hicieron los Filisteos una irrupción, y se derramaron por el valle.

14. Y David consultó de nuevo a Dios; y Dios le dijo: No vayas tras de ellos; retírate, e irás a acometerlos por enfrente de los perales;

15. Y cuando oyeres el ruido de uno que anda por la copa de los perales, entonces darás la batalla. Porque Dios va marchando delante de ti para desbaratar el campo de los Filisteos.

16. Hizo, pues, David, lo que Dios le había mandado, y fué derrotando las tropas de los Filisteos desde Gabón hasta Gazera.

17. Con lo que se divulgó la fama de David por todas las regiones, y el Señor le hizo formidable a todas las gentes.

## CAPITULO XV

*Traslación del Arca desde la casa de Obededom al Tabernáculo de Sión, y demostraciones de jubilo que hace David, de que se burla Micol, su esposa.*

1. Fabricó también casas para sí *o su familia* en la ciudad de David: y edificó para el Arca de Dios un lugar *propio*, y formóle un Tabernáculo.

2. Entonces dijo David: No es lícito que el Arca de Dios sea llevada por otros que por los de la tribu de Leví, escogidos por el Señor para llevarla, y para ser sus ministros perpetuamente.

3. En consecuencia congregó a todo Israel en Jerusalén, para trasladar el Arca de Dios al lugar propio que le tenía preparado.

4. Y convocó también a los hijos de Aarón y a los Levitas.

5. De los hijos de Caat el principal era Uriel, que tenía consigo ciento y veinte hermanos.

6. De los hijos de Merari era el principal Asaya, y tenía consigo doscientos y veinte hermanos.

7. De los hijos de Gerson era cabeza Jael, y tenía consigo ciento y treinta hermanos.

8. De los hijos de Elisafán era Semeías el principal, y doscientos sus hermanos.

9. De los hijos de Hebrón el principal era Eliel, y ochenta los hermanos que tenía consigo.

10. De los hijos de Oziel era Aminadab el principal, y tenía ciento doce hermanos.

11. Y llamó David *en particular* a los sacerdotes Sadoc, y Abiatar, y a los Levitas Uriel, Asaya, Joel, Semeía, Eliel y Aminadab,

12. Y díjoles: Vosotros que sois los principales de las familias levíticas, purificaos junto con vuestros hermanos *los demás Levitas,* y transportad el Arca del Señor Dios de Israel al lugar que le está preparado.

13. No sea que como antes nos castigó el Señor, porque vosotros no estabais presentes; acontezca ahora lo mismo, si hacemos alguna cosa que no nos es permitida.

14. Purificáronse, pues, los sacerdotes y Levitas para transportar el Arca del Señor Dios de Israel.

15. Y *de este modo* los hijos de Leví llevaron sobre sus hombros con las varas el Arca de Dios, según lo había ordenado Moisés conforme al mandamiento del Señor.

16. Mandó también David a los jefes de los Levitas que señalasen de entre sus hermanos cantores y tocadores de instrumentos músicos: es a saber, de nablos *o salterios*, de liras y de címbalos; a fin de que resonasen hasta el cielo los sonidos de júbilo.

17. Señalaron, pues, de los Levitas a Heman, hijo de Joel, y de los hermanos de éste a Asaf, hijo de Barraquías, y de los hijos de Merari, hermanos suyos, a Etán, hijo de Casaya

18. Con sus hermanos. En el segundo orden *o coro* a Zacarías, a Ben, a Jaziel, a Semiramot, y Jahiel, y Ani; a Eliab, y Banaías, y Maasías, y Matanías, y Elifalú, y Macenías, y Obededom, y Jehiel que eran porteros.

19. Los cantores Heman, Asaf y Etán tocaban los címbalos de bronce;

20. Zacarías, y Oziel, y Semiramot, y Jahiel, y Ani, y Eliab, y Maasías, y Banaías cantaban al son de nablos *o salterios* himnos misteriosos.

21. Matatías, Elifalú, y Macenías, y Obededom, y Jehiel, y Ozaziú cantaban cánticos triunfales con cítaras de ocho cuerdas;

22. Conenías, jefe de los Levitas, era el maestro de capilla para regir la salmodia, por ser en ella muy inteligente.

23. Baraquías y Elcana hacían de porteros *o ujieres* del Arca.

24. Y Sebenías, y Josafat, y Natanael, y Amasaí, y Zacarías, y Banaías, y Eliezer, sacerdotes, tocaban las trompetas *o clarines* delante del Arca de Dios: Obededom y Jehías eran *asimismo* porteros del Arca.

25. De este modo David y todos los Ancianos de Israel, y los tribunos fueron a trasladar el Arca del Testamento del Señor de la casa de Obededom *a Jerusalén* con *fiestas* y regocijos.

26. Y por haber Dios asistido *o mostrádose propicio con los* Levitas que llevaban el Arca del Testamento del Señor, fueron inmolados siete toros y siete carneros.

---

CAP. XV. — 5. O parientes del mismo linaje.

**27.** Iba David vestido de una ropa talar de viso, como también todos los Levitas que llevaban el Arca, y los cantores, y Conenías, su maestro de capilla; mas David estaba también revestido de un efod de lino.

**28.** Y todo Israel acompañaba el Arca del Testamento del Señor con voces de júbilo, y al son de clarines, y trompetas, y timbales, y nablos *o salterios,* y cítaras.

**29.** Así que el Arca del Testamento del Señor llegó a la ciudad de David, Micol, hija de Saúl, asomándose a mirar desde una ventana, vió al rey David que saltaba y bailaba *delante del Arca,* y le despreció en su corazón.

# CAPÍTULO XVI

*Colocada el Arca en el Tabernáculo, y ofrecidas las víctimas, se celebra un convite: señálanse los ministros para el servicio del Arca, y se entona un cántico en alabanza del Señor.*

**1.** Condujeron, pues, el Arca de Dios, y colocáronla en medio del Tabernáculo, que le había erigido David, y ofrecieron holocaustos y víctimas pacíficas a la presencia de Dios.

**2.** Y luego que David hubo acabado de ofrecer los holocaustos y las hostias pacíficas, bendijo al pueblo en el nombre del Señor;

**3.** Y distribuyó a todos uno por uno, a hombres y mujeres, una torta de pan y una ración de carne de vaca asada, y flor de harina frita en aceite.

**4.** Y señaló de entre los Levitas los que habían de ejercer el ministerio delante del Arca del Señor y hacer conmemoración de sus obras *o maravillas,* y glorificar y alabar al Señor Dios de Israel.

**5.** Nombró a Asaf su principal *o jefe,* y por su segundo a Zacarías: seguían después Jahiel, y Semiramot, y Jehiel, y Matatías, y Eliab, y Banaías y Obededom; a Jahiel para los instrumentos de salterios y liras *o arpas;* y a Asaf para tocar los címbalos.

**6.** Pero Banaías y Jahiel, sacerdotes, tenían la incumbencia de tocar en todos los tiempos *señalados* las trompetas delante del Arca del Testamento del Señor.

**7.** En aquel día eligió David a Asaf por primer cantor, para que cantara las alabanzas al Señor, con sus hermanos, *diciendo:*

**8.** Alabad al Señor, e invocad su Nombre; publicad sus obras entre las gentes.

**9.** Cantadle himnos al son de los instrumentos, y anunciad todas sus maravillas.

**10.** Alabad su santo Nombre; alégrese el corazón de los que buscan al Señor.

**11.** Id en busca del Señor, y de la fortaleza que de él viene; buscad en todo tiempo estar en su presencia.

**12.** Traed a la memoria las maravillas que hizo, los prodigios que obró, y las leyes salidas de su boca.

**13.** Hijos somos de Israel, su siervo; hijos de Jacob, su escogido.

**14.** El es el Señor nuestro Dios; él es quien juzga *y gobierna* todo el universo.

**15.** Acordaos eternamente de su pacto, de su promesa anunciada a todas las generaciones venideras;

**16.** Promesa *o pacto* que él estipuló con Abraham; del juramento que hizo a Isaac,

**17.** Y que confirmó a Jacob como un estatuto *inviolable,* y a Israel como un pacto sempiterno,

**18.** Diciendo: Yo te daré la tierra de Canaán, la cual será vuestra herencia.

**19.** *Y decía esto,* siendo los *Israelitas* pocos en número, pobres y extranjeros en ella.

**20.** Y mientras andaban peregrinando de una nación en otra, y de un reino a otro reino,

**21.** No permitió que nadie les ofendiese; antes por amor de ellos castigó a los reyes.

**22.** Guardaos bien, *dijo,* de tocar a mis ungidos; ni de hacer daño a mis profetas.

**23.** Cantad, *pues,* oh criaturas todas de la tierra, *himnos* al Señor, anunciad todos los días la salvación que él *nos* envía.

**24.** *Publicad* su gloria entre las naciones, y sus maravillas entre todos los pueblos.

**25.** Porque grande es el Señor, y digno de ser infinitamente alabado. Es sobre todos los dioses formidable;

**26.** Pues todos los dioses de las gentes son simulacros vanos; mas el Señor *es el que* ha criado los cielos.

**27.** Circuído está *por todas partes* de gloria y de grandeza. La fortaleza y el gozo están donde él se muestra.

**28.** Tributad, oh pueblos, con todas vuestras familias, tributad al Señor la gloria y el poder.

---

27. De lino fino. Quizá era una epecie de seda.

29. Tributad al Señor la gloria debida a su *santo* Nombre; presentadle sacrificios, y venid a su presencia, y adorad al Señor en su magnífico Santuario.

30. Conmuévase delante de él la tierra toda; puesto que él es el que fundó el universo sobre inmobles cimientos.

31. Alégrense los cielos, y salte de gozo la tierra; y publíquese entre las naciones: El Señor *Dios* es el Rey.

32. Resuene el mar, y cuanto en sí contiene; alborózense los campos, y cuanto en ellos hay.

33. Entonces será cuando los árboles del bosque entonarán las alabanzas al Señor; porque ha venido a juzgar la tierra.

34. Glorificad al Señor por su bondad *inmensa,* porque es eterna su misericordia.

35. Y decid: Sálvanos, oh Dios, Salvador nuestro: reúnenos, sacándonos de entre las gentes, para que demos gloria a tu santo Nombre, y nos regocijemos cantando tus alabanzas.

36. Bendito sea el Señor Dios de Israel para siempre eternamente; y diga todo el pueblo: Amén; y tribute loores al Señor.

37. Dejó, pues, David allí delante del Arca del Testamento del Señor a Asaf con sus hermanos, para que de continuo ejerciesen su ministerio delante del Arca todos los días, y por sus turnos.

38. También dejó a Obededom con sus hermanos, que eran sesenta y ocho; y puso por porteros a Obededom hijo de Iditún, y a Hosa.

39. Al mismo tiempo destinó al pontífice Sadoc, y a los sacerdotes, sus hermanos, al servicio del Tabernáculo del Señor, que se conservaba en el lugar excelso en Gabaón,

40. Para que ofreciesen continuamente holocaustos al Señor mañana y tarde, sobre el altar de los holocaustos, conforme a todo lo dispuesto en la Ley del Señor prescripta a Israel.

41. Después de Sadoc seguían Hemán e Iditún, y los demás escogidos y señalados cada cual por su nombre para alabar al Señor diciendo: Que es eterna su misericordia.

42. El mismo Hemán e Iditún sonaban las trompetas, y tocaban los címbalos, *o platillos,* y todos los instrumentos músicos, cantando himnos al Señor. A los hijos de Iditún los destinó para guardar las puertas.

43. Después volvióse todo el pueblo cada cual a su casa, y David a la suya para bendecirla.

## CAPITULO XVII

*Promete Dios a David un hijo que edificará el Templo que meditaba él fabricar; por lo cual tributa al Señor acciones de gracias, celebrando la misericordia que con él usa.*

1. Morando ya David en su palacio, dijo al profeta Natán: He aquí que yo habito en una casa de cedro; mientras el Arca del Testamento del Señor está debajo de una cubierta de pieles.

2. Respondió Natán a David: Haz todo cuanto te inspira tu corazón: porque Dios está contigo.

3. Mas aquella misma noche habló Dios a Natán, diciendo:

4. Ve y di a mi siervo David: Esto dice el Señor: No me edificarás tú la casa *o el Templo* para mi habitación.

5. En verdad que yo no he tenido casa fija desde el tiempo en que saqué a Israel *de Egipto* hasta el día de hoy, sino que he andado siempre mudando el lugar de mi residencia, y alojándome debajo de una tienda,

6. Como todo Israel. Por ventura, ¿hablé yo jamás una palabra a ninguno de los Jueces de Israel, a quienes encargué el gobierno de mi pueblo, diciéndoles: ¿Por qué no me habéis edificado una casa de cedro?

7. Dirás, pues, ahora tú a mi siervo David: Mira lo que dice el Señor de los ejércitos: Yo te escogí, cuando tú apacentabas los rebaños, para que fueses caudillo del pueblo mío de Israel,

8. Y contigo he andado en todas tus marchas y en tu presencia he derrotado a todos tus enemigos, y te he dado nombradía cual puede tenerla uno de los magnates que son famosos sobre la tierra.

9. He dado también habitación fija a mi pueblo de Israel, en la cual se arraigará y permanecerá, y de donde no será jamás removido, *como me obedezca;* ni los hijos de la iniquidad lo oprimirán como antes,

10. Desde aquel tiempo en que dí Jueces a mi pueblo de Israel, y humillé a todos tus enemigos. Te hago, pues, saber, que el Señor te ha de fundar a ti una casa *estable.*

11. Y cumplidos que sean tus días, así que hayas ido a reunirte con tus padres, yo alzaré después de ti a uno de tu linaje, a uno de tus hijos, y le daré un reino estable.

12. Ese me edificará la casa, y yo aseguraré su trono para siempre.

13. Yo le seré padre, y él me será hijo; y no apartaré de él mi misericordia, como la aparté de *Saúl* tu antecesor.

14. Y le daré el gobierno de mi casa y de mi reino para siempre; y su trono será inmoble eternamente.

15. Natán expuso a David todas estas palabras y toda esta visión.

16. Y habiendo entrado dentro el rey David, puesto en presencia del Señor, dijo: ¿Quién soy yo, ¡oh Señor Dios! y ¿qué es mi casa para que hayas hecho por mí tales cosas?

17. Y aun esto ha parecido poco a tus ojos, que todavía has hablado sobre la casa de tu siervo, aun para los tiempos venideros, y me has hecho esclarecido sobre todos los hombres, oh Señor Dios *mío*.

18. ¿Qué más le queda que desear a David, habiendo tú ensalzado tanto a tu siervo, y dándole tales muestras de aprobación?

19. Oh Señor, por amor de tu siervo has obrado según tu beneplácito, con toda esta magnificencia, y has querido manifestarle todas sus grandezas.

20. Señor, no hay semejante a ti; ni hay otro Dios sino tú entre todos los que han llegado a nuestra noticia.

21. Porque, ¿qué otro pueblo hay como el pueblo tuyo de Israel, esta nación única sobre la tierra, a la cual vino Dios para libertarla y hacerla su pueblo, arrojando con su poder y a fuerza de prodigios espantosos las naciones todas de delante de este pueblo, librado por él *de la esclavitud* de Egipto?

22. Y estableciste por pueblo tuyo para siempre a tu pueblo de Israel; y tú, Señor, has venido a ser su Dios.

23. Ahora, pues, oh Señor, confirmada quede para siempre la promesa que has hecho a tu siervo, y en orden a su casa, y haz lo que tienes dicho,

24. Y llévese a efecto *en Israel*, a fin de que sea eternamente ensalzado tu Nombre, y se diga *siempre:* El Señor de los ejércitos es el Dios de Israel, y la casa de su siervo David permanece estable delante de él.

25. Puesto que tú, Señor Dios mío, revelaste al oído de tu siervo que quieres fundarle una casa, y por eso tu siervo se atreve a presentar delante de ti esta súplica.

26. Ahora, pues, oh Señor, tu eres Dios *infalible*, y tú has prometido a tu siervo tan grandes favores,

27. Y has comenzado a bendecir la casa de tu siervo, a fin de que ella subsista siempre delante de ti; porque bendiciéndola tú, oh Señor, será perpetuamente bendita.

## CAPITULO XVIII

*Nuevas victorias de David; tributos impuestos a las naciones. Ministros y generales suyos.*

1. Pasadas estas cosas, David derrotó a los Filisteos, y humillólos, y recobró del poder de ellos a Get y sus aldeas.

2. Derrotó también a los Moabitas, y quedaron sujetos a David, al cual pagaban tributo.

3. Por este mismo tiempo venció también David a Adarecer, rey de Soba, en el país de Hemat, cuando éste salió a campaña para extender su imperio hasta el río Eufrates.

4. En consecuencia David le tomó mil carros *de guerra* de a cuatro caballos, y siete mil soldados de caballería, y veinte mil de infantería, y desjarretó todos los caballos de los carros, a excepción de cien tiros de cuatro caballos, que reservó para sí.

5. Y habiendo sobrevenido los Sirios de Da-masco para socorrer a Adarecer, rey de Soba, les mató David veintidós mil hombres.

6. Y puso guarnición en Damasco para que también la Siria le estuviese sujeta y le pagase tributo. En todas sus empresas le asistió el Señor con su auxilio.

7. Fuera de esto tomó David las alhajas de oro que habían sido de los siervos *u oficiales* de Adarecer, y trájolas a Jerusalén;

8. Y también grandísima cantidad de bronce de Tebat y de Cun, ciudades de Adarecer, de cuyo metal hizo Salomón el mar *o gran concha de bronce*, y las columnas y *demás* utensilios de bronce.

9. Habiendo, pues, oído Tou, rey de Hemat, cómo David habia deshecho todo el ejército de Adarecer, rey de Soba,

CAP. XVII. — 12. Literalmente se entienden estas palabras de aquel gran rey, hijo de David según la carne, que es el objeto principal de las promesas de Dios, y de la esperanza de los Judíos, a quien se refieren todas las Sagradas Escrituras. Así nos lo enseña San Pablo. *Hebr.* I, *v.* 5

10. Envió a Adoram, su hijo, al rey David para pedirle la paz, y congratularse con él por haber vencido y subyugado a Adarecer; porque era Tou enemigo de Adarecer.

11. Consagró también el rey David al Señor todos los vasos de oro, y de plata, y de bronce, con la plata y el oro que había recogido de todas las gentes, así de Idumea, y de Moab, y de los Ammonitas, como de los Filisteos y de los Amalecitas.

12. Por otra parte Abisaí, hijo de Sarvia, derrotó en el valle de las Salinas a dieciocho mil Idumeos.

13. Y puso guarnición en la Idumea, a fin de que estuviese sujeta a David; y salvó el Señor a David en todas las expediciones que emprendió.

14. Reinó, pues, David sobre todo Israel; y juzgaba con rectitud, y administraba justicia a todo su pueblo.

15. Joab, hijo de Sarvia, era el general de los ejércitos; y Josafat, hijo de Ahilud, era canciller;

16. Sadoc, hijo de Aquitob, y Aquimelec, hijo de Abiatar, eran *Sumos* sacerdotes, y Susa, secretario.

17. Banaías, hijo de Joíada, era comandante de las legiones de los Cereteos y Feleteos. Pero los hijos de David eran los principales en el servicio del rey.

## CAPITULO XIX

*Hanón, rey de los Ammonitas, insulta a los embajadores de David; el cual vence a Hanón y a sus aliados los Sirios.*

1. Sucedió que murió Naas, rey de los Ammonitas, en cuyo lugar reinó su hijo.

2. Y dijo David: Mostraré mi compasión *o sentimiento* a Hanón, hijo de Naas; pues recibí favores de su padre. En consecuencia envió David embajadores para consolarle en la muerte de su padre. Luego que éstos llegaron al país de los Ammonitas con el fin de consolar a Hanón,

3. Dijeron a Hanón los príncipes de los Ammonitas: Tú quizá piensas que David por honrar la memoria de tu padre ha enviado a consolarte; y no echas de ver que estos criados suyos han venido a explorar, y examinar y escudriñar *el estado de* tu país.

4. Oído esto, hizo Hanón raer la cabeza y la barba a los enviados de David, y que les cortasen las túnicas desde medio cuerpo abajo, y así los despachó.

5. Los cuales habiéndose retirado y dado parte a David del suceso, envió *éste* quien les saliese al encuentro (atenta la gran afrenta que había recibido), y ordenóles que se detuviesen en Jericó, y no volviesen hasta que les hubiese crecido la barba.

6. Pero considerando los Ammonitas, así Hanón como todo el pueblo, la injuria que habían hecho a David, enviaron mil talentos de plata para tomar a sueldo *tropas de las que iban* en carros de guerra, y gente de a caballo de la Mesopotamia, y de la Siria de Maaca, y de Soba.

7. En efecto, condujeron a su sueldo treinta y dos mil *hombres en* carros armados, y al rey de Maaca con su gente. Y reunidos que fueron éstos, se acamparon frente de Medaba. Al mismo tiempo los Ammonitas congregados de sus ciudades salieron a campaña.

8. Sabido todo esto por David, despachó a Joab con todas sus mejores tropas;

9. Y haciendo movimiento los Ammonitas se formaron en batalla junto a la puerta de la ciudad: mientras que los reyes venidos a su socorro hicieron alto separadamente en la campiña.

10. Joab, pues, conociendo que querían atacarlo de frente y por la espalda, escogió los más valientes de todo Israel, y se dirigió contra los Sirios.

11. Y dió el mando de las demás tropas a su hermano Abisaí, las cuales marcharon contra los Ammonitas,

12. Y dijo: Si los Sirios prevalecieren contra mí, tú vendrás a socorrerme; pero si los Ammonitas te llevaren a ti de vencida, yo acudiré a tu socorro.

13. Ten buen ánimo, y peleemos valerosamente por nuestro pueblo, y por las ciudades de nuestro Dios; y el Señor haga lo que más sea de su agrado.

14. Marchó, pues, Joab y la gente que con él estaba al combate contra los Sirios, y púsolos en huida.

15. Viendo los Ammonitas que los Sirios habían huido, huyeron ellos también de Abisaí, hermano de Joab, y se metieron en la ciudad donde habían huído, huyeron ellos también Joab a Jerusalén.

16. Mas viéndose los Sirios vencidos por Israel, despacharon mensajeros e hicieron venir a los Sirios que habitaban a la otra parte del río *Eufrates;* y Sofac, general de las tropas de Adarecer, era su comandante.

---

CAP. XVIII. — 13. Los descendientes de Esaú quedaron sujetos a David, descendiente de Jacob según aquella profecía: El *mayor servirá al menor*. *Gen.* XXV, *v.* 23.

**17.** Luego que David lo supo, juntó a todo Israel, y pasó el Jordán, y los cargó de frente con su ejército formado en batalla, sosteniendo ellos por su parte este choque *con valor.*

**18.** En fin, volvieron los Sirios las espaldas a Israel, y mató David a siete mil hombres de los *que iban montados* en carros, y cuarenta mil de a pie, y a Sofac, general de este ejército.

**19.** Entonces los vasallos de Adarecer, viéndose vencidos por Israel se pasaron a David, y se sujetaron a su imperio. Con eso la Siria nunca más quiso dar socorro a los Ammonitas.

## CAPITULO XX

*Triunfa David de los Ammonitas y Filisteos, y mueren varios gigantes de éstos.*

**1.** Al cabo de un año, en la estación en que suelen los reyes salir a campaña, juntó Joab el ejército y la flor de las tropas, y taló el país de los Ammonitas, y avanzando puso sitio a Rabba. David, empero, se quedó en Jerusalén, cuando batió Joab a Rabba, y la destruyó.

**2.** Mas David tomó la corona de Melcom de encima de su cabeza, y halló en ella el peso de un talento de oro y piedras preciosísimas, de que se hizo para sí una diadema, cogiendo además muchísimos despojos de la ciudad.

**3.** A cuyos habitantes los hizo salir fuera, e hizo pasar por encima de ellos trillos y rastras, y carros armados de cortantes hoces; de manera que quedaban hechos piezas y añicos: otro tanto hizo David con todas las ciudades de los Ammonitas; y *concluído esto,* volvióse con todo su ejército a Jerusalén.

**4.** Comenzó después la guerra contra los Filisteos en Gazer; durante la cual Sobocal de Husati mató a Safai del linaje *gigantesco* de Rafaim; con lo que los dejó abatidos.

**5.** Otra guerra hubo también contra los Filisteos, en la cual Adeodato, hijo de Salto, *natural* de Betlehem, mató a un hermano de Goliat de Get, que traía una lanza, cuyo astil era como un enjullo de tejedores.

**6.** Hubo además otra guerra en Get, donde se halló un hombre de grandísima estatura, con seis dedos en pies y manos, esto es, veinticuatro dedos en todo; el cual descendía también de la raza *gigantesca* de Rafa.

**7.** Insultaba éste a Israel; pero lo mató Jonatán, hijo de Samaa, hermano de David. Estos son los hijos de Rafa, *o gigantes* de Get, que murieron a manos de David y de sus tropas.

## CAPITULO XXI

*Castiga Dios la vanidad de David en hacer el censo de su pueblo, enviando la peste, hasta tanto que David aplaca con sus oraciones la ira del Señor.*

**1.** Pero se levantó Satanás contra Israel, e instigó a David a que hiciese el censo de Israel.

**2.** Por lo que dijo David a Joab y a los príncipes del pueblo: Id y contad a Israel desde Bersabée hasta Dan, y traedme la suma; que quiero saberla.

**3.** A lo que respondió Joab: Aumente el Señor su pueblo cien veces más de lo que es. Pero, ¿no es así, ¡oh mi rey y señor!, que todos son siervos tuyos? ¿A qué fin pretende mi señor hacer una cosa, que será perniciosa *y acarreará el castigo* a Israel?

**4.** Sin embargo, prevaleció el parecer *o antojo* del rey: y Joab hubo de salir, y anduvo girando por todo Israel, y volvió después a Jerusalén,

**5.** Y entregó a David la lista de los lugares que había recorrido; y hallóse ser toda la suma de Israel un millón y cien mil hombres de armas tomar, *y de la tribu* de Judá cuatrocientos y setenta mil:

**6.** Si bien Joab no hizo el censo de las tribus de Leví y de Benjamín; por cuanto ejecutaba de mala gana la orden del rey.

**7.** En efecto, desagradó a Dios lo mandado, y por ello castigó a Israel.

**8.** Y dijo David a Dios: He pecado gravísimamente en hacer esto; perdona, *oh Señor,* la iniquidad de tu siervo, porque he procedido neciamente.

**9.** Habló después el Señor a Gad, profeta de David, diciendo:

**10.** Anda, ve a David, y dile: Esto dice el Señor: Tres cosas te doy a escoger, escoge una, la que quisieres recibir de mí.

**11.** Viniendo, pues, Gad a David, díjole: Esto dice el Señor: Escoge lo que quieras:

_____

CAP. XX. 1. *Rabba:* Su capital.

12. O hambre por tres años; o andar huyendo de tus enemigos por tres meses, sin poder librarte de su espada; o que por tres días descargue sus golpes la espada del Señor, cundiendo la peste por el país, y hiciendo estragos el Angel del Señor en todos los términos de Israel. Ahora bien, mira tú qué es lo que he de responder al que me ha enviado.

13. Respondió David a Gad: Por todas partes me hallo atajado de angustias: pero al fin, más cuenta me tiene el caer en manos del Señor, conociendo su gran misericordia, que no en manos de los hombres.

14. Envió, pues, el Señor la peste a Israel: y murieron de Israel setenta mil hombres.

15. Asimismo envió su Angel a Jerusalén para que la castigase; pero cuando se hallaba en la mayor desolación, echó el Señor sobre ella una mirada, y tuvo compasión de tanto estrago, e intimó al Angel exterminador esta orden: Basta, retira ya tu mano. Estaba a la sazón el Angel del Señor sobre la era de Ornán, Jebuseo.

16. Y alzando David los ojos vió al Angel del Señor, que estaba en el aire, con una espada desenvainada en su mano, vuelta contra Jerusalén; y *a su vista,* tanto él como los ancianos, vestidos de cilicios, se postraron rostro por tierra.

17. Y dijo David a Dios: ¿Por ventura no soy yo quien mandó hacer el censo del pueblo? Yo soy el que he pecado; yo el que he cometido la maldad. Esta grey, ¿qué culpa tiene? Señor Dios mío, descargue, te suplico, tu mano contra mí y contra la casa de mi padre; mas no sea castigado su pueblo.

18. Y *al punto* el Angel del Señor mandó a Gad que dijese a David que subiese a erigir un altar al Señor Dios en la era de Ornán, Jebuseo.

19. Subió, pues, David según el mandato que le había dado Gad en nombre del Señor.

20. Entretanto Ornán y cuatro hijos suyos, que con él estaban, habiendo alzado los ojos y visto al Angel, fueron a esconderse; estaban a la sazón trillando el trigo en la era.

21. Pues como David viniese hacia Ornán, alcanzóle a ver éste desde la era, y le salió al encuentro, e inclinándose hasta el suelo, le hizo una profunda reverencia.

22. Díjole David: Dame el sitio de tu era, recibiendo su valor en dinero contante, para edificar en ella un altar al Señor: a fin de que cese el azote del pueblo.

23. Respondió Ornán a David: Tómela, y haga de ella el rey, mi señor, lo que bien le pareciere. Y aun doy los bueyes para el holocausto; y los trillos para hacer el fuego, y el trigo para el sacrificio. Todo lo daré con gusto.

24. Replicóle el rey David: No ha de ser así, sino que te pagaré en dinero todo su valor: porque no debo yo quitártelo a ti, y ofrecer así al Señor holocaustos que no me cuesten nada.

25. Dió, pues, David a Ornán, en pago del sitio, seiscientos siclos de oro de peso muy cabal.

26. Con eso edificó allí un altar al Señor, y ofreció holocaustos y víctimas pacíficas, invocando al Señor, el cual le oyó, enviando fuego del cielo sobre el altar del holocausto.

27. Y dando el Señor orden al Angel, envainó éste su espada.

28. Inmediatamente David viendo que el Señor había oído su oración en la era de Ornán, Jebuseo, ofreció allí sacrificios.

29. Verdad es que a la sazón el Tabernáculo del Señor, fabricado por Moisés en el Desierto, y el altar de los holocaustos estaban en la altura de Gabaón.

30. Mas David no tuvo aliento para ir entonces a aquel altar a orar allí a Dios: porque había quedado muy aterrado de espanto, al ver la espada del Angel del Señor.

## CAPITULO XXII

*Prepara David los materiales para la fábrica del Templo: manda a Salomón que le construya; y exhorta a los príncipes de Israel a que le ayuden.*

1. En seguida dijo David: Aquí está la Casa de Dios, y éste es el altar de los holocaustos de Israel.

2. Y mandó juntar todos los proselitos de la tierra de Israel, y entresacó de ellos canteros para cortar y pulir las piedras para la fábrica de la Casa de Dios.

3. Preparó también muchísimo hierro para la clavazón de las puertas, y para la trabazón de las junturas; y cantidad inmensa de bronce.

4. Era igualmente inestimable el acopio de maderas de cedro, que los Sidonios y Tirios habían traído a David.

---

CAP. XXII. — 2. Esto es, los Cananeos destinados al servicio público.

**5.** Porque dijo David: Mi hijo Salomón es *todavía* un joven tierno y delicado; y la Casa que quiero que se edifique al Señor debe ser tal, que sea celebrada en todas las naciones: iré, pues, yo preparando lo necesario. Por esta razón hizo antes de su muerte, con anticipación, todos los gastos.

**6.** Y llamó a su hijo Salomón, y le mandó que edificase la Casa o *Templo* al Señor Dios de Israel.

**7.** Añadió David a Salomón: Hijo mío, mi voluntad fué el edificar Casa al Nombre de mi Señor Dios;

**8.** Pero el Señor me habló, y dijo: Tú has derramado mucha sangre, y hecho muchas guerras; y *así* no puedes edificar la Casa de mi Nombre, habiendo derramado tanta sangre delante de mí.

**9.** Tú tendrás un hijo, el cual será hombre de paz; pues yo haré que no sea perturbado de ninguno de sus enemigos en todos los alrededores; por cuya causa será llamado el Pacífico o *Salomón;* y paz y sosiego daré yo a Israel todo el tiempo de su vida.

**10.** El edificará la Casa a mi Nombre, y él me será hijo, y yo le seré padre; y estableceré el solio de su reino sobre Israel para siempre.

**11.** Ahora, pues, hijo mío, el Señor sea contigo, y seas feliz, y edifica la Casa o *Templo* al Señor Dios tuyo, como lo tiene predicho de ti.

**12.** Concédate asimismo el Señor sabiduría y prudencia para poder gobernar a Israel, y guardar la Ley del Señor Dios tuyo.

**13.** Porque entonces podrás medrar *y ser feliz,* si observares los mandamientos y las leyes intimadas por el Señor a Moisés para que las enseñara a Israel. Esfuérzate, y pórtate varonilmente: no temas, ni te acobardes.

**14.** Ya ves que yo en mi pobreza he preparado para los gastos de la Casa del Señor cien mil talentos de oro y un millón de talentos de plata: el bronce y el hierro es en tanta cantidad, que es incalculable: tengo prevenida *mucha* madera y piedra para todas las obras necesarias.

**15.** Tienes también muchísimos obreros, canteros, y albañiles, y carpinteros, y artífices de toda especie, muy hábiles en todo género de labores,

**16.** En oro, plata, bronce o hierro, cuya suma es incalculable. Animate, pues, y manos a la obra, y el Señor será contigo.

---

9. Csalom, en hebreo significa *paz.*
14. David, humillado ante el Señor, miraba como pobreza cuanto los hombres pueden ofrecer al Criador.

**17.** Al mismo tiempo mandó David a los príncipes de Israel, que ayudasen a su hijo Salomón.

**18.** Ya véis, les dijo, que el Señor Dios vuestro está con vosotros, y que os ha dado paz por todos lados, y entregado en vuestras manos todos vuestros enemigos, y que el país está sujeto al Señor y a su pueblo.

**19.** Disponed, pues, vuestros corazones, preparad vuestras almas, y buscad al Señor Dios vuestro. Ea, manos a la obra, y edificad el Santuario al Señor Dios, para que el Arca de la Alianza del Señor, y los vasos a él consagrados, sean trasladados a la Casa que va a edificarse al Nombre del Señor.

# CAPITULO XXIII

*David, ya anciano, después de haber declarado rey a Salomón, señala los oficios de los levitas, entre los cuales son contados los hijos de Moisés.*

**1.** Siendo ya David anciano y lleno de días, constituyó a Salomón, su hijo, por rey de Israel.

**2.** Y convocó a todos los príncipes de Israel, y a los sacerdotes y Levitas.

**3.** Y contados los Levitas de treinta años arriba, se hallaron treinta y ocho mil hombres.

**4.** De éstos fueron escogidos, y distribuídos en el servicio de la Casa del Señor veinticuatro mil; para prefectos y jueces seis mil;

**5.** Cuatro mil porteros; y otros tantos para salmistas, que cantaban las alabanzas del Señor al son de los instrumentos, que a este fin había mandado hacer.

**6.** Y repartiólos David en sus turnos, según las familias de los hijos de Levi, que son Gersón, Caat y Merari.

**7.** Los hijos de Gersón fueron Leedán y Semei.

**8.** Hijos de Leedán, tres: el primogénito Jahiel, y Zetán, y Joel.

**9.** Hijos de Semei, tres: Salomit, y Hosiel, y Arán. Estos eran los principes de las familias de Leedán.

**10.** Hijos de *otro* Semei: Lehet, y Ziza, y Jaús, y Baría: estos cuatro son los hijos de Semei.

**11.** Entre ellos Lehet era primogénito, Ziza el segundo; Jaús y Baría no tuvieron muchos hijos; y por eso fueron contados como una sola familia y casa.

**12.** Hijos de Caat, cuatro: Amram e Isaar, Hebrón y Oziel.

13. Los hijos de Amram: Aarón y Moisés. Mas Aarón fué destinado para el ministerio del Sancta Sanctórum, así él como sus hijos perpetuamente, para quemar el incienso al Señor, según rito, y bendecir su Nombre para siempre.

14. Los hijos de Moisés, varón de Dios, fueron alistados en la tribu de Leví.

15. Hijos de Moisés: Gersom y Eliezer.

16. Hijo de Gersom: Subuel, primogénito.

17. De Eliezer fué hijo Rohobías, cabeza de familia; y no tuvo Eliezer otros hijos. Pero los hijos de Rohobías fueron muchísimos.

18. Hijos de Isaar: Salomit, primogénito.

19. Hijos de Hebrón: Jeriau, primogénito, Amarías el segundo, Jehaziel el tercero, y el cuarto Jecmaam.

20. Hijos de Oziel: Mica el primero, Jesía el segundo.

21. Hijos de Merari: Moholi y Musi. Hijos de Moholi: Eleazar y Cis.

22. Murió Eleazar y no tuvo hijos sino hijas; por lo que se casaron con ellas los hijos de Cis, sus *primos* hermanos.

23. Hijos de Musi, tres: Moholi, Eder y Jerimot.

24. Estos son los hijos de Leví, cabezas de sus linajes y familias, contados uno por uno; los cuales ejercían por turno las funciones de su ministerio en la Casa del Señor, desde veinte años arriba.

25. Porque David dijo: El Señor Dios de Israel ha dado descanso a su pueblo, y morada estable en Jerusalén para siempre.

26. Y así no tendrán ya los Levitas el trabajo de llevar el Tabernáculo, y todos los utensilios de su ministerio.

27. Asimismo según las últimas disposiciones de David, el número de los hijos de Leví debe contarse de veinte años arriba;

28. Y estarán sujetos a los hijos de Aarón *o sacerdotes,* en lo concerniente al culto de la Casa del Señor, así en los atrios como en las viviendas, y en el lugar de la purificación, y en el Santuario, y en todas las funciones del ministerio del Templo del Señor.

29. Los sacerdotes cuidarán de los panes de la proposición, de la ofrenda de flor de harina, de las tortas sin levadura, y de lo que se fríe, y de lo que se tuesta *para ser ofrecido al Señor,* y de todos los pesos y medidas.

30. Y los Levitas han de asistir por la mañana a cantar las alabanzas del Señor, e igualmente por la tarde;

31. Tanto en la oblación de los holocaustos del Señor, como en los días de sábado, y en las calendas, y en las demás festividades, según el número prescrito, observando constantemente delante del Señor las ceremonias particulares a cada cosa.

32. Y seguirán guardando las reglas del Tabernáculo del Testamento y los ritos del Santuario, y las órdenes de los hijos de Aarón sus hermanos, para ejercer sus funciones en la Casa del Señor.

## CAPITULO XXIV

*David distribuye en veinticuatro clases las familias de Eleazar e Itamar para el ministerio del Señor: del mismo modo son distribuídas por suerte las familias de los otros levitas.*

1. En cuanto a los hijos de Aarón, fueron divididos en estas clases. Los hijos que tuvo Aarón fueron: Nadab, y Abiú, y Eleazar, e Itamar.

2. Mas Nadab y Abiú, murieron antes que su padre, sin dejar hijos; y ejercieron las funciones del sacerdocio Eleazar e Itamar.

3. Y David los dividió, esto es, *distribuyó* la familia de Sadoc, hijo o *descendiente* de Eleazar, y la de Ahimelec de la rama de Itamar, fijando los turnos de su ministerio.

4. Pero hallóse que eran en mucho mayor número las cabezas de familias descendientes de Eleazar, que las de Itamar. Por eso a los descendientes de Eleazar dividiólos en dieciséis familias con una cabeza por cada familia, y a los de Itamar en ocho familias.

5. La repartición de los oficios entre ambas familias la hizo por suertes; porque así los descendientes de Eleazar como los de Itamar, eran príncipes del Santuario y príncipes de Dios.

6. Semeías, hijo de Natanael, de la tribu de Leví, secretario o *canciller,* formó la lista de ellos en presencia del rey, y de los magnates, y de Sadoc *Sumo* sacerdote, y de Ahimelec, hijo de Abiatar, como también de las cabezas de las familias sacerdotales y levíticas; tomando alternativamente de la Casa de Eleazar, que era sobre las otras, y de la casa de Itamar, que tenía *también* otras bajo de sí.

CAP. XXIII. — 13. Para quemar incienso en honor de él perpetuamente.

CAP. XXIV. — 3. *Ahimeleo:* llamado también *Abiatar.*

**7.** El primer turno tocó a Joyarib, el segundo a Jedei,

**8.** El tercero a Harim, el cuarto a Seorim,

**9.** El quinto a Melquía, el sexto a Maimán,

**10.** El séptimo a Accos, el octavo a Abía,

**11.** El nono a Jesua, el décimo a Sequemías,

**12.** El undécimo a Eliasib, el duodécimo a Jacim,

**13.** El décimotercio a Hopfa, el décimocuarto a Isbaad,

**14.** El décimoquinto a Belga, el décimosexto a Emmer,

**15.** El decimoséptimo a Hezir, el décimooctavo a Afsés,

**16.** El décimonono a Feteya, el vigésimo a Hezequiel,

**17.** El vigésimoprimo a Jaquín, el vigésimosegundo a Gamul,

**18.** El vigésimotercio a Dalayau, el vigésimocuarto a Maaziau.

**19.** He aquí su distribución, según sus ministerios, a fin de que entren en la Casa del Señor, según su turno, conforme las órdenes de Aarón, su padre, según había prescrito el Señor Dios de Israel.

**20.** Los otros hijos de Leví eran Subael de los hijos de Amran, y Jehedeya de los hijos de Subael.

**21.** De los hijos de Rohobías era cabeza Jesías.

**22.** De Isaai era hijo Salemot, y de éste Jaat.

**23.** De Jaat fué hijo primogénito Jeriau, el segundo Amarías, el tercero Jahaziel, el cuarto Jacmaán.

**24.** Hijo de Oziel, Mica: hijo de Mica, Samir:

**25.** Hermano de Mica, Jesía: Zacarías, hijo de Jesía.

**26.** Hijos de Merari: Moholi y Musi: hijo de Oziau, Benno.

**27.** Hijo también de Merari fué Oziau, *que tuvo a* Soam, y Zacur, y Hebri.

**28.** Hijo de Moholi: Eleazar, el cual no tuvo hijos.

**29.** Hijo de Cis: Jeramael.

**30.** Hijos de Musi: Moholi, Edar y Jerimot. Estos son hijos de Leví, según las ramificaciones de sus familias.

**31.** Y estos también echaron suertes a imitación de sus hermanos los hijos de Aarón, a presencia del rey David, y de Sadoc, y de Ahimelec, y de los príncipes *o cabezas* de las familias sacerdotales y levíticas: desde el mayor hasta el menor, todos igualmente fueron distribuídos por suerte; *en veinticuatro clases de Levitas.*

## CAPITULO XXV

*De los cantores, salmistas y tañedores de instrumentos, distribuídos igualmente por suerte en veinticuatro clases.*

**1.** Asimismo David y las cabezas o *príncipes* de la multitud entresacaron a los hijos de Asaf, y de Hemán, y de Iditún para el ministerio de cantar las alabanzas de Dios al son de las cítaras y salterios, y címbalos, sirviendo en número conveniente en el oficio a que se les había destinado.

**2.** De los hijos de Asaf fueron Zaccur, y José, y Natanías, y Asarela, bajo la dirección de su padre Asaf, el cual cantaba cerca del rey.

**3.** Hijos de Iditún, seis: Iditún, Godolías, Sorí, Jeseías, y Hahabías, y Matatías, bajo la dirección de su padre Iditún, el cual cantaba al son de la cítara o *arpa*, puesto al frente de los que celebraban y alababan al Señor.

**4.** Asimismo Hemán, cuyos hijos eran Bocciau, Mataniau, Oziel, Subuel, y Jerimot, Hananías, Hanani, Eliata, Geddelti, y Romemtiezer, y Jesbacasa, Melloti, Otir, Mahaziot:

**5.** Todos hijos de Hemán, que era profeta del rey en los cánticos de Dios para ensalzar su poder: y le dió Dios a Hemán catorce hijos y tres hijas.

**6.** Todos los referidos estaban distribuídos bajo la dirección de sus padres, esto es, de Asaf, y de Iditún, y de Hemán, para cantar en el Templo del Señor con címbalos, y salterios, y cítaras, en servicio de la Casa del Señor cerca del rey.

**7.** El número de éstos, junto con sus hermanos, maestros todos que enseñaban a cantar los cánticos del Señor, fué de doscientos ochenta y ocho, *doce de cada familia.*

**8.** Todos igualmente echaron suertes, clase por clase, entrando tanto los mayores como los menores, tanto los maestros como los discípulos.

**9.** La primera suerte salió a José, el cual era de la casa de Asaf. La segunda a Godolías, a él y a sus hijos y hermanos, en número de doce.

**10.** La tercera salió a Zacur, a sus hijos y hermanos, en número de doce.

**11.** La cuarta a Isari, con sus hijos y hermanos, doce.

**12.** La quinta a Natanías, con sus hijos y hermanos, doce.

**13.** La sexta a Bocciau, con sus hijos y hermanos, doce.

**14.** La séptima a Israela, con sus hijos y hermanos, doce.

**15.** La octava a Jesaía, con sus hijos y hermanos, doce.

**16.** La nona a Matanías ,con sus hijos y hermanos, doce.

**17.** La décima a Semeías, con sus hijos y hermanos, doce.

**18.** La undécima a Azareel, con sus hijos y hermanos, doce.

**19.** La duodécima a Hasabías, con sus hijos y hermanos, doce.

**20.** La décimatercia a Subael, con sus hijos y hermanos, doce.

**21.** La décimacuarta a Matatías, con sus hijos y hermanos, doce.

**22.** La décimaquinta a Jerimot, con sus hijos y hermanos, doce.

**23.** La décimasexta a Hananías, con sus hijos y hermanos, doce.

**24.** La decimaséptima a Jesbacasa, con sus hijos y hermanos, doce.

**25.** La décimaoctava a Hanani, con sus hijos y hermanos, doce.

**26.** La décimanona a Melloti, con sus hijos y hermanos, doce.

**27.** La vigésima a Eliata, con sus hijos y hermanos, doce.

**28.** La vigésimaprima a Otir, con sus hijos y hermanos, doce.

**29.** La vigésimasegunda a Geddelti, con sus hijos y hermanos, doce.

**30.** La vigésimatercia a Mahaziot, con sus hijos y hermanos, doce.

**31.** La vigésimacuarta a Romemtiezer, con sus hijos y hermanos, doce.

## CAPITULO XXVI

*Se señalan los porteros del Templo, y qué puerta debía guardar cada familia; asimismo quiénes debían guardar los tesoros y vasos sagrados.*

**1.** Estas fueron las clases o *divisiones* de los ostiarios o *porteros.* De la casa de Coré: Meselemías descendiente de Coré, *de la familia* de los hijos de Asaf.

**2.** Hijos de Meselemías: Zacarías primogénito, Jadihel el segundo, Zabadías el tercero, Jatanael el cuarto.

**3.** Elam el quinto, Johanán el sexto, Elioenai el séptimo.

**4.** Hijos de Obededom: Semeías primogénito, Jozabad el segundo, el tercero Joaha, el cuarto Sacar, Natanael el quinto,

**5.** Ammiel el sexto, Isacar el séptimo, Follati, el octavo: porque bendijo el Señor a Obedebom.

**6.** Y Semei, *o Semeías,* su hijo, tuvo hijos que fueron cabezas de otras tantas familias *de ostiarios;* porque eran varones de gran fuerza.

**7.** Hijos de Semeías: Otni, y Rafael, y Obed y Elzabad, y sus hermanos: hombres robustísimos; como también Eliú y Samaquías.

**8.** Todos éstos eran de la familia de Obededom: así ellos como sus hijos y hermanos, *o parientes,* varones de la mayor robustez para su ministerio: *en todos,* sesenta y dos de la casa de Obededom.

**9.** Los hijos de Meselemías, con sus hermanos, muy robustos, eran dieciocho.

**10.** De Hosa, esto es, del linaje de Merari, Semri fué cabeza *de una clase* (porque su padre no tenía primogénito, y por eso le había puesto a él por principal).

**11.** Helcías el segundo, Tabelías el tercero, Zacarías el cuarto. Todos ellos hijos de Hosa, junto con sus hermanos, eran trece.

**12.** Entre éstos fué distribuído el oficio de porteros, de tal suerte, que los capitanes de las guardias, como también sus hermanos, servían siempre en la Casa del Señor.

**13.** Echáronse, pues, las suertes por familias, con igualdad, sin distinción de chicos ni grandes, para cada una de las puertas.

**14.** Según esto la portería Oriental tocó a Selemías o *Meselemías;* y a Zacarías, su hijo, varón muy prudente e instruído, la del lado Septentrional.

**15.** A Obededom y sus hijos tocó por suerte la del Mediodía, en cuya parte de la casa *o Templo* estaba el consejo de los Ancianos *o sala del Sanedrín.*

**16.** A Sefim y a Hosa la de Occidente, junto a la puerta que conduce al camino de la subida *del palacio al Templo:* guardia y contraguardia.

**17.** La puerta del Oriente la guardaban seis Levitas; la del Norte cuatro, que se mudaban cada día; y la del Mediodía cuatro, igualmente todos los días; y allí donde estaba el consejo, de dos en dos.

**18.** Al Occidente, en las viviendas o *celdas* de los porteros, cuatro en el camino *a palacio,* y dos en los aposentos.

**19.** Así fué distribuída la guardia de las puertas entre los hijos de Coré y de Merari.

---

**CAP. XXVI.** — **5.** Por haber tenido el Arca en su casa. II *Reg.* VI, *v.* 11.

**6.** Los porteros era menester que fuesen muy robustos y fuertes; pues las puertas del Templo eran muy grandes y pesadas, y se necesitaban veinte hombres para abrirlas y cerrarlas.

20. Por otra parte Aquías tenía la superintendencia de los tesoros de la Casa de Dios y de los vasos sagrados.

21. Hijos de Ledán, hijo de Gersonni o Gersom, *hijo de Leví:* De Ledán, *descienden* estas cabezas de familias: Ledán, Gersoni y Jehieli.

22. Y los hijos de Jehieli: Zatán y Joel, su hermano, guardias de los tesoros de la Casa del Señor,

23. juntamente con los de la familia de Amram, de Isaar, de Hebrón y de Ozihel.

24. Pero Subael, descendiente de Gersom, hijo de Moisés, era tesorero mayor.

25. Asimismo su hermano Eliezer, de quien fué hijo Rahabías, y de éste Isaías, de Isaías, Joram, del cual lo fué Zecri, y de éste Selemit.

26. Selemit, pues, y sus hermanos, tenían la custodia de los tesoros del Santuario, que habían consagrado *a Dios* el Rey David y los príncipes de las familias, y los tribunos, y centuriones, y *demás* capitanes del ejército,

27. *Esto es,* de las cosas tomadas en la guerra, y de los despojos de las batallas, que habían consagrado para la conservación del Templo del Señor y de sus utensilios.

28. Todas estas cosas las habían consagrado *al Señor* Samuel profeta, Saúl hijo de Cis, y Abner hijo de Ner, y Joab hijo de Sarvia. Todos los que consagraban dones, *los ponían* en manos de Selemit y de sus hermanos.

29. Los descendientes de Isaar tenían por cabeza a Conenías con sus hijos; y cuidaban de las cosas de afuera concernientes a Israel, de instruir y juzgar *al pueblo.*

30. Hasabías, de la familia de los Hebronitas, y sus hermanos, en número de mil y setecientos, hombres muy valerosos, gobernaban la parte de Israel que está al otro lado del Jordán hacia el Poniente, en todos los negocios concernientes al servicio del Señor y del rey.

31. Jerías fué cabeza de los Hebronitas, divididos en sus familias y casas. El año cuarenta del reinado de David fueron numerados en Jazer de Galaad; de estos varones fortísimos,

32. Y de sus hermanos en el mayor vigor de la edad, se hallaron dos mil setecientas cabezas de familia. Y el rey David les dió el mando sobre los Rubenitas, y Gaditas, y la media tribu de Manasés, en todo lo tocante al servicio de Dios y del rey.

## CAPITULO XXVII

*Refiérense los doce caudillos, cada uno de los cuales tenía en su mes el mando de veinticuatro mil soldados: asimismo los prefectos de las tribus, de los tesoros y demás posesiones del rey.*

1. Los hijos de Israel, que bajo sus jefes de familias, tribunos, y centuriones, y prefectos servían al rey, repartidos en escuadrones, remudándose todos los meses del año, eran en número de veinticuatro mil hombres mandados por sus respectivos capitanes.

2. El primer cuerpo de veinticuatro mil para el primer mes, tenía por capitán a Jesboam, hijo de Zabdiel,

3. Del linaje de Farés, y el primer jefe de todos los comandantes del ejército durante el primer mes.

4. Al cuerpo del segundo mes le mandaba Dudía de Ahohí, y tenía a sus órdenes otro llamado Macellot, que mandaba una parte de los veinticuatro mil hombres.

5. El comandante del tercer cuerpo en el mes tercero era Banaías sacerdote, hijo de Joíada, con veinticuatro mil hombres a su mando.

6. Este es aquel Banaías, el más valiente entre los treinta, y caudillo de treinta: capitaneaba sus tropas, como su *segundo,* Amizabad, hijo suyo.

7. El cuarto capitán para el cuarto mes era Azahel, hermano de Joab, y después de él Zabadías, su hijo: su cuerpo era de veinticuatro mil hombres.

8. El quinto capitán en el mes quinto era Samaot de Jezer, y en su división contaba veinticuatro mil hombres.

9. El sexto para el sexto mes era Hira, hijo de Accés de Tecua: su división era de veinticuatro mil

10. El séptimo para el séptimo mes era Hellés de Falloni, de la tribu de Efraím, el cual tenía a su mando veinticuatro mil.

11. El octavo, para el octavo mes era Sobocai de Husati del linaje de Zarahi, y su cuerpo era de veinticuatro mil hombres.

12. El nono para el nono mes, Abiezer de Ananot, de los hijos de Jemini o *Benjamín:* su división era de veinticuatro mil.

---

29. Cuidaban de que se cultivasen las tierras pertenecientes al Templo, y de las demás obras concernientes al servicio y conservación de éste. II *Esdras* XI, *v.* 16. Instruir al pueblo y juzgar las causas eran dos de los cargos de los Levitas.

---

CAP. XXVII. — 5. A Banaías (dicen algunos Expositores) se le llama *sacerdote*, entendiéndose lo mismo que *consejero*, así como en el *Libro* II *Reg.* VIII, *v.* 18, significa *príncipe.*

**13.** El décimo para el décimo mes, Marai de Netofat, del linaje de Zarai; y su división era de veinticuatro mil.

**14.** El undécimo para el undécimo mes, Banaías de Faratón, de la tribu de Efraím; y su división era de veinticuatro mil.

**15.** El duodécimo para el duodécimo mes, Holdai de Netofat del linaje de Gotoniel: su cuerpo *también* de veinticuatro mil hombres.

**16.** Asimismo las tribus de Israel tenían sus jefes. De la tribu de Rubén era caudillo Eliezer, hijo de Zecri. De la de Simeón, Safatías, hijo de Ma-aca.

**17.** De la de Leví, Hasabías, hijo de Camuel; pero Sadoc era jefe de los descendientes de Aarón.

**18.** De la tribu de Judá era caudillo Eliú, hermano de David. De la de Isacar, Amri, hijo de Micael.

**19.** De la de Zabulón, Jesmaías, hijo de Abdía. De la de Neftalí, Jerimot, hijo de Ozriel.

**20.** De la de Efraím, Osee, hijo de Ozaziu. De la media tribu de Manasés, Joel, hijo de Fadaya.

**21.** De la otra media tribu de Manasés en Galaad, Jaddo, hijo de Zacarías. De la tribu de Benjamín, Jasiel, hijo de Abner.

**22.** De la de Dan, Ezrihel, hijo de Jeroham: éstos eran los príncipes de los hijos de Israel.

**23.** Verdad es que David no quiso contar los de veinte años abajo: por cuanto el Señor había dicho que multiplicaría a Israel, como las estrellas del cielo.

**24.** Joab, hijo de Sarvia, había comenzado el encabezamiento: pero no le finalizó; porque esta empresa había acarreado la ira *de Dios* sobre Israel: y por lo mismo el número de los que fueron contados no fué escrito en los fastos del rey David.

**25.** El superintendente de los tesoros del rey fué Azmot, hijo de Adiel. Pero de aquellos tesoros *o almacenes* que había en las ciudades, y en las aldeas, y en los castillos, era superintendente Jonatán, hijo de Ozías.

**26.** De la labranza y de los labradores que cultivaban la tierra estaba encargado Ezri, hijo de Quelub.

**27.** De los que cultivaban las viñas, Semeías Romatita; y de las bodegas, Zabdías Afonita.

**28.** Balaam, Gederita, cuidaba de los olivares e higuerales que había en las campiñas; y Joás de los almacenes de aceite.

**29.** De los ganados mayores que pastaban en Sarón, cuidaba Setrai de Sarón. De las vacas que pastaban en los valles, Safat, hijo de Adlí.

**30.** De los camellos, Ubil, Ismaelita; de los jumentos Jadaías de Meronat.

**31.** De las ovejas Jaziz, agareno. Todos éstos eran administradores de la hacienda del rey David.

**32.** Empero Jonatán, tío paterno de David, varón instruído y prudente, era su consejero. El y Janiel, hijo de Acamoni, estaban de ayos con los hijos del rey.

**33.** Asimismo era consejero del rey Aquitofel, y Cusai, Araquita, amigo del rey.

**34.** Después de Aquitofel *lo* fueron Joíada, hijo de Banaías, y Abiatar. El generalísimo del ejército del rey era Joab.

## CAPITULO XXVIII

*Juntas generales del reino, en las cuales David exhorta a Salomón y a todos los principales de Israel a ser fieles al Señor: y prescribe la forma del Templo.*

**1.** Finalmente el rey David convocó en Jerusalén todos los príncipes de Israel, los jefes de las tribus, y los comandantes de los cuerpos *de ejército* que servían al rey, como también a los tribunos y centuriones, y a los administradores de la hacienda y posesiones del rey, y a sus hijos, con los eunucos *o cortesanos,* y a los más poderosos y a los más valientes del ejército.

**2.** Y levantándose el rey, puesto en pie, dijo: Escuchadme, hermanos míos, y pueblo mío: Yo tuve intención de fabricar un Templo en que fuese colocada el Arca del Testamento del Señor, *que es como* la tarima de los pies de nuestro Dios, y tengo preparados todos los materiales *que he podido* para la fábrica.

**3.** Pero Dios me dijo: No edificarás tú la Casa de mi Nombre; por ser un varón guerrero, y haber derramado sangre.

**4.** Verdad es que el Señor Dios de Israel me escogió a mí de entre toda la familia de mi padre, para que fuese rey de Israel perpetuamente: porque de Judá ha escogido los príncipes *o soberanos;* de las familias de Judá la familia de mi padre; y entre los hijos de mi padre, le plugo elegirme por rey de todo Israel.

---

**22.** Sin contar las tribus de Gad y Aser, cuyo censo no acabó Joab. II *Reg.* XXIV.

**CAP. XXVIII.** — 4. Aquí David hablaba mirando principalmente a aquel rey de Judá o Mesías prometido en la profecía de Jacob. *Gen.* XLIX, *v.* 10.

**5.** Asimismo entre mis hijos (puesto que me ha dado el señor muchos) ha elegido a mi hijo Salomón, para que ocupase el trono del reino del Señor sobre Israel;

**6.** Y me ha dicho a mí: Tu hijo Salomón ha de edificar mi Casa y mis atrios, porque yo me lo he escogido por hijo mío, y yo he de serle padre;

**7.** Y afirmaré su reino eternamente, si perseverare en cumplir mis mandamientos y leyes, como lo hace al presente.

**8.** Ahora, pues, en presencia de toda la congregación de Israel, delante de nuestro Dios que escucha, *os digo:* Guardad y estudiad todos los mandamientos del Señor Dios nuestro, a fin de que poseáis esta buena tierra, y la dejéis a vuestros hijos en herencia perpetua.

**9.** Y tú, Salomón, hijo mío, conoce al Dios de tu padre, y sírvele con un corazón perfecto, y de buena voluntad; porque el Señor escudriña todos los corazones, y penetra todos los pensamientos del entendimiento. Si lo buscares, lo hallarás; pero si lo abandonares, te desechará para siempre.

**10.** Ahora bien, por cuanto el Señor te ha escogido para que edifiques la Casa de su Santuario, esfuérzate, y llévala al cabo.

**11.** Y dió David a su hijo Salomón el diseño del pórtico, y del Templo, y de las recámaras, y de los cenáculos, y de los aposentos interiores, y del lugar del Propiciatorio,

**12.** Y aún de todos los atrios que había ideado, y de las habitaciones alrededor para los tesoros de la Casa del Señor, y para los depósitos de las cosas consagradas *al Templo,*

**13.** Y las divisiones de los sacerdotes y Levitas y para todas las funciones de la Casa del Señor, y para todos los vasos que debían servir en el Templo del Señor.

**14.** Dióle el oro, según el peso que había de tener cada uno de los vasos del ministerio; asimismo la plata, pesada según la diversidad de los vasos y de las hechuras.

**15.** Además para los candeleros de oro y sus mecheros dió el oro correspondiente a la medida de cada candelero y de los mecheros: e igualmente el peso necesario de plata para los candeleros de plata y sus mecheros, a proporción de su tamaño.

**16.** Dióle también oro para las mesas *de los panes* de proposición, según la diversidad de las mesas; y asimismo plata para otras mesas *o aparadores* de plata.

**17.** Del mismo modo para los arrejaques *o tridentes,* y las palanganas, y los incensarios de oro purísimo, y para los leoncillos *o navetas* de oro, según sus tamaños, destinó el peso del oro para uno y otro leoncillo *o naveta.* Y de la misma manera para los leoncitos *o navetas* de plata *destinó* y separó una cantidad proporcionada de plata.

**18.** Para el altar en que se ofrece el incienso dió el oro más fino; y para hacer del mismo los cuatro querubines que formasen la figura de una carroza los cuales, extendiendo sus alas, cubriesen con ellas el Arca del Testamento del Señor.

**19.** Todas estas cosas, dijo, se me han enviado delineadas por la mano del Señor; para que yo comprendiese todas las obras del diseño.

**20.** Y añadió David a su hijo Salomón: Pórtate con valor y esfuerzo, y manos a la obra: no temas ni te acobardes; porque el Señor Dios mío estará contigo, y no te desamparará, ni abandonará hasta que concluyas todas las obras necesarias para el servicio de la Casa del Señor.

**21.** Aquí tienes los sacerdotes y Levitas distribuídos en sus clases, y dispuestos y prontos a todo lo que conviene al ministerio de la Casa del Señor; y así los príncipes *o jefes* como el pueblo sabrán ejecutar todas tus órdenes.

## CAPITULO XXIX

*Sumas expendidas por David en la fábrica del Templo; a que se añadieron muchísimas ofrendas de los magnates del pueblo. Ultimas encomiendas de David; el cual muerto, reina Salomón.*

**1.** Habló después así el rey David a toda la asamblea: Dios ha escogido entre todos los demás a mi hijo Salomón, que es aún jovencito y tierno: y la empresa es grande; porque no se trata de disponer habitación para un hombre, sino para Dios.

**2.** Yo por mi parte he preparado con todas mis fuerzas todos los materiales para la Casa de mi Dios: oro para los utensilios de oro, y plata para los de plata, bronce para los de bronce, hierro para los de hierro, madera para los de madera, y piedras de onique, y semejantes al antimonita, y otras de varios colores, y toda suerte de piedras preciosas, y mármol de Paros en grandísima cantidad.

---

**18.** III *Reg.* VIII, *v.* 7. — *Ps.* XVII, *v.* 11. — *Ezech.* X, *v.* 8, 9.

3. Y además de estas cosas que tengo destinadas para la Casa de mi Dios, doy de mi peculio oro y plata para el Templo de mi Dios, además de aquello que he puesto aparte para el Santuario,

4. tres mil talentos de oro de Ofir, y siete mil talentos de plata finísima para dorar o *cubrir de oro* las paredes del Templo.

5. Tres mil talentos de oro de Ofir, y menester, los artífices puedan hacer de oro lo que se haya de hacer de oro, y de plata lo que se haya de hacer de plata. Mas si alguno quiere hacer espontáneamente oferta, preséntela hoy por su mano, y ofrezca al Señor lo que gustare.

6. Los príncipes, pues, de las familias, y los magnates de las tribus de Israel con los tribunos y centuriones, y administradores de la hacienda del rey, prometieron

7. Y dieron para las obras de la Casa de Dios cinco mil talentos de oro, y diez mil sueldos o *dracmas* de oro, y diez mil talentos de plata, y dieciocho mil de cobre, con cien mil talentos de hierro.

8. Y todos cuantos tenían piedras preciosas las entregaron, para ponerlas en los tesoros de la Casa del Señor, a Jahiel, Gersonita, *tesorero*.

9. Y el pueblo mostró su alegría al prometer estas ofrendas voluntarias; que las hacía al Señor de todo su corazón; por lo cual el mismo rey David se llenó de gozo.

10. Y bendijo al Señor en presencia de toda la muchedumbre, y dijo: Bendito eres, Señor Dios de Israel nuestro padre, por los siglos de los siglos.

11. Tuya es, Señor, la magnificencia, el poder, la gloria, y la victoria; y a ti se debe la alabanza, porque todas las cosas que hay en el cielo y en la tierra tuyas son; tuyo, oh Señor, es el reino, y tú eres sobre todos los reyes.

12. Tuyas son las riquezas, y tuya es la gloria; tú eres el Señor de todo; en tu mano está la fuerza y el poder; en tu mano la grandeza y el imperio de todas las cosas.

13. Ahora, pues, ¡oh Dios nuestro! nosotros te glorificamos, y alabamos tu esclarecido Nombre.

14. ¿Quién soy yo, y quién es mi pueblo, para que nos atrevamos a ofrecerte todas estas cosas? Tuyas son todas las cosas; y lo que hemos recibido de tu mano, eso te hemos dado.

15. Porque nosotros somos peregrinos y advenedizos delante de ti, como todos nuestros padres. Nuestros días *pasan* como sombra sobre la tierra; sin que haya consistencia alguna.

16. ¡Oh Señor Dios nuestro! toda esta abundancia *de cosas* preparada por nosotros para erigir una Casa o *Templo* a tu santo Nombre, de tu mano ha venido, y tuyas son todas las cosas.

17. Bien sé, Dios mío, que tú sondeas los corazones y que amas la sencillez; y por eso con sencillez de corazón he ofrecido gozoso todas estas cosas, y he visto cómo tu pueblo, que está aquí congregado, te ha ofrecido sus dones con grande alegría.

18. ¡Oh Señor Dios de Abraham, de Isaac y de Israel, nuestros padres! conserva eternamente este afecto de su corazón, y dure para siempre esta devoción a tu culto.

19. Da también a mi hijo Salomón un corazón perfecto, para que guarde tus mandamientos, y tus leyes, y tus ceremonias, y lo ponga todo por obra, edifique la Casa, cuyos materiales tengo yo prevenidos.

20. Después dijo David a toda la asamblea: Bendecid al Señor Dios nuestro. Y toda la asamblea bendijo al Señor Dios de sus padres: y postrándose adoraron a Dios, y *rindieron* en seguida *su homenaje* al rey.

21. Y sacrificaron víctimas al Señor; y al día siguiente ofrecieron en holocausto mil toros, mil carneros, mil corderos, con sus libaciones, según el rito; *lo que sirvió* abundantísimamente para todo Israel.

22. Con lo cual comieron y bebieron aquel día en presencia del Señor con grande alegría. Ungieron después por segunda vez a Salomón, hijo de David. Y ungiéronlo por rey por *orden* del Señor; y a Sadoc por Pontífice.

23. Y Salomón se sentó como rey sobre el trono del Señor en lugar de su padre David, y fué del agrado de todos; y todo Israel le prestó obediencia.

24. Al mismo tiempo todos los príncipes y magnates, y todos los hijos del rey David le juraron fidelidad, y se sometieron al rey Salomón.

25. Y el Señor ensalzó a Salomón sobre todo Israel: y lo colmó de tanta gloria en el reino, cual no la tuvo antes de él ningún rey de Israel.

---

CAP. XXIX. — 8. *Cap.* XXVI, *v.* 22.

22. De suerte que con aquella nación quedaba como consagrado al servicio del Señor, en honor del cual debía ejercer la soberana autoridad, que al fin siempre viene del mismo Dios. *Rom.* XIII, *v.* 1, 2.

26. Reinó, pues, David, hijo de Isaí, sobre todo Israel.

27. El tiempo que reinó sobre Israel fué de cuarenta años; en Hebrón reinó siete años, y treinta y tres en Jerusalén.

28. Murió al fin en dichosa vejez, lleno de días, de riquezas y de gloria; y le sucedió en el trono su hijo Salomón.

29. Todos los hechos de David, así los primeros como los últimos, están escritos en el Libro de Samuel el profeta, y en el Libro de Natán profeta, y en el de Gad profeta,

30. Con la historia de todo su reinado, y de las empresas de valor y acontecimientos que ocurrieron en su tiempo, tanto en Israel como en los demás reinos de las tierras *vecinas*.

# LIBRO SEGUNDO DE LAS CRÓNICAS

## CAPITULO PRIMERO

*Después de haber ofrecido Salomón mil víctimas, se le aparece el Señor, y le da la sabiduría que había pedido, añadiéndole riquezas y gloria.*

1. Quedó, pues, Salomón, hijo de David, asegurado en su reino, y el Señor Dios suyo estaba con él, y lo engrandeció en sumo grado.

2. Entonces Salomón convocó a todo Israel, a los tribunos, y centuriones, y comandantes, y jueces de todo Israel, y a las cabezas de las familias,

3. Y marchó con toda esa multitud al alto de Gabaón, donde estaba el Tabernáculo del Testamento de Dios, que Moisés, siervo de Dios, fabricó en el Desierto.

4. En cuanto al Arca de Dios, David la había conducido de Cariatiarim al lugar que le había preparado, y donde le había erigido un Tabernáculo, esto es, a Jerusalén.

5. Mas el altar de bronce, hecho por Beseleel, hijo de Uri, hijo de Hur, estaba allá *en Gabaón* delante del Tabernáculo del Señor; y Salomón, con todo aquel congreso, fué allí a presentarse ante dicho altar.

6. Subió, pues, Salomón al altar de bronce, delante del Tabernáculo da la Alianza del Señor, y ofreció en él mil víctimas.

7. Y he aquí que aquella misma noche se le apareció Dios, diciendo: Pídeme lo que quieras que te conceda.

8. Respondió Salomón a Dios: Tú usaste de gran misericordia para con David, mi padre, y a mí has constituído rey en su lugar.

9. Ahora, pues, ¡oh Señor Dios! cúmplase la promesa que hiciste a David, mi padre; y

pues que tú me has hecho rey de este pueblo tuyo tan crecido, tan innumerable como *las partículas* del polvo de la tierra,

10. Dame sabiduría e inteligencia para poder gobernar bien a este pueblo tuyo: porque, ¿ quién podrá gobernar dignamente a este tu pueblo, siendo como es tan grande ?

11. Dijo entonces Dios a Salomón: Ya que esto es lo que ha agradado más a tu corazón, y no has pedido riquezas, ni hacienda, ni gloria, ni la muerte de aquellos que te odian, ni tampoco una larga vida; sino que has pedido sabiduría y ciencia para poder gobernar a mi pueblo, del cual yo te he hecho rey;

12. Te son otorgadas sabiduría y ciencia; y además te daré riquezas, y hacienda, y gloria en tanto grado, que ninguno de los reyes ni antes ni después de ti te igualará.

13. Volvióse después Salomón a Jerusalén desde el lugar alto de Gabaón de ante el Tabernáculo del Testamento; y reinó sobre Israel.

14. Y juntó carros de guerra, y gente de a caballo, y vino a tener hasta mil y cuatrocientos carros armados, y doce mil soldados de a caballo, y los alojó en las ciudades destinadas para los carros de guerra, y en Jerusalén cerca de su persona.

15. E hizo el rey que la plata y el oro en Jerusalén fuese tan común como las piedras, y los cedros como los cabrahigos que con tanta abundancia se crían en los campos.

16. Conducíanle caballos de Egipto y de Coa los comisarios regios, que iban a comprarlos por su justo precio:

17. Un tiro de cuatro caballos en seiscientos siclos de plata, y un caballo en ciento cincuenta; y del mismo modo se hacían semejantes compras en todos los reinos de los Heteos y de los reyes de Siria.

---

CAP. PRIMERO. — 4. II *Reg.* VI.
7. III *Reg.* III, *v.* 5.

---

14. III. *Reg.* X, *v.* 26.

## CAPITULO II

*Salomón hace un ajuste con el rey Hiram para que le envíe un artífice hábil, y las maderas necesarias para la fábrica del Templo.*

1. Resolvió, pues, Salomón edificar el Templo al Nombre del Señor, y un palacio para sí.

2. A este fin destinó setenta mil peones para traer a hombros las cargas, y ochenta mil para cortar *y labrar* las piedras en el monte, y les puso tres mil y seiscientos restantes.

3. Y envió a decir a Hiram, rey de Tiro: Así como lo hiciste con David, mi padre, remitiéndole maderas de cedro para la fábrica de la casa, donde él habitó;

4. Hazlo conmigo, para que yo pueda edificar una casa al Nombre del *Señor* Dios mío, y consagrársela para ofrecer incienso en su presencia, y esparcir el humo de los aromas, y tenerle presentados perpetuamente los panes, y ofrecerle los holocaustos por la mañana y por la tarde, y en los sábados, y en los novilunios, y en las solemnidades del Señor Dios nuestro para siempre, como está mandado a Israel.

5. Porque la Casa que yo deseo edificar ha de ser grande: pues grande es nuestro Dios sobre todos los dioses.

6. Mas ¿quién será capaz de edificarle una Casa que sea digna de él? Si el cielo, si los cielos de los cielos no pueden abarcarle, ¿quién soy yo para poder fabricarle una Casa? Mas no la hago para otra cosa, sino para ofrecer en ella incienso en su acatamiento.

7. Envíame, pues, un hombre inteligente, diestro en trabajar el oro, y la plata, y el bronce, y el hierro, y la púrpura, y la escarlata, y el jacinto, y que sepa esculpir molduras, *para que trabaje juntamente* con estos artífices míos que he tomado de la Judea y de Jerusalén, escogidos por mi padre David.

8. Envíame asimismo maderas de cedro, y de enebro, y de pino, del Líbano; porque sé que tus siervos son prácticos en el corte de las maderas del Líbano y mis siervos trabajarán con los tuyos.

9. Para proveerme de maderas en abundancia. Pues la Casa que yo deseo edificar ha de ser muy grande y suntuosa.

10. En orden a los obreros siervos tuyos, que han de trabajar en la madera, yo aprontaré para su sustento veinte mil coros *o cargas* de trigo, y otras tantas de cebada, y veinte mil metretas *o cántaras* de vino, y asimismo veinte mil satos de aceite.

11. Hiram, rey de Tiro, en la carta con que contestó a Salomón, decía: Por lo mucho que ama el Señor a su pueblo, por eso te ha puesto a ti para que reines sobre él.

12. Y añadía: Bendito sea el Señor Dios de Israel, que hizo el cielo y la tierra, el cual ha dado al rey David un hijo sabio, entendido, juicioso y prudente, a fin de que edificara un Templo al Señor, y un palacio para sí.

13. Envíote, pues, un hombre inteligente y peritísimo, que es Hiram, *a quien honro como a* mi padre,

14. Hijo de una mujer de la tribu de Dan, de padre natural de Tiro, el cual sabe trabajar en oro, y en plata, en bronce, y en hierro, y en mármol, y en maderas, y asimismo en púrpura, y en jacinto, y el lino fino, y en escarlata, y que sabe *igualmente* hacer toda obra de entalladura, e inventar ingeniosamente cuanto es menester en todas labores, *y estará* en compañía de tus artífices, y con aquellos de mi señor David, tu padre.

15. En vista de esto, remite, señor mío, para tus siervos el trigo, la cebada, el aceite y el vino que has prometido;

16. Que nosotros haremos cortar maderas del Líbano, cuantas necesitares, y las conduciremos juntas en armadías por mar hasta Joppe, y tú cuidarás de transportarlas a Jerusalén.

17. Con esto Salomón hizo tomar nota de todos los varones prosélitos, que había en tierra de Israel, después del encabezamiento que había mandado hacer su padre David, y se hallaron ciento cincuenta y tres mil seiscientos;

18. De los cuales destinó setenta mil para traer las cargas a hombros, y ochenta mil para cortar *y labrar* las piedras en los montes, y tres mil seiscientos para sobrestantes de los trabajos de esta gente.

## CAPITULO III

*Sucinta descripción de la fábrica del Templo, con el pórtico, y velo, y las dos columnas de delante de sus puertas.*

1. Dió, pues, Salomón, principio a la fábrica del Templo del Señor en Jerusalén en el monte Moria, señalado expresamente ya

---

CAP. III. — 1 III *Reg.* VI, *v.* 1 — II *Reg.* XXIV, *v.* 25.—I *Paral.* XXI, *v.* 15, 26, 28; XXII, *v.* 1, 2.

a David, su padre, en el lugar que tenía David preparado en la era de Ornán, Jebuseo;

**2.** Y empezó el edificio el mes segundo del año cuarto de su reinado.

**3.** Y estas son *las medidas de* los cimientos echados por Salomón para el edificio de la Casa de Dios la longitud era de setenta codos de la antigua medida; la latitud de veinte codos.

**4.** En cuanto al pórtico, que estaba en frente, tenía de longitud veinte codos, conforme a la medida de la anchura del Templo; mas la altura era de ciento y veinte codos: y *Salomón* lo hizo cubrir todo por dentro de oro finísimo.

**5.** La parte mayor del Templo, *llamada el Santo,* cubrióla con tablas de maderas de abeto, clavando por todas partes planchas de oro acendrado, e hizo esculpir en ella, *en el artesonado,* palmas y unas como cadenillas enlazadas unas con otras.

**6.** El pavimento del Templo lo enlosó de mármoles preciosísimos, con gran primor.

**7.** El oro, con cuyas láminas cubrió el Templo y sus vigas, y los pilares, y paredes, y las puertas, era sumamente fino. En las paredes hizo entallar querubines.

**8.** Edificó asimismo la Casa o *el lugar* del Sancta Sanctorum; cuya longitud era de veinte codos, como la anchura del Templo, y su anchura igualmente de veinte codos, y cubrióla con planchas de oro, que pesaban al pie de seiscientos talentos.

**9.** Aun los clavos los hizo hacer de oro, cada uno de los cuales pesaba cincuenta siclos; e igualmente cubrió de oro los artesonados del techo.

**10.** Hizo asimismo en la Casa del Sancta Sanctórum dos estatuas de querubines, las que cubrió de oro.

**11.** Las alas de los querubines se extendían veinte codos; de manera que una ala tenía cinco codos y tocaba la pared del Templo, y la otra *también* de cinco codos, tocaba el ala del otro querubín.

**12.** Del mismo modo el ala del otro querubín tenía cinco codos y tocaba la pared; y la otra ala suya de cinco codos, tocaba el ala del primer querubín:

**13.** De manera que las alas de ambos querubines estaban extendidos ocupando el espacio de veinte codos. Estaban ellos de pie derecho, y sus rostros mirando con dirección hacia la parte exterior del Templo.

**14.** Hizo también un velo de jacinto, de púrpura, de escarlata y de lino finísimo, e hizo bordar en él querubines.

**15.** Además, delante de las puertas del Templo erigió dos columnas, que tenían treinta y cinco codos de altura *entre las dos,* cuyos capiteles eran de cinco codos.

**16.** También hizo unas cadenillas, como las del Santuario, que colocó sobre los capiteles de las columnas, con cien granadas mezcladas con las cadenillas.

**17.** Estas columnas las colocó en el atrio del Templo una a la derecha y otra a la izquierda; a la de la derecha la llamó Jaquín, y a la de la izquierda Booz.

## CAPITULO IV

*Del altar de bronce, de las conchas, de los candeleros, mesas, y otras alhajas y utensilios del Templo.*

**1.** Hizo asimismo un altar de bronce de veinte codos de largo, veinte codos de ancho y diez de alto.

**2.** Y una gran concha o *pila* de bronce fundido, que tenía diez codos de diámetro, redonda perfectamente: cinco codos tenía de profundidad, y un cordoncillo de treinta codos abrazaba toda su circunferencia.

**3.** Debajo de la concha había figuras de bueyes, y por diez codos en lo exterior algunas esculturas, que divididas en dos órdenes, daban vuelta por lo más ancho del mar: estaban los bueyes fundidos *junto con la concha.*

**4.** Y el mismo mar o *concha,* estaba asentado sobre doce bueyes; de los cuales tres miraban al norte, otros tres al occidente, tres otros al mediodía, y los restantes tres al oriente sosteniendo el mar, el cual cargaba sobre ellos; las espaldas de los bueyes estaban hacia dentro, debajo del mar.

**5.** El grueso de éste era de la medida de un palmo; y su borde era como el labio de un cáliz o de un lirio abierto; y cabían en él tres mil metretas.

---

**3.** *Medida:* Usada en tiempo de Moisés.
**13.** O hacia el Santo y el atrio. *Exod.* XXV, *v.* 20. Esto es, la postura o situación de sus cuerpos se dirigia hacia la parte anterior del Templo que era el lugar llamado *Santo,* y el atrio: pero los rostros estaban vueltos uno hacia el otro.

**17.** *Jaquin y Booz* son dos voces hebreas que significan *Estabilidad y Fortaleza,* como si Salomón hubiese querido indicar que nunca dejaría de darse alli culto a Dios.
**CAP. IV.** — Véase I *Reg.* VII. *v.* 24.

# Virgen del Rosario de Chiquinquirá

## (Colombia)
### Patrona y Reina de Colombia

En 1537 un jefe español de Sutamarchán, don Antonio de Santana, encomendó a un pintor de Tunja la elaboración de un cuadro en el cual apareciera la Virgen María. Como a los lados de la tela sobraba espacio, ordenó pintar, a la derecha a San Antonio y a la izquierda a San Andrés. En 1578, por su deterioro, el cuadro fue descolgado del altar y llevado a una finca de la familia Santana.

En 1585 una mujer del servicio encontró este cuadro, utilizado entonces para extender semillas al sol; lo rescató, lo limpió y trató de acomodarlo en un marco para honrar a la Virgen.

El 26 de diciembre de 1586, ante la mirada atónita de una mujer indígena que pasaba por allí, el cuadro empezó a arrojar grandes destellos de luz, recobrando sus colores originales. El sacerdote de Sutamarchán recogió las declaraciones de los testigos que habían presenciado la renovación del cuadro y las remitió al Arzobispo de Bogotá el 10 de enero de 1587. Luego de comprobar los milagros que se obraban sin cesar, mandó a edificar una iglesia, cuya primera piedra se colocó en agosto de 1588.

Más de cuatrocientos años de culto hacen de la Virgen del Rosario de Chiquinquirá la más famosa de Colombia: fue aprobada por Pío VIII en 1829, coronada canónicamente por Pío X en 1910, proclamada Reina de Colombia en 1919 y visitada por Juan Pablo II en 1986. La imagen que dio inicio a este culto fue obra de Alonso de Narváez, un español radicado en Tunja a mediados del siglo XVI, y es considerada como la pieza más antigua del arte religioso colombiano.

# Nuestra Señora de Coromoto

(Venezuela)
**Salve, Aurora Jubilosa**

La ciudad de Guanare, en Venezuela, fue el escenario escogido por la Madre de Dios para sus frecuentes apariciones a un cacique que pertenecía a la tribu de los coromotos.

A principios del año 1652, aquel hombre iba con su mujer a cultivar un conuco y, al atravesar un pequeño río, una hermosísima señora, caminando tranquilamente sobre las aguas, les salió al paso, comunicándole en su propia lengua al cacique que "fuera a donde estaban los blancos, para que le echasen agua sobre la cabeza y así ir al cielo". A los ocho días, en compañía del hacendado Juan Sánchez y un centenar de indios más, el cacique se trasladó a aquel sagrado lugar, al que dieron el nombre de Coromoto (hoy Tucupido). Allí establecieron sus viviendas y recibieron de Juan Sánchez, las enseñanzas cristianas. Mas un día

el cacique se rebeló contra la fe, y en una segunda aparición de la bella señora la amenazó con violencia. De repente apareció en su mano cerrada una imagen de la Virgen y el Niño Jesús, la que ocultó atemorizado.

El domingo 9 de septiembre, el cacique decidió huir con su tribu hacia los montes. Viéndose mortalmente herido por una serpiente venenosa, reconoció el castigo divino y murió recibiendo el bautismo.

A partir del momento en que fue legitimada esta historia, la imagen de Nuestra Señora de Coromoto se venera en un santuario construido en Guanare, el lugar de la aparición. Fue nombrada Patrona de Venezuela; en 1952 recorrió el país en una fervorosa gira nacional, y en 1954 se creó su diócesis.

# Virgen de El Quinche

(Ecuador)

**Venerada por miles de devotos en el mundo**

La aparición ocurrió en Oyacachi, un antiguo pueblo del Ecuador. Corría el año de 1586 y todos sufrían con amargura una plaga de osos salvajes que atacaban a los niños. Los nativos, desesperados al no poder cuidar sus cultivos, decidieron entonces refugiarse en una cueva natural formada por una gran roca.

Un buen día, pasó una señora con su pequeño hijo a cuestas, consolando a los lugareños. Prometió librarlos de la plaga si a cambio pedían al sacerdote de los pueblos vecinos que los auxiliara y les enseñara el Evangelio.

En cumplimiento a la palabra dada a la extraña señora, comenzaron los trabajos de construcción de la capilla.

Milagrosamente, los osos desaparecieron. Más tarde, todo el pueblo quedó sorprendido al ver la imagen de aquella mujer plasmada en un cuadro de un famoso artista español.

Fue así como la noticia de la aparición y el milagro empezó a hacer eco entre los fieles de todo Ecuador, quienes llegaban hasta aquel retirado lugar. Debido a las difíciles y peligrosas rutas de acceso, la imagen de la Virgen fue trasladada el 10 de marzo de 1604 a El Quinche. Desde entonces ella recibe la veneración de devotos peregrinos de todo el país, así como de otras naciones. En 1985, Roma declaró a El Quinche santuario nacional del Ecuador.

# La Dolorosa del Colegio

## (Ecuador)
### El milagro de la Dolorosa del Colegio

Es el 20 de abril de 1906. El comedor de internos del "Colegio San Gabriel", de la Compañía de Jesús, en Quito, no tiene más adornos que un par de láminas colgadas en la pared: una litografía de San José con el Niño y una oleografía con el busto de Nuestra Señora de los Dolores. Mientras los niños cenan, el P. Roesch los entretiene con lecturas amenas e instructivas. Al cabo de un rato suspende la lectura y les cuenta del pavoroso terremoto ocurrido el pasado miércoles 18 de abril, en San Francisco, California: "Se habla de miles de muertos y heridos..." Los internos oyen aterrados la noticia. En la mesa más cercana al cuadro de la Virgen están tres niños: Jaime Chávez Ramírez, guayaquileño; Carlos Herrmann y Pedro Donoso, quiteños. Mientras Herrmann habla con Chávez, nota que la Virgen mueve los párpados y asustado se cubre los ojos con las manos. Luego dice a Chávez: "Mira

a la Virgen" y éste ve el mismo prodigio. Ambos se arrodillan y rezan un Padre Nuestro y un Ave María. Luego llaman a Donoso, y él lo corrobora. Chávez y Muñoz avisan al Padre, quien, escéptico les pide que no digan disparates. El hermano Alberdi se acerca, seguro de que sería una broma de los chicos, pero queda pasmado: "...vienen unos niños de la primera mesa a avisar que la Virgen que estaba en el cuadro está moviendo los ojos; y nos acercamos, con mucha frialdad y poco entusiasmo, a lo menos a lo que toca a mi persona; y yo no sé dar cuenta de lo que me pasó en ese momento; pero sí me acuerdo que le dije al Padre Roesch, después de fijarme en el cuadro: ¡Padre, cierto es! Y exclamé: ¡Qué prodigio!... Yo poco a poco me acerqué muy cerca del cuadro, donde estuve viendo cerrar y abrir los ojos, tiempo de un cuarto de hora..."

**6.** Hizo también diez conchas, de las cuales puso cinco a la mano derecha, y las otras cinco a la siniestra, para lavar con ellas todo lo que debía ofrecerse en holocausco: los sacerdotes se lavaban en la *concha grande o mar.*

**7.** Hizo asimismo diez candeleros de oro, según la forma prescripta; y colocolos en el Templo, cinco a la derecha y cinco a la izquierda.

**8.** Además diez mesas, y púsolas en el Templo, cinco a la derecha y cinco a la izquierda; e hizo igualmente cien tazas de oro.

**9.** Fabricó también el atrio de los sacerdotes y el gran pórtico, y en el pórtico las puertas, las cuales cubrió de bronce.

**10.** El mar lo colocó al lado derecho, al mediodía, mirando hacia el oriente.

**11.** Hizo asimismo Hiram calderas, y tridentes y jarras; y concluyó todas las obras que el rey *Salomón* mandó hacer en el Templo de Dios:

**12.** Es a saber, las dos columnas con sus frisos y capiteles y unas como mallas, con tal arte, que abrazaban los capiteles de sobre los frisos.

**13.** Igualmente cuatrocientas granadas y dos mallas, en tal disposición, que se juntaban dos órdenes de granadas a cada una de las mallas que abrazaban los capiteles y frisos de las columnas.

**14.** Hizo también las basas y conchas, las cuales asentó sobre las basas.

**15.** El mar y los doce bueyes de abajo del mar:

**16.** Las calderas, y tridentes *o garfios* y las jarras. Todos los utensilios hizo de bronce finísimo a Salomón Hiram, su padre, para la Casa del Señor.

**17.** Mandólos fundir el rey en la ribera del Jordán, en una tierra gredosa, entre Socot y Saredata.

**18.** La multitud de vasos era innumerable, de suerte que no se sabía la cantidad de bronce empleada.

**19.** E hizo Salomón todos estos vasos de la Casa de Dios, y el altar de oro, y las mesas, sobre las cuales se ponían los panes de la proposición.

**20.** Asimismo los candeleros con sus mecheros de oro purísimo, para que luciesen ante el Oráculo, según el rito;

**21.** Y ciertos florones, y las lamparillas, y despabiladeras de oro: todo se hizo de oro el más puro.

**22.** Así como también eran de oro purísimo los braserillos de los perfumes, y los incensarios, y las navetas, y los morterillos. Las puertas del templo interior, esto es, del Sancta Sanctórum las hizo cincelar, y las puertas del Templo estaban cubiertas de oro por defuera. De este suerte quedaron acabadas todas las obras que hizo Salomón en la casa del Señor.

## CAPITULO V

*Solemnísima colocación del Arca del Señor en el Templo.*

**1.** Salomón, pues, hizo traer y guardar en los tesoros de la Casa de Dios todo lo que su padre David había ofrecido: la plata y el oro y todos los vasos.

**2.** Después de esto convocó a los ancianos de Israel, y a todos los príncipes de las tribus, y cabezas de familia de los hijos de Israel, en Jerusalén, para trasladar el Arca del Testamento del Señor desde la ciudad de David, por otro nombre Sión.

**3.** Vinieron, pues, al rey todos los varones de Israel el día solemne del mes séptimo.

**4.** Y estando juntos todos los ancianos de Israel, llevaron el Arca los Levitas,

**5.** Y la introdujeron *en el Templo,* con todo el aparato del Tabernáculo. Los vasos del Santuario que había en el Tabernáculo los llevaron los sacerdotes con los Levitas.

**6.** Entretanto el rey Salomón y toda la congregación de Israel, y todos los que se habían reunido delante del Arca sacrificaban carneros y bueyes sin número: tan grande era la multitud de las víctimas.

**7.** En fin, los sacerdotes metieron el Arca del Testamento del Señor en su lugar, esto es, en el Oráculo del Templo en el Sancta Sanctórum bajo las alas de los querubines.

**8.** De tal suerte, que los querubines tenían extendidas sus alas sobre el lugar en que descansaba el Arca, y cubrían la misma Arca y sus varas;

**9.** Bien que como las varas, con que se llevaba el Arca, eran algo más largas, se descubrían sus remates delante del Oráculo; aunque el que estuviese un poco afuera, ya no podía verlas. Así quedó el Arca allí, hasta el día de hoy.

**10.** No había otra cosa en el Arca sino las dos tablas puestas por Moisés en Horeb, cuando el Señor dió la Ley a los hijos de Israel, después que salieron de Egipto.

11. Salidos del Santuario los sacerdotes (pues todos los sacerdotes que pudieron hallarse allí, se santificaron; no estando entonces hecho *o puesto en práctica* el repartimiento entre ellos de los turnos y orden de sus funciones),

12. Tanto los Levitas como los cantores, esto es, los que estaban a las órdenes de Acaf, y los que estaban a las de Emán, y los que estaban a las de Iditún, sus hijos y hermanos, vestidos de lino finísimo, tañían címbalos, y salterios y cítaras, puestos en pie a la parte oriental del altar, y con ellos ciento y veinte sacerdotes que tocaban sus trompetas *o clarines*.

13. Así, pues, formando todos un concierto con el canto y el sonido de las trompetas, y címbalos, y órganos, y toda especie de instrumentos músicos, y alzando en alto la voz, se percibía el sonido a lo lejos. Y *sucedió* que cuando hubieron comenzado a cantar y decir: Alabad al Señor, porque es bueno; porque es eterna su misericordia; la Casa de Dios se llenó de una nube,

14. De suerte que los sacerdotes no podían estar *allí*, ni ejercer sus funciones, a causa de la densa niebla. Porque la gloria del Señor había llenado la Casa de Dios.

## CAPITULO VI

*Oración devotísima de Salomón en la dedicación del Templo.*

1. Entonces Salomón dijo: El Señor ha prometido que pondría su mansión en la niebla *u obscuridad*;

2. Y yo he erigido una Casa a su Nombre, para que habite en ella perpetuamente.

3. Luego volviéndose el rey hacia toda la multitud de Israel (pues toda la gente estaba de pie, atenta), bendíjola, y habló así:

4. Bendito sea el Señor Dios de Israel, que ha llevado a efecto la promesa que hizo a David, mi padre, cuando le dijo:

5. Desde el día en que saqué a mi pueblo de la tierra de Egipto, no me escogí de todas las tribus de Israel ninguna ciudad, donde se edificara una Casa a mi Nombre; no elegí tampoco ningún otro hombre, para que gobernase *establemente* a mi pueblo de Israel;

6. Sino que escogí a Jerusalén para que se invoque en ella mi Nombre, y elegí a David para constituírle rey de mi pueblo de Israel.

7. Y como mi padre David desease edificar una Casa al Nombre del Señor Dios de Israel,

8. Díjole el Señor: En haber tú tenido esa voluntad de edificar Casa en mi Nombre, ciertamente has hecho bien; ha sido bueno tu deseo.

9. Mas no serás tú el que fabricarás esa Casa; sino que ha de ser tu hijo nacido de ti, quien ha de edificar la Casa a mi Nombre.

10. El Señor, pues, ha cumplido la palabra que había dado, y yo he venido a suceder a mi padre David, y me he sentado en el trono de Israel, como lo dijo el Señor; y edificado la Casa al Nombre del Señor Dios de Israel,

11. Y colocado en ella el Arca, dentro de la cual está el Pacto que hizo el Señor con los hijos de Israel.

12. Dicho esto, púsose en pie Salomón delante del altar del Señor, a vista de todo el concurso de Israel, y extendió sus manos.

13. Es de advertir que Salomón había hecho una peana *o estrado* de bronce, de cinco codos de largo, cinco de ancho y tres de alto, la cual había hecho colocar en medio del atrio *grande del Templo*, y estaba en pie sobre ella. Y arrodillándose después en presencia de todo el concurso de Israel, y alzando las manos al cielo,

14. Habló de esta manera:

Señor Dios de Israel, no hay Dios semejante a ti, ni en el cielo ni en la tierra; a ti que guardas el pacto y usas de misericordia con tus siervos, con los que signen de todo su corazón tus caminos.

15. Tú que has cumplido todas las promesas que habías hecho a tu siervo David, mi padre; pues lo que de palabra le ofreciste, lo has puesto por obra, como se demuestra hoy día.

16. Cumple también ahora, ¡oh Señor Dios de Israel! todo aquello que anunciaste a mi padre David, tu siervo, diciendo: No faltará de tu linaje quien se siente en mi presencia sobre el trono de Israel; con tal empero que tus hijos velen sobre sus acciones, caminando según mi Ley, como tu has andado delante de mí.

17. Ahora bien, ¡oh Señor Dios de Israel! sea confirmada tu palabra, dada por ti a David, siervo tuyo.

18. Pero, ¿y es realmente creíble que Dios habite con los hombres sobre la tierra? Si el cielo, y los cielos de los cielos no pueden abarcarte, ¿cuánto menos esta Casa que yo he edificado?

**19.** Verdad es que ella solamente se ha hecho para que tu, ¡Señor Dios mío! atiendas a la oración y súplicas de tu siervo, y escuches los ruegos que expone tu siervo ante tu presencia;

**20.** Para que tengas abiertos los ojos de día y de noche sobre este lugar en que has prometido que sería invocado tu Nombre.

**21.** Y otorgarías la petición hecha aquí por tu siervo, y despacharías las súplicas de tu siervo y de Israel, pueblo tuyo. A todo aquel que orare en este lugar, escúchale desde tu morada, esto es, desde los cielos, y muéstratele propicio.

**22.** Si alguno pecare contra su prójimo, y viniere dispuesto a jurar contra él, y se obligare con maldición delante del altar de esta Casa;

**23.** Tú lo escucharás desde el cielo, y harás justicia a tus siervos haciendo caer sobre la cabeza del inicuo su misma iniquidad, y vengando al justo y remunerándole según su justicia.

**24.** Si tu pueblo de Israel fuere vencido por sus enemigos (porque pecará *algún día* contra ti), y convertido hiciere penitencia invocando tu Nombre y pidiendo perdón en este lugar,

**25.** Tú lo escucharás desde el cielo, y perdonarás el pecado de tu pueblo de Israel; y lo volveras a la tierra que le diste a él y a sus padres.

**26.** Si cerrado el cielo, faltare la lluvia por causa de los pecados del pueblo, y te suplicaren en este lugar, y dando gloria a tu Nombre se convirtieren de sus pecados cuando los habrás afligido,

**27.** Escúchales ¡oh Señor! desde el cielo, y perdona los pecados de tus siervos y de Israel, pueblo tuyo, y enséñales el buen camino que han de seguir, y envía la lluvia a la tierra cuya posesión diste a tu pueblo.

**28.** Si sobreviniere hambre en el país, o peste, o tizón, o añublo, o langosta, u oruga; si los enemigos, después de haber talado los campos, tuvieren sitiada la ciudad; o en cualquier otro azote o enfermedad que los apure,

**29.** Cualquiera de tu pueblo de Israel que considerando sus plagas y enfermedades, te rogare, y alzare a ti sus manos en esta Casa;

**30.** Tú lo oirás desde el cielo, desde esa tu excelsa morada, y le serás propicio, remunerando a cada uno según sus procederes, y conforme a lo que descubras en su corazón (pues sólo tú conoces los corazones de los hombres);

**31.** A fin de que te teman, y sigan tus caminos todo el tiempo que vivieren sobre la tierra, dada por ti a nuestros padres.

**32.** Aun el extranjero que no es de tu pueblo de Israel, si viniere de lejanas tierras, atraído de tu Nombre grande, y de tu poderosa mano y de tu brazo fuerte, y te adorare en este lugar,

**33.** Tú lo oirás desde el cielo, firmísima morada tuya, y otorgarás todas las cosas que te pidiere aquel forastero; a fin de que tu Nombre sea conocido de todos los pueblos de la tierra, y te teman éstos, como hace tu pueblo de Israel, y conozcan que tu Nombre es invocado en esta Casa que yo he edificado.

**34.** Si saliendo tu pueblo a campaña contra sus enemigos, y andando por el camino por donde tu le habrás enviado te adorare vuelto hacia este sitio, en que se halla esta ciudad por ti elegida, y la Casa que he edificado a tu Nombre,

**35.** Tú oirás desde el cielo sus plegarias y ruegos, y lo vengarás *de sus enemigos*.

**36.** Que si *los hijos de tu pueblo* pecaren contra ti (pues no hay hombre que no peque), y enojado tú contra ellos los entregares en manos de los enemigos, los cuales los llevaren cautivos lejos o cerca;

**37.** Y en el país a donde fueren llevados cautivos, se convirtieren de corazón e hicieren penitencia, y en la tierra de su cautiverio te pidieren perdón, diciendo: Pecamos; procedido hemos inicuamente; injustamente hemos obrado;

**38.** Y convertidos a ti de todo su corazón y con toda su alma, en el país de su cautividad a que fueron llevados, te adoraren vueltos hacia el camino de su tierra, que diste a sus padres, y a la ciudad que tu escogiste, y a la Casa que he fabricado a tu Nombre:

**39.** Tú oirás desde el cielo, desde esa firmísima morada, sus súplicas, y harás su causa, y perdonarás a tu pueblo aunque pecador.

**40.** Puesto que tú eres mi Dios, suplícote que tengas abiertos tus ojos, y atentos tus oídos a las oraciones que se harán en este lugar.

**41.** Ahora, pues, levántate, ¡oh Señor *mi* Dios! y ven al lugar fijo de tu morada, Tú y el Arca *por medio de la cual ostentas* tu poderío. Experimenten tu socorro y protección, ¡oh Señor Dios!, tus sacerdotes, y gocen los santos con alegría tus beneficios.

42. ¡Oh Señor Dios! no apartes tu rostro de este ungido tuyo: acuérdate de las misericordias o *piedad* de David, siervo tuyo.

## CAPITULO VII

*Desciende un fuego celestial que consume las víctimas ofrecidas a Dios: queda el Templo lleno de la goria del Señor; se celebra por siete días la gran fiesta de la dedicación del Templo. El Señor revela a Salomón que le ha otorgado lo que pedía.*

1. Luego que Salomón acabó de hacer sus fervorosas plegarias, bajó del cielo fuego que devoró los holocaustos y las víctimas; y la majestad del Señor llenó *toda* la Casa.

2. Ni podían los sacerdotes entrar dentro del Templo del Señor; por cuanto la majestad del Señor había llenado su Templo.

3. Asimismo todos los hijos de Israel estaban viendo bajar el fuego y la gloria del Señor sobre la Casa, y postrándose rostro por tierra sobre el pavimento enlosado, adoraron y bendijeron al Señor, *repitiendo*: Porque es bueno y porque es eterna su misericordia.

4. Entre tanto el rey y todo el pueblo inmolaron víctimas delante del Señor.

5. El rey Salomón ofreció en sacrificio veintidós mil bueyes, y ciento y veinte mil carneros: de esta manera celebró el rey con todo el pueblo la dedicación de la Casa de Dios.

6. Al mismo tiempo atendían los sacerdotes a sus ministerios; y los Levitas, al son de sus instrumentos, cantaban los salmos que había compuesto el rey David para alabar al Señor, *repitiendo:* Porque es eterna su misericordia. Cantaban éstos los himnos de David al son de sus instrumentos; y los sacerdotes en frente de ellos, sonaban las trompetas, y todo Israel estaba en pie.

7. Santificó también Salomón el medio del atrio *de los sacerdotes*, frente del Templo del Señor; porque había ofrecido allí holocaustos, y la grosura de las víctimas pacíficas; por cuanto el altar de bronce que había hecho, no podía ser suficiente para tantos holocaustos, y sacrificios y grosura de las víctimas pacíficas.

8. *Concluída esta fiesta*, celebró Salomón entonces por *otros* siete días la fiesta solemne *de los Tabernáculos*, y con él todo Israel, congregado en grandísimo número, desde la entrada de Emat hasta el arroyo de Egipto.

9. El día octavo hizo la fiesta de la asamblea *o reunión* solemne, por haber hecho durante siete días la dedicación del altar, y celebrado por *otros* siete días la solemnidad *de los Tabernáculos*.

10. En fin, el día veintitrés del mes séptimo envió a sus casas todas las gentes, alegres y llenas de júbilo por los beneficios que el Señor había hecho a David y Salomón, y a su pueblo de Israel.

11. Así acabó Salomón el Templo del Señor, y el palacio real, y cuantas cosas se había propuesto en su corazón hacer en la Casa del Señor y en su propia casa; y fué feliz.

12. Apareciósele *después* el Señor de noche *por segunda vez*, y le dijo: He oído tu oración, y me he escogido este lugar para Casa de sacrificio *y oración*.

13. Si cerrare yo el cielo y no lloviere, si mandare y diere orden a la langosta que devore la tierra, si enviare la peste a mi pueblo;

14. Y mi pueblo, sobre el cual ha sido invocado mi Nombre, convertido me pidiere perdón, y procurare aplacarme, haciendo penitencia de su mala vida; yo también desde el cielo lo escucharé y perdonaré sus pecados, y libraré de los males su país.

15. Y mis ojos estarán abiertos, y atentos mis oídos a la oración del que me invocare en este lugar.

16. Porque este lugar lo he escogido yo y santificado, para que mi Nombre sea *invocado* en él para siempre, y estén fijos sobre él mis ojos y mi corazón en todo tiempo.

17. Tú también, si anduvieres en mi presencia, como anduvo David, tu padre, y practicares en todo y por todo lo que yo te he ordenado, y observares mis mandamientos y leyes,

18. Yo afirmaré el trono de tu reino, como se lo prometí a David, tu padre, diciendo: No faltará jamás quien de tu linaje tenga el reino de Israel.

19. Mas si me volviéreis las espaldas y abandonareis mis mandamientos y mis preceptos que os he intimado, y fuereis a servir a dioses ajenos, y los adoráreis;

20. Os arrancaré de esa tierra mía que os dí: y ese Templo, que he consagrado a mi Nombre, lo arrojaré de mi presencia, y haré que sirva de fábula y de escarmiento a todas las gentes.

---

CAP. VII. — 9. II *Reg.* XIII, *v.* 1, 2.

**21.** Y será esta Casa el escarnio de todos los pasajeros; los cuales dirán asombrados; ¿por qué motivo ha tratado así el Señor a este país y a esta Casa?

**22.** Y les responderán: Porque abandonaron al Señor Dios de sus padres, que los sacó de la tierra de Egipto, y han abrazado dioses ajenos, y adorádolos y dádoles culto: por eso han caído sobre ellos todas estas calamidades.

## CAPITULO VIII

*Salomón restaura varias ciudades. Ordena los ministerios de Sacerdotes y Levitas, conforme lo dispuesto por David. Envía una flota a Ofir.*

**1.** Pasados ya veinte años después que Salomón edificó la Casa del Señor, y la suya propia,

**2.** Restauró las ciudades que Hiram le había dado o *vuelto*, e hizo que las habitasen los hijos de Israel.

**3.** Marchó también a Emat de Suba, y se apoderó de ella;

**4.** Y reedificó a Palmira en el Desierto, y en el país de Emat otras ciudades muy fuertes.

**5.** Restauró asimismo a Bet-horón la de arriba y a Bet-horón de abajo, ciudades muradas, y con puertas, barras y cerraduras:

**6.** Como también a Balaat y a todas las ciudades fortísimas que tenía Salomón, y todas las ciudades de los carros de guerra y las de la caballería. Ejecutó Salomón todo cuanto quiso e ideó, así en Jerusalén, como en el Líbano, y en todo el país de su dominio.

**7.** A toda la gente que había quedado de los Heteos, y Amorreos, y Ferezeos, y Heveos, y Jebuseos, los cuales no eran del linaje de Israel: *esto es,*

**8.** A los hijos y descendientes de aquellos a quienes los Israelitas habían salvado la vida, Salomón los hizo tributarios o *siervos,* hasta el día de hoy.

**9.** Mas no echó mano de los hijos de Israel para trabajar en las obras del rey; porque éstos servían en la milicia, y *de ellos* eran los primeros oficiales, y los comandantes de los carros *armados,* y de la caballería.

**10.** Todos los jefes del ejército del rey Salomón eran doscientos y cincuenta; los cuales adiestraban al pueblo.

**11.** A la hija de Faraón la mudó de la ciudad de David a la casa que edificó para ella. Porque

dijo el rey: No habitará mi mujer en la casa de David, rey de Israel; pues quedó esta casa santificada, por haberse hospedado en ella el Arca del Señor.

**12.** Entonces Salomón ofreció al Señor holocaustos sobre el altar del Señor, que había erigido delante del pórtico:

**13.** Con el fin de que se sacrificasen en él según el mandamiento de Moisés, todos los días en los sábados, en las neomenías y en las tres festividades del año, esto es, en la solemnidad de los Azimos, y en la solemnidad de las Semanas o *de Pentecostés,* y en la solemnidad de los Tabernáculos.

**14.** Distribuyó también, según las disposiciones de su padre David, las funciones de los Sacerdotes en sus ministerios; *y estableció* el orden que debían guardar los Levitas respecto al canto y al cumplimiento de sus oficios delante de los Sacerdotes, según el rito de cada día; y el repartimiento de los porteros en cada una de las puertas; porque así lo había ordenado David, varón de Dios.

**15.** Y tanto los Sacerdotes como los Levitas observaron puntualmente todas cuantas órdenes les dió el rey sobre esto, y sobre la custodia de los tesoros.

**16.** Salomón tuvo prevenidos todos los gastos, desde el día en que echó los cimientos de la Casa del Señor, hasta el día en que la acabó.

**17.** Entonces fué Salomón a Asiongaber y a Ailat, a la ribera del mar Rojo, que pertenece a Idumea;

**18.** A donde el rey Hiram le remitió, por medio de sus siervos, naves y marineros prácticos del mar, que fueron con la gente de Salomón a Ofir, y trajeron de allí cuatrocientos y cincuenta talentos de oro al rey Salomón.

## CAPITULO IX

*La reina de Sabá queda pasmada de la sabiduría y grandeza de Salomón: le hace y recibe de él magníficos presentes; y se vuelve. Inmensidad de las riquezas de Salomón; el cual muere a los cuarenta años de su reinado, sucediéndole su hijo Roboam.*

**1.** Habiendo oído la reina de Sabá la fama de Salomón, vino a Jerusalén a fin de hacer prueba de él por medio de preguntas difíciles y enigmáticas; trayendo consigo grandes riquezas, y camellos cargados de aromas, y muchísimo oro y piedras preciosas. Y llegada que fué a la presencia de Salomón, le propuso todas

CAP. VIII. — 2. III *Reg.* IX, *v.* 11.

cuantas *dificultades* tenía en su corazón.

2. Mas Salomón le descifró todas las cosas que le propuso; ni hubo punto que no se lo declarase.

3. Habiendo, pues, ella visto la sabiduría de Salomón, y la Casa que había fabricado;

4. Y la manera con que era servida su mesa, y las habitaciones de sus cortesanos, y las *diferentes* clases de los que le servían, *y la magnificencia* de sus vestidos, y los coperos con sus *ricos* trajes, y las víctimas que se inmolaban en el Templo del Señor, quedó atónita y como fuera de sí;

5. Y dijo al rey: Verdadera es la fama que yo había oído en mi tierra de tus virtudes y de tu sabiduría.

6. Yo no acababa de creer a los que lo contaban, hasta tanto que yo misma he venido, y visto con mis propios ojos y palpado con mis manos, que apenas se me había dicho la mitad de tu sabiduría: tus virtudes exceden a lo que de ti publica la fama.

7. Dichosas tus gentes, y felices tus criados, que están siempre alrededor de ti, y escuchan tu sabiduría.

8. Bendito sea el Señor Dios tuyo, que te ha colocado sobre su trono para reinar en lugar del Señor tu Dios. Como Dios ama a Israel, y quiere conservarle para siempre; por eso te ha constituído rey suyo, para que lo gobiernes y administres justicia.

9. Después regaló al rey ciento y veinte talentos de oro, y una cantidad increíble de aromas y preciosísimas piedras. No se vieron jamás aromas tales, como estos que dió la reina de Sabá al rey Salomón.

10. Los vasallos de Hiram, con los de Salomón, trajeron también de Ofir oro y maderas de tino y piedras de gran valor.

11. De cuya madera de tino mandó el rey hacer la gradería del Templo del Señor y del palacio real, como también las cítaras y los salterios para los cantores. No se vió nunca en el país de Judá madera como ésta.

12. El rey Salomón por su parte dió a la reina de Sabá todo cuanto quiso y pidió, y muchas más preciosidades que las que ella le había presentado; la cual se volvió, y regresó a su reino con sus criados.

13. Y pesaba el oro que traían a Salomón de año en año, seiscientos sesenta y seis talentos,

14. Sin contar la suma con que solían contribuir los enviados de diferentes naciones, y los comerciantes, y todos los reyes de Arabia, y los Sátrapas de las provincias, los cuales conducían oro y plata a Salomón.

15. Hizo, pues, el rey Salomón doscientas picas de oro, cada una de las cuales llevaba de peso seiscientos siclos de oro;

16. Y asimismo trescientas rodelas o *adargas* de oro, cubierta cada una de trescientos siclos de oro; lo que puso el rey en la armería, que estaba situada en el *palacio llamado del* Bosque.

17. Hizo también el rey un gran trono de marfil, y lo revistió de finísimo oro.

18. Asimismo seis gradas por las que se subía al trono, y una tarima de oro, y dos brazos, uno por cada parte, y dos leones arrimados a los brazos,

19. Además de otros doce leoncillos puestos sobre las seis gradas del uno y otro lado. En ningún otro reino hubo un trono semejante.

20. Asimismo todo la vajilla de la mesa del rey era de oro, y era *también* de oro finísimo la vajilla de la casa *o palacio* del Bosque del Líbano: porque la plata en aquel tiempo era reputada por nada.

21. Pues la flota del rey iba de tres en tres años a Tarsis con los siervos de Hiram, y traía de allí oro, y plata, y marfil, y monas, y pavos.

22. Salomón, pues, sobrepujó a todos los reyes de la tierra en riquezas y en gloria:

23. De suerte que todos los reyes de la tierra deseaban ver la cara de Salomón para oir la sabiduría que Dios había infundido en su corazón:

24. Y le llevaban presentes todos los años, vasos de oro y de plata, ropas *preciosas, y* armas, y aromas, y caballos, y mulos.

25. Y tuvo Salomón en sus caballerizas cuarenta mil caballos y doce mil carros, y doce mil hombres de caballería, y los tenía en las ciudades destinadas a su alojamiento, y en Jerusalén donde él residía.

26. Y extendióse su poderío sobre todos los reyes, desde el río Eufrates hasta la tierra de los Filisteos y los confines de Egipto,

27. E hizo abundar tanto la plata, en Jerusalén como las piedras, y los cedros como los cabrahigos que se crían en los campos.

28. Y traíanle caballos de Egipto de todas las provincias.

**29.** Las demás acciones de Salomón, así las primeras como las postreras, están escritas en los libros de Natán profeta, y en los de Ahías Silonita, y también en la Visión de Addo, que profetizó contra Jeroboam, hijo de Nabat.

**30.** Reinó Salomón en Jerusalén sobre todo Israel cuarenta años.

**31.** Y fué a descansar con sus padres, y lo sepultaron en la ciudad de David; sucediéndole en el reino su hijo Roboam.

## CAPITULO X

*Las diez tribus de Israel se rebelan contra Roboam por haberse éste aconsejado mal; y eligen por rey a Jeroboam.*

**1.** En consecuencia Roboam partió a Siquem; porque había concurrido allí todo Israel para reconocerle por rey.

**2.** Lo que oído por Jeroboam, hijo de Nabat, que se hallaba en Egipto (a donde se había refugiado huyendo de Salomón), al punto dió la vuelta.

**3.** Y lo enviaron a llamar; y uniéndose con todo Israel, fueron y hablaron a Roboam en estos términos:

**4.** Tu padre nos oprimió con un yugo durísimo; sea tu gobierno más suave que el de tu padre, el cual nos impuso una pesada esclavitud; alívianos un poco la carga, si quieres que te sirvamos.

**5.** Respondió Roboam: Volved a mí de aquí a tres días. Retirado el pueblo,

**6.** Tuvo consejo con los ancianos que habían estado alrededor de su padre Salomón mientras vivía, y les dijo: ¿Qué me aconsejáis que responda al pueblo?

**7.** Los ancianos le contestaron: Si acaricias a este pueblo, y lo aplacas con palabras dulces, ellos serán tus vasallos perpetuamente.

**8.** Mas Roboam no hizo caso del consejo de los ancianos; y comenzó a tratar la cosa con los jóvenes que se habían criado con él, y le hacían la corte;

**9.** Y les dijo: ¿Qué os parece? ¿y qué debo yo responder a este pueblo, que me ha venido a decir: Aligéranos el yugo que nos impuso tu padre?

**10.** Pero ellos, como mozos, y criados con él entre delicias, le respondieron, diciendo: A ese pueblo que te ha dicho: Tu padre agravó nuestro yugo, *aligéranosle tú;* le has de *hablar así y* darle esta respuesta: Es más grueso mi dedo meñique que el espinazo de mi padre.

---

CAP. X. — 11. O disciplinas de hierro.

**11.** Mi padre cargó sobre vosotros un yugo pesado; pues yo os añadiré mayor peso: mi padre os azotó con varas, y yo os azotaré con escorpiones.

**12.** Volvió, pues, Jeroboam con todo el pueblo al tercer día a Roboam, como éste se lo había mandado.

**13.** Y el rey, desechado el consejo de los ancianos, les respondió con dureza;

**14.** Y les dijo, conforme al parecer de los jóvenes: Mi padre cargó sobre vosotros un yugo pesado, y yo lo agravaré más: mi padre os azotó con varas, mas yo he de azotaros con escorpiones.

**15.** Y no quiso condescender con los ruegos del pueblo; por ser voluntad de Dios que se cumpliese su palabra, pronunciada por boca de Ahía Silonita a Jeroboam, hijo de Nabat.

**16.** Entonces todo el pueblo, al oír la respuesta tan dura del rey, le habló así: Nosotros nada tenemos que ver con la casa de David; ni nada que esperar del hijo de Isaí. Retírate, oh Israel, a tus habitaciones; y tú *Roboam, hijo de* David, rige tu Casa. Y retiróse Israel a sus habitaciones.

**17.** Y Roboam quedó reinando sobre los hijos de Israel que moraban en las ciudades *de la tribu* de Judá.

**18.** Y envió después el rey Roboam a Aduram, superintendente de los tributos. Mas los hijos de Israel lo apedrearon y fué muerto. En vista de lo cual el rey Roboam montó apresuradamente en su carroza, y huyóse a Jesusalén.

**19.** Desde entonces se separó Israel de la casa de David como lo está en el día de hoy.

## CAPITULO XI

*Manda Dios a Roboam que no haga la guerra a Israel. Edifica muchas fortalezas; y acuden a él muchos Sacerdotes y Levitas, desterrados por Jeroboam.*

**1.** Vuelto Roboam a Jerusalén, convocó de toda la tribu de Judá y de la de Benjamín ciento y ochenta mil combatientes escogidos, para pelear contra Israel, y reducirlo a su dominio.

**2.** Pero el Señor habló a Semeías, varón de Dios, diciéndole:

**3.** Dile a Roboam, hijo de Salomón rey de Judá, y a todo Israel, que se halla en Judá y en Benjamín:

**4.** Esto dice el Señor: No marcharéis ni pelearéis contra vuestros hermanos. Vuélvase cada uno a su casa; pues se ha hecho esta *división* por voluntad mía. Así que ellos oyeron la palabra del Señor, se retiraron y no pasaron adelante contra Jeroboam.

**5.** Y Roboam habitó en Jerusalén, y edificó ciudades para servir de fortalezas en el país de Judá;

**6.** Y fortificó a Betlehem, y a Eetam y a Tecué,

**7.** Y a Betsur, y Socó, y Odollam

**8.** Como también a Get, y Maresa, y Zif

**9.** Y Aduram, y Laquís, y Azeca,

**10.** E igualmente a Saraa, y Ajalón, y Hebrón, que estaban parte en el país de Judá, y parte en el de Benjamin, todas ciudades muy fuertes.

**11.** Y habiéndolas cercado de muros, puso en ellas gobernadores y almacenes de víveres, esto es, de aceite y vino.

**12.** Hizo además de esto en cada una de las ciudades una armería de escudos y de picas, y las fortificó con sumo esmero; y reinó sobre *las tribus* de Judá y de Benjamín.

**13.** Por otra parte los sacerdotes y Levitas que había por todo Israel, se vinieron a Roboam de todos los lugares de su residencia,

**14.** Abandonando sus ejidos y todos sus bienes, y pasándose a la parte de Judá y Jerusalén, por haberlos echado Jeroboam y sus sucesores, para que no ejerciesen las funciones del sacerdocio del Señor.

**15.** E instituyó Jeroboam sacerdotes de los lugares altos, y de los demonios, y de los becerros que había fabricado.

**16.** Pero de todas la tribus de Israel vinieron a Jerusalén a ofrecer sus sacrificios delante del Señor Dios de sus padres, cuantos habían resuelto en su corazón seguir al Señor Dios de Israel.

**17.** Con lo que fortificaron el reino de Judá, y afianzaron el trono de Roboam, hijo de Salomón, por tres años; porque solamente por tres años siguieron los caminos de David y de Salomón.

**18.** Roboam se casó con Mahalat, hija de Jerimot, hijo de David, y también con Abihail, hija de Eliab, hijo de Isaí:

**19.** De la cual tuvo a Jehús, y a Somorias, y a Zoom.

**20.** Después de ésta se casó con Maaca, hija de Absalom, la cual dió a luz a Abía, a Etai, a Ziza, y a Salomit.

**21.** Amó Roboam a Maaca, hija o nieta de Absalom, más que a todas sus mujeres principales, y de segundo orden; siendo así que tuvo dieciocho esposas y sesenta mujeres secundarias y de ellas veintiocho hijos y sesenta hijas.

**22.** Pero dióle a Abía, hijo de Maaca, la preferencia, poniéndolo por cabeza de todos sus hermanos; por cuanto tenía el designio de darle el reino;

**23.** Pues era el más sabio y el más valeroso de todos sus hijos: *a cuyo fin esparció a éstos* por los términos de Judá y de Benjamín, en todas las ciudades fortificadas; donde les dió alimentos en abundancia, y les procuró muchas mujeres.

## CAPITULO XII

*Invasión del rey de Egipto en Jerusalén por los pecados de Roboam y de su pueblo. Saquea a Jerusalén, y se lleva los tesoros del Templo. Muere Roboam, y le sucede su hijo Abía.*

**1.** Fortalecido Roboam, y asegurado en el reino, abandonó la Ley del Señor, e hizo lo mismo todo Israel a su ejemplo.

**2.** Por tanto, el año quinto del reinado de Roboam (por haber pecado los Israelitas contra el Señor), vino Sesac, rey de Egipto, contra Jerusalén,

**3.** Con mil y doscientos carros armados, y sesenta mil hombres de a caballo siendo además innumerable la gente que lo seguía desde Egipto, es a saber, los de Libia y los Trogloditas, y los Etíopes.

**4.** Y se apoderó de las ciudades más fuertes de Judá, y se adelantó hasta Jerusalén.

**5.** Entonces Semeías, profeta, se presentó ante Roboam, y los príncipes de Judá, que se habían congregado en Jerusalén, huyendo de Sesac, y les dijo: Esto dice el Señor: Vosotros me abandonasteis; pues yo también os abandono a vosotros en poder de Sesac.

**6.** A lo que respondieron consternados, así el rey como los príncipes de Israel: Justo es el Señor.

**7.** Pero viendo el Señor que se habían humillado, habló a Semeías, diciendo: Ya que se han humillado, no los acabaré, antes bien les daré un poquito de socorro, y no se derramará mi furor sobre Jerusalén por mano de Sesac.

**8.** Sin embargo, quedarán sujetos a él, para que conozcan la diferencia que va entre servirme a mí y servir a los reyes de la tierra.

**9.** Así, pues, Sesac, rey de Egipto, se retiró de Jerusalén, llevándose consigo los tesoros del Templo del Señor y del palacio real, y los broqueles de oro hechos por Salomón.

---

CAP. XI. — 15. Tal vez se traduciría mejor: *sátiros o ídolos,* en vez de *demonios;* por ser más conforme con el original hebreo.

10. En lugar de los cuales mandó el rey hacer otros de bronce, entregándolos a los capitanes de los guardias que guardaban el atrio *o las puertas* de palacio;

11. Y cuando el rey había de ir al Templo del Señor, venían los guardias y tomaban los broqueles, y los volvían a poner en la armería.

12. Mas, en fin, por haberse humillado, calmó la ira del Señor contra ellos, y no fueron enteramente destruídos; a causa de que aún se hallaron buenas obras en Judá.

13. Con esto se alentó Roboam, y continuó reinando en Jerusalén. Cuarenta y un años tenía cuando comenzó a reinar, y reinó diecisiete años en Jerusalén, ciudad escogida por el Señor entre todas las tribus de Israel, para establecer en ella *el culto de* su Nombre. Llamábase su madre Naama, y era Ammonita.

14. Roboam obró el mal; y no dirigió su corazón en busca del Señor.

15. Sus acciones primeras y postreras están escritas en los Libros de Semeías profeta, y del profeta Addo, que las refieren exactísimamente. Roboam y Jeroboam tuvieron entre sí perpetua guerra.

16. Al fin pasó Roboam a descansar con sus padres, y lo enterraron en la ciudad de David; sucediéndole en el reino su hijo Abía.

## CAPITULO XIII

*Abía pone su confianza en Dios, y vence a Jeroboam; tiene muchísimos hijos.*

1. El año décimooctavo del reino de Jeroboam, entró a reinar en Judá Abía.

2. Tres años reinó en Jerusalén. Su madre se llamó Micaya, hija de Uriel de Gabaa. Y había guerra entre Abía y Jeroboam.

3. Saliendo, pues, Abía a campaña con cuatrocientos mil hombres, gente muy valerosa y escogida, se le opuso Jeroboam, presentando ochocientos mil hombres escogidos también, y de gran valor para pelear.

4. Abía hizo alto sobre el monte Semerón, situado en la tribu de Efraím, y dijo: Escucha tú, oh Jeroboam, con todo Israel:

5. ¿Ignoráis acaso que el Señor Dios de Israel dió para siempre el reino de Israel a David y a sus hijos con pacto perpetuo?

6. ¿Y que Jeroboam, hijo de Nabat, siervo de Salomón, hijo de David, se levantó y se rebeló contra su señor?

7. ¿Y que se coaligaron con él unos hombres vanísimos, e hijos de Belial, y prevalecieron contra Roboam, hijo de Salomón; por cuanto era Roboam inexperto, y de corazón medroso, y no pudo resistirles?

8. Ahora bien, vosotros decís que tenéis fuerza para resistir al reino del Señor, que posee él *o gobierna* por medio de los hijos de David; y tenéis una gran muchedumbre de gente, y los becerros de oro que os ha hecho Jeroboam para que sean dioses vuestros;

9. Y habéis echado los sacerdotes del Señor, hijos de Aarón, y los Levitas, y os habéis instituído *otros* sacerdotes a la manera de los demás pueblos de la tierra; cualquiera que se presente y consagre su mano inmolando un novillo y siete carneros, queda hecho sacerdote de aquellos que no son dioses.

10. Pero el Señor nuestro es el Dios *verdadero*, a quien nosotros no hemos abandonado: y los sacerdotes del linaje de Aarón son los que sirven al Señor, como también los Levitas en sus ministerios;

11. Y los que ofrecen holocaustos al Señor cada día, mañana y tarde, y perfumes preparados según lo prescrito en la Ley, y ponen los panes encima de la mesa limpísima: y está en nuestro poder el candelero de oro con sus mecheros, que se encienden siempre a la tarde: en suma, nosotros observamos los mandamientos del Señor Dios nuestro; a quien vosotros habéis abandonado.

12. Por tanto el caudillo de nuestro ejército es Dios, y sus sacerdotes los que tocan los clarines y dan la señal contra vosotros. Oh hijos de Israel, no queráis pelear contra el Señor Dios de vuestros padres, porque no os tiene cuenta.

13. Mientras él hablaba así, Jeroboam le armaba asechanzas por la espalda. Y manteniéndose al frente de los enemigos, iba cercando con sus tropas a Judá, sin que éste lo advirtiese.

14. Mas volviendo Judá los ojos, vió que le acometían de frente y por las espaldas, y clamó al Señor, y los Sacerdotes empezaron a tocar las trompetas.

15. Alzaron el grito todos los soldados de Judá; y he aquí que al estruendo de sus voces aterró Dios a Jeroboam y a todo Israel, que tenían cercados a Abía y a Judá.

16. Y los hijos de Israel volvieron las espaldas a Judá, en cuyas manos los abandonó Dios.

---

CAP. XIII. — 2. O *Maaca*. En el *cap.* XI, *v.* 20, se llama hija de Absalom.

17. Con esto Abía y su gente hicieron en ellos gran destrozo: tanto que cayeron heridos quinientos mil valientes por parte de Israel.

18. Así quedaron entonces abatidos los hijos de Israel: y los de Judá cobraron grandísimos bríos, por haber puesto su esperanza en el Señor Dios de sus padres.

19. Abía fué persiguiendo a Jeroboam en su fuga, y le tomó varias ciudades, a Betel con sus aldeas, a Jesana con las suyas, y a Efrón también con las suyas.

20. Ni pudo Jeroboam alzar ya cabeza mientras vivió Abía; e hiriolo el Señor, y murió.

21. Después que se aseguró Abía en el trono, tomó catorce mujeres, y de ellas tuvo veintidós hijos y dieciséis hijas.

22. Las demás acciones de Abía, su proceder y sus obras están escritas exactísimamente en el Libro del profeta Addo.

## CAPITULO XIV

*Felicidad de Asá en paz y en guerra por su celo de la religión y confianza en Dios: con cuyo auxilio vence a Zara, rey de los Etíopes, y a un millón de soldados.*

1. Pasó, en fin, Abía a descansar con sus padres, y fué sepultado en la ciudad de David; sucediéndole en el reino su hijo Asá, en cuyo tiempo estuvo el país en paz por diez años.

2. Hizo Asá lo que era bueno y agradable a los ojos de su Dios, y derribó los altares de culto extranjero, y los *adoratorios profanos de los* lugares altos,

3. Y quebró las estatuas, y taló los bosques *sacrílegos,*

4. Y ordenó a Judá que siguiese al Señor Dios de sus padres, y practicase la Ley y todos los mandamientos,

5. Y quitó de todas las ciudades de Judá, los altares y los adoratorios; y reinó en paz.

6. Restauró también las ciudades fuertes de Judá; porque vivía con sosiego, y no se movió guerra ninguna en su tiempo, concediéndole el Señor la paz.

7. Entonces dijo a Judá: Reparemos estas ciudades y cerquémoslas de muros, y fortifiquémoslas con torres, y puertas, y cerraduras, ahora que por todas partes respiramos libres de guerras, por haber buscado al Señor Dios de nuestros padres, y habernos dado él paz por todo el contorno. Pusieron, pues, manos a la obra, sin que hubiese ningún estorbo que impidiese la restauración.

8. Tenía Asá en su ejército trescientos mil hombres de Judá, armados de broqueles y picas, y de Benjamín doscientos y ochenta mil de rodela y aljaba, todos ellos gente valerosísima.

9. Contra ellos salió a campaña Zara, *rey de* Etiopía, con su ejército de un millón de hombres y trescientos carros *de guerra,* y avanzó hasta Maresa.

10. Asá, empero, marchó contra él, y le presentó batalla en el valle de Sefata, que está junto a Maresa;

11. E invocó al Señor Dios, diciendo: Señor, para ti lo mismo es dar socorro por medio de pocos, que de muchos: ayúdanos, ¡oh Señor Dios nuestro!, pues que confiados en ti y en tu Nombre hemos venido contra esta muchedumbre de gente. Señor, tú eres nuestro Dios: no prevalezca el hombre contra ti.

12. Con efecto, el Señor aterró a los Etíopes a la vista de Asá y de Judá; y echaron a huir.

13. Persiguiólos Asá con su gente hasta Gerara, y fueron los Etíopes destrozados hasta no quedar hombre con vida; exterminados por el Señor que los hería y por su ejército que peleaba. Cogieron, pues, un gran botín;

14. Y destruyeron todas las ciudades al contorno de Gerara; porque se había apoderado de todos un grande terror, y las ciudades fueron saqueadas, y se sacaron de ellas muchos despojos.

15. Asimismo destruyeron las majadas de las ovejas, y se llevaron infinita multitud de ganado menor y de camellos; y regresaron a Jerusalén.

## CAPITULO XV

*Azarías profetiza que Israel estará por mucho tiempo sin Dios, sin sacerdote y sin Ley. Con este motivo el rey Asá concibe mayor celo por la religión; y jura el pueblo servir a Dios.*

1. Entonces Azarías, hijo de Oded, movido del espíritu de Dios,

2. Fué a encontrar a Asá y le dijo: Escúchame tú, oh Asá, y pueblos todos de Judá y de Benjamín: El Señor ha estado con vosotros *en la batalla,* porque vosotros habéis permanecido *adictos* a él. Si vosotros lo buscareis, lo hallaréis; más si lo abandonareis, os abandonará.

3. Mucho tiempo pasará Israel sin el verdadero Dios, sin sacerdote, sin doctor y sin Ley.

4. Y cuando en medio de su angustia se convertirán al Señor Dios de Israel y lo buscaren, lo hallarán.

5. Durante aquel tiempo no habrá seguridad para ir y venir, sino que por todos lados asaltarán terrores a todos los habitantes de la tierra:

6. Porque una nación se levantará contra otra, y una ciudad contra otra ciudad, pues el Señor los conturbará con toda suerte de aflicciones.

7. Vosotros entre tanto armaos de valor, y no desmayen vuestros brazos; puesto que habéis de recibir la recompensa de vuestras fatigas.

8. Oyendo Asá las palabras y profecía de Azarías, hijo de Oded profeta, cobró aliento, y quitó los ídolos de todo el país de Judá y de Benjamín, y de las ciudades que había conquistado en la montaña de Efraím; y dedicó o restableció el altar del Señor, que estaba colocado ante el pórtico del Templo del Señor.

9. Y convocó a todo Judá y Benjamín y con ellos a los forasteros de Efraím, y de Manasés, y de Simeón: pues se iban acogiendo a él muchos de Israel, viendo cuánto le favorecía el Señor su Dios.

10. Y venidos a Jerusalén el mes tercero del año décimoquinto del reinado de Asá,

11. Inmolaron al Señor en aquel día setecientos bueyes y siete mil carneros, de los despojos y botín que habían traído.

12. Entró después, según costumbre, a ratificar el pacto o promesa de que seguirían al Señor Dios de sus padres con todo el corazón y con toda su alma.

13. Que si alguno, dijo, no siguiere al Señor Dios de Israel, muera sin excepción, sea pequeño o grande, varón o mujer.

14. Y juraron al Señor en alta voz y con júbilo, y al son de trompetas y clarines,

15. Todos los que estaban en Judá, echándose imprecaciones: pues hicieron este juramento de todo su corazón, y buscaron al Señor con plena voluntad, y así es que lo hallaron; y dióles el Señor paz con todos sus vecinos.

16. Depuso también el rey a su madre Magea de la augusta autoridad que gozaba, porque había colocado en un bosque el ídolo de Príapo; el cual rompió Asá, haciéndole mil pedazos, y lo quemó en el torrente de Cedrón.

17. No obstante, quedaron lugares altos en Israel; si bien el corazón de Asá fué perfecto todo el tiempo de su vida.

18. Entregó también al Templo del Señor las cosas que su padre y él tenían ofrecidas con voto, el oro y la plata, y diferentes especies de vasos o utensilios.

19. Finalmente, no hubo guerra hasta el año treinta y cinco del reinado de Asá.

## CAPITULO XVI

*Baasa, rey de Israel, mueve guerra a Asá, rey de Judá. Pierde éste la confianza en Dios, de quien es castigado por su crueldad; muere el año cuarenta y uno de su reinado.*

1. Pero el año treinta y seis del reinado *de* Asá, entró Baaza, rey de Israel, en el país de Judá, y empezó a fortificar a Rama, para que ninguno del reino de Asá pudiese entrar y salir libremente.

2. Entonces sacó Asá la plata y el oro de los tesoros del Templo del Señor y de los tesoros del rey; y envióselo a Benadad, rey de Siria, que tenía su corte en Damasco, diciéndole:

3. Hay alianza entre mí y ti; al modo que la hubo entre mi padre y el tuyo; por tanto te remito ese oro y plata, para que, rompiendo el tratado que tienes hecho con Baasa, rey de Israel, le obligues a retirarse de mi país.

4. En vista de esta demostración, despachó Benadad los generales de sus ejércitos contra las ciudades de Israel; los cuales batieron las ciudades de Ahión, de Dan, de Abelmaim, y todas las ciudades muradas de Neftalí.

5. Lo que sabido por Baasa, cesó de fortificar a Rama, y dejó la obra sin acabar.

6. Entre tanto el rey Asá tomó consigo toda la gente de Judá, y trajeron de Rama todas las piedras y maderas acopiadas por Baasa para la fábrica, y con ellas fortificó a Gabaa y a Masfa.

---

CAP. XV. — 7. No solamente se refiere este vaticinio al reinado de Jeroboam y de sus sucesores, en cuyo tiempo dominó la impiedad, sino también al estado actual de los Judíos. Esta profecía es muy semejante a la de Oseas, *cap*. III, *v.* 4, la cual comúnmente se refiere al infeliz estado de los Judíos después de Cristo.

16. III *Reg.* XV. *v.* 13.

---

CAP. XVI. — 1. Ciudad situada en el paso de un país a otro. Esto es, para impedir la comunicación, y así la emigración de sus vasallos al reino de Judá. *Cap.* 15, *v.* 9.

**7.** En aquel tiempo se presentó el profeta Hanani a Asá, rey de Judá, y le dijo: Por cuanto has puesto la confianza en el rey de Siria, y no en el Señor tu Dios; por eso el ejército del rey de Siria se ha escapado de tus manos.

**8.** Pues,qué, ¿no eran en mucho mayor número los Etíopes y los de la Libia, con sus carros *de guerra* y caballería y tropas innumerables, y *no obstante* los entregó el Señor en tus manos, por haber puesto en él tu confianza?

**9.** Ello es así que los ojos del Señor están contemplando toda la tierra, y dan fortaleza a los que creen en él con perfecto corazón. Luego tú has procedido neciamente; y por eso desde aquí adelante se levantarán guerras contra ti.

**10.** Airado Asá contra el profeta, mandólo poner en un cepo, indignado sobremanera de esto *que le había dicho:* y en aquel tiempo quitó la vida a muchísimos del pueblo.

**11.** Mas los hechos de Asá, desde el principio hasta el fin, se hallan escritos en los Libros de los Anales de los Reyes de Judá y de Israel.

**12.** Cayó finalmente enfermo Asá, el año treinta y nueve de su reinado, de un dolor de pies agudísimo; y ni aun en su dolencia recurrió al Señor, sino que confió más en el saber de los médicos.

**13.** Fué, pues, a descansar con sus padres: habiendo muerto el año cuarenta y uno de su reinado.

## CAPITULO XVII

*Principios gloriosos del reinado del piadoso Josafat, hijo de Asá.*

**1.** Sucedióle en el reino Josafat, su hijo, el cual prevaleció *siempre* contra Israel.

**2.** Y estableció compañías de soldados en todas las ciudades de Judá, cercadas de murallas; y puso guarniciones en tierra de Judá y en las ciudades de Efraím conquistadas por su padre Asá.

**3.** Y el Señor estuvo con Josafat, porque siguió los pasos primeros de David, su padre; y no puso su confianza en los ídolos,

**4.** Sino en el Dios de su padre, siguiendo el camino de sus mandamientos, y apartándose de los pecados de Israel.

**5.** Con esto le aseguró el Señor en la posesión del reino, y todo Judá ofrecía presen-

tes a Josafat; de suerte que vino a tener inmensas riquezas y mucha gloria.

**6.** Y encendido su corazón en celo por *la observancia de* las leyes del Señor, quitó del país de Judá también *los adoratorios de* los lugares excelsos y los bosques *profanos.*

**7.** Asímismo el año tercero de su reinado dió comisión entre los magnates de su corte a Benaíl, y a Obdías, y a Zacarías, y a Natanael, y a Miques para que enseñasen en las ciudades de Judá;

**8.** Enviando con ellos a los Levitas Semeías, y Natanías, y Zabadías, y Asael, y Semiramot, y Jonatán, y Adonías, y Tobías, y Tobadonías, Levitas todos, acompañados de los sacerdotes Elisama y Joram;

**9.** Los cuales adoctrinaban al pueblo en Judá, llevando consigo el libro de la Ley del Señor; y recorrían todas las ciudades de Judá, instruyendo al pueblo.

**10.** Con esto el terror del *nombre* del Señor se derramó por todos los reinos circunvecinos de Judá, y no se atrevían a mover guerra contra Josafat.

**11.** Y aun los mismos Filisteos ofrecían presentes a Josafat, y le pagaban un tributo en dinero; los Arabes también le traían ganados, siete mil y setecientos carneros, y otros tantos machos cabríos.

**12.** Fué, pues, Josafat haciéndose poderoso, y creciendo en grandeza hasta lo sumo; y edificó en Judá alcázares a manera de torres, y ciudades muradas.

**13.** E hizo muchas obras en las ciudades de Judá. Tenía también en Jerusalén varones aguerridos y esforzados;

**14.** De los cuales ésta es la enumeración, según sus casas y familias: en Judá los jefes del ejército eran, el general Ednas, que tenía a sus órdenes trescientos mil hombres de gran valor;

**15.** Y a éste se seguía Johanán, jefe que mandaba doscientos y ochenta mil hombres.

**16.** Después venía Amasías, hijo de Zecri, consagrado al Señor, que tenía bajo su mando doscientos mil valientes.

**17.** Inmediato a éste venía el valiente campeón Elíada, que tenía a sus órdenes doscientos mil armados de arco y broquel.

**18.** Tras este venía Jozabad, y a sus órdenes ciento y ochenta mil soldados de tropa ligera.

**19.** Todos estos estaban prontos a las órdenes del rey; sin contar aquellos que había puesto *de guarnición* en las ciudades muradas por todo el país de Judá.

# CAPITULO XVIII

*Josafat se ve en peligro de muerte por su alianza con el impío Acab; el cual muere infelizmente, según había predicho el profeta Miqueas.*

1. Fué, pues, Josafat muy rico, y adquirió mucha gloria: y emparentó con Acab.

2. Al cabo de algunos años pasó a visitar a éste en Samaria, por cuya llegada hizo matar Acab muchísimos carneros y bueyes para él y para la gente que con él había venido: y persuadióle a que fuese con él contra Ramot de Galaad.

3. Dijo, pues, Acab, rey de Israel, a Josafat, rey de Judá: Ven conmigo a Ramot de Galaad. Respondióle Josafat: Tú y yo somos una misma cosa: y una misma cosa tu pueblo y el mío, y *así* iremos contigo a la guerra.

4. Añadió Josafat al rey de Israel: Ruégote que consultes en este lance, qué es lo que dice el Señor.

5. Juntó, pues, el rey de Israel, cuatrocientos profetas, y les dijo: ¿Debemos ir a atacar a Ramot de Galaad, o estarnos quedos? Respondieron ellos: Marcha; que Dios entregará esa ciudad en poder del rey.

6. Replicó Josafat: ¿No hay aquí algún profeta del Señor, para que también le consultemos?

7. Dijo el rey de Israel a Josafat: *Aqui* hay un hombre por quien podemos inquirir la voluntad del Señor; mas yo lo aborrezco, porque nunca me profetiza cosa buena, sino siempre desdichas: éste tal es Miqueas, hijo de Jemla. Y respondió Josafat: No hables, ¡oh rey! de esa manera.

8. Llamó, pues, el rey de Israel a uno de los eunucos *o camareros,* y díjole: Llama luego a Miqueas, hijo de Jemla.

9. Entretanto el rey de Israel, y Josafat, rey de Judá, vestidos de traje real, estaban entrambos sentados en tronos: el sitio donde estaban era una plaza, junto a la puerta de Samaria; y todos aquellos profetas iban vaticinando en su presencia

10. Sedecías, empero, hijo de Canaana, se hizo unas astas *o cuernos* de hierro, y dijo: Esto dice el Señor: Con estas voltearás tu a la Siria, hasta hacerla añicos.

11. Y todos aquellos profetas vaticinaban del mismo modo, diciendo: Sal contra Ramot de Galaad, y tendrás próspero suceso: el Señor la entregará en poder del rey.

12. Por lo que el mensajero que había ido a llamar a Miqueas, previno a éste: Mira que todos los profetas a una voz anuncian al rey felices sucesos: por lo que te ruego que tu lenguaje sea conforme al suyo, y anuncies cosas favorables.

13. Respondióle Miqueas: Vive el Señor, que todo aquello que mi Dios me dijere, eso hablaré.

14. Presentóse, pues, al rey; el cual le dijo: Miqueas, ¿debemos mover guerra contra Ramot de Galaad, o estarnos quietos? Respondió Miqueas: Id; porque todo os saldrá felizmente, y los enemigos serán entregados en vuestras manos.

15. Replicó el rey: En nombre del Señor te conjuro una y otra vez, que no me hables sino la verdad.

16. Entonces dijo Miqueas: He visto a todo Israel disperso por los montes, como ovejas sin pastor; y ha dicho el Señor: Estos no tienen quien los mande; que se vuelva cada uno en paz a su casa.

17. Y dijo el rey de Israel a Josafat: ¿No te dije yo que éste no me anunciaría cosa buena, sino sólo desdichas?

18. Pero Miqueas replicó: Pues oíd *aún* la palabra del Señor: He visto yo al Señor sentado en su trono, y a toda la milicia celestial en torno de él a la diestra y a la siniestra.

19. Y ha dicho el Señor: ¿Quién engañará a Acab, rey de Israel, a fin de que salga a campaña y perezca en Ramot de Galaad? Y diciendo quién una cosa y quién otra;

20. Sobrevino *cierto* espíritu, y presentándose ante el Señor, dijo: Yo lo engañaré. Preguntóle el Señor: ¿Cómo lo engañarás tú?

21. Iré, respondió él, y seré un espíritu mentiroso en la boca de todos tus profetas. Y el Señor le contestó: Lo engañarás y te saldrás con ello; anda, y hazlo así.

22. En consecuencia ya ves cómo el Señor ha puesto *o permitido* el espíritu de mentira en la boca de todos tus profetas; y el Señor *mismo* ha pronunciado contra ti desastres.

---

CAP. XVIII. —1. Con cuya hija Atalia casó a Jorám, su hijo. IV *Reg.* VIII, *v.* 18, *Infra* XXI, *v.* 6.

---

21. Yo te lo permito en castigo de los dos reyes.

**23.** Entonces Sedecías, hijo de Canaana, se acercó y dió a Miqueas un bofetón, diciendo: ¿Por qué camino se ha ido de mí el Espíritu del Señor para ir a hablarte a ti?

**24.** Respondió Miqueas: Tu mismo lo verás en aquel día, en que irás huyendo de aposento en aposento para esconderte.

**25.** Pero el rey de Israel dió una orden diciendo: Prended a Miqueas, y conducidlo a Amón, gobernador de la ciudad, y a Joás, hijo de Amelec,

**26.** Y les diréis: Esto manda el rey: Metedlo en la cárcel, y dadle un pedazo de pan y un poquito de agua, hasta mi feliz regreso.

**27.** A lo que dijo Miqueas: Si regresases tú felizmente, no será verdad que el Señor haya hablado por mi boca. Y añadió: Oídlo, pueblos todos.

**28.** Sin embargo, el rey de Israel y Josafat, rey de Judá, marcharon contra Ramot de Galaad.

**29.** Mas el rey de Israel dijo a Josafat: Yo mudaré de traje: y entraré de este modo en batalla: tú lleva tus vestidos. En efecto, el rey de Israel entró disfrazado en el combate.

**30.** Había dado el rey de Siria esta orden a los capitanes de su caballería: No peleéis contra *nadie*, chico ni grande, sino tan solamente contra el rey de Israel.

**31.** Y así luego que los comandantes de la caballería vieron a Josafat, dijeron: El rey de Israel es éste; y rodeándolo cargaron sobre él. Pero él invocó a gritos al Señor, el cual lo socorrió, y los desvió de su persona.

**32.** Porque habiendo visto los capitanes de la caballería que no era el rey de Israel, lo dejaron.

**33.** Entretanto sucedió que uno de la tropa, tirando sin objeto particular una saeta, hirió al rey de Israel entre el cuello y la espalda: por lo que dijo el rey a su cochero: Vuelve atrás, y sácame del combate, porque estoy herido.

**34.** Con esto se acabó en aquel día la guerra. El rey de Israel se mantuvo en su coche hasta la tarde, enfrente a los Sirios, y murió al ponerse el sol.

## CAPITULO XIX

*Josafat es reprendido por el profeta, Jehú por haber auxiliado a Acab; esmérase en la extirpación de la idolatría y en el promo-ver el culto de Dios y la instrucción del pueblo.*

**1.** Pero Josafat, rey de Judá, regresó a su palacio en Jerusalén, sano y salvo;

**2.** A cuyo encuentro vino Jehú, profeta, hijo de Hanani, y le dijo: Tu das socorro a un impío, y te estrechas en amistad con gente que aborrece al Señor; por tanto merecías experimentar la ira del Señor.

**3.** Mas se han hallado en ti buenas obras; pues arrancaste los bosques *idolátricos* de la tierra de Judá; y has convertido tu corazón en busca del Señor Dios de tus padres.

**4.** Habitó, pues, Josafat en Jerusalén, y salió de nuevo a visitar a su pueblo desde Bersabee hasta la montaña de Efraím, y redujo *sus vasallos* al Señor Dios de sus padres.

**5.** Puso además jueces en todas las ciudades fuertes de Judá y en todas partes.

**6.** Y dando sus órdenes a los jueces: Mirad, les dijo: *mirad* lo que hacéis, porque ejercéis las veces, no de un hombre, sino del Señor, y cualquiera sentencia que diereis, recaerá sobre vosotros.

**7.** Esté con vosotros el temor del Señor, y haced todas las cosas con exactitud; pues en Dios nuestro Señor no cabe injusticia, ni acepción de personas, ni codicia de dones.

**8.** Josasat estableció también en Jerusalén Levitas, y sacerdotes, y príncipes o *cabezas* de las familias de Israel, para que hiciesen justicia a sus moradores y juzgasen las causas del Señor;

**9.** E intimóles sus órdenes, y dijo: Debéis portaros con fidelidad y con sincero corazón en el temor del Señor.

**10.** En cualquier pleito entre familia y familia de vuestros hermanos que habitan en sus ciudades, que viniere a vuestro tribunal, siempre que se trate de la Ley, de los mandamientos, de las ceremonias o de los preceptos los instruiréis, para que no pequen contra el Señor; a fin de que no descargue *su* ira sobre vosotros y sobre vuestros hermanos; obrando así no pecaréis.

**11.** A este fin Amarías, vuestro sacerdote y pontífice, presidirá en todo aquello que concierne a Dios; y Zabadías, hijo de Ismahel, príncipe de la casa de Judá, presidirá en todos los negocios pertenecientes al servicio del rey; tenéis también entre vosotros los Levitas, los cuales os servirán de maestros: cobrad ánimo y cumplid exactamente vuestros deberes, que el Señor os colmará de bienes.

## CAPITULO XX

*Josafat triunfa milagrosamente de todos sus enemigos, y es castigado por haber hecho amistad con el impío Ococías.*

1. Después de esto se coligaron los hijos de Moab y los hijos de Ammón, y con ellos algunos Ammonitas, contra Josafat para hacerle guerra.

2. Y llegaron unos mensajeros a avisar a Josafat, diciendo: Viene contra tí una gran muchedumbre de gente de los países de la otra parte del mar *Muerto,* y de la Siria; y ahora están acampados en Asasontamar, por otro nombre Engaddi.

3. Con esto Josafat, atemorizado, se dedicó todo a suplicar al Señor, e intimó un ayuno a todo el pueblo de Judá.

4. Y juntóse el pueblo de Judá para implorar el socorro del Señor, y toda la gente venía desde sus ciudades a presentarle sus ruegos.

5. Y puesto Josafat en medio del concurso de Judá y de Jerusalén, en el Templo del Señor delante del atrio nuevo,

6. Dijo: Señor Dios de nuestros padres, tú eres el Dios del cielo y el dueño de todos los reinos de las naciones: en tus manos están la fortaleza y el poder, y nadie puede resistirte.

7. ¿No es así que tu, oh Dios nuestro, acabaste con todos los moradores de esta tierra delante de Israel, tu pueblo, y se la diste para siempre a los descendientes de tu amigo Abraham?

8. Los cuales la han habitado, y erigido en ella un Santuario a tu Nombre, diciendo:

9. Si descargaren males sobre nosotros, la espada vengadora, o peste, o hambre, nos presentaremos en tu acatamiento dentro de esta Casa en que ha sido invocado tu Nombre, y clamaremos a ti en nuestras tribulaciones, y tu nos oirás y nos salvarás.

10. Ahora, pues, los hijos de Ammón y los de Moab, y los de la montaña de Seir, por cuyas tierras no permitiste que pasase Israel al salir de Egipto, antes se desvió *Israel* de ellos, y no los mató:

11. *He aquí que* proceden al contrario, y hacen todo esfuerzo para arrojarnos del país, cuya posesión nos diste.

12. ¡Oh Dios nuestro! ¿y no castigarás tú esas gentes? En nosotros ciertamente no hay tanta fuerza que podamos resistir a esa multitud que nos acomete. Mas no sabiendo lo que debemos hacer, no nos queda otro recurso que volver a ti nuestros ojos.

13. Estaba a la sazón todo Judá delante del Señor con los niños, mujeres e hijos.

14. Hallábase allí Jahaziel, hijo de Zacarías, hijo de Banaías, hijo de Jehiel, hijo de Matanías, Levita, de la familia de Asaf, y entró en él el Espíritu del Señor, en medio de aquel concurso,

15. Y dijo: Atención, oh pueblo de Judá, y vosotros habitantes de Jerusalén, y tu, oh rey Josafat: Esto os dice el Señor: No tenéis que temer ni acobardaros a vista de esa muchedumbre, porque el combate no está a cargo vuestro, sino de Dios.

16. Mañana marcharéis contra ellos, pues han de subir por la cuesta llamada Sis, y los encontraréis en la extremidad del torrente que corre hacia el desierto de Jeruel.

17. No tendréis vosotros que pelear; manteneos solamente a pie firme con confianza, y veréis, oh habitantes de Judá y Jerusalén, el socorro del Señor sobre vosotros; no tenéis que temer ni acobardaros; mañana saldréis contra ellos, y el Señor estará con vosotros.

18. Al oír esto Josafat, y el pueblo de Judá, y los habitantes todos de Jerusalén, se postraron rostro por tierra ante el Señor, y lo adoraron.

19. Al mismo tiempo los Levitas del linaje de Caat y del linaje de Coré, cantaban alabanzas al Señor Dios de Israel con grandes voces, que llegaban hasta el cielo.

20. Y a la mañana siguiente poniéndose en movimiento, tomaron el camino del desierto de Tecue; y comenzada la marcha, Josafat, puesto en medio de ellos, dijo: Oídme, varones de Judá, y vosotros habitantes todos de Jerusalén: Confiad en el Señor Dios vuestro, y estaréis seguros; creed a sus profetas, y todo irá felizmente.

21. Hizo después sus advertencias al pueblo, y señaló cantores del Señor, para que distribuídos en coros cantasen sus alabanzas, y precediendo al ejército, dijesen todos a una voz: Glorificad al Señor, porque es eterna su misericordia.

---

CAP. 20.— 1. En varios manuscritos, y aun en algunas ediciones de nuestra Vulgata, en vez de *Ammonitas* se lee *Idumeos;* y efectivamente éstos se hallaron en esta guerra. — Véanse versos 10 y 22.

**22.** Luego que dieron principio al canto, convirtió el Señor contra sí mismos las estratagemas de los enemigos, es decir, de los Ammonitas, y de los Moabitas, y de los pueblos de la montaña de Seir, que habían venido para pelear contra Judá, y quedaron derrotados.

**23.** Porque los Ammonitas y Moabitas se levantaron contra los moradores de la montaña de Seir, los destrozaron y acabaron con ellos; y ejecutado esto, volviendo luego las armas contra sí mismos, se mataron unos a otros a cuchilladas.

**24.** Los de Judá, así que llegaron a la altura desde donde se descubre el Desierto, vieron a los lejos todo aquel espacioso campo cubierto de cadáveres, y que ni uno siquiera había escapado de la mortandad.

**25.** Llegó, pues, Josafat con todo su ejército para tomar los despojos de los muertos; y hallaron entre los cadáveres muchas alhajas, y vestidos, y vasos preciosísimos, y lo tomaron todo; siendo tanto el botín, que no sabían cómo llevarlo, ni pudieron en tres días recoger todos los despojos.

**26.** Finalmente, el cuarto día se reunieron en el valle de la Bendición; pues por haber ellos bendecido allí al Señor, dieron a aquel lugar el nombre de valle de la Bendición, que conserva hasta hoy día.

**27.** Desde donde toda la tropa de Judá y los habitantes de Jerusalén regresaron a esta ciudad, precedidos de Josafat, alegres sobremanera por haberles concedido el Señor el triunfar de sus enemigos.

**28.** Y entraron en Jerusalén y en la Casa del Señor al son de salterios, y de cítaras, y de trompetas.

**29.** Y derramóse el terror del Señor sobre todos los reinos comarcanos, así que oyeron cómo el Señor había peleado contra los enemigos de Israel.

**30.** Con esto quedó en paz el reino de Josafat, y dióle el Señor tranquilidad por todas partes.

**31.** De esta suerte reinó Josafat sobre Judá; siendo de treinta y cinco años cuando comenzó a reinar; y reinó veinticinco años en Jerusalén; su madre se llamó Azuba, hija de Selahí.

**32.** E imitó a su padre Asá, sin degenerar de él en cosa alguna, haciendo lo que era acepto a los ojos del Señor.

**33.** Aunque no quitó los lugares excelsos, y el pueblo no había aún enderezado bien su corazón al Señor Dios de sus padres.

**34.** Los demás hechos de Josafat desde el principio al fin están escritos en el Libro de Jehú, hijo de Hanani, que los insertó en el Libro de los Reyes de Israel.

**35.** Al cabo Josafat, rey de Judá, *muerto Acab,* contrajo amistad con Ocozías, rey de Israel, cuyas obras fueron sumamente impías.

**36.** Y se unió con él para construir naves que hiciesen el viaje a Tarsis, y formaron una armada en Asiongaber.

**37.** Mas Eliezer, hijo de Dodau de Maresa, profetizó a Josafat, diciendo: Por cuanto has hecho liga con Ocozías, el Señor ha destruído tus designios. En efecto, las naves dieron al través, y no pudieron hacer el viaje a Tarsis.

## CAPITULO XXI

*Joram, hijo de Josafat, idólatra y cruel fratricida, es acometido de una horrible enfermedad, y muere malamente, como se lo había predicho Elías.*

**1.** Pasó, en fin, Josafat a descansar con sus padres, y fué sepultado con ellos en la ciudad de David; sucediéndole en el reino su hijo Joram:

**2.** Cuyos hermanos, hijos de Josafat, fueron Azarías, y Jahiel, y Zacarías, y Azarías, y Micael y Safatías; todos hijos de Josafat, rey de Judá.

**3.** Y dióles su padre muchas sumas de oro y de plata, y preciosidades, y ciudades muy bien pertrechadas en Judá; pero el reino entregósele a Joram, por ser el primogénito.

**4.** Tomó, pues, Joram posesión del reino de su padre; y asegurado en su trono, pasó a cuchillo a todos sus hermanos, y a algunos de los principales de Israel.

**5.** Treinta y dos años tenía Joram cuando comenzó a reinar; y reinó ocho años en Jerusalén.

**6.** Y siguió los pasos de los reyes de Israel, como lo había hecho la casa de Acab; pues tenía por mujer a una hija de éste, y *así* hizo lo malo en la presencia del Señor.

**7.** Mas el Señor no quiso destruir la casa de David. a causa del Pacto hecho con él, y por haberle prometido que le dejaría a él y a sus hijos una lámpara en todo tiempo.

---

**34.** Por los Reyes de *Israel* se entienden aquí y más adelante c. XXI, *v.* 2; XXIII, *v.* 2; XXIV, *v.* 16, etc., los que gobernaban el de Judá: al cual se habían unido los restos del reino de Israel ya destruído. El autor de este libro escribió cuando ya no existía el reino de Israel, y por lo mismo no era equívoco este nombre.

**8.** Por aquellos días se rebeló la Idumea, sacudiendo el yugo de Judá, y creóse rey propio.

**9.** Y pasando *a ella* Joram con sus capitanes y con toda la caballería que consigo tenía, salió de noche y derrotó a los Idumeos y a todos los capitanes de su caballería, que lo habían cercado.

**10.** Con todo eso la Idumea se mantuvo rebelde, sustrayéndose del dominio de Judá, como está hoy día. También en este tiempo se separó *la ciudad de* Lobna, negándole la obediencia; por haber *Joram* abandonado al Señor Dios de sus padres;

**11.** Además de que erigió *adoratorios en los* lugares altos de las ciudades de Judá, e hizo idolatrar a los habitantes de Jerusalén, y prevaricar a Judá.

**12.** Entonces le entregaron una carta del profeta Elías, en la cual estaba escrito: Esto dice el Señor Dios de tu padre David: Ya que tú no has seguido las pisadas de Josafat, tu padre, ni las pisadas de Asá, rey de Judá,

**13.** Sino que has andado por el camino de los reyes de Israel, y has hecho idolatrar a Judá, y a los habitantes de Jerusalén imitando la impiedad de la casa de Acab, además de haber muerto a tus hermanos, estirpe de tu padre, *harto* mejores que tú;

**14.** He aquí que te castigará el Señor con un terrible azote a ti y a tu pueblo, y a tus hijos y mujeres, y a todas tus cosas

**15.** Tú en particular enfermarás de una dolencia de vientre tan maligna, que irás echando las entrañas poco a poco un día tras otro.

**16.** Suscitó, pues, el Señor contra Joram el espíritu de los Filisteos y de los Arabes, confinantes con los Etíopes.

**17.** Y entraron en la tierra de Judá, y la devastaron, y saquearon cuanto había en el palacio del rey, llevándose además sus hijos y mujeres; sin que le quedase otro hijo que Joacaz, el cual era el menor de todos.

**18.** Y además de esto, hirióle el Señor con una enfermedad incurable de vientre.

**19.** De esta suerte, sucediéndose unos a otros los días y estaciones se pasaron dos años; hasta que consumido lentamente de la podredumbre, tanto que arrojaba sus mismas entrañas, acabó juntamente de penar y de vivir. Muerto que fué de tan horrible enfermedad, el pueblo no le celebró las exequias, quemándole *perfumes* como en sus antecesores, según costumbre.

**20.** Treinta y dos años tenía cuando comenzó a reinar, y ocho años reinó en Jerusalén. Su proceder no fué recto. Lo sepultaron en la ciudad de David; mas no en el sepulcro de los reyes.

## CAPITULO XXII

*Jehú quita la vida al impío Ocozías, hijo de Joram, y a Joram, rey de Israel. Atalía, madre de Ocozías, hace morir a los hijos de éste; pero Josabet salva a Joás el más pequeño de todos.*

**1.** Los habitantes de Jerusalén alzaron luego por rey, en lugar de Joram, a Ocozías, el menor de sus hijos: porque los mayores en edad habían sido todos muertos por las guerrillas árabes que habían invadido el campamento; reinó, pues, Ocozías, hijo de Joram, rey de Judá.

**2.** Cuarenta y dos años contaba Ocozías cuando entró a reinar, y un año reinó en Jerusalén; llamábase su madre Atalía, hija *de Acab, hijo* de Amri.

**3.** Pero también éste comenzó *luego* a seguir los pasos de la casa de Acab; porque su madre lo precipitó a la impiedad.

**4.** Hizo, pues, lo malo en la presencia del Señor como la casa de Acab; de la cual escogió sus consejeros después de la muerte de su padre, para perdición suya.

**5.** Y se gobernó por sus consejos. Y salió con Joram, hijo de Acab, rey de Israel, a la guerra contra Hazael, rey de Siria, en Ramot de Galaad, donde los Sirios hirieron a Joram:

**6.** El cual se retiró a Jezrael para curarse de sus heridas; pues fueron muchas las que recibió en aquella batalla. Por lo que Ocozías, hijo de Joram, rey de Judá, bajó a visitar a Joram, hijo de Acab, que se hallaba enfermo en Jezrael;

**7.** Porque fué voluntad de Dios *irritado* contra Ocozías, que éste pasase *a visitar* a Joram; y que después de llegado, saliese con él contra Jehú, hijo de Namsi, a quien ungió el Señor para exterminar la casa de Acab.

**8.** Estando, pues, Jehú destruyendo la casa de Acab, se encontró con *varios* príncipes de Judá, y con los hijos de los hermanos de Ocozías que estaban a su servicio, y les quitó la vida.

---

CAP. XXII. — 2. En algunos códices de los Setenta, en nuestra *Biblia Regia*, en el texto siríaco y en el árabe, se lee *veintidós*, como se dice en IV *Reg.* VIII, *v.* 26.

9. Y andando en busca del mismo Ocozías, que se había escondido en Samaria, se apoderó de él; y traído a su presencia, le hizo quitar la vida; y le dieron sepultura *en Jerusalén*, por ser hijo *o nieto* de Josafat, el cual había seguido al Señor con todo su corazón. Ni quedó ya esperanza alguna de que pudiese reinar nadie de la estirpe de Ocozías;

10. Porque Atalía, su madre, viendo muerto a su hijo, se alzó *con el reino*, y mató a toda la estirpe real de la casa de Joram.

11. Pero Josabet, hija del rey, tomó a Joás, hijo de Ocozías, robándolo de entre los *demás* hijos del rey, cuando los mataban, y lo escondió *juntamente* con su nodriza *en el Templo*, en la estancia del dormitorio *de los Sacerdotes y Levitas*. Esta Josabet, que lo escondió, y evitó que Atalía lo matase, era hija del rey Joram, mujer del pontífice Joíada, y hermana de Ocozías.

12. Conservóse, pues, escondido en su compañía, en el Templo del Señor, los seis años que duró el reinado de Atalía sobre el país.

## CAPITULO XXIII

*El pontífice Joíada unge a Joás por rey de Judá, y hace matar a Atalía. Restablécese el culto de Dios.*

1. Pero al séptimo año animóse Joíada; y uniéndose con los centuriones, es a saber, con Azarías, hijo de Jeroboam, e Ismael, hijo de Johanán, y Azarías, hijo de Obed, y Maasías, hijo de Adaías, y Elisafat, hijo de Zecri, hizo liga con ellos.

2. Los que recorriendo el país de Judá, juntaron los Levitas de todas sus ciudades, y los príncipes de las familias de Israel, y vinieron a Jerusalén.

3. Y todo este congreso se coligó con el rey en el Templo del Señor y díjoles Joíada: Ved aquí al hijo del rey, él es el que reinará, como el Señor lo tiene predicho de los hijos de David.

4. Lo que vosotros debéis ejecutar, es:

5. La tercera parte de vosotros, así Sacerdotes y Levitas como porteros que entráis de semana, estará en las puertas; otra tercera parte en la habitación del rey; y la otra tercera en la puerta llamada del Fundamento: el resto de la gente esté en los patios del Templo del Señor.

11. *IV Reg.* XI, v. 12.

6. Nadie entre en la Casa del Señor sino los sacerdotes y Levitas que están de servicio; éstos sólo entren, por estar consagrados, y todo el resto de la gente esté de centinela ante *la Casa* del Señor.

7. Los Levitas estarán alrededor del rey, todos armados (a cualquier otro que entre en el Templo, quítesele la vida), y acompañen al rey cuando entre y salga.

8. Los Levitas, pues, y todo Judá ejecutaron puntualmente las órdenes del pontífice Joíada. Y tomó cada uno los hombres que tenía a su mando, así los que venían según el turno para hacer la semana, como los que, cumplida su semana, debían salir: porque el pontífice Joíada no había permitido que se marcharan las compañías *de Levitas*, que al fin de la semana se sucedían unas a otras.

9. Y dió *luego* el *Sumo* sacerdote Joíada a los centuriones las lanzas, y escudos, y rodelas, consagradas al Templo del Señor por el rey David;

10. Y apostó toda la gente armada de dagas, desde la parte derecha del Templo hasta la izquierda delante del altar y del Templo, alrededor del rey.

11. En seguida sacaron al hijo del rey, y le ciñeron la corona, y el testimonio, y le pusieron en la mano el libro de la Ley, y lo proclamaron rey. Y el pontífice Joíada, asistido de sus hijos, lo ungió; y aclamáronle, diciendo: Viva el rey.

12. Mas habiendo oído Atalía el alborozo del pueblo, que iba corriendo y vitoreando al rey, se presentó al pueblo en el Templo del Señor;

13. Y viendo, así que entró, al rey puesto sobre el estrado *o trono*, y a los príncipes y tropas que le rodeaban, y al pueblo todo haciendo fiesta, y tocando las trompetas, y cantando al son de varios instrumentos; y oídas sus aclamaciones, rasgó sus vestiduras, y dijo: Traición, traición.

14. Pero el pontífice Joíada acercándose a los centuriones y comandantes del ejército, les dijo: Sacadla de dentro del recinto del Templo, y allá fuera degolladla; con lo que precavió el *Sumo* sacerdote que no fuese muerta dentro de la Casa del Señor.

15. Ellos asiéronla del cuello; y así que hubo entrado por la puerta de los caballos de la casa real, allí la mataron.

CAP. XXIII. — 11. O las insignias reales. El *testimonio* sería un pergamino en que estaba escrito algún documento de la Ley.

16. Hizo después Joíada pacto entre él y el pueblo todo con el rey, de que serían pueblo del Señor.

17. Por lo que todo el pueblo entró en el templo de Baal, y lo destruyeron, e hicieron pedazos sus altares y simulacros; y a Matán, sacerdote de Baal, lo degollaron ante sus aras.

18. Joíada estableció prefectos de la Casa del Señor, los cuales estaban subordinados a los Sacerdotes y Levitas, que habían sido distribuídos por David para el *servicio del* Templo del Señor, para ofrecer al Señor los holocaustos, según está escrito en la Ley de Moisés, con cánticos de alegría, conforme a lo dispuesto por David.

19. Puso asimismo porteros en las puertas del Templo del Señor, para que no entrase en él ninguno que por cualquiera causa fuese inmundo.

20. Y juntando consigo a los centuriones, y a los soldados más valientes, y a los príncipes del pueblo, y a toda la gente del país, dispusieron que bajase el rey de la Casa del Señor. y lo introdujeron por la puerta superior en el palacio del rey, y colocáronlo en el real solio.

21. Con eso, todo el pueblo del país sosegaba; habiendo perecido Atalía al filo de la espada.

## CAPITULO XXIV

*Joás, pervertido después de la muerte de Joíada, hace matar a Zacarías, hijo de éste. Irrupción de los Sirios, y muerte violenta de Joás.*

1. De siete años era Joás cuando comenzó a reinar; y cuarenta años reinó en Jerusalén; llamábase su madre Sebia, y era natural de Bersabee.

2. E hizo Joás lo que es bueno delante del Señor, mientras vivió el sacerdote Joíada:

3. Quien lo casó con dos mujeres, de quienes tuvo hijos e hijas.

4. Después de esto quiso Joás restaurar el Templo del Señor;

5. A cuyo fin, convocando los Sacerdotes y Levitas, díjoles: Salid por las ciudades de Judá, y recoged de todo Israel el dinero para los reparos anuales del Templo de vuestro Dios; y hacedlo presto. Pero los Levitas obraron con negligencia.

6. Por lo que llamó el rey al príncipe *de los sacerdotes* Joíada, y le dijo: ¿Cómo no has tenido cuidado de obligar a los Levitas a que recogiesen de Judá y de Jerusalén la contribución impuesta por Moisés, siervo del Señor, a todo el pueblo de Israel para *la fábrica* del Tabernáculo de la Alianza?

7. Porque la impiísima Atalía y sus hijos habían arruinado la Casa de Dios, y se sirvieron de todas las cosas consagradas al Templo del Señor para adornar el templo de Baal.

8. Mandó, pues, el rey que se hiciese un arca; la que colocaron junto a la puerta del Templo del Señor, por la parte de afuera;

9. Y se pregonó en Judá y en Jerusalén, que cada cual trajese al Señor la contribución señalada por Moisés, siervo de Dios, a todo Israel en el Desierto.

10. Alegráronse de esto todos los príncipes y el pueblo todo; y acudieron a echar en el arca del Señor el dinero, de suerte que la llenaron.

11. Así que llegaba el tiempo de llevar el arca a la presencia del rey por manos de los Levitas (cuando veían que había mucha cantidad de dineros, venía el secretario del rey con un comisionado elegido por el Sumo Sacerdote, y sacaban el dinero que había en el arca, la cual volvían a su sitio. Así lo hacían todos los días; y se recogió infinito dinero.

12. El cual entregaron el rey y Joíada a los sobrestantes de las obras del Templo del Señor; y éstos pagaban con él a los cantores, y a los varios artífices que trabajaban para reparar la Casa del Señor; e igualmente a los que trabajaban en hierro y en bronce, para asegurar lo que amenazaba ruina.

13. Y estos obreros trabajaron con esmero; y repararon las hendiduras de las paredes, restituyendo el Templo del Señor a su antiguo estado, y consolidándolo perfectamente.

14. Acabadas todas las obras, presentaron al rey y a Joíada el sobrante del dinero; del cual se hicieron los vasos para el servicio del Templo y para los holocaustos, como las tazas y demás vasos de oro y de plata. Y mientras vivió Joíada se ofrecían continuamente holocaustos en la Casa del Señor.

15. Pero Joíada, envejecido y cargado de días, vino a morir, siendo de edad de ciento y treinta años;

16. Y fué sepultado en la ciudad de David con los reyes, por el bien que había hecho a Israel y a su casa.

17. Mas después de muerto Joíada entraron los príncipes de Judá a postrarse a los pies del rey; el cual, halagado con sus obsequios *y lisonjeras razones*, se dejó llevar de ellos.

**18.** Y *así fué que* abandonaron el Templo del Señor Dios de sus padres, y dieron culto a los simulacros y bosques *a ellos consagrados;* pecado que acarreó la ira sobre Judá y Jerusalén.

**19.** Entretanto el Señor les enviaba profetas para que se convirtiesen a él; pero por más intimaciones que les hacían, no eran escuchadas.

**20.** Por último revistió Dios de su espiritu al *Sumo Sacerdote* Zacarías, hijo de Joíada; y presentándose delante del pueblo, les habló de esta manera: Esto dice el Señor Dios: ¿Por qué buscáis vuestra ruina traspasando los mandamientos del Señor, y lo habéis abandonado para ser de él abandonados?

**21.** Mas ellos aunados contra Zacarías, lo apedrearon por orden del rey, en el atrio del Templo del Señor.

**22.** Y no se acordó el rey Joás de los beneficios que le había hecho Joíada, padre de Zacarías, sino que mató a este hijo suyo; el cual dijo al morir: Véalo el Señor, y haga justicia.

**23.** Al cabo de un año salió a campaña contra él el ejército de Siria: entró en el país de Judá y en Jerusalén, y mató a todos los príncipes del pueblo; y remitieron todos los despojos a su rey, a Damasco.

**24.** A la verdad aunque los Sirios habían venido en cortísimo número, el Señor entregó en sus manos una multitud inmensa *de hijos de Israel,* por haber abandonado al Señor Dios de sus padres. También Joás fué maltratado por ellos de un modo ignominioso;

**25.** Y al partirse lo dejaron en grandes dolores: finalmente, sus propios criados se conjuraron contra él para vengar la sangre del hijo de Joíada, *Sumo* Sacerdote, y lo asesinaron en su misma cama, y quedó muerto; y lo enterraron en la ciudad de David, mas no en los sepulcros de los reyes.

**26.** Los que se conjuraron contra él, fueron Zabad, hijo de Semmaat, Ammonita, y Jozabad, hijo de Semarit, Moabita.

**27.** En orden a sus hijos, y a la suma del dinero que se recogió en su reinado, y al modo con que fué restaurada la Casa del Dios, todo esto está escrito por menor en el Libro de los Reyes. Sucedióle en el reino su hijo Amasías

---

**27.** No es este libro citado ninguno que tenemos entre los canónicos. Puede ser que fuese el libro del Profeta Addo, de que se ha hablado en el cap. XIII, *v.* 22. — Véase IV *Reg.* c. XII, *v.* 19.

## CAPITULO XXV

*Amacías vence a los Idumeos; pero por su idolatría y obstinación es derrotado y muerto a traición.*

**1.** De veinticinco años era Amasías cuando comenzó a reinar, veintinueve años reinó en Jerusalén. Llamóse su madre Joadán, natural de Jerusalén.

**2.** Y obró lo que es bueno en la presencia del Señor; mas no con un corazón perfecto.

**3.** Y luego que vió asegurado su imperio, hizo degollar a los criados que habían asesinado al rey su padre;

**4.** Pero no mató a sus hijos, conformándose con lo que está escrito en el libro de la Ley de Moisés, donde el Señor mandó expresamente: No morirán los padres por los hijos, ni los hijos por los padres, sino que cada uno morirá por su pecado *personal.*

**5.** Congregó después Amasías a Judá, y según la distribución de familias, puso tribunos y centuriones en todo Judá y Benjamín; e hizo el censo de su población desde veinte años arriba, y halló trescientos mil mozos hábiles para la guerra, y el manejo de lanza y broquel.

**6.** Tomó también a su sueldo cien mil valientes de Israel, por cien talentos de plata.

**7.** Entonces vino a encontrarle un varón de Dios, y le dijo: Oh rey, no vaya contigo el ejército de Israel, porque el Señor no está con Israel, ni con ninguno de los hijos de Efraím.

**8.** Que si piensas que en las guerras depende todo de la fuerza del ejército, Dios hará que tú seas vencido de los enemigos, porque en *mano* de Dios está el dar auxilio o poner en fuga.

**9.** Respondió Amasías al varón de Dios: ¿Pues y los cien talentos que he dado a los soldados de Israel? Replicóle el varón de Dios: Tiene el Señor de donde poder darte mucho más que eso.

**10.** Separó, pues, Amasías el ejército que le había venido de Efraím, para que se volviese a su país; y regresaron estas tropas a su tierra, muy irritadas contra Judá.

---

**CAP. XXV.** — 7. Había Dios hecho conocer varias veces que le desagradaba que el reino de Juda tuviese comunicacion con el de Israel, después que éste se había entregado a la impiedad. *Cap.* XV, *v.* 2; XVI, *v.* 7: XIX, *v.* 2. etc. Efraím: Esto es, con los que son del otro reino. separado del de Judá, cuya capital Samaria y su rey son la tribu de Efraím.

11. Amasías, lleno de confianza, puso en movimiento su gente, y se dirigió al valle de las Salinas, donde derrotó a diez mil de los hijos de Seir o *Idumeos.*

12. Los hijos de Judá hicieron prisioneros a otros diez mil hombres, y los condujeron a la cima de un despeñadero, desde cuya altura los precipitaron, reventando todos ellos.

13. Pero aquel ejército que había despedido Amasías por no llevarlo consigo a la guerra, derramó por las ciudades de Judá, desde Samaria hasta Bethorón; y habiendo pasado a cuchillo a tres mil personas, recogió mucho botín.

14. Empero Amasías después de la derrota de los Idumeos, trayéndose consigo los dioses de los hijos de Seir, los tomó por dioses suyos, y los adoraba y ofrecía incienso.

15. Por lo cual enojado el Señor contra Amasías, envióle un profeta que le dijese: ¿Cómo has adorado tú a unos dioses que no han *podido* librar a su pueblo de tus manos?

16. Y diciéndole esto el profeta, le respondió Amasías: ¿Eres tú, por ventura, consejero del rey? Calla, si no quieres te mande quitar la vida. Mas el profeta dijo al partirse: Sé que Dios ha decretado hacerte morir a ti por esa maldad que has cometido, y porque además no has dado oídos a mis consejos.

17. Tomó, pues, Amasías, rey de Judá, una pésima resolución, y envió a decir a Joas, hijo de Joacaz, hijo de Jehú, rey de Israel, *como desafiándole:* Ven, y nos veremos las caras.

18. Mas éste le volvió a enviar los mensajeros, diciendo: El cardo que se cría en el Líbano, envió a decir al cedro del Líbano: Da tu hija por mujer a mi hijo; y he aquí que las bestias que había en los bosques del Líbano pasaron y hollaron al cardo.

19. Tú has dicho: Yo he derrotado a los Idumeos: y con esto se ha engreído y ensorbecido tu corazón: estate quieto en tu casa: ¿a qué propósito provocas contra ti los desastres para perderte tú y Judá contigo?

20. No quiso escuchar Amasías; porque era disposición del Señor que fuese entregado en manos de sus enemigos, a causa de los dioses de Edom *que adoraba.*

21. Con esto salió a campaña Joás, rey de Israel, y se hallaron los dos uno en frente del otro. Estaba *acampado* Amasías, rey de Judá, en Betsames de Judá;

22. Y se amilanó Judá a la vista de Israel, y huyó a sus estancias.

23. Y Amasías, rey de Judá, hijo de Joás, hijo de Joacaz, fué hecho prisionero en Betsames por Joás, rey de Israel, quien lo llevó a Jerusalén: cuya muralla derribó por espacio de cuatrocientos codos, desde la puerta de Efraím hasta la puerta del Angulo.

24. Y llevóse a Samaria todo el oro y la plata, y cuantos vasos halló en la Casa de Dios, y en la habitación de Obededom, y en los tesoros de la casa real, y asimismo los hijos de los que estaban en rehenes.

25. Vivió Amasías, rey de Judá, hijo de Joás, quince años después de la muerte de Joás, rey de Israel, hijo de Joacaz.

26. Las demás acciones de Amasías, desde el principio al fin, están escritas en el Libro de los Reyes de Judá y de Israel.

27. Después que se apartó del Señor, tramaron una conjuración contra él en Jerusalén; y habiéndose huído a Laquís, despacharon gentes para que allí lo asesinasen, *como lo hicieron.*

28. Y transportado el cadáver en caballos, lo sepultaron con sus padres en la ciudad de David.

## CAPITULO XXVI

*Acciones loables de Ozías, hijo de Amasías; y sus victorias. Castigo de su engreimiento. Muere, y le sucede su hijo Jonatán.*

1. Después todo el pueblo de Judá proclamó por rey en lugar de Amasías a su hijo Ozías, de edad de dieciséis años.

2. Este reedificó a Ailat, habiéndola restituído al dominio de Judá, después que el rey *Amasías* fué a descansar con sus padres.

3. Dieciséis años tenía Ozías cuando comenzó a reinar, y reinó cincuenta y dos años en Jerusalén: llamábase su madre Jequelia, *natural* de Jerusalén.

4. E hizo lo que era recto en los ojos del Señor, imitando en todo a su padre Amasías.

5. Buscó con ansia al Señor mientras vivió Zacarías, varón prudente y profeta del Señor; y el Señor, a quien él buscaba, le encaminó bien en todas las cosas.

6. En fin, salió a campaña y peleó contra los Filisteos, y derribó los muros de Get y los de Jabnia, y los de Azoto; edificó asimismo castillos en Azoto y en tierra de los Filisteos;

7. Y ayudóle Dios contra los Filisteos, y contra los Arabes habitantes de Gurbaal, y contra los Ammonitas.

**8.** Los Ammonitas pagaban tributo a Ozías, cuyo nombre se hizo célebre a causa de sus continuas victorias, hasta la entrada de Egipto.

**9.** Edificó también Ozías torres en Jerusalén sobre la puerta del Angulo, y sobre la puerta del Valle, y otra en el mismo lado del muro, y las fortificó.

**10.** Levantó también torres *y cortijos* en el Desierto, e hizo muchísimas cisternas, pues tenía muchos ganados, así en las campiñas como en el vasto *país del* Desierto. Tuvo igualmente viñas y viñadores en los montes, y *especialmente* en el Carmelo; porque era hombre *muy* dado a la agricultura.

**11.** El ejército de sus guerreros, que salía a campaña, estaba bajo el mando de Jehiel, secretario, y de Maasías, doctor *de la Ley,* y de Anamías, uno de los generales del rey.

**12.** El número total de los príncipes o *jefes* de familia, varones esforzados, ascendía a dos mil y seiscientos.

**13.** Estos tenían a su mando todo el ejército, compuesto de trescientos siete mil y quinientos hombres hábiles para la guerra, y que combatían contra los enemigos del rey.

**14.** A todo este ejército le proveyó Ozías de broqueles, y lanzas, y de yelmos, y corazas, y de arcos, y de hondas para tirar piedras.

**15.** Además constituyó en Jerusalén máquinas de varias especies, que colocó en las torres y en los ángulos de los muros para disparar saetas y piedras grandes; y extendióse muy lejos *la gloria de* su nombre, porque el Señor le asistía y daba vigor.

**16.** Mas al verse tan poderoso, engrióse su corazón para ruina suya, y despreció a su Señor Dios; y habiendo entrado en el Templo del Señor, quiso ofrecer *allí* incienso sobre el altar de los perfumes.

**17.** Al instante entró en pos de él Azarías, *Sumo* Pontífice, acompañado de ochenta sacerdotes del Señor, hombres de gran firmeza;

**18.** Y se opusieron al rey, y le dijeron: Oh Ozías, no te pertenece a ti el ofrecer incienso al Señor, sino a los Sacerdotes, esto es, a los hijos de Aarón que han sido consagrados para este ministerio. Sal del Santuario; no quieras despreciar *nuestro consejo;* porque no será esa acción gloriosa para ti delante del Señor, *sino criminal.*

**19.** Pero Ozías, arrebatado de cólera, y teniendo en la mano el incensario para ofrecer el incienso, amenazaba a los sacerdotes; y de repente apareció la lepra en su frente, a vista de los sacerdotes, en la Casa del Señor, junto al altar de los perfumes.

**20.** Y habiéndolo mirado Azarías, *Sumo* Sacerdote, y todos los demás Sacerdotes, echaron de ver la lepra en su frente, y a toda prisa lo hicieron salir fuera. Y él mismo despavorido, se apresuró a salir, porque había sentido de repente el castigo que le había enviado el Señor.

**21.** Estuvo, pues, el rey Ozías leproso hasta su muerte, y habitó en una casa separada, cubierto de lepra, por motivo de la cual había sido echado del Templo del Señor. Entre tanto su hijo Joatam tomó el gobierno de la casa real, y administraba justicia al pueblo.

**22.** Los demás hechos primeros y postreros de Ozías los escribió el profeta Isaías, hijo de Amós.

**23.** Al fin fué Ozías a descansar con sus padres. y lo sepultaron en el campo de los reales sepulcros; *fuera de ellos,* porque era leproso. Sucedióle en el reino su hijo Joatam.

## CAPITULO XXVII

*Virtudes y prosperidades de Joam, a quien sucede su impío hijo Acaz.*

**1.** Veinticinco años tenía Joatam cuando comenzó a reinar, y dieciséis años reinó en Jerusalén: llamábase su madre Jerusa, hija de Sadoc.

**2.** Y procedió con rectitud a la presencia del Señor, conforme a todo lo que había hecho su padre Ozías; salvo que no se entrometió en el Templo del Señor; pero el pueblo seguía todavía en los desórdenes.

**3.** Joatam fué el que fabricó la puerta altísima del Templo del Señor, e hizo muchas obras en los muros *de la torre* Ofel.

**4.** También edificó ciudades en las montañas de Judá, y castillos y torres en los bosques.

**5.** Este hizo guerra al rey de los Ammonitas, a los cuales sujetó: por lo que diéronle por entonces los Ammonitas cien talentos de plata, y diez mil coros o *cargas* de trigo, y otros tantos de cebada: esto mismo le dieron los Ammonitas el segundo y tercer año.

**6.** Joatam, pues, se hizo poderoso, por haber procedido rectamente en los ojos del Señor Dios suyo.

---

CAP. XXVII. — 3. *Ofel* era una torre junto al Templo. II *Esdr.* III, *v.* 26.

**7.** Los demás hechos de Joatam, y todas sus batallas y empresas están escritas en el Libro de los Reyes de Israel y de Judá.

**8.** De veinticinco años era cuando entró a reinar; y reinó dieciséis años en Jerusalén.

**9.** Finalmente, Joatam fué a descansar con sus padres, y lo sepultaron en la ciudad de David; sucediéndole en el trono su hijo Acaz.

## CAPITULO XXVIII

*Maldades de Acaz, y desastres que acarrea a Judá; y a pesar de todo se obstina en su impiedad. Sucédele su hijo, el piadoso Ezequías.*

**1.** Veinte años tenía Acaz cuando comenzó a reinar; y dieciséis años reinó en Jerusalén. No se portó bien en la presencia del Señor, como su padre David;

**2.** Sino que siguió los senderos de los reyes de Israel; y además fundió estatuas a los baales *o ídolos.*

**3.** Este es aquel que ofreció incienso en el valle de Benennom, e hizo pasar sus hijos por el fuego, según el rito *idolátrico* de las naciones exterminadas por el Señor al arribo de los hijos de Israel.

**4.** Asimismo ofrecía sacrificios, y quemaba perfumes en las alturas y en los collados, y debajo de todo árbol frondoso.

**5.** Por eso el Señor Dios suyo lo entregó en poder del rey de Siria, el cual le derrotó, y tomó un gran botín de su reino, y se lo llevó a Damasco. También fué entregado en manos del rey de Israel, que hizo gran destrozo en su gente.

**6.** Pues Facee, hijo de Romelía, mató en un solo día ciento veinte mil *hombres* de Judá, todos ellos bravos soldados; porque habían abandonado al Señor Dios de sus padres.

**7.** Pero al mismo tiempo Zecri, hombre poderoso de Efraím, mató a Maasías, hijo del rey, y a Ezrica, su mayordomo, como también a Elcana, que tenía el segundo lugar después del rey.

**8.** Y los hijos de Israel hicieron cautivos de sus hermanos doscientos mil, mujeres, niños y niñas, y tomaron infinitos despojos, y los condujeron a Samaria.

**9.** Había allí en aquella sazón un profeta del Señor, llamado Oded, el cual, saliendo al encuentro del ejército que venía a Sama-

ria, les dijo: Habéis visto que el Señor Dios de vuestros padres, irritado contra los hijos de Judá, los ha entregado en vuestras manos; mas vosotros les habéis quitado la vida atrozmente; tanto que vuestra crueldad ha subido hasta el cielo.

**10.** Además de esto queréis subyugar a los hijos de Judá y de Jerusalén, como a esclavos y a esclavas, cosa que de ninguna manera debéis hacer; pues en esto pecáis contra el Señor Dios vuestro.

**11.** Oíd, pues, *ahora* mi consejo: Volved a enviar a sus casas esos prisioneros hermanos vuestros, que habéis traído *acá;* porque el furor grande del Señor está para caer sobre vosotros.

**12.** Con esto algunos de los príncipes de los hijos de Efraím *o de Israel,* Azarías, hijo de Joanán, Baraquías, hijo de Mosollamot, Ezequías, hijo de Sellum, y Amasa, hijo de Adalí, se opusieron a pie firme a los que venían de la batalla,

**13.** Y les dijeron: No introduciréis acá esos cautivos; porque pecaríamos contra el Señor. ¿Cómo pretendéis aumentar nuestros pecados y colmar la medida de los antiguos delitos, puesto que es ése un gran pecado, y la terrible ira del Señor va a descargar sobre Israel?

**14.** Con eso los soldados soltaron los despojos y todo cuanto habían tomado delante de aquellos príncipes y de todo el pueblo;

**15.** Y los varones antes mencionados, tomando a los cautivos y a todos los desnudos, los vistieron de los despojos; y después de haberlos vestido y calzado, y confortado con comida y bebida, y ungido para aliviarlos del cansancio, y cuidádolos con mucho esmero, montaron en jumentos a los que no podían andar y eran de cuerpo débil, y los condujeron a Jericó, ciudad de las palmas, a sus hermanos; y después se volvieron a Samaria.

**16.** En aquel tiempo envió el rey Acaz a pedir socorro al rey de los Asirios.

**17.** Entretanto entraron los Idumeos en el país de Judá, y mataron mucha gente, y tomaron un gran botín.

**18.** Asimismo los Filisteos se derramaron por las ciudades de la llanura, y por la parte meridional de Judá, y se apoderaron de Betsames, y de Ayalón y de Gaderot, como también de Socó, y de Tamnán, y de Gamzo con sus aldeas, y se establecieron en ellas.

**19.** Porque el Señor había humillado a Judá por *los pecados de* Acaz, rey de Judá, a quien dejó sin amparo por su desprecio del Señor.

CAP. XXVIII. — 1. Véase IV *Reg.* XVI, *v.* 2.

**20.** El cual hizo mover contra él a Telgatfalna-sar, rey de los Asirios, que también lo afligió y taló *el país* sin hallar resistencia alguna.

**21.** Acaz, pues, despojando el Templo del Señor, y el palacio real, y las casas de los príncipes, ofreció dones al rey de los Asirios, y sin embargo de nada le sirvió.

**22.** Sobre todo esto, en el mismo tiempo de su angustia aumentó las ofensas contra el Señor; *de suerte que* el mismo rey Acaz en persona

**23.** Inmoló víctimas a los dioses de Damasco *que creía* sus enemigos, diciendo: Los dioses de los reyes de Siria son los que protegen: yo los aplacaré, *pues,* con sacrificios, y se pondrán de mi parte: cuando al contrario ellos fueron la causa de su ruina y de la de todo Israel.

**24.** Acaz, pues, habiendo quitado todos los vasos de la Casa de Dios, y hécholos pedazos, cerró las puertas del Templo de Dios, y erigióse altares en todas las esquinas de Jerusalén.

**25.** Asimismo los erigió en todas las ciudades de Judá para quemar sobre ellos incienso, provocando la indignación del Señor Dios de sus padres.

**26.** Las demás cosas suyas y todas sus obras primeras y postreras, están escritas en el Libro de los Reyes de Judá y de Israel.

**27.** En fin, pasó Acaz a descansar con sus padres, y lo sepultaron en la ciudad de Jerusalén; pues no quisieron colocarlo en los sepulcros de los reyes de Israel *o Judá.* Sucedióle en el reino su hijo Ezequías.

## CAPITULO XXIX

*Ezequías restaura con fervor el Culto Divino y ofrece lleno de gozo gran número de holocaustos y de sacrificios.*

**1.** Comenzó, pues, a reinar Ezequías a la edad de veinticinco años; y reinó veintinueve en Jerusalén: su madre se llamó Abía, hija de Zacarías.

**2.** E hizo lo que era acepto a los ojos del Señor, siguiendo en todo el proceder de su padre David.

**3.** En el primer año y mes de su reinado abrió las puertas del Templo del Señor, y las renovó.

**4.** E hizo volver los Sacerdotes y Levitas, y juntándolos en la plaza oriental,

**5.** Les dijo: Escuchadme, oh Levitas: Purificaos; limpiad la Casa del Señor Dios de vuestros padres, y quitad del Santuario toda inmundicia.

**6.** Pecaron nuestros padres, y cometieron la maldad en presencia del Señor Dios nuestro, abandonándole; apartaron sus rostros del Tabernáculo del Señor, y volviéronle las espaldas.

**7.** Cerraron las puertas del atrio, y apagaron las lámparas; dejaron de quemar el incienso y de ofrecer los holocaustos en el Santuario al Dios de Israel.

**8.** Por eso la ira del Señor se ha encendido contra Judá y Jerusalén, y los ha abandonado a la turbación, y a la ruina, y al escarnio; como vosotros mismos lo estáis viendo con vuestros ojos.

**9.** Ved cómo nuestros padres han perecido al filo de la espada; y nuestros hijos e hijas, y nuestras mujeres han sido llevadas cautivas por esa maldad.

**10.** Ahora, pues, yo deseo que hagamos alianza con el Señor Dios de Israel, a fin de que aparte de nosotros el furor de su ira.

**11.** Hijos míos, no seáis negligentes; a vosotros os ha escogido el Señor para que asistáis en su presencia, y le sirváis y déis culto, y le ofrezcáis incienso.

**12.** Al punto se presentaron los Levitas: del linaje de Caat, Mahat, hijo de Amasai, y Joel, hijo de Azarías; del linaje de Merari, Cis, hijo de Abdí, y Azarías, hijo de Jalaleel; del linaje de Gersom, Joa, hijo de Zemma, y Edén, hijo de Joá;

**13.** Del linaje de Elisafán, Samri y Jahiel: del linaje de Asaf, Zacarías y Matanías.

**14.** Asimismo del linaje de Hemán, Jahiel y Semei; y del linaje de Iditún, Semeías y Oziel.

**15.** Los cuales congregaron a sus hermanos, y se purificaron, y entraron conforme a la orden del rey y al mandamiento del Señor en la Casa de Dios para purificarla.

**16.** Igualmente los sacerdotes habiendo entrado en el *Santuario* del Templo del Señor para purificarle, sacaron al atrio de la Casa del Señor todas las inmundicias que hallaron dentro, y de allí las tomaron los Levitas, y lleváronlas fuera al torrente de Cedrón.

**17.** El día primero del primer mes, *llamado Nisán,* principiaron a limpiar; y el día octavo del mismo mes entraron en el pórtico del Templo del Señor, y por ocho días estuvieron purificando el Templo: y a los dieciséis del dicho mes acabaron la obra comenzada.

---

CAP. XXIX. — 4. A esta plaza del Oriente venía a caer la puerta principal del templo.

18. Presentándose luego al rey Ezequías, le dijeron: Hemos purificado toda la Casa del Señor, y el altar de los holocaustos y sus instrumentos, como también la mesa de la proposición con todos sus utensilios,

19. Y todas las alhajas del Templo, profanadas por el rey Acaz durante su reinado, después que prevaricó; y he aquí que están todas puestas *en orden* delante del altar del Señor.

20. En consecuencia, el rey Ezequías, levantándose muy de mañana, congregó a todos los príncipes *o magnates* de la ciudad, y subió al Templo del Señor,

21. Y ofrecieron todos juntos siete toros, y siete carneros, y siete corderos, y siete machos cabríos por *la expiación de* el pecado, por el reino *o delitos del rey*, por *la profanación de* el santuario, y por *los pecados de todo* Judá; y dijo a los Sacerdotes, hijos de Aarón, que los ofreciesen sobre el altar del Señor.

22. Sacrificaron, pues, los sacerdotes los toros, y recibieron la sangre, y derramáronla sobre el altar; como también los carneros; y asimismo los corderos, cuya sangre derramaron igualmente sobre el altar.

23. En cuanto a los machos cabríos *ofrecidos* por el pecado, los hicieron arrimar delante del rey y de todo el pueblo, y pusieron sus manos sobre ellos,

24. E inmoláronlos los sacerdotes, y con su sangre rociaron el altar por la expiación *de los pecados* de todo Israel; porque el rey había mandado que se ofreciese holocausto por todo Israel y por el pecado.

25. Estableció también Levitas en el Templo del Señor con *sus* címbalos, y salterios, y citaras, según la disposición del rey David, y de Gad profeta, y del profeta Natán: porque éste fué un mandamiento del Señor, intimado por medio de sus profetas.

26. Y estos Levitas asistieron con los instrumentos músicos de David, y los sacerdotes con las trompetas.

27. Entonces ordenó Ezequías que se ofreciesen los holocaustos sobre el altar; y mientras que los holocaustos se ofrecían, comenzaron a cantar las alabanzas del Señor, y a tocar las trompetas, y acompañar el canto de los varios instrumentos músicos, dispuestos por David, rey de Israel.

28. Entre tanto, mientras todo el pueblo adoraba *al Señor,* los cantores y los que tenían las trompetas hacían su oficio, hasta que fué consumido el holocausto.

29. Concluída la ofrenda, el rey y todos los que con él estaban, postrándose, adoraron *al Señor.*

30. En fin, Ezequías y los príncipes mandaron a los Levitas que alabasen al Señor con los cánticos de David y del profeta Asaf; e hiciéronlo con grande alegría, y dobladas las rodillas en tierra adoraron *al Señor.*

31. Añadió todavía Ezequías: Vosotros habéis sido consagrados al Señor: venid, *pues,* y ofreced víctimas y alabanzas en la Casa del Señor. Y toda la muchedumbre ofreció víctimas, y alabanzas, y holocaustos con devoto corazón.

32. El número de los holocaustos ofrecidos por el pueblo fué éste: Setenta toros, cien carneros y doscientos corderos.

33. Además consagraron al Señor seiscientos bueyes y tres mil ovejas.

34. Pero los Sacerdotes eran pocos, y no bastaban por sí solos para desollar las reses de los holocaustos; por cuyo motivo les ayudaron los Levitas, sus hermanos, hasta que se acabó la función, y se hubieron purificado *más* Sacerdotes: porque los Levitas se purifican con menos ceremonias que los sacerdotes.

35. Así fueron muchísimos los holocaustos, y las grosuras de las víctimas pacíficas, y las libaciones de los holocaustos; y quedó restablecido el culto del Templo del Señor.

36. De lo que manifestaron gran gozo Ezequías y todo el pueblo, viendo la restauración del culto del Señor. Porque semejante resolución había sido tomada de improviso.

## CAPITULO XXX

*Celebra Ezequías una Pascua solemnísima en Jerusalén, convocando para ella a todo Israel y Judá.*

1. Envió después Ezequías por todo Israel y Judá, y *en particular* escribió cartas a Efraím y a Manasés, convidándolos a venir al Templo del Señor en Jerusalén para celebrar la Pascua al Señor Dios de Israel.

2. Pues habiendo tenido consejo el rey con los príncipes *o magnates* y con toda la sinagoga de Jerusalén, determinaron celebrar la Pascua en el mes segundo.

3. Visto que no habían podido celebrarla a su tiempo, por cuanto no estaban purificados bastantes Sacerdotes, y el pueblo no se había podido reunir todavía en Jerusalén.

---

2. *Num.* IX, *v.* 10 y 11.

**4.** Fué esta resolución muy del agrado del rey y de toda la muchedumbre.

**5.** Por lo que determinaron enviar mensajeros por todo Israel desde Bersabee hasta Dan, convidando a *los pueblos* a venir a celebrar la Pascua al Señor Dios de Israel en Jerusalén; pues muchos no la habían celebrado *tiempo había*, a pesar de lo ordenado por la Ley.

**6.** En efecto, salieron correos de orden del rey y de sus magnates, con cartas circulares para todo Israel y Judá; en las cuales, conforme a lo mandado por el rey, se decía: Hijos de Israel, convertíos al Señor, Dios de Abraham, y de Isaac, y de Israel, y él acogerá las reliquias que han escapado del poder del rey de los Asirios.

**7.** No queráis imitar a vuestros padres y hermanos, que se alejaron del Señor Dios de sus padres, y el Señor los abandonó a la perdición, como vosotros mismos estáis viendo.

**8.** No endurezcáis vuestros corazones, como vuestros padres: rendíos al Señor, y venid a su Santuario, que santificó para siempre: servid al Señor Dios de vuestros padres, y se apartará de vosotros su furor e indignación.

**9.** Porque si vosotros os convertís al Señor, vuestros hermanos e hijos hallarán compasión en sus amos, que los llevaron cautivos, y volverán a esta tierra; puesto que piadoso y clemente es el Señor vuestro Dios, y no ha de torcer su rostro, si os volviereis a él.

**10.** Iban, pues, corriendo los correos de ciudad en ciudad por el país de Efraím y de Manasés hasta el de Zabulón; mas estos pueblos se reían y mofaban de ellos.

**11.** Sin embargo, algunos varones de Aser, de Manasés y de Zabulón, abrazando el consejo, vinieron a Jerusalén.

**12.** Al contrario, en Judá obró la mano del Señor, dándoles a todos un mismo corazón para obedecer la palabra del Señor, conforme a la intimación del rey y de los príncipes.

**13.** Con esto se congregaron en Jerusalén muchos pueblos para celebrar la fiesta de los Azimos *o la Pascua*, en el mes segundo.

**14.** E inmediatamente destruyeron los altares que había en Jerusalén; y todos los parajes donde se ofrecía incienso a los ídolos, los arruinaron, y arrojáronlo *todo* en el torrente Cedrón.

**15.** Y sacrificaron el cordero pascual el día catorce del mes segundo. También los Sacerdotes y Levitas, que por fin se habían ya purificado, ofrecieron holocaustos en el Templo del Señor;

**16.** Y ejercieron sus funciones conforme a

lo expuesto en la ley de Moisés, varón de Dios. Recibían los sacerdotes de mano de los Levitas la sangre que se debía derramar;

**17.** Porque como muchísima gente no estaba todavía purificada, por eso los Levitas degollaron el cordero pascual por aquellos *padres de familia* que no habían acudido *a tiempo* para purificarse delante del Señor.

**18.** Y aun gran parte del pueblo de Efraím y de Manasés, y de Isacar, y de Zabulón, que no estaba purificado, comieron el cordero, no según la Escritura. Mas Ezequías hizo oración por ellos, diciendo: El Señor, que es *infinitamente* bueno, se apiadará

**19.** De todos aquellos que de todo corazón buscan al Señor Dios de sus padres; y no les imputará la falta de no estar bien purificados.

**20.** Con efecto, oyóle benigno el Señor, y perdonó al pueblo.

**21.** De esta manera los hijos de Israel, que se hallaron en Jerusalén, celebraron con grande alegría la solemnidad de los Azimos por espacio de siete días, cantando cada día alabanzas al Señor, y asimismo los Levitas y Sacerdotes con los instrumentos músicos correspondientes a su oficio.

**22.** Ezequías por su parte dió las gracias a todos los Levitas, los cuales tenían mucho conocimiento en las cosas del Señor, *y los alentó:* y los siete días que duró la solemnidad comieron de las víctimas pacíficas que ofrecían, alabando al Señor Dios de sus padres.

**23.** Y todo aquel concurso acordó hacer fiesta aún otros siete días: como lo ejecutaron con sumo gozo.

**24.** Porque Ezequías, rey de Judá, había dado para aquel gentío mil toros y siete mil ovejas; y los príncipes o *magnates* habían añadido mil toros y diez mil ovejas; por lo que se purificó un gran número de sacerdotes.

**25.** Así, pues, rebosaba de alegría toda la gente de Judá, junto con los Sacerdotes y Levitas, no menos que todo el concurso que había acudido de Israel, como también los prosélitos, tanto los del país de Israel, como los que habitaban en tierra de Judá.

**26.** En suma, fué grande esta solemnidad que se celebró en Jerusalén, y cual no se había visto semejante en aquella ciudad desde el tiempo de Salomón, hijo de David, rey de Israel.

---

25. *Exod.* XII, *v.* 48.

**27.** Finalmente, los Sacerdotes y Levitas, puestos en pie, bendijeron al pueblo; y fué oída su voz *por el Señor;* y su oración penetró hasta la morada santa del cielo.

## CAPITULO XXXI

*El pueblo destruye los ídolos y sus bosques en Judá y en Efraím. Distribuye Ezequías los ministerios de los sacerdotes y de los Levitas. Hace el pueblo ofrendas copiosas.*

**1.** Concluídas todas las ceremonias de la fiesta, salieron todos los Israelitas que moraban en las ciudades de Judá, e hicieron pedazos los ídolos, y cortaron los bosques *a ellos dedicados,* y derribaron los *adoratorios de los* lugares altos, y destruyeron los altares; no sólo en todo el país de Judá y de Benjamín, sino también de Efraím y Manasés; ni pararon hasta no dejar rastro de ellos; y *después de esto* se volvieron todos los hijos de Israel a sus posesiones y ciudades.

**2.** Y Ezequías restableció las clases de los Sacerdotes y Levitas según sus turnos, poniendo a cada uno, así de los sacerdotes como de los Levitas, en su propio oficio, para *que ofreciesen* los holocaustos y las víctimas pacíficas, a fin de que sirviesen y glorificasen *a Dios,* y cantasen en las puertas del campamento *o atrios de la Casa* del Señor.

**3.** Corría de cuenta del rey suministrar el holocausto *perpetuo,* que siempre se ofrece por mañana y tarde; como también *los que se ofrecen* en los sábados, y calendas, y demás fiestas solemnes, como está escrito en la Ley de Moisés.

**4.** Mandó asimismo al pueblo avecindado en Jerusalén que diese a los Sacerdotes y Levitas sus porciones a fin de que pudiesen ocuparse en *las cosas de* la Ley del Señor.

**5.** Promulgado el edicto al pueblo, *al instante* los hijos de Israel ofrecieron gran cantidad de primicia de trigo, de vino y de aceite, y también de miel; y ofrecieron el diezmo de cuanto produce la tierra.

**6.** Del mismo modo los hijos de Israel y de Judá, que habitaban en las ciudades de Judá, ofrecieron el diezmo de los bueyes y de las ovejas, y el diezmo de las cosas consagradas, que tenían ofrecidas con voto al Señor Dios suyo: y trayendo todas estas cosas formaron de ellas grandes acopios.

**7.** El mes tercero comenzaron a formar estos acopios y acabaron el séptimo.

**8.** Y entrando *allí* Ezequías y sus cortesanos, al ver los montones, bendijeron al Señor, y *elogiaron* al pueblo de Israel.

**9.** Y preguntó Ezequías a los Sacerdotes y Levitas, por qué estaban allí por tierra aquellos montones.

**10.** Respondióle Azarías, del linaje de Sadoc, primer Sacerdote, diciendo: Desde que comenzaron a ofrecerse las primicias en la Casa del Señor, hemos comido de ellas hasta saciarnos; pero es muchísimo lo que ha sobrado, porque el Señor ha echado la bendición sobre el pueblo; y esta abundancia que ves es de lo que sobró.

**11.** Mandó, pues, Ezequías que dispusiesen almacenes en la Casa del Señor; lo cual ejecutado,

**12.** Metieron en ellos fielmente, tanto las primicias como los diezmos, y las ofrendas por voto. Encargóse la superintendencia *o custodia* de todo esto a Conenías, Levita, y en segundo lugar a Semeí, su hermano;

**13.** Y después de éste a Jahiel, y a Azarías, y a Nahat, y a Asael, y a Jerimot, y a Jozabad, y a Eliel, y a Jesmaquías, y a Mahat, y a Banaías, que fueron los administradores bajo las órdenes de Conenías, y de Semeí, su hermano, por mandato del rey Ezequías, y de Azarías, pontífice de la Casa de Dios; a quienes se daba cuenta de todo.

**14.** Por otra parte, Coré, hijo de Jemna, Levita y ostiario de la puerta oriental, estaba encargado de los dones que se ofrecían voluntariamente al Señor, y de las primicias para uso del Sancta Sanctórum.

**15.** Estaban bajo sus órdenes, Edén, y Benjamín, Jesué, y Semeías, y Amarías, y Sequenías en las ciudades sacerdotales para distribuir fielmente las porciones a sus hermanos, así pequeños como grandes;

**16.** Y además de los varones de tres años arriba, a todos aquellos que tenían entrada en el Templo del Señor; y *en fin,* para proveer diariamente de todo lo conducente a los diferentes ministerios y oficios según sus clases.

**17.** Igualmente a los Sacerdotes y Levitas de veinte años arriba, según sus familias, clases y número,

**18.** Y a toda la multitud, así de sus mujeres como de sus hijos de ambos sexos, se suministraban fielmente alimentos de las cosas que habían sido ofrecidas.

**19.** Asimismo, de los hijos de Aarón había algunos que estaban distribuídos por la campiña y arrabales de cada ciudad para repartir las raciones a todos los hijos varones de la estirpe sacerdotal y levítica.

**20.** Hizo, pues, Ezequías todas estas cosas que hemos dicho en todo el reino de Judá; y obró lo que era bueno, recto y justo delante del Señor Dios suyo,

**21.** En todo aquello que exigía el ministerio de la Casa del Señor, según la Ley y las ceremonias, deseoso de complacer a su Dios con todo su corazón: hízolo así, y todo le salió prósperamente.

## CAPITULO XXXII

*El blasfemo Sennaquerib es derrotado por el ángel del Señor, y muerto infelizmente por sus mismos hijos. Ezequías se arrepiente de su engreimiento. Le sucede su hijo, el impío Manasés.*

**1.** Después de estas cosas, y de tanta fidelidad de *Ezequías*, sobrevino Sennaquerib, rey de los Asirios: y entrándose por las tierras de Judá, puso sitio a las ciudades fuertes para apoderarse de ellas.

**2.** Lo cual visto por Ezequías, es a saber, que Sennaquerib se acercaba, y que todo el ímpetu de la guerra se dirigía contra Jerusalén,

**3.** Celebrado consejo con sus magnates, y con los hombres más valerosos, y conviniendo todos con el dictamen de cegar los manantiales de las fuentes, que había fuera de la ciudad,

**4.** Reunió grandísimo número de gente, y cegaron todas las fuentes y el arroyo *Cedrón* que corría por medio del territorio, diciendo: Con esto, si vienen los reyes de los Asirios, no hallarán abundancia de agua.

**5.** Al mismo tiempo reparó con gran diligencia todas las partes del muro que estaban ya arruinadas, y fabricó torres encima y otro muro exterior; y restauró *la fortaleza* de Mello en la ciudad de David *o monte Sión,* e hizo provisión de todo género de armas y escudos.

**6.** Nombró también generales de las tropas y convocólos a todos en la plaza de la puerta de la ciudad; y hablóles al alma, diciendo:

**7.** Portaos con valor, y cobrad bríos: no temáis, ni hayáis miedo del rey de los Asirios, ni de todo el gentío que viene con él; porque muchos más están por nuestra parte que por la suya.

**8.** Pues él tiene consigo un brazo de carne; pero con nosotros está el Señor Dios nuestro, el cual es nuestro defensor, y pelea por nosotros. Al oír el pueblo estas palabras de Ezequías, rey de Judá, cobró gran aliento.

**9.** Pasadas estas cosas, Sennaquerib, rey de los Asirios (estando con todo su ejército sitiando a Laquís) envió sus mensajeros a Jerusalén a decir a Ezequías, rey de Judá, y a todo el pueblo que se hallaba en la ciudad:

**10.** Esto dice Sennaquerib, rey de los Asirios: ¿En quién ponéis vuestra confianza para manteneros así cercados en Jerusalén?

**11.** ¿Acaso os tiene engañados Ezequías para dejaros morir de hambre y de sed, con aseguraros que el Señor, vuestro Dios, os librará de las manos del rey de los Asirios?

**12.** Pues qué, ¿no es ese Ezequías el que destruyó sus *adoratorios en las* alturas y sus altares; e intimó a los habitantes de Judá y de Jerusalén, diciendo: Delante de un solo altar habéis de adorar, y en él sólo quemar el incienso?

**13.** ¿Ignoráis por ventura lo que yo y mis padres hemos hecho con todos los pueblos de la tierra? ¿Acaso los dioses de las naciones y de todos los países han tenido poder para librar de mis manos a sus regiones?

**14.** ¿Cuál es el dios entre todos los dioses de las naciones, exterminadas por mis padres, que haya podido salvar a su pueblo de mis manos, para que *creáis que* pueda también libraros vuestro Dios?

**15.** No os dejéis, pues, engañar de Ezequías, ni seducir con vanas persuasiones, y no le déis crédito; porque si ninguno de los dioses de las naciones, ni de los otros reinos, pudo librar a su pueblo de mis manos, ni de las manos de mis padres, es consiguiente que tampoco vuestro Dios podrá libertaros de caer en las mías.

**16.** Otras muchas cosas hablaron también los mensajeros de Sennaquerib contra el Señor Dios y contra Ezequías, su siervo.

**17.** Escribió igualmente unas cartas llenas de blasfemia contra el Señor Dios de Israel, diciendo contra él: Así como los dioses de las demás naciones no pudieron librar a sus pueblos de caer en mis manos, tampoco podrá el Dios de Ezequías salvar a su pueblo del poder mío.

---

CAP. XXXII. — 7. IV *Reg.* VI, *v.* 16 y 17.

18. Sobre todo a grandes voces gritaba en lengua hebrea contra el pueblo que estaba sobre los muros de Jerusalén, a fin de aterrarle y apoderarse de la ciudad.

19. Y hablaba del Dios de Jerusalén, como de los dioses de las otras naciones de la tierra, que son obra de las manos del hombre.

20. Pero el rey Ezequías y el profeta Isaías, hijo de Amós, hicieron oración contra este blasfemador, y alzaron sus clamores hasta el cielo:

21. Y envió el Señor un Angel, que mató a todos los hombres fuertes y belicosos, y al general del ejército de *Sennaquerib* rey de los Asirios; el cual se volvió a su tierra cubierto de ignominia. Y habiendo entrado en el templo de su dios, lo atravesaron con la espada sus propios hijos.

22. De esta suerte salvó el Señor a Ezequías y a los habitantes de Jerusalén, de las manos de Sennaquerib, rey de los Asirios, y de las manos de los demás *enemigos*, y dióles paz por todas partes.

23. Y muchos ofrecían también víctimas para los sacrificios del Señor en Jerusalén, y presentes a Ezequías, rey de Judá; el cual de allí en adelante gozó de gran consideración entre las naciones todas.

24. Por aquel tiempo cayó Ezequías enfermo de muerte, e hizo oración al Señor; el cual le oyó, y dióle una señal *de ello.*

25. Pero Ezequías no correspondió a los beneficios recibidos, porque su corazón se envaneció. por lo cual la ira *del Señor* se encendió contra él, y contra Judá, y contra Jerusalén.

26. Mas después se humilló *arrepentido* de haberse ensoberbecido en su corazón, tanto él como los habitantes de Jerusalén; por cuya razón no descargó sobre ellos la ira del Señor, mientras vivió Ezequías.

27. Como quiera, Ezequías fué muy rico y esclarecido, y juntó grandes tesoros de plata y oro, y piedras preciosas, y aromas, y todo género de armas y de alhajas de gran valor.

28. Formó asimismo almacenes de granos, de vino, y de aceite, y establos para toda especie de jumentos, y apriscos para ganados;

29. Y edificó para sí ciudades *o poblaciones;* porque tenía innumerables rebaños de ovejas y ganados mayores; por haberle dado el Señor bienes inmensos.

30. Este es aquel Ezequías, que tapó el manantial *o fuente* alta de las aguas de Gihón, y las encaminó por un conducto subterráneo hacia el Poniente de la ciudad de David. En todas sus empresas salió felizmente, a medida de su deseo.

31. Verdad es que de resultas de haberle sido enviados por embajadores magnates de Babilonia, para que se informaran del prodigio, que *por ocasión suya* había acaecido en la tierra, el Señor le dejó de su mano; a fin de probarle y hacer patente todo cuanto tenía en su corazón.

32. Por lo que toca a las otras acciones de Ezequías y sus obras de misericordia, se hallan escritas en la Visión del profeta Isaías, hijo de Amós, y en el Libro de los Reyes de Judá y de Israel.

33. Al fin Ezequías fué a descansar con sus padres, y lo sepultaron *en un lugar elevado* sobre los sepulcros de los hijos de David, *sus predecesores;* y celebró sus exequias todo *el reino* de Judá, con todos los moradores de Jerusalén: y sucedióle en el reino su hijo Manasés.

## CAPITULO XXXIII

*Manasés, después de sus impiedades, se convierte a Dios en su cautiverio de Babilonia, y es restituido a su reino. Sucédele su impío hijo Amón; y a éste, asesinado luego por los suyos, el piadoso Josías, su hijo.*

1. Doce años tenía Manasés cuando entró a reinar, y reinó cincuenta y cinco en Jerusalén.

2. Pero obró el mal en la presencia del Señor, imitando las abominaciones de las gentes, exterminadas por el Señor al arribo de los hijos de Israel;

3. Y restableció otra vez los *adoratorios en los* lugares altos, demolidos por su padre Ezequías; y erigió altares a los Baales *o ídolos,* y plantó arboledas *en honor suyo,* y adoró a toda la milicia del cielo, y rindióle culto.

4. Fabricó también altares en la Casa del Señor, de la cual tenía el Señor dicho: En Jerusalén se invocará mi Nombre eternamente.

5. Y estos altares los erigió a todo el ejército del cielo en los dos atrios del Templo del Señor.

21. IV. *Reg.* XIX, *v.* 35.

6. E hizo pasar por el fuego a sus hijos en el valle de Benennom. Observaba los sueños, consultaba agüeros, valíase de artes mágicas, y tenía consigo hechiceros y encantadores, y cometió muchos pecados delante del Señor, provocándole la ira.

7. Colocó asimismo un ídolo de fundición en la Casa del Señor, de la cual habló Dios a David y a Salomón su hijo, diciendo: En esta Casa y en Jerusalén, elegida por mí de entre todas las tribus de Israel, estableceré mi nombre eternamente.

8. Y haré que Israel no mueva el pie de la tierra que yo di a sus padres; con tal, empero, que procure cumplir lo que le tengo mandado, toda la Ley, y ceremonias, y ordenanzas publicadas o *promulgadas* por medio de Moisés.

9. Manasés, pues, sedujo a Judá y a los habitantes de Jerusalén, para que hicieran mayores males, que todas las gentes que había el Señor exterminado de la presencia de los hijos de Israel.

10. Y amonestólo el Señor así a él como a su pueblo; mas no quisieron escucharlo:

11. Por eso hizo que viniesen sobre ellos los generales del ejército del rey de los Asirios: los cuales hicieron prisionero a Manasés, y atado con cadenas y grillos lo llevaron a Babilonia.

12. Donde viéndose en la opresión, oró al Señor su Dios, y concibió un vivísimo arrepentimiento delante del Dios de sus padres,

13. Y le rogó y suplicó intensamente, y el Señor oyó su oración, y lo restituyó a Jerusalén en su reino: y acabó de conocer Manasés que el Señor es el *solo* Dios.

14. Después de esto edificó el muro exterior de la ciudad de David al occidente de Gihón en el valle, desde la entrada de la puerta del Pescado alrededor hasta Ofel, y alzóle muy alto; y puso comandantes del ejército en todas las ciudades fuertes de Judá.

15. Y quitó del Templo del Señor los dioses extranjeros y el simulacro, como también los altares que había erigido en el monte *Sión* de la Casa del Señor, y en Jerusalén, y lo hizo arrojar todo fuera de la ciudad.

16. Y restableció el altar del Señor, e inmoló sobre él víctimas, y hostias pacíficas y de acción de gracias; y mandó a Judá que sirviese al Señor Dios de Israel.

17. Sin embargo, el pueblo ofrecía aún sacrificios al Señor su Dios en los lugares altos.

18. Los demás hechos de Manasés, y la súplica que hizo a su Dios, como también las palabras de los profetas, que le hablaban en nombre del Señor Dios de Israel, se contienen en los Libros de los Reyes de Israel.

19. Asimismo su oración, y cómo fué oído, y todos sus pecados, y apostasía: los lugares altos que fundó, los bosques o *arboledas profanas* que plantó, y las estatuas que levantó antes de hacer penitencia, se describen en los Libros de Hozai.

20. Pasó, en fin, Manasés a descansar con sus padres, y fué sepultado en su casa; sucediéndole en el reino su hijo Amón.

21. Veintidós años tenía Amón cuando comenzó a reinar, y dos años reinó en Jerusalén.

22. E hizo lo malo en la presencia del Señor, como lo había hecho Manasés, su padre; y sacrificó, y dió culto a todos los ídolos que había fabricado Manasés,

23. Y no se humilló en la presencia del Señor, como lo hizo Manasés, su padre; antes bien cometió delitos mucho mayores.

24. Pero conjurados contra él sus criados, le quitaron la vida en su casa.

25. Entonces todo el resto del pueblo, ajusticiados aquellos que habían muerto a Amón, proclamó por rey en su lugar a Josías, su hijo.

## CAPITULO XXXIV

*Josías, extirpador de la idolatría y restaurador del Templo, halla el Código o Libro de la Ley; y aterrado convoca al pueblo, y renueva la alianza con Dios.*

1. Ocho años tenía Josías cuando entró a reinar; y reinó treinta y un años en Jerusalén.

2. E hizo lo que era recto a los ojos del Señor, y siguió los pasos de su padre David, sin torcer ni a la derecha ni a la izquierda.

3. Al octavo año de su reinado, siendo todavía jovencito, comenzó a buscar al Dios de su padre David; y al año duodécimo de reinar, limpió el país de Judá y a Jerusalén de los lugares altos y bosques *profanos,* y de los ídolos y simulacros.

**4.** E hizo destruir en presencia suya los altares de Baal, y hacer pedazos los ídolos colocados encima; quitó también sus bosques, y desmenuzó las estatuas, cuyos pedazos esparció sobre los sepulcros de los que solían ofrecerles sacrificios.

**5.** Además los huesos de los sacerdotes *de los ídolos* los quemó sobre los altares de los *mismos* ídolos; y purificó a Judá y a Jerusalén.

**6.** Igualmente destruyó todas estas cosas *abominables* en las ciudades de *las tribus de* Manasés, y Efraím, y Simeón hasta Neftalí.

**7.** Destruídos los altares y los bosques, y hechos pedazos los ídolos, y demolidos los templos por todo el país de Israel, regresó a Jerusalén.

**8.** Con lo que el año dieciocho de su reinado, purificado ya el país y el Templo del Señor, envió a Safán, hijo de Eselías, y a Maasías, príncipe o *magnate* de la ciudad, y al canciller Johá hijo de Joacaz, para que cuidasen de la restauración del Templo del Señor Dios suyo.

**9.** Los cuales vinieron a Helcías, Sumo sacerdote, y recibiendo de él el dinero depositado en la Casa del Señor, y que los Levitas y porteros habían recogido de *las tribus* de Manasés y Efraím, y de todo el resto de Israel, como también de todo Judá, y de Benjamín, y de los moradores de Jerusalén;

**10.** Lo entregaron en manos de los sobrestantes de los que trabajaban en la Casa del Señor para la restauración del Templo y reparación de todas sus quiebras.

**11.** Estos lo dieron a los artífices, y albañiles para comprar piedras de cantería y madera para las trabazones de la obra y para el tablaje de los edificios destruidos por los reyes de Judá.

**12.** Ejecutábanlo éstos todo fielmente. Los sobrestantes de los obreros eran Jahat y Abdías de los descendientes de Merari, Zacarías y Mosollam de la estirpe de Caat; los cuales daban prisa a la obra; todos Levitas diestros en tañer instrumentos.

**13.** Sobre los que acarreaban lo necesario para diferentes usos, invigilaban los escribas y los porteros mayores de entre los Levitas.

**14.** Al tiempo de sacar el dinero depositado en el Templo del Señor, encontró el pontífice Helcías el Libro de la Ley del Señor *escrita* por mano de Moisés;

**15.** Y dijo a Safán, secretario: He hallado en la Casa del Señor el Libro de la Ley; y entregóselo.

**16.** Llevó éste el Libro al rey; y dándole cuenta, dijo: Todo lo que has encargado al cuidado de tus siervos, se va concluyendo.

**17.** La plata encontrada en la Casa del Señor se ha fundido, y se ha entregado a los sobrestantes de los artífices y obreros de diferentes labores.

**18.** Además de esto me ha entregado Helcías, Sumo sacerdote, este Libro. Y habiéndole él leído en presencia del rey,

**19.** Y oído éste las palabras de la Ley, rasgó sus vestiduras;

**20.** Y dió orden a Helcías, y a Ahicam, hijo de Safán, y a Abdón, hijo de Micá, y a Safán, secretario, y a Asaas, criado o *ministro* del rey, diciendo:

**21.** Id, y orad o *consultad* al Señor por mí y por las reliquias de Israel y de Judá, acerca de todas las palabras de este Libro que se ha encontrado; porque grande es el furor o *azote* del Señor que está para descargar sobre nosotros; por cuanto no han guardado nuestros padres las palabras del Señor, ni cumplido todo cuanto está escrito en este Libro.

**22.** Fué, pues, Helcías, junto con los enviados del rey, a encontrar a Olda, profetisa, mujer de Sellum, hijo de Tecuat, hijo de Hasra, guardarropa; la cual moraba en Jerusalén, en la segunda *ciudad*, y le refirieron las palabras que arriba mencionamos.

**23.** Ella les respondió: Esto dice el Señor Dios de Israel: Decid a la persona que os ha enviado a mí:

**24.** Así ha hablado el Señor: He aquí que yo enviaré sobre este lugar y sobre sus moradores las calamidades y todas las maldiciones escritas en ese Libro que se ha leído delante del rey de Judá;

**25.** Por cuanto me han abandonado a mí, y han ofrecido sacrificios a los dioses extranjeros, provocándome la ira con todas las obras de sus manos; por cuyo motivo lloverá mi furor sobre este lugar, y no cesará.

**26.** Empero al rey de Judá que os ha enviado para que yo ruegue al Señor, le diréis: Esto dice el Señor Dios de Israel: Ya que por haber oído las palabras del Libro,

**27.** Se ha enternecido tu corazón, y te has humillado en el acatamiento de Dios, con motivo de lo que *en él* hay escrito contra este lugar, y contra los habitantes de Jerusalén; y temblando de mi Majestad, has rasgado tus vestiduras, y llorado en mi presencia; yo también te he oído, dice el Señor.

**28.** Porque bien presto te reuniré con tus padres, y serás colocado en paz en tu sepulcro: y no verán tus ojos todos los males que yo descargaré sobre este lugar y sobre sus habitantes. *Volviéronse, pues,* y dieron cuenta al rey de todo cuanto ella había dicho.

**29.** Entonces el rey, convocando a todos los ancianos o *senadores* de Judá, y de Jerusalén,

**30.** Subió al Templo del Señor, acompañado de todos los varones de Judá, y de los moradores de Jerusalén, de los Sacerdotes y Levitas, y de todo el pueblo, grandes y pequeños. Y estando todos con atención en el Templo del Señor leyó el rey el Libro palabra por palabra.

**31.** Y puesto en pie en su estrado o *solio*, hizo pacto o *prometió* delante del Señor de caminar en pos de él, y de observar sus preceptos, y leyes y ceremonias, con todo su corazón, y con toda su alma, y de hacer todas las cosas escritas en el Libro, que acababa de leer;

**32.** E hizo jurar lo mismo a todos los que se hallaban en Jerusalén y en Benjamín; y los habitantes de Jerusalén confirmaron el pacto del Señor Dios de sus padres.

**33.** Extirpó, pues, Josías todas las abominaciones de todo el país de los hijos de Israel; e hizo que cuantos quedaron habitando en Israel sirviesen al Señor Dios suyo. Mientras él vivió, no abandonaron al Señor Dios de sus padres.

## CAPITULO XXXV

*Pascua celebrada con grandísima solemnidad por Josías. Herido mortalmente en la guerra contra el rey de Egipto, muere llorado de todos, y especialmente de Jeremías.*

**1.** Celebró asimismo Josías en Jerusalén la Pascua del Señor, la cual fué inmolada en el día catorce del mes primero.

**2.** Para lo cual hizo que los Sacerdotes ejerciesen sus funciones, y los exhortó al cumplimiento de su ministerio en la Casa del Señor.

**3.** Dijo también a los Levitas, por cuyas instrucciones se santificaba todo Israel para el *culto del* Señor: Colocad *otra vez* el arca en el Santuario del Templo, edificado por Salomón, hijo de David, rey de Israel: porque ya no la tendréis que llevar más *de una a otra parte.* Ahora, pues, servid al Señor Dios vuestro y a su pueblo de Israel;

**4.** Y estad apercibidos casa por casa, y familia por familia, según la distribución hecha de cada uno de vosotros, así como lo ordenó David, rey de Israel, y dejó por escrito su hijo Salomón.

**5.** Y ejerced vuestras funciones en el Santuario, observando la distribución de familias y de las clases levíticas;

**6.** Y después de haberos santificado, inmolad el cordero pascual, y disponed también a vuestros hermanos *purificándolos,* para que le puedan inmolar, conforme mandó el Señor por boca de Moisés.

**7.** Además de esto Josías dió a todo el pueblo que se halló allí en la solemnidad de la Pascua, corderos y cabritos de los rebaños, y otras reses, hasta treinta mil, y asimismo tres mil bueyes; todo esto lo dió el rey de su hacienda.

**8.** También sus oficiales o *magnates* presentaron lo que espontáneamente habían ofrecido, tanto al pueblo como a los sacerdotes y Levitas. Además Helcías, *Sumo Sacerdote,* y Zacarías, y Jahiel, principales de la Casa del Señor, dieron a los Sacerdotes para celebrar la Pascua entre unas y otras dos mil y seiscientas reses menores, y trescientos bueyes.

**9.** Igualmente Conenías, y Semeías, y Natanael con sus hermanos, y Hasabías, y Jehiel, y Jozabad, príncipes de los Levitas, dieron a los otros Levitas para la celebración de la Pascua cinco mil reses menores y quinientos bueyes.

**10.** Preparado todo lo necesario para la función, los Sacerdotes estuvieron prontos a su oficio, e igualmente los Levitas divididos en sus compañías, conforme al mandado del rey.

**11.** Inmolóse, pues, la Pascua; y los Sacerdotes derramaban con sus manos la sangre, y los Levitas desollaban las víctimas.

**12.** Separáronlas luego para repartirlas casa por casa y familia por familia, a fin de que fuesen ofrecidas al Señor, del modo que está escrito en el Libro de Moisés; e hicieron lo mismo con los bueyes.

**13.** Y asaron los corderos pascuales al fuego, conforme esta escrito en la Ley. En cuanto a las víctimas pacíficas, las cocieron en calderos, marmitas y ollas; e inmediatamente las distribuían a toda la plebe.

---

CAP. XXXV. — **11.** *Pascua:* o los corderos pascuales. *Levitas:* no bastando para hacerlo los Sacerdotes, que eran en corto número.

14. Y para sí y para los sacerdotes las hicieron cocer después; porque los Sacerdotes estuvieron ocupados hasta la noche en la ofrenda de los holocaustos y de las grosuras; por cuyo motivo los Levitas no las prepararon para sí y para los Sacerdotes hijos de Aarón, hasta después de todos.

15. Entretanto los cantores, hijos de Asaf, estaban en su coro, conforme a lo dispuesto por David, y por Asaf, y Hemán, e Iditún, profetas del rey; y los porteros estaban de guardia en cada una de las puertas, sin apartarse ni por un instante de su ministerio; por eso sus hermanos los Levitas les aparejaron también la comida.

16. De esta suerte se cumplió, según rito, con todo el culto del Señor en aquel día, celebrando la Pascua, y ofreciendo los holocaustos sobre el altar del Señor, conforme a la orden del rey Josías.

17. Así, pues, los hijos de Israel que se hallaron allí, celebraron entonces la Pascua y la fiesta de los ázimos por siete días.

18. No hubo Pascua semejante a ésta en Israel desde el tiempo del profeta Samuel; ni hubo ninguno de todos los reyes de Israel que como Josías celebrase una tal Pascua con los Sacerdotes y Levitas y con todo Judá y cuantos se hallaron allí en Israel, y con los habitantes de Jerusalén.

19. Celebróse esta Pascua el año décimo octavo del reinado de Josías.

20. Después de haber Josías restaurado el Templo, Necao, rey de Egipto, salió a campaña para sitiar a Carcamis, contigua al Eufrates; y Josías marchó contra él.

21. Pero Necao envió a decirle por sus embajadores: ¿Qué motivo hay de disención entre nosotros dos, oh rey de Judá? Yo no vengo ahora a pelear contra ti, sino contra otra casa, contra la cual Dios me ha mandado salir a toda prisa: deja, pues, de oponerte a Dios, el cual está conmigo; no sea que *el Señor* te quite la vida.

22. No quiso Josías retirarse, sino que se preparó para darle batalla, sin querer escuchar las palabras de Necao, que eran de Dios; y avanzó para venir a las manos en el campo de Mageddo.

23. Allí fué herido por los flecheros, y dijo a sus criados: Sacadme fuera del combate, pues estoy gravemente herido.

24. Ellos lo pasaron de su coche a otro, que le seguía según estilo de los reyes, y lo llevaron a Jerusalén, donde murió; y fué sepultado en el panteón de sus padres. Lloráronle todo Judá y Jerusalén;

25. Sobre todo Jeremías, cuyas lamentaciones sobre Josías repiten todos los cantores y cantoras hasta hoy día: tanto que ha venido a ser *este uso* como una ley en Israel. Se hallan escritas estas cosas entre las Lamentaciones.

26. Las demás acciones de Josías, y sus buenas obras, según lo que está prescrito en la Ley del Señor,

27. Sus hechos, *digo,* desde el principio al fin, está todo escrito en el Libro de los Reyes de Judá y de Israel.

# CAPITULO XXXVI

*Joacaz, Joakim, su hijo Joaquín y Sedecías, últimos reyes de Judá, y su cautiverio. Nabucodonosor destruye a Jerusalén. Ciro permite que los Judíos vuelvan a ella.*

1. Entonces el pueblo de la tierra tomó a Joacaz, *cuarto* hijo de Josías, y lo alzó por rey en Jerusalén, en lugar de su padre.

2. De veintitrés años era Joacaz cuando comenzó a reinar, y tres meses reinó en Jerusalén.

3. Porque el rey de Egipto, viniendo a Jerusalén lo depuso, y multó al país en cien talentos de plata y un talento de oro;

4. Y en lugar de él estableció por rey sobre Judá y Jerusalén a su hermano Eliakim *primogénito de Josías,* cambiándole el nombre en el de Joakim; y se llevó consigo a Joacaz, y lo condujo a Egipto.

5. Veinticinco años tenía Joakim cuando entró a reinar, y once años reinó en Jerusalén; e hizo el mal en la presencia del Señor su Dios.

6. Contra éste vino Nabucodonosor, rey de los Caldeos, y lo condujo atado con cadenas a Babilonia,

7. A donde transportó también los vasos del Señor, y los colocó en su templo.

8. Las otras acciones de Joakim, y las abominaciones que cometió, y las *maldades* que se hallaron en él, se contienen en el Libro de los Reyes de Judá y de Israel. Sucedióle en el reino su hijo Joaquín.

---

CAP. XXXVI. — 6. Hebreo: *Atóle con dos cadenas para llevarle, etc.* Quizá volvió a Jerusalén; y se rebeló otra vez, IV *Reg.* XXIV. — *Jerem.* XXII, *v.* 19. Acaso no llegó a Babilonia, o volvió luego a Jerusalén hecho tributario; y rebelándose fué muerto y arrojado su cadaver fuera de la ciudad. IV *Reg.* XXIV, *v.* 1.

---

20. *Carcamis:* ciudad de los Asirios. *Josías:* tal vez sin consultar a Dios.

**9.** De ocho años era Joaquín cuando entró a reinar, y tres meses y diez días reinó en Jerusalén; e hizo el mal en la presencia del Señor.

**10.** Corriendo el año, envió el rey Nabucodonosor sus gentes a prenderlo y lo condujeron a Babilonia, transportando al mismo tiempo los vasos más preciosos del Templo del Señor. E hizo rey de Judá y de Jerusalén a Sedecías, su tío paterno.

**11.** Veintiún años tenía Sedecías cuando empezó a reinar, y once años reinó en Jerusalén.

**12.** E hizo el mal delante de los ojos del Señor su Dios: ni respetó la persona de Jeremías profeta, que le hablaba de parte del Señor.

**13.** Rebelóse, además, contra el rey Nabucodonosor, que le había hecho prestar juramento *de fidelidad* en el nombre de Dios; y endureció su cerviz y su corazón, para no convertirse al Señor Dios de Israel.

**14.** Igualmente todos los príncipes de los Sacerdotes y el pueblo prevaricaron también impíamente, imitando todas las abominaciones de los gentiles, y profanaron el Templo del Señor, que él había consagrado para sí en Jerusalén.

**15.** Entretanto el Señor Dios de sus padres les hacía hablar por medio de sus enviados *los profetas,* amonestándolos sin cesar de día y de noche; pues quería perdonar a su pueblo y a la mansión suya.

**16.** Mas ellos se mofaban de los enviados de Dios, ni hacían caso alguno de sus palabras, e insultaban a los profetas, hasta que

---

**9.** En el libro IV de los Reyes *cap.* XXIV, *v.* 8, se dice que *era de* 18 *años.* Créese que a los 8 años fué asociado al trono, y que a los 18 comenzó a reinar solo, por muerte de su padre.

descargó el furor del Señor sobre su pueblo, y no hubo ya remedio.

**17.** Porque trajo contra ellos al rey de los Caldeos, que pasó a cuchillo a sus jóvenes en la casa de su Santuario. No tuvo compasión del mancebo, ni de la virgen, ni del anciano, ni aun del decrépito: a todos los entregó *Dios* en sus manos.

**18.** Y transportó a Babilonia todos los vasos de la Casa del Señor, tanto los grandes como los pequeños, y los tesoros del Templo, y del rey, y de los magnates.

**19.** Los enemigos pegaron fuego a la Casa de Dios, y demolieron los muros de Jerusalén: quemaron todas las torres y destruyeron todo cuanto había precioso.

**20.** Si alguno pudo escapar del cuchillo, llevado a Babilonia, fué esclavo del rey y de sus hijos, hasta que tuvo el imperio *Ciro,* el rey de los Persas,

**21.** Y llegó el cumplimiento de la palabra del Señor, pronunciada por Jeremías, y la tierra hubo celebrado sus sábados; pues todo el tiempo de su desolación estuvo en un sábado *o descanso continuo,* hasta que se cumplieron los setenta años.

**22.** Mas el año primero de Ciro, rey de los Persas en cumplimiento de la palabra del Señor pronunciada por boca de Jeremías, movió el Señor el corazón de Ciro, rey de los Persas; el cual mandó publicar en todo su reino también por escrito, este decreto:

**23.** Esto dice Ciro, rey de Persia: El Señor Dios del cielo me ha dado todos los reinos de la tierra, y él mismo me ha mandado edificarle una Casa en Jerusalén, ciudad de Judea; ¿quién hay entre vosotros que pertenezca a su pueblo? El Señor Dios suyo sea con él, y póngase en camino *para su tierra.*

# LIBROS DE ESDRAS Y DE NEHEMÍAS

# Introducción

Estos dos libros son una continuación de las *Crónicas*, cuyos últimos versículos se repiten al principio del *Libro de Esdras*. Escritos en forma de compilación de diversos documentos, se ignora quién pueda ser su autor, si bien su examen literario ha conducido a muchos exégetas a afirmar que tuvo que ser el mismo que escribió las *Crónicas*.

Esdras, de estirpe sacerdotal y descendiente del pontífice Saraías, fue llevado de joven a Babilonia junto con los demás cautivos tras la toma de Jerusalén y el incendio del templo. Estudió profundamente las leyes y prácticas del pueblo judío y recibió el sobrenombre de *Escriba veloz*. Se supone que Esdras regresó a Jerusalén con Zorobabel. Pero los enemigos del pueblo judío impidieron la restauración del templo, de modo que tuvo que volver a Babilonia. Allí permaneció hasta que Artajerjes le autorizó para regresar a Judea con cuantos hebreos quisieran seguirle. En Jerusalén fue la autoridad principal hasta que llegó el enviado de Artajerjes, Nehemías, en calidad de gobernador de Judea. Nehemías se rigió siempre en su actuación política por los consejos de Esdras.

El orden en que aparecen los sucesos explicados en estos dos libros, que los principales escrituristas atribuyen a Esdras, es la siguiente: llegada de Zorobabel a Jerusalén; renovación de los sacrificios ofrecidos a Yavé; restauración del templo de Jerusalén, interrumpida por Artajerjes; predicaciones de los profetas Zacarías y Ageo, animando al pueblo a continuar la construcción del templo; autorización concedida por el rey Darío para terminar dicha construcción. Terminado ya el templo, Esdras quiso corregir los abusos del pueblo que podían provocar de nuevo la indignación divina. A fuerza de oraciones y penitencias consiguió Esdras, con ayuda del Señor, que el rey se convirtiese y que la nación toda se comprometiera solemnemente a observar las leyes. En el *Libro de Nehemías* se ve a Esdras dedicado a leer y explicar al pueblo de Israel la ley de Dios.

El orden de los capítulos parece alterado, pues se observan ciertas incoherencias cronológicas de difícil explicación. De todos modos, el argumento básico es la restauración moral, religiosa y material de la nación tras la vuelta del cautiverio. Los azares de la construcción del templo ocupan una parte principal del texto, que da como fecha de consagración del mismo el año 515.

# LIBRO DE ESDRAS

## CAPITULO PRIMERO

*Ciro, inspirado de Dios, acabados los setenta años del cautiverio del pueblo de Israel, le da la libertad y le restituye los vasos sagrados; y permite que sea reedificado el Templo de Jerusalén.*

**1.** El año primero *del imperio* de Ciro, rey de los Persas, para que se cumpliese la palabra del Señor pronunciada por Jeremías, movió el Señor el ánimo de Ciro, rey de los Persas, el cual hizo publicar por todo su reino, aun por escrito, el siguiente decreto:

**2.** Esto dice Ciro, rey de los Persas: El Señor Dios del cielo es el que me ha dado todos los reinos de la tierra, y él me ha mandado edificarle Casa *o Templo* en Jerusalén, ciudad de Judea.

**3.** ¿Quién de entre vosotros pertenece a su pueblo? Su Dios sea con él. Vaya a Jerusalén, ciudad de la Judea, y edifique la Casa del Señor Dios de Israel. El Dios *verdadero* es aquél que está en Jerusalén.

**4.** Y todos los demás que se quedaren, donde quiera que habiten, ayúdenle desde el lugar de su residencia con plata y oro, y otras cosas, y con ganados, además de lo que voluntariamente ofrezcan al Templo de Dios, que está en Jerusalén.

**5.** Con esto se pusieron en camino los príncipes de las familias de Judá y de Benjamín, y los sacerdotes y Levitas, y todos aquéllos cuyo corazón movió Dios para ir a reedificar el Templo del Señor, que está en Jerusalén.

**6.** Y todos aquéllos que vivían en la comarca les ayudaron, poniendo en sus manos vasos de plata y oro, hacienda, jumentos y alhajas, además de otras ofrendas voluntarias que habían hecho.

**7.** El mismo rey Ciro hizo sacar los vasos del Templo del Señor, que Nabucodonosor había traído de Jerusalén, y colocado en el templo de su dios.

**8.** Hízolos sacar Ciro, rey de los Persas, por mano de Mitridates, hijo de Gazabar *tesorero*, que se los entregó por cuenta *o inventario* a Sasabasar *o Zorobabel*, príncipe de Judá.

**9.** He aquí el número de ellos: Treinta copas de oro, mil copas de plata, veintinueve cuchillos, treinta tazas de oro,

**10.** Cuatrocientas diez tazas de plata de segunda magnitud; y mil otros vasos.

**11.** La suma de todos los vasos de oro y de plata ascendía a cinco mil cuatrocientos; todos éstos los llevó Sasabasar al tiempo que volvían a Jerusalén los que habían sido transportados cautivos a Babilonia.

## CAPITULO II

*Lista de los que volvieron del cautiverio de Babilonia a Jerusalén.*

**1.** Estos son los hijos de la provincia *de Judea,* que del cautiverio de Babilonia a que habían sido conducidos por Nabucodonosor, rey de Babilonia, se pusieron en camino, y regresaron a Jerusalén y a Judá, cada cual a su pueblo.

**2.** Los cuales vinieron con Zorobabel, y con Josué, Nehemías, Saraías, Rahelaías, Mardocai, Belsán, Mesfar, Beguai, Rehum y Baana.

He aquí la suma de los varones del pueblo de Israel:

**3.** Hijos de Farós, dos mil ciento setenta y dos.

**4.** Hijos de Sefatía, trescientos setenta y dos.

**5.** Hijos de Area, setecientos setenta y cinco.

**6.** Hijos de Fahat Moab, de la estirpe de Josué: de Joab, dos mil ochocientos doce.

**7.** Hijos de Elam, mil doscientos cincuenta y cuatro.

**8.** Hijos de Zetua, novecientos cuarenta y cinco.

**9.** Hijos de Zacai, setecientos sesenta.

---

**CAP. PRIMERO. — 1.** *Decreto:* había reinado ya Ciro veinte años en Persia. Tomada después Babilonia, reunió el imperio de los Medos, de los Asirios y de los Caldeos, fundando la gran monarquía persiana, que fué después sojuzgada por Alejandro. Refiere el historiador Josefo hebreo, que se hizo leer a Ciro lo que Isaías tanto tiempo antes había vaticinado de él, de sus conquistas y de lo que haría a favor de Jerusalén y del Templo (*Isaías* XLIV, 28). Al ver Ciro el cumplimiento de dichas profecías, no pudo menos de admirarse, y de favorecer a una nación tan visiblemente privilegiada de Dios. II *Parl.* XXXVI, v. 22. — *Jerem.* XXV, v. 22 et XXIX, v. 10. — *Is.* XLV, v. 13; XLVI, v. 11.

**CAP. II. — 3.** *Hijos de Parós:* la palabra *hijos* cuando se junta al nombre de algún hombre, significa sus descendientes; cuando se junta al nombre de una ciudad significa ciudadanos moradores u oriundos de tal ciudad.

10. Hijos de Bani, seiscientos cuarenta y dos.

11. Hijos de Bebai, seiscientos veintitrés.

12. Hijos de Azgad, mil doscientos veintidós.

13. Hijos de Adonicam, seiscientos sesenta y seis.

14. Hijos de Beguai, dos mil cincuenta y seis.

15. Hijos de Adin, cuatrocientos cincuenta y cuatro.

16. Hijos de Ater, que descendían de Ezequías, noventa y ocho.

17. Hijos de Besai, trescientos veintitrés.

18. Hijos de Jora, ciento doce.

19. Hijos de Asum, doscientos veintitrés.

20. Hijos de Gebbar, noventa y cinco.

21. Hijos, u oriundos de Betlehem, ciento veintitrés.

22. Varones de Netufa, cincuenta y seis.

23. Varones de Anatot, ciento veintiocho.

24. Hijos de Azmavet, cuarenta y dos.

25. Hijos de Cariatiarim, de Céfira y de Berot, setecientos cuarenta y tres.

26. Hijos de Rama y de Gabaa, seiscientos veintiuno.

27. Varones de Macmas, ciento veintidós.

28. Varones de Betel y de Hai, doscientos veintitrés.

29. Hijos de Nebo, cincuenta y dos.

30. Hijos de Megbis, ciento cincuenta y seis.

31. Hijos del otro Elam, mil doscientos cincuenta y cuatro.

32. Hijos de Harim, trescientos veinte.

33. Hijos de Lot, de Hadid y de Ono, setecientos veinticinco.

34. Hijos de Jericó, trescientos cuarenta y cinco.

35. Hijos de Senaa, tres mil seiscientos treinta.

36. Sacerdotes *que volvieron a Jerusalén:* Los hijos de Jadaya de la familia de Josué, novecientos setenta y tres.

37. Hijos de Emmer, mil cincuenta y dos.

38. Hijos de Fesur, mil doscientos cuarenta y siete.

39. Hijos de Harim, mil diecisiete.

40. Levitas: Los hijos de Josué y de Cedmiel, de los descendientes de Odovías, setenta y cuatro.

41. Cantores: los hijos de Asaf, ciento veintiocho.

42. Hijos de los porteros: Los hijos de Sellum, los hijos de Ater, los hijos de Telmón, los hijos de Accub, los hijos de Hatita, los hijos de Sobai; todos ciento treinta y nueve.

43. Natineos: Los hijos de Siha, los hijos de Asufa, los hijos de Tabbaot,

44. Los hijos de Cerós, los hijos de Siaa, los hijos de Fadón,

45. Los hijos de Lebana, los hijos de Hagaba, los hijos de Accub,

46. Los hijos de Hagab, los hijos de Semlai, los hijos de Hanán,

47. Los hijos de Gaddel, los hijos de Gaer, los hijos de Raaía.

48. Loa hijos de Rasín, los hijos de Necoda, los hijos de Gazam.

49. Los hijos de Aza, los hijos de Fasea, los hijos de Besee,

50. Los hijos de Asena, los hijos de Munim, los hijos de Nefusim.

51. Los hijos de Bacbuc, los hijos de Hacufa, los hijos de Harur,

52. Los hijos de Beslut, los hijos de Mahida, los hijos de Harsa.

53. Los hijos de Bercós, los hijos de Sísara, los hijos de Tema,

54. Los hijos de Nasía, los hijos de Hatifa.

55. Hijos de los siervos de Salomón: Los hijos de Sotaí, los hijos de Soferet, Ios hijos de Faruda,

56. Los hijos de Jala, los hijos de Dercón, los hijos de Geddel.

57. Los hijos de Safatías, los hijos de Hatil, los hijos de Foqueret que eran *oriundos* de Asebaím, los hijos de Ami.

58. Todos los Natineos y los hijos de los siervos de Salomón, trescientos noventa y dos.

59. Y éstos son los que partieron de *los distritos* de Telmala, Telarsa, Querub, y Adón, y Emer; y ro pudieron señalar la familia y estirpe de sus padres en prueba de ser oriundos de Israel.

60. Los hijos de Dalaía, los hijos de Tobía, los hijos de Necoda, seiscientos cincuenta y dos.

61. Y de los hijos de los sacerdotes: Los hijos de Hobía, los hijos de Accós, los hijos de Bercellai, el cual se casó con una de las hijas de Bercellai de Galaad, y tomó su nombre:

62. Estos tales buscaron la escritura de su genealogía, y no la hallaron, por lo que fueron excluidos del sacerdocio.

---

43. *Natineos:* o *Gabaonitas,* que estaban al servicio del Templo. *Josué* IX, *v.* 21. — I *Paralip.* IX, *v.* 2.

61. *Hijas de Bercellai:* descendientes de aquel viejo Bercellai tan afecto a David. II *Reg.* XVIII. 28; XIX, 51.

**63.** Y díjoles Atersata que no comiesen de las ofrendas santificadas, hasta tanto que se presentase un pontífice docto y perfecto.

**64.** Toda esta muchedumbre, *unida* como si fuera un hombre solo, era de cuarenta y dos mil trescientos sesenta.

**65.** Sin contar sus esclavos y esclavas, que eran siete mil trescientos treinta y siete; y entre ellos doscientos cantores y cantoras.

**66.** Tenían setecientos treinta y seis caballos, y doscientos cuarenta y cinco mulos,

**67.** Cuatrocientos treinta y cinco camellos, seis mil setecientos y veinte asnos.

**68.** Y algunos príncipes, *o primeras cabezas* de familia, al llegar al *lugar del* Templo del Señor en Jerusalén, hicieron espontáneamente ofrendas para reedificar la Casa de Dios en su mismo sitio.

**69.** Dieron, según las facultades de cada uno, para los gastos de la fábrica sesenta y un mil sueldos *o dracmas* de oro, cinco mil marcos de plata, y cien vestiduras sacerdotales.

**70.** Finalmente, los sacerdotes y Levitas, y los del pueblo, y los cantores, y los porteros, y los Natineos se avecindaron en sus ciudades; y de cuantos Israelitas volvieron, se fué cada cual a su pueblo.

# CAPITULO III

*Convocado el pueblo en Jerusalén, es erigido el altar, en el cual se ofrecen sacrificios. Celébrase la fiesta de los Tabernáculos, y pónense los cimientos del Templo.*

**1.** Llegado ya el mes séptimo, los hijos de Israel que estaban en sus ciudades, se reunieron todos, como si fuesen un solo hombre, en Jerusalén.

**2.** Donde el *pontífice* Josué, hijo de Josedec, con sus hermanos los sacerdotes, y Zorobabel, hijo de Salatiel, con sus hermanos, emprendieron el edificar el altar del Dios de Israel para ofrecer en él los holocaustos, según está escrito en la Ley de Moisés, varón de Dios.

**3.** Colocaron, pues, el altar de Dios sobre sus basas, a pesar del temor en que los ponían los pueblos *idólatras* de las regiones circunvecinas, y sobre este altar ofrecieron al Señor el holocausto de la mañana y el de la tarde.

**4.** Celebraron asimismo la solemnidad de los Tabernáculos, conforme está prescrito, y ofrecieron el holocausto diario, según está mandado hacer todos los días;

**5.** Y además, el holocausto perpetuo, tanto en las calendas, como en todas las solemnidades consagradas al Señor, y siempre que se ofrecía espontáneamente ofrenda al Señor.

**6.** Desde el primer día del mes séptimo, empezaron a ofrecer holocaustos al Señor, aunque todavía no se habían echado los cimientos del Templo de Dios.

**7.** Pero distribuyeron dinero a los canteros y albañiles; y asimismo dieron de comer y beber, y aceite a los Sidonios y Tirios, para que transportasen madera de cedro desde el Líbano al mar de Joppe, según se lo había ordenado Ciro, rey de Persia.

**8.** Al segundo año de su arribo, al *lugar del* Templo de Dios en Jerusalén, en el mes segundo, pusieron mano a la obra Zorobabel, hijo de Salatiel, y Josué, hijo de Josedec, con los otros hermanos suyos sacerdotes y Levitas, y todos los que habían venido del cautiverio a Jerusalén; y destinaron a los Levitas, de veinte años arriba para dar prisa a la obra del Señor.

**9.** Josué, pues, y sus hijos, y hermanos, y Cedmihel con sus hijos, y *todos* los hijos de Judá, *unidos* como si fuesen un solo hombre, estaban dando prisa a los que trabajaban en la fábrica del Templo de Dios; y *lo mismo hacían* los hijos de Henadad, y los hijos de éstos, y sus hermanos los Levitas.

**10.** Echados que fueron los cimientos del Templo del Señor por los albañiles, se presentaron los sacerdotes revestidos de sus ornamentos, con las trompetas, y los Levitas, hijos de Asaf, con los címbalos, para cantar las alabanzas de Dios con salmos de David, rey de Israel;

**11.** Y cantaban a coros himnos y alabanzas al Señor, repitiendo: Que es bueno, y que es eterna su misericordia para con Israel. Al mismo tiempo todo el pueblo prorrumpía a grandes voces en alabanzas al Señor, por ver echados los fundamentos del Templo del Señor.

---

**63.** *Atersata:* esto es, Nehemías. II *Esd.* VIII. *v.* 9.

**65.** Entran en esta suma no sólo los de las tribus de Judá, de Benjamín y de Leví, sino los de las otras tribus que aquí no se expresan; y con los siervos y siervas compondrán el número total de los cincuenta mil o poco menos que volvieron a la Judea. *S. Agust.* lib. XVIII. *De Civit. Dei,* c. XXVI.

**12.** Muchísimos de los sacerdotes y Levitas, de los príncipes de familias y de los ancianos, que habían visto el primer Templo, viendo echar a sus ojos los fundamentos de este segundo, lloraban con grandes gemidos: al paso que muchos alzaban la voz gritando de alegría.

**13.** Ni se podían distinguir los gritos de alegría de los clamores de aquellos que lloraban; porque todo el pueblo gritaba confusamente a grandes voces, cuyo eco se oía de *muy* lejos.

## CAPITULO IV

*Los Samaritanos impiden la reedificación del Templo y ciudad; y consiguen que se interrumpa la obra hasta el segundo año de Darío.*

**1.** Entre tanto entendieron los enemigos de Judá y de Benjamín que éstos que habían vuelto del cautiverio edificaban el Templo del Señor Dios de Israel;

**2.** Y vinieron a encontrar a Zorababel y a los príncipes de las familias, diciendo: Permitidnos cooperar con vosotros a la fábrica; puesto que seguimos del mismo modo que vosotros a vuestro Dios, y le ofrecemos sacrificios desde el tiempo que Asor Haddán, rey de Asiria, nos envió acá.

**3.** Mas Zorobabel y Josué con los demás príncipes de las familias de Israel les respondieron: No podemos unirnos con vosotros para edificar la Casa a nuestro Dios: sino que nosotros solos la edificaremos al Señor Dios nuestro, como nos lo tiene mandado Ciro, rey de los Persas.

**4.** De aquí resultó que la gente de aquella tierra inquietaba a los obreros del pueblo de Judá, y les estorbaba la fábrica.

**5.** Además sobornaron contra ellos consejeros *del rey*, que les frustraron su designio durante la vida de Ciro, rey de los Persas, y hasta el reinado de Darío, rey de Persia.

**6.** Luego que entró a reinar Asuero, escribieron una acusación contra los moradores de Judá y de Jerusalén.

---

"La Sainte Bible", IV. 7-16 Cfr. Fillion, vol. 3. p. 252. — 2. En el *libro IV de los Reyes* c. XVII. *v.* 24, se refiere que el rey de Asiria envió colonos al país de las diez tribus; los cuales, infestados de leones y otras bestias fieras, comenzaron a adorar al Dios de Israel, pero sin dejar del todo el culto de sus ídolos. De estos colonos y de varios Judíos se formó el pueblo samaritano, que desde este tiempo fué enemigo irreconciliable de los Judíos.

**7.** Y en el reinado de Artajerjes, Beselam Mitridates, y Tabeel y los demás de su partido enviaron al rey de los Persas Artajerjes una carta llena de acusaciones, escrita en lengua siriaca y con caracteres siriacos.

**8.** Reum Beelteem y Samsai, secretario, escribieron sobre *las cosas* de Jerusalén una carta al rey Artajerjes, del tenor siguiente:

**9.** Reum Beelteem y Samsai, secretario, y los demás consejeros suyos, los Dineos y Afarsataqueos, los Terfaleos, Afarseos, Ercueos, Babilonios, Susanequeos, Dievos y los Elamitas.

**10.** Y los otros de las demás naciones que transportó el grande y glorioso Asenafar, y condujo a habitar pacíficamente en las ciudades de Samaria y en las otras regiones de la otra parte del río,

**11.** (Tal es la copia de la carta que le enviaron), al rey Artajerjes, tus siervos, los habitantes de la otra parte del río, salud.

**12.** Sepas, oh rey, que los Judíos que partieron de ahí para acá, han llegado a Jerusalén, ciudad rebelde y malvada, la cual están reedificando y levantando sus murallas y reparando las paredes.

**13.** Advierte, pues, oh rey, que si esta ciudad se reedifica y se reparan sus muros, no pagarán ya más tributo, ni alcabalas, ni rentas anuales, y el daño este llegará hasta los reyes.

**14.** Nosotros, pues, teniendo presente la sal *o el pan* que hemos comido en palacio, y porque creemos ser una maldad el estarnos contemplando los perjuicios del rey, por eso enviamos a dar parte al rey;

**15.** A fin de que tú señor, hagas registrar los libros de las historias de tus predecesores, en cuyos anales hallarás escrito y verás que la tal ciudad es una ciudad rebelde y enemiga de los reyes y de las *otras* provincias, y cómo ya de tiempos antiguos se fraguan en ella las rebeliones, por lo cual dicha ciudad fué ya arruinada.

**16.** Nosotros aseguramos al rey que si esta ciudad se reedifica y vuelven a levantarse sus muros, no tendrás dominio alguno a la otra parte del río.

**17.** Respondió el rey a Reum Beelteem, y a Samsai, secretario, y a los otros habitantes de Samaria que eran del consejo de ellos, y a los demás de la otra parte del río, diciéndoles, después de saludarlos:

---

**8.** *Reum Beelteem:* esto es gobernador. *Beelteem* es nombre de oficio o dignidad.

**18.** La acusación que me habéis enviado, se ha leído palabra por palabra en mi presencia.

**19.** He dado luego mis órdenes para que se registren los anales, y se ha hallado que esa ciudad ya de tiempos antiguos se rebela contra los reyes, y levanta sediciones y guerras.

**20.** Porque hubo en Jerusalén reyes poderosísimos, que han dominado todo el país de la otra parte del río *Eufrates,* los cuales exigían tributos y alcabalas, y otros derechos.

**21.** Ahora, pues, oíd nuestra decisión: Prohibid a esa gente la reedificación de dicha ciudad, hasta tanto que yo quizá mande otra cosa.

**22.** Mirad que no seáis negligentes en ejecutar esto; no sea que poco a poco vaya cundiendo el mal en perjuicio de los reyes.

**23.** Con esto fué leído el tratado del edicto del rey Artajerjes en presencia de Reum Beelteem, y de Samsai, secretario, y de los de su consejo; y a toda prisa pasaron a Jerusalén, y a mano armada hicieron desistir a los Judíos.

**24.** Interrumpióse entonces la fábrica de la Casa del Señor en Jerusalén, y no volvió a emprenderse hasta el año segundo del reinado de Darío, rey de los Persas.

## CAPITULO V

*A las exhortaciones de los profetas Ageo y Zacarías vuelve a emprenderse la fábrica del Templo, a pesar de los enemigos.*

**1.** *En este tiempo* profetizaron el profeta Ageo, y Zacarías, hijo de Addo, predicando a los Judíos que habitaban en la Judea y en Jerusalén en nombre del Dios de Israel.

**2.** Entonces Zorobabel, hijo de Salatiel, y Josué, hijo de Josedec, se pusieron *de nuevo* a continuar la fábrica del Templo de Dios en Jerusalén, y estaban con ellos los profetas de Dios que los ayudaban.

**3.** En aquel mismo tiempo vinieron a encontrarlos Tatanai; gobernador de la otra parte del río, y Starbuzanai, con sus consejeros, y les dijeron: ¿Quién os ha aconsejado que edificaseis este Templo, y restauraseis sus muros?

**4.** A lo que respondimos, nombrando los autores de esta reedificación.

**5.** Mas el ojo de su Dios, *o su providencia,* miró favorablemente a los ancianos de los Judíos, y así no pudieron impedirles *la fábrica.* Convinieron al fin en que se diese parte a Darío, y que satisfaciesen entonces a aquella reconvención.

**6.** Copia de la carta que escribió al rey Darío Tatanai, gobernador del país de la otra parte del río, juntamente con Starbuzanai y sus consejeros, los Arfasaqueos, que moraban a la otra banda del río.

**7.** La carta que le enviaron decía así: Al rey Darío, salud y toda suerte de prosperidad.

**8.** Sepas, oh rey, que nosotros hemos ido a la provincia de la Judea a la Casa del Dios grande, que se fabrica de piedras nuevas, fijando vigas en las paredes; y la obra se hace con toda diligencia, y va creciendo entre sus manos.

**9.** Hemos, pues, preguntado a aquellos ancianos, y les hemos dicho: ¿Quién os ha dado facultad para edificar esta Casa, y restaurar estos muros?

**10.** Asimismo hemos querido saber sus nombres para dar parte a ti, y así te ponemos por escrito los nombres de los varones que son los principales entre ellos.

**11.** La respuesta que nos han dado ha sido ésta: Nosotros somos siervos del Dios del cielo y de la tierra; y reedificamos un Templo que ya muchos años antes había sido fabricado, el cual levantó y construyó un gran rey de Israel.

**12.** Pero habiendo nuestros padres provocado la ira de Dios del cielo, los entregó él en manos de Nabucodonosor el Caldeo, rey de Babilonia, el cual destruyó también esta Casa, y trasladó su pueblo a Babilonia.

**13.** Mas el año primero de Ciro, rey de Babilonia, el rey Ciro dió un decreto para que esta Casa de Dios fuese reedificada.

**14.** Pues aun los vasos de oro y de plata del Templo de Dios, que Nabucodonosor había quitado del Templo de Jerusalén, y transportado al templo de Babilonia, los sacó el rey Ciro del templo de Babilonia, y fueron entregados a uno llamado Sasabasar o *Zorobabel,* a quien además constituyó príncipe o *gobernador de los Judíos;*

**15.** Y le dijo: Toma estos vasos, y ve a reponerlos en el Templo de Jerusalén, haciendo que la Casa de Dios sea reedificada en su *antiguo* sitio.

**16.** Entonces, pues, el tal Sasabasar, viniendo acá, echó los cimientos del Templo de Dios en Jerusalén, y desde aquel tiempo hasta ahora se va edificando, y todavía no está concluido.

17. Ahora, pues, si parece bien al rey, haga buscar en el archivo real, que está en Babilonia, si es verdad que el rey Ciro mandó reedificar la Casa de Dios en Jerusalén y háganos saber sobre esto su real voluntad.

## CAPITULO VI

*Darío confirma el decreto de Ciro: conclúyese la fábrica del Templo; y se celebra con grande alegria su dedicación y la Pascua.*

1. Entonces el rey Darío despachó sus órdenes, y registráronse los libros que se guardaban en los archivos de Babilonia;

2. Y se halló *en el de* Ecbátana, fortaleza situada en la provincia de Media, un volumen donde estaba escrita la siguiente memoria:

3. Año primero del rey Ciro. El rey Ciro ha decretado que se reedifique la Casa de Dios en su sitio de Jerusalén, a fin de que se ofrezcan allí sacrificios; y que se echen los cimientos correspondientes a una elevación de sesenta codos, y otros tantos de anchura *o extensión,*

4. Con tres órdenes de piedras sin labrar, y otros órdenes de maderos nuevos; y que los gastos se suministren de la casa del rey.

5. Que además de esto se restituyan y repongan en el Templo de Jerusalén, en el lugar en que antes estaban en el Templo de Dios, los vasos de oro y de plata quitados por Nabucodonosor del Templo de Jerusalén, y trasladados a Babilonia.

6. Ahora, pues, tú, Tatanai, gobernador del territorio de la otra parte del río, y tú, Starbuzanai, con vuestros consejeros, los Afarsaqueos, que habitáis en el otro lado del río, retiraos lejos de ellos,

7. Y dejad fabricar el Templo de Dios al caudillo de los Judíos y a sus ancianos, y que reedifiquen aquella Casa de Dios en su lugar.

8. Sobre lo cual tengo también mandado cómo debe procederse para con aquellos ancianos de los Judíos, a fin de que sea edificada la Casa de Dios; y es que del erario del rey, esto es, de los tributos que paga el territorio del otro lado del río, se les suministren con puntualidad caudales a dichos varones, para que no se retarde la obra;

9. Y que si fuere necesario, se les den cada día becerros y corderos, y cabritos para los holocaustos al Dios del cielo, y trigo, sal, vino y aceite, según el rito de los sacerdotes

que están en Jerusalén, de modo que no haya motivo de queja;

10. Y de esta manera ofrezcan oblaciones al Dios del cielo, y rueguen por la vida del rey de sus hijos.

11. Yo, pues, he decretado que cualquiera que contravenga a esta orden, se tome un madero de su casa y se plante en tierra, y sea en él clavado el tal hombre, y confiscada la casa.

12. Disipe Dios que estableció allí su *Santo* Nombre, todos los reinos y pueblos que extendieren la mano para oponerse, o destruir aquella Casa de Dios, que está en Jerusalén. Yo Darío he firmado este decreto, que quiero se cumpla puntualmente.

13. Tatanai, pues, gobernador del país de la otra parte del río, y Starbuzanai con sus consejeros, ejecutaron exactamente la orden del rey Darío.

14. Los ancianos de los Judíos por su parte llevaban adelante la fábrica, saliéndoles todo con felicidad, según la profecía de Ageo profeta, y de Zacarías, hijo de Addo; y con esto erigieron y construyeron el edificio por mandato del Dios de Israel, y de orden de Ciro, y de Darío, y de Artajerjes, reyes de Persia.

15. Y concluyeron la obra de esta Casa de Dios el día tres del mes de Adar, en el año sexto del reinado del rey Darío.

16. Entonces los hijos de Israel, y los sacerdotes y Levitas, y cuantos habían vuelto del cautiverio, celebraron con gozo la dedicación *o consagración* de la Casa de Dios;

17. Para cuya dedicación ofrecieron cien becerros, doscientos carneros, cuatrocientos corderos, y doce machos cabríos por el pecado de todo Israel, según el número de sus tribus.

18. Y los sacerdotes fueron distribuidos por sus órdenes, y los Levitas por sus turnos para servir al culto de Dios en Jerusalén, como está escrito en la Ley de Moisés.

19. Celebraron asimismo los hijos de Israel, venidos del cautiverio, la Pascua el día catorce del mes primero.

20. Porque los sacerdotes y Levitas se habían purificado desde el primero al último, estando todos limpios, a fin de inmolar la Pascua por todos los Israelitas venidos del cautiverio y por sus hermanos los sacerdotes, y por ellos mismos.

---

CAP. VI. — 15. *Adar* : o luna de febrero.

**21.** Y comiéronla los hijos de Israel vueltos de la trasmigración, con todos aquéllos que, separándose de la inmundicia o idolatría de las gentes del país, se habían agregado a ellos para seguir al Señor Dios de Israel.

**22.** Y celebraron con alegría la solemnidad de los ázimos durante siete días; por haberlos el Señor consolado, y por haber tocado a favor de ellos el corazón del rey de Asiria para que los ayudase, y diese la mano en la fábrica de la Casa del Señor Dios de Israel.

## CAPITULO VII

*Venida de Esdras a Jerusalén por comisión del rey Artajerjes para instruir y gobernar al pueblo.*

**1.** Después de estos sucesos, reinando Artajerjes, rey de Persia, Esdras, hijo de Saraías, hijo de Azarías, hijo de Helcías,

**2.** Hijo de Sellum, hijo de Sadoc, hijo de Aquitob,

**3.** Hijo de Amarías, hijo de Azarías, hijo de Marayot,

**4.** Hijo de Zarahías, hijo de Ozi, hijo de Bocci,

**5.** Hijo de Abisué, hijo de Finees, hijo de Eleazar, hijo de Aarón, que fué el primer sacerdote:

**6.** Este Esdras, *digo*, vino de Babilonia, el cual era un escriba o *doctor* muy diestro en la Ley de Moisés, dada por el Señor Dios a Israel; y otorgóle el rey todas sus peticiones, pues le protegía la mano del Señor Dios suyo.

**7.** Y con él vinieron a Jerusalén varios de los hijos de Israel, y de los hijos de los sacerdotes, y de los hijos de los Levitas, y cantores, y porteros, y Natineos, en el año séptimo del reinado de Artajerjes;

**8.** Y llegaron a Jerusalén el mes quinto del dicho año séptimo de aquel rey.

**9.** Porque el día primero del primer mes emprendió su viaje desde Babilonia, y el primer día del mes quinto, asistido de la benéfica mano de su Dios, arribó a Jerusalén;

**10.** Por cuanto había Esdras dirigido su corazón a la investigación de la Ley del Señor, y a cumplir y a enseñar en Israel sus preceptos y documentos.

**11.** Esta es la copia de la carta en forma de decreto, que dió el rey Artajerjes a Esdras, sacerdote, escriba o *maestro* muy instruido en las palabras y mandamientos del Señor, y en las ceremonias prescritas por él a Israel:

**12.** Artajerjes, rey de los reyes, a Esdras sacerdote, escriba sapientísimo de la Ley del Dios del cielo, salud.

**13.** Ha sido decretado por mí que cualquiera del pueblo de Israel, y de sus sacerdotes y Levitas, residentes en mi reino, que quisiere ir a Jerusalén, vaya contigo;

**14.** Puesto que tú eres enviado de parte del rey y de sus siete consejeros o *ministros* a visitar la Judea y Jerusalén, *para arreglarlo todo* conforme a la Ley de tu Dios, en la cual estás *tan* versado;

**15.** Y a llevar la plata y el oro, que así el rey como sus consejeros han ofrecido espontáneamente al Dios de Israel, cuyo Tabernáculo está en Jerusalén.

**16.** Además toda la plata y oro que recogieres en toda la provincia de Babilonia de ofertas voluntarias del pueblo, y lo que espontáneamente ofrecieren los sacerdotes para la Casa de su Dios que está en Jerusalén.

**17.** Tómalo libremente, y cuida de comprar con este dinero, becerros, carneros, corderos, y hostias *u ofrendas* con sus libaciones, y ofrece estas cosas sobre el altar del Templo de vuestro Dios que está en Jerusalén.

**18.** Y si a ti y a tus hermanos os pareciere bien hacer alguna otra cosa del remanente de la plata y del oro, ejecutadlo conforme a la voluntad de vuestro Dios.

**19.** Asimismo los vasos que se te dan para servicio de la Casa de tu Dios, los presentarás delante de Dios en Jerusalén.

**20.** En orden a lo demás que fuere menester para la Casa de tu Dios, todo cuanto necesites gastar se te dará del tesoro y del fisco real.

**21.** Y por mí. Yo el rey Artajerjes mando y ordeno a todos los tesoreros del erario público, existentes a la otra parte del río, que cuanto os pidiere Esdras sacerdote, escriba de la Ley del Dios del cielo, se lo déis sin dilación,

**22.** Hasta la cantidad de cien talentos de plata, y de cien coros de trigo, y de cien batos de vino, y otros tantos de aceite; mas la sal sin medida.

**23.** Todo lo perteneciente al culto del Dios del cielo se ha de suministrar puntualmente a la Casa del Dios del cielo: no sea que se irrite contra el reino del rey y de sus hijos.

**24.** También os notificamos que no tenéis potestad de imponer alcabala, ni tributo, ni otras cargas a ninguno de los sacerdotes, y Levitas, y cantores, y porteros, y Natineos, y sirvientes de la Casa de este Dios.

**25.** Finalmente, tú, Esdras, según la sabiduría de tu Dios, en la cual estás versado, establece jueces y presidentes para que administren justicia a todo el pueblo que está al otro lado del río, esto es, a todos aquéllos que reconocen la Ley de tu Dios; y enseñadla libremente también a los que la ignoran.

**26.** Y cualquiera que no cumpliese exactamente la Ley de tu Dios, y la ley o *decreto* del rey será condenado a muerte, o a destierro, o a una multa pecuniaria, o a lo menos a cárcel.

**27.** Bendito sea el Señor Dios de nuestros padres, el cual puso este pensamiento en el corazón del rey para gloria de la Casa del Señor que está en Jerusalén;

**28.** Y me dió prendas de su misericordia para delante del rey, y de sus consejeros, y de todos los grandes y cortesanos del rey. Y confortado yo por la mano del Señor mi Dios, que me asistía, junté a los principales de Israel para que se viniesen conmigo.

## CAPITULO VIII

*Catálogo de los que volvieron con Esdras de Babilonia; y su llegada a Jerusalén.*

**1.** Estos son, pues, los príncipes de las familias y la genealogía de los que vinieron conmigo de Babilonia en el reinado del rey Artajerjes.

**2.** De los hijos de Finees, Gersom. De los hijos de Itamar, Daniel. De los hijos de David, Hattús.

**3.** De los hijos de Sequenías, hijos de Farós, Zacarías y con él se contaron ciento cincuenta hombres.

**4.** De los hijos de Fahat Moab, Elioenai, hijo de Zarehé, y con él doscientos hombres.

**5.** De los hijos de Sequenías, el hijo de Ezequiel, y con él trescientos hombres.

**6.** De los hijos de Adán, Abed, hijo de Jonatán, y con él cincuenta hombres.

**7.** De los hijos de Alam, Isaías, hijo de Atalías, y con él setenta hombres.

**8.** De los hijos de Safatías, Zebedía, hijo de Micael, y con él ochenta hombres.

**9.** De los hijos de Joab, Obedía, hijo de Jahiel, y con él doscientos dieciocho hombres.

**10.** De los hijos de Selomit, el hijo de Josías, y con él ciento sesenta hombres.

**11.** De los hijos de Bebai, Zacarías, hijo de Bebai, y con él veintiocho hombres.

**12.** De los hijos de Azgad, Johanán, hijo de Eccetán, y con él ciento diez hombres.

**13.** De los hijos de Adonicam, que fueron los últimos, son éstos los nombres; Elifelet, y Jehiel, y Samaías, y con ellos sesenta hombres.

**14.** De los hijos de Begui, Utai y Zacur, y con ellos setenta hombres.

**15.** Los congregué, pues, junto al río, que desagua en el Ahava, y nos detuvimos allí tres días; y habiendo buscado entre el pueblo y entre los sacerdotes algunos hijos de Leví, no hallé allí ninguno.

**16.** Por tanto, despaché a Eliezer, y Ariel, y Semeías, y Elnatán, y Jarib, y otro Elnatán, y a Natán, y a Zacarías, y Mosollam, personas principales, y a Joyarib y Elnatán, hombres sabios;

**17.** Y enviélos a Eddo, *Judío*, que era el que gozaba mayor reputación en el lugar de Caspia, y puse en su boca las palabras que habían de decir a Eddo, y a sus hermanos los Natineos en el lugar de Caspia, para que nos trajesen ministros de la Casa de nuestro Dios.

**18.** Y por la bondad de nuestro Dios sobre nosotros, nos trajeron un varón doctísimo de los hijos de Moholi, hijo de Leví, hijo de Israel, y a Sarabías con sus hijos y hermanos, en número de dieciocho.

**19.** Asimismo a Hasabías, y con él a Isaías de los hijos de Merari, y a sus hermanos e hijos, que eran veinte.

**20.** De los Natineos, destinados por David y los príncipes al servicio de los Levitas, doscientos veinte Natineos, todos los cuales se distinguían por sus propios nombres.

**21.** Allí junto al río Ahava intimé un ayuno, a fin de humillarnos en el acatamiento del Señor Dios nuestro, y pedirle feliz viaje para nosotros, y para nuestros hijos, y para todos nuestros haberes.

**22.** Pues tuve vergüenza de pedir al rey escolta de soldados de a caballo, que nos defendiera de los enemigos en el viaje; porque habíamos dicho al rey: La mano de nuestro Dios asiste a todos aquéllos que le buscan con sinceridad; y su imperio, y su poder, y su indignación se hacen sentir de todos los que le abandonan.

**23.** A este fin, pues, ayunamos, e hicimos oración a nuestro Dios, y todo nos sucedió prósperamente.

**24.** Y escogí doce de los principales sacerdotes, a Sarabías y a Hasabías con otros diez de sus hermanos;

**25.** Y les entregué por peso el oro y la plata, y los vasos consagrados a la Casa de nuestro Dios, ofrecidos por el rey, y sus consejeros, y magnates, y por todos los Israelitas que se habían hallado *allí*.

**26.** Y puse en sus manos seiscientos cincuenta talentos de plata, y cien vasos de plata, con cien talentos de oro;

**27.** Y además veinte tazones de oro, de mil dracmas de peso, y dos vasos de bronce acicalado, y muy fino, *tan* vistosos como los de oro.

**28.** Y díjeles: Vosotros sois santos o *consagrados* al Señor, y santos son los vasos, y la plata y el oro ofrecido espontáneamente al Señor Dios de nuestros padres.

**29.** Custodiad con vigilancia todo esto, hasta que lo entreguéis por su peso en el tesoro de la Casa del Señor en Jerusalén ante los príncipes de los sacerdotes y Levitas y jefes de las familias de Israel.

**30.** Recibieron, pues, los sacerdotes y Levitas por peso la plata y el oro, y los vasos, para llevarlo a Jerusalén a la Casa de nuestro Dios.

**31.** Partimos, en fin, de la ribera del río Ahava el día doce del mes primero, camino de Jerusalén; y la mano de nuestro Dios nos protegió y nos libró de caer en las manos de los enemigos y salteadores, durante el viaje.

**32.** Por último, llegamos a Jerusalén, donde descansamos tres días.

**33.** Al cuarto día se hizo la entrega por peso del oro y de la plata y de los vasos en la Casa de nuestro Dios, por mano de Meremot, hijo de Urías, sacerdote, estando presente Eleazar, hijo de Finees, en compañía de los Levitas Jozabed, hijo de Josué, y Noadaya, hijo de Ben-noi.

**34.** Todo fué contado y pesado; y de todo se hizo entonces inventario.

**35.** Asimismo, los hijos de la trasmigración, venidos del cautiverio, ofrecieron holocaustos al Dios de Israel: doce becerros por todo el pueblo israelítico, noventa y seis carneros, setenta y siete corderos, doce machos cabríos por el pecado, todo en holocausto al Señor.

**36.** En fin, presentaron los edictos del rey a los sátrapas de su corte y a los gobernadores de la otra parte del río, los cuales favorecieron al pueblo y a la Casa de Dios.

# CAPITULO IX

*Sentimiento de Esdras por el nuevo desorden y pecados de los Judíos.*

**1.** Cumplidas estas cosas, acudieron a mí los príncipes *de las familias*, diciendo: Ni el pueblo de Israel, ni los sacerdotes y Levitas se han mantenido segregados de los pueblos de *estos* países y de sus abominaciones, es a saber, de los Cananeos, Heteos, y Fereceos, de los Jebuseos y Ammonitas, y Mohabitas, y Egipcios, y Amorreos;

**2.** Porque han tomado de sus hijas esposas para sí y para sus hijos, y han mezclado el linaje santo con las naciones del país; habiendo sido los príncipes y magistrados los primeros cómplices de esta transgresión.

**3.** Al oír estas palabras, *penetrado de dolor* rasgué mi manto y la túnica, y mesé los cabellos de mi cabeza y de mi barba, y sentéme lleno de tristeza.

**4.** Entonces acudieron a mí todos los temerosos de la palabra del Dios de Israel, en vista de la prevaricación de aquéllos que habían venido del cautiverio *antes de nosotros*, y yo permanecí sentado y poseído de angustias hasta el sacrificio de la tarde.

**5.** Y al tiempo del dicho sacrificio vespertino, salí de la consternación en que había estado; y rasgados el manto y la túnica, arrodilléme, y alcé mis manos al Señor Dios mío,

**6.** Diciendo: Oh Dios mío, estoy lleno de confusión, y me avergüenzo de levantar hacia ti mi rostro, porque nuestras maldades se han multiplicado sobre nuestra cabeza, y nuestros delitos han subido hasta el cielo

**7.** Desde los días de nuestros padres; y además nosotros mismos hemos pecado gravemente hasta este día, por nuestras iniquidades hemos sido abandonados nosotros, y nuestros reyes y nuestros sacerdotes en manos de los reyes de la tierra, y al cuchillo, y a la esclavitud, y al saqueo, y a los oprobios, como *se ve* aun en este día.

**8.** Si bien ahora por un poco, y como por un momento, han sido admitidos nuestros ruegos por el Señor Dios nuestro, a fin de que fuesen puestos en libertad los restos de nuestro pueblo, y se nos diese estabilidad o *morada segura* en su lugar santo, y alumbrase el *Señor* Dios nuestro nuestros ojos, y nos concediese respirar algún tanto en nuestra esclavitud:

9. Porque esclavos éramos; mas en medio de nuestra esclavitud no nos ha desamparado nuestro Dios; antes bien ha inclinado a misericordia, para con nosotros, al rey de Persia, a fin de que éste nos diese la vida *concediéndonos la libertad,* y ensalzase la Casa de nuestro Dios, y reparase sus ruinas, y nos diese acogida segura en Judá y en Jerusalén.

10. Y ahora, ¡oh Dios nuestro! ¿Qué diremos después de tales cosas? Nosotros que hemos despreciado *de nuevo* tus mandamientos,

11. Intimados por medio de tus siervos los profetas, diciéndonos: La tierra en cuya posesión vais a entrar, es una tierra inmunda (como son inmundos los otros pueblos y demás países, por causa de las abominaciones e inmundicias *de los ídolos,* que la han inundado de un cabo a otro;)

12. Por tanto, no daréis vuestras hijas a sus hijos, ni tomaréis sus hijas por esposas de vuestros hijos, ni procuraréis jamás su amistad, ni su prosperidad, si queréis haceros poderosos, y comer de los bienes de esta tierra, y dejarla a vuestros hijos en perpetua herencia.

13. Y después de todos los desastres que han caído sobre nosotros por nuestras pésimas obras, y por nuestro gran pecado, tú, ¡oh Dios nuestro! nos has librado de *la pena* de nuestra iniquidad, y nos has salvado, como se ve hoy día;

14. Con la condición, empero, de que no volvamos atrás, ni violemos tus mandamientos, ni emparentemos con los pueblos reos de semejantes abominaciones. ¿Por ventura estás irritado contra nosotros hasta *querer* nuestro *total* exterminio, de suerte que no dejes salvos ni aun los restos *de nuestro pueblo?*

15. Justo eres tú, oh Señor Dios de Israel; nosotros hemos quedado para que seamos salvados *por ti,* como se ve en este día. Aquí estamos delante de ti con nuestro delito, *para que lo perdones;* porque no se puede sostener o *excusar* en tu presencia tal atentado.

---

CAP. IX. — 12. El Señor había prohibido a su pueblo de Israel el tener amistad y alianza con los Cananeos, para que no fuese pervertido, y no cayese en la detestable idolatría y vicios de aquella nación perversa. *Deut.* cap. XXIII, *v.* 6. Tenemos obligación de amar al prójimo, aunque sea enemigo nuestro y hacerle el bien que podamos.

## CAPITULO X

*Esdras manda que sean disueltos los matrimonios ilegítimos.*

1. *Mientras* así oraba Esdras, pidiendo misericordia y llorando, postrado ante el Templo de Dios, reunióse alrededor de él un concurso grandísimo de hombres y mujeres y niños de Israel, y prorrumpió el pueblo en un deshecho llanto.

2. Y tomando la palabra Sequenías, hijo de Jehiel, del linaje de Elam, dijo a Esdras: Nosotros hemos prevaricado contra nuestro Dios, y tomado por esposas mujeres extranjeras de los pueblos de esta tierra; mas ahora ya que Israel se arrepiente de ello,

3. Hagamos pacto con el Señor Dios nuestro de despedir todas estas mujeres y los hijos nacidos de ellas, conforme a la voluntad del Señor y de los que respetan el mandamiento del Señor Dios nuestro: ejecútese lo que la Ley ordena.

4. Levántate, *pues;* a ti toca el dar disposiciones; nosotros te apoyaremos; esfuérzate y manos a la obra.

5. Entonces Esdras se levantó, y juramentó a los príncipes de los sacerdotes y de los Levitas, y a todo Israel que lo ejecutarían del modo dicho; y así lo juraron.

6. Partióse, pues, Esdras de delante del Templo de Dios, y fuese al aposento de Johanán, hijo de Eliasib, *pontífice;* y entrado allí no comió ni bebió, porque no cesaba de llorar la prevaricación de los que habían venido del cautiverio.

7. Y publicóse un bando en Judá y en Jerusalén para que todos los que habían vuelto de la cautividad se juntasen en Jerusalén;

8. Y que a todo el que no compareciese dentro de tres días, según el acuerdo de los príncipes y ancianos, se le confiscaría su hacienda, y él mismo sería echado de la congregación de los que volvieron del cautiverio.

9. Según esto se juntaron a los tres días todos los hombres de Judá y de Benjamín en Jerusalén, el día veinte del mes nono; y compareció todo el pueblo en la plaza del Templo de Dios, temblando a causa de sus pecados y de las lluvias.

10. Entonces Esdras, sacerdote, puesto en pie les dijo; Vosotros habéis prevaricado y tomado mujeres extranjeras, añadiendo este pecado a los delitos de Israel.

**11.** Ahora bien, dad gloria al Señor Dios de vuestros padres, *pidiéndole perdón,* y haced su voluntad, y separaos de los pueblos del país y de las mujeres extranjeras.

**12.** A lo que respondió todo aquel gentío, diciendo en alta voz: Hágase como tú has dicho;

**13.** Mas como la gente es mucha y el tiempo está lluvioso, ni podemos estar al descubierto, y no es este negocio de un día ni de dos (por ser tan grande *y de tantos* el pecado que hemos cometido),

**14.** Señálese entre todo el pueblo *algunos* principales; y cuantos se hubieren casado de nuestras ciudades con mujeres extranjeras, comparezcan en tiempos determinados juntamente con los ancianos de cada ciudad y sus jueces, hasta que se aplaque el enojo de nuestro Dios, irritado contra vosotros por este pecado.

**15.** Fueron, pues, diputados para esto, Jonatás, hijo de Azahel, y Jaasía, hijo de Tecue, y los Levitas Mesollam y Sebetai por adjuntos;

**16.** Y así lo cumplieron los que volvieron del cautiverio. Con esto el sacerdote Esdras y los jefes de familias pasaron a las casas de sus padres; y notando a todos por sus nombres, se sentaron *en su tribunal* el día primero del mes décimo para inquirir sobre esta cosa.

**17.** Y no se acabó de formar el catálogo de todos los que se habían casado con mujeres extranjeras hasta el primer día del mes primero.

**18.** Y de los hijos de los sacerdotes casados con mujeres extranjeras se hallaron los siguientes: De los hijos de Josué: los hijos de Josedec, y sus hermanos Maasías, y Eliezer, y Jarib, y Godolía,

**19.** Los cuales prometieron, extendiendo su mano, despedir a sus mujeres, y ofrecer por su delito un carnero de los rebaños.

**20.** De los hijos de Emer: Hanani, y Zebedía.

**21.** De los hijos de Harim: Maasía y Elía, y Semeía, y Jehiel y Ozías.

**22.** Y de los hijos de Fesur; Elioenai, Maasía, Ismael, Natanael, Jozabed y Elasa.

**23.** De los hijos de los Levitas: Jozabed, y Semei, y Celaya, llamado también Calita, Fatava, Judá y Eliezer.

**24.** De los cantores: Eliasib; y de los porteros: Sellum, y Telem, y Uri.

**25.** Y de *las otras tribus de* Israel: De los hijos de Farós: Remeía, y Jezía, y Melquía, y Miamín, y Eliezer, y Melquía y Banea.

**26.** De los hijos de Elam: Matanía, Zacarías, y Jehiel, y Abdi, y Jerimot, y Elía.

**27.** De los hijos de Zetua: Elioenai, Eliasib, Matanía, y Jerimut, y Zabad, y Aziza.

**28.** De los hijos de Bebai: Johanán, Hanania, Zabbai, Atalai.

**29.** Y de los hijos de Bani: Mosollam, y Melluc, y Adaya, Jasub, y Saal, y Ramot.

**30.** De los hijos de Fahat Moab: Edna, y Calal, Banaías, y Maasías, Matanías, Beseleel, Bennui, y Manasé.

**31.** De los hijos de Herem: Eliezer, Josué, Melquías, Semeías, Simeón,

**32.** Benjamín, Maloc, Samarías.

**33.** De los hijos de Hasom: Matanai, Matata, Zabad, Elifelet, Jermai, Manasé, Semei.

**34.** De los hijos de Bani: Maaddi, Amram y Vel,

**35.** Baneas, y Badaías, Quelíau,

**36.** Vanía, Marimut y Eliasib,

**37.** Matanías, Matanai, y Jasi,

**38.** Y Baní, y Bennui, y Semei,

**39.** Y Salmías, y Natán, y Araías,

**40.** Y Mecnedebai, Sisai, Sarai,

**41.** Ezrel, Selemiau, Semeria,

**42.** Sellum, Amaría, José.

**43.** De los hijos de Nebo: Jehiel, Matatías, Zabad, Zabina, Jeddu, y Joel, y Banaía.

**44.** Todos éstos se habían casado con mujeres extranjeras, y algunas de ellas habían tenido hijos.

---

**19.** — *Extendiendo su mano:* alzar la mano en semejantes ocasiones era señal de juramento, como se ve a cada paso en la Escritura.

# LIBRO DE NEHEMÍAS

## CAPITULO I

*Nehemías, copero de Artajerjes, oyendo las tribulaciones de los Judíos, implora la misericordia de Dios con ayunos y oraciones.*

1. Palabras *o sucesos* de Nehemías, hijo de Helcías. El año vigésimo, en el mes de Casleu, hallábame yo *con el rey* en el alcázar de Susa.

2. Y llegó Hanani, uno de mis hermanos, con otros varones de Judá; y preguntéles por los Judíos que habían quedado, y vivían después del cautiverio, y acerca de la ciudad de Jerusalén.

3. A lo que me respondieron: Los que quedaron del cautiverio, y fueron dejados allí en la provincia, viven en grande aflicción y oprobio; y los muros de Jerusalén están *aún* por tierra, y sus puertas consumidas por las llamas.

4. Al oír yo semejantes palabras, sentéme, y comencé a lamentarme, y lloré durante muchos días: ayunaba y hacía oración en presencia del Dios del cielo,

5. Y decía: Suplícote, Señor Dios del cielo, el fuerte, grande y terrible, que guardas el pacto y la misericordia con aquéllos que te aman y observan tus mandamientos.

6. Escúchenme tus oídos, y ábranse *hacia mí* tus ojos, y oye la oración que yo, siervo tuyo, estoy haciendo en tu presencia de noche y de día por los hijos de Israel, tus siervos confesando los pecados de los hijos de Israel, con que te han ofendido: yo y la casa de mi padre hemos pecado.

7. La vanidad *de los ídolos* nos sedujo, y no hemos observado tus mandamientos, y ceremonias, y preceptos, que intimaste a Moisés, tu siervo.

8. Acuérdate de la palabra que diste a Moisés, siervo tuyo, diciendo: Cuando prevaricareis, yo os desparramaré entre las gentes;

9. Mas si os convertís a mí, y observáis mis preceptos, y los practicáis, aunque hubiéreis sido transportados al cabo del mundo, de allí os reuniré y os volveré a traer al lugar que escogí para que sea en él invocado mi Nombre.

10. Ellos, *Señor*, son tus siervos y pueblo tuyo, a quien redimiste con tu gran poder y robusto brazo.

11. Ruégote, Señor, que prestes atención a la oración de tu siervo y a las súplicas de tus siervos; los cuales están resueltos a temer *y venerar* tu Nombre; y dirige hoy a tu siervo, y haz que halle misericordia en los ojos de este varón *insigne*. Era yo el copero del rey.

## CAPITULO II

*Nehemías con el favor del rey va a Jerusalén, y comienza la reedificación de los muros, a pesar de la oposición de los enemigos.*

1. Sucedió, pues, que el mes de Nisán, el año vigésimo *del reinado* de Artajerjes, que traído el vino delante del rey, tomé yo la copa, y se la serví; mas estaba yo como descaecido en su presencia.

2. Y díjome el rey: ¿Por qué está melancólico tu semblante, pues no te veo enfermo? No es esto sin motivo; tú maquinas alguna cosa mala en tu corazón. Apoderóse entonces de mí un temor grande,

3. Y respondí al rey: Oh, rey, sea tu vida eterna: ¿Cómo no ha de estar melancólico mi semblante cuando la ciudad, lugar de los sepulcros de mis padres, está desierta, y consumidas sus puertas por las llamas?

4. Y díjome el rey: ¿Qué es lo que pretendes? Y yo, encomendándome al Dios del cielo,

5. Respondí al rey: Si el rey lo tiene a bien, y si tu siervo ha hallado gracia en tus ojos, envíame a Judea, a la ciudad en donde está el sepulcro de mi padre, y yo la reedificaré.

6. A lo que me dijeron el rey y la reina, la cual estaba sentada a su lado: ¿En cuánto tiempo harás tu viaje y podrás volver? Díjele el tiempo; y mostró el rey contentarse, y dióme licencia.

7. Mas yo dije al rey: Si es del agrado del rey, deme cartas para los gobernadores del país del otro lado del río, para que me concedan paso hasta llegar a Judea;

**8.** Y también otra carta para Asaf, guarda de los reales bosques, a fin de que me suministre maderas para construir las puertas de la torre del Templo, y los muros de la ciudad, y la casa en que habré de habitar. Otorgómelo el rey, porque estaba a mi favor la benéfica mano de Dios.

**9.** Con eso llegué a los gobernadores del territorio de la otra parte del río, y díles las cartas del rey. Había el rey enviado conmigo oficiales de guerra y gente de a caballo.

**10.** Luego que lo supieron Sanaballat Horonita, y Tobías Ammonita, criado *del rey,* tuvieron grandísimo pesar de que hubiese llegado un hombre que procurase la prosperidad de los hijos de Israel.

**11.** Llegué, en fin, a Jerusalén, donde descansé tres días;

**12.** Y me levanté de noche con algunos pocos hombres, sin declarar a nadie lo que Dios me había inspirado hacer en Jerusalén; ni llevaba conmigo otra caballería, fuera de la que yo montaba.

**13.** Salí, pues, de noche por la puerta del valle *de Cedrón,* y por delante de la fuente del Dragón, y hacia la puerta del Estiércol, y contemplaba la muralla de Jerusalén arruinada, y sus puertas consumidas por las llamas.

**14.** De allí pasé a la puerta de la fuente *de Siloé* y al acueducto del rey; y ya no había camino por donde pudiese pasar la caballería en que iba.

**15.** Y siendo todavía de noche, subí por el torrente, y registraba el muro, y dando la vuelta llegué *otra vez* a la puerta del valle, y me volví *a mi casa.*

**16.** Entre tanto los magistrados no sabían a dónde había ido yo, ni lo que yo hacía; y hasta entonces nada había yo declarado a los Judíos, ni a los magistrados, ni a los demás destinados para cuidar de las obras.

**17.** Díjeles, pues: Bien véis el lastimoso estado en que nos hallamos; Jerusalén está desierta, y sus puertas hechas ceniza; venid y reedifiquemos los muros de Jerusalén, y no vivamos más en estado de tanta ignominia.

**18.** Al mismo tiempo les hice ver cómo estaba a favor mío la benéfica mano de mi Dios, y les referí las palabras que el rey me había dicho, y concluí: Ea, vamos y emprendamos la obra. Con esto ellos cobraron vigor para ponerla en ejecución.

**19.** Noticiosos, empero, Sanaballat Horonita, y Tobías Ammonita, criado *del rey,* y Gosem el Arabe, nos silbaron y escarnecieron, diciendo: ¿Qué es esto que hacéis? ¿Os queréis acaso rebelar contra el rey?

**20.** Pero yo les respondí y dije: El Dios del cielo es quien nos ayuda: nosotros somos sus siervos, e iremos adelante, y proseguiremos la obra; pues vosotros no tenéis parte, ni derecho, ni se os mienta para nada en Jerusalén.

## CAPITULO III

*Nombre de los principales que tuvieron parte en la reedificación de Jerusalén.*

**1.** Entonces Eliasib, Sumo sacerdote, y los sacerdotes sus hermanos pusieron manos a la obra, y reedificaron la puerta del ganado: consagráronla *con especiales* bendiciones, y asentaron sus puertas, y la consagraron hasta la torre de cien codos, y hasta la torre de Hananeel.

**2.** A continuación de Eliasib, a un lado fabricaron los ciudadanos de Jericó, y al otro fabricó Zacur, hijo de Amri.

**3.** Pero la puerta del Pescado la fabricaron los hijos de Asnaa, y ellos la cubrieron, y asentaron sus puertas, y cerrojos, y barras. A continuación de ellos fabricó Marimut, hijo de Urías, hijo de Accús.

**4.** Cerca de éste fabricó Mosollam, hijo de Baraquías, hijo de Mesezebel; y al lado de éstos, Sadoc, hijo de Baana.

**5.** A continuación de éstos fabricaron los de Tecua; pero los magnates de entre ellos no arrimaron sus hombros para trabajar en la obra de su Señor.

**6.** La puerta Vieja la reedificaron Joíada, hijo de Fasea, y Mosollam, hijo de Besodía; ellos la cubrieron, y asentaron las puertas y cerrojos y barras.

**7.** Junto a éstos edificaron Meltías Gabaonita, y Jadón Meronatita, varones de Gabaón y de Masfa, por el gobernador del país que estaba a la otra parte del río.

**8.** Cerca de éste fabricó Eziel, hijo de Arías platero, y al lado de él fabricó Ananías, hijo de un perfumero; y dejaron *intacta la parte de* Jerusalén *que va* hasta el muro de la plaza mayor.

**9.** Junto a este muro fabricó Rafaía, hijo de Hur, príncipe *o prefecto* de un cuartel de Jerusalén.

**10.** Al lado de éste fabricó Jedaía, hijo de Haromaf, en frente de su casa; y junto a éste edificó Hattús, hijo de Hasebonías.

---

CAP. III. — 1-2 — Cfr. Fillion. "La Sainte Bible". vol. 8, pág 288.

**11.** Melquías, hijo de Herem, y Hasub, hijo de Fahat Moab, fabricaron la mitad *del muro* de un cuartel y la torre de los Hornos.

**12.** Junto a éstos fabricó Sellum, hijo de Alohés, príncipe *o prefecto* de la mitad de un cuartel de Jerusalén, él y sus hijas.

**13.** La puerta del Valle la edificó Hanún con los habitantes de Zanoé: los mismos la concluyeron, y asentaron las puertas, y cerrojos, y barras, y edificaron mil codos de la muralla hasta la puerta del Estercolero.

**14.** La puerta del Estercolero edificóla Melquías, hijo de Recab, prefecto del cuartel *o barrio* de Betacaramí; éste la concluyó, y asentó sus puertas, y cerraduras y barras.

**15.** La puerta de la Fuente la fabricó Sellum, hijo de Coloza, prefecto del cuartel de Masfa: él la concluyó y puso sus arquitrabes, y asentó las puertas y cerrojos, y barras, y *reedificó* la muralla desde la piscina de Siloé hasta el huerto del rey, y hasta la gradería por la cual se baja de la ciudad de David.

**16.** A continuación de éste fabricó Nehemías, hijo de Azboc, prefecto de la mitad del cuartel de Betsur hasta en frente del sepulcro de David, y hasta la piscina magníficamente construida, y hasta la casa de los Valientes *de David.*

**17.** Después de éste fabricaron los Levitas, Rehum, hijo de Benni; inmediato a él Hasebías, prefecto de la mitad del cuartel de Ceila, fabricó *el muro sito frente* su cuartel.

**18.** En seguida fabricaron sus hermanos *Levitas,* Bavai, hijo de Enadad, prefecto de la *otra* mitad del cuartel de Ceila.

**19.** Contiguo a éste fabricó Azer, hijo de Josué, prefecto *del cuartel* de Masfa, la segunda parte *del muro* en frente de la subida del ángulo fortificado.

**20.** Cerca de éste en el monte de *Sión* edificó Baruc, hijo de Zacai, otra porción *igual de muro* desde dicho ángulo hasta la puerta de la casa de Eliasib, Sumo sacerdote.

**21.** A continuación Merimut, hijo de Urías, hijo de Accús, edificó la porción siguiente desde la puerta de la casa de Eliasib, cuanto se extendía dicha casa.

**22.** Después de éste fabricaron los sacerdotes habitantes de las campiñas del Jordán.

**23.** A su lado edificaron Benjamín y Hasub en frente de su casa; y junto a éstos Azarías, hijo de Maasías, hijo de Ananías, delante de su casa.

**24.** En seguida Bennui, hijo de Henadad, fabricó otra porción igual desde la casa de Azarías hasta la vuelta, y hasta la esquina.

**25.** Falel, hijo de Ozi, *edificó* en frente de la vuelta, y de la torre, que se eleva por encima de la casa alta del rey, esto es, *edificó lo largo* del patio de la cárcel; después de éste Fadaías, hijo de Farós.

**26.** Los Natineos vivían en *Jerusalén en el cuartel de* Ofel, hasta frente de la puerta de las Aguas al Oriente, y hasta la torre que sale hacia fuera.

**27.** En seguida edificaron los de Tecua otra porción *igual* en frente, desde la torre grande que sale hasta la cerca del Templo.

**28.** Más arriba, desde la puerta de los caballos, fabricaron los sacerdotes, cada cual en frente de su casa.

**29** Después de éstos edificó Sadoc, hijo de Emmer, en frente de su casa. Inmediato a él edificó Semaía, hijo de Sequemías, guarda de la puerta oriental *del Templo.*

**30.** A continuación Hananía hijo de Selemías, y Hnun, sexto hijo de Selef edificaron otra igual porción; después de éstos edificó Mosollam, hijo de Baraquía, en frente de su tesorería. Tras éste Melquías, hijo de un platero, fabricó hasta la casa *o cuartel* de los Natineos y de los mercaderes comerciantes, en frente la puerta de los Jueces, y hasta la sala de la esquina,

**31.** Y a lo largo de la sala de la esquina, en la puerta del Ganado, edificaron los plateros y los comerciantes.

## CAPITULO IV

*Los Judíos, animados por Nehemías, prosiguen la obra, sin dejar la espada de sus manos para defenderse de los Samaritanos.*

**1.** Entretanto, habiendo oído Sanaballat que reedificábamos las murallas, montó en gran cólera; y enfurecido en extremo, hizo mofa de los Judíos,

**2.** Y dijo en presencia de sus hermanos, y de un gran concurso de Samaritanos: ¿Qué pretenden hacer esos miserables Judíos? ¿Por ventura se lo permitirán estas naciones *vecinas*? ¿Piensan poder ofrecer sacrificios, concluyendo *toda la obra* en un día? ¿Podrán acaso restaurar las piedras de los montones reducidos a cenizas?

---

16. *Construida:* por el rey Ezequías IV. *Reg.* XX, *v.* 2.

3. A lo que añadió Tobías Ammonita, que estaba a su lado: Déjalos que fabriquen, que si va una raposa saltará de un lado a otro sus muros de piedra *y los derribará.*

4. ¡Oh Dios nuestro! oye cómo se mofan de nosotros; haz recaer sobre su cabeza estos escarnios, y que ellos sean el blanco de los desprecios allí donde sean llevados cautivos.

5. No encubras, *no disimules* su maldad, ni sea borrado su pecado delante de tu vista, ya que han escarnecido a los que reedifican *tu ciudad santa.*

6. Nosotros, pues, reedificamos las murallas, restaurándolas enteramente hasta la mitad *de su altura antigua;* y el pueblo cobró bríos para seguir el trabajo.

7. Mas así que supieron Sanaballat, y Tobías, y los Arabes, y los Ammonitas, y los de Azoto, que estaban reparadas las brechas de los muros de Jerusalén, y que comenzaban a cerrarse los portillos, se irritaron sobremanera,

8. Y todos de mancomún se coligaron para venir a pelear contra Jerusalén, y armarnos asechanzas.

9. Nosotros nos encomendamos a nuestro Dios, y pusimos contra ellos centinelas día y noche en las murallas.

10. Y algunos de *la tribu de* Judá dijeron: Los más robustos que acarrean *los materiales* están ya sin aliento, y queda aún muchísima tierra *que sacar* de suerte que no nos es posible *acabar de* reedificar el muro.

11. Y han dicho nuestros enemigos: No han de saber nada hasta que rompamos por medio de ellos, y los matemos, y hagamos cesar la obra.

12. Y viniendo los Judíos que habitaban cerca de ellos, y diciendo esto mismo por diez *y más* veces, *recibiendo el propio aviso* de todas partes de donde acudían a nosotros,

13. Puse luego en orden al pueblo, apostado detrás del muro, alrededor con sus espadas, y lanzas, y ballestas.

14. Y pasada revista de todo, fuí y dije a los magnates, y magistrados, y al resto del pueblo: No tenéis que temer delante de ellos; acordáos del Señor grande y terrible; y pelead por vuestros hermanos, por vuestros hijos e hijas, y por vuestras mujeres, y por vuestras casas.

15. Mas habiendo entendido nuestros enemigos que se nos había dado aviso, disipó Dios *como el humo* los designios que habían formado. Con lo que nos volvimos todos a los muros, cada cual a su tarea.

16. Y desde aquel día la mitad de la gente moza trabajaba en la obra y la otra mitad estaba sobre las armas, con lanzas, y escudos, y ballestas, y Iorigas, y detrás de ellos los capitanes en toda la familia de Judá.

17. Los que trabajaban en el muro, los que llevaban cargas, y los que las cargaban, trabajaban con una mano, y en la otra tenían la espada:

18. Porque cada uno de los trabajadores llevaba ceñida al lado la espada; y *así* trabajaban; y el que tocaba *al arma con* la trompeta estaba *siempre* a mi lado.

19. Y dije a los magnates, y a los magistrados, y al resto del pueblo: La fábrica es grande y de mucha extensión, y nosotros estamos separados en el muro lejos uno del otro.

20. Donde quiera que oyéreis el sonido de la trompeta, corred allí todos hacia nosotros, que nuestro Dios peleará a favor nuestro.

21. Entre tanto vamos continuando la obra, y la mitad de nosotros tenga empuñadas las lanzas desde que apunte la aurora hasta que salgan las estrellas.

22. En esta misma ocasión dije también al pueblo: Cada uno con su criado quédese *a dormir* dentro de Jerusalén, y nos relevaremos unos a otros para trabajar día y noche.

23. Ni yo, pues, ni mis hermanos, ni mis criados, ni las guardias que me seguían, no nos desnudábamos; ninguno se quitaba los vestidos sino para alguna purificación *o lavatorio.*

# CAPITULO V

*Nehemías en una gran carestía reprende a los ricos, y prohibe las usuras, dándoles ejemplo de compasión y de liberalidad.*

1. Sucedió entonces que se levantó un gran clamor del pueblo y de sus mujeres contra sus hermanos los Judíos.

2. Algunos decían; Nuestros hijos y nuestras hijas son en número muy excesivo: vendámoslos, y compremos con su precio trigo para poder comer y vivir.

3. Otros decían: Empeñemos nuestros campos y viñas, y nuestras casas, y tomemos trigo para matar el hambre.

4. Otros, en fin, decían: Tomemos dinero prestado para pagar los tributos reales, y empeñemos nuestras heredades y viñas.

---

CAP. V. — 2. *Exod.* XXI, *v.* 1, 7. *Deuter* XV, *v.* 12.

**5.** Ahora bien, nuestra carne es ni más ni menos como la carne de estos *ricos* que son nuestros hermanos, y nuestros hijos valen tanto como los suyos; y, con todo, nosotros *les* vendemos por esclavos nuestros hijos y nuestras hijas; ni tenemos con qué poder rescatar nuestras hijas de la esclavitud, y nuestros campos y viñas están en poder de otros.

**6.** Al oír yo estos clamores, y tales expresiones, me irrité sobremanera;

**7.** Y después de una madura reflexión, reprendí ásperamente a los magnates y a los magistrados, diciéndoles: ¿Conque vosotros cobráis usuras de vuestros hermanos? Y convoqué contra ellos una gran asamblea,

**8.** Y les dije: Nosotros, como sabéis, hemos rescatado según nuestra posibilidad a nuestros hermanos, los Judíos, vendidos a las naciones; ¿y vosotros habéis de vender *de nuevo* vuestros hermanos, para que nosotros los rescatemos *otra vez*? Callaron a ésto, ni supieron qué responder.

**9.** Y les dije: No está bien hecho lo que hacéis. ¿Cómo no vivís en el *santo* temor de nuestro Dios, para que no vengamos a ser el escarnio de las gentes enemigas nuestras?

**10.** Yo, y mis hermanos, y mis criados hemos prestado a muchísimos dinero y trigo; convengámonos todos en no volvérselo a pedir, condonémosles la deuda.

**11.** Restituídles en el día de hoy sus campos, y sus viñas, y sus olivares, y sus casas; y aun también el uno por ciento *mensual* del dinero, del trigo, del vino y del aceite que soléis exigirles, *condonádselo*, o pagadlo vosotros por ellos.

**12.** A lo que respondieron: Se lo devolveremos, y nada les exigiremos; y lo haremos así, como tú dices. Llamé entonces a los sacerdotes, y les tomé juramento de lo que harían conforme lo que yo había dicho.

**13.** Además de esto sacudí *mi vestido de encima de* mi seno, y dije: Así sacuda Dios de sus casas y de sus haciendas a todos los que no cumplieren esta palabra; así sean sacudidos, y queden sin nada. Y respondió todo el concurso: Amén. Y alabaron a Dios. En suma, todo el pueblo se conformó con lo dicho.

**14.** *Por lo que hace a mí*, desde el día aquel en que me mandó el rey que fuese gobernador de la tierra de Judá, desde el año veinte hasta el treinta y dos del rey Artajerjes, por espacio de doce años, ni yo, ni mis hermanos hemos recibido los alimentos *o salarios* debidos a los gobernadores,

**15.** Siendo así que los primeros gobernadores antecesores míos cargaron al pueblo, y recibieron de ellos en pan, vino y dinero cuarenta siclos cada día; y que también sus ministros oprimían al pueblo. Mas yo, temiendo a Dios, no me porté así;

**16.** Antes bien trabajé en la fábrica del muro, y no compré ni una heredad, y acudían todos mis criados a la obra.

**17.** Añádase a esto que ciento y cincuenta personas de entre los Judíos y magistrados, y los que venían a nosotros de los países circunvecinos, comían a mi mesa;

**18.** A cuyo fin se mataban cada día en mi casa un buey y seis carneros escogidos, sin contar las aves, y cada diez días se servían diferentes vinos, y distribuían otras muchas cosas; y añádase a esto que no cobré los estipendios de mi gobierno, por estar el pueblo reducido a la mayor miseria.

**19.** Acuérdate de mí, ¡oh Dios mío! para *hacerme* bien, a medida de los beneficios que yo he hecho a este pueblo.

## CAPITULO VI

*Valor y prudencia de Nehemías en deshacer las tramas de sus enemigos; los cuales entran al fin en temor.*

**1.** Mas habiendo oído Sanaballat, y Tobías, y Gosem Arabe y los demás enemigos nuestros, que yo había reedificado *ya* la muralla, y que no quedaba en ella ningún portillo (aunque no se habían puesto todavía las hojas de las puertas),

**2.** Sanaballat y Gosem me enviaron a decir: Ven, y haremos alianza entre nosotros en alguna de las aldeas del campo de Ono. Pero ellos urdían una trama contra mi persona.

**3.** Enviéles, pues, a decir por mis mensajeros: Traigo entre manos una obra de importancia, y no puedo ir allá, no sea que se atrase, si yo me separo para ir a vosotros.

**4.** Por cuatro veces enviaron a decirme lo mismo, y siempre les respondí como la vez primera.

**5.** Finalmente, Sanaballat me despachó por la quinta vez con la misma comisión un criado suyo, el cual traía en su mano una carta escrita en los siguientes términos:

**6.** Se ha divulgado entre las gentes, y Gosem lo dice *públicamente*, que tú y los Judíos intentáis rebelaros, y que a este fin reedificas las murallas, y pretendes alzarte rey sobre ellos: por cuyo motivo,

**7.** Tienes destinados profetas o *emisarios* que ensalcen tu nombre en Jerusalén, y digan: El es el rey de Judea. Estas cosas llegarán a oídos del rey; por lo mismo ven pronto, para que consultemos juntos sobre el asunto.

**8.** Pero yo les contesté: No hay nada de eso que tú dices; sino que son cosas que tú te forjas de tu propia cabeza.

**9.** La verdad es que todos ellos tiraban a meternos miedo, imaginándose que alzaríamos la mano de la obra, y la abandonaríamos. Pero yo por lo mismo cobré más aliento.

**10.** Fuí después ocultamente a casa de Semeías, *sacerdote,* hijo de Dalaías, hijo de Metabeel; el cual me dijo: Vámonos los dos a conferenciar en la Casa de Dios en medio del Templo, y cerremos sus puertas; porque han de venir a matarte, y por la noche vendrán a quitarte la vida.

**11.** Mas yo respondí: ¿Y un hombre en el puesto en que yo me hallo, ha de huir? ¿Y qué hombre como yo puede entrar en el Templo para salvar su vida? No quiero ir.

**12** Por aquí comprendí que él no era enviado o *inspirado* de Dios, sino que había hablado conmigo haciendo de profeta; y que Tobías y Sanaballat lo habían sobornado;

**13.** Porque realmente había recibido dinero para amedrentarme y hacerme pecar: con lo cual tuviesen esta maldad que echarme en cara.

**14.** Acuérdate de mí, ¡oh Señor! considerando semejantes tramas de Tobías y de Sanaballat, y asimismo de Noadías profeta, y de los demás falsos profetas que procuraban atemorizarme.

**15.** Al fin se acabaron las murallas el veinticinco del mes de Elul, en cincuenta y dos días.

**16.** Así que supieron esto todos nuestros enemigos, se llenaron de temor todas las naciones circunvecinas, y cayeron de ánimo y conocieron ser Dios el autor de esta obra.

**17.** Sin embargo, aun por aquellos días iban y venían muchas cartas de *varios* magnates Judíos a Tobías, y de Tobías a ellos;

**18.** Porque en Judea había muchos que le habían jurado *amistad:* pues era yerno de Sequenías, hijo de Area, y Johanán, su hijo estaba casado con una hija de Mosollam hijo de Baraquías.

**19.** Y lo que más es, le alababan en presencia mía, y participábanle cuanto yo decía, y Tobías escribía *después* cartas para intimidarme.

# CAPITULO VII

*Recuento de los que volvieron de Babilonia a Jerusalén: ofrendas hechas para la fábrica.*

**1.** Después que se acabaron las murallas, y hube asentado las puertas, y pasado la lista de los porteros, cantores y Levitas,

**2.** Di mis órdenes sobre Jerusalén a mi hermano Hanani, y a Hananía príncipe de la Casa *del Señor* (como quien era reputado por hombre sincero y más temeroso de Dios que los otros),

**3.** Y les dije: No se han de abrir las puertas de Jerusalén hasta que el sol caliente. Y estando aún ellos presentes, se cerraron y atrancaron las puertas, y puse de guardia ciudadanos de Jerusalén que se relevaban por su turno, cada cual en frente de su casa.

**4.** Era la ciudad muy ancha y capaz, y la gente que la habitaba poca; no estando reedificadas las casas.

**5.** Pero Dios inspiró en mi corazón que convocase a los magnates y a los magistrados, y al pueblo para hacer una revista o *censo,* y hallé un libro del empadronamiento de aquéllos que habían vuelto los primeros *de Babilonia,* en el cual se encontró escrito lo siguiente:

**6.** Estos son los naturales de la provincia *de Judea,* que han vuelto del cautiverio, a donde habían sido llevados por Nabucodonosor, rey de Babilonia, y han regresado a Jerusalén y a Judea, cada uno a su ciudad.

**7.** Los cuales han venido con Zorobabel, con Josué, Nehemías, Azarías, Raamías, Nahamani, Mardoqueo, Belsam, Mesfarat, Begoai, Nahum, Baana.

He aquí el número de los varones del pueblo de Israel:

**8.** Hijos de Farós, dos mil ciento setenta y dos.

**9.** Hijos de Safatía, trescientos setenta y dos.

**10.** Hijos de Area, seiscientos cincuenta y dos.

**11.** Hijos de Fahat Moab de los descendientes de Josué y de Joab, dos mil y ochocientos y dieciocho.

**12.** Hijos de Elam, mil doscientos cincuenta y cuatro.

**13.** Hijos de Zetua, ochocientos cuarenta y cinco.

**14.** Hijos de Zacai, setecientos sesenta.

**15.** Hijos de Bannui, seiscientos cuarenta y ocho.

16. Hijos de Bebai, seiscientos veintiocho.

17. Hijos de Azgad, dos mil trescientos veintidós.

18. Hijos de Adonicam, seiscientos sesenta y siete.

19. Hijos de Beguai, dos mil y sesenta y siete.

20. Hijos de Adín, seiscientos cincuenta y cinco.

21. Hijos de Ater, hijo de Hezecías, noventa y ocho.

22. Hijos de Asem, trescientos veintiocho.

23. Hijos de Besai, trescientos veinticuatro.

24. Hijos de Haref, ciento y doce.

25. Hijos de Gabaón, noventa y cinco.

26. Hijos de Betlehem y de Netufa, ciento y ochenta y ocho.

27. Varones de Anatot, ciento veintiocho.

28. Varones de Betazmot, cuarenta y dos.

29. Varones de Cariatiarim, de Céfira y de Berot, setecientos cuarenta y tres.

30. Varones de Rama y de Geba, seiscientos veintiuno.

31. Varones de Macmas, ciento veintidós.

32. Varones de Betel y de Hai, ciento veintitrés.

33. Varones de la otra Nebo, cincuenta y dos.

34. Varones de la otra Elam, mil doscientos cincuenta y cuatro.

35. Hijos de Harem, trescientos veinte.

36. Hijos de Jericó, trescientos cuarenta y cinco.

37. Hijos de Lod, de Nadid y de Ono, setecientos veintiuno.

38. Hijos de Senaa, tres mil novecientos treinta.

39. Sacerdotes: Hijos de Idaía en la familia de Josué, novecientos setenta y tres.

40. Hijos de Emmer, mil cincuenta y dos.

41. Hijos de Fasur, mil doscientos cuarenta y siete.

42. Hijos de Aram, mil y diecisiete.

Levitas:

43. Los hijos de Josué y de Cedmihel, hijos o *descendientes*

44. de Oduías, setenta y cuatro.

Cantores:

45. Los hijos de Asaf, ciento cuarenta y ocho.

46. Porteros: Los hijos de Sellum, los hijos de Ater, los hijos de Telmón, los hijos de Acub, los hijos de Hatita, los hijos de Sobai, ciento treinta y ocho.

47. Natineos: Los hijos de Soha, los hijos de Hausufa, los hijos de Tebaot,

48. Los hijos de Cerós, los hijos de Siaa, los hijos de Fadón, los hijos de Lebana, los hijos de Hagaba, los hijos de Selmai,

49. Los hijos de Hanán, los hijos de Geddel, los hijos de Gaher,

50. Los hijos de Raaía, los hijos de Rasín, los hijos de Necoda,

51. Los hijos de Gezem, los hijos de Aza, los hijos de Fasea,

52. Los hijos de Besai, los hijos de Munim, los hijos de Nefusim,

53. Los hijos de Bacbuc, los hijos de Hacufa, los hijos de Harur,

54. Los hijos de Beslot, los hijos de Mahida, los hijos de Harsa,

55. Los hijos de Bercós, los hijos de Sísara, los hijos de Tema,

56. Los hijos de Nasía, los hijos de Hatifa,

57. Los hijos de los siervos de Salomón, los hijos de Sotai, los hijos de Soferet, los hijos de Farida,

58. Los hijos de Jahala, los hijos de Darcón, los hijos de Jeddel,

59. Los hijos de Safatía, los hijos de Hatil, los hijos de Foqueret, nacido de Sabaim, hijo de Amón.

60. Todos los Natineos con los hijos de los siervos de Salomón eran trescientos noventa y dos.

61. Y he aquí que vinieron de Telmela, Telarsa, Querub, Addón y Emmer *ciudades de Caldea,* y no pudieron hacer constar la familia de sus padres, ni su linaje, ni si eran del pueblo de Israel.

62. *A saber los* hijos de Dalaía, los hijos de Tobía, los hijos de Necoda, seiscientos cuarenta y dos.

63. Asimismo entre los sacerdotes, los hijos de Había, los hijos de Accós, los hijos de Bercellai, el que casó con una de las hijas de Bercellai el Galaadita, y tomó su apellido.

64. Estos buscaron su genealogía en el censo, y no la hallaron, por lo que fueron excluidos del sacerdocio.

65. Y díjoles Atersata, *esto es, Nehemías,* que no comiesen de las carnes santificadas, hasta tanto que hubiese un pontífice docto y perfecto, *que decidiese el punto.*

66. Toda esta gente, avenida como si fuera un solo hombre, ascendía a cuarenta y dos mil trescientos y sesenta,

**67.** Sin contar sus siervos y siervas que eran siete mil trescientos treinta y siete, y había entre ellos doscientos cuarenta y cinco cantores y cantoras.

**68.** Sus caballos eran trescientos treinta y seis, los mulos doscientos cuarenta y cinco.

**69.** Sus camellos cuatrocientos treinta y cinco; los asnos seis mil setecientos y veinte. *Hasta aquí se ha referido lo que se hallaba escrito en el Libro del Censo: de aquí en adelante sigue la historia de Nehemías.*

**70.** Contribuyeron, pues, a la fábrica algunos de los jefes de las familias. Atersata puso en el tesoro mil dracmas de oro, cincuenta tazas y quinientas treinta túnicas sacerdotales.

**71.** Y varios jefes de familias dieron para el tesoro de la obra veinte mil dracmas de oro y dos mil doscientas minas de plata.

**72.** Lo que dió el resto del pueblo fueron veinte mil dracmas de oro, y dos mil minas de plata, y sesenta y siete túnicas sacerdotales.

**73.** Después los sacerdotes y los Levitas, los porteros y cantores, y todo el pueblo, y los Natineos y todo Israel habitaron cada uno en su ciudad.

## CAPITULO VIII

*Esdras lee y explica la Ley al pueblo, a quien consuela Nehemías; y celébrase la fiesta de los Tabernáculos.*

**1.** Era ya llegado el mes séptimo; y los hijos de Israel que estaban cada uno en su ciudad, congregáronse todos unánimes, y de común acuerdo, en la plaza que cae en frente de la puerta de las Aguas, y pidieron a Esdras, escriba o doctor, que trajese el libro de la Ley de Moisés, que había dado el Señor a Israel.

**2.** Presentó, pues, Esdras, sacerdote, la Ley a la multitud de hombres y mujeres y de cuantos eran capaces *por su edad* de poder entenderla, el primer día del mes séptimo.

**3.** Y leyó en aquel libro, con voz clara, en la plaza situada delante de las Aguas, desde la mañana hasta el mediodía, en presencia de los hombres y de las mujeres y de los sabios; y todo el pueblo tenía sus oídos atentos a la lectura del libro.

**4.** El escriba Esdras, se puso en pie en una tribuna *o púlpito* de madera, *que* había mandado hacer para este fin de hablar *al pueblo;* y a su lado estaban Matatías, y Semeía, y Anía, y Uría, y Helcía, y Maasía a la derecha; y a la izquierda Fadaía, Misael, y Melquías, y Hasum y Hasbadana, Zacaría y Mosollam

**5.** Abrió, pues, Esdras el libro a vista de todo el pueblo, como que se hallaba en un lugar más elevado que todos; y así que lo abrió, púsose en pie toda la gente.

**6.** Entonces Esdras bendijo al Señor, Dios Grande, *con una oración que hizo;* y todo el pueblo, alzando sus manos, respondió: ¡Así sea! ¡así sea! Y se arrodillaron todos, y postrados rostro por tierra, adoraron a Dios.

**7.** Los Levitas, empero, Josué, Bani, y Serebia, Jamín, Accub, Septai, Odía, Maasía, Celita, Azarías, Jozabed, Hanán y Falaía cuidaban de hacer guardar silencio al pueblo para que oyese la Ley; y estaba la gente en pie, cada uno en su lugar.

**8.** Y leyeron el libro de la Ley de Dios clara y distintamente, de modo que se entendiese: y en efecto, entendieron cuanto se iba leyendo.

**9.** Y Nehemías (que es el mismo Atersata *o copero del rey*), y Esdras sacerdote y escriba, y los Levitas, que interpretaban *la Ley* a todo el pueblo, dijeron: Éste día está consagrado al Señor Dios nuestro: no gimáis, ni lloréis. Porque todo el pueblo lloraba oyendo las palabras de la Ley.

**10.** Y díjoles *Nehemías:* Id, y comed carnes gordas *y buenas,* y bebed del vino dulce *y exquisito,* y enviad porciones a aquéllos que nada tienen dispuesto, pues éste es el día santo del Señor; y no estéis tristes, porque el gozo del Señor es nuestra fortaleza.

**11.** Asimismo los Levitas exhortaban a todo el pueblo al silencio, diciendo: Callad; pues el día este es santo, y no debéis estar tristes.

**12.** Con eso se retiró toda la gente a comer y beber, y a repartir porciones, y celebrar una grande fiesta, por haber entendido las palabras que se les habían explicado.

---

CAP. VII. — 69. La nota que sigue a este verso, ni se halla en el texto hebreo, ni en el griego, ni aun en varios manuscritos de la Vulgata: por lo cual algunos traductores la ponen al margen. Se cree que la añadió el traductor latino.

---

10. *Deuter.* XVI, *v.* 14. — I Cor. XI, *v.* 21. *Nuestra fortaleza:* o excita nuestro vigor para servirle.

13. Al segundo día se juntaron los príncipes de las familias de todo el pueblo, los sacerdotes y Levitas, delante de Esdras escriba, para que les interpretase las palabras de la Ley.

14. Y hallaron escrito en el libro de la Ley que el Señor había mandado por medio de Moisés que los hijos de Israel habitasen en tiendas en el día solemne del mes séptimo;

15. Y que se predicase, y pregonase por todas sus ciudades, y en Jerusalén este bando: Salid al monte, y traed ramos de olivo, y ramos de los árboles más hermosos, ramos de mirto, y ramos de palmas, y ramos de árboles frondosos para formar tabernáculos o *cabañas*, conforme está escrito.

16. Salió, pues, el pueblo, y los trajo; y cada uno se hizo su tabernáculo o *cabaña* sobre el terrado *de su casa*, y en sus patios, y en los atrios de la Casa de Dios, y en la plaza de la puerta de las Aguas, y en la plaza de la puerta de Efraím.

17. De esta suerte toda la multitud de los que habían vuelto de la cautividad hicieron *sus tabernáculos,* y habitaron en ellos; que nunca lo habían practicado los hijos de Israel como ahora *con tanto gozo*, desde el tiempo de Josué, hijo de Nun. Su regocijo fué sin igual.

18. Y *Esdras* leyó todos los días en el libro de la Ley de Dios, desde el día primero al último; y celebraron la fiesta por siete días, y en el octavo la colecta, según el rito.

## CAPITULO IX

*Hace el pueblo penitencia, y abandona los falsos dioses. Confiesan los Levitas los beneficios de Dios y los pecados del pueblo. Oran por él, y se renueva la alianza con el Señor.*

1. Mas el día veinticuatro de dicho mes, se juntaron los hijos de Israel, observando el ayuno, y vestidos de sacos, y cubiertos de polvo *y ceniza*.

2. Y el linaje de los hijos de Israel habíase ya separado de todos los extranjeros, y presentándose *delante del Señor* confesaban sus pecados y las maldades de sus padres.

3. Y pusiéronse en pie, y se hizo la lectura en el libro de la Ley del Señor Dios suyo

cuatro veces al día, y otras tantas alababan y adoraban al Señor su Dios.

4. A este fin, subieron a la tribuna de los Levitas Josué, y Bani, y Cedmihel, Sabanía, Bonni, Sarebías, Bani, y Canani, y clamaron en voz alta al Señor su Dios.

5. Y los Levitas Josué y Cedmihel, Bonni, Hasebonía, Serebía, Odaía, Sebnía, Fatahía, dijeron: Levantaos, bendecid al Señor Dios vuestro *que existe* abeterno y por toda la eternidad. Sea, *oh Señor,* bendito tu excelso y glorioso Nombre, con toda suerte de bendiciones y alabanzas.

6. Tú mismo, ¡oh Señor!, tú solo hiciste el cielo, y el cielo de los cielos *donde habitas,* y toda su milicia *celestial,* la tierra, y cuanto ella contiene, y los mares y todo lo que hay en ellos; y tú das vida *o conservas* todas estas cosas, y a ti te adora el ejercito *o milicia* celestial.

7. Tú fuiste, ¡oh Señor Dios! el que elegiste a Abram, y le sacaste de Ur de los Caldeos, y le pusiste el nombre de Abraham,

8. Y hallaste fiel su corazón en tu presencia, y pactaste con él que le darías la tierra del Cananeo, del Heteo, del Amorreo, y del Ferezeo, y del Jebuseo, y del Gergeseo, entregándosela a sus descendientes; y cumpliste tu palabra, pues eres justo.

9. Y miraste la aflicción de nuestros padres en Egipto, y escuchaste sus clamores junto al mar Rojo,

10. Y obraste milagros y portentos contra Faraón, y contra todos sus criados, y contra todo el pueblo de aquella tierra, porque sabías que ellos nos habían tratado con soberbia, *e insolencia;* y te adquiriste el nombre *de Dios Grande,* que conservas aún hoy día.

11. Y dividiste el mar ante nuestros padres, que pasaron por medio de él, enjuto el suelo; y arrojaste al profundo a sus perseguidores, como piedra que cae en un abismo de aguas.

12. Fuiste entre día su conductor desde una columna de nube, y por la noche desde una columna de fuego, para mostrarles la senda por donde habían de caminar.

13. Tú asimismo descendiste al monte Sinaí, y hablaste con ellos desde el cielo; y les diste preceptos de justicia, y la Ley de la verdad, y ceremonias, y mandamientos buenos.

14. Y les enseñaste a consagrar a ti el sábado; y les promulgaste tus instrucciones, y ceremonias, y la Ley por ministerio de Moisés, tu siervo.

---

18. *Colecta:* o reunión del pueblo en el Templo.

**15.** También les diste pan del cielo, estando hambrientos; y cuando tuvieron sed hiciste brotar agua de una peña; y dijísteles que entrasen a poseer la tierra, que alzada tu mano *o con juramento*, habías prometido darles.

**16.** Pero así ellos como nuestros padres obraron con soberbia y *altanería*, y endurecieron sus cervices, y no obedecieron tus mandamientos.

**17.** No quisieron escucharte, ni acordarse de las maravillas, que a favor de ellos hiciste, antes endurecieron sus cervices, y como rebeldes quisieron elegirse un caudillo para volverse a su esclavitud *de Egipto*. Pero tú, ¡oh Dios propicio! clemente y misericordioso, de larga espera, y de mucha benignidad, no los abandonaste.

**18.** Ni aun cuando se forjaron un becerro de fundición, y dijeron: Este, *oh Israel*, es tu Dios, el que te ha sacado de Egipto, y cometieron horribles blasfemias.

**19.** Tú, no obstante, por tu gran misericordia no los abandonaste en el Desierto, no se apartó de ellos entre día la columna de nube que les mostraba el camino, ni de noche la columna de fuego para enseñarles la senda que habían de seguir.

**20.** Dísteles tu espíritu bueno que los instruyese *por medio de Moisés*, y no quitaste tu maná de su boca, y cuando sedientos, les diste agua.

**21.** Por cuarenta años los alimentaste en el Desierto, y nada les faltó; sus vestidos no se gastaron, ni se lastimaron sus pies.

**22.** Y los hiciste dueños de reinos y pueblos, y se los repartiste por suertes; y *así* poseyeron el país de Sehón, el país del rey de Hesebón, y el país de Og, rey de Basán.

**23.** Y multiplicaste sus hijos como las estrellas del cielo, y los trajiste a la tierra, de la cual habías dicho a sus padres que entrarían a poseerla.

**24.** En efecto, vinieron los hijos y poseyéronla; y tú abatiste delante de ellos a los Cananeos que la habitaban, y los entregaste en su poder con sus reyes y pueblos del país, para que hiciesen de ellos lo que quisiesen.

**25.** Apoderáronse, pues, de las ciudades fuertes, y de una tierra pingüe, y ocuparon casas llenas de toda suerte de bienes; hallaron cisternas *ya* fabricadas por otros, viñas, y olivares, y muchos árboles frutales; y comieron y se saciaron, y engrosáronse, y nadaron en delicias, merced a tu gran bondad.

**26.** Ellos, empero, te provocaron a ira, apartándose de ti, y echaron tu Ley a sus espaldas, y mataron a tus profetas que lo conjuraban para que se convirtiesen a ti, y cayeron en grandes abominaciones.

**27.** Por lo cual los entregaste en poder de sus enemigos que los oprimieron. Mas en su tribulación clamaron a ti, y tú desde el cielo los escuchaste, y por tu mucha misericordia les diste salvadores, que los libertasen del poder de sus enemigos.

**28.** Así que estuvieron en reposo, volvieron a cometer la maldad en tu presencia; y tú los abandonaste en manos de sus enemigos, que los esclavizaron. De nuevo se convirtieron y clamaron a ti, y tú desde el cielo los escuchaste, y por tu gran misericordia los libertaste repetidas veces.

**29.** Y los exhortaste vivamente a volver a tu Ley; pero ellos procedieron con altivez, y no obedecieron tus mandamientos, y pecaron contra tus leyes, en cuya observancia halla el hombre la vida, y rezonglones sacudieron la carga del hombro, y endurecieron su cerviz, y no hicieron caso.

**30.** Sin embargo, tú los aguantaste por muchos años, y los amonestaste por medio de tu espíritu, *hablándoles* por boca de los profetas; pero no quisieron escuchar; y los entregaste en poder de los pueblos de las naciones.

**31.** Si bien por tu grandísima *e infinita* misericordia no acabaste con ellos, ni los abandonaste: porque tú eres Dios de benignidad y de clemencia.

**32.** Ahora pues, ¡oh Dios nuestro! Dios grande, fuerte y terrible, que guardas el pacto y la misericordia, no apartes los ojos, *compadécete* de todos los trabajos que han llovido sobre nosotros, sobre nuestros reyes, y nuestros príncipes, y nuestros sacerdotes, y nuestros profetas, y nuestros padres, y sobre tu pueblo todo, desde el tiempo del rey de Asiria, *que nos llevó cautivos*, hasta el día de hoy.

**33.** Justo eres tú en todos estos males que han llovido sobre nosotros: porque tú has cumplido fielmente las promesas; mas nosotros hemos procedido inicuamente.

---

CAP. IX. — 17. *Elegirse un caudillo:* Quisieron elegirse caudillo para dejar a Moisés, y volverse a Egipto, lugar de su servidumbre. *Num.* XII, *v.* 4.

**27.** *Jud.* III, *v.* 9.
**28.** *Estuvieron en reposo:* apenas estuvieron libres.
**32.** IV. *Reg.* XV, *v.* 29. — I *Paral.* V. *v.* 26.

**34.** Nuestros reyes, nuestros magnates, nuestros sacerdotes y nuestros padres no han guardado tu Ley, no han atendido a tus mandamientos, ni a las amonestaciones con que los reconvenías.

**35.** *Al contrario,* mientras reinaban y gozaban de los muchos beneficios que les hacías, y de esta espaciosa y feraz tierra que habías entregado a su disposición, ni te sirvieron, ni se apartaron de sus pésimas inclinaciones.

**36.** Y he aquí que nosotros mismos somos hoy esclavos; y en esta tierra que diste a nuestros padres para que comiesen el pan y los frutos de ella, en ella misma nos hallamos siervos *del rey de Babilonia* .

**37.** Multiplícanse sus frutos en pro de los reyes, a los cuales nos sujetaste por nuestros pecados; ellos son los dueños de nuestros cuerpos y de nuestras bestias, según su antojo; con lo que vivimos en gran tribulación.

**38.** Consideradas, pues, todas estas cosas, nosotros mismos prometemos alianza o *fidelidad;* y la ponemos por escrito, y la firman nuestros príncipes de las familias, nuestros Levitas y nuestros sacerdotes.

## CAPITULO X

*Catálogo de los que firmaron la alianza con Dios, y las condiciones a que se obligaron.*

**1.** Los que firmaron, fueron: Nehemías Atersata o *Copero,* hijo de Haquelai o *Helcías,* y Sedecías,

**2.** Saraías, Azarías, Jeremías,

**3.** Fesur, Amarías, Melquías,

**4.** Hattús, Sebenías, Melluc,

**5.** Harem, Merimut, Obdías,

**6.** Daniel, Gentón, Baruc,

**7.** Mosollam, Abía, Miamín,

**8.** Maazía, Belgai, Semeía; todos ellos sacerdotes.

**9.** Los Levitas fueron: Josué, hijo de Azanía, Bennui de los descendientes de Henadad, Cedmihel;

**10.** Y sus hermanos Sebenía, Odaía, Celita, Falaía, Hanán,

**11.** Mica, Rohob, Hasebia,

**12.** Zacur, Serebia, Baninu,

**13.** Odaía, Bani, Baninu,

**14.** Cabezas o *principales* del pueblo: Farós, Fahatmoab, Elam, Zetu, Bani,

**15.** Bonni, Azgad, Bebaí,

**16.** Adonía, Begoai, Adin,

**17.** Ater, Hezecía, Azur,

**18.** Odaía, Hasum, Besai,

**19.** Haref, Anatot Nebai,

**20.** Megfías, Mosollam, Hazir,

**21.** Mesizabel, Sadoc, Jeddúa,

**22.** Feltía, Hanán, Anaía,

**23.** Osee, Hananía, Hasub,

**24.** Alohés, Falea, Sobec,

**25.** Rehum, Hasebna, Maasía,

**26.** Ecaía, Hanán, Anán,

**27.** Melluc, Harán, Baana.

**28.** En cuanto a los demás del pueblo, sacerdotes, Levitas, porteros y cantores, Natineos, y todos cuantos se habían separado de las otras naciones, y abrazado Ia Ley de Dios, y asimismo, sus mujeres y sus hijos e hijas.

**29.** Todos los que eran capaces de discernir y entender, lo prometieron por *medio de* sus hermanos; viniendo los principales o *magnates* entre ellos a prometer y jurar que procederían según la Ley de Dios, promulgada por medio de Moisés, siervo de Dios, y que guardarían y cumplirían todos los mandamientos del Señor Dios nuestro, y sus preceptos y ceremonias;

**30.** Y que no daríamos nuestras hijas a varones de otra nación, ni tomaríamos sus hijas para nuestros hijos.

**31.** Asimismo que cuando los gentiles traen mercaderías y comestibles en día de sábado, no se las compraremos en sábado, ni en ningún otro día de fiesta; que dejaremos holgar *la tierra* el año séptimo, ni exigiremos *en él* deuda ninguna.

**32.** Y que nos impondremos la ley de contribuir todos los años con la tercera parte de un siclo para los gastos de la Casa de nuestro Dios, *a saber:*

**33.** Para los panes de la proposición, y para el sacrificio perpetuo, y para el holocausto que siempre se ofrece en todos los sábados, en las calendas, y en las fiestas solemnes; para los sacrificios pacíficos y los que se ofrecen por el pecado, a fin de que *Dios* sea propicio a Israel, y para todo el servicio de la Casa de nuestro Dios.

**34.** Echamos también suertes entre los sacerdotes y Levitas, y el pueblo, sobre la leña que se debía ofrecer, y conducir a costa de las familias de nuestros padres a la Casa de nuestro Dios a sus tiempos, de un año para otro, para quemar sobre el altar del Señor Dios nuestro, según está escrito en la Ley de Moisés.

36. I *Esdr.* VII, *v.* 24; IX, v. 9. — 11 *Esdr.* V, *v.* 4.

**35.** Asimismo prometimos traer cada año a la Casa del Señor las primicias de nuestra tierra, y las primicias de todos los frutos de cualquier árbol;

**36.** Como también los primerizos de nuestros hijos y de nuestros ganados, conforme está escrito en la Ley, y los primerizos de nuestros bueyes, y de nuestras ovejas, para ofrecer todas estas cosas en la Casa de nuestro Dios a los sacerdotes que están ejerciendo sus funciones en el Templo del Dios nuestro.

**37.** Y que traeríamos a los sacerdotes para el tesoro *de la Casa* de nuestro Dios las primicias de nuestros alimentos, y de nuestros licores, y de las frutas de todo árbol, y de la vendimia, y del aceite; y el diezmo de nuestras tierras a los Levitas. Los mismos Levitas recibirán en todas las ciudades el diezmo de nuestras labores.

**38.** También los sacerdotes hijos de Aarón entrarán con los Levitas a la parte de los diezmos de los Levitas, pues éstos ofrecerán el diezmo de su diezmo en el Templo de nuestro Dios, para ser depositado en las cámaras *o almacenes del Templo;*

**39.** Puesto que así los hijos de Israel como los Levitas han de llevar las primicias del trigo, del vino y del aceite al al depósito; donde han de estar los vasos sagrados, y los sacerdotes, y cantores, y porteros, y ministros *por su turno;* y no descuidaremos nosotros el Templo de nuestro Dios.

## CAPITULO XI

*Nota de los pobladores de Jerusalén y de otras ciudades, después de la restauración.*

**1.** Los príncipes *o magnates* del pueblo fijaron su habitación en Jerusalén; mas del resto de la gente se sacó por suerte la décima parte, para que se estableciese en Jerusalén, ciudad santa, y las otras nueve en las *demás* ciudades.

**2.** Y el pueblo llenó de bendición a todos aquéllos que se habían ofrecido espontáneamente a morar en Jerusalén.

**3.** Estos son, pues, los principales de la *Judea reducida* a provincia, que se avecindaron en Jerusalén y en las ciudades de Judá. Cada uno habitó en su posesión y en su ciudad, así el pueblo de Israel, como los sacerdotes, y Levitas, y Natineos, y los hijos de los siervos de Salomón.

**4.** En Jerusalén se avecindaron parte de los hijos de Judá, y parte de los hijos de Benjamín. De los hijos de Judá: Ataías hijo de Aziam, hijo de Zacarías, hijo de Amarías, hijo de Safatías, hijo de Malaleel. De los hijos de Farés:

**5.** Maasía, hijo de Baruc, hijo de Coloza, hijo de Hazia, hijo de Adaía, hijo de Joyarib, hijo de Zacarías, hijo de un Silonita.

**6.** Todos estos hijos de Farés que se avecindaron en Jerusalén, fueron cuatrocientos sesenta y ocho varones esforzados.

**7.** Los hijos empero de Benjamín fueron éstos: Sellum, hijo de Mosollam, hijo de Joed, hijo de Fadaía, hijo de Colaía, hijo de Masía, hijo de Eteel, hijo de Isaía;

**8.** Y después de él Gebbai, Sellai, en todos novecientos veintiocho.

**9.** Y Joel, hijo de Zecri, era su prefecto, y Judas, hijo de Senua, ocupaba el segundo puesto en la ciudad.

**10.** De los sacerdotes fueron Idaía hijo de Joarib, Jaquín.

**11.** Saría, hijo de Helcías, hijo de Mosollam, hijo de Sadoc, hijo de Merayot, hijo de Aquitob, príncipe de la Casa de Dios,

**12.** Con sus hermanos empleados en los ministerios del Templo, *en todos* ochocientos veintidós. Asimismo Odaía, hijo de Jeroham, hijo de Felelia, hijo de Amsi, hijo de Zacarías, hijo de Fesur, hijo de Melquías,

**13.** Con sus hermanos príncipes de familias, doscientos cuarenta y dos. Y Amasai, hijo de Ozrael, hijo de Ahazi, hijo de Mosollamot, hijo de Emmer,

**14.** Con sus hermanos, que eran muy poderosos, ciento veintiocho; y su caudillo Zabdiel, hijo de uno de los magnates.

**15.** De los Levitas: Semeía, hijo de Hasub, hijo de Azaricam, hijo de Hasabia, hijo de Buní.

**16.** Y Sabatai y Josabed, principales entre los Levitas, tenían la superintendencia de todas las obras exteriores de la Casa de Dios.

**17.** Y Matanía, hijo de Mica, hijo de Zebedei, hijo de Asaf, primer cantor en los salmos e himnos en tiempo de la oración *u oficio divino,* y Becbecía, el segundo entre sus hermanos, y Abda, hijo de Samúa, hijo de Galal, hijo de Iditum;

---

CAP. X. — 36. *Exod.* XXIII, *v.* 18.

CAP. XI. —2. *A morar en Jerusalén:* que era un montón de ruinas.

---

**5.** *Silonita:* o descendiente de Sela, hijo de Judá. I *Paralip.* IX, *v.* 5.

**7.** *Los hijos:* que se avecindaron en Jerusalén.

**11.** *Saraía:* o *Azarías,* primer sacerdote después del Pontífice. I *Paral.* IX, *v.* 11.

**18.** Todos los Levitas en la ciudad santa eran en número de doscientos ochenta y cuatro.

**19.** Los porteros Accub, Telmón, y sus hermanos, que guardaban las puertas, eran ciento setenta y dos.

**20.** El resto de los sacerdotes y Levitas de Israel *estaban esparcidos* por todas las ciudades de Judá, cada cual en su posesión.

**21.** Y los Natineos habitaban en Ofel; y Siaha y Gasfa eran *cabezas* de los Natineos.

**22.** Y el inspector *o jefe* de los Levitas en Jerusalén era Azzi, hijo de Bani, hijo de Hasabía, hijo de Matanías, hijo de Mica. Los cantores que servían en la Casa de Dios, eran de la estirpe de Asaf;

**23.** Porque había cerca de ellos un reglamento del rey *David,* y *estaba fijado* día por día el orden que debía observarse entre los cantores.

**24.** Y Fatatía, hijo de Mesezebel, del linaje de Zara, hijo de Judá, tenía del rey *Artajerjes* la autoridad para *arreglar* todos los negocios del pueblo,

**25.** Y para todos los lugares donde se hallaban establecidos. De los hijos de Judá parte se avecindaron en Cariatarbe y sus aldeas, y en Dibón y sus aldeas, y en Cabseel y su comarca;

**26.** Y en Jesué, y en Molada, y en Betfalet,

**27.** Y en Hasersual, y en Bersabée y sus aldeas,

**28.** Y en Siceleg, y en Mocona y sus aldeas,

**29.** Y en Remmón, y en Saraa, y en Jerimut,

**30.** En Zanoa, Odollam y sus aldeas; en Laquís y su territorio; y en Azeca y sus aldeas. Y avecindáronse en Bersabée hasta el valle de Ennom.

**31.** Mas los hijos de Benjamín se establecieron desde Geba, *hasta* Mecmas, y Hai, y Betel, y sus aldeas;

**32.** Anatot, Nob, Ananía,

**33.** Asor, Rama, Getaim,

**34.** Hadid, Seboim, y Naballat, Lod,

**35.** Y Ono, valle de los artífices.

**36.** Tenían también los Levitas sus posesiones en Judá y en Benjamín.

## CAPITULO XII

*Nombres y oficios de los sacerdotes y Levitas que vinieron con Zorobabel. Celébrase con* gran solemnidad la dedicación de los muros de Jerusalén.

**1.** Estos son los sacerdotes y los Levitas que vinieron con Zorobabel, hijo de Salatiel, y con Josué: Saraía, Jeremías, Esdras,

**2.** Amaría, Melluc, Hattús,

**3.** Sebenías, Reum, Merimut,

**4.** Addo, Gentón, Abía,

**5.** Miamín, Madía, Belga,

**6.** Semeía, y Joyarib, Idaía, Sellum, Amoc, Helcías,

**7.** Idaía. Estos son los príncipes de los sacerdotes *o familias sacerdotales,* que vinieron con sus hermanos en los días o *pontificado* de Josué.

**8.** Los Levitas fueron Jesua, Bennui, Cedmihel, Sarebía, Judá, Matanías, que con sus hermanos cantaban y dirigían los himnos;

**9.** Y Becbecía, y Hanni con sus hermanos, cada cual en su ministerio.

**10.** Josué, *Sumo sacerdote,* engendró a Joacim, Joacim engendró a Eliasib, y Eliasib engendró a Joíada.

**11.** Joíada engendró a Jonatán, Jonatán engendró a Jeddoa o *Jaddo.*

**12.** Y en el tiempo de Joacim, los sacerdotes cabezas de las familias *sacerdotales* eran: De la de Saraías, Maraía; de la Jeremías, Hananía;

**13.** De la de Esdras, Mosollam; de la de Amarías, Johanán;

**14.** De la de Milico o *Melluc,* Jonatán; de la de Sebenías. José;

**15.** De la de Haram, Edna; de la de Marayot, Helci;

**16.** De la de Adaía, Zacarías; de la de Gentón, Mosollam;

**17.** De la de Abía, Zecri; de la de Miamín y de Moadías, Felti;

**18.** De la de Belga, Sammúa; de la de Semaía, Jonatán;

**19.** De la de Joyarib, Matanai; de la de Jodaía, Azzi;

**20.** De la de Sellai o *Sellum,* Celai; de la de Amoc, Heber;

**21.** De la de Helcías, Hasebía; de la de Idaía, Natanael.

**22.** En cuanto a los Levitas *que vivieron* en los tiempos de Eliasib, y de Joíada, y de Johanán, y de Jeddoa, fueron escritas las cabezas de aquellas familias *levíticas* como las de los sacerdotes en el reinado de Darío, rey de Persia.

---

**24.** *Para arreglar todos los negocios:* como asesor de Nehemías en los asuntos públicos y particulares.

**23.** Los hijos de Leví príncipes *o cabezas* de las familias, se hallan también escritos en el Libro de los Anales hasta el tiempo de Jonatán, hijo de Eliasib.

**24.** Los príncipes, pues, de los Levitas eran Hasebía, Serebía y Josué, hijo de Cedmihel, con sus hermanos empleados en cantar himnos y salmos por sus turnos, conforme a la disposición de David, varón de Dios, observando igualmente el orden *establecido*.

**25.** Matanía y Becbecía, Obedía, Mosollam, Telmón, Accub, eran guardas de las puertas y de los vestíbulos de delante de ellas.

**26.** Vivían éstos en tiempo de Joacim, hijo de Josué, hijo de Josedec; y en tiempo de Nehemías gobernador; y de Esdras sacerdote y escriba.

**27.** Para la dedicación de los muros de Jerusalén buscáronse por todos los lugares los Levitas para hacerlos venir a Jerusalén a celebrar la dedicación y fiestas en acción de gracias con cánticos y címbalos, salterios y cítaras.

**28.** Juntáronse, pues, los cantores de la campiña de Jerusalén y de las aldeas de Netufati,

**29.** Y de la casa de Galgal, y de los territorios de Geba, y Asmavet; pues los cantores se habían fabricado granjas en la comarca de Jerusalén.

**30.** Purificáronse, pues, los sacerdotes y Levitas, y purificaron *después* al pueblo, y las puertas y los muros.

**31.** Yo hice subir a los magnates de Judá sobre la muralla, y formé *también* dos grandes coros de gente que cantaba. Y se encaminaron a la derecha sobre el muro hacia la puerta *llamada* del Estercolero.

**32.** Y detrás iban Osías y la mitad de los magnates de Judá,

**33.** Y Azarías, Esdras, y Mosollam, Judas, y Benjamín, y Semeía y Jeremías.

**34.** De los hijos de los sacerdotes iban con sus trompetas Zacarías, hijo de Jonatán, hijo de Semeías, hijo de Matanías, hijo de Micaías, hijo de Zecur, hijo de Asaf.

**35.** Y sus hermanos Semeía, Azareel, Melalai, Galalai, Maai, Natanael, y Judas y Hanani, con los instrumentos músicos de David, varón de Dios; y Esdras escriba delante de ellos, hasta la puerta de la Fuente.

**36.** En frente de éstos subieron *los otros,* por las gradas de la ciudad de David *o monte Sión,* donde se alza el muro sobre la casa de David, hasta la puerta de las Aguas, al Oriente.

**37.** Y de esta suerte el segundo coro de los que cantaban *a Dios* acciones de gracias marchaba por la parte opuesta, y yo detrás de él con la *otra* mitad del pueblo, por encima de la muralla y de la torre de los Hornos, hasta la parte más ancha del muro;

**38.** *Pasando* por sobre la puerta de Efraím, y sobre la puerta Antigua, y sobre la puerta del Pescado, y sobre la torre de Hananeel, y la torre de Emat, hasta la puerta del Ganado; y vinieron a parar sobre la puerta de la Cárcel.

**39.** Y juntáronse los dos coros de cantores en la Casa de Dios, estando yo y la mitad de los magistrados conmigo,

**40.** Los sacerdotes Eliaquim, Maasía, Miamín, Miquea, Elioenai, Zacaría, Hanamía con sus trompetas *o clarines,*

**41.** Maasía, y Semeía, y Eleazar, y Azzi, y Johanán, y Melquía, y Elam, y Ezer. E hicieron resonar su voz los cantores y Jezraía su prefecto *o maestro de capilla.*

**42.** E inmoláronse en aquel día grandes víctimas, y hubo gran regocijo, por el consuelo de que los colmaba Dios: alegráronse igualmente sus mujeres e hijos, y el alborozo de Jerusalén se oyó de lejos.

**43.** Escogiéronse también en aquel mismo día de entre los sacerdotes y Levitas algunos para cuidar de las salas del tesoro, a fin de que por sus manos los magnates de la ciudad presentasen en honorífico tributo de acción de gracias las ofertas de los licores, y de las primicias, y de los diezmos; porque el pueblo de Judá quedó sumamente satisfecho de los sacerdotes y Levitas que asistieron a las funciones;

**44.** Y éstos *por su parte* cumplieron exactamente con el culto de su Dios y con las ceremonias de la expiación; como también los cantores y porteros, conforme a lo prescrito por David y por su hijo Salomón.

**45.** Porque desde el principio, en tiempo de David y de Asaf, había establecido jefes de los cantores que entonaban himnos y alabanzas a Dios.

**46.** Y así en tiempo de Zorobabel y en el de Nehemías todo Israel daba diariamente sus raciones a los cantores y porteros, y presentaban la oblación santa *de los diezmos* a los Levitas, y éstos la presentaban *también* a los hijos de Aarón.

---

CAP. XII. — 26. *Escriba:* o doctor de la Ley.
36. Los otros que habían tirado hasta la izquierda.

# CAPITULO XIII

*Desórdenes de los Judíos corregidos por Nehemías.*

**1.** Por aquel tiempo se hacía en presencia del pueblo la lectura del libro *de la Ley* de Moisés; y hallóse escrito en él que ningún Ammonita, ni Moabita debe jamás entrar en la congregación *del pueblo* de Dios,

**2.** Por cuanto no socorrieron a los hijos de Israel con pan y agua; antes bien sobornaron con dinero contra ellos a Balaam para que los maldijera; aunque nuestro Dios convirtió la maldición en bendición.

**3.** Así que hubieron oído la Ley, separaron *del pueblo* de Israel a todo extranjero.

**4.** Estaba esto al cuidado del sacerdote Eliasib, el cual tenía la superintendencia del tesoro de la Casa de nuestro Dios; y había emparentado con Tobías, *Ammonita;*

**5.** Y fabricó para sí una gran habitación, allí donde antes se guardaban las ofrendas, y el incienso, y los vasos, y los diezmos del trigo, del vino y del aceite, que eran las porciones de los Levitas, y de los cantores y porteros, y las primicias sacerdotales.

**6.** Durante este tiempo yo no estaba *ya* en Jerusalén; porque el año treinta y dos de Artajerjes, rey de Babilonia, volví al rey *desde Jerusalén;* y al fin del año le pedí licencia al rey.

**7.** Vine, pues, a Jerusalén, y entendí lo mal que había obrado Eliasib por amor de Tobías, haciéndole una habitación en los atrios del Templo de Dios.

**8.** Lo cual me disgustó sobremanera; y arrojé los muebles de la casa de Tobías fuera de aquella estancia,

**9.** Y mandé purificar las piezas *o salas,* y volví a llevar allí los vasos de la Casa de Dios, las ofrendas y el incienso.

**10.** Supe también que no se habían dado a los Levitas sus porciones, y que por eso los Levitas, así los cantores, como los demás que servían *en el Templo,* se habían retirado cada cual a su país.

**11.** De lo cual me querellé contra los magistrados, diciendo: ¿Por qué hemos abandonado el Templo de Dios? Convoqué después a los Levitas, e hice que cada cual volviese a su destino.

**12.** Y todo Judá traía el diezmo del trigo, del vino y del aceite a las trojes;

**13.** Cuya superintendencia dimos a Selemías sacerdote, y a Sadoc escriba, y a Fadaías, del número de los Levitas; y por su ayudante a Hanán, hijo de Zacur, hijo de Matanías; por cuanto se tenían experimentados por fieles, y por lo mismo se confió a éstos el repartir las porciones entre sus hermanos.

**14.** Acuérdate por esto de mí ¡oh Dios mío! y no borres *de tu memoria* el bien que yo hice en la Casa de Dios, y por su culto.

**15.** En aquellos días observé en Judá algunos que pisaban uva en los lagares el día sábado, y que en este día traían *también* haces *de leña,* y cargaban sobre asnos vino, uvas, higos y toda suerte de cosas, y lo entraban en Jerusalén. Y mandéles expresamente que vendiesen *solamente* en los días en que era lícito vender.

**16.** Habitaban asimismo en la ciudad gentes de Tiro, que introducían pescado y todo género de mercancías, y vendíanlas en sábado a los hijos de Judá en Jerusalén.

**17.** Por lo que reprendí a los magnates de Judá, y les dije: ¿Cómo hacéis una maldad como ésta, profanando el día de sábado?

**18.** ¿No hicieron esto mismo nuestros padres, y nuestro Dios descargó sobre nosotros y sobre esta ciudad todas estas calamidades? ¿Y ahora vosotros provocáis más la ira contra Israel, violando el sábado?

**19.** Sucedió, pues, que al *comenzar el* sábado, cuando *al anochecer* quedaron *como* en reposo las puertas de Jerusalén, di la orden, y quedaron éstas cerradas, y mandé que no se abriesen hasta después del sábado, y puse de guardia en ellas algunos de mis criados, a fin de que nadie entrase cargas en día de sábado.

**20.** Y los negociantes y vendedores de toda especie, se quedaron fuera de Jerusalén por una y dos veces.

**21.** Pero yo les amenacé, y dije: ¿Porqué os quedáis así delante de las murallas? Si otra vez lo hiciéreis, enviaré gente a prenderos. Con esto desde entonces no volvieron más en sábado.

**22.** Dije también a los Levitas, que se purificasen, y viniesen a guardar las puertas, y santificasen *o celasen* el día del sábado. También por esto acuérdate de mí, oh Dios mío; y perdóname según la muchedumbre de tus misericordias.

---

CAP XIII. — 1. *Deuter.* XXIII, *v.* 3

6. *Pedí licencia:* para ir a descansar y morir en mi patria.

**23.** Vi asimismo en aquellos días a algunos Judíos casados con mujeres de Azoto, de Ammón, y de Moab;

**24.** Y así sus hijos hablando medio azoto, y no sabían hablar judío, sino que hablaban un lenguaje mixto de ambos pueblos.

**25.** Por tanto los reprendí, y los excomulgué. E hice azotar algunos de ellos, y mesarles los cabellos, y que jurasen por Dios que no darían sus hijas a los hijos de los tales, ni tomarían de las hijas de ellos para sus hijos ni para sí mismos. Y dije:

**26.** ¿No pecó en esto mismo Salomón, rey de Israel? Y ciertamente que entre las muchas naciones no había rey semejante a él; y era el querido de su Dios, y Dios le constituyó rey sobre todo Israel; que aun a éste le arrastraron al pecado las mujeres extranjeras.

**27.** ¿Conque, nosotros también desobedientes cometeremos esa tan grande maldad de prevaricar contra nuestro Dios, tomando mujeres extranjeras?

**28.** Uno de los hijos de Joíada, hijo de Eliasib, Sumo sacerdote, era yerno de Sanaballat Horonita, por el cual motivo lo aparté lejos de mí.

**29.** Acuérdate, Señor Dios mío, de castigar los que profanan el sacerdocio, violando el derecho sacerdotal y levítico.

**30.** Los purifiqué, pues, *o separé* de todas las *mujeres* extranjeras, y restablecí las clases de los sacerdotes y Levitas, cada cual en su ministerio,

**31.** Y para que cuidasen de la ofrenda de la leña y de las primicias en los tiempos señalados. Acuérdate de mí, ¡oh Dios mío! para consuelo. Así sea.

---

**28.** *Sanaballat:* gobernador de los Moabitas. *Lejos de mí:* echándole de Jerusalén.

# LIBRO DE TOBÍAS

# Introducción

Tobías era un judío palestino llevado a Nínive en cautiverio por el rey de Asiria y cronológicamente puede situársele unos setecientos años antes de Jesucristo. En medio de la prevaricación general mantuvo su fidelidad a la ley de Dios y se significó, además, por sus obras de misericordia. El Señor le probó enviándole desgracias y enfermedades; con ello se acrecentó su fe y el Señor se la recompensó colmándole de riquezas y perfecciones.

En Tobías se destacan las virtudes de la fe, el hábito de la oración, la caridad con el prójimo, el desprendimiento material, la esperanza, la paciencia y la voluntad de agradar a Dios. Es evidente la intención del autor sagrado de presentarnos a Tobías como modelo de varón piadoso.

La doctrina que expone el *Libro de Tobías* es parecida a la del *Libro de Job*. Se plantea el problema de los sufrimientos del justo, tan característico del Antiguo Testamento. Como ejemplo, está la propia vida de Tobías: los sufrimientos son una prueba de la virtud; si se supera esta prueba, Dios es generoso en el premio.

No se sabe quién escribió este libro y se supone que su redacción es bastante tardía. Ni siquiera se sabe en qué idioma fue compuesto el original. La versión de san Jerónimo lleva un prólogo de este doctor que no incluye el *Libro de Tobías* entre los canónicos. Esta versión, por otra parte, es un resumen de otras más largas que se han conservado (latinas, griegas y hebreas). Los judíos y protestantes no incluyen el *Libro de Tobías* en el antiguo canon de los libros sagrados. El motivo es que no estaba escrito en hebreo. Estas exclusiones llevaron a ciertos exégetas a considerarlo apócrifo. De todos modos, doctores y Padres de la Iglesia tan antiguos como san Cipriano, Orígenes, san Basilio, san Agustín, san Hilario y san Ambrosio citaban el *Libro de Tobías* como texto bíblico. Mas por encima de todos estos avatares críticos, Tobías ofrece un perfecto retrato del hombre justo. Su perfección es de tipo evangélico, lo que parece prefigurar la ley nueva que llegaría con el Mesías.

## CAPITULO PRIMERO

*Tobías en su cautiverio es fiel a la ley de Dios, y da a su hijo una santa educación. Es bien visto del rey Salmanasar, y consuela y socorre a sus hermanos cautivos. Persíguele después Sennaquerib, porque daba sepultura a los que él hacía matar.*

1. Tobías, de la tribu y de la ciudad de Neftalí, (situada en la Galilea superior, sobre Naasón, detrás del camino que va hacia poniente, y tiene a la izquierda de la ciudad de Sefet),

2. Habiendo sido cautivado en tiempo de Salmanasar, rey de los Asirios, sin embargo de hallarse en cautiverio, no abandonó la senda de la verdad.

3. De suerte, que de todo lo que podía haber, daba cada día parte a los hermanos concautivos de su linaje o *nación.*

4. Y siendo de los más jóvenes entre todos los de la tribu de Neftalí, nada mostró de pueril en sus acciones.

5. En fin, cuando todos iban *a adorar* los becerros de oro que había hecho Jeroboam, rey de Israel, sólo él huía la compañía de los demás;

6. Y se iba a Jerusalén al Templo del Señor, donde adoraba al Señor Dios de Israel, ofreciendo fielmente todas sus primicias y sus diezmos,

7. De suerte que cada tercer año daba a los prosélitos y a los forasteros toda la décima *a ellos destinada.*

8. Estas y otras cosas semejantes al tenor de la Ley de Dios observaba desde jovencito.

9. Cuando fué ya hombre hecho, se casó con una mujer de su tribu llamada Anna, de la cual tuvo un hijo, a quien puso su mismo nombre,

10. Y le enseñó desde la niñez a temer a Dios, y a guardarse de todo pecado.

11. Cuando fué después llevado cautivo con su mujer e hijo y toda su tribu a la ciudad de Nínive,

12. Aunque todos los demás comían de las viandas de los gentiles, Tobías guardó *pura* su alma, sin contaminarse jamás con sus manjares *prohibidos.*

13. Y porque tuvo presente al Señor *y lo amó* con todo su corazón, hízole Dios grato a los ojos del rey Salmanasar;

14. El cual le dió permiso para ir a donde quisiese, y hacer cuanto gustase.

15. Con eso salía a visitar a todos los cautivos, y dábales consejos saludables.

16. Como, pues, hubiese llegado a Ragés, ciudad de la Media, y se hallase con diez talentos de plata, procedentes de los gajes y dádivas que había recibido del rey;

17. Viendo entre la mucha gente de su nación a Gabelo de su misma tribu, el cual padecía necesidad, le dejó prestada, mediante un recibo de su mano, la susodicha suma de dinero.

18. Al cabo de mucho tiempo, muerto el rey Salmanasar, habiéndole sucedido en el reino su hijo Sennaquerib, que aborrecía de muerte a los Israelitas,

19. Visitaba Tobías cada día a los de su parentela y los consolaba; y repartía a cada uno, según alcanzaban sus fuerzas, una porción de sus bienes.

20. Daba de comer a los hambrientos, vestía a los desnudos, y tenía mucho cuidado de dar sepultura a los que habían fallecido, o habían sido muertos.

21. Finalmente, al volver fugitivo de Judea el rey Sennaquerib, por causa del azote que había Dios descargado sobre él por sus blasfemias, como enfurecido matase a muchos de los Israelitas, Tobías sepultaba sus cadáveres.

22. Lo que habiendo llegado a noticia del rey, mandó quitarle la vida, y confiscarle todos los bienes.

23. Tobías, empero, despojado de todo, huyendo con su mujer e hijo, se estuvo oculto, porque había muchos que lo querían bien.

24. Pasados cuarenta y cinco días, asesinaron al rey sus propios hijos;

25. Con lo que Tobías volvió a su casa, y recobró todos sus bienes.

## CAPITULO II

*Tobías, fatigado de dar sepultura a los muertos, queda ciego para prueba de su virtud; e injuriado por su mujer y amigos, sufre sus insultos, a imitación de Job, con suma paciencia.*

1. Después de esto, un día festivo del Señor, en que estaba dispuesta una buena comida en casa de Tobías,

2. Dijo éste a su hijo: Anda y tráete acá algunos de nuestra tribu, temerosos de Dios, para que coman con nosotros.

3. Habiendo él ido, le contó a la vuelta cómo uno de los hijos de Israel, que había sido degollado, estaba tendido en la plaza. Y al instante, levantándose de la mesa, dejada la comida, corrió, antes de probar bocado, donde estaba el cadáver;

---

CAP. I. — 721 antes de Jesucristo. IV *Reg.* XVII, *v.* 6; XVIII, *v.* 10.
5. Antes de la cautividad.
7. *Deuter.* IV, *v.* 28; XXVI, *v.* 12.

**4.** Y cargando con él, lo llevó secretamente a su casa, para darle sepultura a escondidas, después de puesto el sol.

**5.** Ocultando el cadáver, se puso a comer llorando y temblando,

**6.** Al acordarse de aquellas palabras que dijo el Señor por el profeta Amós: Vuestros días festivos se convertirán en lamentos y lloros.

**7.** Puesto ya el sol, fué y le dió sepultura.

**8.** Reprendíanle todos sus parientes, diciendo: Ya por esta causa se dió la orden de quitarte la vida, y a duras penas escapaste de la sentencia de muerte; ¿y vas nuevamente a enterrar los cadáveres?

**9.** Pero Tobías, temiendo más a Dios que al rey, robaba los cadáveres de los que habían sido muertos, y escondíalos en su casa, y a media noche los enterraba.

**10.** Sucedió, pues, que un día volviendo a su casa fatigado de enterrar, se echó junto a la pared, y quedóse dormido;

**11.** Y estando durmiendo, le cayó de un nido de golondrinas estiércol caliente sobre los ojos; de que cegó.

**12.** Mas el Señor permitió que le sobreviniese esta prueba o *aflicción,* con el fin de dar a los venideros un ejemplo de paciencia, semejante al del santo Job.

**13.** Porque, en efecto, como desde su niñez, vivió siempre en temor de Dios, y guardó sus mandamientos, no se quejó contra Dios por la desgracia de la ceguedad que le envió;

**14.** Sino que permaneció firme en el temor de Dios, dándole gracias todos los días de su vida.

**15.** Y al modo que los reyes o *poderosos* insultaban al santo Job; así a Tobías le zaherían su modo de vivir los parientes y deudos, diciendo:

**16.** ¿Dónde está tu esperanza, por la cual hacías limosnas y entierros?

**17.** Tobías, empero, los reprendía, diciendo: No habléis de esa manera:

**18.** Puesto que nosotros somos los hijos de los santos *patriarcas,* y esperamos aquella vida que ha de dar Dios a los que siempre conservan en él su fe.

**19.** Entretanto Anna, su mujer, iba todos los días a tejer, y traía el sustento que podía ganar con el trabajo de sus manos.

**20.** Y así fué que recibiendo un cabrito de leche, lo trajo a su casa,

**21.** Cuyo balido, como lo oyese su marido, dijo: Mirad que no sea acaso hurtado;

restituidlo a sus dueños; porque no nos es lícito comer, ni tocar cosa robada.

**22.** A lo que su mujer, irritada, respondió: Bien claro es que ha salido vana tu esperanza, y ahora se ve el fruto de tus limosnas.

**23.** Y con estas y semejantes palabras lo zahería.

## CAPITULO III

*Oración que hizo a Dios el afligido Tobías. Sara, hija de Raguel, ora y ayuna tres días. Oye Dios estas oraciones, y es enviado para consolarlos el ángel Rafael.*

**1.** Entonces Tobías prorrumpió en gemidos; y empezó a orar con lágrimas,

**2.** Diciendo: Justo eres, Señor, y justos son todos tus juicios; y todas tus sendas no son más que misericordia, y verdad y justicia.

**3.** Ahora, pues, Señor, acuérdate de mí, y no tomes venganza de mis pecados, ni refresques la memoria de mis culpas, ni de la de mis padres.

**4.** Porque no obedecimos a tus mandamientos, por eso hemos sido saqueados, y conducidos a la esclavitud y a la muerte, y hemos venido a ser la fábula y el escarnio de todas las naciones, entre las cuales nos has desparramado.

**5.** Grandes son al presente, Señor, *y terribles* tus juicios, porque nosotros no ponemos en obra tus preceptos, ni procedemos sinceramente delante de ti.

**6.** Y ahora, oh Señor, haz de mí lo que fuere de tu agrado; y manda que sea recibido en paz mi espíritu; porque ya mejor me es morir que vivir.

**7.** En aquel mismo día sucedió que Sara, hija de Raguel, que estaba en Ragés, ciudad de la Media, se oyó ultrajar de una de las criadas de su padre,

**8.** Porque había tenido siete maridos, y un demonio llamado Asmodeo les había quitado la vida al tiempo de querer acercarse a ella.

**9.** Reprendiendo, pues, a la muchacha por alguna falta, ésta le replicó, diciendo: Nunca jamás veamos entre nosotros sobre la tierra hijo ni hija nacida de ti, homicida que eres la que ahogas a tus maridos.

**10.** ¿Quieres tú acaso matarme también a mí, como has hecho con siete maridos? A estas voces se retiró Sara al cuarto más alto de su casa; y pasó tres días y tres noches sin comer ni beber:

---

CAP. II — 6. Amós VIII, v. 10.

**11.** Sino que perseverando en oración suplicaba a Dios con lágrimas, que la librase de esta infamia.

**12.** Al fin, pues, de tres días, concluída su oración, bendiciendo al Señor,

**13.** Dijo: Bendito sea tu nombre, ¡oh Dios de nuestros padres! que después de tu enojo usas de misericordia, y en el tiempo de la tribulación perdonas los pecados a los que te invocan.

**14.** A ti, Señor, vuelvo mi rostro, en ti fijo mis ojos.

**15.** Ruégote, Señor, que me desates o *libertes* del lazo de esta ignominia, o a lo menos me saques de este mundo.

**16.** Tú sabes, Señor, que nunca he deseado ningún hombre, y que he conservado el alma limpia de toda concupiscencia.

**17.** Jamás me acompañé con gente licenciosa, ni tuve trato con los que se portan livianamente.

**18.** Que si consentí en tomar marido, fué en tu *santo* temor, y no por un afecto sensual y liviano.

**19.** Así que, o yo fuí indigna de ellos, o ellos quizá no fueron dignos de mí; porque tal vez tú me has reservado para otro esposo.

**20.** Porque no está al alcance del hombre el penetrar tus designios.

**21.** Lo que tiene por cierto cualquiera que te adora *y sirve,* es que si su vida saliere aprobada, será coronado; y si estuviere en tribulación, será librado; y si el azote del castigo descargare sobre él, podrá acogerse a tu misericordia.

**22.** Porque tú no te deleitas en nuestra perdición; puesto que después de la tempestad das *luego* la bonanza, y tras de las lágrimas y suspiros infundes el júbilo o *alegría.*

**23.** ¡Oh Dios de Israel! bendito sea eternamente tu *santo* nombre.

**24.** A un mismo tiempo fueron oídas las plegarias de ambos, *de Tobías y Sara,* en la presencia de la Majestad del Soberano Dios.

**25.** Y así fué despachado por el Señor el santo Angel Rafael, para que los libertase a ambos; las oraciones de los cuales habían sido presentadas a un tiempo en el acatamiento del Señor.

---

CAP. III. — **25.** *Rafael* significa en hebreo *medicina de Dios.*

# CAPITULO IV

*Consejos de Tobías a su hijo. Demuéstrale la eficacia de la limosna, y le da noticia de los diez talentos de plata prestados a Gabelo.*

**1.** Pensando, pues, Tobías que Dios habría oído la oración que le había hecho para que lo sacase de este mundo, llamó *cerca de sí* a su hijo Tobías,

**2.** Y le dijo: Escucha, hijo mío, las palabras de mi boca, y asiéntalas en tu corazón, como por cimiento.

**3.** Luego que Dios recibiere mi alma, entierra mi cuerpo; y honrarás a tu madre todos los días de su vida;

**4.** Porque debes tener presente lo que padeció, a cuántos peligros se expuso por ti, llevándote en su vientre.

**5.** Y cuando ella habrá también terminado la carrera de su vida, la enterrarás junto a mí.

**6.** Tú, empero, ten a Dios en tu mente todos los días de tu vida; y guárdate de consentir jamás en pecado, y de quebrantar los mandamientos del Señor Dios nuestro.

**7.** Haz limosnas de aquello que tengas, y no vuelvas tus espaldas a ningún pobre; que así conseguirás que tampoco el Señor aparte de ti su rostro.

**8.** Sé caritativo según tu posibilidad.

**9.** Si tuvieres mucho, da con abundancia; si poco, procura dar de buena gana aun de esto poco que tuvieres;

**10.** Pues con esto te atesoras una gran recompensa para el día del apuro.

**11.** Por cuanto la limosna libra de todo pecado y de la muerte *eterna,* y no dejará caer el alma en las tinieblas *del infierno;*

**12.** Sino que será la limosna motivo de gran confianza delante del Soberano Dios para todos los que la hicieren.

**13.** Guárdate, hijo mío, de toda fornicación o *impureza,* y fuera de tu mujer nunca cometas el delito de conocer otra.

**14.** No permitas jamás que la soberbia domine en tu corazón o en tus palabras; porque de ella tomó principio toda especie de perdición.

**15.** A cualquiera que haya trabajado algo por ti, dale luego su jornal, y por ningún caso retengas en tu poder el salario de tu jornalero.

**16.** Guárdate de hacer jamás a otro lo que no quisieras que otro te hiciese a ti.

**17.** Come tu pan *partiéndolo* con los hambrientos y menesterosos, y con tus vestidos cubre a los desnudos.

**18.** Pon tu pan y tu vino sobre la sepultura del justo, y no comas ni bebas de ello con los pecadores.

**19.** Pide siempre consejo al hombre sabio.

**20.** Alaba al Señor en todo tiempo; y pídele que dirija tus pasos, y que estén fundadas en él todas tus deliberaciones.

**21.** Te hago saber también, hijo mío, cómo presté, siendo tú aún niño, diez talentos de plata a Gabelo, *residente* en Ragés, ciudad de los Medos, y conservo en mi poder el recibo firmado de su mano.

**22.** Por tanto procura buscar modo cómo vayas allá, y recobres de él la sobredicha cantidad de dinero, devolviéndole su recibo.

**23.** No temas, hijo mío, *no te aflijas:* es verdad que pasamos una vida pobre; pero tendremos muchos bienes, si temiéremos a Dios, y huyéremos de todo pecado, y obráremos bien.

## CAPITULO V

*Viaje del joven Tobías a Ragés de la Media, en compañía del ángel Rafael.*

**1.** Entonces respondió Tobías a su padre, diciendo: Haré, oh padre *mío*, todo lo que me has mandado.

**2.** Mas no sé cómo he de ir a recobrar ese dinero; él no me conoce a mí, ni yo lo conozco a él. ¿Qué señas le daré? Cuánto más que ni aun el camino sé para ir allá.

**3.** A lo que su padre le contestó diciendo: Tengo en mi poder el recibo de su mano; así que lo mostrares, te pagará al instante.

**4.** Mas ahora anda, y haz diligencia de algún hombre fiel que vaya contigo, pagándole su salario, para que hagas esta cobranza mientras yo vivo todavía.

**5.** Saliendo, pues, Tobías *de casa*, encontró un gallardo joven, que estaba ya con el vestido ceñido, y como a punto de viajar.

**6.** Y sin saber que era un Angel de Dios, lo saludó, y dijo: ¿De dónde eres, buen mancebo?

**7.** A lo que respondió: De los hijos de Israel. Replicóle Tobías: ¿Sabes el camino que va al país de los Medos?

**8.** Sí que lo sé, respondió, y muchas veces he andado todos aquellos caminos, y héme hospedado en casa de Gabelo, nuestro hermano, que mora en Ragés, ciudad de los Medos, situada en las montañas de Ecbátana.

**9.** Díjole Tobías: Aguárdame, te ruego, mientras doy aviso de todo esto a mi padre.

**10.** Entró, pues, Tobías en su casa, y contóselo a su padre. De lo cual admirado el padre, envió a rogarle que entrase en su casa.

**11.** Entrado que hubo, saludó a Tobías, diciendo: Sea siempre contigo la alegría.

**12.** Respondió Tobías: ¿Qué alegría puedo yo tener viviendo en tinieblas y sin ver la luz del cielo?

**13.** Replicó el joven: Buen ánimo, que no tardará Dios en curarte.

**14.** Díjole entonces Tobías: ¿Podrás acaso llevar a mi hijo a casa de Gabelo, en Ragés, ciudad de los Medos? Yo te pagaré tu salario a la vuelta.

**15.** Respondió el Angel: Yo lo llevaré, y te lo volveré a traer acá.

**16.** Replicóle Tobías: Dime, te ruego, ¿de qué familia y tribu eres tú?

**17.** Y díjole el Angel Rafael: ¿Buscas tú el linaje del jornalero, o la persona del jornalero que vaya con tu hijo?

**18.** Mas por no ponerte en cuidado, yo soy Azarías, hijo de Ananías el grande.

**19.** Respondió Tobías: Tú eres de una gran familia. Ruégote que no te ofendas de que haya querido saber tu linaje.

**20.** Díjole el Angel: Yo llevaré sano a tu hijo, y sano te lo restituiré.

**21.** Y tomando la palabra Tobías, dijo: Id en buena hora, y Dios os asista en vuestro viaje, y su Angel os acompañe.

**22.** Con esto, prevenido todo lo necesario para el viaje, despidióse Tobías de su padre y de su madre, y echaron a andar los dos juntos.

**23.** Apenas partieron cuando comenzó su madre a llorar, y decir: Nos has quitado y enviado *lejos* de nosotros el báculo de nuestra vejez.

**24.** Ojalá que nunca hubiera habido *en el mundo* tal dinero, que ha sido la causa de que alejases a nuestro hijo.

---

CAP. IV. — 10. Esto es para el día de tu muerte, que necesariamente debe llegar. Mariana.

18. Los hebreos solían poner comida y bebida sobre el sepulcro en que ponían sus muertos: lo mismo practicaban otras naciones. Tan antigua y general es la idea de la inmortalidad del alma a que aludía semejante ceremonia.

CAP. V. — 18. *Azarías* significa el *socorro* de Dios; y el Angel tomó la figura de Azarías, hijo de Ananías, en cuyo nombre hablaba, y a quien podemos atribuir lo demás que dice el Angel. En todo eso no hay ningún designio de engañar, sino de encubrir lo que no convenía por entonces declarar.

**25.** Porque nosotros estábamos contentos con nuestra pobreza, y teníamos por una *gran* riqueza el ver a nuestro hijo.

**26.** Díjole Tobías: No llores; nuestro hijo llegará salvo, y salvo volverá a nosotros, y tus ojos lo verán;

**27.** Porque creo que el buen Angel de Dios lo acompaña, y cuida bien de todo lo perteneciente a él, a fin de que vuelva con gozo a nuestra casa.

**28.** A estas palabras cesó la madre de llorar, y se aquietó.

## CAPITULO VI

*Alentado Tobías por el Angel, mata un pez que le asaltaba, y del cual guarda el corazón y el hígado. Hospédase en casa de Raguel; por consejo del Angel le pide por esposa a su hija Sara, a la cual el demonio había muerto siete maridos.*

**1.** Partió, pues, Tobías, al cual fue siguiendo el perro; y paró en la primera posada junto al río Tigris.

**2.** Y habiendo salido para lavarse los pies, he aquí que saltó un pez disforme para tragársele;

**3.** A cuya vista Tobías, despavorido, dió un gran grito, diciendo: Señor ¡que me embiste!

**4.** Díjole el Angel: Agárralo de las agallas, y tíralo hacia ti. Lo que habiendo ejecutado sacóle arrastrando a lo seco, y empezó a palpitar a sus pies.

**5.** Díjole entonces el Angel: Desentraña ese pez, y guarda su corazón, y la hiel, y el hígado; pues son estas cosas necesarias para útiles medicinas.

**6.** Hecho lo cual, asó parte de la carne del pez, de que llevaron para el camino; y salaron el resto para que les sirviese hasta llegar a Ragés, ciudad de los Medos.

**7.** Entonces Tobías preguntó al Angel diciendo: Dime, te ruego, hermano mío Azarías, ¿para qué remedio serán buenas estas partes del pez, que me has mandado guardar?

**8.** A lo que contestó el Angel, y le dijo: Si pusieres sobre las brasas un pedacito del corazón del pez, su humo ahuyenta todo género de demonios, ya sea del hombre, ya de la mujer, con tal eficacia que no se acercan más a ellos.

**9.** La hiel sirve para untar los ojos que tuvieren alguna mancha o *nube;* con lo que sanarán.

**10.** Le preguntó Tobías al Angel *durante el viaje:* ¿ Dónde quieres que posemos?

**11.** Y respondióle el Angel: Aquí hay un hombre llamado Raguel, pariente tuyo, de tu tribu, el cual tiene una hija llamada Sara, ni tiene otro varón ni hembra fuera de ésta.

**12.** A ti toca toda su hacienda, y tú debes tomarla por mujer.

**13.** Pídesela, pues, a su padre, y te la dará por esposa.

**14.** Replicóle entonces Tobías, y dijo: Tengo entendido que se ha desposado con siete maridos, y que han fallecido *todos;* y aun he oído decir que un demonio los ha ido matando.

**15.** Temo, pues, no sea que también me suceda a mí lo mismo; y que siendo yo hijo único de mis padres, precipite su vejez al sepulcro con la aflicción *que les ocasionaré.*

**16.** Díjole entonces el Angel Rafael: escúchame, que yo te enseñaré cuáles son aquéllos sobre quienes tiene potestad el demonio.

**17.** Los que abrazan con tal disposición el matrimonio, que apartan de sí y de su mente a Dios, entregándose a su pasión, como el caballo y el mulo que no tienen entendimiento; ésos son sobre quienes tiene poder el demonio.

**18.** Mas tú, cuando la hubieres tomado por esposa, entrando en el aposento, no llegarás a ella en tres días, y no te ocuparás en otra cosa sino en hacer oración en compañía de ella.

**19.** En aquella misma noche, quemando el hígado del pez, será ahuyentado el demonio.

**20.** En la segunda noche serás admitido en la unión de los santos patriarcas.

**21.** En la tercera alcanzarás la bendición para que nazcan de vosotros hijos sanos.

---

CAP. V. — 27. *Angel de Dios:* véase aquí la tradición que conservaba la Iglesia judaica sobre los ángeles de nuestra guardia: tradición confirmada en el Evangelio *Matth.* XVII, v. 10. — *Act.* XII.

CAP. VI. — 2. Varios expositores creen que sería el pez llamado *luccio,* palabra griega que significa *pez lobo;* cuya especie abunda mucho en el río Tigris, en el cual se ven algunos de enorme magnitud.

8. Dios cuando y como le parece, hace que las más mínima cosas sirvande instrumentos para sus milagros. Jesucristo con un poco de tierra que mezcló con su saliva curó a un ciego de nacimiento; el agua en el santo Bautismo expele al demonio, etc.

Fillion lo identifica con el sollo. *La Sainte Bible Commentée.* París, 1925, vol. 3, p. 354.

**22.** Pasada la tercera noche, te juntarás con la doncella, en el temor del Señor, llevado más bien del deseo de tener hijos, que de la concupiscencia; a fin de conseguir en los hijos la bendición propia del linaje de Abraham.

## CAPITULO VII

*Raguel por consejo del Angel Rafael da por esposa a Tobías su hija Sara; y hecha la escritura del matrimonio, se celebran las bodas.*

**1.** Y entraron, pues, en la casa de Raguel, el cual los recibió con alegría.

**2.** Así que Raguel puso sus ojos en Tobías, dijo a Anna, su mujer: ¡Cuán parecido es este joven a mi primo hermano *Tobías!*

**3.** Dicho esto, preguntóles: ¿De dónde sois, oh jóvenes hermanos nuestros? Somos, le respondieron, de la tribu de Neftalí, de los cautivos de Nínive.

**4.** Díjoles Raguel: ¿Conocéis a Tobías, mi primo hermano? Lo conocemos, respondieron ellos.

**5.** Y diciendo él muchas alabanzas de Tobías, el Angel dijo a Raguel: Ese Tobías de quien hablas es el padre de éste.

**6.** Entonces Raguel le echó los brazos, besólo con lágrimas, y sollozando sobre su cuello,

**7.** Dijo: Bendito seas tú, hijo mío, que eres hijo de un hombre de bien, de un hombre virtuosísimo.

**8.** Asimismo Anna, su mujer, y Sara, hija de ambos, prorumpieron en llanto.

**9.** Después que hubieron conversado, mandó Raguel matar un carnero y disponer un convite. E instándolos a sentarse a la mesa,

**10.** Dijo Tobías: Yo no comeré ni beberé hoy aquí, si primero no me otorgas mi petición, prometiendo darme a Sara, tu hija.

**11.** Oída esta propuesta, se conturbó Raguel, sabiendo lo acaecido a los siete maridos que se habían casado con ella; y comenzó a temer no le acaeciese a éste la misma desgracia. Estando, pues, perplejo, y sin darle ninguna respuesta,

**12.** El Angel dijo: No temas dársela; porque a éste que teme a Dios es a quien debe darse tu hija por mujer; que por eso ningún otro ha merecido tenerla.

**13.** Entonces dijo Raguel: No dudo que Dios ha acogido mis oraciones y lágrimas en su acatamiento;

**14.** Y creo que por eso os ha traído a mi casa, a fin de que ésta reciba esposo de su parentela, según la Ley de Moisés. Por tanto no dudes ya de que te la daré.

**15.** Y cogiendo la mano derecha de su hija, la juntó con la derecha de Tobías, diciendo: El Dios de Abraham, y el Dios de Israel, y el Dios de Jacob sea con vosotros, y él os junte, y cumpla en vosotros su bendición.

**16.** En seguida tomando papel *o un pergamino,* hicieron la escritura matrimonial.

**17.** Y después celebraron el convite, bendiciendo a Dios.

**18.** Llamó, en fin, Raguel a Anna, su mujer, y mandóle que preparase otro aposento;

**19.** En el cual introdujo *Anna* a su hija Sara, que echó a llorar.

**20.** Mas *Anna* le dijo: Ten buen ánimo, hija mía; el Señor del cielo te llene de gozo después de tantos disgustos como has sufrido.

## CAPITULO VIII

*Tobías y Sara, instruídos por el Angel, pasan la noche en oración, sin recibir ningún daño. Celébrase el convite de boda, y los padres de Sara señalan a ésta su dote.*

**1.** Después de haber cenado, condujeron al joven al aposento de la esposa.

**2.** Y Tobías, teniendo presentes las advertencias del Angel, sacó de su alforjilla el pedazo de hígado *y corazón,* y púsolo sobre unos carbones encendidos.

**3.** Entonces el Angel Rafael cogió al demonio, y lo confinó en el desierto del Egipto superior.

**4.** Al mismo tiempo Tobías exhortó a la doncella, y le dijo: Levántate, Sara, y hagamos oración a Dios, hoy y mañana, y después de mañana; porque estas tres noches las pasaremos unidos *en oración* con Dios, y pasada la tercera noche haremos vida maridable.

**5.** Pues nosotros somos hijos de santos, y no podemos juntarnos a manera de los gentiles, que no conocen a Dios.

**6.** En efecto, alzándose ambos, oraban a una con mucho fervor, para que se dignase *Dios* conservarlos salvos.

**7.** Y dijo Tobías: ¡Oh Señor Dios de nuestros padres! Bendígante los cielos, y la tierra, y el mar, y las fuentes, y los ríos, y todas tus criaturas que hay en ellos.

---

CAP. VIII.—8. Es esta una locución metafórica para indicar que ya no pudo el demonio dañar más a una casa, de la cual la virtud y castidad de los dos esposos le arrojaron para siempre. *Desterrar el demonio,* dice S. Agustín, *no significa otra cosa que impedirle Dios el tentar o seducir a los hombres. De Civit. Dei lib. XX,* cc. VII, VIII.

**8.** Tu formaste a Adán del lodo de la tierra, y le diste a Eva por ayuda suya *y compañera.*

**9.** Ahora, pues, Señor, tú sabes que no movido de concupiscencia tomo a ésta mi hermana por esposa, sino por el solo deseo de tener hijos que bendigan tu *santo* nombre por los siglos de los siglos.

**10.** Asimismo Sara dijo: Ten misericordia de nosotros, oh Señor, ten misericordia de nosotros, y haz que ambos a dos lleguemos a la vejez.

**11.** Raguel, empero, estando cerca el *primer* canto de los gallos, mandó llamar a sus criados, y fueron con él a abrir una sepultura.

**12.** Porque decía: Le habrá sucedido lo mismo que a los otros siete maridos que se acercaron a ella.

**13.** Abierta la fosa, volvió Raguel a casa, y dijo a su mujer:

**14.** Envía una de tus criadas a ver si ha muerto, para enterrarlo antes que amanezca.

**15.** Envió luego ella una de sus criadas; la cual entrando en el aposento, los encontró sanos y salvos, que estaban durmiendo ambos a dos;

**16.** Y volvió a dar la buena noticia; con lo que alabaron a Dios tanto Raguel como Anna, su mujer,

**17.** Y dijeron: Te alabamos *y damos gracias,* ¡oh Señor Dios de Israel! porque no ha sucedido lo que temíamos;

**18.** Sino que has hecho que experimentásemos tu misericordia, y has expelido *lejos* de nosotros el enemigo que nos perseguía,

**19.** Compadeciéndote de los dos hijos únicos *de sus padres.* Haz, Señor, que te bendigan ellos más cumplidamente, y te ofrezcan el sacrificio de la alabanza por su perfecta salud, para que conozca el mundo todo que tú eres el solo *y único* Dios en toda la tierra.

**20.** Al instante mandó Raguel a sus siervos, que antes que amaneciese terraplenaran la fosa que había abierto.

**21.** Y dijo a su mujer que dispusiese un convite, y que preparase todas las provisiones necesarias para los caminantes.

**22.** Hizo también matar dos vacas gordas y cuatro carneros, y convidar a todos sus vecinos y amigos.

**23.** Después Raguel hizo jurar a Tobías que se detendría con él dos semanas.

**24.** De todos sus bienes dió Raguel la mitad a Tobías, y de la otra mitad declaró, haciendo escritura, heredero, para después de muerto él y su mujer, al mismo Tobías.

## CAPITULO IX

*El Angel Rafael, a ruegos de Tobías, va a cobrar el dinero de Gabelo; a quien trae consigo a las bodas.*

**1.** Entonces Tobías llamó aparte al Angel, a quien tenía él por un hombre, y díjole: Hermano *mío* Azarías, pídote que oigas mis razones.

**2.** Aun cuando yo me diese a ti por esclavo, no podría pagar tus buenos oficios.

**3.** Esto, no obstante, suplícote, que tomando caballerías y criados vayas a Ragés, ciudad de los Medos, a encontrar a Gabelo; y le devuelvas su recibo cobrando de él el dinero, y lo convides a venir a mis bodas.

**4.** Porque bien sabes tú que mi padre está contando los días *uno por uno,* y si tardo un día más, tendré en *continua* aflicción su alma.

**5.** Ves asimismo cómo me ha hecho jurar Raguel, cuyo juramento no puedo yo menospreciar.

**6.** Entonces Rafael tomando cuatro criados de Raguel y dos camellos, pasó a Ragés, ciudad de los Medos, y hallando a Gabelo, le volvió su recibo cobrando de él todo el dinero.

**7.** Y contóle todo lo que había sucedido con Tobías, hijo de Tobías; e hízole venir consigo a las bodas.

**8.** Al llegar a casa de Raguel, encontró a Tobías sentado a la mesa el cual levantándose al punto de ella, se besaron mutuamente, y lloró Gabelo, y alabó a Dios.

**9.** Y dijo: Bendígate el Dios de Israel, pues eres hijo de un hombre muy de bien, justo, y temeroso de Dios, y limosnero.

**10.** Que su bendición se extienda sobre tu esposa y sobre vuestros padres;

---

**21.** Que querían pasar después a ver a Gabelo y recoger el dinero.

**CAP. IX.**—3. Ragés: Raguel y su hija habían vivido en la misma ciudad de Ragés; pero de este verso se infiere que Tobías los halló que estaban en algún otro lugar, tal vez del mismo país de Ragés; y quizá del mismo nombre. Tal vez en Ecbátana.

11. Y que veáis a vuestros hijos y a los hijos de vuestros hijos hasta la tercera y cuarta generación: y sea vuestra descendencia bendita del Dios de Israel, el cual reina por los siglos de los siglos.

12. Y habiendo todos respondido Amén, *así sea,* se pusieron a la mesa, y celebraron también con un *santo* temor de Dios el convite de las bodas.

## CAPITULO X

*Angustias de Tobías y de Anna por la tardanza de su hijo. Instrucciones que da Raguel a su hija antes de partir, para que sea una buena madre de familias.*

1. Mas como se detuviese Tobías, por razón de las bodas, estaba su padre Tobías con cuidado, y decía: ¿Cuál será el motivo de la tardanza de mi hijo, o por qué se habrá detenido allí?

2. ¿Si habrá muerto tal vez Gabelo, y no hay quien le vuelva el dinero?

3. Con esto empezó a afligirse sobremanera, tanto él como su mujer Anna. Y ambos a dos comenzaron juntos a llorar, visto que su hijo no volvía al tiempo señalado.

4. Sobre todo su madre, inconsolable, lloraba amargamente, y decía: ¡Ay de mí; ay hijo mío! ¿ Para qué te hemos enviado a lejanas tierras, lumbrera de nuestros ojos, báculo de nuestra vejez, consuelo de nuestra vida, esperanza de nuestra posteridad?

5. Teniendo en ti sólo juntas todas las cosas, no de-bías alejarte de nosotros.

6. Tobías, *empero,* le decía: Calla y no te inquietes, que nuestro hijo lo pasa bien; es muy fiel el varón aquel con quien le enviamos.

7. Mas ella no admitía consuelo alguno; antes saliendo cada día *fuera* miraba hacia todas partes, e iba recorriendo todos los caminos por donde se esperaba que podía volver; a fin de verle venir si posible fuese, desde lejos.

8. Entretanto Raguel decía a su yerno: Quédate aquí que yo enviaré a tu padre Tobías noticias de tu salud.

9. Pero Tobías le respondió: Yo sé que mi padre y mi madre están ahora contando los días, y que está su espíritu en continua tortura.

10. Y después de haber hecho Raguel repetidas instancias a Tobías, no queriendo éste condescender de ningún modo a sus ruegos, entrególe *su hija* Sara, con la mitad de la hacienda en esclavos y esclavas, en ganados, en camellos, y en vacas, y en una gran cantidad de dinero: y lo dejó ir de su casa sano y gozoso,

11. Diciendo: El santo Angel del Señor os guíe en vuestro viaje, y os conduzca sanos y salvos, y halléis en próspero estado a vuestros padres y todas sus cosas, y puedan ver mis ojos, antes que muera, a vuestros hijos.

12. Dicho esto, abrazando los padres a su hija, la besaron y dejaron ir;

13. Amonestándola que honrase a sus suegros, amase al marido, cuidase de su familia, gobernase la casa, y se portase *en un todo* de un modo irreprensible.

## CAPITULO XI

*Tobías y Rafael se adelantan, y son recibidos con sumo gozo por los padres de Tobías. Unge el hijo los ojos de su padre con la hiel del pez, y recobra la vista. Dando todos las gracias a Dios, y llegada Sara, se celebran las bodas por espacio de siete días.*

1. Poniéndose, pues, en camino, llegaron en once días a Carán, la cual está en medio del camino que va a Nínive.

2. Aquí dijo el Angel: Hermano *mío* Tobías, bien sabes en qué estado dejaste a tu padre.

3. Por lo mismo, si te parece, adelantémonos, y vengan siguiendo *detrás* poco a poco los criados con tu esposa, y los animales *y ganados.*

4. Determinando, pues, caminar así, dijo Rafael a Tobías: Trae contigo la hiel del pez, porque será necesaria. Tomó Tobías aquella hiel, y marcharon.

5. Iba Anna todos los días a sentarse cerca del camino, en la cima de una colina, desde donde podía mirar a larga distancia.

6. Atalayando, pues, una vez desde allí a ver si venía su hijo, lo vió desde lejos, y lo conoció inmediatamente, y corrió a dar la noticia a su esposo, diciendo: Mira que viene tu hijo.

7. Asimismo dijo Rafael a Tobías: Al punto que entrares en tu casa, adora en seguida al Señor Dios tuyo; y después de haberle dado gracias, acércate a tu padre y bésale.

8. E inmediatamente unge sus ojos con esta hiel de pez, que traes contigo; porque has de saber que luego se le abrirán, y verá tu padre la luz del cielo, y se llenará de júbilo con tu vista.

9. En esto el perro que les había seguido en el viaje, echó a correr delante; y como si viniese a traer una *buena* nueva, se alegraba y hacía fiestas meneando la cola.

10. Al instante Tobías el padre, ciego como estaba, empezó a correr, exponiéndose a caer a cada paso: mas dando la mano a un criado, salió a recibir a su hijo.

11. Y abrazándolo le besó, haciendo lo mismo la madre, y echando ambos a llorar de gozo.

12. Y después de haber adorado a Dios y dádole gracias, se sentaron.

13. Entonces Tobías, tomando de la hiel del pez, ungió los ojos de su padre;

14. El cual estuvo así esperando casi media hora, cuando he aquí que empezó a desprenderse de sus ojos una nube o piel blanca, semejante a la telilla de un huevo;

15. Y asiendo de ella Tobías se la sacó de los ojos, y al punto recobró la vista.

16. Y glorificaron a Dios tanto él como su mujer, y todos sus conocidos.

17. Y decía Tobías: Bendígote, oh Señor Dios de Israel, porque tú me has castigado, y tú me has curado; y yo veo ya a mi hijo Tobías.

18. Después de siete días llegó también Sara, esposa de su hijo, con toda la familia, en buena salud, con los ganados, y camellos, y una gran suma de dinero de su dote; además del dinero cobrado de Gabelo.

19. Y contó Tobías a sus padres todos los beneficios que había recibido de Dios por medio de aquel varón que le había guiado.

20. Vinieron después Aquior y Nabat, primos hermanos de Tobías, a alegrarse y congratularse con él por todos los favores de que Dios le había colmado.

21. Y teniendo convites por espacio de siete días, se regocijaron todos con la mayor alegría.

## CAPITULO XII

*Discurriendo Tobías y su hijo cómo recompensar a Rafael, les declara éste ser ángel de Dios; y se eleva al cielo. Tobías y su hijo bendicen a Dios.*

1. Entonces Tobías llamó aparte a su hijo, y díjole: ¿Qué podemos dar a este varón santo que te ha acompañado?

2. A lo que respondiendo Tobías, dijo a su padre: Padre *mío,* ¿qué recompensa le daremos? ¿O cómo podremos corresponder dignamente a sus beneficios?

3. El me ha llevado y traído sano *y salvo;* él mismo *en persona* cobró el dinero de Gabelo; él me ha proporcionado esposa, y

ahuyentó de ella al demonio, llenando de consuelo a sus padres; asimismo me libró del pez que me iba a tragar; te ha hecho ver a ti la luz del cielo; y hemos sido colmados por medio de él de toda suerte de bienes. ¿Qué podremos, pues, darle que sea proporcionado a tantos favores?

4. Mas yo te pido, padre mío, que le ruegues si por ventura se dignará tomar para sí la mitad de todo lo que hemos traído.

5. Con esto, padre e hijo lo llamaron aparte, y empezaron a rogarlo se dignara aceptar la mitad de todo lo que habían traído.

6. Entonces díjoles él en secreto: Bendecid al Dios del cielo, y glorificadle delante de todos los vivientes, porque ha hecho brillar en vosotros su misericordia.

7. Porque así como es bueno tener oculto el secreto confiado por el rey, es cosa muy loable el publicar y celebrar las obras de Dios.

8. Buena es la oración acompañada del ayuno; y el dar limosna mucho mejor que tener guardados los tesoros de oro.

9. Porque la limosna libra de la muerte, y es la que purga los pecados, y alcanza la misericordia y la vida eterna.

10. Mas los que cometen el pecado y la iniquidad, son enemigos de su propia alma.

11. Por tanto voy a manifestaros la verdad, y no quiero encubriros *más* lo que ha estado oculto.

12. Cuando tú orabas con lágrimas, y enterrabas los muertos, y te levantabas de la mesa a medio comer, y escondías de día los cadáveres en tu casa, y los enterrabas de noche, yo presentaba al Señor tus oraciones.

13. Y por lo mismo que eras acepto a Dios, fué necesario que la tentación *o aflicción* te probase.

14. Y ahora el Señor me envió a curarte a ti, y a libertar del demonio a Sara, esposa de tu hijo.

15. Porque yo soy el Angel Rafael, uno de los siete *Espíritus principales* que asistimos delante del Señor.

16. Al oír estas palabras, se llenaron de turbación, y temblando cayeron en tierra sobre su rostro.

17. Pero el Angel les dijo: La paz sea con vosotros, no temáis.

18. Pues que mientras he estado yo con vosotros, por voluntad *o disposición* de Dios he estado: bendecidle, pues, y cantad sus alabanzas.

19. Parecía a la verdad que yo comía y bebía con vosotros; mas yo me sustento de un manjar invisible y de una bebida que no puede ser vista de los hombres.

20. Ya es tiempo de que me vuelva al que me envió: vosotros empero bendecid a Dios, y anunciad todas sus maravillas.

21. Dicho esto desapareció de su vista, y no pudieron ya verlo más.

22. Entonces postrados en tierra sobre su rostro por espacio de tres horas, estuvieron bendiciendo a Dios; y levantándose de allí, publicaron todas sus maravillas.

## CAPÍTULO XIII

*El viejo Tobías bendice al Señor, y exhorta a todos a hacer lo mismo. En un cántico profético predice la restauración y felicidad venidera de Jerusalén.*

1. Y abriendo su boca el viejo Tobías, bendijo al Señor, diciendo:

Grande eres tú, ¡oh Señor! desde la eternidad; y tu reino *dura* por todos los siglos.

2. Porque tú hieres, y das la salud; tú conduces *al hombre* hasta el sepulcro, y *le* resucitas; sin que nadie pueda sustraerse de tus manos.

3. Bendecid al Señor ¡oh hijos de Israel! y alabadle en presencia de las naciones.

4. Pues por eso os ha esparcido entre las gentes que no lo conocen, para que vosotros publiquéis sus maravillas, y les hagáis conocer que no hay otro Dios Todopoderoso fuera de él.

5. El nos ha castigado a causa de nuestras iniquidades; él mismo nos salvará por su misericordia.

6. Considerad, pues, lo que ha hecho con nosotros; y glorificadlo con temor y temblor, y ensalzad con vuestras obras al Rey de los siglos.

7. Yo asimismo lo glorificaré en la tierra de mi cautiverio; porque ha hecho ostensión de su poder y majestad sobre una nación pecadora.

8. Convertíos, pues ¡oh pecadores!, y sed justos delante de Dios, y creed que usará con vosotros de su misericordia.

9. Entre tanto yo me regocijaré en él, y él será la alegría de mi alma.

10. Bendecid al Señor todos *vosotros* sus escogidos, tened días alegres, y tributadle alabanzas.

11. ¡Oh Jerusalén!, ciudad de Dios, el Señor te ha castigado por causa de tus *malas* obras.

12. Glorifica al Señor por los beneficios que te ha hecho, y bendice al Dios de los siglos, para que reedifique en ti su Tabernáculo, y te restituya todos los cautivos, y te goces por los siglos de los siglos.

13. Brillarás con luz resplandeciente; y serás adorada en todos los términos de la tierra.

14. Vendrán a ti las naciones lejanas; y trayendo dones, adorarán en ti al Señor, y tendrán tu tierra por santa.

15. Porque dentro de ti invocarán ellas el Nombre grande *del Señor*.

16. Malditos serán los que te despreciaren, y condenados todos los que te blasfemaren; y aquéllos que te edificaren, serán benditos *de Dios*.

17. Tú te regocijarás en tus hijos, porque todos serán benditos, y se reunirán con el Señor *en una misma fe*.

18. Bienaventurados todos los que te aman, y se regocijan por tu paz *y felicidad*.

19. ¡Oh alma mía!, bendice al Señor; porque el Señor Dios nuestro ha librado a su ciudad de Jerusalén de todas sus tribulaciones.

20. Dichoso seré yo, si algunas reliquias de mi descendencia lograren ver el esplendor *y la gloria venidera de* Jerusalén.

21. De zafiros y de esmeraldas serán *entonces* labradas las puertas de Jerusalén, y de piedras preciosas todo el circuito de sus muros.

22. Todas sus calles serán enlosadas de piedras blancas y relucientes; y en todos sus barrios se oirán cantar aleluyas.

23. Bendito sea el Señor que la ha ensalzado; y reine en ella por los siglos de los siglos. Amén.

---

CAP. XIII. — 6. La vista de los males que padecemos y de los bienes que nos promete, debe excitarnos a bendecirle con un santo temblor y con humilde reconocimiento, confesando su misericordia y su justicia.

7. *Nación pecadora:* en Israel, pueblo ingrato e infiel a su Dios: y manifestará su clemencia perdonándole. Pero según Mariana y otros se alude a la milagrosa destrucción del ejército de Sennaquèrib y a la muerte de su rey. II *Paral.* XXXII, *v.* 21.

23. El común de los expositores refiere esta grandiosa profecía a la espiritual Jerusalén, o Iglesia cristiana. — *Véase el capítulo siguiente, especialmente los versos 8 y 9.*

## CAPITULO XIV

*Ultimas encomiendas de Tobías a su hijo. Cumple éste las instrucciones de su padre; y se va por fin a la casa de sus suegros, en donde muere de noventa y nueve años de edad.*

**1.** Así acabó Tobías su cántico. Cuarenta y dos años vivió Tobías después de recobrada la vista; y vió los hijos de sus nietos.

**2.** Cumplidos, pues ciento y dos años, fue sepultado honoríficamente en Nínive.

**3.** Porque de cincuenta y seis años perdió la vista, y de sesenta la recobró.

**4.** Todo el resto de la vida la pasó con alegría; y habiendo adelantado muchísimo en el temor de Dios, vino a descansar en paz.

**5.** A la hora de su muerte llamó a sí a su hijo Tobías y a los siete mancebos hijos de éste, nietos suyos, y les dijo:

**6.** Presto sucederá la ruina de Nínive; pues la palabra del Señor no puede faltar; y nuestros hermanos que están dispersos fuera de la tierra de Israel, volverán a ella;

**7.** Y será repoblado todo aquel país desierto, y reedificada de nuevo la Casa de Dios que fué allí entregada a las llamas, y volverán allá todos los que temen a Dios:

**8.** Y las gentes o *gentiles* abandonarán sus ídolos, y vendrán a Jerusalén para morar en ella;

**9.** Y allí se regocijarán todos los reyes de la tierra, adorando al *Cristo* rey de Israel.

**10.** Ahora bien, hijos míos, escuchad a vuestro padre: servid al Señor con sincero corazón, y estudiad cómo hacer lo que le es agradable;

**11.** Y encomendad a vuestros hijos que hagan obras de justicia, y den limosnas; que tengan presente a Dios, y lo bendigan en todo tiempo con sincero corazón y con todo esfuerzo.

**12.** Ea, pues, hijos míos, escuchad lo que os digo, y no queráis permanecer aquí, sino que el día en que hubiereis enterrado a vuestra madre junto a mí en la misma sepultura, en ese mismo día disponed vuestro viaje para salir de aquí.

**13.** Porque yo estoy viendo que los vicios *y maldades* conducen a esta ciudad a su exterminio.

**14.** En efecto, Tobías, después de la muerte de su madre, se retiró de Nínive con su mujer y sus hijos y nietos, y se fué a vivir con sus suegros;

**15.** A los cuales halló sanos y salvos en dichosa vejez, y cuidó de ellos, y él mismo les cerró los ojos; y entró en toda la herencia de la casa de Raguel; y vió a los hijos de sus hijos hasta la quinta generación.

**16.** Finalmente, cumplidos noventa y nueve años en el temor del Señor, lo sepultaron con *gloria y* alegría.

**17.** Toda su parentela y todos sus descendientes perseveraron en el bien vivir, y en el ejercicio de obras santas: de tal manera que fueron gratos así a Dios como a los hombres, y a todos los moradores de la tierra.

# LIBRO DE JUDIT

# Introducción

No se conoce al autor de este libro, pero ciertos críticos han aventurado la opinión de que podría haberlo escrito el pontífice Eliachim, de quien se habla en el texto. Lo único que se puede afirmar con total seguridad es que se trataba de un judío conocedor de los textos sagrados, devoto de la ley y creyente en los destinos de su pueblo. Escribió en hebreo o arameo una o dos centurias antes de Jesucristo.

La estructura del libro presenta abundantes problemas de coherencia cronológica. Con todo, los episodios históricos citados concuerdan con noticias que tenemos por Herodoto y que figuran también en las *Crónicas*.

El argumento contiene, como decíamos, referencias históricas al imperio asirio y a los reyes medos. Holofernes, general de Nabucodonosor, rey de Nínive, ataca al frente de un gran ejército la ciudad de Betulia. El asedio dura un mes y finaliza cuando Judit sale de la ciudad, gana la confianza de Holofernes y le da muerte cuando está a solas con él, dispersándose así su ejército y salvándose la ciudad.

Los Padres de la Iglesia celebran la piedad, la constancia, la fortaleza y la firme esperanza en Dios de que tantas pruebas dio Judit, al tomar tan difícil decisión para poder conseguir la libertad de su pueblo.

El *Libro de Judit* se ha considerado sagrado desde los primeros tiempos de la Iglesia. Según san Jerónimo los judíos lo contaban entre sus escrituras santas o libros hagiógrafos .

## CAPITULO I

*Nabucodonosor, vencido el rey de los Medos, quiere alzarse con la soberanía de otras muchas naciones; a cuyo fin envía embajadores, que son despreciados: por lo cual jura vengarse.*

1. Arfaxad, pues, rey de los Medos había sujetado a su imperio muchas naciones; y edificó una ciudad sumamente fuerte, que llamó Ecbátana;

2. Cuyos muros construyó de piedras labradas a escuadra, los cuales tenían setenta codos de anchura y treinta de altura; levantó sus torres hasta cien codos de elevación.

3. Eran éstas cuadradas, y tenía cada lado la extensión de veinte pies; e hizo sus puertas *a proporción* de la altura de las torres.

4. Después de esto jactábase de su poder por la fuerza de sus ejércitos y por sus famosos carros de guerra.

5. Pero Nabucodonosor, rey de los Asirios, que reinaba en la gran ciudad de Nínive, el año duodécimo de su reinado entró en batalla contra Arfaxad, y lo venció,

6. En la espaciosa llanura, llamada Ragau, cerca del Eufrates, y del Tigris, y de Jadasón, en tierras de Erioc, rey de los Elicos.

7. Entonces adquirió gran pujanza el reino de Nabucodonosor; y engrióse su corazón, y despachó mensajeros a todos los habitantes de la Cilicia, de Damasco, y del Líbano,

8. Y a los pueblos que están en el Carmelo, y en Cedar, y a los moradores de la Galilea en la vasta campiña de Esdrelón,

9. Y a todos los de Samaria, y de la otra parte del Jordán hasta Jerusalén, y a toda la tierra de Jesé hasta tocar los términos de la Etiopía.

10. A todos éstos envió embajadores Nabucodonosor, rey de los Asirios.

11. Mas todos de común acuerdo se negaron a lo que les pedía, remitieron los enviados con las manos vacías, y los echaron de sí con desprecio.

12. Indignado con esto el rey Nabucodonosor contra todas aquellas naciones, juró por su trono y por su reino que se había de vengar de todas ellas.

# CAPITULO II

*Nabucodonosor envía a Holofernes a conquistar todos los reinos, con un poderoso ejército, que devasta y llena de terror las naciones.*

1. El año décimotercero del reinado de Nabucodonosor, a veintidós del mes primero, se celebró consejo en el palacio de Nabucodonosor, rey de los Asirios, sobre la manera de tomar venganza *de las naciones.*

2. Convocó a todos los ancianos, y a todos sus capitanes y campeones; y propuso en consejo secreto su determinación.

3. Díjoles que su designio era subyugar toda la tierra a su imperio.

---

CAP. II. — 2. *A los Ancianos*: a los Senadores o principales de su reino.

4. La cual propuesta siendo aprobada de todos, el rey Nabucodonosor llamó a Holofernes, jefe de sus ejércitos,

5. Y díjole: Sal a campaña contra todos los reinos de Occidente, y principalmente contra aquéllos que menospreciaron mis órdenes.

6. No mirarás con compasión a reino ninguno, y sujetarás a mi dominio todas las ciudades fuertes.

7. Entonces Holofernes convocó a los capitanes y oficiales del ejército de los Asirios; y escogió para la expedición el número de hombres señalado por el rey, *a saber,* ciento y veinte mil soldados de infantería y doce mil flecheros de caballería.

8. Despachó delante de sus tropas una innumerable muchedumbre de camellos con abundantes provisiones para el ejército, juntamente con ganado vacuno y rebaños de ovejas sin cuento.

9. Mandó asimismo acopiar trigo en toda la Asiria, para cuando él pasase.

10. Y tomó también del erario del rey grandísimas sumas de oro y plata.

11. Con esto se puso en marcha seguido de todo el ejército, con los carros de guerra, y caballería, y flecheros, cubriendo a manera de langosta la superficie de la tierra.

12. Y habiendo pasado los confines de Asiria, llegó a las grandes montañas de Ange situadas a la izquierda de la Cilicia, y escaló todos sus castillos, y se apoderó de todas las plazas fuertes.

13. Arruinó también la famosísima ciudad de Meloti, y saqueó a todos los habitantes de Tarsis y a los Ismaelitas, que moraban, en frente del Desierto, al mediodía del país de Cellón.

14. Habiendo pasado el Eufrates, entró por la Mesopotamia y batió todas las ciudades fuertes que había allí, desde el arroyo de Mambre hasta el mar *de Tiberiades.*

15. E hízose dueño de todo el país desde la Cilicia hasta los términos de Jafet, que está al mediodia.

16. Y se llevó toda la gente de Madián, robando todas sus riquezas, y pasando a cuchillo a cuantos le resistían.

17. Después se dejó caer sobre los campos de Damasco, al tiempo de la siega, e hizo pegar fuego a todas las mieses, y talar todos los árboles y viñas.

18. Con lo cual sobrecogió de terror a todos los habitantes de la tierra.

## CAPITULO III

*Sujétanse los reyes y provincias enteras a Holofernes. Aumenta éste su ejército con la gente que saca de ella: y destruye las ciudades y templos, a fin de que sólo Nabucodonosor sea tenido por dios.*

1. Entonces los reyes y príncipes de todas las ciudades y provincias, es a saber, de la Siria de Mesopotamia, y de la Siria de Sobal, y de la Libia, y de la Cilicia, enviaron sus embajadores; los cuales presentándose a Holofernes, le dijeron:

2. Cese tu cólera contra nosotros; porque vale más vivir sirviendo al gran rey Nabucodonosor, y depender de ti, que morir *casi* todos, y sufrir *los* demás los trabajos de la esclavitud.

3. Están a tu disposición todas nuestras ciudades, todas nuestras posesiones, todos los montes y collados, y los campos, y las vacadas, y los rebaños de ovejas y de cabras, y los caballos, y los camellos; todas nuestras facultades, y todas nuestras familias.

4. Queden a tu arbitrio todas nuestras cosas.

5. Nosotros y nuestros hijos somos tus esclavos.

6. Ven a nosotros como dueño pacífico, y em-pléanos en tu servicio como gustares.

7. Entonces bajó de las montañas con la caballería y un ejército numeroso, y tomó posesión de todas las ciudades y de todos los pueblos del país.

8. Y de todas las ciudades se llevaba para tropas auxiliares a los hombres robustos y aptos para las armas.

9. Fué tan grande el espanto que se apoderó de aquellas provincias, que los más principales y distinguidos moradores de todas las ciudades, luego que se acercaba, le salían al encuentro junto con los pueblos,

10. Recibiéndole con coronas y lámparas o *hachas* encendidas, formando danzas al son de tamboriles y flautas.

11. Pero por más que hicieron, no pudieron amansar la ferocidad de aquel corazón.

12. Porque no por eso dejó de destruirles las ciudades, y de talarles los bosques *sagrados.*

13. Por cuanto el rey Nabucodonosor le había dado orden de exterminar todos los dioses de la tierra; con el fin de que él sólo fuese tenido por dios de aquellas naciones que pudiese subyugar el poder de Holofernes.

14. El cual, atravesada la Siria de Sobal, y toda la Apamea, y toda la Mesopotamia, llegó a los Idumeos al país de Gábaa;

15. Y ocupó sus ciudades, y se detuvo allí por espacio de treinta días, en cuyo intermedio mandó que se reuniese toda la fuerza de su ejército.

## CAPITULO IV

*Amonestados los Israelitas por el Sumo sacerdote Eliaquim o Joacim, imploran el auxilio de Dios contra Holofernes con oraciones y ayunos.*

1. Habiendo sabido, pues, todo esto los hijos de Israel, que habitaban la tierra de Judea, temieron sobremanera su llegada.

2. Apoderóse de sus corazones el terror y el horror, temerosos de que hiciese con Jerusalén y con el Templo del Señor, lo que había ejecutado con las otras ciudades y sus templos.

3. Por lo que enviaron *gente* a toda la frontera de Samaria hasta Jericó, y ocuparon de antemano todas las cimas de los montes;

4. Y cercaron de muros sus aldeas, y almacenaron granos, preparándose para la guerra.

5. Asimismo el *Sumo* sacerdote Eliaquim o *Joacim*, escribió a todos los que habitaban hacia Esdrelón, que está frente a la gran llanura contigua a Dotaín, y a todos los lugares que estaban en los caminos por donde podía pasar *Holofernes,*

6. A fin de que ocupasen las alturas de los montes, por los cuales podía abrirse camino para Jerusalén, y guarneciesen los pasos estrechos o *desfiladeros* que hubiese entre los montes.

7. Ejecutaron los hijos de Israel puntualmente las disposiciones de Eliaquim, *Sumo* sacerdote del Señor.

8. Al mismo tiempo todo el pueblo clamó al Señor con grandes instancias, y humillaron sus almas con ayunos y oraciones, así ellos como sus mujeres.

---

CAP. III. — 2. Como si dijera: mejor es esto, que morir alguno de nosotros, y los que quedemos con vida, viendo nuestra ruina, padecer los trabajos de una dura esclavitud.

7. *Montañas*: que separan la Siria de la Fenicia y Palestina.

9. Los sacerdotes se vistieron de cilicio, y a los niños los postraron por tierra delante del templo del Señor, cuyo altar cubrieron también de cilicio.

10. Y todos a una voz clamaron al Señor Dios de Israel que no fuesen arrebatados sus hijos, ni robadas sus mujeres, ni exterminadas las ciudades, ni profanado el Santuario, ni reducidos ellos a ser el oprobio de las naciones.

11. Entonces Eliaquim, *Sumo* sacerdote del Señor, recorrió todo el país de Israel, y les hablaba,

12. Diciendo: Tened por cierto que oirá el Señor vuestras plegarias, si perseveráreis constantemente en su presencia, ayunando y orando.

13. Acordáos de Moisés, siervo del Señor, el cual no por medio de las armas, sino suplicando con santas oraciones, derrotó a los Amalecitas, que confiaban en su fuerza, y en su poder, y en sus ejércitos, y en sus broqueles, y en sus carros de guerra, y en su caballería.

14. Lo mismo sucederá a todos los enemigos de Israel, si perseveráreis en hacer lo que habéis comenzado.

15. Movidos, pues, con estas exhortaciones, perseveraban todos encomendándose al Señor, sin apartarse de ante su acatamiento;

16. De tal manera, que aun los que ofrecían holocaustos al Señor, le presentaban las víctimas ceñidos de cilicios y cubiertas de ceniza sus cabezas.

17. Y todos suplicaban de todo su corazón a Dios, que visitase *y consolase* a su pueblo de Israel.

## CAPITULO V

*Aquior, capitán de los Ammonitas, aconseja a Holofernes que no haga la guerra a Israel: de lo que se irritan los principales capitanes del ejército.*

1. Avisaron, pues, a Holofernes, generalísimo del ejército de los Asirios, que los hijos de Israel se preparaban para resistirle, y que tenían tomados los pasos de los montes.

2. Y montando en cólera, convocó, encendido en saña, a todos los príncipes de Moab, y a los capitanes de los Ammonitas,

3. Y hablóles de esta manera: Decidme qué *casta* de pueblo es ése que tiene ocupados los *desfiladeros de* los montes; o qué ciudades son las suyas, cuáles y cuán grandes; cuál sea también su valor, cuánta su gente y quién es el que gobierna sus tropas.

4. Y ¿por qué *sólo* éstos, entre todos los que moran hacia el Oriente, nos han menospreciado, y no nos han salido al encuentro para recibirnos como amigos?

5. Entonces Aquior, jefe de todos los Ammonitas, le respondió en estos términos: Si te dignas escucharme, yo diré, señor mío, la verdad en tu presencia, acerca de ese pueblo que habita en las montañas, y no saldrá de mi boca palabra falsa.

6. Ese pueblo desciende de los Caldeos.

7. Habitó primeramente en la Mesopotamia; porque no quisieron seguir los dioses de sus padres, que habitaban en el país de Caldea.

8. Abandonando, pues, las ceremonias de sus padres, que adoraban muchos dioses,

9. Dieron culto al solo Dios del cielo; el cual *por lo mismo* les mandó salir de allí y pasar a vivir en Carán. Mas como después sobreviniese una gran carestía en todo aquel país, bajaron a Egipto; donde por espacio de cuatrocientos años se multiplicaron en tanto grado, que resultó un pueblo innumerable.

10. Por tanto, tratándolos con dureza el rey de Egipto y forzándolos a trabajar en barro y hacer ladrillos para edificar ciudades, clamaron a su Señor *y Dios,* el cual hirió con varias plagas a toda la tierra de Egipto.

11. Al fin, arrojáronlos de sí los Egipcios. Pero viendo que habían cesado ya las plagas, quisieron de nuevo cautivarlos y reducirlos a la anterior servidumbre.

12. Mas ellos huyeron, y el Dios del cielo les abrió el mar, de tal manera, que de un lado y otro se cuajaron las aguas formando como una muralla: y de este modo, caminando a pie enjuto, atravesaron el fondo del mar.

13. Al mismo tiempo un ejército innumerable de Egipcios que iba tras de ellos persiguiéndolos por el mismo paso, fué de tal suerte sumergido por las aguas, que ni uno siquiera quedó para poder referir el suceso a los venideros.

14. Salidos del mar Rojo, hicieron alto en los desiertos del monte Sina, donde jamás hombre ninguno pudo habitar, ni descansar ninguna persona.

---

CAP. IV. — 9. *De ciclicio:* o ropa de luto y penitencia.

CAP. V. — 6. *De los Caldeos:* de Abraham oriundo de la ciudad de Ur.

**15.** Allí las fuentes amargas se les convirtieron en dulces, a fin de que pudiesen beber, y por espacio de cuarenta años recibieron el alimento del cielo.

**16.** Doquiera que pusieron el pie, sin arco ni saeta, sin escudo ni espada, peleó por ellos su Dios, y fué *siempre* vencedor.

**17.** Ni hubo quien pudiese hacer daño a este pueblo, sino cuando él se desvió del culto del Señor su Dios.

**18.** Y así siempre que, fuera de su Dios adoraron a otro, fueron entregados al saqueo, y a la muerte, y al oprobio.

**19.** Mas cuantas veces se arrepintieron de haber abandonado el culto de su Dios, el Dios del cielo les dió fuerzas para defenderse.

**20.** Así es que ellos abatieron a los reyes Cananeos, y Jebuseos, y Fereceos, y Heteos, y Heveos, y Amorreos, y a todos los potentados de Hesebón, y poseen al presente sus tierras y ciudades;

**21.** Y mientras no han pecado contra su Dios les ha ido bien, porque su Dios aborrece la iniquidad.

**22.** Y aun pocos años hace, habiéndose desviado del camino que Dios les había enseñado, para que anduviesen por él, fueron derrotados y batidos por varias naciones, y llevados cautivos muchísimos de ellos a tierras extrañas.

**23.** Pero últimamente, habiéndose convertido poco ha al Señor su Dios, regresaron todos de los lugares en que habían sido esparcidos, y han repoblado estas montañas, y son nuevamente dueños de Jerusalén, donde está su Santuario.

**24.** Ahora, pues, infórmate, oh señor mío, si son ellos reos de algún delito en presencia de su Dios; y *en tal caso* marchemos contra ellos, porque indudablemente los entregará su Dios en tus manos, y quedarán subyugados a tu dominio.

**25.** Pero si este pueblo no ha delinquido contra su Dios, no podremos resistirle; porque lo defenderá su Dios, y vendremos a ser el escarnio de toda la tierra.

**26.** Luego que acabó Aquior de hablar estas palabras, indignáronse todos los magnates de Holofernes, y trataron de quitarle la vida, diciéndose unos a otros:

**27.** ¿Quién es éste que dice que al rey Nabucodonosor y a sus ejércitos le pueden hacer frente los hijos de Israel, unos hombres sin armas, y sin valor, ni pericia en el arte militar?

**28.** Pues para que Aquior conozca cómo nos engaña, subamos a las montañas, y hechos prisioneros los más valientes de aquella nación, entonces será pasado él a cuchillo juntamente con ellos;

**29.** A fin de que sepa todo el mundo que Nabucodonosor es el dios de la tierra; y que fuera de él no hay otro ninguno.

## CAPITULO VI

*Sentencia de Holofernes contra Aquior, al cual acogen los Israelitas, e invocan éstos el auxilio de Dios.*

**1.** Así que acabaron ellos de hablar, Holofernes enfurecido sobremanera, dijo a Aquior:

**2.** Ya que has hecho de profeta, diciéndonos que el pueblo de Israel es defendido por su Dios, para hacerte ver que no hay otro dios fuera de Nabucodonosor,

**3.** Después que los habremos pasado a cuchillo a todos ellos, como si fuesen un solo hombre, entonces perecerás tú también al filo de la espada de los Asirios, y todo Israel será enteramente exterminado contigo;

**4.** Y sabrás por experiencia que Nabucodonosor es el señor de toda la tierra. Entonces la espada de mis soldados atravesará tu costado, y caerás traspasado entre los heridos de Israel; sin poder ya respirar más, pereciendo con ellos.

**5.** Ahora bien, si tú tienes por cierta tu profecía, no mudes el color del rostro, y esa palidez que cubre tu semblante échala lejos de ti, si crees que no tendrán efecto estas palabras mías.

**6.** Mas para que sepas que has de sufrir juntamente con ellos todo lo dicho, he aquí que desde ahora serás agregado a aquel pueblo; a fin de que cuando mi espada les dé a ellos el castigo merecido, seas tú también envuelto en la venganza.

**7.** En seguida Holofernes mandó a sus criados que prendiesen a Aquior, y lo llevasen a Betulia, entregándole en manos de los hijos de Israel.

**8.** Cogiendo, pues, los criados de Holofernes a Aquior, partieron por la llanura; pero en llegando a la montaña, salieron contra ellos los honderos *de la ciudad;*

**9.** Por lo que declinando hacia un lado del monte, ataron a Aquior de pies y manos a un árbol; y así atado con cordeles lo dejaron, y volviéronse a su señor.

**10.** Mas los hijos de Israel bajando de Betulia, fueron a él, y desatándolo, lo condujeron a Betulia, y poniéndolo en medio del pueblo, le preguntaron cuál era la causa de haberlo dejado atado *allí* los Asirios.

**11.** En aquel tiempo los príncipes *o gobernadores* de aquel distrito eran Ozías, hijo de Micas, de la tribu de Simeón, y Carmi, llamado también Gotoniel.

**12.** Estando, pues, Aquior en medio de los ancianos, y a vista de toda la gente, refirió todo cuanto había respondido a las preguntas de Holofernes; y cómo la gente de Holofernes lo había querido matar por haber hablado de aquella manera;

**13.** Y que indignado el mismo Holofernes lo había mandado entregar a los Israelitas, con el fin de hacerlo perecer a fuerza de varios suplicios, luego que éstos fuesen vencidos, por haber dicho *a Holofernes*: El Dios del cielo es el defensor de los hijos de Israel.

**14.** Declaradas todas estas cosas por Aquior, todo el pueblo se postró en tierra sobre su rostro, adorando al Señor, y con gemidos y llanto universal derramaron unánimes sus plegarias ante el Señor,

**15.** Diciendo: Señor Dios del cielo y de la tierra, mira la soberbia de estos, y vuelve los ojos a nuestra humillación, y considera el semblante, *o la situación* de tus santos, y haz ver que no desamparas a los que confían en ti; y que abates a los que presumen de sí mismo, y se jactan de su poder.

**16.** Luego que cesó el llanto, y concluida que fué la oración del pueblo, que duró todo el día, consolaron a Aquior,

**17.** Diciendo: El Dios de nuestros padres, cuyo poder has publicado, ése mismo trocará tu suerte de tal manera, que veas tú antes la ruina de los enemigos.

**18.** Mas cuando el Señor nuestro Dios hubiere así puesto en libertad a sus siervos, sea él también tu Dios en medio de nosotros, para que del modo que mejor te parezca mores con todos los tuyos en nuestra compañía.

**19.** Entonces Ozías, despedida la junta, lo hospedó en su casa, y le dió una gran cena.

**20.** A la cual convidados todos los ancianos, después de haber ayunado todo el día, tomaron juntos su alimento.

**21.** Después fué convocado todo el pueblo, y pasaron en oración toda la noche dentro de la iglesia *o sinagoga*, pidiendo socorro al Dios de Israel.

## CAPITULO VII

*Holofernes pone sitio a Betulia y corta el acueducto: los de Betulia apretados por la sed quieren rendirse; más a ruegos de Ozías, uno de sus príncipes, esperan cinco días.*

**1.** Al día siguiente Holofernes mandó a sus tropas que avanzasen contra Betulia.

**2.** Componían un ejército de ciento y veinte mil soldados de infantería y veinte y dos mil de caballería, sin contar los que había hecho alistar de entre los cautivos, y toda la juventud que se había llevado por fuerza de las provincias y ciudades.

**3.** Todos a un tiempo se pusieron a punto de pelear contra los Israelitas, y avanzaron por la ladera del monte hasta la altura que domina sobre Dotaín, desde el lugar llamado Belma hasta Quelmón, situado en frente de Esdrelón.

**4.** Mas los hijos de Israel viendo aquel *inmenso* gentío postráronse en tierra, echando ceniza sobre sus cabezas, rogando unánimes al Dios de Israel que mostrase su misericordia para con su pueblo;

**5.** Y tomando las armas *para pelear*, se apostaron en los parajes por donde se entra en un sendero estrecho en medio de los montes; y los estaban guardando de día y de noche.

**6.** Holofernes por su parte, mientras andaba registrando los alrededores, observó que la fuente que corría dentro de la ciudad venía por un acueducto que tenían fuera hacia el mediodía, y así mandó cortarlo.

**7.** Quedaban, no obstante, a poca distancia de los muros, algunos *pequeños* manantiales, de donde se veía que iban a sacar a escondidas *un poco de* agua, más para aliviar la sed que para apagarla.

**8.** Pero los Ammonitas y los Moabitas fueron y dijeron a Holofernes: Los hijos de Israel no ponen su confianza en sus lanzas ni en sus flechas, sino que su defensa y fortificaciones son los montes y los collados escarpados.

---

CAP. VII. — *2. Caballería:* la caballería de Holofernes había tenido el aumento de diez mil caballos de los Asirios.

**9.** Para que puedas, pues, vencerlos sin venir a las manos, por guardias en los manantiales, a fin de que no cojan agua de ellos, y *así* los matarás sin sacar la espada, o a lo menos apurados *de la sed,* entregarán su ciudad, que por estar situada en los montes, creen inexpugnable.

**10.** Estas razones parecieron bien a Holofernes y a sus oficiales, por lo que apostó cien hombres de guardia alrededor de cada manantial.

**11.** Y después de veinte días que se hacía esta guardia, llegaron a agotarse todas las cisternas y depósitos de agua de todos los habitantes de Betulia, de manera que no tenían dentro de la ciudad ni agua bastante para saciar la sed un solo día, por lo que diariamente se repartía a los vecinos el agua por medida.

**12.** Entonces acudiendo todos de tropel a Ozías, hombres y mujeres, jóvenes y niños, todos a una voz

**13.** Dijeron: Sea Dios el juez entre ti y nosotros; pues tú eres el causador de estos males, por no querer tratar de paz con los Asirios, y por eso Dios nos ha abandonado en sus manos.

**14.** Y por lo mismo no hay quien nos socorra en esta ocasión en que nos hallamos abatidos a vista de ellos por la sed y por una suma miseria.

**15.** Ahora, pues, convocad a todos los que se hallan en la ciudad, y entreguémonos todos voluntariamente al ejército de Holofernes;

**16.** Porque más vale vivir cautivos y bendecir al Señor, que morir y ser el oprobio de todo el mundo, después de haber visto expirar a nuestros ojos nuestras esposas y nuestros niños.

**17.** Os requerimos hoy, poniendo por testigos al cielo y a la tierra, y al Dios de nuestros padres, el cual nos castiga conforme a nuestros pecados, para que entreguéis luego la ciudad en poder del ejercito de Holofernes, y acábese en breve al filo de la espada nuestro penar, que se prolonga más y más con el ardor de la sed.

**18.** Así que dijeron esto, prorrumpió todo el concurso en grandes llantos y alaridos; y por espacio de muchas horas estuvieron clamando a Dios a una voz, y diciendo:

**19.** Hemos pecado nosotros y nuestros padres; hemos sido malos, hemos cometido *mil* maldades.

**20.** Tú, *Señor,* pues eres piadoso, ten misericordia de nosotros o *a lo menos* castiga tú mismo nuestros delitos; mas no quieras abandonar en poder de un pueblo que no te conoce, a los que te honran *y reconocen por* su *Dios;*

**21.** No sea que digan las naciones: ¿Dónde está el Dios de éstos?

**22.** Y después que fatigados de tanto clamar y llorar, quedaron en silencio,

**23.** Levantándose Ozías bañado en lágrimas, dijo: Tened buen ánimo, hermanos míos, y esperemos *aún* durante cinco días la misericordia del Señor.

**24.** Que quizá aplacará su enojo, y hará brillar la gloria de su *santo* Nombre.

**25.** Mas si pasados los cinco días no viene ningún socorro, haremos lo que habéis dicho.

## CAPITULO VIII

*Judit amonesta y anima a los Ancianos de Betulia, y los exhorta a que inculquen al pueblo la paciencia. Les encarga que rueguen a Dios por ella, sin pretender saber el destino que tiene.*

**1.** Llegaron estas palabras a oídos de la viuda Judit; la cual era hija de Merari, hijo de Idox, hijo de José, hijo de Ozías, hijo de Elai, hijo de Jamnor, hijo de Gedeón, hijo de Rafaím, hijo de Aquitob, hijo de Melquías, hijo de Enán, hijo de Natanías, hijo de Salatiel, hijo de Simeón, hijo de Rubén.

**2.** Y fué su marido Manasés, que murió en los días de la siega de las cebadas;

**3.** Pues mientras iba dando prisa a los que ataban los haces en el campo, cayó un bochorno sobre su cabeza, del que vino a morir en Betulia, su patria, donde fué sepultado con sus padres.

**4.** Tres años y medio eran ya pasados, desde que Judit había quedado viuda de Manasés.

**5.** Y en lo más alto de su casa se había hecho una vivienda separada, donde estaba recogida con sus criadas;

**6.** Y ceñida de un cilicio, ayunaba todos los días de su vida, menos los sábados, y novilunios, y otras festividades de la casa de Israel.

**7.** Era Judit hermosa en extremo, y habíale dejado su marido muchas riquezas, y numerosa familia, y posesiones llenas de vacadas y de rebaños de ovejas.

**8.** Y todos tenían de ella un grandísimo concepto; porque era muy temerosa de Dios, ni había quien hablase la más mínima palabra en disfavor suyo.

**9.** Esta, pues, cuando entendió que Ozías había prometido que pasados cinco días entregaría la ciudad, envió a llamar a los ancianos Cabri y Carmi,

**10.** Los cuales vinieron a ella, y les dijo: ¿Qué demanda es ésa, en que ha consentido Ozías, de entregar la ciudad a los Asirios, si dentro de cinco días no tenéis socorro?

**11.** ¿Y quiénes sois vosotros, que así tentáis al Señor?

**12.** No es ése el medio de atraer su misericordia; antes bien lo es de provocar su ira y encender su furor.

**13.** Vosotros habéis fijado plazo a la misericordia del Señor y le habéis señalado día conforme a vuestro arbitrio.

**14.** Pero, pues, que el Señor es sufrido, arrepintámonos de esto mismo, y bañados en lágrimas imploremos su indulgencia.

**15.** Porque no son las amenazas de Dios como las de los hombres ni él se enciende en cólera como los hijos de los hombres.

**16.** Por tanto humillemos ante su acatamiento nuestras almas, y poseídos de un espíritu de compunción, como siervos suyos que somos,

**17.** Pidamos con lágrimas al Señor, que del modo que sea de su agrado, nos haga sentir los efectos de su misericordia; para que así como la soberbia de los enemigos ha llenado nuestro corazón de turbación *y espanto,* así nuestra humillación venga a ser para nosotros un motivo de gloria.

**18.** Puesto que nosotros no hemos imitado los pecados de nuestros padres, que abandonaron a su Dios y adoraron dioses extranjeros,

**19.** Por cuya maldad fueron entregados a la espada, y al saqueo, y al oprobio de sus enemigos; nosotros, empero, no conocemos otro Dios que a él.

**20.** Esperemos, pues, con humildad su consolación; que él vengará nuestra sangre de la opresión en que nos tienen los enemigos, y abatirá todas las naciones que se levantan contra nosotros, y las cubrirá de ignominia el Señor Dios nuestro.

**21.** Ahora, pues, hermanos *míos,* ya que vosotros sois los ancianos o mayores en el pueblo de Dios, y está de vosotros pendiente su alma, alentad con vuestras palabras sus corazones, representándoles cómo nuestros padres fueron tentados, para que se viese si de veras honraban a su Dios.

**22.** Deben acordarse cómo fue tentado nuestro padre Abraham, y como después de probado con muchas tribulaciones llegó a ser el amigo de Dios.

**23.** Así Isaac, así Jacob, así Moisés y todos los que agradaron a Dios, pasaron por muchas tribulaciones, manteniéndose siempre fieles.

**24.** Al contrario, aquéllos que no sufrieron las tentaciones con temor del Señor, sino que manifestaron su impaciencia, y prorrumpieron en injuriosas murmuraciones contra el Señor,

**25.** Fueron exterminados por el *Angel* exterminador, y perecieron mordidos de las serpientes.

**26.** Por tanto, no nos desfoguemos *con quejas y murmuraciones* por los trabajos que padecemos;

**27.** Antes bien, considerando que estos castigos son *todavía* menores que nuestros pecados, creamos que los azotes del Señor, con que como esclavos somos corregidos, nos han venido para enmienda nuestra, y no para nuestra perdición.

**28.** A esto le dijeron Ozías y los ancianos: Todo lo que has dicho es mucha verdad, y no hay cosa que reprender en cuanto has hablado.

**29.** Ahora, pues, ruega por nosotros, puesto que eres una mujer santa y temerosa de Dios.

**30.** Respondióles Judit: Así como conocéis ser de Dios lo que acabo de decir,

**31.** Así sabréis por experiencia que es de Dios lo que tengo determinado ejecutar: y *entre* tanto haced oración a Dios, para que realice mi designio.

**32.** Vosotros esta noche estaréis a la puerta *de la ciudad,* y yo saldré fuera con mi doncella. Y orad al Señor, a fin de que dentro de los cinco días que vosotros dijisteis, vuelva *benigno* los ojos hacia su pueblo de Israel.

**33.** Mas no quiero que pretendáis indagar lo que voy a hacer; y hasta que vuelva yo a avisaros, no se haga otra cosa, sino orar por mi a Dios nuestros Señor.

**34.** Díjole Ozías, príncipe de Judá: Vete en paz, y el Señor sea contigo para vengarnos de nuestros enemigos. Con esto, despidiéndose, se retiraron.

## CAPITULO IX

*Oración fervorosa de Judit para alcanzar la salvación de su pueblo y abatir al orgulloso Holofernes.*

**1.** Retirados que fueron éstos, Judit entró en su oratorio, y vistiéndose de cilicio, esparció ceniza sobre su cabeza, y postrada ante el Señor, clamaba a él diciendo:

**2.** Señor Dios de mi padre Simeón, a quien pusiste la espada en las manos para castigar a aquellos extranjeros que por una infame pasión violaron y desfloraron a una virgen, llenándola de afrenta;

**3.** Por cuyo motivo hiciste que sus mujeres fuesen robadas, y cautivadas sus hijas; y dividiste todos los despojos entre tus siervos que ardieron en celo de tu honor; socorre, te suplico, ¡oh Señor Dios mío!, a esta viuda.

**4.** Puesto que tú eres el que obraste antiguamente aquellas cosas *estupendas,* y tienes resuelto ejecutar otras después *a su tiempo;* habiéndose hecho *siempre* lo que has querido.

**5.** Pues todos tus caminos están aparejados *desde* la eternidad, y has fundado tus juicios en tu *infalible* providencia.

**6.** Vuelve, pues, ahora la vista sobre el campamento de los Asirios, como te dignaste en otra ocasión volverla sobre el de los Egipcios, cuando corrían sus tropas en pos de tus siervos, confiando en sus carros armados, y en su caballería, y en la muchedumbre de sus guerreros.

**7.** Pero tú tendiste la vista sobre su campamento, y quedaron envueltos en tinieblas.

**8.** El abismo detuvo sus pasos, y las aguas los anegaron.

**9.** Así suceda con éstos, Señor, que ponen la confianza en su gran número, y en sus carros de guerra, y se glorían en sus picas, y en sus escudos, y en sus dardos, y en sus lanzas;

**10.** Y no conocen que tú eres nuestro Dios, que de tiempo antiguo desbaratas los ejércitos, y tienes por nombre el Señor, *esto es, Jehová.*

**11.** Levanta tu brazo, como ya otra vez hiciste, y con tu poder *infinito* estrella su fuerza; caiga por tierra *todo* el poder de ellos al golpe de tu ira, ya que presumen violar tu Santuario, y profanar el tabernáculo dedicado a tu Nombre *santo,* y derribar con su espada el cornijal *o la gloria* de tu altar.

**12.** Haz, Señor, que la cabeza de ese soberbio sea cortada con su propio alfanje.

**13.** Sean sus ojos, fijados en mí, el lazo en que quede preso, y hiérele tú, *oh Señor,* con las afectuosas palabras que salgan de mi boca.

**14.** Infunde constancia en mi corazón para despreciarle, y valor para destruirlo;

**15.** Porque será un glorioso monumento de tu Nombre, el que sea derribado al suelo por mano de una mujer.

**16.** Que no consiste, Señor, tu poder en la multitud *de escuadrones,* ni te complaces en la fuerza de la caballería: desde el principio *del mundo* te han desagradado los soberbios habiéndote sido siempre acepta la oración de los humildes y mansos.

**17.** Oh Dios de los cielos, Creador de las aguas y Señor de todas las criaturas, oye benigno a esta miserable que recurre a ti, y lo espera todo de tu misericordia.

**18.** Acuérdate, Señor, de tu alianza, y ponme tú las palabras en la boca, y fortifica mi corazón en esta empresa; a fin de que tu templo se mantenga siempre consagrado a tu culto,

**19.** Y reconozcan las naciones todas que tú eres el Dios, y que no hay otro fuera de ti.

## CAPITULO X

*Judit, vestida de sus más preciosas galas, pasa a los reales de Holofermes. Es presentada a éste por las centinelas avanzadas, quien al punto quedó prendado de su hermosura.*

**1.** Acabado que hubo de clamar al Señor, levantóse del lugar en que estaba postrada delante del Señor.

**2.** Y llamó a una doncella suya, y bajando *del oratorio* a su habitación, se quitó el cilicio, y desnudóse de los vestidos de viuda,

**3.** Y lavó su cuerpo, y ungióse con ungüento precioso, y repartió en trenzas el cabello de su cabeza, sobre la cual se puso una *riquísima* cofia o *bonetillo; y* atavióse con sus vestidos de gala, calzóse sus sandalias, púsose los brazaletes, y las manillas, y los zarcillos, y las sortijas, sin omitir adorno ninguno.

**4.** Añadióle además el Señor nueva belleza; porque toda esta compostura no provenía de lasciva pasión, sino de un fin santo; y por tanto el Señor dió mayor realce a su hermosura, de suerte que a los ojos de todos parecía de una incomparable belleza.

**5.** Hizo llevar por su criada una botella de vino, y una redoma de aceite, y trigo tostado, e higos secos, y panes, y queso, y marchó *con ella.*

**6.** Al llegar a la puerta de la ciudad, hallaron a Ozías y a los ancianos de la ciudad, que la estaban aguardando.

**7.** Los cuales, así que la vieron, quedaron en extremo asombrados de su hermosura;

**8.** Pero sin preguntarle palabra, la dejaron pasar, diciendo: El Dios de nuestros padres te dé su gracia, y con su virtud esfuerce todos los designios de tu corazón, para que Jerusalén se gloríe de ti, y sea colocado tu nombre en el número de los santos y justos.

**9.** Y todos los que allí estaban, dijeron a una voz: ¡Así sea! ¡Así sea!

**10.** Judit, empero, orando al Señor, salió fuera de las puertas con su doncella.

**11.** Y bajando por el monte casi al rayar el día, saliéronle al encuentro las centinelas de los Asirios, y detuviéronla diciendo: ¿De dónde vienes? ¿Y a dónde vas?

**12.** Soy una de las hijas de los Hebreos, respondió, y he huido de ellos, por que sé que han de ser presa de vuestras manos: por cuanto menospreciándoos, no han querido entregarse voluntariamente, y con esto ser tratados por vosotros con misericordia.

**13.** Por cuyo motivo pensé, y dije para conmigo: Iré a presentarme al príncipe Holofernes, para descubrirle los secretos de los Hebreos, y darle un medio para sorprenderlos sin perder ni un hombre siquiera del ejército.

**14.** Así que oyeron aquellos soldados sus palabras, quedaron contemplando su cara, y se les leía en los ojos el pasmo: tan encantados estaban de su *rara* belleza.

**15.** Y le dijeron: Has salvado tu vida con ese designio de venir a presentarte a nuestro *príncipe y* señor;

**16.** Pues ten por cierto que al comparecer delante de él, te tratará bien, y ganarás su corazón. Con esto la condujeron al pabellón de Holofernes, declarando quién era.

**17.** Apenas estuvo ella en su presencia, quedó Holofernes inmediatamente preso de sus ojos.

**18.** Y dijéronle sus oficiales: ¿Quién habrá que tenga en poca estima al pueblo de los Hebreos, teniendo como tienen mujeres tan bellas? ¿No merecen éstas que hagamos la guerra contra ellos para adquirirlas?

**19.** Viendo, pues, Judit a Holofernes sentado bajo de su dosel, *o pabellón,* que era de púrpura, entretejido de oro, con esmeraldas y *otras* piedras preciosas;

**20.** Después de haber echado una mirada sobre él, le hizo una profunda reverencia, postrándose en tierra; mas los criados de Holofernes la levantaron por mandato de su señor.

## CAPITULO XI

*Holofernes se deja engañar de las palabras artificiosas de Judit.*

**1.** Entonces Holofernes le dijo: Cobra aliento, y destierra de tu corazón todo temor; porque yo jamás he maltratado a nadie que haya querido sujetarse al rey Nabucodonosor.

**2.** Que si tu pueblo no me hubiese despreciado, no hubiera empuñado mi lanza contra él.

**3.** Mas ahora dime: ¿Por qué causa los has abandonado a ellos, y resuelto venirte entre nosotros?

**4.** Respondióle Judit: Atiende a las palabras de tu sierva, porque si siguieres los consejos de tu esclava, el Señor dará cumplimiento a tu empresa.

**5.** Viva Nabucodonosor, rey de la tierra, y viva su poder, que reside en ti para castigar a todos los que van errados; pues no solamente los hombres por tu valor le sirven, sino que hasta las bestias del campo le obedecen.

**6.** Porque la prudencia de tu ánimo es celebrada en todas las naciones, y por todo el orbe se sabe que tú solo eres el bueno y el poderoso en todo su reino, y en todas las provincias es alabada tu pericia militar.

**7.** Ni se ignora, lo que habló Aquior; ni menos lo que tú has dispuesto acerca de su persona.

**8.** Lo cierto es que nuestro Dios está tan indignado por nuestras maldades, que ha enviado a decir al pueblo, por medio de sus profetas, que lo abandona en pena de sus pecados.

**9.** Y como los hijos de Israel saben que tienen ofendido a su Dios, están temblando de ti.

**10.** Además de esto el hambre los acosa, y faltos de agua están ya como muertos.

---

CAP. X. — 12. Tomadas a la letra estas palabras y otras, que se leen dichas por Judit en los capítulos siguientes, parecen que no pueden excusarse de ficción o mentira. En tal caso ésta hubiera sido de Judit, que pudo equivocadamente creerla lícita en tan apurado lance; y de Dios solamente el designio de la empresa. Pero como Judit pidió a Dios que *pusiese en su corazón las palabras,* parece más sencillo y razonable creer que Judit habló misteriosamente como Jacob cuando respondió a Isaac: *Yo soy tu primogénito.*

**11.** Por lo cual han resuelto matar sus bestias, para beberse la sangre.

**12.** Asimismo las cosas consagradas al Señor Dios suyo, que les mandó Dios no tocaran, como trigo, vino y aceite, han pensado valerse de ellas, y quieren consumirlas, aunque no debían tocarlas ni aun con las manos; y así siendo tal su proceder, no hay duda que serán abandonados *de Dios*, y que perecerán.

**13.** Lo que conociendo yo, sierva tuya, huí de ellos, y el Señor me ha mandado darte aviso de todo lo dicho.

**14.** Pues ésta tu sierva adora a Dios, aun ahora que está en tu poder; y así saldrá tu sierva *fuera* a hacer oración a Dios,

**15.** El cual me dirá cuándo querrá castigarlos por su pecado, y yo vendré a avisártelo: de suerte que yo misma te conduciré por medio de Jerusalén, y verás en tu presencia a todo el pueblo de Israel como ovejas sin pastor, sin que ni un perro siquiera ladre contra ti.

**16.** Puesto que todo lo dicho me ha sido revelado por la providencia de Dios;

**17.** El cual indignado contra ellos, me ha enviado para anunciarte estas cosas.

**18.** Todo este discurso agradó *en extremo* a Holofernes y a sus cortesanos: y maravillados de la sabiduría de Judit, decíanse unos a otros:

**19.** No hay en el mundo mujer semejante a ésta en la gentileza, en la hermosura de rostro, ni en el hablar discretamente.

**20.** En fin, Holofernes le dijo: Bien ha hecho Dios, que te ha enviado delante de ese pueblo, para que lo pongas en nuestras manos.

**21.** Y pues tu promesa es tan apreciable, si tu Dios me la cumple, será también él mi Dios y tú serás grande en la casa de Nabucodonosor, y celebrado tu nombre por todo el orbe.

---

CAP. XI. — 11. Contra la prohibición de Dios *Genes.* IX, *v. 4.* — *Lev.* XVII, *v.* 10. Todo lo que sigue tomado a la letra parece que no deja lugar para excusar a Judit de ficción o mentira. Y si no se toman sus expresiones en sentido figurado o *profético,* como hizo el antiquísimo autor de las *Constituciones apostólicas,* lib. XVII, c. 2, y varios Padres, diremos con Santo Tomás que debe ser alabada Judit, no por haber con falsas palabras inducido a error a Holofernes; sino por la gran caridad con que se movió a procurar la salvación de su pueblo, destituído ya de toda esperanza de humano socorro, y a punto de abandonarse en poder de un cruel e impío tirano: o como dice S. Ambrosio, *por haber librado las vírgenes puras, las respetables viudas y las castas matronas de ser víctimas de una bárbara insolencia.*

## CAPITULO XII

*Obsequia Holofernes a Judit, y le da permiso de comer de la provisión que había traído, y de salir por la noche a hacer oración. A los cuatro días es introducida al convite de Holofernes, el cual se embriaga hasta el extremo.*

**1.** Entonces mandó que la condujesen donde se guardaban sus tesoros, y que se quedase allí, y señaló lo que debía dársele de su mesa.

**2.** Judit le respondió, y dijo: No podré ahora comer de esas cosas que mandas darme, por no acarrear contra mí la indignación *de Dios;* sino que comeré de lo que he traído conmigo.

**3.** Replicóle Holofernes: ¿Y qué haremos cuando ya te lleguen a faltar las provisiones que has traído?

**4.** Yo juro por tu vida, oh mi señor, respondió Judit, que no consumirá tu sierva todo lo que trae consigo, antes que cumpla Dios por mi medio lo que he pensado. En seguida los criados de Holofernes la acompañaron al alojamiento que había mandado.

**5.** Donde, así que entró, pidió el permiso de salir fuera por la noche y antes de amanecer, para hacer oración e invocar al Señor.

**6.** Dió, pues, Holofernes orden a sus camareros que la dejasen salir y entrar como quisiese, durante tres días, a adorar a *su* Dios.

**7.** Con esto salía por las noches al valle de Betulia, y *antes de orar* se lavaba en una fuente de agua.

**8.** Y al volver oraba al Señor Dios de Israel, para que dirigiese sus pasos para lograr la libertad de su pueblo.

**9.** Y volviéndose a su pabellón purificada, permanecía allí hasta que al anochecer tomaba su alimento.

**10.** A los cuatro días celebró Holofernes una cena o *convite* con sus domésticos, y dijo a Vagao su eunuco: Anda y persuade a esa Hebrea que de su voluntad se resuelva a cohabitar conmigo.

**11.** Porque es cosa vergonzosa entre Asirios que una mujer se burle de un hombre, logrando salir libre de sus manos.

**12.** Entonces Vagao fué a donde estaba Judit, y le dijo: No tengas reparo, oh hermosa dama, de venir a casa de mi señor, para ser honrada de él, y comer en su compañía, y beber vino y alegrarte.

**13.** Respondióle Judit: ¿Quién soy yo para que ose contradecir a mi señor?

**14.** Haré todo lo que él guste y mejor le parezca, y cuanto sea de su agrado, eso será para mí lo mejor en todos los días de mi vida.

**15.** Levantóse, pues, y adornándose con todas sus galas, entró a presentarse delante de él.

**16.** Conmovióse el corazón de Holofernes *así que la vió;* porque ardía en deseos de poseerla;

**17.** Y díjole: Bebe ahora, y ponte a comer alegremente; porque me has caído en gracia.

**18.** Contestóle Judit: Beberé, oh señor, pues que recibo yo en este día mayor gloria que en todos los demás de mi vida.

**19.** Tomó después de lo que su doncella le había dispuesto, y comió y bebió de ello en su presencia.

**20.** Por su causa rebosaba Holofernes de contento; el cual bebió vino sin medida, más de lo que nunca en su vida había bebido.

## CAPITULO XIII

*Judit, estando embriagado Holofernes, le corta la cabeza, con la cual vuelve triunfante a Betulia, y deja asombrado a Aquior.*

**1.** Haciéndose ya tarde, retiráronse prontamente los criados de Holofernes a sus alojamientos, y Vagao cerró la puerta de la cámara *o gabinete,* y se fué.

**2.** Es de advertir que todos estaban tomados del vino.

**3.** Quedó, pues, Judit sola en el gabinete.

**4.** Y Holofernes estaba tendido en la cama, durmiendo profundamente a causa de su extraordinaria embriaguez.

**5.** Entonces dijo Judit a su doncella, que estuviese fuera en observación, a la puerta de la cámara.

**6.** Y púsose Judit en pie delante de la cama, y orando con lágrimas, y moviendo apenas los labios,

**7.** Dijo: Dame valor, oh Señor Dios de Israel, y favorece en este trance la empresa de mis manos, para que sea por ti ensalzada, como lo tienes prometido, tu ciudad de Jerusalén; y ejecute yo el designio que he formado, contando con tu asistencia para llevarlo a cabo.

**8.** Dicho esto se arrimó al pilar que estaba a la cabecera de la cama de Holofernes, desató el alfanje que colgaba de él,

**9.** Y habiéndolo desenvainado, asió a Holofernes por los cabellos de la cabeza, y dijo: Señor Dios *mío,* dame valor en este momento.

**10.** Y dióle dos golpes en la cerviz, y cortóle la cabeza, y desprendiendo de los pilares el cortinaje, volcó al suelo el cadáver hecho un tronco.

**11.** De allí a poco salió y entregó la cabeza de Holofernes a su criada mandándole que la metiese en su talego.

**12.** Y saliéronse afuera las dos según costumbre, como para ir a la oración; y atravesado el campamento y dada la vuelta al valle, llegaron a la puerta de la ciudad.

**13.** Judit desde lejos gritó a los centinelas de la muralla: Abrid las puertas, porque Dios es con nosotros, y ha obrado una maravilla en Israel.

**14.** Así que los centinelas reconocieron su voz, llamaron a los ancianos de la ciudad.

**15.** Y vinieron corriendo a ella todos, chicos y grandes; como que ya estaban desesperanzados de su vuelta;

**16.** Y encendiendo luminarias, pusiéronse todos alrededor de ella. Judit, subiendo a un sitio elevado, mandó guardar silencio; y así que todos callaron,

**17.** Habló de esta manera: Alabad al Señor Dios nuestro, que no ha desamparado a los que han puesto en él su confianza;

**18.** Y por medio de mí, esclava suya, ha dado una muestra de aquella misericordia que prometió a la casa de Israel; y ha quitado la vida esta noche por mi mano al enemigo de su pueblo.

**19.** Y sacando del talego la cabeza de Holofernes, se la mostró, diciendo: Mirad la cabeza de Holofernes, general del ejército de los Asirios, y éste es el cortinaje *o mosquitero* dentro del cual yacía sumergido en la embriaguez, y donde Dios nuestro Señor lo ha degollado por mano de una mujer.

**20.** Y os juro por el mismo Señor, que su Angel me ha guardado, así al ir de aquí, como estando allí, y al volver acá; ni ha permitido el Señor que yo, su sierva, fuese violada; sino que me ha restituído a vosotros sin mancha de pecado, colmada de gozo al ver que *mi Dios* queda victorioso, que yo me he escapado, y que vosotros quedáis libertados.

**21.** Alabadle todos por su bondad y porque es eterna su misericordia.

**22.** Entonces todos, adorando al Señor, dijeron a Judit: El Señor ha derramado sobre ti sus bendiciones, comunicándote su poder; pues por medio de ti ha aniquilado a nuestros enemigos.

**23.** En especial Ozías, cabeza del pueblo de Israel, le dijo: Bendita eres del Señor Dios Altísimo tú, oh hija *mía*, sobre todas las mujeres de la tierra.

**24.** Bendito sea el Señor, Creador del cielo y de la tierra, que dirigió tu mano para cortar la cabeza del caudillo de nuestros enemigos.

**25.** Porque hoy ha hecho tan célebre tu nombre, que no cesarán jamás de publicar tus alabanzas cuantos conservaren en los siglos venideros la memoria de los prodigios del Señor; pues no has temido exponer tu vida por tu pueblo, viendo las angustias y la tribulación de tu gente, sino que has acudido a nuestro Dios para impedir su ruina.

**26.** A lo que respondió todo el pueblo: ¡Así sea! ¡Así sea!

**27.** Después, llamado Aquior, compareció, y díjole Judit: El Dios de Israel, de quien tú testificaste que sabe tomar venganza de su enemigos, él mismo ha cortado esta noche por mi mano la cabeza *del caudillo* de todos los incrédulos.

**28.** Y para que conozcas la verdad de lo que te digo, mira la cabeza de Holofernes, el que con su orgulloso desprecio vilipendió al Dios de Israel, y te amenazó con la muerte, diciendo: Cautivado que haya yo al pueblo de Israel, mandaré atravesarte el costado con la espada.

**29.** Mas Aquior al mirar la cabeza de Holofernes, sobrecogido de pavor, cayó sobre su rostro en tierra, y quedó sin sentido.

**30.** Pero luego que recobrando el aliento volvió en sí, se arrojó a los pies de Judit, y adorándola, dijo:

**31.** Bendita tú eres de tu Dios en todos los tabernáculos o *posteridad* de Jacob; pues en todas las naciones en que oyeren mentar tu nombre, será glorificado por causa de ti el Dios de Israel.

## CAPITULO XIV

*Cuelgan los Judíos la cabeza de Holofernes en los muros de Betulia, y se arrojan sobre los Asirios, que hallando muerto a Holofernes, quedan poseídos de un terror pánico.*

**1.** Entonces Judit dijo a todo el pueblo: Escuchadme, hermanos *míos*: Colgad esa cabeza en lo alto de nuestros muros;

**2.** Y así que apunte al sol, tome cada uno sus armas, y salid con gran ruido, no para descen-der *realmente* abajo, sino aparentando que vais a acometerlos.

**3.** Al momento irán las avanzadas a despertar a su comandante para el combate.

**4.** Y cuando los capitanes corran al pabellón de Holofernes y hallen a éste sin cabeza, revolcado en su propia sangre, quedarán poseídos de pavor.

**5.** Vosotros, empero, advirtiendo que huyen, corred a su alcance sin ningún temor, porque el Señor hará que los holléis con vuestros pies.

**6.** Entretanto Aquior viendo el prodigio que obró Dios a favor de Israel, abandonados los ritos gentílicos, creyó en Dios, y circuncidóse, y quedó incorporado en el pueblo de Israel, como lo está toda su descendencia hasta hoy día.

**7.** Así, pues, que amaneció, colgaron la cabeza de Holofernes en la alto de los muros, y cogiendo cada cual sus armas, salieron *fuera* con grande estruendo y algazara.

**8.** Al ver esto las avanzadas, corrieron al pabellón de Holofernes.

**9.** Los que estaban allí *de guardia* acercándose a la puerta de la cámara, hacían ruido para despertarlo procurando adrede interrumpirle el sueño, a fin de que sin ser llamado, se despertase con el ruido.

**10.** Y es que nadie osaba abrir, ni llamar, a la puerta de la cámara del caudillo de los Asirios.

**11.** Pero habiéndose reunido allí los capitanes y tribunos, y todos los oficiales generales del ejército del rey de los Asirios, dijeron a los camareros:

**12.** Entrad y despertadlo, porque han salido los ratones de sus agujeros, y tienen la osadía de provocarnos a batalla.

**13.** Entonces Vagao, entrando en la cámara, se paró delante de la cortina, y dió palmadas con sus manos; pues se imaginaba que Holofernes estaba durmiendo con Judit.

**14.** Pero aplicando el oído y no percibiendo ni el más leve movimiento, cual suele hacer una persona dormida, se arrimó más a la cortina *de la puerta*, y alzándola, y viendo el cadáver de Holofernes sin cabeza, tendido en tierra y bañado en su propia sangre, prorrumpió en grandes gritos y lágrimas, y rasgó sus vestidos.

**15.** Y habiendo entrado en el alojamiento de Judit, no la encontró. Con esto salió corriendo fuera a la gente,

**16.** Y dijo: Una mujer hebrea ha cubierto de afrenta la casa del rey Nabucodonosor; porque ahí tenéis a Holofernes tendido en tierra y sin cabeza.

**17.** Al oír esto los jefes del ejército de los Asirios, todos rasgaron sus vestidos, y se apoderó de ellos un excesivo temor y temblor, y una grandísima perturbación de ánimo.

**18.** Y movióse luego una gritería espantosa por todo el campamento.

## CAPITULO XV

*El ejército de los Asirios huye de los Hebreos, abandonándolo todo en poder de éstos. El Pontífice y todo el pueblo llenan de bendiciones a Judit.*

**1.** Así que supo todo el ejército que Holofernes había sido degollado, perdieron todos el seso y quedaron sin saber qué hacerse; y agitados de sólo terror y miedo, no hallaron otro remedio que la fuga.

**2.** Por manera que ninguno consultaba *ni siquiera* con su compañero, sino que cabizbajos, abandonándolo todo, se daban prisa a escapar de los Hebreos, que oían venir armados contra ellos, y a huir por las sendas de los campos y veredas de los collados.

**3.** Viéndolos, pues, huir los Israelitas, siguieron su alcance. Y así bajaron *del monte* tocando las trompetas y dando grandes gritos en pos de ellos.

**4.** Y como los Asirios iban desparramados, huyendo precipitadamente, los Israelitas, formados en buen orden, los perseguían, destrozando a cuantos encontraban.

**5.** Al mismo tiempo Ozías despachó mensajeros a todas las ciudades y provincias de Israel.

**6.** Con lo que de todas las provincias y ciudades salió armada en pos de los enemigos la juventud más escogida, que los fué persiguiendo y acuchillando hasta llegar a los últimos términos del país.

**7.** Entretanto los *vecinos* que quedaron en Betulia entraron en el campamento de los Asirios, y cogieron los despojos que éstos abandonaron al huir, de que volvieron bien cargados.

**8.** Asimismo los que victoriosos del enemigo regresaron a Betulia, trajeron consigo todo lo que habían tomado a los Asirios, en tanta abundancia, que no podían contarse los ganados y bestias y las alhajas; y así que todos quedaron ricos con este botín, desde el menor hasta el mayor.

**9.** En seguida Joacim, *Sumo* Pontífice, vino de Jerusalén a Betulia con todos sus ancianos *o senadores* para ver a Judit;

**10.** Y habiendo salido ella a recibirlo, todos a una voz la bendijeron, diciendo: Tú eres la gloria de Jerusalén; tú la alegría de Israel; tú la honra de nuestra nación.

**11.** Porque te has portado con varonil esfuerzo, y has tenido un corazón constante; porque has amado la castidad, y no has conocido otro varón que a tu *difunto* marido: por eso también la mano del Señor te ha confortado, y por lo mismo serás bendita para siempre.

**12.** A lo que respondió todo el pueblo: ¡Así sea! ¡Así sea!

**13.** Apenas bastaron treinta días para que el pueblo de Israel acabase de recoger los despojos de los Asirios.

**14.** Pero todas las cosas que se conoció haber sido propias de Holofernes, así oro, como plata, y vestidos, y pedrería, y toda suerte de muebles, se las dieron a Judit; todo se lo entregó el pueblo.

**15.** Y todos, así hombres como mujeres, doncellas y jóvenes, estaban llenos de regocijo, *cantando* al son de órganos y de cítaras.

## CAPITULO XVI

*Cántico de Judit en acción de gracias por la victoria. El pueblo va a Jerusalén a ofrecer holocaustos. Muere Judit después de una dichosa vejez.*

**1.** Entonces Judit cantó al Señor este cántico, diciendo:

**2.** Entonad las alabanzas del Señor al son de panderos y címbalos *o salterios:* cantad en honor suyo un nuevo *y armonioso* salmo; ensalzad e invocad su *santo* Nombre.

**3.** El Señor es el que derrota los ejércitos: su nombre *es Jehová*, EL SEÑOR.

**4.** El asentó sus reales en medio de su pueblo, para librarnos de las manos de todos vuestros enemigos.

**5.** Vino de los montes el Asirio, por el lado del Aquilón, con sus numerosas fuerzas; cuya muchedumbre secó los arroyos, y su caballería cubrió los valles.

**6.** Juró abrasar *todo* mi país, y pasar a cuchillo mi juventud, robarme mis niños, y llevarse esclavas las vírgenes.

**7.** Mas el Señor Todopoderoso lo ha castigado, y lo ha entregado en poder de una mujer, que le ha cortado la cabeza.

---

CAP. XV. — 15. Los *órganos* de que se habla aquí, no eran como los que ahora se usan en las iglesias. Eran instrumentos músicos tal vez muy semejantes a las *sinfonías* o *xilórganos* que vemos que tocan algunos ciegos.

**8.** Porque no ha sido su campeón derribado por jóvenes *guerreros*, ni han sido Titanes, ni corpulentos gigantes los que le han hecho frente y lo han herido sino que es Judit, hija de Merari, la que lo ha derribado con el atractivo de su rostro .

**9.** Pues se quitó el traje de viuda, y vistióse de gala para llenar de júbilo a los *afligidos* hijos de Israel.

**10.** Ungió su rostro con *odoríferos* perfumes, y ajustó sus rizados cabellos con la cofia *o bonetillo*, y púsose un nuevo vestido para engañarlo *con estos adornos.*

**11.** Arrebatóle los ojos con *lo gracioso de* su calzado; cautivóle el corazón con la hermosura de su rostro; y cortóle la cabeza con su mismo alfanje.

**12.** Estremeciéronse los Persas de su firmeza, y los Medos de su osadía.

**13.** Entonces resonó en alarido el campamento de los Asirios, cuando mis pobres *conciudadanos*, abrasados de sed, se presentaron *contra ellos.*

**14.** *Aunque* hijos de madres jóvenes, acuchillaron *a los Asirios*, y los mataron *sin resistencia*, como a muchachos que huyen; perecieron en la batalla, luego que apareció el Señor mi Dios.

**15.** Cantemos un himno al Señor: cantémosle a nuestro Dios un himno nuevo.

**16.** Oh Adonai, Señor *mío*, tú eres el grande y el muy glorioso por tu poder, y nadie puede sobrepujarte.

**17.** Obedézcante todas tus criaturas, pues fueron hechas con un solo decir tuyo. Enviaste tu espíritu, y fueron criadas: ninguna puede resistir a tu voz.

**18.** Los montes con las aguas *que encierran*, serán desquiciados desde los cimientos, como si fuesen de cera.

**19.** Mas aquéllos que te temen, serán grandes delante de ti en todas las cosas.

**20.** ¡Ay de la nación que se levante contra mi pueblo! porque el Señor Todopoderoso ejercerá en ella su venganza, y la visitará en el día del juicio.

**21.** Enviará fuego y gusanos sobre sus carnes, para que se abrasen y sufran penas eternas.

**22.** Después de esto, pasó todo el pueblo, conseguida la victoria, a Jerusalén, a fin de adorar al Señor; e inmediatamente que se purificaron, ofrecieron todos holocaustos, y cumplieron sus votos y promesas.

**23.** Y Judit ofreció, por anatema de olvido, todas las armas *y arneses* de Holofernes, que el pueblo le había dado, y aquel *rico* cortinaje *o mosquitero* que ella quitó del lecho de aquél.

**24.** Entre tanto, el pueblo se entregaba al regocijo a la vista del Santuario, y por espacio de tres meses se celebró con Judit el gozo de esta victoria.

**25.** Pasados estos días, volvióse cada uno a su casa, y Judit fué muy celebrada en Betulia y era la más esclarecida de todo el país de Israel.

**26.** Porque a su valor juntaba la castidad; de suerte que después que falleció su marido Manasés, no conoció otro varón en toda su vida.

**27.** En los días de fiesta salía en público, llena de gloria.

**28.** Mantúvose en la casa de su marido *hasta los* ciento y cinco años; habiendo dado la libertad a su esclava *o doncella.* Murió *al fin, y* fué sepultada con su marido en Betulia.

**29.** E hízole todo el pueblo las exequias por espacio de siete días.

**30.** Durante toda su vida no hubo quien turbase a Israel, ni después de su muerte en muchos años.

**31.** El día de la fiesta de esta victoria es señalado por los Hebreos entre los días santos, y lo honran los Judíos desde aquel tiempo hasta el presente.

---

CAP. XVI. — 8. Los *Titanes* son unos famosos gigantes, de quienes se cuenta en las historias griegas y latinas que quisieron escalar el cielo y haçer guerra a Júpiter. Fábula que trae origen de lo que dice la Escritura en el *Génesis* cap. VI, *v.* 4. Y así el nombre de *Titán*, aunque propio de la fábula, se hizo común para denotar a cualquier *gigante.* Por eso dice S. Jerónimo (*In Amos* IX ), que no podemos entender muchas cosas sino por medio de voces que el uso nos enseña; y que adoptamos con ideas hijas del error o ficción.

# LIBRO DE ESTER

## Introducción

El *Libro de Ester*, parecido al de Judit, se basa también en la figura principal de una mujer. Su tema central es la persecución sufrida por los judíos a manos del imperio persa en tiempos de Jerjes I (485-465).

Ester, judía cautiva, se desposa con el rey Asuero, quien libró a los judíos de la persecución de su ministro Amán. La historiografía clásica griega llama Artajerjes a este rey Asuero, aunque parece ser que corresponde realmente a Jerjes.

San Agustín y otros Padres de la Iglesia atribuyen la obra a Esdras; defienden otros la autoría colegiada de la sinagoga a partir de las cartas de Mardoqueo. De todos modos, en el texto se dice claramente que fue el mismo Mardoqueo quien refirió la historia.

El relato explica que la causa de la persecución era la nacionalidad judaica, sus leyes y sus instituciones particulares, por lo que eran mal vistos por el primer ministro Amán.

Se enfrenta este visir al elevado concepto que de sí mismo tiene el pueblo de Israel. Para el pueblo escogido y su alianza con Dios, nada cuentan las demás naciones. Esta estructuración argumental concede verosimilitud al relato de las espantosas matanzas que cuenta este libro de Ester. Matanzas que se hacen aún más verosímiles en el presente siglo xx, que ha conocido también odios raciales y episodios sangrientos inconcebibles.

El triunfo de Ester se rememora en la fiesta de Purim, célebre ya en tiempos de Judas Macabeo.

## CAPITULO I

*Convite del rey Asuero: repudio de la reina Vasti; y edicto para que las mujeres respeten a sus maridos.*

1. En tiempo *del rey* Asuero, que reinó desde la India hasta la Etiopía, sobre ciento veintisiete provincias;

2. Al sentarse en el trono de su reino, fué Susán la ciudad *escogida para* capital de su imperio.

3. Al tercer año, pues, de su reinado, dió un espléndido convite, que honró con su presencia, a todos los principes *de su corte*, a todos sus oficiales, a los más valientes de los Persas, y a los más señalados entre los Medos, y a los gobernadores de las provincias,

4. Para ostentar las riquezas y magnificencias de su reino, y la grandeza y pompa de su poderío: *convite, cuya celebración duró* mucho tiempo, a saber, ciento y ochenta días.

5. Estando ya para acabarse, convidó a todo el pueblo que se hallaba en Susán, grandes y chicos, y mandó se les dispusiese un banquete de siete días, en el cercado del jardín, y del bosque, que había sido plantado de mano de los reyes, y con regia magnificencia.

---

CAP. PRIMERO. — 1. *Asuero*: año del mundo 3383: antes de Jesucristo 621.

**6.** Habíanse tendido por todas partes toldos de color azul celeste y blanco, y de jacinto o *cárdeno*, sostenidos de cordones de finísimo lino, y de púrpura, que pasaban por sortijas de marfil, y se ataban a unas columnas de mármol. Estaban también dispuestos canapés o *tarimas* de oro y plata, sobre el pavimento enlosado de piedra de color esmeralda o *de pórfido, y* de mármol de Paros, formando varias figuras *a lo mosaico*, con admirable variedad.

**7.** Bebían los convidados en vasos de oro, y los manjares se servían en vajilla siempre diferente: presentábase asimismo el vino en abundancia, y de exquisita calidad, como correspondía a la magnificencia del rey.

**8.** Ninguno forzaba a beber al que no quería, sino que cada cual tomaba cuanto gustaba, conforme lo había mandado el rey: el cual a este fin dió la presidencia de cada mesa a uno de sus magnates.

**9.** Al mismo tiempo la reina Vasti dió un convite a las mujeres, en el palacio donde solía residir el rey Asuero.

**10.** Y el día séptimo, estando el rey más alegre de lo acostumbrado, y por el demasiado beber recalentado del vino, mando a Maumam, y Bazata, y Harbona, y Bagata, y Abgata, y Zetar, y Carcas, siete eunucos que estaban de servicio alrededor de él,

**11.** Que condujesen a su presencia a la reina Vasti con la corona puesta en la cabeza, para hacer ver su hermosura a todo el pueblo y señores; pues era de extremada belleza.

**12.** La cual lo rehusó, y por más que los eunucos le hicieron presente la orden del rey, no quiso comparecer.

Por lo que indignado el rey, y ardiendo todo en saña,

**13.** Consultó a los sabios, que según el estilo de los reyes tenía siempre a su lado, y por cuyo consejo lo hacía todo, pues estaban instruídos de las leyes y costumbres de sus mayores.

**14.** (Entre ellos eran los principales y más allegados, Cársena, y Setar, y Admata, y Tarsis, y Marés y Marsana, y Mamucán, siete magnates de los Persas y Medos, que tenían entrada libre al rey, y ocupaban los primeros asientos después de él).

**15.** *Preguntóles, pues, el rey* qué pena merecía la reina Vasti por no haber querido obedecer la orden que le había enviado el rey por medio de los eunucos.

**16.** A lo que respondió Mamucán en presencia del rey y de los grandes: La reina Vasti no sólo ha ofendido al rey, sino también a todos los pueblos y señores de todas las provincias del rey Asuero.

**17.** Porque la repulsa de la reina llegará a noticia de todas las mujeres; por tanto harán éstas poco caso de sus maridos, diciendo: El rey Asuero mandó venir a su presencia a la reina Vasti, y ella no quiso.

**18.** Con cuyo ejemplar todas las mujeres de los magnates Persas y Medos harán poco caso de los mandatos de sus maridos; y así la indignación del rey *es muy* justa.

**19.** Si te parece bien, promúlguese por ti un edicto, y escríbase al tenor de las leyes de los Persas y Medos que no es lícito traspasar o *revocar, para* que *la reina* Vasti no vuelva a parecer jamás en la presencia del rey, y se dé su corona a otra más digna que ella.

**20.** Y hágase saber esto por todas las provincias de tu vastísimo imperio, a fin de que todas las mujeres, así de los grandes como de los pequeños, tributen *el debido* honor a sus maridos.

**21.** Pareció bien al rey y a los grandes el consejo de Mamucán, y conformándose el rey con este dictamen,

**22.** Despachó cartas a todas las provincias de su imperio, en diversas lenguas y caracteres, para que cada nación las pudiera entender y leer, *diciendo en ellas* que los maridos debían tener todo el poder y autoridad en sus *respectivas* casas; y que esto se publicase por todos los pueblos.

## CAPITULO II

*Ester es escogida de Asuero para reina en lugar de Vasti. Celébrase un gran convite. Mardoqueo, tío oculto de Ester, descubre al rey una traición.*

**1.** Pasadas así estas cosas, luego de calmada la cólera del rey Asuero, acordóse éste de Vasti, y de lo que había hecho, y de su castigo.

**2.** Por lo cual los criados y ministros del rey dijeron: Búsquense para el rey jovencitas, que sean vírgenes y hermosas;

**3.** Enviando por todas las provincias personas que escojan doncellas vírgenes y de buen parecer, y las traigan a la ciudad de Susán al palacio de las mujeres, entregándolas al cuidado del eunuco Egeo, superintendente y guarda de las mujeres del rey, y déseles *allí* cuanto sea necesario para su ornato mujeril y lo demás que hubieren menester;

**4.** Y la que entre todas será más del agrado del rey, ésa sea la reina en lugar de Vasti. Pareció bien al rey la proposición, y mandó que se ejecutase así como se lo habían sugerido.

**5.** Moraba en la ciudad de Susán cierto varón judío llamado Mardoqueo, hijo de Jair, hijo de Semei, hijo de Cis, del linaje de Jemini,

**6.** El cual había sido llevado de Jerusalén, cuando Nabucodonosor, rey de Babilonia, llevó cautivo a Jeconías, rey de Judá.

**7.** Había Mardoqueo criado a Edisa, hija de un hermano suyo, llamada por otro nombre Ester, huérfana de padre y madre, en extremo hermosa y de lindo parecer, a la cual, así que se le murieron los padres, adoptó por hija suya.

**8.** Divulgada la orden del rey, como fuesen conducidas según la real disposición muchas hermosas vírgenes a Susán, y entregadas al eunuco Egeo, fuéle también entregada entre las demás doncellas Ester, para ser guardada con las otras.

**9.** Esta se llevó las atenciones *de Egeo,* y cayó en gracia a sus ojos; y *así* mandó a *otro* eunuco que le aprontase luego los adornos mujeriles, y le diese lo que le correspondía, con siete muchachas de las más bien parecidas de la casa real *para servirla,* y que cuidase del adorno y buen trato, así de ella como de sus criadas.

**10.** Ester, *empero,* no le descubrió su nación, ni patria; pues Mardoqueo le había prevenido que por ningún caso hablase de eso.

**11.** Paseábase éste todos los días por delante del patio de la casa, en la que se custodiaban las vírgenes escogidas, cuidadoso de la salud de Ester, y deseoso de saber lo que le sucedería.

**12.** Al llegar el tiempo en que cada una de las doncellas, por su orden, debía ser presentada al rey, después de haber practicado todo lo que se requería para su adorno mujeril, corría ya el mes duodécimo; porque durante seis meses se ungían con óleo de mirra, y por espacio de otros seis usaban de ciertos afeites y perfumes.

**13.** Y cuando habían de ser presentadas al rey, se les daba todo cuanto pedían para su adorno; y engalanadas como mejor les parecía, pasaban del convictorio de las mujeres a la cámara del rey.

**14.** Y la que había entrado por la tarde salía por la mañana; y de allí era conducida a otro departamento, de que cuidaba el eunuco Susagazi, que tenía el gobierno de las mujeres secundarias del rey; ni podía ella volver más al rey, si el rey no la deseaba, y no la mandaba venir expresamente.

**15.** Pasado, pues, un cierto tiempo, acercábase ya el día en que debía ser presentada al rey Ester, hija de Abihail, hermano de Mardoqueo, quien se la había prohijado. No pidió Ester adornos mujeriles, sino que el eunuco Egeo, a cuyo cuidado estaban las doncellas, le dió para adornarse lo que él quiso. Porque era de extremada hermosura e increíble belleza, y así parecía graciosa y amable a los ojos de todos.

**16.** Fué, pues, conducida a la cámara del rey Asuero, el mes décimo, llamado Tebet, el séptimo año de su reinado.

**17.** Y el rey quedó prendado de ella más que de todas las *otras* mujeres, y cayóle *Ester* en gracia, y obtuvo su favor sobre todas las demás; y púsole en la cabeza la corona real, declarándola reina en lugar de Vasti.

**18.** Mandó en seguida disponer un esplendidísimo convite para todos los grandes y cortesanos suyos con motivo del matrimonio y bodas con Ester; y concedió alivio *de algunos tributos* a todas las provincias; y distribuyó dones con una magnificencia digna de *tal* Príncipe.

**19.** Mientras por segunda vez se buscaron y reunieron vírgenes *para el rey,* estaba Mardoqueo *continuamente* a la puerta del rey.

**20.** Ester, siguiendo la prevención de Mardoqueo, no había descubierto todavía ni su patria, ni su nación. Porque ella hacía *puntualmente* cuanto le prescribía Mardoqueo; y se portaba en todo como había acostumbrado siendo niña, cuando *su tío* la educaba.

**21.** En aquel tiempo, pues, en que Mardoqueo estaba en la puerta del rey, Bagatán y Tarés, dos eunucos del rey que tenían a su cuidado la custodia de la puerta, y mandaban en la primera entrada del palacio, mal contentos del rey, pensaron en levantarse contra él, y matarlo.

**22.** Lo que entendido por Mardoqueo, comunicólo inmediatamente a la reina Ester, la cual dió parte al rey en nombre de Mardoqueo, por quien había sido informada de la conjuración.

---

**17.** El matrimonio de esta virgen hebrea con un rey infiel es evidente que fué obra de la Divina Providencia; y los sentimientos de humildad, la fe viva y exacta observancia de la Ley del Señor que se vió en Ester, demuestran que consintió en tal matrimonio, movida del espíritu del Señor.

---

**5.** *Jemini:* o de la tribu de Benjamín.

**23.** Hízose la pesquisa, y averiguóse ser cierta la cosa; con lo que ambos a dos fueron colgados en un patíbulo. Este suceso fué registrado en las historias, y escrito en los anales, a presencia del rey.

## CAPITULO III

*Amán, elevado a la más alta gloria, viendo que Mardoqueo no quiere adorarle como a un Dios, hace que el rey expida órdenes para que sean muertos los Judíos en todas las provincias.*

**1.** Después de esto el rey Asuero ensalzó a Amán, hijo de Amadati, que era del linaje de Agag, y dióle asiento superior al de todos los grandes señores, que tenía *cerca de su real persona.*

**2.** Todos los criados del rey que frecuentaban las puertas de palacio, doblaban la rodilla, y adoraban a Amán; pues así lo había mandado el soberano. Sólo Mardoqueo no doblaba la rodilla, ni le adoraba.

**3.** Dijéronle, *pues,* los criados del rey, que mandaban en las puertas del palacio: ¿Cómo es que no observas la orden del rey, distinguiéndote entre *todos* los demás?

**4.** Y como se lo repitiesen varias veces, y él no quisiese hacer caso, dieron aviso a Amán, deseando probar si persistiría *siempre* en su resolución; porque les había dicho que él era Judío.

**5.** Amán, recibido el aviso, y certificado por la experiencia de que Mardoqueo ni le doblaba la rodilla, ni lo adoraba, montó en gran cólera.

**6.** Pero reputó por nada el vengarse de solo Mardoqueo; pues había oído ser Judío de nación; y quiso más bien exterminar toda la nación de Judíos que vivían en el reino de Asuero.

**7.** *Así* en el mes primero, llamado Nisán, el año duodécimo del reinado de Asuero, echáronse delante de Amán en una urna las suertes, llamadas en hebreo Fur, *para saber* el día y mes en que debía ser entregada a la muerte la nación de los Judíos, y salió el mes duodécimo llamado Adar.

**8.** Entonces Amán *fué* y dijo al rey Asuero:

Hay un pueblo esparcido por todas las provincias de tu reino, gentes separadas unas de otras, que observan leyes y ceremonias desconocidas, y lo que es más, desprecian las órdenes del rey; y tú sabes muy bien no ser conveniente a tu reino el tolerar su insolencia.

**9.** Si te parece bien, decreta que perezcan; que yo entraré, en dinero contante, diez mil talentos en las arcas de tu tesorería.

**10.** Entonces el rey se quitó del dedo el anillo de que se servía *para sellar,* y se lo entregó a Amán, hijo de Amadati, del linaje de Agag, enemigo de los Judíos,

**11.** Y díjole: Ese dinero que prometes sea para ti. Por lo que toca a ese pueblo, haz lo que te parezca.

**12.** Fueron, pues, llamados los secretarios del rey el primer mes, *llamado* Nisán, el día trece del mismo mes; y escribieron en nombre del rey Asuero, según la orden de Amán, a todos los sátrapas del rey, y a los jueces de las provincias y de las diversas naciones, según la variedad de lenguas, para que cada nación pudiese leer *el edicto y* entenderlo; y las cartas, selladas con el anillo del rey,

**13.** Fueron despachadas por sus correos reales a todas las provincias, para que matasen y exterminasen a todos los Judíos, mozos y viejos, niños y mujeres, en un *mismo* día, esto es, el trece del mes duodécimo, llamado Adar, y saqueasen sus bienes.

**14.** Y esto es lo que contenían las cartas, para que *los sujetos de* todas las provincias quedasen informados, y estuviesen apercibidos para el día susodicho.

**15.** Los correos expedidos fueron a toda prisa a cumplir la orden del rey; y fijóse luego en Susán el edicto, a tiempo que el rey y Aman celebraban un banquete, y mientras todos los Judíos que había en la ciudad se deshacían en lágrimas.

## CAPITULO IV

*Ester, avisada del peligro por Mardoqueo, resuelve presentarse al rey para impedir la ruina de los Judíos: encarando antes a éstos que ayunen y hagan oración por tres días, y practicando ella lo mismo.*

**1.** Habiendo sabido esto Mardoqueo, rasgó sus vestidos, y vistióse de un saco o *cilicio,* es-

---

CAP. III.—1. *Agag*: en el cap. XVI, *v.* 10. se dice que Amán era Macedonio por origen e inclinación; y aquí que era del linaje de Agag, y por consiguiente Amalecita. Pero el erudito M. Clemence opina que el traductor griego en lugar de leer *couthim,* esto es, *Cuteos,* leyó *cethim,* esto es Macedonios: porque es constante que cuando los Amalecitas fueron destruídos por Saúl, las reliquias del pueblo se retiraron a vivir entre los *Cuteos* y Babilonios. I *Reg. XV. v.* 7 et seqq.

---

**9.** *Tesorería* : con el producto de los bienes que se confiscarán. Amán con el pretexto del interés del real erario cubre su espíritu de venganza.

parciendo ceniza sobre su cabeza; y en medio de la plaza de la ciudad clamaba en alta voz, manifestando la amargura de su corazón;

2. Y con estos alaridos iba hasta las puertas de palacio. Porque no era lícito que uno vestido de cilicio entrase dentro del palacio real.

3. Asimismo en todas las provincias, ciudades y pueblos, a donde había llegado el cruel edicto del rey, era grande la consternación de los Judíos: ayunaban, prorrumpían en alaridos y lamentos, usando muchos de cilicio y ceniza en lugar de cama.

4. Y las camaristas de Ester y los eunucos, entraron a darle parte. La cual, al oírlo, quedó consternada, y envió un vestido a Mardoqueo, para que quitándose el saco, se lo vistiese; pero *Mardoqueo* no quiso recibirlo.

5. Entonces ella llamó a Atac, eunuco que el rey le había dado para servirla, y le mandó ir a Mardoqueo a fin de informarse de él por qué hacía tales cosas.

6. Salió, pues, Atac, y fué a encontrar a Mardoqueo, que estaba en la plaza de la ciudad, delante de la puerta de palacio;

7. El cual lo informó de todo lo ocurrido, y cómo Amán había prometido meter una *gran* suma de dinero en el tesoro del rey por la mortandad de los Judíos.

8. Dióle también copia del edicto fijado en Susán, a fin de que le mostrase a la reina, y la exhortase a presentarse al rey, para interceder por su pueblo.

9. Vuelto Atac, refirió a Ester todo lo que Mardoqueo le había dicho.

10. Y mandóle ella que llevase la siguiente respuesta a Mardoqueo:

11. Todos los criados del rey y todas las provincias sujetas a su imperio saben que cualquier hombre o mujer, que, sin ser llamados, entraren en el cuarto interior del rey, al punto sin remisión alguna deben ser muertos; a no ser que el rey extienda hacia ellos su cetro de oro en señal de clemencia, salvándoles así la vida. Esto supuesto, ¿cómo podré yo entrar al rey, habiéndose ya pasado treinta días que no he sido llamada a su presencia?

12. Lo que oyendo Mardoqueo,

13. Envió todavía decir esto a Ester: No pienses que por estar en el palacio del rey podrás tú sola salvar la vida entre todos los Judíos;

14. Porque si ahora callares, los Judíos se salvarán por algún otro medio; mas tú y la casa de tu padre pereceréis. ¿Y quién sabe si por eso has llegado a ser reina, para que pudieses servirnos en este trance?

15. Ester entonces envió esta respuesta a Mardoqueo:

16. Anda *enhorabuena*, y junta todos los Judíos que hallares en Susán, y haced oración por mí; no comáis ni bebáis en tres días y en tres noches, que yo con mis criados ayunaré igualmente; y en seguida me presentaré al rey, contraviniendo a la ley, pues entraré sin ser llamada, y exponiéndome al peligro y a la muerte.

17. Con esto Mardoqueo se retiró, e hizo todo lo que Ester le había ordenado.

## CAPITULO V

*Ester se presenta al rey, y le suplica que asista a un convite, y lleve consigo a Amán. Manda éste preparar una horca para Mardoqueo.*

1. Al tercer día vistióse Ester las vestiduras reales, y presentándose en la habitación interior del rey, se paró en la antecámara de la sala en que estaba el rey sentado en su trono, colocado en el fondo de la sala, frente de la puerta.

2. Y habiendo visto a la reina Ester parada, la miró con agrado, y alargó hacia ella el cetro de oro, que tenía en la mano. Acercóse Ester, y besó la punta del cetro real.

3. Díjole entonces el rey: ¿Qué es lo que quieres, reina Ester? ¿Qué petición es la tuya? Aun cuando me pidieres la mitad del reino, se te dará.

4. A lo que respondió ella: Si place al rey, suplico que venga hoy a mi habitación al convite que tengo preparado, y lleve consigo a Amán.

5. Al instante dijo el rey: Llamad luego a Amán, para que cumpla lo que dispone Ester.

Fueron, pues, el rey y Amán al convite que les había dispuesto la reina.

6. Y el rey, después que bebió vino con abundancia, dijo a Ester: ¿Qué cosa quieres que te mande dar? ¿Cuál es tu pretensión? Aunque pidieres la mitad del reino, te la otorgaré.

7. Respondió Ester: Mi petición y mis ruegos son éstos:

8. Si yo he hallado gracia delante del rey, y si el rey tiene a bien concederme lo que pretendo y el condescender a mi súplica, venga el rey, y con él Amán, a *otro* convite que les he dispuesto, y mañana expondré al rey mis deseos.

---

CAP. IV. — 4. *A darle parte*; de lo que hacía Mardoqueo.

11. *Extienda*: costumbre que vemos en otros reinos del Oriente, especialmente en Asia.

**9.** Con esto salió aquel día Amán *muy* contento y alegre. Mas como viese a Mardoqueo sentado ante las puertas de palacio, y que no sólo no se había levantado para hacerle acatamiento, pero ni siquiera se había movido del asiento en que estaba, irritóse sobremanera.

**10.** Pero disimulando la ira, vuelto a su casa, convocó a sus amigos y a Zarés, su esposa.

**11.** Hízoles presente cuán grandes eran sus riquezas, la multitud de sus hijos y el alto grado de gloria a que el rey le había elevado sobre los demás grandes y cortesanos suyos.

**12.** Y añadió después: Aun la reina Ester a ningún otro ha llamado al convite que da al rey sino a mí; y también mañana he de comer en su cuarto con el rey.

**13.** Mas aunque gozo de todas estas satisfacciones, nada me parece que tengo mientras viere al judío Mardoqueo sentado a la puerta de palacio.

**14.** Y respondiéronle Zarés, su esposa, y los amigos: Manda preparar una gran viga de cincuenta codos de alto, y dí mañana al rey que sea en ella colgado Mardoqueo, y con eso irás contento con el rey al convite. Agradóle el consejo, y mandó preparar un gran madero.

## CAPITULO VI

*Mardoqueo es honrado por Amán de orden del rey como la segunda persona del reino.*

**1.** Pasó el rey aquella noche sin dormir; por lo que mandó que le trajesen las historias y los anales del tiempo pasado. Leyéndoselos,

**2.** Llegaron al lugar donde se hallaba escrito cómo Mardoqueo había descubierto la conjuración de los eunucos Bagatán y Tarés, que querían degollar al rey Asuero.

**3.** Oído lo cual, dijo el rey: ¿Qué premio u honor ha recibido Mardoqueo por tanta lealtad? Respondiéronle sus criados y cortesanos: No ha recibido recompensa ninguna.

**4.** Inmediatamente dijo el rey: ¿Quién está en la antecámara? Había entrado Amán en la antecámara más inmediata al cuarto del rey, para sugerirle que mandase colgar a Mardoqueo en el patíbulo ya preparado.

**5.** Respondieron los criados: Amán es *el que* está en la antecámara. Que entre, dijo el rey.

**6.** Entrado que hubo, díjole: ¿Qué debe hacerse con un hombre a quien el rey desea honrar? Y Amán, pensando dentro de sí y creyendo que el rey a ningún otro quería honrar sino a él,

**7.** Respondió: La persona a quien el rey desea honrar,

**8.** Debe ser vestida con vestiduras reales, y salir montada en un caballo de los que el rey monta, y llevar sobre su cabeza la real corona.

**9.** Y el primero de los príncipes y grandes de la corte lleve asido del diestro el caballo, y marchando por la plaza de la ciudad publique en alta voz y diga: Así se honra al que el rey quiere honrar.

**10.** Replicóle el rey: Date prisa; y tomando el manto *real y* el caballo, todo eso que has dicho ejecútalo con el judío Mardoqueo, el que está a la puerta del palacio. Guárdate de no omitir nada de todo cuanto has dicho.

**11.** Tomó, pues, Amán el manto *real* y el caballo, y habiéndoselo vestido a Mardoqueo en la plaza de la ciudad, hízolo montar en el caballo, e iba caminando delante de él, y gritaba: De tal honor es digno aquél a quien el rey quiere honrar.

**12.** Después volvióse Mardoqueo a la puerta del palacio *a su destino; y* Amán se retiró a toda prisa a su casa, sollozando, y cubierta la cabeza;

**13.** Y contó a Zarés, su esposa, y a los amigos de todo cuanto le había sucedido. A lo que los sabios, que tenía por consejeros, y su esposa le contestaron: Si Mardoqueo, delante de quien has comenzado a caer, es del linaje de los Judíos, no podrás contrarrestarle, sino que acabarás de caer *precipitadamente* en su presencia.

**14.** Todavía estaban ellos hablando, cuando llegaron los eunucos *o criados* del rey, y lo obligaron a ir inmediatamente al convite que tenía la reina dispuesto.

---

CAP. V. — 9. Este modo de portarse Mardoqueo parece a primera vista un efecto de cierta fiereza intempestiva. Mas era solamente un acto de su heroico respeto a Dios: y un raro ejemplo de aquella humilde fortaleza de ánimo que, elevando al hombre sobre lo más alto que hay en la tierra, le hace obedecer ciegamente las leyes y preceptos de Dios, aun a costa de su propia vida. — Véase el cap. XIII.

14. Las cruces o patíbulos más altos eran más ignominiosos.

CAP. VI. — 3. *Recompensa ninguna*: que sea proporcionada a tan grande servicio. Cap. XII, v. 5.

---

13. Aquellos sabios se acordarían de lo sucedido a Sennaquerib, a Holofernes, y de otras pruebas de la particular protección de Dios a favor de los *Judíos*.

## CAPITULO VII

*Ester intercede por su pueblo; y Amán es ajus-
ticiado en el patíbulo que él había preparado para Mardoqueo.*

1. Entró, pues, el rey, acompañado de
Amán, al convite de la reina.

2. A la cual dijo también el rey en este segundo día, después de recalentado con el vino: ¿Qué petición es Ia tuya, Ester, y qué
quieres que se te conceda? Aunque pidieres la
mitad de mi reino, la alcanzarás.

3. Ester le respondió: Si yo he hallado gracia en tus ojos, oh rey *mío*, y si es de tu agrado, sálvame la vida, por la cual te ruego, y la
de mi pueblo, por quien imploro tu clemencia.

4. Porque así yo como mi nación estamos
condenados a la ruina, al degüello, al exterminio. Ojalá que a lo menos fuésemos vendidos
por esclavos y esclavas; el mal sería tolerable,
y me contentaría con gemir en silencio; mas
ahora tenemos por enemigo un hombre, cuya
crueldad redunda contra el rey.

5. A lo que respondiendo el rey Asuero,
dijo: ¿Quién es ése, y qué poder es el suyo,
para que tenga osadía de hacer tales cosas?

6. Dijo entonces Ester: Nuestro perseguidor y enemigo es ese perversísimo Amán. Al
oír esto Amán, se quedó yerto de repente, no
pudiendo sufrir las *terribles* miradas del rey y
de la reina.

7. Al mismo tiempo el rey, lleno de cólera,
se levantó del lugar del convite, y pasó a un
jardín *inmediato* plantado de árboles.
Levantóse igualmente Amán para rogar a la
reina Ester que le salvase la vida; pues conoció que el rey había resuelto su castigo.

8. Vuelto Asuero del jardín, plantado
de árboles, y entrando en el lugar del convite, halló a Amán *postrado* o caído sobre
el lecho o *tarima* en que Ester estaba recostada, y dijo: ¿Aun a la reina quiere vio-
lentar delante de mí, en mi propia casa?

---

CAP. VII. — 8. *Tarima:* habla de la tarima en
que se ponían recostados para comer, como usan
aún hoy muchos pueblos del Oriente. Amán se había arrojado a los pies de Ester para implorar su
clemencia; pero atendido el rigor con que se prohibía el tocar, y hasta el acercarse a las mujeres de los
monarcas orientales, no es de admirar el enojo de
Asuero contra Amán.

*Recostada:* durante la comida.

*La cara:* como a criminal indigno de ver la cara
del rey, *Job.* IX, *v.* 24. — *Isaí* XXII, *v.* 17.

No bien había el rey pronunciado estas palabras, cuando al instante le cubrieron a Amán
la cara.

9. Entonces Harbona, uno de los eunucos que servían al rey, dijo: Sábete, *oh
rey*, que en casa de Amán hay un patíbulo
de cincuenta codos de alto, que él había
mandado preparar para Mardoqueo, el
que descubrió la conspiración contra el
rey. Respondióle el rey: Colgadle *luego*
en él.

10. Fué, pues, Amán colgado en el patíbulo que tenía preparado para Mardoqueo:
y *con eso* se apaciguó la ira del rey.

## CAPITULO VIII

*Ester, exaltado Mardoqueo, afianza la se-
guridad de los Judíos.*

1. En aquel mismo día el rey Asuero dió
a la reina Ester la casa *y bienes* de Amán, el
enemigo de los Judíos, y Mardoque fué
presentado al rey; por cuanto Ester le declaró que era su tío paterno.

2. Y tomó el rey el anillo o *sello* que había mandado recoger de Amán, y entregóselo a Mardoqueo, al cual hizo Ester mayordomo mayor de su casa o *palacio*.

3. Mas no contenta con eso, echóse a los
pies del rey, y con lágrimas en los ojos le
habló y suplicó que mandase no tuviesen
efecto los maliciosos designios de Amán,
hijo de Agag, y las inicuas tramas que había
urdido contra los Judíos.

4. Entonces Asuero, según la costumbre,
alargó con la mano el cetro de oro *hacia
ella;* lo cual era la señal de favor y clemencia; y levantándose Ester se puso en pie delante del rey,

5. Y dijo: Si es del agrado del rey, y si he
hallado gracia en sus ojos, y mi súplica no
le parece injusta, ruego encarecidamente
que con nuevas cartas *del rey* sean invalida-
das las precedentes cartas de Amán, perseguidor y enemigo de los Judíos, con las
cuales había mandado acabar con ellos en
todas las provincias del reino.

6. Porque, ¿cómo podré yo soportar el
degüello y la mortandad de *todo* mi pueblo?

7. El rey Asuero respondió a la reina Ester y al Judío Mardoqueo *en estos términos:*
Yo he dado a Ester la casa de Amán; y a éste lo he mandado crucificar por la osadía de
querer perder a los Judíos.

8. Escribid, pues, a los Judíos en nombre del rey, y como mejor os pareciere, sellando las cartas con mi anillo. Porque era uso y costumbre que a cartas recibidas en nombre del rey, y selladas con su anillo, nadie osaba oponerse.

9. Con esto, llamados los secretarios y escribientes del rey, ( corriendo el mes tercero, llamado Sibán), el día veintitrés, fueron escritas las cartas del modo que quiso Mardoqueo, a los Judíos, y a los príncipes, y a los gobernadores, y jueces que mandaban en las ciento veintisiete provincias, desde la India hasta la Etiopía; provincia por provincia, pueblo por pueblo, según sus lenguas y alfabetos, como también a los Judíos, para que todo el mundo pudiese leerlas y entenderlas.

10. Estas mismas cartas, escritas en nombre del rey, fueron selladas con su anillo y remitidas por correos; las cuales recorriendo *con celeridad* todas las provincias, precaviesen por medio de las nuevas órdenes *el efecto* de las cartas primeras.

11. Mandóles también el rey que en cada ciudad fuesen a estar con los Judíos, y les ordenasen el unirse todos para defender sus vidas, y matar y acabar con todos sus enemigos, sin perdonar a las mujeres, ni a los hijos, ni a las casas, saqueando sus bienes.

12. Y señalóse en todas las provincias un *mismo* día para la venganza; es a saber, el día trece del duodécimo mes, *llamado* Adar.

13. La sustancia de las cartas era notificar a todas las tierras y pueblos sujetos al imperio del rey Asuero, que los Judíos estaban dispuestos *y autorizados* a vengarse de sus enemigos.

14. Partieron, pues, los correos en diligencia con las nuevas *cartas; y* el edicto del rey se fijó en Susán.

15. Entretanto Mardoqueo saliendo del palacio y de la audiencia del rey, iba rozagante, vestido a la manera del rey, esto es, de color de jacinto y de azul celeste, llevando en la cabeza una corona de oro, y cubierto de un manto de seda y de púrpura. Y toda la ciudad hizo fiestas y regocijos.

16. A los Judíos les pareció que les nacía una nueva luz, *por* el gozo, la honra y holganza *que les venía.*

17. *Asimismo* en todos los pueblos, en Ias ciudades y provincias, doquiera que llegaban las órdenes del rey, se recibían con extraordinaria alegría, y había banquetes, y convites, y fiestas; en tanto grado, que muchos de otras naciones y sectas abrazaban la religión y ceremonias de los Judíos. Tan grande era el terror

que había infundido a todos el nombre judaico.

# CAPITULO IX

*Los Judíos toman venganza de sus enemigos, y son ajusticiados los diez hijos de Amán. Institúyese la fiesta de* Purim, *o de las* Suertes.

1. En efecto, a los trece días del mes duodécimo, que como hemos dicho arriba, se llamaba Adar, cuando estaba dispuesta la mortandad de todos los Judíos, y sus enemigos ardían en sed de su sangre, trocada la suerte, comenzaron los Judíos a prevalecer, y a tomar venganza de sus contrarios.

2. Juntáronse, pues, en todas las ciudades, villas y lugares para acometer a sus enemigos y perseguidores; y nadie osó resistirles; porque estaban todos los pueblos poseídos del miedo de su poder *y valimiento.*

3. Pues aun los magistrados de las provincias, los gobernadores e intendentes, y todos los constituídos en dignidad, que en cada lugar presidían a las obras, daban la mano a los Judíos por temor de Mardoqueo,

4. Que sabían ser el principal de la corte, y gozar de extraordinarla privanza; por lo que la fama de su nombre iba creciendo cada día, y andaba volando de boca en boca por todas partes.

5. Con eso los Judíos hicieron un grande estrago y mortandad en sus enemigos; ejecutando aquello mismo que tenían éstos tramado contra el pueblo judaico.

6. Tanto, que en Susán mismo mataron a quinientos hombres, sin contar diez hijos de Amán, descendientes de Agag, el enemigo de los Judíos, cuyos nombres son éstos:

7. Farsandata, y Delfón, y Esfata,

8. Y Forata, y Adalía, y Aridata,

9. Y Fermesta, y Arisai, y Aridai, y Jezata.

---

5. *Pueblo judaico*: algunos opinan que el edicto que Amán había hecho expedir a Asuero para matar a todos los Judíos, era de la especie de decretos que entre los Persas se tenían por *irrevocables; y* que así el segundo decreto favorable consistió en mandar a los gobernadores de las provincias que defendiesen a los Judíos contra sus enemigos, para que pudiesen superar a éstos, en caso de que quisiesen matar a los Judíos según el primer decreto, en el día trece del mes duodécimo. Cap. XVI, *v.* 20.

16. *Defender sus vidas:* esto indica que fueron acometidos por sus enemigos, según las órdenes del rey enviadas por Amán, que miraron como *irrevocables.*

**10.** Después de haberles quitado la vida, no quisieron saquear ni tocar nada de sus bienes.

**11.** Inmediatamente dieron cuenta al rey del número de los que habían sido muertos en Susán.

**12.** El cual dijo a la reina: En la ciudad de Susán los Judíos han muerto a quinientos hombres, además de los diez hijos de Amán. ¿Cuán grande, pues, juzgas que será la mortandad que habrán hecho en todas las provincias? ¿Qué más pides, o qué otra cosa quieres que yo mande?

**13.** Si es del agrado del rey, respondió ella, dese facultad a los Judíos para que hagan también mañana lo que han hecho hoy en Susán; y que *los cadáveres de* los diez hijos de Amán sean colgados en patíbulos.

**14.** Y mandó el rey que así se hiciese; e inmediatamente se fijó en Susán el edicto, y fueron colgados los diez hijos de Amán.

**15.** Reunidos los Judíos el día catorce del mes de Adar, mataron en Susán hasta trescientos hombres; mas tampoco saquearon sus bienes.

**16.** Asimismo en todas las provincias sujetas al dominio del rey, los Judíos pelearon por defender sus vidas, matando a sus enemigos y perseguidores, en tanto número que llegó a setenta y cinco mil el de los muertos, sin que nadie tocase cosa alguna de sus bienes.

**17.** El día trece del mes de Adar fue el primero de la mortandad en todas partes, y el día catorce cesó el estrago; el cual día determinaron que fuese día *de fiesta* solemne, y se celebrase de allí en adelante perpetuamente con banquetes, regocijos y convites.

**18.** Los que ejecutaron la mortandad en la ciudad de Susán emplearon en ella los días trece y catorce de dicho mes, y cesaron de matar el día quince; y por eso establecieron que este día se solemnizase con banquetes y regocijos.

**19.** Mas los Judíos que moraban en villas sin muros y en aldeas, señalaron el día catorce del mes de Adar para los convites y alegrías; de modo que hacen en él gran fiesta, y se regalan recíprocamente platos y viandas y manjares.

**20.** Cuidó, pues, Mardoqueo de escribir todas estas cosas en una carta *o libro*, que envió a los Judíos que habitaban en todas las provincias del rey, así vecinas como remotas,

**21.** Para que observasen como días festivos el catorce y el quince del mes de Adar,

y los celebrasen siempre cada año con solemne honor;

**22.** Por cuanto en tales días los Judíos tomaron venganza de sus enemigos, y el llanto y tristeza se les convirtieron en júbilo y alegría; y así estos días eran días de banquetes y regocijos, en que debían enviarse mútuamente parte de los manjares, y regalar algo a los pobres.

**23.** Establecieron, pues, los Judíos una fiesta solemne, conforme a lo que habían comenzado a practicar en este tiempo, y les había prescrito Mardoqueo en su carta;

**24.** En memoria de que Amán, hijo de Amadati, del linaje de Agag, enemigo y perseguidor de los Judíos, maquinó contra ellos el atentado de matarlos y exterminarlos; y echó *para eso* el Fur, que es lo mismo que suerte en nuestra lengua.

**25.** Mas después Ester se presentó al rey, suplicando que desbaratase los designios de Amán, mediante una carta *u orden* del rey, y que el mal que había tramado contra los Judíos recayese sobre su cabeza. Y al fin así a Amán como a sus hijos los pusieron en una cruz.

**26.** Desde entonces se llaman estos días de Furim, esto es, de las Suertes; por cuanto el Fur, esto es, la suerte, fué echada en la urna. Todos estos sucesos se contienen en el volumen de aquel escrito, es a saber, de este libro.

**27.** Y en memoria de lo que padecieron, y de la *feliz* mudanza que sobrevino, obligáronse los Judíos por sí y por sus descendientes, y por todos los que quisieren agregarse a su religión, a no permitir que ninguno pase estos dos días sin solemnizarlos, según aparece de este escrito, y lo pide el tiempo señalado de año en año.

**28.** Estos son días que jamás serán puestos en olvido, y que se celebrarán de generación en generación en todas las provincias del orbe; ni hay ciudad alguna en que los días de Furim, esto es, de las Suertes, no sean guardados por los Judíos y por la descendencia de los que se obligaron a estas ceremonias.

**29.** Y la reina Ester, hija de Abihail, y Mardoqueo, Judío, escribieron todavía una segunda carta, a fin de que con el mayor esmero quedase establecido este día solemne para lo sucesivo;

**30.** Y enviáronla a todos los Judíos que moraban en las ciento veintisiete provincias del rey Asuero para que viviesen en *dichosa* paz, y fuesen fieles en la promesa,

**31.** Observando los días de las Suertes, y celebrándolos a su tiempo con demostraciones de gozo. Obligáronse, pues, los Judíos, conforme a lo prescrito por Mardoqueo y Ester, a observar ellos y sus descendientes los ayunos y clamores a *Dios y demás ceremonias* de los días de las Suertes,

**32.** Y todo cuanto contiene la historia en este Libro, que se titula *Ester.*

## CAPITULO X

*Sueño de Mardoqueo acerca de la libertad concedida a los Judíos.*

**1.** Empero el rey Asuero había hecho tributaria toda la tierra con todas las islas del mar;

**2.** Y en los libros o *anales* de los Medos y Persas se halla escrito cuál fue su poder y dominio, y cuán alto grado de grandeza sublimó a Mardoqueo,

**3.** Y cómo este Mardoqueo, judío de nación, vino a ser la segunda persona después del rey Asuero; y cómo fué eminente entre los Judíos, y universalmente querido de todos sus hermanos, como quien procuraba el bien de su pueblo, y se interesaba en todo lo perteneciente a la prosperidad de su nación.

*(1) He traducido con toda fidelidad lo que se halla en el hebreo. Lo que se sigue lo he hallado escrito en la edición vulgata, como se contiene en los ejemplares griegos: donde al fin del libro estaba puesto este capítulo; el cual, según nuestra costumbre, hemos distinguido con una vírgula.*

**4.** Entonces Mardoqueo dijo: Esto es obra de Dios.

**5.** Acuérdome de un sueño que tuve, el cual significaba estas mismas cosas, y ninguna de ellas ha quedado sin cumplirse.

**6.** *Ví* una pequeña fuente que creció hasta hacerse un río: después se convirtió en una luz y en un sol; y salió de madre por la abundancia de sus aguas. Esta *fuente* es Ester a quien el rey tomó por mujer, y escogió por reina.

**7.** Los dos dragones *que ví*, somos yo y Amán.

**8.** Las gentes que se coligaron, son aquéllos que intentaron borrar el nombre judaico.

---

CAP. X. — 1. Las grandes conquistas que hizo este rey pueden leerse en *Herodoto*, lib. IV y VI, cap. VII, XXXII¹, XXXIV, XLIX, XCI.

3. Así llama San Gerónimo aquella versión en lengua vulgar de que entonces usaban comúnmente los fieles en la Iglesia latina.

**9.** Mi gente es Israel, la cual clamó al Señor, y el Señor salvó a su pueblo; librándonos de todos los males, y obrando grandes milagros y portentos entre los gentiles.

**10.** Y mandó que se pusiesen dos suertes, una para el pueblo de Dios, y otra para las demás naciones.

**11.** Y ambas suertes salieron fuera delante del Señor para todas las gentes, en el día señalado ya desde aquel tiempo.

**12.** Y acordóse el Señor de su pueblo, y tuvo compasión de su herencia.

**13.** Por lo que los días catorce y quince del mes de Adar deben solemnizarse con toda devoción y júbilo por todo el pueblo congregado en cuerpo, mientras haya descendencia del pueblo de Israel.

## CAPITULO XI

*Descripción circunstancial del sueño de Mardoqueo.*

**1.** El año cuarto del reinado de Ptolomeo y de Cleopatra, Dositeo, que se decía sacerdote y de la estirpe de Leví, y Ptolomeo, su hijo, trajeron esta carta del Furim, la que aseguraron haber sido traducida en Jerusalén por Lisímaco, hijo de Ptolomeo.

*(1) Este era el principio del Libro de Ester en la citada edición vulgata; pero no se halla ni en el hebreo, ni en ninguno de los otros traductores.*

**2.** El año segundo del reinado del muy grande Artajerjes, el primer día del mes de Nisán, tuvo un sueño Mardoqueo, hijo de Jair, hijo de Semei, hijo de Cis, de la tribu de Benjamín.

**3.** Era Mardoqueo de nación judío, habitaba en la ciudad de Susán, y llegó a ser un hombre poderoso y de los primeros de la corte del rey,

**4.** Y era del número de los cautivos que Nabucodonosor, rey de Babilonia, trasladó de Jerusalén con Jeconías o *Joaquín*, rey de Judá.

**5.** Su sueño fué éste: Parecióle que sentía voces, y alborotos, y truenos, y terremotos, y turbación sobre la tierra;

**6.** Y aparecieron dos dragones descomunales en acto de entrar en batalla uno contra otro;

**7.** A cuyos *grandes* silbidos todas las naciones se alborotaron para pelear contra la nación de los justos, *o hebreos.*

---

(1) Nota de S. Jerónimo.

CAP. XI. — 2. *Artajerjes:* llamado también Asuero.

**8.** Día fué aquél de tinieblas y de peligros, de tribulación y de angustias, y de grande espanto para la tierra.

**9.** La nación de los justos, temerosa de los desastres *que la amenazaban* conturbóse *extraordinariamente* considerándose destinada a la muerte.

**10.** Clamaron empero a Dios; y a sus gritos una fuente pequeña creció hasta hacerse un grandísimo río, que por las muchas aguas salió de madre.

**11.** Apareció una luz y un sol; y los humildes fueron ensalzados, y devoraron a los grandes *o soberbios.*

**12.** Así que Mardoqueo tuvo esta visión, levantándose de la cama, púsose a pensar qué es lo que Dios querría hacer; y tenía fijo el sueño en su mente, deseoso de saber su significación.

## CAPITULO XII

*Mayor declaración de lo que se ha referido en el capítulo segundo sobre la conspiración de los dos eunucos contra el rey, descubierta por Mardoqueo.*

**1.** Estaba entonces *Mardoqueo* en el palacio del rey con Bagatán y Tara, eunucos del rey, a cargo de los cuales estaban las puertas del palacio;

**2.** Y como entendiese las tramas de éstos, y hubiese averiguado bien sus designios, comprendió que atentaban contra la vida del rey Artajerjes, y avisóselo al rey.

**3.** El cual, hecho el proceso a ambos, confesando ellos *el delito,* los mandó ajusticiar.

**4.** Hizo el rey escribir en los anales este su ceso; e igualmente lo puso por escrito Mardoqueo, para conservar su memoria.

**5.** Y mandóle el rey que morase en el palacio; después de haberle gratificado por dicho descubrimiento.

**6.** Pero Amán, hijo de Amadati Bugeo, gozaba de gran favor con el rey, y quiso perder a Mardoqueo y a su pueblo, a causa de los dos eunucos del rey ajusticiados. (2) *Hasta aquí el principio del Libro: lo que sigue estaba puesto en aquel lugar del libro donde está escrito:* y les saquearon sus bienes y haciendas. *Lo cual sólo en la edición vulgata lo hemos hallado. El tenor de la carta de Amán contra los Judíos era éste.*

CAP. XII. — 5. Quizá Amán frustró, o disminuyó el premio. — Véase c. VI, v. 3.
(2) Nota de S. Jerónimo.

## CAPITULO XIII

*Copia de la carta del rey contra los Judíos, de que se habla en el capítulo tercero; y la oración que hizo a Dios Mardoqueo, implorando su misericordia.*

**1.** El muy grande rey Artajerjes *que reina* desde la India hasta la Etiopía, a los príncipes y gobernadores de las ciento y veintisiete provincias que están sujetas a su imperio, salud.

**2.** Siendo yo emperador de muchísimas naciones, y habiendo sometido a mi dominio toda la tierra, no he querido abusar de ningún modo de la grandeza de mi poderío, sino antes bien gobernar a mis vasallos con clemencia y mansedumbre, para que pasando la vida con sosiego, sin temor alguno gozasen la paz deseada de todos los mortales.

**3.** E informándome de mis consejeros del modo que esto podría conseguirme, uno de ellos llamado Amán, que aventajaba a los demás en sabiduría y fidelidad, y tenía el segundo puesto en el reino,

**4.** Me significó estar esparcido por toda la tierra un pueblo que se gobernaba con leyes nuevas; y portándose contra la costumbre de todas las gentes, menospreciaba las órdenes de los reyes, y con sus disensiones turbaba la concordia de todas las naciones.

**5.** Lo cual entendido por Nos, viendo que una *sola* nación se opone a todo el género humano, usa de leyes perversas, y desobedece nuestros decretos, y perturba la paz y concordia de las provincias que nos están sujetas;

**6.** Hemos decretado que todos cuantos fueren designados por Amán (el cual tiene la superintendencia de todas las provincias, y es el segundo después de Nos, y a quien honramos como a padre) sean exterminados por sus enemigos, juntamente con las mujeres e hijos, el día catorce del mes duodécimo *llamado* Adar, del presente año, sin que nadie los perdone.

**7.** A fin de que esos hombres malvados, bajando al sepulcro en un *mismo* día, restituyan a nuestro imperio la paz que le habían quitado. (1) *Hasta aquí la copia de la carta. Lo que sigue lo hallé escrito después de aquel lugar donde se lee:* Retirándose, pues, Mardoqueo hizo todo lo que Ester le había ordenado. *Mas esto no se halla en el texto hebreo, ni en ninguno de los traductores.*

CAP. XIII. — (1) Nota de S. Jerónimo.

**8.** Hizo, pues, Mardoqueo oración al Señor, y representándole todas las maravillas que había obrado,

**9.** Dijo: Señor, ¡oh Señor Rey omnipotente!, de tu potestad dependen todas las cosas, ni hay quien pueda resistir a tu voluntad, si has resuelto salvar a Israel.

**10.** Tú hiciste el cielo y la tierra, y todo cuanto el ámbito de los cielos abraza.

**11.** Tú eres el Señor de todas las cosas, ni hay quien resista a tu Majestad.

**12.** Tú lo sabes todo, y *por consiguiente* sabes que no por soberbia, ni por desdén, ni por ambición de gloria he hecho esto de no adorar al soberbísimo Amán:

**13.** (Porque para salvar a Israel estaría pronto a besar de buena gana aun las huellas de sus pies);

**14.** Pero yo he temido trasladar a un hombre el honor debido a mi Dios, y adorar a ningún otro que al Dios mío.

**15.** Por tanto ahora, oh Señor, Rey *de reyes*, oh Dios de Abraham, apiádate de tu pueblo; pues nuestros enemigos quieren perdernos y acabar con tu heredad.

**16.** No menosprecies tu posesión, *este pueblo* rescatado por ti de Egipto.

**17.** Escucha mis súplicas, y muéstrate propicio a una nación que has escogido por herencia tuya, y convierte nuestro llanto en gozo, para que viviendo alabemos, oh Señor, tu *santo* Nombre; y no cierres las bocas de los *únicos* que cantan tus alabanzas.

**18.** Al mismo tiempo todo Israel orando unánimemente clamó al Señor, viéndose amenazados todos de una muerte irremediable.

## CAPITULO XIV

*Oración que la reina Ester hizo a Dios a favor de su pueblo.*

**1.** Asimismo la reina Ester, aterrada del peligro inminente, recurrió al Señor,

**2.** Y depuestas sus vestiduras reales, tomó un traje propio del tiempo de llanto y de luto; y en vez de varios perfumes, cubrió su cabeza de ceniza y de basura, y mortificó su cuerpo con ayunos, y esparcía los cabellos,

que se arrancaba, por todos aquellos sitios en que antes acostumbraba divertirse.

**3.** Y hacía oración al Señor Dios de Israel, diciendo: ¡Oh Señor mío!, tú eres el único Rey nuestro, socórreme en el desamparo en que me hallo, pues no tengo otro protector fuera de ti.

**4.** Y mi peligro es inminente.

**5.** Yo oí contar a mi padre cómo tú, oh Señor, escogiste a Israel de entre todas las naciones, y a nuestros padres de entre todos sus antepasados para poseerlos eternamente como herencia tuya, y te portaste con ellos como habías prometido.

**6.** Nosotros pecamos en tu presencia, y por eso nos has entregado en manos de nuestros enemigos,

**7.** Porque hemos adorado sus dioses. Justo eres, oh Señor.

**8.** Mas ahora no se contentan de tenernos oprimidos con durísima esclavitud, sino que, atribuyendo al poder de los ídolos la fortaleza de sus brazos,

**9.** Presumen desbaratar tus promesas, y destruir tu heredad, y tapar la boca de los que te alaban, y extinguir la gloria de tu templo y de tu altar;

**10.** A fin de que abran los gentiles sus bocas *y desaten sus lenguas* en alabanzas del poder de los ídolos y celebren perpetuamente *la gloria de* un rey de carne *y sangre.*

**11.** No entregues, oh Señor, tu cetro a los que nada son, para que no se rían de nuestra ruina, antes bien vuelve contra ellos sus tramas, y derriba al *soberbio Amán*, que ha empezado a encruelecerse contra nosotros.

**12.** Acuérdate, Señor, de nosotros, y muéstranos tu rostro en el tiempo de nuestra tribulación, y dame a mí firme esperanza, oh Señor, Rey de los dioses, y de todas las potestades.

**13.** Pon en mi boca palabras discretas así que me presente al león *Asuero*, y muda su corazón a que aborrezca a nuestro enemigo, para que perezca éste con todos sus cómplices.

**14.** Y líbranos con tu mano *poderosa;* y asísteme a mí, oh Señor, tú que eres mi único auxilio, tú que conoces todas las cosas,

**15.** Y sabes que aborrezco la gloria de los inicuos, y detesto el lecho de los incircuncisos, y de cualquier extranjero.

**16.** Tú conoces mi necesidad, y que abomino el soberbio distintivo de mi gloria que llevo sobre mi cabeza en los días de gala y lucimiento, y que antes bien me da asco, cual paño de una menstruosa, y que nunca me lo pongo en los días de mi retiro *y vida privada.*

**17.** *Sabes* que nunca he comido en la mesa de Amán, ni me han deleitado los convites del rey, ni he bebido vino de libaciones;

---

CAP XIV. — **15.** Aquí se confirma que la providencia particular de Dios fué la que proporcionó el matrimonio de Ester con Asuero; y que Ester siguió en esto la inspiración Divina, para ser la salvadora de su nación.

**17.** *Libaciones:* u ofrecido a los ídolos.

**18.** Y que desde el día en que fuí trasladada acá hasta el presente, jamás ha tenido ésta tu sierva contento sino a ti, ¡oh Señor Dios de Abraham !

**19.** Oh Dios poderoso sobre todos, escucha las voces de aquellos que no tienen otra esperanza *sino en ti,* y sálvanos de las manos de los malvados, y líbrame a mí de mis temores.

## CAPITULO XV

*Se refieren algunas particularidades omitidas en el capítulo quinto de cuando la reina Ester se presentó a Asuero.*

(1) *También hallé estas adiciones en la edición vulgata.*

**1.** Y envióle a decir (sin duda que sería Mardoqueo *a Ester)* que se presentase al rey, e intercediese por su pueblo y por su patria:

**2.** Y acuérdate, le dijo, del tiempo en que te hallabas en estado humilde, y cómo fuiste criada entre mis brazos; porque Amán, el segundo después del rey, ha hablado contra nosotros para que se nos quite la vida.

**3.** Por tanto invoca tú al Señor, y habla por nosotros al rey, y líbranos de la muerte. (2) *Asimismo hallé lo siguiente:*

**4.** Al tercer día dejó *Ester* los vestidos que llevaba, y se adornó de todas sus galas,

**5.** Y brillando con el esplendor de los aderezos de reina, después de haber invocado a Dios, que es el guía y el salvador de todos, tomó consigo dos de sus camareras;

**6.** Sobre una de las cuales se iba apoyando, como que no podía por la suma delicadeza y debilidad sostener su cuerpo.

**7.** La otra camarera iba detrás de su señora, llevándole la falda que arrastraba por el suelo.

**8.** Entre tanto ella, con el color de rosa en su semblante, y con la gracia y brillo de sus ojos, encubría la tristeza de su corazón comprimido de un excesivo temor.

**9.** Pasadas, pues, de una en una todas las puertas, llegó a ponerse en frente del rey, que estaba sentado en su real solio, vestido con el regio manto, resplandeciendo con el oro y pedrería. Su aspecto empero causaba terror.

**10.** Y habiendo él alzado la vista, y manifestado en sus ojos encendidos el furor de su pecho, la reina se desmayó, y demudado el color en palidez, reclinó su vacilante cabeza sobre la cámarera.

**11.** Entonces Dios trocó el corazón del rey, inclinándole a la dulzura; y apresurado y temeroso saltó del trono, y tomando a Ester entre sus brazos hasta que volvió en sí, la acariciaba con estas palabras:

**12.** ¿Qué tienes, Ester? Yo soy tu hermano, no temas:

**13.** No morirás, porque esta ley no fué puesta para ti, sino para todos los demás.

**14.** Arrímate, pues, y toca el cetro.

**15.** Como ella no hablase, tomó él el cetro de oro, y púsole sobre el cuello de Ester, y la besó, diciendo: ¿Por qué no me hablas?

**16.** La cual respondió: Te he visto, señor, como a un Angel de Dios, y con el temor de tu majestad se ha conturbado mi corazón.

**17.** Porque tú, oh señor, eres en extremo admirable, y está tu rostro lleno de gracias.

**18.** Diciendo esto, desmayóse de nuevo, y quedó casi sin sentido.

**19.** Con lo que el rey se acongojaba, y todos sus ministros consolaban a Ester.

## CAPITULO XVI

*Carta de Asuero, llamado también Artajerjes, a favor del pueblo de los Judíos.*

(1) *Copia de la carta del rey Artajerjes, que escribió a todas las provincias de su imperio a favor de los Judíos: la cual tampoco se halla en el texto hebreo.*

**1.** El grande Artajerjes, rey desde la India hasta la Etiopía, a los gobernadores y príncipes de las ciento y veintisiete provincias que obedecen a nuestro imperio, salud.

**2.** Muchos han abusado de la bondad de los príncipes, y de los honores que se les han conferido, para ensoberbecerse;

**3.** Ni se contentan con oprimir a los vasallos de los reyes; sino que no siendo capaces de mantener *con moderación* la gloria recibida, maquinaron traiciones contra los mismos que se la dieron.

---

(1) y (2) Notas de S. Gerónimo.
**CAP. XV.** — 12. *Yo soy tu hermano:* palabra que a veces se usa para significar un tierno amor. *Prov.* VII, *v.* 4. *Cant.* VIII, *v.* 1.

---

**CAP. XVI.** — (1) Nota de S. Jerónimo. 12. *Yo soy tu hermano:* palabra que a veces se usa para significar un tierno amor. *Prov.* VII, *v.* 4.—

**4.** Ni les basta el ser ingratos a los beneficios, y el violar en sí mismos los derechos de la humanidad; sino que presumen también de poder sustraerse al juicio de Dios que todo lo ve.

**5.** Y ha llegado a tal punto su desvarío, que con los ardides de sus mentiras han intentado arruinar a los que cumplen exactamente los cargos que les han sido confiados, y que se portan en todo de tal manera, que se hacen dignos del común aplauso,

**6.** Engañando con astutas mañas los oídos sencillos de los príncipes, que juzgan de los otros por su *buen* natural.

**7.** Lo cual se comprueba, ya con las historias antiguas, ya también con lo que sucede cada día, donde se ve que por las malas sugestiones de los tales se pervierten las *buenas* inclinaciones de los reyes.

**8.** Por tanto, es necesario proveer a la paz de todas las provincias.

**9.** Mas no penséis que si variamos nuestras órdenes, proviene esto de ligereza de ánimo, sino que la mira del bien de la república nos obliga a arreglar nuestras determinaciones conforme a la condición y necesidad de los tiempos.

**10.** Y para que conozcáis mejor lo que decimos, *sabed que* Amán, hijo de Amadati, macedonio de corazón y de origen, y que nada tiene de común con la sangre de los Persas, el cual con su crueldad amancillaba nuestra clemencia, extranjero como era, fué acogido por Nos,

**11.** Y le dimos tantas muestras de benevolencia, que era llamado nuestro padre, y venerado de todos *como* el segundo después del rey.

**12.** Mas llegó a tan alto grado la hinchazón de su arrogancia, que maquinó privarnos del reino y de la vida.

**13.** Puesto que con nuevos y nunca oídos artificios, tramó la muerte de Mardoqueo, a cuya lealtad y buenos servicios debemos la vida, y de Ester, *esposa nuestra* y compañera en nuestro reino, y de toda su nación;

**14.** Teniendo la mira, quitada la vida a éstos, y quedando así Nos solo, de armar asechanzas a nuestra vida, y trasladar a los Macedonios el reino de los Persas.

**15.** Nos, empero, hemos hallado exentos de toda culpa a los Judíos, a quienes había destinado a la muerte el peor de los hombres, y que antes bien se gobiernan con leyes justas,

**16.** Y que son hijos del Dios altísimo, máximo y siempre viviente, por cuyo beneficio fué dado el reino a nuestros padres y a Nos, y conservado hasta el día de hoy.

**17.** Por tanto, sabed, que son nulas las cartas expedidas por él en nuestro nombre.

**18.** Y por cuya maldad, así él, que la fraguó, como toda su parentela, están colgados en patíbulos ante las puertas de esta ciudad de Susán; no siendo nosotros, sino Dios, el que le ha dado su merecido.

**19.** Y este edicto, que ahora enviamos, publíquese en todas las ciudades, para que sea permitido a los Judíos el vivir según sus leyes.

**20.** A los cuales debéis vosotros dar auxilio, a fin de que el día trece del duodécimo mes, llamado Adar, puedan acabar con la vida de aquéllos que estaban *o estén* prevenidos para darles a ellos la muerte;

**21.** Pues este día de aflicción y de llanto, el Dios Todopoderoso ha hecho que se les convirtiese en día de gozo.

**22.** Por lo que también vosotros contaréis este día entre los demás días festivos; y lo celebraréis con toda suerte de regocijos para que la posteridad sepa

**23.** Que todos los que son súbditos fieles de los Persas reciben la recompensa digna de su lealtad, al paso que los conspiradores contra su reino perecen en pena de su traición.

**24.** Cualquier provincia, o ciudad, que no quisiere tener parte en esta solemnidad, perezca a fuego y a sangre, y sea de tal manera arrasada, que quede para siempre intransitable, no sólo a los hombres, sino aun a las bestias, para escarmiento de los despreciadores y desobedientes *a las órdenes reales*.

---

CAP. XVI. — 16. *A Nos:* debe siempre suponer que Mardoqueo y Ester eran como unos instrumentos de Dios, que a veces obra de un modo superior a nuestros alcances, y fuera de las reglas o curso ordinario de su Providencia Cap. VIII, *v.* 16. *Nota.*

# LIBRO DE JOB

# Introducción

Nada sabemos del autor de este libro. Los antiguos lo atribuyeron a Moisés. Lo único cierto es que se trata de un monumento importante de la poesía y la literatura hebrea; probablemente pertenece a su edad de oro. Se caracteriza por la pureza de su lenguaje y la elevación y elegancia del estilo.

La doctrina del *Libro de Job* es la máxima expresión de la misma que se expone en el *Libro de Tobías*. Se trata del problema del infortunio del justo. El conocido axioma de la religión de los judíos, según el cual Dios da a cada uno según sus obras, se tambalea en el interior de los piadosos ante la aparente injusticia de la realidad. El tema no es, en modo alguno, exclusivo de las letras hebreas. Se conoce la existencia en la literatura caldea de una lamentación del justo que expresa ante sus divinidades sentimientos análogos a los que aparecen en los *Salmos* y en el *Libro de Job*.

El Señor mandó a Job una serie de pruebas para probarle. Reducido a una condición pobre y miserable, es visitado por tres amigos. Al ver la desgracia de Job deducen, sin prueba ninguna, su culpabilidad. Le acusan insistentemente afirmando que su infortunio tenía que ser justo a menos que se negara la justicia divina. Job responde a sus largas argumentaciones con paciencia infinita y gran amor a Dios. Persiste en declararse justo. Aparece entonces un cuarto acusador exponiendo la doctrina de que los castigos impuestos por Dios tienen un valor educativo. Job no responde a esta nueva idea. Finalmente, en el seno de la tempestad se oye la voz de Dios. En esta manifestación divina el Señor describe a Job las obras divinas que evidencian la grandeza de su sabiduría y de su poder. Job concluye con humildad que los juicios de Dios son inescrutables. El libro termina explicando que Job recuperó la salud y duplicó los bienes que tenía. Así premia Dios a los justos. Se cuenta, por fin, que el santo Job vivió ciento cuarenta años.

En el relato de los infortunios del santo Job brillan extraordinariamente las virtudes de la paciencia y de la fortaleza. La doctrina general que se desprende del *Libro de Job* es que cuando Dios quiere acrecentar el premio reservado a los que ama, les envía ocasiones de sufrimiento para que su virtud se perfeccione, su caridad se inflame y su esperanza en Dios se fortifique. En palabras de san Pablo, «hemos de saber que la tribulación ejercita la paciencia, la paciencia sirve a la prueba de nuestra fe, y la prueba produce la esperanza». San Pedro destaca el valor ejemplar de la figura de Job: «padeció por nosotros, dejándonos este ejemplo para que sigamos sus pisadas».

Los valores literarios y descriptivos son extraordinarios. Por ejemplo, cuando Dios se aparece para dirimir la disputa entre Job y sus amigos y le muestra la grandeza de su sabiduría tal como se observa en la creación. Las descripciones del hipopótamo, del caballo y del cocodrilo son extraordinarias.

## CAPITULO PRIMERO

*Job, varón santo y rico, ofrece sacrificios a Dios por sus hijos: el Señor permite a Satanás que haga prueba de su virtud, quitándole de golpe todos sus bienes e hijos.*

1. Había en el país de Hus un varón *célebre* llamado Job, hombre sencillo y recto y temeroso de Dios, y que se apartaba del mal.

2. Tenía siete hijos y tres hijas;

3. Y poseía siete mil ovejas, y tres mil camellos, quinientas yuntas de bueyes y quinientas asnas, y muchísimos criados; por lo cual era este varón grande entre todos los Orientales.

4. Sus hijos solían *reunirse* y celebrar convites en sus casas, cada cual en su día; y enviaban a llamar a sus tres hermanas, para que comiesen y bebiesen con ellos.

5. Concluido el turno de los días del convite, enviaba Job a llamarlos, y los santificaba, y levantándose de madrugada ofrecía holocaustos *a Dios* por cada uno de ellos. Porque decía: No sea que mis hijos hayan pecado y desechado a Dios en sus corazones. Esto hacía Job en todos aquellos días.

6. Pero cierto día concurriendo los hijos de Dios, *esto es los ángeles,* a presentarse delante del Señor, compareció también entre ellos Satanás.

7. Al cual dijo el Señor: ¿De dónde vendrás tú? El respondió: Vengo de dar la vuelta por la tierra, y de recorrerla toda.

8. Replicóle el Señor: ¿Has parado tu

atención en mi siervo Job, que no hay otro como él en la tierra, varón sencillo, y recto, y temeroso de Dios, y ajeno de todo mal obrar?

9. Mas Satanás le respondió: ¿Acaso Job teme *o sirve* a Dios de balde?

10. ¿No lo tienes tú a cubierto *de todo mal* por todas partes, así a él como a su casa y a toda su hacienda? ¿No has echado la bendición sobre *todas* las obras de sus manos, con lo que se han multipilcado sus bienes en la tierra?

11. Mas extiende un poquito tu mano, y toca sus bienes, y verás como te desprecia en tu cara.

12. Dijo, pues, el Señor a Satanás: Ahora bien, todo cuanto posee lo dejo a tu disposición; sólo que no extiendas tu mano contra su persona. Con esto se salió Satanás de la presencia del Señor *a ejecutar sus designios.*

13. En efecto, mientras los hijos e hijas de Job, se hallaban un día *todos juntos* comiendo y bebiendo vino en casa del hermano primogénito,

14. Llegó a Job un mensajero que le dijo: Estaban los bueyes arando y las asnas paciendo cerca de ellos,

15. Cuando he aquí que han hecho una incursión los Sabeos y lo han robado todo, y han pasado a cuchillo a los mozos, y he escapado sólo yo para *que pueda* darte la noticia.

16. Estando aún éste hablando, llegó otro hombre, y dijo: Fuego de Dios ha caído del cielo, y ha reducido a cenizas las ovejas y los pastores, y he escapado sólo yo para *que pueda* traerte la noticia.

17. Todavía estaba éste con la palabra en la boca, y entró otro diciendo: Los Caldeos, divididos en tres cuadrillas, se han arrojado sobre los camellos, y se los han llevado, después de haber pasado a cuchillo a los mozos, y he escapado sólo yo para darte aviso.

18. No había éste acabado de hablar, cuando llegó otro que dijo: Estando comiendo tus hijos e hijas y bebiendo vino en la casa de su hermano mayor,

---

CAP. PRIMERO. — 1. *Hus:* territorio de Idumea.

3. Casi todos los Padres griegos y los más de la Iglesia latina son de parecer que Job era rey o príncipe de un pequeño territorio; y así lo indica lo que leemos en el cap. XXIX, *v.* 7 al 25, y antes en el cap. XIX, *v.* 9, etc.

6. *Satanás:* parábola es ésta con que se nos explica la paternal providencia de Dios, el oficio de los ángeles Buenos, la malicia de Satanás, etc.

**19.** Ha venido de repente un huracán de la parte del Desierto, que ha conmovido las cuatro esquinas de la casa, la cual ha caído, aprisionando debajo a tus hijos, que han quedado muertos; y me he salvado sólo yo para poder avisártelo.

**20.** Entonces Job se levantó y rasgó sus vestidos, y habiéndose hecho cortar a raíz el pelo de su cabeza postróse en tierra y adoró *al Señor,*

**21.** Y dijo: Desnudo salí del vientre de mi madre, y desnudo volveré a ella. El Señor me lo dió *todo;* el Señor me lo ha quitado: se ha hecho lo que es de su agrado; bendito sea el nombre del Señor.

**22.** En medio de todas estas cosas no pecó Job en cuanto dijo, ni habló una palabra inconsiderada contra Dios.

## CAPITULO II

*Segunda prueba de la virtud de Job en los tormentos de todo su cuerpo llagado; insúltale su mujer, y visítanle tres amigos.*

**1.** Y sucedió que otro día comparecieron los hijos de Dios a la presencia del Señor, y asimismo Satanás se halló entre ellos, y se puso en su presencia.

**2.** Y díjole el Señor a Satanás: ¿De dónde vendrás tú? El cual le respondió: He dado la vuelta por la tierra, y la he recorrido toda.

**3.** Replicó el Señor: ¿Pues no has observado en mi siervo Job cómo no tiene semejante en la tierra, varón sencillo, y recto, y temeroso de Dios, y muy ajeno de todo mal obrar, y que aún conserva la inocencia? Y eso que tú me has incitado contra él, para que yo lo atribulase sin merecerlo.

**4.** A esto respondió Satanás, diciendo: El hombre dará *siempre* la piel *de otro* por *conservar* la suya propia, y abandonará *de buena gana* cuanto posee por salvar su vida;

**5.** Y si no, extiende tu mano y toca a sus huesos y carne, y verás cómo entonces te menosprecia cara a cara.

**6.** Dijo, pues, el Señor a Satanás: Ahora bien, *anda,* en tu mano está; pero consérvale la vida.

**7.** Con esto partiendo Satanás de la presencia del Señor, hirió a Job con una úlcera horrible desde la planta del pie hasta la coronilla de la cabeza;

**8.** *De suerte* que sentado en un estercolero, se raía la podredumbre con un casco de teja.

**9.** Y díjole su mujer: ¿Todavía permaneces tú en tu *estúpida* simplicidad? *Sí,* bendice a Dios, y muérete.

**10.** Respondióle Job: Has hablado como una de las mujeres sin seso. Si recibimos los bienes de la mano de Dios, ¿por qué no recibiremos también los males? En medio de todas estas cosas no pecó Job en cuanto dijo.

**11.** Entretanto tres *príncipes* amigos de Job, habiendo oído todas las desgracias que le habían sobrevenido, partieron cada cual de su casa *y estados:* Elifaz de Temán, Baldad de Suhá, y Sofar de Naamat: porque habían concertado entre sí de venir juntos a visitarle y consolarle.

**12.** Y cuando desde lejos alzaron los ojos *para mirarle,* le desconocieron; y *así* exclamando, prorrumpieron en lágrimas, y rasgando sus vestidos, esparcieron polvo por el aire sobre sus cabezas,

**13.** Y estuvieron con él sentados en el suelo siete días y siete noches, sin hablarle palabra, al ver que su dolor era tan vehemente.

## CAPITULO III

*Desahoga Job su angustiado corazón, lamentándose de sus males con enérgicas expresiones, y mostrando la infelicidad de los mortales.*

**1.** Después de esto abrió Job su boca y echó la maldición al día de su nacimiento,

**2.** Hablando de esta manera:

---

**8.** *Estercolero:* fuera de la ciudad por no infeccionar la población.

**10.** *Sin seso:* sin piedad ni religión.

**13.** *Sin hablarle palabra:* se dice que una persona ha asistido muchos días a un enfermo, *sin apartarse de su lado,* aunque realmente haya salido del cuarto o de la casa para comer y descansar algunas horas .

*Vehemente:* o que no admitiría consuelo alguno.

**CAP. III. —** 1. Semejantes expresiones se hallan en *Jerem.* XX. *v.* 14 — *Habac.* 1. *v.* 2, etc.; y pudieron muy bien decirse sin perder la resignación a la voluntad divina, y sólo para manifestar la amargura de su situación.

---

**21.** *A la tierra,* que también es nuestra madre.

**CAP. II. —** 3. Y ya ves la firmeza de su virtud. Habla el Señor según frase de los hombres, como observa S. Gregorio. Véase III *Reg.* XXII, *v.* 21.

3. Perezca, *mal haya*, el día en que nací, y la noche en que se dijo *por mí:* Concebido queda un varón.

4. Conviértase aquel día en tinieblas; no haga Dios cuenta de él desde lo alto; ni sea con luz alumbrado;

5. Obscurézcanle las tinieblas, y la *negra* sombra de la muerte; cúbrale densa niebla y sea envuelto en amargura;

6. Corra en aquella noche un tenebroso torbellino; no se mencione ella entre los días del año, ni se cuente entre los meses;

7. Sea la tal noche solitaria o *estéril,* ni se repute digna de cantares o *regocijos;*

8. Maldíganla los que aborrecen el día *en que nacieron,* que están prontos a provocar a Leviatán;

9. Obscurezcan sus tinieblas las estrellas *de esta noche:* espere la luz, y nunca jamás la vea, ni el albor de la naciente aurora;

10. Ya que no cerró el claustro del vientre que me llevaba, y no apartó de mis ojos la vista de *estos* males.

11. ¿Por qué no morí yo en las entrañas de mi madre; o salido a luz no perecí luego?

12. ¿Para qué *al nacer* me acogieron en el regazo? ¿Para que me arrimaron al pecho a fin de que mamase?

13. Pues yo ahora estaría durmiendo en el silencio *de la muerte;* y en *éste* mi sueño lograría reposo,

14. Juntamente con los reyes y potentados de la tierra, que fabrican para sí *edificios* en lugares solitarios;

15. O con los príncipes que amontonan oro y llenan de plata sus casas;

16. O bien como un aborto, que *luego* lo esconden *y apartan de la vista,* yo no subsistiera, o como los que *después de* concebidos no llegaron a ver la luz.

17. Allá *en el sepulcro* cesa *por fin* el grande ruido que mueven los impíos; allí es donde vienen a descansar los de las fuerzas cansadas,

18. Y allí están sin sufrir ya molestia alguna, ni oír la voz del *cruel* sobrestante, aquéllos que en otro tiempo estaban juntos con grillete.

19. Allí están el chico y el grande; allí el esclavo libre *ya* de su amo.

20. ¿Por qué razón fué concedida la luz a un desdichado, y la vida a los que la pasan *como yo* en amargura de ánimo?

21. Los cuales están esperando la muerte, la que no acaba de llegar, como esperan los que cavan en busca de un tesoro,

22. Y se sienten transportados de gozo al hallar el sepulcro.

23. *¿Por qué se concedió la vida* a un hombre *como yo,* que no ve el camino por donde anda; habiéndole Dios cercado todo de tinieblas?

24. Suspiro antes de tomar alimento: y suenan mis rugidos como las aguas que *rompen los diques e* inundan.

25. Por cuanto me ha sucedido lo que yo me temía: se han verificado mis recelos.

26. ¿Acaso no disimulé, no callé, no aguanté con paciencia? Y *sin embargo,* la indignación *de Dios* ha descargado sobre mí.

## CAPITULO IV

*Elifaz acusa a Job de impaciencia, y quiere persuadirle que sus males son en castigo de sus pecados, suponiendo que los inocentes nunca tienen adversidades.*

1. Y entonces Elifaz de Temán, rompiendo el silencio, dijo:

2. Si empezamos a razonar contigo, quizá no te gustará lo que diremos; pero, ¿quién podrá contener las palabras que *ahora* vienen a la boca?

3. Tú eras antes el que amaestrabas a muchos; tú dabas vigor a los agobiados.

4. Tus palabras eran el sostén de los vacilantes, y tú fortalecías las trémulas rodillas *de los débiles.*

5. Mas ahora que el azote ha descargado sobre ti, estás abatido; te ha tocado *el Señor,* y te has conturbado *todo.*

6. ¿Dónde está *aquél* tu temor *de Dios?* ¿*Dónde* tu fortaleza, tu paciencia y la perfección de tu conducta *antigua?*

7. Considera, te ruego, si pereció jamás ningún inocente, o cuándo los buenos han sido exterminados.

8. Al contrario, lo que yo he visto es que los que han cultivado el vicio, han sembrado males, y males han recogido;

9. Y han perecido a un soplo de Dios; y han quedado consumidos al aliento de la indignación divina.

10. *Así* pereció el león que rugía y la leona que bramaba; y fueron desmenuzados los dientes de los leoncillos.

---

8. *Leviatán:* algunos creen que Job indicaba con estas palabras las naciones feroces, que no temían ni a los cocodrilos, monstruos del Nilo, y que solían maldecir al sol por el excesivo calor del clima en que vivían.

**11.** Pereció de *hambre* el tigre por falta de presa, y los leoncillos se fueron cada uno por su lado.

**12.** Díjoseme *en cierta ocasión* una palabra recóndita, y mi oído, así como a hurtadillas, percibió algo de aquel blando zumbido.

**13.** En el horror de una visión nocturna, cuando suele el sueño rendir los hombres,

**14.** Quedé sobrecogido de pavor, y todo temblando, y estremeciéronse todos mis huesos;

**15.** Y pasando por delante de mí un espíritu, se me erizaron los cabellos.

**16.** Aparecióseme uno cuyo semblante no pude conocer, un espectro delante de mis ojos, y percibí una voz *delicada* como de un airecillo suave, *que me decía:*

**17.** ¿Acaso un hombre parangonado por Dios será tenido por justo, o podrá creerse más puro que su Hacedor?

**18.** Mira que no han sido firmes sus mismos ministros, y que halló culpa *hasta* en sus Angeles.

**19.** ¡Cuánto más serán consumidos *y como roídos* de la polilla, aquéllos que habitan casas de barro, cimentadas sobre el polvo!

**20.** De la noche a la mañana quedarán aniquilados; y por cuanto ninguno considera *estas verdades*, perecerán para siempre.

**21.** Los restos que quedaren, serán arrancados; morirán en medio de su locura.

## CAPITULO V

*Prosigue Elifaz acusando a Job de iniquidad, exhortándole a que se convierta a Dios, cuya providencia aplaude.*

**1.** Llama, pues, *algún defensor tuyo*, si es que hay quien te responda, y vuelve tu vista a alguno de los santos.

**2.** Verdaderamente que al necio le mata la cólera, y al apocado le quita la vida la envidia.

**3.** Yo vi al necio bien arraigado; pero al instante *maldije* su aparente lozanía.

**4.** Estarán sus hijos muy lejos de la salud, *o felicidad*, y serán hollados en las puertas, sin que haya quien los defienda *ni ampare*.

**5.** Sus mieses las devorará un hambriento; y gente armada echará mano de él, y se le llevará cautivo, y hombres sedientos se sorberán sus riquezas.

**6.** Ninguna cosa sucede en el mundo sin motivo: que no brotan del suelo los trabajos.

**7.** Porque el hombre nace para trabajar *y padecer,* como el ave para volar.

**8.** Por tanto, yo rogaré al Señor, y enderezaré a Dios mi oración;

**9.** El cual hace cosas grandes e inescrutables y maravillas sin cuento;

**10.** Que derrama la lluvia sobre la haz de la tierra, y todo lo riega con sus aguas;

**11.** Que ensalza a los humildes, y alienta con prosperidades a los atribulados;

**12.** Que disipa las maquinaciones de los malignos, para que sus manos no puedan completar lo que comenzaron;

**13.** Que prende a los sabios con las *mismas* redes de ellos, y desvanece los designios de los malvados,

**14.** *De suerte que* en pleno día se encontrarán en tinieblas, y a medio día andarán a tientas como si fuese de noche.

**15.** Entre tanto *el Señor* salvará al desvalido de la espada de sus lenguas, y al pobre de las manos del *hombre* violento.

**16.** *No,* no quedará frustrada la esperanza del mendigo, y los inicuos no osarán desplegar sus labios.

**17.** Dichoso el hombre a quien *el mismo* Dios corrige; no desprecies, pues, la corrección del Señor.

**18.** Porque él mismo hace la llaga y la sana; hiere, y cura con sus manos,

**19.** A las seis tribulaciones te libertará, y a la séptima ya no te tocará el mal.

**20.** El te salvará de la muerte en tiempo de hambre, y en la guerra del golpe de la espada.

**21.** Estarás a cubierto del azote de lenguas *malignas*, y no temerás la calamidad cuando viniere.

**22.** En medio de la desolación y la carestía *general,* tú te reirás; no temerás las bestias salvajes;

**23.** Antes bien estarán en alianza contigo *hasta* las piedras de los campos, y las bestias *fieras* del país serán para ti mansas.

**24.** Y verás reinar la paz *y abundancia* en tu morada; y no cometerás falta en el gobierno de tu *dichosa* casa.

---

**18.** Puede traducirse también: *Sábete que los que le sirven no son estables; y en sus mismos ángeles halla él defectos.* Martini.

CAP. V. — 4. *Felicidad*: no llegarán sus hijos a disfrutar de los bienes.

*Puertas:* de la ciudad o en los tribunales.

---

**6.** Sino que son disposiciones de la sabia Providencia de Dios.

**7.** *El hombre:* después del pecado original.

**23.** *De los campos:* quizá se alude aquí al crimen llamado *scopelismo*, que consistía en sembrar de piedras el campo del enemigo: delito frecuente entre los Arabes.

**25.** Verás también multiplicarse tu linaje, y *crecer* tu descendencia como la yerba del prado.

**26.** *En fin,* lleno *de años* entrarás en el sepulcro; al modo que el montón de trigo se recoje *en las trojes* a su debido tiempo.

**27.** Mira que lo que acabamos de exponerte es así como lo decimos; reflexiónalo, pues, y medítalo para contigo mismo.

## CAPITULO VI

*Job justifica sus quejas, se lamenta de que sus amigos le hayan abandonado, y los reprende con energía.*

**1.** Pero Job respondió y dijo:

**2.** ¡Pluguiese a Dios que mis pecados por los que he merecido la ira, se pesaran en unas balanzas, con la calamidad que padezco!

**3.** Se vería que mis males pesan *tanto y* más que la arena del mar: de aquí es que mis palabras están llenas de dolor.

**4.** Porque *parece* que todas las saetas del Señor están clavadas en mí; el veneno de ellas va corroyendo mi espíritu, y terrores del Señor, *o terribles espectros,* combaten contra mí.

**5.** ¿Por ventura rebuzna el asno montés teniendo yerba? ¿O muge el buey teniendo delante un pesebre bien provisto?

**6.** ¿O podrá comerse un manjar insípido, no sazonado con sal? ¿O habrá quien coma con gusto aquello que probado causa la muerte?

**7.** Las cosas que antes hubiera yo rehusado tocar, ahora en la estrechez en que me hallo, son mi alimento.

**8.** ¡Quién me diera que fuese otorgada mi petición, y me concediese Dios lo que tanto deseo!

**9.** ¡Y que el que ha comenzado a herirme, acabe conmigo, deje caer su mano y corte mi vida!

**10.** Y mi consuelo sería que sin perdonarme, fuese afligiéndome con dolores, y que yo no me opusiese a los decretos del Santo *por esencia.*

**11.** Porque, ¿cuáles son mis fuerzas para poder sobrellevar tantos males? ¿O cuándo tendrá fin mi padecer, para prometerme el perseverar en la paciencia?

**12.** Que no es mi firmeza como la de las peñas, ni es de bronce mi carne.

**13.** Mirad cómo yo por mí no puedo valerme, y cómo hasta los más allegados míos me han abandonado.

**14.** Quien no tiene compasión de su amigo, abandona el *santo* temor de Dios.

**15.** Mis hermanos han pasado de largo por delante de mí, como pasa un rápido torrente por las cañadas.

**16.** *Pero a veces* los que temen la escarcha son abrumados de la nieve.

**17.** *Como los torrentes,* al mismo tiempo que se desparramen se perderán, y *como la nieve* en calentando *el sol,* se derretirán.

**18.** Tortuosas son las sendas por donde caminan: quedarán reducidos a la nada, y perecerán.

**19.** Contemplad las veredas del Tema, los caminos de Sabá, y esperad un poquito.

**20.** Se han confundido a vista de mi *firme* esperanza: hánse llegado junto a mí, y quedan cubiertos de rubor.

**21.** *En efecto,* acabáis ahora de llegar, y luego que veis, mis males tembláis de miedo.

**22.** ¿Acaso yo os he dicho: Traedme y dadme *algo* de vuestros bienes?

**23.** ¿O bien libradme del poder del enemigo, y sacadme de las manos de los poderosos?

**24.** Enseñadme, que yo callaré; y si en algo he sido ignorante *o he pecado,* instruidme.

**25.** ¿Por qué razón, *pues,* habéis contradicho a las palabras de verdad *que he hablado,* siendo así que ninguno de vosotros puede redargüir*me de pecado?*

**26.** Vuestros estudiados razonamientos sólo tiran a zaherir*me,* y no hacéis más que hablar al aire.

**27.** Os arrojáis sobre un huérfano, y os esforzáis en *acabar de* perder a vuestro amigo.

**28.** Como quiera, concluid el discurso comenzado, y prestadme *después* atención, y ved si digo mentira.

**29.** Respondedme, os ruego, sin porfía, y pronunciad la sentencia conforme a justicia:

**30.** Que no habéis de hallar falsedad en mi lengua, ni de mi boca oiréis falsedad alguna.

## CAPITULO VII

*Job continúa su defensa, y pide a Dios que le libre de las miserias, y le perdone.*

**1.** La vida del hombre sobre la tierra es una perpetua guerra; y sus días son como los de un *infeliz* jornalero.

---

**15.** *Mis hermanos:* esto es, mis parientes y amigos.

**19.** Para ver los consoladores que me llegan.

2. Como el siervo *fatigado* suspira por la sombra, y al modo que el jornalero aguarda con ansia el fin de su trabajo,

3. Así he pasado yo meses sin sosiego, y estoy contando las noches trabajosas.

4. Si estoy acostado, digo: ¿Cuándo *será de día, y* me levantaré?, y luego *de levantado*, deseo que llegue la tarde; y quedo en un mar de dolores hasta *comenzar* otra noche.

5. Mi carne está cubierta de podre y *de costras* de inmundo polvo: toda mi piel está seca y arrugada.

6. Mis días han corrido más velozmente de lo que el tejedor corta la *urdimbre acabada* la tela, y han desaparecido sin esperanza *de retorno.*

7. Acuérdate, *oh Dios mío,* que mi vida es un soplo, y que no volverán a ver mis ojos la felicidad *perdida,*

8. Ni me verá más humana vista *porque* tú has echado sobre mí una *terrible* mirada, y ya no puedo subsistir *más.*

9. Como se disipa y desvanece una nube, así el que desciende al sepulcro no subirá,

10. Ni volverá otra vez a su casa, ni lo conocerá más el lugar donde habitaba.

11. Por tanto daré libertad a mi lengua *para lamentarse;* hablaré de las angustias de mi espíritu; discurriré acerca de las amarguras de mi alma,

12. *Y diré al Señor:* ¿Soy yo acaso un mar *embravecido,* o alguna ballena o *monstruo,* para que me tengas encerrado *como* en una cárcel?

13. Si yo digo: Puesto en mi lecho hallaré consuelo, y experimentaré alivio en mi cama, hablando *y discurriendo* conmigo mismo,

14. Tú me aterrarás con sueños *espantosos,* y me harás estremecer con horribles visiones.

15. Por esta causa mi alma quisiera más un patíbulo, y cualquiera muerte o *paradero* mis huesos.

16. Perdí las esperanzas de poder vivir más; ten lástima de mí, *Señor,* ya que mis días son nada.

17. ¿Qué es el hombre para que tú hagas de él tanto caso, o para que se ocupe de él tu corazón?

18. Visítasle al rayar el alba, y de repente lo atribulas.

19. ¿Hasta cuándo me has de negar tu compasión, sin permitirme el *respirar o* tragar siquiera mi saliva?

20. Pequé, *Señor; mas* ¿qué haré yo *para aplacarte,* oh observador de los hombres? ¿Por qué me has puesto por blanco de tus enojos, tanto que ya me he hecho intolerable a mí mismo?

21. ¿Por qué no perdonas *todavía* mi pecado, y por qué no borras mi iniquidad? Mira que ya voy a dormir en el polvo *del sepulcro,* y cuando mañana me busques, ya no existiré *en el mundo.*

# CAPITULO VIII

*Baldad defiende que las calamidades de Job son pena de sus culpas. Le exhorta a que se convierta; y habla contra los hipócritas.*

1. Tomando entonces la palabra Baldad de Suhá, dijo:

2. ¿Hasta cuándo has de hablar de ese modo, y han de seguir como un torbellino las palabras de tu boca?

3. ¿Por ventura tuerce Dios el juicio? ¿O el Omnipotente trastorna la justicia?

4. Aunque tus hijos hayan pecado contra él, y los haya abandonado al poder de su iniquidad, *y castigado severamente;*

5. Esto no obstante, si tú recurres solícito a Dios, y humilde ruegas al Todopoderoso;

6. Si procedes con inocencia y rectitud, al punto volverá a ti los ojos *para socorrerte, y* restituirá la paz *y felicidad* a la morada de tu inocencia;

7. En tanto grado que tus principios habrán sido pequeños *en comparación* del último estado de grandeza a que te ensalzará.

8. Pregunta si no a las generaciones pasadas, y escrudiña atentamente las memorias de *nuestros* padres;

9. (Porque nosotros nacimos ayer, y somos unos ignorantes, pasándose nuestros días sobre la tierra como una sombra);

10. Y ellos te instruirán; hablarán contigo, y de dentro de su corazón sacarán sentencias.

11. ¿Por ventura puede el junco conservarse verde sin humedad? ¿O crecer sin agua un carrizo?

12. Estando todavía en flor, y sin que mano ninguna lo toque, se seca primero que todas las yerbas.

13. Tal es la suerte de todos los que se olvidan de Dios; y así parará en humo la esperanza del hipócrita.

14. A él mismo no le contentará ya su estolidez o *impiedad; y toda* su confianza *en las criaturas se* desvanecerá como telaraña.

15. Querrá apoyarse sobre su casa, y se hundirá: pondréle puntales, mas no se mantendrá.

**16.** *Pero el justo es* una planta que se muestra fresca *y lozana* antes de venir el sol, y en naciendo arroja su pimpollo.

**17.** Sus raíces se multiplican, *y se abren camino aun por* entre los pedregales, y ella vive en medio de peñascos.

**18.** Si alguno la arrancare de su sitio, ella renunciará a él; y dirá: Nada tengo que hacer contigo.

**19.** Pues la naturaleza de *esta planta* es de tan feliz condición, que brotarán nuevamente otros renuevos de la misma tierra.

**20.** Dios no abandona al hombre de bien, ni alarga su mano a los malvados.

**21.** Algún día tu boca rebosará de risa, y tus labios de júbilo.

**22.** *Entonces* los que te aborrecen, serán cubiertos de confusión; y no quedará en pie la casa de los impíos.

## CAPITULO IX

*Ensalza Job aún más que sus amigos el poder, la sabiduría y justicia de Dios; y muestra que no se opone a estos atributos el afligir en este mundo a los inocentes.*

**1.** Replicando a esto Job, dijo:

**2.** Yo sé verdaderamente que así es, y que no hay hombre justo si se compara con Dios.

**3.** Si *Dios* quisiere entrar en juicio con él, no podrá responderle de mil cargos, que le hará, a uno solo.

**4.** El es el sabio de corazón y el fuerte y poderoso. ¿Quién *jamás* le resistió que quedase en paz?

**5.** El traslada los montes de una a otra parte, y sin que lo perciban, son abatidos *y allanados* por su furor.

**6.** El conmueve la tierra de su sitio, y hace bambolear sus columnas.

**7.** El manda al sol, y no nace *si así lo manda;*

y encierra, *si quiere,* las estrellas como bajo de sello.

**8.** El solo extendió los cielos, y camina sobre las ondas del mar.

**9.** El hizo el Arturo, y el Orión, y las Híadas, y las partes escondidas hacia el Mediodía.

**10.** El hace cosas grandes e incomprensibles y maravillosas; que no tienen guarismo.

**11.** Si viene a mí, yo no le veo: si se retira, tampoco le conozco.

**12.** Si él súbitamente pregunta, ¿quién podrá responderle, o quién podrá decirle: Por qué haces eso?

**13.** El es el Dios *verdadero,* a cuyo enojo nadie puede resistir, y ante cuyo acatamiento se postran los *Angeles* que mueven *los cielos o* el orbe.

**14.** ¿Quién soy yo, pues, para poder contestarle, y hablar con él boca a boca?

**15.** Aun cuando tuviere yo alguna cosa que alegar por mi parte, no la alegaré, sino que imploraré la clemencia de mi Juez.

**16.** Y aun cuando prestare oídos a mis súplicas, no acabaré de creer que haya hecho mérito de mis voces.

**17.** Porque él puede oprimirme con un torbellino *de males,* y multiplicar *mis* llagas aun sin *manifestar el* motivo.

**18.** El no concede reposo ninguno a mi espíritu y me llena de amarguras.

**19.** Si se trata de poder es poderosísimo; si de la equidad en el juzgar, nadie osa dar testimonio en favor mío.

**20.** Si yo quisiere justificarme, me condenará mi propia boca; si yo me quisiere manifestar inocente, él me convencerá de reo.

**21.** Aun cuando yo fuese inocente, eso mismo lo ignorará mi alma, y me será *siempre* fastidiosa mi vida.

**22.** Una sola cosa he afirmado, y es que el *Señor* consume *con trabajos* así al inocente como al impío.

**23.** Ya que me azota, quíteme de una vez la vida: y no *dirán que* se ríe de las penas de los inocentes.

**24.** La tierra *comúnmente* es entregada en manos del impío, el cual *con las riquezas* venda los ojos de los jueces *que la gobiernan.* Y si no es el *Señor quien lo dispone,* decidme, ¿quién es?

---

**16.** *En naciendo:* en lugar de *ortu suo* que se lee en la Vulgata, en el texto hebreo y aun en varias versiones latinas, se lee in *horto suo.* Y donde se lee *antequam veniat* sol, el hebreo dice *delante del sol,* y así S. Agustín traduce *debajo del sol.* El justo, pues, es como una planta, o árbol frondoso, que recibe de lleno el vivificante calor del sol, y que ahonda sus raíces aun en lugares ásperos y pedregosos; esto es, aun en medio de las adversidades se sostiene, y crece en la virtud: árbol que, aunque sea cortado a raíz, de modo que no se conozca donde estuvo, renacerá siempre de nuevo, no faltándole jamás la virtud vivificadora del Sol de Justicia.

**CAP. IX.** — 7. Puede traducirse: *y pondrá,* si gusta, *un sello sobre las estrellas* para que no luzcan.

**9.** *Arturo:* o estrella del Norte.

*Mediodía:* o las cabrillas y las constelaciones australes.

**15.** Puede traducirse: *Y debajo del cual se encorvan* o arrodillan *los que llevan sobre sí el peso* y dirección *del Orbe entero.*

**19.** *En favor mío:* contra el juicio de Dios.

**24.** *¿Quién es?* Puede traducirse: *¿ Y quién es, decidme, sino el Señor el que lo dispone?*

**25.** Mis días han corrido más velozmente que una posta, *o correo:* huyeron sin *dejarme* ver cosa buena.

**26.** Pasaron como naves cargadas de frutas; como el águila volando que se deja caer sobre la presa.

**27.** Que si yo digo: No hablaré más así, se altera mi semblante, y el dolor me despedaza.

**28.** De todas mis obras tenía yo recelo, sabiendo que tú no perdonas al delincuente.

**29.** Y si aún *viviendo* así, soy *tratado como* un impío, ¿para qué habré trabajado en balde *toda mi vida?*

**30.** Por más que me lave con aguas de nieve, y reluzcan mis manos de puro limpias;

**31.** Sin embargo *me harás perecer,* y me tendrás como sumergido en inmundicias, y *hasta* mis vestidos harán asco de mí.

**32.** Porque no habré de dar mis descargos a otro hombre como yo, ni a quien puede igualmente ser citado conmigo a juicio.

**33.** Tampoco hay quien pueda redargüir a entrambos, ni interponerse *como mediador* entre nosotros dos.

**34.** Aparte de sobre mí la vara *de su justicia;* y no me asombre con el terror que me causa;

**35.** *Entonces* hablaré sin que me amedrente su vista, pues estando con *tanto temor,* no puedo responder *en mi defensa.*

## CAPITULO X

*Job, en medio de sus asombrosas tribulaciones, pide al Señor que le quite la vida, o le alivie de sus males.*

**1.** Tedio me causa ya el vivir. Soltaré mi lengua, *aunque* sea contra mí: hablaré en medio de la amargura de mi alma.

**2.** Le diré a *mi Dios:* No quieras condenarme *de este modo:* manifiéstame por qué me juzgas de esta suerte.

**3.** ¿Podrá, acaso, jamás ser de tu agrado el que me entregues a la calumnia, y el oprimirme, siendo yo la obra de tus manos, y el cooperar a los designios de los impíos?

**4.** ¿Por ventura son tus ojos, ojos de carne? ¿O miras tú las cosas *sólo por afuera* como las mira el hombre?

**5.** ¿Son acaso tus días como los días del hombre, o tus años semejantes a los años humanos,

**6.** Para que hayas de ir inquiriendo mis maldades, y averiguando mis pecados,

**7.** Sabiendo, *como sabes,* que no he cometido maldad alguna, y que no hay nadie que pueda librarme de tus manos?

**8.** Tus manos, *Señor,* me formaron: ellas coordinaron todas las partes de mi cuerpo, ¿y tan de repente quieres despeñarme?

**9.** Acuérdate, te ruego, que me formaste como de una masa de barro, y que me has de reducir a polvo.

**10.** ¿No es así que tú me formaste, como de la leche cuajada y exprimida se forma el queso?

**11.** ¿Vestísteme de piel y carne, y con huesos y nervios me organizaste?

**12.** Me diste vida, y usaste conmigo *de misericordia;* y tu protección ha conservado mi espíritu.

**13.** Aunque encubras estas cosas en tu corazón, yo sé bien que todas las tienes presentes.

**14.** Si pequé, y entonces me perdonaste, ¿por qué ahora no permites que yo me vea limpio de mi iniquidad?

**15.** Que si yo fuere un impío, ¡ay desdichado de mí! y si justo, no levantaré cabeza, estando como estoy agobiado de aflicciones y de miserias.

**16.** Y me aprisionarás por la soberbia como la leona; y volverás a atormentarme de un modo portentoso.

**17.** Reproducirás tus testigos contra mí, y redoblarás contra mí tu enojo, y me hallaré combatido de un ejército de penas.

**18.** ¿Por qué me sacaste del vientre de mi madre? Ojalá hubiera yo perecido antes que ojo *mortal* me viera.

**19.** Me habrían trasladado del seno materno al sepulcro, como si no hubiese existido.

**20.** ¿Por ventura no se acabará en breve el corto número de mis días? Déjame, pues, lamentarme de mi dolor por un momento;

**21.** Antes que yo me vaya allá de donde no volveré, a aquella tierra tenebrosa, y cubierta de las *negras* sombras de la muerte;

---

CAP. IX. — **26.** Esto es, con mucha velocidad.
**27.** Ni me lamentaré de mis males.
**28.** O no le dejas sin castigo.
**34.** O infunde su tremenda majestad.
CAP. X. — **4.** Puede traducirse: ¿*O juzgas de las cosas como juzgan los hombres?*

---

**6.** Como si no lo supieses todo.
**16.** *La leona:* si me tengo por justo, me aprisionarás por mi soberbia como la leona agarra su presa. En el texto hebreo se dice *como el león la presa.*
**19.** Agobiado Job de tantas penas, habla según el apetito inferior de su alma, y con el lenguaje propio de un acerbo dolor.

**22.** Tierra o *región* de miseria y de tinieblas, en donde tiene su asiento la sombra de la muerte, y donde todo está sin orden, y en un *caos u* horror sempiterno.

## CAPITULO XI

*Sofar afirma injustamente que Job es castigado de Dios por su soberbia y presunción, y otros pecados; y en lugar de probar su acusación, exalta la grandeza de Dios, que Job no niega.*

**1.** Aquí Sofar de Naamat tomando la palabra dijo:

**2.** Pues qué, ¿el que mucho habla, no escuchará también? ¿O bastará al hombre ser gran parlador para justificarse?

**3.** ¿Por ti solo habrán de callar los *demás* hombres? ¿Y después de haberte mofado de los otros no habrá nadie que te confunda?

**4.** Lo cierto es que tu has dicho a *Dios:* Mi doctrina, *o la vida que llevo,* es pura: y yo estoy limpio en tu presencia.

**5.** Mas ojalá Dios se dignase responderte y abrir sus labios para hablar contigo,

**6.** Y te hiciese ver los secretos de su sabiduría y la multiplicidad de sus leyes; con lo que conocerías que te castiga menos de lo que tu maldad merece.

**7.** ¿Acaso puedes tú comprender los caminos de Dios, o entender al Todopoderoso hasta lo sumo de su perfección?

**8.** Es más alto que los cielos: ¿qué harás, pues? Es más profundo que los infiernos: ¿cómo has de poder conocerle?

**9.** Su dimensión es más larga que la tierra, y más ancha que el mar.

**10.** Si trastornare todas las cosas, o las amontonare en un lugar, ¿quién podrá oponérsele?

**11.** El conoce la vanidad o *iniquidad* de los hombres; y viendo sus maldades, ¿ha de pasarlas por alto *sin castigarlas?*

**12.** El hombre necio se engríe con altanería, y se cree nacido para no tener freno, como el pollino del asno montés.

**13.** *Yo veo que* tu has endurecido tu corazón, y levantas, *osado,* hacia el Señor tus manos.

**14.** Si arrojares de ti la iniquidad que hay en tus obras, y no consintieres que more en tu casa la injusticia,

**15.** Entonces sí que podrás, limpio de *toda* mácula, alzar tu rostro *a Dios, y con su auxilio* permanecer firme y sin temor alguno;

**16.** Y aun te olvidarás de tus trabajos, o sólo te acordarás de ellos como de un turbión de aguas que ya pasó.

**17.** Y en la tarde amanecerá para ti una luz como de medio día; y cuando te creerás consumido, renacerás *brillante* como la estrella de la mañana.

**18.** La esperanza que se te propondrá *de la vida eterna,* te llenará de confianza; y dormirás en plena seguridad estando rodeado *como de* un profundo foso.

**19.** Reposarás, y no habrá quien te amedrente; y muchísimos *poderosos* acudirán a ti con súplicas.

**20.** Mas los ojos de los impíos se secarán *de envidia; y* no habrá guarida para ellos; y sus mismas esperanzas causarán abominación *y tormento* a su alma.

## CAPITULO XII

*Job redarguye a sus amigos.*

**1.** Replicando Job a esto, dijo:

**2.** ¿Conque vosotros solos sois hombres *entendidos,* y con vosotros morirá la sabiduría?

**3.** Pues también tengo yo seso como vosotros, ni os concedo ventaja sobre mí; porque eso que sabéis ¿quién hay que lo ignore?

**4.** Quien sufre como yo ser escarnecido de su *propio* amigo, invoque a Dios que le oirá; ya que se hace mofa de la sencillez del justo.

**5.** Es *éste* una antorcha de ninguna estima, según el concepto de los ricos, *bien que* prevenida para *brillar* en el tiempo señalado *por* Dios.

**6.** Las casas de los ladrones abundan *de bienes, y ellos* osadamente provocan a Dios, siendo así que él es quien les ha puesto en las manos todo lo que tienen.

**7.** Pregunta si no a las bestias, y te lo enseñarán; y a las aves del cielo, y te lo declararán.

**8.** Habla con la tierra, y te responderá; y te lo referirán los peces del mar.

**9.** ¿Quién no sabe que la mano del Señor hizo todas estas cosas?

**10.** En su mano tiene *Dios* el alma de todo viviente, y el espíritu de toda carne humana.

---

CAP. XI. — **4.** Nunca dijo Job tal cosa. — Véase c. IX, *v.* 20; X, *v.* 14.

**12.** *No tener freno:* y vivir a su libertad.

---

CAP. XII. — **6.** Puede traducirse: *siendo así que todos los bienes se los da Dios.*

**11.** ¿No es el oído el que discierne las palabras; y el paladar del que come, los sabores?

**12.** En los ancianos se halla la sabiduría, y en los muchos años la prudencia.

**13.** En el *Señor Dios* residen la sabiduría, y la fortaleza; suyo es el *buen* consejo, y suya la inteligencia.

**14.** Lo que él destruyere, nadie podrá reedificarlo. Si tuviere encerrado a un hombre, nadie podrá abrirle.

**15.** Si detuviere las aguas, todo se secará; y si las soltare, sumergirán la tierra.

**16.** En él están *esencialmente* la fortaleza y la sabiduría; él conoce igualmente al engañador y al engañado.

**17.** Conduce los hombres de consejo a un resultado necio, y vuelve estólidos sus jueces.

**18.** Despoja de la faja a los reyes, y les ciñe los lomos con una soga.

**19.** A los sacerdotes los priva de toda su gloria, y a los grandes los derriba por el suelo.

**20.** Trueca las palabras en la boca de los hombres veraces, y quita el saber a los ancianos.

**21.** Hace caer a los príncipes en desprecio y vuelve a ensalzar a los abatidos.

**22.** El descubre lo que está en lo más profundo de las tinieblas, y saca a luz la sombra *misma* de la muerte.

**23.** Multiplica las naciones, y las destruye; y destruídas, las vuelve a su primer estado.

**24.** Cambia el corazón de los soberanos de los pueblos de la tierra, y los ciega para que descaminados anden divagando.

**25.** Irán a tientas como si fuera de noche y no de día y les hará perder el tino como a borrachos.

## CAPITULO XIII

*Desea Job que sea juzgada su causa en el tribunal Divino; pues sus amigos son jueces incompetentes. Anhela saber de Dios por qué pecados le castiga tan severamente.*

**1.** Todas estas cosas las han visto mis ojos y escuchado mis oídos, y una por una las tengo comprendidas;

**2.** *Y así lo* que vosotros alcanzáis con vuestra ciencia, también lo alcanzo yo: no soy inferior a vosotros.

**3.** Con todo eso hablaré al Todopoderoso, y deseo razonar con Dios;

**4.** Haciendo antes ver que vosotros sois unos zurcidores de mentiras y secuaces de perversos dogmas.

**5.** Y ojalá callárais, para que fueseis tenidos por sabios.

**6.** Oíd, pues, mi refutación, y estad atentos al juicio que pronunciarán mis labios.

**7.** ¿Acaso tiene Dios necesidad de vuestras mentiras, para que defendáis su conducta con sofismas?

**8.** ¿Por ventura queréis prestar favor a Dios, y os esforzáis *por su respeto* a patrocinár su causa?

**9.** ¿Agradará eso a Dios, a quien nada se le puede ocultar? ¿O será engañado, como lo sería un hombre, con vuestras supercherías *y lisonjas?*

**10.** El mismo os condenará, porque solapadamente os ponéis de su parte.

**11.** Lo mismo será moverse él *en defensa mía,* que os llenará de espanto, y el terror suyo o *de su nombre* caerá sobre vosotros.

**12.** Vuestra memoria *será esparcida y disipada* como ceniza, y vuestas *altivas* cabezas reducidas a lodo.

**13.** Callad por un poco, a fin de que hable yo todo lo que la razón me sugiere.

**14.** ¿A qué propósito he de lacerar mis carnes con mis dientes, y de traer mi alma en las manos?

**15.** *No;* aun dado que el *Señor* me quitare la vida, en él esperaré: en todo caso yo expondré ante su acatamiento mi conducta.

**16.** Y él será mi Salvador; y *en verdad que* no se presentará delante de sus ojos hipócrita ninguno.

**17.** Oíd mis razones, y aplicad vuestra atención a los enigmas *que voy a deciros.*

**18.** Si yo fuere juzgado, sé que seré declarado inocente.

**19.** ¿Quién es el que quiere entrar conmigo en juicio? Que venga. ¿Por qué me he de consumir callando?

**20.** Dos cosas solamente te pido, *Dios mío,* que hagas conmigo; y entonces no me esconderé de tu presencia.

**21.** Retira tu mano de sobre mí, *cesando de afligirme,* y no me asombres con el terror tuyo.

**22.** Llámame *a juicio,* que yo te responderé; o si no, permite que yo hable, y respóndeme tú.

**23.** Muéstrame, *Señor,* cuántas maldades y pecados tengo; cuáles son mis crímenes y delitos.

---

**18.** *Faja*: o de toda autoridad. El bálteo o faja era el distintivo de los generales. — *Soga*: a manera de esclavos.

24. ¿Por qué *me* ocultas tu rostro, y me consideras como enemigo tuyo?

25. Contra una hoja, que se lleva el viento, haces alarde de tu poderío, y persigues una paja seca;

26. Puesto que decretas contra mí tan amargas penas, y quieres consumirme por los pecados de mi mocedad.

27. Has metido mis pies *como* en un cepo: has observado todas mis acciones y notado mis pisadas *o procederes;*

28. Siendo así que he de quedar reducido a podre, y ser como una ropa roída por la polilla.

## CAPITULO XIV

*Pinta Job las miserias humanas, y en particular las suyas. Admira la providencia de Dios acerca del hombre; y profetiza la resurrección de los cuerpos.*

1. El hombre nacido de mujer vive corto tiempo, y está atestado de miserias.

2. El sale como una flor, y *luego* es cortado *y se marchita;* huye *y desaparece* como sombra, y jamás permanece en un mismo estado.

3. ¿Y tú te dignas de abrir tus ojos sobre un ser semejante, y citarlo a juicio contigo?

4. ¿Quién podrá volver puro al que de impura simiente fué concebido? ¿Quién sino tú solo?

5. Breves son los días del hombre; tú tienes contado el número de sus meses: señalástele los términos de su vida, más allá de los cuales no podrá pasar.

6. Retírate, *pues,* un poquito de él, para que repose mientras llega su día deseado, como *el día de descanso* al jornalero.

7. El árbol tiene esperanza *de reverdecer* aunque sea cortado; y en efecto, brota y echa sus renuevos.

8. Aun cuando sus raíces estuvieren envejecidas en la tierra y su tronco amortecido en el polvo *o sequedad,*

9. Al olor del agua retoñará, y echará *frondosas* ramas como la primera vez que fué plantado.

10. Pero el hombre una vez muerto, y descarnado y consumido, dime, ¿qué se hizo de él?

11. A la manera que si se retirasen *o enjugasen* las aguas del mar, y se agotasen los ríos, quedarían en seco;

12. Así el hombre, cuando durmiere *el sueño de la muerte,* no resucitará. Hasta tanto que el cielo sea consumido *y renovado,* no despertará, ni volverá en sí de su sueño.

13. ¡Oh quién me diera que me guarecieses y escondieses en el sepulcro hasta que pase tu furor, y me señalases el plazo en que te has de acordar de mí!

14. Mas, ¿acaso ha de volver a vivir un hombre ya muerto? *Sí,* y *por eso* en la guerra continua en que me hallo, estoy esperando siempre aquel día *feliz en* que vendrá mi mudanza *o gloriosa renovación.*

15. *Entonces* me llamarás, y yo te responderé: alargarás la diestra a la obra de tus manos.

16. Es verdad que tú tienes contados todos mis pasos; mas perdóname, *Señor,* mis pecados.

17. Tú tienes sellados *y guardados* como en una arquilla mis delitos; pero has curado ya mi iniquidad.

18. Los montes *van* cayendo a pedazos y deshaciéndose, y cambian de sitio los peñascos.

19. Las aguas cavan las peñas, y la tierra *batida* con las inundaciones poco a poco se va consumiendo; del mismo modo vas tú acabando con el hombre.

20. Le diste vigor por un poco de tiempo, para que pasase para siempre *a la eternidad:* desnudarás su semblante *antes de morir,* y le harás salir *de este mundo.*

21. Que sus hijos sean esclarecidos, o viles, él no lo sabrá:

22. Pero mientras viviere, su cuerpo sufrirá dolores, y su alma deplorará su *triste* estado.

## CAPITULO XV

*Elifaz acusa calumniosamente a Job de jactancia, de impaciencia y de blasfemia contra Dios, y le compara a los impíos y tiranos.*

1. Entonces Elifaz de Temán, tomando la palabra, dijo:

2. ¿Es posible que un hombre sabio respondiese *como tú,* echando palabras al aire, y encendiendo el fuego *de la ira* en su pecho?

3. Tú, con tus palabras, redargüyes al *Señor,* que no es ningún igual tuyo, y hablas de un modo que no puede serte provechoso.

---

14. *Mas ¿y será verdad que reviva un,* etc. *Luc.* XX, *v.* 27. — I Cor. XV, *v.* 42. — I *Thes.* IV, *v.* 15. 16. — I *Cor.* XV, *v.* 52.

17. *Has curado...:* con el hierro de la tribulación.

4. Cuanto es de tu parte has desterrado el temor de Dios; y las oraciones que deben hacérsele.

5. Porque la iniquidad tuya ha dirigido tu lengua, y vas imitando el habla de los blasfemos.

6. *De suerte que* serán tus propias palabras, y no yo, las que te condenarán; y por aquello mismo que han proferido tus labios, serás redargüido.

7. ¿Naciste tú por ventura el primer hombre del mundo, y fuiste formado antes que los montes?

8. ¿Has entrado acaso en el consejo de Dios, o será inferior a la tuya su *infinita* sabiduría?

9. ¿Qué es lo que sabes tú, que nosotros ignoremos? ¿Qué alcanzas que no sepamos?

10. También hay entre nosotros hombres de mucha edad y ancianos *respetables,* mucho más avanzados en día que tus padres.

11. ¿Acaso sería difícil a Dios el consolarte? Pero lo estorban tus perversas palabras.

12. ¿Por qué se engríe tu corazón, y como hombre que *atónito* medita grandes cosas tienes inmobles los ojos?

13. ¿Por qué tu ánimo está hinchado contra Dios, hasta proferir tu boca tales expresiones?

14. ¿Qué es el *miserable* para que pueda ser inmaculado; y cómo, siendo nacido de mujer, ha de aparecer justo?

15. Mira cómo *ni aun* entre sus mismos santos ninguno es *acá* inmutable, y ni los cielos están limpios a sus ojos.

16. ¿Cuánto más un hombre inútil abominable, que se bebe como agua la maldad?

17. Óyeme, pues, yo te convenceré: te contaré aquello que he visto.

18. Los sabios publican lo que saben, ni ocultan lo que han aprendido de sus padres *o mayores.*

19. A los cuales solos fué dada esta tierra, y nunca los extranjeros hallaron paso por medio de ellos.

20. Al impío toda su vida le acompaña *y engríe* la soberbia: bien que sea *tan* incierto el número de años que durará su tiranía.

21. Siempre suena en sus oídos un estruendo que le aterra; y en el seno de la paz él sospecha siempre traiciones.

22. Cuando está entre las tinieblas *de la noche,* no cree que pueda volver a *ver* la luz, imaginándose rodeado de espadas.

23. Si se mueve para buscar alimento, cree que el negro día *de la muerte* está en *el bocado que tiene en* su mano.

24. *El temor de* la tribulación le llena de terror, y desastres *imaginarios* le rodean *y desasosiegan,* como a un rey que se dispone a dar una batalla.

25. Y es que alzó su mano contra Dios, y se creyó bastante fuerte contra el Todopoderoso.

26. Corrió contra él erguido el cuello y armado de inflexible soberbia.

27. Tiene llena de gordura su cara, y rebosa la grasa en sus ijares.

28. Vino a morar en ciudades asoladas y en casas desiertas, que estaban reducidas a montones de piedras.

29. No se enriquecerá; y *aun* los bienes que tenga no durarán; ni echará raíces en la tierra.

30. Estará siempre en tinieblas: sus descendientes serán consumidos por el fuego; y perecerá con el aliento *solo* de la boca *del Todopoderoso.*

31. Engañado de un vano error, no creerá que pueda ser redimido por ningún rescate.

32. Antes que llegue el término de sus días, morirá, y se secarán sus manos.

33. Le sucederá lo que a la vid, cuyos racimos se pierden estando en cierne; y como al olivo, cuya flor cae en tierra.

34. Porque la familia del hipócrita será estéril, y el fuego devorará la morada de aquéllos que se dejan ganar por regalos.

35. Concibió penas y dió a luz maldades, y su corazón está urdiendo fraudes.

## CAPITULO XVI

*Quéjase Job de la injusticia de sus amigos en condenarle sin pruebas: y pone al Señor por testigo de su inocencia, y de que no son sus pecados la causa de sus crueles dolores.*

1. Y respondiendo Job, dijo:

2. Muchas veces he oído esas mismas cosas: consoladores bien pesados sois todos vosotros.

3. ¿Cuándo tendrán fin esas palabradas? ¿Hay cosa más fácil que hablar como hablas?

---

CAP. XV. — 14. *Inmaculados* a los ojos de Dios. *Mujer:* o de raíz ya infecta por el pecado original.

27. Como víctima que ha de ser sacrificada a la justicia Divina. *Deut.* XXXII, *v.* 15.

CAP. XVI. — 3. Dirige Job estas palabras a Elifaz.

4. Bien pudiera yo hablar como vosotros. Mas en verdad que si vuestra alma se hallara en el estado de la mía,

5. Yo sé que os consolaría, y que *compasivo* inclinaría hacia vosotros mi cabeza,

6. Os alentaría con mis palabras, y os expresarían mis labios mi compasión.

7. Mas ahora, ¿que haré? Por más que hable no se mitigará mi dolor; y si guardo silencio, no por eso me dejará.

8. Al presente me ha oprimido el dolor, y están aniquilados todos mis miembros.

9. Las arrugas de mi piel dan testimonio contra mí, *y lo que es más cruel,* cierto hombre se vuelve contra mí contradiciéndome cara a cara con falsos *y calumniosos* discursos.

10. Reune *todo su* furor contra mí y amenazándome rechina sus dientes: *hecho* enemigo mío, me mira con ojos terribles.

11. *Todos mis amigos* han abierto contra mí su boca, y zahiriéndome con oprobios me han abofe-teado: se han saciado *con el placer* de ver mis penas.

12. Dios me ha puesto encerrado, a disposición del inicuo, y me ha entregado en manos de los impíos.

13. Yo aquél tan opulento *y dichoso* algún día, de repente he sido reducido a la nada: asióme de la cerviz *el Señor,* quebrantóme, y púsome como por blanco *de sus tiros.*

14. Dejóme hecho un erizo con sus dardos: cubrió de heridas mis costados sin piedad alguna, hasta esparcir por el suelo mis entrañas.

15. Me ha despedazado con heridas sobre heridas: cual gigante se ha arrojado sobre mí.

16. Yo llevo cosido *o pegado* a mi piel el cilicio, y he cubierto de ceniza mi cabeza.

17. De tanto llorar está entumecido mi rostro, y se han cubierto de tinieblas las pupilas de mis ojos.

18. Todas estas cosas he sufrido, sin que la iniquidad haya manchado mis obras, antes bien ofreciendo puras a Dios mis súplicas.

19. ¡Oh tierra! no cubras mi sangre, ni sofoques en tu seno mis clamores.

20. Mira que el testigo de mi *inocencia* está en el cielo, y allí arriba reside el que me conoce a fondo.

21. Mis amigos son unos habladores *y calumniadores:* a Dios *es* a quien recurren deshechos en lágrimas mis ojos.

22. ¡Y ojalá que se tratase la causa del hombre con Dios, *tan públicamente* como se trata la de un hijo del hombre con su competidor!

23. Pues se van pasando *a toda prisa* mis cortos años, y yo sigo una senda por la cual no volveré *ya más.*

## CAPITULO XVII

*Prosigue Job sus lamentos; acusa a sus amigos de necios, porque sólo admiten remuneración en esta vida.*

1. Mi espíritu se va extenuando; acórtanse mis días, y sólo me resta el sepulcro.

2. Yo no he delinquido, y *con todo* mis ojos no ven sino amarguras.

3. Líbrame, oh Señor, y ponme a tu lado, y pelee contra mí la mano de quien quiera.

4. Tú has alejado la sabiduría del corazón de éstos: por tanto no serán ensalzados.

5. El *uno* promete ya los despojos *de la victoria* a sus compañeros; mas los ojos de tus hijos se consumirán.

6. El me ha hecho la fábula del vulgo, y soy a sus ojos un escarmiento.

7. Por el gran pesar he perdido la luz de mis ojos, y los miembros de mi cuerpo han quedado casi aniquilados.

8. Pasmaránse los justos de esto *que me pasa,* y el inocente se irritará contra el hipócrita.

9. Como quiera, el justo proseguirá su camino, y el que obra bien se fortalecerá más en el bien obrar.

10. Por tanto, arrepentíos todos vosotros, y venid *y veréis* que no hallaré entre vosotros ninguno *verdaderamente* sabio.

11. *Mas* ¡ay! huyéronse mis días *felices:* disipáronse como humo *todos* mis designios, dejando en tormento mi corazón.

---

8. Las expresiones con que pinta Job sus penas y dolores, particularmente en este capítulo, convienen perfectamente a Jesucristo, a quien el santo Job tenía presente, y de quien era figura, como dice el apóstol Santiago. Véase también el salmo 21.

11. *Abofeteado:* según los SS. Padres son estas palabras como una profecía de lo que habían de hacer después con nuestro dulcísimo Redentor. Entendidas de Job parece que la expresión de *abofetear* y las palabras latinas, y aun las del texto griego, indican en general que le llenaron de oprobios y baldones.

16. *Cilicio:* o saco de penitente.

---

CAP. XVII. — 5. *Consumirán:* al ver la ruina de sus padres.

**12.** Ellos han convertido *para mí* la noche en día; y después de las tinieblas espero ya de nuevo *con ansia* que venga la luz.

**13.** *Aun* cuando yo sufra *con paciencia*, el sepulcro será *luego* mi casa, y tengo ya preparado mi lecho en las tinieblas.

**14.** He dicho a la podredumbre: Tú eres mi padre; y a los gusanos: Vosotros sois mi madre y mi hermana.

**15.** Según esto, ¿qué esperanza es la que me queda? ¿Y quién es el que toma en consideración mi paciencia?

**16.** Todas mis cosas *tendrán fin, y* descenderán a lo más hondo del sepulcro: ¿crees tú que a lo menos allí tendré yo reposo?

## CAPITULO XVIII

*Baldad interrumpe a Job; le zahiere como a impío; y concluye que padece castigado por sus pecados.*

**1.** Entonces Baldad de Suhá tomó la palabra, y dijo:

**2.** ¿Cuándo acabaréis, *oh Job*, de hablar *vaciedades*? Haceos cargo *de lo que os decimos* antes *que respondáis*, y después hablemos.

**3.** *Pero* ¿por qué nos reputáis por bestias, y somos como basura a vuestros ojos?

**4.** ¡Oh tú que te quitas la vida por tu furor! ¿Piensas que por ti quedará abandonada la tierra, y serán los peñascos trasladados de su sitio?

**5.** ¿No es cierto que la luz *o prosperidad* del impío se ha de apagar? ¿Y que no dará resplandor la llama de su fuego?

**6.** En su casa la luz se convertirá en tinieblas, y apagaráse la lámpara que está colgada sobre él.

**7.** Sus *largos y* briosos pasos quedarán cortados, y su mismo consejo le llevará al precipicio.

**8.** Porque ha metido sus pies en la red, y anda *enredado* entre sus mallas.

**9.** Su pie quedará preso en el lazo, y *el cazador* arderá de sed *por pillarle*.

**10.** Escondido está en el suelo el lazo, y armadas en las sendas las redes.

**11.** De todas partes le aterrarán espantos *y temores*, y le embarazarán sus pies.

**12.** Aunque robusto, caerá en debilidad por causa del hambre, y la falta de alimento descubrirá sus costillas.

**13.** Acerbísima muerte devorará la belleza *de* sus carnes y consumirá *la fuerza* de sus brazos.

**14.** Arrancado será de su habitación el objeto de sus esperanzas, y la muerte como soberana le pondrá el pie sobre la cerviz.

**15.** Sus compañeros vendrán a morar en su habitación luego que muera, y será perfumada la casa con azufre.

**16.** Por abajo se secarán sus raíces, y por arriba serán cortadas sus ramas.

**17.** Será borrada de la tierra su memoria, y no se hará honrosa mención de su nombre en las plazas.

**18.** De la luz será arrojado a las tinieblas, y desterrado fuera del mundo.

**19.** No quedará de él hijo ni nieto en su pueblo, ni rastro ninguno de sus reliquias en todo el país en que habitaba.

**20.** En *éste* su día *terrible* quedarán atónitos los que vendrán después, y horrorizados sus coetáneos.

**21.** Tal será la *ruina de la* casa del impío, y éste es el paradero de aquél que no conoce *ni teme* a Dios.

## CAPITULO XIX

*Job acusa de crueldad a sus amigos: expone lo acerbo de sus dolores y se consuela con la esperanza de la resurrección.*

**1.** Replicando Job a esto, dijo:

**2.** ¿Hasta cuándo habéis de afligir mi alma, y molerme con *esos* discursos?

**3.** Ya por la décima *o milésima* vez os empeñáis en confundirme; ni os avergonzáis de oprimirme.

**4.** Demos enhorabuena que yo haya errado *en mis respuestas,* el yerro mío contra mí será.

**5.** Pero vosotros os erguís contra mí, y me redargüís por las humillaciones que padezco.

**6.** A lo menos entended de una vez, que Dios no me atribula, ni descarga sobre mí sus azotes, según la tela de juicio.

**7.** *Mas ¡ay!* Si en la violencia *de los dolores* que padezco, clamo altamente, nadie me escucha: voceo, y no hay quien me haga justicia.

---

CAP. XVIII. — 6. Se desvanecerá toda su gloria.

7. *Cortados:* le quitarán los medios para conseguir su fin.

14. *Josué* X, *v.* 24. Alude a la costumbre de los vencedores acerca de los vencidos.

---

CAP. XIX. — 3. *Oprimirse:* a fuerza de injurias.

**8.** *El Señor* ha cerrado por todas partes la senda *de dolor* por la cual ando; y no hallo por donde salir, pues ha cubierto de tinieblas el camino que llevo.

**9.** Despojóme de mi gloria, y me quitó la corona de la cabeza.

**10.** Arruinóme del todo, y *así* perezco, y como a un árbol arrancado de la raíz, me ha privado de toda mi esperanza.

**11.** Su furor está encendido contra mí, y me trata como a un enemigo.

**12.** Vinieron de tropel sus tropas *de gastadores,* y abriéronse un camino *para pasar* por encima de mí *y hollarme,* y sitiaron con cerco mi morada.

**13.** A mis hermanos los alejó de mí; y los conocidos míos se retiraron de mí como *si fuesen* extraños.

**14.** Los parientes me han abandonado, y los que me conocían se han olvidado de mí.

**15.** Los que moraban en mi casa, y mis *propias* criadas me han tratado como a extraño, y he parecido a sus ojos como un hombre nunca visto.

**16.** He llamado a mi siervo, y no me ha respondido por más plegarias que le hacía con mi propia boca.

**17.** Mi mujer ha tenido asco de mi hálito, y he tenido que presentar súplicas a los hijos de mis entrañas.

**18.** Aun los tontos me despreciaban, y a espaldas mías murmuraban de mí.

**19.** Los que en otro tiempo eran mis consejeros, me abominaban; y el amigo a quien más amaba, ése me ha vuelto las espaldas.

**20.** Mis huesos, consumidas ya las carnes, están pegados a mi piel; y sólo me han quedado los labios en torno de mis dientes.

**21.** Compadeceos de mí, a lo menos vosotros que sois mis amigos, compadeceos de mí; ya que la mano del Señor me ha herido.

**22.** ¿Por qué me perseguís vosotros como *si estuvieseis en lugar de Dios,* y os cebáis en mis carnes?

**23.** ¡Oh! ¿quién me diera que las palabras que voy a proferir se quedasen escritas? ¿Quién me diera que se imprimiesen en libro o *tablilla,*

**24.** Con punzón de hierro, y se esculpiesen en planchas de plomo, o con el cincel se grabasen en pedernal?

---

9. Esto es, hijos, riquezas y honores.
24. Con tales expresiones manifiesta que va a descubrir un gran misterio, cual es el de la *Resurrección.* Como profeta hablaba ya de Jesucristo mirándole presente.

**25.** Porque yo sé que vive mi Redentor, y que yo he de resucitar *del polvo* de la tierra en el último día,

**26.** Y de nuevo he de ser revestido de esta piel mía, y en *ésta* mi carne veré a mi Dios;

**27.** A quien he de ver yo mismo en persona y no *por medio de* otro, y a quien contemplarán los *mismos* ojos míos. Esta es la esperanza que en mi pecho tengo depositada.

**28.** Pues, ¿por qué decíais ahora vosotros: Persigámosle, y agarrémonos de algún dicho principal *suyo* para acusarle *y calumniarle?*

**29.** Huíd del filo de la espada *de Dios;* porque hay una espada vengadora de las injusticias *y calumnias:* y tened entendido que hay un juicio.

## CAPITULO XX

*A Sofar parece que le hacen fuerza las razones de Job; pero luego vuelve a la misma idea de que Dios no castiga a un inocente.*

**1.** Tomó la palabra Sofar de Naamat, y dijo:

**2.** Por eso vienen unos tras otros varios pensamientos, y mi ánimo es arrebatado a diversas reflexiones.

**3.** Escucharé *por tanto* la doctrina con que me arguyes; mas el espíritu que tengo de inteligencia, responderá por mí.

**4.** Una cosa sé, y es, que desde el principio, desde que el hombre fué puesto sobre la tierra,

**5.** La gloria de los impíos dura poco, y el gozo de los hipócritas no más que un momento.

**6.** Aunque se remonte hasta el cielo su altivez, y su cabeza toque con las nubes,

**7.** Al fin será arrojado fuera como basura; y los que le habían visto, dirán: ¿Qué se hizo de él?

**8.** Cual sueño que volando se desvanece, no parecerá; pasará como una visión nocturna.

**9.** Los ojos que lo vieron, no lo verán más; ni el lugar donde moró lo reconocerá.

**10.** Sus hijos andarán consumidos de lacería, y sus *mismas* manos o *acciones inicuas* le pagarán con el dolor merecido.

---

26. *Mi carne:* con este propio cuerpo.
29. Y un juez para todos los hombres.
**CAP. XX.** — 9. *Reconocerá:* ni volverá a ver.

11. Sus huesos estarán impregnados de los vicios de su mocedad; los cuales yacerán con él en el polvo *del sepulcro.*

12. Pues cuando la maldad se habrá hecho ya sabrosa a su paladar, la meterá debajo de su lengua,

13. Se saboreará en ella, y no la tragará, sino que la detendrá en su paladar.

14. *Mas* este pan *de iniquidad* se convertirá dentro de su vientre en hiel *venenosa* de áspides.

15. Vomitará las riquezas que hubo devorado, y se las arrancará Dios de su vientre.

16. Chupará la cabeza o *ponzoña* de los áspides; y le quitará la vida una lengua de víbora.

17. No verá, *no,* las corrientes *de delicias,* los ríos y torrentes de miel y de manteca.

18. Pagará *la pena de* todo el mal que hizo, mas no por eso será consumido; a proporción de la muchedumbre de sus delitos serán sus tormentos.

19. Por cuanto oprimió y desnudó a los pobres, y usurpó casas que no había edificado.

20. Su apetito fué insaciable; y cuando llegare a tener cuanto codiciaba, no podrá gozar de ello.

21. Nada dejó de su comida *para los pobres,* y por lo mismo nada de sus bienes será permanente.

22. Luego que se hubiere hartado, sentirá congojas, se abrasará, y se verá acometido de toda suerte de dolores.

23. Acabe de llenar su vientre de *viandas:* que Dios descargará su furioso *y terrible* enojo, y lloverán sobre él sus venganzas.

24. Huirá *por un lado* de las armas de hierro, y caerá *por otro* en *las saetas del* arco de bronce.

25. La espada empuñada y desenvainada *por Dios* será vibrada *contra él* para que sienta las amaguras *de la muerte;* horribles espectros irán y vendrán con él *continuamente.*

26. Todo es tinieblas allá donde él se esconde; un fuego que no alumbra le abrasará; si quedare todavía en su casa, vivirá lleno de miserias.

27. Los cielos descubrirán sus injusticias, y la tierra se levantará contra él.

28. Quedarán abandonados los renuevos o *pimpollos* de su familia, serán arrancados de cuajo en el día de la ira de Dios.

29. Tal es la suerte que al impío tiene Dios destinada, y tal la recompensa que recibirá por sus obras.

## CAPITULO XXI

*Desea Job que su amigos le escuchen con paciencia. Les demuestra con ejemplos y razones que de las dichas o desdichas de los hombres, en este mundo, no se puede colegir quién es justo y quién es impío.*

1. Replicando a esto Job, dijo:

2. Escuchad por vida vuestra mis palabras, y arrepentíos *de vuestro error.*

3. Sufrid que yo también hable, y después, si os pareciere, burlaos de mis razones.

4. ¿Por ventura mi causa o *disputa* es con algún hombre, para que no tenga yo razón de entristecerme?

5. Miradme atentamente, y os pasmaréis, y pondréis el dedo sobre vuestra boca.

6. Que aun yo mismo, cuando lo reflexiono, me asombro, y me tiemblan las carnes.

7. ¿Cómo es que viven los impíos, y son ensalzados, y colmados de bienes?

8. Ellos contemplan alrededor suyo su *numerosa* descendencia; míranse rodeados de una multitud de parientes y de nietos.

9. Sus casas están seguras y en paz, ni descarga sobre ellos el azote *de Dios.*

10. No son estériles sus vacas, ni abortan; dan a luz, y no malogran sus crías.

11. Sus chiquillos salen *de sus casas* como a manadas, y brincan *alegres* y juguetean.

12. Tocan el pandero y la vihuela, y bailan al son de los instrumentos músicos.

13. Pasan en delicia los días de su vida, y en un momento bajan al sepulcro.

14. Estos *son los* que dijeron a Dios: Apártate de nosotros; que no queremos saber nada de tus mandamientos.

15. ¿Quién es ese Omnipotente para que nos empleemos en su servicio? ¿Ni qué provecho hemos de sacar de implorar su auxilio?

---

CAP. XX. — 16. *La cabeza* de la serpiente se toma aquí por *veneno,* por estar allí su *ponzoña.* Deut. XXXII. v. 33.

CAP. XXI. — 2. Según el hebreo: *Y sea éste el consuelo que me déis.*

**16.** Pero en medio de eso, los impíos no tienen la prosperidad en su mano; por tanto lejos de mí su modo de pensar.

**17.** ¡Oh cuán a menudo se apaga *de un golpe* la antorcha o *prosperidad* de los impíos, y viene sobre ellos un diluvio *de males* y *Dios* en el furor de su ira le reparte *buena* porción de dolores!

**18.** Serán *entonces* como pajas expuestas al soplo del viento, y como pavesas que esparce un torbellino.

**19.** Hará Dios padecer *también* a los hijos las penas del padre; y cuando *Dios* le diere su merecido, entonces él caerá en la cuenta.

**20.** Verá *el impío* con sus propios ojos su total ruina, y beberá el furor del Todopoderoso.

**21.** Porque *de otro modo*, ¿qué cuidado le daría *la suerte* de su casa después de muerto; aun cuando fuese cortado por medio el número de sus meses *o años*?

**22.** ¿Habrá quizás alguno que presuma enseñar a Dios, que es el que juzga *y gobierna* a los *sabios y* potentados?

**23.** Uno muere robusto y sano, rico y feliz,

**24.** Teniendo sus entrañas cubiertas de grosura, y llenos sus huesos del jugo de los tuétanos.

**25.** Otro, empero, muere con el alma llena de amarguras y falto de toda suerte de bienes.

**26.** Y sin embargo, entrambos dormirán juntos en el polvo *del sepulcro*, y quedarán cubiertos de gusanos.

**27.** Sin duda yo estoy penetrando vuestros pensamientos y los juicios temerarios *que hacéis* contra mí.

**28.** Porque vosotros decís *en vuestro interior:* ¿Qué se hizo de la casa *y familia* de este *Job que era antes un* príncipe? ¿Y dónde están los pabellones de los impíos?

**29.** Preguntad a cualquier viajero, y hallaréis que piensa lo mismo *que yo;*

**30.** Y es que el impío está reservado para el día de la venganza, y será conducido al día de la ira *del Señor.*

**31.** ¿Quién *hasta entonces* osará darle en cara con su mala conducta? ¿Ni quién le dará el pago del mal que hizo?

**32.** Mas *al cabo* será llevado al sepulcro, y quedará yerto *e inmoble* entre montones de cadáveres.

**33.** Se gozarán en poseerle las arenas del Cocito; y arrastrará tras sí a todos los hombres y tendrá adelante otros infinitos *que le precedieron.*

**34.** ¿Cómo, pues, me consoláis tan en vano, cuando está demostrado que vuestras razones son contrarias a la verdad?

## CAPITULO XXII

*Elifaz enfurecido calumnia a Job de delitos enormes; y le exhorta a que haga penitencia.*

**1.** Aquí tomando la palabra Elifaz de Temán, dijo:

**2.** Pues 'qué, ¿puede acaso el hombre compararse con Dios, sino cuando fuese de una ciencia consumada?

**3.** ¿Qué utilidad trae a Dios el que tú seas justo? ¿O qué le das a él si tu proceder es sin tacha?

**4.** ¿Será por algún temor *que* tenga él *de ti* el castigarte y el venir contigo a juicio?

**5.** ¿Y no lo hace más bien por causa de tu grandísima malicia y de tus infinitas iniquidades?

**6.** Pues que tú sin razón quitaste o *retuviste* la prenda a tus hermanos, y a los desabrigados despojaste de sus *únicos* vestidos.

**7.** Al sediento no le diste agua, y negaste pan al hambriento.

**8.** Con la fuerza de tu brazo te pusiste en posesión de la tierra *del vecino*, y por ser más poderoso te alzaste con ella.

**9.** A las viudas las despachabas *con las manos* vacías, y quebrantabas los brazos a los huérfanos.

**10.** Por esto te hallas cercado de lazos; y conturbado de repentinos terrores.

**11.** ¿Y pensabas tú que jamás caerías en las tinieblas *de la calamidad*, ni serías oprimido del torrente impetuoso de recias avenidas?

**12.** ¿No es así que, pensando tú que es Dios más alto que el cielo, y que sobrepuja la mayor elevación de las estrellas,

---

**32.** *Inmoble:* se me pregunta por qué doy al verbo *vigilabit* la significación de *quedará yerto* e inmoble. Lo que me movió a esto es el ver que hablándose aquí de la ocasión en que el impío, reservado para el día de la venganza divina, será arrebatado de este mundo y llevado al sepulcro, no podía de ningún modo traducir *velará entre los muertos*. En la antigua versión castellana de Ferrara se traduce: *Y él a cuevas será llevado, y cerca mies continuar.*

**33.** *Cocito:* o del torrente donde está el cementerio.

13. Dices para contigo: ¿Qué puede saber Dios *desde tan lejos?* El juzga *de nosotros* como a oscuras;

14. Está escondido allá entre las nubes; ni hace alto en nuestras cosas, y anda paseándose de uno a otro polo del cielo.

15. ¿Quieres tú acaso seguir aquel antiguo camino que siguieron los impíos?

16. Los cuales fueron arrebatados *de la muerte* antes de tiempo, y a quienes una avenida impetuosa *o diluvio* asoló hasta los cimientos,

17. Que decían a Dios: Apártate de nosotros, y juzgaban del Todopoderoso como si nada pudiese;

18. Siendo así que él les había llenado sus casas de bienes. Lejos de mí el modo de pensar de estos *blasfemos.*

19. Los justos los verán *perecer,* y se alegrarán de su ruina, y el inocente se burlará de ellos.

20. ¿Por ventura no fué derribado por tierra su regimiento, y no devoró el fuego *de Dios todos* sus restos?

21. Sométete, pues, a Dios, y tendrás paz, y así recogerás los mejores frutos.

22. Recibe de su boca la ley, y graba en tu corazón sus palabras.

23. Si te convirtieres al Todopoderoso, serás restablecido, y alejarás de tu morada la culpa.

24. En vez de tierra te dará pedernal, y arroyos *que llevarán* oro en lugar de piedras.

25. El Todopoderoso te protegerá contra tus enemigos, y la plata entrará en tu casa a montones.

26. Entonces, en *brazos* del Todopoderoso, abundarás en delicias, y *lleno de confianza* alzarás a Dios tu rostro.

27. Rogarásle, y te oirá, y cumplirás tus votos.

28. Proyectarás una cosa, y la efectuarás, y en tus empresas te alumbrará *siempre* la luz *Divina.*

29. Porque quien se humilla, será glorificado; y el que *confuso* no levanta sus ojos, ése se salvará.

30. Salváráse el inocente, y se salvará por la pureza de sus manos.

## CAPITULO XXIII

*Job apela del juicio de sus falsos amigos al de Dios; de cuya incomprensible providencia tiene rectas ideas.*

1. Replicando a esto Job, dijo:

2. Todavía mi lenguaje está lleno de amargura; y aún la mano *o violencia* de mi dolor sobrepuja mis gemidos.

3. ¡Oh, quién me diera el saber cómo encontrar a Dios, y poder llegar hasta su trono!

4. Expondría ante él mi causa, y llenaría mi boca de *amorosas* reconvenciones;

5. A fin de oír lo que me respondería, y entender sus razones.

6. No quisiera que contendiese conmigo con todo el poder *y rigor de su justicia,* ni que me abrumase con la mole de su grandeza.

7. Proponga *y emplee* contra mí su equidad, que entonces yo ganaré mi causa.

8. Si voy hacia el oriente, no se deja ver; si hacia el poniente, tampoco lo hallaré;

9. Si me vuelvo al norte, *nada adelanto:* ¿qué haré? no podré dar con él; si al mediodía, ni aun allí lo veré.

10. El, empero, tiene conocidos mis pasos, y me ha acrisolado *con trabajos,* como se hace con el oro que pasa por el fuego.

11. Mis pies han seguido sus huellas: he andado por sus caminos, sin desviarme *nunca* de ellos.

12. He observado siempre los preceptos que han salido de sus labios, depositando en mi corazón las palabras de su boca.

13. Mas él es el solo *que subsiste por sí;* y nadie puede trastornar sus designios, y *como Señor universal,* cuanto le plugo, eso hizo.

14. Cuando habrá hecho de mí aquello que haya querido, aún tiene a mano otras muchas cosas semejantes.

15. Y por esto yo me estremezco en su presencia; y cuando pienso en él, me siento agitado de temor.

16. Dios ha ablandado mi corazón, *y héchole dócil;* y el Todopoderoso me ha conturbado,

17. Pues no por las tinieblas *o calamidades* que tengo sobre mí, me doy por perdido; ni la densa niebla *de males* me ha tapado el rostro.

---

CAP. XXII. — 17. Cap. XXI, *v.* 14.
24. *De tierra:* para levantar tu casa.
29. *Levanta:* avergonzado de sus pecados.

CAP. XXIII. — 5. O la causa para afligirme de esta manera.
7. Mas ¿dónde podré presentarme ante mi Dios?

## CAPITULO XXIV

*Prueba Job por la experiencia que Dios dilata el castigo de muchos pecadores hasta después de su fatal muerte.*

1. Al Todopoderoso están presentes los tiempos: mas los hombres, *aun los* que le conocen *y sirven,* ignoran cuáles son sus días.

2. Unos traspasaron los lindes: robaron ganados y los llevaron a apacentar.

3. Apoderáronse del asno que tenían los huérfanos, y a las viudas les sacaron en prenda el buey.

4. Cortaron el camino a los pobres, y oprimieron de mancomún a los mansos *y humildes* del país.

5. Otros, como asnos salvajes en el desierto, salen a su tarea *de robar:* vigilantes en busca de la presa, aprontan *así* de comer a sus hijos.

6. Siegan el campo ajeno, y vendimian la viña del que han oprimido con violencia.

7. Dejan desnudos a los hombres, quitándoles los vestidos *aun* a aquéllos que no tienen otros con qué defenderse del frío;

8. Los cuales quedan bañados con la lluvia de los montes, y no teniendo con qué cubrirse se abrigan y *guarecen* en *los huecos de* las peñas.

9. A viva fuerza saquearon a los huérfanos, y despojaron a la gente pobre.

10. Arrebataron las espigas *recogidas una por una* a los desnudos que andan sin vestido y están hambrientos.

11. Pusiéronse a sestear *y holgar* entre los montones *de los frutos* de los *infelices,* que después de haber pisado *las uvas en* los lagares han de sufrir la sed.

12. En las ciudades hicieron gemir a los vecinos, y la sangre de los *inocentes* que han sido muertos está clamando; y Dios no deja tales cosas sin castigo

13. Ellos fueron rebeldes a la luz *de la razón;* no conocieron los caminos *de Dios,* ni volvieron a entrar por sus senderos.

14. Levántase el homicida al rayar el alba; mata al menesteroso y al pobre; y por la noche se ocupa en robar.

15. El ojo del adúltero está aguardando la oscuridad *de la noche,* diciendo:

---

CAP. XXIV. — *2. Lindes:* de sus posesiones para entrarse en las del vecino. *Deuter.* XIX, *v.* 14; XXVII, *v.* 17. — *Apacentar:* con todo descaro.

3. Que era lo único que les quedaba para ganar su alimento.

8. *Montes*: en cuyas cuevas se guarecen.

Nadie me verá; y embózase *para que no sea conocido* su rostro.

16. Fuerza de noche las casas, según lo acordado por entrambos entre día, y huyen de la luz.

17. Si los sorprende la aurora, míranle como sombra de muerte; y así andan de noche *tan agitados* como de día.

18. Es *el impío* más *móvil e* inconstante que la superficie del agua; maldita sea su heredad en la tierra; jamás ande él el camino de *sus* viñas, *ni disfrute de ellas.*

19. Desde aguas de nieve pasará a calores excesivos: ya que el pecado será su compañero hasta el infierno.

20. Se olvidará de él la misericordia *divina;* serán los gusanos sus delicias; no quedará memoria de él, sino que será hecho astillas, como árbol infructuoso.

21. Porque ha alimentado a la mujer estéril *o mala,* la cual no da hijos; y no socorrió a la viuda.

22. Ha derrocado a los fuertes con su poder *o prepotencia;* mas aunque él ha quedado en pie, no dará por segura su vida.

23. Dale Dios lugar de penitencia, y él abusa de esto para ser *más* soberbio; pero el Señor tiene fijos los ojos en sus *descarriados* pasos.

24. Se ven los impíos elevados por un poco de tiempo; mas no subsistirán, sino que serán abatidos y arrebatados como todos *los otros;* y serán cortados como las cabezas de las espigas.

25. Y si esto no es así *como lo digo,* ¿quién de vosotros podrá convencerme de haber mentido, o acusar ante Dios *de falsas* mis palabras?

## CAPITULO XXV

*Baldad quiere convencer a Job que no debe creerse puro e inocente a los ojos de Dios.*

1. Entonces Baldad de Suhá habló a Job en estos términos:

2. Poderoso y terrible es aquel que mantiene la concordia *y armonía* en sus altos *cielos.*

3. ¿Por ventura puede contarse el número de su *celestial* milicia? Y ¿quién es el que no participa de su luz?

4. ¿Cómo se puede justificar el hombre comparado con Dios, o aparecer limpio el nacido de mujer?

---

17. *Sorprende:* en sus infames placeres.

20. *Gusanos*: Serán los gusanos roedores el premio de sus infames placeres.

**5.** Ni aun la misma luna tiene resplandor en su presencia, y las estrellas no están limpas a sus ojos;

**6.** ¿Cuánto menos el hombre que es *todo* podredumbre; el hijo del hombre que no es más que un gusano?

# CAPITULO XXVI

*Job muestra que conoce más que Baldad las grandezas de Dios.*

**1.** A esto replicó Job, diciendo:

**2.** ¿A quién quieres tú auxiliar? ¿Acaso a un débil? ¿O tal vez quieres sostener el brazo de quien no tiene *bastante* fuerza?

**3.** ¿A quién das consejo tú? ¿Acaso al que no tiene sabiduría? ¿Quieres tú ostentar una grandísima prudencia?

**4.** ¿A quién has querido tú enseñar? ¿No ha sido a aquél que crió los espíritus?

**5.** Mira cómo los gigantes gimen *en los abismos* debajo de las aguas, juntamente con los otros que están *encerrados* con ellos.

**6.** El infierno está patente a sus ojos, y está descubierto a su vista el abismo de la perdición.

**7.** El es quien extendió sobre vacío el septentrión, y tiene suspendida la tierra en el aire.

**8.** El es quien contiene las aguas en sus nubes, para que no se precipiten de golpe hacia abajo;

**9.** El que impide la vista de su trono, y le cubre con las nieblas *que forma;*

**10.** El que puso términos o *lindes* a las aguas *del mar* para mientras duren *en el mundo* la luz y las tinieblas.

**11.** Las columnas del cielo se estremecen y tiemblan a una mirada suya.

**12.** A la fuerza de su poder fueron reunidos en un instante los mares, y su sabiduría domeñó al orgulloso *mar.*

**13.** Su espíritu hermoseó los cielos; y con la

CAP. XXVI. — 5. *Sap.* XIV, *v.* 16.

7. *En el aire:* sin punto de apoyo. Puede traducirse: *Y fundó la tierra sobre la nada.*

8. *El es el que recoge y ata* o prende *las aguas.*

13. Algunos opinan que Job habla aquí de la creación de los ángeles, que son el *adorno* principal *de los cielos, y* por la culebra entienden el dragón infernal, Luzbel. Apoyan esta opinión en la versión de los Setenta, en la cual se lee: *que el dragón apóstata fué muerto por disposición de Dios.* Pero los que entienden literalmente este texto, creen que se habla de una las principales constelaciones, como la *vía láctea,* o la llamada *dragón,* que tuerce entre el norte y la constelación llamada *Osa mayor;* o bien de todo el *Zodíaco.*

virtud de su mano fué sacada a la luz la tortuosa culebra.

**14.** Todo lo dicho hasta aquí es una *pequeña* parte de sus *grandes obras;* mas si esto que hemos oído es solamente una pequeñísima muestra de las infinitas cosas que pueden decirse de él, ¿quién podrá sostenerse firme al trueno de su grandeza?

# CAPITULO XXVII

*Insiste Job en su defensa, y describe el infeliz paradero de los impíos.*

**1.** Prosiguió todavía Job su parábola, y dijo:

**2.** Vive Dios, el cual *parece* que ha abandonado mi causa, y el Todopoderoso que ha sumergido mi alma en la aflicción,

**3.** Que mientras haya aliento en mí, y me conserve Dios la respiración,

**4.** No han de pronunciar mis labios cosa injusta, ni saldrá de mi boca *dolo ni* mentira.

**5.** Lejos de mí el teneros por justos: hasta que fallezca no desistiré de *defender* mi inocencia.

**6.** No abandonaré la justificación que he comenzado a hacer *de mi conducta;* puesto que nada me remuerde mi conciencia en todo el discurso de mi vida.

**7.** Sea tenido por un impío mi enemigo, y por un injusto mi adversario.

**8.** Porque, ¿qué esperanza queda al hipócrita después de sus avarientas rapiñas, si Dios no salva su alma?

**9.** ¿Es acaso que Dios ha de escuchar sus clamores, cuando le sobrevenga la tribulación?

**10.** ¿O podrá hallar consuelo en el Todopoderoso, e invocar a Dios en todo tiempo? *No por cierto.*

**11.** Yo con el favor de Dios os enseñaré las disposiciones del Omnipotente; no os ocultaré nada.

**12.** Bien veo que todos vosotros las sabéis; mas, ¿por qué gastáis el tiempo inútilmente en vanos discursos?

**13.** Oíd cuál será la suerte que Dios destina al impío, y la herencia que los hombres violentos recibirán del Todopoderoso.

**14.** Si se multiplicaren sus hijos, caerán al filo de la espada, y sus nietos nunca se verán hartos de pan.

14. *Infinitas cosas:* es como una gotita respecto del mar inmenso de los prodigios y maravillas que ha obrado.

CAP. XXVII. — 2. *Abandonado:* al juicio de los hombres.

7. Ya que contradice la doctrina de la verdad.

**15.** Los que quedaren de su linaje serán sepultados luego de muertos, ni harán duelo sus viudas.

**16.** Aunque haya amontonado plata como tierra y preparado vestidos *tan fácilmente* como *se hace* el barro,

**17.** El en efecto los tendrá de prevención; mas él que se vestirá de ellos será el justo, y el inocente *disfrutará y* distribuirá la plata.

**18.** Edificó su casa como *hace* la polilla, y como la cabaña que suele formar el guarda.

**19.** En muriendo el rico nada llevará consigo; abrirá los ojos *de su alma,* y se hallará sin nada.

**20.** Sorprenderále una avenida de miserias; quedará oprimido por la tempestad nocturna.

**21.** Un viento abrasador lo arrebatará y arrancará de cuajo; y a manera de huracán lo llevará lejos de su sitio.

**22.** Y Dios descargará *su ira* sobre él, ni le perdonará; tentará mil medios para escaparse de sus manos.

**23.** Quien se pusiere a mirar el sitio en que *el impío* estaba, dará palmadas sobre su suerte, y le silbará.

## CAPITULO XXVIII

*Pinta Job el desvelo de los hombres en buscar riquezas, y el poco aprecio que hacen de la sabiduría, la cual viene del cielo, y se comunica por medio del temor de Dios.*

**1.** La plata tiene sus veneros *o vetas* en las minas, y el oro tiene un lugar donde se forma.

**2.** El hierro se saca de la tierra, y la piedra *mineral* derretida con el fuego se convierte en cobre.

**3.** El llega a determinar lo que han de durar las tinieblas, e indaga el fin de todas las cosas, y también la piedra metida en la obscuridad y sombras de su muerte.

**4.** Un torrente separa de los viajeros *estas piedras,* y no se acerca a ellas el pie del pobre, estando como están en lugares inaccesibles.

**5.** Una tierra en cuyo suelo nacía el pan, está desolada por el fuego.

**6.** Hay un lugar en que *casi todas* las piedras son zafiros, y sus terrones están llenos de oro.

**7.** Su senda no la conoció ave ninguna, ni vista de buitre llegó a discernirla.

**8.** No la pisaron hijos de negociantes, ni pasó por ella leona.

**9.** El extendió su mano contra la peña viva, y trastornó de raíz los montes.

**10.** Socavando peñascos ha sacado ríos, y sus ojos descubrieron todo lo precioso que había.

**11.** Hubo también quien registró los fondos de los ríos, y sacó a luz lo *precioso* que estaba allí escondido.

**12.** Mas ¿en dónde se halla la sabiduría? ¿Y cuál es el lugar en que reside la inteligencia?

**13.** El hombre no conoce su valor; ni ella se halla en la tierra de los que viven en delicias.

**14.** El abismo *de la tierra* dice: No está dentro de mí; y el mar afirma: Ni conmigo.

**15.** No se compra con oro finísimo, ni se cambia a peso de plata.

**16.** No pueden parangonarse con ella los coloridos más ricos de la India, ni de la piedra sardónica más preciosa ni el zafiro.

**17.** No se le igualará ni el oro, ni el cristal de roca; ni será cambiada por vasos de oro puro.

**18.** Las cosas más excelsas y apreciadas no son dignas de mentarse en su cotejo; pero la sabiduría trae su origen de partes muy recónditas.

**19.** No tendrá comparación con ella el *tan estimado* topacio de Etiopía, ni los más brillantes coloridos.

**20.** ¿Pues de dónde viene la sabiduría? ¿Y cuál es la morada de la inteligencia?

**21.** Escondida está a la vista de todos los vivientes *de la tierra,* y también se oculta a las aves del cielo.

**22.** La perdición y la muerte dijeron: A nuestros oídos llegó la fama de ella.

**23.** El camino para hallarla, Dios le sabe, y él es quien tiene conocida su morada.

**24.** Porque su vista alcanza a los extremos del mundo, y están patentes a sus ojos cuantas cosas hay debajo del cielo.

---

**15.** Puede traducirse: *los sepultará la muerte.* O porque su muerte será desastrosa, o porque ella misma será su sepultura sin que los cubra la tierra.

**18.** *Polilla:* la cual cuanto más roe más destruye.

— *El guarda:* de una viña o melonar.

**CAP. XXVIII.** — **3.** Aunque Santo Tomás, San Gregorio y otros varios graves expositores entienden que es Dios de quien se dice aquí que llega a determinar el fin de las tinieblas, indaga el fin de todas las cosas etc., a mí me parece más verosímil que aquí se habla del hombre, según lo entienden también otros Padres y expositores.

---

**8.** Ni otra bestia fiera. Mas allí penetrará el hombre.

**10.** Algunos opinan que se habla aquí de la América.

**25.** El es quien arregló el peso o *fuerza* de los vientos, y pesó las aguas *distribuyéndolas* con medida.

**26.** Cuando prescribía leyes a las lluvias, y señalaba el camino a las fulminantes tempestades,

**27.** Entonces la contempló *Dios*, y la manifestó, y la estableció, y descubrió sus arcanos.

**28.** Y dijo al hombre: Mira, la *verdadera* sabiduría consiste en temer al Señor *y honrarlo*, y la inteligencia en apartarse de lo malo.

## CAPITULO XXIX

*Job describe su antigua felicidad, durante la cual estuvo muy ajeno del mal obrar que le imputaban sus tres amigos.*

**1.** Añadió también Job, continuando su parábola, y dijo:

**2.** ¡Quién me diera volver a ser como en los tiempos pasados, como en aquellos días *venturosos* en que Dios me tenía bajo de su custodia *y amparo!*

**3.** Entonces que su antorcha resplandecía sobre mi cabeza, y guiado por esta luz caminaba yo *seguro* entre las tinieblas;

**4.** Como fuí en los días de mi mocedad, cuando Dios moraba secretamente en mi casa;

**5.** Cuando el Todopoderoso estaba conmigo, y al rededor de mí toda mi familia;

**6.** Cuando lavaba, *por decirlo así*, mis pies con la nata de la leche, y hasta las peñas me brotaban arroyos de aceite;

**7.** Cuando salía a las puertas de la ciudad *y allí* en la plaza me disponían un asiento *distinguido.*

**8.** En viéndome los jóvenes se retiraban, y los ancianos se levantaban y mantenían en pie.

**9.** Los magnates no hablaban más, y cerraban sus labios con el dedo.

**10.** Quedaban sin osar hablar los capitanes, y con la lengua pegada al paladar.

**11.** Bienaventurado me llamaba todo el que oía mis palabras; y decía bien de mí cualquiera que me miraba;

---

**27.** *Contempló:* como un eterno modelo de toda perfección, nacido de su sustancia — *Manifestó a los ángeles y al primer hombre, y la estableció* como guía de ellos.

**CAP. XXIX.** — 7. *De la ciudad:* o al lugar del juzgado. — *Plaza:* esto es, la reunión o consistorio de los senadores.

**10.** En tiempos antiguos estaba dividida la Idumea entre muchos pequeños príncipes, de las cuales parece que era uno Job.

**12.** Pues yo había librado al pobre que gritaba *por socorro;* y al huérfano que no tenía defensor.

**13.** Me llenaba de bendiciones el que hubiera perecido *sin mi auxilio;* y yo confortaba el corazón de la viuda *desolada.*

**14.** Porque siempre me revestía de justicia y mi equidad me ha servido como de *regio* manto y diadema.

**15.** Era yo ojos para el ciego y pies para el cojo.

**16.** Era el padre de los pobres; y me informaba con la mayor diligencia de los pleitos *de los desvalidos,* de que no estaba enterado.

**17.** Quebrantaba las quijadas a los malvados, y les sacaba la presa de entre sus dientes.

**18.** Con este *tenor de vida* decía yo: Moriré *en paz* en mi nido; y como la palma multiplicaré mis días.

**19.** Está mi raíz extendida junto a *la corriente de* las aguas, y el rocío descansará sobre mis ramos.

**20.** Se irá siempre renovando mi gloria, y mi arco, *o el poder mío,* será de cada día más fuerte en mis manos.

**21.** Los que me escuchaban estaban aguardando mi parecer, y atendían silenciosos mi consejo.

**22.** Ni una palabra se atrevían a añadir a las mías; y como rocío, así caían sobre ellos mis discursos.

**23.** Aguardábanme como a la lluvia *los campos,* y abrían su boca como *hace la tierra seca* a las aguas tardías *o del otoño.*

**24.** Si alguna vez me les mostraba risueño, *de gozosos* apenas lo creían; pero no quedaba sin fruto la alegría de mi semblante.

**25.** Si quería ir a sus juntas, me sentaba en el primer lugar; y estando sentado como un rey rodeado de sus guardias, no por eso dejaba de ser el consolador de los afligidos.

## CAPITULO XXX

*Deplora Job la mudanza de su antiguo feliz estado en la lastimosa situación en que se halla por permisión de Dios.*

**1.** Mas ahora hacen burla de mí unos mozalbetes, a cuyos padres me hubiera desdeñado de ponerlos con los mastines de mis rebaños;

---

**22.** *Deuter.* XI, *v.* 14. — Jacob. V, *v.* 7.

2. Cuya fuerza *y trabajo* de sus manos estimaba yo en nada, y eran reputados por indignos aun de la misma vida;

3. Muertos de necesidad y de hambre, que andaban buscando por el desierto algo que poder roer, traspillados de pura calamidad y miseria;

4. Y comían yerbas y cortezas de árboles, y se sustentaban con raíces de enebro.

5. Semejantes cosas iban buscando por los valles, y en hallando alguna corrían a cogerla con algazara.

6. Habitaban en los barrancos de los torrentes, y en las cavernas de la tierra, y entre las breñas.

7. En tales cosas hallaban su alegría, y tenían por delicia el vivir al abrigo de las zarzas.

8. Hijos de gente insensata y grosera, y que no se atreven a parecer en el mundo.

9. Pues yo he venido a ser ahora el asunto de sus cantares, y el objeto de sus escarnios.

10. Abominan de mí; al verme se apartan lejos, y no reparan en escupirme en la cara.

11. Porqué abrió *Dios* su aljaba, y me asaetó, y puso el freno en mi boca.

12. En la flor de mi prosperidad se levantó luego contra mí un tropel de calamidades, que me derribaron por tierra, y echándoseme encima, como una inundación me han oprimido.

13. Me ha cortado todos los caminos, y armándome asechanzas han prevalecido contra mí; sin que haya habido quien me ayudase.

14. Como *sitiadores furiosos*, roto el muro, y forzada la puerta; así se han arrojado sobre mí, y cebado en mis miserias.

15. He quedado reducido a la nada: tú, *oh Dios mío*, has arrebatado como viento *o torbellino, todo* lo que yo más amaba, y mi prosperidad ha pasado como una nube.

16. Y ahora está mi alma derritiéndose de congoja dentro de sí misma, viendo que los desastres se han apoderado de mí.

17. Durante la noche taladran mis huesos los dolores: y los *gusanos* que me roen, no duermen *ni descansan*.

18. Es tanta la muchedumbre de éstos, que van consumiendo *hasta* mi vestido; y me ciñen *y rodean*, como al *cuello* el cabezón de la túnica.

19. Soy reputado como lodo, y asemejado al polvo y a la ceniza.

20. Clamo a ti, ¡oh *Dios* mío! y tú no me oyes; estoy en tu presencia, ni siquiera me miras.

21. Te portas conmigo como si fueras cruel; y me tratas con mano tan pesada como si fueses mi enemigo.

22. Me ensalzaste, y como que me pusiste sobre el aire para estrellarme más reciamente.

23. Bien sé que me has de entregar en poder de la muerte, la cual es el paradero de todos los vivientes.

24. Verdad es que tú no extiendes tu mano para consumirlos enteramente; pues cuando estuvieren derribados, tú mismo los salvarás.

25. Yo en otro tiempo lloraba con el que se hallaba atribulado, y mi alma se compadecía del pobre.

26. Esperaba por eso bienes, y me han sobrevenido males: aguardaba luz, y he quedado cubierto de tinieblas.

27. Se están abrasando mis entrañas sin dejarme reposo alguno; sorprendido me han los días de angustia.

28. Ando melancólico, pero sin enfurecerme; levántome *a veces,* y doy gritos en medio de la gente.

29. Soy *como* hermano de los dragones y compañero de los avestruces.

30. Mi piel se ha vuelto negra, y mis huesos se han desecado, a causa del ardor excesivo *que padezco.*

31. Mi cítara se ha convertido en llanto, y en voces lúgubres mis instrumentos músicos.

## CAPITULO XXXI

*Vida inocente de Job, y las virtudes a que estaba habituado desde niño.*

1. *Desde joven* hice pacto con mis ojos de *no mirar,* ni siquiera pensar, *con mal fin* en una virgen.

2. Porque *de otra suerte,* ¿qué comunicación tendría conmigo desde arriba Dios, ni qué parte me daría el Todopoderoso de su celestial herencia?

3. Pues qué, ¿acaso no está establecida la perdición para los malvados, y el desheredamiento para los que cometen el pecado?

---

22. Contra el suelo.

29. En lo lúgubre y espantoso de mis alaridos. *Mich.* I, *v.* 8.

**CAP. XXXI.** — 1. *Math.* V. *v.* 28. Aquí se ve que aun en la ley natural, en que vivía el Idumeo Job, guardaba la doctrina evangélica que en tiempo de Jesucristo no querían entender muchos de los Judíos por su obstinación.

---

CAP. XXX. — 11. Tratándose como a jumento

**4.** ¿No es así que está *el Señor* observando mis caminos, y contando todos mis pasos?

**5.** *Si creéis* que he seguido el camino de la vanidad, y que han corrido mis pies a urdir fraudes contra el *prójimo,*

**6.** Péseme Dios en su justa balanza, y él dará a conocer mi sencillez.

**7.** Si desvié mis pasos del camino *recto,* y si mi corazón se fué tras de mis ojos, y se apegó alguna mancha a mis manos,

**8.** Siembre yo, y cómase otro el fruto y sea desarraigado mi linaje.

**9.** Si mi corazón se dejó seducir *del amor* de mujer, y si anduve acechando a la puerta de mi amigo,

**10.** Sea mi mujer manceba de otro, y sirva a otros de prostituta.

**11.** Porque es el *adulterio* un crimen enorme, y una iniquidad *o injusticia* horrenda.

**12.** Es un fuego que consume hasta el exterminio, y que desarraiga todos los retoños.

**13.** Si me desdeñé de entrar en juicio con mi siervo y con mi sierva, cuando tenían que pedirme alguna cosa en justicia,

**14.** ¿Qué será de mí cuando Dios habrá de venir a juzgar? ¿Ni qué podré responderle cuando me pregunte?

**15.** ¿Acaso el que me crió a mí en las entrañas de mi madre, no es el mismo *Dios* que le ha criado a él? ¿No fué él el que nos formó a ambos en el seno materno?

**16.** Si negué a los pobres lo que pedían; si burlé *jamás* la esperanza de la viuda;

**17.** Si comí solo mi bocado, y no comió *también* de él el huérfano;

**18.** (Pues desde la infancia creció conmigo la misericordia, habiendo salido cónmigo del vientre de mi madre);

**19.** Si no hice caso del que iba a perecer *de frío* por no tener ropa, ni del pobre que estaba desnudo;

**20.** Si no me llenaron de bendiciones los miembros de su cuerpo, al verse abrigados con la lana de mis ovejas;

**21.** Si alcé mi mano contra el huérfano, aun viéndome superior en el tribunal,

**22.** Despréndase mi hombro de su coyuntura, y quiébrese mi brazo con *todos* sus huesos.

**23.** Porque yo siempre temí a Dios, *considerando su enojo* como olas hinchadas contra mí, y nunca pude soportar el peso de su majestad.

**24.** Si yo creí que consistiese en el oro mi poder, y si dije al oro más acendrado: En ti pongo mi confianza;

**25.** Si puse mi consuelo en mis grandes riquezas, y en los muchos bienes que adquirieron mis manos;

**26.** Si mirando al sol cuando brillante nacía, o la luna en su mayor claridad,

**27.** Se regocijó interiormente mi corazón, y apliqué mi mano a la boca,

**28.** Lo cual es un delito grandísimo, y un renegar del altísimo Dios;

**29.** Si me holgué de la ruina del que me aborrecía, y celebré con aplauso el mal que le vino, *castígueme Dios.*

**30.** *Mas no fué así;* porque no permití que mi lengua pecase, demandando con maldiciones su muerte.

**31.** ¿Y las gentes de mi casa, no llegaron a prorrumpir: Quién nos diera que pudiésemos saciarnos de sus carnes?

**32.** Jamás el peregrino se quedó al descubierto; siempre estuvo mi puerta abierta al pasajero.

**33.** Si, como suelen hacer los hombres, encubrí mi pecado, y oculté en mi pecho mi maldad;

**34.** Si me intimidó el mucho gentío, o me atemorizó el desprecio de los parientes, y no más bien callé *y sufrí,* y me estuve quieto en mi casa, *sea yo castigado de Dios.*

**35.** ¡Oh quién me diera uno que *desapasionadamente* me oyese, y que el Todopoderoso otorgase mi petición, y escribiese el proceso el mismo que juzga,

**36.** Para que yo pudiese llevarle sobre mis hombros, y ceñírmele como una diadema!

**37.** A cada paso mío le iría recitando y se le presentaría *a Dios* como a mi príncipe.

**38.** *Finalmente,* si la tierra que poseo clama contra mí, y los surcos se lamentan con ella;

**39.** Si he comido sus frutos sin pagar el precio, y he apremiado las personas de los cultivadores,

**40.** Názcanme abrojos en vez de trigo, y espinas en lugar de cebada.

*Fin de las palabras de Job*

---

12. *Retoños:* acabando enteramente los linajes.

27. En señal de adoración. — III *Reg.* XIX, *v.* 18.
31. De semejante frase se usa en nuestra lengua para denotar un amor excesivo; y la Iglesia se sirve de las palabras de Job para expresar el ardiente deseo de sus hijos por alimentarse con el adorable cuerpo o carne sacratísima del Salvador. — *Crisóst.* hom. XXV, in cap. X *Epist.* I. ad. Cor.

*JUDIT* (DETALLE), DE CORREGGIO (ANTONIO ALLEGRI),
*óleo sobre tabla, Musée des Beaux-Arts, Estrasburgo*

*Santa Tecla libera a Este de la epidemia* (detalle),
Tiépolo, *óleo sobre lienzo, Catedral de Este*

*LA EXPULSIÓN DEL PARAÍSO* (DETALLE), DE MASACCIO (TOMMASO DI GIOVANNI),
*fresco, Capilla Brancacci, Santa María del Carmine, Florencia*

*El cántico de alabanza de Simeón* (detalle), de Aert de Gelder,
*óleo sobre tela, The Mauritshuis, La Haya*

## CAPITULO XXXII

*Eliú, jactándose de su saber, desaprueba las razones así de Job como de sus amigos, a los cuales había Job dejado sin tener qué replicarle.*

1. En fin, aquellos tres hombres cesaron de responder a Job, viéndolo tan resuelto en tenerse por justo.

2. Entonces Eliú, hijo de Baraquel, Buzita, del linaje de Ram, montó en cólera, y llenóse de indignación, irritóse contra Job, porque afirmaba que él era justo *aun* a los ojos de Dios.

3. Indignóse, también contra sus *tres* amigos, porque no habían discurrido refutación razonable, contentándose solamente de haber condenado a Job.

4. Eliú, pues, estuvo aguardando a que Job acabase de hablar, atento que eran de más edad los que habían hablado antes.

5. Pero viendo que los tres no podían replicar a Job, se indignó sobremanera.

6. Y así, tomando la palabra Eliú, hijo de Baraquel, Buzica, dijo: Yo soy el más mozo: *todos* vosotros sois de mayor edad *que yo*; por este motivo he bajado mi cabeza, sin atreverme a proponer mi dictamen.

7. Porque yo esperaba que la edad más madura habría hablado *sólidamente*, y que los muchos años enseñarían sabiduría.

8. Mas según veo, hay en *todos* los hombres una alma, y la inspiración del Todopoderoso es la que da la inteligencia.

9. No es lo mismo ser viejo que sabio, ni el tener mucha edad hace tener buen juicio.

10. Por tanto yo voy a hablar: escuchadme, que también os mostraré lo que yo alcanzo.

11. Puesto que he dado lugár a vuestros discursos y he escuchado atento vuestras razones, mientras ha durado la disputa;

12. Y en tanto que creí que podríais decir algo, estaba atento. Mas a lo que veo, no hay entre vosotros quien pueda convencer a Job, ni responder a sus razones.

13. Y no tenéis que replicarme, diciendo: Nosotros hemos hallado la *razón de* sabiduría *para convencerle; y es* que Dios es quien lo ha desechado, no algún hombre.

14. Ninguna palabra me ha dicho él a mí; pero yo no pienso responderle al tenor de vuestros discursos.

15. *He aquí tres hombres que* se han acobardado, ni saben ya qué replicar, y han quedado como mudos.

16. Supuesto, pues, que yo he estado esperando a que hablasen, y no lo han hecho, y que se han parado y no añaden nada más,

17. Entraré yo también a hablar por mi parte, y mostraré mi saber;

18. Pues estoy lleno de conceptos, y no caben ya en mi pecho;

19. Al modo que el mosto, cuando no tiene por dónde respirar, rompe *aun* las vasijas nuevas, así sucede en mi seno.

20. Hablaré, *pues*, a fin de respirar algún tanto; abriré mis labios, y responderé.

21. No haré acepción de persona, ni igualaré un hombre a Dios:

22. Porque no sé yo cuánto tiempo existiré aún, ni si dentro de poco me llevará mi Creador.

## CAPITULO XXXIII

*Niega Eliú que Job sea justo; dice que Dios habla a los hombres de diferentes maneras, y que es propicio al que se convierte a él*

1. Oye, pues, oh Job, mis palabras, y está atento a todas mis razones.

2. He aquí que abro mi boca; formará la lengua palabras en mi garganta.

3. Mis discursos saldrán de un corazón sencillo, y mis labios proferirán sentimientos de verdad.

4. El espíritu de Dios me crió, y el soplo del Omnipotente me dió la vida.

5. Respóndeme, *pues*, si puedes; y opón tus razones a las mías.

6. Bien sabes que Dios me crió a mí así como a ti, y que fuí yo formado del mismo barro que tú;

7. Y así no verás en mí cosa maravillosa que te espante; ni te será molesta mi elocuencia.

8. Ahora bien, tu has dicho oyéndolo yo, y yo mismo percibí estas palabras tuyas:

9. Yo estoy limpio, y sin culpa; inocente, y no hay en mí iniquidad.

10. *Pero* porque ha hallado pretextos contra mí, por eso me ha mirado como a enemigo suyo.

11. Ha puesto mis pies en un cepo, y estuvo observando todos mis pasos.

12. En esto ¡oh Job! no te has mostrado justo; yo te responderé que Dios es mayor que el hombre.

---

**CAP. XXXIII.** — 11. *Un cepo:* para asegurarme. — *Mis pasos:* para hallar de qué castigarme.

13. ¿Y quieres tú entrar en contienda con él, porque no te ha respondido a todas tus palabras?

14. Dios habla una vez, y no vuelve a repetir una misma cosa.

15. Entre sueños, con visiones nocturnas, cuando los hombres rendidos del sueño están descansando en sus camas,

16. Entonces les abre *Dios* los oídos, y los instruye y corrige,

17. Para retraer a cada uno *del mal* que hace, y librarle de la soberbia,

18. Salvando su alma de la corrupción y su vida del filo de la espada.

19. Asímismo le corrige con dolores en el lecho, y hace que se le sequen todos sus huesos.

20. En tal estado le causa horror el mismo pan *o alimento,* y el manjar antes sabroso a su apetito.

21. Vase consumiendo su carne; y los huesos, antes *bien* cubiertos, aparecen desnudos.

22. Está él para espirar, y desahuciada su vida.

23. Si *entonces* algún Angel escogido entre millares instruye a este hombre, y le hace conocer sus obligaciones,

24. *Dios* se apiadará de él y dirá: Líbralo, para que no descienda a la corrupción *del sepulcro;* he hallado motivo para perdonarle.

25. Su carne ha sido consumida con las penas; que vuelva como estaba en los días de su mocedad.

26. Implorará *el hombre* la misericordia de Dios; el cual se aplacará, y le mirará con rostro alegre, y le restituirá su justicia.

27. El vuelto a los *demás* hombres, dirá: Pequé, y verdaderamente fuí prevaricador, y no fuí castigado según merecía.

28. Con eso salvó su alma de caer en la muerte, y vivirá, y gozará de la luz.

29. Así es, que Dios obra todas estas cosas tres *y más* veces con cada uno,

30. Para retirar sus almas de la corrupción *del pecado,* y alumbrarlas con la luz de los vivientes.

31. Atiende ¡oh Job!, y escúchame, calla mientras yo hablo;

32. Que si tienes algo que replicar, propónmelo, dilo *libremente;* pues yo deseo que aparezcas justo.

33. Mas si nada tienes *que responder,* escúchame, guarda silencio, y aprenderás de mí la sabiduría.

## CAPITULO XXXIV

*Eliú más furioso que los otros tres en calumniar las palabras y el proceder del pacientísimo Job, acusa a éste de blasfemia y de otros delitos.*

1. Continuando Eliú su discurso, añadió lo siguiente:

2. Oíd ¡oh sabios! mis palabras; y vosotros, prudentes, prestadme atención;

3. Puesto que el oído *atento* juzga de los razonamientos, como el paladar discierne por el gusto los manjares.

4. Examinemos bien entre nosotros el punto, y veamos de común acuerdo lo que sea más verdadero *y acertado.*

5. Es así, que Job ha dicho: Yo soy justo, y Dios ha abandonado mi causa,

6. Pues hay error en el juicio que de mí se ha hecho; violenta es la saeta que tengo atravesada, sin que haya en mí pecado alguno. *Así ha hablado.*

7. ¿Qué hombre hay, *pues,* semejante a Job que insulta, como quien bebe *un vaso de* agua;

8. Que se asocia con los que obran la iniquidad, y sigue las sendas de los impíos?

9. Pues ha dicho: No será el hombre grato a Dios, por más que corra por los caminos del Señor.

10. Por tanto vosotros que sois varones cuerdos estadme atentos: Lejos de Dios toda impiedad, y del Todopoderoso toda injusticia.

11. Porque él ha de dar a las obras del hombre su pago *merecido;* y los ha de remunerar según la conducta de cada uno;

12. Siendo como es verdad que Dios no condena sin razón, ni el Omnipotente trastorna *jamás* la justicia.

13. ¿Ha cedido él a algún otro sus veces sobre la tierra? ¿O a quién ha encargado gobernar el mundo que fabricó?

14. Si con su corazón *airado* se pusiese él a mirarle, se atraería *otra vez* a sí el espíritu y el aliento *que le dió.*

15. Toda carne perecería de un golpe, y el hombre se tornaría en polvo.

---

CAP. XXXIV. — 5. O ha arruinado (cap. XXVII, *v.* 2 ). Se dolía Job de que Dios agravando sus penas daba un pretexto a los enemigos para acusarle de pecador. Pero Eliú interpretaba en mal sentido las expresiones de Job.

7. Esto es, no por eso quedará exento de los males de esta vida. El que Dios envíe tribulaciones a los hombres, o bien felicidades temporales, no depende precisamente de las buenas o malas obras de éstos, sino de los altísimos designios de la Providencia.

**16.** Ahora bien, si tú tienes entendimiento, atendie a lo que se dice, y escucha mis palabras.

**17.** ¿Por ventura puede ser capaz de curación el que no ama la justicia? Pues ¿cómo tú condenas tanto a aquel *Señor* que es el justo *por esencia?*

**18.** A aquél que condena *y castiga* como prevaricadores a los *mismos* reyes, y como impíos a los grandes;

**19.** Que no repara en que sean príncipes, ni hace caso de que sean tiranos *o poderosos;* cuando pleitean contra el pobre; porque todos igualmente son hechura de sus manos;

**20.** Morirán de repente, y los pueblos a media noche se alborotarán y andarán de una parte a otra, y acabarán sin *el menor* esfuerzo con los tiranos.

**21.** Porque los ojos de Dios observan los caminos de los hombres, y tiene él contados todos sus pasos.

**22.** No hay tinieblas, no hay sombras de muerte, que basten para ocultar a los que obran la iniquidad.

**23.** Pues no está en poder del hombre el dejar de comparecer a juicio ante Dios.

**24.** El cual quitará de en medio a una multitud innumerable, y sustituirá otros en su lugar;

**25.** Porque conoce bien sus fechorías; y por tanto prepara la noche en que serán aniquilados.

**26.** Castigólos como a impíos, a la vista de todo el mundo.

**27.** Porque, como de propósito, se alejaron de él; y no quisieron saber nada de todas sus disposiciones;

**28.** De suerte que hicieron subir hasta él los clamores de los miserables y el grito de los pobres.

**29.** Porque al que él concede la paz, *o le perdona,* ¿quién lo condenará? Y ¿quién amparará al que él abandona, ya sea nación, o bien un particular?

**30.** El es el que permite que entre a reinar un hipócrita *o tirano,* por causa de los pecados del pueblo.

**31.** Ahora, pues, ya que he hablado de Dios *y en su defensa,* no estorbaré el que hables tú también *lo que quieras.*

**32.** Si he errado, enséñame el error: si *me* *pruebas* que he hablado la iniquidad, no diré nada más.

**33.** ¿Acaso te ha de pedir Dios a ti cuenta de mi discurso, que tanto te desagrada *e inquieta?* El hecho es que tú comenzaste a discurrir, y no yo; mas si sabes tú alguna cosa mejor, habla.

**34.** Pero yo quisiera escuchar a hombres de entendimiento, y hablar con gente sabia.

**35.** Porque Job ha hablado neciamente, y sus palabras no suenan buena doctrina.

**36.** *Por lo mismo* ¡oh Padre mío! sea Job atribulado hasta el fin; no dejes en paz a ese mal hombre.

**37.** Porque él añade a sus demás pecados la blasfemia; nosotros entretanto le estrecharemos, y entonces apele en sus discursos al juicio de Dios.

## CAPITULO XXXV

*Siguen las calumnias de Eliú contra Job.*

**1.** Prosiguiendo Eliú su razonamiento, dijo:

**2.** ¿Te parece a ti puesto en razón el pensamiento aquel que proferiste, diciendo: Más justo soy yo que Dios?

**3.** Porque tú dijiste *a Dios:* No te agrada aquello que es recto *o bueno:* ¿o qué se te da de que yo peque?

**4.** Por tanto voy a responder a tus razones, y a tus amigos contigo.

**5.** Levanta esos ojos al cielo, y mira y contempla la región etérea, cuánto más elevada está que tú.

**6.** Si pecares, ¿qué daño le harás? y si multiplicares tus delitos, ¿qué habrás hecho contra él?

**7.** Si obrares bien, ¿qué es lo que le das, o que recibe él de tu mano?

**8.** A un hombre semejante a ti es a quien dañará tu impiedad, y al hijo del hombre le será provechosa tu justicia.

**9.** Clamaron *los oprimidos* por causa de la muchedumbre de los calumniadores, y se lamentaron por la violenta dominación de los tiranos.

**10.** Mas ninguno de ellos dijo: ¿Dónde está Dios que me crió, el cual inspira cánticos *de alegría* en medio de la noche *de la tribulación;*

---

**29.** *Rom.* VIII, v. 33, 34.

**30.** Para castigar los pecados de un pueblo, permite que entre a reinar un impío, un tirano. Lo que hace conocer más que los consejos de Dios son inapelables.

**31.** He dicho de Dios y en defensa suya, lo que me parece: di tú ahora con toda libertad, si tienes que alegar alguna cosa, en contrario.

**33.** Eliú se dirige a Dios, a quien llama Padre. Así se llama también por razón de su amorosa Providencia. *Sap.* XIV, *v.* 3. — *Matth.* VI, *v.* 3.

**37.** *Estrecharemos:* y le confundiremos con nuestros argumentos.

**CAP. XXXV.** — 1. No dijo eso Job; pero tal vez Eliú pretendía que dicha proposición o blasfemia era consecuencia de las repetidas protestas que hacía Job de su inocencia, y de las amargas quejas con que desahogaba su pecho en medio de sus cruelísimos dolores.

**11.** Que nos ilustra más que a los animales de la tierra, y nos da mayor inteligencia que a las aves del cielo?

**12.** Allí será el gritar por causa de la soberbia *o prepotencia* de los malos; mas él no los escuchará.

**13.** *Con todo,* no en vano lo oirá Dios, y el Omnipotente considerará las causas de cada uno.

**14.** Aun cuando hayas dicho: No atiende *Dios,* examínate a ti mismo en presencia suya, y espera *en su misericordia.*

**15.** Porque no es ahora *en esta vida* cuando descarga su furor, ni castiga con rigor los delitos.

**16.** Luego en vano ha abierto Job su boca, y ha amontonado palabras propias de un ignorante.

## CAPITULO XXXVI

*Eliú da instrucciones y consejos a Job fuera de propósito. Exhórtale a que se arrepienta, y le promete toda felicidad.*

**1.** Continuó Eliú hablando, y dijo:

**2.** Aguántame todavía un poco, y me explicaré contigo; porque tengo aún que hablar en defensa de Dios.

**3.** Sacaré mi conclusión de sus principios, probando que mi Creador es justo,

**4.** Supuesto que mis palabras son ajenas a toda falsedad, y que te haré ver que *mi* doctrina es sólida.

**5.** Dios no desecha a los poderosos, siendo también él mismo, como es, póderoso;

**6.** Mas no salva a los impíos, y hace *siempre* justicia a los pobres.

**7.** No apartará *nunca* su vista del justo; él es quien coloca sobre firme trono a los reyes, y por él son ensalzados.

**8.** Que si se vieran encadenados y aprisionados con cordeles de pobreza,

**9.** Les reconvendrá con sus obras y maldades, pues ejecutaron violencias.

**10.** Asímismo les abrirá los oídos, para corregirlos *con fruto,* y los amonestará para que se arrepientan de su iniquidad.

**11.** Si obedecieren y fueren dóciles, acabarán sus días felizmente, y sus años con gloria;

**12.** Mas si no escucharen, serán pasados a cuchillo, y perecerán en su necesidad.

---

**CAP. XXXVI.** — 8. *Pobreza:* y otros trabajos.

**13.** Los hipócritas y de corazón doble provocan la ira de Dios, y no clamarán a él *sinceramente* cuando se vean aprisionados.

**14.** Morirán de muerte violenta, y *acabarán* su vida entre hombres afeminados *y sodomíticos.*

**15.** *Al contrario* al pobre le libertará *Dios* de su angustia, y en la tribulación le hablará al oído.

**16.** Así que *¡oh Job!* te salvará del abismo estrecho e insondable de *miserias;* y volverás a sentarte en tu opípara mesa.

**17.** Tu causa está juzgada ya como causa de un impío; has de recibir la ejecución de la sentencia.

**18.** No te dejes vencer más de la cólera, para oprimir a nadie, ni *en adelante* te doblen los muchos dones.

**19.** Depón tu orgullo sin *que sea necesaria* la tribulación y *reprime* a todos los que se hacen fuertes por la prepotencia.

**20.** No alargues la noche; a fin de que los pueblos puedan acudir *a ti* para sus negocios.

**21.** Guárdate de declinar hacia la iniquidad; pues has comenzado a seguir esa *mala vida* después de la miseria en que te ves.

**22.** Mira que Dios es soberano en su fortaleza, y ninguno de los legisladores es semejante a él.

**23.** ¿Quién podrá rastrear sus caminos? O ¿quién puede decirle: Has hecho una injusticia?

**24.** Reflexiona que tú no llegas a comprender la obra suya que fué celebrada en sus cánticos por los varones *más insignes.*

**25.** Todos los hombres lo ven *en sus criaturas,* cada cual lo contempla *como* desde lejos.

**26.** ¡Oh, y cuán grande es Dios, y cuánto sobrepuja a nuestra ciencia! Inapeable en el número de sus años.

**27.** El trae las gotitas de agua, derramando *después* las lluvias, a manera de torrentes

**28.** Que se desgajan de las nubes, de que está cubierta toda la región de arriba.

**29.** Cuando él quiere extiende las nubes a manera de pabellón,

**30.** Y relampaguea con sus rayos desde lo alto, oscureciéndolo todo de mar a mar.

**31.** Como que por estos medios *castiga y* ejerce sus juicios sobre los pueblos, y provee de alimento al grande número de los mortales.

---

**24.** *La obra:* la obra grande de la creación del mundo.

**32.** El esconde la luz *como* en sus manos, y *después* manda que salga de nuevo.

**33.** A quien él ama, le declara cómo esta *luz* es posesión suya, y que puede subir a ella y *poseerla.*

## CAPITULO XXXVII

*Concluye Eliú su discurso, ponderando las perfecciones de Dios; y suponiendo que Job ha injuriado a todos estos atributos Divinos, le exhorta a humillarse.*

**1.** Por esto se estremeció mi corazón, *y como que* saltó de su lugar.

**2.** Escuchad atentamente su voz terrible *cuando truena,* y el sonido *espantoso* que sale de su boca.

**3.** El está observando todo cuanto hay debajo del cielo, y su luz *penetra* y resplandece por *todos* los términos de la tierra.

**4.** Detrás del *relámpago seguirá* un estruendo como de un rugido *espantoso,* y tronará con la voz de su majestad, y oída que sea no podrá comprenderse *lo que es.*

**5.** Retumbará maravillosamente el sonido de la voz de Dios; *de Dios* que hace cosas grandes e inescrutables.

**6.** El manda a la nieve que descienda sobre la tierra y hace caer las lluvias *abundantes* del invierno, y los aguaceros *del verano;*

**7.** El pone *como* un sello en las manos de todos los hombres, a fin de que reconozcan todos *que* sus obras *penden de lo alto.*

**8.** La fiera se mete en su cueva, y estará queda en su guarida.

**9.** Levántase la tempestad de los recónditos lugares, y el frío viene del septentrión.

**10.** Al soplo de Dios se forma el hielo, y se derraman nuevamente las aguas por todas partes.

**11.** Apetecen los trigos *el agua de* las nubes; y las nubes *al darla* esparcen sus brillos *o* relámpagos.

**12.** Van las nubes girando por todas partes, doquiera que las guía la voluntad del que las gobierna, prontas a ejecutar sus órdenes en toda la redondez de la tierra;

**13.** Ya en una tribu *extranjera,* ya en tierra suya, ya sea en cualquier lugar en que su misericordia disponga que se hallen.

**14.** Escucha, oh Job, estas cosas: párate a reflexionar las maravillas de Dios.

**15.** ¿Sabes tú por ventura cuándo ha mandado Dios a las lluvias que hiciesen aparecer la luz en sus nubes?

**16.** ¿Has tú averiguado los *varios* caminos de esas nubes, y aquella grande y perfecta ciencia *del que las gobierna?*

**17.** ¿No es así que se ponen calientes tus vestidos cuando sopla el Mediodía sobre la tierra?

**18.** ¿Acaso tú fabricaste junto con él los cielos, que son tan sólidos *y estables* como si fueran vaciados de bronce?

**19.** Si es así, enséñanos qué es lo que le hemos de responder *a quien nos pregunte,* ya que nosotros estamos envueltos en tinieblas.

**20.** ¿Quién podrá darle razón de lo que yo digo? Por más que el hombre razone, quedará como abismado.

**21.** Ahora no ven *los hombres* la luz *porque* el aire se condensa repentinamente en las nubes; mas un viento que atraviese, las ahuyentará *y disipará.*

**22.** Del septentrión viene el oro. Démosle, *pues,* a Dios respetuosa alabanza.

**23.** Nosotros no somos dignos de alcanzarle. El es grande en su poder y en sus juicios, y en su justicia, y *verdaderamente* inefable.

**24.** Por tanto los hombres le temerán *y respetarán,* y ninguno de los que se precian de sabios se atreverá a contemplarle con *curiosidad.*

## CAPITULO XXXVIII

*El mismo Dios se introduce en la disputa, manda callar a Eliú, y reprende a Job por algunas inconsideraciones.*

**1.** Entonces el Señor desde un torbellino habló a Job, diciendo:

**2.** ¿Quién es ése que envuelve *u obscurece preciosas* sentencias con palabras de ignorante?

---

CAP. XXXVII. — 7. Haciendo que por el frío dejen de trabajar la tierra durante el invierno. También puede aludir a que *solamente el hombre,* como dijo Galeno, (De usu part. XIII, v. 2) *recibió de Dios unas manos, que son un instrumento convenientísimo al animal dotado de sabiduría, instrumento propísimo del hombre;* y que, como dijo Anaxágoras, citado por Aristóteles, *equivale a muchos, y aventaja todos los demás.*

9. *Lugares:* del mediodía, Cap. IX, v. 9. De allí suelen venir en la Idumea, Palestina, etc., las tempestades y los vientos.

---

15. Esto es, el arco iris. *Eccli.* XLIII, *v.* 12.

CAP. XXXVIII. — 1. Dios, o más bien el ángel que le representa, viene a terminar la disputa. Están divididos los intérpretes sobre si es Job o Eliú de quien el Señor profiere estas palabras. Es verosímil que se pueden entender de ambos. Eliú es evidente que se excedió en lo que dijo contra Job; éste pudo faltar en cierta demasía de palabras, a que le llevó quizá la molesta porfía de sus amigos.

**3.** Ciñe, *pues,* ahora tus lomos, *prepárate* como varón *que entra a pelear:* yo te interrogaré, y tú respóndeme.

**4.** *Dime* ¿dónde estabas cuando yo echaba los cimientos de la tierra? Dímelo, ya que tanto sabes.

**5.** ¿Sabes tú quién tiró sus medidas? ¿o quién extendió sobre ella la *primera* cuerda?

**6.** ¿Qué apoyo, *di,* tienen sus basas? ¿o quién asentó su piedra angular,

**7.** Entonces que me alababan los nacientes astros, y prorrumpían en voces de júbilo todos los *ángeles* o hijos de Dios.

**8.** ¿Quién puso diques al mar, cuando se derramaba por fuera como quien sale del seno de su madre?

**9.** Cuando lo cubría yo de nubes como de un vestido y le envolvía entre tinieblas como a un niño entre los pañales?

**10.** Encerrélo dentro de los límites fijados por mí, y púsele cerrojos y compuertas,

**11.** Y dije: Hasta aquí llegarás, y no pasarás más adelante; y aquí quebrantarás tus hinchadas olas.

**12.** ¿Acaso después que estás en el mundo diste leyes a la luz de la mañana, y señalaste a la aurora el punto por donde debe salir?

**13.** ¿Has cogido con tus manos los polos de la tierra, y sacudídola a fin de *limpiar* y expeler de ella a los impíos?

**14.** Volverá a ser lodo o *polvo* el sello, y durará como un vestido *que está consumiéndose.*

**15.** Quitaráse a los impíos su esplendor, y será aniquilado su poder excelso.

**16.** ¿Has entrado tú en las honduras del mar, y te has paseado por lo más profundo del abismo?

**17.** ¿Se te han abierto acaso las puertas de la muerte y has visto aquellas entradas tenebrosas?

**18.** ¿Has averiguado la anchura de la tierra? Dime, si todo lo sabes,

**19.** En qué parte reside la luz; y cuál es el lugar *o depósito* de las tinieblas,

**20.** A fin de que puedas tú conducir a entrambas cosas a sus *propios* lugares, como quien está enterado del camino que lleva a sus habitaciones.

**21.** ¿Sabías tú entonces que hubieses de nacer, y estabas instruido del número de tus días?

**22.** ¿Por ventura has entrado en los depósitos de la nieve, y has visto los otros donde está amontado el granizo,

**23.** Los cuales tengo yo prevenidos para usar de ellos contra el enemigo en el día del combate y del conflicto?

**24.** *Explícame:* ¿Por qué camino se propaga la luz, y *cómo* se reparte el calor sobre la tierra?

**25.** ¿Quién señaló la carrera a un aguacero impetuosísimo, y el camino al sonoroso trueno,

**26.** Para llover sobre una tierra desierta, donde no hay hombre ninguno, donde no habita ningún mortal,

**27.** Fecundándola, aunque inhabitable y yerma, para que produzca la verde yerba?

**28.** ¿Quién es el padre de la lluvia? ¿o quién engendró las gotas de rocío?

**29.** ¿De qué seno salió el hielo? ¿y quién produce la helada *o escarcha que cae* del aire?

**30.** Las aguas se endurecen como piedras, y la superficie del mar se congela.

**31.** ¿Podrás tú por ventura atar *o detener* las brillantes estrellas de las Pléyadas? ¿o desconcertar el giro del Orión?

**32.** ¿Eres tú acaso el que haces aparecer a su tiempo el lucero de la mañana, o resplandecer el de la tarde sobre los habitantes de la tierra?

**33.** ¿Entiendes tú el orden *o movimientos* de los cielos, y podrás dar la razón de *su influjo* sobre la tierra?

**34.** ¿Alzarás por ventura tu voz a las nubes, para *mandarles* que se deshagan en lluvias abundantes?

**35.** ¿Despacharás rayos, y éstos marcharán, y te dirán a la vuelta: Aquí estamos *a tu mandar?*

**36.** ¿Quién puso en el corazón del hombre la sabiduría? ¿o quién dió al gallo el instinto?

**37.** ¿Quién podrá explicar la disposición de los cielos, o hacer cesar sus armoniosos movimientos?

**38.** *¿Dónde estabas* cuando se formó en masa el polvo de la tierra y se endurecieron sus terrones?

**39.** ¿Andarás tú por ventura a coger caza para la leona, y saciarás el hambre de sus cachorros,

**40.** Cuando están echados en sus cuevas, y asechando desde sus cavernas?

---

**3.** Los orientales, como usaban de ropas talares, tenían que recogerlas y atarlas a la cintura para caminar, trabajar, etc. Es lo mismo que decir: *prepárate, disponte,* etc.

**11.** *Ps.* CIII, *v.* 9. — *Jerem.* V, *v.* 22.

**14.** *El sello:* o el hombre, imagen del Creador.

**31.** *Orión:* O del norte. Los Setenta dicen Orión.

**35.** *A tu mandar.*

**41.** ¿Quién prepara al cuervo su alimento, cuando sus pollitos levantan sus graznidos hacia Dios, yendo de un lado a otro *del nido,* por no tener nada que comer?

## CAPITULO XXXIX

*Continúa el Señor mostrando a Job cuánto va de la criatura al Criador. Job reconoce que ha hablado inconsideradamente.*

**1.** ¿Por ventura ¡oh Job! tienes noticia del tiempo en que las cabras montesas paren entre las breñas, o has observado las ciervas al tiempo de su parto?

**2.** ¿Tienes contados los meses de su preñez, y sabes el tiempo de su parto?

**3.** Encórvanse para dar a luz su cría, y paren dando grandes bramidos.

**4.** Sepáranse *muy pronto* de ellas sus hijos, y van a pacer; salen, y no vuelven a verlas más.

**5.** ¿Quién dejó en libertad al asno montés, y quién soltó sus ataduras?

**6.** Yo le di casa en el desierto y albergue en una tierra estéril.

**7.** El desprecia el gentío de las ciudades; no oye los gritos de un amo duro.

**8.** Tiende su vida alrededor por los montes donde pace, y anda buscando todo lo verde.

**9.** *Dime;* ¿querrá servirte a ti el rinoceronte, o permanecerá en tu pesebre?

**10.** ¿Podrás tú uncirle con la coyunda para que are? ¿o romperá en pos de ti los terrones de tus campos?

**11.** ¿Te fiarás por ventura de su gran fuerza, para dejar a su cuidado la labranza de tus tierras?

**12.** ¿Crees tú que él te ha de volver lo que has sembrado, y que llenará *de trigo* la era?

**13.** La pluma del avestruz es semejante a la pluma de la cigüeña y del gavilán.

**14.** Cuando, *pues,* esta ave abandona sus huevos en tierra, ¿por ventura serás tú quién los calentará o *empollará* debajo del polvo?

**15.** No precave ella que ningún pie los pise, ni que los huellen las bestias del campo.

**16.** Es insensible y dura para con sus hijos, como si fuesen ajenos; inutiliza su trabajo, sin verse forzada a ello por temor ninguno;

**17.** *Sino* porque le negó el Señor *para eso* el instinto, y no le dió el discernimiento.

**18.** Sin embargo, cuando llega la ocasión *de verse perseguida,* ayuda con las alas sus pies, y deja burlados al cazallo y al caballero.

**19.** Dime: ¿Sabrías tú dar al caballo la valentía *que tiene,* o llenar de relinchos su *erguido* cuello?

**20.** ¿Lo harás tú brincar *y volar,* como langosta? Causa terror el fogoso bufido de sus narices.

**21.** Escarba la tierra con su pezuña; encabrítase con brío; corre *con ardor* al encuentro de los *enemigos* armados;

**22.** No conoce el miedo, ni se rinde a la espada;

**23.** Oye sobre sí el ruido de la aljaba, el vibrar de la lanza, y el manejo del escudo,

**24.** *Y lejos de asustarse,* espumando y tascando el freno, *parece que quiere* sorberse la tierra, ni aguarda el sonido de la trompeta.

**25.** En oyendo el clarín, *como que* dice *con sus relinchos:* Ea, *vamos allá.* Huele de lejos la batalla, *y percibe* la exhortación de los capitanes, y la gritería del ejército.

**26.** ¿Es acaso efecto de tu sabiduría *el modo con* que renueva *cada año* sus plumas el gavilán extendiendo sus alas hacia el mediodía?

**27.** ¿Es por tu orden que se remonte el águila, y coloque su nido en lugares elevados?

**28.** Ella mora entre breñas, y tiene su habitación en peñascos escarpados y riscos inaccesibles.

**29.** Desde allí está asechando la presa, pues sus ojos atisban desde *muy* lejos.

**30.** Sus aguiluchos chupan la sangre, y doquiera que hay carne muerta, al punto está encima.

**31.** Añadió después el Señor, y dijo a Job:

**32.** ¿Cómo el que se pone a altercar con Dios, tan fácilmente lo deja, y enmudece? A la verdad que quien arguye a Dios debe *hallarse en estado de* responderle.

**33.** Job entonces respondiendo al Señor, dijo:

---

**41.** Puede traducirse: *cuando sus polluelos gritan* o alzan sus chillidos, *piando y bullendo de un lado a otro el nido. Ps.* CXLVI, v. 9.

---

CAP. XXXIX. — 29. Las águilas descubren o alcanzan a ver desde muy lejos.

**34.** Yo que he hablado *tan* inconsiderada-mente, ¿qué es lo que puedo *ahora* responder? *Nada.* Cerraré mi boca con mi mano.

**35.** Una cosa he dicho, que ojalá nunca la hu-biese dicho; y aun otra todavía: a las cuales no añadiré más palabra.

## CAPITULO XL

*Continúa Dios en mostrar a Job la distancia de la criatura al Criador, y le hace ver su divino poder en las dos bestias descomunales Be-hemot y Leviatán.*

**1.** Y habló el Señor desde el torbellino a Job, diciendo:

**2.** Ciñe *otra vez tus vestidos en* tus lomos, co-mo hombre *valiente:* yo voy a preguntarte; tú, empero, respóndeme.

**3.** ¿Pretendes tú acaso invalidar mi juicio; y condenarme a mí por justificarte a ti mismo?

**4.** Si tienes, *pues,* un brazo *fuerte* como el de Dios, y si el tono de tu voz es semejante a su trueno,

**5.** Revístete de resplandor, y súbete a lo alto, y haz alarde de tu gloria, y adórnate de magnífi-cos vestidos.

**6.** Disipa con tu furor a los soberbios, y con una sola mirada abate a todos los altaneros.

**7.** Clava tus ojos en todos los soberbios *u or-gullosos,* y confúndelos; y aniquila a los impíos doquiera que estén.

**8.** Sepúltalos a todos juntos debajo del polvo, y abisma sus cabezas en la fosa.

**9.** Entonces confesaré que tu diestra podrá salvarte.

**10.** Mira a Behemot, *o la mayor bestia terres-tre,* a quien crié cuando a ti: él se alimenta de he-no como el buey.

**11.** Su fortaleza está en sus lomos, y su vigor en el ombligo de su vientre,

**12.** Endurece y *levanta* su cola como cedro: los nervios de sus *muslos* están interiormente en-trelazados uno con otro.

**13.** Son sus huesos como pilares de bronce; como planchas o *barras* de hierro sus ternillas.

**14.** El es el principal *de los animales* entre las obras de Dios: aquél que le crió hará uso de la espada de él.

---

**34.** O también: *¿Qué puedo responder al Señor yo, frágil criatura? Yo le adoro, y enmudezco. Demasiado he hablado: no quiero aumentar mis faltas.*

**10.** Algunos opinan que se habla del *hipopótamo* o caballo de río, y del *cocodrilo,* que eran los dos anima-les más monstruosos y feroces del Nilo, en cuyas ribe-ras hacían grandes destrozos.

**15.** Los montes producen yerba *para su pas-to;* y allí *junto a él* retozarán todas las bestias del campo.

**16.** El duerme a la sombra en la espesura de los cañaverales y en lugares húmedos.

**17.** Los árboles sombríos cubren su morada, rodéanle los sauces de los arroyos.

**18.** Mira cómo él se sorbe un río, sin que le parezca haber bebido mucho: aun presume po-der agotar el Jordán *entero:*

**19.** Parece que se lo quiere tragar con los ojos, y absorbérselo con sus narices.

**20.** ¿Podrás tú tampoco pescar y sacar fuera con anzuelo a Leviatán o *la mayor bestia acuáti-ca,* y atar con una cuerda su lengua?

**21.** ¿Podrás echar acaso una argolla en sus na-rices, o taladrar con un garfio sus quijadas?

**22.** ¿Acaso te hará muchas súplicas, o te dirá palabras tiernas?

**23.** ¿O hará quizá pacto contigo, y le recibirás por tu perpetuo esclavo?

**24.** ¿Por ventura juguetearás con él como con un pajarillo, o le atarás *con un hilo* para *diversión de tus siervos?*

**25.** ¿Partiránle en trozos *en un convite* tus ami-gos, o repartiránsele entre sí los negociantes?

**26.** ¿Harás caber acaso su cuerpo en las redes de los pescadores, o meterás su cabeza en el gar-lito o *nasa* de los peces?

**27.** Pon tu mano sobre él, *tócalo solamente,* y te quedará memoria *eterna* de tal pelea, ni volve-rás a hablar más de ella.

**28.** Quien espera *prenderlo* se hallará burlado, y a vista de todos será *por él* precipitado *al mar.*

## CAPITULO XLI

*Explícase más difusamente la fiereza de Leviatán con la descripción de sus miembros, y de su du-reza y soberbia.*

**1.** No lo despertaré como cruel; pues, ¿quién puede resistir a mi semblante?

**2.** ¿Quién me ha dado algo, primero, para que yo deba restituírselo? Mío es todo cuanto hay de-bajo del cielo.

---

**20.** Puede traducirse: *y tirar de su lengua con el cor-del del anzuelo* que la tiene agarrada.

**27.** Pondérase aquí la gran dificultad de pescar la ballena, pesca que entonces el vulgo creía imposible: como realmente lo es a un pescador solo; y que solamente hace unos cuatro siglos que se practica; reunién-dose para ello una gran multitud de hombres.

**CAP. XLI.** — **1.** *No tengo necesidad de provocarle* contra los hombres *como cruel* que es. *Porque ¿quién puede resistir* tan solamente *a mi semblante airado?*

**3.** No tendré miramiento por él, ni a la eficacia de sus palabras dispuestas a propósito para mover a compasión.

**4.** ¿Quién *de los mortales* le quitará *a Leviatán* la piel que lo cubre? ¿o quién entrará en medio de su *espantosa* boca?

**5.** ¿Quién abrirá las puertas de esta boca *o sus agallas?* Espanta *el ver solamente* el cerco de sus dientes.

**6.** Su cuerpo es *impenetrable* como los escudos fundidos de bronce, y está apiñado de escamas entre sí apretadas;

**7.** La una está trabada con la otra, sin que quede ningún resquicio por donde pueda penetrar *ni el aire.*

**8.** Está la una *tan* pegada a la otra, y *tan* asidas entre sí, que de ningún modo se separarán.

**9.** Cuando estornuda, *parece que* arroja chispas de fuego, y sus ojos *centellean* como los arreboles de la aurora.

**10.** De su boca salen llamas como de tizones encendidos.

**11.** Sus narices arrojan humo como la olla hirviente entre llamas.

**12.** Su aliento enciende los carbones, y su boca despide llamaradas.

**13.** En su cerviz reside la fortaleza; y va delante de él la miseria.

**14.** Los miembros de su cuerpo están perfectamente unidos entre sí; caerán rayos sobre él, mas no *por eso* se moverá de su sitio.

**15.** Tiene el corazón duro, como piedra, y apretado como yunque de herrero *golpeado de martillo.*

**16.** Cuando él se levanta *sobre las olas* tienen miedo los fuertes *mismos,* y amedrentados procuran purificarse *y aplacar al cielo.*

**17.** Si alguno quiere embestirlo, no sirven contra él ni espada, ni lanza, ni coraza;

**18.** Pues el hierro es para él como paja, y el bronce como leño podrido.

**19.** No lo hará huir el *más* diestro flechero: para él las piedras de la honda son hojarasca.

**20.** Reputará el martillo como una arista; y se reirá de la lanza enristrada.

**21.** Debajo de él quedarán *ofuscados* los rayos del sol, y andará por encima del oro, como sobre lodo.

**22.** *Con sus bufidos* hará hervir el mar profundo como una olla, y hará que se parezca al caldero de ungüentos, cuando hierven a borbollones.

**23.** Deja en pos de sí un sendero reluciente, y hace que el mar *se agite,* y tome el color canoso de la vejez.

**24.** *En fin,* no hay poder sobre la tierra que pueda comparársele, pues fué criado para no tener temor de nadie.

**25.** Mira *debajo de sí* cuanto hay de grande, como quien es el rey de todos los más soberbios *animales.*

## CAPITULO XLII

*Sentencia el Señor a favor de Job contra sus tres amigos. Ruega Job por ellos; y habiendo recibido doblados bienes, descansa en paz.*

**1.** Entonces Job, respondiendo al Señor, dijo:

**2.** Yo sé que todo lo puedes, y que no se te oculta ningún pensamiento.

**3.** ¿Quién es aquél, *has dicho tú,* que envuelve sentencias juiciosas con palabras de ignorante? Por tanto *confieso, Señor,* que he hablado indiscretamente, y de cosas que sobrepujan infinitamente mi saber.

**4.** Mas *dígnate* escuchar, y yo hablaré *con más juicio:* te preguntaré, y tú *tendrás la bondad de* responderme.

**5.** *Ya, Señor,* te conocía de oídas; pero ahora *parece que* te veo con mis propios ojos.

**6.** Por eso yo me acuso a mí mismo, y hago penitencia envuelto en polvo y ceniza.

**7.** Después que el Señor hubo acabado de hablar de aquel modo a Job, dijo a Elifaz Temanita: Estoy altamente indignado contra ti y contra tus dos amigos, porque no habéis hablado con rectitud *y justicia* en mí presencia, como mi siervo Job.

**8.** Tomad, pues, siete toros y siete carneros, id a mi siervo Job, y ofrecedlos en holocausto por vosotros. Y Job, siervo mío, hará oración por vosotros, y yo aceptaré su intercesión, para que no se os impute vuestra culpa; ya que no habéis hablado de mí rectamente, como mi siervo Job.

---

**9.** El erudito expositor y sabio agustino Padre Diego Zúñiga cree que en éste y siguientes versos se habla efectivamente de fuego producido con el movimiento vehemente del estornudo: y añade que semejantes cetáceos son muchos en el océano boreal, donde se ven lucir desde muy lejos sus grandes ojos, de manera que parecen dos fuegos, y sirve esto de señal a los navegantes para apartarse de ellos.

---

CAP. XLII. — 3. Puede traducirse: *Quién es, pues, aquél que neciamente* o falto de juicio, *oscurece,* o presume ocultar *los consejos de la Providencia?*

9. En consecuencia fuéronse Elifaz Temanita, y Baldad Suhita, y Sofar Naamatita, y ejecutaron cuanto les había mandado el Señor, y el Señor se aplacó en gracia de Job.

10. Asimismo movióse el Señor a compasión de Job mientras hacía oración por sus amigos, y volvióle el Señor doblados bienes de los que antes poseía.

11. Vinieron luego a verlo todos sus hermanos y todas sus hermanas, y cuantos antes lo habían conocido *y tratado;* y comieron con él en su casa, y diéronle muestras de su *tierna* compasión, consolándolo de todas las tibulaciones que el Señor le había enviado;

_____

11. Todos sus parientes: los cuales antes Ie abandonaron, como se lamentaba Job. Cap. XIX, *v.* 13, 14.

y dióle cada uno de ellos, *a modo de presente,* una oveja y un zarcillo de oro.

12. Y el Señor echó su bendición sobre Job en su último estado, mucho más aún que en el primero. Y llegó a tener catorce mil ovejas, y seis mil camellos, y mil yuntas de bueyes, y mil asnas.

13. Tuvo también siete hijos y tres hijas.

14. De las cuales a la primera puso por nombre Día, a la segunda Casia, y a la tercera Conustibia.

15. No hubo en toda la tierra mujeres tan hermosas como las hijas de Job; e hízoles su padre entrar a la parte de la herencia como a sus hermanos.

16. Después de estas cosas vivió Job ciento y cuarenta años, en que vió a sus hijos y nietos hasta la cuarta generación; y murió ya muy viejo y lleno de días.

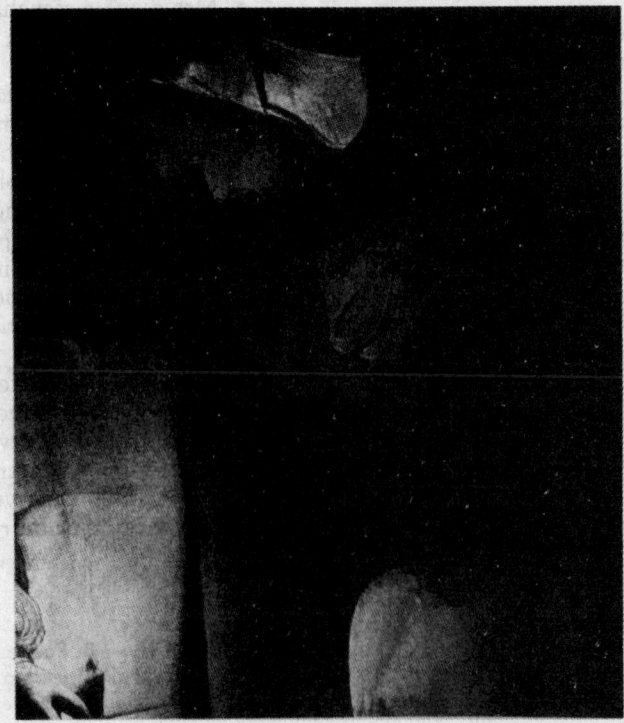

# LOS SALMOS

# Introducción

Este libro se compone de un conjunto de cantos, himnos, loas, salmos y alabanzas del Señor. Se trata de un género antiquísimo entre los hebreos y sus textos están destinados al canto y la recitación. Su riqueza poética y su armonía métrica facilitaban el aprendizaje oral. Eran, pues, un medio seguro de conservar el acervo de la historia nacional. Pero los judíos consagraron su poesía íntegramente a las alabanzas del Señor y al servicio de la religión.

Los temas de los salmos son variadísimos. Dice san Ambrosio: «Cuanto se enseña en la ley, cuanto leemos en la historia sagrada, cuanto anuncian los profetas y cuantas instrucciones, avisos y correcciones se hallan en la moral, otro tanto se encuentra en los salmos. Por esta razón, cuando los leo, registro en ellos todos los misterios de nuestra santa religión y todo lo que vaticinaron los profetas; veo y reconozco la gracia de las revelaciones, los testimonios de la resurrección de Jesucristo, los premios de la otra vida; y aprendo a confundirme y avergonzarme de mis pecados y a detestarlos y evitarlos enteramente. El ejemplo de un rey y profeta tan grande [David] me sirve de modelo para que procure arrepentirme muy de corazón de todos ellos, llorarlos con amargas lágrimas y precaverme en adelante para no volver a cometerlos».

El *Libro de los Salmos*, también llamado *Salterio*, suele denominarse *Salterio de David*. Mas esto no significa que sea el rey David único autor de la obra. Es solamente el autor principal y se le considera el salmista más eximio de Israel. Las inscripciones que preceden a muchos salmos indican unas veces el nombre del autor y otras el género literario a que corresponde la pieza; no falta alguna advertencia musical o sobre los hábitos litúrgicos. La antigüedad de estas inscripciones oscurece a nuestros ojos su sentido. De todos modos, dichas inscripciones atribuyen doce salmos al levita Asaf; otros doce a los hijos de Coré; uno a Etán; otro a Moisés; sesenta y cuatro a David y uno a Salomón. Quedan cincuenta y nueve que son anónimos. Es muy probable que el compilador fuera Esdras. Los ciento cincuenta salmos se dividen en cinco libros, que probablemente son otras tantas colecciones hechas en distintas épocas por autores diferentes. Esto se evidencia tanto en detalles de la ordenación general como en el uso que en los distintos libros se hace del nombre del Señor. En el libro primero predomina el nombre de Yavé. En el segundo es más abundante el nombre de Elohim. En el tercero figuran equilibradamente los nombres de Yavé y de Elohim. En el cuarto y en el quinto se habla de Dios casi exclusivamente con el nombre de Yavé.

La época de la redacción de los salmos abarca un lapso de tiempo muy prolongado: desde los comienzos de la monarquía (siglo XI antes de C.) hasta después de la cautividad de Babilonia (siglo V antes de C.). Las inscripciones son antiquísimas y la recopilación de los Setenta ya no entendía muchas de ellas. Señalan el género de la composición, la melodía a seguir, los instrumentos de acompañamiento, los tipos de voces y toda clase de detalles técnicos. Desgraciadamente la tradición del canto litúrgico se perdió entre los judíos y muchas de esas indicaciones son para nosotros totalmente indescifrables. Las inscripciones que detallan las circunstancias históricas en que se compuso el salmo quizá no deban tomarse al pie de la letra. El poeta rompe generalmente el marco histórico trazado por él mismo y expresa sentimientos y pensamientos que rebasan con mucho dicho marco.

Los temas de los salmos son muy variados. A la luz de la revelación de Dios y de los destinos de Israel, los salmistas cantan la lucha continua entre el bien y el mal, el espectáculo de la naturaleza, la confianza del justo en la Providencia divina, la historia de Israel y sus sucesos culminantes, la confesión humilde de los pecados, la sabiduría, la omnipotencia y la gloria divinas, etc. El mesianismo omnipresente en los salmos se revela, como sucede en el caso de los profetas, de formas muy variadas.

Cuando los salmistas cantan la lucha del pueblo de Dios contra los pueblos idólatras, piden al Señor que descargue su castigo sobre los pueblos enemigos de Israel. Pues la causa de Dios es la misma que los justos representan en el mundo y los salmistas claman para que la justicia implacable caiga sobre los malvados. Estas plegarias tienen la fuerza y el realismo expresivo propios de la poesía oriental e inevitablemente impresionan al espíritu.

Los libros poéticos hebreos son los más bellos del Antiguo Testamento; y los *Salmos*, en concreto, encierran una fuerza singular para despertar en los lectores los sentimientos más piadosos y los más elevados pensamientos.

## SALMO PRIMERO

*Felicidad de los justos; infelicidad de los pecadores.*

1. Dichoso aquel varón que no se deja llevar de los consejos de los malos, ni se detiene en el camino de los pecadores, ni se asienta en la cátedra pestilencial *de los libertinos;*

2. Sino que tiene puesta *toda* su voluntad en la ley del Señor, y está meditando en ella día y noche.

3. El será como el árbol plantado junto a las corrientes de las aguas, el cual dará su fruto en el debido tiempo, y cuya hoja no caerá

*nunca*; y cuanto él hiciere tendrá próspero efecto.

4. No así los impíos, no así; sino que serán como el tamo *o polvo* que el viento arroja en la superficie de la tierra.

5. Por tanto no prevalecerán los impíos en el juicio; ni los pecadores *estarán* en la asamblea de los justos.

6. Porque conoce el Señor y premia el proceder de los justos; mas la senda de los impíos terminará en la perdición.

---

SALMO PRIMERO. — 5. Esto es, los impíos no resucitarán en el día del juicio para vivir en la gloria celestial. Ni estarán los pecadores en aquella congregación de los justos.

## SALMO II

*Establecimiento del reino del Mesías contra los esfuerzos de los hombres. A Jesucristo han de obedecer todos los que quieran salvarse.*

1. ¿Por qué causa se han embravecido *tanto* las naciones, y los pueblos maquinan vanos proyectos?

2. Hanse coligado los reyes de la tierra y se han confederado los príncipes contra el Señor, y contra su Cristo o *Mesías*.

3. Rompamos, dijeron, sus ataduras, y sacudamos lejos de nosotros su yugo.

4. *Mas* aquél que reside en los cielos se burlará de ellos; se mofará de ellos el Señor.

5. Entonces les hablará él en su indignación, y los llenará el terror con su saña.

6. Mas yo he sido por él constituído rey sobre Sión, su santo monte, para predicar su ley.

7. A mí me dijo el Señor: Tú eres mi hijo; yo te engendré hoy.

8. Pídeme, y te daré las naciones en herencia tuya, y extenderé tu dominio hasta los extremos de la tierra.

9. Regirlos has con centros de hierro: y *si te resisten*, los desmenuzarás como un vaso de barro.

10. Ahora pues ¡oh reyes! entendedlo: sed instruidos vosotros los que juzgáis o *gobernáis* la tierra.

11. Servid al Señor con temor, y regocijaos en él, poseídos *siempre de un* temblor *santo.*

12. Abrazad la buena doctrina; no sea que al fin se irrite el Señor, y perezcáis descarriados de la senda de la justicia.

13. *Porque* cuando de aquí a poco se inflamare su ira, bienaventurados todos aquéllos que ponen en él su confianza.

## SALMO III

*David perseguido implora el auxilio de Dios contra sus enemigos.*

1. *Salmo de David cuando temeroso iba huyendo de su hijo Absalom.*

2. *¡Ah,* Señor! ¿Cómo es que se han aumentado tanto mis perseguidores? Son muchísimos los que se han rebelado contra mí.

3. Muchos dicen de mí: Ya no tiene que esperar de su Dios salvación o *amparo.*

4. Pero tú, ¡oh Señor! *tú* eres mi protector, mi gloria, y el que me haces levantar cabeza.

5. A voces clamé al Señor, y él me oyó *benigno* desde su santo monte.

6. Yo me dormí, y me entregué a un profundo sueño; y me levanté, porque el Señor me tomó bajo su amparo.

7. No temeré, *pues,* a ese innumerable gentío, que me tiene cercado; levántate ; ¡oh Señor! sálvame tú, Dios mío.

8. Pues tú has castigado a todos los que sin razón me hacen guerra; les has quebrantado a los pecadores los dientes.

9. Del Señor nos viene la salvación; y tú, *oh Dios mío,* bendecirás a tu pueblo.

## SALMO IV

*David perseguido de sus enemigos, es librado de ellos por su oración y confianza en Dios.*

1. *Para el fin: salmo y cántico de David.*

2. Así que yo le invoqué, oyóme Dios, que es mi justicia; tú ¡oh Dios mío! en mi angustia me ensanchaste el corazón. Apiádate *aún* de mí, y presta oídos a mi oración.

3. ¡Oh hijos de los hombres! ¿Hasta cuándo seréis de estúpido corazón? ¿Por qué amáis la vanidad y vais en pos de la mentira?

4. Sabed, pues, que *es* el Señor *quien* ha hecho admirable a su Santo; el Señor me oirá siempre que clamare a él.

5. Enojaos, y no queráis pecar *más;* compungíos en el retiro de vuestros lechos de las cosas que andáis meditando en vuestros corazones.

6. Ofreced sacrificios de justicia, y confiad en el Señor. Dicen muchos: ¿Quién nos hará ver los bienes *que se nos prometen?*

7. Impresa está, Señor, sobre nosotros la luz de tu rostro: tú has infundido la alegría en mi corazón.

8. Ellos están bien abastecidos y alegres con la abundancia de su trigo, vino y aceite.

9. Mas yo, *Dios mío,* dormiré en paz, y descansaré *en tus promesas:*

---

SAL. II — 4. Y de sus vanos proyectos.
SAL. III. — 1. Este salmo, según el común sentir de los Santos Padres, nos ofrece en la persona de David perseguido por su hijo Absalom una figura de Jesucristo perseguido por los hijos de su sinagoga ingrata.

---

SAL. IV. — 4. *Santo:* esto es, a su *Cristo o Ungido.*
5. Contra vosotros mismos. *Ephes.* IV, *v.* 26.

10. Porque tú ¡oh Señor! sólo tú has asegurado mi esperanza.

## SALMO V

*Fervorosa oración que hace David a Dios; en la cual dice cuanto aborrece el Señor a los malos, y cuanto ama y favorece a los buenos.*

1. *Para el fin: por aquélla que consigue la herencia: Salmo de David.*

2. Presta oídos, Señor, a mis palabras; escucha mis clamores.

3. Atiende a la voz de mis súplicas ¡oh mi Rey y Dios mío!

4. Porque a ti enderezaré mi oración: de mañana ¡oh Señor! oirás mi voz.

5. Al amanecer me pondré en tu presencia, y te contèmplaré. Porque no eres tú un Dios que ame la iniquidad.

6. Ni morará junto a ti el maligno, ni los injustos podrán permanecer delante de tus ojos.

7. Tú aborreces a todos los que obran la iniquidad; tu perderás a todos aquéllos que hablan mentira. Al hombre sanguinario y fraudulento, el Señor le abominará.

8. Pero yo confiado en la muchedumbre de tus misericordias, entraré en tu casa; y poseído de tu *santo* temor, doblaré mis rodillas ante tu santo templo.

9. Guíame ¡oh Señor!, por *la senda de* tu justicia; haz que sea recto ante tus ojos mi camino, por causa de mis enemigos.

10. Pues en su boca no se halla palabra de verdad: su corazón está lleno de vanidad y *perfidia.*

11. Su garganta es un sepulcro abierto; con sus lenguas urden *continuamente* engaños. Júzgalos, oh Dios *mío.* Frústrense sus designios, arrójalos fuera, *lejos de tu presencia,* como lo merecen sus muchas impiedades; puesto que ¡oh Señor ! te han irritado.

12. Al contrario, alégrense todos aquéllos que ponen en ti su esperanza: se regocijarán eternamente, y tú morarás en ellos. Y en ti se gloriarán todos los que aman tu *santo* Nombre,

13. Porque tú colmarás de bendiciones al justo. Señor, con tu benevolencia, como con un escudo, nos has cubierto por todos lados.

## SALMO VI

*Sentimientos de un verdadero penitente.*

1. *Para el fin: cántico y salmo de David para la octava.*

2. Señor, no me reprendas en *medio de* tu saña, ni me castigues en *la fuerza de* tu enojo.

3. Ten, Señor, misericordia de mí que estoy sin fuerzas; sáname, oh Señor, porque *hasta* mis huesos se han estremecido.

4. Y está mi alma sumamente perturbada: pero tú, Señor, ¿hasta cuándo?

5. Vuélvete *a mí,* Señor, y libra mi alma: sálvame por tu misericordia.

6. Porque en muriendo ya no hay quien se acuerde de ti; y en el infierno, ¿quién te tributará alabanzas?

7. Me he consumido a fuerza de *tanto* gemir; todas las noches baño mi lecho con mis lágrimas; inundo con ellas el lugar de mi descanso.

8. Por causa de la indignación se han obscurecido mis ojos; he envejecido *y quedado endeble* en medio de todos mis enemigos.

9. Apartaos *lejos* de mí todos los que obráis la iniquidad; porque ha oído el Señor *benignamente* la voz de mi llanto.

10. Ha otorgado el Señor mi súplica; ha aceptado mi oración.

11. Avergüéncense, y queden llenos de la mayor turbación todos mis enemigos: retírense, y váyanse al momento cubiertos de ignominia.

## SALMO VII

*Implora la justicia del Señor, para que le defienda de sus enemigos; cuya ruina predice.*

1. *Salmo de David; cantado por él al Señor con motivo de las palabras de Cusi, hijo de Jemini.*

2. Señor, Dios mío, en ti he puesto mi esperanza; sálvame de todos mis perseguidores, y líbrame.

3. No sea que *alguno,* como león, arrebate tal vez mi alma, sin que haya nadie que me libre y ponga en salvo.

4. ¡*Ah* Señor Dios mío! Si yo tal hice, si hay iniquidad en mis acciones,

5. Si he vuelto mal por mal a los que me le han hecho, caiga yo justamente en las garras de mis enemigos, sin recurso.

6. Persígame el enemigo, y apodérese de mí, y estrélleme contra el suelo, y reduzca a polvo mi gloria.

---

SAL. VI. — 4. ¿Harás durar mi tribulación?
7. Acordándome de mis pecados.
SAL. VII. — 1. II *Reg.* XVI. v. 7.

7. Levántate, ¡oh Señor! *en el momento* de tu enojo, y ostenta tu grandeza en medio de mis enemigos. Sí, Señor Dios mío, levántate según la ley por ti establecida;

8. Y el concurso de las naciones se reunirá alrededor de ti. Por amor de esta congregación vuelve a subir a lo alto.

9. El Señor es quien juzga a los pueblos. Júzgame, *pues*, oh Señor, según mi justicia, y según la inocencia que hay en mí.

10. Acábese ya la malicia de los pecadores: y tú ¡oh Dios! que penetras los corazones, y los afectos *más íntimos*, encaminarás al justo.

11. Mi socorro lo espero del Señor; el cual saca a salvo a los rectos de corazón.

12. Dios, justo juez, fuerte y sufrido, ¿enójase acaso todos los días?

13. Si vosotros no os convertiereis vibrará su espada; entesado tiene su arco y asestado;

14. Y en él ha puesto dardos mortales, y tiene dispuestas sus abrasadoras saetas.

15. He aquí que *el impío* ha parido la injusticia; concibió el dolor, y parió el pecado.

16. El abrió y ahondó una fosa; mas ha caído en esa *misma* fosa que él hizo.

17. El dolor *que quiso ocasionarme*, recaerá contra él; y su iniquidad descargará sobre su cabeza.

18. Glorificaré yo al Señor por su justicia y cantaré himnos de alabanza al *excelso* Nombre del Señor altísimo.

## SALMO VIII

*Admirable providencia del Señor para con el hombre, tanto en su creación, como en su renovación por Jesucristo.*

1. *Al fin: para los lagares: salmo de David.*

2. Oh Señor, *Soberano* Dueño nuestro, ¡cuán admirable es tu *santo* Nombre en toda la redondez de la tierra! Porque tu majestad se ve ensalzada sobre los cielos.

3. De la boca de los niños y de los que están aún pendientes del pecho de sus madres, hiciste tú salir perfecta alabanza, por razón de tus enemigos, para destruir al enemigo y al vengativo.

4. Yo contemplo tus cielos, obra de tus dedos, la luna y las estrellas que tú criaste, *y exclamo:*

5. ¿Qué es el hombre, para que tú te acuerdes de él? ¿O qué es el hijo del hombre, para que vengas a visitarle?

6. Hicístele un poco inferior a los ángeles, coronástele de gloria y de honor.

7. Y le has dado el mando sobre las obras de tus manos.

8. Todas ellas las pusiste a sus pies; todas las ovejas y bueyes, y aun las bestias del campo;

9. Las aves del cielo, y los peces del mar que hienden sus ondas.

10. Oh Señor, Soberano Dueño nuestro, ¡y cuán admirable es tu nombre en toda la redondez de la tierra!

## SALMO IX

*En la primera parte del Salmo da gracias por la victoria conseguida de los enemigos.*

1. *Para el fin: por los ocultos arcanos del Hijo: salmo de David.*

2. A ti, oh Señor, tributaré gracias con todo mi corazón: contaré todas tus maravillas.

3. Me alegraré en ti y saltaré de gozo; cantaré himnos a tu Nombre, ¡oh *Dios* Altísimo!

4. Porque tú pusiste en fuga a mis enemigos; y quedarán debilitados, y perecerán delante de ti.

5. Pues tú me has hecho justicia, has tomado la defensa de mi causa; te has sentado sobre el trono, tú que juzgas según justicia.

6. Has reprendido a las naciones, y pereció el impío; has borrado los nombres de los tales para siempre por los siglos de los siglos.

7. Quedan embotadas para siempre las espadas del enemigo, y has asolado sus ciudades. Desvanecióse como el sonido su memoria.

8. Mas el Señor subsiste eternamente. El preparó su trono para ejercer el juicio;

9. Y él mismo es quien ha de juzgar con rectitud la redondez de la tierra; juzgará los pueblos con justicia.

10. El Señor se ha hecho el amparo del pobre; socorriéndole oportunamente en la tribulación.

11. Confíen, pues, en ti ¡oh *Dios mío!* los que conocen *y adoran* tu Nombre; porque jamás has desamparado, Señor, a los que a ti recurren.

12. Cantad himnos al Señor que tiene su morada en *el monte santo de* Sión; anunciad entre las naciones sus proezas.

**13.** Porque vengando la sangre de sus siervos, ha hecho ver que se acuerda de ellos; no ha echado en olvido el clamor de los pobres.

**14.** Apiádate, Señor, de mí: mira el abatimiento a que me han reducido mis enemigos.

**15.** Tú que me sacas de las puertas de la muerte, para que publique todas tus alabanzas en las puertas de la hija de Sión.

**16.** Manifestaré mi júbilo por haberme tú salvado; las gentes *que me perseguían* han quedado sumidas en la perdición que habían preparado *contra mí.* En el lazo mismo, que *me* tenían ocultamente armado, ha quedado preso su pie.

**17.** *Así* se reconocerá que el Señor hace justicia; *al ver* que el pecador ha quedado preso en las obras *o lazos* de sus *propias* manos.

**18.** Serán arrojados al infierno los pecadores, y todas esas gentes que viven olvidadas de Dios.

**19.** Que no estará para siempre olvidado el pobre; ni quedará para siempre frustrada la paciencia de los infelices.

**20.** Levántate, ¡oh Señor! *haz* que no prevalezca el hombre *malvado;* sean juzgadas las gentes ante tu presencia.

**21.** Establece, Señor, sobre ellas un legislador; para que conozcan que son hombres *débiles y miserables.*

## SALMO (X)

*El Profeta implora el auxilio del Señor.*

**22.** ¿Y por qué ¡oh Señor! te has retirado a los lejos, y *me* has desamparado en el tiempo *más* crítico, en la tribulación?

**23.** Mientras que el impío se ensoberbece, se requema el pobre; mas *en fin,* los impíos son cogidos en los mismos designios *o tramos* que han urdido.

**24.** Por cuanto el pecador se jacta en los *perversos* deseos de su alma; y el inicuo se ve celebrado.

**25.** *Por lo mismo,* orgulloso el pecador ha exasperado al Señor, y no le buscará según el exceso de su arrogancia.

**26.** Delante de él no hay Dios; y así sus procederes son siempre viciosos. Tus juicios, *Señor,* los ha apartado lejos de su vista; *sólo piensa en* dominar a todos sus enemigos.

**27.** Pues él ha dicho en su corazón: Nunca jamás seré yo derrocado; viviré *siempre* libre de todo infortunio.

**28.** Está su boca llena de maldición y de amargura, y de dolo; debajo de su lengua opresión y dolor *para el prójimo.*

**29.** Pónese al acecho con los ricos, en sitios escondidos, para matar al inocente;

**30.** Tiene *siempre su* vista fija contra el pobre; está asechando desde la emboscada, como un león desde su cueva. Asecha para echar sus garras sobre el pobre: para agarrar al pobre, atrayéndole *dolosamente* hacia sí.

**31.** Lo hará caer en su lazo; se agachará *en tierra,* y echarse ha encima de los pobres, luego que los haya apresado.

**32.** Porque él dijo en su corazón:.Dios ya de nada se acuerda; ha vuelto su rostro para no ver jamás nada.

**33.** Levántate, *pues,* ¡oh Señor Dios! alza tu *poderosa* mano; no te olvides de los pobres *o desvalidos.*

**34.** ¿Por qué razón el impío ha irritado *así* a Dios? Es porque ha dicho en su corazón: Dios de nada se cuida.

**35.** Pero tú, *Señor,* lo estás viendo: tú consideras el afán y el dolor *del oprimido;* para entregar a los tales *malvados* al *castigo de* tus manos. A cargo tuyo está la tutela del pobre; tú eres el amparo del huérfano.

**36.** Quebranta el brazo del pecador y del maligno; y *entonces* se buscará *el fruto de* su pecado, y no se hallará *nada.*

**37.** Reinará el Señor eternamente y por los siglos de los siglos; vosotras ¡oh naciones *impías!* seréis extirpadas de su tierra.

**38.** Atendiste ¡oh Señor! al deseo de los pobres; prestaste benignos oídos a la rectitud de su corazón,

**39.** Para hacer justicia al huérfano y al oprimido; a fin de que cese ya el hombre de gloriarse de su poder sobre la tierra.

## SALMO X

*David, contemplando al Señor justo defensor de la inocencia y severo juez de los que la persiguen, pone toda su confianza en Dios, a pesar de todos los enemigos.*

**1.** *Para el fin: salmo de David.*

**2.** En el Señor tengo puesta mi confianza: ¿Cómo, *pues,* decís a mi alma: Retírate *prontamente* al monte, como una ave *que huye?*

**3.** Mira que los pecadores han entesado el arco, y tienen preparadas saetas dentro de sus aljabas, para asaetear a escondidas a los que son de corazón recto.

**4.** Porque aquello que tú hiciste de bueno, lo han reducido a nada; mas el justo, ¿qué es lo que ha hecho *de malo?*

**5.** *Pero* el Señor está en su santo templo: el Señor tiene su trono en el cielo. Sus ojos están mirando al pobre; sus párpados están examinando a los hijos de los hombres.

**6.** El Señor toma residencia al justo y al impío; y *así* el que ama la maldad, odia su *propia* alma.

**7.** Lloverá lazos o *desastres* sobre los pecadores; el fuego, y azufre, y el viento tempestuoso son el cáliz, *o bebida,* que les tocará.

**8.** Porque el Señor es justo y ama la justicia: está *siempre* su rostro mirando la rectitud.

## SALMO XI

*Corrupción general de costumbres, de la cual pide a Dios ser preservado.*

**1.** *Para el fin: para la octava: salmo de David.*

**2.** Sálvame, Señor; porque ya no se halla un hombre de bien *sobre la tierra;* porque las verdades no se aprecian *ya* entre los hijos de los hombres.

**3.** Cada uno de ellos no habla sino con mentira a su prójimo; habla con labios engañosos y con un corazón doble.

**4.** Acabe el Señor con todo labio tramposo y con la lengua jactanciosa.

**5.** Ellos han dicho: Nosotros con nuestra lengua, *o artificiosas palabras,* haremos cosas grandes; somos dueños de nuestros labios: ¿quién nos manda a nosotros?

**6.** Pero el Señor mirando a la miseria de los desvalidos, y al gemido de los pobres, dice: Ahora me levantaré yo *para defenderlos.* Pondrélos en salvo: les inspiraré confianza.

**7.** Palabras puras y *sinceras* son las palabras del Señor; son plata ensayada al fuego, acendrada en el crisol, y siete *o muchas* veces refinada.

**8.** ¡Oh Señor! tú nos salvarás, y nos defenderás siempre de esta raza de gentes.

**9.** Los impíos andan alrededor de nosotros: Tú, según tu grandeza *o altísima sabiduría,* has multiplicado los hijos de hombres.

---

SAL. X. — 6. Según el hebreo debe traducirse: *y su alma aborrece al que obra la maldad.*

SAL. XI. — 2. De quien poder fiarme. Es una expresión hiperbólica.

6. Lo haré con libertad y firmeza, sin que nadie pueda resistirme.

## SALMO XII

*Sentimientos de un alma atribulada, que con firme esperanza recurre a Dios.*

**1.** *Para el fin: salmo de David.*

¿Hasta cuándo, oh Señor, me has de tener en profundo olvido? ¿Hasta cuándo apartarás de mí tu rostro?

**2.** ¿Cuánto tiempo andaré yo cavilando conmigo mismo, penando mi corazón todo el día?

**3.** ¿Hasta cuándo me tiranizará mi enemigo?

**4.** Vuelve ¡oh Señor Dios mío! vuelve tu vista hacia mí, y escúchame *benignamente.* Alumbra mis ojos a fin de que no duerma yo jamás el sueño de la muerte;

**5.** No sea que alguna vez diga mi enemigo: He prevalecido contra él. Los que me atribulan saltarán de gozo si me ven vacilar.

**6.** Pero yo tengo puesta mi confianza en tu misericordia. Mi corazón saltará de júbilo por la salvación que me vendrá de ti; cantaré al Señor, bienhechor mío, y haré resonar con himnos de alabanza el nombre del Señor Altísimo.

## SALMO XIII

*Pinta David la general corrupción de los hombres y la persecución que sufren los justos. Intima el juicio de Dios y profetiza la venida del Mesías para la salud del género humano.*

**1.** *Para el fin: salmo de David.*

Dijo en su corazón el insensato: No hay Dios. *Los hombres* se han corrompido, y se han hecho abominables por seguir sus pasiones; no hay quien obre bien, no hay uno siquiera.

**2.** El Señor echó desde el cielo una mirada sobre los hijos de los hombres, para ver si había uno que tuviese juicio, o que buscase a Dios.

**3.** Todos se han extraviado, todos a una se hicieron inútiles; no hay quien obre bien, no hay siquiera uno. Su garganta es un sepulcro destapado; con sus lenguas están forjando fraudes; debajo de sus labios hay veneno de áspides. Llena está su boca de maldición y de amargura; sus pies son ligeros para ir a derra-

---

SAL. XIII. — 3. *Siquiera uno:* los tres miembros de este verso que siguen, se hallan no en el hebreo, sino en la versión griega llamada *Común.* Algunos

mar sangre. Todos sus procederes se dirigen a afligir y oprimir *al prójimo;* nunca conocieron el sendero de la paz; no hay temor de Dios ante sus ojos.

**4.** ¿Por ventura no entrarán en conocimiento todos ésos que hacen profesión de la iniquidad; ésos que devoran a mi pueblo, como un bocado de pan?

**5.** No han invocado al Señor; y allí tiemblan de miedo donde no hay motivo de temer.

**6.** Porque está el Señor en medio del linaje de los justos: vosotros *¡oh impíos!* ridiculizáis la determinación del desvalido, cuando pone en el Señor su esperanza.

**7.** ¡*Oh,* quién enviará de Sión la salud *o el Salvador* de Israel! Cuando el Señor pusiere fin a la cautividad de su pueblo, saltará de gozo Jacob, y se regocijará Israel.

## SALMO XIV

*Cuál ha de ser la vida de los que desean entrar en la celestial Sión.*

**1.** *Salmo de David.*
*¡Ah,* Señor! ¿quién morará en tu *celestial* tabernáculo? ¿O quién descansará en tu santo monte?

**2.** Aquél que vive sin mancilla, y obra rectamente.

**3.** Aquél que habla la verdad *que tiene* en su corazón, y no ha forjado ningún dolor con su lengua; ni ha hecho mal a sus prójimos, ni ha consentido que fuesen infamados.

**4.** El que en su estimación reputa al malvado por una nonada: mas honra a aquéllos que temen al Señor; que si hace juramento a su prójimo, no le engaña.

**5.** Que no da su dinero a usura, ni se deja cohechar contra el inocente. Quien así se porta, no será conmovido por toda la eternidad.

## SALMO XV

*Acude David a Dios pidiéndole socorro. Salmo profético que conviene a Jesucristo* (Hech. c. II, *v.* 25; c. XIII, *v.* 35).

**1.** *Inscripción de título: del mismo David.*
Sálvame, oh Señor, pues tengo puesta en ti *toda* mi esperanza.

**2.** Yo dije al Señor: Tú eres mi Dios, que no tienes necesidad de mis bienes.

---

7. *Gen.* XLIX, *v.* 18.

**3.** Cumplido ha maravillosamente todos mis deseos, en los santos que moran en su tierra.

**4.** Multiplicaron los *impíos* sus miserias, *o sus miserables deidades;* en pos de las cuales corrían aceleradamente. No seré yo el que convoque sus sanguinarios conventículos: ni siquiera tomaré en boca tales nombres.

**5.** El Señor es la parte que me ha tocado en herencia, y la porción destinada para mí. Tú eres, *oh Señor,* el que me restituirás *y conservarás* mi heredad.

**6.** En delicioso sitio me cupo la suerte; hermosa es, a la verdad, la herencia que me ha tocado.

**7.** Alabaré, pues, al Señor, que me ha dado tal entendimiento; a lo cual, aun durante la noche, mi corazón me excitaba.

**8.** Yo contemplaba siempre al Señor delante de mí, como quien está a mi diestra para sostenerme.

**9.** Por eso se regocijó mi corazón, y prorrumpió en cánticos alegres mi lengua; y además también mi carne descansará con la esperanza.

**10.** Porque yo sé que no has de abandonar tú, *oh Señor,* mi alma en el sepulcro, ni permitirás que tu Santo experimente la corrupción.

**11.** Hicísteme conocer las sendas de la vida; me colmarás de gozo con *la vista de* tu *divino* rostro; en tu diestra se hallan delicias eternas.

## SALMO XVI

*David pide al Señor que le libre de sus enemigos.*

**1.** *Oración de David.*
Atiende ¡oh Señor! a mi justicia: acoge mis plegarias. Presta oídos a mi oración, que no la pronuncio con labios hipócritas o *fraudulentos.*

**2.** Salga de tu *benigno* rostro mi sentencia; miren tus ojos la justicia *de mi causa.*

---

**SAL. XV.** — 4. *Deidades:* o *flaquezas,* esto es, sus impotentes deidades. Tal vez se habla de los que después de haberse convertido a Dios caen en pecado.

5. Que cupo en suerte al pueblo mío.

7. *Entendimiento:* o el buen pensamiento de fijar en él todos mis deseos.

9. *Esperanza:* de la resurrección.

10. *Alma:* ánima en frase hebrea se toma muchas veces por el cuerpo o *cadáver.* - *Sepulcro:* o limbo donde están los Patriarcas y demás justos: *ni permitirás que mi cuerpo que has santificado, experimente la corrupción* o sea comido de gusanos.

3. Pusiste a prueba mi corazón, y le has visitado durante la noche; me has acrisolado al fuego, y en mí no se ha hallado iniquidad.

4. Lejos de platicar mi boca *según* el proceder de los hombres *mundanos;* por respeto a las palabras de tus labios he seguido las sendas escabrosas *de la virtud.*

5. Asegura constantemente mis pasos por tus senderos, a fin de que mis pies no resbalen.

6. Yo he clamado *a ti,* Dios *mío,* porque *siempre* me has oído benignamente; inclina, *pues,* hacia mí tus oídos, y escucha mis palabras.

7. Haz brillar de un modo maravilloso tus misericordias, ¡oh Salvador de los que en ti esperan!

8. De los que resisten *el poder de* tu diestra, guárdame *Señor,* como a las niñas de los ojos. Ampárame bajo la sombra de tus alas,

9. Contra los impíos que me persiguen. Cercado han mis enemigos a mi alma.

10. Han cerrado sus entrañas *a toda compasión;* hablan con altanería.

11. Después de haberme arrojado fuera, ahora me tienen cercado por todas partes: tienen puestas sus miras para dar conmigo en tierra.

12. Están acechándome como el león que hambrea su presa, y al leoncillo que en lugares escondidos está en espera.

13. Levántate, ¡oh Señor! prevén su golpe, y arrójalos por el suelo: libra mi alma *de las garras* del impío; *quítales* tu espada

14. A los enemigos de tu diestra. Sepáralos, Señor, *de los buenos, aun* mientras viven, de aquéllos que son en corto número sobre la tierra, en la que han saciado su apetito de tus exquisitos bienes. Llénanse de hijos según su deseo; y dejan *después* a sus nietos el resto de sus caudales.

15. Pero yo compareceré en tu presencia con la justicia *de mis obras;* y quedaré *plenamente* saciado, cuando se *me* manifestará tu gloria.

## SALMO XVII

*David, figura del Mesías, da gracias a Dios por haberle librado de grandes peligros, y constituídole rey a él y a sus descendientes.*

1. *Para el fin. Salmo de David, siervo del* Señor, *a cuya gloria dirigió las palabras de este cántico, en el día en que le libró el Señor de las manos de todos sus enemigos, como también del poder de Saúl; con tal motivo dijo:*

2. A ti he de amarte, ¡oh Señor! que eres *toda* mi fortaleza.

3. El Señor es mi firme apoyo, mi asilo, y mi libertador. Mi Dios *es* mi socorro y en el esperaré. El es mi protector, y mi poderosa salvación, y el amparo mío.

4. Invocaré, pues, al Señor con alabanzas, y me veré libre de mis enemigos.

5. Cercáronme dolores de muerte; y torrentes de iniquidad me llenaron de terror.

6. Rodeáronme dolores de infierno; estuve a punto de caer en lazos de muerte.

7. *Mas* en medio de ésta *mi* tribulación invoqué al Señor, y a mi Dios clamé; el cual desde su santo templo escuchó *benigno* mis voces; y el clamor que hice yo ante su acatamiento penetró sus oídos.

8. Conmovióse y tembló *luego* la tierra: los cimientos de los montes se estremecieron y se conmovieron, viéndole *tan* airado.

9. Levantóse una *gran* humareda en fuerza de su ira, un fuego devorador salía de su rostro; por él fueron encendidas brasas.

10. Inclinó los cielos, y descendió, llevando una oscura niebla bajo sus pies.

11. Montó sobre Querubines; y tomó el vuelo; voló llevado en alas de los vientos.

12. Puso entre tinieblas su asiento; sirviéndole de pabellón, que le cubría por todas partes, una agua tenebrosa suspensa en las nubes del aire.

13. Al resplandor de su presencia se resolvieron las nubes en una lluvia de piedras y de centellas ardientes.

14. Y tronó el Señor desde *lo alto* del cielo; y el Altísimo dió una voz como suya, y cayeron *al instante* piedras y ascuas de fuego.

15. Disparó sus saetas, y disipólos; arrojó gran multitud de rayos, y los aterró.

16. Hiciéronse visibles los *ocultos* manantiales de las aguas, y quedaron descubiertos los cimientos del orbe terráqueo, al estruendo tuyo ¡oh Señor!, al resoplido del aliento de tu ira.

17. *Entonces* alargóme *el Señor* desde lo alto su mano, y me asió, y sacóme de la inundación de tantas aguas.

---

SAL. XVII. — 1. II *Reg.* XXII, *v.* 2.
11. Al socorro de los suyos.

**18.** Libróme de mis poderosísimos enemigos; y de cuantos me aborrecían; porque se habían hecho más fuertes que yo.

**19.** Echáronse de repente sobre mí en el día de mi angustia; pero el Señor se hizo mi protector.

**20.** Sacóme a la anchura: salvóme por un efecto de su buena voluntad para conmigo.

**21.** El Señor me recompensará según mi justicia, y me premiará conforme la pureza de mis manos *o acciones*.

**22.** Porque yo he seguido, atentamente las sendas del Señor, y nunca he procedido impíamente contra mi Dios.

**23.** Porque tengo ante mis ojos todos sus juicios, ni he desechado jamás sus justísimos preceptos.

**24.** Y me mantendré puro delante de él; y me cautelaré de mi mala inclinación.

**25.** Y el Señor me galardonará conforme a mi justicia, y según la pureza de mis manos, que está presente a sus ojos.

**26.** *Porque* tú, *Señor,* con el santo te ostentarás santo, e inocente con el inocente.

**27.** Con el selecto serás selecto *o sincero,* y con el perverso serás como él merece.

**28.** Porque tú salvarás al pueblo humilde, y humillarás los ojos altaneros.

**29.** Y pues que tú, ¡oh Señor! das la luz a mi antorcha, esclarece, Dios mío, mis tinieblas.

**30.** Que con tu ayuda seré libertado de la tentación; y al lado de mi Dios traspasaré *o asaltaré* toda muralla.

**31.** *Irreprensible y* puro es el proceder de mi Dios, acendradas al fuego sus palabras *o promesas:* él es el protector de cuantos ponen en él su esperanza.

**32.** Porque ¿qué otro Dios hay sino el Señor? ¿O qué Dios hay fuera de nuestro Dios?

**33.** El es el Dios que me ha revestido de fortaleza, y ha hecho que mi conducta fuese sin mancilla;

**34.** Que ha dado a mis pies la ligereza de los ciervos, y me ha colocado sobre las alturas.

**35.** Que adiestra mis manos para la pelea. Tú eres, ¡oh Dios mío! el que fortaleciste mis brazos como arcos de bronce.

**36.** Y me has salvado con tu protección, y me has amparado con tu diestra. Tu disciplina *o avisos* me han corregido en todo

tiempo; y esa misma disciplina tuya será mi enseñanza.

**37.** Fuísteme abriendo paso por doquiera que iba, y no flaquearon mis pies.

**38.** Perseguiré a mis enemigos y los alcanzaré, y no volveré atrás hasta que queden enteramente deshechos.

**39.** Los destrozaré, no podrán resistir; caerán debajo de mis pies.

**40.** Porque tú me revestiste de valor para el combate, y derribaste a mis pies a los que contra mí se alzaban.

**41.** Hiciste volver las espaldas a mis enemigos delante de mí, y desbarataste a los que me odiaban.

**42.** Clamaron; mas no había quien los salvase; clamaron al Señor, y no los escuchó.

**43.** Los desmenuzaré como polvo que el viento esparce, y los barreré como lodo de las plazas.

**44.** Tú, *Dios mío,* me librarás de las contradicciones del pueblo; tú me constituirás caudillo de las naciones.

**45.** Un pueblo a quien yo no conocía, se sometió a mi dominio; apenas hubo oído *mi voz,* me rindió la obediencia.

**46.** Los hijos míos *se han vuelto como* hijos bastardos, me faltaron a la fidelidad, han caído en la vejez y caducado los hijos bastardos, y van tropezando fuera de sus sendas.

**47.** Viva el Señor, y bendito sea *mil veces* mi Dios; y sea glorificado el Dios de mi salud.

**48.** Tú, oh Dios *mío,* que sales a vengarme, y sujetas a mi dominio las naciones; tú que me libraste de la saña de mis enemigos,

**49.** Ensalzarme has sobre los que se levantan contra mí; me libertarás del hombre inicuo.

**50.** Por tanto, yo te alabaré, oh Señor, entre las naciones, y cantaré himnos a *la gloria de* tu Nombre;

**51.** A aquél que ha salvado maravillosamente a su rey, y usa de misericordia, *o colma de beneficios* a su ungido David, y la usará *también* con su descendencia hasta el fin de los siglos.

---

**27.** *Lev.* XXVI. — II *Reg.* XXII, *v.* 27.
**36.** I *Reg.* XVII, *v.* 35.

**47.** *Dios de mi salud:* o mi Salvador.
**49.** II *Reg.* XXII, v. 49.
**50.** *Ibid.* v. 50. — Rom. XV, v. 9.

## SALMO XVIII

*La gloria de Dios se descubre en las maravi-
llas de la naturaleza y en la excelencia de la
Ley del Señor. Predicción de la Ley de gracia y de la predicación del Evangelio.*

**1.** *Para el fin: salmo de David.*

**2.** Los cielos publican la gloria de Dios, y
el firmamento anuncia *la grandeza de* las
obras de sus manos.

**3.** Cada día trasmite con abundancia al siguiente día estas voces *o anuncios,* y la noche
las comunica a la otra noche.

**4.** No hay lenguaje, ni idioma, en los cuales no sean entendidas éstas sus voces.

**5.** Su sonido se ha propagado por toda la
tierra, y hasta el cabo del mundo se *han oído*
sus palabras.

**6.** Puso *Dios especialmente* en el sol su tabernáculo; y a manera de un esposo que sale
de su tálamo, salta como gigante a correr su
carrera.

**7.** Sale de una extremidad del cielo, y corre
hasta la otra extremidad del mismo; ni hay
quien pueda esconderse de su calor.

**8.** La Ley del Señor *es* inmaculada, y ella
convierte *a sí* las almas; el testimonio del
Señor es fiel, y da sabiduría a los pequeñuelos.

**9.** Los mandamientos del Señor son rectos,
y alegran los corazones; el luminoso precepto
del Señor es el que alumbra los ojos.

**10.** El *puro y* santo temor del Señor permanece por todos los siglos; los juicios del Señor
son verdad: en sí mismos están justificados.

**11.** Son más codiciables que la abundancia de
oro y de piedras preciosas; más dulces que la
miel y el panal.

**12.** Por eso tu siervo los guarda; y en el
guardarlos queda abundantemente galardo-
nado.

**13.** ¿Quién es el que conoce *todos* sus yerros? Purifícame de los míos ocultos,

**14.** Y perdona a tu siervo los ajenos. Si no
dominaren sobre mí, entonces estaré limpio
de toda mancha, y purificado de delito muy
grande.

**15.** Con lo que te serán aceptas las palabras
*o cánticos* de mi boca, como también la meditación de mi corazón *que* haré yo siempre en

tu acatamiento. ¡Oh Señor, amparo mío y
Redentor mío!

## SALMO XIX

*Oración que David pone en boca de su pue-
blo por el feliz suceso de sus armas.*

**1.** *Para el fin: salmo de David.*

**2.** Oígate ¡oh rey! el Señor en el día de la
tribulación; defiéndate el Nombre del Dios
de Ja-cob.

**3.** Envíete socorro desde el santuario, y sea
tu firme apoyo desde Sión.

**4.** Tenga presentes todos tus sacrificios, y
séale gratísimo tu holocausto.

**5.** Concédate lo que desea tu corazón, y
cumpla todos tus designios.

**6.** Nosotros nos alegraremos por tu salud,
y nos gloriaremos en el Nombre de nuestro
Dios.

**7.** Otorgue el Señor todas tus peticiones.
Ahora veo que el Señor ha puesto en salvo a
su ungido. Él le oirá desde el cielo, *que es* su
Santuario: en su poderosa diestra está la salvación.

**8.** Unos confían en sus carros armados;
otros en sus caballos; mas nosotros invocaremos el Nombre del Señor nuestro Dios.

**9.** Ellos se hallaron envueltos en los lazos;
y cayeron; pero nosotros nos realzamos, y
estamos llenos de vigor.

**10.** ¡Oh Señor! salva al rey, y óyenos en el
día en que te invocáremos.

## SALMO XX

*Hacimiento de gracias por la victoria del
rey.*

**1.** *Para el fin: salmo de David.*

**2.** Oh, Señor, en tu *gran* poder hallará el
rey su alegría, y saltará de extremado gozo
por la salvación que le has enviado.

**3.** Tú le has cumplido el deseo de su corazón, y no has frustrado los ruegos que formaron sus labios.

**4.** Antes te has anticipado a él con bendiciones amorosas; pusístele sobre la cabeza
una corona de piedras preciosas.

**5.** Te pidió vida, y tú le has concedido alar-
gar sus días por los siglos de los siglos.

**6.** Grande es su gloria por la salvación que
le has dado. *Aún* le revestirás de una gloria y
esplendor *mucho más grande.*

---

SAL. XVIII.— 3. Un día da al otro día nuevos
motivos de celebrarlas, y la noche comunica a la
noche siguiente.

14. *Ajenos:* en que haya tenido parte. O perdona
los de mis súbditos.

7. Porque tú harás que él sea bendición eterna; colmarásle de gozo con *sólo* mostrarle tu rostro.

8. Por cuanto el rey tiene puesta su confianza en el Señor; por lo mismo descansará inmoble en la misericordia del Altísimo.

9. Alcance tu *poderosa* mano a todos tus enemigos; descargue tu diestra sobre todos los que te aborrecen.

10. En mostrándoles tu rostro, harás de ellos como un horno encendido. Airado el Señor los pondrá en consternación, y el fuego los devorará.

11. Extirparás su descendencia de sobre la faz de la tierra, y quitarás su raza de entre los hijos de los hombres.

12. Porque urdieron contra ti maldades: forjaron designios que no pudieron ejecutar.

13. Tú, empero, los pondrás en fuga, y tendrás aparejadas contra ellos las flechas de tu arco.

14. Ensálzate, Señor, con tu poder *infinito*: que nosotros celebraremos con cánticos e himnos tus maravillas.

## SALMO XXI

*Jesucristo, clavado en cruz, ruega a su Eterno Padre que le ampare; y dice que después de resucitado anunciará su gloria a toda la tierra.*

1. *Para el fin: por el auxilio de la mañana. Salmo de David.*

2. ¡Oh Dios! ¡oh Dios mío, vuelve a mí tus ojos! ¿Por qué me has desamparado? Los gritos de los pecados míos alejan de mí la salud.

3. Clamaré, oh Dios mío, durante el día, y no me oirás; *clamaré* de noche, y no por mi culpa.

4. Tú, empero, habitas en la santa morada, *tú*, ¡oh gloria de Israel!

5. En ti esperaron nuestros padres; esperaron en ti, y tú los libraste.

6. A ti clamaron, y fueron puestos en salvo. Confiaron en ti, y no tuvieron por qué avergonzarse.

7. Bien que soy un gusano, y no un hombre; el oprobio de los hombres, y el desecho de la plebe.

8. Todos los que me miran, hacen mofa de mí con palabras y con meneos de cabeza, diciendo:

9. En el Señor esperaba: que le liberte; sálvele, ya que tanto le ama.

10. Sin embargo, tú eres quien me sacaste del seno materno; y mi esperanza desde que yo estaba colgado de los pechos de mi madre.

11. Desde las entrañas de mi madre fuí arrojado en tus brazos; desde el seno materno te tengo por mi Dios.

12. No te apartes de mí; porque se acerca la tribulación, y no hay nadie que me socorra.

13. Cercado me han novillos en gran número; recios *y bravos* toros me han sitiado.

14. Abrieron su boca contra mí, como león rampante y rugiente.

15. Me he disuelto como agua, y todos mis huesos se han desencajado. Mi corazón está como una cera, derritiéndose dentro de mis entrañas.

16. *Todo* mi verdor se ha secado, como un vaso de barro cocido; mi lengua se ha pegado al paladar; y me vas conduciendo al polvo del sepulcro.

17. Porque me veo cercado de una multitud de *rabiosos* perros: me tiene sitiado una turba de malignos. Han taladrado mis manos y mis pies.

18. Han contado mis huesos uno por uno. Pusiéronse a mirarme *despacio*, y a observarme.

19. Repartieron entre sí mis vestidos, y sortearon mi túnica.

20. Mas tú, oh Señor, no me dilates tu socorro; atiende *luego* a mi defensa.

21. Libra mi vida, oh Dios, del alfanje; y de las garras de los canes a mi alma.

22. Sálvame de la boca del león; salva de las astas de los unicornios mi pobre alma.

23. Anunciaré tu *santo* Nombre a mis hermanos; publicaré tus alabanzas en medio de la Iglesia.

24. Oh vosotros que teméis al Señor, alabadle: glorificadle, descendientes todos de Jacob.

25. Témale todo el linaje de Israel, porque no despreció ni desatendió la súplica del pobre, ni apartó de mí su rostro; antes, así que clame a él, *luego* me oyó.

26. A ti se dirigirán mis alabanzas en la iglesia o *solemnidad* grande: en presencia de los que le temen cumpliré yo mis votos.

27. Los pobres comerán y quedarán saciados; y los que buscan al Señor le cantarán alabanzas; sus corazones vivirán por los siglos de los siglos.

28. Se acordará *de los beneficios recibidos,* y se convertirá al Señor toda la extensión de la

---

SAL. XX. — 7. Le harás principio o fuente de bendición; pues harás nacer de su linaje al Mesías, Salvador del mundo.

---

SAL. XXI. — 23. *Hebr.* II, *v.* 12.
26. *...grande:* en la congregación que se formará de todas las naciones, unidas todas con el vínculo de la fe.

tierra: y se postrarán ante su acatamiento las familias todas de las gentes.

29. Porque del Señor es el reino; y él ha de tener el imperio de las naciones.

30. Comieron, y le adoraron todos los ricos de la tierra; ante su acatamiento se postrarán todos los mortales.

31. Y mi alma vivirá para él, y a él servirá mi descendencia.

32. Será contada como la del Señor la generación venidera; y los cielos anunciarán la justicia de él al pueblo que ha de nacer, formado por el Señor.

## SALMO XXII

*A quien Dios apacienta nada le falta.*

1. *Salmo de David.*
El Señor me pastorea, nada me faltará.

2. El me ha colocado en lugar de pastos; me ha conducido junto a unas aguas que restauran *y recrean.*

3. Convirtió a mi alma. Me ha conducido por los senderos de la justicia, para gloria de su Nombre.

4. De esta suerte, aunque caminase yo por medio de la sombra de la muerte, no temeré ningún desastre; porque tú estás conmigo. Tu vara y tu báculo han sido mi consuelo.

5. Aparejaste delante de mí una mesa *abundante,* a la vista de mis perseguidores. Bañaste de óleo o *perfumaste* mi cabeza. ¡Y cuán excelente es el cáliz mío que *santamente* embriaga!

6. Y me seguirá tu misericordia todos los días de mi vida; a fin de que yo more en la casa del Señor por largo tiempo.

## SALMO XXIII

*Salmo profético en que habla David del reino de su Iglesia, el cual tendrá su perfección en los cielos. Concluye con una admirable pintura de la triunfante entrada de Jesucristo en el cielo.*

1. *Para el primer día de la semana: salmo de David.*
Del Señor es la tierra y cuanto ella contiene; el mundo y todos sus habitadores.

2. Porque él la estableció superior a los mares, y la colocó más alta que los ríos.

3. ¿Quién subirá al monte del Señor? ¿O quién podrá estar en su Santuario?

4. El que tiene puras las manos y limpio el corazón; el que no ha recibido en vano su alma, ni hecho juramentos engañosos a su prójimo.

5. Este es el que obtendrá la bendición del Señor y la misericordia de Dios, su Salvador.

6. Tal es el linaje de los que le buscan, de los que anhelan por ver el rostro del Dios de Jacob.

7. Levantad, ¡oh príncipes! vuestras puertas, y ele-vaos vosotras, ¡oh puertas de la eternidad! y entrará el rey de la gloria.

8. ¿Quién es ese rey de la gloria? Es el Señor fuerte y poderoso; el Señor poderoso en las batallas.

9. Levantad, ¡oh príncipes! vuestras puertas, y ele-vaos vosotras, ¡oh puertas de la eternidad! y entrará el rey de la gloria.

10. ¿Quién es ese rey de la gloria? El Señor de los ejércitos, ese es el rey de la gloria.

## SALMO XXIV

*David implora el auxilio, y la misericordia de Dios para sí y para su pueblo.*

1. *Para el fin: salmo de David.*
A ti, oh Señor, he levantado mi espíritu.

2. En ti, ¡oh Dios mío! tengo puesta mi confianza: no quedaré avergonzado.

3. Ni se burlarán de mí mis enemigos; porque ninguno que espere en ti quedará confundido.

4. Queden cubiertos de confusión todos aquéllos que vana e *injustamente* obran la iniquidad. Muéstrame ¡oh Señor! tus caminos, y enséñame tus senderos.

5. Encamíname según la verdad, e instrúyeme; pues tú eres el Dios Salvador mío, y te estoy esperando todo el día.

6. Acuérdate, Señor, de tus piedades y de tus misericordias usadas en los siglos pasados.

7. Echa en olvido los delitos o *flaquezas* de mi mocedad, y mis necedades: Acuérdate de mí, según tu misericordia: *acuérdate de mí* ¡oh Señor! por tu bondad.

8. El Señor es bondadoso y justo; por lo mismo dirigirá a los pecadores por el camino que deben seguir.

---

SAL. XXII. — 4. *Báculo:* con que me has corregido y sostenido.

SAL. XXIII. — 2. Es propio del lenguaje poético hablar conforme a lo que parece a los sentidos y a las opiniones que por ellos se forman.

---

Y como las aguas del mar siempre parecen a la vista del que mira más bajas por todas partes que la tierra, por eso dice el Salmista que la tierra está colocda sobre ellas. — Véase *Hebraísmos.*

9. Dirigirá a los humildes por la vía de la justicia; enseñará sus caminos a los apacibles.

10. Todos los caminos del Señor son misericordia y verdad para los que buscan su *santa* alianza y sus mandamientos.

11. Por la gloria de tu *santo* Nombre ¡oh Señor! me has de perdonar mi pecado, que ciertamente es muy grave.

12. ¿Quién es el hombre que teme al Señor? *Dios* le ha prescrito la regla *que debe seguir* en la carrera que escogió.

13. Reposará su alma entre bienes, y sus hijos poseerán la tíerra.

14. El Señor es firme apoyo de los que le temen, y a ellos revela sus secretos o *misterios*.

15. Mis ojos están siempre fijos en el Señor; pues él ha de sacar mis pies del lazo.

16. Vuelve, *Señor*, hacia mí tu vista, y ten de mí compasión; porque me veo solo y pobre.

17. Las tribulaciones de mi corazón se han multiplicado: líbrame de mis congojas.

18. Mira mi humillación y mi trabajo, y perdona todos mis pecados.

19. Repara en mis enemigos cómo se han multiplicado, y cuán injusto es el odio con que me aborrecen.

20. Guarda mi alma, y líbrame; nunca quede yo sonrojado, habiendo puesto en ti mi esperanza.

21. Los inocentes y justos se han unido conmigo, porque yo esperé en ti.

22. ¡Oh Dios *mío!* libra a Israel de todas sus tribulaciones.

### SALMO XXV

*Oración de David calumniado y perseguido. Conviene a los mártires de la Iglesia.*

1. *Para el fin: Salmo de David.*
¡Oh Señor! seas tú mi juez, puesto que yo he procedido según mi inocencia; y esperando en el Señor, no vacilaré.

2. Pruébame, Señor, y sondéame; acrisola al fuego mis afectos *y todo* mi corazón.

3. Porque tengo tu misericordia delante de mis ojos, y hallo en tu verdad todas mis complacencias.

4. Nunca he ido a sentarme en las reuniones de gente vana, ni conversé *jamás* con los que obran la iniquidad.

5. Aborrezco la sociedad de los malignantes, y evitaré siempre la comunicación con los impíos.

6. Lavaré mis manos en compañía de los inocentes; y rodearé, Señor, tu altar,

7. Para oír las voces de alabanza y referir todas sus maravillas.

8. Señor, yo he amado el decoro de tu casa, y el lugar donde reside tu gloria.

9. No pierdas, Dios *mío*, con los impíos mi alma, ni la vida mía con los hombres sanguinarios;

10. En cuyas manos no se ve más que iniquidad, y cuya diestra está toda llena de sobornos.

11. Mas yo he procedido según mi inocencia. Sálvame, *Señor,* y apiádate de mí.

12. Mis pies se han dirigido siempre por el camino de la rectitud. ¡Oh Señor! yo cantaré tus alabanzas en las reuniones de la Iglesia.

### SALMO XXVI

*La gran confianza que David tiene en el Señor, le pone a salvo de las asechanzas de sus enemigos. Esta confianza deben tener todos los fieles en sus aflicciones.*

1. *Salmo de David antes de ser ungido.*
El Señor es mi luz y mi salvación: ¿a quién he de temer yo? El Señor es el defensor de mi vida: ¿quién me hará temblar?

2. Mientras que están para echarse sobre mí los malhechores, a fin de devorar mis carnes, esos enemigos míos que me atribulan, ésos mismos han flaqueado, y han caído.

3. Aunque se acampen ejércitos contra mí, no temblará mi corazón. Aunque me embistan en batalla, entonces mismo mantendré yo firme mi esperanza.

4. Una sola cosa he pedido al Señor, ésta solicitaré; *y es,* el que yo pueda vivir en la casa del Señor todos los días de mi vida; para contemplar las delicias del Señor, frecuentando su templo.

5. El es quien me tuvo escondido en su tabernáculo: en los días aciagos me puso a cubierto en lo más recóndito de su pabellón.

6. Ensalzóme sobre una roca; y ahora me ha hecho prevalecer contra mis enemigos. Por tanto estaré alrededor de su tabernáculo, inmolando sacrificios de júbilo o *acción de gracias*; cantando y entonando himnos al Señor.

---

SAL. XXIV. — 11. San Jerónimo por *peccatum multum* entiende el pecado oroginal. Otros creen que hablaba David del adulterio y del homicidio que cometió.

7. Escucha, ¡oh Señor! mis voces, con que te he invocado; ten misericordia de mí y óyeme.

8. Contigo ha hablado mi corazón; en busca de ti han andado mis ojos. ¡Oh, Señor! tu cara es la que yo busco.

9. No apartes de mí tu rostro: no te retires enojado de tu siervo. Sé tú en mi ayuda: no me desampares, ni me desprecies ¡oh Dios, Salvador mío!

10. Porque mi padre y mi madre me desampararon; pero el Señor me ha tomado por su cuenta.

11. Arregla, Señor, mis pasos en tu camino, y dirígeme por la recta senda, a causa de mis enemigos.

12. No me abandones a los deseos de mis perseguidores; porque han conspirado contra mí testigos inicuos; *mas* la iniquidad ha mentido o *dañado* a sí misma.

13. Yo espero que veré *algún día* los bienes del Señor en la tierra de los vivientes.

14. Aguarda al Señor, y pórtate varonilmente; cobre aliento tu corazón, y espera con paciencia al Señor.

## SALMO XXVII

*David, figura del Mesías, viéndose asaltado de sus enemigos, acude a Dios; y después, libre de ellos, le da las gracias, y le ruega por todo su pueblo.*
*Salmo del mismo David.*

1. A ti, oh Señor, clamaré: no te hagas sordo a mis ruegos, Dios mío; no sea que no haciendo tú caso de mí, llegue yo a contarme con los que bajan al sepulcro.

2. Escucha, oh Señor, la voz de mi humilde súplica cuando estoy orando a ti: cuando extiendo en alto mis manos hacia tu santo templo.

3. No me arrebates *de esta vida* con los pecadores, ni me pierdas como a los que obran la iniquidad; los cuales hablan de paz con su prójimo, mientras que están maquinando la maldad en sus corazones.

4. Dales a éstos el pago conforme a sus fechorías, y según la malignidad de sus maquinaciones. Retribúyeles según las obras de sus manos: dales a los tales su merecido.

5. Por cuanto no han considerado las obras

del Señor, ni lo que ha ejecutado su *poderosa* mano; tú *Dios mío*, los destruirás, y no los restablecerás *nunca*.

6. Bendito sea el Señor, pues ha oído la voz de mi humilde ruego.

7. El Señor es el que me auxilia y protege; en él esperó mi corazón, y fuí socorrido. Y resucitó mi carne; y así le alabaré con todo mi afecto.

8. El Señor es la fortaleza de su pueblo; él es el que en tantos lances ha salvado a su ungido.

9. Salva ¡oh Señor! a tu pueblo, y llena de bendiciones a tu heredad; rígelos tú, ensálzalos por toda la eternidad.

## SALMO XXVIII

*Profecía de la conversión de la gente por la eficacia de la Divina palabra.*

1. *Salmo de David, cuando se concluyó el tabernáculo.*
Presentad al Señor, ¡oh hijos de Dios!, presentad al Señor corderos *para el sacrificio.*

2. Tributad al Señor la gloria y el honor; dad al Señor la gloria debida a su Nombre; adorad al Señor en el atrio de su Santuario.

3. Voz del Señor sobre las aguas: tronó el Dios de la majestad; el Señor sobre muchas aguas

4. Voz del Señor con poder, voz del Señor con magnificencia.

5. Voz del Señor que quebranta los cedros; el Señor quebranta los cedros del Líbano;

6. Y los hará pedazos como a un ternerillo del Líbano: y el Amado será como el hijo del unicornio.

7. Voz del Señor que dispara centellas de fuego;

8. Voz del Señor que hace estremecer el desierto; el Señor hará temblar el desierto de Cades.

9. Voz del Señor que llena de estremecimiento a las ciervas; y descubre las espesuras; y todos anuncian en el templo la gloria *de su Nombre*.

10. El Señor hace del diluvio su habitación, y el Señor estará sentado como Rey por toda la eternidad.

11. El Señor dará fortaleza a su pueblo. El Señor colmará a su pueblo de bendiciones de paz.

---

SAL. XXVII. — 4. Este modo de hablar no es aquí *imprecación*, sino una profecía y anuncio de una verdad que se había de cumplir literalmente en la ruina de Jerusalén. *San Agustín.*

---

SAL. XXVIII. — 10. Puede traducirse: *Enviará el Señor un diluvio* de gentes a éste su Templo; y en él *estará sentado como Rey, etc.*

## SALMO XXIX

*Hacimiento de gracias a Dios después de gran-
des tribulaciones y peligros.*

1. *Salmo de David, cantado en la dedicación de la casa de David.*

2. Te glorificaré ¡oh Señor! por haberte declarado protector mío, no dejando que mis
enemigos se gozaran a costa de mí.

3. ¡Oh Señor Dios mío! yo clamé a ti, y me
diste la salud.

4. Tú sacaste, Señor, a mi alma del infierno o *sepulcro*. Tú me salvaste, para que yo
no cayera con los que descienden al profundo.

5. ¡Oh vosotros santos del Señor! cantadle
himnos, y celebrad su memoria sacrosanta.

6. Porque de su indignación procede el
castigo; y de su *buena* voluntad pende la vida. Hasta la tarde durará el llanto, y al salir la
aurora será la alegría.

7. En medio de mi prosperidad había yo
dicho: No experimentaré nunca jamás mudanza alguna.

8. ¡Oh Señor! tu *buena* voluntad es la que
ha dado consistencia a mi floreciente estado.
Apartaste de mí tu rostro, y al instante fuí trastornado.

9. A ti, ¡oh Señor!, clamaré, y a ti, Dios
mío, dirigiré mis plegarias.

10. ¿Qué utilidad *te* acarreará mi muerte, y
el descender yo a la corrupción *del sepulcro?*
¿Acaso el polvo cantará tus alabanzas, o anunciará tus verdades?

11. Oyóme el Señor, y apiadóse de mí. De-
claróse el Señor protector mío.

12. Trocaste ¡oh Dios! mi llanto en regocijo, rasgaste mi cilicio, y me revestiste de gozo,

13. A fin de que sea mi gloria el cantar tus
alabanzas, y nunca tenga yo penas. ¡Oh Señor Dios mío! yo te alabaré eternamente.

## SALMO XXX

*En los mayores peligros brilla más la miseri-
cordia de Dios. En este Salmo, David es figura de Jesucristo en su pasión.*

1. *Para el fin: salmo de David por un éxtasis o exceso de pena.*

2. Oh Señor, en ti tengo puesta mi espe-

ranza: no quede yo para siempre confundido;
sálvame, pues eres justo.

3. Dígnate escucharme: acude prontamente
a librarme. Sé para mí un Dios o *numen* tutelar, y un alcázar de refugio para ponerme en
salvo.

4. Porque tú eres mi fortaleza y mi asilo; y
por *honra de* tu Nombre me guiarás y sus-
tentarás.

5. Tú me sacarás del lazo que me tienen
ocultamente armado, pues tú eres mi protector.

6. En tus manos encomiendo mi espíritu;
tú me has redimido ¡oh Señor Dios de la verdad!

7. Tú aborreces a los que se pagan de supersticiones inútiles. Mas yo tengo puesta en
el Señor mi esperanza.

8. En tu misericordia me regocijaré, y saltaré de gozo. Porque te dignaste volver los
ojos a mi abatimiento, y sacaste de apuro a
mi alma.

9. Ni me dejaste encerrado en manos del
enemigo, sino que abriste ancho camino a
mis pies.

10. Apiádate de mí, ¡oh Señor!, porque me
veo atribulado. Mi vista, mi espíritu, mis entrañas se han conturbado por el pesar o *indignación:*

11. Pues de puro dolor se va consumiendo
mi vida, y mis años con tanto gemir. Se ha
debilitado mi vigor a causa de la miseria, y
todos mis huesos se hallan trastornados.

12. He venido a ser el oprobio de todos
mis enemigos, y principalmente de mis vecinos; y objeto de horror para mis conocidos.
Los que me veían, huían lejos de mí.

13. Fuí borrado de su corazón, y puesto en
olvido como un muerto; fuí considerado como un mueble inútil.

14. Porque yo oía los denuestos de muchos que estaban alrededor *mío;* los cuales al
conjurarse contra mí, trazaron entre ellos el
quitarme la vida.

15. Pero yo, Señor, puse en ti mi esperanza. Y tú eres, dije yo, mi Dios;

16. En tus manos está mi suerte: líbrame
del poder de mis enemigos, y de aquéllos que
me persiguen.

17. Derrama sobre tu siervo la luz de tu
rostro; sálvame por tu misericordia.

18. ¡Oh Señor!, no quede yo confundido,
ya que te he invocado. Queden, sí, avergonzados los impíos, y sean derribados al profundo.

19. Enmudezcan los labios fraudulentos,
que hablan inicuamente contra el justo, con
soberbia y menosprecio.

---

SAL. XXX. — 5. *Santos:* Israelitas fieles.

20. ¡Oh cuán grande es, Señor, la abundancia de la dulzura que tienes reservada para los que te temen! Tú la has comunicado abundantemente, a vista de los hijos de los hombres, a aquéllos que tienen puesta en ti su esperanza.

21. Tú los esconderás donde está escondido tu rostro, *preservándolos* de los alborotos de los hombres. Pondráslos en tu tabernáculo, a cubierto de las lenguas maldicientes.

22. Bendito sea el Señor que ha ostentado maravillosamente su misericordia conmigo en la ciudad fortificada.

23. Yo, es verdad, que dije en un arrebato de mi genio: Arrojado me hallo de tu vista. Por eso mismo te dignaste oír mi oración, mientras a ti clamaba.

24. Amad al Señor, santos suyos todos: porque el Señor inquirirá la verdad, y dará el pago bien cumplido a los que obran con soberbia.

25. Portaos varonilmente todos vosotros los que tenéis puesta en el Señor vuestra esperanza, y tened buen ánimo.

## SALMO XXXI

*Afectos de David penitente; donde se ve que la gracia de la justificación es un puro efecto de la Divina misericordia. Del mismo David, salmo de inteligencia.*

1. Felices aquéllos a quienes se han perdonado sus iniquidades, y se han borrado sus pecados.

2. Dichoso el hombre a quien el Señor no arguye de pecado; y cuya alma se halla exenta de dolor.

3. Por haber yo callado, se consumieron mis huesos, dando alaridos todo el día.

4. Porque de día y de noche me hiciste sentir tu pesada mano. Revolcábame en mi miseria, mientras tenía clavada la espina.

5. Te manifesté mi delito, y dejé de ocultar mi injusticia. Confesaré, dije yo, contra mí mismo al Señor la injusticia mía; y tú perdonaste la malicia de mi pecado.

6. En vista de esto, orará a ti todo hombre santo en el tiempo oportuno. Y ciertamente que en la inundación de copiosas aguas no llegarán éstas a su persona.

7. Tú eres mi asilo en la tribulación, que me tiene cercado: Tú, oh alegría mía, líbrame de los que me tienen rodeado.

8. Yo te daré, *dijiste*, inteligencia, y te enseñaré el camino que debes seguir; tendré fijos sobre ti mis ojos.

9. Guardaos de ser semejantes al caballo y al mulo, los cuales no tienen entendimiento. Sujeta *¡oh Señor!* con cabestro y freno las quijadas de los que se retiran de ti.

10. Muchos dolores le esperan al pecador; mas el que tiene puesta en el Señor su esperanza, la misericordia le servirá de muralla.

11. Alegraos ¡oh justos! y regocijaos en el Señor, y gloriaos en él vosotros todos los de recto corazón.

## SALMO XXXII

*Exhorta a los justos a bendecir a Dios por su poder, singular providencia y bondad. Salmo de David.*

1. Regocijaos ¡oh justos! en el Señor; a los rectos *de corazón* es a quienes les está bien el alabarle.

2. Alabad al Señor con la cítara, cantadle himnos tañendo el salterio de diez cuerdas.

3. Entonad un cántico nuevo; cantadle a coros suaves himnos.

4. Porque la palabra del Señor es recta, y su fidelidad brilla en todas sus obras.

5. Ama la misericordia y la justicia; toda la tierra está llena de la misericordia del Señor.

6. Por la palabra del Señor se fundaron los cielos, y por el espíritu de su boca *se formó*, todo su concierto y belleza.

7. El tiene recogidas las aguas del mar, como en un odre, y puestos en depósito los abismos.

8. Tema al Señor la tierra toda; tiemblen a su presencia cuantos el orbe habitan.

9. Porque él habló, y todo quedó hecho; mandólo, y todo fué criado.

10. El Señor desbarata los proyectos de las naciones; deshace los designios de los pueblos, e inutiliza los planes de los príncipes.

11. Mas los designios del Señor permanecen eternamente; las disposiciones de su voluntad subsisten por toda la serie de las generaciones.

---

SAL. XXX. — 22. 1. *Reg.* XXVII, *v.* 6.

SAL. XXXII. — 7. Los inmensos depósitos de aguas en los manantiales y receptáculos subterráneos.

**12.** Feliz la nación cuyo Dios es el Señor: el pueblo a quien escogió por herencia propia suya.

**13.** Observó desde el cielo el Señor; vió a todos los hijos de los hombres.

**14.** Desde su firmísimo trono echó una mirada sobre todos los habitantes de la tierra.

**15.** El es el que formó el corazón de cada uno; el que conoce todo lo que hacen.

**16.** No por su gran poderío se salva el rey; ni se salvará el gigante por su mucha valentía.

**17.** El caballo no es seguro para salvarse en él; no por su mucho brío pondrá en salvo al jinete.

**18.** He aquí los ojos del Señor puestos en los que le temen, y en los que confían en su misericordia;

**19.** Para librar sus almas de la muerte, y sustentarlos en tiempo de hambre.

**20.** Así nuestra alma espera con paciencia al Señor; porque él es nuestro amparo y protector.

**21.** En él hallará nuestro corazón su alegría, y en su santo Nombre tenemos puesta la esperanza.

**22.** Venga ¡oh Señor! tu misericordia sobre nosotros, conforme esperamos en ti.

## SALMO XXXIII

*Da gracias a Dios, que defiende a los suyos de todo mal, y castiga severamente a los impíos.*

**1.** Salmo de David, cuando se desfiguró delante del rey Aquimelec, el cual lo echó de sí; con lo que David se escapó.

**2.** Alabaré al Señor en todo tiempo: no cesarán mis labios de pronunciar sus alabanzas.

**3.** En el Señor se gloriará mi alma. Oiganlo los humildes, y consuélense.

**4.** Engrandeced conmigo al Señor, y todos a una ensalcemos su Nombre.

**5.** Acudí solícitamente al Señor, y me oyó, y me sacó de todas mis tribulaciones.

**6.** Acercaos vosotros a él, y os iluminará, y no quedaréis sonrojados.

**7.** Clamó este pobre, y el Señor le oyó, y libróle de todas sus angustias.

**8.** El Angel del Señor asistirá al rededor de los que le temen, y los librará *del mal.*

**9.** Gustad y ved cuán suave es el Señor; bienaventurado el hombre que en él confía.

**10.** Temed al Señor todos vosotros sus santos; porque nada falta a los que le temen.

**11.** Los ricos padecieron necesidad y hambre; pero a los que buscan al Señor no les faltará bien ninguno.

**12.** Venid, hijos, escuchadme, que yo os enseñaré el temor del Señor.

**13.** ¿Quién es el hombre que apetece vivir, y que desea ver días dichosos?

**14.** Pues para esto guarda pura tu lengua de todo mal, y no profieran tus labios ningún embuste.

**15.** Huye del mal, y obra el bien; busca la paz, y empéñate en alcanzarla.

**16.** El Señor tiene fijos sus ojos sobre los justos, y atentos sus oídos a las plegarias que le hacen.

**17.** Y el rostro del Señor está observando a los que obran mal, para extirpar de la tierra la memoria de ellos.

**18.** Clamaron los justos, y oyólos el Señor, y librólos de todas sus aflicciones.

**19.** El Señor está al lado de los que tienen el corazón atribulado; y él salvará a los humildes de espíritu.

**20.** Muchas son las tribulaciones de los justos; pero de todas los librará el Señor.

**21.** De todos los huesos de ellos tiene el Señor *sumo* cuidado; ni uno sólo será quebrantado.

**22.** Funestísima es la muerte de los pecadores; y los que aborrecen al justo quedarán destruidos.

**23.** El Señor redimirá las almas de sus siervos, y no perecerán los que en él esperan.

## SALMO XXXIV

*Implora David en sus persecuciones el socorro de Dios. Según muchos de los Santos Padres es este salmo una imagen de la mansedumbre del Salvador.*

**1.** Salmo del mismo David.

Juzga ¡oh Señor! a los que me dañan; bate a los que pelean contra mí.

**2.** Armate y embraza el escudo, y sal a defenderme.

**3.** Desenvaina la espada, y cierra con los que me persiguen; díle a mi alma: Yo soy tu Salvador.

**4.** Queden cubiertos de confusión y vergüenza los que atentan a mi vida. Sean puestos en fuga y en desorden los que maquinan contra mí.

SAL. XXXIII. — 1. I *Reg.* XXI.

11. *Luc.* 1 *v.* 23.

**5.** Venga a ser como el polvo que arrebata el viento; y estréchelos el Angel del Señor.

**6.** Sea su camino tenebroso y resbaladizo, y el Angel del Señor vaya persiguiéndolos;

**7.** Ya que sin causa me armaron ocultamente el lazo de muerte, y ultrajaron injustamente mi alma.

**8.** Caiga mi enemigo en un lazo impensado, y caiga en la trampa que él puso en celada, y quede prendido en su mismo lazo.

**9.** Entre tanto mi alma se regocijará en el Señor, y se deleitará en su Salvador.

**10.** De todas las coyunturas de mis huesos saldrán voces que digan: ¡Oh Señor! ¿quién hay semejante a ti, que libras al desvalido de las manos de los que pueden más que él, al necesitado y al pobre de los que le despojaban?

**11.** Levantándose testigos falsos, me interrogaban de cosas que yo ignoraba.

**12.** Retornábanme males por bienes, *procurando* quitarme la vida.

**13.** Pero yo, mientras ellos me afligían, me cubría de cilicio: humillaba mi alma con el ayuno, no cesando de orar en mi corazón.

**14.** Con el amor que a un íntimo amigo, y como a un hermano mío, así los trataba; como quien está de luto y en tristeza, así me humillaba.

**15.** Mas ellos hacían fiesta, y se aunaron contra mí, descargaron sobre mí azotes a porfía, sin saber yo *la causa.*

**16.** Quedaron disipados, mas no arrepentidos; tentáronme, insultáronme con escarnio; rechinaron contra mí sus dientes.

**17.** ¡Oh Señor! ¿cuándo volverás tus ojos? Libra mi alma de la malignidad de estos hombres, *libra* de estos leones el alma mía.

**18.** Yo te glorificaré en una iglesia *o congregación* grande: en medio de un pueblo numeroso cantaré tus alabanzas.

**19.** No tengan el placer de triunfar de mí mis inicuos contrarios: los que sin causa me aborrecen, y con sus ojos muestran complacencia.

**20.** Pues conmigo ciertamente hablaban palabras de paz; mas en medio de su indignación, fija en tierra su vista, trazaban engaños.

**21.** Y abrían contra mí tanta boca, diciendo: ¡Ea, ea! nuestros ojos lo han visto.

**22.** ¡Oh, Señor! tú los has visto, no guardes más tiempo silencio: Señor, no te alejes de mí.

**23.** Levántate, y entiende en mi juicio, *ocúpate* en mi causa ¡oh mi Dios y Señor mío!

**24.** Júzgame según tu justicia ¡oh Señor, mi Dios! y no triunfen ellos de mí.

**25.** No digan en sus corazones: Albricias, hemos logrado nuestro deseo. Ni digan tampoco: Lo hemos devorado.

**26.** Queden, *Señor,* todos ellos llenos de confusión y vergüenza, los que se congratulan por mis males. Cubiertos sean de ignominia y sonrojados los que se jactan contra mí.

**27.** Triunfen y regocíjense los que están a favor de mi justa causa, y digan siempre los que desean la paz de su siervo: Glorificado sea el Señor.

**28.** Y publicará mi lengua tu justicia, *y celebrará* todo el día tus alabanzas.

## SALMO XXXV

*La suma malicia del impío y la inmensa bondad de Dios.*

**1.** *Para el fin: salmo del mismo David, siervo del Señor.*

**2.** Resolvió el impío en su corazón el hacer el mal; no hay temor de Dios ante sus ojos.

**3.** Porque ha obrado dolosamente en la divina presencia; por lo cual se ha hecho más odiosa su maldad.

**4.** Las palabras de su boca son injusticia y embustes: no ha querido instruirse para obrar bien.

**5.** Estando en su lecho discurre cómo obrar la iniquidad; anda en todo género de malos pasos; no tiene horror a la maldad.

**6.** ¡Oh Señor! llega hasta el cielo tu misericordia, y hasta las nubes tu verdad.

**7.** Como altísimos montes es *grande* tu justicia, abismo profundísimo tus juicios. A hombres y bestias conservas ¡oh Señor!

**8.** ¡Oh, cuánto has multiplicado, oh Dios, tus misericordias! Por eso los hijos de los hombres esperarán bajo las sombras de tus alas.

**9.** Quedarán embriagados con la abundancia de tu casa, y les harás beber en el torrente de tus delicias.

---

SAL. XXXIV. — 19. *Joann.* XV, v. 25.
20. Puede traducirse: *Pero en su terreno corazón reventando de ira, urdían engaños.*

---

SAL. XXXV. — 7. Alimentándolos a todos, para que no perezcan. Así traduce San Jerónimo.

10. Porque en ti está la fuente del vivir; y en tu luz veremos la luz.

11. Despliega tu misericordia sobre los que te conocen, y tu justicia a favor de aquéllos que tienen un corazón recto.

12. No dé yo pasos de soberbia; ni me hagan titubear las acciones del pecador.

13. Allí es donde han caído por tierra los que cometen la maldad; han sido arrojados afuera, y no han podido levantarse más.

# SALMO XXXVI

*Amonesta David a los justos que no se aflijan ni acobarden al ver la felicidad de los malos, pues les hace ver que es aparente y de poca duración; y al contrario la de los buenos, sólida y permanente.*

1. *Salmo del mismo David.*
No envidies *la prosperidad de* los malignos, ni tengas celos de los que obran la iniquidad;

2. Porque como heno se han de secar muy presto, y como la tierna yerbecilla luego se marchitarán.

3. Pon tu esperanza en el Señor, y haz obras buenas, y habitarás en la tierra, y gozarás de sus riquezas.

4. Cifra tus delicias en el Señor, y te otorgará cuanto desea tu corazón.

5. Expón al Señor tu situación, y confía en él; y él obrará *en favor tuyo.*

6. Y hará brillar tu justicia como la luz, y el derecho de tu causa como el sol de mediodía.

7. Seas, *pues,* obediente al Señor, y preséntale tus súplicas. No tengas envidia del que hace fortuna en su carrera, del hombre que comete injusticias.

8. Reprime la ira, y depón el furor, ni quieras ser émulo en hacer mal.

9. Pues los que obran mal, serán exterminados; mas los que esperan en el Señor, ésos heredarán la tierra.

10. Ten un poco de paciencia, y *verás que* ya no existe el pecador; y buscarás el lugar en que estaba, y no le hallarás.

11. Pero los mansos heredarán la tierra, y gozarán de muchísima paz *o prosperidad.*

12. Acechará el pecador al justo, y rechinará contra él sus dientes.

13. Pero el Señor se reirá de él, como quien está previendo que le han de llegar su día.

14. Desenvainaron la espada los pecadores; entesaron su arco para derribar al pobre y al desvalido, para asesinar a los hombres de bien.

15. Pero su misma espada traspasará sus propios corazones, y será su arco hecho pedazos.

16. Más sirve al justo una medianía, que las muchas riquezas al pecador.

17. Porque los brazos de los pecadores serán quebrantados; al paso que el Señor sostiene a los justos.

18. Contados tiene el Señor los días de los que viven sin mancilla; y la herencia de éstos será eterna.

19. No serán confundidos en el tiempo calamitoso; en los días de hambre serán saciados.

20. Porque perecerán los pecadores; y los enemigos del Señor no bien serán ensalzados a puestos honoríficos, cuando serán abatidos y se desvanecerán como el humo.

21. Tomará prestado el pecador, y no pagará; pero el justo es compasivo, y dará *al necesitado.*

22. Por tanto aquéllos que bendicen al Señor heredarán la tierra; mas los que le blasfeman, perecerán.

23. El Señor dirigirá los pasos del hombre *justo,* y aprobará sus caminos.

24. Si cayere, no se lastimará; pues el Señor pone su mano por debajo.

25. Joven fuí, y ya soy viejo; mas nunca he visto desamparado al justo, ni a sus hijos mendigando el pan.

26. Pasa el día ejercitando la misericordia, y dando prestado; y bendita será su descendencia.

27. Huye, pues, del mal, y haz bien; y vivirás por los siglos de los siglos.

28. Porque el Señor ama lo justo, y no desampara a sus santos; eternamente serán protegidos. Los injustos serán castigados; y perecerá la raza de los impíos.

---

10. Esto es, *con la luz de* tu gloria que nos comunicarás, podremos ver *la luz de* tu Divina cara. Iluminados por ti, veremos la luz de tu Divino rostro.

SAL. XXXVI. — 25. En la segunda parte de este verso se puede entender repetida la palabra *derelictum* de que usa la Vulgata de modo que haga este sentido: *no he visto desamparado al justo, ni a los hijos suyos cuando buscan pan.* Esto es, Dios no desampara al pobre cuando es justo. Habla David de lo que rara vez sucede; y es que no encuentre amparo una familia cristiana, y que ha sido limosnera y caritativa. Por *justo* entienden aquí muchos expositores al *limosnero* y compasivo; pues es muy común en la Escritura el tomar *justitia* por *eleemosyna,* y llamar justo al hombre *limosnero.* — Véase *Dan.* V, *v.* 24. Y en el salmo CII, *v.* 6, donde la Vulgata dice *justitia,* según el hebreo es *misericordia;* y en los salmos XXX, *v.* 2; XXXII, *v.* 5, donde traduce *misericordia,* en el hebreo es *justicia,* como traduce San Jerónimo. Pero San Basilio y otros entienden por PAN el alimento espiritual del alma.

29. Pero los justos heredarán la tierra, y la habitarán perpetuamente.

30. La boca del justo derramará sabiduría, y su lengua hablará juiciosamente.

31. La ley de su Dios la tiene en medio del corazón, y andará con firmes pasos.

32. Anda el pecador acechando al justo, y busca cómo podrá quitarle la vida.

33. Mas el Señor no le abandonará en sus manos, ni le condenará cuando será juzgado.

34. Espera en el Señor, y observa su ley: y te ensalzará para que entres a heredar la tierra; cuando habrán perecido los pecadores, la verás.

35. Vi yo al impío sumamente ensalzado, y empinado como los cedros del Líbano.

36. Pasé de allí a poco, y he aquí que no existia ya; le busqué, mas ni rastro alguno de él pude hallar.

37. Conserva, pues, tú la inocencia, y atiende a la justicia: porque el hombre pacífico deja de sí memoria,

38. Mas los injustos perecerán todos; cuanto quede de los impíos será destruído.

39. La salvación de los justos viene del Señor; y él es su protector en el tiempo de la tribulación

40. El Señor los ayudará, y los librará, y los sacará de las manos de los pecadores, y salvarlos ha, porque pusieron en él su confianza.

## SALMO XXXVII

*David, afligido por sus pecados, recurre a la misericordia de Dios.*

1. *Salmo de David: para recuerdo; en sábado* .

2. Oh Señor, no me reprendas en medio de tu saña; ni en medio de tu cólera me castigues.

3. Porque se me han enclavado tus saetas, y has cargado sobre mí tu mano.

4. No hay parte sana en todo mi cuerpo, a causa de tu indignación; se me estremecen los huesos cuando considero mis pecados.

5. Porque mis maldades sobrepujan por encima de mi cabeza; y como una carga pesada me tienen agobiado.

6. Enconáronse y corrompiéronse mis llagas, a causa de mi necedad.

7. Estoy hecho una miseria y encorvado hasta el suelo; ando todo el día cubierto de tristeza.

8. Porque mis entrañas están llenas de ardor, y no hay en mi cuerpo parte sana.

9. Afligido estoy y abatido en extremo; la fuerza de los gemidos de mi corazón me hace prorrumpir en alaridos.

10. Oh Señor, bien ves todos mis deseos, y no se te ocultan mis gemidos.

11. Mi corazón está conturbado; he perdido mis fuerzas; y hasta la misma luz de mis ojos me ha faltado ya.

12. Mis amigos y mis deudos arrimáronse y apostáronse contra mí; y mis allegados se pararon a lo lejos.

13. Entretanto aquéllos que procuraban mi muerte, hacían todos sus esfuerzos y los que anhelaban el dañarme, hablaban mil sandeces; y estaban todo el día maquinando engaños.

14. Pero yo, como si fuera sordo, no los escuchaba, y estaba como mudo, sin abrir la boca.

15. Y me hice como quien nada oye, ni tiene palabras con qué replicar.

16. Porque en ti tengo puesta, Señor, mi esperanza; tú me oirás ¡oh Señor Dios mío!

17. Pues yo dije: No triunfen de mí mis enemigos: los cuales, cuando ven vacilantes mis pies, se vanagloriarían contra mí.

18. Verdad es que yo estoy resignado para el castigo; y siempre tengo presente mi dolor.

19. Yo mismo confesaré mi iniquidad, y andaré *siempre* pensativo por causa de mi pecado.

20. Entre tanto mis enemigos viven, y se han hecho más fuertes que yo; y hanse multiplicado los que me aborrecen injustamente.

21. Los que vuelven mal por bien murmuraban de mí, porque seguía la virtud.

22. ¡*Ah!* No me desampares, Señor Dios mío; no te apartes de mí.

23. Acude *prontamente* a socorrerme ¡oh Señor Dios, Salvador mío!

## SALMO XXXVIII

*Afligido David con una gran tribulación, confiesa sus culpas, y pide a Dios que le libre de ella. Se queja de los ultrajes que recibe de sus amigos y enemigos, los cuales sufre con paciencia.*

1. *Para el fin: a Iditún: cántico de David.*

---

30. *Prov.* XXXI, *v.* 26.

2. Dije yo *en mi corazón:* Velaré sobre mi conducta para no pecar con mi lengua. Ponía un candado en mi boca, cuando el pecador se presentaba contra mí.

3. Enmudecí y humilléme, y me abstuve de responder aun cosas buenas; con lo cual se aumentó mi dolor.

4. Sentí que se inflamaba mi corazón; y en mi meditación se encendían llamas de fuego.

5. Solté mi lengua, diciendo: ¡Ah Señor! hazme conocer mi fin, y cuál es el número de mis días, para que yo sepa lo que me resta *de vida.*

6. Cierto que has señalado a mis días término corto; y que toda mi subsistencia es como nada ante tus ojos. Verdaderamente que es la suma vanidad todo hombre viviente.

7. En verdad que como una sombra pasa el hombre; y por eso se afana *y agita* en vano. Atesora, y no sabe para quién allega todo aquello.

8. Ahora bien, ¿cuál es mi esperanza? ¿Por ventura no eres tú, ¡oh Señor! en quién está todo mi bien?

9. Líbrame de todas mis iniquidades: tú me hiciste objeto de los ultrajes del insensato.

10. Enmudecí, y no abrí mi boca, porque todo lo hacías tú.

11. *Señor,* levanta de sobre mí tu azote.

12. A los recios golpes de tu mano, yo desfallecí cuando me corregías; por el pecado castigaste tú al hombre; e hiciste que su vida se consumiese como araña. Ciertamente que en vano se conturba *y agita* el hombre.

13. Oye, Señor, mi oración, y mi súplica; atiende a mis lágrimas; no guardes silencio; puesto que yo soy delante de ti *a manera* de un advenedizo y peregrino, como todos mis padres.

14. Afloja un poco conmigo, déjame respirar, antes que yo parta y deje de existir.

## SALMO XXXIX

*David, figura de Jesucristo, da gracias a Dios por haberle oído. Pide continúe su protección. Predice el sacrificio de Jesucristo en lugar de las antiguas víctimas.*

1. *Para el fin: Salmo del mismo David.*

2. Con ansia suma estuve aguardando al Señor, y *por fin* inclinó a mí sus oídos,

3. Y escuchó benignamente mis súplicas. Y sacóme del lago de la miseria y del inmundo cieno. Y asentó mis pies sobre piedra, dando firmeza a mis pasos.

4. Púsome en la boca un cántico nuevo, un cántico en loor de nuestro Dios. Verán esto muchos, temerán al Señor, y pondrán en él su esperanza.

5. Bienaventurado el hombre cuya esperanza *toda* es el nombre del Señor, y que no volvió sus ojos hacia la vanidad y a las necedades engañosas.

6. Muchas son las maravillas que has obrado ¡oh Señor Dios mío! y no hay quien pueda asemejarse a ti en tus designios. Púseme yo a referirlos y anunciarlos: exceden todo guarismo o *número.*

7. Tú no has querido sacrificios ni oblaciones; pero me has dado oídos perfectos. Tampoco pediste holocausto ni víctima por el pecado:

8. Yo entonces dije: Aquí estoy; yo vengo, conforme está escrito de mí al frente del libro *de la ley,*

9. Para cumplir tu voluntad. Eso he deseado *siempre,* oh Dios mío; y tengo tu ley en medio de mi corazón.

10. He anunciado tu justicia en una iglesia *o asamblea* grande; no tendré jamás cerrados mis labios: Señor, tú lo sabes.

11. No he tenido escondida tu justicia en mi corazón; publiqué tu verdad y la salvación que de ti viene. No oculté tu misericordia y tu verdad a la numerosa congregación.

12. Pero tú, Señor, no alejes de mí tus piedades; tu misericordia y tu fidelidad me han amparado en todo trance.

13. Porque me hallo cercado de males sin número; sorprendiéronme mis pecados, y no pude distinguirlos bien; multiplicáronse más que los cabellos de mi cabeza, y mi corazón ha desmayado.

14. ¡Oh! plegue a ti, Señor, el librarme; vuelve hacia mí tus ojos para socorrerme.

15. Queden de una vez confundidos y avergonzados cuantos buscan cómo quitarme la vida; vuélvanse atrás llenos de confusión los que mi mal desean.

---

SAL. XXXIX. — 7. San Pablo, *Hebr.* X, *v.* 5, al citar este verso dice cuerpo en vez de *oídos* porque seguiría el texto de los Setenta; pero ambas traducciones vienen a significar lo mismo.

8. *Ley:* en todo el libro de la Ley, o en todo el contenido de las Escrituras Sagradas. O también *al principio de la Ley.*

---

SAL. XXXVIII. — 2. *Conducta:* tendré cuenta con lo que hago: o estaré alerta sobre mí, etc.

**16.** Sufran luego la ignominia que merecen aquéllos que me dicen: ¡Ea, ea!

**17.** Regocíjense en ti, y salten de gozo todos los que te siguen; y aquéllos que aman a tu Salvador, digan siempre: Glorificado sea el Señor.

**18.** Yo por mí soy un mendigo y desvalido; *pero* el Señor tiene cuidado de mí. Tú eres *¡oh Señor!* mi valedor y protector. No tardes Dios mío.

## SALMO XL

*Recomienda David el amor de los pobres. Hace presente a Dios la malicia de sus enemigos, y señaladamente la perfidia de un familiar suyo. Confiado en la protección divina, nada teme. Se ve en este salmo pintada la traición de Judas y el odio de los Judíos contra Jesucristo.*

**1.** *Para el fin: Salmo del mismo David.*

**2.** Bienaventurado aquél que piensa en el necesitado y en el pobre: el Señor le librará en el día aciago.

**3.** Guárdelo el Señor, y confórtelo y hágalo feliz en la tierra, y no lo entregue a discreción de sus enemigos.

**4.** Consuélelo el Señor cuando se halle postrado en el lecho de su dolor; tú mismo, *Señor,* le mullías toda su cama en su enfermedad.

**5.** En cuanto a mí dije: Señor, ten lástima de mí; sana mi alma, porque pequé contra ti.

**6.** Prorrumpían mis enemigos en imprecaciones contra mí: ¿Cuándo morirá éste, decían, y se acabará su memoria?

**7.** Que si alguno entraba a visitarme, hablaba con mentira, tramando en su corazón iniquidades. Salíase afuera y se confabulaba

**8.** Con los otros. Susurraban contra mí todos mis enemigos; *todos* conspiraban para acarrearme males.

**9.** Sentencia inicua pronunciaron contra mí. Mas, ¿por ventura el que duerme no ha de volver a levantarse?

**10.** Lo que más es, un hombre con quien vivía yo en dulce paz, de quien yo me fiaba, y que comía de mi pan, ha urdido una grande traición contra mí.

**11.** Pero tú, Señor, ten piedad de mí y levántame, que yo les daré a ellos su merecido.

**12.** En esto habré conocido que tú me amas; pues que no tendrá mi enemigo que holgarse a costa mía.

**13.** Porque tú me has tomado bajo tu protección a causa de mi inocencia, y me has puesto en lugar seguro ante tu acatamiento por toda la eternidad.

**14.** Bendito sea el Señor Dios de Israel por los siglos de los siglos. ¡Así sea! ¡Así sea!

## SALMO XLI

*David en medio de las tribulaciones se consuela con la memoria de los bienes celestiales y la esperanza de su libertad.*

**1.** *Para el fin: Salmo de instrucción, a los hijos de Coré.*

**2.** Como brama el sediento ciervo por las fuentes de aguas, así ¡oh Dios! clama por ti el alma mía.

**3.** Sedienta está mi alma del Dios fuerte y vivo. ¡Cuándo será que yo llegue, y me presente ante la cara de Dios!

**4.** Mis lágrimas me han servido de pan día y noche, desde que me están diciendo continuamente: Y tu Dios, ¿dónde está?

**5.** Tales eran los recuerdos que venían a mi memoria; y ensanché dentro de mí mi espíritu; porque yo he de llegar, *dije*, al sitio del admirable tabernáculo, hasta la casa de *mi* Dios; entre voces de júbilo, y de hacimiento de gracias, y de algazara de convite.

**6.** ¿Por qué estás triste, oh alma mía? y ¿por qué me tienes en esta agitación? Espera en Dios; porque aún cantaré sus alabanzas, *como que es* el Salvador que tengo siempre delante de mí,

**7.** Y mi Dios. Conturbada está interiormente mi alma. Por lo mismo me acordaré de ti en el país que está desde el Jordán hasta Hemón, y, el pequeño monte.

**8.** Como al estampido con que se deshacen tus cataratas, un abismo *o aguacero* llama a otro abismo; así todas tus tempestades y todas tus olas han ido descargando sobre mí.

**9.** En el día dispondrá el Señor que venga su misericordia; y yo en la noche cantaré sus alabanzas. Haré para conmigo oración a Dios, *autor* de mi vida.

**10.** Diréle a Dios: Tú eres mi amparo; ¿por qué te has olvidado de mí? y ¿por qué he de andar yo triste, mientras me aflige el enemigo?

**11.** Mientras se están quebrantando mis huesos, no cesan de insultarme los enemigos míos, que me atormentan; diciéndome todos los días: ¿Y tu Dios dónde está?

**12.** *Pero* ¡oh alma mía! ¿por qué estás triste? ¿Por qué me llenas de turbación? Espera en Dios, pues aún he de cantarle alabanzas, por ser él el Salvador que está *siempre* delante de mí, y el Dios mío.

## SALMO XLII

*El argumento es semejante al del salmo precedente. Créese compuesto cuando, perseguido de Saúl, se refugió entre los Filisteos.*

**1.** *Salmo de David.*
Júzgame tú, oh Dios, y toma en tus manos mi causa: líbrame de una gente impía, y del hombre inicuo y engañador.

**2.** Pues que tú eres, oh Dios, mi fortaleza, ¿por qué me has desechado de ti? y ¿por qué he de andar triste, mientras me aflige *mi* enemigo?

**3.** Envíame tu luz y tu verdad, *tu gracia y socorro;* éstas me han de guiar y conducir a tu monte santo, hasta tus tabernáculos.

**4.** Y me acercaré al altar de Dios, al Dios que llena de alegría mi juventud. Cantaré tus alabanzas con la cítara ¡oh Dios, oh Dios mío !

**5.** ¿Por qué estás tú triste, oh alma mía? y ¿por qué me llenas de turbación? Espera en Dios; porque todavía he de cantarle alabanzas, *por ser él* el Salvador, que está *siempre* delante de mí, y el Dios mío.

## SALMO XLIII

*El pueblo de Israel, perseguido por los idólatras, se consuela con la memoria de los beneficios de Dios, e implora humildemente el auxilio del cielo.*

**1.** *Para el fin: a los hijos de Coré: Salmo de inteligencia.*

**2.** Nosotros, oh Dios, hemos oído por nuestros propios oídos, nuestros padres nos han contado las obras que tú hiciste en sus días y en los tiempos antiguos.

**3.** Tu mano extirpó *de esta tierra* las naciones, y los plantaste a ellos; tú abatiste aquellos pueblos, y los expeliste.

**4.** Porque no conquistaron este país con su espada, ni fué su brazo el que los salvó; sino tu diestra y tu brazo, y la luz dimanada de tu rostro; porque te complaciste en ellos.

**5.** Tú eres, tú mismo el Rey mío y mi Dios; tú que decretas las victorias de Jacob.

**6.** Con tu ayuda arrojaremos al aire y voltearemos a nuestros enemigos, y en tu Nombre despreciaremos a los que se levantan contra nosotros.

**7.** Que no he de confiar yo en mi arco, ni me ha de salvar mi espada.

**8.** Pues tú nos salvaste de los que nos afligían, y tú confundiste a los que nos odiaban.

**9.** En Dios nos gloriaremos todo el día, y tu Nombre alabaremos para siempre.

**10.** Mas ahora nos has desechado y cubierto de confusión: y ya no sales, oh Dios, al frente de nuestros ejércitos.

**11.** Nos hiciste volver las espaldas a nuestros enemigos; y que fuésemos presa de los que nos aborrecen.

**12.** Entregástenos como ovejas para el matadero, y nos has dispersado entre las naciones.

**13.** Has vendido a tu pueblo de balde; y no hubo concurrencia en su mercado *o venta.*

**14.** Nos hiciste objeto de aprobio para nuestros vecinos, la mofa y el escarnio de los que nos rodean.

**15.** Has hecho que seamos la fábula de las naciones y el ludibrio de los pueblos.

**16.** Todo el día tengo delante de los ojos mi ignominia, y está mi rostro cubierto de confusión,

**17.** Oyendo la voz del que me zahiere y llena de vituperios, y viendo *triunfante* a mi enemigo y perseguidor.

**18.** Todas estas cosas nos han sobrevenido; mas no por eso nos hemos olvidado de ti, ni hemos cometido iniquidad contra tu alianza.

**19.** No se ha rebelado nuestro corazón, ni has permitido que se desviasen de tu senda nuestros pasos;

**20.** Aunque nos humillabas en un lugar de aflicción, donde nos cubría una sombra de muerte.

**21.** Si nos hemos olvidado del Nombre de nuestro Dios, y si extendimos los manos hacia un Dios extraño,

**22.** ¿Por ventura Dios no nos ha de pedir cuenta de tales cosas? Porque él conoce los secretos del corazón. El hecho es que por amor de ti estamos todos los días destinados a la muerte; somos reputados como ovejas para el matadero.

---

SAL. XLII. — 4. *Juventud*: esto es, que me hace volver con su santa alegría, cual estaba yo en lo más florido de mis años.

SAL. XLIII. — 6. Alude a lo que hace un fuerte toro cuando con los cuernos voltea por el aire alguna cosa.

**23.** Levántate, oh Señor! ¿por qué haces como que duermes? Levántate, y no nos desampares para siempre.

**24.** ¿Cómo es que retiras de nosotros tu rostro, y te olvidas de nuestra miseria y tribulación?

**25.** Porque nuestra alma está humillada hasta el polvo; y estamos *postrados en tierra*, pegando nuestro pecho al suelo.

**26.** Levántate ¡oh Señor! socórrenos; y redímenos por amor de tu Nombre.

## SALMO XLIV

*Epitalamio profético de los desposorios del Mesías con la Iglesia.*

**1.** *Para el fin: para aquéllos que han de ser mudados o trocados: a los hijos de Coré: Salmo de inteligencia: Cántico en alabanza del amado.*

**2.** Hirviendo está el pecho mío en sublimes pensamientos. Al rey consagro yo *esta* obra. Mi lengua es pluma de amanuense que escribe muy ligero.

**3.** ¡Oh tú el más gentil en hermosura entre los hijos de los hombres! derramada se ve la gracia en tus labios; por eso te bendijo Dios para siempre.

**4.** Cíñete al lado tu espada *¡oh rey* potentísimo!

**5.** Con ésa tu gallardía y hermosura camina, avanza prósperamente, y reina por medio de la verdad, y de la mansedumbre, y de la justicia; y tu diestra te conducirá a cosas maravillosas.

**6.** Tus penetrantes saetas traspasarán, oh rey, los corazones de tus enemigos; rendiránse a ti los pueblos.

**7.** El trono tuyo ¡oh Dios! *permanece* por los siglos de los siglos; el cetro de tu reino es cetro de rectitud.

**8.** Amaste la justicia y aborreciste la iniquidad; por eso te ungió ¡oh Dios! el Dios tuyo con óleo de alegría, con preferencia a tus compañeros.

**9.** Mirra, áloe y casia *exhalan* tus vestidos, *al salir* de las estancias de marfil en que *con su olor* te has recreado.

**10.** Hijas de reyes son tus damas de honor; a tu diestra está la reina con vestido bordado de oro, y engalanada con varios adornos.

**11.** Escucha ¡oh hija! y considera, y presta *atento* oído, y olvida tu pueblo y la casa de tu padre.

**12.** Y el rey se enamorará *más* de tu beldad; porque él es el Señor Dios tuyo, a quien *todos han* de adorar.

**13.** Las hijas de Tiro *vendrán* con dones, y te presentarán humildes súplicas todos los poderosos del pueblo.

**14.** En el interior está la principal gloria *o lucimiento* de la hija del rey; ella está cubierta de un vestido con varios adornos,

**15.** Y recamado con franjas de oro. Serán presentadas al rey las vírgenes que han de formar el séquito de ella; ante tu presencia serán traídas sus compañeras.

**16.** Conducidas serán con fiestas y con regocijos: al templo *o palacio* del Rey serán llevadas.

**17.** En lugar de tus padres te nacerán hijos; los cuales establecerás príncipes sobre toda la tierra.

**18.** Estos conservarán la memoria de tu Nombre por todas las generaciones. Por esto los pueblos te cantarán alabanzas eternamente por los siglos de los siglos.

## SALMO XLV

*La Iglesia de Dios, protegida y guardada por él, no teme el poder y furia de sus enemigos.*

**1.** *Para el fin: a los hijos de Coré: Salmo para los misterios.*

**2.** Dios es nuestro refugio y fortaleza, nuestro defensor en las tribulaciones que tanto nos han acosado.

**3.** Por eso no temeremos aun cuando se conmueva la tierra, y sean trasladados los montes al medio del mar.

**4.** Bramaron y alborotáronse sus aguas, a su furioso ímpetu se estremecieron los montes.

**5.** Un río caudaloso alegra la ciudad de Dios; el Altísimo ha santificado su tabernáculo.

**6.** Está Dios en medio de ella, no será conmovida: la socorrerá Dios *ya* desde el rayar el alba.

**7.** Conturbáronse las naciones, y bambolearon los reinos; dió *el Señor* una voz, y la tierra se estremeció.

**8.** Con nosotros está el Señor de los ejércitos; el Dios de Jacob es nuestro defensor.

**9.** Venid y observad las obras del Señor, y los prodigios que ha hecho sobre la tierra;

---

SAL. XLIV. — 1. Figurados en los de Salomón *con la Sulamitis* del Cantar de los Cantares; la cual, por reunir las más bellas y raras prendas, era digna de ser figura de la Iglesia: algunos expositores creen que esta esposa era la hija del rey de Egipto. III *Reg.* III, *v.* 1.

2. *Al Rey:* a Jesucristo, Rey de cielos y tierra, consagro este cántico.

**10.** Cómo ha alejado la guerra hasta el cabo del mundo. Romperá los arcos, hará pedazos las armas, y entregará al fuego los escudos.

**11.** Estad tranquilos, y considerad que yo soy el Dios; ensalzado he de ser entre las naciones, y ensalzado en *toda* la tierra.

**12.** El Señor de los ejércitos está con nosotros; nuestro defensor es el Dios de Jacob.

## SALMO XLVI

*Bajo la figura de la entrada del arca en Sión se describe la ascensión de Jesucristo. Se profetiza la vocación de los gentiles.*

**1.** *Para el fin: a los hijos de Coré: Salmo.*

**2.** Naciones todas, dad palmadas de aplauso; gritad alegres a Dios con voces de júbilo.

**3.** Porque excelso es el Señor y terrible, rey grande sobre toda la tierra.

**4.** El nos sometió los pueblos, y *puso* a nuestros pies las naciones.

**5.** Eligiónos por herencia suya a nosotros, porción bella de Jacob, que *tanto* amó.

**6.** Ascendió Dios entre *voces* de júbilo; y el Señor al son de clarines.

**7.** Cantad, cantad salmos a nuestro Dios; cantad, cantad salmos a nuestro rey.

**8.** Porque Dios es el Rey de toda la tierra: cantad*le* salmos sabiamente.

**9.** Dios ha de reinar sobre las naciones; está Dios sentado sobre su santo solio.

**10.** Los príncipes de los pueblos se reunirán con el Dios de Abraham; porque es el Dios protector de la tierra, y en gran manera ha sido ensalzado.

## SALMO XLVII

*Ensalza el profeta el poder y la misericordia de Dios, que brillan en la defensa y conservación milagrosa de la Iglesia, cuya fundación se describe.*

**1.** *Salmo de cántico: a los hijos de Coré: para el segundo día de la semana.*

---

SAL. XLVI. — 8. Cantad entendiendo lo que cantáis: de manera que no busquéis el sonido que halaga al oído, sino la luz que alumbra al corazón, como dice San Agustín. Lo contrario es hacer lo que un instrumento material, que aunque suena, nada siente; aunque produzca un grande y hermoso sonido, nada percibe.

**2.** Grande es el Señor, y dignísimo de alabanza en la ciudad de nuestro Dios, en su monte santo.

**3.** Con júbilo de toda la tierra se ha edificado el *Santuario en el* monte de Sión, la ciudad del gran rey, *sita* al lado del Septentrión.

**4.** Será Dios conocido en sus casas, cuando habrá de defenderla.

**5.** Porque he aquí que los reyes de la tierra se han coligado y conjurado unánimemente.

**6.** Ellos mismos, cuando la vieron así, quedaron asombrados, llenos de turbación, conmovidos,

**7.** Y poseídos de terror. Apoderáronse de ellos dolores como de parto.

**8.** Tú, empero, con un viento impetuoso harás pedazos las naves de Tarsis.

**9.** Como lo oímos, así lo hemos visto en la ciudad del Señor de los ejércitos, en la ciudad de nuestro Dios; la cual ha fundado Dios para siempre.

**10.** Hemos experimentado ¡oh Dios! tu misericordia en medio de tu templo.

**11.** Al modo que tu Nombre ¡oh Dios! así tu gloria *se extiende* hasta los últimos términos de la tierra; tu diestra está llena de justicia.

**12.** Alégrese el monte de Sión, y salten de placer las hijas de Judá ¡oh Señor! por razón de tus juicios.

**13.** Dad vueltas alrededor de Sión, examinadla por todos lados, y contad sus torres.

**14.** Considerad atentamente su fortaleza, y notad bien sus casas o *edificios*, para poder contarlo a la generación venidera.

**15.** Porque aquí está Dios, el Dios nuestro, para siempre y por los siglos de los siglos; él nos gobernará eternamente.

## SALMO XLVIII

*Exhortación a la virtud y a la fuga del vicio.*

**1.** *Para el fin: a los hijos de Coré: Salmo.*

**2.** Oíd estas cosas, naciones todas; estad atentos vosotros todos los que habitáis la redondez de la tierra;

**3.** Así los que sois plebeyos, como los que sois nobles, juntos a una los ricos y los pobres.

---

SAL. XLVII. — 3. *Tierra*: por la protección que allí dispensará a los hombres.

4. *Casas*: esto es, en las de su ciudad o amada Jerusalén.

8. Esto es, las grandes naves: o todo el poder del enemigo.

**4.** Mi boca proferirá sabiduría, y la meditación de mi espíritu prudencia.

**5.** Tendré atento el oído a la parábola, *o inspiración divina:* al son del salterio descifraré mi enigma.

**6.** ¿Qué es, *pues,* lo que he de temer yo en el aciago día? La iniquidad de mis pasos, *que* me cercará por todos lados.

**7.** ¡Ay de aquéllos que confían en su poder, y se glorían en la muchedumbre de sus riquezas!

**8.** El hermano no redime, ¿cómo redimirá otro hombre? Ninguno podrá ofrecer a Dios cosa que le aplaque,

**9.** Ni precio alguno en rescate de su alma, sino que penará para siempre.

**10.** Y no obstante vivirá perpetuamente.

**11.** No verá él la muerte, cuando ha visto que mueren *aun* los sabios. ¡Ah! el insensato y el necio, como todos, perecerán, y dejarán a los extraños sus riquezas,

**12.** Y el sepulcro será su eterna habitación, y sus pabellones pasarán de una a otra generación: *esos hombres que* dieron sus nombres a sus tierras, *pensando eternizarse.*

**13.** Y el hombre, constituido en honor, no ha tenido discernimiento; se ha igualado con los insensatos jumentos, y se ha hecho como uno de ellos.

**14.** Este proceder suyo es causa de su perdición; y *con todo habrá* venideros que se complacerán en alabarle.

**15.** Como los rebaños de ovejas serán metidos en el infierno; la muerte se cebará en ellos *eternamente.* Y los justos tendrán desde luego el dominio sobre ellos; y no habrá socorro que les valga en el infierno, después de su pasada gloria.

**16.** Dios, empero, redimirá mi alma del poder del infierno, cuando él me recoja *de este mundo.*

**17.** Tú no te turbes por más que un hombre se haga rico, y crezca el fausto de su casa.

**18.** Puesto que cuando muera nada llevará consigo, ni le seguirá su gloria.

**19.** Porque mientras él viva, será alabada su persona; y él te bendecirá cuando le hicieres bien.

**20.** Entrará al lugar de sus padres, y ya no verá jamás la luz.

**21.** Porque el hombre, constituido en ho-

nor, no tuvo discernimiento; se ha igualado con los irracionales, y se ha hecho semejante a ellos.

## SALMO XLIX

*Jesucristo salvará a los hombres, no por las ceremonias exteriores de la Ley antigua, sino por el culto interior y la pureza de vida.*

**1.** *Salmo de, o para Asaf.*

El Dios de los dioses, el Señor ha hablado y ha convocado la tierra, desde el Oriente hasta el Occidente.

**2.** De Sión *es de donde saldrá* el esplendor de su gloria.

**3.** Vendrá Dios manifiestamente; *vendrá* nuestro Dios, y no callará. *Llevará* delante de sí un fuego, devorador; alrededor de él una tempestad horrorosa.

**4.** Citará desde arriba cielo y tierra para juzgar a su pueblo.

**5.** Congregad ante él a sus santos, los cuales hicieron con él alianza por medio de los sacrificios.

**6.** Y los cielos anunciarán su justicia, por cuanto es Dios el juez.

**7.** Escucha, oh pueblo mío, y yo hablaré; Israel, *escúchame,* y me explicaré *abiertamente* contigo. Yo soy Dios, el Dios tuyo soy.

**8.** No te haré cargo por tus sacrificios; pues a la vista tengo siempre holocaustos tuyos.

**9.** No aceptaré de tu casa becerros, ni machos cabríos de tus rebaños;

**10.** Porque mías son todas las fieras silvestres, los ganados que pacen en los montes y los bueyes.

**11.** Conozco todas las aves del cielo y en mi poder están las amenas campiñas.

**12.** Si yo tuviese hambre no acudiría a ti; porque mía es la redondez de la tierra y cuanto ella contiene.

**13.** ¿Acaso he de comer yo la carne de los toros, o he de beber la sangre de los machos cabríos?

**14.** Ofrece a Dios sacrificio de alabanza, y cumple tus promesas al Altísimo;

**15.** E invócame en el día de la tribulación: Yo te libraré, y tú me honrarás *con tus alabanzas.*

**16.** Pero al pecador le dijo Dios: ¿Cómo tú te metes a hablar de mis mandamientos, y tomas en tu boca mi alianza?

**17.** Puesto que tú aborreces la enseñanza, y echaste al trenzado mis palabras.

---

SAL. XLVIII. — 5. *Enigma:* o verdad hasta ahora escondida.

8. Un hermano no redimirá *de la muerte* a otro hermano; ¿cómo lo redimirá otro que es un extraño?

**18.** Si veías un ladrón, corrías con él; y te asociaban con los adúlteros.

**19.** Tu boca fué muy maldiciente, y urdidora de engaños tu lengua.

**20.** De asiento te ponías a hablar contra tu hermano, y armabas lazos al hijo de tu misma madre.

**21.** Tales cosas has hecho, y yo he callado. Pensaste injustamente que yo había de ser *en un todo* como tú; *mas* yo te pediré cuenta de ellas, y te las echaré en cara.

**22.** Entended esto bien, vosotros que andáis olvidados de Dios; no sea que algún día os arrebate, sin que haya nadie que pueda libraros.

**23.** El *que me ofrece* sacrificio de alabanza, ése es el que me honra; y ése es el camino por el cual manifestaré al hombre la salvación de Dios.

## SALMO L

*David, pecador verdaderamente arrepentido, pide humildemente a Dios que le perdone. Promete hacer penitencia, de manera que sirva a otros de instrucción y escarmiento; y ruega, en fin, por toda la Iglesia.*

**1.** *Para el fin: Salmo de David.*

**2.** *Cuando, después que pecó con Betsabé, vino a él el profeta Natán.*

**3.** Ten piedad de mí, oh Dios, según la grandeza de tu misericordia; y según la muchedumbre de tus piedades, borra mi iniquidad.

**4.** Lávame *todavía* más de mi iniquidad, y límpiame de mi pecado

**5.** Porque yo reconozco mi maldad, y delante de mí tengo siempre mi pecado:

**6.** Contra ti solo he pecado; y he cometido la maldad delante de tus ojos, a fin de que *perdonándome*, aparezcas justo en cuanto hables, y quedes victorioso en los juicios que de ti se formen.

**7.** Mira, pues, que fuí concebido en iniquidad y que mi madre me concibió en pecado.

**8.** Y mira que tú amas la verdad; tú me revelaste los secretos y recónditos misterios de tu sabiduría.

**9.** Rociarásme, Señor, con el hisopo, y seré purificado; me lavarás, y quedaré más blanco que la nieve.

**10.** Infundirás en mi oído palabras de gozo y de alegría, con lo que se recrearán mis huesos quebrantados.

**11.** Aparta tu rostro de mis pecados, y borra todas mis iniquidades.

**12.** Crea en mí ¡oh Dios! un corazón puro, y renueva en mis entrañas el espíritu de rectitud.

**13.** No me arrojes de tu presencia y no retires de mí tu santo espíritu.

**14.** Restitúyeme la alegría de tu Salvador; y fortaléceme con un espíritu de príncipe.

**15.** Yo enseñaré tus caminos a los malos, y se convertirán a ti los impíos.

**16.** Líbrame de la sangre, ¡oh Dios, Dios Salvador mío! y ensalzará mi lengua tu justicia.

**17.** ¡Oh Señor! tú abrirás mis labios; y publicará mi boca tus alabanzas.

**18.** Que si tú quisieras sacrificios, ciertamente te los ofreciera; mas tú no te complaces con *solos* holocaustos.

**19.** El espíritu compungido es el sacrificio *más grato para Dios:* no despreciarás ¡oh Dios mío! el corazón contrito y humillado.

**20.** Señor, por tu buena voluntad seas benigno para con Sión, a fin de que estén firmes los muros de Jerusalén.

**21.** Entonces aceptarás el sacrificio de justicia; las ofrendas y los holocaustos; entonces serán colocados sobre tu altar becerros *para el sacrificio.*

## SALMO LI

*David profetiza el castigo de Doeg, pérfido e inhumano delator.*

**1.** *Para el fin: Salmo de inteligencia de David.*

**2.** *Cuando Doeg, Idumeo, fué a dar aviso a Saúl, diciéndole que David había estado en casa de Aquimelec.*

**3.** ¿Por qué haces alarde de tu malignidad, tú que *sólo* empleas el valimiento para *obrar* la iniquidad?

**4.** Todo el día está tu lengua empleándose en la injusticia; cual navaja afilada, así tú has hecho traición.

---

SAL. L. — 2. II *Reg.* XII.

**5.** *Es señal de un ánimo bueno*, dice San Ambrosio, *el sentirse de la herida del pecado; porque donde hay sentido de dolor, hay todavía sentido de vida.* Apolog. David. c. IX.

**6.** *Contra ti:* tú solo eres mi juez, tú solo mi superior y legislador supremo, a quien yo, que como rey, soy superior a todos los demás, he de dar cuenta de mi conducta.

**14.** Otros traducen: *el espíritu principal o real.* De manera que sea el Señor por medio de su espíritu el gobernador y director de todos los pensamientos o movimientos del alma, así como ésta lo es de los del cuerpo. Otros, con San Jerónimo, trasladan *spiritu potenti;* denotando *el espíritu de fortaleza* para no volver a pecar.

**18.** *Holocaustos:* o actos de religión meramente exteriores.

SAL. LI. — 2. I *Reg.* XXII, *v.* 9.

5. Preferirse el mal al bien, la calumnia al lenguaje de la verdad.

6. Toda suerte de palabras mortíferas son las que has amado ¡oh lengua alevosa!

7. Por tanto Dios te destruirá para siempre; te arrancará y echará fuera de la mansión en que habitas, te desarraigará de la tierra de los vivientes.

8. Veránlo los justos, y temblarán, y reiránse de él, diciendo:

9. He ahí el hombre que no contó con el favor de Dios, sino que puso su confianza en sus grandes riquezas, y no hubo quien le apeara de su vanidad.

10. Yo, al contrario, a manera de un fértil olivo *subsistiré* en la casa de Dios, para siempre y por los siglos de los siglos, por haber puesto mi esperanza en la misericordia de Dios.

11. Alabarte he, *Señor,* eternamente, porque tal hiciste, y esperaré el auxilio de tu Nombre, por ser *como es tan* bueno para tus santos.

## SALMO LII

*Describe David la corrupción general de las costumbres del mundo, y manifiesta su deseo de la venida del Salvador.*

1. *Para el fin: Por Maelet: Salmo de inteligencia de David.*

Dijo el insensato en su corazón: No hay Dios.

2. Estragáronse *los hombres* y se han hecho abominables por sus maldades. No hay quien obre el bien.

3. Echó Dios desde el cielo una mirada sobre los hijos de los hombres para ver si hay quien conozca, o quien busque a Dios.

4. Pero todos se han descarriado: se han hecho igualmente inútiles; no hay quien obre bien, ni uno siquiera.

5. ¿No caerán, *pues* en la cuenta *de que hay un Dios justiciero* todos aquéllos que cometen la iniquidad, que devoran a mi pueblo como *quien come* un pedazo de pan?

6. Ellos no han invocado a Dios; temblaron de miedo allí donde no había que temer. Porque Dios aniquila el poder de los que lisonjean a los hombres. Serán confundidos, porque Dios los desechó de sí.

7. ¡Oh! ¿Quién enviará de Sión al Salvador de Israel? Cuando Dios pondrá fin al cautiverio de su pueblo, se regocijará Jacob, y saltará de gozo Israel.

## SALMO LIII

*David implora el auxilio de Dios contra sus enemigos; y promete, vencidos éstos, cantar las alabanzas de su Libertador.*

1. *Para el fin: sobre los cánticos. Salmo de inteligencia de David,*

2. *Cuando fueron los Zifeos a decir a Saúl: ¿No sabes que David está escondido* entre nosotros?

3. Sálvame ¡oh Dios! por tu Nombre, y defiéndeme con tu poder.

4. Escucha ¡oh Dios! mi oración; presta oídos a las palabras de mi boca.

5. Porque gentes extrañas han alzado bandera contra mí, y poderosas atentan a mi vida, sin mirar a Dios.

6. Pero ya Dios me socorre, y el Señor toma por su cuenta la defensa de mi vida.

7. Haz ¡oh Dios mío! recaer los males sobre mis enemigos; y en honor de tu verdad extermínalos.

8. Yo te ofreceré un sacrificio voluntario; y alabaré ¡oh Señor! tu Nombre, que tan lleno está de bondad.

9. Puesto que mes has librado de todas las tribulaciones, y ya mis ojos miran con desprecio a mis enemigos.

## SALMO LIV

*David, calumniado y perseguido por sus enemigos, pide socorro a Dios, y anuncia la ruina de ellos. Exhorta a los justos a que pongan toda su confianza en el Señor.*

1. *Para el fin: sobre los cánticos: Salmo de inteligencia de David.*

2. Oye benigno ¡oh Dios! mi oración, y no desprecies mi *humilde* súplica.

3. Atiende a mi ruego, y escúchame. Heme llenado de tristeza en mi afán, y la turbación se ha apoderado de mí,

4. A la gritería de mi enemigo, y por la persecución de los malvados. Porque me han achacado a mí la iniquidad, y me acosan con sus furores.

5. Tiémblame el corazón en el pecho: y el pavor de la muerte me ha sobrecogido.

_____

SAL. LIII. — 2. I *Reg.* XXIII, *v.* 19; XXVI, *v.* 1.

5. *Gentes...* así llama David a Saúl y demás de su partido; y a los Zifeos, aunque eran éstos de su misma tribu de Judá, porque se portaban con él como extraños y sin ninguna humanidad.

6. El temor y temblor se han apoderado de mí, y me hallo cubierto de tinieblas.

7. Por esta razón he dicho: ¡Oh, quién me diera alas como a la paloma para echar a volar, y hallar reposo!

8. He aquí que me alejaría huyendo, y permanecería en la soledad.

9. Allí esperaría a aquél que me ha de salvar del abatimiento de ánimo y de la tempestad.

10. Precipítalos, Señor, divide sus dictámenes; pues veo que la ciudad está llena de iniquidad y discordia.

11. Día y noche va dando vueltas sobre sus muros la iniquidad. En medio de ella *habitan* la opresión

12. Y la injusticia; no se apartan de sus plazas la usura y el fraude.

13. En verdad que si me hubiese llenado de maldiciones un enemigo mío, hubiéralo sufrido con paciencia y si me hablasen con altanería los que me odian, podría acaso haberme guardado de ellos.

14. Mas tú ¡oh hombre, que aparentabas ser otro yo, mi guía, y mi amigo!

15. Tú que juntamente conmigo tomabas el dulce alimento, que andábamos de compañía en la casa de Dios... ¡Ah!

16. Arrebate a los tales la muerte; y desciendan vivos al infierno; ya que todas las maldades se albergan en sus moradas, en medio de su corazón.

17. Pero yo he clamado a Dios, y el Señor me salvará.

18. Tarde y mañana y al mediodía contaré y expondré al *Señor mis necesidades,* y él oirá benigno mi voz.

19. Sacará en paz y a salvo mi vida de los que me asaltan, *conjurados* en compañía de muchos para perderme.

20. Dios me oirá; y aquél que existe antes de todos los siglos los humillará. Ellos están obstinados, y no tienen temor de Dios.

21. Ha extendido *el Señor* la mano para darles su merecido. Profanaron su alianza;

22. Han sido disipados a vista de su rostro airado, y su corazón los alcanzó *y castigó.* Sus palabras son más suaves que el aceite; pero en realidad son dardos.

23. Arroja en el seno del Señor tus ansiedades, y él te sustentará; no dejará al justo en agitación perpetua.

24. Al contrario tú ¡oh Dios! dejarás caer a aquéllos en el pozo de la perdición. Los hombres sanguinarios y alevosos no llegarán a la mitad de sus días; pero yo ¡oh Señor! tengo puesta en ti mi esperanza.

## SALMO LV

*David en un gran peligro recurre a Dios y el Señor le libra.*

1. *Para el fin: Para la gente que estaba lejos del santuario: inscripción para ponerse sobre una columna por David, cuando los extranjeros o Filisteos lo detuvieron en Get.*

2. Apiádate de mí ¡oh Dios *mío!* porque el hombre me está atropellando indignamente; me tiene angustiado, combatiendo todo el día contra mí.

3. Todo el día me veo pisoteado de mis enemigos; pues son muchos los que contra mí pelean.

4. Desde que apunta el día estoy temiendo; pero yo confío en ti.

5. Me gloriaré en Dios por las promesas *que me tiene hechas;* en Dios tengo puesta mi esperanza; nada temeré de cuanto pueden hacer contra mí los mortales.

6. Todo el día están abominando de mis cosas; todos sus pensamientos se dirigen a hacerme algún daño.

7. Reúnense; y escondidos, están espiando mis pasos: así como estuvieron asechando mi vida.

8. Tú, *Señor,* de ningún modo los dejarás escapar a ellos; irritado, harás añicos a estas gentes.

9. ¡Oh Dios! te he expuesto cuál sea *la situación de* mi vida; tú tienes presentes ante tus ojos mis lágrimas, conforme a tu promesa.

10. Un día serán puestos en fuga mis enemigos. En cualquier hora que te invoco, al instante conozco que tú eres mi Dios.

11. A Dios celebraré por las promesas que me tiene hechas; alabaré al Señor por ellas. En Dios tengo mi esperanza; nada temeré de cuanto pueda hacer contra mí el hombre.

12. A mi cuidado quedan ¡oh Dios! los votos que te he hecho, que cumpliré cantando tus alabanzas.

13. Porque libraste de la muerte a mi alma, y a mis pies de la caída; a fin de que pueda ser grato a los ojos de Dios en la luz de los vivientes.

SAL. LIV. — 16. *Infierno:* o *trágueselos vivos la tierra.*

SAL. LV. — 1. 1 *Reg.* XXI, *v.* 12.
12. Alude a los *sacrificios pacíficos* que la Ley prescribía.

## SALMO LVI

*David, figura de Jesucristo, pide a Dios auxi-*
*lio contra sus enemigos.*

**1.** *Para el fin: no destruyas. Salmo de Da-*
*vid para inscribirse en una columna, cuando*
*huyendo de Saúl, se retiró en una cueva.*

**2.** Ten piedad de mí ¡Dios *mío!* apiádate de
mí; ya que mi alma tiene puesta en ti su confianza. A la sombra de tus alas esperaré, hasta
que pase la iniquidad.

**3.** Clamaré a Dios Altísimo, a Dios que tanto bien me ha hecho.

**4.** Envió desde el cielo a librarme; cubrió de
oprobio a los que me traían entre pies. Envió
Dios su misericordia y su verdad,

**5.** Y sacó mi alma de entre jóvenes *o fuer-*
tes leones; lleno de turbación me quedé *como*
adormecido. Porque rejones y flechas son los
dientes de los hijos de los hombres, y su lengua tajante espada.

**6.** ¡Oh Dios *mío!* ensálzate *tú mismo* sobre
los cielos, y haz brillar tu gloria por toda la
tierra.

**7.** Armado habían ellos un lazo a mis pies; y
tenían acobardado mi espíritu. Abrieron delante de mí un hoyo; mas ellos cayeron en él.

**8.** Mi corazón ¡oh Dios! está pronto; dispuesto está mi corazón; yo cantaré y entonaré
salmos.

**9.** Ea, levántate, gloria mía, apresúrate, ¡oh
salterio y cítara! Yo me levantaré al rayar el alba.

**10.** Te alabaré, oh Señor, en medio de los
pueblos, y te cantaré himnos entre las naciones;

**11.** Porque hasta los cielos ha sido ensalzada
tu misericordia, y hasta las nubes tu verdad.

**12.** ¡Oh Dios mío! ensálzate tú mismo sobre los cielos, y tu gloria por toda la tierra.

## SALMO LVII

*Laméntase David de los consejeros de Saúl;*
*pero espera de la providencia de Dios el*
*premio de los justos y el castigo de los ma-*
*los.*

**1.** *Para el fin: no destruyas a tu siervo:*
*Salmo de David para inscribirse en una co-*
*lumna.*

**2.** Si verdaderamente hacéis profesión de la
justicia, sean rectos vuestros juicios ¡oh hijos
de los hombres!

---

**3.** Mas vosotros obráis inicuamente en vuestro corazón, y empleáis vuestras manos en tra-
mar injusticias en la tierra.

**4.** Los pecadores andan enajenados desde
que nacieron; descarriáronse desde el vientre
*de sus madres;* no hablan más que falsedades.

**5.** Su furor es semejante al de una sierpe; como el del áspid que se hace sordo, que se tapa
las orejas,

**6.** Y no quiere escuchar la voz de los encantadores, ni del hechicero por más diestro
que sea en los encantamientos.

**7.** Pero Dios les quebrantará los dientes
dentro de la misma boca; las muelas de esos
leones desmenuzarlas ha el Señor.

**8.** Todos serán reducidos a la nada, como
agua que pasa *y se disipa;* entesado tiene *el*
*Señor* su arco hasta tanto que sean abatidos.

**9.** Como la cera que se derrite, así serán
deshechos; cayó fuego sobre ellos, y no vieron más el sol.

**10.** Antes que *los enemigos, que son, oh*
*justos,* vuestras espinas, lleguen a hacerse una
zarza; vivos así como están los devorará el
Señor en su ira.

**11.** Alegrarse ha el justo al ver la venganza;
y lavará sus manos en la sangre de los pecadores.

**12.** Entonces dirán los hombres: Pues que
el justo recibe su galardón, es indudable que
hay un Dios que ejerce su juicio sobre ellos
en la tierra.

## SALMO LVIII

*David, puesto en grande riesgo de caer en*
*manos de Saúl, recurre a Dios, y se salva*
*por la oración. Se ve figurado el castigo de*
*los Judíos por no reconocer al Mesías.*

**1.** *Para el fin: No destruyas a tu siervo:*
*Salmo de David (para inscribirse en una co-*
*lumna), cuando Saúl envió una guardia a su*
*casa, con el fin de quitarle la vida.*

**2.** Sálvame, Dios mío, de mis enemigos, líbrame de los que me asaltan.

---

SAL. LVI.— 1. I *Reg.* XXII, *v.* 1; XXIV, *v.* 4.

**SAL. LVII.** — 3. *Vuestras manos enderezan las*
*injusticias:* dándoles el aire o el color de la justicia.

**6.** No siempre se aprueba en las Escrituras aquello de lo cual se toma una comparación: sino que
sirve solamente para presentar una semejanza. *San*
*Agustín,* sobre este salmo. Así lo vemos también en
*Jeremías* C. VIII, *v.* 17. Es hablar al pueblo según
sus opiniones, para hacerle entender mejor o temer
lo que se le dice.

3. Sácame del poder de los que obran inicuamente, y libértame de esos hombres sedientos de sangre.

4. Que ya ves cómo se han hecho dueños de mi vida; arremeten contra mí hombres de *gran* fuerza.

5. No *padezco esto*, Señor, por culpa mía, ni por pecado mío: sin iniquidad seguí mi carrera, y enderecé mis pasos.

6. Levántate y ven a mi socorro, y considera mi inocencia. Apresúrate, oh Señor, Dios de los ejércitos, Dios de Israel, a residenciar a todas las gentes; no uses de piedad con ninguno de los que cometen la iniquidad.

7. Ellos volverán hacia la tarde; padecerán hambre como perros, y andarán rondando la ciudad.

8. Hablarán a escondidas, teniendo dentro de sus labios *como* un cuchillo afilado, *y dirán:* ¿Quién hay que nos oiga?

9. Mas tú ¡oh Señor ! te reirás de ellos: como una nonada reputas todas las gentes.

10. En ti he depositado mi fortaleza; pues tú eres, oh Dios, el defensor mío.

11. La misericordia de mi Dios se anticipará en mi socorro.

12. Me ha mostrado Dios sus designios sobre mis enemigos. ¡Ah! no los mates; no sea que mis pueblos echen la cosa en olvido. Dispérsalos con tu poder, y abátelos, ¡oh Señor, protector mío!

13. Por causa del crimen de su boca, por las palabras que profirieron sus labios: y sean ellos mismos presa de su propia soberbia. Y por su blasfema *y horrenda* mentira serán infamados

14. En el día de la desolación; *serán enviados a la perdición* por la ira *de Dios*, que los consumirá, y quedarán exterminados. Entonces conocerán que Dios reinará sobre Jacob, hasta en los últimos términos de la tierra.

15. Retornarán *a sus casa* por la tarde, y estarán hambrientos como perros, y andarán dando vueltas en torno de la ciudad.

16. Esparciránse para *buscar de* comer; y si no pudieren hartarse, entonces murmurarán.

17. Entre tanto cantaré yo tu poder, y al amanecer celebraré con júbilo tu misericordia; porque has sido mi defensa y amparo en el día de mi tribulación.

18. ¡Oh protector mío! a ti cantaré salmos; pues tú, oh Dios, eres mi asilo ¡Dios mío, misericordia mía!

---

SAL. LVIII. — 13. Alude a la dispersión de los Judíos.

## SALMO LIX

*Regocíjase David, y alaba al Señor por las victorias conseguidas: y le ruega que acabe la obra comenzada. Imagen de la Iglesia de Jesucristo.*

1. *Para el fin: Por aquéllos que serán mudados. Inscripción para una columna. Al mismo David para instrucción,*

2. *Cuando quemó la Mesopotamia de Siria y a Soba, y vuelto Joab, venció la Idumea, derrotando doce mil hombres en el valle de las Salinas.*

3. Oh Dios, tú nos desechaste, e hiciste que quedásemos arruinados; montaste en cólera, pero te apiadaste de nosotros.

4. Hiciste estremecer la tierra, y llenástela de turbación. Cura sus llagas, porque está toda ella muy mal parada.

5. Cosas bien duras hiciste sufrir a tu pueblo; nos hiciste beber el vino de amargura.

6. Diste a los que temían una señal, para que huyesen de los tiros de tu arco; a fin de que se librasen tus queridos.

7. Sálvame, *Señor*, con tu diestra, y óyeme benigno.

8. Habló Dios en su Santuario, y tendré motivo de regocijarme; pues repartiré los campos de Siquem, y mediré el valle de los Tabernáculos.

9. Mío es Galaad, mío es Manasés, y Efraím mi principal fuerza.

10. Judá es mi rey; Moab es un vaso de mi esperanza, *o un país que adquiriré*. Sujetaré la Idumea a mi imperio; se me someterán los extranjeros.

11. ¿Quién me conducirá a la ciudad fuerte? ¿Quién me conducirá hasta la Idumea?

12. ¿Quién sino tú ¡oh Dios! que nos habías desamparado? ¿No vendrás tú, Señor, a la cabeza de nuestros ejércitos?

13. Danos tu socorro en la tribulación: porque vana es la salvación que viene de parte del hombre.

---

SAL. LIX. — 2. II *Reg.* VIII, *v.* 1; X, *v.* 7. — I *Paral.* XVIII, *v.* 1.

10. *Efraím* era entonces la tribu más valiente y generosa; *Judá* la tribu de la cual descendían los reyes; *Moab* era un pueblo del cual esperaba sacar Israel toda especie de riquezas; y esto es lo que se denota con una metáfora humilde en nuestra lengua, pero no en la hebrea. *Extender el pie sobre la Idumea* es otra semejante figura para significar que dominaría Israel sobre ella.

11. Esto es: ¿quién me guiará para apoderarme de la ciudad fuerte? La ciudad fuerte *era* Petra, *su capital*; o quizá Rabat.

**14.** Con Dios haremos proezas; y él aniquilará a nuestros enemigos.

## SALMO LX

*Implora David y obtiene el auxilio Divino en sus angustias, y suspira por el Tabernáculo de su Dios. Profetiza el reino eterno del Mesías.*

**1.** *Para el fin: sobre los cánticos de David.*

**2.** Escucha, oh Dios *mío*, mi súplica; atiende a mi oración.

**3.** Desde los últimos términos de la tierra clamé a ti: cuando mi corazón se hallaba más angustiado, tú me colocaste sobre una alta peña; tú fuiste mi guía.

**4.** Pues eres mi esperanza y baluarte fortísimo contra el enemigo,

**5.** Habitaré para siempre en tu tabernáculo; me acogeré bajo la sombra de tus alas.

**6.** Porque tú, Dios mío, has oído mi oración, has concedido la herencia a los que temen tu Nombre.

**7.** Añadirás días sobre días a *la vida del rey*, y prolongarás sus años de generación en generación.

**8.** El permanecerá eternamente en la presencia de Dios: ¿quién podrá penetrar su misericordia y su verdad?

**9.** Así es que yo cantaré himnos de alabanza a tu Nombre por los siglos de los siglos, y estaré cumpliendo sin cesar mis votos.

## SALMO LXI

*Confianza en la misericordia y poder de Dios.*

**1.** *Para el fin: Salmo de David para Iditún.*

**2.** ¿Cómo no ha de estar mi alma sometida a Dios, dependiendo de él mi salvación?

**3.** El es mi Dios y mi Salvador; siendo él mi defensa, no seré jamás conmovido.

**4.** ¿Hasta cuándo estaréis acometiendo a un hombre todos juntos para acabar con él, *y derrocarle* como a una pared desnivelada, y como a una tapia ruinosa?

**5.** Mas ellos maquinaron despojarme de lo que más aprecio. Corrí como sediento; ellos hablaban bien *de mí* con la boca, mas en su corazón *me* maldecían.

**6.** Tú, empero ¡o alma mía! mantente sujeta a Dios; pues que de él *viene* mi paciencia.

**7.** Porque *siendo él, como es*, mi Dios y mi Salvador, *y estando* él en mi ayuda, no vacilaré.

**8.** En Dios está mi salvación y mi gloria; Dios es el que me socorre; en Dios está la esperanza mía.

**9.** Esperad en él vosotros, pueblos todos *aquí* congregados; derramad vuestros corazones en su acatamiento: Dios es nuestro protector eternamente.

**10.** Al contrario, vanos *y falaces* son los hijos de los hombres; mentirosos son los hijos de los hombres puestos en balanza; todos ellos juntos son más ligeros que la *misma* vanidad.

**11.** No queráis confiar en la injusticia, ni codiciar robos; *aun* si las riquezas os vienen en abundancia, no pongáis en ellas vuestro corazón.

**12.** Una vez habló Dios, y estas dos cosas oí yo: Que el poder está en Dios,

**13.** Y que tú, Señor, eres misericordioso; porque a cada uno remunerarás conforme a sus obras.

## SALMO LXII

*Perseguido David y separado del Tabernáculo del Señor, manifiesta sus ardientes deseos de volver a su vista, Dios; y es una imagen del justo, el Habla de los consuelos que recibía de cual en este destierro suspira por la patria celestial.*

**1.** *Salmo de David, estando en el desierto de Idumea.*

**2.** ¡Dios *mío*, oh mi Dios! a ti aspiro, y me dirijo desde que apunta la aurora. De ti está sedienta el alma mía. ¡Y de cuántas maneras lo está *también* éste mi cuerpo!

**3.** En esta tierra desierta, e intransitable y sin agua, me pongo en tu presencia, como *si me hallara* en el Santuario, para contemplar tu poder y la gloria tuya.

**4.** Más apreciable es que mil vidas tu misericordia; *por tanto* se ocuparán mis labios en tu alabanza.

**5.** Por eso te bendeciré *toda* mi vida, y alzaré mis manos invocando tu Nombre.

**6.** Quede mi alma bien llena *de ti*, como de un manjar pingüe y jugoso; y *entonces* con labios que rebosen de júbilo, *te* cantará mi boca himnos de alabanza.

---

SAL. LX. — **8.** *¿quién...?*: a favor de sus siervos. *Hebr.* VII, *v.* 25.

7. Me acordaba de ti en mi lecho; en ti meditaba luego que amanecía;

8. Pues tú eres mi amparo, y a la sombra· de tus alas me regocijaré.

9. En pos de ti va anhelando el alma mía; protegido me ha tu diestra.

10. En vano han buscado cómo quitarme la vida; entrarán en las cavernas *más* profundas de la tierra:

11. Entregados serán a los filos de la espada; serán pasto de las raposas.

12. Entre tanto el rey se regocijará en Dios: loados serán aquéllos que le juran; porque quedó *así* tapada la boca de todos los que hablaban inicuamente.

## SALMO LXIII

*Describe· David las violencias de sus persegui-*
*dores, a quienes intima el terrible juicio de*
*Dios contra ellos para gloria del mismo y*
*consuelo de los buenos. Los enemigos de*
*David confundidos, representan los enemi-*
*gos del Salvador.*

1. *Para el fin: Salmo de David.*

2. Escucha, oh Dios *mío*, mi oración, cuando *a ti* clamo; libra mi alma del temor que me causa el enemigo.

3. Tú me has defendido de la conspiración de los malignos, del tropel de los que obran la iniquidad.

4. Ellos aguzaron sus lenguas como espada; asestaron su arco emponzoñado,

5. Para asaetear desde una emboscada al inocente.

6. De repente le harán el tiro, sin temor alguno; obstinados en su infame designio, trataron cómo armar ocultos lazos, y dijeron: ¿Quién los podrá descubrir?

7. Discurrieron mil invenciones para hacer el mal; cansáronse de escudriñar ardides. Engolfarse ha el hombre meditando grandes proyectos.

8. Mas Dios será ensalzado. Las heridas que ellos hagan, son como las *que hacen las* flechas que disparan los niños,

9. Y sus lenguas han flaqueado contra ellos mismos. Quedaron asombrados cuantos los veían,

10. Y no hubo quien se atemorizase. Con lo cual publicaron *todos* las obras de Dios, y meditaron sobre sus hechos.

11. Alegrarse ha el justo en el Señor, y esperará en él; y serán aplaudidos todos los de recto corazón.

## SALMO LXIV

*Fertilidad de la Iglesia, figurada por la tierra*
*de Promisión. Profecía de la conversión de*
*las naciones y de los Judíos.*

1. *Para el fin: Salmo de David. Cántico de*
*Jeremías y de Ezequiel para el pueblo trasporta-*
*do al cautiverio, cuando empezaba a salir de él.*

2. A ti ¡oh Dios! son debidos los himnos en Sión, y a ti se te presentarán los votos en Jerusalén.

3. Oye *benigno* mi oración. A ti vendrán todos los mortales.

4. Prevalecieron en nosotros las maldades; pero tú perdonarás nuestras impiedades.

5. Dichoso aquél a quien tú elegiste y allegaste a ti: él habitará en tu tabernáculo. Colmados seremos de los bienes de tu casa. Santo es tu templo,

6. Admirable por su justicia. Oye, *pues*, nuestras plegarias ¡oh Dios, Salvador nuestro! tú que eres la esperanza de todas las naciones de la tierra y de las mas remotas islas.

7. Tú que das firmeza a los montes con tu poder; tú que armado de fortaleza

8. Conmueves lo más profundo de los mares, y haces sentir el estruendo de sus olas. Pertubaránse las naciones,

9. Y quedarán llenos de pavor los habitantes de los últimos términos de la tierra, a vista de tus prodigios. Derramarás la alegría desde Oriente a Occidente.

10. *Porque* tú visitaste la tierra, y la has como embriagado *con lluvias saludables,* y la has colmado de toda suerte de riquezas. El río de Dios está rebosando en aguas, preparado has el alimento *a sus habitantes;* tal es la *buena* disposición de los campos.

11. Hincha sus canales, multiplica sus producciones; con los suaves rocíos se regocijarán las plantas todas.

12. Coronarás el año de tu bondad, y serán fertilísimos sus campos.

13. Se pondrán lozanas las praderías del desierto, y vestiránse de gala los collados.

14. Se multiplicarán los rebaños de carneros y ovejas; y abundarán en grano los valles. *Todos* alzarán su voz, y cantarán himnos de alabanza.

---

SAL. LXIII. — 8. *Ensalzado:* desvaneciéndolos como el humo.

---

SAL. LXIV. — 6. Profecía de la vocación de los gentiles.

10. *El río:* el caudaloso Nilo, o el Jordán.

## SALMO LXV

*Felicidad de los justos, después de probados con muchas tribulaciones. Profecía de la vocación de los gentiles y conversión de los Judíos.*

**1.** *Para el fin: Salmo y cánticos de la Resurrección.*

Moradores todos de la tierra, dirigid a Dios voces de júbilo.

**2.** Cantad salmos a su Nombre, tributadle gloriosas alabanzas.

**3.** Decid a Dios: ¡Oh cuán estupendas son, Señor, tus obras! Con la fuerza de tu gran poder reduciránse a la nada tus enemigos.

**4.** Adórete toda la tierra, y te celebre; cante salmos a tu Nombre.

**5.** Venid a contemplar las obras de Dios, y cuán terribles son sus designios sobre los hijos de los hombres.

**6.** El convirtió el mar en seca arena; pasaron el río a pie *enjuto;* allí nos alegramos en el Señor.

**7.** El tiene por su poder un dominio eterno; sus ojos están fijos sobre las naciones; no se engrían en su interior los que le irritan.

**8.** Bendecid ¡oh naciones! a nuestro Dios; y haced resonar las voces de su alabanza.

**9.** El ha vuelto a mi alma la vida, y no ha dejado resbalar mis pies.

**10.** Bien que tú ¡oh Dios! has querido probarnos; nos has acrisolado al fuego como se acrisola la plata.

**11.** Nos dejaste caer en el lazo; nos echaste las tribulaciones encima:

**12.** A yugo de hombres nos sujetaste. Pasado hemos por el fuego y por el agua; mas nos has conducido a un lugar de refrigerio.

**13.** Entraré en tu templo a ofrecer holocaustos, y te cumpliré mis votos,

**14.** Que claramente pronunciaron mis labios: votos que salieron de mi boca en el tiempo de mi tribulación.

**15.** Ofrecerte he pingües holocaustos, haciendo subir hacia ti el humo de los carneros *sacrificados;* te ofreceré bueyes y machos cabríos.

**16.** Venid, y escuchad vosotros todos los que teméis a Dios, y os contaré cuán grandes cosas ha hecho el Señor por mi alma.

---

SAL LXV. — 6. *Exod.* XIV, *v.* 21. — *Jos.* III, *v.* 13.

12. La metáfora hebrea es: *hiciste cabalgar hombres sobre nuestras cabezas.* Tiene mucha energía; pero es demasiado dura en nuestra lengua.

**17.** Al Señor invoqué con mi boca, y le he glorificado con mi lengua.

**18.** Si yo hubiera aprobado la iniquidad en mi corazón, no me escuchará el Señor.

**19.** Por eso me ha oído Dios, y ha atendido a la voz de mis súplicas.

**20.** Bendito sea Dios, que no desechó mi oración, ni retiró de mí su misericordia.

## SALMO LXVI

*Deseos ardientes de la venida del Mesías y de la conversión del mundo; a fin de que Dios sea de todos temido, servido y adorado.*

**1.** *Para el fin: sobre los himnos: Salmo y Cántico de David.*

**2.** Dios tenga misericordia de nosotros y nos bendiga; haga resplandecer sobre nosotros la luz de su rostro, y nos mire compasivo;

**3.** Para que conozcamos, *oh Señor,* en la tierra tu camino, y en todas las naciones tu salvación.

**4.** Alábente, Dios *mío,* los pueblos; publiquen todos los pueblos tus alabanzas.

**5.** Regocíjense, salten de gozo las naciones; porque tú juzgas a los pueblos con justicia, y diriges las naciones sobre la tierra.

**6.** Alábente, oh Dios *mío,* los pueblos; publiquen todos los pueblos tus alabanzas.

**7.** Ha dado la tierra su fruto. Bendíganos Dios, el Dios nuestro,

**8.** Bendíganos Dios, y sea temido en todos los términos de la tierra.

## SALMO LXVII

*Prodigiosos beneficios hechos por el Señor a su pueblo, figura de los que había de hacer para formar su nueva Iglesia.*

**1.** *Para el fin: Salmo y Cántico del mismo David.*

**2.** Levántese Dios, y sean disipados sus enemigos, y huyan de su presencia los que le aborrecen.

**3.** Desaparezcan como el humo. Como se derrite la cera al calor del fuego, así perezcan los pecadores a la vista de Dios.

**4.** Mas los justos celebren festines y regocijos en la presencia de Dios, y huélguense con alegría.

---

SAL. LXVI. — 6. *Isai.* IV, *v.* 2.

**5.** Cantad *himnos* a Dios; entonad salmos a su Nombre; allanad el camino al que sube sobre el Occidente. El Señor, *esto es, Jehová,* es el nombre suyo. Saltad de gozo en su presencia. Turbarse han *los impíos* delante de él,

**6.** Que es el padre de los huérfanos y el juez *defensor* de las viudas. Reside Dios en su lugar santo.

**7.** Dios que hace habitar dentro de una casa muchos de unas mismas costumbres, y que con su fortaleza pone en libertad a los prisioneros, como también a los que le irritan; los cuales moran en los sepulcros *o lugares* áridos.

**8.** ¡Oh Dios! Cuando tú salías al frente de tu pueblo, cuando atravesabas el Desierto,

**9.** La tierra tembló, y hasta los cielos destilaron a la presencia de Dios; en el Sinaí *tembló* a la presencia del Dios de Israel.

**10.** ¡Oh Dios! Tú distribuirás una lluvia abundante y apacible a tu heredad; ella se ha visto afligida, pero tú la has recreado.

**11.** En ella tendrán morada los que son de tu grey; con tu bondad ¡oh Dios *mío!* has provisto *de alimento* al pobre.

**12.** El Señor dará palabras a los que anuncian con valor la buena nueva.

**13.** Los reyes poderosos serán *súbditos* de su *Hijo* muy amado, y aquel *Señor,* que es la hermosura de la casa, repartirá los despojos.

**14.** Cuando durmiereis en medio de peligros, *seréis* como alas de paloma plateadas, cuyas plumas por la espalda echan brillos de oro.

**15.** Cuando el *rey* celestial ejercerá su juicio sobre los reyes de la tierra, quedarán más blancos que la nieve del *monte* Selmón.

**16.** ¡Oh *Sión,* monte de Dios, monte fértil, monte cuajado, monte fecundo!

**17.** Mas ¿por qué andáis pensando en otros montes fértiles? *Este es* el monte donde Dios se complació en fijar su morada. *Sí*; en él morará el Señor perpetuamente.

**18.** La carroza de Dios va acompañada de muchas docenas de millares de tropas, de millones *de Angeles* que hacen fiesta. En medio de ellos está el Señor, en el Sinaí, en el lugar santo.

**19.** Ascendiste, *Señor,* a lo alto; llevaste contigo a los cautivos; recibiste dones para los hombres; aun para aquéllos que no creían que habitase el Señor Dios *entre nosotros.*

**20.** Bendito sea el Señor en toda la serie de los días; el Dios de nuestra salud nos concederá próspero viaje.

**21.** Nuestro Dios es el Dios *que tiene la virtud* de salvarnos; y del Señor, y muy del Señor, es el librar de la muerte.

**22.** Mas Dios quebrantará las cabezas de sus enemigos, el copete erizado de los que hacen pompa de sus delitos.

**23.** Dijo el Señor: *A los* de Basán les haré volver las espaldas; arrojarlos he al profundo del mar.

**24.** *Serán destrozadas* hasta teñirse tus pies en la sangre de tus enemigos; y lamerla han las lenguas de tus mastines.

**25.** Vieron ¡oh Dios! tu entrada: la entrada de mi Dios, del rey mío que reside en el Santuario.

**26.** Iban delante los príncipes, unidos a los que cantaban salmos, y en medio doncellitas tocando panderos.

**27.** ¡Oh vosotros! *decían,* descendientes de Israel, bendecid al Señor Dios en vuestras asambleas.

**28.** Allí se hallaba *la tribu* del jovencito Benjamín como extática *de gozo;* los jefes de Judá iban de guías; los jefes de Zabulón, los jefes de Neftalí.

**29.** Muestra ¡oh Dios! tu poderío; confirma, ¡oh Dios! esta obra, que has hecho en nosotros.

**30.** Por respeto a tu templo en Jerusalén, ofreceránte dones los reyes.

**31.** Reprime esas fieras que habitan en los cañaverales, esos pueblos reunidos, que, como toros dentro de la vacada, conspiran a echar fuera a los que han sido acrisolados como la plata. Disipa las naciones que quieren guerras.

**32.** *Entonces* el Egipto enviará embajadores; la Etiopía se anticipará a rendirse a Dios.

**33.** Cantad, *pues,* alabanzas a Dios ¡oh reinos de la tierra! Load al Señor con salmos. Cantadle salmos a Dios,

**34.** El cual se elevó al más alto de los cielos, desde el Oriente. Sabed que *desde allí* hará que su voz sea una voz *todo*-poderosa.

**35.** Tributad, *pues,* gloria a Dios por lo que ha obrado en Israel: su magnificencia y su poder *se elevan* hasta las nubes.

**36.** Admirable es Dios en sus Santos, *o en su Santuario;* el Dios de Israel, él mismo dará virtud y fortaleza a su pueblo. Bendito sea Dios.

---

SAL. LXVII. — 18. *Hebr.* XII, *v.* 22.

19. *Ephes.* IV, *v.* 8. — *Coloss.* II, *v.* 15. — *Act.* I, *v.* 9. — *Dones:* dones de tu Eterno Padre para distribuirlos.

---

36. *Ephes.* III, *v.* 10.

## SALMO LXVIII

*Dolores acerbísimos del Redentor en su pasión; castigo de sus perseguidores; y fundación de la Iglesia sobre las ruinas de la Sinagoga.*

**1.** *Para el fin: por los que han de ser mudados. Salmo de David.*

**2.** Sálvame, oh Dios, porque las aguas *de la tribulación* han penetrado hasta mi alma.

**3.** Atollado estoy en un profundísimo cieno, sin hallar donde afirmar el pie. Llegué a alta mar, y sumergióme la tempestad.

**4.** Fatiguéme en dar voces; secóseme la garganta; desfallecieron mis ojos aguardando a mi Dios.

**5.** Multiplicado se han, más que los cabellos de mi cabeza, los que me aborrecen injustamente. Hanse hecho fuertes mis enemigos, los injustos perseguidores míos; pagado he lo que yo no había robado.

**6.** Tú ¡oh Dios *mío!* sabes mi ignorancia, y los delitos que yo tenga no pueden ocultársete.

**7.** *¡Ah!* no tengan que avergonzarse por mi causa aquéllos que en ti confían ¡oh Señor, Señor de los ejércitos! No queden corridos por causa mía los que van en pos de ti ¡oh Dios de Israel!

**8.** Pues por amor de ti he sufrido los ultrajes, y se ve cubierto de confusión el rostro mío.

**9.** Mis propios hermanos, los hijos de mi misma madre, me han desconocido y tenido por extraño.

**10.** Porque el celo de tu casa me devoró, y los baldones de los que te denostaban recayeron sobre mí.

**11.** Aflígíame con el ayuno, y se me convertía en afrenta;

**12.** Vestíame de cilicio, y me hacía la fábula de ellos.

**13.** Contra mí se declaraban los que tienen su asiento en la puerta; y los que bebían vino cantaban contra mí coplas.

**14.** Mas yo entre tanto, Señor, dirigía a ti mi oración. Este es, *decía,* ¡oh Dios *mío!* el tiempo de reconciliación. Oyeme benigno según la grandeza de tu misericordia, conforme tu promesa fiel de salvarme.

**15.** Sácame del cieno, para que no quede yo atascado en él; líbrame de aquéllos que me aborrecen y del profundo de las aguas.

**16.** No me anegue esta tempestad, ni me trague el abismo del mar, ni el pozo cierre sobre mí su boca.

**17.** Oyeme, Señor, ya que tan benéfica es tu misericordia; vuelve hacia mí tus ojos según la grandeza de tus piedades.

**18.** Y no pierdas de vista a tu siervo; oye presto mis súplicas, porque me veo atribulado.

**19.** Mira por mi alma y líbrala; sácame a salvo por razón de mis enemigos.

**20.** Bien ves los oprobios que sufro, y mi confusión, y la ignominia mía.

**21.** Tienes ante tus ojos todos los que me atormentan; improperios y miserias aguarda *siempre* mi corazón. Esperé que alguno se condoliese de mí, mas nadie lo hizo; o quien me consolase, y no hallé quien lo hiciese.

**22.** Presentáronme hiel para alimento mío, y en medio de mi sed me dieron a beber vinagre.

**23.** En justo pago conviértaseles su mesa en lazo de perdición y ruina.

**24.** Obscurézcanse sus ojos para que no vean; y tráelos siempre agobiados.

**25.** Derrama sobre ellos tu ira, y alcánceles el furor de tu cólera.

**26.** Quede hecha un desierto su morada, y no haya quien habite en sus tiendas,

**27.** Ya que han perseguido a aquél que habías tú herido, y aumentaron más y más el dolor de mis llagas.

**28.** Tú permitirás que añadan pecados a pecados, y no acierten con tu justicia.

**29.** Raídos sean del libro de los vivientes, y no queden escritos en el *libro* de los Justos.

**30.** Yo soy un miserable y lleno de dolores; mas tú, oh Dios *mío,* me has salvado.

**31.** Alabaré con cánticos el nombre de Dios, y le ensalzaré con acciones de gracias,

---

**16.** *El pozo de la muerte:* de modo que no pueda yo salir nunca jamás.

**22.** *Matth.* XXVII, v. 48.

**23.** *Rom.* XI, v. 9.

**27.** *Herido:* por la salud del mundo. *Is.* LIII, v. 3, 10. — *Act.* IV, v. 27.

**29.** Estas expresiones no son deseos de David, sino anuncios de lo que había de suceder: son un modismo propio de la lengua hebrea y de su poesía.

---

**SAL. LXVIII.** — 13. *Puerta:* de la ciudad, y la gobiernan. — *Mí coplas:* hasta los bebedores de vino cantaban en las tabernas coplas contra mí.

**32.** Lo que será más grato a Dios que si le inmolaran un ternerillo cuando le comienzan a salir las astas y las pezuñas.

**33.** Vean *esto* los pobres, y consuélense. Buscad, *pues*, a Dios, y revivirá vuestro espíritu,

**34.** Puesto que el Señor oyó a los pobres, y no olvidó a los que están por él en cadenas.

**35.** Alábenle los cielos y la tierra, el mar y cuanto en ellos se mueve.

**36.** Porque Dios ha de salvar a Sión, y las ciudades de Judá serán reedificadas; y establecerán allí su morada, y adquiriránlas como herencia.

**37.** Y los descendientes de sus *fieles* siervos las poseerán; y en ellas tendrán su morada aquéllos que aman su *santo Nombre*.

### SALMO LXIX

*David pide a Dios que sean confundidos sus enemigos, para consuelo y alegría de los buenos. Es una oración propia del justo en peligro.*

**1.** *Para el fin: Salmo de David, en memoria de haberlo el Señor salvado.*

**2.** Oh Dios, atiende a mi socorro; acude, Señor, luego a ayudarme.

**3.** Corridos y avergonzados queden los que me persiguen de muerte.

**4.** Arrédrense, y confúndanse los que se complacen en mis males. Sean puestos en vergonzosa fuga aquéllos que me dicen *insultándome:* ¡Bueno, bueno!

**5.** Regocíjense, y alégrense en tí todos los que te buscan; y digan sin cesar los que aman a tu Salvador: Engrandecido sea el Señor.

**6.** Yo por mí soy un menesteroso y pobre: ayúdame, oh Dios. Amparo mío y mi libertador eres tú; ¡oh Señor! no te tardes.

### SALMO LXX

*Créese compuesto por David al tiempo de la rebelión de Absalón. Conviene a Cristo en su pasión.*

**1.** *Salmo de David. De los hijos de Jonadab y de los primeros cautivos.*

En ti ¡oh Señor! tengo puesta mi esperanza: no sea yo para siempre confundido.

**2.** Líbrame por un efecto de tu justicia, y sácame del peligro. Presta oídos a mis súplicas, y sálvame.

**3.** Seas para mí un Dios protector, y un seguro asilo para ponerme en salvo, que tú eres mi fortaleza y mi refugio.

**4.** Dios mío, líbrame de las manos del pecador, y de las manos del transgresor de la ley, y del inicuo;

**5.** Pues tú eres, Señor, la expectación mía; tú ¡oh Señor! mi esperanza desde mi juventud.

**6.** En ti me he apoyado desde el vientre de mi madre: desde que estaba en sus entrañas eres tú mi protector. Tú eres siempre el asunto de mis cánticos.

**7.** Como una especie de prodigio, así soy mirado de muchos; mas tú eres un poderoso defensor.

**8.** Llénese de loores mi boca, para cantar todo el día tu gloria y la grandeza tuya.

**9.** No me abandones en el tiempo de la vejez; cuando me faltaren las fuerzas no me desampares.

**10.** Pues mis enemigos prorrumpen *en dicterios* contra mí, y se han juntado en consejo los que estaban asechando mi vida,

**11.** Diciendo: Dios lo ha desamparado; corred tras él, y prendedlo, que *ya* no hay quien lo liberte.

**12.** ¡Oh Dios! no te alejes de mí. Acude, Dios mío, a socorrerme.

**13.** Corridos queden y perezcan los que calumnian mi persona; cubiertos sean de confusión y vergüenza los que procuran mi daño.

**14.** Por mi parte no cesaré ¡oh Señor! de esperar *en ti;* y añadiré siempre nuevas alabanzas.

**15.** Mi boca predicará tu justicia todo el día, y la salud que de ti viene. Como yo no entiendo de literatura *o sabiduría mundana,*

**16.** Me internaré en la consideración de las obras del Señor: de sola tu justicia, ¡oh Señor! haré yo memoria.

**17.** Tú ¡oh Dios! fuiste mi maestro desde mi tierna edad; y yo publicaré tus maravillas *que he experimentado* hasta ahora.

**18.** Y tú ¡oh Dios! en mi vejez y edad decrépita no me desampares, a fin de que anuncie el poder de tu brazo a toda la generación que ha de venir;

**19.** Aquél tu poder y justicia, ¡oh Dios! más sublimes que los cielos, y aquellas grandes cosas que has hecho. ¡Quién como tú, o Dios *mío!*

**20.** ¡Cuántas y cuán acerbas tribulaciones me has hecho probar! Y vuelto a mí me has hecho revivir, y nuevamente me has sacado de los abismos de la tierra.

**21.** Diste a conocer de mil maneras la magnificencia de tu *gloria;* y vuelto a mí me consolaste.

**22.** Por lo que yo también celebraré, al son de instrumentos músicos, la fidelidad tuya *en las promesas:* te cantaré salmos con la cítara, ¡oh Dios santo de Israel!

**23.** De gozo rebosarán mis labios y el alma mía, que tú redimiste, al cantar tus alabanzas.

**24.** Todo el día se empleará mi lengua en hablar de tu justicia; luego que los que procuran mi daño estén llenos de confusión y vergüenza.

## SALMO LXXI

*Con ocasión del reinado de Salomón, describe David el reino pacífico, universal y eterno del Mesías.*

**1.** *Salmo sobre Salomón.*

**2.** Da ¡oh Dios! al rey tus leyes para juzgar, da al hijo del rey tu justicia, a fin de que él juzgue con rectitud a tu pueblo y a tus pobres según la equidad.

**3.** Reciban *del cielo* los montes la paz para el pueblo, y reciban los collados la justicia.

**4.** El hará justicia a los pobres *o afligidos* del pueblo, y pondrá en salvo los hijos de los pobres, y humillará al calumniador.

**5.** Y permanecerá como el sol y la luna de generación en generación.

**6.** Descenderá como la lluvia sobre el vellocino de lana, y como rocío copioso sobre la tierra.

**7.** Florecerá en sus días la justicia y la abundancia de paz, hasta que deje de existir la luna.

**8.** Y dominará de un mar a otro, y desde el río hasta el extremo del orbe de la tierra.

**9.** Postraránse a sus pies los Etíopes, y lamerán el suelo *ante él* sus enemigos.

**10.** Los reyes de Tarsis y los de las islas *le* ofrecerán regalos; traerán*le* presentes los reyes de Arabia y de Sabá.

**11.** Lo adorarán todos los reyes de la tierra, todas las naciones le rendirán homenaje.

**12.** Porque librará del poderoso al pobre, y al desvalido que no tiene quien le valga.

**13.** Apiadarse ha del pobre y del desvalido; y pondrá en salvo las almas de los pobres.

**14.** Libertarlas ha de las usuras y de la iniquidad *de los ricos;* y será apreciable a sus ojos el nombre de los pobres.

**15.** Y vivirá y le presentarán el oro de Arabia; y le adorarán siempre: todo el día le llenarán de bendiciones.

**16.** Y en *su* tierra *aun* en la cima de los montes habrá sustento; se verán sus frutos en la cumbre del Líbano, y se multiplicarán en la ciudad como la yerba en los prados.

**17.** Bendito sea su Nombre por los siglos de los siglos: Nombre que existe antes que el sol. Y serán benditos en él todos los pueblos de la tierra; todas las naciones le glorificarán.

**18.** Bendito sea el Señor Dios de Israel: sólo él hace maravillas.

**19.** Y bendito sea el Nombre de su Majestad eternamente. De su majestad *y gloria* quedará llena toda la tierra. ¡Asi sea! ¡Así sea!

**20.** Fin de los cánticos de David, hijo de Jesé.

## SALMO LXXII

*Declara el Salmista la terrible tentación que padeció su alma al ver la prosperidad de los malos en este mundo; pero asegura que se tranquilizó su espíritu, y se arraigó más su esperanza en Dios, al considerar cuán engañosa es aquella prosperidad, que aun cuando dure mucho, se acaba con la vida.*

**1.** *Salmo de Asaf.*

¡Cuán bondadoso es Dios para Israel, para los que son de corazón recto!

**2.** A mí me vacilaron los pies: a pique estuve de resbalar.

**3.** Porque me llené de celos al contemplar los impíos, al ver la paz *o prosperidad* de los pecadores.

**4.** Ellos no tienen miedo a la muerte: sus penas son de corta duración.

---

SAL. LXXI. — 15. Según el hebreo, el verbo *vivirá* puede entenderse del *pobre,* a quien el príncipe socorre y da la mano para sacarle de su miseria; y así puede traducirse: *Y vivirá y le dará del oro de Arabia,* esto es, dones preciosos; como lo era el oro de Arabia. Profecía de Jesucristo a quien, siendo un pobre infante, ofrecieron el oro los Magos, o príncipes de Arabia que vinieron a adorarle; y que a pesar de tantos enemigos vive y vivirá eternamente, y del cual se verificó cuanto se dice en este verso.

**16.** *Yerba en los prados:* expresión hiperbólica para denotar una suma abundancia, y extraordinaria fertilidad de los campos.

**20.** III. *Reg.* I, *v.* 47. San Jerónimo expone este lugar: *"Acaban los salmos de David;* porque en este salmo escribió la plenitud y el fin de las cosas" evangelizando a Jesucristo, fin y complemento de todas.

SAL. LXXII. — 4. No parece haber muerto para ellos, ni dolor que sea de consideración; atendida la vida que llevan.

5. Las miserias humanas ellos no las sienten, ni experimentan los desastres que sufren los *demás* hombres.

6. Por eso se ensoberbecen tanto, y se revisten de su injusticia e impiedad.

7. Resaltan sobre su grosura sus maldades; abandonáronse a los deseos de su corazón.

8. Su pensar y su hablar es todo malicia; hablan altamente de *cometer* la maldad.

9. Han puesto su boca en el cielo, y su lengua va recorriendo la tierra.

10. Por eso paran aquí su consideración los de mi pueblo, y conciben grande amargura.

11. Y así dicen: ¿Si sabrá Dios todo esto? ¿Si tendrá de ello noticia el Altísimo?

12. Mirad cómo ésos, siendo pecadores, abundan de bienes en el siglo y amontonan riquezas.

13. Yo también exclamé: Luego en vano he purificado mi corazón y lavado mis manos en compañía de los inocentes;

14. Pues soy azotado todo el día, y comienza ya mi castigo desde el amanecer.

15. Si yo pensare en hablar de este modo, claro está que condenaría la nación de tus hijos.

16. Poníame a discurrir sobre esto; *pero* difícil me será el comprenderlo;

17. Hasta que yo entre en el Santuario de Dios, y conozca el paradero que han de tener.

18. Lo cierto es que tú les diste una prosperidad engañosa; derribástelos cuando ellos estaban elevándose más.

19. ¡Oh, y cómo fueron reducidos a total desolación! De repente fenecieron; perecieron de este modo por su maldad.

20. Como el sueño de uno que despierta, así ¡oh Señor! reducirás a la nada en tu ciudad la imagen de ellos.

21. Porque mi corazón se inflamó, y padecieron tortura mis entrañas,

22. Y yo quedé aniquilado sin saber por qué.

23. Y estuve delante de ti como una bestia de carga, y yo siempre contigo *sin apartarme jamás.*

24. Tú me asiste de la mano derecha, y guiásteme según tu voluntad, y me acogiste con gloria.

25. Y ciertamente ¿qué cosa puedo apetecer yo del cielo, ni qué cosa he de desear sobre la tierra fuera de ti, *oh Dios mío?*

26. *¡Ah!* mi carne y mi corazón desfallecen ¡oh Dios de mi corazón, Dios, que eres la herencia mía por toda la eternidad!

27. Así es que los que de ti se alejan, perecerán; arrojarás a la perdición a todos aquéllos que te quebrantan la fe.

28. Mas yo hallo mi bien en estar unido con Dios, en poner en el Señor Dios mi esperanza, para anunciar todas tus alabanzas en las puertas de la hija de Sión.

## SALMO LXXIII

*Oración a Dios en las calamidades del pueblo oprimido por los idólatras.*

1. *Salmo de inteligencia de Asaf.*
¿Y por qué, oh Dios, nos has desechado para siempre? ¿*Cómo* se ha encendido tu furor contra las ovejas que apacientas?

2. Acuérdate de tu congregación, *de este pueblo* que ha sido desde el principio tu posesión. Tú recuperaste el cetro de tu herencia: el monte de Sión, lugar de tu morada.

3. Levanta tu mano a fin de abatir para siempre las insolencias de tus enemigos. ¡Oh, y cuántas maldades ha cometido el enemigo en el Santuario!

4. ¡Y cómo se jactaban en el lugar mismo de tu solemnidad aquéllos que te aborrecen!

5. Han enarbolado sus estandartes en forma de trofeos, sin reflexionar en ello, sobre lo más alto a la salida.

6. Asimismo han derribado y hecho astillas a golpes de hacha sus puertas, como se hace con los árboles en el bosque: con hachas y azuelas las han derribado.

7. Pegaron fuego a tu santuario; han profanado el tabernáculo que tú tenías sobre la tierra.

8. Coligadas entre sí las gentes de esa nación han dicho en su corazón: Borremos de sobre la tierra todos los días consagrados al *culto* de Dios.

9. Nosotros no vemos ninguno de aquellos prodigios antes frecuentes entre nosotros: ya no hay un profeta, y *el Señor* no nos reconoce ya.

---

9. Esto es, han blasfemado de Dios y de los ángeles, y su lengua no ha perdonado a viviente ninguno sobre la tierra.

10. *Por eso mi pueblo se para a considerar* como los impíos gozan de larga vida, llena de felicidad; y *como viven en la abundancia.*

---

SAL. LXXIII. — 5. O en lo más elevado del Templo, y en las puertas de la ciudad.

10. ¡Oh Dios! ¿y hasta cuándo nos ha de insultar el enemigo? ¿Ha de blasfemar siempre de tu Nombre *nuestro* adversario?

11. ¿Por qué retraes tu mano? ¿Por qué no sacas fuera de tu seno tu diestra de una vez para siempre?

12. Mas Dios, que es nuestro rey desde el principio de los siglos, ha obrado la salvación en medio de la tierra.

13. Tú diste con tu poder solidez a *las aguas del* mar *Rojo;* tú quebrantaste las cabezas de los dragones, en medio de las aguas.

14. Tú quebrantaste las cabezas del dragón; entregástelo a que fuese presa de los pueblos de Etiopía.

15. Tú hiciste brotar de los peñascos fuentes y arroyos; tú secaste ríos caudalosos.

16. Tuyo es el día, y tuya la noche; tú criaste la aurora y el sol.

17. Tú hiciste todas las regiones de la tierra; el estío y la primavera obras tuyas son.

18. Acuérdate de esto, ¡oh Señor!, que el enemigo te ha zaherido, y que un pueblo insensato ha blasfemado tu Nombre.

19. No entregues en poder de esas fieras las almas que te confiesan y adoran, y no olvides para siempre las almas de tus pobres.

20. Vuelve los ojos a tu alianza, porque los hombres más obscuros de la tierra se han enriquecido inicuamente con nuestros bienes.

21. No tenga que retirarse cubierto de confusión el humilde; el pobre y el desvalido alabarán tu Nombre.

22. Levántate ¡oh Dios! y juzga tu causa: ten presentes tus ultrajes, los ultrajes que te está haciendo de continuo una gente insensata.

23. No eches en olvido las voces y dicterios de tus enemigos; *porque* la soberbia de aquéllos que te aborrecen va siempre creciendo.

---

13. Esto es, de los caudillos del Egipto, así que su ejército entró en el mar persiguiendo a los israelitas.

## SALMO LXXIV

*La justicia de Dios es remuneratoria. Juicio que ejercerá sobre todos los hombres.*

1. *Para el fin: No nos destruyas. Salmo y cántico de Asaf.*

2. *Profeta.* Alabarémoste, oh Dios: te bendeciremos e invocaremos tu Nombre. Publicaremos tus maravillas.

3. *Dios.* Cuando llegare el tiempo, yo juzgaré con justicia *todas las cosas.*

4. Derretiráse la tierra con todos sus habitantes. Yo fuí quien dió firmeza a sus columnas.

5. *Profeta.* Dije a los malvados: No queráis cometer más la maldad; y a los pecadores: No os engriáis ponderando vuestro poder.

6. No levantéis con insolencia vuestras cabezas; cesad de hablar blasfemias contra Dios.

7. Porque ni por el Oriente, ni por el Occidente, ni por los desiertos montes *tendréis escape,*

8. Pues el juez es Dios. El abate a uno, y ensalza a otro;

9. Porque el Señor tiene en la mano un cáliz de vino puro, lleno de *amarga* mixtura, y le hace pasar de uno a otro; mas no por eso se han apurado sus heces: las han de beber todos los pecadores de la tierra.

10. Yo empero, anunciaré y cantaré eternamente las alabanzas al Dios de Jacob.

11. *Dios.* Y yo abatiré todo el orgullo de los pecadores, y haré que los justos levanten la cabeza.

## SALMO LXXV

*Jerusalén triunfante de Sennaquerib y de sus ejércitos, ensalza el poder y la justicia de Dios. Se representan en este Salmo los triunfos de la Iglesia sobre sus enemigos.*

1. *Para el fin: para alabar. Salmo de Asaf, cántico sobre los Asirios.*

2. Dios es conocido en la Judea; en Israel es grande su Nombre.

---

SAL. LXXIII. — 15. La Vulgata dice *fluvios Ethan.* En hebreo *Ethan* significa *fuerte,* y por eso San Jerónimo tradujo *flumina fortia.* Tal vez el autor de la Vulgata dejó de traducir *Ethan,* porque también lo hicieron los Setenta.

20. *Alianza:* a la alianza que hiciste con nuestros padres.

SAL. LXXIV. — 1. Este salmo está a modo de diálogo.

**3.** Fijo su habitación en la paz, y su morada en Sión.

**4.** Allí rompió las saetas y los arcos, los escudos, las espadas; y puso fin a la guerra.

**5.** Alumbrando tú maravillosamente desde los montes eternos,

**6.** Quedaron perturbados todos los de corazón insensato. Durmieron su sueño; y todos esos hombres opulentos se encontraron sin nada, vacías sus manos.

**7.** Al trueno de tu amenaza ¡oh Dios de Jacob! se quedaron sin sentido los que montaban *briosos* caballos.

**8.** Terrible eres tú ¡oh Señor! ¿y quién podrá resistirte a ti desde el momento de tu ira?

**9.** Desde el cielo hiciste oír tu sentencia; la tierra tembló, y se quedó suspensa,

**10.** Al levantarse Dios a juicio para salvar a todos los mansos de la tierra.

**11.** El hombre que *esto* medite, te alabará; y en consecuencia de sus meditaciones, celebrará fiestas en honor tuyo.

**12.** Ofreced y cumplid votos al Señor Dios vuestro, todos vosotros, los que estando alrededor de él le presentáis dones;

**13.** Al *Dios* terrible, al que quita el aliento de los príncipes, al terrible para los reyes de la tierra.

## SALMO LXXVI

*El justo atribulado clama incesantemente a Dios, y se consuela meditando las maravillas del Señor.*

**1.** *Para el fin. Para Iditún, Salmo de Asaf.*

**2.** Alcé mi voz y clamé al Señor: a Dios clamé, y me atendió.

**3.** En el día de mi tribulación acudí solícito a Dios, levanté por la noche mis manos hacia él, y no quedé burlado. Se había negado mi alma a todo consuelo.

**4.** Acordéme de Dios, y me sentí bañado de gozo; ejercitéme en la meditación, y caí en un deliquio.

**5.** Estuvieron mis ojos abiertos antes de la madrugada; estaba como atónito y sin articular palabra.

**6.** Púseme a considerar los días antiguos, y a meditar en los años eternos.

**7.** En esto me ocupaba *allá* en mi corazón durante la noche, y lo rumiaba, y examinaba mi interior.

**8.** ¿Es posible, *decía,* que Dios nos ha de abandonar para siempre, o no ha de volver a sernos propicio?

**9.** ¿O que ha de privar eternamente de su misericordia a todas las generaciones venideras?

**10.** ¿Ha de olvidarse Dios de usar de clemencia? ¿O detendrá con su ira *el curso de* sus misericordias?

**11.** Entonces dije: Ahora comienzo *a respirar:* de la diestra del Altísimo *me* viene esta mudanza.

**12.** Traeré a la memoria las obras del Señor. Sí, *por cierto,* haré memoria de las maravillas que has hecho desde el principio.

**13.** Y meditaré todas tus obras, y consideraré tus designios.

**14.** ¡Oh Dios! santo es tu camino. ¿Qué dios hay que sea grande como el Dios nuestro?

**15.** Tú eres el Dios autor de los prodigios. Tú hiciste manifiesto a los pueblos tu poderío.

**16.** Con tu brazo redimiste a tu pueblo, y a los hijos de Jacob y de José.

**17.** Viéronte las aguas ¡oh Dios! viéronte las aguas, y se llenaron de temor, y estremeciéronse los abismos.

**18.** Grande fué el estruendo de las aguas: tronaron las nubes, atravesaron tus rayos,

**19.** Girando en torno la voz de tus truenos. Relumbraron tus relámpagos por toda la redondez de la tierra: toda ella se estremeció, y tembló.

**20.** Te abriste camino dentro del mar; caminaste por en medio de muchas aguas, y no se conocerán los vestigios de tus pisadas.

**21.** Condujiste a tu pueblo, como otras tantas ovejas, por el ministerio de Moisés y de Aarón.

## SALMO LXXVII

*El Profeta refiere los beneficios que Dios hizo a su pueblo, y los castigos que le envió para que se convirtiese de sus pecados. Y nos exhorta a que busquemos al Señor, y guardemos su ley.*

**1.** *Inteligencia, o instrucción de Asaf.*
Escucha, pueblo mío, mi ley; y ten atentos tus oídos para percibir las palabras de mi boca.

---

**SAL. LXXV.** — 3. *En la paz:* en *Jerusalén,* que significa *visión de paz.*

**SAL. LXXVI.** — 6. *Días antiguos:* en que obraste tantas maravillas.

---

**19.** De los Egipcios, y trastornando sus carros. Parece que se expresa aquí lo que solamente indicó Moisés. *Exod.* XIV, *v.* 24.

**2.** La abriré profiriendo parábolas: diré cosas recónditas desde el principio del mundo,

**3.** Las cuales las hemos oído y entendido, y nos las contaron *ya* nuestros padres.

**4.** No las ocultaron éstos a sus hijos, ni a su posteridad: publicaron, *sí,* las glorias del Señor, y los prodigios y maravillas que había hecho.

**5.** El estableció alianza con Jacob y dió la ley a Israel. Todo lo cual mandó a nuestros padres que lo hiciesen conocer a sus hijos.

**6.** Para que lo sepan las generaciones venideras. Los hijos que nacerán y crecerán, lo contarán igualmente a sus hijos;

**7.** A fin de que pongan en Dios su esperanza, y no se olviden de las obras de Dios, y guarden con esmero sus mandamientos;

**8.** Para que no sean, como sus padres, generación perversa y rebelde, generación que nunca tuvo recto su corazón, ni su espíritu fiel a Dios.

**9.** Los hijos de Efraím, diestros en tender y disparar el arco, volvieron las espaldas en el día del combate.

**10.** Habían faltado al pacto con Dios, y no habían querido seguir su ley.

**11.** Olvidáronse de sus beneficios, y de las maravillas que obró a vista de ellos.

**12.** Delante de sus padres hizo portentos en la tierra de Egipto, y en las llanuras de Tanis.

**13.** Rompió la mar por medio, y los hizo pasar, y contuvo las olas como en un montón.

**14.** Y los fué guiando de día por medio de una nube, y toda la noche con resplandor de fuego.

**15.** En el Desierto hendió una peña, les dió para beber como un caudaloso río,

**16.** Pues hizo brotar de una roca caudales de aguas, que corrieron a manera de ríos.

**17.** Ellos volvieron, sin embargo, a pecar contra él. En aquel árido desierto provocaron a ira al Altísimo;

**18.** Pues tentaron a Dios en sus corazones, pidiendo manjares a medida de su gusto.

**19.** Y hablaron mal de Dios, y dijeron: ¿Por ventura podrá Dios preparar una mesa en el desierto?

**20.** Porque él dió un golpe en la peña y salieron aguas, y se formaron torrentes caudalosos, ¿podrá acaso dar también y poner una mesa a su pueblo?

**21.** Oyólo el Señor, e irritóse, y encendióse el fuego *de su cólera* contra Jacob, y subió de punto su indignación contra Israel;

**22.** Porque no creyeron a Dios, ni esperaron de él la salud.

**23.** Siendo así que dió orden a las nubes que tenían encima, y abrió las puertas del cielo,

**24.** Y les llovió el maná para comer, dándoles pan del cielo.

**25.** Pan de ángeles comió el hombre. Envióles víveres en abundancia.

**26.** Retiró del cielo al viento meridional *o solano,* y substituyó con su poder el ábrego.

**27.** E hizo llover sobre ellos carnes en tanta abundancia como polvo, y aves volátiles como arenas del mar;

**28.** Aves que cayeron en medio de sus campamentos, alrededor de sus tiendas,

**29.** Con lo que comieron y quedaron ahitos, y satisfacieron su deseo,

**30.** Y quedó cumplido su antojo. Aún estaban con el bocado en la boca,

**31.** Cuando la ira de Dios descargó sobre ellos; y mató a los más robustos del pueblo, acabando con lo más florido de Israel.

**32.** A pesar de todo esto pecaron nuevamente, y no dieron crédito a sus milagros.

**33.** Y así sus días desvaneciéronse como humo, y acabáronse muy presto los años *de su vida.*

**34.** Cuando el Señor hacía en ellos mortandad, entonces recurrían a él, y volvían en sí, y acudían solícitos a buscarle.

**35.** Acordábanse que Dios es amparo, y que el Dios Altísimo es su redentor.

**36.** Pero le amaron de boca, y le mintieron con su lengua;

---

SAL. LXXVII. — 2. *Matth.* XIII. *v.* 55.
5. En este verso, como en otros muchísimos de la Escritura, la segunda mitad tiene el mismo sentido que la primera: y de esta figura, llamada *tautología* o *repetición,* usan mucho los escritores sagrados. *Testimonio y alianza* viene a ser lo mismo que *Ley;* y así se dice *Arca de Alianza, Arca del Testimonio, y Tablas del Testimonio. Exod.* XXV, *v.* 21; XXVI. *v.* 34.
12. *Tanis:* ciudad antiquísima del Egipto inferior llamada ahora el *Gran Cairo.*
15. *Exod.* XVII, *v.* 6.

---

21. *Num.* XI, *v.* 1.
24. *Exod.* XVI, *v.* 1, 4, 5.
31. *Num.* XI, *v.* 33.

37. Pues su corazón no fué sincero para con él, ni fueron fieles a su alianza.

38. El Señor, empero, es misericordioso, y les perdonaba sus pecados, ni acababa del todo con ellos. Contuvo muchísimas veces su indignación, y no dió lugar a todo su enojo,

39. Haciéndose cargo que son carne, un soplo que sale y no vuelve.

40. ¡Oh cuántas veces lo irritaron en el Desierto! ¡Cuántas lo provocaron a ira en aquel erial!

41. Y volvían de nuevo a tentar a Dios, y a exasperar al Santo de Israel.

42. No se acordaron de lo que hizo en el día aquel en que los rescató de las manos del tirano,

43. Cuando ostentó sus prodigios en Egipto, y sus portentos en los campos de Tanis;

44. Cuando convirtió en sangre los ríos y demás aguas para que los Egipcios no pudiesen beber;

45. Envió contra éstos todo género de moscas que los consumiesen, y ranas que los corrompieran;

46. Entregó sus frutos al pulgón, y sus sudores a la langosta;

47. Destruyóles las viñas con granizo, y los árboles con heladas;

48. Y exterminó con pedrisco sus ganados, y abrasó con rayos todas sus posesiones;

49. Descargó sobre ellos la cólera de su enojo, la indignación, la ira y la tribulación, que les envió por medio de Angeles malos;

50. Abrió ancho camino a su ira, no perdonó a sus vidas: hasta sus jumentos envolvió en la misma mortandad;

51. Hirió de muerte a todos los primogénitos del país de Egipto, las primicias de todos sus trabajos en los pabellones *de los descendientes* de Cam.

52. Entonces sacó a los de su pueblo como ovejas, y guiólos como una grey por el desierto.

53. Y condújolos llenos de confianza, quitándoles todo temor; mientras que a sus enemigos los sepultó en el mar.

54. Y los introdujo después en el monte de su santificación, monte que adquirió con el poder de su diestra. Al entrar ellos, arrojó de allí las naciones; y repartióles por suerte la tierra, distribuyéndosela con cuerdas de medir.

55. Y colocó las tribus de Israel en las habitaciones de aquellas gentes.

56. Mas ellos tentaron *de nuevo* y exasperaron al Dios Altísimo, y no guardaron sus mandamientos.

57. Antes bien le volvieron las espaldas, y se le rebelaron; semejantes a sus padres, falsearon como un arco torcido.

58. Incitáronlo a ira en sus collados, y con el culto de los ídolos lo provocaron a celos.

59. Oyólo Dios, y los despreció; y redujo a la última humillación a Israel.

60. Y desechó el tabernáculo de Silo, aquél su tabernáculo donde tenía su morada entre los hombres.

61. Y la fuerza de ellos la entregó a cautiverio; toda su gloria la puso en poder de los enemigos.

62. Y no haciendo ya caso de un pueblo que era su heredad, le entregó al filo de la espada.

63. El fuego devoró sus jóvenes; y sus vírgenes no fueron plañidas.

64. Perecieron a cuchillo sus sacerdotes, y nadie lloraba las viudas de ellos.

65. Entonces despertó el Señor, a la manera del que ha dormido; como un valiente *guerrero* refocilado con el vino.

66. E hirió el Señor a sus enemigos en las partes posteriores; cubriólos de oprobio sempiterno.

67. Y desechó el tabernáculo de José: y no eligió *morar ya* en la tribu de Efraím,

68. Sino que eligió la tribu de Judá, el monte Sión, al cual amó.

69. Aquí, en esta tierra que había asegurado por todos los siglos, edificó su Santuario *único y fuerte* como *asta de* unicornio.

70. Y escogió a su siervo David, sacándole de entre los rebaños de ovejas cuando las apacentaba con sus crías,

---

49. *Angeles malos: o vengadores.* Es idiotismo oriental llamar ángel o *mensajero malo,* no para significar que el ángel sea malo, sino porque lleva un mensaje o una noticia mala.

51. Esto es, todo lo que nacía primero. *Misraim,* de quien descendieron los Egipcios, y de quien tomó el nombre el Egipto, fué hijo de Cam. *Gen.* X, *v.* 6.

54. Por el monte Sión en donde estaba Jerusalén, puede entenderse todo el territorio de la Judea.

---

65. Como un campeón valiente a quien el vino ha llenado de ardimiento y bríos: o que después de haber bebido una buena porción de algún licor espirituoso, acomete impávido al enemigo.

66. I *Reg.* V, *v.* 12.

69. Según el hebreo, debe decir: *como en las alturas.* El cuerno o asta del *monoceronte* o unicornio *es uno solo, es fortísimo, y está en medio de la frente* del animal. Así el Santuario o Tabernáculo era único *o uno solo; era Ia fortaleza* del pueblo de Dios; y estaba situado sobre un *monte* a la vista de toda la Palestina. Todo esto conviene más perfectamente a la Iglesia de Jesucristo, *única, fuerte y visible.*

71. Para que pastorease a *los hijos de* Jacob, su siervo, a Israel herencia suya;

72. Y los apacentó con la inocencia de su corazón, y los gobernó con la sabiduría o *prudencia* de sus acciones.

## SALMO LXXVIII

*Oración del pueblo de Dios, destrozado por los idólatras; o profecía contra los perseguidores de la Iglesia.*

1. *Salmo de Asaf.*
Oh Dios, los gentiles han entrado en tu heredad; han profanado tu santo templo: han dejado a Jerusalén tal como una barraca de hortelano.

2. Los cadáveres de tus siervos los han arrojado para pasto de las aves del cielo, han dado las carnes de tus santos a las bestias de la tierra.

3. Como agua han derramado la sangre suya al rededor de Jerusalén, sin que hubiese quien los sepultase.

4. Somos el objeto de oprobio para con nuestros vecinos, el escarnio y la mofa de nuestros comarcanos.

5. ¿Hasta cuándo, Señor, durará tu implacable enojo? ¿Hasta cuándo arderá como fuego *ese* tu celo?

6. Descarga tu ira sobre las naciones que no te conocen, y sobre los reinos que no adoran tu Nombre;

7. Pues que han asolado a Jacob y devastado su morada.

8. ¡Ah! no te acuerdes de nuestras antiguas maldades; anticípense a favor nuestro cuanto antes tus misericordias, pues nos hallamos reducidos a una extrema miseria.

9. Ayúdanos ¡oh Dios, Salvador nuestro! y por la gloria de tu Nombre líbranos, Señor; y perdónanos nuestros pecados por amor de tu Nombre.

10. No sea que se diga entre gentiles: ¿Dónde está el Dios de ésos? Brille, *pues,* entre las naciones, y vean nuestros ojos la venganza que tomas de la sangre de tus siervos, que ha sido derramada.

11. Asciendan ante tu acatamiento los gemidos de los encarcelados. Conserva con tu brazo poderoso los hijos de aquéllos que han sido sacrificados a la muerte.

12. Págales, Señor, a nuestros vecinos con males siete veces mayores, por las blasfemias que contra ti han vomitado.

13. Entre tanto nosotros, pueblo tuyo y ovejas de tu grey, cantaremos perpetuamente tus alabanzas; de generación en generación publicaremos tus glorias.

## SALMO LXXIX

*Predicción de la cautividad del pueblo de Israel entre los Asirios, y de su libertad; figura de la esclavitud del género humano bajo el poder del demonio y de la redención de Cristo.*

1. *Para el fin. Para aquéllos que han de ser mudados. Testimonio de Asaf. Salmo.*

2. Escucha ¡oh tú, pastor de Israel!, tú que apacientas *el pueblo de* José, como a ovejas. Tú que estás sentado sobre los querubines, manifiéstate

3. Delante de Efraím, de Benjamín y de Manasés. Ostenta tu poder, y ven a salvarnos.

4. ¡Oh Dios! conviértenos *a ti,* y muéstranos *favorable* tu semblante; y seremos salvos.

5. ¡Oh Señor Dios de los ejércitos! ¿hasta cuándo estarás enojado sin escuchar la oración de tu siervo?

6. ¿Hasta cuándo me has de alimentar con pan de lágrimas, y hasta cuándo nos darás a beber lágrimas con abundancia?

7. Nos haces ser el blanco de la contradicción de nuestros vecinos; y nuestros enemigos hacen mofa de nosotros,

8. ¡Oh Dios de los ejércitos! conviértenos a ti, y muéstranos tu rostro, y seremos salvos.

9. De Egipto trasladaste *acá* tu viña; arrojaste las naciones, y la plantaste.

10. Fuiste delante de ella en el viaje, para irla guiando; hicístela arraigar, y llenó la tierra.

11. Cubrió con su sombra los montes, y los altísimos cedros con sus sarmientos.

12. Hasta el mar extendió sus pámpanos, y hasta el río sus vástagos.

13. ¿Por qué has derribado su cerca, y dejas que la vendimien todos los pasajeros?

14. El jabalí del bosque la ha destruido, y se apacienta en ella esa fiera singular o *solitaria.*

15. ¡Oh Dios de los ejércitos! vuélvete *hacia nosotros,* mira desde el cielo, y atiende y visita esta viña.

16. Renuévala, pues que la plantó tu diestra; y en atención al hijo del hombre, a quien tú te escogiste.

---

SAL. LXXVIII. 7. Según San Jerónimo traduce: *su hermosura,* esto es, su santo Templo.

SAL. LXXIX. — 2. Por *José* se entiende la tribu de Efraím, o las diez tribus separadas de la de Judá, de las cuales era su cabeza. El derecho de primogenitura de Rubén pasó a José. 1 *Par.* V. *v.* 1.

17. Ella ha sido entregada a las llamas y desarraigada; *mas* con un ceño de tu semblante perecerán *todos tus enemigos*.

18. Tiende tu mano *protectora* sobre el varón de tu diestra, sobre el hijo del hombre a quien tú te escogiste.

19. Entonces no nos apartaremos de ti; nos darás nuevas vidas e invocaremos tu Nombre.

20. ¡Oh Señor Dios de los ejércitos! conviértenos *a ti*, y muéstranos tu rostro, y seremos salvos.

## SALMO LXXX

*Exhortación a celebrar las fiestas en memoria de los beneficios de Dios.*

1. *Para el fin. Para los lagares. Salmo para el mismo Asaf.*

2. Regocijaos, alabando a Dios nuestro protector; celebrad con júbilo al Dios de Jacob.

3. Entonad salmos, tocad el pandero; el armonioso salterio junto con la cítara.

4. Tocad las trompetas en el Novilunio, en el gran día de vuestra solemnidad.

5. Pues es un precepto dado a Israel, y un rito instituido por el Dios de Jacob.

6. Impúsole para *que sirviese de* memoria a *los descendientes de* José, al salir de la tierra de Egipto, cuando oyeron una lengua que no entendían.

7. Libertó sus hombros de las cargas, y sus manos de las espuertas con que servían *en las obras*.

8. En la tribulación, *dice el Señor*, me invocaste, y yo te libré; te oí benigno en la obscuridad de la tormenta; hice prueba de ti junto a las aguas de la contradicción.

9. Escucha, pueblo mío, y yo te instruiré. ¡Oh Israel! si quieres obedecerme,

10. No ha de haber en tu distrito dios nuevo; no adorarás a dioses ajenos.

11. Porque yo soy el Señor Dios tuyo, que te saqué de la tierra de Egipto; abre bien tu boca, que yo te saciaré plenamente.

12. Pero mi pueblo no quiso escuchar la voz mía; *los hijos de* Israel no quisieron obedecerme.

---

18. *Tu diestra:* alude tal vez a la palabra *Benjamín*, que significa *hijo de la diestra*. No solamente los Santos Padres, sino hasta muchos Rabinos creen que estas palabras se deben entender del *Mesías*, llamado tantas veces en el Evangelio *el Hijo del Hombre*. A la letra se entienden de David o Zorobabel.

SAL. LXXX. — 16. *Enemigos del Señor* llama también Isaías a los Judíos: cap. I; v. 24. San Agustín entiende la voz *tempus* de la Vulgata, del tiempo del castigo o suplicio de los malos en la otra vida.

13. Y así los abandoné, dejándolos ir en pos de los deseos de su corazón, y seguir sus devaneos.

14. *¡Ah* si mi pueblo me hubiese oído a mí, si hubiesen seguido *los hijos de* Israel por mis caminos!

15. Como quien no hace nada, hubiera yo seguramente humillado a sus enemigos, y descargado mi mano sobre sus perseguidores.

16. *Pero, hechos* enemigos del Señor, le faltaron a la promesa; y el tiempo de ellos, *o su suplicio*, será eterno.

17. Sin embargo, los sustentó con riquísimo trigo, y saciólos con la miel que destilaban .las peñas.

## SALMO LXXXI

*Los jueces, los cuales son como unos vicedioses, que administran justicia a los hombres, son responsables de sus juicios al Dios del cielo.*

1. *Salmo de Asaf.*

Presente está Dios en la reunión de los dioses *de la tierra,* y allí en medio de ellos juzga a los tales dioses

2. ¿Hasta cuándo, *les dice,* seguiréis juzgando injustamente, y guardaréis respetos humanos en favor de los pecadores.

3. Haced justicia al necesitado y al huérfano; atended la razón del abatido y del pobre.

4. Defended al pobre, y librad al desvalido de las manos del pecador.

5. *Mas* no tienen conocimiento, ni ciencia; andan entre tinieblas; se han trastornado todos los cimientos de la tierra.

6. Yo dije: Vosotros sois dioses, e hijos todos del Altísimo.

7. Pero habéis de morir como hombres, y caer como cada uno de los príncipes.

8. ¡Oh Dios *mío!* levántate, juzga tú la tierra, pues que tuyas son por herencia todas las naciones.

## SALMO LXXXII

*Los enemigos del pueblo de Dios, conjurados en gran número para acabar con él, son disipados por el Señor, como la paja por el viento.*

1. *Cántico y salmo de Asaf.*

2. ¡Oh Dios! ¡quién hay semejante a ti? No estés *así* en silencio; no te contengas, Dios *mío*.

---

SAL. LXXXI. — 5. Esto es, *Justicia* y las Leyes, bases de toda sociedad.

3. Ya ves cuánto ruido meten tus enemigos, y cómo andan con la cabeza erguida los que te aborrecen.

4. Urdieron contra tu pueblo malvados designios, y han maquinado contra tus santos.

5. Venid, dijeron, y borremos esa gente de la lista de las naciones, y no quede más memoria del nombre de Israel.

6. Por este motivo todos unánimes se han coligado; a una se han confederado contra ti,

7. Los pabellones de los Idumeos y los Ismaelitas, Moab y los Agarenos,

8. Gebal, y Ammón, y Amalec, los Filisteos con los Tirios.

9. Unióse también con ellos el Asirio, e hízose auxiliador de los hijos de Lot.

10. Pero tú, *Señor,* haz con ellos lo que con los Medianitas y con Sísara, lo mismo que con Jabín en el torrente de Cisón.

11. Perecieron ellos en Endor; vinieron a parar en ser estiércol para la tierra.

12. Trata a sus caudillos como a Oreb y Zeb: y *como* a Zebee y a Salmana, a todos sus príncipes;

13. Los cuales han dicho: Apoderémonos del Santuario de Dios como heredad que nos pertenece.

14. Agítalos ¡oh Dios mío! como a una rueda, o como la hojarasca al soplo del viento;

15. Como fuego que abrasa una selva, cual llama que devora los montes:

16. Así los perseguirás con *el soplo de* tu tempestad, y en medio de tu ira los aterrarás.

17. Cubre sus rostros de ignominia; que así ¡oh Señor! reconocerán tu Nombre.

18. Avergüéncense, y sean conturbados para siempre; queden corridos, y perezcan.

19. Y conozcan que te es propio el nombre de Señor, *o de Jehová,* y que sólo tú eres el Altísimo en toda la tierra.

## SALMO LXXXIII

*Expresa el Profeta sus ardientes ansias de habitar en el Tabernáculo de Dios, de que está alejado.*

1. *Para el fin. Para los lugares, o* VENDIMIA. *Salmo para los hijos de Coré.*

2. ¡Oh, cuán amables son tus moradas, Señor de los ejércitos!

3. Mi alma suspira y padece deliquios, *ansiando estar* en los atrios del Señor. Transpórtanse de gozo mi corazón y cuerpo, contemplando al Dios vivo.

4. El pajarillo halló un hueco donde guarecerse, y nido de tórtola para poner sus polluelos. Tus altares ¡oh Señor de los ejércitos, oh rey mío y Dios mío!

5. Bienaventurados, Señor, los que moran en tu casa: alabarte han por los siglos de los siglos.

6. Dichoso el hombre que en ti tiene su amparo, y que ha dispuesto en su corazón,

7. En este valle de lágrimas, los grados para subir hasta el lugar *santo* que destinó *Dios para sí.*

8. Porque le dará su bendición el Legislador, y caminarán de virtud en virtud; y el Dios de los dioses se dejará ver en Sión.

9. ¡Oh Señor Dios de los ejércitos! oye mi oración: escúchala atento, oh Dios de Jacob.

10. Vuélvete a mirarnos ¡oh Dios protector nuestro! y pon los ojos en el rostro de tu Cristo.

11. Más vale un solo día de estar en los atrios de tu templo, que millares fuera de ellos. He escogido ser el ínfimo en la casa de Dios, más bien que habitar en la morada de los impíos.

12. Porque Dios ama la misericordia y la verdad; dará el Señor la gracia y la gloria.

13. No dejará sin bienes a los que proceden con inocencia. ¡Oh Señor de los ejércitos! bienaventurado el hombre que pone en ti su esperanza.

## SALMO LXXXIV

*Ruega el Salmista a Dios que se muestre propicio a aquéllos que ha librado de la esclavitud. Habla con tanta seguridad de la promesa del Mesías como si la viese ya cumplida.*

1. *Para el fin. Salmo para los hijos de Coré.*

2. ¡Oh Señor! tú has derramado la bendición sobre tu tierra; tú has libertado del cautiverio a Jacob.

3. Perdonado has las maldades de tu pueblo; has sepultado todos sus pecados.

---

SAL. LXXXIII. — 4. Sean mi casa y nido.

7. Alude a las espaciosas gradas que había para subir al Templo. Había allí cerca un valle llamado valle *del llanto* o de los lágrimas. *Judic.* II, *v.* 1, 5. Créese que los Salmos *graduales,* o *de los grados,* se llaman así por ser los que se cantaban subiendo al Templo.

4. Has aplacado *ya* toda tu ira; has calmado el furor de tu indignación.

5. Conviértenos ¡oh Dios, Salvador nuestro! y aparta tu ira de nosotros.

6. ¿Has de estar por ventura siempre enojado con nosotros? ¿Hase de prolongar tu ira de generación en generación?

7. Oh Dios, volviendo tú *el rostro* hacia nosotros, nos darás vida; y tu pueblo se regocijará en ti.

8. Muéstranos, Señor, tu misericordia, y danos tu salud.

9. *Haz que* escuche yo aquello que me hablará el Señor Dios; pues él anunciará la paz a su pueblo; y a sus santos, y a los que se convierten de corazón.

10. Así es que su salud estará cerca de los que le temen *y adoran;* y habitará la gloria en nuestra tierra.

11. Encontráronse juntas la misericordia y la verdad; diéronse un ósculo la justicia y la paz.

12. La verdad brotó en la tierra, y la justicia *nos* ha mirado desde lo alto del cielo.

13. Por lo que derramará el Señor su benignidad y nuestra tierra producirá su fruto.

14. La justicia marchará delante de él, y dirigirá sus pasos.

## SALMO LXXXV

*Oración de David pidiendo socorro contra sus enemigos. Profecía de la conversión de los gentiles.*
*Oración del mismo David.*

1. Inclina, Señor, tu oído a *mis ruegos,* y escúchame, porque me hallo afligido y necesitado.

2. Guarda mi vida, puesto que soy santo. Salva ¡oh Dios mío! a este siervo tuyo que tiene puesta en ti su esperanza.

3. Señor, ten misericordia de mí, porque no ceso de clamar a ti todo el día.

4. Consuela el alma de tu siervo, pues a ti ¡oh Señor! tengo de *continuo* elevado mi espíritu.

5. Siendo tú, Señor, como eres, suave, y benigno, y de gran clemencia para con todos los que te invocan,

6. Oye propicio ¡oh Señor! mi oración, y atiende a la voz de mis ruegos.

7. A ti clamaré en el día de mi tribulación, pues tú *siempre* me has oído benignamente.

8. Ninguno hay entre los dioses que pueda

¡oh Señor! parangonarse contigo; ninguno que pueda imitar tus obras.

9. Las naciones todas, cuantas criaste, vendrán, Señor; y postradas ante ti te adorarán, y tributarán gloria a tu Nombre.

10. Porque tú eres el grande; tú el hacedor de maravillas; tú sólo eres Dios.

11. Guíame, Señor, por tus sendas, y yo caminaré según tu verdad; alégrese mi corazón de modo que respete tu Nombre.

12. Alabarte he ¡oh Señor Dios mío! con todo mi corazón, y glorificaré eternamente tu Nombre.

13. Porque es grande tu misericordia para conmigo, y has sacado mi alma del infierno profundo.

14. ¡Oh Dios! conspirado han contra mí los impíos: y una reunión de poderosos han atentado a mi vida, sin atender a que tú te hallas presente.

15. Pero tú, Señor Dios, compasivo y benéfico, paciente y misericordiosísimo y veraz,

16. Vuelve hacia mí tu rostro, y tenme lástima; da tu imperio a tu siervo, y pon en salvo al hijo de tu esclava.

17. Obra algún prodigio a favor mío, para que los que me aborrecen, vean con confusión suya, cómo tú ¡oh Señor! me has socorrido y consolado.

## SALMO LXXXVI

*Gloria y grandeza de Jerusalén, imagen de la Iglesia.*

1. *A los hijos de Coré. Salmo y cántico.*
Sobre los montes santos está *Jerusalén* fundada.

2. Ama el Señor las puertas de Sión más que todos los tabernáculos de Jacob.

3. Gloriosas cosas se han dicho de ti ¡oh ciudad de Dios!

4. Yo haré memoria de Rahab y de Babilonia, *gentes* que tienen noticia de mí. He

---

SAL. LXXXIV. — 11. *La verdad:* de las Divinas promesas, especialmente la del Mesías.

SAL. LXXXV. — 13. San Agustín sospecha si *el infierno profundo,* o inferior, es el lugar de los condenados. Si este texto se aplica a Cristo significa el limbo o lugar de los santos, a donde descendió para sacarlos de allí.

SAL. LXXXVI. — 1. Estaba el Profeta como enajenado en la contemplación de las grandezas de la Jerusalén celestial: y por eso comienza como *ex abrupto* a hablar de ella.

4. *Rahab* significa aquí lo mismo que Egipto: bajo este nombre y el de *Babilonia* promete Dios la reunión de todas las gentes en la nueva Sión. En el salmo LXXXVIII, *v.* 11, y en el cap. LI, de *Isaías, v.* 9, en que el texto hebreo dice *Rahab,* cognombre del Egipto, la Vulgata tradujo *superbum.*

aquí que los Filisteos, los de Tiro y el pueblo de los Etíopes, todos esos allí estarán.

**5.** ¿No se dirá entonces de Sión: Hombres y *más* hombres han nacido en ella, y el mismo Altísimo es quien la ha fundado?

**6.** *Sólo* el Señor podrá contar en *sus* listas de los pueblos y de los príncipes, el número de los que han morado en ella.

**7.** Llenos de gozo están *¡oh Sión!* todos cuantos en ti habitan.

## SALMO LXXXVII

*El Profeta representa a Dios la enormidad de sus trabajos, débil figura de los del Redentor en su pasión.*

**1.** *Cántico y salmo. Para los hijos de Coré, hasta el fin, sobre Mahelet; para cantarse alternativamente. Instrucción de Emán Ezraíta.*

**2.** Señor Dios de mi salud, día y noche estoy clamando en tu presencia.

**3.** Sea recibida mi oración en tu presencia; da oídos a mi súplica;

**4.** Porque mi alma está harta de males, y tengo ya un pie en el sepulcro.

**5.** Ya me cuentan entre los muertos; he venido a ser como un hombre desamparado de todos,

**6.** Manumitido entre los muertos, como los acuchillados que yacen en los sepulcros y de quienes no te acuerdas ya, como desechados de tu mano.

**7.** Pusiéronme en un profundo calabozo, en lugares tenebrosos, entre las sombras de la muerte.

**8.** Tu furor carga de firme sobre mí, y has hecho que se estrellaran en mí todas las olas.

**9.** Alejaste de mí mis conocidos: miráronme como objeto de su abominación. Tomado estoy, y no hallo salida.

**10.** Me flaquearon de miseria los ojos. A ti

clamé ¡oh Señor! todo el día; hacia ti tuve extendidas mis manos.

**11.** ¿Harás tú por ventura milagros en favor de los finados? ¿Acaso los médicos los resucitarán, para que canten tus alabanzas?

**12.** ¿Habrá tal vez alguno que en el sepulcro publique tus misericordias, o desde la tumba tu verdad?

**13.** ¿Cómo han de ser conocidas en las tinieblas tus maravillas, ni tu justicia en la región del olvido?

**14.** Por eso yo clamo a ti ¡oh Señor! y me adelanto a la aurora para presentarte mi oración.

**15.** ¿Por qué, oh Señor, desechas mis ruegos y me escondes tu rostro?

**16.** Yo viví pobre, y criéme en trabajos desde mi tierna edad: no bien fuí ensalzado, cuando me vi humillado y abatido.

**17.** Sobre mí ha recaído tu ira; y tus terrores me conturbaron.

**18.** Inúndanme éstos cada día como avenidas de agua; me cercan todos a una.

**19.** Has alejado de mí a mis amigos, parientes y conocidos, por causa de mis desastres.

## SALMO LXXXVIII

*El reino de David perpetuado para siempre en su descendiente el Mesías; de cuya pasión y muerte habla el Profeta, y por cuya venida ruega a Dios.*

**1.** *Instrucción de Etán Ezraíta.*

**2.** Cantando me estaré eternamente las misericordias del Señor. A hijos y nietos haré notoria por mi boca tu fidelidad.

**3.** Porque tú dijiste: La misericordia estará eternamente firme en los cielos, y en ellos tendrá seguro apoyo tu veracidad.

**4.** Tengo hecha alianza, *dijiste,* con mis escogidos; he jurado a David, siervo mío, *diciendo:*

**5.** Apoyaré eternamente tu descendencia, y haré estable tu trono de generación en generación.

**6.** ¡Oh Señor! los cielos celebrarán tus maravillas, como también tu verdad en la congregación de los santos.

**7.** Porque, ¿quién hay en los cielos, que pueda igualarse con el Señor? ¿Quién entre los hijos de Dios es semejante a él?,

**8.** ¿A Dios, al cual *ensalza y* glorifica toda la corte de los santos, grande y terrible sobre todos los que asisten en torno de él?

---

**5.** *Homo et homo, etc.* Puede hacer este sentido: "Pues qué ¿no dirá cualquier hombre a Sión que ha nacido un hombre en ella, y que ese mismo hombre la fundó, y que es el Altísimo?" *Carvajal.* Aquella oscuridad con que el Espíritu santo quiso dictar ciertos pasajes misteriosos de las Escrituras, debe siempre conservarla el traductor; pues semejante oscuridad infunde mayor respeto a las palabras de Dios, y aviva el espíritu de humildad con que deben leerse.

**SAL. LXXXVII.** — **6.** *...muertos:* o también: *Yo soy libre,* o estoy libremente *entre los muertos.* Solamente puede decirse esto propiamente de Jesucristo: pues murió porque quiso, o libre y voluntariamente y resucitó por su propia virtud.

9. ¿Quién como tú, oh Señor Dios de los ejércitos? Poderoso eres, Señor, y está siempre en torno de ti tu verdad.

10. Tú tienes señorío sobre la bravura del mar; y el alboroto de sus olas tú le sosiegas.

11. Tú abatiste al soberbio, como a uno que está herido *de muerte;* con tu fuerte brazo disipaste tus enemigos.

12. Tuyos son los cielos, y tuya es la tierra, tú fundaste el mundo y cuanto él contiene.

13. El aquilón y el mar tú los criaste. El Tabor y el Hermón saltarán de gozo en tu Nombre.

14. Lleno de fortaleza está tu brazo. Ostente su robustez la mano tuya, y sea ensalzada tu diestra.

15. Justicia y equidad son las bases de tu trono. La misericordia y la verdad van siempre delante de ti.

16. Dichoso el pueblo que sabe alegrarse *en ti.* ¡Oh Señor! a la luz de tu rostro caminarán *tus hijos,*

17. Y todo el día se regocijarán en tu Nombre, y mediante tu justicia serán ensalzados.

18. Puesto que tú eres la gloria de tu fortaleza, y por tu buena voluntad se ensalzará nuestro poder.

19. Porque nos ha tomado por suyos el Señor, y el Santo de Israel que es nuestro Rey.

20. Entonces hablaste en visión a tus santos, y dijiste: Yo tengo preparado en un hombre poderoso el socorro; y he ensalzado a aquél que escogí de entre mi pueblo.

21. Hallé a David, siervo mío, ungíle con mi óleo sagrado.

22. Mi mano lo protegerá, y fortalecerlo ha mi brazo.

23. Nada podrá adelantar contra él el enemigo, ni podrá ofenderle más el hijo de la iniquidad.

24. Y exterminaré de su presencia a sus enemigos, y pondré en fuga a los que le aborrecen.

25. Le acompañarán mi verdad y mi clemencia, y en mi Nombre será exaltado su poder.

26. Y extenderé su mano sobre el mar, y su diestra sobre los ríos.

27. El me invocará, *diciéndome:* Tú eres mi padre, mi Dios, y el autor de mi salud;

28. Y yo le constituiré a él primogénito, y el más excelso entre los reyes de la tierra.

29. Eternamente le conservaré mi misericordia, y la alianza *mía* con él será estable.

30. Haré que subsista su descendencia por los siglos de los siglos, y su trono mientras duren los cielos.

31. Que si sus hijos abandonaren mi ley, y no procedieren conforme a mis preceptos;

32. Si violaren mis justas disposiciones, y dejaren de observar los mandamientos míos,

33. Yo castigaré con la vara *de mi justicia* sus maldades, y con el azote sus pecados.

34. Mas no retiraré de él mi misericordia, no faltaré jamás a la verdad *de mis promesas.*

35. No violaré mi alianza, ni retractaré las promesas que han salido de mi boca.

36. Una vez *para siempre* juré por mi santo Nombre, que no faltaré a lo que he prometido a David:

37. Su linaje durará eternamente,

38. Y su trono resplandecerá para siempre en mi presencia, como el sol, y como la luna llena, y como el *iris,* testimonio fiel del cielo.

39. Con todo eso, Señor, tú has desechado y despreciado a tu ungido; te has irritado contra él.

40. Has anulado la alianza con tu siervo: has arrojado por el suelo su sagrada diadema.

41. Todas sus cercas las has destruido, y su fortaleza la has convertido en espanto.

42. Saquéanle cuantos pasan por el camino; está hecho el escarnio de sus vecinos.

43. Has exaltado el poder de los que le oprimen, y llenado de contento a todos sus enemigos.

44. Tienes embotados los filos de su espada, y no le has auxiliado en la guerra.

45. Aniquilaste su esplendor, y has hecho pedazos su solïo.

46. Acostado has los *floridos* días de su vida; tiénesle cubierto de ignominia.

47. ¿Hasta cuándo, Señor, te has de mostrar continuamente adverso? ¿*Hasta cuándo* arderá como fuego tu indignación?

---

SAL. LXXXVIII. — 20. I *Reg.* XVI, *v.* 1, 12. — Act. XIII, *v.* 22.
26. Zach. IX, *v.* 10.

---

40. Estas quejas amorosas que los Israelitas, cautivos en Babilonia, dirigen a Dios, no deben entenderse rigurosamente a la letra; sino bajo la figura *hipérbole,* o como expresiones nacidas de un ánimo lleno de amargura.

**48.** Acuérdate *cuán débil* es mi ser. ¿Acaso tú has criado en vano todos los hijos de los hombres?

**49.** ¿Qué hombre hay que haya de vivir sin ver jamás la muerte? ¿Quién podrá sacar a su alma del poder del infierno, *o de la muerte?*

**50.** ¿Señor, dónde están tus antiguas misericordias, que prometiste con juramento a David, tomando tu verdad por testigo?

**51.** Ten presente ¡oh Señor! los oprobios que tus siervos han sufrido de varias naciones, oprobios que tengo sellados en mi pecho;

**52.** Oprobios con que nos dan en rostro, Señor, tus enemigos, quienes nos echan en cara la mutación de tu ungido.

**53.** Bendito sea el Señor para siempre. ¡Así sea! ¡Así sea!

## SALMO LXXXIX

*Son los años de nuestra vida pocos, y están llenos de miserias; por lo mismo implora el Profeta la Divina misericordia.*

**1.** *Oración de Moisés, varón de Dios.*
Señor, en todas las épocas has sido tú nuestro amparo.

**2.** Tú ¡oh Dios! eres antes que fuesen hechos los montes, o se formara la tierra y el mundo universo: eres ab eterno y por toda la eternidad.

**3.** No reduzcas el hombre al abatimiento; pues que dijiste: Convertíos ¡oh hijos de los hombres!

**4.** Porque mil años son ante tus ojos como el día de ayer que *ya* pasó, y como una de las vigilias de la noche.

**5.** Una nada son todos los años que vive.

**6.** Dura un día como el heno; florece por la mañana, y se pasa; por la tarde inclina la cabeza, se deshoja, y se seca.

**7.** Al rededor de tu ira hemos desfallecido, y a *la fuerza* de tu furor quedamos consumidos.

**8.** Has colocado nuestras maldades delante de tus ojos, y nuestra conducta al resplandor de tu semblante.

**9.** Por eso todos nuestros días se han desvanecido, y nosotros venimos a fallecer por tu enojo. Como una tela de araña serán reputados nuestros años.

**10.** Setenta años son los días de nuestra vida; cuando más, ochenta años en los muy robustos; lo que pasa de aquí, achaques y dolencias. Según esto, *presto* seremos arrebatados, pues va llegando ya la debilidad *de la vejez.*

**11.** *Mas* ¿quién podrá conocer la grandeza

de tu ira, ni comprender cuán terrible es tu indignación?

**12.** Danos, *pues*, a conocer *el poder de* tu diestra, y concédenos un corazón instruido en la sabiduría.

**13.** Vuélvete hacia *nosotros*, Señor. ¿Hasta cuándo *te mostrarás airado?* Sé tú exorable para con tus siervos.

**14.** Bien presto seremos colmados de tus misericordias; y nos regocijaremos y recrearemos todos los días de nuestra vida.

**15.** Alegrarnos hemos por los días en que tú nos humillaste, por los años que sufrimos miserias.

**16.** Vuelve los ojos hacia tus siervos, a estas obras tuyas; y dirige tú a sus hijos.

**17.** Y resplandezca sobre nosotros la luz del Señor Dios nuestro, y endereza en nosotros las obras de nuestras manos, y da buen éxito a nuestras empresas.

## SALMO XC

*El justo que confía en Dios, vence todos los peligros.*

*Alabanza y cántico de David.*

**1.** El que se acoge al asilo del Altísimo, descansará *siempre* bajo la protección del Dios del cielo.

**2.** El dirá al Señor: Tú eres mi amparo y refugio; el Dios mío en quien esperaré.

**3.** Porque él me ha librado del lazo de los cazadores y de terribles adversidades.

**4.** Con sus alas te hará sombra, y debajo de sus plumas estarás confiado.

**5.** Su verdad te cercará como escudo; no temerás errores nocturnos,

**6.** Ni la saeta disparada de día, ni al enemigo que anda entre tinieblas, ni los asaltos del demonio en medio del día.

**7.** Caerán a tu lado *izquierdo* mil *saetas* y diez mil a tu diestra; mas ninguna te tocará a ti.

**8.** Tú lo estarás contemplando con tus *propios ojos*, y verás el pago que se da a los pecadores, *y exclamarás:*

**9.** ¡*Oh!* y cómo eres tú, ¡oh Señor, mi esperanza! Tú ¡*oh justo!* has escogido al Altísimo para asilo tuyo.

---

SAL. LXXXIX. — 15. S. Jerónimo tradujo: *Alégranos por los días en que nos afligiste, y por los años en que hemos experimentado males:* traducción más clara, y que en nada se opone al texto hebreo.
SAL. XC. — 4. *Deut.* XXXII, *v.* 11.

10. No llegará a ti el mal, ni el azote se acercará a tu morada.

11. Porque él mandó a sus Angeles que cuidasen de ti; los cuales te guardarán en cuantos pasos dieres.

12. Te llevarán en *las palmas de* sus manos; no sea que tropiece tu pie en alguna piedra.

13. Andarás sobre áspides y basiliscos, y hollarás los leones y dragones.

14. Ya que ha esperado en mí, yo le libraré; yo lo protegeré, pues que ha conocido o *adorado* mi Nombre.

15. Clamará a mí, y lo oiré benigno. Con él estoy en la tribulación; pondrélo en salvo, y llenarle he de gloria.

16. Lo saciaré con una vida muy larga, y le haré ver el Salvador que enviaré.

## SALMO XCI

*Celébrase en este salmo la bondad y la justicia de Dios en todas las obras.*

1. *Salmo y cántico. Para el día del sábado.*

2. Bueno es tributar alabanzas al Señor; y salmear a tu Nombre ¡oh Altísimo!

3. Celebrando por la mañana tu misericordia, y por la noche tu verdad;

4. Acompañando el canto con el salterio de diez cuerdas, y con el sonido de la cítara.

5. Porque me has recreado, oh Señor, con tus obras, y al contemplar las obras de tus manos salto de placer.

6. ¡Cuán grandes son, Señor, tus obras! ¡Cuán insondable la profundidad de tus designios!

7. El hombre insensato no conoce estas cosas, ni entiende de ellas el necio.

8. Apenas los pecadores brotarán como el heno, y brillarán todos los malvados, cuando perecerán para siempre.

9. Pero tú ¡oh Señor! *serás* eternamente el Altísimo.

10. Así es, Señor, que tus enemigos, *sí,* tus enemigos perecerán, y quedarán disipados cuantos cometen la maldad.

11. Y mi fortaleza se levantará como la del unicornio, y mi vejez *será vigorizada* por la abundancia de tus misericordias.

12. Y miraré con desprecio a mis enemigos, oiré hablar *sin susto* de los revoltosos que maquinan contra mí.

13. Florecerá como la palma el varón justo, y descollará cual cedro del Líbano.

14. Plantados *los justos* en la casa del Señor, en los atrios de la casa de nuestro Dios florecerán.

15. Y aun en su lozana vejez se multiplicarán; y se hallarán con vigor y robustez,

16. Para predicar que el Señor Dios nuestro es justo, y que no hay en él ni sombra de iniquidad.

## SALMO XCII

*Celebra el Profeta la gloria del reino del Mesías. Salmo y cántico del mismo David para la víspera del sábado, que es cuando fué criada la tierra.*

1. El Señor reinó: revistióse de gloria, armóse de fortaleza, y se ciñó todo de ella. Asentó *también* firme la redondez de la tierra, y no será conmovida.

2. Desde entonces quedó ¡oh Señor! preparado tu solio; y tú eres desde la eternidad.

3. Alzaron los ríos, ¡oh Señor!, levantaron los ríos su voz; alzaron el sonido de sus olas,

4. Con el estruendo de las muchas aguas. Maravillosas son las encrespaduras del mar: más admirable es el Señor en las alturas

5. Tus testimonios se han hecho por extremo creíbles. La santidad debe ser, Señor, el ornamento de tu casa por la serie de los siglos.

## SALMO XCIII

*De la justicia y providencia de Dios en el castigo de los malos y en el premio de los buenos. Salmo del mismo David para el cuarto día de la semana.*

1. El Señor, *Jehová,* es el Dios de las venganzas; y el Dios de las venganzas ha obrado con *independiente* libertad.

2. Haz, pues, brillar tu grandeza ¡oh Juez *supremo* de la tierra! Da su merecido a los soberbios.

3. ¿Hasta cuándo, Señor, los pecadores, hasta cuándo han de estar vanagloriándose?

---

SAL. XCI. — 5. Las criaturas manifiestan claramente la sabiduría, el poder y la infinita bondad de Dios. Pero, como advierte San Agustín, *no es la criatura la que nos ha de deleitar, sino Dios en la criatura.*

12. *Y miraré por encima del hombro.* — Oiré hablar luego de su castigo, o de su ruina.

SAL. XCII. — 1. O también: *comenzó a reinar, o tomó posesión del reino.* Jesucristo triunfante de la muerte tomó posesión del reino eterno.

4. ¿Charlarán, hablarán inicuamente, se jactarán *siempre* todos los que obran la iniquidad?

5. ¡Ah! Señor, ellos han abatido a tu pueblo, han devastado tu heredad.

6. Han asesinado a la viuda y al extranjero, y han quitado la vida al huérfano.

7. Y dijeron: No lo verá el Señor; no sabrá nada el Dios de Jacob.

8. Reflexionad ¡oh hombres los *más* insensatos del pueblo! Entrad en conocimiento; tened finalmente cordura, vosotros, mentecatos.

9. Aquél que ha dado los oídos, ¿no oirá? El que ha dado los ojos, ¿no verá?

10. ¿No os ha de llamar a juicio el que castiga a todas las naciones? ¿Aquél que da la ciencia al hombre?

11. Conoce el Señor los pensamientos de los hombres, y cuán vanas son sus ideas.

12. Bienaventurado el hombre a quien tú ¡oh Señor! habrás instruido y amaestrado en tu ley,

13. Para hacerle menos penosos los días aciagos, mientras tanto que al pecador se le abre la fosa.

14. Porque no ha de abandonar el Señor a su pueblo, ni dejar desamparada su heredad;

15. Sino que el juicio se ejercerá con justicia, y le seguirán todos los rectos de corazón.

16. *Mas entre tanto,* ¿quién se pondrá de mi parte contra los malvados? ¿Quién saldrá a favor mío contra los que obran la iniquidad?

17. ¡Ah! Si el Señor no me hubiese socorrido, seguramente sería ya el sepulcro mi morada.

18. Si yo ¡oh Señor! te decía: Mi pie va a resbalar, acudía a sostenerme tu misericordia.

19. A proporción de los muchos dolores que atormentaron mi corazón, tus consuelos llenaron de alegría a mi alma.

20. *Porque,* ¿acaso estás tú sentado en algún tribunal injusto, cuando nos impones penosos preceptos?

21. Andan *los malvados* a caza del justo, y condenan la sangre inocente.

22. Pero el Señor me ha servido de refugio; ha sido mi Dios el sostén de mi esperanza.

23. Y hará caer sobre ellos *la pena de* sus iniquidades; y por su malicia los hará perecer. Destruirálos el Señor Dios nuestro.

---

SAL. XCIII. — 20. Quizá se traduciría mejor: *¿Será su trono, trono de iniquidad, de donde salgan órdenes (o leyes) que no podemos cumplir?* Esto es, ¿serás tan injusto que nos dejes sin tu auxilio para poder cumplir los preceptos difíciles que nos impones? No, por cierto.

## SALMO XCIV

*Exhorta el Profeta a los hombres a adorar a Dios y obedecerle, acordándoles los beneficios del Señor.*
*Alabanza o cántico del mismo David.*

1. Venid, regocijémonos en el Señor: cantemos con júbilo las alabanzas del Dios, Salvador nuestro.

2. Corramos a presentarnos ante su acatamiento, dándole gracias, y entonando himnos a su gloria.

3. Porque el Señor es el Dios grande, y un rey más grande que todos los dioses.

4. Porque en su mano tiene toda la extensión de la tierra, y suyos son los más encumbrados montes.

5. Suyo es el mar, y obra es de sus manos; y hechura de sus manos en la tierra.

6. Venid, *pues,* adorémosle; postrémonos, derramando lágrimas en la presencia del Señor que nos ha criado;

7. Pues él es el Señor Dios nuestro, y nosotros el pueblo a quien él apacienta, y ovejas de su grey.

8. Hoy mismo, si oyereis su voz, guardaos de endurecer vuestros corazones,

9. Como sucedió, *dice el Señor,* cuando me provocaron a ira, entonces que hicieron prueba de mí en el Desierto, en donde vuestros padres me tentaron, probáronme,. y vieron mis obras.

10. Por espacio de cuarenta años estuve irritado contra esta raza de gente, y decía: Siempre está descarriado el corazón de este pueblo.

11. Ellos no conocieron mis caminos; por lo que juré, airado, que no entrarían en mi reposo.

## SALMO XCV

*Convida el Profeta a todas las naciones a adorar al Mesías, que será juez de todos los hombres.*
*Cántico del mismo David, cantado.*

1. *Cuando se reedificó la Casa de Dios después de la cautividad.*

---

SAL. XCIV. — 3. Al fin de este verso añade San Jerónimo las siguientes palabras: *Quoniam non repellet Dominus pleblem suam* que la Iglesia ha adoptado al rezar este salmo al principio del oficio eclesiástico.

11. *Reposo:* en la tierra que les tengo prometida.

Cantad al Señor un cántico nuevo: regiones todas de la tierra, cantad al Señor.

2. Cantad al Señor, y bendecid su Nombre; anunciad todos los días la salvación que de él viene.

3. Predicad entre las naciones su gloria, y sus maravillas en todos los pueblos;

4. Porque grande es el Señor, y digno de infinita alabanza; terrible sobre todos los dioses.

5. Porque todos los dioses de las naciones son demonios; pero el Señor es el que crió los cielos.

6. La gloria y el esplendor están al rededor de él: *brillan* en su Santuario la santidad y la magnificencia.

7. ¡Oh vosotras, familias de las naciones! Venid a ofrecer al Señor; venid a ofrecerle honra y gloria.

8. Tributad al Señor la gloria debida a su Nombre. Llevad ofrendas, y entrad en sus atrios.

9. Adorad al Señor en su santa morada. Conmuévase a su vista toda la tierra.

10. Publicad entre las naciones que *ya* reina el Señor. Porque él afirmó el orbe, el cual jamás se ladeará; juzgará a los pueblos con equidad.

11. Alégrense los cielos, y salte de gozo la tierra, conmuévase el mar, y cuanto en sí contiene.

12. Muestren su júbilo los campos, y todas las cosas que hay en ellos. Los árboles todos de las selvas manifiesten su alborozo,

13. A la vista del Señor, porque viene: viene, sí, a gobernar la tierra. Gobernará la redondez de la tierra con justicia; gobernará los pueblos con su verdad.

## SALMO XCVI

*Profetiza David el establecimiento del reino espiritual de Jesucristo, y exhorta a los hombres a prepararse para entrar en él. Puede también entenderse este salmo de la segunda venida de Jesucristo al mundo.*

1. *Salmo de David, cuando fué restaurada su tierra.*

El Señor es el que reina: regocíjese la tierra; muestre su júbilo la multitud de islas.

2. Circuido está de una densa y obscura nube; justicia y juicio son el sostén de su trono.

3. Fuego irá delante de él, que abrasará por todas partes a sus enemigos.

4. Alumbrarán sus relámpagos el orbe: violo, y se estremeció la tierra.

5. Derritiéronse, como cera, los montes a la presencia del Señor; a la presencia del Señor se derretirá la tierra toda.

6. Anunciaron los cielos su justicia; y todos los pueblos vieron su gloria.

7. Confúndanse todos los adoradores de los ídolos y cuantos se glorían en sus simulacros. Adorad al Señor vosotros todos ¡oh Angeles suyos!

8. Oyólo Sión, y llenóse de alborozo. Saltaron de alegría las hijas de Judá en vista ¡oh Señor! de tus juicios.

9. Porque tú eres el Señor Altísimo sobre toda la tierra; tú eres infinitamente más elevado que todos los dioses.

10. ¡Oh vosotros, los que amáis al Señor! aborreced el mal. El Señor guarda las almas de sus santos: librarlas ha de las manos del pecador.

11. Amaneció la luz al justo, y la alegría a los de recto corazón.

12. Alegraos, *pues,* ¡oh justos! en el Señor, y celebrad con alabanzas su santa memoria.

## SALMO XCVII

*Sigue el mismo argumento del salmo precedente.*

1. *Salmo del mismo David.*

Cantad al Señor un cántico nuevo; porque ha hecho maravillas. Su diestra misma y su santo brazo han obrado su salvación.

2. El Señor ha hecho conocer su Salvador: ha manifestado su justicia a los ojos de las naciones.

3. Ha tenido presente su misericordia y la verdad *de sus promesas* a favor de la casa de Israel. Todos los términos de la tierra han visto la salvación que nuestro Dios nos ha enviado.

4. Cantad, *pues,* festivos himnos a Dios todas las regiones de la tierra; cantad y saltad de alegría, y salmead.

5. Salmead a *gloria del* Señor con la cítara, con la cítara y con voces armoniosas,

6. Al eco de las trompetas de metal y al sonido de bocinas. Mostrad vuestro alborozo en la presencia de este rey que es el Señor.

---

SAL. XCV. — 5. Demonios: en el hebreo; *son nada,* o ídolos vanos e inútiles.

SAL. XCVI. — 3. II *Petr.* III, *v.* 12. — II *Thes.* I, *v.* 8.

9. *Dioses:* los ángeles, o potestades criadas.

*Adoración con el Niño Bautista y San Bernardo* (detalle),
de Fra Filippo Lippi,
*témpera sobre madera, Staatliche Museen, Berlín*

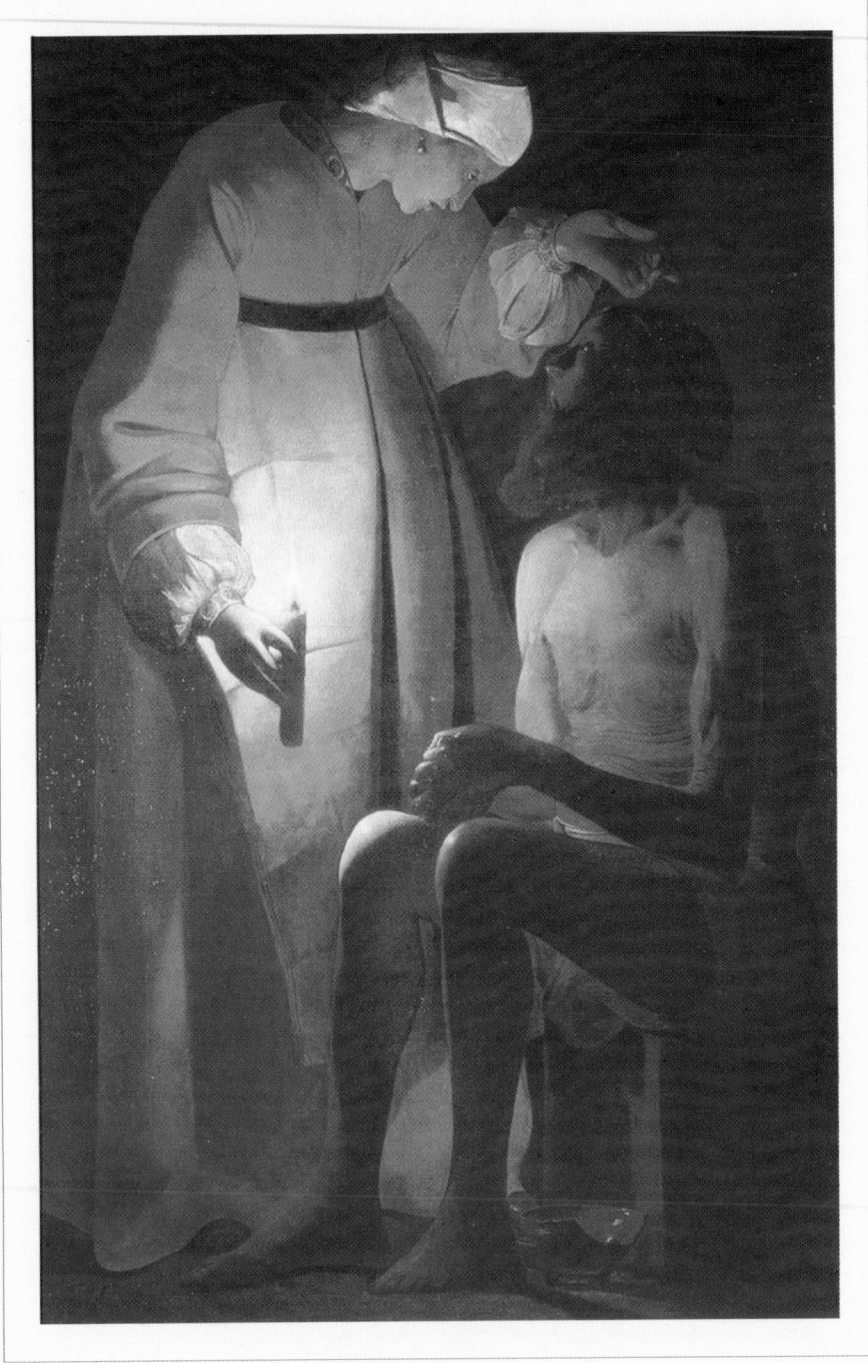

*JOB Y SU ESPOSA*, DE GEORGES DE LA TOUR,
*óleo sobre tela, Musée Departamental des Vosges, Francia*

*La visión de San Bernardo* (detalle), de Fra Bartolomeo,
*óleo sobre madera, Galleria degli Uffizi*

*PAISAJE CON AGAR Y EL ÁNGEL* (DETALLE),
DE CLAUDIO LORENA (CLAUDE GALLÉE),
*óleo sobre tela, National Gallery, Londres*

**7.** Conmuévase *de gozo* el mar y cuanto en él se encierra; la tierra toda, con todos sus habitantes.

**8.** Los ríos aplaudirán con palmadas; los montes a una saltarán de contento,

**9.** A la vista del Señor: porque viene a gobernar la tierra. El juzgará el orbe terráqueo con justicia y a los pueblos con rectitud.

## SALMO XCVIII

*Celebra el Salmista el reino de Dios y de su Cristo; y convida a todos los hombres a reconocer a este Dios supremo, a quien sirvieron Moisés, Aarón y demás profetas.*

**1.** *Salmo del mismo David.*
Reina *ya* el Señor: entremézclanse los pueblos; reina ya aquél que está sentado sobre querubines: agítese la tierra.

**2.** El Señor en Sión es grande; elevado está sobre todos los pueblos.

**3.** Tributen gloria a tu grande Nombre, por cuanto él es terrible y santo;

**4.** Y la gloria del rey está en amar la justicia. Tú estableciste leyes rectísimas; tú ejerciste el juicio y la justicia en el pueblo de Jacob.

**5.** Ensalzad al Señor Dios nuestro, y adorad *el Arca,* estrado de sus pies: porque él es el Santo.

**6.** Moisés y Aarón entre sus sacerdotes, y Samuel *el más distinguido* entre los que invocaban su Nombre: ellos clamaban al Señor, y el Señor les oía benigno.

**7.** Hablábales desde una columna de nube. Observaban sus mandamientos y el fuero que les había dado.

**8.** ¡Oh Señor Dios nuestro! tú atendías a sus ruegos: fuísteles propicio ¡oh Dios! aun vengando todas las injurias que *te* hacían.

**9.** Ensalzad al Señor nuestro Dios, y adoradle en su santo monte; porque él Señor Dios nuestro es el Santo *por excelencia.*

## SALMO XCIX

*Exhorta el Profeta a toda la tierra a alabar a Dios en su iglesia. Profecía de la vocación de los gentiles.*

**1.** *Salmo de alabanza.*

**2.** Moradores todos de la tierra, cantad con júbilos las alabanzas de Dios: servid al Señor con alegría. Venid llenos de alborozo a presentaros ante su acatamiento.

**3.** Tened entendido que el Señor, *o Jehová,* es el *único* Dios. El es el que nos hizo, y no nosotros a nosotros mismos. ¡Oh tú, pueblo suyo!, vosotros ovejas a quien él apacienta,

**4.** Entrad por sus puertas cantando alabanzas, venid a sus atrios entonando himnos, y tributadle acciones de gracias. Bendecid su Nombre;

**5.** Porque es un Señor lleno de bondad: es eterna su misericordia; y su verdad resplandecerá de generación en generación.

## SALMO C

*Retrato de un rey pío y justo, en que deben mirarse los príncipes para el gobierno de sus estados.*

**1.** *Salmo del mismo David.*
Cantaré, Señor, las alabanzas de tu misericordia y de tu justicia.

**2.** Las cantaré al son de instrumentos músicos, y estudiaré el camino de la perfección. ¿Y cuándo vendrás a mí *para fortalecerme?* He vivido con inocencia de corazón en medio de mi familia.

**3.** Jamás he puesto la mira en cosa injusta; he aborrecido a los transgresores de la ley.

**4.** Conmigo no han tenido cabida hombres de corazón depravado; ni he querido conocer al que con su proceder maligno se desviaba de mí.

**5.** Al que calumniaba secretamente a su prójimo, a este tal lo he perseguido. No admitía en mi mesa a hombres de ojos altaneros y de corazón insaciable.

**6.** Dirigí mi vista en busca de los hombres fieles del país, para que habiten conmigo; los que procedían irreprensiblemente, ésos eran mis ministros.

**7.** No morará en mi casa el que obra con soberbia o *dolo;* ni hallará gracia en mis ojos aquél que habla iniquidades.

**8.** *Al levantarme* por la mañana mi *primer* cuidado era exterminar a todos los pecadores del país, para extirpar de la ciudad del Señor a todos los facinerosos.

---

**SAL. XCVIII.** — 1. *Agítese:* enfurézcanse ahora cuanto quieran *los pueblos* idólatras, etc.

**SAL. C.** — 8. *Facinerosos:* a todos los pecadores incorregibles. *Rom.* XIII, *v.* 4.

## SALMO CI

*El Salmista, en nombre de todo Israel, implora la misericordia de Dios, y suspira por el Salvador que ha de restablecer a Jerusalén y a todo el pueblo en su gracia.*

1. *Oración de un miserable, que hallándose atribulado derrama en la presencia del Señor sus plegarias.*

2. Escucha ¡oh Señor! benignamente mis ruegos; y lleguen hasta ti mis clamores.

3. No apartes de mí tu rostro: en cualquier ocasión en que me halle atribulado, dígnate de oírme. Acude luego a mí, siempre que te invocare;

4. Porque como humo han desaparecido mis días, y áridos están mis huesos como leña seca.

5. Estoy marchito como el heno, árido está mi corazón; pues hasta de comer mi pan me he olvidado.

6. De puro gritar y gemir me he quedado con sola la piel pegada a los huesos.

7. Me he vuelto semejante al pelicano, que habita en la soledad; parézcome al buho en su *triste* albergue.

8. Paso insomnes las noches, y vivo cual pájaro que se está solitario sobre los tejados.

9. Zahiérenme todo el día mis enemigos, y aquéllos que me alababan se han conjurado contra mí.

10. Porque el alimento que tomo va mezclado con la ceniza; y mis lágrimas se mezclan con mi bebida,

11. A vista de tu ira e indignación, pues me levantaste en alto para estrellarme.

12. Como sombra han pasado mis días, y heme secado como el heno..

13. Pero tú, Señor, permaneces para siempre, y tu memoria pasará de generación en generación.

14. Tu te levantarás, y tendrás lástima de Sión; porque tiempo es de apiadarte de ella, llegó ya el plazo.

15. Y porque hasta sus mismas ruinas son amadas de tus siervos, y miran éstos con afición *aun al polvo de* aquella tierra.

16. Entonces ¡oh Señor! las naciones temerán tu *santo* Nombre, y todos los reyes de la tierra *respetarán* tu gloria.

17. Porque el Señor reedificará a Sión, en donde se dejará ver con toda majestad.

18. El atendió a la oración de los humildes, y no despreció sus plegarias.

19. Escríbanse estas cosas para la generación venidera; y el pueblo que será creado glorificará al Señor.

20. Porque desde su excelso santuario inclinó los ojos *hacia nosotros.* Púsose el Señor desde el cielo a mirar la tierra,

21. Para escuchar los gemidos de los que estaban entre cadenas, para libertar a los sentenciados *o destinados* a muerte,

22. A fin de que prediquen en Sión el Nombre del Señor y sus alabanzas en Jerusalén.

23. Entonces que los pueblos y reyes se reunirán para servir juntos al Señor.

24. Dijo *el justo* en medio de su florida edad: Manifiéstame *¡oh Señor!* el corto número de mis días.

25. No me llames a la mitad de mi vida. Eternos son tus años.

26. ¡Oh Señor! tú eres el que al principio criaste la tierra; los cielos obra son de tus manos.

27. Estos perecerán; pero tú eres inmutable. Vendrán a gastarse como un vestido. Y mudaráslos como quien muda una capa, y mudados quedarán.

28. Mas tú eres siempre el mismo, y tus años no tendrán fin.

29. Los hijos de tus siervos habitarán *tranquilos en Jerusalén,* y sus descendencia quedará arraigada por los siglos de los siglos.

## SALMO CII

*Acción de gracias a Dios por la remisión de los pecados y demás inmensos beneficios que de él recibimos.*

1. *Del mismo David.*
Bendice ¡oh alma mía! al Señor, y bendigan todas mis entrañas su santo Nombre.

2. Bendice al Señor, alma mía, y guárdate de olvidar ninguno de sus beneficios.

3. El es quien perdona todas tus maldades; quien sana todas tus dolencias;

---

SAL. CI. — 7. Que tiene su morada en los agujeros de un edificio arruinado.

10. Alude a la ceniza que esparcían sobre su cabeza en señal de penitencia, y de la cual caería alguna sobre el plato en que comía..

4. Quien rescata de la muerte tu vida; el que te corona de misericordias y gracias;

5. El que sacia con *sus* bienes tus deseos, para que se renueve tu juventud como la del águila.

6. El Señor hace mercedes, y hace justicia a todos los que sufren agravios.

7. Hizo conocer a Moisés sus caminos, y a los hijos de Israel su voluntad.

8. Compasivo es el Señor y benigno, tardo en airarse, y de gran clemencia.

9. No durará para siempre su enojo, ni estará amenazando perpetuamente.

10. No nos ha tratado según merecían nuestros pecados, ni dado el castigo debido a nuestras iniquidades.

11. Antes bien cuanta es la elevación del cielo sobre la tierra, tanto ha engrandecido él su misericordia para con aquéllos que le temen.

12. Cuanto dista el Oriente del Occidente, tan lejos ha echado de nosotros nuestras maldades.

13. Como un padre se compadece de sus hijos, así se ha compadecido el Señor de los que le temen.

14. Porque conoce bien él la fragilidad de nuestro ser. Tiene muy presente que somos polvo.

15. *Y que* los días del hombre son como el heno: cual flor del campo, así florece, *y se seca.*

16. Porque el espíritu estará en él como de paso; y así el hombre dejará pronto de existir, y *le desconocerá* el lugar mismo que ocupaba.

17. Pero la misericordia del Señor permanece ab eterno y para siempre sobre aquéllos que le temen. Su justicia *no abandonará jamás* a los hijos y nietos

18. De aquéllos que observan su alianza, y conservan la memoria de sus mandamientos, para ponerlos en práctica.

19. El Señor asentó en el cielo su trono; y su reino dominará sobre todos.

20. Bendecid al Señor todos vosotros ¡oh Angeles suyos! vosotros de *gran* poder y virtud, ejecutores de sus órdenes, prontos a obedecer la voz de sus mandatos.

21. Bendecid al Señor todos vosotros que componéis su *celestial* milicia, ministros suyos que hacéis su voluntad.

22. Criaturas todas de Dios, en cualquier lugar de su *universal* imperio, bendecid al Señor. Bendice tú ¡oh alma mía! al Señor.

## SALMO CIII

*Alaba el Profeta a Dios por la creación y conservación admirable del mundo.*

1. *Del mismo David.*

¡Oh alma mía! bendice al Señor. Señor Dios mío, tú te has engrandecido mucho en gran manera. Revestido te has de gloria y de majestad;

2. Cubierto estás de luz, como de un ropaje. Extendiste los cielos como un pabellón o *cortina,*

3. Y cubriste de aguas la parte superior de ellos. Tú haces de las nubes tu carroza, corres sobre las alas de los vientos.

4. Haces que tus Angeles sean *veloces* como los vientos, y tus ministros *activos* como fuego abrasador.

5. Cimentaste la tierra sobre sus propias bases; no se desnivelará jamás.

6. Hallábase cubierta como de una capa de inmensas aguas; sobrepujaban éstas los montes.

7. A tu amenaza echaron a huir, amedrentadas del estampido de tu trueno.

8. Alzanse *como* montes, y abájanse *como* valles, y en el lugar que les estableciste.

9. Fijásteles un término, que no traspasarán: no volverán ellas a cubrir la tierra.

10. Tú haces brotar las fuentes en los valles, y que filtren las aguas por en medio de los montes.

11. *Con eso* beberán todas las bestias del campo; a ellas correrán, acosado de la sed, los asnos monteses.

12. Junto a ellas habitarán las aves del cielo, desde entre las peñas harán sentir sus gorjeos.

13. Tú riegas los montes con las aguas que envías de lo alto; colmas la tierra de frutos que tú haces nacer.

14. Tú produces el heno para las bestias, y la yerba *que da grano* para el servicio de los hombres, a fin de hacer salir pan del seno de la tierra,

15. Y el vino que recrea el corazón del hombre; de modo que, ungiéndose o *perfumándose*, presente alegre su rostro, y con el pan corrobore sus fuerzas.

16. Llenarse han de jugo los árboles del campo, y los cedros del Líbano, que él plantó.

17. Allí harán las aves sus nidos; a las cuales servirán de guía la casa o nido de la cigüeña.

18. Los altos montes, sirven de asilo a los ciervos; los peñascos de madriguera a los erizos.

**19.** El Señor creó la luna para regla de los tiempos. El sol observa puntualmente su ocaso.

**20.** Tú ordenaste las tinieblas, y quedó hecha la noche: en ella transitará toda fiera del bosque.

**21.** Rugen en busca de presa los cachorros de los leones, y claman a Dios por el alimento.

**22.** Mas así que el sol apunta, retíranse todos en tropel, y van a meterse en sus guaridas.

**23.** Sale *entonces* el hombre a su ocupación y a su trabajo hasta la noche.

**24.** ¡Oh Señor, y cuán grandiosas son todas tus obras! Todo lo has hecho sabiamente: llena está la tierra de tus riquezas.

**25.** *Tuyo es* este mar *tan* grande y de *tan* anchurosos senos: en él peces sin cuento, animales chicos y grandes.

**26.** Por él transitan las naves. Ese dragón *o monstruo* que formaste, para que retozara entre sus olas;

**27.** Todos *los animales* esperan de ti que les des a su tiempo el alimento.

**28.** Tú se los das, y acuden ellos a recogerle; en abriendo tú la mano, todos se hartarán de bienes.

**29.** Mas si tú apartas tu rostro, túrbanse; les quitas el espíritu, dejan de ser, y vuelven a parar en el polvo de que salieron.

**30.** Enviarás tu espíritu, y serán criados, y renovarás la faz de la tierra.

**31.** Sea para siempre *celebrada* la gloria del Señor. Complacerse ha el Señor en sus criaturas;

**32.** Aquel Señor que hace estremecer la tierra con sola una mirada; y que si toca los montes, humean.

**33.** Yo cantaré toda mi vida las alabanzas del Señor; entonaré himnos a mi Dios mientras yo viviere.

**34.** Séanle aceptas mis palabras; en cuanto a mí, todas mis delicias las tengo en el Señor.

**35.** Desaparezcan de la tierra los pecadores y los inicuos; de suerte que no quede ninguno. Tú ¡oh alma mía! bendice al Señor.

## SALMO CIV

*Acción de gracias a Dios por los beneficios hechos a su pueblo desde la vocación de Abraham hasta la entrada en la tierra de promisón.*
*Aleluya.*

**1.** Alabad al Señor e invocad su Nombre; predicad entre las naciones sus *admirables* obras.

**2.** Entonadle himnos al son de músicos instrumentos; referid todas sus maravillas.

**3.** Gloriaos en su santo Nombre; alégrese el corazón de los que van en busca del Señor.

**4.** Buscad al Señor, y permaneced firmes, buscad incesantemente su rostro.

**5.** Acordaos de las maravillas que hizo, de sus prodigios y de las sentencias que han salido de su boca,

**6.** ¡Oh vosotros, descendientes de Abraham, siervos suyos, hijos de Jacob, sus escogidos!

**7.** El es el Señor Dios nuestro, cuyos juicios son conocidos en toda la tierra.

**8.** Nunca jamás ha puesto en olvido su alianza, aquella palabra que dijo para miles de generaciones,

**9.** La promesa hecha a Abraham y su juramento a Isaac;

**10.** Juramento que confirmó a Jacob como una ley, y a Israel como un pacto sempiterno,

**11.** Diciendo: A ti daré la tierra de Canaán, legítima de tu herencia.

**12.** Y esto, cuando *Jacob y sus hijos* eran en corto número, poquísimos y extranjeros en la misma tierra,

**13.** Y pasaba *a menudo* de una nación a otra y de un reino a otro pueblo.

**14.** No permitió que nadie los molestase; antes por amor de ellos castigó a los reyes.

**15.** Guardaos de tocar a mis ungidos; no maltratéis a mis profetas.

**16.** Hizo venir el hambre sobre la tierra, y destruyó todo sustento de pan.

**17.** Envió delante de los suyos a un varón, a José, vendido por esclavo.

**18.** Al cual afligieron, oprimiendo sus pies con grillos; un puñal atravesó su alma,

**19.** Hasta que se cumplió su vaticinio. Inflamóle la palabra del Señor.

**20.** El rey dió orden para que le soltaran; púsole en libertad este potentado de los pueblos.

**21.** Hízolo dueño de su casa y gobernador de todos sus dominios.

**22.** Para que comunicase su sabiduría a sus grandes, y enseñase la prudencia a sus ancianos.

**23.** Entonces entró Israel en Egipto, y fué Jacob a vivir como peregrino en la tierra de Cam.

---

**15.** *Guardaos:* Airado dijo a los reyes: *Guardaos,* etc. I *Paral.* XVI, *v.* 22.

**21.** *Gen.* XLI, *v.* 14, 40.

**23.** *Cam:* esto es, en Egipto, donde Misraim, hijo de Cam, propagó su linaje.

**24.** Y Dios multiplicó su pueblo sobremanera, e hízolo más poderoso que sus enemigos.

**25.** Permitió que el corazón de éstos se mudara, de suerte que cobrasen ojeriza a su pueblo *de Israel,* y urdiesen tramas contra sus siervos.

**26.** Mas envió a Moisés, siervo suyo, y a Aarón, a quien había elegido.

**27.** Dióles poderes para hacer milagros y obrar prodigios en la tierra de Cam.

**28.** Envió tinieblas y todo lo oscureció; no faltó ninguna de sus palabras.

**29.** Convirtió en sangre sus aguas, y mató los peces.

**30.** La tierra brotó ranas hasta en los gabinetes de los mismos reyes.

**31.** Dijo, y vino toda casta de moscas y de mosquitos por todos sus términos.

**32.** En lugar de agua hacíales llover en su tierra granizo y rayos de fuego abrasador.

**33.** Con lo que abrasó sus viñedos e higuerales, y destrozó los árboles de su término.

**34.** Dijo, y vinieron enjambres innumerables de langosta y oruga;

**35.** Y comieron toda la hierba de los prados y cuantos frutos había en los campos.

**36.** Hirió de muerte a todos los primogénitos de aquella tierra, las primicias de su robustez.

**37.** Y sacó a Israel cargado de oro y plata: sin que hubiese un enfermo en todas sus tribus.

**38.** Alegróse el Egipto con la salida de ellos, por causa del gran temor que le causaban.

**39.** Extendió una nube que les sirviese de toldo, e hizo que de noche los alumbrase como fuego.

**40.** Pidieron *de comer,* y envióles codornices; y saciólos con el pan del cielo.

**41.** Hendió la peña, y brotaron aguas: corrieron ríos en aquel secadal.

**42.** Porque tuvo presente su santa palabra, que diera a Abraham, siervo suyo.

**43.** Y *así* sacó a su pueblo lleno de gozo, y a sus escogidos colmados de júbilo.

**44.** Y dióles el pan de los gentiles, e hízoles disfrutar de las labores de los pueblos,

**45.** A fin de que guardasen sus mandamientos, y observasen su ley.

## SALMO CV

*Los Hebreos en la cautividad hacen memoria de los beneficios recibidos de Dios, desde*

*que los sacó de Egipto hasta el tiempo de los Jueces; de la ingratitud con que correspondían al Señor; cómo él, misericordioso, los corregía y libraba de sus angustias. Aleluya.*

**1.** Alabad al Señor porque es *tan* bueno, porque es eterna su misericordia.

**2.** ¿ Quién podrá contar las obras del poder del Señor, ni pregonar todas sus alabanzas?

**3.** Bienaventurados los que observan la ley, y practican en todo tiempo la virtud.

**4.** Acuérdate ¡oh Señor! de nosotros, según tu benevolencia para con tu pueblo; visítanos por medio de tu Salvador,

**5.** A fin de que gocemos los bienes de tus escogidos, y participemos de la alegría de tu pueblo, y te gloríes en aquéllos a quienes miras como herencia tuya.

**6.** Hemos pecado como nuestros padres, nos hemos portado injustamente, cometido hemos *mil* maldades.

**7.** Nuestros padres en Egipto no consideraron tus maravillas; no conservaron la memoria de tus muchas misericordias. Te irritaron cuando iban a entrar en el mar, en el mar Rojo.

**8.** Mas el *Señor* los salvó por honor de su Nombre, para demostrar su poder.

**9.** Dió una voz contra el mar Rojo, y éste quedó seco al *momento:* y condújolos por medio de aquellos abismos, como por un desierto.

**10.** Y sacólos salvos de entre las manos de aquéllos que los aborrecían, y rescatólos de la mano de sus enemigos.

**11.** Sepultó el agua a sus opresores: no quedó de ellos ni siquiera uno.

**12.** Entonces dieron crédito a las palabras del Señor, y cantaron con aplauso sus alabanzas.

**13.** Mas bien pronto echaron en olvido sus obras, y no esperaron su consejo *o amorosa providencia.*

**14.** Y en el Desierto desearon con ansia *los manjares del Egipto;* y tentaron a Dios en el secadal.

---

SAL. CV. —9. *Exod.* XIV, *v.* 21. Por la figura *prosopopeya* habla David aquí poéticamente del mar, como de una persona animada; así como en otros lugares habla de la tierra, de los árboles, etc.

**13.** *Exod.* XV, *v.* 24. — *Num.* XI, *v.* 20.

**15.** Otorgóles lo que pidieron, y los hartó hasta el alma.

**16.** Estando después en los campamentos se atrevieron contra Moisés, y contra Aarón, el consagrado al Señor.

**17.** Abrióse la tierra y se tragó a Datán, y sepultó a la facción de Abirón.

**18.** Se encendió fuego en su conciliábulo, y las llamas devoraron a los pecadores.

**19.** Hiciéronse un becerro en Horeb, y adoraron aquella estatua fundida.

**20.** Y trocaron *su Dios que era* su gloria, por una figura de becerro que come heno.

**21.** Olvidáronse de Dios que los había salvado, que había obrado tan grandes cosas en Egipto,

**22.** Tantas maravillas en la tierra de Cam, cosas tan terribles en el mar Rojo.

**23.** Trató, pues, de acabar con ellos; pero se interpuso Moisés, siervo suyo, al momento del estrago, a fin de aplacar su ira, para que no los exterminase.

**24.** Ellos, empero, ningún caso hicieron de aquella tierra deliciosa. No dieron crédito a sus palabras.

**25.** Murmuraron en sus tiendas, no quisieron escuchar la voz del Señor.

**26.** Y levantó *el Señor* su mano contra ellos, para dejarlos tendidos en el desierto,

**27.** Y envilecer su linaje entre las gentes, y esparcirlos por varias regiones.

**28.** Y se consagraron a Beelfegor, y comieron de los sacrificios de los muertos.

**29.** Y provocáronle a ira con sus invenciones *idolátricas*, y estalló contra ellos grandísimo estrago.

**30.** Pero levantóse Finees, y le aplacó, y cesó la mortandad.

**31.** Lo cual le fué reputado como justicia, de generación en generación eternamente.

**32.** Asimismo irritaron al Señor en las aguas de Contradicción; y padeció Moisés por culpa de ellos.

**33.** Porque habían perturbado su espíritu, como lo manifestó claramente con sus labios.

**34.** Tampoco exterminaron las naciones que les había mandado el Señor.

**35.** Antes se mezclaron con los gentiles, y emprendieron sus obras;

**36.** Y dieron culto a sus ídolos; y fué para ellos un tropiezo.

**37.** E inmolaron sus hijos e hijas a los demonios.

**38.** Derramaron la sangre inocente, la sangre de sus hijos y de sus hijas, que sacrificaron a los ídolos en Canaán. Quedó la tierra inficionada con tanta sangre,

**39.** Y contaminada con sus obras; y se prostituyeron a *los ídolos* hechuras suyas.

**40.** Por lo que se encendió la saña del Señor contra su pueblo, y abominó a su heredad.

**41.** Y entrególos en poder de las naciones, y cayeron bajo el dominio de aquéllos que los aborrecían.

**42.** Fueron tratados duramente por sus enemigos, bajo cuya mano fueron humillados.

**43.** Muchas veces los libró *Dios*. Ellos, empero, lo exasperaban con sus designios; y fueron abatidos por causa de sus iniquidades.

**44.** Mirólos el Señor cuando estaban atribulados, y oyó su oración.

**45.** Acordóse de su alianza, y le pesó, *y los trató* según su gran misericordia.

**46.** E hizo que fuesen objeto de compasión para con todos los que los tenían cautivos.

**47.** Sálvanos ¡oh Señor Dios nuestro! y recógenos de entre las naciones, para que confesemos tu santo Nombre, y nos gloriemos en cantar tus alabanzas.

**48.** Bendito sea el Señor Dios de Israel por los siglos de los siglos. Y responderá todo el pueblo: ¡Así sea! ¡Así sea!

## SALMO CVI

*El Señor libra de toda suerte de calamidades a los que le invocan con fe viva.*
*Aleluya.*

**1.** Alabad al Señor, porque es *tan* bueno, porque es eterna su misericordia.

**2.** Díganlo aquéllos que fueron redimidos por el Señor, a los cuales rescató del poder del enemigo, y que ha recogido de las regiones,

**3.** Del oriente y del poniente; del norte y de la parte del mar, *o mediodía*.

**4.** Anduvieron errantes por la soledad, por lugares áridos, sin hallar camino para llegar a alguna ciudad donde albergarse.

---

**28.** *Muertos:* esto es, de las víctimas ofrecidas a los ídolos.

**31.** *Justicia:* o acción digna de premio.

**32.** Por herir después de la peña con alguna desconfianza; no tuvo el consuelo de entrar en la tierra de promisión. *Num. XX, v.* 2. 12.

---

**SAL. CIV.** — 3. Por *mar* entiende aquí el *mediodía:* hacia donde caía también el mar *Rojo*.

**5.** Hambrientos y sedientos, iba desfalleciendo *ya* su espíritu.

**6.** Clamaron, empero, al Señor en su tribulación, y sacólos de sus angustias.

**7.** Y encaminólos por la vía recta, para que llegasen a la ciudad en que debían habitar.

**8.** Glorifiquen al Señor *por* sus misericordias y *por* sus maravillas a favor de los hijos de los hombres.

**9.** Porque sació al alma sedienta, colmó de bienes al alma hambrienta.

**10.** *Libró* a los que yacían en tinieblas y sombras de muerte, aherrojados en la aflicción y entre cadenas.

**11.** Mas porque contradijeron las palabras de Dios, y despreciaron los designios del Altísimo,

**12.** Fué abatido su corazón con los trabajos; quedaron sin fuerzas; y no hubo quien los socorriese.

**13.** Pero clamaron al Señor viéndose atribulados, y librólos de sus angustias.

**14.** Y sacólos de las tinieblas y sombras de la muerte; y rompió sus cadenas.

**15.** Glorifiquen al Señor *por* sus misericordias, y *por* sus maravillas a favor de los hijos de los hombres.

**16.** Porque quebrantó las puertas de bronce e hizo pedazos los cerrojos de hierro.

**17.** Recogiólos del camino de su iniquidad; pues por sus maldades habían sido abismados.

**18.** Llegó su alma a aborrecer todo alimento, y llegaron hasta las puertas de la muerte.

**19.** Pero clamaron al Señor al verse atribulados, y librólos de sus angustias.

**20.** Envió su palabra, y los sanó, y los salvó de su perdición.

**21.** Glorifiquen al Señor *por* sus misericordias y *por* sus maravillas, a favor de los hijos de los hombres.

**22.** Y ofrézcanle *éstos* sacrificios de alabanza, y celebren con júbilo sus obras.

**23.** Los que surcan el mar en naves, y están maniobrando en medio de tantas aguas,

**24.** Esos han visto las obras del Señor y sus maravillas en el profundo *del mar*.

**25.** Dijo, y sopló el viento tempestuoso, y encrespáronse las olas.

**26.** Suben hasta los cielos, y bajan hasta los abismos. En medio de estas angustias desfallecía el alma de ellos.

**27.** Llenos de turbación, vacilaban como beodos y se desvaneció toda su sabiduría.

**28.** Pero clamaron al Señor en la tribulación, y los sacó de sus apuros.

**29.** Cambió el huracán en viento suave, y calmaron las olas del mar.

**30.** Regocijáronse ellos viendo el mar sosegado, y el *Señor* los condujo al puerto deseado.

**31.** Glorifiquen al Señor *por* sus misericordias y *por* sus maravillas, a favor de los hijos de los hombres.

**32.** Y ensalcen su gloria en la congregación del pueblo, y alábenle en el consistorio de los ancianos.

**33.** El Señor convirtió los ríos en páramos, y en sequedades los manantiales de agua;

**34.** La tierra fructífera en salobreña, por causa de la malicia de sus habitantes.

**35.** Convirtió el Desierto en *un país de* estanques de aguas, y la tierra seca en manantiales.

**36.** Y estableció en ella a los hambrientos; y fundaron ciudades para su habitación.

**37.** Sembraron los campos, y plantaron viñas, que produjeron abundantes frutos.

**38.** Y bendíjolos *el Señor, y* multiplicáronse sobremanera; y acrecentó sus ganados.

**39.** Y vinieron a menos, y fueron oprimidos con trabajos y dolores.

**40.** Cayó el vilipendio sobre los príncipes, e hízolos andar errantes por lugares desiertos, donde no había senda ninguna.

**41.** Y libró al pobre de la miseria, y multiplicó las familias como *rebaños de* ovejas.

**42.** Verán estas cosas los justos y se llenarán de gozo, y toda iniquidad cerrará su boca.

**43.** ¿Quién es sabio para conservar estas cosas, y comprender las misericordias del Señor?

## SALMO CVII

*Prorrumpe David en alabanzas de Dios por sus victorias: las cuales representan las espirituales conquistas con que Jesucristo sometió a su Iglesia las naciones infieles.*

**1.** *Cántico y Salmo del mismo David.*

**2.** Dispuesto está mi corazón, oh Dios, mi corazón está dispuesto; cantaré y entonaré salmos en medio de mi gloria.

---

SAL. CVII. — 1. Los cinco primeros versículos de este salmo son los últimos del salmo LVI; y los restantes son los últimos también del LIX. El cardenal Belarmino cree que fué obra del colector de los salmos para completar el número de CL: aunque confiesa que puede haber otra causa superior, que él no alcanza. Pero pierde toda su fuerza esta conjetura al reflexionar que después el colector de los salmos reunió en el salmo CXIII dos salmos del texto hebreo.

**3.** Despierta, pues, ¡oh gloria, *oh alma mía!* Apresuraos, ¡oh salterio y cítara! Yo me levantaré al rayar la aurora,

**4.** Y alabarte he, Señor, en medio de los pueblos, y te cantaré himnos entre las naciones.

**5.** Porque es más grande que los cielos tu misericordia, y más elevada que las nubes la verdad tuya.

**6.** Ensálzate ¡oh Dios! sobre los cielos, y *ensalza* sobre toda la tierra tu gloria; para que obtengan la libertad los que tú amas.

**7.** Sálvame con tu diestra, y atiéndeme.

**8.** Dios habló desde su Santuario; y *así,* regocijarme he, y repartiré a Siquem, y mediré el valle de los Tabernáculos.

**9.** Mío es Galaad, y mío es Manasés, y Efraím es la fortaleza principal mía. Judá es mi rey.

**10.** Moab el vaso u objeto de mi esperanza: *yo le conquistaré.* Por Idumea extenderé mis plantas; se me harán amigos, *se me someterán* los extranjeros.

**11.** ¿Quién me guiará a la ciudad fuerte? ¿Quién me conducirá hasta la Idumea?

**12.** ¡Quién sino tú! ¡oh *mi* Dios! que nos ha-bías desamparado? ¿No vendrás tú, oh Dios *mío,* a la cabeza de nuestros ejércitos?

**13.** Danos tú socorro en la tribulación; porque la salvación en vano se espera del hombre.

**14.** Con Dios haremos proezas, y él aniquilará a nuestros enemigos.

## SALMO CVIII

*David en persona de Cristo pide socorro al Padre contra sus perseguidores: profetiza la perdición de Judas y de los Judíos sus cómplices.*

**1.** *Salmo de David. Para el fin.*

**2.** Oh Dios *mío,* no calles mi alabanza; porque el hombre inicuo y el traidor han desatado sus lenguas contra mí.

**3.** Con lengua falaz hablaron contra mí; y con discursos odiosos me han cercado, y me han combatido sin motivo alguno.

**4.** En vez de amarme, me calumniaban; mas yo oraba.

**5.** Volviéronme mal por bien, y pagáronme con odio el amor que yo les tenía.

**6.** Sujétale, *Señor,* al dominio del pecador, y esté el diablo a su derecha.

**7.** Cuando sea juzgado, salga condenado; y su oración sea un *nuevo* delito.

**8.** Acortados sean sus días, y ocupe otro su ministerio *o puesto.*

**9.** Huérfanos se vean sus hijos, y viuda su mujer.

**10.** Anden prófugos y mendigos sus hijos, y sean arrojados de sus habitaciones.

**11.** El usurero dé caza a todos sus bienes, y sea presa de los extraños el fruto de sus fatigas.

**12.** No halle quien le tenga compasión, ni quien se apiade de sus huérfanos.

**13.** Sean exterminados todos sus hijos; pasada una sola generación quede ya borrado su nombre.

**14.** Renuévese en la presencia de Dios la memoria de la iniquidad de sus padres; nunca se borre el pecado de su madre.

**15.** Estén siempre *los delitos de ellos* ante los ojos del Señor, y desaparezca de la tierra su memoria,

**16.** Por cuanto no pensó en usar de misericordia,

**17.** Antes bien ha perseguido al hombre desamparado y al mendigo, y al afligido de corazón, para matarle.

**18.** Amó la maldición, y le caerá encima; y pues no quiso la bendición, *ésta* se retirará lejos de él. Vistióse de la maldición como de un vestido, y penetró ella como agua en sus entrañas, y *caló* como aceite hasta sus huesos.

**19.** Sírvale como de túnica con que se cubra, y como de cíngulo con que siempre se ciña.

**20.** Esto es lo que ganan para con el Señor los que maldicen y maquinan contra mi vida.

**21.** Pero tú ¡oh Señor, Señor *Dios mío!,* ponte de mi parte por amor de tu Nombre; porque suave es tu misericordia.

**22.** Líbrame, porque soy pobre y necesitado; y turbado está interiormente mi corazón.

---

**9.** *Judá es mi rey*: o cabeza de mi reino.

**10.** *Idumea*: o *sujetaré la Idumea a mi dominio.* — Véase el salmo LIX.

---

**SAL. CVIII.** — 6. *Sujeta a mi enemigo al dominio, etc.* En este salmo debe tenerse presente que David habla como profeta, y con la autoridad o en nombre de Dios anuncia o profetiza lo que había de acaecer a los malvados, e impenitentes y obstinados enemigos de Dios que le perseguían. En el sentido profético se aplica a Judas y a los Judíos perseguidores de Cristo.

23. Como sombra que huye, así voy desapareciendo; y soy sacudido como las langostas.

24. Mis rodillas se han debilitado por el ayuno, y está extenuada mi carne por falta de jugo.

25. Estoy hecho el escarnio de ellos: me miran, y meneando sus cabezas *me insultan.*

26. Ayúdame tú, Señor Dios mío, sálvame según tu misericordia.

27. Y sepan que aquí anda tu mano, y que es cosa, Señor, que tú haces.

28. Ellos me echarán maldiciones, y tú me bendecirás: queden confundidos los que se levantan contra mí; entre tanto tu siervo estará lleno de alegría.

29. Cubiertos sean de ignominia mis detractores, y envueltos en su afrenta como en una doble manta.

30. Mi boca se deshará en acciones de gracias al Señor; y cantaré sus alabanzas en medio de un numeroso concurso.

31. Porque se puso a la derecha de este pobre, para salvarle de los que conspiraban contra su vida.

## SALMO CIX

*Divinidad del Mesías, su sacerdocio y su reino. Este Salmo, aun tomado a la letra, conviene únicamente a Jesucristo.*

1. *Salmo de David*
El Señor dijo a mi Señor: Siéntate a mi diestra, mientras que yo pongo a tus enemigos por tarima de tus pies.

2. De Sión hará salir el Señor el cetro de tu poder; domina tú en medio de tus enemigos.

3. Contigo está el principado en el día de tu poderío, en medio de los resplandores de la santidad; de mis entrañas te engendré, antes de existir el lucero de la mañana.

4. Juró el Señor, y no se arrepentirá, *y dijo:* Tú eres Sacerdote sempiterno, según el orden de Melquisedec.

5. El Señor está a tu diestra; en el día de su ira destrozó a los reyes.

6. Ejercerá su juicio en medio de las naciones; consumará su ruina, y estrellará contra el suelo las *orgullosas* testas de muchísimos.

7. Beberá del torrente durante el camino: por eso levantará su cabeza.

## SALMO CX

*Las obras del Señor son admirables así en el Antiguo como en el Nuevo Testamento. Aleluya.*

1. Oh Señor, loarte he con todo mi corazón en la sociedad de los justos y en la *iglesia o* congregación.

2. Grandes son las obras del Señor; exquisitas para todos sus fines.

3. Gloria es y magnificencia cada obra suya; y su justicia permanece firme por los siglos de los siglos.

4. Memoria *eterna* dejó de sus maravillas; misericordioso y compasivo es el Señor.

5. Ha dado alimento a los que le temen. Se acordará siempre de su alianza:

6. Manifestará a su pueblo las obras de su poder,

7. Para darle la herencia de las naciones; las obras de sus manos son verdad y justicia.

8. Fieles *e invariables* son todos sus mandamientos, confirmados en todos los siglos; y fundados en la verdad y en la rectitud.

9. Envió la redención a su pueblo; estableció para siempre su alianza. Santo y terrible es el Nombre del Señor.

10. El temor del Señor es el principio *o la suma* de la sabiduría. Sabios son todos los que obran con este temor; su alabanza dura por los siglos de los siglos.

---

**SAL. CIX. —** 1. *Siéntate a mi diestra.* David, pues, da a Dios Padre el nombre de *Jehová,* y a su Hijo, el Verbo encarnado, el de *Adonai* o Señor mío. Y así el sentido es: Dios Padre dijo a su Hijo Unigénito, mi Señor, y Dios como él, y hecho hombre por amor de nosotros: *Siéntate a mi diestra:* esto es, gobierna y reina conmigo sobre todo lo criado con potestad igual a la mía como Dios, y como hombre con potestad suprema sobre cielos y tierra.

4. *Hebr.* VII, *v.* 17. El sacerdocio de Aarón quedó abolido. Y subsistirá eternamente el de Jesucristo, que se ofreció a sí mismo en el ara de la cruz como víctima de propiciación al Eterno Padre. De este sacerdocio fué figura el de Melquisedec, quien ofreció pan y vino al Altísimo, y bendijo a Abrabam y a su posteridad.

---

6. *Consumará...; lo llenará todo de estragos.*

7. El *torrente* el es símbolo de grandes aflicciones. — *Cabeza:* y será glorificado y a su Nombre se postrarán todas las criaturas, así en el cielo como en la tierra, y en los infiernos.

9. *Redención:* o *un Redentor.* Literalmente habla de la redención de los Judíos, pero alegórica y principalmente de la redención universal de los hombres, que hizo Jesucristo.

## SALMO CXI

*Feliz es el hombre que teme a Dios, aunque sea aborrecido de los impíos.*
*Aleluya. Del regreso de Ageo y de Zacarías.*

**1.** Bienaventurado el hombre que teme al Señor, y que toda su afición la pone en cumplir sus mandamientos.

**2.** Poderosa será sobre la tierra la descendencia suya; bendita será la generación de los justos

**3.** Gloria y riqueza habrá en su casa, y su justicia durará eternamente.

**4.** Ha nacido entre las tinieblas la luz para los de corazón recto; el misericordioso, el benigno, el justo.

**5.** Dichoso es el hombre que se compadece, y da prestado *al pobre;* y que dispensa sus palabras con discreción.

**6.** Porque *este tal* jamás resbalará.

**7.** El justo vivirá eternamente en la memoria *de Dios y de los hombres;* no temerá el oír malas nuevas. Su corazón está siempre dispuesto a esperar en el Señor.

**8.** Fortalecido está su corazón; no vacilará *el justo;* y mirará con desprecio a sus enemigos.

**9.** Derramó a manos llenas sus bienes entre los pobres; su justicia permanece eternamente; su fortaleza será exaltada con gloria.

**10.** Verálo el pecador, y se irritará; rechinará los dientes, y se consumirá; pero los deseos *y esfuerzos* de los pecadores se desvanecerán *como el humo.*

## SALMO CXII

*Dignación amorosa del Dios Altísimo para con los humildes.*
*Aleluya.*

**1.** Alabad ¡oh jóvenes, al Señor!: dad loores al Nombre del Señor.

**2.** Sea bendito el Nombre del Señor desde ahora mismo hasta el fin de los siglos.

**3.** Desde oriente hasta poniente es digno de ser bendecido el Nombre del Señor.

**4.** Excelso es el Señor sobre todas las gentes, y su gloria sobrepuja los cielos.

**5.** ¿Quién como el Señor nuestro Dios? El tiene su morada en las alturas,

**6.** Y está cuidando de las creaturas humildes en el cielo y en la tierra.

**7.** Levanta *del polvo* de la tierra al desvalido, y alza del estercolero al pobre,

**8.** Para colocarlo entre los príncipes, entre los príncipes de su pueblo.

**9.** El a la mujer *antes* estéril, la hace vivir en su casa alegre *al verse* rodeada de hijos.

## SALMO CXIII

*Grandeza de Dios en los prodigios con que libró a su pueblo. Vanidad de los ídolos.*
*Aleluya.*

**1.** Cuando Israel salió de Egipto, al partir la casa de Jacob de en medio de aquel pueblo extranjero,

**2.** Consagró Dios a su servicio al pueblo de Judá, y estableció su imperio en Israel.

**3.** El mar lo vió, y echó a huir; el Jordán volvió hacia atrás.

**4.** Los montes brincaron de gozo como carneros, y los collados como corderitos.

**5.** ¿Qué tienes tú ¡oh mar! que *así* has huido? Y tú ¡oh Jordán! ¿por qué has vuelto atrás?

**6.** Vosotros ¡oh montes! ¿por qué brincasteis de gozo como carneros? Y vosotros ¡oh collados! como corderitos?

**7.** Por la presencia del Señor se estremeció la tierra, por la presencia del Dios de Jacob;

**8.** Que convirtió la peña en estanque de aguas, y en fuentes de aguas la *árida* roca.

**9.** No a nosotros, Señor, no a nosotros, sino a tu Nombre da *toda* la gloria,

**10.** Para hacer brillar tu misericordia y tu verdad; a fin de que jamás digan los gentiles: ¿Dónde está su Dios?

**11.** Nuestro Dios está en los cielos: él ha hecho todo cuanto quiso.

**12.** Los ídolos de las naciones no son más que plata y oro, obra de las manos de los hombres.

**13.** Boca tienen, mas no hablarán; tienen ojos, pero jamás verán.

**14.** Orejas tienen, y nada oirán; narices, y no olerán.

---

SAL. CXI. — 2. Puede traducirse: *no temerá la mala fama;* o también, *las malas lenguas.* San Agustín lo entiende del fuego eterno. *Matth.* XXV, v. 41.

---

SAL. CXIII. — 1. Este salmo reúne los dos que en el texto hebreo son el LVI y el LIX..
*Extranjero.* Véase *Bárbaro.*
SAL. CXIII bis. — En los *Setenta,* como en la *Vulgata,* sólo comienza nueva numeración de versos.

15. Tienen manos, y no palparán; pies, mas no andarán; ni articularán una voz con su garganta.

16. Semejantes sean a estos ídolos los que los hacen, y cuantos ponen en ellos su confianza.

17. La casa de Israel colocó en el Señor su esperanza; el Señor es su amparo y protección.

18. La casa de Aarón esperó en el Señor; el Señor es su amparo y su protección.

19. En el Señor han esperado los que le temen *y adoran:* el Señor es su amparo y su protección.

20. Acordóse de nosotros el Señor, y nos bendijo. Bendijo a la casa de Israel, bendijo a la casa de Aarón.

21. Bendijo a todos los que temen al Señor, así a los pequeños como a los grandes.

22. Aumente el Señor sobre vosotros sus bendiciones, sobre vosotros y sobre vuestros hijos.

23. Benditos seáis vosotros del Señor, el cual hizo el cielo y la tierra.

24. El cielo empíreo es para el Señor; mas la tierra la dió a los hijos de los hombres.

25. ¡Oh Señor! no te alabarán los muertos, ni cuantos descienden al sepulcro.

26. Nosotros sí, los que vivimos, bendecimos al Señor desde ahora, y por todos los siglos.

## SALMO CXIV

*Acción de gracias a Dios por su auxilio en un grande peligro.*
*Aleluya.*

1. Amé al Señor, seguro de que oirá la voz de mi oración.

2. Porque se dignó inclinar hacia mí sus oídos, y *así* lo invocaré en *todos* los días de mi vida.

3. Cercáronme mortales angustias, me embistieron los horrores del infierno, *o sepulcro.* Me hallé en medio de la tribulación y del dolor;

4. E invoqué el Nombre del Señor. Libra ¡oh Señor! el alma mía.

5. Misericordioso es el Señor y justo; compasivo es nuestro Dios.

6. El Señor guarda a los pequeñuelos; yo me humillé, y el me sacó a paz y a salvo.

7. Vuelve ¡oh alma mía! a tu sosiego; ya que el Señor te ha favorecido *tanto.*

8. Pues él ha librado de la muerte a mi alma, ha enjugado mis lágrimas, y apartado mis pies del precipicio.

9. Acepto seré yo al Señor en la región de los vivos.

## SALMO CXV

*Acción de gracias a Dios por sus beneficios.*
*Aleluya.*

10. Creí *a Dios;* por eso hablé *confiado;* aunque me vi reducido al mayor abatimiento.

11. Yo ,dije en mi transporte de ánimo, *o perturbación:* Todos los hombres son falaces.

12. Mas ¿cómo podré corresponder al Señor por todas las mercedes que me ha hecho?

13. Tomaré el cáliz de la salud, e invocaré el Nombre del Señor.

14. Cumpliré al Señor mis votos en presencia de todo su pueblo.

15. De gran precio es a los ojos del Señor la muerte de sus santos.

16. Oh Señor, siervo tuyo soy, siervo tuyo e hijo de esclava tuya. Tú rompiste mis cadenas:

17. A ti ofreceré yo un sacrificio de alabanza, e invocaré el Nombre del Señor.

18. Cumpliré mis votos al Señor a vista de todo su pueblo.

19. En los atrios de la casa del Señor, en medio de ti ¡oh Jerusalén!

## SALMO CXVI

*Judíos y gentiles deben alabar a Dios por haberles dado el Mesías prometido.*
*Aleluya.*

1. Alabad al Señor, naciones todas *de la tierra:* pueblos todos cantad sus alabanzas.

2. Porque tu misericordia se ha confirmado sobre vosotros; y la verdad del Señor permanece eternamente.

---

SAL. CXIV. — 1. Dios debe ser amado por su bondad, y aun prescindiendo de los beneficios que nos ha hecho; pero la caridad no excluye todo aquello que sirve para excitarla, como son los beneficios que el Señor nos hace. *Santo Tomás.* 2, 2, quaest. XXVII, *a.* 3.

---

SAL. CXV. — 1. II *Cor.* IV, *v.* 13. — *Rom.* X, *v.* 10. — *Luc.* XII, *v.* 8.

13. *Tomaré el cáliz:* prescrito por la Ley para dar gracias a Dios.

## SALMO CXVII

*Solemnes gracias que toda la Iglesia da a Dios por los beneficios recibidos, especialmente por la venida del Mesías.*
*Aleluya.*

1. Alabad al Señor, porque es *tan* bueno; porque hace brillar eternamente su misericordia.

2. Diga ahora Israel que el Señor es bueno, y que es eterna su misericordia.

3. Diga ahora la casa de Aarón, que es eterna la misericordia del Señor.

4. Digan ahora *también* los que temen al Señor, que su misericordia es eterna.

5. En medio de la tribulación invoqué al Señor, y otorgóme el Señor libertad y anchura.

6. El Señor es mi sostén: no temo nada de cuanto pueda hacerme el hombre.

7. El Señor está de mi parte; yo despreciaré a mis enemigos.

8. Mejor es confiar en el Señor, que confiar en el hombre.

9. Mejor es poner la esperanza en el Señor, que ponerla en los príncipes.

10. Cercáronme todas las naciones; mas yo en el Nombre del Señor tomé venganza de ellas.

11. Cercáronme estrechamente; pero me vengué de ellas en el Nombre del Señor.

12. Rodeáronme a manera de *un enjambre de irritadas* abejas, y ardieron en ira como fuego que prende en *secos* espinos; pero en el Nombre del Señor tomé de ellas venganza.

13. A empellones procuraban derribarme, y estuve a punto de caer; mas el Señor me sostuvo.

14. El Señor es mi fortaleza y mi gloria; el Señor se ha constituido salvación mía.

15. Voces de júbilo y de salvación son las que se oyen en las moradas de los justos.

16. La diestra del Señor hizo proezas; la diestra del Señor me ha exaltado, triunfó la diestra del Señor.

17. No moriré, sino que viviré *aún*, y publicaré las obras del Señor.

18. Castigado me ha el Señor severamente; mas no me ha entregado a la muerte.

---

SAL. CXVII. — 1. Este salmo es a modo de un diálogo, en el que se considera David a la puerta del Templo convidando a todos a entrar en él para dar a Dios solemnes gracias por sus beneficios, y obtener su bendición para lo venidero.

19. Abridme ¡oh *sacerdotes!* las puertas *del Tabernáculo* de la justicia *y santidad;* y entrado en ellas tributaré gracias al Señor.

20. Esta es la puerta del Señor: por ella entrarán los justos.

21. *Aquí* te cantaré himnos de gratitud, por haberme oído y sido mi Salvador.

22. La piedra que desecharon los arquitectos, esa misma ha sido puesta por piedra angular del edificio.

23. El Señor es quien lo ha hecho, y es una cosa *sumamente* admirable a nuestros ojos.

24. Este es el día que ha hecho el Señor. Alegrémonos y regocijémonos en él.

25. ¡Oh Señor! sálvame: concede Señor, un próspero suceso.

26. Bendito sea el que viene en el Nombre del Señor. Os hemos echado *mil* bendiciones desde la casa del Señor.

27. El señor es Dios, y él nos ha alumbrado. Celebrad el día solemne *de los Tabernáculos:* celebradle con enramadas de árboles frondosos *que lleguen* hasta los lados del altar.

28. *¡Oh Señor!* tú eres mi Dios, y a ti tributaré acciones de gracias; tú eres mi Dios, y tu gloria ensalzaré. Tus alabanzas cantaré, porque me has oído, y te hiciste mi Salvador.

29. Alabad al Señor por ser *infinitamente* bueno, por ser eterna su misericordia.

## SALMO CXVIII

*Encomios de la Ley de Dios: oración para pedir a Dios la gracia de entenderla, amarla y observarla.*
*Aleluya.*

*Alef.* 1. Bienaventurados los que proceden sin mancilla, los que caminan según la ley del Señor.

2. Bienaventurados los que examinan con cuidado los testimonios del Señor *o su ley santa;* los que de todo corazón le buscan.

---

SAL. CXVIII. — 1. De los 176 versos que tiene este salmo no hay sino uno solo, que es el 122, en que con un nombre u otro no se haga mención de la Ley de Dios, a lo menos una vez; pero siempre con distinto motivo, o bajo diferente aspecto. Con doce nombres se habla de la Ley del Señor, que son *Ley, Camino, Testimonio, Precepto, Mandato, Dicho, Palabra, Juicios, Justicia, Justificaciones, Estatutos y Verdad.* Todos estos nombres significan una misma cosa, que es la *Ley del Señor:* bien que a algunos les parece que la significan de distinta manera.

3. Porque los que cometen la maldad, no andan por los caminos del Señor.

4. Tú ordenaste que se guarden exactísimamente tus mandamientos.

5. Ojalá que sean enderezados mis pasos a observar tus justísimas leyes.

6. Entonces no seré confundido, cuando tuviere fijos mis ojos en todos tus preceptos.

7. Con sincero corazón te alabaré, porque aprendí los juicios *o disposiciones* de tu justicia.

8. Observaré tus justos decretos: no me desampares jamás.

*Bet.* 9. ¿Cómo enmendará el tierno joven su conducta? Observando tus palabras *o preceptos.*

10. Yo te he buscado con todo mi corazón; no me dejes desviar de tus mandamientos.

11. Dentro de mi corazón deposité tus palabras, para no pecar contra ti.

12. Bendito eres tú ¡oh Señor! Enséñame tus justísimos preceptos.

13. Anunciado han mis labios todos los oráculos que han salido de tu boca.

14. Me he deleitado más que en todos los tesoros, en seguir el camino de tus preceptos.

15. Yo contemplaré tus mandamientos, y consideraré tus leyes.

16. Me deleitaré en tus preceptos, y no me olvidaré de tus palabras.

*Gimel.* 17. Concede esta gracia a tu siervo de que viva y guarde tus palabras.

18. Quita el velo a mis ojos, y contemplaré las maravillas de tu ley.

19. Peregrino soy yo sobre la tierra: no me ocultes tus preceptos.

20. Ardió mi alma en deseos de amar tu *santa* y justísima ley en todo tiempo.

21. Tú aterraste a los soberbios; malditos aquéllos que se desvían de tus mandamientos.

22. Líbrame del oprobio y del desprecio; pues he guardado *exactamente* tus testimonios.

23. Hasta los príncipes se pusieron muy de asiento a deliberar contra mí; mas tu siervo contemplaba tus justísimos mandamientos.

24. Porque tus decretos son la materia de mi meditación, y tus justas leyes mi *norte* o consejo.

*Dalet.* 25. Pegada está contra el suelo mi alma: vuélveme la vida según tu palabra.

26. Te expuse el estado de mi carrera, y me atendiste: amaéstrame en tus justísimas disposiciones.

27. Enséñame el camino de la *santidad y* justicia, y contemplaré tus maravillas.

28. Adormecióse de tedio el alma mía: comunícame vigor con tus palabras.

29. Aléjame de la senda de la iniquidad, y hazme la gracia de que viva según tu ley.

30. Escogido he el camino de la verdad; tengo siempre presentes tus juicios.

31. Me he apoyado, Señor, en los testimonios de tu ley: no permitas que me vea confundido.

32. Corrí gozoso por el camino de tus mandamientos, cuando tú ensanchaste mi corazón.

*He.* 33. Dame ¡oh Señor! por norma el camino de tus justísimos mandamientos, e iré siempre por él.

34. Dame inteligencia, y estudiaré atentamente tu ley, y la observaré con todo mi corazón.

35. Guíame por la senda de tus preceptos, pues ésa es la que deseo.

36. Inclina mi corazón a tus testimonios, y no le dejes ir en pos de la codicia.

37. Aparta mis ojos para que no miren la vanidad; haz que viva siguiendo tu camino *o ley santa.*

38. Haz que tu siervo se afirme en tu palabra, por medio de tu *santo* temor.

39. Aparta de mí el oprobio que yo he temido, pues que tus juicios son tan amables.

40. Mira como estoy enamorado de tus *santos* mandamientos: hazme vivir conforme a tu justicia.

*Vau.* 41. Y venga ¡oh Señor! sobre mí tu misericordia; venga a mí tu salvación, según tu promesa.

42. Y daré por respuesta a los que me zahieren, que tengo puesta mi esperanza en tus promesas.

43. Y nunca quites de mi boca la palabra de la verdad: ya que tanto he confiado en tus promesas.

44. Con eso observaré siempre tu ley, para siempre y por siglos y siglos.

45. Yo caminaré con libertad y sosiego: porque busqué tus mandamientos.

46. Y hablaré de tus testimonios delante de los reyes, y no me avergonzaré de ellos.

47. Y me recrearé en tus preceptos, objeto de mi amor.

**48.** Y alzaré mis manos hacia tus mandamientos, que he amado *siempre;* y meditaré tus justas disposiciones.

*Zain.* **49.** Acuérdate de la promesa que hiciste a tu siervo, con que me diste esperanza.

**50.** Ella me consoló en medio de mi humillación; y tu palabra me dió la vida.

**51.** Los soberbios me escarnecían hasta el extremo; pero yo no por eso me separé de tu ley.

**52.** Acordéme ¡oh Señor! de tus eternos juicios, y quedé consolado.

**53.** Desmayé de dolor, por causa de los pecadores que abandonaban tu ley.

**54.** En el lugar de mi destierro eran tus justísimos mandamientos el asunto de mis cánticos.

**55.** Durante la noche me acordaba de *invocar* tu Nombre, oh Señor; *y así* guardaba *exactamente* tu ley.

**56.** Esto pasó en mí, porque yo procuraba observar bien tus justísimos decretos.

*Het.* **57.** Yo dije: ¡Oh Señor! mi porción *de herencia* es el guardar tu *santa* ley.

**58.** Tu favor he implorado de todo mi corazón: apiádate de mí, según tu promesa.

**59.** He examinado mi vida, y enderezado mis pasos a la observación de tus mandamientos.

**60.** Resuelto estoy, y nadie me arredrará de cumplir tus preceptos.

**61.** Los lazos de los pecadores me rodean por todas partes; mas yo no me olvido de tu ley.

**62.** A media noche me levantaba a tributarte gracias por tus juicios llenos de justicia.

**63.** Yo entro a la parte, *o tengo sociedad* con todos los que te temen y observan tus mandamientos.

**64.** Llena está la tierra ¡oh Señor! de tus piedades. Amaéstrame en tus justísimos preceptos.

*Tet.* **65.** Usado has de bondad, oh Señor, con *éste* tu siervo, según tu promesa.

**66.** Enséñame la bondad, la doctrina y la sabiduría; pues que he creído tus preceptos.

**67.** Antes de ser yo humillado, pequé; mas ahora obedezco ya tu palabra.

**68.** Eres ¡oh Señor! infinitamente bueno: instrúyeme, pues, por tu bondad, en tus justísimas disposiciones.

**69.** Los soberbios han forjado mil calumnias contra mí; pero yo con todo mi corazón guardaré tus mandamientos.

**70.** Encrasóse su corazón como *sebo o* leche cuajada; mas yo me ocupo en meditar tu *santa* ley.

**71.** Bien me está que me hayas humillado; para que *así* aprenda tus justísimos preceptos.

**72.** Mejor es para mí la ley que salió de tu boca, que millones de oro y plata.

*Jod.* **73.** Tus manos, *Señor,* me hicieron, y me formaron: dame el *don de* entendimiento, y aprenderé tus mandamientos.

**74.** Veránme los que te temen, y se llenarán de gozo, porque puse toda mi esperanza en tus palabras.

**75.** Conocido he, Señor, que tus juicios son justísimos; y conforme a tu verdad me has humillado.

**76.** Venga, pues, la misericordia tuya a consolarme, según la palabra que diste a tu siervo.

**77.** Vengan sobre mí tus piedades, y viviré; puesto que tu ley es mi *dulce* meditación.

**78.** Confundidos sean los soberbios, por los inicuos atentados que han cometido contra mí: entre tanto yo meditaré tus mandamientos.

**79.** Reúnanse conmigo los que temen, y los que conocen tus *sagrados* testimonios.

**80.** Haz que mi corazón se conserve puro en *la práctica de* tus mandamientos, para que yo no quede confundido.

*Caf.* **81.** Desfallece mi alma, suspirando por la salud que de ti viene; mas yo *siempre* he esperado firmemente en tu palabra.

**82.** Desfallecieron mis ojos de tanto esperar tu promesa. ¿Cuándo será, *Señor,* decía yo, que me consolarás?

**83.** Porque me he quedado *seco y árido,* como un odre expuesto a la escarcha; *mas con todo,* no me he olvidado de tus justísimos preceptos.

**84.** ¡*Oh Señor!* ¿cuántos son los días de tu siervo? ¿Cuándo harás justicia de mis perseguidores?

**85.** Contáronme los impíos *mil* fábulas *y fruslerías:* ¡cuán diferente es todo esto de tu *santa* ley!

**86.** Todos tus preceptos son la verdad *pura.* Me han perseguido injustamente: socórreme tú ¡*oh Señor!*

---

**48.** Es difícil seguir todo este salmo, conservando en la traducción *literal* la letra que corresponde para que todo él salga *acróstico,* como en el original hebreo.

**87.** Poco faltó que no dieron conmigo en tierra ¡pero yo no abandoné *jamás* tus preceptos.

**88.** Vivifícame *¡oh Señor!* según tu misericordia; y observaré los mandamientos salidos de tu *divina* boca.

*Lamed.* **89.** Eternamente ¡oh Señor! permanece en los cielos tu palabra.

**90.** Tu verdad *durará* de generación en generación. Tú fundaste la tierra, y ella subsiste.

**91.** En virtud de tu ordenación continúa *el curso* de los días: pues todas las cosas te sirven.

**92.** A no haber sido tu ley el objeto de mi meditación, hubiera sin duda perecido en mi angustia.

**93.** Nunca jamás olvidaré tus justísimas instituciones; pues me diste en ellas la vida.

**94.** Tuyo soy yo, *Señor*, sálvame, pues que he investigado con ansia tus mandamientos.

**95.** Estuvieron los pecadores a la mira de mí para perderme: yo me dediqué *entonces* a estudiar tus *divinos* oráculos.

**96.** Tengo visto el fin de lo más perfecto y cumplido: sólo tu ley no tiene ningún término ni medida.

*Mem.* **97.** ¡Cuán amable me es tu ley, oh Señor! Todo el día es materia de mi meditación.

**98.** Con tu mandamiento *o ley divina* me hiciste superior en prudencia a mis enemigos; porque le tengo perennemente ante mis ojos.

**99.** He comprendido yo más que todos mis maestros, porque tus mandamientos son mi meditación *continua*.

**100.** Alcancé más que los ancianos, porque he ido investigando tus preceptos.

**101.** Desvié mis pies de todo mal camino, para obedecer tus palabras.

**102.** De tus estatutos no me he desviado, porque tú me lo prescribiste por ley.

**103.** ¡Oh cuán dulces son a mi paladar tus palabras! Más que la miel a mi boca.

**104.** De tus mandamientos saqué *gran* caudal de ciencia; por eso aborrezco toda senda de iniquidad.

*Nun.* **105.** Antorcha para mis pies es tu palabra; y luz para mis sendas.

**106.** Juré, y ratifiqué el observar tus justísimos decretos.

**107.** Abatido he sido, Señor, en gran manera: vivifícame según tu promesa.

**108.** Recibe ¡oh señor! con agrado los espontáneos sacrificios *de alabanza* que te ofrecen mis labios; y enséñame tus juicios.

**109.** Tengo siempre mi alma en la mano, *o en un hilo;* pero yo no me olvidé de tu ley.

**110.** Tendiéronme lazos los pecadores; pero yo no salí del camino de tus mandamientos.

**111.** He adquirido los testimonos *de tu ley,* para que sean eternamente mi patrimonio; pues son ellos la alegría de mi corazón.

**112.** Incliné mi corazón a la práctica perpetua de tus justísimos mandamientos, por la esperanza del galardón.

*Samec.* **113.** Aborrecí los impíos; y amé tu *santa ley.*

**114.** Tú eres, *Señor*, mi auxilio y amparo, y en tu palabra tengo puesta toda mi esperanza.

**115.** Retiraos de mí, malignos; yo me ocuparé en estudiar los mandamientos de mi Dios.

**116.** Acógeme, *Señor*, según tu promesa, y haz que yo viva, y no permitas que quede burlada mi esperanza.

**117.** Ayúdame, y seré salvo, y meditaré continuamente tus justos decretos.

**118.** Miraste con desprecio todos aquéllos que se desvían de tus preceptos; porque injusto es su modo de pensar.

**119.** Reputado he por prevaricadores a todos los pecadores de la tierra: por eso amé tus testimonios.

**120.** Traspasa con tu *santo* temor mis carnes, pues tus juicios me han llenado de espanto.

*Ain.* **121.** Ejercido he la rectitud y la justicia: no me abandones en poder de mis calumniadores.

**122.** Da la mano a tu siervo para obrar el bien; no me opriman con calumnias los soberbios.

**123.** Desfallecieron mis ojos, esperando me viniera de ti la salvación y el cumplimiento de tu palabra.

**124.** Trata a tu siervo conforme tu misericordia, y enséñame tus justísimos decretos.

**125.** Siervo tuyo soy yo: dame inteligencia para que comprenda tus preceptos.

**126.** Tiempo es, oh Señor, de obrar *con rigor: los soberbios* han echado por el suelo tu ley.

**127.** Por lo mismo he amado tus mandamientos más que el oro y los topacios.

**128.** Por eso me encaminé por la senda de todos tus preceptos, y he detestado todos los caminos de la iniquidad.

*Fe.* **129.** Admirables son tus testimonios: por eso los ha observado exactamente mi alma.

**130.** La explicación de tus palabras ilumina y da inteligencia a los pequeñuelos.

**131.** Abrí mi boca, y respiré; porque estaba anhelando en pos de tus mandamientos.

**132.** Vuelve hacia mí tus ojos, y mírame con piedad, según sueles hacerlo con los que aman tu Nombre.

**133.** Endereza mis pasos según la norma de tus palabras, y haz que no reine en mí injusticia ninguna.

**134.** Líbrame de las calumnias de los hombres, para que yo cumpla tus mandamientos.

**135.** Haz brillar sobre tu siervo la luz de tu *divino* rostro; y enséñame tus justísimos decretos.

**136.** Arroyos de lágrimas han derramado mis ojos, por no haber observado tu *santa* ley.

*Sade.* **137.** Justo eres, oh Señor, y rectos son tus juicios.

**138.** Recomendaste estrechamente la observancia de tus preceptos, que son la misma justicia y verdad.

**139.** Mi celo me ha hecho consumir *de dolor,* porque mis enemigos se han olvidado de tus palabras.

**140.** Acendrada en extremo es tu palabra, y está tu siervo enamorado de ella.

**141.** Pequeñuelo soy yo, y de poca estima; *mas* no he puesto en olvido tus justísimos oráculos.

**142.** Tu justicia es eterna justicia, y tu ley la verdad *misma.*

**143.** Sorprendiéronme las tribulaciones y angustias: tus mandamientos son mi *dulce* meditación.

**144.** Llenos están de eterna justicia los testimonios *de tu ley:* dame la inteligencia de ellos, y tendré vida.

*Cof.* **145.** Clamé de todo mi corazón: escúchame ¡oh Señor! Haz que yo vaya en pos de tus justísimos preceptos.

**146.** A ti clamé *diciendo:* Sálvame *de la tentación,* para que yo observe tus mandamientos.

**147.** Me anticipé y clamé muy de mañana: porque esperé firmemente en tus palabras.

**148.** Antes de amanecer dirigiéronse hacia ti mis ojos para meditar tu ley.

**149.** Escucha, Señor, mi voz según tu misericordia, y vivifícame conforme lo has prometido.

**150.** Arrimáronse a la iniquidad mis perseguidores, y alejáronse de tu ley.

**151.** Cerca estás *de mí* ¡oh Señor! y todos tus caminos son la verdad *misma.*

**152.** Desde el principio conocí que has establecido tus preceptos para que subsistan eternamente.

*Res.* **153.** Mira, Señor, mi abatimiento y líbrame; pues no me he olvidado de tu ley.

**154.** Sentencia tú mi causa, y libértame; por respeto a tu palabra vuélveme la vida.

**155.** Lejos está de los pecadores la salvación; porque no han cuidado de *obedecer* tus justísimos preceptos.

**156.** Tus misericordias, Señor, son muchas: vivifícame según tu promesa.

**157.** Muchos son los que me persiguen y atribulan; *pero* yo no me he desviado de tus mandamientos.

**158.** Veíalos prevaricar, y me consumía de *dolor;* al ver que no hacían caso de tus palabras.

**159.** Mira ¡oh Señor! cuánto he amado tus mandamientos; por tu misericordia otórgame la vida.

**160.** El principio *o suma* de tus palabras es la verdad; eternas son todas las disposiciones *o promesas* de tu justicia.

*Sin.* **161.** Sin causa ninguna me han perseguido los príncipes; mas mi corazón ha temido *siempre* tus palabras.

**162.** Alegrarme he en tus promesas; como quien halla en ellas ricos despojos.

**163.** Aborrecí la injusticia, la detesté; y he amado tu *santa* ley.

**164.** Siete veces al día te tributé alabanzas por los oráculos de tu justicia.

**165.** Gozan de suma paz los amadores de tu ley, sin que hallen tropiezo alguno.

**166.** Yo esperaba, Señor, la salud que de ti viene; y *entre tanto* amaba tus mandamientos.

**167.** Mi alma ha guardado tus preceptos, y los ha amado ardientemente.

**168.** He observado tus mandamientos y *sagrados* testimonios; porque *sabía que* todas mis acciones están presentes a tus ojos.

*Tau.* **169.** Lleguen ¡oh Señor! a tu presencia mis plegarias: conforme a tu promesa dame *el don de* entendimiento.

---

**131.** *Respiré: tomé huelgo o aliento.*
**141.** I. *Reg.* XVI, *v.* 11.

**164.** Quizá de aquí traen origen las *siete horas canónicas* del rezo eclesiástico.

170. Penetren mis ruegos hasta llegar ante tu acatamiento; líbrame *del mal*, según tu palabra.

171. Rebosarán mis labios en himnos de alabanza, cuando tú me habrás enseñado tus justísimos oráculos.

172. Mi lengua anunciará tu palabra; porque todos tus preceptos son la *misma* equidad.

173. Extiende tu mano para salvarme; pues yo he preferido a todo tus mandamientos.

174. ¡Oh Señor! Ardientemente he deseado la salud que de ti viene, y tu ley es el objeto *continuo* de mi meditación.

175. Vivirá mi alma, y te alabará; y tus juicios serán mi apoyo *y defensa*.

176. He andado errante como una oveja descarriada: ven a buscar a tu siervo, porque no me he olvidado *¡oh Señor!* de tus mandamientos.

## SALMO CXIX

*El justo en su destierro pide a Dios que le libre de las calumnias y crueldades de sus enemigos; y suspira por la patria celestial.*

1. *Cántico de los grados, o gradual.*
Clamé al Señor en mi tribulación, y me atendió.

2. Libra ¡oh Señor! mi alma de los labios inicuos y de la lengua dolosa.

3. ¿Qué se te dará, o qué fruto sacarás *de tus calumnias*, oh lengua fraudulenta?

4. *El ser traspasado con* agudas saetas, vibradas por una mano robusta, *y ser arrojada* en un fuego devorador.

5. ¡Ay de mí, que mi destierro se ha prolongado! Habitado he entre los moradores de Cedar.

6. Largo tiempo ha estado mi alma peregrinando.

7. Yo era pacífico con los que aborrecían la paz; pero ellos, así que les hablaba, se levantaban contra mí sin motivo alguno.

## SALMO CXX

*El hombre fiel a Dios tiene seguro su auxilio en los peligros que le asaltan durante su viaje a la patria celestial.*

*Cántico gradual.*
1. Alcé mis ojos hacia los montes *de Jerusalén*, de donde me ha de venir el socorro.

2. Mi socorro viene del Señor que creó el cielo y la tierra.

---

5. O bárbaros sarracenos, que van divagando sin morada fija.

3. No permitirá que resbalen tus pies, *oh alma mía*, ni se adormecerá aquél que te está guardando.

4. No por cierto, no se adormecerá, ni dormirá el que guarda a Israel.

5. El Señor es el que te custodia; el Señor está a tu lado para defenderte.

6. Ni de día el sol te quemará, ni de noche *te dañará* la luna.

7. El Señor te preservará de todo mal. Guardará el Señor tu alma.

8. El Señor te guardará en todos los pasos de tu vida, desde ahora y para siempre.

## SALMO CXXI

*Bajo la alegoría de los que iban a visitar el Templo del Señor en Jerusalén en las tres fiestas solemnes del año, y publicaban las excelencias de aquella ciudad santa, se representan las alabanzas de la Iglesia de Jesucristo y de la celestial Jerusalén.*

1. *Cántico gradual.*
Gran contento tuvo cuando se me dijo: Iremos a la casa del Señor.

2. En tus atrios descansarán nuestros pies ¡oh Jerusalén!

3. Jerusalén, la cual se va edificando como una ciudad, cuyas partes *o habitantes* están en perfecta y mutua unión.

4. Allá subirán las tribus, todas las tribus del Señor, según la ordenanza *dada* a Israel, para tributar alabanzas al Nombre del Señor.

5. Allí se establecerán los tribunales para ejercerse la justicia, el trono para la casa de David.

6. Pedid *a Dios* los bienes de la paz para Jerusalén, *y decid:* Vivan en la abundancia los que te aman *¡oh ciudad santa!*

7. Reine la paz dentro de tus muros, y la abundancia en tus torres *o palacios*.

8. Por amor de mis hermanos y de mis prójimos, he pedido yo la paz *y prosperidad* para ti.

9. Por respeto a la casa del Señor Dios nuestro te procuraré *tantos* bienes.

## SALMO CXXII

*El justo, afligido por los mundanos, levanta sus ojos a Dios de sólo el cual espera el remedio.*

*Cántico gradual.*
1. A ti, *Señor*, que habitas en los cielos, levanté mis ojos.

2. Como los ojos de los siervos están mirando siempre las manos *o insinuaciones* de sus amos; como la esclava tiene fijos sus ojos en las manos de su señora; así nuestros ojos están clavados en el Señor Dios nuestro, para *moverle a* que se apiade de nosotros.

3. Apiádate, Señor, ten misericordia de nosotros, porque estamos muy hartos de oprobios

4. Llena de ellos está nuestra alma, hecha la mofa de los ricos y el escarnio de los soberbios.

## SALMO CXXIII

*El pueblo de Israel bendice al Señor, porque sola su protección pudo haberle libertado de sus fieros enemigos.*

**1.** *Cántico gradual.*
A no haber estado el Señor con nosotros, confiéselo ahora Israel,

**2.** A no haber estado el Señor a favor nuestro, cuando arremetieron las gentes contra nosotros,

**3.** Nos hubieran sin duda tragado vivos.

**4.** Hubiérannos infaliblemente sumergido las aguas, entonces que se inflamó su furor contra nosotros.

**5.** *Pero* ha vadeado nuestra alma el torrente. Seguramente no hubiera podido vadear unas aguas tan profundas.

**6.** Bendito sea el Señor, que no permitió que fuésemos presa de sus *rabiosos* dientes.

**7.** Nuestra alma, *o vida,* escapó cual pájaro del lazo de los cazadores; fué roto el lazo, y nosotros quedamos libres.

**8.** Nuestro socorro viene del Nombre del Señor, criador del cielo y de la tierra.

## SALMO CXXIV

*La confianza que el justo tiene en Dios es inexpugnable. Ruina de los malos.*

**1.** *Cántico gradual.*
Los que ponen en el Señor su confianza estarán *firmes* como el monte de Sión: nunca jamás será derrocado el morador

**2.** De Jerusalén. Circuida está Jerusalén de montes, y el Señor es el antemural de su pueblo, desde ahora y para siempre.

**3.** Porque no dejará el Señor sujeto *por largo tiempo* al dominio de los pecadores el linaje de los justos; para que *agobiados* no se echen al partido de la iniquidad.

**4.** Bendice, oh Señor, a los buenos y a los rectos de corazón.

**5.** Pero a los que se desvían por caminos torcidos, envolverlos ha el Señor con los malhechores. La paz *de Dios* estará sobre Israel.

## SALMO CXXV

*Los judíos cautivos de Babilonia, y en figura de ellos la Iglesia, piden su libertad por Jesucristo.*

**1.** *Cántico gradual.*
Cuando el Señor hará volver a Sión los cautivos, será indecible nuestro consuelo.

**2.** Entonces rebosará de gozo nuestra boca, y de júbilo nuestra lengua. Diráse entonces entre las naciones: Grandiosas cosas ha hecho por ellos el Señor.

**3.** *Sí,* cosas grandes ha obrado el Señor a favor nuestro: inundados estamos de gozo.

**4.** *Pero,* Señor, libra de la esclavitud a los *demás de* nuestros *hermanos* cautivos; *vuelvan* como torrentes al soplo del mediodía.

**5.** Aquéllos que sembraban con lágrimas, segarán llenos de júbilo.

**6.** Cuando iban, esparcían llorando sus semillas; mas cuando vuelvan, vendrán con gran regocijo, trayendo las gavillas *de sus mieses.*

## SALMO CXXVI

*Nada podemos sin el auxilio y la bendición de Dios; faltando ésta, es inútil en cualquier empresa toda diligencia e industria humana.*

**1.** *Cántico gradual de Salomón.*
Si el Señor no es el que edifica la casa, en vano se fatigan los que la fabrican. Si el Señor no guarda la ciudad, inútilmente se desvela el que la guarda.

**2.** En vano será el levantarnos antes de amanecer; levantaos después de haber descansado, *y acudid al Señor* los que coméis pan de lágrimas. Mientras concede *Dios* el sueño *y reposo* a sus amados,

---

SAL. CXXV. — 4. El viento del *mediodía* es el que derritiendo las nieves forma los torrentes.

6. *Trayendo las gavillas:* metáfora, que alude a los sudores y afanes del labrador antes de recoger el fruto de la simiente, y a su gozo cuando recoge una abundante cosecha.

SAL. CXXVI. — 2. Si Dios no bendice vuestras fatigas, en vano madrugáis para buscar vuestro sustento. Buscad primero a Dios, y todo lo demás se os dará por añadidura. — Véase *Luc.* XII, v. 31.

**3.** He aquí que les viene del Señor la herencia, los hijos, las ganancias y las crías *de los ganados.*

**4.** Como las flechas en mano de un hombre robusto, así los hijos de los *justos* atribulados.

**5.** Dichoso aquel varón que ve cumplidos sus deseos con respecto a tales hijos: no quedará confundido cuando hubiera de tratar con sus enemigos en las puertas *o tribunales.*

## SALMO CXXVII

*Frutos del temor de Dios.*

**1.** *Cántico gradual.*
Bienaventurados todos aquéllos que temen al Señor, que andan por sus *santos* caminos.

**2.** *Dichoso tú ¡oh justo!* porque comerás *en paz* el fruto del trabajo de tus manos; dichoso serás, y todo te irá bien.

**3.** Tu esposa será como una parra fecunda en el recinto de tu casa; al rededor de tu mesa estarán tus hijos como pimpollos de olivos.

**4.** Tales serán las bendiciones del hombre que teme al Señor.

**5.** El Señor te bendiga desde Sión, para que contemples los bienes de Jerusalén, *y disfrutes de ellos* todos los días de tu vida,

**6.** Y veas a los hijos de tus hijos y la paz de Israel.

## SALMO CXXVIII

*El Profeta exhorta a los hijos de Israel a alabar al Señor por la protección que les ha concedido.*

**1.** *Cántico gradual.*
Muchas veces me han asaltado *los enemigos* desde mi tierna edad; dígalo ahora Israel.

**2.** Muchas veces me han asaltado desde mi tierna edad, pero no han podido conmigo.

**3.** Sobre mis espaldas descargaron *rudos* golpes los pecadores; por largo tiempo *me* hicieron sentir su injusticia *o tiranía.*

**4.** El Señor empero que es justo ha cortado la cabeza a los pecadores.

---

3. Aquí hay una especie de proverbio para significar que los siervos de Dios alcanzan sin grandes fatigas lo necesario para su sustento; lo cual no sucede muchas veces a los malvados.

**5.** Confundidos sean, y puestos en fuga todos los que aborrecen a Sión.

**6.** Sean como yerba de tejados, la cual antes de ser arrancada se seca;

**7.** De la que nunca llenó su puño el segador, ni sus brazos el que recoge los manojos;

**8.** Ni dijeron los pasajeros: La bendición del Señor continúe sobre vosotros: os la deseamos en el Nombre del Señor.

## SALMO CXXIX

*El verdadero penitente confiesa sus pecados, y espera el perdón de la misericordia de Dios.*

**1.** *Cántico gradual.*
Desde lo más profundo clamé a ti ¡oh Señor!

**2.** Oye, Señor, benignamente mi voz. Estén atentos tus oídos a la voz de mis plegarias.

**3.** Si te pones a examinar, Señor, nuestras maldades, ¿quién podrá subsistir ¡oh Señor! *en tu presencia?*

**4.** Mas en ti se halla *como de asiento* la clemencia: y en vista de tu ley he confiado en ti ¡oh Señor! En la promesa del Señor se ha apoyado mi alma.

**5.** En el Señor ha puesto su esperanza.

**6.** Desde el amanecer hasta la noche espere Israel en el Señor.

**7.** Porque en el Señor está la misericordia, y en su mano tiene una redención abundantísima.

**8.** Y él es el que redimirá a Israel de todas sus iniquidades.

## SALMO CXXX

*David pone a Dios por testigo de que su corazón estaba libre del orgullo y ambición que le imputaban.*

**1.** *Cántico gradual de David.*
¡Oh Señor! No se ha engreído mi corazón, ni mis ojos se han mostrado altivos. No he aspirado a cosas grandes, ni a cosas elevadas sobre mi capacidad.

**2.** Si yo no he sentido bajamente de mí, sino que al contrario se ha ensoberbecido mi ánimo, como el niño recién destetado está *penando* en los brazos de su madre, tal sea la pena dentro de mi corazón.

**3.** Espere Israel en el Señor, desde ahora y por siempre jamás.

## SALMO CXXXI

*Ruega el pueblo a Dios que restaure su reino por medio del Mesías.*

**1.** *Cántico gradual.*
Acuérdate de David ¡oh Señor! y de toda su *gran* mansedumbre;

**2.** De cómo juró al Señor, e hizo voto al Dios de Jacob, *diciendo:*

**3.** No me meteré yo al abrigo de mi casa; no subiré a reposar en mi lecho,

**4.** No pegaré mis ojos, ni cerraré mis párpados,

**5.** Ni reclinaré mis sienes hasta que tenga una habitación para el Señor, un tabernáculo para el Dios de Jacob.

**6.** Nosotros hemos oído, que *su morada* estaba *antes* en *Silo, tierra de* Efrata: la hallamos *después* en *Cariatiarim* o Campos de la Selva.

**7.** Entraremos, *pues,* en su pabellón, adoraremos la peana de sus pies, *y le diremos:*

**8.** ¡Oh Señor! Levántate, y ven al lugar de tu morada, tú y el Arca *en que brilla* tu santidad.

**9.** Revístanse de justicia o *santidad* tus sacerdotes, y regocíjense tus santos.

**10.** Por amor de David, siervo tuyo, no apartes tu rostro de tu ungido.

**11.** Juró el Señor a David esta promesa, que no retractará: Colocaré sobre tu trono a tu descendencia.

**12.** Con tal que tus hijos sean fieles a mi alianza y a los preceptos que yo les enseñaré, aun los hijos de éstos ocuparán tu trono para siempre.

**13.** Porque el Señor ha escogido para sí a Sión: la ha elegido para habitación suya, *diciendo:*

**14.** Este es para siempre el lugar de mi reposo; aquí habitaré, porque éste es el sitio que me he escogido.

**15.** Colmaré de bendiciones a sus viudas; hartaré de pan a sus pobres.

**16.** Revestiré a sus Sacerdotes de santidad; y sus santos o *fieles siervos* saltarán de júbilo.

**17.** Aquí haré florecer el cetro de David; preparada tengo una antorcha a mi ungido.

---

**SAL. CXXXI.** — 6. Hipérbole o modo de expresar con exageración la grande solicitud y empeño de David en construir el Templo.

6. *Reg.* VIII, *v.* 2.

8. *Morada:* al Templo fabricado en Jerusalén II *Paralip.* VI, *v.* 41.

11. I *Reg.* VII, *v.* 12.

17. Es a saber: *El Mesías que nacerá de su linaje para iluminar al mundo. Matth.* III. — *Luc.* I, *v.* 69.

**18.** A sus enemigos los cubriré de oprobio; mas en él brillará *la gloria de* mi *propia* santidad.

## SALMO CXXXII

*Compárase el placer que causan la concordia y caridad fraternal con la fragancia del bálsamo precioso.*

**1.** *Cántico gradual de David.*
¡Oh cuán buena y cuán dulce cosa es el vivir los hermanos en mutua unión!

**2.** Es como el *oloroso* perfume, que derramado en la cabeza, va destilando por la respetable barba de Aarón, y desciende hasta la orla de su vestidura;

**3.** Como el rocío que cae sobre el monte Hermón, como el que desciende sobre el monte Sión. Pues allí *donde reina la concordia*, derrama el Señor sus bendiciones y vida sempiterna.

## SALMO CXXXIII

*Exhortación a los ministros del Señor para que le alaben.*

**1.** *Cántico gradual.*
Ea, *pues,* bendecid al Señor ahora *mismo,* vosotros todos ¡oh siervos del Señor! Vosotros los que asistís en la casa del Señor, en los atrios del templo de nuestro Dios,

**2.** Levantad por las noches vuestras manos hacia el Santuario, y alabad al Señor.

**3.** Bendígate desde Sión el Señor que crió el cielo y la tierra.

## SALMO CXXXIV

*Se dan gracias a Dios por haber escogido a Israel por pueblo suyo, y se demuestra la vanidad de los ídolos.*

**1.** *Aleluya.*
Alabad el nombre del Señor; tributadle alabanzas vosotros, siervos suyos

**2.** Que asistís en la casa del Señor, en los atrios del templo de nuestro Dios.

**3.** Alabad al Señor, porque el Señor es *infinitamente* bueno; cantad himnos a su *excelso* Nombre, porque es *sumamente* suave.

---

**SAL. CXXXII.** — 3. Puede traducirse: *Como el rocío que cae sobre el monte Hermón, que desciende hasta el monte Tsión.* Teniendo presente que *Tsión* es distinto del monte *Sión,* y como una colina inferior al alto *Hermón,* se quita la dificultad principal de la distancia del *Hermón* al *Sión,* que se alega contra esta última versión.

4. Por cuanto el Señor ha escogido para sí a Jacob; a Israel, para propiedad suya.

5. Porque yo tengo *bien* conocido que el Señor es grande, y que nuestro Dios es sobre todos los dioses.

6. Todas cuantas cosas quiso, ha hecho el Señor; así en el cielo como en la tierra, en el mar y en todos los abismos.

7. El hace venir las nubes de la extremidad de la tierra: y convierte en lluvias los relámpagos. El es el que hace salir los vientos de sus depósitos;

8. El que hirió de muerte a los primogénitos de Egipto, sin perdonar a hombre ni bestia,

9. E hizo señales y prodigios en medio de ti ¡oh Egipto! contra Faraón y todos sus vasallos.

10. El que destrozó muchas naciones, y quitó la vida a reyes poderosos;

11. A Sehón, rey de los Amorreos, y a Og, rey de Basán; y *destruyó* a todos los reinos de los Cananeos.

12. Y dió la tierra de éstos en herencia, en herencia a Israel pueblo suyo.

13. ¡Oh Señor! Tu Nombre subsistirá eternamente: la memoria de ti, Señor, pasará de generación en generación.

14. Porque el Señor hará justicia a su pueblo, y será propicio con sus siervos.

15. Los ídolos de las naciones *no* son *más que* oro y plata, hechura de manos de hombres.

16. Tienen boca, pero no hablarán; ojos, mas no verán;

17. Orejas tienen y no oirán, pues no hay aliento o *espíritu* de vida en su boca.

18. Semejante sean a ellos los que los fabrican, y cuantos en ellos ponen su confianza.

19. ¡Oh casa de Israel! Bendice al Señor; bendice al Señor, casa de Aarón.

20. Casa de Leví, bendice al Señor. Vosotros *todos* los que teméis al Señor, bendecid al Señor *eternamente.*

21. Bendígase al Señor desde Sión: *al Señor* que habita en Jerusalén.

## SALMO CXXXV

*Exhortación a alabar a Dios por los grandes beneficios hechos a su pueblo.*

1. *Aleluya.*
Alabad al Señor, porque es *infinitamente bueno;* porque es eterna su misericordia.

2. Alabad al Dios de los dioses; porque es eterna su misericordia.

3. Alabad al Señor de los señores; porque es eterna su misericordia.

4. Al único que obra grandes maravillas; porque es eterna su misericordia.

5. Al que con *su* sabiduría creó los cielos; porque es eterna su misericordia.

6. Al que afianzó la tierra sobre las aguas; porque es eterna su misericordia.

7. Al que hizo los grandes luminares; porque es eterna su misericordia;

8. El sol para presidir el día; porque es eterna su misericordia;

9. La luna y estrellas para presidir a la noche; porque es eterna su misericordia.

10. Al que hirió de muerte al Egipto en sus primogénitos; porque es eterna su misericordia.

11. Al que sacó a Israel de en medio del Egipto; porque es eterna su misericordia.

12. Ejecutándolo con mano poderosa y brazo levantado; porque es eterna su misericordia.

13. Al que dividió en dos partes el mar Rojo; porque es eterna su misericordia;

14. Y condujo a Israel por en medio sus aguas; porque es eterna su misericordia;

15. Y sumergió a Faraón y a *su* ejército en el mar Rojo; porque es eterna su misericordia.

16. Al que guió a su pueblo por el Desierto; porque es eterna su misericordia.

17. Al que hirió o *derribó* a los grandes reyes; porque es eterna su misericordia.

18. Al que mató a reyes valerosos; porque es eterna su misericordia;

19. A Sehón, rey de los Amorreos; porque es eterna su misericordia;

20. Y a Og, rey de Basán; porque es eterna su misericordia;

21. Y dió la tierra de ellos en herencia; porque es eterna su misericordia;

22. En herencia a Israel siervo suyo; porque es eterna su misericordia.

23. Al que se acordó de nosotros en nuestro abatimiento; porque es eterna su misericordia;

24. Y nos rescató del poder de nuestros enemigos; porque es eterna su misericordia.

25. Al que da el alimento a todos los vivientes; porque es eterna su misericordia.

---

SAL. CXXXV. — 1. Se cree que las palabras: *Porque es eterna su misericordia,* eran como la respuesta que daba el pueblo a la exhortación del que cantaba: a la manera de la que se da en las letanías que se cantan en la Iglesia.

**26.** Bendecid, *pues,* al Dios del cielo; porque es eterna su misericordia. Bendecid al Señor de los señores; porque es eterna su misericordia.

## SALMO CXXXVI

*Los cautivos suspiran por su patria. Profecía de la caída de Babilonia. Salmo de David para Jeremías.*

**1.** En las márgenes de los ríos *del país* de Babilonia, allí nos sentábamos, y nos poníamos a llorar, acordándonos de *ti ¡oh* Sión!

**2.** Allí colgamos de los sauces nuestros músicos instrumentos.

**3.** Los mismos que nos habían llevado esclavos, nos pedían que les cantásemos *nuestros* cánticos; los que nos habían arrebatado *de nuestra patria,* decían: Cantadnos algún himno de los que cantabais en Sión.

**4.** ¿Cómo hemos de cantar los cánticos del Señor, *les respondíamos,* en tierra extraña?

**5.** ¡Ah! Si me olvidare yo de ti, oh Jerusalén, entregada sea al olvido, *seca quede* mi mano diestra.

**6.** Pegada quede al paladar la lengua mía, si no me acordare de ti, *oh Sión santa;* si no me propusiere a Jerusalén por el primer objeto de mi alegría.

**7.** Acuérdate, ¡oh Señor! de los hijos de Edom, los cuales en el día *de la ruina* de Jerusalén decían: Arrasadla hasta los cimientos.

**8.** ¡Desventurada hija, *o ciudad,* de Babilonia! Afortunado sea aquél que te diere el pago de lo que nos has hecho tú padecer a nosotros.

**9.** Dichoso sea aquél que ha de tomar *algún día* en sus manos a tus chiquitos, y estrellarlos contra una peña.

## SALMO CXXXVII

*David da gracias a Dios por haberle oído, y convida a que adoren al Señor todos los reyes de la tierra.*

**1.** *Del mismo David.*
Te alabaré, Señor, con todo mi corazón; porque oíste las peticiones de mi boca. En presencia de los Angeles te cantaré himnos.

**2.** Te adoraré en tu santo templo, y tributaré alabanzas a tu Nombre, por la misericordia y verdad *de tus promesas,* con que has

---

SAL. CXXXI. — 9. *Contra una peña:* tal destrozo te aguarda.

---

engrandecido sobre todas las cosas tu Nombre santo.

**3.** En cualquier día que te invocare, óyeme benigno; tú aumentarás la fortaleza de mi alma.

**4.** Alábente ¡oh Señor! todos los reyes de la tierra, ya que han oído todas las palabras de tu boca.

**5.** Y celebren las disposiciones del Señor, visto que la gloria del Señor es *tan* grande.

**6.** Porque siendo el Señor, *como es,* altísimo, pone los ojos en las criaturas humildes y mira como lejos de sí a las altivas.

**7.** Si me hallare, *oh Señor,* en medio de la tribulación, tú me animarás, porque extendiste tu mano contra el furor de mis enemigos, y me salvó tu *poderosa* diestra.

**8.** El Señor tomará mi defensa. Eterna es, ¡oh Señor!, tu misericordia: no deseches las obras de tus manos.

## SALMO CXXXVIII

*Particular y admirable providencia de Dios sobre los justos. Dios todo lo ve, y a todo provee. Los impíos perecerán.*

**1.** *Para el fin. Salmo de David.*
¡Oh Señor! tú has hecho prueba de mí, y me tienes *bien conocido.*

**2.** Tú sabes cuánto hago, ora esté quieto, ora andando.

**3.** De lejos penetras mis pensamientos; averiguaste mis pasos y mis medidas.

**4.** Tú previste todas las acciones de mi vida: *todo lo sabes,* aunque mi lengua no pronuncie palabra.

**5.** Todo lo conoces, Señor, lo pasado y lo venidero; tú me formaste, y pusiste sobre mí tu mano *bienhechora.*

**6.** Admirable se ha mostrado tu sabiduría en mi *creación;* se ha remontado tanto, que es superior a mi alcance.

**7.** ¿A dónde iré yo que me aleje de tu espíritu? ¿Y a dónde huiré que me aparte de tu presencia?

**8.** Si subo al cielo, allí estás tú; si bajo al abismo, allí te encuentro.

**9.** Si al rayar el alba me pusiere alas, y fuere a posar en el último extremo del mar,

**10.** Allá igualmente me conducirá tu mano, y me hallaré bajo el poder de tu diestra.

**11.** Tal vez, dije yo, las tinieblas me podrán ocultar; mas la noche se convertirá en claridad para descubrirme en medio de mis placeres.

12. Porque las tinieblas no son oscuras para ti, y la noche es clara como el día: oscuridad y claridad son para ti una misma cosa.

13. Tú eres dueño de mis afectos; desde el vientre de mi madre me has tomado por tu cuenta.

14. Alabarte he, *Señor*, a vista de tu estupenda grandeza; maravillosas son *todas* tus obras, de cuyo conocimiento está penetrada *toda* mi alma.

15. No te son desconocidos mis huesos formados ocultamente, ni la sustancia mía formada en las entrañas de la tierra.

16. Todavía era yo un embrión *informe*, y ya me distinguían tus ojos; todos *los mortales* están escritos en tu libro: irán y vendrán días; y ninguno dejará de ser escrito.

17. Mas yo veo, Dios *mío*, que tú has honrado sobremanera a tus amigos: su imperio ha llegado a ser sumamente poderoso.

18. Póngome a contarlos, y veo que son más que las arenas *del mar;* me levanto, y me hallo todavía contigo.

19. ¿No acabarás, oh Dios, con los pecadores? ¡Oh hombres sanguinarios! retiraos de mí,

20. Vosotros que andáis diciendo en vuestro corazón: En vano se hará dueño *Israel* de tus ciudades.

21. ¿No es así, Señor, que yo he aborrecido a los que te aborrecían? ¿Y no me consumía interiormente por causa de tus enemigos?

22. Odiábalos con odio extremado, y los miré como a enemigos míos.

23. Pruébame ¡oh Dios mío! y sondea mi corazón; examíname y reconoce mis pasos.

24. Mira si hay en mí algún proceder vicioso, y condúceme por el camino de la eternidad.

## SALMO CXXXIX

*Pide a Dios amparo contra sus enemigos, cuya ruina predice.*

1. *Para el fin. Salmo de David.*

2. Líbrame ¡oh Señor! del hombre malvado, líbrame del hombre perverso.

3. Aquéllos que maquinaban *mil* iniquidades en su interior, todo el día están armándo*me* contiendas.

4. Aguzaron sus lenguas viperinas; veneno de áspides es lo que tienen debajo de ellas.

5. Defiéndeme, Señor, de las manos del pecador; y líbrame de los hombres inicuos, que intentan dar conmigo en tierra.

6. Un lazo oculto me armaron los soberbios; extendieron sus redes para sorprenderme; pusiéronme tropiezos junto al camino.

7. *Mas* yo dije al Señor: Tú eres mi Dios: escucha ¡oh Señor!'la voz de mi *humilde* súplica.

8. ¡Señor, Señor! de cuya fortaleza depende mi salvación, tú pusiste a cubierto mi cabeza en el día del combate.

9. No me entregues, Señor, contra mi deseo en manos del pecador. Maquinado han *los impíos* contra mí: no me desampares tú, no sea que triunfen.

10. El resultado principal de sus artificios *o enredos,* toda la malignidad de sus labios vendrá a descargar contra ellos mismos.

11. Caerán sobre ellos ascuas *o rayos del cielo;* tú los precipitarás en el fuego, y perecerán abrumados de desastres.

12. El hombre deslenguado no medrará en la tierra; el hombre injusto no espere sino un fin desdichado.

13. Yo sé de cierto que el Señor tomará a su cargo la causa del desvalido y la venganza de los pobres.

14. Y así los justos glorificarán *eternamente* tu *santo* Nombre, y los hombres de probidad gozarán de la vista de tu *divina* cara.

## SALMO CXL

*Pide a Dios la paciencia en las tribulaciones, y que le defienda de sus enemigos.*

1. *Salmo de David.*

Señor, a ti he clamado, óyeme benigno; atiende a mi voz, cuando hacia ti la dirijo.

2. Ascienda mi oración ante tu acatamiento, como el *olor* del incienso; sea la elevación de mis manos *tan acepta,* como el sacrificio de la tarde.

3. Pon, Señor, una guardia en mi boca, y un candado que cierre enteramente mis labios.

4. No permitas que se deslice mi corazón a palabras maliciosas, para pretextar excusas en los pecados, como hacen los hombres malvados: en sus delicias no quiero tener parte.

5. El justo me corregirá y reprenderá con *caridad y* misericordia; pero nunca llegará a ungir con bálsamo mi cabeza el pecador. Porque mis oraciones se dirigirán siempre contra sus antojos.

---

SAL. CXXXIX. — 8. *Poderosa salvación mía, o por cuya virtud espero salvarme.*

SAL. CXL. — 2. *Incienso:* que diariamente se te ofrece en el Templo.

**6.** Perecerán sus caudillos, estrellándose contra las peñas. Oirán cómo han sido eficaces mis palabras.

**7.** Al modo que en el campo se desmenuza el grueso terrón, así fueron desencajados nuestros huesos; estuvimos a punto de morir.

**8.** Pero, Señor, pues que mis ojos están levantados hacia ti, ¡oh Señor! pues que en ti he esperado, no me quites la vida.

**9.** Guárdame de los lazos que me han armado, y de las emboscadas de esa malvada gente.

**10.** Caerán los pecadores en sus mismas redes, mientras que yo pasaré libre *y seguro.*

## SALMO CXLI

*Oración del justo en el mayor conflicto. Conviene a Cristo y a la Iglesia.*

**1.** *Salmo de inteligencia de David. Su oración cuando estaba en la cueva.*

**2.** Alcé mi voz para clamar al Señor; al Señor dirigí los clamores de mi plegaria.

**3.** Derramo en su presencia mi oración, y le presento la *extrema* tribulación mía.

**4.** Está ya para desfallecer mi espíritu; y tú, *Señor,* conoces bien el *recto* proceder mío. En este camino, por donde yo andaba, me tendieron ocultos lazos.

**5.** Pensativo miraba si se ponía alguno a mi derecha *para defenderme;* pero nadie dió a entender que me conociese. Halléme sin poder huir, y sin nadie que mirase por mi vida.

**6.** Clamé a ti, oh Señor, diciendo: Tú eres la *única* esperanza mía, *mi porción* en la *dichosa* tierra de los vivientes.

**7.** Atiende a mi humilde súplica, porque me hallo sumamente abatido. Líbrame de los que me persiguen, porque son más fuertes que yo.

**8.** Saca de esta cárcel a mi alma para que alabe tu *santo* Nombre; esperando están los justos el momento en que me seas propicio.

## SALMO CXLII

*Implora David el socorro del Señor, y le pide perseverancia en la nueva vida. Castiga Dios a sus enemigos.*
*Salmo de David,*

**1.** *Cuando le perseguía su hijo Absalom.*
¡Oh Señor! escucha benigno mi oración; presta oídos a mi súplica, según la verdad *de tus promesas;* óyeme por tu misericordia.

**2.** Mas no quieras entrar en juicio con tu siervo; porque ningún viviente puede aparecer justo a tu presencia.

**3.** *Ya ves* cómo el enemigo ha perseguido mi alma; abatida tiene hasta el suelo la vida mía. Me ha confinado en lugares tenebrosos, como a los que murieron hace ya un siglo.

**4.** Mi espíritu padece terribles angustias; está mi corazón en *continua* zozobra.

**5.** *Mas* acordéme *luego* de los días antiguos; púseme a meditar todas tus obras; ponderaba los efectos *maravillosos* de tu poder.

**6.** Levanté mis manos hacia ti; como tierra falta de agua, así está por ti suspirando el·alma mía.

**7.** Oyeme luego, ¡oh Señor!, mi espíritu ha desfallecido. No retires de mí tu rostro; para que no haya de contarme ya entre los muertos.

**8.** Hazme sentir cuanto antes tu misericordia, pues en ti he puesto mi esperanza. Muéstrame el camino que debo seguir, ya que hacia ti he levantado mi corazón.

**9.** Líbrame, ¡oh Señor!, de mis enemigos; a ti me acojo.

**10.** Enséñame a cumplir tu voluntad, pues tú eres mi Dios. *Entonces* tu espíritu que es *infinitamente* bueno, me conducirá a la tierra de la rectitud *o santidad.*

**11.** Por amor de tu Nombre, ¡oh Señor!, me darás la vida, según la justicia *de tus promesas.* A mi alma la sacarás de la tribulación.

**12.** Y por tu misericordia disiparás a mis enemigos; y perderás a todos los que afligen el alma mía, puesto que siervo tuyo soy.

## SALMO CXLIII

*Salmo eucarístico, en que David da gracias a Dios por las victorias conseguidas, y le pide que le continúe su protección.*
*Salmo de David,*

**1.** *Contra Goliat.*
Bendito sea el Señor Dios mío, que adiestra mis manos para la pelea y mis dedos para manejar las armas.

**2.** El es para conmigo la *misma* misericordia y el asilo mío, mi amparo y mi libertador; el protector mío, en quien tengo mi esperanza: el que somete mi pueblo a la autoridad mía.

---

SAL. CXLII. — 1. *Reg.* XVII. *Justicia* en este lugar, como en otros, significa *misericordia. Crisóst.*

**3.** ¡Oh Señor! ¿qué es el hombre para que te des a conocer a él? ¿O el hijo del hombre, que así lo aprecias?

**4.** El hombre *por el pecado* ha venido a ser nada: sus días pasan como la sombra.

**5.** Señor, inclina ésos tus cielos, y desciende *a socorrernos:* toca los montes, y se desharán en humo.

**6.** Vibra rayos, y disiparás *mis enemigos;* arroja tus saetas, y los llenarás de turbación.

**7.** Alarga desde lo alto tu mano, y arrebátame del abismo de las aguas *de la tribulación:* líbrame de *caer en* poder de los extranjeros,

**8.** Cuya boca no habla sino vanidad *o mentira,* y cuyas manos están llenas de iniquidad.

**9.** ¡Oh Dios *mío!* yo te cantaré un cántico nuevo con un salterio de diez cuerdas; te cantaré himnos de alabanza.

**10.** *Señor,* tú que das la salud *o felicidad* a los reyes, que libraste a David, siervo tuyo, de la espada sangrienta,

**11.** Sálvame *ahora,* y sácame de las garras de esos extranjeros; de cuya boca no sale sino vanidad *y mentira,* y cuyas manos están llenas de iniquidad,

**12.** Los hijos de los cuales son como nuevos plantíos en la flor de su edad; sus hijas compuestas y engalanadas por todos lados, como ídolos de un templo.

**13.** Atestadas están sus despensas, y rebosando toda suerte de frutos; fecundas sus ovejas, salen a pacer en numerosos rebaños.

**14.** Tienen gordas *y lozanas sus vacas;* no se ven portillos, ni ruinas en sus muros *o cercados,* ni *se oyen* gritos de llanto en sus plazas.

**15.** Feliz llamaron al pueblo que goza de estas cosas. *Mas yo digo:* Feliz aquel pueblo que tiene al Señor, *o sea, a Jehová,* por su Dios.

## SALMO CXLIV

*Alaba a Dios, que como Rey bueno y misericordioso gobierna y conserva todas las cosas. Conviene a Jesucristo.*

**1.** *Alabanza inspirada al mismo David.*
Ensalzarte he ¡oh Dios y rey mío! y bendeciré tu *santo* Nombre desde ahora, y por los siglos de los siglos.

**2.** Todos los días te bendeciré, y cantaré alabanzas a tu Nombre ahora en este siglo, y después eternamente.

**3.** Grande es el Señor, y digno de ser infinitamente loado; su grandeza no tiene límites.

**4.** Las generaciones todas, *oh Señor,* celebrarán tus obras, y pregonarán tu poder *infinito.*

**5.** Publicarán la magnificencia de tu santa gloria, y predicarán tus maravillas.

**6.** Hablarán de cuán terrible es tu poder, y pregonarán tu grandeza.

**7.** A boca llena hablarán de continuo de la abundancia de tu suavidad *inefable,* y saltarán de alegría por tu justicia.

**8.** Benigno es el Señor, *exclamarán,* y misericordioso, sufrido y de muchísima clemencia.

**9.** Para con todos es benéfico el Señor, y sus misericordias se extienden sobre todas sus obras.

**10.** Alábente ¡oh Señor! todas ellas, y bendígante todos tus santos.

**11.** Ellos publicarán la gloria de tu reino, y anunciarán tu poder *infinito;*

**12.** A fin de hacer conocer a los hijos de los hombres tu poder, y la gloriosa magnificencia de tu reino.

**13.** El reino tuyo, reino es que se extiende a todos los siglos; y tu imperio a todas las generaciones. Fiel es el Señor en todas sus promesas, y santo en todas sus obras.

**14.** *Y así* el Señor alarga la mano a todos los que van a caer, y endereza a todos los agobiados.

**15.** *Por eso* fijan en ti sus ojos, oh Señor, *las criaturas* todas; y tú les das a su tiempo el alimento *necesario.*

**16.** Abres tu *liberal* mano, y colmas de bendiciones a todos los vivientes.

**17.** Justo es el Señor en todas sus disposiciones, y santo en todas sus obras.

**18.** Pronto está el Señor para todos los que le invocan, para cuantos le invocan de veras.

**19.** Condescenderá con la voluntad de los que le temen; oirá benigno sus peticiones, y los salvará.

**20.** El Señor defiende a todos los que le aman, y exterminará a todos los pecadores.

**21.** Cantará mi boca las alabanzas del Señor; bendigan todos los mortales su santo Nombre en este siglo presente y por toda la eternidad.

## SALMO CXLV

*Debemos poner nuestra confianza en Dios, no en los hombres; alabar su poder, bondad y fidelidad, y celebrar su reino eterno.*

**1.** *Aleluya: de Aggeo y de Zacarías.*

**2.** Alaba al Señor, ¡oh alma mía!, *sí:* he de alabar al Señor toda mi vida; mientras yo existiere, cantaré himnos a mi Dios. ¡Ah! no queráis confiar en los poderosos *de la tierra,*

**3.** En hijos de hombres, los cuales no tienen en su mano la salud.

**4.** Saldrá su espíritu *del cuerpo,* y volverán a ser polvo; entonces se desvanecerán *como humo* todos sus proyectos.

**5.** Dichoso aquél que tiene por protector al Dios de Jacob, el que tiene puesta su esperanza en el Señor Dios suyo.

**6.** Creador del cielo y de la tierra, del mar y de cuanto ellos contienen.

**7.** El cual mantiene eternamente la verdad *de sus promesas,* hace justicia a los que padecen agravios, da de comer a los hambrientos. El *mismo* Señor da libertad a los que están condenados.

**8.** El Señor alumbra a los ciegos. El Señor levanta a los caídos; ama el Señor a *todos* los justos.

**9.** El Señor protege a los peregrinos; amparará al huérfano y a la viuda, y desbaratará los designios de los pecadores.

**10.** Ei Señor reinará eternamente; el Dios tuyo, ¡oh Sión!, reinará en toda la serie de generaciones.

## SALMO CXLVI

*Cuán justo es que alabemos a Dios por su admirable providencia.*

**1.** *Aleluya.*
Alabad al Señor; porque justa cosa es cantarle himnos. Cántese a nuestro Dios un grato y digno cántico.

**2.** En edificando el Señor a Jerusalén, congregará a los hijos de Israel, que andan dispersos *por el mundo.*

**3.** El es quien sana a los de corazón contrito, y venda sus heridas;

**4.** El que cuenta la muchedumbre de las estrellas y las llama a todas ellas por sus nombres.

**5.** Grande es el Señor *Dios* nuestro, y grande su poderío, y sin límites su sabiduría.

**6.** El Señor es quien ampara a los humildes, y abate hasta el suelo a los *soberbios* pecadores.

**7.** Entonad himnos al Señor con acciones de gracias; cantad salmos a nuestro Dios al son de la cítara.

**8.** El es el que cubre el cielo de nubes, y dispone *así* la lluvia para la tierra; el que produce en los montes el heno, y la yerba para *los animales del* servicio de los hombres.

**9.** El que da a las bestias el alimento que les es propio, y a los polluelos de los cuervos que claman a él.

SAL. CXLVI. — 8. *Ps.* CIII, *v.* 14.
9. *Job.* XXXVIII, *v.* 41. — *Luc.* XII, *v.* 24.

**10.** No hace *el Señor* caso del brío del caballo; ni se complace en que el hombre tenga *robustos y veloces* pies.

**11.** Se complace, *sí,* en aquéllos que le temen *y adoran,* y en los que confían en su misericordia.

## SALMO CXLVII

*Debemos alabar al Señor, porque sólo él es el que nos da todos los bienes; y es Jerusalén una ciudad especialmente favorecida de Dios.*
*Aleluya.*

**12.** Alaba al Señor ¡oh Jerusalén! Alaba ¡oh Sión! a tu Dios.

**13.** Porque él ha asegurado con fuertes barras *o cerrojos* tus puertas; ha llenado de bendición a tus hijos, que moran dentro de ti.

**14.** Ha establecido la paz en tu territorio, y te alimenta de la flor de harina.

**15.** El despacha sus órdenes a la tierra; órdenes que se comunican velocísimamente.

**16.** El *nos* da la nieve como *copos de* lana: esparce la escarcha como ceniza.

**17.** El despide el granizo en menudos pedazos: al rigor de su frío ¿quién resistirá?

**18.** *Pero luego* despacha sus órdenes, y derrite estas cosas; hace soplar su viento, y fluyen las aguas.

**19.** El anuncia su palabra a Jacob, sus preceptos *y ocultos* juicios a Israel.

**20.** No ha hecho otro tanto con las demás naciones, ni les ha manifestado a ellas sus juicios *o preceptos.* ¡Aleluya!

## SALMO CXLVIII

*El Profeta convida a todas las criaturas a alabar a su Criador.*

**1.** *Aleluya.*
Alabad al Señor vosotros que estáis en los cielos; alabadle los que estáis en las alturas.

**2.** Alabadle todos vosotros, Angeles suyos; alabadle vosotras todas, milicias suyas.

**3.** Alabadle ¡oh sol y luna! Alabadle todas vosotras, *lucientes* estrellas.

**4.** Alábale tú ¡oh cielo empíreo!, y alaben el Nombre del Señor todas las aguas que están sobre el firmamento.

**5.** Porque el *Señor* habló, y *con sólo quererlo,* quedaron hechas las cosas; él mandó que *existiesen,* y quedaron criadas.

SAL. CXLVII. — 4. Véase *Gen.* I, *v.* 7.

6. Estableciólas para que subsistiesen eternamente y por todos los siglos; fijóles un orden que observarán siempre.

7. Alabad al Señor vosotras, criaturas de la tierra; monstruos del mar, y vosotros todos, ¡oh abismos!

8. Fuego, granizo, nieve, hielo, vientos procelosos, vosotros que ejecutáis sus órdenes;

9. Montes y collados todos, plantas fructíferas, y todos vosotros ¡oh cedros!

10. Bestias todas silvestres y domésticas, reptiles y volátiles;

11. Reyes de la tierra y pueblos todos; príncipes y jueces todos de la tierra;

12. Los jóvenes y las vírgenes, los ancianos y los niños, *todas las criaturas* canten alabanzas al Nombre del Señor;

13. Porque sólo el Nombre del Señor, *y no otro,* es digno de ser ensalzado.

14. Su gloria resplandece sobre cielos y tierra; y él es el que ha exaltado el poder de su pueblo. Himnos le canten todos sus santos, los hijos de Israel, el pueblo peculiar suyo. ¡Aleluya!

## SALMO CXLIX

*Convida el Profeta a su pueblo a cantar un cántico nuevo al Señor en acción de gracias por la salvación que de él ha recibido.*

1. *Aleluya.*
Cantad al Señor un cántico nuevo: *resuenen* sus loores en la reunión de los santos.

2. Alégrese Israel en el *Señor* que le crió, y regocíjense en su rey los hijos de Sión.

3. Celebren su *excelso* Nombre con armoniosos conciertos, y publiquen sus alabanzas al son del pandero y salterio.

4. Porque el Señor ha mirado benignamente a su pueblo; y ha de exaltar a los humildes y salvarlos.

5. Gozarán los santos en la gloria, y regocijarse han en sus moradas.

6. Resonarán en sus bocas elogios *sublimes* de Dios; y vibrarán en sus manos espadas de dos filos,

7. Para ejecutar la *divina* venganza en las naciones, y castigar a los pueblos *impíos;*

8. Para aprisionar con grillos a sus reyes, y con esposas de hierro a sus magnates;

9. Para ejecutar en ellos el juicio decretado: gloria es ésta que está reservada para todos sus santos. ¡Aleluya!

## SALMO CL

*Sólo el Señor es digno de ser infinitamente alabado.*

1. *Aleluya.*
Alabad al Señor *que reside* en su *celestial* santuario: alabadle *sentado* en el firmamento *o trono* de su poder.

2. Alabadle por sus prodigios *a favor vuestro;* alabadle por su inmensa grandeza.

3. Alabadle al son de clarines; alabadle con el salterio y la cítara.

4. Alabadle con panderos y armoniosos conciertos; alabadle con instrumentos músicos de cuerdas y de viento.

5. Alabadle con sonoros címbalos; alabadle con címbalos de júbilo.

6. Empléese todo espíritu en alabar a Dios. ¡Aleluya!

# LIBRO DE LOS PROVERBIOS

# Introducción

El *Libro de los Proverbios* es el primero de los cinco libros sapienciales, dedicado a la enseñanza de las buenas costumbres. El género de los proverbios o parábolas era extraordinariamente fecundo en la literatura oriental. De modo que no es extraño su cultivo por los hebreos. En el *Libro de los Reyes* se encarece la sabiduría de Salomón diciendo que compuso tres mil parábolas; esto denota la alta consideración de que gozaba popularmente el género proverbial.

El libro, pues, se atribuye a Salomón, si bien no es obra suya por completo. La compilación de los proverbios revela, por los temas descritos, ser posterior a Salomón. Quizá pueda situarse en época de Ezequías.

Los nueve capítulos primeros son meramente introductorios. Destaca entre ellos el octavo, que encarece la sabiduría de Dios. Los proverbios de los capítulos diez a veintidós se atribuyen a Salomón. Figura a continuación una serie más corta, titulada «Sentencias de los sabios». Los cinco capítulos siguientes recogen otra serie salomónica compilada en tiempo de Ezequías. Acaba el libro con un elogio del alma israelita que constituye un hermoso poema.

Como el *Salterio* de David, el *Libro de los Proverbios* habla continuamente de la lucha entre el malvado y el justo. Las enseñanzas en él contenidas lo convierten en un tesoro inagotable, como señalaba San Jerónimo. Predominan en él las normas de moral, comportamiento y forma de vida.

## CAPITULO PRIMERO

*Designio de este Libro. Consejos a los jóvenes.*
*Exhórtase a oír la sabiduría. Amenazas a*
*los que la desprecian.*

**1.** Parábolas de Salomón, hijo de David, rey de Israel,

**2.** Para aprender la sabiduría y la disciplina.

**3.** Entender los consejos prudentes, y recibir la instrucción de la *buena* doctrina, la justicia, la rectitud y la equidad;

**4.** A fin de que los pequeños *o sencillos* adquieran sagacidad *o discreción*, y los mozos saber y entendimiento.

**5.** El sabio que escuchare *estas parábolas* se hará más sabio; y al que las entendiere le servirán de timón.

**6.** Atinará su significación y la interpretación de ellas; comprenderá los dichos de los sabios y sus enigmas.

---

CAP. PRIMERO. — 1. *Parábolas:* o *sentencias.*

**5.** *De timón:* Para saber gobernarse bien.

7. El temor de Dios es el principio de la sabiduría. Los insensatos desprecian la sabiduría y la doctrina.

8. Tú ¡oh hijo mío! escucha las correcciones de tu padre, y no deseches las advertencias de tu madre.

9. Ellas serán para ti como una corona para tu cabeza, y como un collar *precioso* para tu cuello.

10. Hijo mío, por más que te halaguen los pecadores, no condesciendas con ellos.

11. Si te dijeren: Ven con nosotros, pongámonos en acecho para matar al prójimo, armemos por mero antojo ocultos lazos al inocente,

12. Traguémoslo vivo, como traga el sepulcro *los cadáveres,* y todo entero, como si cayese en una sima;

13. *Y* encontraremos *con su ruina* toda suerte de riquezas, y henchiremos de despojos nuestras casas;

14. Une tu suerte con la nuestra, sea una sola la bolsa de todos nosotros;

15. No sigas, oh hijo mío, sus pasos; guárdate de andar por sus sendas;

16. Porque sus pies corren hacia la maldad, y van apresurados a derramar la sangre *inocente.*

17. Mas en vano se tiende la red ante los ojos de los pájaros voladores.

18. Las acechanzas que arman los impíos se convierten también *a veces* contra su propia vida, y sus *maquinaciones y* engaños sirven para perderse a sí mismos.

19. Así es que el camino *o la conducta* que siguen todos los avarientos, lleva arrebatadamente sus almas *a la perdición.*

20. La sabiduría enseña en público; levanta su voz en medio de las plazas;

21. Hácese oír en los concursos de gente; expone sus *útiles* documentos en las puertas de la ciudad, y dice *a todos los hombres:*

22. ¿Hasta cuándo, *a manera* de párvulos habéis de amar las niñerías? ¿Hasta cuándo, necios, apeteceréis las cosas que son nocivas;

e imprudentes, aborreceréis la sabiduría?

23. Convertíos *a la fuerza de* mis represiones; mirad que os comunicaré mi espíritu y os enseñaré mi doctrina.

24. Mas ya que estuve yo llamando, y vosotros no respondisteis, os alargué mi mano y ninguno se dió por entendido;

25. Menospreciasteis todos mis consejos, y ningún caso hicisteis de mis represiones,

26. Yo también miraré con risa vuestra perdición, y me mofaré de vosotros cuando os sobrevenga lo que temíais.

27. Cuando de improviso os asalte la calamidad, y la muerte se os arroje encima como un torbellino; cuando os acometa la tribulación y la angustia.

28. Entoncés me invocarán los *impíos,* y no los oiré; madrugarán a buscarme, y no me hallarán,

29. En pena de haber aborrecido la instrucción y abandonado el temor de Dios,

30. Desatendiendo mis consejos, y burlándose de todas mis correcciones.

31. Comerán, pues, los frutos de su *mala* conducta, y se saciarán de los productos de sus *perversos* consejos.

32. La indocilidad causará a los ignorantes su perdición; y aquélla que neciamente creen ser su felicidad, será su ruina.

33. Mas el que escuchare, reposará exento de todo temor, y nadará en la abundancia, libre de todo mal.

## CAPITULO II

*La sabiduría nos acarrea grandes bienes.*
*Cuan útil es para vivir felizmente.*

1. Hijo mío, ¡oh si recibieses mis consejos y depositases mis mandamientos en tu corazón!

2. Para que tus oídos estén siempre atentos a la voz de la sabiduría, aplica tu ánimo al estudio de la prudencia.

3. Que si tú invocas la sabiduría, y se aficiona tu corazón a la prudencia;

4. Si las buscas *con el ardor* con que se buscan las riquezas, y las procuras desenterrar como se hace con un tesoro,

5. Entonces aprenderás el temor del Señor, y alcanzarás el conocimiento de Dios;

6. Pues el Señor es quien da la sabiduría y de su boca sale la discreción y la ciencia.

7. El guarda la vida de los buenos, y es el escudo de los que caminan en la inocencia;

---

12. *Traguémosle vivo:* metáfora usada en la Escritura cap; XXX, *v.* 14. — Salm. XIII, *v.* 4.

17. Los pájaros conocen en cierto modo el peligro que les amenaza cuando ven maniobrar a los cazadores; y huyen luego de aquel lugar. Así debe cautelarse el hombre, huyendo de los peligros con las alas espirituales del temor de Dios, y de la oración y retiro, etc.

22. *Niñerías:* o bienes caducos.

28. *Madrugarán:* hebraísmo para denotar que harán los mayores esfuerzos.

31. O también: *de esos hombres aniñados,* o sin juicio.

**8.** *Como que es* el que defiende las sendas de los justos, y dirige los pasos de los santos.

**9.** Entonces entenderás tú la justicia, la rectitud y la equidad, y todos los buenos caminos.

**10.** Si entrare la sabiduría en tu corazón, y se complaciere tu alma en la ciencia,

**11.** *El buen* consejo será tu salvaguardia, y la prudencia te conservará,

**12.** Librándote de todo mal camino y de los hombres de lengua perversa,

**13.** De aquéllos que abandonan la senda recta, y andan por veredas tenebrosas;

**14.** Que se gozan en el mal que han hecho, y hacen gala de su maldad;

**15.** Cuyos caminos son torcidos, e infames *todos* sus pasos.

**16.** Asimismo *la sabiduría* te librará de mujer ajena *o adúltera;* y de la extraña, que usa de palabras melosas.

**17.** Y que abandona al *esposo* que la guió en su juventud,

**18.** Y se olvida del contrato *hecho en nombre* de su Dios; por lo que su casa camina a la ruina, y se dirigen sus pasos hacia el infierno.

**19.** Todos los que tratan con ella no volverán atrás, ni tornarán a la senda de la vida.

**20.** Anda tú, pues, *hijo mío,* por el buen camino, y no salgas del carril de los justos.

**21.** Porque los buenos poseerán la tierra, y los inocentes permanecerán en ella.

**22.** Mas los impíos serán exterminados de la tierra, y los malhechores arrancados de ella.

# CAPITULO III

*Frutos preciosos de la sabiduría; felicidad de los justos; ruina de los impíos.*

**1.** Hijo mío, no te olvides de mi ley, y guarda en tu corazón mis mandamientos;

**2.** Porque ellos te colmarán de largos días, y de años de vida, y de *perpetua* paz.

**3.** No se aparte de ti la misericordia y la verdad; ponlas como collar en tu garganta, y estámpalas en las telas de tu corazón,

**4.** Y hallarás gracia y buena opinión delante de Dios y de los hombres.

**5.** Confía en el Señor con todo tu corazón, y no te apoyes en tu prudencia.

**6.** En todas tus empresas tenle presente, y él sea quien dirija *todos* tus pasos.

**7.** No te tengas a ti mismo por sabio. Teme a Dios, y huye del mal.

**8.** De este modo gozará tu carne de salud robusta, y estarán llenos de jugo tus huesos.

**9.** Honra al Señor con tu hacienda, y ofrécele las primicias de todos tus frutos.

**10.** Con esto tus trojes se colmarán de granos, y rebosará el vino en tus lagares.

**11.** No rehuses, hijo mío, la corrección del Señor; ni desmayes cuando él te castigue.

**12.** Porque el Señor castiga a los que ama, y en los cuales tiene puesto su afecto, como lo tiene un padre en sus hijos.

**13.** Dichoso el hombre que ha adquirido la sabiduría, y es rico en prudencia;

**14.** Cuya adquisición vale más que la de la plata; y sus frutos son más preciosos que el oro acendrado.

**15.** Es más apreciable que todas las riquezas; y no pueden parangonarse con ella las cosas de mayor estima.

**16.** En su mano derecha trae la larga vida, y las riquezas y la gloria en su izquierda.

**17.** Sus caminos son caminos deliciosos y llenas de paz todas sus sendas.

**18.** Es el árbol de la vida para los que echaren mano de ella; y bienaventurado el que la tiene asidá.

**19.** Por la sabiduría fundó el Señor la tierra, y por medio de *ella o de* la prudencia, estableció los cielos.

**20.** Por su sabiduría brotan copiosas aguas los manantiales, y las nubes destilan el rocío.

**21.** Hijo mío, nunca pierdas de vista estas cosas: observa la ley y *mis* consejos;

**22.** Que ellos serán la vida de tu alma, y *como* un precioso collar para tu adorno.

**23.** Entonces seguirás lleno de confianza tu camino, y no tropezará tu pie.

---

**CAP. II.** — **8.** *Dirige:* Durante la peregrinación de esta vida.

**18.** *Malaq.* II, *v.* 14.

**19.** A no ser una gracia muy especial de Dios. Varios Padres y expositores, además del sentido literal, entienden por la mujer adúltera la *herejía* o *corrupción del siglo;* lo cual se representa también en el *Apocalipsis* por la prostituta.

---

**CAP. III.** — **12.** — *Hebr.* XII, *v.* 5.
*Apoc.* III, *v.* 19.

24. Te acostarás sin zozobra, te echarás a dormir, y tu sueño será tranquilo.

25. No receles ningún susto repentino, ni que venga sobre ti la desolación o violencia de los impíos;

26. Pues el señor estará a tu lado, guiará tus pasos, a fin de que no seas presa de ellos.

27. No impidas el bien al que puede hacerlo; hazlo tú también, si puedes.

28. No digas a tu amigo: Anda y vuelve; mañana te daré *lo que pides*, pudiendo dárselo luego.

29. No maquines ningún mal contra tu amigo, puesto que él se fía de ti.

30. No litigues sin razón contra el que no te ha hecho mal ninguno.

31. No envidies al hombre injusto, ni imites sus procederes;

32. Porque todos los tramposos *o perversos* son abominados del Señor; el cual sólo conversa con los sencillos.

33. El Señor introduce la miseria en la casa del impío; pero echará su bendición sobre las casas de los justos,

34. El cual se burlará de los burladores, y dará *su* gracia a los humildes.

35. La gloria será la herencia de los sabios; *pero* a los necios se les convertirá su exaltación en ignominia.

## CAPITULO IV

*Salomón, con las instrucciones propias de un padre, da a todos saludables documentos.*

1. Oíd, hijos *míos*, las instrucciones de un padre, y estad atentos para aprender la prudencia.

2. Yo quiero daros un rico don, no abandonéis mis preceptos.

3. Porque también yo fuí un hijo *querido* de mi padre, y amado tiernamente, como único de mi madre,

4. Y él, instruyéndome, me decía: Reciba tu corazón mis palabras, observa mis preceptos y vivirás *feliz*.

5. Procura adquirir la sabiduría, veas de alcanzar la prudencia, y no te olvides ni apartes de las palabras de mi boca.

6. No abandones la sabiduría, porque ella será tu protectora: ámala, y ella será tu salvación.

7. El principio de la sabiduría es *trabajar* por adquirirla. Y *así*, a costa de cuanto posees, procura adquirir la prudencia;

8. Aplica todos tus esfuerzos para alcanzarla; y ella te ensalzará; te llenará de gloria cuando la estreches en tus brazos.

9. Y añadirá adornos preciosos a tu cabeza, y ceñirá tus sienes con esclarecida diadema.

10. ¡Oh hijo mío! escucha y recibe mis documentos, para que logres muchos años de vida.

11. Yo te mostraré el camino de la sabiduría, te guiaré por la senda de la justicia;

12. Y entrado que hayas en ella, no se verán tus pies en estrechuras, ni hallarás tropiezo alguno en su carrera.

13. Manténte adicto a la instrucción: nunca la abandones; guárdala *bien*, pues ella es tu vida.

14. No te aficiones a los caminos de los impíos; ni te agrade la senda de los malvados:

15. Húyela, no pongas el pie en ella; desvíate y abandónala.

16. Porque los impíos no duermen, si antes no han hecho *algún* mal; y si primero no han causado la ruina de alguno, no pueden conciliar el sueño.

17. Como de pan se alimentan de la impiedad, y beben como vino la injusticia.

18. La senda de los justos es como una luz brillante, que va en aumento y crece hasta el medio día.

19. *Al contrario*, el camino de los impíos está lleno de tinieblas; no advierten el precipicio en que van a caer.

20. Escucha, hijo mío, mis razonamientos, y atiende a mis palabras.

21. Jamás las pierdas de vista, deposítalas en lo íntimo de tu corazón;

22. Porque son vida para los que las reciben, y salud *o medicina* para todo hombre.

23. Guarda tu corazón con toda vigilancia, porque de él mana la vida.

24. Y arroja de tu lengua la malignidad; y lejos esté de tus labios la detracción.

25. Dirige *siempre* tus ojos rectamente, y adelántese tu vista a los pasos que des.

26. Examina la senda en que pones tus pies, y serán firmes todos tus pasos.

---

30. *I Cor.* VI, *v.* 7

34. Los *Setenta* traducen: *El Señor resiste a los soberbios y da gracias a los humildes:* y así se lee en la Epístola de Santiago, cap. IV, *v.* 6, y *I Pedr.* V. *v.* 5.

CAP. IV. — 7. Téngase presente que las palabras *prudencia, cordura, inteligencia*, etc. se usan promis-

cuamente para significar la *sabiduría;* y que ésta es lo mismo que el *temor de Dios*, o *la ciencia de la salvación*, que posee el que sirve a Dios, junto con los demás *dones* del Espíritu Santo.

**27.** No tuerzas ni a la diestra ni a la siniestra; retira tu pie de todo mal *paso;* porque ama el Señor los caminos que están a la derecha; pero los que caen a la siniestra son caminos de perdición. Mas él hará que sea recto tu camino, y que avances felizmente en tu viaje.

## CAPITULO V

*Contrapónese al amor deshonesto el amor conyugal.*

**1.** Atiende, hijo mío, a lo que te enseña mi sabiduría, e inclina tus oídos a los documentos de mi prudencia;

**2.** Para que observes *mis* consejos, y no se aparten de tus labios *mis* instrucciones. No te dejes llevar de las lisonjas de la mujer *malvada;*

**3.** Porque los labios de la ramera son como un panal que destila miel, y son más suaves que el aceite sus palabras.

**4.** Pero sus dejos son amargos como ajenjos, y penetrantes como espada de dos filos.

**5.** Sus pies se encaminan hacia la muerte, y sus pasos van a parar al infierno.

**6.** Andan descarriados; incierta e incomprensible es su conducta.

**7.** Ahora, pues, hijo mío, escúchame y no te apartes de los documentos que te doy.

**8.** Huye lejos de ella; jamás te acerques a las puertas de su casa,

**9.** A fin de que no entregues tu honra a gente extraña, ni tus *floridos* años a una cruel.

**10.** A no ser *que quieras* que los extraños se enriquezcan con tus bienes, y que vaya a parar en casa de otro el fruto de tus sudores.

**11.** Por donde tengas al fin que gemir cuando habrás consumido tus carnes y tu cuerpo, y hayas de decir:

**12.** ¿Por qué detesté yo la corrección, y no se rindió mi corazón a las represiones,

**13.** Ni quise escuchar la voz de los que me amonestaban, ni la instrucción de mis maestros?

**14.** En toda suerte de males *o vicios* me vi casi engolfado en medio de la congregación y del pueblo.

**15.** Bebe, *pues,* el agua de tu aljibe, y de los manantiales de tu pozo.

**16.** Rebosen por fuera tus manantiales, y espárzanse tus aguas, *o tus hijos e hijas,* por las plazas.

**17.** Sé tú sólo el dueño de ellas, y no entren a la parte contigo los extraños.

**18.** Bendita sea ésa tu vena *de aguas,* y vive alegre *y contento* con la esposa que tomaste en tu juventud.

**19.** Sea ella tus delicias, como *hermosísima* cierva, y como gracioso cervatillo; sus cariños sean tu recreo en todo tiempo; busca siempre tu placer en su amor.

**20.** ¿Por qué te dejas, hijo mío, embaucar de mujer ajena, y reposas en el regazo de la extraña?

**21.** El Señor está mirando atentamente los caminos del hombre, y nota todos sus pasos.

**22.** El impío será presa de sus mismas iniquidades, y quedará enredado en los lazos de su pecado.

**23.** *Al fin,* él morirá *infelizmente,* porque desechó la amonestación: y se hallará engañado por exceso de su locura.

## CAPITULO VI

*Del fiador, del perezoso, del apóstata: de siete vicios que aborrece Dios, y de la mala mujer.*

**1.** Hijo mío, si *incautamente* saliste por fiador de tu amigo, *y* has ligado tu mano con un extraño,

**2.** Tú te has ensalzado mediante las palabras de tu boca, y ellas han sido el lazo en que has quedado preso.

**3.** Haz, pues, hijo mío, lo que *te* digo, y líbrate a ti mismo, ya que has caído en manos de tu prójimo: corre de una a otra parte; apresúrate, despierta a tu amigo,

**4.** No concedas sueño a tus ojos, ni dejes que se cierren tus párpados.

**5.** Sálvate como el gamo que escapa de la trampa, y como el pájaro de las manos del cazador.

---

**27.** El camino de la justicia se dice estar a la *derecha,* si se considera con respecto a la injusticia. Mas aun en el camino *derecho* no debemos torcer a un lado ni a otro: ni al lado derecho, engriéndonos del bien que hacemos; ni al izquierdo, cayendo en la desidia y pereza. San Agustín *Ep.* XLVII, *ad Valent. De peccat. mer. lib.* II, *v.* 35.

**CAP. V.** — **8.** El remedio de este mal está en huir de él. I *Cor* IV, *v.* 18.

---

**14.** *Del pueblo:* A vista de todo el mundo.

**17.** Bajo estas *metáforas* se amonesta a los casados que se contenten con el uso del matrimonio.

**19.** *Cervatillo:* Animales sencillos y sin hiel, que se aman mucho entre sí. — Véase I *Cor.* VII, *v.* 29.

**6.** Anda, ¡oh perezoso! mira la hormiga, y considera su obrar, y aprende a ser sabio.

**7.** Ella sin tener guía, ni maestros, ni caudillo,

**8.** Se provee de alimento durante el verano, y recoge su comida al tiempo de la siega.

**9.** ¿Hasta cuándo has de dormir tú, oh perezoso? ¿Cuándo despertarás de tu sueño?

**10.** Tú dormirás un poquito, otro poquito dormitarás, y otro cruzarás tus manos para dormir,

**11.** Y *he aquí que* vendrá sobre ti la indigencia como un salteador de camino, y la pobreza como un hombre armado. Al contrario, si fueres diligente, tus cosechas serán como un manantial *perenne*, y huirá lejos de ti la miseria.

**12.** El hombre apóstata es un hombre perniciosísimo, no habla más que iniquidades:

**13.** Guiña los ojos, hace señas con el pie, habla con los dedos,

**14.** Maquina el mal en su depravado corazón, y en todo tiempo siembra discordias.

**15.** De repente le vendrá a éste su perdición, y súbitamente quedará hecho añicos, sin que tenga ya remedio.

**16.** Seis son las cosas que abomina el Señor, y otra además le es detestable.

**17.** Los ojos altaneros, la lengua mentirosa, las manos que derraman la sangre inocente,

**18.** El corazón que maquina perversos designios, los pies ligeros para correr al mal,

**19.** El testigo falso que forja embustes, y el que siembra discordias entre hermanos.

**20.** Observa, hijo mío, los preceptos de tu padre, y no abandones la ley *o los documentos* de tu madre.

**21.** Tenlos siempre grabados en tu corazón, y sírvante como de collar precioso.

**22.** Cuando caminares vayan contigo, guárdente cuando durmieres, y en despertando conversa con ellos;

**23.** Pues el mandamiento *de tu padre* es a manera de antorcha, y la ley *o instrucciones de tu madre* como una luz, y la corrección que conserva *a los jóvenes* en la disciplina, es el camino de la vida,

**24.** Para que te libren de la mala mujer, y del lenguaje zalamero de la extraña.

**25.** No codicie tu corazón la hermosura de éstas, ni te cautiven sus miradas;

**26.** Porque el precio de la meretriz apenas es el precio de un pan; mas esa mujer *adúltera* cautiva la preciosa alma del hombre.

**27.** ¿Por ventura puede un hombre esconder el fuego en su seno, sin que ardan sus vestidos?

**28.** ¿O andar sobre las ascuas, sin quemarse las plantas de los pies?

**29.** Así el que se llega a la mujer ajena, en tocándola quedará manchado.

**30.** No es tan gran culpa el que uno hurte, pues que hurta para saciar su hambre.

**31.** Con todo eso, si lo apresan, lo pagará con siete tantos, y tendrá que dar todos los haberes de su casa.

**32.** Pero el adúltero acarrea con su insensatez la perdición a su alma.

**33.** Va acumulando para sí oprobios e ignominias, y jamás se borrará su infamia;

**34.** Porque los celos y furor del marido no le perdonarán en hallando coyuntura de venganza;

**35.** Ni se aplacará por súplicas de nadie, ni aceptará en satisfacción dones, por muchos que sean.

## CAPITULO VII

*Exhortación al amor de la sabiduría. Descripción de la mujer adúltera en ausencia de su marido; y males que sobrevienen a los que se dejan engañar de ella.*

**1.** Hijo mío, guarda mis consejos, y deposita en tu corazón mis preceptos.

**2.** Observa, oh hijo *mío*, mis mandamientos, y vivirás; y guarda mi ley como las niñas de tus ojos.

**3.** Póntela como sortija en tus dedos; escríbela en las telas de tu corazón.

**4.** Dí a la sabiduría: Tú eres mi hermana; y llama amiga tuya a la prudencia.

**5.** Para que te defienda de la mujer extraña, y de la ajena, y de sus lisonjeras palabras.

**6.** Pues estando yo observando desde la ventana de mi casa, por detrás de las celosías,

---

CAP. VI. — 6. En las hormigas debe aprender el cristiano a proveerse de buenas obras para cuando llegue el tiempo de la muerte: o tambien de máximas de piedad para el tiempo de la adversidad y tribulación.

21. *Deut*. VI, *v.* 6, 7, 8.

---

26. Según el hebreo puede traducirse: *Porque a causa de una mujer ramera se llega hasta no tener un pedazo de pan. Mas la mujer cautiva al alma del hombre, etc.*

32. *Deut.* XXII, *v.* 22. — *Levit.* XX, *v.* 10.

**7.** Vi a unos *incautos* mancebos; y fijé mis ojos en un joven sin seso,

**8.** Que pasaba por la plaza junto a la esquina y se paseaba por cerca de la casa de aquella mala mujer,

**9.** Allá entre dos luces, después de anochecido, en medio de las tinieblas.

**10.** Cuando he aquí que le sale al encuentro dicha mujer con atavíos de ramera, apercibida para cazar almas; habladora y callejera,

**11.** Incapaz de sosiego, cuyos pies no pueden parar en casa.

**12.** Y *así* se pone en acecho ya fuera *de la ciudad,* ya en las plazas, y ya en las esquinas.

**13.** Esta *mujer,* pues, le echa sus brazos al *incauto* mozo, lo besa, y con semblante descarado, requebrándolo, le dice:

**14.** Había hecho voto de ofrecer víctimas *pacíficas* por tu salud; cabalmente hoy lo he cumplido;

**15.** Por este motivo he salido a tu encuentro, ansiosa de verte, y *al fin* te hallo.

**16.** Tengo tendida mi cama sobre cordones, la he cubierto con colchas recamadas de Egipto.

**17.** He rociado mi alcoba con mirra, y áloe, y cinamomo.

**18.** Ven, pues, empapémonos en deleites, y gocemos de los amores tan deseados, hasta que amanezca.

**19.** Porque mi marido se halla ausente de casa, y ha ido a un viaje muy largo.

**20.** Un talego de dinero llevó consigo; piensa regresar a su casa para el día del plenilunio.

**21.** De este modo la mujer, a fuerza de requiebros, lo mete en la red, y lo arrastra a su casa con sus caricias.

**22.** Al punto la va siguiendo, como buey que llevan al matadero, y cual corderito que va retozando, y el mentecato no conoce que es conducido a una prisión.

**23.** Hasta que la saeta le traspasa las entrañas, como vuela el ave hacia las redes, así va él, sin advertir que corre a perder la vida.

**24.** Ahora, pues, hijo mío, escúchame, y atiende bien lo que te digo:

**25.** No dejes arrastrar tu corazón de sus atractivos, ni sigas seducido sus caminos.

**26.** Porque son muchos los que ella ha herido y derribado; y han muerto a sus manos los varones más fuertes.

---

CAP. VII. — **16.** Alude al estilo oriental de las camas de regalo, que tenían cordones o cintas en vez de tablas, para que estuviesen más blandas.

**22.** Como el loco que es llevado a la jaula, sin que lo entienda.

**27.** Su casa es el camino del infierno, camino que remata en la muerte más funesta.

## CAPITULO VIII

*Voces con que la sabiduría convida a todos los hombres; su excelencia; bienes que trae a los que la escuchan, y desastres que padecen los que la desechan.*

**1.** ¿Por ventura la sabiduría no está clamando, y no levanta la voz la prudencia?

**2.** Puesta en pie en las más altas y elevadas cimas, en medio de las carreteras, en las encrucijadas de los caminos,

**3.** Junto a las puertas de la ciudad, en la misma entrada, da voces, diciendo:

**4.** ¡Oh varones! a vosotros es a quienes estoy continuamente clamando, y a vosotros *todos,* hijos de los hombres, dirijo mis palabras.

**5.** Aprended, hombres incautos, la prudencia, y estadme atentos, vosotros necios.

**6.** Escuchad, porque yo voy a hablar de cosas grandes, y van a abrirse mis labios para anunciar la justicia.

**7.** Publicará mi boca la verdad que he estado meditando, y mis labios abominarán la impiedad.

**8.** Justos son todos mis discursos; no hay en ellos cosa torcida ni perversa.

**9.** Son rectos para aquéllos que tienen inteligencia, y fáciles para los que han hallado la ciencia.

**10.** Recibid mis instrucciones, con mayor gusto que si recibieseis dinero; anteponed al oro la ciencia;

**11.** Puesto que vale más la sabiduría que todas las joyas preciosísimas, y nada de cuanto puede apetecerse es comparable con ella.

**12.** Yo la Sabiduría, habito *o presido* en los *buenos* consejos, y me hallo presente en los sabios *y discretos* pensamientos.

---

**26.** Como David, Sansón etc. Y aun el mismo Salomón, después de haber dado tan excelentes documentos para huir de estas redes, quedó preso en ellas, por haber confiado en sí, y no en Dios.

CAP. VIII. — **8.** No sucede así en la doctrina de los filósofos y moralistas, aun los más acreditados, como Sócrates, Plutarco, Séneca, Confucio, etc., que contiene muchas cosas contrarias a la misma razón y a las buenas costumbres, mezcladas con excelentes máximas, que por tradición, o tal vez por los mismos Libros Sagrados del pueblo de Dios habían aprendido.

**13.** El temor del Señor aborrece el mal; yo detesto la arrogancia y la soberbia; todo proceder torcido y toda lengua dolosa.

**14.** A mí me pertenece el *don* de consejo y la equidad; mía es la prudencia, mía la fortaleza;

**15.** Por mí reinan los reyes; y decretan los legisladores leyes justas.

**16.** Por mí los principes mandan, y los jueces administran justicia.

**17.** Yo amo a los que me aman; y me hallarán los que madrugaren a buscarme.

**18.** En mi mano están las riquezas y la gloria, la opulencia y la justicia.

**19.** Pues más valen mis frutos que el oro y las piedras preciosas; y mis producciones que la más acendrada plata.

**20.** Yo camino por las sendas de la justicia, por la carretera de la rectitud,

**21.** A fin de enriquecer a los que me aman y henchir sus tesoros.

**22.** El Señor me tuvo consigo al principio de sus obras, desde el principio, antes que criase cosa alguna.

**23.** Desde la eternidad tengo yo el principado *de todas las cosas*, desde antes de los siglos, primero que fuese hecha la tierra.

**24.** Todavía no existían los abismos o *mares*, y yo estaba ya concebida; aún no habían brotado las fuentes de las aguas,

**25.** No estaba asentada la grandiosa mole de los montes, ni aún había collados, cuando yo había nacido.

**26.** Aún no había él criado la tierra, ni los ríos, ni los ejes del mundo.

**27.** Cuando extendía él los cielos estaba yo presente; cuando con ley fija encerraba los mares dentro de su ámbito;

**28.** Cuando establecía allá en lo alto las regiones etéreas, y ponía en equilibrio los manantiales de las aguas;

**29.** Cuando circunscribía al mar en sus términos, e imponía ley a las aguas para que no traspasasen sus límites; cuando asentaba los cimientos de la tierra,

**30.** Con él estaba yo disponiendo todas las cosas; y eran mis diarios placeres el holgarme continuamente en su presencia,

**31.** El holgarme *en la creación* del universo; siendo todas mis delicias el estar con los hijos de los hombres.

**32.** Ahora, pues, ¡oh hijos! escuchadme: bienaventurados los que siguen mis caminos.

**33.** Oíd mis documentos, y sed sabios, y no queráis desecharlos.

**34.** Bienaventurado el hombre que me escucha, y que vela continuamente a las puertas de mi casa, y está de observación en los umbrales de ella.

**35.** Quien me hallare hallará la vida, y alcanzará del Señor la salvación.

**36.** Mas quien pecare contra mí, dañará a su propia alma. Todos los que me aborrecen a mí, aman la muerte.

## CAPITULO IX

*De la misteriosa casa en que habita la Sabiduría; y del convite que ella da; bien contrario al convite que da la mala mujer a los necios, que la aceptan, y con esto se hacen desdichados.*

**1.** La Sabiduría se fabricó una casa o *palacio;* a este *fin* labró siete columnas.

**2.** Inmoló sus víctimas *para el convite;* compuso el vino, y preparó la mesa.

**3.** Envió sus criadas a convidar que viniesen al alcázar; y desde las murallas de la ciudad *gritaba:*

**4.** Quien sea párvulo o *sencillo,* véngase a mí. Y a los que no tienen juicio, les dijo:

**5.** Venid a comer de mi pan y a beber el vino que os tengo preparado.

**6.** Dejad las niñerías; y vivid y caminad por las sendas de la prudencia.

**7.** El que instruye al mofador o *impío,* se acarrea ignominia, y el que corrige al desalmado, se adquiere infamia.

**8.** No quieras redargüir al mofador, para que no te aborrezca. Corrige al sabio, y te amará.

**9.** Da al sabio ocasión *de aprender,* y crecerá en sabiduría; enseña al justo y se apresurará a aprender.

**10.** El principio de la sabiduría es el temor del Señor; y la ciencia de los santos es la *verdadera* prudencia.

**11.** Porque por mí se multiplicarán tus días, y se te añadirán años de vida.

**12.** Si fueres sabio, para tu provecho lo serás; mas si eres un mofador, tú solo pagarás la pena.

**13.** Una mujer loca y vocinglera, y rebosando caricias, y que no sabe nada *sino el seducir,*

---

**CAP. IX.** — **8.** En todos estos versos se habla de los impíos obstinados, y que con descaro hacen públicamente burla de la corrección. Cuando se ve que ésta no es escuchada, antes sí ridiculizada por tales impíos, con peligro de hacer titubear en la virtud a los débiles o tímidos debe excusarse; según el consejo que nos da el *Sabio* en el *Eclesiástico,* c. XXXII, *v.* 6. Y ya dijo un filósofo gentil: *Amonestar a un hombre obstinado en el mal, es lo mismo que poner un espejo delante de un ciego.*

**14.** Se sentó en una silla a la puerta de su casa, en un lugar alto de la ciudad,

**15.** Para llamar a los que pasan por la calle, a los que van en derechura por su camino, *diciéndoles:*

**16.** El que es mozuelo o *simple,* tuerza hacia mí su paso; y al mentecato le dijo:

**17.** Las aguas hurtadas o *deleites prohibidos* son más dulces, y el pan tomado a escondidas es más sabroso.

**18.** Y no sabe *el mentecato* que allí *con ella* están los gigantes o *demonios;* y que sus convidados *caen* en lo más profundo del infierno.

## CAPITULO X

*Sentencias que van alternando sobre el sabio y el necio, sobre la virtud y el vicio.*

**1.** El hijo sabio es la alegría del padre; así como el necio es la aflicción de su madre.

**2.** Nada aprovecharán los tesoros mal habidos; pero la justicia *en todas las acciones* librará de la muerte.

**3.** El Señor no afligirá con hambre la persona del justo, y desbaratará las tramas de los impíos.

**4.** La mano desidiosa produce la mendicidad; pero la mano activa acumula riquezas. Quien se apoya en mentiras, ese tal se alimenta de viento, y corre *neciamente* tras las aves que vuelan.

**5.** El que recoge en tiempo de la siega, es hombre cuerdo; mas quien *duerme y* ronca en verano, es un insensato.

**6.** La bendición del Señor descansa sobre la cabeza del justo: mientras la faz de los impíos está cubierta de maldad.

**7.** La memoria de los justos, será celebrada; pero el nombre de los impíos será abominable.

**8.** El que es sabio de corazón, recibe bien los avisos; *mas* para el mentecato, cada palabra es una azote.

**9.** Quien anda con sencillez, anda seguro; pero el de proceder taimado, vendrá a ser descubierto.

**10.** El que guiña de ojo, acarreará dolor; y el negocio padecerá por sus habladurías.

**11.** Vena de vida es la boca del justo; mas la boca de los impíos encierra la iniquidad.

**12.** El odio mueve rencillas; pero la caridad cubre todas las faltas.

**13.** En los labios del sabio se halla la sabiduría; y el azote en la espalda del que no tiene juicio.

**14.** Ocultan su saber los sabios; mas la boca del necio cerca está de la confusión.

**15.** El caudal le sirve al rico de plaza fuerte; a los pobres los llena de pavor o *timidez* su misma miseria.

**16.** El justo trabaja para poder vivir; las ganancias del impío son para pecar.

**17.** Quien recibe la corrección, va por el camino de la vida; quien no hace caso de ella, descarriado anda.

**18.** Los labios mentirosos disimulan la malevolencia; quien profiere contumelias es un insensato.

**19.** En el mucho hablar no faltará pecado; mas quien sus labios refrena, es hombre muy prudente.

**20.** Plata finísima es la lengua del justo; pero el corazón de los impíos no vale nada.

**21.** Los labios del justo instruyen a muchísimos; mas los que no quieren recibir la instrucción, morirán en su ignorancia.

**22.** La bendición del Señor hace ricos *a los hombres,* sin que padezcan aflicción.

**23.** El insensato comete los crímenes como jugando; mas la sabiduría del hombre está en su cordura.

**24.** Le sobrevendrá al impío el mal que está temiendo; a los justos se les concederá lo que desean.

**25.** Como el turbión que pasa, así desaparecerá el impío; pero el justo subsistirá como un fundamento que permanece eternamente.

**26.** Como lo agraz entorpece los dientes, y el humo los ojos, así es el perezoso para los que lo envían.

**27.** El temor del Señor alarga la vida; mas los años de los impíos serán recortados.

**28.** La expectación de los justos parará en contento; pero la esperanza de los impíos parará en humo.

**29.** *El seguir* la senda del Señor, hace fuerte al justo; pero aquéllos que obren mal están llenos de pavor.

**30.** El justo jamás será conmovido; mas los impíos no durarán sobre la tierra.

**31.** De la boca del justo manará sabiduría; la lengua de los malvados será cortada.

**32.** Los labios del justo se emplean en hablar cosas agradables *a Dios;* y en hablar cosas perversas la boca del impío.

---

CAP. X. — 21. *Morirán:* o morirán en su *necedad* y voluntaria ignorancia.

## CAPITULO XI

*Contrapónese la felicidad de los justos, y sabios a la desdicha de los malos o insensatos.*

**1.** La balanza falsa es abominable a los ojos del Señor; el peso cabal es lo que le agrada.

**2.** Donde hay soberbia, allí habrá ignominia, mas donde hay humildad, habrá sabiduría.

**3.** La sencillez servirá como de guía a los justos; y la doblez acarreará a los pecadores su perdición.

**4.** Nada servirán las riquezas en el día de la venganza; mas la justicia librará de la muerte.

**5.** La justicia del hombre sencillo dirigirá sus pasos; y al impío le hará caer en el precipicio de su impiedad.

**6.** A los hombres buenos su justicia los salvará; pero los malos quedarán tomados en sus mismos lazos.

**7.** Muerto el impío, muere también su esperanza; y la expectación de los codiciosos parará en humo.

**8.** El justo es libertado de la tribulación; y en su lugar será el impío atribulado.

**9.** El hombre falso engaña con palabras a su amigo; mas los justos se librarán con *el don* de la ciencia.

**10.** En la prosperidad de los justos se alegrará la ciudad: y la perdición de los impíos se celebrará con canciones.

**11.** Por la bendición de los justos será ensalzada la ciudad; mas por la lengua de los impíos quedará arruinada.

**12.** El que desprecia a su amigo, es de corazón menguado; pero el varón prudente callará *sus defectos.*

**13.** El que va de mala fe, descubre los secretos; pero el de corazón leal, calla lo que el amigo le confió.

**14.** Por falta de gobierno se arruina el pueblo; donde abunda el consejo, allí hay prosperidad.

**15.** Padecerá desastres el que sale *incautamente* por fiador de un extraño; pero el que no se enreda en fianzas vivirá tranquilo.

**16.** La mujer de bellas prendas adquirirá gloria; y los hombres de valor obtendrán riquezas.

**17.** El varón misericordioso se hace bien a sí propio, así como el hombre cruel, hasta a sus próximos parientes desecha.

**18.** El impío trabaja en vano; mas el que siembra *obras de* justicia, tiene segura la cosecha.

**19.** La clemencia es camino para la vida; y la afición al mal conduce a la muerte.

**20.** Abominado es del Señor el corazón perverso; y se complace en aquéllos que proceden con sinceridad.

**21.** Aunque se esté mano sobre mano, no será inocente el hombre malvado; pero la descendencia de los justos será puesta en salvo.

**22.** La belleza es una mujer fatua, es *como* sortija de oro en el hocico de un cerdo.

**23.** Todo deseo de los justos se dirige al bien; los malos no anhelan sino el desfogar su furor.

**24.** Unos reparten sus propios bienes, y se hacen más ricos; otros roban lo ajeno, y están siempre en miseria.

**25.** El alma benéfica será colmada de bienes; y será como embriagada de ellos, la que a otros embriaga.

**26.** Quien esconde los granos será maldito de los pueblos; mas la bendición descenderá sobre la cabeza de los que los sacan al mercado.

**27.** En buena hora madruga el que busca cómo hacer el bien; mas el que busca cómo hacer el mal, será del mal oprimido.

**28.** Quien confía en sus riquezas, caerá por tierra; al paso que los justos florecerán como árbol de verdes ramas.

**29.** Quien trae en desorden su propia casa, no poseerá más que aire; y el necio habrá de servir al sabio.

**30.** El fruto *del obrar* del justo es como del árbol de la vida; y aquél que gana almas *para Dios* es hombre sabio.

**31.** Si el justo es castigado en la tierra *por sus defectos,* ¿cuánto más lo será el impío y el pecador?

## CAPITULO XII

*Cotejo entre los que aman la corrección y los que huyen de ella.*

**1.** Quien ama la corrección, ama la ciencia; mas el que aborrece las reprensiones, es un insensato.

**2.** El hombre de bien alcanzará el favor del Señor; pero el que pone la confianza en sus propias ideas, obra como un impío.

---

CAP. XI. — 15. Esto es, el que no fía neciamente. — Véase cap. VI, *v.* 1.

26. *Mercado:* A precio moderado y sin tratos usuarios.
31. I *Petr.* IV, *v.* 18.

**3.** No logrará el hombre consistencia por medio de la impiedad; mas la raíz de los justos permanecerá inmoble.

**4.** Corona de su marido es la mujer hacendosa; así como es carcoma de sus huesos la de malas costumbres.

**5.** Rectos *y sinceros* son los pensamientos de los justos: fraudulentos los consejos de los impíos.

**6.** Las palabras de los impíos son asechanzas puestas a la vida de los prójimos; *mas a* éstos los librará la boca de los justos.

**7.** Da un vuelco a los impíos, y no quedará rastro de ellos; pero la casa de los justos será permanente.

**8.** Por su doctrina se dará a conocer el hombre; pero el vano y sin cordura será objeto de desprecio.

**9.** Más apreciable es un pobre que sabe ganarse su vida, que un fanfarrón que ni pan tiene que comer.

**10.** El justo mira *hasta* por la vida de sus bestias; pero las entrañas de los impíos son crueles.

**11.** El que labra su tierra se saciará de pan; mas el que se entrega al ocio, es sumamente necio. El que pasa el tiempo saboreándose en el vino, deja estampada la infamia en su familia.

**12.** El deseo del impío es que se hagan fuertes los hombres peores; mas *con todo*, la raíz de los justos irá retoñando cada vez más.

**13.** Por los pecados de la lengua se acarrea el malo su ruina; pero el justo escapará de la angustia.

**14.** El hombre será colmado de bienes conforme fueren los frutos de su boca; y según las obras de sus manos será su galardón.

**15.** Al necio se le figura acertado su proceder; pero el sabio toma los consejos *de otro*.

**16.** Muestra luego su ira el fatuo; pero el varón circunspecto disimula la injuria.

**17.** El que *sólo* afirma lo que sabe, ése es fiel testigo; mas el que miente, *luego deja conocer que* es un testigo fraudulento.

**18.** Hay quien hace *inconsiderablemente* una promesa, y *al instante*, como herido de una espada, se ve estimulado de su conciencia; mas la lengua de los sabios acarrea la salud *y bienestar*.

---

CAP. XII. 9. Así lo vemos en los que, preciados de su nobleza, viven en la ociosidad y miseria; y por consiguiente llenos de vicios, y estafando a los demás. *Eccli.* X, *v.* 30.

11. *Familia:* Antes acreditada o bien gobernada, y arruinada después por sus borracheras.

18. *Matth.* XIV, *v.* 9.

**19.** La boca que habla verdad está siempre firme; pero el testigo inconsiderado zurce una jerga de mentiras.

**20.** Lleno está de engaño el corazón de los que maquinan el mal; pero los que se ocupan en designios de paz, se bañarán en gozo.

**21.** Ningún acontecimiento podrá contristar al justo; los impíos al contrario estarán llenos de pesadumbres.

**22.** Abomina el Señor los labios mentirosos; los que obran fielmente, ésos le son gratos.

**23.** El hombre cauto encubre lo que sabe; mas el corazón de los imprudentes descubre su necedad.

**24.** La mano de los fuertes dominará; pero la mano perezosa será tributaria.

**25.** Abate al hombre la melancolía del corazón; y con la buena conversación se alegrará.

**26.** El que por amor del amigo no repara en sufrir algún daño, es hombre justo; mas a los impíos el proceder *contrario* los dejará burlados.

**27.** No sacará ganancia el tramposo; al paso que el caudal del hombre *de bien* será oro precioso.

**28.** En la senda de la justicia está la vida; mas el camino extraviado conduce a la muerte.

## CAPITULO XIII

*De la circunspección en el hablar. Del pobre rico, y del rico pobre. De las riquezas y de su mal uso. Deseos del perezoso. De la prudencia en el obrar, etcétera.*

**1.** El hijo sabio atiende a la doctrina del padre; el perverso no hace caso de sus represiones.

**2.** El hombre *justo* se saciará de los bienes que son fruto de sus labios; mas el alma de los prevaricadores *saciarse ha* de iniquidad.

**3.** Quien guarda su boca guarda su alma; pero el inconsiderado en hablar sentirá los perjuicios.

**4.** El perezoso quiere y no quiere; mas las personas laboriosas se llenarán de bienes.

**5.** Detesta el justo la mentira *o calumnia*; mas el impío, que infama, será infamado.

**6.** La justicia protege los pasos del inocente; pero la impiedad suplanta al pecador.

**7.** Hay quien hace del rico, no teniendo nada; y quien parece pobre, teniendo muchas riquezas.

**8.** Con sus riquezas rescata el rico su propia vida; pero aquél que es pobre está exento de amenazas.

**9.** La luz o *prosperidad* de los justos causa *sólida* alegría; pero la lámpara de los impíos se apagará.

**10.** Entre los soberbios hay continuas reyertas; mas los que obran siempre con consejo, se gobiernan prudentemente.

**11.** Los bienes que se adquieren muy a prisa, *luego* se menoscaban; así como van en aumento los que se juntan poco a poco a fuerza de trabajo.

**12.** La esperanza que se dilata, aflige al alma; pero es *como* árbol de vida el *buen* deseo que se cumple.

**13.** Quien vitupera una cosa *que manda la ley*, se hace reo para en adelante; pero quien respeta el precepto, vivirá en paz. Las almas taimadas andan perdidas de pecado en pecado; mas los justos son benignos, y ejercitan la misericordia.

**14.** La ley del sabio es una fuente de vida para evitar la ruina de la muerte.

**15.** La buena doctrina hará amable al hombre; pero aquéllos que la desprecian hallan el precipicio en el camino que siguen.

**16.** El hombre cuerdo todo lo hace con consejo; mas el insensato descubre su necedad.

**17.** El enviado del impío caerá en *mil* desastres; pero el mensajero fiel *acarrea* la salud *a los pueblos*.

**18.** Miseria e ignominia experimentará el que huye de la corrección; mas el que obedece a quien lo corrige será coronado de gloria.

**19.** El deseo, cuando se cumple, recrea el ánimo: detestan los necios a los que huyen del mal.

**20.** Quien anda con sabios, sabio será; el amigo de los necios se asemejará a ellos.

**21.** El mal persigue a los pecadores;·pero los justos serán recompensados con bienes.

**22.** El hombre de bien deja por herederos a sus propios hijos y nietos; mas la hacienda del pecador está reservada para el justo.

**23.** En los barbechos que se heredan de los padres nacen abundantes frutos; pero por falta de juicio se recogen para otros.

**24.** Quien escasea el castigo, quiere mal a su hijo; mas quien lo ama, lo corrige continuamente.

**25.** Come el justo y satisface su apetito; pero el vientre de los impíos no se saciará.·

## CAPITULO XIV

*Debemos aconsejarnos antes de hacer las cosas, y gobernarnos por la Ley de Dios, y no por nuestras pasiones.*

**1.** La mujer prudente edifica o *realza*, su casa; la necia, aun la ya edificada, la destruirá con sus manos.

**2.** El que va por el camino derecho y teme a Dios, es despreciado por el que anda en malos pasos.

**3.** En la boca del insensato está la vara o *el castigo* de su soberbia; mas a los sabios les sirve de guarda *la modestia de* sus labios.

**4.** Donde faltan los bueyes *para arar*, están vacías *las trojes y sin paja* los pesebres; donde abundan las mieses, allí se ve claramente la fuerza *y trabajo* del buey.

**5.** No miente el testigo fiel; el testigo falso no profiere más que mentiras.

**6.** Busca el mofador la sabiduría, y no la encuentra; el hombre prudente se instruye fácilmente.

**7.** Toma tú un rumbo opuesto al que sigue el insensato; no conoce éste los dictámenes de la prudencia.

**8.** La sabiduría del varón prudente está en conocer bien su camino; la imprudencia de los insensatos anda descaminada.

**9.** El necio se burlará o *jugará* con el pecado; mas la gracia morará entre los justos .

**10.** El corazón de cada uno es el que siente la amargura de su alma; así como en sus placeres no tiene parte el extraño.

**11.** La casa de los impíos será arrasada; al contrario estará floresciente la morada de los justos.

**12.** Un camino hay que al hombre le parece camino real *y derecho*, y no obstante le conduce a la muerte.

**13.** Mezclada anda la risa con el llanto; el término del gozo es el dolor.

**14.** El necio saciará sus pasiones; mas el hombre virtuoso lo pasará mejor que él.

**15.** El hombre sencillo o *inexperto* cree cuando le dicen; *pero* el hombre cauto mira donde asienta su pie. Al hijo doloso nada le saldrá bien; pero el siervo prudente será afortunado *en todo*, y caminará felizmente.

---

CAP. XIII. — 16. *Insensato:* no queriendo consultar a nadie.

17. *Caerá...:* porque coopera al mal.

---

CAP. XIV. — 8. *Conocer su camino* y asegurarse de que es bueno.

**16.** Teme el sabio y se desvía del mal; pero el insensato pasa adelante, y se presume seguro.

**17.** El hombre impaciente obra como loco; y el solapado se hará odioso.

**18.** Los imprudentes tendrán por herencia la necedad; y los juiciosos la esperanza de la ciencia.

**19.** A los pies de los buenos yacerán *algún día* los malos, y los impíos ante las puertas de los justos.

**20.** El pobre es enojoso aun a sus mismos deudos; mas los ricos tienen muchos amigos.

**21.** Peca quien a su prójimo menosprecia; pero el que del pobre se compadece será bienaventurado. Quien cree en el Señor, ama la misericordia.

**22.** Errados van los que obran el mal; la misericordia y la verdad son las que nos acarrean bienes.

**23.** De toda ocupación se saca provecho; pero del mucho hablar, sólo miseria.

**24.** Las riquezas les sirven a los sabios de corona *de gloria:* la sandez de los necios es imprudencia.

**25.** El testigo fiel salva la vida *de los calumniados;* el doloso profiere mentiras, *y pierde a los hombres.*

**26.** En el temor del Señor se halla la firme esperanza; en ella vivirán sus hijos.

**27.** El temor del Señor es una fuente de vida para librarse de la ruina de la muerte.

**28.** En la muchedumbre de pueblo está la gloria *y poder* de un rey; la escasez de gente es deshonor del príncipe.

**29.** Quien es sufrido, se gobierna con mucha prudencia; pero el impaciente pone de manifiesto su necedad.

**30.** El corazón sano da vida al cuerpo; *mas* la envidia es carcoma de los huesos.

**31.** Quien insulta al necesitado, insulta *o zahiere* a su Creador, así como le honra quien se compadece del pobre.

**32.** Desechado *de Dios* será el impío por causa de su malicia; mas el justo *aun* en su muerte conserva la esperanza.

**33.** La sabiduría reside en el corazón del hombre prudente, y ella iluminará a todo ignorante.

**34.** La justicia es la que engrandece las naciones; pero el pecado hace desdichados los pueblos.

---

21. La fe viva va siempre acompañada de la caridad.

**35.** El ministro entendido se gana la voluntad del rey; mas el inepto incurrirá en su enojo.

## CAPITULO XV

*Máximas y preceptos para vivir en paz con nosotros mismos y con los otros. Comparación entre el bueno y el malo.*

**1.** La respuesta suave *y humilde* quebranta la ira; las palabras duras excitan el furor.

**2.** La lengua de los sabios da lustre a la sabiduría; hierve en necedades la boca de los fatuos.

**3.** En todo lugar están los ojos del Señor contemplando a los buenos y a los malos.

**4.** La lengua pacífica es árbol de vida; pero la desenfrenada quebrantará el corazón.

**5.** El necio se mofa de la amonestación de su padre; mas el que hace caso de la corrección, se hará más avisado. Donde abunda la justicia, se halla suma fortaleza; pero los designios de los impíos serán arrancados de cuajo.

**6.** La casa del justo está bien arraigada; pero en las ganancias del impío no hay más que inquietudes.

**7.** Los labios de los sabios difundirán la sabiduría; no así el corazón de los necios.

**8.** Detesta el Señor las víctimas de los impíos; aplácanle los votos de los justos.

**9.** Abominable es al Señor el proceder del impío; es amado de él aquél que sigue la justicia.

**10.** Al que abandona el camino de la vida le es ingrata la enseñanza; quien aborrece la corrección, perecerá.

**11.** El *profundo* infierno, y *lugar de* perdición están patentes al Señor: ¿cuánto más los corazones de los hombres?

**12.** El hombre corrompido no ama al que le corrige, ni va en busca de los sabios.

**13.** El corazón contento hace rebosar la alegría en el semblante; con la tristeza del ánimo se abate el espíritu.

**14.** El corazón del sabio procura ser instruido; la boca de los necios se alimenta de sandeces.

**15.** Todos los días del pobre son trabajosos; *mas* la buena conciencia es como un banquete continuo.

**16.** Más vale poquito con temor de Dios, que grandes riquezas, las cuales nunca sacian.

17. Vale más ser convidado a comer unas verduras *en la casa* del que nos ama, que a comer un ternero cebado *en la* del que nos odia.

18. El hombre iracundo suscita riñas; el sufrido apacigua las que se han excitado.

19. A los perezosos les parece el camino un vallado de espinas; los justos no hallan en él embarazo alguno.

20. Es la alegría de su padre el hijo sabio; el necio vilipendia *o afrenta* a su propia madre.

21. El insensato halla placer en sus sandeces; mas el hombre prudente mide sus pasos.

22. Donde falta el consejo disípanse los proyectos; pero donde hay muchos consejeros adquieren firmeza.

23. Aficiónase el hombre al dictamen que ya ha manifestado; mas aquélla es óptima palabra, que es la *más* oportuna.

24. El varón instruido se dirige hacia lo alto por la senda de la vida, a fin de desviarse del abismo del infierno.

25. Derribará el Señor la casa de los soberbios, y mantendrá segura la heredad de la viuda.

26. Abominables son al Señor los malos pensamientos; las palabras castas y decentísimas son las que él aprueba.

27. El que se deja llevar de la avaricia, mete el desorden en su casa: el que aborrece los sobornos, vivirá *feliz.* Mediante las *obras de* misericordia y la *viva* fe se purgan los pecados; y por medio del temor del Señor evitará todo hombre el mal.

28. El justo pone todo su estudio en la obediencia; *mas* la boca de los impíos rebosa *sólo* maldades.

29. Lejos está el Señor *de oír* a los impíos; pero serán oídas las oraciones de los justos.

30. *Así como* la luz de los ojos es la alegría del alma, *así* la buena reputación llena de jugo los huesos.

31. El que escucha las reprensiones saludables, conversará entre los sabios.

32. Quien desecha la instrucción, menosprecia su propia alma; pero el que se somete a las correcciones, se enseñorea de su corazón.

33. El temor del Señor enseña la sabiduría; y a la gloria ha de preceder la humildad.

---

32. *Se enseñorea:* o domina sus pasiones.

# CAPITULO XVI

*Cuán rectas son las disposiciones de la providencia de Dios en el gobierno del mundo. Todo lo hace con el peso y medida de su sabiduría infinita.*

1. Del hombre es preparar *dentro de* su alma *el razonamiento;* y del Señor el gobernar la lengua.

2. Todas las acciones del hombre están patentes a la humana vista; *mas* el Señor pesa los espíritus *o juzga los interiores.*

3. Dirige hacia el Señor tus obras; y tendrán buen éxito tus designios.

4. Todas las cosas las ha hecho el Señor para *gloria de* sí mismo, y también al impío, *al cual reserva* para el dia aciago.

5. Es abominado del Señor todo arrogante; aunque parezca que nada hace, no es inocente. El principio *o lo principal* del buen camino consiste en practicar *las obras de justicia;* la cual es más agradable a Dios que el inmolar víctimas.

6. Con la misericordia y la verdad se expía el pecado y con el temor del Señor se evita el mal.

7. Si fuere grato al Señor el proceder del hombre, aun a sus enemigos los reducirá a *pedir* la paz.

8. Vale más poco con justicia, que muchos bienes con injusticia.

9. El corazón del hombre forma sus designios; mas del Señor es el dirigir sus pasos.

10. Las palabras del rey son *como* unos oráculos; y no errará su boca al pronunciar el juicio.

11. Pesados están en fiel balanza los juicios del Señor; y todas sus obras son *justas como* las piedras que se lleva en el saquito *para servir de pesas.*

---

CAP. XVI. — 1. Se necesita una nueva gracia de Dios para ejecutar o explicar un buen pensamiento. — Véase v. 9. — *Esther* XIV, *v.* 13. — II *Cor.* III. *v.* 4.

9. Esto es, *El hombre propone, y Dios dispone.*

10. Otros traducen *deben ser como de oráculo: su boca no debe prevaricar en las sentencias ō no debe traspasar el juicio.* Dios inspira frecuentemente a los buenos reyes lo perteneciente a su oficio de *Vicarios* o *Ministros* de Dios para gobernar la tierra: de suerte que a veces parece que adivinan o previendo lo que ha de suceder, o descubriendo lo que está muy oculto; y deciden dudas que los ministros más hábiles y prudentes no saben resolver. — Véase *Gen.* XLIV, *v.* 15. —III *Reg.* III, *v.* 16. *etc. Oráculos* se llaman las palabras del rey, esto es, sus *leyes y órdenes;* porque debemos respetarlas como salidas de Dios, y obedecerlas, no sólo por el temor del castigo o pena que la ley impone, sino aun por principio de conciencia, conforme nos dijo San Pablo.

**12.** Son abominables al rey los que obran injustamente; porque la justicia es el apoyo del trono.

**13.** Son gratos al rey los labios que hablan *siempre* lo justo: amado será quien habla lo recto.

**14.** La indignación del rey, anuncio es de muerte; pero el varón sabio sabrá aplacarla.

**15.** El semblante alegre del rey da la vida; y su clemencia es como la lluvia *tan deseada* del otoño.

**16.** Procura adquirir la sabiduría, pues vale más que el oro; y poseer la prudencia, que es mejor que *toda* la plata.

**17.** La senda de los justos está apartada del mal: no se desvía de ella quien guarda su alma.

**18.** A la caída precede la soberbia, y antes de la ruina se remonta el espíritu.

**19.** Mejor es ser humillado con los mansos *o modestos,* que repartir despojos con los soberbios.

**20.** El inteligente en un negocio saldrá felizmente de él; mas el que espera en el Señor, siempre será dichoso.

**21.** El que es sabio de corazón, será llamado prudente; y el que tiene dulzura en el hablar, conseguirá mayor fruto.

**22.** Fuente de vida es la sabiduría para quien la posee; la doctrina de los necios es fatuidad.

**23.** El corazón del sabio amaestrará su lengua, y añadirá gracia a sus labios.

**24.** Son un panal de miel las palabras elegantes, dulzura del alma y vigor de los huesos.

**25.** Un camino hay que al hombre le parece recto; pero su paradero es la muerte.

**26.** El hombre que trabaja, para sí trabaja; que a esto lo fuerza su boca.

**27.** El hombre desalmado cava *hasta desenterrar* el mal, y de sus labios sale el fuego *de la discordia.*

**28.** Suscita pleitos el hombre perverso; y el chismoso siembra la discordia entre los príncipes.

**29.** El hombre inicuo halaga a su amigo, y lo guía por malos caminos.

**30.** El que con ojos atónitos está maquinando maldades, mordiéndose los labios *de puro furor,* ejecuta el mal.

**31.** Corona *de la gloria y* de dignidad es la vejez del que ha seguido los caminos de la justicia.

**32.** Mejor es el varón sufrido que el valiente; y quien domina sus pasiones, que un conquistador de ciudades.

**33.** Métense en el cántaro las suertes; pero el Señor es quien dispone de ellas.

---

27. *Jacob.* III, *v.* 6.

## CAPITULO XVII

*Varios efectos de la prudencia y de la necedad: de la piedad y de la impiedad.*

**1.** Más vale un bocado de pan seco, con paz *y alegría,* que una casa en que hay pendencias, aunque esté llena de víctimas o *viandas.*

**2.** El siervo que tiene juicio será el que gobernará los hijos necios *de su amo,* y repartirá entre los hermanos la herencia.

**3.** Como la plata se prueba en la fragua, y el oro en el crisol, así prueba el Señor los corazones *con la tribulación.*

**4.** El malvado se deja llevar de *las sugestiones de* lenguas inicuas, y el embustero *da oídos o* se atempera a los labios mentirosos.

**5.** Quien menosprecia al pobre, insulta a su Creador; y el que se goza en la ruina de otro, no quedará impune.

**6.** Corona son de los viejos los hijos de los hijos; y gloria de los hijos son *las virtudes de* sus padres.

**7.** No le está bien al necio el lenguaje sentencioso; ni al príncipe unos labios mentirosos.

**8.** Estimada es como perla la dádiva con ansia esperada; doquiera que *el hombre* ponga su mano, obrará con prudencia *a fin de conseguirla.*

**9.** Quien oculta las faltas *ajenas,* se concilia amistades; el que las cuenta y repite, desune a los que están unidos.

**10.** Más aprovecha una reprensión al prudente, que cien azotes al insensato.

**11.** El malvado anda siempre armando pendencias; pero el ángel cruel será enviado contra él *para castigarlo.*

**12.** Mejor es encontrarse con una osa a quien robaron los hijos, que con un fatuo presumido en sus necedades.

**13.** Quien retorna mal por bien, jamás verá su casa libre de desgracias.

**14.** El que comienza la pendencia, es como el que suelta *el dique* de las aguas; *y si es prudente,* retírase de la querella antes de ser afrentado.

**15.** Quien absuelve al impío y quien condena al justo, ambos son igualmente abominables a Dios.

---

CAP. XVII. — 7. *Sentencioso:* o las palabras graves y sentenciosas.

9. El que oculta o disimula la injuria hecha a sí o a otros se concilia el amor del mismo injuriador; mas el que la publica y habla de ella a todos, siembra la discordia entre muchos, e irrita más a su enemigo. Esto hace el que siempre interpreta en el peor sentido las expresiones del prójimo.

**16.** ¿Qué le aprovecha al necio tener riquezas, no pudiendo con ellas comprar la sabiduría? Quien levanta muy alta su casa busca su ruina; y el que rehusa aprender caerá en desdichas.

**17.** Quien es amigo *verdadero* lo es en todo tiempo; y el hermano se conoce en los trances apurados.

**18.** El hombre necio palmotea *y hace gala* de haber salido por fiador de su amigo.

**19.** Amigo es de discordias el que hace nacer pleitos. Busca la ruina quien alza demasiado su portada.

**20.** Quien es de corazón perverso, nunca lo pasará bien; y experimentará desastres aquél que es doble de lengua.

**21.** Nacido parece el necio para ignominia suya; ni aun el mismo padre hallará gozo en el hijo fatuo.

**22.** El ánimo alegre mantiene la edad florida; deseca los huesos la tristeza de espíritu.

**23.** El impío recibe regalos ocultamente, para pervertir los trámites de la justicia.

**24.** En el rostro del varón prudente brilla la sabiduría; los ojos de los insensatos *andan vagantes* por los cabos de las tierra.

**25.** El hijo insensato es la indignación del padre y la amargura de la madre que le dió el ser.

**26.** Cosa mala es ofender al justo, y dañar al príncipe *o juez* que hace justicia.

**27.** El varón sabio y prudente mide sus palabras; y el hombre entendido es de ánimo reservado.

**28.** Aun el ignorante, si calla, será reputado por sabio; y pasará por entendido si no despliega sus labios.

## CAPITULO XVIII

*Del amigo infiel; de la confianza del justo y del rico; de la verdadera prudencia; de la mujer buena y de la mala.*

**1.** El que anda buscando pretextos para separarse del amigo, será cubierto de oprobio en todo tiempo.

**2.** El insensato no recibe los avisos de la prudencia, si no se le habla al gusto de su corazón.

**3.** De nada hace ya caso el impío cuando ha caído en el abismo de los pecados; pero se cubre de ignominia y de oprobio.

**4.** Son *como* una agua profunda *e inagotable,* las palabras que salen de la boca del varón *sabio:* y *esta* fuente de la sabiduría es un caudaloso torrente.

**5.** Cosa *muy* mala es tener miramientos a la persona del impío, para torcer la rectitud del juicio.

**6.** Mézclanse en las reyertas los labios del necio; y su boca provoca a contiendas.

**7.** Al tonto la boca es lo que le pierde; y sus labios son la ruina suya.

**8.** Las palabras del hombre doble *o solapado* parecen sencillas; mas ellas penetran hasta lo más íntimo de las entrañas. El temor abate al perezoso; y las almas de los afeminados hambrearán.

**9.** Quien es flojo y desmadejado en sus labores, hermano *o semejante* es del que disipa sus bienes.

**10.** Es el nombre del Señor una torre fortísima; a él se acoge el varón justo, y será ensalzado.

**11.** El caudal es para el rico como una plaza fuerte, y como un muro firme que lo circuye.

**12.** Engríese el corazón del hombre antes de ser abatido; y humíllase antes de ser glorificado.

**13.** Quien responde antes de oír, muestra ser un insensato y digno de confusión.

**14.** El espíritu *o vigor* del hombre sostiene su flaqueza; pero, ¿quién podrá aguantar un ánimo fácil de irritarse?

**15.** El corazón del varón prudente adquiere la ciencia; buscan la instrucción los oídos de los sabios.

**16.** Las dádivas le allanan al hombre el camino *para conseguir sus intentos,* y hácenle lugar para presentarse a los príncipes.

**17.** El justo es el primero en acusarse a sí mismo, viene *después* su amigo *y lo ayuda,* y le toma residenciar.

**18.** La suerte acaba las contiendas, y las decide aun entre los poderosos.

**19.** El hermano que es ayudado de su hermano, es como una plaza fuerte; y los juicios *rectos* son como los cerrojos de las ciudades.

**20.** El vientre del hombre se henchirá de los frutos de su boca; y saciarse ha del producto de sus labios.

**21.** La muerte y la vida están en poder de la lengua; los que tendrán cuenta de ella comerán de sus frutos.

**22.** Quien halla una mujer buena, ha hallado un *gran* bien, y recibió del Señor un manantial de alegría. Echa *de su casa* el bien, quien repudia la mujer virtuosa; mas el que retiene la adúltera, es un insensato e impío.

---

**CAP. XVIII. — 16.** Alude a la costumbre de los Orientales, entre los cuales siempre va el regalo por delante, especialmente cuando se visita a los príncipes.

**23.** Habla el pobre suplicando; el rico responde ásperamente.

**24.** El hombre amable en el trato será más estimado que un hermano.

# CAPITULO XIX

*La sabiduría maestra de la verdad, de la mansedumbre y de la paciencia.*

**1.** Más apreciable es el pobre que procede con sencillez, que el rico de labios perversos, e insensato.

**2.** Donde no hay *prudencia, que es* la ciencia del alma, no hay nada bueno; y quien anda precipitado, tropezará.

**3.** La imprudencia del hombre es la que le empuja hacia el precipicio; y en su corazón se irrita contra Dios.

**4.** Las riquezas aumentan mucho el número de los amigos; pero del pobre se retiran aun los que tuvo.

**5.** No quedará impune el testigo falso, y no escapará *del castigo* quien habla la mentira.

**6.** Son *siempre* muchos los que hacen la corte al poderoso, y los que son amigos de quien distribuye dones.

**7.** Aborrecen al pobre sus mismos hermanos; y hasta los amigos se van alejando de él. Nunca tendrá nada quien sólo busca palabras.

**8.** Mas el varón cuerdo y sensato, ése ama su alma; y quien conserva la prudencia, logrará *abundancia* de bienes.

**9.** El testigo falso no quedará sin castigo, y perecerá el que habla la mentira.

**10.** No corresponden al insensato' las delicias; ni al siervo el mandar a los príncipes.

**11.** La doctrina del hombre se conoce por la paciencia, y su gloria es no hacer caso de las injurias.

**12.** Como el rugido del león, tal es la ira del rey; mas su rostro placentero es cual rocío que desciende sobre la yerba.

**13.** Dolor es del padre un hijo insensato; y la mujer rencillosa es como un tejado con continuas goteras.

**14.** Casa y riquezas se heredan de los padres; mas la mujer prudente la da sólo el Señor.

**15.** La pereza hace venir el sueño; y el alma negligente padecerá hambre.

**16.** Quien observa los mandamientos *de Dios,* guarda su vida; pero quien descuida de su obligación, corre peligro de muerte.

**17.** Quien se compadece del pobre, da prestado al Señor, y éste se lo pagará con sus ganancias.

**18.** Corrige a tu hijo: no pierdas las esperanzas; pero no llegue tu severidad hasta ocasionarle la muerte.

**19.** Quien es impaciente lo pasará mal; y si usa de violencias, añadirá nuevos males.

**20.** Escucha el consejo y recibe la corrección, para que seas sabio en tu edad postrera.

**21.** Muchos pensamientos se forjan en el corazón del hombre; pero la voluntad del Señor es siempre la que se cumple.

**22.** El hombre necesitado es compasivo; y *así* mejor es ser pobre que mentiroso.

**23.** El temor del Señor conduce a la vida, y *el justo* nadará en abundancia, bien libre de todo mal.

**24.** Mete el perezoso su mano debajo del sobaco, sin *querer tomarse el trabajo de* llevarla hasta la boca.

**25.** Azotado el hombre impío *o escandaloso,* el necio será más cuerdo; mas si corrigieres al varón sabio, luego se aprovechará éste del aviso.

**26.** Infame es y desventurado aquél que da pesadumbre a su padre, y echa de sí, *o de casa,* a su madre.

**27.** No te canses, hijo *mío,* de escuchar las advertencias, ni quieras ignorar las máximas juiciosas.

**28.** Mófase de la justicia el testigo falso; y la boca de los impíos se traga la iniquidad.

**29.** *Pero* aparejados están los *terribles* juicios *de Dios* para *castigar a* los mofadores, y los mazos para machacar los cuerpos de los insensatos.

# CAPITULO XX

*Huir de la embriaguez y de ofender a los que gobiernan; evitar pleitos y la ociosidad son cosas que debe procurar el hombre.*

**1.** Lujuriosa cosa es el vino, y llena está de desórdenes la embriaguez; no será sabio quien a ella se entrega.

**2.** Como el rugido del león, así *infunde terror* la ira del rey; peca contra su propia vida quien lo irrita.

**3.** Es honor del hombre el huir de contiendas; pero todos los necios se mezclan en los altercados.

**4.** No quiso arar el perezoso por miedo del frío; mendigará, pues, en el verano, y no le darán nada.

---

CAP. XIX. — 5. *Daniel* XIII, *v.* 6.

**5.** Como las aguas profundas, así son los designios en el corazón de un hombre; mas el varón sabio los llegará a conocer.

**6.** Muchos son los hombres llamados misericordiosos; mas un hombre *en todo* fiel ¿quién lo hallará?

**7.** El justo que procede con sencillez, dejará después de sí hijos dichosos.

**8.** El rey sentado en el trono, donde administra justicia, con una sola mirada disipa toda maldad.

**9.** ¿Quién es el que decir pueda: Mi corazón está limpio, puro soy de *todo* pecado?

**10.** Un peso y medida *para dar*, y otro peso y medida *para recibir*, son dos cosas que Dios abomina.

**11.** De las inclinaciones del niño se deduce, si sus obras serán *en adelante* puras y rectas.

**12.** El oído que escucha y el ojo que mira, obra son del Señor.

**13.** No seas amigo del sueño, para que no te veas oprimido de la indigencia; abre tus ojos, *desvélate*, y te sobrará pan.

**14.** Esto es malo, esto no vale nada, dice todo comprador; y después de haberse llevado la cosa, entonces se gloría *de la compra*.

**15.** Es *cosa apreciable* el oro y la abundancia de pedrería; mas la alhaja preciosa es la boca del sabio.

**16.** Tómate el vestido de aquél que salió por fiador de un extraño, y llévate de su casa alguna prenda por la deuda del extranjero.

**17.** *A primera vista* grato es al hombre el pan de mentira; mas en hincado el diente, se llena la boca de arena, *o de chinitas*.

**18.** Corrobóranse las empresas con los consejos; y las guerras se han de dirigir con la prudencia.

**19.** No te familiarices con el hombre que revela los secretos, y que es solapado, y hace grandes ofertas.

**20.** A aquel que maldice a su padre o a su madre, apagársele ha la candela en medio de las tinieblas.

**21.** El patrimonio adquirido desde el principio *rnalamente* y a prisa, al fin carecerá de bendición.

**22.** No digas: Yo me vengaré, sino espera en el Señor, y él te librará.

**23.** Abominables son al Señor las pesas falsas; malísima cosa es la balanza infiel.

**24.** El Señor *solo* es quien dirige los pasos de los hombres; ¿y qué hombre hay que pueda *por sí* conocer el camino que debe llevar?

**25.** Es la ruina del hombre devorar los santos, *o hurtar los bienes de los santos*, y después ofrecer *éstos* para votos a *Dios*.

**26.** El rey sabio disipa los impíos, y levanta encima de ellos un arco triunfal.

**27.** El espíritu del hombre es una antorcha divina que penetra todos los secretos del corazón.

**28.** La misericordia y la justicia guardan al rey; y hace estable su trono la clemencia.

**29.** Es la gala de los mozos su fortaleza; y son las canas la dignidad de los ancianos.

**30.** Púrganse los males por las heridas, y con incisiones que penetren hasta las entrañas.

## CAPITULO XXI

*Dios es el que lo gobierna y dispone todo; y el hombre que se entrega a él, será dichoso en esta vida y en la otra.*

**1.** El corazón del rey está en la mano de Dios, como el agua que se reparte *desde un depósito:* él lo inclinará hacia cualquier parte que le pluguiere.

**2.** Parécenle rectos al hombre todos sus procederes; pero el Señor examina los corazones.

**3.** El ejercitar la misericordia y la justicia, place más al Señor que las víctimas.

**4.** La altanería de los ojos es *efecto de la* hinchazón del corazón; el esplendor de los impíos es el *fruto del* pecado.

**5.** Los pensamientos del hombre activo *y diligente* siempre traen la abundancia; pero todos los perezosos viven siempre en miseria.

**6.** Quien allega tesoros a fuerza de mentir con su lengua, es un tonto e insensato, y caerá en los lazos de la muerte.

---

CAP. XX. — 9. III *Reg.* VIII, *v.* 46. — II *Par.* VI, *v.* 36 — *Joann.* I, *v.* 8.

**10.** *Otro peso: o peso falso y medida falsa.* También se condena *el juzgar o distribuir premios* por respetos humanos, faltando a la justicia.

**20.** *Candela: Exod.* XXI, *v.* 17. — *Lev.* XX, *v.* 9. — *Matth.* XV, *v.* 4.

**22.** *Rom.* XII, *v.* 17. — *Thes.* X, *v.* 15. — I *Petr.* III. *v.* 9.

**26.** II *Reg.* XII, *v.* 31.

**30.** O también: *El mal* inveterado *se limpia, etc.* Esto es, Dios suele valerse de las enfermedades y de otros castigos para corregir a los pecadores obstinados.

7. Las rapiñas de los impíos serán su ruina, por no haber querido obrar según justicia.

8. El proceder del hombre perverso es desordenado; mas si el hombre es puro o recto, *es también* recto su proceder.

9. Mejor es vivir *al descubierto* en un rincón del terrado, que dentro de la misma casa con una mujer rencillosa.

10. Desea el mal el alma del impío; no tendrá compasión de su prójimo.

11. Castigado el escandaloso, el párvulo o *simple* se hará más avisado; y si se arrimare al sabio, aprenderá la ciencia.

12. Pónese el justo a discurrir acerca de la casa del impío, para *ver cómo podrá* retraer del mal a los pecadores.

13. Quien cierra los oídos al clamor del pobre, clamará también y no será oído.

14. La dádiva secreta calma los enojos; y el don, metido *oportunamente* en el seno *de otro*, aplaca la mayor cólera.

15. Halla su gozo el justo en practicar la virtud; pero los que obran la iniquidad, están en *continuo* susto.

16. El hombre que se desviare del camino de la doctrina, irá a morar con los gigantes o *condenados*.

17. Quien gusta de dar banquetes, parará en mendigo; no será *jamás* rico el aficionado al vino y a los manjares regalados.

18. El impío es entregado *en expiación* del justo; y el hombre perverso en lugar de los buenos.

19. Mas vale moral en un desierto, que con una mujer rencillosa y colérica.

20. Hay en la casa del justo un tesoro inestimable y pingüe; pero el hombre sin juicio lo disipará todo.

21. El que ejercita la justicia y la misericordia, hallará vida, justicia y gloria.

22. *Muchas veces* el varón sabio se ha hecho dueño de una ciudad llena de guerreros, y ha destruido las fuerzas en que ella confiaba.

23. Guarda de angustias su alma el que guarda su boca y lengua.

24. El soberbio y presumido es verdaderamente tonto; pues arrebatado de la cólera comete mil *desatinos* e insolencias.

25. Los deseos consumen al perezoso, pues sus manos no quieren trabajar poco ni mucho.

26. Todo el día se le va en apetitos y antojos; el justo empero da *a los otros*, y no está nunca sin obrar.

27. Abominables son las víctimas de los impíos, pues son frutos de iniquidad.

28. El testigo falso perecerá; el hombre obediente *a la ley* cantará la victoria *sobre su calumniador*.

29. El impío descarado no desiste jamás de su intento; pero el hombre de bien corrige sus extravíos.

30. Contra el Señor no hay sabiduría, no hay prudencia, no hay consejo *que valga*.

31. Aparéjanse los caballos para el día de la batalla; mas quien da la victoria es el Señor.

# CAPITULO XXII

*Del buen nombre; y del modo de tratar a los prójimos. De la caridad y confianza en Dios.*

1. Vale más el buen nombre que muchas riquezas; la buena reputación es más estimable que el oro y la plata.

2. Se encontrarán *y se necesitarán* mutuamente el rico y el pobre; a entrambos los ha criado el Señor.

3. El varón prudente vió venir el mal, y se precavió; el simple o *incauto* tiró adelante, y tuvo que padecer.

4. El fruto de la humildad es el temor de Dios, las riquezas, la gloria y la vida.

5. Armas y espadas hay en el camino del hombre perverso; mas el que guarda su alma se alejará de ellas.

6. Dice el proverbio: La senda por la cual comenzó el joven a andar desde el principio, esa misma seguirá también cuando viejo.

7. El rico manda al pobre: y quien toma prestado se hace siervo de aquél que le presta.

8. Males o *desastres* segará quien siembra maldades; y será destrozado con la misma vara de su furor.

9. Quien es compasivo, será bendito; porque ha partido su pan por los pobres. Quien es dadivoso conseguirá victorias y honores, pues arrebata el corazón de los que reciben.

---

CAP. XXII. — 5. En hebreo: *Espinas y lazos,* es decir, continuos peligros.

6. Esto es, conservará, siendo viejo, las buenas o malas mañas que aprendió de niño. En el hebreo se lee: *Instruye al tierno niño al comenzar su carrera* de la vida. ¡Cuán errados van los padres que descuidan la corrección e instrucción de los hijos en la tierna edad, o que aguardan a hacerlo cuando han entrado en la edad de las pasiones!

---

CAP. XXI. — 16. *Condenados:* o famosos malhechores. — Véase *Job.* XXVI, *v.* 5.

10. Echa fuera al mofador *impío;* que con él saldrán las discordias, y cesarán los pleitos y contumelias.

11. Quien ama la candidez de corazón gozará la amistad del rey por causa de su hablar dulce y agradable.

12. Los ojos del Señor están custodiando a los sabios; mas los discursos de los malos van *todos* por el suelo.

13. Dice el perezoso: Fuera hay un león, y *si salgo* seré muerto en medio de la calle.

14. La boca de la adúltera, *cuando halaga,* es una profunda fosa, en la cual caerá aquél que tiene merecida la ira del Señor.

15. Pegada está la necedad al corazón del muchacho; mas la vara del castigo la arrojará fuera.

16. Quien oprime al pobre a trueque de acrecentar sus riquezas, tendrá que cederlas a otro más rico, y vendrá a quedar miserable.

17. Presta atento oído, y escucha las palabras de los sabios; aplica tu corazón a mis instrucciones;

18. Las cuales te serán *dulces y* amables en depositándolas en tu pecho, de donde rebosarán por tus labios,

19. Y pon en el Señor tu confianza; porque para eso te las he hoy enseñado.

20. Ya ves que de tres maneras, te dejo expuesta mi doctrina, con muchas reflexiones y sentencias;

21. Para hacerte conocer su certidumbre, y las razones verdaderas con que *puedas* responder a los que te han enviado.

22. No uses de prepotencia con el pobre, por lo mismo que es pobre; ni atropelles en juicio al *deudor* que nada tiene:

23. Porque el Señor le hará justicia, y traspasará a los que traspasaron el alma de aquel pobre.

24. No tengas amistad con el hombre iracundo, ni te acompañes con el furioso,

25. No sea que imites sus procederes, y des a tu alma ocasión de ruina.

26. No te asocies con aquéllos que *imprudentemente* contraen obligaciones alargando su mano, ofreciéndose por fiadores de deudas.

27. Porque si no tienes con qué pagar, ¿a qué fin exponerte a que te lleven la cubierta de tu cama?

28. No traspases los términos antiguos que pusieron tus padres.

---

14. Por sus pecados y el desprecio que ha hecho de los Divinos auxilios.

29. ¿Viste algún hombre *puntual y* expedito en sus negocios? Ese tendrá cabida con los reyes, no quedará entre la plebe.

## CAPITULO XXIII

*De la moderación que debe observarse en la mesa de los grandes; educación de los hijos; templanza, continencia y perseverancia en el santo temor de Dios.*

1. Cuando te sentares a comer con un príncipe, repara con atención lo que te ponen delante.

2. Y si es que dominas tu apetito, aplica el cuchillo *como para tapar* tu garganta.

3. No apetezcas sus *exquisitas* viandas, pues son un manjar engañoso.

4. No te afanes por enriquecerte; antes bien pon coto a tu industria.

5. No pongas tus ojos en las riquezas que no puedes adquirir; porque ellas tomarán alas como de águila, y se irán volando por el aire.

6. No vayas a comer con el hombre envidioso, ni desees su mesa;

7. Puesto que, a manera de adivino y astrólogo, está calculando *de antemano* lo que aún no sabe *que le gastarás.* Come y bebe, te dirá él; mas su corazón no está contigo.

8. Vomitarás cuanto comiste, y habrás perdido tu amena conversación.

9. No te metas a discurrir en presencia de los necios; porque despreciarán tus juiciosos razonamientos.

10. No mudes los cotos o *mojones* de los menores de edad, ni te metas en la herencia de los huérfanos:

11. Porque es su curador el *Todopoderoso,* y defenderá contra ti la causa de ellos.

12. Apliquese tu corazón a la doctrina, y tus oídos a las máximas de sabiduría.

13. No escasees la corrección al muchacho: pues aunque le des algún castigo, no morirá.

14. Aplícale la vara del castigo, y librarás su alma del infierno.

15. Hijo mío, si tu alma poseyere la sabiduría, mi corazón se regocijará con el tuyo;

16. Y saltarán de júbilo mis entrañas cuando proferirán tus labios razonamientos rectos.

17. No envidie tu corazón a los pecadores; sino manténte siempre firme en el temor del Señor,

18. Con lo que al fin lograrás cuanto esperas; no quedarán burladas tus esperanzas.

19. Escucha ¡oh hijo mío! y serás sabio, y enderezarás tu corazón por el camino recto.

20. No asistas a los convites de los beodos, ni a las comilonas de aquéllos que contribuyen a escote para los banquetes;

21. Porque con la frecuencia de beber y de pagar escotes vendrán a arruinarse, y su soñolienta desidia los reducirán a ser unos andrajosos.

22. Escucha a tu padre que te dió la vida, y no desprecies a tu madre cuando se hallare en la vejez.

23. Procura adquirir *a toda costa* la verdad, y nunca te desprendas de la sabiduría, de la doctrina, ni de la inteligencia.

24. Saltà de júbilo el padre del justo; quien engendró un hijo sabio, hallará en él su consuelo.

25. Tengan este gozo tu padre y tu madre, y salte de placer la que te engendró.

26. Dame ¡oh hijo mío! tu corazón, y fija tus ojos en mis *santos* caminos;

27. Porque la ramera es una sima profunda, y un estrecho pozo la adúltera.

28. Ella acecha en el camino, como un salteador; y a cuantos incautos pasan, les quita la vida.

29. ¿Para quién son los ayes? ¿Para qué padre son las desdichas? ¿Contra quién serán las riñas? ¿Para quién los precipicios? ¿Para quién las heridas sin motivo alguno? ¿Quién trae los ojos encendidos?

30. ¿No son éstos los dados al vino, y los que hallan sus delicios en apurar copas?

31. ¡*Ay!* no mires al vino cuando bermejea; cuando resalta su color en el vidrio: él entra suavemente,

32. Mas a la postre muerde como culebra, y esparce veneno como el basilisco.

33. Se irán *después* tus ojos tras de la mujer de otro, y prorrumpirá tu corazón en palabras perversas *e indecentes.*

34. Y vendrás a ser como el que está dormido en medio del *borrascoso* mar, y como el piloto soñoliento que ha perdido el timón;

35. Y *al cabo* dirás: Me han azotado, pero no me han molido los azotes; arrastráronme, mas yo nada he sentido: ¿cuándo quedaré despejado para volver a beber?

## CAPITULO XXIV

*Gloria, prosperidad, y prudencia del varón sabio. Deben socorrerse los oprimidos, y evitar la ociosidad.*

1. No envidies a los hombres malos, ni desees estar en su compañía;

2. Porque su ánimo está meditando robos, y hablando *siempre* embustes sus labios.

3. Con la sabiduría se edificará la casa, y se consolidará con la prudencia.

4. Por medio de la ciencia se henchirán las recámaras de toda suerte de bienes y preciosidades.

5. El varón sabio está lleno de fortaleza *de espíritu,* y es esforzado y vigoroso *el ánimo del* que tiene ciencia.

6. Puesto que la guerra se dirige con el buen orden y *disciplina;* y donde hay muchos *y sabios* consejeros allí habrá prosperidad.

7. Ardua cosa es para el insensato la sabiduría; no abrirá él su boca en *público o en* los tribunales.

8. Insensato será quien se propone el hacer mal.

9. Peca el necio *hasta* en lo que piensa; abominado es de los hombres *todo* hombre detractor.

10. Si en tiempo de la adversidad desmayares, perdiendo la esperanza, descaecerá tu fuerza.

11. Procura salvar a los *justos* que son condenados a muerte, y haz lo posible por librar a los *inocentes* que van a ser arrastrados al suplicio.

12. Si dijeres: No alcanzan a ello mis fuerzas, *sábete que* aquél que ve los corazones, lo conoce *bien;* y nada se le pasa por alto al Salvador de tu alma, el cual ha de remunerar al hombre según sus obras.

13. Come, hijo mío, la miel, que es cosa buena; *gusta* el panal, *pues* será dulcísimo a tu paladar.

14. Tal será siempre para tu alma la doctrina de la sabiduría, con cuya adquisición tendrás esperanza en los últimos días, y esperanza que no será frustrada.

15. No andes acechando, ni buscando delitos en casa del justo, no perturbes su reposo;

16. Porque siete veces caerá el justo, y *siempre* volverá a levantarse; al contrario, los impíos se despeñarán *más y más* en el mal.

17. No te alegres de la caída de tu enemigo, ni se regocije tu corazón en su ruina;

18. Para que el Señor, que lo está viendo, no se ofenda, y aparte de él *y traslade·a ti* su enojo.

19. No porfíes con los malvados; ni tengas envidia de los impíos;

20. Porque los malos no tienen esperanza alguna para lo venidero; y la lámpara *o el esplendor* de los impíos se apagará.

21. Teme, hijo mío, al Señor y al rey; y no te acompañes con los detractores *o revoltosos;*

22. Porque de repente se desplomará sobre ellos la perdición. ¿Y quién sabe los suplicios que padecerán?

23. *Digo* también a los sabios: Es cosa mala, cuando se juzga, el tener miramiento a personas.

24. Aquellos jueces que dicen al malvado: Tú eres justo, serán malditos de los pueblos, y detestados de todas las tribus.

25. *Al contrario,* los que condenan, serán alabados y colmados de bendiciones.

26. El que responde arreglado a lo recto y justo, es como quien da *al amigo* un beso en la boca.

27. Arregla tus labores de afuera, *o la labranza,* y cultiva con esmero tu campo, para poder después formar tu casa.

28. No seas, sin motivo, testigo contra tu prójimo; ni adules a nadie con tu hablar.

29. Tampoco digas: Como él me trató a mí, así lo trataré yo a él; pagaré a cada uno según sus obras.

30. Pasé *un día* por el campo de un perezoso y por la viña de un tonto;

31. Y vi que todo estaba lleno de ortigas, y la superficie cubierta de espinas, y arruinada la cerca de piedras.

32. A vista de esto, entré dentro de mí, y con este ejemplo aprendí a gobernarme.

33. Duerme poco, dije, no bosteces mucho, estáte poco tiempo parado con las manos cruzadas;

34. Porque si no te alcanzará *de repente,* como una posta la indigencia; y la mendiguez como un salteador armado.

---

**CAP. XXIV.** — 26. Alude a la costumbre de los orientales, los cuales se saludan con un beso. Nosotros diríamos: *es como si te diere un estrechísimo abrazo.* — Según el hebreo puede traducirse: *El que responde al caso* o con exactitud, *causa placer al que le escucha.*

27. *Formar tu casa:* esto es, *contraer matrimonio.*

# CAPITULO XXV

*De los reyes y de los vasallos. Se ha de hacer bien aun a los enemigos.*

1. También son de Salomón estas parábolas *siguientes,* que copiaron los varones *encargados* de Ezequías, rey de Judá.

2. Gloria es de Dios el cubrir con un velo su *divina* palabra, y gloria es de los reyes el investigar el sentido de ella.

3. *Como* la altura del cielo, y la profundidad de la tierra; así es difícil de penetrar el corazón de los reyes.

4. Quita la escoria a la plata, y saldrá purísima la alhaja:

5. Quita los impíos de la presencia del rey, y se afirmará su trono sobre la justicia.

6. No hagas el grande delante del rey, ni te asientes en el lugar de los magnates;

7. Porque más vale que te digan: Sube más arriba, que no el que seas humillado en presencia del príncipe.

8. No corras luego a contar, con motivo de alguna riña, lo que han visto tus ojos *en el prójimo,* no sea que después de haber infamado a tu amigo, no puedas remediarlo.

9. Tus cosas trátalas con tu amigo, y no descubras tus secretos a un extraño;

10. No sea que éste después de haberlos sabido te insulte, y no cese de sonrojarte. El favor y la amistad libertan *al hombre:* procura conservar uno y otro para no caer en el desprecio.

11. *Como* manzanas de oro en *lecho* o canastillo de plata, así es la palabra dicha a su debido tiempo.

12. La reprensión dada al sabio y al hombre de dócil oído, es un arete de oro y perla reluciente.

13. Como la frescura de la nieve en tiempo de la siega, así el mensajero fiel refrigera el alma de aquél que lo envió.

14. Nubes de viento, que nos traen lluvia, es el hombre fanfarrón que no cumple sus promesas.

15. Con la paciencia se aplacará el príncipe, y la lengua blanda quebrantará la dureza *de un peñasco.*

16. ¿Hallaste miel? Come lo que te baste, *y no más;* no sea que ahito de ella tengas que vomitarla.

17. No frecuentes *demasiado* la casa de tu vecino, si no quieres que harto de ti te cobre aversión.

18. El hombre que atestigua falsamente contra su prójimo, es un rejón, un estoque, una.aguda saeta.

**19.** El que confía en un hombre pérfido en el día de la tribulación, es como *el que quiere valerse de* un diente podrido o de una pierna rota,

**20.** O *como el* que pierde su capa cuando hace frío. El cantar letrillas a un corazón afligido o *melancólico,* es echar vinagre en el nitro, *es atormentarle más.* Como la polilla al vestido y la carcoma al madero, así la melancolía daña al corazón del hombre.

**21.** Si tu enemigo tiene hambre, dale de comer; si tiene sed, dale de beber;

**22.** Que con eso amontonarás ascuas ardientes *de caridad* sobre su cabeza, y el Señor te recompensará.

**23.** El viento del norte disipa las lluvias; y un semblante severo *reprime* la lengua murmuradora.

**24.** Mejor es habitar en un ángulo del terrado, que vivir en una misma casa con mujer rencillosa.

**25.** Es como agua fresca para el sediento una buena nueva que viene de lejos.

**26.** El justo que cae *en pecado,* viéndolo el impío, es una fuente enturbiada con los pies, y un manantial corrompido.

**27.** Como la miel daña a los que comen de ella en demasía, así el que se mete a escudriñar la majestad *de Dios* será oprimido *del peso* de su gloria.

**28.** Como ciudad abierta y sin muros, tal es el hombre, que ofreciéndose hablar, no puede reprimir su *necia* verbosidad.

## CAPITULO XXVI

*Contra los necios presumidos y los perezosos, los pleitistas y los falsos amigos.*

**1.** Así como la nieve es *inoportuna y nociva* en el verano, y las lluvias durante la siega, así lo es la gloria en el necio.

**2.** La maldición pronunciada sin causa contra alguno, pasará *sin detenerse* por encima de él, como el ave que pasa volando a otro clima, y el pájaro que gira a su placer.

**3.** El látigo es para el caballo, el cabestro para el asno, y la vara para las costillas de los necios.

---

CAP. XXVI. — 1. La gloria o el distinguido empleo que se confiere al necio le daña a él, porque suele abusar de sus facultades, y daña al Estado, porque enfría o apaga en muchos el amor a la sabiduría y a la virtud, siendo prueba de que el mérito no es atendido: de lo cual se sigue siempre la ruina del reino.

**4.** No respondas al necio, imitando su necedad *en el hablar,* para que no te hagas a él semejante.

**5.** Contéstale como su necedad se merece; a fin de que no se crea él que es un sabio.

**6.** Quien despacha para sus negocios un mensajero tonto, se corta los pies, y se bebe la pena de su pecado.

**7.** Así como en vano tiene un cojo hermosas piernas, así desdicen de la boca del necio las palabras sentenciosas.

**8.** El que honra *y protege* a un insensato, obra del mismo modo que quien tira *su* piedra en el montón *dedicado* a Mercurio.

**9.** La parábola *o sentencia* en boca del necio, hace lo que un espino *o zarza* que clava al hombre borracho que lo maneja.

**10.** La sentencia del juez decide los pleitos; y quien impone silencio al necio, aplaca los enojos.

**11.** Como el perro que vuelve a lo que ha vomitado; así es el imprudente que repite *o recae* en su necedad.

**12.** ¿Has visto a un hombre que se precia de sabio? Pues más que del tal puede esperarse *el acierto* de un hombre que es *y se reconoce* ignorante.

**13.** El perezoso dice: Hay un león en el camino; está una leona en los desfiladeros: *estaréme quedo en casa.*

**14.** Como la puerta se vuelve sobre su quicio, así se revuelve el perezoso en su cama.

**15.** Esconde la mano debajo de su sobaco el perezoso; siendo para él gran fatiga tener que llevarla a la boca.

**16.** Imagínase el perezoso ser más sabio que siete varones que no hablan sino sentencias.

**17.** El que yendo de paso se mezcla acalorado en riñas de otros, corre peligro que le suceda lo que a quien agarra por las orejas a un perro *irritado.*

---

**8.** O también: *Es como el caminante, que* al pasar *tira su piedra en el montón dedicado a Mercurio.* Alude a la adoración que daban los gentiles al Dios *Mercurio* al cual creían númen tutelar de los viajeros. Solían poner su estatua en los caminos, y al rededor de ella, o de la columna o adoratorio en que estaba echaba el pasajero una piedra. Entre nosotros se ve una cosa semejante en las piedras que suelen echar los caminantes al pie de las *cruces* que se hallan en los caminos. Pero las piedras echadas en honor de Mercurio, servían después para quitar la vida a los que debían morir apedreados.

**12.** Pues éste obra con consejo de varones prudentes, y no es engañado de su misma pasión, como sucede en los presumidos de sabios. *Rom.* I, *v.* 22. — *Is.* V, *v.* 21.

**18.** Así como es reo quien por *divertirse* arroja saetas y dardos que matan *a alguno,*

**19.** Así lo es el hombre que fraudulentamente hace daño a su amigo, y que cuando viene a ser descubierto da por excusa: Yo lo hacía por chanza.

**20.** Como en faltando la leña, se extingue el fuego, así también apartado el chismoso, cesarán las contiendas.

**21.** Como la brasa enciende el carbón, y el fuego las astillas, así el hombre iracundo enciende las risas.

**22.** Parecen sencillas *o blandas* las palabras del chismoso; mas ellas penetran hasta lo más íntimo de las entrañas.

**23.** Los labios hinchados *y coléricos* acompañados de un corazón pésimo, son como plata roñosa, con que quisieras adornar una vasija de barro.

**24.** Por sus labios se da a conocer el enemigo, cuando está maquinando engaños en su corazón.

**25.** Por más que te habla en tono sumiso, no hay que fiarse de él; porque *entonces mismo* no hay maldad que no abrigue en su pecho;

**26.** Mas la malicia del que con fingidas apariencias oculta su odio, será descubierta *algún día* en pública asamblea.

**27.** Quien abre una hoya, caerá en ella; y la piedra caerá encima del que la remueve.

**28.** No gusta de la verdad la lengua embustera; y la boca aduladora es causa de ruina.

## CAPITULO XXVII

*Máximas para la vida política y pastoril. Sobre el cuidado de las cosas domésticas.*

**1.** No te jactes de *cosa que has de hacer* el día de mañana; pues no sabes lo que dará de sí el día siguiente.

**2.** La boca de otro, no la tuya, sea la que te alabe; el extraño, y no tus propios labios.

**3.** Pesada es la piedra y pesada es la arena; pero más pesada es todavía que estas cosas la ira del necio.

**4.** La ira del furor exaltado no dejan lugar a la misericordia; pero el ímpetu de un hombre arrebatado *de celos* ¿quién podrá soportarlo?

**5.** Mejor es una corrección manifiesta, que el amor que no se muestra *con obras.*

**6.** Mejores son las heridas que vienen del amigo, que los besos fingidos del enemigo.

**7.** El que está bien comido, aun de la miel hace ascos; pero al hambriento le parece dulce aun lo amargo.

**8.** Así como peligra el pájaro que sale de su nido, así el hombre que abandona su lugar.

**9.** El perfume y los varios olores recrean el corazón; con los buenos consejos del amigo se baña el alma en dulzura.

**10.** No te deshagas de tu amigo, ni del amigo de tu padre; y cuando te vieres en aflicción, no vayas a la casa de tu hermano; *pues* más sirve el vecino que está cerca, que un hermano desviado.

**11.** Aplícate, hijo mío, a la sabiduría, y alegra mi corazón; para que puedas responder *con acierto* al que te vituperare.

**12.** Retírase el varón prudente al ver venir el mal; *pero* los incautos pasan adelante, y sufren el daño.

**13.** Coge el vestido de aquél que salió por fiador de un extraño; y sácale la prenda *que ha dado* por los forasteros.

**14.** El que con grandes voces se pone a alabar a su prójimo intempestivamente, es como si dijere mal de él.

**15.** Casa con goteras en tiempo de invierno y mujer rencillosa, son dos cosas que van a la par:

**16.** Quien quiere contener a ésta, es como el que intentare detener al viento, o trabajare para estrechar el aceite dentro de su mano.

**17.** El hierro con hierro se aguza, y el hombre aguza el ingenio de su amigo.

**18.** Quien cuida de la higuera, comerá sus frutos; y el que cuida bien de su amo, será honrado.

**19.** Como en las aguas se representan los semblantes de los que miran en ellas, así los corazones humanos son manifiestos a los prudentes.

**20.** El infierno y la muerte nunca dicen, basta: así también son insaciables los ojos de los hombres.

**21.** Como en la hornaza, se prueba la plata, y en el crisol el oro, así se prueba el hombre por la boca del que le alaba. Va en busca de males el corazón del inicuo; pero el buen corazón inquiere la ciencia.

**22.** Aun cuando majases al necio en un mortero, como se maja la cebada con el mazo, no desprenderías de él su necedad.

**23.** Ten exacto conocimiento de tus ovejas, y no pierdas de vista tus rebaños;

---

CAP. XXVII. — 10. *Hermano:* si éste te mira con indiferencia.

14. Los aduladores dañan a las claras; los detractores ocultamente.

20. *Eccli.* XIV, *v.* 9.

**24.** Porque no siempre tendrás el poder *o fuerza* para hacerlo; pero recibirás por ello una corona eterna.

**25.** Tienes a tu disposición los prados; brotaron las verdes yerbas, y recogióse ya el heno de los montes.

**26.** Los corderos te darán el vestido, y los cabritos servirán para la paga del campo *o dehesa.*

**27.** Conténtate con la leche de *tus* cabras para tu alimento, y para la subsistencia de tu familia, y para mantener a tus criadas.

## CAPITULO XXVIII

*De la paz sincera, del honor verdadero y de las riquezas estables.*

**1.** Huye el impío sin que nadie lo persiga; mas el justo se mantiene a pie firme como el león, sin asustarse de nada.

**2.** Por los pecados de la tierra hay muchos príncipes en ella *de corto reinado;* pero será más larga la vida del príncipe, si es sabio, y adquiere la inteligencia de las cosas que aquí se enseñan.

**3.** El hombre pobre que oprime a otros pobres *para hacerse poderoso,* es semejante a un recio aguacero que acarrea la carestía.

**4.** Los que abandonan la ley *de Dios* alaban al impío; pero los que la guardan se enardecen contra él.

**5.** Los malvados no se cuidan de lo que es justo; pero los que buscan al Señor, miran todas las cosas con atención.

**6.** Más apreciable es el pobre que procede con sencillez, que un rico que anda por caminos perversos.

**7.** El que guarda la ley, hijo sabio es; pero el que mantiene a glotones avergüenza a su padre.

**8.** Quien amontona riquezas con usuras e intereses injustos, las allega para el que ha de ser liberal con los pobres.

**9.** Quien cierra sus oídos para no escuchar la ley, execrada será *de Dios* su oración.

**10.** Aquél que seduce a los justos guiándolos por el mal camino, caerá en el mismo precipicio, y los inocentes poseerán sus bienes.

**11.** Tiénese por sabio el hombre rico; pero el pobre dotado de prudencia sabrá quitarle la máscara.

**12.** En la exaltación *o prosperidad* de los justos está la mayor gloria *de los Estados;* el reinado de los impíos es la ruina de los hombres.

**13.** Quien encubre sus pecados no podrá ser dirigido; mas el que los confesare y se arrepintiere de ellos, alcanzará misericordia.

**14.** Bienaventurado el hombre que está siempre temeroso de ofender *a Dios;* pero el de corazón duro *y descuidado* se precipitará en la maldad.

**15.** León rugiente y oso hambriento, es un príncipe impío que reina sobre un pueblo pobre.

**16.** Oprimirá a muchos con vejaciones el príncipe falto de prudencia; *y así perecerá luego;* mas el que aborrece la avaricia vivirá largos días.

**17.** Al hombre que, valiéndose de calumnias, derrama la sangre de una persona, aunque huyendo llegare hasta el borde de un abismo, nadie acudirá a detenerlo.

**18.** Quien procede con sencillez, será salvo; el que anda por caminos torcidos, al fin caerá.

**19.** El que labra su tierra, tendrá pan de sobra; pero el que ama la ociosidad, estará lleno de miseria.

**20.** El hombre *de un proceder* leal será muy alabado; mas quien se afana *demasiado* por enriquecerse, no estará exento de culpa.

**21.** Obra muy mal quien, cuando juzga, hace distinción de personas; éste por *sólo* un bocado de pan venderá la justicia.

**22.** El hombre que tiene afán por enriquecerse y envidia a los otros, no se hace cargo de que le sobrevendrá *de repente* la pobreza.

**23.** Quien corrige a una persona, será al fin más grato a ella, que otro que la engaña con palabras lisonjeras.

**24.** El que hurta algo a su padre, y a su madre, y dice no ser pecado, es semejante en el crimen al homicida.

**25.** Aquél que se jacta y se hincha de soberbia, excita contiendas; mas a quien espera en el Señor, todo le saldrá bien.

**26.** El que confía en su propio consejo, es un insensato; mas quien procede sabiamente, ése se salvará.

**27.** El que da al pobre, nunca estará necesitado; pero quien menosprecia al que pide rogando, padecerá indigencia.

**28.** Cuando los impíos alzaren cabeza, se esconderán los hombres *de bien;* mas cuando perecieren aquéllos, los justos se multiplicarán.

---

CAP. XXVIII. — 14. *De ofender a Dios: o con él ¡ay! si ofendo a Dios. Job.* IX, *v.* 28.

22. Y que sólo podrá llevarse al sepulcro una pobre mortaja.

## CAPITULO XXIX

*Avisos a los príncipes y a los vasallos; a los padres y a los hijos. Del temor de los hombres. Dios es el Juez supremo.*

**1.** Al hombre de dura cerviz, que desprecia al que le corrige, le sorprenderá de repente su total ruina, y no tendrá remedio.

**2.** Cuando se multiplican los justos, se llena de gozo el pueblo; cuando los impíos toman las riendas del gobierno, el pueblo tendrá que gemir.

**3.** El hombre que ama la sabiduría, es el consuelo de su padre; mas aquél que mantiene prostitutas, disipará su hacienda.

**4.** El rey justo hace felices sus estados; el hombre avariento los arruina *vendiendo la justicia.*

**5.** El que hablando con su amigo, usa de palabras halagüeñas y fingidas, le tiende una red a sus pies.

**6.** El hombre pecador e inicuo caerá en *su mismo* lazo, y el justo cantará himnos y se regocijará.

**7.** El varón justo se informa de la causa de los pobres; el impío de nada de esto se cuida.

**8.** Los hombres malvados son la ruina de la ciudad; mas los sabios la salvan del furor.

**9.** El varón sabio que disputare con el insensato, ora se enoje contra él, ora se ría, no logrará estar con sosiego.

**10.** Aborrecen al sencillo los hombres sanguinarios; mas los justos procuran salvarle la vida.

**11.** El insensato habla luego cuanto en su pecho tiene; pero el que es sabio no se apresura, sino que reserva algunas cosas para en adelante.

**12.** El príncipe que escucha con gusto las mentiras *y chismes,* no tendrá sino ministros perversos.

**13.** Encontráronse el pobre y su acreedor; a entrambos alumbra el Señor *Dios.*

**14.** El rey que hace justicia a los pobres *juzgando* según la verdad, afianza su trono para siempre.

**15.** El castigo y la represión acarrean sabiduría; pero el muchacho abandonado a sus antojos, es la confusión de su madre.

**16.** Multiplicándose los impíos, se multiplicarán las maldades; mas los justos verán la ruina de los inicuos.

**17.** Instruye *o cría* bien a tu hijo, y será tu consuelo y las delicias de tu alma.

**18.** En faltando la profecía, será disipado el pueblo; pero bienaventurado será el que guardare la ley.

**19.** No bastan las *solas* palabras para corregir a un ánimo que sólo obra por temor: porque conoce bien lo que tu dices; mas no quiere darse por entendido.

**20.** ¿Has visto tú algún hombre que se precipita para hablar? Antes se puede esperar la enmienda del necio, que del locuaz.

**21.** Quien cría en el regalo desde la niñez a su siervo, después lo experimentará contumaz.

**22.** Levanta quimeras el hombre colérico; y quien fácilmente se enoja estará más expuesto a pecar.

**23.** Sigue al soberbio la humillación; mas el humilde de espíritu será glorificado.

**24.** Quien con un ladrón se asocia, a su *propia* alma aborrece; oye al que le toma juramento, y nada declara.

**25.** El que *sólo* al hombre teme, presto caerá; el que espera en el Señor, será exaltado.

**26.** Buscan muchos el favor del príncipe; mas del Señor ha de venir el juicio *o destino* de cada uno.

**27.** Los justos abominan a los impíos, y los impíos abominan a los que siguen el buen camino. El hijo que observa esta doctrina, seguro está de no perderse.

## CAPITULO XXX

*El sabio cree no saber nada. Se habla enigmáticamente de cuatro vicios pésimos e insaciables que tienen perturbado al mundo, y que debemos procurar evitar.*

**1.** Palabras *o sentencias* de aquél que congrega, hijo del afluente *en sabiduría.* Revelación que expuso un varón con quien está Dios, y el cual habiendo sido confortado por Dios que mora en él, habló *de esta manera:*

---

**3.** *Luc.* XV, *v.* 13.
**13.** Esto es, (según indica el texto hebreo) *a ambos dará su merecido,* al pobre por su paciencia, y al acreedor por sus usuras. *Cap.* XXII, *v.* 2.

**18.** Esto es, la explicación de la palabra de Dios. — I *Cor.* XIV, *v.* 29. Cuando vino el Mesías, habían faltado enteramente los enviados extraordinarios de Dios, que con su celo encendido y pureza de vida apartasen al pueblo de los vicios y errores. — Véase la pintura que hacía Jesucristo de los escribas y fariseos, de los doctores de la Ley y sacerdotes de su tiempo.

**2.** Yo soy el más ignorante de los hombres, ni tengo sabiduría humana.

**3.** No he aprendido la sabiduría, ni he entendido *por mí mismo* la ciencia de los santos.

**4.** ¿Quién ha subido al cielo y ha bajado de allá, *para poder hablar sabiamente?* ¿Quién sujetó al viento con sus manos? ¿Quién envolvió *en densas nubes* las aguas como en un envoltorio? ¿Quién ha dado estabilidad a todas las partes de la tierra? ¿Cuál es el nombre de éste *que tal hizo?* ¿Y qué nombre tiene su hijo? *Dilo tú,* si es que lo sabes.

**5.** Toda palabra de Dios está como acrisolada al fuego; es un escudo para los que en él confían.

**6.** No añadas una tilde a sus palabras; de lo contrario serás redargüido y convencido de falsario.

**7.** Dos cosas te he pedido, *¡oh Señor!,* no me las niegues en lo que me resta de vida:

**8.** Aleja de mí la vanidad y las palabras mentirosas. No me des ni mendiguez ni riquezas; dame solamente lo necesario para vivir,

**9.** No sea que viéndome sobrado, me vea tentado a renegar *de ti;* y diga *lleno de arrogancia:* ¿Quién es el Señor? O bien que acosado de la necesidad me ponga a robar, y a perjurar el Nombre de mi Dios.

**10.** No acuses *ligeramente* al siervo ante su amo; no sea que te maldiga, y tú te pierdas.

**11.** Hay una casta de gente que maldice a su padre, y también a su madre, en vez de bendecirla.

**12.** Otra casta de gente que se tiene por pura, y *por lo mismo* no se ha lavado de sus manchas.

**13.** Otra casta hay de gente que tiene *siempre* altivos sus ojos, y erguidos *y levantados* sus párpados.

**14.** Otra casta de hombres que tienen unos dientes como cuchillos, y despedazan con sus quijadas, y se tragan los desvalidos de la tierra, y los pobres de entre los hombres.

**15.** La sanguijuela *de la concupiscencia* tiene dos hijas, las cuales están diciendo *siempre:* Dame, dame. Tres cosas hay insaciables, o más bien cuatro, que jamás dicen, ya basta:

**16.** El infierno, los placeres carnales, *o la lascivia,* y la tierra que nunca se sacia de agua, además el fuego, el cual nunca dice, basta.

**17.** A quien hace mofa de su propio padre, y desprecia los dolores que al darle a luz padeció su madre, sáquenles los ojos los cuervos que viven a lo largo de los torrentes, y cómanselos los aguiluchos.

**18.** Tres cosas me son difíciles de entender, o más bien cuatro; las cuales ignoro totalmente:

**19.** El rastro del águila en la atmósfera, el rastro de la culebra sobre la peña, el rastro de la nave en alta mar, y el proceder del hombre en la mocedad.

**20.** Tal es también el camino de la mujer adúltera; la cual después de haber comido, limpiándose la boca, dice *con descaro:* Yo no he cometido mal ninguno.

**21.** Por tres cosas se perturba la tierra, o más bien por cuatro; las cuales ella no puede sufrir:

**22.** Por un esclavo que llega a reinar; por un tonto harto de comida;

**23.** Por una mujer que se casa con el que la aborrece; y por la esclava que es heredera de su ama.

**24.** Cuatro cosas hay de las más pequeñas *o ruines* sobre la tierra; las cuales superan en saber a los sabios:

**25.** Las hormigas, ese pueblo debilísimo, el cual al tiempo de las mieses se provee de víveres;

**26.** Los conejos, tímidos animales, que colocan su madriguera entre las peñas;

**27.** Las langostas, que sin tener rey, se mueven todas ordenadas en escuadrones;

**28.** El estelión, que trepa con sus pies, y se aposenta en los mismos palacios de los reyes.

**29.** Tres cosas hay que andan con mucho garbo, o más bien cuatro; las cuales marchan con gran gallardía:

**30.** El león, que como el más fuerte de todos los animales, no teme el encuentro de nadie;

**31.** El gallo, que anda erguido; el carnero *padre, que va al frente del rebaño;* y el rey, con quien nadie puede medir sus fuerzas.

---

CAP. XXX. — 4. Todas estas frases interrogantes equivalen a afirmaciones. La última ¿Cuál es el nombre...?, según la mayoría absoluta de los intérpretes católicos, se refiere a Dios y significa: ¿Quién podrá declarar su naturaleza y la de su sabiduría? (Simón).

5. *Ps.* XVII, *v.* 31.
12: *Luc.* XVIII, *v.* 9.

---

19. Por ser el joven tan vario e inconstante en sus cosas.

20. *Después de haber comido:* Según el hebreo *puede* traducirse: *después de haber pecado.*

**32.** Hay quien *pasaba por sabio, que* descubrió ser un insensato, luego de elevado a un alto puesto; si hubiese tenido entendimiento, no hubiera desplegado sus labios *para pedir tal destino.*

**33.** Quien exprime o *bate* fuertemente la ubre para sacar leche, hace salir de ella un jugo espeso; y quien se suena con vehemencia saca sangre; así aquél que provoca la cólera enciende discordias.

## CAPITULO XXXI

*Consejos de la reina madre al rey su hijo. Retrato y elogio de la mujer fuerte.*

**1.** Palabras del rey Lamuel. Profecía o *doctrina inspirada* con que le instruyó su madre.

**2.** ¡Qué *te diré yo,* oh amado mío! ¿Qué *te encomendaré,* oh hijo de mis entrañas! ¡Qué, oh dulce objeto de *todos* mis deseos!

**3.** No entregues tu sustancia o *bienes* a las mujeres, ni emplees tus riquezas en lo que es la ruina de los reyes.

**4.** No quieras ¡oh Lamuel! no quieras dar vino a los reyes; porque no hay secreto seguro donde reina la embriaguez;

**5.** Y porque no suceda que *bien* bebidos se olviden de administrar la justicia, y hagan traición a la causa de los hijos del pobre.

**6.** Dad sidra o *licores* a los afligidos, y el vino a los que tienen el corazón lleno de amargura.

**7.** Beban éstos para echar en olvido su miseria, y no acordarse más de su dolor.

**8.** Abre tu boca a favor del que es mudo, *o no puede defenderse,* y en defensa de todos los pasajeros.

**9.** Abre tu boca, decide lo que es justo, y haz justicia al desvalido y al pobre.

**10.** ¿Quién hallará una mujer fuerte? De mayor estima es que todas las preciosidades traídas de lejos y de los últimos términos del mundo.

**11.** En ella pone su confianza el corazón de su marido; el cual no tendrá necesidad de botín o *despojos para vivir.*

**12.** Ella le acarrea el bien todos los días de su vida, y nunca el mal.

**13.** Busca lana y lino, de que hace labores con la industria de sus manos.

**14.** Viene a ser como la nave de un comerciante, que *con la industria* trae de lejos el sustento.

**15.** Se levanta antes que amanezca, y distribuye las raciones a sus domésticos, y el alimento a sus criadas.

**16.** Puso la mira en unas tierras, y las compró; de lo que ganó, con sus manos plantó una viña.

**17.** Revistióse de *varonil* fortaleza, y esforzó su brazo.

**18.** Probó, y echó de ver que su trabajo le fructifica; por tanto tendrá encendida la luz toda la noche.

**19.** Aplica sus manos a los quehaceres *domésticos, aunque* fatigosos, y sus dedos manejan el huso.

**20.** Abre su mano para socorrer al mendigo, y extiende sus brazos para amparar al necesitado.

**21.** No temerá para los de su casa los fríos ni las nieves; porque todos sus domésticos traen vestidos forrados.

**22.** Se labró ella misma para sí un vestido acolchado; de lino finísimo y de púrpura es de lo que viste.

**23.** Su esposo hará un papel brillante en las puertas o *asambleas publicas,* sentado entre los senadores del país.

**24.** Ella teje *finísimas* telas, y las vende, y entrega también *ricos* ceñidores, *o fajas,* a los *negociantes* cananeos.

**25.** La fortaleza y el decoro son sus atavíos; y estará alegre *y risueña* en los últimos días.

**26.** Abre su boca con sabios discursos, y la ley de la bondad o *amor* gobierna su lengua.

**27.** Vela sobre los procederes de su familia; y no come ociosa el pan.

**28.** Levantáronse sus hijos, y aclamáronla dichosísima: su marido *también,* y la alabó, *diciendo:*

**29.** Muchas son las hijas *o esposas* que han allegado riquezas; mas a todas has tú aventajado.

**30.** Engañoso es el donaire, y vana la hermosura: la mujer que teme al Señor, ésa será la celebrada.

**31.** Dadle *alabanza, para que goce* del fruto de sus manos, y celébrense sus obras en la pública asamblea *de los jueces.*

---

**CAP. XXXI.** — **4.** *A los reyes:* No creas bueno el beber mucho.

---

**25.** *Risueña:* Con razón se ríe de cuanto puede sucederle, y espera tranquilamente la hora de su muerte.

# LIBRO DEL ECLESIASTÉS

# Introducción

Según una tradición judía que recoge San Jerónimo, el *Eclesiastés* (que en griego significa «orador») es obra de Salomón. La habría escrito al final de su vida, cuando, harto de placeres y arrepentido de su vanidad, dijo la famosa sentencia «vanidad de vanidades y todo vanidad». De todos modos la exégesis moderna aclara perfectamente que el autor de este libro no puede ser Salomón ni ningún coetáneo suyo. Debió ser un sabio israelita posterior a la cautividad y que no mantenía la pureza del idioma, pues está el escrito plagado de palabras foráneas. Con todo, dada la índole del libro, poco importa quién fuera su autor.

El *Eclesiastés* estudia en esencia el fin del hombre. Como otros muchos textos sagrados, afirma que la vida humana está sometida al juicio de Dios, que da a cada uno según sus obras. El caso del malvado que prospera y del justo que se ve desgraciado es frecuente y produce gran impresión en el ánimo de los fieles. El *Eclesiastés* enseña la fe en la inmortalidad del alma y la confianza en la justicia divina. La actitud del *Eclesiastés* en el estudio del problema del fin del hombre es insistir con fe en la justicia suprema de Dios. Posteriormente estas actitudes se modificarían en fases más avanzadas de la revelación divina. Esta obra desde el punto de vista doctrinal critica la solución que daba la antigua sabiduría hebrea al problema del fin del hombre. Por ello tiene cierto carácter reflexivo respecto de las opiniones corrientes. La lectura del *Eclesiastés*, finalmente, aviva la esperanza de los creyentes.

## CAPITULO PRIMERO

*Vanidad de todas las cosas mundanas. Ninguna cosa es nueva de todas cuantas pasan debajo del sol.*

1. Palabras de *Salomón llamado* el Eclesiastés, hijo de David, rey de Jerusalén.

2. Vanidad de Vanidades, dijo el Eclesiastés; vanidad de vanidades, y todo *es* vanidad.

3. ¿Qué saca el hombre de todo el trabajo con que se afana *sobre la tierra o* debajo de la capa del sol?

4. Pasa una generación, y le sucede otra; mas la tierra queda siempre estable.

5. *Asimismo* nace el sol y se pone, y vuelve a su lugar; y de allí renaciendo,

6. Dirige su curso hacia el mediodía, y declina después hacia el norte; corre el viento soplando por toda la redondez de la tierra, y vuelve a comenzar *después* sus giros.

---

CAP. PRIMERO. — *Rom.* VIII, *v.* 20.

6. Ninguno de estos cuerpos traspasa las leyes que les puso Dios, y solamente el hombre, hecho a imagen de su Creador, las traspasa para ir en pos de la vanidad. *S. Greg. Taumat.*

**7.** Todos los ríos entran en el mar, y el mar no rebosa; van los ríos a desaguar en el *mar,* lugar de donde salieron, para volver a correr de nuevo.

**8.** Todas las cosas *del mundo* son difíciles: no puede el hombre *comprenderlas ni* explicarlas con palabras. Nunca se harta el ojo de mirar, ni el oído de oír *cosas nuevas.*

**9.** ¿Qué es lo que hasta aquí ha sido? Lo mismo que será. ¿Qué es lo que se ha hecho? Lo mismo que se ha de hacer.

**10.** Nada es nuevo en este mundo; ni puede nadie decir: He aquí una cosa nueva; porque ya existió en los siglos anteriores a nosotros.

**11.** No queda memoria de las cosas pasadas; mas tampoco de las que están por venir habrá memoria entre aquéllos que vendrán después al último.

**12.** Yo el Eclesiastés o *Predicador* fuí *constituido* rey de Israel en Jerusalén;

**13.** Y propuse en mi corazón inquirir e investigar curiosamente acerca de todas las cosas que suceden debajo del sol. Esta ocupación penosísima ha dado Dios a los hijos de los hombres, para que trabajen en ella.

**14.** Yo he visto todo cuanto se hace debajo del sol, y he hallado ser todo vanidad y aflicción de espíritu.

**15.** Las almas pervertidas con dificultad se corrigen; y es infinito el número de los necios.

**16.** Hice *también* dentro de mí mismo estas reflexiones: yo he llegado a ser grande o *poderoso,* y he aventajado en sabiduría a todos los que florecieron antes de mí en Jerusalén; mi espíritu ha contemplado muchas cosas sabiamente, *o con grande atención,* y he aprendido mucho;

**17.** Aplicado he igualmente mi corazón al conocimiento de la prudencia, y de la doctrina, y de los errores y desaciertos. Mas he visto que aun esto mismo era *todo* trabajo y aflicción de espíritu.

**18.** Puesto que la mucha sabiduría trae consigo muchos desazones; y quien acrecienta el saber, también acrecienta el trabajo.

## CAPITULO II

*Delicias, riquezas y afanes de los hombres, todo es pura vanidad.*

CAP. II. — I. *Cap.* XV, *v.* 19. *Ps.* IV *v.* 9; XXIII, *v.* 22, LXXXVII, *v.* 5; CV. *v.* 15.

**1.** Entonces dije yo en mi corazón: Iré a bañarme en delicias, y a gozar de los bienes *presentes.* Mas luego eché de ver que también esto es vanidad.

**2.** *Por tanto,* a la risa la tuve por desvarío, y dije al gozo o *placer mundano:* ¡Cuán vanamente te engañas!

**3.** *En seguida* resolví en mi interior el negar a mi cuerpo el *uso del* vino *y demás deleites,* para dedicar mi ánimo a la sabiduría y evitar el error, hasta experimentar qué cosa sería la más útil a los hijos de los hombres; *o* en qué deben emplearse en este mundo en los *pocos* días que vivan en él.

**4.** Yo mandé hacer magníficas obras, me edifiqué casas *de placer,* y planté viñas.

**5.** Formé huertos y vergeles, y puse en ellos toda especie de árboles.

**6.** Construí estanques de aguas, para regar el plantío de los árboles.

**7.** Poseí *muchos* esclavos y esclavas, y llegué a tener numerosa familia; asimismo ganados mayores, y muchísimos rebaños de ovejas, más que los que habían tenido cuantos fueron antes de mí en Jerusalén.

**8.** Amontoné plata y oro, y los tesoros de los reyes y de las provincias *que sujetó mi padre.* Escogí *para mi palacio,* cantores o *músicos,* y cantoras, y cuanto sirve de deleite a los hijos de los hombres; vasos y jarros *preciosos* para servir el vino *en mi mesa.*

**9.** Y sobrepujé en riquezas a todos los que vivieron antes de mí en Jerusalén. En medio de todo esto permaneció conmigo la sabiduría.

**10.** *En suma:* nunca negué a mis ojos nada de cuanto desearon; ni vedé a mi corazón el que gozase de todo género de deleites, y se recrease en las cosas que tenía yo preparadas; antes bien juzgué ser ésta mi suerte, el disfrutar de mi trabajo *o industria.*

**11.** Mas volviendo la vista hacia todas las obras de mis manos, *y considerando* los trabajos en que tan inútilmente me había afanado, ví que todo era vanidad y aflicción de espíritu, y que nada hay estable en este mundo.

**12.** Pasé *de aquí* a contemplar la sabiduría, y los errores, y la necedad *de los mortales;* (pero, ¿quién es el hombre, dije, para poder seguir *las obras* del rey, su Creador?)

**13.** Y eché de ver que tanto se aventaja la sabiduría a la necedad, cuanto se diferencia la luz de las tinieblas.

**14.** Tiene el sabio los ojos en su frente; *pero* el necio anda a oscuras. Con todo observé que ambos a dos vienen a morir igualmente.

**15.** Por lo que dije en mi corazón: Si yo he de morir lo mismo que el necio, ¿de qué me sirve haberme aplicado con mayor desvelo a la sabiduría? Y discurriendo para conmigo, inferí que aun esto *por sí solo* era vanidad.

**16.** Porque no ha de ser eterna la memoria del sabio, como no lo es la del necio; y los tiempos venideros sepultarán en el olvido todas las cosas; muriendo así el docto como el ignorante.

**17.** Por tanto he cobrado tedio a mi propia vida, viendo que debajo del sol no hay más que males, y que todo es vanidad y aflicción de espíritu.

**18.** Detesté también toda aquella aplicación mía, con que en esta vida me había afanado con tanto empeño; habiendo de tener después de mí un heredero,

**19.** Que ignoro si será prudente o tonto, el cual poseerá el fruto de mis trabajos, que tantos sudores y cuidados me costaron. ¿Y puede haber cosa más vana que ésta?

**20.** Por este motivo he dado de mano a todas estas cosas, y he resuelto en mi corazón no afanarme más por nada de este mundo,

**21.** Visto que después de haber uno trabajado con sabiduría y doctrina, y desvelándose, viene a dejar lo adquirido a un holgazán; cosa que ciertamente es una vanidad y mucha desdicha.

**22.** Porque ¿qué fruto saca el hombre de todos sus afanes y de la aflicción de ánimo con que se atormenta en este mundo?

**23.** Llenos están de dolor y de amargura todos sus días; ni aun por la noche goza de reposo su alma. ¿Y no es esto una *suma* vanidad *o miseria?*

**24.** ¿No sería mejor comer y beber *con sosiego, y* regalarse con lo ganado a costa de sus fatigas? Pero este don viene de la mano de Dios.

**25.** ¿Quién podrá regalarse y abundar en delicias tanto como yo? Y *con todo no soy feliz.*

**26.** Dios, al hombre que le es grato, le da sabiduría, y ciencia, y contentamiento: mas al pecador le envía aflicción e inútiles cuidados de acumular y almacenar bienes para dejarlos a quien Dios quiera; lo que no menos es vanidad e inútil tormento del ánimo.

## CAPITULO III

*Todas las cosas pasan con el tiempo; y así debemos arrojarnos en los brazos de la Providencia, y esperar otra vida, en la que Dios juzgará a los buenos y a los malos.*

**1.** Todas las cosas tienen su tiempo, y todo lo que hay debajo del cielo pasa en el término que se le ha prescrito.

**2.** Hay tiempo de nacer y tiempo de morir; tiempo de plantar y tiempo de arrancar lo que se plantó.

**3.** Tiempo de dar muerte y tiempo de dar vida; tiempo de derribar y tiempo de edificar.

**4.** Tiempo de llorar y tiempo de reir; tiempo de luto y tiempo de gala.

**5.** Tiempo de esparcir piedras y tiempo de recogerlas; tiempo de abrazar y tiempo de alejarse de los abrazos.

**6.** Tiempo de ganar y tiempo de perder; tiempo de conservar y tiempo de arrojar.

**7.** Tiempo de rasgar y tiempo de coser; tiempo de callar y tiempo de hablar.

**8.** Tiempo de amor y tiempo de odio; tiempo de guerra y tiempo de paz.

**9.** *Y al cabo,* ¿qué fruto saca el hombre de su trabajo?

**10.** He visto la pena que ha dado Dios a los hijos de los hombres para su tormento.

**11.** Todas las cosas que hizo *Dios* son buenas, *usadas* a su tiempo; y el *Señor entregó* el mundo a las *vanas* disputas de los hombres; de suerte que ninguno de ellos puede entender *perfectamente* las obras que Dios crió desde el principio hasta el fin.

**12.** Y así he conocido que lo mejor de todo es estar alegre, y hacer buenas obras mientras vivimos.

**13.** Porque cualquier hombre que come y bebe, gozando del fruto de sus fatigas, de Dios recibe este don.

**14.** He visto que todas las cosas que ha creado Dios, duran perpetuamente: ni podemos añadir ni quitar nada de lo que Dios hizo para ser temido *y adorado.*

**15.** Lo que fué hecho, eso mismo permanece; lo que ha de ser ya fué, porque Dios renueva lo que pasó.

**16.** He visto debajo del sol, *o en este mundo,* la impiedad en el lugar del juicio, y la iniquidad en el puesto de la justicia;

**17.** Y he dicho *luego* en mi corazón: Dios ha de juzgar *algun día* al justo y al impío; y entonces será el tiempo de *ordenar* todas las cosas.

**18.** Dije *también* en mi corazón acerca de los hijos de los hombres, que Dios los probaba *y humillaba su orgullo,* con hacer ver que son parecidos a las bestias.

---

CAP. III. — IV *Reg.* III, *v.* 25.
**14.** Pues el fin que el Señor se propuso en ellas, fué para ser temido y adorado. Ninguna sustancia de cuantas creó Dios al principio del mundo se aniquila o pasa a la nada. *Santo Tomás,* I *P. Quest.* CIV. *art.* 4.

**19.** Porque muere el hombre a semejanza de las bestias, *y en tener que morir* son ambos de igual condición; pues como el hombre muere, así mueren ellas; todos respiran de la misma manera; y el hombre, *después del pecado,* no tiene ninguna exención sobre las bestias: todo está sujeto a la vanidad *del sepulcro.*

**20.** Y todo va a parar a un mismo lugar; de la tierra fueron hechas todas estas cosas, y en tierra igualmente *o polvo* vuelven a parar.

**21.** ¿Quién ha visto si el alma de los hijos de Adán sube hacia arriba, y si el alma de los brutos cae hacia abajo?

**22.** Entiendo, pues, que no hay cosa mejor para el hombre que atender con alegría a sus ocupaciones, y que ésta es su suerte *mientras vive.* Porque ¿quién podrá ponerlo en estado de conocer lo que ha de acontecer después de sus días?

## CAPITULO IV

*Disgusto de la vida al ver la opresión de los inocentes, y la envidia, avaricia, e inconstancia de los afectos humanos.*

**1.** Volví *todavía* mi atención a otras cosas, y vi las tropelías que se cometen debajo del sol y las lágrimas de los inocentes, sin haber nadie que los consuele; y la imposibilidad en que se hallan de resistir a la violencia, estando como están, destituidos en todo socorro.

**2.** Por lo que preferí el estado de los muertos al de los vivos;

**3.** Y juzgué más feliz que unos y otros al hombre que todavía está por nacer, ni ha visto los males que se hacen debajo del sol.

---

21. Seguramente que ningún mortal lo ha visto a lo menos con los ojos del cuerpo. O también: *¿Cuántos hay que sepan en el mundo si el espíritu de los hijos de Adán sube a lo alto, y si el alma de los brutos cae hacia abajo?* A tanta ceguedad habían llegado los sabios del tiempo de Salomón; y por eso dice que estaba el mundo lleno de tinieblas. Fueron éstas disipadas con la antorcha de la fe: por medio de la cual una simple mujercilla sabe más que lo que ellos supieron. *San Ag. Ep.* III, *ad Volus.* Y después de tanta luz, ¿es posible que haya entre nosotros tantos ciegos, que se tienen por ilustrados o filósofos?

*Luc.* XVI, *v.* 31.

Cap. XII. *v.* 7.

**4.** Pasé también a contemplar todas las obras *o destinos* de los hombres; y advertí que sus habilidades están expuestas a la envidia del prójimo, y que así aun en esto hay vanidad y cuidados inútiles.

**5.** *Por otro extremo,* el necio se está con las manos cruzadas y se consume a sí mismo, diciendo:

**6.** Más vale un puñadito *de bienes* con descanso, que las dos manos llenas con trabajo y aflicción de espíritu.

**7.** Reflexionando hallé aún otra vanidad debajo del sol:

**8.** Un hombre solo que no tiene heredero, ni hijo, ni hermano; y sin embargo no cesa de afanarse, ni se hartan de bienes sus ojos; ni le ocurre el preguntarse a sí mismo: ¿Yo para quién trabajo? ¿Y por qué me privo del uso de estos bienes? Vanidad es ésta también y aflicción grandísima *del ánimo.*

**9.** Mejor es, pues, vivir dos juntos que uno solo; porque es ventajoso el estar en companía.

**10.** Si uno va a caer, el otro lo sostiene. Pero ¡ay del hombre que está solo!, pues si cae, no tiene quien lo levante.

**11.** Si duermen dos juntos, se calentarán mutuamente, *y defenderán del frío:* uno solo, ¿cómo se calentará?

**12.** Y si alguien acometiere contra el uno de los dos, ambos le resisten *y rechazan.* Una cuerda de tres dobleces, difícilmente se rompe.

**13.** Vale más un joven, *aunque* pobre, si es sabio, que un rey viejo y tonto, que no sabe dar providencia para en adelante.

**14.** Porque algunas veces de la cárcel y de entre cadenas sale uno para reinar; y otro nacido en el trono acaba en miseria.

**15.** He visto yo a todos los hombres que viven debajo del sol, acompañar al joven *príncipe* que ha de suceder al padre.

**16.** Infinito es el número de la gente que lo precedió, *y llenó de aplausos;* mas los que vendrán después, ya no estarán contentos con él. Conque también esto es vanidad y aflicción de espíritu.

**17.** Considera *la santidad del lugar en que pones* tus pies, cuando entras en la casa de Dios; y acércate con ánimo de obedecerle. Porque mucho mejor es la obediencia *de los humildes,* que los sacrificios de los insensatos *y obstinados pecadores;* los cuales no saben ellos cuanto mal hacen.

## CAPITULO V

*Se ha de hablar de Dios con mucha circuns-*
*pección; deben cumplírsele los votos: ado-*
*rarse la Divina providencia, que permite la*
*opresión de los inocentes, contentarse con lo*
*que da Dios, y huír de la avaricia.*

1. No hables nada inconsideradamente, ni
sea ligero tu corazón en preferir palabras *in-*
*discretas* delante de Dios, porque Dios *es el*
Señor *que* está en los cielos, y tú *un vil gusa-*
*no* sobre la tierra. Sean, pues, pocas *y muy*
*medidas* tus palabras.

2. A los muchos cuidados se siguen sueños
*molestos,* y en el mucho hablar no faltarán
sandeces.

3. Si hiciste algún voto a Dios, no tardes en
cumplirlo; pues le desagrada la promesa infiel
y la imprudente. Por tanto cumple todo lo
que hubieres prometido.

4. Porque mucho mejor es no hacer votos,
que hacerlos y no cumplirlos.

5. No sea tu lengua ocasión de que peque
tu cuerpo. No digas en presencia del Angel:
No hay providencia; no sea que Dios irritado
contra tus palabras, destruya todas las obras
de tus manos.

6. Donde los sueños son muchos, son muchísimas las vanidades, y sin fin las palabras;
pero tú teme a Dios.

7. Si vieres la opresión de los pobres, la
violencia que reina en los juicios, y el trastorno de la justicia en una provincia, no hay que
turbarte por este desorden: pues que aquél
que está en alto puesto, tiene otro sobre sí, y
sobre éstos aún hay otros más elevados,

8. Y hay en fin, sobre todos un soberano, a
quien toda la tierra sirve *reverente.*

9. El avariento jamás se saciará de dinero, y
quien ama *ciegamente* las riquezas, ningún fruto sacará de ellas. Luego también es esto una
vanidad.

10. Donde hay muchos bienes, hay también muchos que los consumen. ¿Qué provecho, pues, saca el poseedor, sino el estar mirando con sus ojos los tesoros que tiene?

11. Dulcemente duerme el trabajador, ora
sea poco, ora sea mucho lo que ha comido:
pero está el rico tan repleto de manjares, que
no puede dormir.

---

**CAP. V.** — 1. San Jerónimo explica este lugar
diciendo: *Dispone Salomón que en nuestro pensar y*
*hablar de Dios no nos propasemos más allá de lo*
*que permite nuestra flaqueza,* etc.

12. Hay todavía otra dolorosísima miseria
que he visto debajo del sol: las riquezas ate-
soradas para ruina de su dueño.

13. Pues las ve desaparecer con terrible
aflicción suya. El hijo que él engendró se verá
reducido a la mayor miseria;

14. Y *él mismo,* así como salió desnudo del
vientre de su madre, así saldrá de esta vida,
sin llevar consigo nada de lo que adquirió
con su trabajo.

15. Verdaderamente que es ésta una desdicha bien lamentable; como vino *al mundo,* así
se volverá; ¿pues qué le aprovecha el haberse
afanado en balde?

16. Todos los días de su vida ha comido a
oscuras, y en medio de muchos cuidados, y
con mezquindad y melancolía.

17. Por tanto yo tengo por una cosa bien hecha el que el hombre coma y beba *sobriamente,*
y disfrute con alegría del fruto de las fatigas
que ha de soportar en este mundo, durante los
días de vida que Dios le conceda; y ésta es la
suerte que le pertenece.

18. Y cuanto concede Dios a un hombre
conveniencias y hacienda, dándole al mismo
tiempo facultad para gozar de ellas, y disfrutar
de la parte que le ha tocado, y alegrarse con el
fruto de su trabajo, es esto un don de Dios.

19. Los días de su vida se le pasarán casi sin
sentirlo porque Dios le llenará el corazón de
delicias.

## CAPITULO VI

*Infelicidad del hombre avariento. Uso que*
*debe hacerse de los bienes de fortuna.*

1. He visto todavía otra miseria en este
mundo, y que es harto común entre los mortales:

2. Un hombre a quien Dios ha dado riquezas, y haciendas, y honores, sin que le falte
cosa de cuantas desea su alma; mas Dios no le
da facultad para disfrutar de ellas; sino que,
*abandonándolo a la avaricia,* otro hombre
extraño lo ha de devorar todo: vanidad es ésta
y miseria muy grande.

3. Supongamos que tenga un centenar de
hijos, y viva muchos años hasta la más avanzada edad; pero que su alma no se sirva de los
bienes que posee, y aun venga a carecer de sepultura: de éste tal, digo yo que es de peor
condición que un aborto.

---

13. *Como cuando se las roban, y sobre todo*
*cuando es muerto por los ladrones;* y lo mismo en
su muerte natural.

**4.** Puesto que *éste* en vano vino al mundo, y luego va a las tinieblas *del sepulcro,* y quedará su nombre sepultado en el olvido,

**5.** Sin haber visto jamás el sol, ni conocido la diferencia del bien y del mal.

**6.** *Mas el avaro,* aunque haya vivido dos mil años, si no ha podido gozar de los bienes; ¿acaso no corren todas las cosas *con él* a un mismo paradero?

**7.** Todo el afán del hombre es para *saciar* su boca o *apetito;* mas su alma, *que es inmortal,* no quedará *con esto* saciada.

**8.** ¿Cuál es la ventaja del sabio respecto del insensato? ¿Cuál la del pobre, sino el encaminarse allá donde se halla la *verdadera* vida?

**9.** Mejor es el ver *y gozar* lo que deseas, que codiciar cosas que ignoras; pero también esto es vanidad y presunción de espíritu.

**10.** El que aún ha de ser *engendrado,* ya es conocido *de Dios* por su propio nombre; y se sabe que, *siendo como* será un hombre *mortal,* no podrá contender en juicio con *Dios,* que es más fuerte que él.

**11.** Mucho se habla y discurre en las disputas, y en todas ellas se ve mucha vanidad.

## CAPITULO VII

*Innumerables molestias que el hombre se acarrea a sí mismo. De la medianía en todas las cosas: y de otros documentos saludables.*

**1.** ¿Qué necesita el hombre andar inquiriendo cosas superiores a su capacidad, cuan-

do ignora lo que le es conducente durante su vida, en el *corto* número de días de su peregrinación, y en el tiempo *de ella,* que pasa como sombra? ¿Ni quién podrá descubrirle lo que ha de suceder despues de él, debajo del sol?

**2.** Más vale la buena reputación, que los más preciosos perfumes; y *mejor es* el día de la muerte *del justo,* que el día del nacimiento.

**3.** Mejor es ir a la casa del luto, que a la del festín; pues en aquélla se recuerda el paradero de todos los hombres, y el que vive considera lo que le ha de suceder *un día.*

**4.** Mejor es el enojo *del justo,* que la *falsa* risa *del lisonjero:* porque con la tristeza del semblante *del justo,* se corrige el corazón del pecador.

**5.** *Y así* el corazón de los sabios está *contento en la casa* donde hay tristeza, y el corazón de los necios, donde hay diversión.

**6.** Más vale ser reprendido del sabio, que seducido por las lisonjas de los necios.

**7.** Porque las risas o *aplausos* del insensato son como el *vano* ruido de las espinas, cuando arden debajo de la olla; y así también esto es vanidad.

**8.** La calumnia conturba *aun* al sabio, y le hace perder la fortaleza de su corazón.

**9.** Mejor es el fin de un discurso o *negocio,* que el principio. Mejor es el hombre sufrido, que el arrogante.

**10.** No seas, *pues,* fácil en airarte, porque la ira se abriga en el corazón del insensato.

**11.** No digas *nunca:* ¿De qué proviene que los tiempos pasados fueron mejores que los de ahora?, pues es ésta una pregunta necia.

**12.** La sabiduría con riquezas es más útil, y aprovecha más a los *otros* hombres.

**13.** Porque como la sabiduría es un escudo, así lo es el dinero; pero la instrucción y la sabiduría *de Dios* tienen la ventaja de que dan vida a quien las posee.

**14.** Considera las obras de Dios, y que ninguno puede corregir o *enderezar* a quien él ha dejado de su mano.

**15.** Tú, *pues,* en el día que tengas bueno, goza del bien, y prevénte para *pasar con paciencia* el día malo; porque como Dios ha hecho aquél, así ha hecho éste; sin que ningún hombre tenga justo motivo para quejarse.

**16.** He visto asimismo en los caducos y frágiles días de mi vida, que perece el justo en medio de su justicia, y el impío vive largo tiempo en medio de su malicia.

CAP. VI. — 3. Esto es, *muchísimos.* Véase Siete.

6. ¿De qué le ha servido la vida sino de tormento?

7. O también: *mas el apetito del avaro no se saciará.*

8. O también: *sino el encaminarse donde halle con qué sustentar la vida?*

Si te harán daño o provecho.

11. O también: *sobre esto se habla mucho y se suscitan muchas dificultades: pero todas llenas de vanidad* y sin ningna sustancia.

CAP. VII.— 4. O también: *Mejor es la serenidad que la risa: porque un aspecto serio contiene el ánimo del que delinque.*

7. Y ciegan con su espeso humo los ojos de todos.

8. El justo soporta con paciencia los agravios; pero no hay duda que muchas veces una calumnia atroz le pone en peligro de perder su constancia, o a lo menos le disminuye el celo o amor a la virtud. Por eso David pedía a Dios que le libertase de las calumnias.

**17.** No quieras ser demasiado justo, ni saber más de lo que conviene, no sea que vengas a parar en un estúpido.

**18.** No multipliques pecados sobre pecados, ni quieras ser insensato *difiriendo la encomienda;* no sea que te tome la muerte antes de tiempo.

**19.** Bueno es que socorras al justo; mas no por eso retires tu mano de otros *que no lo son;* pues quien teme a Dios a nadie desecha.

**20.** La sabiduría hace al sabio más fuerte que diez o *muchos* poderosos de una ciudad; *pero no lo hace impecable;*

**21.** Porque no hay hombre justo en la tierra, que haga el bien, y no peque *jamás.*

**22.** No te pares a escuchar todas las conversaciones que se tienen, no sea que oigas a tu siervo murmurar de ti;

**23.** Ya que tu conciencia te atestigua que tú también has murmurado frecuentemente de otros.

**24.** Yo hice todo lo posible por alcanzar la sabiduría. Dije *para conmigo:* Yo he de llegar a ser sabio. Pero ella se desvió lejos de mí

**25.** Mucho más que antes. ¡Oh, cuán grande es su profundidad! ¿Quién podrá llegar a sondearla?

**26.** Recorrió mi espíritu todas las cosas para saber y considerar, y buscar la sabiduría y la razón, para conocer asimismo la malicia de los insensatos y el error de los imprudentes;

**27.** Y hallé *al fin* que es más amarga que la muerte la mujer; la cual es un lazo de cazar, y una red *barredera* su corazón, y sus manos unos grillos. Quien es grato a Dios huirá *y se librará* de ella; pero el pecador quedará preso.

**28.** Esto es lo que hallé, dijo el Eclesiastés, *habiendo recorrido* una cosa tras otra, para averiguar la razón *de la pérdida de tantos hombres:*

**29.** Razón que aún anda buscando mi alma, sin haberla podido descubrir; *a saber,* porque entre mil hombres hallé uno, y ninguna entre las mujeres todas.

---

**17.** *Justo:* O traspasar el medio donde está la virtud. Esto es: No quieras hacer o tenerte por demasiado justo, porque degenerarás en cruel, y tu amor propio no hallará nada justo si no está conforme a tu severidad, y lo mismo respecto del saber. El justo ni ha de portarse con excesivo rigor con el prójimo, ni con excesiva condescendencia; no ha de tener tanta delicadeza de conciencia que viva sin paz interior, y tema donde no hay que temer. *S. Bern. serm.* IV, *in Ps.* XC. — *S. Ag. in Joann, Tract.* 95.

**25.** *Job.* XXVIII, *v.* 12, 27. — *Aquél que más se acerca a la sabiduría,* dice San Gregorio, *conoce que está más distante de ella,* o de comprenderla. *Moral.* XXXII, c. I.

**30.** Sólo esto hallé: que Dios crió al hombre recto, y el mismo hombre se enredó en infinitas cuestiones *y peligros.* ¿Quién es igual al sabio? ¿Quién conoce la solución de esta *difícil* parábola?

## CAPITULO VIII

*Guardar la Ley de Dios; no abusar de su misericordia; venerar sus juicios; dejarse con alegría en sus divinas manos.*

**1.** Resalta en el rostro del hombre su sabiduría, y el Todopoderoso le mudará el semblante.

**2.** Yo *por mí* estoy atento a las palabras del rey y a los preceptos de Dios, confirmados con juramento.

**3.** Tú no te apresures a retirarte de su presencia, ni perseveres en el pecado; porque hará todo lo que quisiere, *y te castigará como mereces.*

**4.** Pues su palabra es muy poderosa; ni puede alguno decirle: ¿por qué haces esto?

**5.** El que guarda sus órdenes, no experimentará mal ninguno. El corazón del sabio conoce el tiempo y la manera de responder.

**6.** Tiene cada cosa su tiempo y sazón; mas es grande la pena del hombre *al querer saberlo;*

**7.** Por cuanto ignora lo pasado, y por ninguna vía puede saber lo venidero.

**8.** No está en poder del hombre el retener el espíritu o *prolongar su vida;* ni tiene potestad alguna sobre el día de su muerte; ni se le dan treguas en aquella guerra que lo amenaza. No le valdrá al impío su impiedad *en aquel trance.*

**9.** Todas estas cosas consideré, y apliqué mi espíritu a la meditación de cuanto se hace debajo del sol. *Y observé* que un hombre domina sobre otro hombre a veces para su propia desdicha.

**10.** Vi *también* los *pomposos* entierros de los impíos; los cuales aun mientras vivían *impíamente* residían en el lugar santo, y eran alabados en la ciudad como de buenas costumbres; mas también es esto vanidad.

**11.** Y *sucede que* los hijos de los hombres, viendo que no se pronuncia luego la sentencia contra los malos, cometen la maldad sin temor alguno.

**12.** Pero *al contrario,* esta misma paciencia con que es tolerado el pecador, aunque peque cien veces; me ha hecho conocer a mí que serán dichosos aquéllos que temen a Dios y respetan su majestad.

**13.** *¡Ah!* no haya bien para el impío, ni sean prolongados los días de su vida; antes bien pasen como sombra los que no temen la presencia del Señor.

**14.** Hállase todavía otra miseria sobre la tierra: hay justos que padecen males, como si hubieran hecho acciones de impíos; e impíos hay que viven sosegados, como si tuvieran méritos de justos. Cosa es ésta que también me parece muy vana.

**15.** Por tanto alabé la alegría *del justo; visto* que no hay bien para el hombre en esta vida, sino el comer y beber *moderadamente,* y estar contento, y que esto es lo que únicamente sacará de su trabajo en los días de su vida, que le ha concedido Dios en la tierra.

**16.** Y apliqué mi corazón para aprender la sabiduría a fin de conocer *la causa* de esta disipación de ánimo en los que moran en la tierra. Hombre hay que ni de día ni de noche admite en sus ojos al sueño.

**17.** Al fin entendí que no puede el hombre hallar razón *completa* de todas las obras de Dios que se hacen en este mundo; y que cuanto más trabajare por descubrirla, menos la hallará; aunque dijere el sabio que él la sabe, nunca podrá dar con ella.

## CAPITULO IX

*Nadie sabe si es digno de amor o de odio. Debemos hacer buenas obras mientras es tiempo. Los verdaderos bienes son invisibles y eternos, y a ellos debemos aspirar, sin turbarnos por los sucesos de este mundo.*

**1.** Todas estas cosas traté en mi corazón, poniendo todo cuidado en averiguarlas. Los justos y los sabios, y las obras de ellos están en las manos de Dios; y con todo, no sabe el hombre si es digno de amor o de odio;

**2.** Sino que todo se reserva incierto para lo venidero; porque *ahora* todas las cosas suceden igualmente al justo como al impío, al bueno y al malo, al limpio y al no limpio, al que sacrifica víctimas y al que desprecia los sacrificios: *en suma,* así es tratado el inocente como el pecador, y el que jura verdad como el perjuro.

**3.** Esta es la cosa más intrincada y peligrosa de cuantas pasan debajo del sol, al ver que todos están sujetos a los mismos azares: de donde nace que los corazones de los hijos de los hombres se llenan de malicia y de orgullo durante su vida, y después de esto son llevados a los infiernos.

**4.** No hay hombre que viva siempre, ni que pueda presumirse esto. *Con todo, hasta* el perro que vive, vale *siempre* más que un león *ya* muerto;

**5.** Pues los vivos saben que han de morir, *y pueden disponerse;* pero los muertos no saben ya nada, ni están en estado de merecer, y su memoria ha quedado sepultada en el olvido.

**6.** Asimismo el amor, y el odio, y las envidias se acabarán juntamente con ellos, y no tendrán ya parte ninguna en este siglo, ni en cuanto pasa debajo del sol.

**7.** Anda, pues, y come con alegría tu pan, y bebe con gozo tu vino, mientras tus obras son agradables a Dios.

**8.** Estén blancos *y limpios* en todo tiempo tus vestidos, y no falte en tu cabeza el bálsamo *o perfume.*

**9.** Goza de la vida en compañía de tu amada esposa, durante todos los días de tu vida instable, que se te han concedido debajo del sol por todo el tiempo de tu vanidad *o frágil vida,* ya que mientras vives, ésta es la parte que te toca de tu trabajo con que andas afanado en este mundo.

**10.** Todo cuanto pudieras hacer *de bueno,* hazlo sin perder tiempo; puesto que ni obra, ni pensamiento, ni sabiduría, ni ciencia ha lugar en el sepulcro, hacia el cual vas corriendo.

**11.** Volví mi consideración a otro *asunto:* y observé que debajo del sol, ni la *ventaja en* la carrera es de los ligeros; ni de los valientes *la victoria en* la guerra; ni el pan para los sabios; ni para los doctos las riquezas; ni de los peritos en las artes es el crédito; sino que todo se hace *como* por azar y a la ventura.

**12.** Ni sabe el hombre su fin; sino que como los peces se prenden con el anzuelo, y como las aves caen en el lazo, así los hombres son sorprendidos de la adversidad, que los sobrecoge de repente.

**13.** Vi también debajo del sol una especie de sabiduría, que yo reputé grandísima:

**14.** Había una ciudad pequeña, de poca gente; vino contra ella un rey poderoso, y la bloqueó, y levantó fortalezas y máquinas alrededor, y quedó concluido el cerco.

---

CAP. IX. — 7. *¿Quieres gozar,* dice S. Ambrosio, *de una verdadera alegría? Haz obras agradables a Dios.* El gozo es uno de los frutos del Espíritu santo. *Gal.* V, *v.* 22. — *Jac.* II, *v.* 2. — Véase *Prov.* XV, v. 6.

8. *Matth.* VI, *v.* 17. — Rom. IX, *v.* 16.

**15.** Hallóse dentro un hombre pobre, pero *muy* sabio, que con su saber libertó la ciudad; mas *luego* nadie se acordó de él.

**16.** Y decía yo: Ya que la sabiduría vale más que la fuerza, ¿cómo es *ya* despreciada la sabiduría del pobre, y no se hace caso de sus consejos?

**17.** Las palabras de los sabios son oídas en silencio, *durante los apuros,* más que los gritos de un príncipe *puesto* entre tontos.

**18.** Más vale la sabiduría que las armas militares; pero quien errare en un solo punto, perderá muchos bienes.

## CAPITULO X

*Recomiéndase la sabiduría o prudencia; y se manifiestan los daños de la necedad o imprudencia.*

**1.** Las moscas muertas en el perfume, *donde han caído,* echan a perder su fragancia; *del mismo modo* una pequeña y momentánea imprudencia es mengua de la sabiduría y de la gloria *más brillante.*

**2.** El corazón del sabio está siempre en su mano derecha *para obrar rectamente;* el corazón del insensato en su izquierda *para obrar siniestramente.*

**3.** Además el necio que va siguiendo su *torcido* camino, como él es un insensato, tiene por tales a todos los demás.

**4.** Si el espíritu del poderoso se alzare contra ti, no desampares tu puesto; porque tu vigilancia atajará pecados gravísimos.

**5.** Otro desorden hay, que vi debajo del sol, causado como por error del príncipe, *más que por malicia:*

**6.** El tonto colocado en alta dignidad, y sentados en los puestos bajos los ricos *en prudencia y sabiduría.*

**7.** Vi a esclavos montados a caballo, y a príncipes andar a pie como si fuesen esclavos.

**8.** Quien abre un hoyo *para que caiga el prójimo,* en él caerá; y quien destruye o *aportilla* el vallado, mordido será de la serpiente.

**9.** El que transporta piedras, se lastimará con ellas; y quien raja leña, herido quedará de ella.

**10.** Si el hierro se embota, y no corta *ya* como antes, sino que ha perdido los filos, no sin mucho trabajo se afilará; así la sabiduría vendrá tras de la industria o *del trabajo.*

**11.** El detractor oculto es semejante a la sierpe, que pica sin hacer ruido.

**12.** Las palabras de la boca del sabio, salen llenas de gracia; los labios del insensato lo precipitarán.

**13.** Sus primeras palabras son una necedad, y un error perniciosísimo el remate de su habla.

**14.** El tonto habla mucho. Ignora el hombre lo que pasó antes que naciese; y lo que sucederá después, ¿quién se lo podrá mostrar?

**15.** *El fruto de las* fatigas de los necios será la aflicción; porque ni el camino saben *tan siquiera* por donde ir a la ciudad.

**16.** ¡Desdichado de ti, oh país, cuyo rey es un niño, *que no sabe gobernar,* y cuyos príncipes comen de mañana *casi antes de despertar!*

**17.** Dichosa la tierra cuyo rey es noble, y cuyos príncipes comen a su tiempo, para sustentarse y no para echarse en los deleites.

**18.** Por pobreza *en retejar* se desplomará la techumbre, y por flojedad en obrar, será *toda* la casa una gotera.

**19.** Sírvense *aquéllos* de los manjares y bebidas para reír y banquetear; pues todo obedece al dinero.

**20.** Tú no murmures del rey, ni aun por pensamiento, ni hables mal del rico en el interior de tu gabinete: porque las mismas aves del cielo llevarán tus palabras, y los pájaros publicarán cuanto has dicho.

## CAPITULO XI

*Procura hacer bien a todos: en todas las cosas mira al fin, acordándote de la otra vida y del juicio de Dios.*

**1.** Echa tu pan sobre las aguas corrientes, que al cabo de mucho tiempo lo hallarás.

**2.** Repártelo a siete y aun a ocho *o más personas;* porque no sabes tú los males que pueden sobrevenirte en la tierra.

**3.** *Haz como* las nubes *que* cuando están cargadas, derraman sobre la tierra la lluvia *benéfica.* Si el árbol cayere hacia el mediodía, o hacia el norte, doquiera que caiga, allí quedará.

**4.** El que anda observando el viento, no siembra *nunca;* y el que atiende a que hay nubes, jamás se pondrá a segar.

---

CAP. X. — 15. San Jerónimo por la *ciudad* entiende la *verdad.* Lee a Platón —dice—, *estudia las sutiles meditaciones de Aristóteles, observa diligente a Zenón y a Carneades, y verás cuán verdadera es aquella sentencia: Las fatigas del necio servirán para su propio tormento.*

16. *Ps.* III, *v.* 4; V, *v.* 11.

*EL DOLOR DE DOS ÁNGELES ANTE CRISTO MUERTO* (DETALLE),
DE LI GUERCINO (GIOVANNI FRANCESCO BARBIERI),
*óleo sobre cobre, National Gallery, Londres*

*La Virgen orante*, de Sassoferrato (Giovanni Battista Salvi), óleo sobre tela, National Gallery, Londres

*LA ANUNCIACIÓN* (DETALLE), DE FRA ANGELICO,
*témpera sobre tela, Museo del Prado, Madrid*

*CRISTO Y LA ADÚLTERA*, DE LORENZO LOTTO,
*óleo sobre tela, Musée du Louvre, París*

*LOS CUATRO EVANGELISTAS* (DETALLE), DE JACOB JORDAENS,
*óleo sobre tela, Musée du Louvre, París*

*CRISTO COMO HOMBRE DE LOS DOLORES*, DE CHRISTUS PETRUS,
*óleo sobre madera, Birmingham Museums and Art Gallery*

*DESCANSO DURANTE EL EXILIO EN EGIPTO*, DE GERARD DAVID,
*óleo sobre madera, Museo del Prado, Madrid*

*CRISTO ANTE EL SUMO SACERDOTE* (DETALLE), DE GERRIT VAN HONTHORST,
*óleo sobre tela, National Gallery, Londres*

*LA VISIÓN DE SAN BERNARDO* (DETALLE), DE FILIPPINO LIPPI,
*témpera sobre madera, Badia Fiorentina, Florencia*

*JUDIT*, DE CORREGGIO (ANTONIO ALLEGRI),
*óleo sobre tabla, Musée des Beaux-Arts, Estrasburgo*

*Adoración con el Niño Bautista y San Bernardo,*
de Fra Filippo Lippi,
*témpera sobre madera, Staatliche Museen, Berlín*

*El dolor de dos ángeles ante Cristo muerto* (detalle),
de Li Guercino (Giovanni Francesco Barbieri),
*óleo sobre cobre, National Gallery, Londres*

*El cántico de alabanza de Simeón*, de Aert de Gelder,
óleo sobre tela, The Mauritshuis, La Haya

*Cristo ante el sumo sacerdote*, de Gerrit van Honthorst,
óleo sobre tela, National Gallery, Londres

*La Trinidad* (detalle), de Andrei Rublev,
*témpera sobre madera, Galería Tretyakov, Moscú*

*EL RECIÉN NACIDO*, DE GEORGES DE LA TOUR,
*óleo sobre tela, Musée des Beaux-Arts, Rennes*

**5.** Así como ignoras por donde viene el espíritu *al cuerpo,* y la manera con que se compaginan los huesos en el vientre de la que está encinta; así tampoco puedes conocer las obras de Dios, Hacedor de todas las cosas.

**6.** Siembra, pues, tu simiente desde la mañana *de tu vida,* y no levantes por la tarde tu mano *de la labor,* pues que no sabes qué nacerá primero, si esto o aquello: que si naciere todo a un tiempo, tanto mejor.

**7.** Dulce cosa es la luz *de la vida,* y deleitable a los ojos el ver el sol.

**8.** *Pero,* aunque viva un hombre muchos años, y en todos ellos contento, debe *no obstante,* acordarse del tiempo de tinieblas, y de la muchedumbre de días *de la eternidad;* llegados los cuales, quedarán convencidas de vanidad las cosas pasadas.

**9.** Gózate, pues ¡oh joven *disoluto!* en tu mocedad; disfrute de los bienes tu alma en los *floridos* días de tu juventud; sigue las inclinaciones de tu corazón, y lo que agrada a tus ojos; pero sábete que de todas estas cosas te pedirá Dios cuenta en el día en que te juzgue.

**10.** *Por tanto,* arranca de tu corazón la ira, y aparta *todo* vicio de tu carne; puesto que la juventud y las delicias no son sino una vanidad.

# CAPITULO XII

*Descripción enigmática de los achaques de la vejez. Epílogo de los documentos que ha dado el Eclesiastés.*

**1.** Acuérdate de tu Creador en los días de tu juventud, antes que *con la vejez* venga el tiempo de la aflicción, y se lleguen aquellos años en que dirás: ¡Oh años displicentes!

**2.** Antes que, *debilitándose tu vista,* se te oscurezca el sol, y la luz de la luna y de las estrellas; y tras la lluvia vuelvan las nubes.

**3.** *No esperes a obrar bien* cuando temblarán *tus manos y piernas,* guardas *que son* de la casa *de tu alma, y debilitadas las rodillas* bambolearán los varones robustos; y cuando las que muelen *en la boca la comida* serán en corto número y estarán ociosas; y cuando que-

darán en tinieblas los *ojos* que miran por las ventanas;

**4.** Y cerraránse *los labios,* puertas *que son* de la calle, por la voz débil *de la lengua, que hace el oficio* del que muele; *e insomnes los hombres* se levantarán a la voz de un pájaro, y quedarán sordas sus *orejas,* que son las que perciben *el canto* o la armonía.

**5.** *Cuando, trémulos,* temerán *subir a* los lugares altos, y tendrán miedo *de caer* en el camino *llano; cuando* florecerá el almendro, *o se pondrá cana su cabeza,* se engrosará la langosta, *o hincharán las piernas,* y se disipará la alcaparra *a todo apetito.* Porque el hombre ha de ir a la casa de su eternidad, y los enlutados le acompañarán *algún día* por las calles.

**6.** *Acuérdate de Dios* antes que se rompa el cordón de plata, *o médula espinal,* y se arrugue la venda de oro, *o membrana que envuelve el cerebro,* y se haga pedazos el cántaro sobre la fuente, y se quiebre la polea sobre la cisterna;

**7.** *Y en suma,* antes que el polvo se vuelva a la tierra de donde salió, y el espíritu vuelva a Dios, que le dió el ser.

**8.** Vanidad de vanidades, dijo el Eclesiastés y todo *es* vanidad.

**9.** El Eclesiastés o *Predicador,* siendo como era sapientísimo, enseñó al pueblo y refirió las cosas o *indagaciones* que había hecho; y filosofando *sobre ellas* compuso muchas parábolas.

**10.** Recogió sentencias provechosas, y escribió documentos rectísimos y llenos de verdad.

**11.** Los dichos de los sabios son como aguijones, y como clavos hincados profundamente, y estos dichos *nos* ha dado el único Pastor, mediante la enseñanza de los maestros.

**12.** Tú, hijo mío, no tienes que buscar cosa mejor que las dichas *verdades.* Los libros se van multiplicando sin término, y la continua meditación *del ánimo es* tormento del cuerpo.

**13.** *Ahora* oigamos todos juntos el fin *y compendio* de este sermón: Teme a Dios, y guarda sus mandamientos: porque esto es el todo del hombre;

**14.** *Y acordémonos* que hará Dios dar cuenta en su juicio de todas las faltas, y de todo el bien y el mal que se habrá hecho.

---

CAP. XI. — 1. *Apoc.* XVII, *v.* 15.
11. San Jerónimo, entiende aquí por *Pastor* a Dios, autor principal de las Escrituras, y a su Hijo y Pastor supremo de las almas Jesucristo, que nos explica las verdades Divinas por medio de los pastores de la Iglesia y de la tradición.

---

14. II *Cor.* V, *v.* 10.

# EL LIBRO DEL
# CANTAR DE LOS CANTARES

## Introducción

La tradición judía atribuye este libro a Salomón, atribución que también los Padres de la Iglesia respetan, si bien no hacen de ella objeto de fe, mientras que la exégesis moderna tiende a retardar la fecha de su composición. La articulación interna del libro es más compleja de lo habitual en la primitiva literatura hebrea y el lenguaje se asemeja más bien al de la época posterior a la cautividad. Por último, el libro es profético, atributo que no puede corresponder al sabio Salomón. Ni la fecha de composición ni la autoría pueden establecerse por lo tanto con rigor.

Argumentalmente este cántico se supone compuesto por Salomón para celebrar sus amores con la hija del Faraón, la favorita entre sus esposas. Pero este tema profano no ha de entenderse en su sentido más directo y literal. Siempre se ha considerado la alianza matrimonial como rica fuente de metáforas. Los doctores judíos veían bajo la imagen de la perfecta unión conyugal la alianza de Dios con la sinagoga. Los Padres de la Iglesia descubrían en esta metáfora matrimonial la alianza indisoluble y perpetua de Cristo con su Iglesia. También en el Nuevo Testamento se dice de la Iglesia que es la esposa de Jesucristo. A modo de muestra citaremos las palabras de San Pablo en su *Epístola a los efesios*: «Maridos, amad a vuestras mujeres, así como Cristo amó a su Iglesia, y se sacrificó por ella. Para santificarla limpiándola en el bautismo de agua con la palabra de vida. A fin de hacerla comparecer delante de sí llena de gloria, sin mácula, ni arruga, ni cosa semejante, sino siendo santa e inmaculada. Así también los maridos deben amar a sus mujeres como a sus propios cuerpos. Quien ama a su mujer, a sí mismo se ama. Ciertamente que nadie aborreció jamás a su propia carne; antes bien la sustenta y cuida, así como también Cristo a la Iglesia. Porque nosotros somos miembros de su cuerpo, formados de su carne y de sus huesos. Por eso: Dejará el hombre a su padre y a su madre y se juntará con su mujer y serán los dos una carne. Sacramento es éste grande, mas yo hablo con respecto a Cristo y a la Iglesia.»

En este amor de Cristo por la Iglesia ha de incluirse el amor del Hijo de Dios por cada una de las almas que forman dicha Iglesia; pues todas ellas son esposas de Cristo. Especialmente las almas de los santos y, sobre estos últimos, es amada por Cristo la Virgen María. Este es el sentido completo de la metáfora conyugal de *El cantar de los cantares*.

Este libro es, pues, un idilio que canta los amores del Mesías con el pueblo de Israel. La acción dramática es muy escasa y el valor de las imágenes, por regla general, de tipo alegórico.

La mística, y muy especialmente la española del siglo XVI, siempre ha sentido predilección por *El cantar de los cantares.* Pero la exégesis mística ha chocado siempre con la pretendida exégesis científica. Esta última no suele admitir las amplificaciones que hacen los místicos de las imágenes del libro.

El mensaje último de este cántico es que la mística y espiritual unión de Cristo con su Iglesia y con las almas es perfecta y encendida.

## CAPITULO PRIMERO

*Deseos que muestra la Iglesia de estar unida con Jesucristo. Delicias de esta unión; y favores que ella alcanza de su Esposo. Confiesa la Esposa sus imperfecciones, efectos de la malicia del demonio. Temor que tiene de extraviarse al buscar en la tierra a Jesucristo; y sus ansias por poseerle en el cielo (1-6).*

*Instrucción que Jesucristo da a su Iglesia: obligación de unirse a ella y a sus pastores, para hallar a Jesucristo. Hermosura de la Iglesia, y cómo cuida Jesucristo de adornarla y enriquecerla (7-10)*

*Agradecimiento de la Iglesia: favores que recibe de Jesucristo: y cómo anhela complacerle. Recíprocas alabanzas entre los dos Esposos; y cómo procura Jesucristo tener siempre junto a sí a la Iglesia.*

**1.** Reciba yo un ósculo *santo* de su boca. Porque tus amores son *¡oh dulce esposo mío!* mejores que el *más sabroso* vino,

**2.** Fragantes como los más olorosos perfumes. Bálsamo derramado es tu Nombre; por eso las doncellitas te quieren *tanto.*

**3.** Atráeme tú *mismo* en pos de ti, *y* correremos *todas* al olor de tus aromas. Introdújome el rey en su gabinete, *elevándome a esposa suya.* Saltaremos de contento, y nos regocijaremos en ti, conservando la memoria de tus *castos* amores, superiores a *las delicias* del vino. *Por eso* te aman los rectos *de corazón.*

**4.** Negra soy, *o morena,* hijas de Jerusalén, pero soy bien parecida; soy como las tiendas de Cedar, como los pabellones de Salomón.

**5.** No reparéis, *pues,* en que soy morena; porque *me* ha robado el sol mi color, *cuando los hijos de mi madre se declararon contra mí, y pusiéronme a guarda de viñas. ¡Ay! mi propia viña no la guardé.*

**6.** ¡Oh tú, el querido de mi alma!, dime dónde tienes los pastos, dónde el sesteadero al llegar el medio día, para que no tenga yo que ir vagueando tras de los rebaños de tus compañeros.

**7.** Si es que no te conoces ¡oh tú la más hermosa entre las mujeres! sal afuera, y ve siguiendo las huellas de los ganados, y guía tus cabritillos a pacer junto a las cabañas de los pastores *de mis ovejas.*

**8.** A mis *hermosos y arrogantes* caballos uncidos a las carrozas *que me ha dado* Faraón, te tengo yo comparada, amiga mía.

**9.** Lindas son tus mejillas así como de tortolilla; tu cuello como *si estuviera adornado de* collares de perlas.

**10.** Gargantillas de oro haremos para ti, taraceadas de plata.

**11.** Mientras estaba el rey recostado en su asiento, mi nardo *precioso* difundió su fragancia.

**12.** Manojito de mirra es para mí el amado mío: entre mis pechos quedará.

**13.** Racimo de cipro es mi amado para mí, *cogido* en las viñas de Engaddi.

**14.** ¡Oh y qué hermosa eres, amiga mía! ¡Cuán bella eres! Son tus ojos *vivos y brillantes* como los de la paloma.

**15.** Tú sí, amado mío, que eres el hermoso y el agraciado. De flores es nuestro lecho,

**16.** De cedro las vigas de nuestras habitaciones, *y* de ciprés sus artesonados.

---

CAP. I. — 10. O también: *Lampreillas te haremos de oro gusaneadas de plata.*

**11.** Alude aquí al modo con que comen aún los orientales, no sentados como nosotros, sino recostados, y formando una mesa por lo regular redonda; y también al uso de esparcir aromas sobre los convidados.

---

**16.** En el palacio de Salomón y en sus magníficas habitaciones se ve una figura de la Iglesia, que abraza muchas iglesias particulares, reunidas por medio de la común unión con el Romano Pontífice, dentro de la unidad. También se representan todas las almas justas, unidas por la *caridad* con su cabeza *Jesucristo.*

# CAPITULO II

*Amabilidad de Jesucristo y de su Esposa la Iglesia. Alabanzas y favores que ésta recibe de él; y cómo cuida de que nadie turbe su reposo (1-7).*

*La Iglesia siempre atenta a la voz de Jesucristo, y deseosa de agradarle. Cómo Jesucristo procura conservar en ella los frutos de su gracia (8-15).*

*Amor recíproco de Jesucristo y su Iglesia y cómo desea ésta ocultar a sus enemigos los favores que recibe de su Divino Esposo (16-17).*

1. Yo soy la flor del campo y el lirio de los valles.

2. Como azucena entre espinas, así es mi amiga entre las vírgenes.

3. Como el manzano entre árboles silvestres y estériles, así es mi amado entre los hijos *de los hombres.* Sentéme a la sombra del que *tanto* había yo deseado, y su fruto es *muy* dulce al paladar mío.

4. Introdújome en la pieza en que tiene el vino *más exquisito,* y ordenó en mí el amor.

5. ¡*Ea!* confortadme con flores *aromáticas,* fortalecedme con *olorosas* manzanas, porque desfallezco de amor.

6. *Pero mi esposo* pondrá su mano izquierda debajo de mi cabeza, y con su diestra me abrazará.

7. ¡Oh hijas de Jerusalén!, os conjuro por las *ligeras* corzas y ciervos de los campos, que no despertéis, ni quitéis el sueño a mi amada, hasta que ella quiera.

8. *Paréceme que* oigo la voz de mi amado. Vedlo cómo viene saltando por los montes y brincando por los collados.

9. Al *ligero* gamo y al cervatillo se parece mi amado. Vedlo *ya* cómo se pone detrás de la pared nuestra, cómo mira por las ventanas, cómo está atisbando por las celosías.

10. He aquí que me habla mi amado *y dice:* Levántate, apresúrate, amiga mía, paloma mía, hermosa mía, y vente *al campo;*

11. Pues pasó ya el invierno, disipáronse y cesaron las lluvias;

12. Despuntan las flores en nuestra tierra; llegó el tiempo de la poda; el arrullo de la tórtola se ha oído *ya* en nuestros campos;

13. La higuera arroja sus brevas; esparcen su olor las florecientes viñas.

Levántate, *pues,* amiga mía, beldad mía, y vente:

14. ¡*Oh casta* paloma mia! Tú que anidas en los agujeros de las peñas, *en las* concavidades de las murallas, muéstrame tu rostro, suene tu voz en mis oídos; pues tu voz es dulce, y lindo tu rostro.

15. Vosotros ¡*oh amigos!,* cazadnos esas raposillas, que están asolando las viñas; porque nuestra viña está ya en cierne.

16. Mi amado es *todo* para mí, y yo soy *toda* de mi amado; el cual apacienta *su rebaño* entre azucenas

17. Hasta que declina el día, y caen las sombras. Vuélvete *corriendo:* aseméjate, querido mío, a la corza y al cervatillo *que se crían en* los montes de Beter.

# CAPITULO III

*Desvelos de un alma que busca a su Esposo Jesucristo: y cómo después de hallado lo ha de conservar en su corazón.*

1. *Mas ¡ay! que todo fué un sueño.* En mi lecho eché de menos por la noche al que ama mi alma; andúvelo buscando, y no lo encontré.

2. Me levantaré, *dije,* y daré vueltas por la ciudad, y buscaré por calles y plazas al amado de mi alma. ¡*Ay!* lo busqué, mas no lo hallé.

3. Encontráronme las patrullas que rondan por la ciudad, *y les dije:* ¿No habéis visto al amado de mi alma?

4. Cuando *he aquí que* a pocos pasos me encontré al que adora mi alma: asílo, y no lo soltaré hasta haberlo hecho entrar en la casa de mi madre, en la habitación de la que me dió la vida.

5. ¡Oh hijas de Jerusalén! Conjúroos por las corzas y los ciervos de los campos que no despertéis, ni interrumpáis el sueño a mi amada, hasta que ella quiera.

6. ¿Quién es ésta que va subiendo por el desierto como una columnita de humo, formada de perfumes de mirra y de incienso, y de toda especie de aromas?

7. Mirad el lecho de Salomón rodeado de sesenta valientes de los más esforzados de Israel,

8. Todos armados de alfanjes y muy diestros en los combates; cada uno lleva su espada al lado, por temor de los peligros nocturnos.

9. De maderas de Líbano se ha hecho el rey Salomón su trono.

---

CAP. II. — 2. San Agustín aplica esto a la Iglesia, que es como *azucena entre espinos. Is.* V, *v.* 6.

12. I *Cor.* I, *v.* 17 *y siguientes.*

---

CAP. III. — 2. *Joann.* XX, *v.* 1, 2, 13, 17.

**10.** Las columnas las ha hecho de plata, el respaldo de oro, *el techo* y gradas cubriólas de púrpura, y el centro con *cierto esmalte que inspira* amor, por causa de las hijas de Jerusalén.

**11.** Salid, *pues,* afuera ¡oh hijas de Sión!, y veréis al rey Salomón con la diadema con que lo coronó su madre en el día de sus desposorios, día en que quedó colmado de júbilo su corazón.

## CAPITULO IV

*Declarando Jesucristo las gracias que ha puesto en su Esposa la Iglesia, manifiesta el entrañable amor que le tiene (1-11).*
*Jesucristo es un Dios celoso del corazón de las almas, que quiere consagren a él todas sus acciones (12-16).*

**1.** ¡Qué hermosa eres, amiga mía, qué hermosa eres! Como de paloma, así son *vivos y brillantes* tus ojos, además de lo que dentro se oculta. Tus cabellos *dorados y finos,* como *el pelo* de los rebaños de cabras que vienen del monte de Galaad.

**2.** Tus dientes *blancos y bien unidos* como hatos de ovejas trasquiladas, acabadas de lavar, todas con dobles crías, sin que haya entre ellas una estéril.

**3.** Como cinta de escarlata tus labios, dulce tu hablar *y sonoro.* Como cacho o *roja corteza* de granada tales son tus mejillas, además de lo que dentro se oculta.

**4.** Tu cuello es *recto y airoso* como la torre de David, ceñida de baluartes, de la cual cuelgan mil escudos, arneses todos de valientes.

**5.** Tus dos pechos son como dos gamitos mellizos, que están paciendo entre *blancas* azucenas,

**6.** Hasta el caer del día, y el declinar de las sombras. Subiré *a buscarte* al monte de la mirra y al collado del incienso.

**7.** Toda tú eres hermosa ¡oh amiga mía! No hay defecto alguno en ti.

**8.** Ven, *desciende* del Líbano, Esposa mía, vente del Líbano; ven, y serás coronada; ven de la cima del monte de Amaná, de las cumbres de Sanir y del Hermón, de esos *lugares* guarida de leones, de esos montes *morada* de leopardos.

**9.** Tú heriste mi corazón ¡oh hermana mía! Esposa *amada,* heriste mi corazón con una sola mirada tuya, con una trenza de tu cuello.

**10.** ¡Cuán bellos son tus amores, hermana mía Esposa! Más agradables son que el vino *exquisito;* y la fragancia de tus perfumes *o vestidos* excede a todos los aromas.

**11.** Son tus labios ¡oh Esposa *mía!* un panal que destila miel; miel y leche tienes debajo de la lengua; y es el olor de tus vestidos como olor de *suavísimo* incienso.

**12.** Huerto cerrado eres, hermana mía Esposa, huerto cerrado, fuente sellada.

**13.** Tus renuevos *o plantas de ese huerto,* forman un vergel delicioso de los granados, con frutos *dulces como* de manzanos: son cipros con nardos,

**14.** Nardo y azafrán, caña aromática y cinamomo, con todos los árboles *odoríferos* del Líbano; la mirra y el áloe con todos los aromas más exquisitos.

**15.** *Tú,* la fuente de los huertos, el pozo de aguas vivas, que bajan con ímpetu del *monte* Líbano.

**16.** Retírate ¡oh Aquilón! y ven tú ¡oh *viento* Austro! a soplar en todo mi huerto, y espárzanse sus aromas *por todo el mundo.*

## CAPITULO V

*Convida la Esposa al Esposo a sus jardines, y se celebra allí un convite. Caracteres del Esposo.*
*Anhelo de la Iglesia por recibir a Jesucristo y por verle recoger los frutos que ella produce. Bondad de Jesucristo en llamar a las almas, e infelicidad de las que rehusan abrirle las puertas del corazón cuando él llama (1-9).*
*Hermosura y perfecciones de Jesucristo, su pureza, su celo, su claridad, sabiduría, poder, grandeza, y dulzura (10-17).*

**1.** Venga, *pues,* mi amado a su huerto, y coma del fruto de sus manzanos. *Ya* he venido a mi huerto, hermana mía Esposa; cogido he *ya* mi mirra con mis aromas *y* he comido mi panal con la miel mía; bebido he mi vino con mi leche. *He dicho:* Comed vosotros, oh amigos, y bebed, carísimos, hasta saciaros.

**2.** Dormía yo, y estaba mi corazón velando; *y he aquí* la voz de mi amado, que llama, *y dice:* Abreme, hermana mía, amiga mía, paloma mía, mi inmaculada *y purísima:* porque está llena de rocío mi cabeza, y del relente de la noche mis cabellos.

---

11. *Is.* LXI, *v.* 10. — *Luc.* XII, *v.* 50. — *Hebr.* II, *v.* 9. —*Ps.* XX, *v.* 4.

---

**CAP. IV.** — 12. *Zacarías,* cap. XIII *v.* 1.

3. *Y respondíle:* ¡Válgame Dios, *Esposo mío!* si ya me despojé de mi túnica, ¿me la he de volver a poner? Lavé mis pies, ¿y me los he de volver a ensuciar?

4. *Entonces* mi amado metió su mano por la ventanilla *de la puerta probando si la abriría,* y a este ruido que hizo se conmovió mi corazón.

5. Levantéme *luego* para abrir a mi amado destilando mirra mis manos, y estando llenos de mirra selectísima mis dedos.

6. Alcé, pues, la aldaba de mi puerta para *que entrase* mi amado; pero él se había *ya* retirado, y seguido adelante. Mi alma había quedado desmayada al eco de su voz; lo busqué, mas no lo hallé; lo llamé a voces, y no me respondió.

7. Encontráronme las patrullas que rondan la ciudad, me hirieron, y me lastimaron; y quitáronme mi manto, *con que me cubría,* los centinelas de los muros.

8. Conjúroos, oh hijas de Jerusalén, que si hallareis a mi amado, le noticiéis cómo desfallezco de amor.

9. ¿Qué tiene tu amado sobre los demás amados, oh hermosísima entre *todas* las mujeres? ¿Qué hay en tu querido sobre los demás queridos para que así nos conjures *que lo busquemos?*

10. Mi amado es blanco y rubio: escogido de entre millares *de jóvenes.*

11. Su cabeza, oro finísimo; sus cabellos, *largos y espesos* como renuevos de palmas, *y* negros como el cuervo.

12. Sus ojos como *los de* las palomas *que se ven* junto a los arroyuelos de aguas, *blancas* como si se hubiesen lavado con leche, y que se paran a la orilla de corrientes caudalosísimas.

13. Sus mejillas como *dos* eras de plantas aromáticas, plantadas por *hábiles* perfumeros; sus labios, lirios *rosados* que destilan mirra purísima.

14. Sus manos, de oro, *y como* hechas a torno, llenas de jacintos; su *pecho y* vientre *como un vaso* de marfil guarnecido de zafiros.

15. Sus piernas columnas de mármol, sentadas sobre basas de oro. Su aspecto *majestuoso* como el del Líbano, y escogido como el cedro *entre los árboles.*

16. Suavísimo el eco de su voz; y *en suma,* todo él es envidiable. Tal es mi amado, y ése es mi amigo, hijas de Jerusalén.

17. ¿Hacia dónde partió tu amado, oh hermosísima entre *todas* las mujeres? ¿Por dónde se fué, que iremos contigo a buscarlo?

# CAPITULO VI

*Nuevos elogios de la Esposa; ella es hermosa, y asimismo terrible. La Iglesia es como el jardín de Jesucristo, objeto de sus delicias y la admiración de los ángeles: es la alegría del cielo y el terror del infierno.*

1. A su huerto hubo de bajar mi amado, al plantío de las yerbas aromáticas, para recrearse en los vergeles y coger azucenas.

2. Yo soy toda de mi amado, y mi amado es todo mío, el cual se recrea entre azucenas.

3. Hermosa eres, querida mía, y llena de dulzura; bella como Jerusalén, terrible *y majestuosa* como un ejército en orden de batalla.

4. Aparta de mí tus ojos, pues ésos me han hecho salir fuera de mí, *y me arroban.* Son tus cabellos como *el fino pelo de* los rebaños de cabras que se dejan ver viniendo de Galaad.

5. Tus dientes *blancos y unidos,* como aparece la manada de ovejas al subir de lavarse, todas con crías dobles, sin que haya entre ellas ninguna estéril.

6. Como un cacho *o roja corteza* de granada, así son tus mejillas, sin lo que tienes encubierto.

7. Sesenta son las reinas, y ochenta las esposas de segundo orden, e innumerables las doncellitas.

8. Pero una sola es la paloma mía, la perfecta mía, *la Esposa,* la *hija* única de su madre, la escogida de la que la dió a luz. Viéronla las doncellas *de mi palacio,* y la aclamaron dichosísima; viéronla las reinas y demás esposas, y la colmaron de alabanzas.

9. ¿Quién es ésta, *dijeron,* que va subiendo cual aurora naciente, bella como la luna, brillante como el sol, terrible *y majestuosa* como un ejército formado en batalla?

10. Yo bajé al huerto de los nogales para ver los frutales de las cañadas, y observar si estaba en cierne la viña, y si habían brotado los granados.

11. No lo advertí: conturbóse mi alma por *figurarme que oía* los carros de Aminadab.

12. Vuélvete, vuélvete, oh Sulamite; vuélvete *a nosotras,* vuélvete para que te veamos bien.

---

CAP. VI. — 7. *Esther,* II, *v.* 3.
11. (II *Cor. v.* 15). — *Isaías* (cap. 6, *v.* 10). — *Luc.* XXIII, *v.* 34. — *Is.* LXV. *v.* 1. — *Rom.* X, *v.* 28; XI, *v.* 24.

## CAPITULO VII

*Es alabada la Esposa por las victorias que ha de conseguir de sus enemigos, por su fecundidad, y por la educación que dará a su prole. La Iglesia sobre la tierra contiene en sí buenos y malos; y experimenta, ya alegría, y ya tristeza; ya esperanza, y ya temor; pero en el cielo es toda pura y bella; y, siempre gozosa y feliz, hace las delicias del Rey celestial, el cual es su Divino Esposo.*

1. ¿Qué podréis ver en la Sulamite sino coros *de música en medio* de escuadrones armados? *¡Oh hermosa* Princesa, y con qué gracia andan ésos tus pies *colocados en tan rico* calzado! Las junturas de tus muslos son como goznes *o charnelas*, labrados de mano maestra.

2. En ése tu seno cual taza hecha a torno, que nunca está exhausta de *preciosos* licores. Tu vientre como montoncito de trigo, cercado de azucenas.

3. Como dos cervatillos mellizos son tus dos pechos.

4. Es tu cuello *terso y blanco* como torre de marfil. Tus ojos son como los *cristalinos* estanques de Hesebón, situados en la puerta más concurrida de las gentes. La nariz tuya *tan bien formada* como la *graciosa* torre del Líbano, que mira frente por frente de Damasco.

5. *Elevada y majestuosa* es tu cabeza, como el Carmelo; y los cabellos de ella, como púrpura de rey puesta en flecos.

6. ¡Cuán bella y agraciada eres, oh amabilísima y deliciosísima *Princesa!*

7. Parecido es tu talle a *la gallardía de* la palma, y tus pechos a los *hermosos* racimos.

8. Yo digo: Subiré a este palmero y cogeré sus frutos, y serán *para mí* tus pechos como racimos de uvas, y el olor de tu boca, como de manzanas.

9. *La voz de* tu garganta así *deleita* como el más generoso vino, debido a mi amado para que lo beba, y se saboree en él *conservándole* entre sus dientes y labios.

10. Yo *soy dichosa porque* soy *toda* de mi amado, y *su corazón* está siempre inclinado a mí.

11. *¡Ea!* ven querido *Esposo* mío, salgamos al campo, moremos en las granjas.

12. Levantémonos de mañana para ir a las viñas, miremos si están en cierne las vides, si las flores brotan *ya* los frutos, si florecen los granados; allí te abriré *con más libertad* mi corazón.

13. Las mandrágoras están despidiendo su fragancia. *Allí* tenemos a nuestras puertas toda suerte de frutas *exquisitas*. Las nuevas y las añejas *todas*, las he guardado para ti ¡oh amado mío!

## CAPITULO VIII

*Ultimas protestas de amor entre los Esposos. Amor de la Iglesia a Jesucristo. Correspondencia del Señor, y favores que le dispensa. Proporción que guarda entre el pecado y la reparación de él; y cómo exige que se le corresponda con amor, y cuán poderoso es éste y excelente (1-7).*

*Deseo de la Iglesia de que amen a Jesucristo todas las naciones (8-12).*

*Solamente en el cielo podrá la Iglesia entonar cantares de perfecta alegría (13-14).*

1. ¡Oh quién me diera, hermano mío, que tú fueses como un niño que está mamando a los pechos de mi madre, para poder besarte, aunque te halle fuera *o en la calle*, con lo que nadie me desdeñaría!

2. Yo te tomaría, y te llevaría a la casa de mi madre: allí me enseñarías *y harías ver tus gracias*, y yo te daría a beber del vino compuesto, y del licor nuevo de mis granadas.

3. *Mas he aquí a mi Esposo*, que pondrá su izquierda bajo mi cabeza, y con la derecha me abrazará.

4. Os conjuro ¡oh hijas de Jerusalén, que no despertéis ni quitéis el sueño a mi amada hasta que ella misma quiera!

5. ¿Quién es ésta que sube del desierto rebosando en delicias, apoyada en su amado? Yo te levanté debajo de un manzano *en que yacías ¡oh Esposa mía!* donde fué desflorada tu madre, donde fué violada aquélla que te dió a luz *y te comunicó la muerte del pecado*.

---

**CAP. VIII.** — 1. Alude a las caricias que suelen hacer las hermanas a un hermanito suyo cuando es todavía chiquitito si le encuentran alguna vez fuera de su casa; pues luego le toman en brazos, le dan mil besos, y le preguntan: *¿de dónde vienes? ¿que te han dado?* El niño responde alguna palabra con sus balbucientes labios, y después la hermana le da algún dulce, etc. Esto hacen las mujeres con los niños en medio de las calles y paseos con mucha eficacia, y sin que nadie lo extrañe: y los niños parlan cuanto han visto y oído y lo dicen bien o mal, y con gran placer de sus madres o amas que los crían.

2. *Licor: o vino confeccionado con varios aromas.*

3. En estos términos figurados y poéticos se alude a las prácticas y usos que se observaban en tiempo de las bodas. *Gen. XXIV, v. 67.*

**6.** *Así, pues,* ponme por sello sobre tu corazón, ponme por marca sobre tu brazo; porque el amor es fuerte como la muerte, implacables como el infierno los celos; sus brasas, brasas ardientes, y un volcán de llamas.

**7.** Las muchas aguas no han podido extinguir el amor, ni los ríos podrán sofocarlo. Aunque un hombre en recompensa de este amor *o caridad* dé todo el caudal de su casa, lo reputará por nada.

**8.** *Un cuidado me queda ¡oh amado mío!* Nuestra hermana es pequeña, no tiene pechos todavía. ¿Qué haremos, pues, con nuestra hermana en el día en que se le haya de hablar *de desposarla?*

**9.** Si es como un muro, edifiquémosle encima baluartes de plata; si es como una puerta, reforcémosla con tablas de cedro.

**10** Yo soy muro, y mis pechos como una torre, desde que me hallo en su presencia, como quien ha encontrado la paz *o felicidad.*

**11.** El Pacífico, *o mi esposo, Salomón,* tuvo una viña en Baal-Hamón, entrególa a unos viñaderos para que la guardaran *y cultivaran;* cada uno de ellos le paga por sus frutos mil monedas de plata.

**12.** La viña mía delante de mí está. Las mil *monedas* son para ti ¡oh Pacífico! y doscientas para los que cuidan de los frutos de ella.

**13.** Oh tú, la que moras en las huertas, los amigos están escuchando; hazme oír, *pues,* tu *sonora* voz.

**14.** ¡*Ah!* corre a prisa, amor mío, y ascoméjate a la corza y al cervatillo; *huye* a los montes de los aromas, *si quieres oír mi voz.*

---

**13.** Cap. IV, *v.* 12. La Iglesia y los santos Padres, especialmente San Ambrosio, aplican muchos lugares de los Cánticos a María Santísima, madre del Divino Verbo; y así la Virgen María es aquella *tota pulchra,* etc.

# LIBRO DE LA SABIDURÍA

## Introducción

Se trata de una obra escrita en griego y destinada a los judíos de la diáspora. El título griego de la obra es *La sabiduría de Salomón,* como si quisiera expresar que el autor sagrado extrajo su doctrina de los libros de Salomón. Respecto del autor sólo puede afirmarse que era un judío helenista o helenizado que conocía bien Egipto y que debió escribir su obra entre los siglos II y I antes de Jesucristo.

Los apóstoles, particularmente San Pablo, citan en sus escritos sentencias de este libro. Los Padres de la Iglesia nombran también con reverencia el *Libro de la Sabiduría.* Lo mismo hacen San Justino, Tertuliano, Gelasio, Inocencio II y San Agustín.

La primera parte (que incluye los capítulos uno a nueve) es de cariz teórico y nos habla de la sabiduría divina, propia de la inmortalidad. La diferencia claramente de la sabiduría mundana, estulta y propia de la mortalidad. Se revela así la vida del alma unida a Dios después de la muerte. La verdadera sabiduría es, pues, don de Dios; por eso el autor ruega al Señor se la conceda.

La segunda parte (capítulos diez al diecinueve) muestra cómo los avatares históricos del pueblo hebreo están regidos por la sabiduría divina. Diferencia a Israel de Egipto, Sodoma y Canaán, cuyo acontecer histórico se desenvuelve entre tinieblas, sin la asistencia del Señor.

Está presente en este texto bíblico la antigua idea del origen divino del poder. La crítica se centra en la exaltación excesiva de los príncipes, que llegaban a creerse dioses. Insiste el autor sagrado en que Dios pedirá cuentas a los reyes de su ejercicio del poder. Desde esta perspectiva se ve la vida humana a la luz de la esperanza en la inmortalidad. La sabiduría llama a todos y ofrece la dicha del conocimiento; la sabiduría es el plan de la creación, que existe en la mente divina y que se actualiza en el mundo. Como se dice en el capítulo siete, «pues la sabiduría es más ágil que todas las cosas que se mueven, y alcanza a todas partes, a causa de su pureza [...]. Es el resplandor de la luz eterna y un espejo sin mancilla de la majestad de Dios y una imagen de su bondad. Y con ser una sola lo puede todo; y siendo en sí inmutable, todo lo renueva; y se derrama por todas las naciones entre las almas santas, formando amigos de Dios y profetas. Porque Dios solamente ama al que mora con la sabiduría».

## CAPITULO PRIMERO

*Aviso a los soberanos de la tierra. A quiénes ama la sabiduría, y de quiénes huye. La muerte viene del hombre, no de Dios.*

1. Amad la justicia, vosotros los que juzgáis o *gobernáis* la tierra. Sentid bien del Señor, y buscadlo con sencillez de corazón.

2. Porque los que no lo tientan *con sus desconfianzas,* ésos lo hallan, y se manifiesta a aquéllos que en él confían.

3. Pues los pensamientos perversos apartan de Dios; *cuyo* poder puesto a prueba redarguye a los necios.

4. *Así es* que no entrará en alma maligna la sabiduría, ni habitará en el cuerpo sometido al pecado,

5. Porque el Espíritu Santo que la enseña, huye de las ficciones, y se aparta de los pensamientos desatinados, y se ofenderá de la iniquidad que sobrevenga.

6. Ciertamente *que siendo como* es el espíritu de la sabiduría *todo* bondad, no dejará sin castigo los labios del maldiciente; porque Dios es testigo de los afectos interiores, y escudriñador infalible de su corazón, y entendedor de su lenguaje.

7. Por cuanto el Espíritu del Señor llena el mundo universo; y como comprende todas las cosas, tiene conocimiento *de todo, hasta* de una voz.

8. Por eso el que habla cosas malas no puede escondérse*le,* ni escapará del juicio vengador.

9. Pues se interrogará al impío *hasta* sobre sus pensamientos; y llegarán a los oídos de Dios sus palabras *y obras* para castigo de sus maldades.

10. Porque la oreja celosa *de Dios* todo lo oye; ni encubrírse*le* puede el ruido o *susurro* de las murmuraciones.

11. Guardaos, pues, de la murmuración, la cual de nada aprovecha, o *daña mucho* y refrenad la lengua de *toda* detracción; porque ni una palabra dicha a escondidas se irá por el aire; y la boca mentirosa da muerte al alma.

12. No os afanéis en acarrearos la muerte con el descamino de vuestra vida; ni os granjeéis la perdición con las obras de vuestras manos.

13. Porque no es Dios quien hizo la muerte, ni se complace en la perdición de los vivientes.

14. Criólo todo a fin de que subsistiera *eternamente en su presencia;* saludables hizo él *todas* las cosas que nacen en el mundo; nada había en ellas de ponzoñoso ni nocivo; el infierno o *la muerte* no reinaban *entonces* en la tierra,

15. Puesto que la justicia es *de suyo* perpetua e inmortal.

16. Mas los impíos con sus hechos y palabras llamaron a la muerte; y reputándola como amiga, vinieron a corromperse hasta hacer con ella alianza, como dignos de tal sociedad.

## CAPITULO II

*Sentimientos y deseos de los impíos. Insigne profecía de Jesucristo.*

1. Dijeron, pues, los impíos entre sí, discurriendo sin juicio: Corto y lleno de tedio es el tiempo de nuestra vida; no hay consuelo en el fin del hombre o *después de su muerte,* ni se ha conocido nadie que haya vuelto de los infiernos o *del otro mundo.*

2. Pues nacido hemos de la nada, y pasado lo presente, seremos como si nunca hubiésemos sido. La respiración o *resuello* de nuestras narices es como un *ligero* humo; y el habla o *el alma* como una *transitoria* chispa, con la cual se mueve nuestro corazón.

3. Apagada que sea, quedará nuestro cuerpo reducido a ceniza; y el espíritu se disipará, cual sutil aire; desvanecerse ha, como una nube que pasa, nuestra vida; y desaparecerá como niebla herida de los rayos del sol, y disuelta con su calor.

4. Caerá en olvido con el tiempo nuestro nombre, sin que quede memoria de nuestras obras.

5. Porque el tiempo de nuestra vida es una sombra que pasa, ni hay retorno después de la muerte; porque queda puesto el sello, y nadie vuelve atrás.

6. Venid, pues, y gocemos de los bienes presentes; apresurémonos a disfrutar de las creaturas mientras somos jóvenes.

7. Llenémonos de vinos exquisitos, y de olorosos perfumes, y no dejemos pasar la flor de la edad.

---

13. *Rom.* V. *v.* 12. *Ezech.* XVIII, *v.* 32 y XXXII, *v.* 11.

14. La palabra *nationes* la usaron varios escritores latinos (como *Plinio, lib.* XXII *c.* 24) para significar todas las cosas que *nacen* o son engendradas en el mundo.

**CAP. II.** — 7. *Tertul. De corona mil. lib.* IX, c. 11 — II *Mach.* VI, *v.* 7

---

**CAP. I.** — 4. *Rom.* VII, *v.* 14.

**8.** Coronémonos de rosas antes que se marchiten; no haya prado donde no dejemos las huellas de nuestra intemperancia.

**9.** Ninguno de nosotros deje de tomar parte en nuestra lascivia; dejemos por todas partes vestigios de nuestro regocijo, ya que nuestra herencia es ésta, y tal nuestra suerte.

**10.** Oprimamos al justo desvalido, no perdonemos a la viuda, ni respetemos las canas del anciano de muchos días.

**11.** Sea nuestra fuerza la *única* ley de justicia; pues lo flaco, *según se ve*, de nada sirve.

**12.** Armemos, pues, lazos al justo, visto que no es de provecho para nosotros, y que es contrario a nuestras obras, y nos echa en cara los pecados contra la ley; y nos desacredita divulgando nuestra depravada conducta.

**13.** Protesta tener la ciencia de Dios, y se llama a sí mismo hijo de Dios.

**14.** Se ha hecho el censor de nuestros pensamientos.

**15.** No podemos sufrir ni aun su vista; porque no se asemeja su vida a la de los otros, y sigue una conducta muy diferente.

**16.** Nos mira como a gente frívola y ridícula, se abstiene de nuestros usos como de inmundicias, prefiere lo que esperan los justos en la muerte; y se gloría de tener a Dios por Padre.

**17.** Veamos ahora si sus palabras son verdaderas; experimentemos lo que le acontecerá, y veremos cuál será su paradero.

**18.** Que si es verdaderamente hijo de Dios, Dios lo tomará a su cargo, y lo librará de las manos de sus adversarios.

**19.** Examinémoslo a fuerza de afrentas y de tormentos, para conocer su resignación y probar su paciencia.

**20.** Condenémoslo a la más infame muerte; pues que según sus palabras será él atendido.

**21.** Tales cosas idearon los *impíos,* y *tanto* desatinaron, cegados de su propia malicia.

**22.** Y no entendieron los misterios de Dios, ni creyeron que hubiese galardón para el justo, ni hicieron caso de la gloria *reservada* a las almas santas.

**23.** Porque Dios crió inmortal al hombre, y formóle a su imagen y semejanza;

**24.** Mas por la envidia del diablo, entró la muerte en el mundo.

**25.** E imitan al diablo los que son de su bando.

## CAPITULO III

*Los justos son felices, aun en medio de las aflicciones; los pecadores experimentan muchas desazones ya en esta vida, después de la cual serán eternamente desdichados. Elogio de la castidad.*

**1.** Las almas, empero, de los justos están en la mano de Dios; y no llegará a ellas el tormento de la muerte *eterna.*

**2.** A los ojos de los insensatos pareció que mo-rían; y su tránsito, *o salida del mundo,* se miró como una desgracia,

**3.** Y como un aniquilamiento su partida de entre nosotros; mas ellos, a la verdad, reposan en paz.

**4.** Y si delante de los hombres han padecido tormentos, su esperanza está llena *o segura de la feliz* inmortalidad.

**5.** Su tribulación ha sido ligera, y su galardón será grande; porque Dios hizo prueba de ellos, y hallólos dignos de sí.

**6.** Probólos como al oro en el crisol, y los aceptó como víctima de holocausto; y a su tiempo se les dará la recompensa.

**7.** *Entonces* brillarán los justos *como el sol,* y como centellas que discurren por un cañaveral, *así volarán de unas partes a otras.*

**8.** Juzgarán a las naciones y señorearán a los pueblos; y el Señor reinará con ellos eternamente.

**9.** Los que confían en él entenderán la verdad; y los fieles a su amor estarán unidos con él; pues que la gracia y la paz es para sus escogidos.

---

9. I *Cor.* VII, *v.* 29.

11. *Is.* XLI; XLV, *v.* 51. — *Dan.* IX.

12. *Matth.* XXIII, *v.* 25. — *Joann.* VII, *v.* 19. *Parece,* dice Lactancio, *que el sabio los estaba oyendo.* — Véase *Matth.* XXVII, *v.* 43. — *Joann.* VII, *v.* 7. — *Luc.* XI, *v.* 39, 45, etc. — *Isaías* LI, *v.* 5. — *Jerem.* XXIII, *v.* 6. — *Zachar.* IX, *v.* 9.

13. *Joann.* VII, *v.* 16; 28. — *Matth.* XII, *v.* 27. XXVII, *v.* 43. — *Joann* XVII, *v.* 3.

14. *Matth.* IX, *v.* 4. — *Luc.* VI, *v.* 7. *Al ojo enfermo le es odiosa la luz,* dice S. Agustín. *Conf. L.* VII, *c.* 6.

16. *Matth.* XII, *v.* 39. — *Joann.* VIII, *v.* 55. *Joann.* VIII, *v.* 39.

---

21. No es, pues, Dios el autor de la malicia del hombre. Este es el que cierra las ventanas de su corazón, para que no entren en él los rayos del sol Divino. *S. Th.* I, 2, *quaest,* 27, *a.* 3; 2, 2, 2, *q.* 15; *a.* 1.

25. *Joann.* VIII, *v.* 44.

**CAP. III.** — 3. II *Cor.* V, *v.*1.

5. *Rom.* VIII, *v.* 18.

8. *Dan.* VII, *v.* 18, 27. — *Apoc.* III, *v.* 21 — *Matth.* XIX, *v.* 28.

**10.** Mas los impíos serán castigados a medida de sus *malvados* pensamientos, ellos que no hicieron caso de la justicia, y apostataron del . Señor.

**11.** Porque desdichado es quien desecha la sabiduría y la instrucción, y vana es su esperanza, sin fruto sus trabajos, e inútiles sus obras.

**12.** Las mujeres de los tales son unas locas y perversísimos sus hijos.

**13.** Maldita la raza de ellos. *Más* dichosa es la *mujer* estéril, y la sin mancilla que ha conservado inmaculado su lecho; *porque* ella recibirá la recompensa *de su castidad,* cuando *Dios* visitará a las almas santas.

**14.** Asimismo *más feliz es* el eunuco, cuyas manos no han obrado la iniquidad, ni ha pensado cosas criminales contrarias a Dios; pues se le dará un don precioso por su fidelidad, y un destino muy distinguido en el *cielo, que es* el templo de Dios.

**15.** Porque glorioso es el fruto de las buenas obras; y nunca se seca la raíz de la sabiduría.

**16.** Mas los hijos de los adúlteros jamás llegarán a la edad madura, y extirpada será la raza del tálamo impuro.

**17.** Y dado que tuvieren larga vida, para nada se contará con ellos, y su última vejez será sin honra.

**18.** Y si murieren pronto, no tendrán esperanza, ni quien les consuele en el día de la cuenta.

**19.** Porque la raza de los malvados tiene un fin muy desastrado.

## CAPITULO IV

*Comparación de una descendencia justa y virtuosa, con la impía raza de los adúlteros o perversos: amorosa providencia de Dios con los justos, y confusión eterna de los impíos.*

**1.** ¡Oh cuán bella es la generación casta con esclarecida *virtud!* Inmortal es su memoria, *y en honor* delante de Dios y de los hombres.

**2.** Cuando está presente, la imitan, y cuando se ausenta, la echan menos, y coronada triunfa eternamente ganando el premio en los combates por la castidad.

**3.** Porque la raza de los impíos, aunque multiplicada, de nada servirá; ni echarán hondas raíces los pimpollos bastardos, ni tendrán una estable consistencia.

**4.** Que si por algún tiempo brotan, como no tienen firmeza serán sacudidos por el viento, y desarraigados por la violencia del huracán.

**5.** Con lo que serán desgajadas sus ramas antes de acabar de formarse; inútiles y de áspero gusto sus frutos, y para nada buenos.

**6.** Porque los hijos nacidos de uniones ilícitas, al preguntárseles de quién son, vienen a ser testigos que deponen contra el crimen de sus padres.

**7.** Mas el justo, aunque sea arrebatado de muerte prematura, estará en lugar de refrigerio *o reposo.*

**8.** Porque no hacen venerable la vejez los muchos días, ni los muchos años; sino que la prudencia *y juicio* del hombre suplen las canas,

**9.** Y es edad anciana la vida inmaculada.

**10.** Porque *el justo* agradó a Dios, fué amado de él; y como vivía entre los pecadores, fué trasladado a otra parte.

**11.** Fué arrebatado para que la malicia no alterase su modo de pensar, ni sedujesen su alma las apariencias engañadoras *del mundo.*

**12.** Pues el hechizo de la vanidad *del siglo* oscurece el bien *verdadero; y* el inconstante ímpetu de la concupiscencia pervierte el ánimo inocente.

**13.** Con lo poco que vivió, llenó la carrera de una larga vida.

**14.** Porque su alma era grata a Dios, por eso mismo se apresuró *el Señor* a sacarlo de en medio de los malvados. Viéndolo las gentes, no entendieron ni reflexionaron en su corazón,

**15.** Ser esto una gracia y misericordia de Dios para con sus santos, y providencia *particular* con sus escogidos.

**16.** Mas el justo muerto condena a los impíos que viven; y su juventud presto acabada, la larga vida del pecador.

**17.** *Los impíos* verán el fin del hombre prudente, y no comprenderán los designios de Dios sobre él, ni cómo el Señor lo ha puesto en salvo.

**18.** Veránlo, y lo mirarán con desprecio; mas el Señor se burlará de ellos;

**19.** Y al cabo vendrán a morir sin honor, y estarán con eterna infamia entre los muertos; porque *Dios* hará que éstos hinchados *de orgullo* revienten de medio a medio, sin que osen abrir su boca, y los desquiciará desde los cimientos, y reducirlos ha a extrema desolación, y quedarán gimiendo, y perecerá *para siempre* su memoria.

**20.** Comparecerán llenos de espanto por el remordimiento de sus pecados, y sus *mismas* iniquidades se levantarán contra ellos para acusarlos.

---

11. *Gen.* V, *v.* 24. — *Hebr.* XI, *v.* 5.

## CAPITULO V

*Lamentos de los condenados: armas de Dios contra los impíos. Felicidad eterna de los justos.*

1. Entonces los justos se presentarán con gran valor contra aquéllos que los angustiaron y robaron *el fruto* de sus fatigas.

2. A cuyo efecto se apoderará de éstos la turbación y un temor horrendo; y asombrarse han de la repentina salvación *de los justos,* que ellos no esperaban *ni creían;*

3. Y arrepentidos, y arrojando gemidos de su angustiado corazón, dirán dentro de sí: Estos son los que en otro tiempo fueron el blanco de nuestros escarnios, y a quienes proponíamos como un ejemplar de oprobio.

4. ¡Insensatos de nosotros! Su *tenor de* vida nos parecía una necedad, y su muerte una ignominia.

5. Mirad cómo son contados en el número de los hijos de Dios, y cómo su suerte es *estar* con los santos.

6. Luego descarriados hemos sido del camino de la verdad; no nos ha alumbrado la luz de la justicia, ni para nosotros ha nacido el sol de la inteligencia.

7. Nos hemos fatigado en seguir la carrera de la iniquidad y de la perdición; andado hemos por senderos fragosos, sin conocer el camino del Señor.

8. ¿De qué ha servido la soberbia? ¿O qué provecho nos ha traído la vana ostentación de nuestras riquezas?

9. Pasaron como sombra todas aquellas cosas; y como mensajero que va corriendo;

10. O cual nave que surca las olas del mar, de cuyo tránsito no hay que buscar vestigio, ni la vereda de su quilla en las olas;

11. O como ave que vuela a través del aire, de cuyo vuelo no queda rastro ninguno, y solamente se oye el sacudimiento de las alas con que azota al ligero viento, y corta con fuerza el ambiente, por el cual se abre camino; ella bate sus alas y vuela sin dejar detrás de sí señal ninguna de su rumbo;

12. O como una saeta disparada al blanco corta el aire, y luego éste se reune, sin que se conozca por dónde aquélla pasó.

13. Así también nosotros, apenas nacidos dejamos de ser; y ciertamente ninguna señal de virtud pudimos mostrar, y nos consumimos en nuestra maldad.

14. Así discurren en el infierno los pecadores.

15. Porque la esperanza del impío es como la pelusa *o polvo* que arrebata el viento; o cual espuma ligera que la tempestad deshace; o como humo que disipa el viento; o como la memoria del huésped que va de paso, y sólo se detiene un día.

16. Al contrario, los justos vivirán eternamente, y su galardón está en el Señor, y el Altísimo tiene cuidado de ellos.

17. Por tanto recibirán de la mano del Señor el reino de la gloria y una brillante diadema; los protegerá con su diestra, y con su santo brazo los defenderá.

18. Se armará de todo su celo, y armará *también* las creaturas para vengarse de sus enemigos.

19. Tomará la justicia por coraza, y por yelmo el juicio infalible.

20. Embarazará por escudo impenetrable la rectitud.

21. De su inflexible ira se hará *Dios* una aguda lanza; y *todo* el universo peleará con él contra los insensatos.

22. Irán derechamente a ellos los tiros de los rayos, los cuales serán lanzados de las nubes como de un arco bien asestado, y herirán a un punto fijo;

23. Y de la cólera *de Dios,* como de un pedrero lloverán densos granizos. Embraveceránse contra ellos las olas del mar; y los ríos todos inundarán impetuosamente *la tierra.*

24. Se levantará contra ellos un furioso huracán, y en torbellino de viento serán destrozados. Por su iniquidad quedará convertida en un yermo toda la tierra; y por la maldad, los tronos de los potentados serán derrocados.

## CAPITULO VI

*Amonéstese a los reyes y jueces que busquen la sabiduría; pónenseles a la vista los suplicios espantosos de los que gobiernan mal.*

1. Más vale la sabiduría que las fuerzas; y el varón prudente más que el valeroso.

---

CAP. V. — 4. *Act.* XXVI, *v.* 24, *Marc.* III *v.* 21; I *Cor.* I, *v.* 23.

6. *Ephes.* IV, *v.* 18; *Job,* XXII, *v.* 17, XXIV, *v.* 13.

---

17. *Judith* I, *v.* 12. — *Rom.* XII, *v.* 9, etc.
CAP. VI. — 4. *Rom.* XIII, *v.* 4.

2. Escuchad, pues, oh reyes, y estad atentos; aprended vosotros, oh jueces todos de la tierra;

3. Dad oídos a *mis palabras*, vosotros que tenéis el gobierno de los pueblos, y os gloriáis del vasallaje de muchas naciones.

4. Porque la potestad os la ha dado el Señor; del Altísimo tenéis esa fuerza, el cual examinará vuestras obras, y escudriñará hasta los pensamientos.

5. Porque siendo vosotros unos ministros de su reino *universal*, no juzgasteis con rectitud, ni observasteis la ley de la justicia, ni procedisteis conforme a la voluntad de Dios.

6. El se dejará ver o *caerá* sobre vosotros espantosa y repentinamente; pues aquéllos que ejercen potestad sobre otros, serán juzgados con extremo rigor.

7. Porque con los pequeños se usará de compasión, mas los grandes sufrirán grandes tormentos.

8. Que no exceptuará Dios persona alguna, ni respetará la grandeza de nadie; pues al pequeño y al grande él mismo los hizo, y de todos cuida igualmente.

9. Si bien a los más grandes amenaza mayor suplicio.

10. Por tanto a vosotros, oh reyes, se dirigen éstas mis palabras; a fin de que aprendáis la sabiduría y no vengáis a resbalar.

11. Porque los que habrán hecho rectamente obras justas, serán justificados; y los que habrán aprendido estas cosas *que enseño*, hallarán con qué defenderse.

12. Por consiguiente, codiciad mis documentos, amadlos y seréis instruidos.

13. Porque luminosa es e inmarcesible la sabiduría; y se deja ver fácilmente de los que la aman, y hallar de los que la buscan.

14. Se anticipa a aquéllos que la codician; poniéndoseles delante ella misma.

15. Quien madrugare en busca de ella, no tendrá que fatigarse; pues la hallará sentada en su *misma* puerta.

16. El tener, pues, el pensamiento ocupado en la sabiduría, es prudencia consumada; y el que por amor de ella velare, bien presto estará en reposo.

17. Porque ella misma va por todas partes buscando a los que son dignos de poseerla; y por los caminos se les presenta con agrado, y en todas ocasiones y asuntos la tienen al lado.

18. El principio de la sabiduría es un deseo sincerísimo de la instrucción.

19. Procurar instruirse, es amar la sabiduría:. amarla, es guardar sus leyes: y la guarda de estas leyes, es la perfecta pureza *del alma;*

20. La perfecta pureza une con Dios;

21. Luego el deseo de la sabiduría conduce al reino eterno.

22. Ahora bien ¡oh reyes de los pueblos! si os complacéis en los tronos y cetros, amad la sabiduría a fin de reinar perpetuamente.

23. Amad la luz de la sabiduría todos los que estáis al frente de los pueblos.

24. Yo os declararé qué cosa es la sabiduría, y cómo fué engendrada; ni os ocultaré los misterios de Dios; sino que subiré investigando hasta su primer origen, y pondré en claro su conocimiento, sin ocultar *un ápice de la verdad.*

25. No me acompañaré por cierto con el que se repudre de envidia; pues el envidioso no será jamás participante de la sabiduría.

26. La muchedumbre de *varones* sabios es la felicidad del mundo; y un rey sabio es firme sostén del pueblo.

27. Recibid, pues, la instrucción por medio de mis palabras, porque os será provechosa.

## CAPITULO VII

*Deseo de la sabiduría, y su elogio: su origen, fuerza, dotes, y hermosura.*

1. A la verdad que soy también yo un hombre mortal, semejante a los demás, y del linaje de aquél que *siendo* el primero fué formado de la tierra; y en el vientre de la madre recibí la *humana* figura de carne.

2. En el espacio de diez meses fuí formado de una sangre cuajada y de la sustancia del hombre, concurriendo lo apacible del sueño.

3. Y luego que nací, respiré el común aire, y caí sobre la misma tierra que todos; y mi primera voz, como la de todos los demás *niños,* fué de llanto.

4. Fuí criado entre pañales y con grandes cuidados o *desvelos.*

5. Porque no ha tenido otra manera de nacer que ésta ninguno de los reyes.

6. Una misma, pues, es para todos la entrada a la vida, y semejante es la salida.

---

11. *Deut.* XV, *v.* 20.
15. *Por medio de Cristo nos buscaste, oh Señor, a nosotros; para que nosotros te buscásemos a tí.* San Agustín en sus *Confesiones.*

24. *Job* XXVIII, *v.* 20.
CAP. VII. — 2. *Job* X, *v.* 10. — *Jerem.* I, *v.* 6. — *Ps.* CXVIII, *v.* 73.

7. Por esto deseé yo la inteligencia, y me fué concedida; e invoqué *del Señor* el espíritu de Sabiduría, y se me dió,

8. Y la preferí a los reinos y tronos, y en su comparación tuve por nada las riquezas,

9. Ni parangoné con ella las piedras preciosas; porque todo el oro, respecto de ella, no es más que una menuda arena, y a su vista, la plata será tenida por lodo.

10. La amé más que la salud y la hermosura; y propuse tenerla por luz *y guía* porque su resplandor es inextinguible.

11. Todos los bienes me vinieron juntamente con ella, y he recibido por su medio innumerables riquezas.

12. Y gozábanse en todas estas cosas, porque me guiaba esta sabiduría; e ignoraba yo que ella fuese madre de todos estos bienes.

13. Aprendíla sin ficción, y la comunico sin envidia, ni encubro su valor;

14. Pues es un tesoro infinito para los hombres, que a cuantos se han valido de él, los ha hecho partícipes de la amistad de Dios, y recomendables por los dones de la doctrina *que han enseñado.*

15. A mí me ha concedido Dios el exprexar *con claridad* lo que siento; y el tener pensamientos dignos de los dones recibidos *del Señor,* porque él es la guía de la sabiduría y el que corrige a los sabios;

16. Puesto que estamos en sus manos nosotros, nuestros discursos, y toda la sabiduría, y la ciencia del obrar, y la disciplina.

17. El mismo me dió la verdadera ciencia de las cosas existentes; para que yo conozca la constitución del mundo, y las virtudes de los elementos;

18. El principio y el fin y el medio de los tiempos, y las mudanzas de las estaciones, y las vicisitudes *o variaciones* de los tiempos;

19. El curso del año, y las situaciones de las estrellas;

20. Las naturalezas de los animales, y la bravura de las fieras; la violencia de los vientos, y las inclinaciones de los hombres; la variedad de las plantas, y las virtudes de las raíces.

21. *En suma,* aprendí cuantos cosas hay ocultas y nunca vistas; pues la Sabiduría, que es el artífice de todas, me instruyó.

22. Porque en ella tiene su morada el espíritu de inteligencia, santo, único, multiforme, sutil, elocuente, ágil, inmaculado, infalible, suave, amante del bien, perspicaz, irresistible, benéfico,

23. Amador de los hombres, benigno, estable, constante, seguro, el cual lo puede todo, todo lo prevé, y que abarca en sí todos los espíritus, inteligente, puro y sutil.

24. Pues la sabiduría es más ágil que todas las cosas que se mueven, y alcanza a todas partes, a causa de su pureza *o espiritualidad* .

25. Siendo como es una exhalación de la virtud de Dios, o como una pura emanación de la gloria de Dios, omnipotente; por lo que no tiene lugar en ella ninguna cosa manchada;

26. Como que es el resplandor de la luz eterna, y un espejo sin mancilla de la majestad de Dios, y una imagen de su bondad.

27. Y con ser una sola lo puede todo; y siendo en sí inmutable, todo lo renueva, y se derrama por *todas* las naciones entre las almas santas, formando amigos de Dios y profetas.

28. Porque Dios solamente ama al que mora con la sabiduría.

29. La cual es más hermosa que el sol, y sobrepuja a todo el orden de las estrellas, y si se compara con la luz, le hace muchas ventajas,

30. Visto que a la luz alcanza la noche; pero la malicia jamás prevalece contra la sabiduría.

## CAPITULO VIII

*La sabiduría abraza todos los bienes. Viene de Dios. Dichoso el que la posee.*

1. Ella, pues, abarca fuertemente de un cabo a otro todas las cosas, y las ordena todas con suavidad.

2. A ésta amé yo, y busqué desde mi juventud, y procuraré tomarla por esposa mía, y quedé enamorado de su hermosura.

3. Realza su nobleza la estrecha unión que tiene con Dios; y además, el mismo Señor de todas las cosas *ha declarado que* la ama;

4. Siendo, *como es,* la maestra de la ciencia de Dios y la directora de sus obras.

5. Y si en esta vida se codician las riquezas, ¿qué cosa más rica que la sabiduría, criadora de todas las cosas ?

6. Y si la industria es la que produce las obras, ¿quién mejor que la sabiduría mostró el arte *e ingenio* en estas cosas existentes?

26. II *Cor.* IV, *v.* 4. — *Coloss.* I, *v.* 15. — *Hebr.* I, *v.* 3.

**7.** Y si alguno ama la justicia *o santidad de vida,* frutos son de los trabajos *u obras* de esta *sabiduría* las grandes virtudes; por ser ella la que enseña la templanza, la prudencia, y la justicia, y la fortaleza, que son las cosas más útiles a los hombres en esta vida.

**8.** Y si alguno desea el mucho saber, ella es la que sabe *todo* lo *pasado,* y forma juicio de lo futuro: conoce los artificios *maliciosos* de los discursos, y las soluciones de los argumentos: adivina los prodigios y maravillas antes que sucedan, y los acontecimientos de los tiempos y de los siglos.

**9.** Propuse, pues, traérmela para que viviera en compañía mía, sabiendo que comunicará conmigo sus bienes, y será el consuelo mío en mis cuidados y penas.

**10.** Por ella seré ilustre entre las gentes; y *aunque* joven seré honrado de los ancianos.

**11.** Y mè reconocerán por agudo en el juzgar, y seré admirable a los ojos de los grandes, y los príncipes manifestarán en sus semblantes la admiración que les causo.

**12.** Si callo estarán en expectación, y si hablo me escucharán atentos; y cuando me extendiere en mi discurso, pondrán el dedo en sus labios.

**13.** Además de esto, por ella adquiriré yo la inmortalidad, y dejaré memoria eterna de mí a los venideros.

**14.** Gobernaré los pueblos, y se sujetarán a mí las naciones.

**15.** Temblarán al oír mi nombre los reyes feroces; con el pueblo me mostraré benigno y valiente en la guerra.

**16.** Entrando en mi casa hallaré en ella mi reposo; porque ni en su conversación tiene rastro de amargura, ni causa tedio su trato, sino antes bien consuelo y alegría.

**17.** Considerando yo esto para conmigo y revolviendo en mi corazón cómo en la unión con la sabiduría se halla la inmortalidad,

**18.** Y un santo placer en su amistad, e inagotables tesoros en las obras de sus manos, y la prudencia en el ejercicio de conversar con ella, y grande gloria en participar de sus razonamientos, andaba por todas partes buscando cómo apropiármela.

**19.** Ya de niño era yo de buen ingenio, y me cupo por suerte una buena alma.

**20.** Y creciendo en la bondad pude conservar inmaculado mi cuerpo.

**21.** Y luego que llegué a entender que no podría ser continente, si Dios no me lo otorgaba (y era ya efecto de la sabiduría, el saber de quién venía este don), acudí al Señor, y *se*

lo pedí con fervor, diciendo de todo corazón:

## CAPITULO IX

*Oración humilde de Salomón pidiendo a Dios la sabiduría.*

**1.** Oh Dios de mis padres y Señor de misericordia, que hiciste todas las cosas por medio de tu palabra,

**2.** Y con tu sabiduría formaste al hombre, para que fuese señor de las criaturas que tú hiciste;

**3.** A fin de que gobernase la redondez de la tierra con equidad y justicia, y ejerciese el juicio con rectitud de corazón;

**4.** Dame aquella sabiduría que asiste a tu trono, y no quieras excluirme *del número* de tus hijos;

**5.** Ya que soy siervo tuyo e hijo de tu esclava, hombre flaco, y de corta edad, y poco idóneo *aún* para entender el derecho y las leyes.

**6.** Porque aun cuando alguno de entre los hijos de los hombres fuese *un varón* consumado, si se ausentare de él tu sabiduría, no valdrá nada.

**7.** *Tú ¡oh Señor!* me escogiste por rey de tu pueblo, y por juez de tus hijos e hijas;

**8.** Y me mandaste edificar el templo en tu santo monte, y un altar en la ciudad de tu morada, a semejanza de tu santo tabernáculo, que dispusiste desde el principio,

**9.** Estando contigo tu sabiduría, que conoce tus obras; la cual se hallaba también *contigo* entonces cuando creabas el mundo, y sabía lo que era acepto a tus ojos, y qué cosa era conforme a tus decretos.

**10.** Envíala de tus santos cielos y del solio de tu grandeza, para que esté conmigo, y conmigo trabaje, a fin de que sepa yo lo que te place;

**11.** Puesto que sabe ella todas las cosas, y todo lo entiende, y me guiará con acierto en mis empresas, y me protegerá con su poder.

**12.** Con lo cual mis obras serán aceptas, y gobernaré con justicia a tu pueblo, y seré digno del trono de mi padre.

---

CAP. IX. — 1. Esta expresión *Oh Dios de mis padres,* que se halla varias veces en la Escritura enseña que cuando nuestros pecados nos hacen indignos de que Dios nos oiga, esperamos ser ayudados por los méritos de aquéllos a quienes Dios ama. *S. Agust. Quaest.* XVI, *in Exod.*

**13.** Porque ¿quién de los hombres podrá saber los consejos de Dios? ¿O quién podrá averiguar qué es lo que Dios quiere?

**14.** Porque tímidos son los pensamientos de los mortales e inciertas o *falaces* nuestras providencias;

**15.** Pues el cuerpo corruptible agrava el alma, y este vaso de barro deprime la mente, ocupada *que está* en muchas cosas.

**16.** Difícilmente llegamos a formar concepto de las cosas de la tierra; y a duras penas entendemos las que tenemos delante de los ojos. ¿Quién podrá, pues, investigar aquéllas que están en los cielos?

**17.** Y sobre todo, ¿quién podrá conocer tus designios *o tu voluntad*, si tú no le das sabiduría, y no envías desde lo más alto *de los cielos* tu Santo Espíritu,

**18.** Con que sean enderezados los caminos de los moradores de la tierra, y aprendan los hombres las cosas que a ti placen?

**19.** Visto que por la sabiduría fueron salvados ¡oh Señor! cuantos desde el principio *del mundo* te fueron aceptos.

## CAPITULO X

*Adán, Noé y demás Patriarcas, y el pueblo de Israel protegidos y puestos en salvo por la sabiduría.*

**1.** Ella guardó al que fué por *el mismo* Dios formado, al primer padre del mundo, habiendo sido creado él solo;

**2.** Y ella lo sacó de su pecado, y dióle potestad para gobernar todas las cosas.

**3.** Luego que apostató de esta *sabiduría*, arrebatado de la ira, el impío *Caín* se halló perdido por la furia del homicidio fraterno.

**4.** Y cuando *después* por causa de él las aguas anegaron la tierra, la sabiduría puso nuevamente remedio, conduciendo al justo *Noé* en un leño despreciable.

**5.** Ella igualmente cuando las gentes conspiraron a una para obrar mal, distinguió al justo *Abraham*, y conservóle irreprensible delante de Dios, y le mantuvo firme *en obedecer su mandato* a pesar de su *natural* compasión al hijo.

**6.** La sabiduría es la que libró al justo *Lot*, que huía de entre los impíos que perecieron, cuando cayó fuego sobre Pentápolis;

**7.** Cuya tierra, en testimonio de las maldades de ella, persevera desierta, humeando, y los árboles dando frutos sin sazón, y fija la estatua de sal, por padrón *o recuerdo* de una alma incrédula.

**8.** Así es que aquéllos que dieron de mano a la sabiduría, no solamente vinieron a desconocer la virtud, sino que dejaron a los hombres memoria de su necedad, por manera que no pudieron encubrir los pecados que cometieron.

**9.** Al contrario, la sabiduría libró de los dolores a los que la respetaban.

**10.** Ella condujo por caminos seguros al justo *Jacob*, cuando huía de la ira de su hermano *Esaú*, y le mostró el reino de Dios, y dióle la ciencia de los santos; enriqueciólo en medio de las fatigas, y recompensó abundantemente sus trabajos.

**11.** Cuando Labán y sus hijos querían sorprenderlo con sus fraudes, ella lo asistió e hízolo rico.

**12.** Guardóle de los enemigos, y defendiólo de los seductores, e hízole salir vencedor en la gran lucha, a fin de que conociese que de todas las cosas la más poderosa es la sabiduría.

**13.** Esta misma no desamparó al justo *José*, vendido por sus *hermanos*, antes le libró de los pecadores, y descendió con él al hoyo *o mazmorra*,

**14.** Ni lo desamparó en las prisiones, sino que le dió el bastón *o gobierno* del reino, y el poder contra aquéllos que lo habían deprimido; y convenció de mentirosos a los que lo habían infamado, y procuróle una gloria eterna.

**15.** Esta libró *a Israel*, al pueblo justo y al linaje irreprensible, de las naciones que lo oprimían;

**16.** Entrándose en el alma del siervo de Dios, *Moisés;* el cual contrató a reyes formidables, a fuerza de portentos y milagros.

**17.** Y ésta les dió a los justos el galardón de sus trabajos, y los condujo por sendas maravillosas, y sirvióles de toldo durante el *calor del día*, y suplió de noche la luz de las estrellas.

**18.** Los pasó por el mar Rojo a la otra orilla, y los fué guiando entre montañas de aguas.

**19.** Pero a sus enemigos los sumergió en el mar; y *después* los hizo salir *muertos* del profundo abismo. Así es que los justos se llevaron los despojos de los impíos;

---

**15.** II *Cor.* V, *v.* 1. — *Rom.* VII, *v.* 23. Mas el enlace que tiene nuestro cuerpo corruptible con el alma sirve a ésta de grande estorbo para entender muchas cosas, especialmente las espirituales. *S. Bernardo.*

**Cap. X.** — 2. Véase lo que dice de Adán S. Agustín, *Ep.* 99, *ad Evod.*

**4.** *Gen.* VII, *v.* 21.

---

**6.** *Lot. Gen.* XIX.

**20.** Y celebraron con cánticos ¡oh Señor! tu Nombre santo, alabando todos a una tu diestra vencedora.

**21.** Porque la Sabiduría abrió la boca de los mudos, e hizo elocuentes las lenguas de los infantes.

## CAPITULO XI

*Cómo la Divina sabiduría protegió a los Hebreos, y los hizo triunfar de sus enemigos.*

**1.** La misma dirigió sus pasos bajo el gobierno del santo profeta *Moisés.*

**2.** Viajaron por desiertos inhabitados, y se acamparon en lugares yermos.

**3.** Hicieron frente a sus enemigos, y se vengaron de sus contrarios.

**4.** Tuvieron sed, y te invocaron, y fuéles dada agua de una altísima peña, y refrigerio a su sed de una dura piedra.

**5.** Por tanto en lo mismo que fueron castigados sus enemigos cuando les faltó el agua para beber, los hijos de Israel se gozaban por tenerla en abundancia;

**6.** Y por eso cuando a aquéllos les faltó, recibieron éstos tan singular beneficio.

**7.** Porque realmente a los malvados *Egipcios* les diste a beber sangre humana; en vez de las aguas del perenne río *Nilo.*

**8.** Y cuando perecían éstos en pena de haber hecho morir a los infantes *Hebreos,* diste a los tuyos agua en abundancia contra toda esperanza.

**9.** Demostrando, por la sed que hubo entonces, cómo ensalzabas a los tuyos, y hacías perecer a sus contrarios.

**10.** Pues viéndose *los Hebreos* puestos a prueba y afligidos, bien que con misericordia, echaron de ver cuáles tormentos padecieron los impíos, castigados con indignación.

**11.** Verdaderamente que a los unos los probaste como padre que amonesta; más a los otros pusístelos en juicio, como rey inexorable para condenarlos,

**12.** Siendo atormentados igualmente en ausencia y en presencia *de los Hebreos.*

**13.** Porque eran castigados con doble pesar y llanto, con la memoria de las cosas pasadas;

**14.** Pues al oír que era bien para los otros lo que para ellos había sido tormento, conocieron la mano del Señor, asombrados del éxito de los sucesos.

**15.** Así fué que a aquel *pueblo y caudillo,* de quien se mofaban, como de gente echada a la ventura en aquella inhumana exposición *de los niños,* al fin de los sucesos lo miraban con admiración; habiendo ellos padecido una sed, bien diferente de la de los justos, *que luego fué remediada.*

**16.** Y en castigo de las ideas locas de su idolatría, según las cuales algunos, desvariando, adoraban *irracionales* o mudas serpientes, y viles bestias, tú enviaste contra ellos para vengarte una muchedumbre de muchas sabandijas;

**17.** A fin de que conociesen cómo por aquellas cosas en que uno peca, por ésas mismas es atormentado.

**18.** No porque tu mano omnipotente que crió al mundo de una materia nunca vista, no pudiera enviar contra ellos multitud de osos y feroces leones,

**19.** O fieras de una nueva especie desconocida, llenas de furor, que respirasen llamas de fuego, o despidiesen una negra humareda, o arrojasen por los ojos espantosas centellas;

**20.** Que no solamente con sus mordeduras hubieran podido exterminarlos, sino aun con la sola vista hacerlos morir de espanto.

**21.** Pero aun sin nada de todo esto, con un solo aliento *de tu ira* podían ser muertos, perseguidos *del remordimiento* de sus propios crímenes, y disipados por un soplo de tu potencia; mas tú dispones todas las cosas con *justa* medida, número y peso;

**22.** Porque tú solo tienes siempre a la mano el sumo poder; y ¿quién puede resistir a la fuerza de tu brazo?

**23.** El mundo todo es delante de ti como un granito en la balanza, y como una gota del rocío que por la mañana desciende sobre la tierra.

**24.** Pero tú tienes misericordia de todos, por lo mismo que todo lo puedes, y disimulas los pecados de los hombres, a fin de que hagan penitencia.

**25.** Porque tú amas todo cuanto tiene ser, y nada aborreces de todo lo que has hecho; que si alguna cosa aborrecieras, nunca la hubieras ordenado ni hecho.

**26.** ¿Y cómo pudiera durar alguna cosa, si tú no quisieses? ¿Ni cómo conservarse nada sin orden tuya?

**27.** Pero tú eres indulgente para con todos; porque tuyas son todas las cosas ¡oh Señor! amador de las almas.

---

**23.** *Is.* XL, *v.* 15.

**25.** Aborrece el Señor el pecado del hombre pecador; mas no la naturaleza que le dió; lo mismo se debe decir del demonio. La naturaleza humana y la angélica salieron de las manos de Dios puras de todo mal, éste o el pecado lo hizo la criatura. *S. Ag. Tract.* CX *in Joann.*

---

CAP. XI. — 3. *Exod.* VII, *v.* 8.

# CAPITULO XII

*Paciencia infinita del Señor en tolerar por tanto tiempo las sacrílegas maldades de los Cananeos.*

**1.** ¡Oh cuán benigno y suave es, oh Senor, tu espíritu en todas las cosas!

**2.** De aquí es que a los que andan perdidos, tú los castigas poco a poco; y los amonestas y les hablas de las faltas que cometen, para que dejada la malicia crean en ti ¡oh Señor!

**3.** Porque tú miraste con horror a los antiguos moradores de tu tierra santa;

**4.** Pues hacían obras detestables a tus ojos con hechicerías y sacrificios impíos.

**5.** Matando sin piedad a sus propios hijos, y comiendo las entrañas humanas, y bebiendo la sangre en medio de su sagrada tierra *contra tu santo precepto.*

**6.** A estos *tales,* que eran *a un mismo tiempo* padres y parricidas de aquellas criaturas abandonadas, los quisiste hacer perecer por medio de nuestros padres;

**7.** A fin de que la tierra, de ti la más amada de todas, recibiese la digna colonia de hijos de Dios.

**8.** Mas *aún* a los tales *malvados,* por ser hombres, les tuviste alguna compasión, y les enviaste avispas, a manera de batidores de tu ejército, para que los exterminasen poco a poco.

**9.** No porque no pudieses someter a mano armada los impíos a los justos, o exterminarlos de una vez por medio de bestias feroces, o con *sola* una severa palabra *tuya;*

**10.** Sino que castigándolos poco a poco, dabas lugar a la penitencia; bien que no ignoraban cuán malvada es su casta y connatural su malicia, y que no se mudarían jamás sus *corrompidas* ideas.

**11.** Pues venían ellos de una raza maldita *ya* desde el principio; y sin que fuese por temer tú a nadie, les dabas treguas en sus pecados.

**12.** Porque quién te dirá a ti: ¿Por qué has hecho eso? ¿O quién se presentará ante ti para defender a hombres malvados? ¿O quién te hará cargos por haber exterminado las naciones que tú creaste?

**13.** Porque no hay otro Dios sino tú: que de todas las cosas tienes cuidado, para demostrar que no hay injusticia alguna en tus juicios o *disposiciones.*

**14.** No hay ni rey, ni príncipe que pueda pedirte cuenta de aquéllos que tú has hecho perecer.

**15.** Siendo *como eres* justo, dispones ¡oh Señor! todas las cosas justamente: y crees ajeno de tu poder el condenar a aquél que no merece ser castigado.

**16.** Pues tu poder es el principio o *fuente* de la justicia; y por lo mismo que eres el Señor de todas las cosas, eres con todos indulgente.

**17.** Muestras, empero, tu infinito poder, cuando no te creen soberanamente poderoso, y *entonces,* confundes la audacia de aquéllos que no te reconocen.

**18.** Pero como tú eres el soberano Señor *de todo,* juzgas sin pasión, y nos gobiernas con moderación suma; teniendo siempre en tu mano el usar del poder cuando quisieres.

**19.** Con ésta tu conducta has enseñado a tu pueblo que el justo debe también ser humano, y has dado a tus hijos buenas esperanzas, viendo que cuando los juzgas por sus pecados dejas lugar a la penitencia.

**20.** Pues si a los enemigos de tus siervos, ya reos de muerte, los castigaste con tanto miramiento, dándoles tiempo y comodidad para que se arrepintiesen de su malicia,

**21.** ¿Con cuánto cuidado juzgarás a tus hijos, a cuyos padres hiciste con juramentos y pactos grandes promesas?

**22.** Así es que cuando a nosotros nos das alguna corrección, a nuestros enemigos los castigas de mil maneras; para que reflexionando consideremos tu bondad, y cuando nos haces experimentar tu justicia, esperemos en tu misericordia.

**23.** Por la misma razon a ésos otros, que vivieron como insensatos e injustos, les hiciste sufrir horribles tormentos por medio de aquellas mismas cosas que adoraban.

**24.** Ello es que anduvieron largo tiempo extraviados por la senda del error, creyendo dioses a las creaturas más viles entre los animales, y viviendo como niños, sin ningún juicio.

**25.** Por lo mismo les diste tú un castigo a manera de escarnio, como a muchachos sin seso.

**26.** Mas los que no se corrigieron con estos escarnios y represiones, vinieron a experimentar un castigo *digno del poder* de Dios.

**27.** Porque irritados de lo que padecían, y viéndose atormentados por las mismas cosas que creían dioses, y que ellas eran su ruina, reconocieron ser el verdadero Dios aquél a quien en otro tiempo negaban conocer; *pero no dejaron la impiedad.* Por lo cual descargó al cabo sobre ellos la condenación final.

---

**CAP. XII. — 11.** *Gen.* IX, *v.* 25.

# CAPITULO XIII

*Locura de aquéllos que adoraron como dioses las obras de Dios y los ídolos hechos de mano de los hombres.*

**1.** Vanidad, y no más, son ciertamente todos los hombres en quienes no se halla la ciencia de Dios; y que por los bienes visibles no llegaron a entender al Ser *Supremo,* ni considerando las obras, reconocieron al artífice de ellas;

**2.** Sino que se figuraron ser el fuego, o el viento, o el aire ligero, o las constelaciones de los astros, o la gran mole de las aguas, o el sol y la luna los dioses gobernadores del mundo.

**3.** Que si encantados de la belleza de tales cosas las imaginaron dioses, debieran conocer cuánto más hermoso es el dueño de ellas; pues el que crió todas estas cosas es el autor de la hermosura.

**4.** O si se maravillaron de la virtud e influencia de estas criaturas, entender debían por ellas, que aquél que las crió las sobrepuja en poder.

**5.** Pues de la grandeza y hermosura de las criaturas, se puede a las claras venir en conocimiento de su Criador.

**6.** Mas, sin embargo, los tales son menos reprensibles; porque si caen en el error, puede decirse que es buscando a Dios, y esforzándose por encontrarlo.

**7.** Por cuanto lo buscan discurriendo sobre sus obras, de las cuales quedan como encantados por la belleza que ven en ellas.

**8.** Aunque ni tampoco a éstos se les debe perdonar:

**9.** Porque si pudieron llegar por su sabiduría a formar idea *o a penetrar* las cosas del mundo, ¿cómo no echaron de ver más fácilmente al Señor del mundo?

**10.** Pero malaventurados son, y fundan en cosas muertas sus esperanzas aquéllos que llamaron dioses a las obras de la mano de los hombres, al oro y a la plata, labrados con arte, o a las figuras de los animales, o a una piedra inútil, obra de mano antigua.

**11.** Como cuando un artífice *o escultor* hábil corta del bosque un árbol derecho, y diestramente le quita toda la corteza, y valiéndose de su arte fabrica mañosamente un mueble a propósito para el servicio de la vida,

**12.** Y los restos los recoge para cocer la comida;

**13.** Y a uno de estos restos, que para nada sirve, por estar torcido y lleno de nudos, y con la pericia de su arte va dándole figura, hasta hacer de él la imagen de un hombre,

**14.** O darle la semejanza de un animal, pintándolo de bermellón, y poniéndolo la escarnadura y cubriéndo todos los agujeros y hendiduras que hay en él;

**15.** Y haciendo después para la estatua un nicho conveniente, la coloca en la pared y la afirma con clavos,

**16.** Para que no caiga al suelo, usando con ella de esta precaución, porque sabe que no puede valerse a sí misma, puesto que es una mera imagen, la cual ha menester ayuda *para sostenerse.*

**17.** Y sin embargo, ofreciéndole votos, la consulta sobre su hacienda, sobre sus hijos, y sobre sus matrimonios. Ni se corre de hablar con aquello que carece de vida;

**18.** Antes bien suplica por la salud a un inválido, y ruega por la vida a un muerto, e invoca en su ayuda a un estafermo *o inútil;*

**19.** Y para hacer un viaje se encomienda a quien no puede menearse; y para sus ganancias y labores, y el buen éxito de todas las cosas hace oración al que es inútil para todo.

# CAPITULO XIV

*Necedad y ceguera de los idólatras; descríbese el origen de la idolatría.*

**1.** Asimismo piensa otro en navegar, y estando para surcar las encrespadas olas, invoca un leño más endeble que aquél en que va.

**2.** Este leño lo inventó la codicia de ganar, y fabricólo el artífice con su saber.

**3.** Mas tu providencia ¡oh Padre! lleva el timón; por cuanto aun en medio del mar abriste camino *a tu pueblo que huía de Egipto,* y le diste paso segurísimo por entre las olas;

**4.** Demostrando que eres poderoso para salvar de todo riesgo, aun cuando alguno se meta en el mar sin uso del arte *de navegar.*

**5.** Pero a fin de que no quedasen inútiles las obras de tu sabiduría, por eso es que los hombres fían sus vidas a un débil leño, y atravesando el mar sobre un barco llegan a salvamento.

---

CAP. XIII. — 1. *Exod.* III, *v.* 14.

**6.** De esta suerte también al principio cuando perecieron *en el diluvio* los soberbios gigantes, una barca fué el refugio de la esperanza de toda la tierra: barca que siendo gobernada por tu mano, conservó la semilla de que había de renacer el mundo.

**7.** Porque bendito es el leño que sirve a la justicia;

**8.** Pero maldito es el leño de un ídolo hecho de mano, tanto él como su artífice: éste, porque lo fabricó; y aquél, porque no siendo más que una cosa frágil recibió el nombre de dios.

**9.** Puesto que a Dios le son igualmente aborrecibles el impío y su impiedad.

**10.** Por donde así la obra hecha como el hacedor serán castigados.

**11.** Y por eso no se perdonará a los mismos ídolos de las naciones; por cuanto a las criaturas de Dios se las hizo servir a la abominación, y de tentación para las almas de los hombres, y de lazo para los pies de los insensatos.

**12.** Pues la invención de los ídolos fué el origen de la idolatría, y su hallazgo la corrupción de la vida:

**13.** Porque ni los había al principio, ni los habrá siempre.

**14.** Sobrevino en el orbe terráqueo la vanidad de los hombres; y con esto se tuvo por muy pronta la muerte de ellos.

**15.** Hallándose un padre traspasado de acerbo dolor por la prematura y súbita muerte de su hijo, formó de él un retrato: y al que como hombre acababa de morir, comenzó luego a honrarlo como a dios, y estableció entre sus criados ceremonias y sacrificios *para darle culto.*

**16.** Después con el discurso del tiempo, tomando cuerpo aquella impía costumbre, el error vino a ser observado como ley, y adorábanse los simulacros por mandato de los tiranos.

**17.** Y así hacían traer desde lejos los retratos de aquéllos a quienes no podían los hombres honrar personalmente por estar distantes; y exponían a la vista de todos la imagen del rey a quien querían tributar honores, a fin de reverenciarle con su culto, como si estuviera presente.

**18.** La extremada habilidad del artífice atrajo también a los ignorantes a este culto;

**19.** Porque deseando complacer al que lo hacía trabajar, empleó todos los esfuerzos del arte para sacar más al vivo la imagen.

**20.** Con eso embelesado el vulgo con la belleza de la obra, comenzó a calificar por un dios al que poco antes era honrado como un hombre.

**21.** Y he aquí cómo se precipitó en el error el género humano; pues los hombres, o por satisfacer a un *particular* afecto suyo, o por congraciarse con los reyes, dieron a las piedras y leños el nombre incomunicable *de Dios.*

**22.** Ni se contentaron con errar en orden al conocimiento de Dios; sino que viviendo sumamente combatidos de su ignorancia, a un sinnúmero de muy grandes males les dan el nombre de paz *o de bienes.*

**23.** Pues ya sacrificando sus propios hijos, ya ofreciendo sacrificios entre tinieblas, o celebrando vigilias llenas de *brutales* delirios;

**24.** Ni respetan las vidas, ni la pureza de los matrimonios, sino que unos a otros se matan por celos, o con sus adulterios se contristan.

**25.** Por todas partes se ve la efusión de sangre, homicidios, hurtos y engaños, corrupción, infidelidad, alborotos, perjurios, vejación de los buenos;

**26.** Olvido de Dios, contaminación de las almas, incertidumbre de los partos, inconstancia de los matrimonios, desórdenes de adulterio y de lascivia;

**27.** Siendo el abominable culto de los ídolos la causa, y el principio y fin de todos los males;

**28.** Porque o hacen locuras en sus fiestas, o a lo menos fingen oráculos falsos, o viven en la injusticia, o perjuran con *suma* facilidad;

**29.** Como que confiados en sus ídolos, que son criaturas inanimadas, no temen que por jurar falso les venga ningún daño.

**30.** Mas por entrambas cosas tendrán su justo castigo; porque entregados a sus ídolos sintieron mal de Dios, y porque juraron injustamente y con dolo, menospreciando la injusticia.

**31.** Que no es el poder de aquellos *ídolos* por quienes juran, sino la *Divina* venganza contra los pecadores la que persigue siempre la prevaricación de los hombres injustos.

## CAPITULO XV

*Acción de gracias a Dios por haber preservado a Israel de la idolatría. Ceguedad de los idólatras e invectivas contra ellos.*

**1.** Empero tú, oh Dios nuestro, tú eres benigno y veraz, y sufrido, y todo lo gobiernas con misericordia.

---

25. *Rom.* I, *v*, 24, 28.

**2.** Porque si pecáremos, tuyos somos, sabiendo, *como sabemos,* tu *poder y* grandeza; y si no pecáremos, sabemos que nos cuentas en el número de los tuyos *o de tus amigos.*

**3.** Porque el conocerte a ti *con fe viva* es la perfección de la justicia, y al conocer *o confesar* tu justicia y poder es la raíz de la inmortalidad.

**4.** Y así no nos ha inducido a error la humana invención de un arte mal empleada, ni el vano artificio de las sombras de la pintura, ni la efigie entallada y de varios colores,

**5.** Cuya vista excita la concupiscencia en el insensato, que ama la compostura de un retrato muerto e inanimado.

**6.** Dignos son de poner su esperanza en semejantes cosas *o en tales deidades,* aquéllos que aman el mal; como también los que las hacen, los que las aman, y los que les dan culto.

**7.** Así es que un alfarero, manejando la blanda greda, forma de ella, a costa de su trabajo, toda suerte de vasijas para nuestros usos; y de un mismo barro hace vasos que sirven para cosas limpias, e igualmente otros para cosas que no son tales; siendo el alfarero el árbitro del destino que han de tener los vasos.

**8.** Y con vana fatiga forma del mismo barro un dios el hombre mortal que poco antes fué formado de la tierra, y que muy en breve volverá a reducirse a ella, obligado a restituir la deuda del alma que ha recibido.

**9.** Pero él no se cura del trabajo que le ha de costar, ni de la brevedad de su vida; sino que va a competencia con los artífices de oro y de plata, e imita también a los broncistas, y pone su gloria en formar cosas inútiles;

**10.** Pues su corazón es ceniza *o polvo,* y vil tierra su esperanza, y su vida más despreciable que el barro;

**11.** Como que no conoce al que lo ha creado e infundido el alma con que trabaja, e inspirádole el espíritu de vida.

**12.** Y aun han creído éstos ser nuestra vida un juego, y que toda nuestra ocupación debe reducirse a amontonar riquezas, y que conviene el ganar por cualesquiera medios, aunque sean malos.

**13.** Porque aquel *artífice* que de la frágil materia de la tierra forma vasijas y simulacros, bien conoce que peca más que todos.

**14.** Son, pues, necios, desgraciados y soberbios, más que todos, los que son enemigos de tu pueblo, y que lo tienen avasallado.

**15.** Porque creen dioses todos los ídolos de las naciones; los cuales ni pueden usar de los ojos para ver, ni de las narices para respirar, ni de las orejas para oír, ni de los dedos de las manos para palpar, ni aun de sus pies para menearse.

**16.** Que un hombre *mortal* fué quien los hizo y recibió prestado el espíritu el que los formó; ni jamás podrá hombre alguno fabricar un dios semejante a sí.

**17.** Porque siendo, *como es,* mortal, forma con manos sacrílegas una cosa muerta; siendo él mejor que aquéllos a quienes adora, pues él, aunque mortal, ha obtenido la vida, pero aquéllos nunca vivirán.

**18.** Y aun adoran a los más viles animales, que comparados con las demás bestias irracionales, son de peor condición que éstas.

**19.** Ni hay quien pueda observar cosa buena en el aspecto de estas sabandijas *o animales;* como que ahuyentaron de sí la aprobación y bendición de Dios.

## CAPITULO XVI

*Cuán diferentemente trató Dios a los Hebreos sus adoradores, que a los idólatras Egipcios.*

**1.** Por eso fueron justamente atormentados por medio de aquellas mismas *o semejantes* cosas *que adoraban,* y exterminados por una turba de animales *soeces.*

**2.** Mas a tu pueblo, en lugar de estos tormentos, le hiciste favores; concediéndole los apetecidos deleites, con traerle por manjar de exquisito sabor gordas codornices;

**3.** De manera que cuando los otros, bien que hambrientos, perdían las ganas aun del necesario sustento, por el asco de las sabandijas que se les ponían delante de los ojos, éstos, padeciendo necesidad por un poco de tiempo, lograron *después* un exquisito manjar.

**4.** Porque convenía que a los que se portaban como tiranos, les sobreviniese irremediable ruina, y a éstos otros se les mostrase sola-

---

**CAP. XV.** — 3. *Rom.* I, *v.* 17; III *v.* 28.
*Gal.* III, *v.* 16.
**5.** *Plinio, lib.* XXXVI, *c.* 9, refiere ejemplos sumamente maravillosos de pasiones excitadas por la viveza de ciertas pinturas. — Véase *Arnobio contra gent. lib.* VI.
**8.** *S. Luc.* XII, *v.* 20.

**17.** Y de aquí es que si el artífice que dió al ídolo su figura, le hubiese podido dar un poco de sentido, agradecido el ídolo adoraría luego a su artífice. *S. Ag. Ser.* LV. *de verbo Dom.*
**19.** *Gen.* III, *v.* 14
**CAP. XVI.** — 1. *Exod* VIII, *v.* 24; X, *v.* 4.

mente, *con una breve hambre o mortandad,* de qué manera eran exterminados sus enemigos.

**5.** Así que cuando contra ellos se enfurecieron las bestias crueles, perecían de las mordeduras de venenosas serpientes.

**6.** Mas no duró siempre tu enojo, sino que fueron aterrados por un breve tiempo para escarmiento, recibiendo luego *en la serpiente de bronce* una señal de salud, para recuerdo de los mandamientos de tu ley.

**7.** A la cual insignia quien miraba, quedaba sano; no por virtud del objeto que veía, sino por ti ¡oh Salvador de todos *los hombres!*

**8.** Con lo que demostraste a nuestros enemigos que tú eres el que libras de todo mal.

**9.** Pues que ellos perecieron mordidos de las langostas y moscas, sin que se hallase remedio para su vida; porque merecían ser consumidos de semejantes insectos.

**10.** Mas contra tus hijos ni aun los dientes de dragones venenosos pudieron prevalecer, porque acudió a curarlos tu misericordia.

**11.** Y *sólo* eran puestos a prueba, a fin de que se acordasen de tus preceptos; presto, empero, quedaban curados, para que no sucediese que cayendo en un profundo olvido *de tu ley* no pudiesen gozar de tu socorro.

**12.** Porque no fué yerba, ni ningún emplasto suave lo que los sanó, sino que fué tu palabra ¡oh Señor! la cual sana todas las cosas.

**13.** Pues tú eres ¡oh Señor! el dueño de la vida y de la muerte, y tú *nos* conduces hasta las puertas de la muerte, y *nos* haces volver atrás desde ellas.

**14.** Un hombre bien puede matar a otro por malicia; pero salido que haya el espíritu no puede hacerlo volver, ni hará tornar el alma de allí donde ha sido recibida.

**15.** Mas el huir de tu mano, es cosa imposible.

**16.** Así los impíos, que negaban conocerte, fueron azotados por tu fuerte brazo, siendo perseguidos de extrañas lluvias, de pedriscos y de tempestades, y consumidos por el fuego.

**17.** Y lo más maravilloso era que el fuego en la *misma* agua que lo apaga todo, tenía mayor actividad; porque todas las criaturas se arman para vengar a los justos.

**18.** A veces, pues, se amansaba el fuego, para no quemar a los animales enviados *de Dios* contra los impíos; a fin de que viéndolo ellos mismos, acabasen de conocer que por juicio de Dios eran perseguidos.

**19.** Otras veces el fuego, contra *o sobre* su natural virtud, ardía en el agua para consumir las producciones de aquella tierra maldita.

**20.** Al contrario, alimentaste a tu pueblo con manjar de Angeles, y le suministraste del cielo un pan aparejado sin fatiga suya, que contenía en sí todo deleite y la suavidad de todos los sabores.

**21.** Y así éste tu sustento demostraba cuán dulce eres para con tus hijos; y acomodándose al gusto de cada uno, se transmutaba en lo que cada cual quería.

**22.** Por otra parte, la niebla y el hielo resistían a la fuerza del fuego, y no se derretían; para que viesen *los tuyos* cómo arrasaba las cosechas de los enemigos aquel fuego que ardía y relampagueaba en medio del granizo y de la lluvia.

**23.** Pero aquí, al contrario, olvidóse el fuego de su misma actividad; para que tuviesen los justos de qué alimentarse.

**24.** Porque la criatura sirviéndote a ti, Hacedor suyo, redobla los ardores para atormentar a los injustos, y los mitiga en beneficio de aquéllos que en ti confían.

**25.** Por eso entonces también *el maná, regalo tuyo,* tomando el gusto de todos los manjares, servía a tu benéfica voluntad sustentadora de todos, acomodándose al deseo de aquéllos que a ti recurrían;

**26.** A fin de que tus hijos ¡oh Señor! de ti tan amados, reconociesen que no tanto son los frutos naturales los que alimentan a los hombres; sino que tu palabra es la que sustenta a los que creen en ti.

**27.** Y en verdad que aquel *maná* que no podía ser consumido del fuego, calentado al más leve rayo del sol, luego se deshacía;

**28.** Para que supiesen todos que era necesario adelantarse al sol para *recoger* tu bendición, y adorarte así que amanece.

---

**12.** *Ps.* CVI, *v.* 20: *Num.* XXI. La *palabra de Dios,* escrita en los Libros sagrados es un remedio universal para todas las dolencias espirituales del hombre, como dice S. Agustín. Lo mismo S. Juan Cris. *Hom.* XII, *In Gen.*
**16.** *Exod.* IX, *v.* 23.

**20.** *Hebr.* IX, *v.* 24. — II *Paral.* V, *v.* 10. *Ps.* LXXVII *v.* 25. — *Exod.* XVI, *v.* 14. — *San Agustín lib. II Retract. c.* 20 afirma que el *maná* tomaba el gusto o sabor que deseaban los Hebreos, si éstos eran fieles y lo comían con gratitud y ánimo devoto; pero para los que no lo hacían así, era una cosa común. Lo mismo dicen S. *Gregorio lib.* VI, *Moral.* 9; S. *Jerónimo, etc.*

**29.** Porque la esperanza del ingrato, como la escarcha del invierno, se deshará, y desaparecerá como agua perdida.

## CAPITULO XVII

*Circunstancias memorables de las horrendas tinieblas de Egipto.*

**1.** Grandes son ¡oh Señor! tus juicios, e inefables tus obras. Por eso las almas privadas de la ciencia *o luz celestial,* cayeron en el error.

**2.** Pues cuando los inicuos *Egipcios* se persuadían poder oprimir al pueblo santo, fueron ligados con cadenas de tinieblas y de una larga noche, encerrados dentro de sus casas, y yaciendo en ellas *como* excluidos de la eterna Providencia;

**3.** Y mientras creían poder quedar escondidos en sus negras maldades, fueron separados unos de otros con el velo tenebroso del olvido, llenos de horrendo pavor, y perturbados con grandísimo asombro.

**4.** Porque ni las cavernas en que se habían metido los libraban del miedo; sino que un *horrible* estruendo, que se sentía, los aterraba, y aparecíanseles horrorosos fantasmas, que los llenaban de espanto.

**5.** No había ya fuego, por grande que fuese, que pudiese alumbrarlos; ni el claro resplandor de las estrellas podía esclarecer aquella horrenda noche.

**6.** Al mismo tiempo de repente les daban en los ojos terribles fuegos *o relámpagos;* y aturdidos por el temor de aquellos fantasmas, que veían confusamente, imaginábanse más terribles todos los objetos.

**7.** Allí fueron escarnecidas las ilusiones del arte mágica, y afrentosamente castigada la jactancia de su sabiduría.

**8.** Pues los que prometían desterrar de los ánimos abatidos los temores y las perturbaciones, ésos mismos, llenos de terror, estaban con vergüenza suya desmayados.

**9.** Porque aunque nada de monstruoso solía espantarlos, aquí despavoridos con el pasar *continuo* de las bestias, y los silbidos de las serpientes, se morían de miedo, y hubieran elegido no percibir el aire, lo que nadie puede evitar de ningún modo.

**10.** Porque la maldad, siendo *como es* medrosa, trae consigo el testimonio de su propia condenación; pues una conciencia agitada presagia siempre cosas atroces.

**11.** Ni es otra cosa el temor, sino el pensar que está uno destituido de todo auxilio.

**12.** Y cuanto menos dentro de sí espera socorro el hombre, tanto más grande le parece aquella causa desconocida que le atormenta.

**13.** Lo cierto es que los que en aquella noche, verdaderamente intolerable y salida de lo más inferior y profundo del infierno, dormían el mismo sueño,

**14.** Unas veces eran agitados por el temor de los espectros, otras desfallecían sus almas de abatimiento, sobresaltados de un temor repentino e inesperado.

**15.** Y si alguno de ellos llegaba a caer, allí quedaba como preso y encerrado en una cárcel, sin *necesidad de* cadenas de hierro.

**16.** Pues, o bien fuese algún labrador, o un pastor, o jornalero que trabajase en el campo, se hallaba sorprendido y envuelto en aquella insuperable angustia;

**17.** Porque todos quedaban aprisionados con una misma cadena de tinieblas donde ya el susurro de los vientos, ya el canto suave de las aves entre las frondosas ramas de los árboles, ya el ímpetu de corrientes caudalosas de agua,

**18.** Ya el recio estruendo de peñascos que se desgajaban, ya el correr de los animales, que andaban retozando, y a los cuales no divisaban, ya el fuerte alarido de las bestias que aullaban, ya el eco resonante en las concavidades de montes altísimos, los hacía desfallecer de espanto.

**19.** Y entre tanto todo el resto del mundo estaba iluminado de clarísima luz, y se ocupaba sin embarazo alguno en sus labores ordinarias.

**20.** Solamente sobre ellos reinaba una profunda noche, imagen de aquellas *eternas* tinieblas, que después les aguardaban, por cuyo motivo se hacían ellos más insoportables a sí mismos que las tinieblas.

## CAPITULO XVIII

*Una columna de fuego alumbra a los Hebreos. Mata un ángel a todos los primogénitos de los Egipcios. Aarón intercede por su pueblo.*

**1.** Entre tanto, *Señor,* gozaban tus santos, *o escogidos,* de una grandísima luz; y oían las voces de los Egipcios, pero sin verlos. Y dábante a ti la gloria de que no padeciesen las mismas angustias,

---

CAP. XVII. — 2. *Exod.* X, *v.* 21.

20. Ninguna angustia hay ni mayor tormento para el alma, que el remordimiento que le causan las propias maldades. *S. Ag. in Ps.* XLV.

**2.** Tributándote gracias porque no eran maltratados *de ellos,* como antes lo habían sido; y pedíante la merced de que subsistiese esta diferencia.

**3.** Por lo cual, al ir por un camino desconocido, tuvieron por guía una luminosa columna de fuego *haciendo tú que brillara sobre ellos* un sol que no les incomodaba en el descanso de sus mansiones.

**4.** A la verdad bien merecían los otros el quedar privados de la luz, y padecer una cárcel de tinieblas, ya que tenían encarcelados a tus hijos, por cuyo medio se comenzaba a comunicar al mundo la luz inmaculada de la ley.

**5.** Y cuando resolvieron el quitar la vida a los infantes de los justos, y libraste para castigo suyo a *Moisés,* uno de ellos que había sido expuesto *sobre las aguas,* tú les quitaste muchísimos de sus hijos; y a ellos mismos los ahogaste en los abismos de las aguas.

**6.** Fué aquella noche previamente anunciada a nuestros padres, para que conociendo *por este suceso* la verdad de las promesas juradas *por ti,* a que habían dado crédito, estuviesen más confiados.

**7.** Y con esto vió tu pueblo a un mismo tiempo la salvación de los justos y el exterminio de los malvados.

**8.** Que así como castigaste a los enemigos, así a nosotros nos ensalzaste llamándonos *a tu servicio.*

**9.** Porque los justos *Israelitas,* hijos de los santos *Patriarcas,* te ofrecían en secreto el sacrificio *del cordero,* y de común acuerdo establecieron esta ley de justicia, que los justos se ofrecían a recibir igualmente los bienes como los males, cantando ya los himnos de los Patriarcas.

**10.** Mientras tanto resonaban los desentonados gritos de los enemigos, y oíase el llanto de los que se lamentaban por la muerte de los niños,

**11.** Estando afligidos con la misma pena el esclavo y el amo, y padeciendo el mismo castigo el hombre plebeyo que el rey.

**12.** Todos, pues, igualmente tenían *el dolor de ver* innumerables muertos, que habían perecido con el mismo género de muerte; ni ya bastaban los vivos para enterrarlos; pues en un momento fué extirpada la más noble porción de su prole.

**13.** Entonces los que antes a ninguna cosa creían, por engaño de los hechiceros, luego que acaeció el exterminio de los primogéni-

tos, reconocieron que aquél era el pueblo de Dios.

**14.** Y cuando un tranquilo silencio ocupaba todas las cosas, y la noche, siguiendo su curso, se hallaba en la mitad del camino,

**15.** Tu omnipotente palabra ¡oh Señor! desde el cielo, desde tu real solio, *cual terrible* campeón, saltó de repente en medio de la tierra condenada al exterminio;

**16.** Y con una aguda espada que traía tu irresistible decreto, a su llegada derramó por todas partes la muerte; y estando sobre la tierra alcanzaba hasta el cielo.

**17.** Entonces visiones de sueños funestos los llenaron de turbación, y sobrecogiéronlos imprevistos temores.

**18.** Y arrojados medio muertos unos en una parte, otros en otra, mostraban la causa de su muerte;

**19.** Porque los mismos fantasmas que los habían turbado, los habían antes advertido de esto, a fin de que no muriesen sin saber la causa del castigo que padecían.

**20.** También los justos *o Israelitas* estuvieron un tiempo en peligro de muerte; y la muchedumbre experimentó calamidades en el Desierto; pero no duró mucho tu enojo.

**21.** Porque acudió a toda prisa un varón irreprensible a interceder por el pueblo; embrazó *Aarón* el escudo de su *sagrado* ministerio, la oración: y presentando con el incienso la súplica, contrastó a la ira, y puso fin al azote, mostrando ser siervo tuyo.

**22.** Calmó luego el desorden, y no con las fuerzas del cuerpo, ni con el poder de las armas, sino con la sola palabra desarmó *al Angel exterminador* que le afligía, haciendo presente *a Dios* los juramentos y la alianza hecha con los Patriarcas;

**23.** Porque cuando ya *los Israelitas* caían muertos a montones unos sobre otros, se puso *Aarón* de por medio, y cortó la cólera, y le impidió el pasar hacia los vivos.

**24.** Por cuanto en la vestidura talar que llevaba, estaba simbolizado todo el mundo; como también los gloriosos nombres de los Patriarcas estaban esculpidos en los cuatro órdenes de piedras, y grabado en la tiara de su cabeza tu grande *e inefable* Nombre.

---

CAP. XVIII. — 5. *Exod.* I, *v.* 16. XIV, *v.* 27.

**14.** Es una alegoría muy propia y expresiva del nacimiento del Verbo de Dios; el cual por antigua tradición se cree que nació de la Virgen María a la media noche. *Tertul. contr. Marcion. lib.* V, *c.* 9, *S. Ag. in Ps.* X, *v.* 9.

**25.** A estas cosas, pues, cedió el exterminador, y respetólas: pues bastaba ya esta sola muestra del enojo *de Dios.*

# CAPITULO XIX

*Los Egipcios perecen por su obstinación, y los Israelitas se salvan milagrosamente.*

**1.** Mas sobre los impíos o *Egipcios,* descargó la ira sin misericordia hasta el fin; como que *el Señor* estaba previendo lo que les había de acontecer.

**2.** Porque después de haber ellos permitido a los Hebreos que se marchasen, y aun habiéndoles dado mucha prisa para que saliesen, arrepentidos luego, les iban al alcance.

**3.** De modo que estando todavía cubiertos de luto, derramando lágrimas sobre los sepulcros de los muertos, tomaron otra resolución, propia de su locura, y pusiéronse a perseguir como a fugitivos a los mismos que habían hecho marchar a fuerza de ruegos.

**4.** A este fin o *fatal paradero* los conducía una bien merecida necesidad; y llegaron a perder la memoria de las cosas que les habían acaecido, para que el *inminente* castigo pusiese el colmo al resto de sus tormentos;

**5.** Y así tu pueblo pasase milagrosamente *el mar,* en el cual hallasen ellos un nuevo género de muerte.

**6.** Porque las criaturas todas, cada una en su género, obedeciendo a tus preceptos, tomaba una nueva forma, a fin de que tus hijos se conservasen ilesos.

**7.** Así es que una nube hacía sombra a su campamento; y donde antes había agua, apareció tierra enjuta, y un camino sin tropiezo en medio del mar Rojo, y en el profundo abismo una verde pradería,

**8.** Por la cual atravesó todo el pueblo *de Israel,* protegido de tu *poderosa* mano, viendo tus maravillas y portentos.

**9.** Por lo que, a manera de caballos bien pacidos, y como corderillos, daban brincos de alegría, engrandeciéndote a ti ¡oh Señor! que los libraste.

**10.** Pues se acordaban todavía de aquellas cosas que habían sucedido allá donde moraban como forasteros; cuando en vez de crías de animales produjo la tierra moscas, y en lugar de peces echó fuera el río muchedumbre de ranas.

**11.** Y aun después vieron una nueva creación de aves, cuando llevados del antojo pidieron viandas delicadas.

**12.** Porque para contentar su apetito vinieron volando del mar *grandes* codornices; pero sobre los *Egipcios* pecadores habían llovido venganzas, precediendo los mismos fenómenos que antes, *esto es,* tempestades de rayos; pues justamente eran castigados a medida de sus maldades;

**13.** Puesto que su inhospitalidad fué mucho más inhumana *que la de los de Sodoma.* Porque si éstos no acogieron a unos forasteros desconocidos, los otros, *los Egipcios,* reducían a servidumbre a unos huéspedes *sus* bienhechores.

**14.** Ni es de considerar solamente esto, sino que hay otra diferencia en aquéllos *de Sodoma,* y es que *ya* hospedaban de mala gana a unos extraños;

**15.** Mas éstos afligían con cruelísimos trabajos a los mismos que habían acogido con alegría, y que vivían bajo de las mismas leyes.

**16.** Por lo que fueron castigados con la ceguera; al modo que lo fueron aquéllos otros delante de la puerta del justo *Lot,* cuando, envueltos en repentinas tinieblas, andaban buscando cada uno la puerta de su casa.

**17.** Porque cuando los elementos cambian entre sí sus propias funciones, *o se trastornan,* sucede lo que en un instrumento músico que varía sus conciertos, bien que cada cuerda retenga el propio sonido; como se puede conocer evidentemente por la misma experiencia.

**18.** A este modo las creaturas terrestres se ha-cían acuátiles, y las que nadaban se pasaban a la tierra.

**19.** El fuego, excediendo su condición, conservaba su actividad en medio del agua, y el agua se olvidaba de su natural virtud de apagar.

**20.** Al contrario, las llamas no dañaban a los cuerpos de los animales, de suyo combustibles, que andaban dentro de ellas, ni derretían el maná, aquel delicioso manjar, que se deshacía tan fácilmente como la escarcha. Así que ¡oh Señor! en todo y por todo engrandeciste a tu pueblo, y lo honraste; ni te desdeñaste de asistirle en todo tiempo y en todo lugar.

---

**CAP. XIX.** — 16. *Gen.* XIX, *v.* 11.

# ECLESIÁSTICO

# Introducción

Este libro fue llamado por los griegos *Sabiduría de Jesús, hijo de Sirac*. También lo llamaron *Panareto de Jesús, hijo de Sirac;* panareto significa en griego «discurso que abarca todas las virtudes». Es una obra semejante a los *Proverbios*.

Fue escrito en griego por Jesús, hijo de Sirac, judío de Jerusalén; se basó en la obra en lengua hebrea compuesta por su abuelo Jesús. Sabemos que en el año 245 antes de Jesucristo, durante el reinado en Egipto de Ptolomeo Evergetes, hijo de Ptolomeo Filadelfo, se estableció allí el mencionado Jesús. El original hebreo se escribió en tiempos del pontífice Onías I, cuyo hijo, Simón *el Justo,* como lo denomina Josefo, es elogiado en el capítulo cincuenta. El original hebreo nos es desconocido, si bien San Jerónimo lo conoció bajo el título de *Parábolas.* Los judíos no lo cuentan entre sus libros canónicos. San Cipriano, San Agustín y San Ambrosio lo aceptaban como canónico.

El *Eclesiástico* se divide en dos partes. Es en la primera donde más se aprecia su similitud con los Proverbios. Canta los aspectos benéficos de la sabiduría y ofrece a los lectores una serie de reglas de conducta en forma de sentencias. A diferencia de lo que sucede en los *Proverbios,* en el cual las sentencias van sueltas y sin conexión, en el *Eclesiástico,* las sentencias se encadenan desarrollando un tema.

La segunda parte es un elogio de los ilustres antepasados de Israel que, regidos por la sabiduría, adquirieron renombre eterno.

Algunos exégetas afirman que hay en la traducción griega cosas que no podían figurar en el original hebreo. Por otra parte, en la versión latina (*Vulgata*) hay detalles de importancia menor que no figuran en el texto griego.

El motivo de que el *Eclesiástico* no figure entre los libros canónicos de los Judíos es el idioma en que está escrito; pues la sabiduría rabínica sólo aceptaba entre los textos sagrados aquéllos que estaban escritos en hebreo. También cabe la posibilidad de que el canon judaico ya estuviera inamoviblemente establecido en el momento de la aparición del *Eclesiástico.* Múltiples son las ocasiones en que la autoridad de Roma ha reconocido su valor escriturario: en el tercer concilio de Cartago, en el de Roma de tiempos del papa Gelasio, en el de Francfort del año 794, en el octavo de Toledo y, por fin, en el concilio de Trento.

## PROLOGO DE JESÚS, HIJO DE SIRAC, SOBRE EL ECLESIÁSTICO

Muchas y grandes cosas se nos han enseñado en la ley, y por medio de los Profetas, y de otros que vinieron después de ellos: de donde con razón merecen ser alabados los Israelitas por su erudición y doctrina; puesto que no solamente los mismos que escribieron estos discursos hubieron de ser muy instruidos, sino que también los extranjeros pueden asimismo llegar *por su medio* a ser muy hábiles, tanto para hablar como para escribir. De aquí es que mi abuelo Jesús, después de haberse aplicado con el mayor empeño a la lectura de la ley y de los Profetas y de otros libros que nos dejaron nuestros padres, quiso él también escribir algo de estas cosas, tocantes a la doctrina y a la sabiduría, a fin de que los deseosos de aprender, bien instruidos en ellas, atiendan más y más a su deber, y se mantengan firmes en vivir conforme a la ley. Os exhorto, pues, a que acudáis con benevolencia, y con el más atento estudio, a emprender esta lectura, y que nos perdonéis, si algunas veces os pareciere que al copiar este retrato de la sabiduría flaqueamos en la composición, *o aliño* de las palabras; porque las palabras hebreas pierden mucho de su fuerza trasladadas a otra lengua. Ni es sólo este Libro, sino que la misma ley y los Profetas, y el contexto de los demás Libros son no poco diferentes de cuando se anuncian en su lengua original. Después que yo llegué a Egipto a los treinta y ocho años, en el reinado del rey Ptolomeo Evergetes, *o el Benéfico,* habiéndome detenido allí mucho tiempo, encontré *varios* libros que se habían dejado, de no poca ni despreciable doctrina. Por lo cual juzgué útil y necesario emplear mi diligencia y trabajo en traducir este Libro, y así en todo aquel espacio de tiempo empleé muchas vigilias y no pequeño estudio en concluir y dar a luz *la versión* de este Libro, para utilidad de aquéllos que desean aplicarse, y aprender de qué manera deben arreglar sus costumbres los que se han propuesto vivir según la ley del Señor.

## CAPITULO PRIMERO

*Que la sabiduría tiene su origen de Dios, cuyo santo temor y amor la acompañan siempre, y por consiguiente también las demás virtudes.*

1. Toda sabiduría viene del Señor Dios, y con él estuvo siempre y existe antes de los siglos.

2. ¿Quién ha contado las arenas del mar, y las gotas de la lluvia, y los días de los siglos *que durará el mundo?* La altura del cielo, y la extensión de la tierra, y la profundidad del abismo ¿quién la ha medido?

3. Pues y la sabiduría de Dios, la cual precede a todas las cosas, ¿quién es el que la ha comprendido?

4. La sabiduría fué creada *o engendrada* ante todas las cosas, y la luz de la inteligencia existe desde la eternidad.

5. El Verbo de Dios en las alturas es la fuente de la sabiduría, y sus corrientes los mandamientos eternos.

6. El origen de la sabiduría ¿a quién ha sido revelado? ¿ni quién conoce sus trazas *o arcanos?*

7. El arte *con que obra* la sabiduría, ¿a quién ha sido jamás descubierto y manifestado? ¿ni quién pudo entender la multiplicidad de sus designios?

8. Sólo el Creador, Altísimo, Omnipotente, y Rey grande, y sumamente terrible, que está sentado sobre su trono, y es el Señor Dios,

9. Este es el que le dió el ser en el Espíritu Santo, y la comprendió, y numeró, y midió.

10. Y derramóla sobre todas sus obras y sobre toda carne, según su liberalidad *y bondad,* y comunicóla a los que le aman.

11. El temor del Señor es gloria y justo motivo de gloriarse; y es alegría y corona de triunfo.

12. El temor del Señor recreará el corazón, y dará contento, y gozo, y larga vida.

13. Al que teme al Señor le irá felizmente en sus postrimerías, y será bendito en el día de su muerte.

14. El amor de Dios es gloriosa sabiduría.

---

CAP. I. — 1. *Prov.* VIII, *v.* 22. — *Job.* XXVIII, *v.* 12. — *Sap.* VII, *v.* 26. — *S. Th. I p. quaest.* XLI, *art.* 3, *ad.* 4.

5. *Deut.* IV, *v.* 6. *Sap.* XI, *v.* 21.

**15.** Aquéllos a quienes ella se manifiesta, ámanla luego que la ven, y que reconocen sus grandes obras.

**16.** El principio de la sabiduría es el temor del Señor, el cual es criado con los fieles en el seno materno, y acompaña *siempre* a las *santas y* escogidas mujeres, y se da a conocer en *la conducta de* los justos y fieles.

**17.** El temor del Señor es la santificación de la ciencia.

**18.** La religión guarda y justifica el corazón; ella da gozo y alegría *al alma.*

**19.** Quien teme al Señor será feliz, y bendito será en el día de su fallecimiento.

**20.** El colmo de la sabiduría consiste en temer a Dios, y sus frutos sacian *al hombre.*

**21.** Llenará toda su casa de bienes, y de sus tesoros todas las recámaras.

**22.** Corona de la sabiduría es el temor del Señor, el cual da paz cumplida y frutos de salud.

**23.** El conoce la sabiduría, y la calcula; mas lo uno y lo otro son dones de Dios.

**24.** La sabiduría reparte la ciencia y la prudente inteligencia, y acrecienta la gloria de aquéllos que la poseen.

**25.** La raíz de la sabiduría es el temor del Señor y sus ramos son de larga vida.

**26.** En los tesoros de la sabiduría se halla la inteligencia y la ciencia religiosa; mas para los pecadores la sabiduría es abominación.

**27.** El temor del Señor destierra el pecado.

**28.** Quien no tiene este temor no podrá ser justo; porque su cólera exaltada es su ruina.

**29.** Por algún tiempo tendrá que sufrir el que padece *tribulaciones;* mas después será consolado.

**30.** El hombre sensato retendrá en el pecho, hasta cierto tiempo, sus palabras; y los labios de muchos celebrarán su prudencia.

**31.** En los tesoros de la sabiduría están las máximas de la buena conducta de vida;

**32.** Pero el pecador detesta la piedad *o servicio de Dios.*

**33.** Hijo, si deseas la sabiduría, guarda los mandamientos, y Dios te la concederá.

**34.** Pues que la sabiduría y la disciplina vienen del temor del Señor, y lo que le agrada

**35.** Es la fe *o confianza en él,* y la mansedumbre: *al que tiene estas virtudes* lo colmará de tesoros.

**36.** No seas rebelde al temor del Señor; ni acudas a él con corazón doble.

**37.** No seas hipócrita delante de los hom-

bres, ni ocasiones con tus labios tu propia ruina.

**38.** Ten cuidado de ellos, a fin de que no caigas, y acarrees sobre ti la infamia,

**39.** Descubriendo Dios tus secretos, y abatiéndote en medio de la sinagoga,

**40.** Por haberte acercado al Señor con malignidad, estando tu corazón lleno de doblez y engaño.

## CAPITULO II

*Con qué espíritu debemos servir al Señor y sufrir por él. Efectos del temor de Dios.*

**1.** Hijo, en entrando en el servicio de Dios, persevera firme en la justicia y en el temor, y prepara tu alma para la tentación.

**2.** Humilla tu corazón, y ten paciencia; inclina tus oídos, y recibe los consejos prudentes, y no agites tu espíritu en tiempo de la obscuridad *o tribulación.*

**3.** Aguarda con paciencia lo que esperas de Dios. Estréchate con Dios, y ten paciencia, a fin de que en adelante sea más próspera tu vida.

**4.** Acepta *gustoso* todo cuanto te enviare, y en medio de los dolores sufre con constancia, y lleva con paciencia tu abatimiento.

**5.** Pues al modo que en el fuego se prueba el oro y la plata, así los hombres aceptos *a Dios* se prueban en la fragua de la tribulación.

**6.** Confía en Dios, y él te sacará a salvo; y endereza tu camino, y espera en él; conserva su temor hasta el fin de tus días.

**7.** Vosotros los temerosos del Señor aguardad con paciencia su misericordia; y nunca os desviéis de él, porque no caigáis.

**8.** Los que teméis al Señor, creed *o confiad en él;* pues no se malogrará vuestro galardón.

**9.** Los que teméis al Señor, esperad en él: que su misericordia vendrá a consolaros.

**10.** Los que teméis al Señor, amadlo; y serán iluminados vuestros corazones.

**11.** Contemplad, hijos, las generaciones de los hombres; y veréis cómo ninguno que confió en el Señor, quedó burlado.

**12.** Porque ¿quién perseveró en sus mandamientos que fuese desamparado? ¿O quién lo invocó que haya sido despreciado?

---

CAP. II. — 1. *Matth.* IV, *v.* 1. — I *Tim.* III, *v.* 12. 4. *Job* II, *v.* 10.

**13.** Pues Dios es benigno y misericordioso, y en el día de la tribulación perdonará los pecados; y es el protector de todos los que de veras le buscan.

**14.** ¡Ay del que es de corazón doble, y de labios malvados, y de manos facinerosas; y del pecador que anda sobre la tierra por dos senderos!

**15.** ¡Ay de los hombres de corazón flojo *y tibio*, que no confían en Dios! que por lo mismo no serán de él protegidos.

**16.** ¡Ay de los que pierden el sufrimiento, y abandonan los caminos rectos, y se van por sendas torcidas!

**17.** ¿Qué harán cuando comience el Señor su Juicio?

**18.** Los que temen al Señor no serán desobedientes a su palabra; y los que lo aman seguirán constantemente el camino del Señor.

**19.** Los que temen al Señor inquirirán las cosas que le sean agradables; y aquéllos que lo aman estarán penetrados de su *santa* ley.

**20.** Los que temen al Señor prepararán sus corazones; y en la presencia de él santificarán sus almas.

**21.** Los que temen al Señor guardan sus mandamientos; y conservarán la paciencia hasta el día que los visite,

**22.** Diciendo *entre sí:* Si no hacemos penitencia, caeremos en las manos del Señor y no en manos de los hombres.

**23.** Porque cuanto él es grande, otro tanto es misericordioso.

## CAPITULO III

*De la honra debida a los padres; alábase la modestia y mansedumbre; repréndese la curiosidad en la inteligencia de los Divinos misterios; se nos recomienda la misericordia y compasión para con el prójimo.*

**1.** Los hijos o *discípulos* de la sabiduría forman la congregación de los justos; y la estirpe *o índole* de ellos, no es otra cosa que obediencia y amor.

**2.** Escuchad, hijos, los preceptos de vuestro padre, y hacedlo así si queréis salvaros.

**3.** Porque Dios quiso que el padre sea honrado de los hijos, y vindica y confirma la autoridad de la madre sobre ellos.

**4.** Quien ama a Dios alcanzará el perdón de los pecados, y se abstendrá de ellos; y será oído siempre que lo ruegue.

**5.** Como quien acumula tesoros, así es el que tributa honor a su madre.

**6.** Quien honra a su padre, tendrá consuelo en sus hijos, y al tiempo de su oración será oído.

**7.** El que honra a su padre, vivirá larga vida; y da consuelo a la madre quien al padre obedece.

**8.** Quien teme al Señor, honra a los padres; y sirve, como a sus señores, a los que le dieron el ser.

**9.** Honra a tu padre con obras, y con palabras, y con toda paciencia;

**10.** Para que venga sobre ti su bendición, la cual te acompañe hasta el fin.

**11.** La bendición del padre afirma las casas de los hijos; pero la maldición de la madre las arruina *hasta* los cimientos.

**12.** No te alabes de aquello que es la afrenta de tu padre, porque no es gloria tuya su ignominia;

**13.** Puesto que de la buena reputación del padre resulta gloria al hombre, y es desdoro del hijo un padre sin honra.

**14.** Hijo, alivia la vejez de tu padre, y no le des pesadumbres en su vida;

**15.** Y si llegare a volverse como un niño, compadécelo, y jamás lo desprecies por tener tú más vigor que él; porque la beneficencia *o caridad* con el padre no quedará en olvido.

**16.** Por *sobrellevar* los defectos de la madre *en su decrepitud* recibirás tu recompensa.

**17.** *Así* la justicia será el fundamento de tu *casa o* edificio; y en el día de la tribulación habrá quien se acuerde de ti; y como en un día sereno se deshace el hielo, así se disolverán tus pecados.

**18.** ¡Oh cuán infame es el que a su padre desampara! ¡Y cómo es maldito de Dios aquél que exaspera a su madre!

**19.** Hijo, haz tus cosas con mansedumbre; y sobre ser alabado, serás amado de los hombres.

**20.** Cuanto fueres más grande, tanto más debes humillarte en todas las cosas, y hallarás gracia en el acatamiento de Dios.

**21.** Porque Dios es el solo grande en poder, y él es honrado de los humildes.

**22.** No te metas a inquirir lo que es sobre tu capacidad, ni en escudriñar aquellas cosas que exceden tus fuerzas; sino piensa siempre en lo que te tiene mandado Dios, y no seas curioso escudriñador de sus muchas obras.

**23.** Porque no te es necesario el ver por tus ojos los ocultos arcanos *de Dios.*

---

14. Jesucristo quiere poseer él solo y por entero el corazón del hombre, que compró con el precio de su sangre, etc. *Sat. Ag. Tract.* IX *in Joann.*

**24.** No quieras escudriñar con ansia las cosas superfluas, ni indagar curiosamente las muchas obras de Dios.

**25.** Porque muchas cosas se te han enseñado que sobrepujan la humana inteligencia.

**26.** A muchos sedujo la falsa opinión que formaron de ellas; y sus conjeturas sobre dichas cosas los han tenido en el error.

**27.** El corazón duro lo pasará mal al fin *de la vida; y* quien ama el peligro perecerá en él.

**28.** El corazón que sigue dos caminos no tendrá buen suceso, y el hombre de corazón depravado, hallará en ellos su ruina.

**29.** El corazón perverso *u obstinado* se irá cargando de dolores; y el pecador añadirá pecados a pecados.

**30.** La reunión de los soberbios es incorregible; porque la planta del pecado se arraigará en ellos, sin que lo adviertan.

**31.** El corazón del sabio se deja conocer en *la adquisición de* la sabiduría, y el oído bien dispuesto escuchará a ésta con sumo anhelo.

**32.** El *hombre de* corazón sabio y prudente se guardará de pecar; y por las obras buenas será prosperado.

**33.** El agua apaga el fuego ardiente, y la limosna resiste o *expía* los pecados.

**34.** Y Dios es el proveedor *y remunerador* del que hace bien *al prójimo,* y se acuerda de él para lo venidero; y al tiempo de su caída hallará apoyo.

## CAPITULO IV

*Inculca la limosna y el estudio de la sabiduría y encarga mucho la defensa de la verdad.*

**1.** Hijo, no defraudes al pobre de la limosna; ni vuelvas a otra parte tus ojos por no verlo.

**2.** No desprecies al que padece hambre, ni exasperes al pobre en su necesidad.

**3.** No aflijas el corazón del desvalido, ni dilates el socorro al que se halla angustiado.

**4.** No deseches el ruego del atribulado, ni tuerzas tu rostro al menesteroso.

**5.** No apartes *desdeñosamente* tus ojos del mendigo, irritándolo; ni des ocasión a los que te piden, de que te maldigan por detrás.

**6.** Porque escuchada será *de Dios* la imprecación del que te maldijere en la amargura de su alma; y oirlo ha su Creador.

**7.** Muéstrate afable a la turba de los pobres, y humilla tu corazón al anciano, y baja tu cabeza delante de los grandes.

**8.** Inclina sin desdén tu oído al pobre, y paga tu deuda, y respóndele con benignidad y mansedumbre.

**9.** Libra de la mano del soberbio al que sufre la injuria, y no se te haga esto gravoso.

**10.** En el juzgar sé misericordioso con los huérfarnos, *portándote* como padre y como esposo de su *pobre madre.*

**11.** Y serás tú como un hijo obediente al Altísimo, y este *Señor* será para contigo más compasivo que una madre.

**12.** La sabiduría infunde vida a sus hijos, y acoge a los que la buscan, y va delante de ellos en el camino de la justicia;

**13.** Y *así* quien la ama, ama la vida; y los que solícitos la buscaren, gozarán de su suavidad.

**14.** Los que la poseyeren, heredarán la vida *eterna;* y donde ella entrare, allí echará Dios su bendición.

**15.** Los que la sirven, rinden obsequio al Santo *por esencia;* y Dios ama a los que la aman.

**16.** Quien la escucha, juzgará las naciones; y quien tiene fijos en ella los ojos, reposará seguro.

**17.** Si en ella pone su confianza, la tendrá por herencia, cuya posesión será confirmada en sus hijos.

**18.** Porque la sabiduría anda con él, y lo prueba desde el principio, en medio de las tentaciones.

**19.** Para probarlo lo conduce entre temores y sustos, y lo pone en angustias con el rigor de su enseñanza, hasta explorar todos sus pensamientos, y fiarse ya del corazón de él.

**20.** Entonces lo afirmará *en la virtud,* le allanará el camino, lo llenara de alegría,

**21.** Le descubrirá sus arcanos, y lo enriquecerá con un tesoro de ciencia y de conocimiento de la justicia.

**22.** Mas si se desviare, lo desamparará, y lo entregará en poder del *pecado* su enemigo.

**23.** Hijo *mío,* ten cuenta del tiempo, *empléalo bien,* y huye del mal.

**24.** No te avergüences de decir la verdad, cuando se trata de tu alma,

---

**29.** *Rom.* II, *v.* 5.
**33.** *Matth.* V, *v.* 7. — *Dan.* IV, *v.* 24.
**34.** *Tob.* IV, *v.* 11.

**CAP. IV.** — 6. *Exod.* XXII. *v.* 23. *Prov.* XXI, *v.* 13.
**36.** *Act.* XX, *v.* 35.

**25.** Porque hay vergüenza que conduce al pecado, y hay también vergüenza que acarrea la gloria y la gracia *de Dios.*

**26.** No tengas, *pues,* miramiento a nadie, si ha de ser en daño tuyo; ni mientas a costa de tu alma.

**27.** No respetes a tu prójimo cuando cae *o peca:*

**28.** *Repréndelo,* y no reprimas tu palabra *o aviso,* cuando puede ser saludable; no encubras tu sabiduría en ocasión en que debes ostentarla.

**29.** Porque la lengua es la que hace conocer la sabiduría; y la prudencia, y la discreción, y la ciencia se echan de ver en las palabras del hombre sensato; mas su fuerza consiste en las obras buenas.

**30.** Por ningún caso contradigas a la palabra de verdad, y avergüénzate de la mentira en que has caído por tu ignorancia *o temeridad.*

**31.** No tengas vergüenza de confesar tus pecados; mas no te rindas a nadie para pecar.

**32.** No quieras resistir en su cara al poderoso: no intentes detener el ímpetu de la riada;

**33.** Pero por la justicia, pugna *hasta el último aliento* para bien de tu alma; combate por la justicia hasta la muerte, porque Dios peleará por ti contra tus enemigos, *y los arrollará.*

**34.** No seas precipitado en hablar, y remiso y negligente en tus obras.

**35.** No seas en tu casa como un león, aterrando a tus domésticos, y oprimiendo a tus súbditos.

**36.** No esté tu mano extendida para recibir, y encogida para dar.

## CAPITULO V

*Contra la vana confianza en las riquezas y en la misericordia de Dios para pecar con más libertad, y contra otros vicios.*

**1.** No pongas tu confianza en las riquezas inicuas, y no digas: Tengo lo bastante para vivir; porque de nada te servirá eso al tiempo de la *divina* venganza y de la oscuridad *de la muerte.*

**2.** Cuando seas poderoso, no sigas los depravados deseos de tu corazón;

**3.** No andes diciendo: ¡Gran poder es el mío! ¿Quién podrá hacerme dar razón de mis acciones? pues Dios segurísimamente tomará *de ti terrible* venganza.

**4.** Tampoco digas: Yo pequé; ¿y qué mal me ha venido *por eso?* Porque el Altísimo, aunque paciente *y sufrido,* da el pago merecido.

**5.** Del pecado perdonado no quieras estar sin temor; ni añadas pecados a pecados.

**6.** No digas: ¡Oh, la misericordia del Señor es grande! El me perdonará mis muchos pecados.

**7.** Porque tan pronto como ejerce su misericordia, ejerce su indignación, y con ésta tiene fijos sus ojos sobre el pecador.

**8.** No tardes en convertirte al Señor, ni lo difieras de un día para otro;

**9.** Porque de repente sobreviene su ira, y en el día de la venganza acabará contigo.

**10.** No tengas ansia de adquirir riquezas injustas: porque de nada te provecharán en el día de la obscuridad *o muerte* y de la venganza.

**11.** No te vuelvas a todos vientos, ni quieras ir por cualquier camino, porque de eso se convence reo todo pecador que usa doble lenguaje.

**12.** Manténte firme en el camino del Señor, y en la verdad de tus sentimientos, y en tu *saber o* ciencia; y vaya *siempre* contigo la palabra de paz y de justicia.

**13.** Escucha con cachaza *o sosiego* lo que te dicen; a fin de que lo entiendas, y puedas dar con prudencia una cabal respuesta.

**14.** Si tienes inteligencia, responde al prójimo, pero si no, ponte la mano sobre la boca, para que no te tomen en alguna palabra indiscreta, y quedes avergonzado.

**15.** El honor y la gloria *acompañan* al discurso del hombre sensato; mas la lengua del imprudente viene a ser la ruina de éste.

**16.** Guárdate de ser chismoso *o detractor,* y de que tu lengua sea para ti un lazo y motivo de confusión.

**17.** Porque el ladrón cae en la confusión y arrepentimiento *al verse sorprendido;* y el hombre de doble lenguaje, en una infamia grandísima; pero el chismoso *o detractor* se acarrea el odio, la enemistad y el oprobio.

**18.** Haz igualmente justicia a los pequeños y a los grandes.

---

CAP. V. — 3. *Ps.* XI, *v.* 5. — *Dan.* IV. — *Is.* XXXVI.

---

5. *Eccl.* IX, *v.* 1. — *Conc. Trid. Ses.* IV.

## CAPITULO VI

*Elogio de la verdadera amistad. Cuán arduo es el conseguir la sabiduría, y con cuánta ansia debe buscarse.*

1. No quieras hacerte en vez de amigo, enemigo del prójimo; porque el hombre malvado tendrá por herencia el oprobio y la ignominia, particularmente todo pecador envidioso, y de lengua doble *o falsa.*

2. No te dejes llevar de pensamientos altivos, a modo de toro *soberbio que a todo embiste;* no sea que tu animosidad se estrelle por causa de tu locura,

3. Y coma ésta tus hojas, y eche a perder tus frutos, y vengas a quedar como un árbol seco en medio del desierto.

4. Porque el alma maligna arruinará a aquél en quien reside, y le hará objeto de complacencia para sus enemigos, y le conducirá a la suerte *o paradero* de los impíos.

5. La palabra dulce multiplica los amigos, aplaca a los enemigos; y la lengua graciosa vale mucho en un hombre virtuoso.

6. Vive en amistad con muchos; pero toma a uno entre mil para consejero tuyo.

7. Si quieres hacerte con un amigo, sea después de haberlo experimentado, y no te entregues a él con ligereza.

8. Porque hay amigo que sólo lo es cuando le tiene cuenta, y no persevera tal en el tiempo de la tribulación.

9. Y amigo hay que se trueca en enemigo; y hay amigo que descubrirá el odio, las contiendas y los dicterios.

10. Hay también algún amigo, compañero en la mesa; el cual en el día de la necesidad ya no se dejará ver.

11. El amigo, si es constante, será para ti como un igual, e intervendrá con confianza en las cosas de tu casa.

12. Si *por modestia* se humilla delante de ti, y se retira *alguna vez* de tu presencia, has hallado en él una amistad buena y constante.

13. Aléjate de tus enemigos; y está alerta en orden a tus amigos.

14. El amigo fiel es una defensa poderosa; quien lo halla, ha hallado un tesoro.

15. Nada hay comparable con el amigo fiel; ni hay peso de oro ni plata que sea digno de ponerse en balanza con la sinceridad de su fe.

16. Bálsamo de vida y de inmortalidad es un fiel amigo; y aquéllos que temen al Señor lo encontrarán.

17. Quien teme a Dios logrará igualmente tener buenos amigos; porque éstos serán semejantes a él.

18. Hijo, desde tu mocedad abraza la *buena* doctrina, y adquirirás una sabiduría, que durará hasta el fin de tu vida.

19. Como el que ara y siembra, aplícate a ella, y espera sus buenos frutos;

20. Porque te costará un poco trabajo su cultivo; mas luego comerás de sus frutos.

21. ¡Oh cuán sumamente áspera es la sabiduría para los hombres necios! No permanecerá en su estudio el insensato.

22. Para éstos será como una pesada piedra de prueba, que no tardarán en lanzarla de sus hombros.

23. Porque la sabiduría que adoctrina es *cosa oculta,* conforme *indica* su nombre, y no es conocido de muchos; mas con los que la conocen persevera hasta *que los conduce a* la presencia de Dios.

24. Escucha, hijo *mío,* y abraza una sabia advertencia, y no deseches mi consejo.

25. Mete tus pies en sus grillos, y tu cuello en su argolla: *hazte siervo de la sabiduría.*

26. Inclina tus hombros, y llévala a cuestas; y no sean desabridas sus cadenas.

27. Arrímate a ella de todo tu corazón, y con todas tus fuerzas sigue sus caminos.

28. Búscala, que ella se te manifestará; y en poseyéndola, no la abandones.

29. Porque en las postrimerías hallarás en ella reposo, y se te convertirá en dulzura.

30. Y sus grillos serán para ti fuerte defensa y firme base, y sus argollas un vestido de gloria;

31. Pues la sabiduría es el esplendor de la vida, y sus ataduras una venda saludable.

32. De ella te revestirás como de un glorioso ropaje, y te la pondrás sobre la cabeza como corona de regocijo.

33. Hijo, si tú me estuvieras atento, adquirirás la *buena* doctrina; y si aplicas tu mente, serás sabio.

34. Si me oyes, recibirás la enseñanza; y serás sabio si amas el escuchar.

35. Frecuenta la reunión de los ancianos prudentes, y abraza de corazón su sabiduría; a fin de poder oír todas las cosas que cuenten de Dios, y no ignorar los proverbios tan celebrados.

---

**CAP. VI.** — 23. *Zach.* XII, *v.* 3.
35. *Cap.* VIII, *v.* 9.

**36.** Que si vieres algún hombre sensato, madruga para oírlo, y gasten tus pies las gradas de su casa.

**37.** Fija tu atención en los preceptos de Dios, y medita continuamente sus mandamientos; y él te dará un corazón *firme en el bien,* y te cumplirá el deseo de la sabiduría.

# CAPITULO VII

*Vicios que deben evitarse en la sociedad, y virtudes que se han de practicar.*

**1.** No hagas mal, y el mal no caerá sobre ti.

**2.** Apártate del hombre perverso, y estarás lejos de *obrar* el mal.

**3.** Hijo, no siembres maldades en surcos de injusticia, y no tendrás que segarlas multiplicadas.

**4.** No pidas al Señor el guiar *o conducir* a los demás, ni al rey puesto honorífico.

**5.** No te tengas por justo en presencia de Dios, pues él está viendo los corazones; ni delante del rey afectes parecer sabio.

**6.** No pretendas ser juez, si no te hallas con valor para hacer frente a las injusticias: no sea que por temor de la cara del poderoso te expongas a obrar contra equidad.

**7.** Guárdate de *ofender a* la muchedumbre de una ciudad, y no te metas en el tumulto del pueblo.

**8.** No añadas pecados a pecados; porque ni aun por uno sólo has de quedar sin castigo.

**9.** No seas de corazón pusilánime;

**10.** Ni descuides el hacer oración, y dar limosna.

**11.** No digas: Tendrá Dios miramiento a mis muchas ofrendas: y cuando yo ofreceré mis dones al Dios Altísimo, él los aceptará.

**12.** No te burles del hombre que tiene angustiado su corazón; porque aquél que humilla y exalta, es Dios que todo lo ve.

**13.** No inventes mentiras contra tu hermano; ni lo hagas tampoco contra tu amigo.

**14.** Guárdate de proferir mentira alguna; porque el acostumbrarse a eso es muy malo.

**15.** No seas hablador en el concurso de los ancianos; ni repitas en tu oración *o amontones* las palabras.

**16.** No aborrezcas el trabajo aunque sea penoso, ni la labranza del campo instituida por el Altísimo.

**17.** No te alistes en la turba de los hombres indisciplinados *o pecadores.*

**18.** Acuérdate de la ira *y venganza de Dios,* la cual no tardará.

**19.** Humilla cuanto puedas tu espíritu; porque el fuego y el gusano castigarán la carne del impío.

**20.** No quieras romper con el amigo, porque tarda en volverte el dinero; y no desprecies a tu carísimo hermano por causa del oro.

**21.** No te separes de la mujer sensata y buena, que por el temor del Señor te cupo en suerte; porque la gracia de su modestia vale más que *todo* el oro.

**22.** No trates mal al siervo que trabaja con fidelidad, ni al jornalero que por ti consume su vida.

**23.** Al esclavo juicioso ámale como a tu misma alma; no le niegues su libertad, ni lo despidas dejándolo en miseria.

**24.** ¿Tienes ganados? Cuida bien de ellos; y si te dan ganancia, consérvalos.

**25.** ¿Tienes hijos? Adoctrínalos, y dómalos desde su niñez.

**26.** ¿Tienes hijas? Cela *la honestidad de* su cuerpo, y no les muestres *demasiado* complaciente tu rostro.

**27.** Casa la hija, y dala a un hombre sensato, y habrás hecho un gran negocio.

**28.** Si tienes una mujer conforme a tu corazón, no la deseches; y no te entregues *o cases* con una que sea aborrecible.

**29.** Honra a tu padre con todo tu corazón; y no te olvides de los gemidos de tu madre.

---

**37.** *Ps.* I, *v.* 2.
**CAP. VII.** — 3. *Gal.* VI, *v.* 8.
**4.** *Jac.* III, 1.
**5.** *Job.* IX. *v.* 2. — *Ps.* CXLII, *v.* 2. — *Eccl.* II *v.* 17. — *Luc.* XVIII, *v.* 11.
**12.** I *Reg.* II, *v.* 7.
**14.** Claramente demostró S. Agustín que se prohibe aquí toda suerte de mentiras perniciosas, jocosas y oficiosas. *Lib. de mendac. y Lib. contr. mend.*

**15.** *Matth.* VI, *v.* 7.
**16.** *Gen.* II, *v.* 15.
**19.** *Opone* (dice S. Agustín) *aquel fuego del infierno a las llamas de la impureza y concupiscencia: el fuego de que usamos consume las cosas que se echan en él; pero aquél atormenta siempre a los que recibe en su seno conservándolos enteros siempre, para que siempre penen, etc. Serm.* 181 *de Temp.* Los demonios y las almas de los condenados son atormentadas, dice el mismo santo, por fuego corporal de una manera maravillosa: pues ceñidas y rodeadas de este fuego sienten su actividad, como siente ahora nuestra alma las heridas que se hacen a nuestra carne. Por el *gusano roedor* se entiende comúnmente el remordimiento de la conciencia.
**22.** *Ephes.* VI, *v.* 9. — *Lev.* XIX, *v.* 13.
**23.** *Exod.* XXI, *v.* 2. *Deut.* XV, *v.* 12; XVI, 12.
**26.** Véase S. Bern. *De consid.* IV, *v.* 6, sobre el complacer demasiado los padres y madres a los hijos .
**29.** *Tob.* IV, *v.* 3.

30. Acuérdate que no hubieras nacido sino por ellos: y correspóndeles según lo *mucho* que han hecho por ti.

31. Con toda su alma teme al Señor; y reverencia a sus sacerdotes.

32. Ama a tu Creador con todas tus fuerzas; y no desampares a sus ministros.

33. Honra a Dios con toda tu alma, y respeta a los sacerdotes, y purifícate ofreciendo las espaldas *de las víctimas*.

34. Dales su parte, como te está mandado, así de las primicias como *de las hostias* de expiación, y purifícate de tus negligencias con lo poco.

35. Ofrecerás como don al Señor las espaldas *de tus víctimas,* y el sacrificio de santificación, y las primicias de las cosas santas,

36. Y alarga tu mano al pobre, a fin de que sea perfecto *el sacrificio de* tu propiciación, y tu bendición *u oblación.*

37. La beneficencia parece bien a todo viviente; y ni a los muertos se la debes negar.

38. No dejes de consolar a los que lloran, y haz compañía a los afligidos.

39. No se te haga pesado el visitar al enfermo, pues con tales medios se afirmará en ti la caridad.

40. En todas tus acciones acuérdate de tus postrimerías, y nunca jamás pecarás.

## CAPITULO VIII

*Cómo se ha de portar el hombre con diversas clases de personas.*

1. No te pongas a pleitear con un hombre poderoso, no sea que caigas en sus manos.

2. No contiendas con hombre rico, no sea que te mueva una querella.

3. Porque a muchos ha corrompido el oro y la plata; y hasta a los reyes han llegado a pervertir *estos metales.*

4. No porfíes con hombre deslenguado, y *así* echarás leña en su fuego *atizando su locuacidad.*

5. No tengas trato con hombre ignorante *y grosero,* a fin de que no diga mal de tu linaje.

6. No mires con desprecio al hombre que se arrepiente del pecado, y no se lo eches en cara: acuérdate que todos somos dignos de reprensión.

7. No pierdas el respeto al hombre en su vejez, pues que de nosotros, *los jóvenes,* se hacen los viejos.

8. No te huelgues en la muerte de tu enemigo, sabiendo que todos morimos, y no queremos ser *entonces* objeto de gozo.

9. No menosprecies lo que contaren los ancianos sabios, antes bien hazte familiares sus máximas;

10. Porque de ellos aprenderás sabiduría y documentos de prudencia, y el modo de servir a los príncipes de una manera irreprensible.

11. No dejes de oír lo que cuentan los ancianos, porque ellos lo aprendieron de sus padres.

12. Pues *así* aprenderás tú de los mismos discreción y el saber dar una respuesta cuando fuere menester.

13. No enciendas los carbones de los pecadores, con hacerles reconvenciones *indiscretamente;* de otra suerte serás abrasado con la llama del fuego de sus pecados.

14. No te expongas de frente a persona de mala lengua, a fin de que no esté en acecho para cogerte en alguna palabra.

15. No prestes al que puede más que tú; que si algo le prestaste, haz cuenta que lo has perdido.

16. No hagas fianza sobre tus fuerzas; que si la has hecho, piensa cómo pagarla.

17. No te metas a juzgar de tu juez; porque él juzga lo que cree justo.

18. En viaje no te acompañes con un hombre temerario; no sea que te tomen también a ti sus desastres: porque él va siguiendo su caprichosa voluntad, y su locura te perderá a ti juntamente con él.

19. Con el colérico no trabes *ninguna* riña; ni camines por lugar solitario con el atrevido; porque para él la sangre no importa nada, y cuando no haya quien te socorra te hará pedazos.

20. No te aconsejes con tontos; porque éstos no pueden amar sino aquello que a ellos les place.

21. No consultes en presencia de un extraño *o desconocido;* porque no sabes lo que él maquina dentro de sí.

22. Ni descubras tu corazón a cualquier hombre; no sea que te muestre una falsa amistad, y te afrente.

---

33. *Deut.* X, *v.* 12.
*Lev.* II, *v.* 3; VII; *v.* 32. — *Num.* XVIII, *v.* 15.
35. *Num.* V, *v.* 9, 10; XVIII, *v.* 21, 26. — *Deut.* XIV, *v.* 22.
37. *Tob.* IV, *v.* 18. — II *Cor.* IX. — II *Mach.* XII, *v.* 43.
38. *Rom.* XII, *v.* 11, 15.
39. *Matth.* XXV, *v.* 36.

---

CAP. VIII. — 6. *Cor.* II, *v.* 6. — *Gal.* VI, *v.* 1.
7. *Lev.* XIX, *v.* 32.
19. *Prov.* XXII, *v.* 24.

## CAPITULO IX

*De la cautela en el trato con las mujeres y con los grandes: conversar con los sabios, tener siempre presente a Dios.*

**1.** No seas celoso de tu *querida* esposa; para que no se valga contra ti de las malas ideas que tú le sugieres.

**2.** No *dejes que* la mujer tenga dominio sobre tu espíritu; para que no se levante contra tu autoridad, y quedes avergonzado.

**3.** No pongas los ojos en la mujer que quiere a muchos, no sea que caigas en sus lazos.

**4.** No frecuentes el trato con la bailarina, ni la escuches, si no quieres perecer a la fuerza de su atractivo.

**5.** No pongas tus ojos en la doncella; para que su belleza no sea ocasión de tu ruina.

**6.** De·ningún modo des entrada en tu alma a las meretrices; para que no te pierdas tú y tu patrimonio.

**7.** No andes derramando tu vista por las calles de la ciudad, ni vagueando de plaza en plaza.

**8.** Aparta tus ojos de la mujer lujosamente ataviada, y no mires estudiosamente una hermosura ajena.

**9.** Por la hermosura de la mujer muchos se han perdido; y por ella se enciende cual fuego la concupiscencia.

**10.** Cualquier mujer pública es pisoteada *de todos,* como el estiércol en el camino.

**11.** Muchos embelesados de la belleza de la mujer ajena se hicieron réprobos; porque su conversación quema como fuego.

**12.** Con la mujer de otro no estés jamás de asiento, ni en la mesa te arrimes a ella recostado sobre el codo,

**13.** Ni la desafíes *con brindis* a quién de los dos bebe más vino; no sea que tu corazón se incline hacia ella, y a costa de tu vida caigas en la perdición.

**14.** No dejes el amiguo antiguo; porque no será como el el nuevo.

**15.** El amigo nuevo es un vino nuevo; se hará añejo y *entonces* lo beberás con gusto.

**16.** No envidies la gloria y las riquezas del pecador; pues no sabes tú cuál ha de ser su catástrofe.

**17.** No te agraden las violencias que cometen los hombres injustos: tú sabes que jamás en toda su vida puede agradar el impío.

**18.** Vive lejos de aquel que tiene potestad para hacerte morir, y no andarás asustado con el temor de la muerte.

**19.** Que si *alguna vez* te acercas a él, guárdate de hacer ninguna cosa, por la cual te quite la vida.

**20.** Sábete que conversas con la muerte; porque tú caminas en medio de lazos, y andas entre las armas de gente resentida.

**21.** Procede con cuanta cautela puedas con las personas *que trates,* y conversa con los sabios y prudentes.

**22.** Sean tus convidados los varones justos, y tu gloria consista en temer a Dios.

**23.** El pensamiento de Dios esté fijo en tu alma, y sea toda tu conversación de los preceptos del Altísimo.

**24.** Las obras de los artífices son alabadas por su industria *o labor de manos;* y el príncipe del pueblo por la sabiduría de sus discursos, y las palabras de los ancianos por su prudencia.

**25.** Temible es en su ciudad el hombre deslenguado, y será aborrecido el temerario por sus palabras.

## CAPITULO X

*Reglas para los príncipes y para los vasallos. Elogio del temor de Dios. Debemos trabajar para alimentarnos.*

**1.** El juez *o rey* sabio hará justicia a su pueblo, y será estable el principado del varón sensato.

**2.** Cual es el juez *o jefe* del pueblo, tales son sus ministros; y cual es el gobernador de la ciudad, tales son sus habitantes.

**3.** El rey imprudente será la ruina de su pueblo; y la prudencia de los poderosos *que gobiernan,* poblará las ciudades.

**4.** La potestad de la tierra está en manos de Dios; y él a su tiempo suscitará quien la gobierne útilmente.

---

CAP. IX. — 1. O también: *a fin de que no adopte en daño tuyo la malicia de las malas doctrinas.* Esto es, para que con tus sospechas y temores no la enseñes a ser mala. *El marido con su propia castidad enseñará a ser casta a su esposa,* dice Lactancio. *De vera relig. lib.* VI. *Algunos que temen demasiado el ser engañados* (decía un filósofo) *enseñan con eso a engañar.*
3. *Prov.* VII, *v.* 10, 22.
5. *Gen.* VI, *v.* 2.
6. *Prov.* V, *v.* 2.
13. *Lev.* XX, *v.* 10.

16. *Judic.* IX, *v.* 4. — *Reg.* XV, *v.* 10. — *Prov.* III, *v.* 31; XX, *v.* 21; XXIII, *v.* 17; XXIV, *v.* 1, *v.* 11. — Ps. XXXVI. *v.* 1, 7.
CAP. X. — 2. *Prov.* XXIX, *v.* 12.
4. *Job.* XXXIV, *v.* 30. — Oseas XIII, *v.* 10.

**5.** En manos de Dios está la prosperidad del hombre; y *el Señor* hace participar de su gloria al que enseña a los otros su ley.

**6.** Echa en olvido todas las injurias recibidas del prójimo; y nada hagas en daño de otro.

**7.** La soberbia es aborrecida de Dios y de los hombres; y execrable toda iniquidad de las gentes.

**8.** Un reino es trasladado de una nación a otra por causa de las injusticias, y violencias, y ultrajes y de muchas maneras de fraudes.

**9.** No hay cosa más detestable que un avaro. ¿De qué se ensoberbece el que *no es más que* tierra y ceniza?

**10.** No hay cosa más inicua que el que codicia el dinero; porque el tal a su alma misma pone en venta, y aun viviendo se arranca sus propias entrañas.

**11.** Breve es la vida de todo *violento* potentado. La enfermedad prolija es pesada para el médico;

**12.** El cual la acorta, atajándola *o acabando con la vida.* Así el que hoy es rey, mañana morirá.

**13.** Cuando muera el hombre, serpientes, sabandijas y gusanos; eso será lo que herede.

**14.** El principio de la soberbia del hombre es, *y fué*, apostatar de Dios, *o no querer obedecerlo,*

**15.** Apartándose su corazón de aquel *Señor* que lo crió. Así, pues, el primer origen de todo pecado es la soberbia, y quien es gobernado por ella rebosará en abominaciones, y ella al fin será su ruina.

**16.** Por eso el Señor cargó de ignominia la raza de los malvados, y los destruyó hasta exterminarlos.

**17.** Derribó Dios los tronos de los príncipes soberbios, y colocó en su lugar a los humildes.

**18.** Arrancó de raíz las naciones soberbias, y plantó *en su lugar* aquellos que eran despreciables entre las mismas gentes.

**19.** Asoló las tierras de las naciones, y arrasólas hasta los cimientos.

**20.** A algunas de ellas las desoló, y acabó con sus moradores, y extirpó del mundo su memoria.

**21.** Aniquiló Dios la memoria de los soberbios; y conservó la memoria de los humildes de corazón.

**22.** No fué criada *por Dios,* ni es natural a los hombres la soberbia, ni la cólera al que es hijo de la *débil* mujer.

**23.** Honrada será la descendencia del que teme a Dios; mas será deshonrada la del que traspasa los mandamientos del Señor.

**24.** Entre los hermanos el superior *o primogénito* es honrado *de todos:* así sucederá en la presencia del Señor a aquellos que lo temen.

**25.** La gloria de los ricos, la de los hombres constituidos en la dignidad y la de los pobres es el temor de Dios.

**26.** Guárdate de menospreciar al justo porque es pobre; guárdate de hacer gran aprecio del pecador porque es rico.

**27.** Los grandes, los magistrados y los poderosos gozan honor; pero ninguno lo tiene mayor que aquel que teme a Dios.

**28.** Al siervo prudente *y sabio* se le sujetarán *sin pena* los hombres libres; y el varón cuerdo y bien enseñado no murmurará de que sea corregido; mas al siervo necio no se le hará semejante honra.

**29.** No te engrías cuando tu obra te salga bien: ni estés de plantón en tiempo de necesidad.

**30.** Es más digno de estima aquel que trabaja y abunda de todo, que el jactancioso que no tiene pan *que comer.*

**31.** Hijo, conserva en la mansedumbre tu alma, y hónrala como ella merece.

**32.** ¿Quién justificará al que peca contra su alma? ¿y quién honrará al que a su propia alma deshonra?

**33.** El pobre es honrado por sus buenas costumbres y santo temor *de Dios;* y el rico es respetado por las riquezas que tiene.

**34.** Mas aquel que en medio de la pobreza es honrado, ¿cuánto más lo sería si llegase a ser rico? Pero el que funda su honor en sus riquezas, tiene que temer *mucho* la pobreza.

## CAPITULO XI

*El hombre debe poner su gloria en la verdadera sabiduría, no en la hermosura ni otras cualidades exteriores. No debe juzgar precipitadamente. Dios es el que reparte los bienes y los males de esta vida.*

**1.** La sabiduría ensalzará al humilde, y le dará asiento en medio de los magnates.

**2.** No alabes al hombre por su bello aspecto, ni desprecies a nadie por su sola presencia exterior.

---

9. I *Tim.* VI, *v.* 9, 10. *Ephes.* V, *v.* 5.

28. *Prov.* XVII, *v.* 2. — II *Reg.* XII, *v.* 13.
30. *Prov.* XII, *v.* 9.
**CAP. XI.** — 1. *Gen.* XLI, *v.* 40. — *Dan.* VI, *v.* 3. — *Joann.* VII, *v.* 18.

**3.** Pequeña es la abeja entre los volátiles; mas su fruto es el primero en la dulzura.

**4.** No te gloríes jamás por el traje *de distinción* que llevas, y no te engrías cuando te veas ensalzado en alto puesto; porque sólo las obras del Altísimo son las admirables; y gloriosas son ellas y ocultas, y nunca bien conocidas.

**5.** Sentáronse en el trono muchos tiranos: y un hombre, en quien nadie pensaba, se ciñó la diadema.

**6.** *Al contrario,* cayeron en grande ignominia muchos potentados; y los magnates fueron entregados *como esclavos* en poder de otros.

**7.** A nadie reprendas antes de informarte; y en habiéndote informado, reprenderás con justicia.

**8.** Antes de haber escuchado no respondas palabra; y mientras otro habla, no lo interrumpas.

**9.** No porfíes sobre cosa que no te importa nada; ni te unas con los pecadores para juzgar *o censurar vidas ajenas.*

**10.** Hijo, no quieras abarcar muchos negocios; porque si te hicieres rico, no serás exento de culpa. Yendo tras de muchas cosas, no llegarás a alcanzar ninguna; y por más diligencias que hagas, no podrás dar salida a todas.

**11.** Hay hombre que, estando falto de piedad, trabaja y se afana, y se duele *de no ser rico,* y tanto menos se enriquece.

**12.** *Al contrario,* hay otro lánguido y necesitado de amparo, muy falto de fuerzas y abundante de miseria, *pero piadoso;*

**13.** Y a éste Dios lo mira con ojos benignos, y lo alza de su abatimiento, y hácele levantar cabeza; de lo cual quedan muchos maravillados, y glorifican a Dios.

**14.** De Dios vienen los bienes y los males, la vida y la muerte, la pobreza y la riqueza.

**15.** De Dios son la sabiduría, y la disciplina, y la ciencia de la ley; y del mismo son la caridad, y las obras que hacen los buenos.

**16.** El error y las tinieblas son connaturales a los pecadores: y los que se glorían en el mal, envejecen en la malicia.

**17.** El don o *la gracia* de Dios permanece en los justos; e irá creciendo continuamente con feliz suceso.

**18.** Hay quien se hace rico viviendo con escasez; y el único fruto que tiene por recompensa

**19.** Es decir: Yo he hallado mi reposo, y ahora comeré de mis bienes yo solo.

**20.** Mas él no sabe cuánto tiempo le resta; y no piensa que se le acerca la muerte, y que todo lo ha de dejar a otros, y que él se morirá.

**21.** Persiste constante en tu pacto, y de éste trata, y acaba tus días cumpliendo con aquello que te está mandado.

**22.** No fijes tu consideración en las obras de los pecadores *en su prosperidad;* confía en Dios, y manténte en tu puesto:

**23.** Que fácil es a Dios enriquecer en un momento al pobre.

**24.** La bendición de Dios se apresura a recompensar al justo, y en breve tiempo lo hace crecer y fructificar.

**25.** No digas: ¿Qué me queda ya que hacer? ¿Y qué bienes me vendrán en lo venidero?

**26.** Tampoco digas: Bástome yo a mí mismo: ¿y qué mal puedo temer para en adelante?

**27.** En los días buenos no te olvides de los días malos, y en el día malo acuérdate del dia bueno.

**28.** Porque fácil es a Dios el dar a cada uno en el día de la muerte el pago según sus obras.

**29.** Una hora de mal hace olvidar los mayores deleites; y en el fin del hombre se manifiestan sus obras.

**30.** No alabes a nadie antes de su muerte; porque al hombre se le ha de conocer en sus hijos.

**31.** No introduzcas en tu casa toda suerte de personas; pues son muchas las asechanzas de los maliciosos.

**32.** Porque así como un estómago fétido arroja regüeldos, y como la perdiz, *por medio del reclamo,* es conducida a la trampa, y la corza al lazo, así sucede con respecto al corazón del soberbio; el cual como de una atalaya está asechando la caída de su prójimo;

**33.** Y convirtiendo el bien en mal, está poniendo asechanzas; y pondrá tacha *aun* en los mismos *varones* escogidos.

**34.** Por una chispa se levanta un incendio, y por un hombre doloso se vierte mucha sangre; porque el pecador pone asechanzas a la vida de sus hermanos.

**35.** Guárdate del hombre corrompido, pues está fraguando males: no sea que te cubra de perpetua infamia.

**36.** Si admites en tu casa al extranjero, *idólatra y vicioso,* te trastornará como un torbellino, y te despojará aun de lo tuyo.

---

**4.** I *Reg.* XVI, *v.* 7. — II *Cor.* X, 10. — *Jac.* II, *v.* 1. — *Act.* XII, *v.* 21.
**6.** I *Reg.* XV, *v.* 28. — *Esth.* VI, *v.* 7.
**8.** I *Tim.* VI, *v.* 9.
**9.** *Prov.* XVIII, *v.* 13.
**13.** *Job.* XLII, *v.* 10.
**16.** I *Joann.* I.

---

**19.** *Luc.* XII, *v.* 19.

## CAPITULO XII

*Los beneficios son mal empleados en gente perdida. Cautela con que se debe tratar a los falsos amigos.*

**1.** Si quieres hacer algún bien, mira a quién lo haces; y tendrás mucho mérito en ello.

**2.** Haz bien al justo, y lograrás una gran recompensa, si no de él, a lo menos del Señor.

**3.** No lo pasará bien el que de continuo hace mal, y no da limosnas: porque el Altísimo aborrece a los pecadores, y usa de misericordia con los que se arrepienten.

**4.** Sé tú liberal con el hombre misericordioso *y justo*, y no patrocines al pecador; porque *Dios* ha de dar su merecido a los impíos y a los pecadores, reservándolos para el día de la venganza.

**5.** Sé liberal con el hombre de bien, y no apoyes al pecador.

**6.** Haz bien al humilde, y no concedas dones al impío; impide que se le dé de comer *en abundancia* para que no se alce sobre ti con lo mismo que le das.

**.7.** Porque será doble el mal que reportarás por todo el bien que le hicieres: pues odia el Altísimo a los pecadores, y tomará venganza de los impíos.

**8.** No se conoce el amigo en la prosperidad; y en la adversidad no quedará oculto el enemigo.

**9.** En la prosperidad del hombre sus enemigos andan tristes; y en la adversidad se conoce quién es su amigo.

**10.** Nunca te fíes de tu enemigo; porque como un vaso de cobre *así* cría cardenillo su malicia.

**11.** Aunque haciendo del humilde ande cabizbajo, tú está sobre aviso, y recátate de él.

**12.** No te lo pongas a tu lado, ni se siente a tu diestra: no sea que volviéndose contra ti, tire a usurparte el puesto; por donde al fin caigas en la cuenta de lo que te digo, y te traspasen el corazón mis advertencias.

**13.** ¿Quién será el que tenga compasión del encantador mordido de la serpiente *que maneja*, ni de todos aquellos que se acercan a las fieras? Así será del que se acompaña con un hombre inicuo, y se halla envuelto en sus pecados.

**14.** Algún tiempo estará contigo; mas si declinase tu fortuna, no te dará la mano.

**15.** El enemigo tiene la miel en sus labios; mas en su corazón está tramando cómo dar contigo en la fosa.

**16.** Derrama lágrimas de sus ojos el enemigo; pero si halla ocasión, no se hartará de sangre.

**17.** Y si te sobreviene algún mal, hallarás que él es su primer origen.

**18.** Llorando están los ojos del enemigo; mas en ademán de ayudarte te dará un traspié.

**19.** Meneará su cabeza, y dará palmadas, y hablando mucho entre dientes, hará *mil* visajes.

## CAPITULO XIII

*Cuán de peligroso es el trato con el soberbio, con el rico y con el poderoso. Amar a Dios y al prójimo. Comparación del pobre y del rico.*

**1.** El que tocare la pez, se ensuciará con ella y al que trata con el soberbio, se le pegará la soberbia.

**2.** Una buena carga se echa encima de quien tiene trato con otro más poderoso que él. Y *así* no te acompañes con quien es más rico que tú.

**3.** ¿Qué sacará la olla *de barro* de estar junto al caldero? Cuando chocare contra éste, quedará hecha pedazos.

**4.** El rico hará un agravio, y prorrumpirá en fieros *o bravatas*; mas el pobre, agraviado, habrá de callar.

**5.** Si le haces regalos, te recibirá *en su amistad*: cuando nada tengas que ofrecerle, te abandonará.

**6.** Mientras tuvieres *algo*, se sentará a tu mesa, hasta que te haya consumido tu hacienda; y *después* no se compadecerá de ti.

**7.** Si te ha menester, te engañará *con palabras halagüeñas*, y con semblante risueño que te dará esperanzas, prometiéndote mil bienes, y te dirá: ¿Qué es lo que has menester?

**8.** Y te confundirá con sus convites *suntuosos*; hasta tanto que en dos o tres veces *que tú lo convides* te haga gastar cuanto tienes, y a la postre se burlará de ti; y después, al verte, te volverá las espaldas, y meneará su cabeza mofándose de ti.

**9.** Humíllate a Dios, y espera de su mano *el amparo*.

**10.** Mira que seducido no te humilles neciamente *ante el rico*.

---

**CAP. XII.** — 4. Debe socorrerse al pecador con el alimento necesario para conservar su vida; pero no para fomentar sus vicios. *S. Thom.* II, 2, *quest.* 32, *a.* 9.

**6.** *Prov.* XXV, *v.* 21.

**15.** *Jerem.* XLI, *v.* 6.

**11.** Guárdate de abatirte en tu sabiduría; no sea que humillado que estés, te seduzcan a hacer cosas de necio.

**12.** Cuando te llame algún poderoso, excúsate; que por lo mismo serás llamado con mayor empeño.

**13.** No seas importuno, para que no te eche de sí; ni te alejes *tanto* de él, que vengas a ser olvidado.

**14.** No te entretengas para hablar con él como un igual, ni te fíes de las muchas palabras suyas; porque con hacerte hablar mucho hará prueba de ti, y como por pasatiempo te sonsacará tus secretos.

**15.** Su corazón fiero observará tus palabras, y no te escaseará *después* el mal trato y las prisiones.

**16.** Vete con tiento y está alerta a lo que oyes, pues andas por el borde de tu precipicio.

**17.** Mas al oír estas cosas tenlas presentes, aun durmiendo; y está alerta.

**18.** Ama a Dios toda tu vida, e invócalo para que te salve *con su gracia*.

**19.** Todo animal ama a su semejante; así también todo hombre debe amar a su prójimo.

**20.** Todas las bestias se asocian con sus semejantes; y con su semejante se ha de acompañar todo hombre.

**21.** Cuando el lobo trabe amistad con el cordero, entonces la tendrá el pecador con el justo.

**22.** ¿Qué comunicación puede haber entre un hombre santo y un perro? ¿O cuál unión entre un rico y un pobre?

**23.** Presa del león es el asno montés en el desierto; así también los pobres son pasto de los ricos.

**24.** Así como el soberbio detesta la humildad, así también el rico tiene aversión al pobre.

**25.** Si bambolea el rico, sus amigos lo sostienen; mas en cayendo el pobre, aun sus familiares lo echan a empellones.

**26.** El rico que ha resbalado tiene muchos que lo sostienen; ha hablado con arrogancia, y aquéllos lo justifican.

**27.** Mas el pobre que se desliza, tras eso es maltratado; habla cuerdamente, y no se hace caso de él.

**28.** Habla el rico, y todos callan, y ensalzan su dicho hasta las nubes.

**29.** Habla el pobre, y dicen aquéllos: ¿Quién es ése? Y si da un paso en falso, lo empujarán hasta dar con él en tierra.

**30.** Buenas son las riquezas en manos del que no tiene pecado en su conciencia; mas la pobreza es malísima a juicio del impío.

**31.** El corazón o *interior* del hombre le hace demudar el semblante o en bien o en mal.

**32.** La señal del buen corazón, que es un semblante *siempre* bueno *y tranquilo*, la hallarás difícilmente y a duras penas.

## CAPITULO XIV

*Cuán dichoso es el que no peca en su hablar. Fealdad de la codicia y amabilidad de la sabiduría.*

**1.** Bienaventurado el hombre que no se deslizó en palabra que haya salido de su boca; ni es punzado por remordimiento del pecado.

**2.** Feliz el que no tiene en su ánimo la tristeza *que viene de la culpa* y no ha decaído de su esperanza *en Dios*.

**3.** Al hombre codicioso o *avaro* y agarrado de nada le sirven las riquezas: ¿y qué le aprovecha el oro al hombre mezquino?

**4.** El que amontona, cercenándoselo injustamente a sí mismo, para otros amontona, y un extraño se regalará con sus bienes.

**5.** ¿Para quién será bueno el que para sí mismo es mezquino, y no sabe gozar de sus bienes?

**6.** Quien es avaro contra sí mismo, es el hombre más ruin del mundo, y ya recibe el pago de su pasión perversa.

**7.** Que si algún bien hace, sin pensar ni querer lo hace; y al cabo viene a descubrir su malicia.

**8.** Maligno es el ojo del envidioso o *avaro*: él vuelve su cara al otro lado *para no ver al pobre*, y despreciará su misma alma.

**9.** No se sacia el ojo del avaro con una porción injusta *de bienes:* no se saciará hasta tanto que haya consumido y secado su vida.

**10.** El ojo maligno *del avaro* está *siempre* fijo en el mal; no se saciará de pan; se estará famélico y melancólico en la mesa.

**11.** Tú, hijo *mío*, disfruta aquello que tienes, y haz de ello ofrendas dignas a Dios.

---

---

**29.** *Matth.* XIII, *v.* 54.
**32.** Quiere decir que difícilmente se halla un hombre de tanta virtud y paciencia, que conserve siempre el semblante sereno y tranquilo, que es la señal de ser superior a todos los movimientos de la carne y sangre, y a todos los accidentes de la vida.

**12.** Acuérdate de la muerte, la cual no tarda *en llegar*, y de la ley que se te ha intimado de ir al sepulcro; porque el morir es una ley de que nadie está exento.

**13.** Antes de morir haz bien a tu amigo, y alarga tu mano liberal hacia el pobre según su posibilidad.

**14.** No te prives *de las ventajas* de un buen día *que Dios te concede*; y del buen don *o bien que te da el Señor* no dejes perder ninguna parte.

**15.** ¿No ves que has de dejar a otros *el fruto* de tus sudores y fatigas, y que por suerte se lo repartirán entre sí?

**16.** Da *a los pobres*, y toma *para ti lo necesario*, y santifica *así* tu alma.

**17.** Practica la justicia antes que mueras; porque en el sepulcro no hay que buscar sustento.

**18.** Podrirse ha toda carne como el heno, y como las hojas que brotan en la verde planta.

**19.** Unas hojas nacen y otras se caen: así de las generaciones de carne y sangre, una fenece y otra nace.

**20.** Toda obra corruptible ha de perecer finalmente, y su artífice tendrá el mismo paradero que ella.

**21.** Mas todas las obras escogidas *o justas* serán aprobadas, y el que las hace, será por ellas glorificado.

**22.** Bienaventurdo el hombre que es constante en la sabiduría, y ejerce la misericordia, y considera en su mente a Dios que ve todas las cosas.

**23.** Que va estudiando en su corazón los caminos de la sabiduría y entiende sus arcanos, yendo en pos de ella como quien sigue su rastro, pisando siempre sus huellas;

**24.** Que *anhelando verla y oírla* se pone a mirar por sus ventanas, y está escuchando en su puerta;

**25.** Y reposa junto a la casa de ella, e hincando en sus paredes una estaca, asienta al lado su pequeño pabellón, dentro del cual tendrán perpetua morada *todos* los bienes;

**26.** Bajo la protección de la sabiduría colocará a sus hijos, y morará debajo de sus ramas.

**27.** A la sombra de ella estará defendido el calor, y en su gloria reposará *tranquilo*.

## CAPITULO XV

*Finezas de la sabiduría, que no las recibe quien no las merece. Invectiva contra los que hacen a Dios autor de los pecados.*

**1.** El que teme a Dios hará buenas obras; y quien observa exactamente la justicia, poseerá la sabiduría;

**2.** Porque ella le saldrá al encuentro cual madre respetable, y cual virgen desposada lo recibirá.

**3.** Lo alimentará con pan de vida y de inteligencia, y le dará de beber el agua de ciencia saludable, y fijará en él su morada, y él será constante.

**4.** Y *la sabiduría* será su sostén, y no se verá *jamás* confundido, sino que será ensalzado entre sus hermanos,

**5.** Y en medio de la Iglesia le abrirá la boca, llenándolo del espíritu de sabiduría y de inteligencia, y revistiéndole de un manto *que lo cubrirá* de gloria.

**6.** Colmarle ha de consuelo y alegría, y le dará en herencia un eterno renombre.

**7.** Los hombres necios nunca la lograrán; mas los prudentes saldrán a su encuentro. No la verán los necios, porque está lejos de la soberbia y del dolo.

**8.** Los hombres mentirosos no se acordarán de ella; mas los veraces conversarán con ella, y andarán de bien en mejor hasta que vean *la cara de* Dios.

**9.** No está bien la abalanza de ella en la boca del pecador,

**10.** Porque de Dios es la sabiduría, y con la sabiduría anda acompañada la alabanza de Dios; y rebosará en los labio del hombre fiel, y el Señor *soberano* se la infundirá.

**11.** No digas: En Dios consiste que *la sabiduría* se esté lejos *de mí*: no hagas tú lo que él aborrece, *y la tendrás*.

**12.** Tampoco digas: El me ha inducido al error; pues no necesita él que haya hombres impíos.

**13.** Aborrece el Señor toda maldad, la cual no puede ser amada de aquéllos que lo temen.

**14.** Crió Dios desde el principio al hombre, y dejóle en manos de su consejo.

**15.** Dióle además sus mandamientos y preceptos.

---

12. Gen. II, v. 17.
17. *Joann.* VI, *v.* 27; IX, *v.* 4.
25. *Prov.* III, *v.* 2, 4, 8.

CAP. XV. — 3. *Joann*, IV, v. 10.
9. *Prov.* XXVI, *v.* 7.
10. I *Cor.* XIV, *v.* 26.

**16.** Si guardando constantemente la fidelidad que le agrada, quisieres cumplir los mandamientos, ellos serán tu salvación.

**17.** Ha puesto delante de ti el agua y el fuego: extiende tu mano a lo que más te agrade.

**18.** Delante del hombre están la vida y la muerte, el bien y el mal: lo que escogiere le será dado.

**19.** Porque la sabiduría de Dios es grande, y su poder fuerte *e irresistible;* y está mirando a todos sin cesar.

**20.** Tiene puestos el Señor sus ojos sobre los que lo temen, y él observa todas las acciones de los hombres.

**21.** A ninguno ha mandado obrar impíamente, y a ninguno ha dado un tiempo *o permiso* para pecar.

**22.** Porque no le es grato a él el tener muchos hijos desleales e inútiles.

## CAPITULO XVI

*Nadie debe gloriarse en sus hijos, si son malos. Como ha castigado Dios a los impíos para escarmientos de todos. Su misericordia con los buenos.*

**1.** No te alegres de que tus hijos se multipliquen, si son malos; ni te complazcas con ellos, si no tienen temor de Dios.

**2.** No fíes en su vida, ni cuentes *para tu vejez* con sus labores, *o puestos o dignidades;*

**3.** Porque mejor es tener un solo hijo temeroso de Dios, que mil hijos malos;

**4.** Y más cuenta tiene el morir sin hijos que dejar hijos malos.

**5.** Un solo hombre cuerdo hará que sea poblada la patria *o el país;* despoblada será la nación *o tribu* de los impíos.

**6.** Muchas cosas semejantes han visto mis ojos, y más graves que éstas las han oído mis oídos.

**7.** Arderán llamas en la reunión de los pecadores; y la ira *de Dios* reventará sobre la nación de los incrédulos.

**8.** Implacable se mostró Dios a los pecados de los antiguos gigantes; los cuales *vanamente* confiados en sus fuerzas fueron aniquilados *con el diluvio.*

**9.** Ni perdonó *Dios* al lugar donde estaba hospedado Lot; antes bien maldijo a sus habitantes por la soberbia de sus palabras.

**10.** No tuvo lástima de ellos y destruyó a toda aquella nación que hacía gala de sus delitos.

**11.** Y lo mismo a los seiscientos mil hombres que, obstinados de corazón, se amotinaron *cuando iban por el Desierto.* Por donde *se ve que* aunque uno solo fuese contumaz, sería cosa maravillosa que quedase sin castigo.

**12.** Porque la misericordia y la ira están con el Señor: puede aplacarse, y puede descargar su enojo.

**13.** Así como usa de misericordia, así también castiga: él juzga al hombre según sus obras.

**14.** No evitará el pecador *el castigo de* su latrocinio; y no retardará al hombre misericordioso el premio que espera.

**15.** Todo acto de misericordia prepara el lugar a cada uno según el mérito de sus obras, y según su prudente conducta durante la peregrinación *en esta vida.*

**16.** No digas: Yo me esconderé de Dios y desde allá arriba ¿quién pensará en mí?

**17.** Nadie me reconocerá en medio de tan grande muchedumbre: porque ¿qué es mi persona entre tanta infinidad de criaturas?

**18.** He aquí que el cielo, y los altísimos cielos, y el profundo mar, y la tierra toda, y cuanto en ellos se contiene temblarán a una mirada suya.

**19.** Los montes también, y los collados, y los cimientos de la tierra, sólo con que los mire Dios se estremecerán de terror.

**20.** Y en medio de todo esto, es insensato el corazón *del hombre:* pero Dios está viendo todos los corazones;

**21.** ¿Y quién es el que entiende sus caminos? ¿Y aquella *espantosa* tormenta *del juicio final,* que jamás habrán visto *igual* ojos humanos?

**22.** Así es que escondidas son *e ininteligibles* muchísimas de sus obras; mas las obras de su justicia *vengadora* ¿quién será capaz de explicarla? ¿O quién las podrá sufrir? Porque los decretos de Dios están muy distantes de *las ideas que se forman* algunos; pero a todos se ha de tomar residencia al fin *del mundo.*

**23.** El hombre mentecato piensa en cosas vanas; y el insensato y el descarriado *sólo* se ocupan en sandeces.

**24.** Escúchame, hijo *mío,* y aprende documento de prudencia, y medita en tu corazón las palabras que voy a decirte;

---

**16.** *Matth.* XIX, *v.* 17.— *Joann.* VIII, *v.* 31.
**18.** *Jerem.* XXI, *v.* 8.— *Deut.* XXX, *v.* 15.
**20.** *Ps.* XXXIII, *v.*16.— *Hebr.* IV, *v.* 13.
**CAP. XVI.** — 3.IV *Reg.* X.

**11.** *Ex.* XII, *v.* 37.— *Num.* XIV, *v.* 24. XXVI, 51.
**15.** *Rom.* II, *v.* 6.
**16.** *Job.* XXII, *v.* 14.
**19.** *Ps.* CIII, *v.* 32; LXVII, *v.* 9.— *Job.* IX, *v.* 6.

**25.** Pues yo te daré instrucciones muy acertadas, y te manifestaré la escondida sabiduría: aplícate de corazón a atender a mis palabras, que yo con ánimo sincero te diré las maravillas que esparce Dios en sus obras desde el principio, y te mostraré con toda verdad su *divina* ciencia.

**26.** Formó Dios sabiamente desde el principio sus obras, y desde su *primera* creación la distinguió en partes; y *colocó* a las principales de ellas, según su naturaleza.

**27.** Dió a sus operaciones virtud perenne; sin que hayan tenido necesidad de ser restauradas, ni se hayan fatigado, ni cesado nunca de obrar.

**28.** Jamás ninguna de ellas embarazará a la otra.

**29.** No seas tú desobediente a su palabra.

**30.** Después de esto miró Dios la tierra, y la colmó de bienes.

**31.** Eso están demostrando todos los animales vivientes, que están sobre su superficie, y vuelven otra vez a ser tierra.

## CAPITULO XVII

*Creación del hombre y su dignidad. Divídese el género humano en varias naciones: providencia de Dios sobre ellas. Virtud de la limosna: misericordia del Señor para con los pecadores.*

**1.** Dios crió de la tierra al hombre, y formóla a imagen suya.

**2.** Y *porque pecó* lo hizo volver a ser tierra. Y le revistió de virtud conforme a su ser.

**3.** Señalóle determinado tiempo y número de días; y le dió potestad sobre las cosas que hay en la tierra.

**4.** Hízolo temible a todos los animales, por lo cual tiene el dominio sobre las bestias y sobre las aves.

**5.** De la sustancia del mismo formó Dios una ayuda semejante a él; dióles a entrambos razón y lengua, y ojos y orejas, e ingenio para inventar, y los llenó de las luces del entendimiento.

**6.** Crió en ellos la ciencia del espíritu; llenóles el corazón de discernimiento, y les hizo conocer los bienes y los males.

**7.** Acercó la *luz de* sus *divinos* ojos a sus corazones, para hacerlos conocer la magnificiencia de sus obras,

**8.** A fin de que alaben *a una* su santo Nombre, y ensalcen sus maravillas, y publiquen la grandeza de sus obras.

**9.** Añadió en bien de ellos las reglas de costumbres, y dióles por herencia la ley de vida.

**10.** Asentó con ellos una alianza eterna, e hízoles conocer su justicia y sus preceptos.

**11.** Vieron con los propios ojos la grandeza de su gloria, y la majestad de su voz hirióles los oídos y les dijo: Guardaos de toda suerte de iniquidad.

**12.** Y mandó a cada uno de ellos el amor de su prójimo.

**13.** Están siempre a su vista los procederes de ellos: no pueden encubrirse a sus *divinos* ojos.

**14.** A todas las naciones señaló quien las gobernase:

**15.** Mas Israel fué visiblemente *reservado* para herencia de Dios.

**16.** Todas las obras de ellos *están patentes* como el sol en la presencia de Dios, cuyos ojos están siempre fijos sobre sus procederes.

**17.** Ni por sus maldades quedó oscurecida *o derogada* la alianza *divina*, y todas sus iniquidades están a la vista de Dios.

**18.** La limosna del hombre la guarda Dios como un sello, y tendrá cuidado de las buenas obras del hombre como de las niñas de sus ojos.

**19.** Después se levantará en juicio y dará *a los malos* el pago, a cada uno en particular, y los enviará al profundo de la tierra.

**20.** Pero a los que se arrepienten les concede el volver a la *senda de la* justicia, y les da fuerzas, cuando les faltan para ir adelante, y ha destinado para ellos la porción *o premio* debido a la verdad *o fidelidad*.

**21.** Conviértete, *pues*, al Señor, y abandona tus vicios.

**22.** Haz oración ante la presencia del Señor, y remueve las ocasiones de caer.

**23.** Conviértete al Señor, y vuelve la espaldas a tu iniquidad, y aborrece sumamente todo lo que es abominable a *Dios*;

**24.** Y estudia los mandamiento y juicios de Dios, y sé constante en el estado *feliz de la virtud* que se te ha propuesto y en la oración al Altísimo Dios.

**25.** Entra en la compañía del siglo santo *de la eternidad o* con aquellos que ven *por la gracia,* y dan alabanza a Dios.

CAP. XVII. — 1. *Gen.* I, *v.* 27; V, *v,* 1.
5. *Gen.* II, *v.* 18.

15. *Deut.* XXXII, *v.* 8, 9.
17. *Rom,* III, *v.* 3.
20. *Joann.* VIII, *v.* 44.
24. II *Petr.* I, *v.* 10.
25. *Apoc.* IV, *v.* 8; V, *v.* 9; VII, *v.* 10. *Ps.* CXLI, *v,* 6.

**26.** No te pares en el camino errado de los malos. Alaba a Dios antes de morir. El muerto, como si nada fuese, no puede *ya* alabarle *y merecer la vida eterna.*

**27.** Vivo, vivo lo has de alabar, y estando sano has de confesar y alabar a Dios, y gloriarte en sus misericordias.

**28.** ¡Oh cuán grande es la misericordia del Señor, y cuánta su clemencia para con los que a él se convierten!

**29.** Porque no puede el hombre tener todas las cosas; puesto que no hay ningún hijo del hombre que sea inmortal, y que no se complazca en la vanidad y malicia.

**30.** ¿Qué cosa más resplandeciente que el sol? Pues éste también se eclipsa. O ¿qué cosa más torpe que los pensamientos de carne y sangre? Pero no han de quedar ellos sin castigo.

**31.** Aquél mira en torno de sí las virtudes del altísimo cielo; mas todos los hombres son polvo y ceniza.

## CAPITULO XVIII

*Grandeza de Dios y miseria del hombre. Reglas para vivir bien.*

**1.** El que vive eternamente, crió todas las cosas sin excepción. Sólo Dios será *siempre* hallado justo, y él es el rey invencible que subsiste eternamente.

**2.** ¿Quién es capaz de referir todas sus obras?

**3.** ¿O quién puede investigar sus maravillas?

**4.** Pues y su omnipotente grandeza ¿quién podrá jamás explicarla? ¿O quién emprenderá el contar sus misericordias?

**5.** No hay que quitar, ni que añadir en las admirables obras del Señor, ni hay quien pueda comprenderlas.

**6.** Cuando el hombre hubiere acabado, entonces estará al principio; y cuando cesare, quedará absorto.

**7.** ¿Qué es el hombre? ¿Y en qué puede ser útil *a Dios*? ¿Qué le importa *a Dios* su bien o su mal?

**8.** El número de los días del hombre, cuando mucho, es de cien años; que vienen a ser como una gota de las aguas del mar, y como un granito de arena: tan cortos son estos años comparados con el día de la eternidad.

**9.** Por eso Dios aguanta a los mortales, y derrama sobre ellos su misericordia.

**10.** Está viendo la presunción de sus corazones, que es mala, y conociendo el trastorno de ellos, que es perverso.

**·11.** Por eso les manifestó de lleno su clemencia, y mostróles el camino de la equidad *o justicia.*

**12.** La compasión del hombre tiene por objeto a su prójimo; pero la misericordia de Dios se extiende sobre toda carne *o a todo viviente.*

**13.** El tiene misericordia, y los amaestra, y los guía cual pastor a su grey.

**14.** El es benigno con los que escuchan la doctrina de la misericordia, y son solícitos en la práctica de sus preceptos.

**15.** Hijo, no juntes con el beneficio *que hagas,* la represión, ni acompañes tus dones con la aspereza de malas palabras.

**16.** ¿No es verdad que el rocío templa el calor? Pues así también la *buena* palabra vale más que la dávida.

**17.** ¿No conoces tú que la palabra *dulce* vale más que el don? Pero el hombre justo acompañará lo uno con lo otro.

**18.** El necio prorrumpe ásperamente en improperios, y la dávida del hombre mal criado *y duro contrista y* saca lágrimas de los ojos.

**19.** Antes del juicio *o de presentarte al juez,* asegúrate de tu justicia; y antes que hables, aprende.

**20.** Antes de la enfermedad toma el preservativo; y antes del juicio examínate a ti mismo, y así hallarás misericordia en la presencia de Dios.

**21.** Antes de la dolencia *mortifícate y* humíllate; y en el tiempo de tu enfermedad haz conocer tu conversión *y buena conducta.*

**22.** Nada te detenga de orar siempre *que puedas:* ni te avergüences de hacer buenas obras hasta la muerte; porque la recompensa de Dios dura eternamente.

**23.** Antes de la oración prepara tu alma, y no quieras ser como el hombre que tienta a Dios.

**24.** Acuérdate de la ira *que vendrá* en el día final, y del tiempo de la retribución, cuando Dios apartará su rostro *de los impíos.*

**25.** Acuérdate de la pobreza en el tiempo de la abundancia y de las miserias de la pobreza en el tiempo de las riquezas.

**26.** De la mañana a la tarde se cambiará el tiempo, y todo esto se hace muy presto a los ojos de Dios.

**27.** El hombre sabio temerá en todo, y en los días de pecados, *o escándalos grandes*, se guardará de la negligencia.

---

CAP. XVIII. — 1. *Salmos* XIII, *v.* 3; XLVIII, *v.* 3, 11.
7. *Job.* XXII, *v.* 3.

20. *Cor.* XI, *v.* 28.
22. *Luc.* XVIII, *v.* 1. — I *Thes.* V, *v.* 17.

**28.** Todo hombre sensato sabe distinguir la sabiduría, y alaba al que la ha hallado.

**29.** Los hombres juiciosos se portan con prudencia en el hablar, y entienden la verdad y la justicia, y esparcen como lluvia proverbios y sentencias.

**30.** No te dejes arrastrar de tus pasiones, y refrena tus apetitos.

**31.** Si satisfaces los antojos de tu alma, ella te hará la risa y fábula de tus enemigos.

**32.** Mira no te empobrezcas con tomar dinero a usura para *competir o* seguir disputas con los otros, teniendo vacío tu bolsillo; pues serás injusto contra tu propia vida.

## CAPITULO XIX

*Contra la embriaguez y lascivia. Debemos refrenar la lengua, corregir a nuestros hermanos. La sabiduría sin el temor de Dios es vana. Señales para conocer al hipócrita.*

**1.** El operario dado al vino, no se enriquecerá, y poço a poco se arruinará el que desprecia las cosas pequeñas.

**2.** El vino y las mujeres hacen apostatar a los sabios, y desacreditan a los sensatos.

**3.** El que se junta con rameras, perderá toda vergüenza; la podre y los gusanos serán, *aun en vida,* sus herederos; será propuesto por escarmiento, y será borrado del número de los vivientes.

**4.** El que cree de ligero, es de corazón liviano, y padecerá menoscabo. Quien peca, *pues*, contra su propia alma, será reputado por un hombre ruin.

**5.** Infamado será quien se goza en la iniquidad; y se acortará la vida al que odia la corrección; mas el que aborrece la locuacidad, sofoca la malicia *del murmurador.*

**6.** Tendrá que arrepentirse el que peca contra su propia alma; y el que se huelga en la malicia, se acarreará la infamia.

**7.** No reportes una palabra maligna y ofensiva, porque no perderás nada.

**8.** No cuentes tus *ocultos* sentimientos *indistintamente* al amigo y al enemigo; y si has pecado, no lo propales.

**9.** Porque te escuchará y se guardará de ti; y aparentando que disculpa tu pecado, te odiará *en su interior*, y así estará siempre alrededor de ti.

**10.** ¿Oíste alguna palabra contra tu prójimo? Sepúltala en tu pecho, seguro que no reventarás *por retenerla.*

**11.** Padece el necio dolores de parto por causa de una palabra *secreta que se le ha confiado;* como mujer que gime para dar a luz un niño.

**12.** Como saeta hincada en un muslo carnoso, así es la palabra en el corazón del necio.

**13.** Corrige al amigo que quizá no obró con *mala* intención, y dirá: No hice yo eso; pero si lo hizo, a fin de que no lo haga más.

**14.** Corrige al prójimo que acaso no habrá dicho tal cosa; y si la hubiere dicho, para que no la diga más.

**15.** Corrige al amigo; porque muchas veces se levantan calumnias.

**16.** Y no creas todo lo que se cuenta. Tal hay que se desliza en lo que habla; mas no lo dice con mala intención.

**17.** ¿Pero quién hay que no haya pecado con su lengua? Corrige al prójimo con *suavidad*, antes de usar de amenazas,

**18.** Y dar lugar al temor del Altísimo *que te lo manda:* porque toda la sabiduría se encierra en el temor de Dios, y a Dios se teme con ella, y toda la sabiduría se ordena al cumplimiento de la ley *de Dios.*

**19.** Que no es sabiduría el arte de hacer mal; ni es prudencia el pensar de los pecadores.

**20.** Es una malignidad que va unida con la execración; y es un necio el que está falto de la sabiduría *de Dios.*

**21.** Es preferible aquel hombre a quien falta sagacidad y está privado de ciencia, pero que es timorato, al que es muy entendido, si traspasa la ley del Altísimo.

**22.** Hay una sagacidad extremada; mas es sagacidad inicua *y diabólica.*

**23.** Y hay quien discurre *bien y* con fruto exponiendo la verdad. Hay quien maliciosamente se humilla, mas su corazón está lleno de dolo;

**24.** Y quien se abate excesivamente con grandes sumisiones, y quien vuelve la cara, y aparenta no ver aquello que es un secreto.

---

**30.** *Rom.* VI, *v.* 12; XIII, *v.* 14.
**CAP. XIX.** — 1. *Prov.* XXIII, *v.* 21. Las culpas, aunque ligeras, siempre debilitan las fuerzas de nuestra alma, y dan vigor a las pasiones. *S. Ag. Epist. ad. Seleuc.*
2. *Gen.* XIX, *v.*35. — III *Reg.* XI, *v.* 1.

**13.** *Lev.* XIX. *v.* 17. — *Matth.* XVIII, *v.* 15. — *Luc.* XVII, *v.* 3.
**17.** *Jacob.* III, *v.* 8.
**18.** *Gal.* VI. *v.* 1. — *Matth.* XVIII, *v.* 15.
**22.** *Jac.* III, *v.* 15.

**25.** Mas si por falta de fuerzas no puede pecar, en hallando oportunidad de hacer mal, lo hará.

**26.** Por el semblante es conocido el hombre, y por el aire de la cara, se conoce el que es juicioso.

**27.** La manera de vestir, de reír, y de caminar del hombre, dicen lo que él es.

**28.** Es una correccion falsa *o indiscreta* cuando uno estando airado vomita injurias, y forma un juicio que *después* se halla no ser recto; y hay quien *en tal situación* calla, y ése es prudente.

## CAPITULO XX

*De la corrección fraterna; de las dádivas; del hablar, y de la mentira. Hemos de comunicar a los demás la sabiduría.*

**1.** ¿Cuánto mejor es el dar una represión, y no prohibir el hablar al que confiesa *la culpa*, que no el alimentar la ira contra él?

**2.** Como el eunuco lascivo que deshonra a una doncellita *encargada a su custodia,*

**3.** Así es el que con la fuerza viola la justicia.

**4.** ¡Cuán buena cosa es, siendo corregido, el mostrar arrepentimiento! porque así huirás del pecado voluntario.

**5.** Hay quien callando es reconocido por sabio; y hay quien se hace odioso por su flujo de hablar.

**6.** Tal hay que calla por no saber hablar; y tal hay que calla porque sabe cuál es la ocasión oportuna.

**7.** El hombre sabio callará hasta un cierto tiempo; mas el vano y el imprudente no aguardan la ocasión.

**8.** Quien habla mucho, hará daño a su alma; y el que se arroga un injusto poder *de juzgar a los demás*, será aborrecido.

**9.** La prosperidad es un mal para el hombre desarreglado; y los tesoros que halla, se le convierten en detrimento.

**10.** Hay una dávida que es inútil *para el que la hace*; y dávida hay que tiene doble recompensa.

**11.** Hay quien en la exaltación halla el abatimento; y a otro la humillación sirve para ensalzarse.

**·12.** Tal hay que compra muchas cosas a un vil precio, y después tiene que pagar siete veces más.

**13.** Hácese amable el sabio con su conversación; mas los chistes de los tontos serán perdidos.

**14.** La dávida del necio no te aprovechará; porque sus ojos tienen muchas miras *de interés en lo que te da.*

**15.** El dará poco, y lo echará muchas veces en cara; y el abrir de su boca será un volcán *contra ti.*

**16.** Hoy da prestado uno y mañana lo demanda: hombre de este jaez es *bien odioso.*

**17.** El necio no tendrá un amigo; ni serán agradecidos sus dones:

**18.** Pues los que comen su pan son de lengua fementida. ¡Oh cuántos y cuántas veces harán burla de él!

**19.** Porque da *o gasta* sin juicio, aquello que debía reservar, y aun aquello que no debía guardar.

**20.** El desliz de la lengua embustera es como el de quien cae del terrado *a la calle:* tan precipitada será la caída de los malos.

**21.** El hombre insulso es como un cuento sin sustancia, de aquellos que andan siempre en las bocas de gente mal criada.

**22.** La parábola no tiene gracia en boca del fatuo, porque la dice fuera de tiempo.

**23.** Hay quien deja de pecar por falta de medios, y padece tormentos por tener que estar en inacción.

**24.** Tal hay que pierde su alma por respetos humanos, y la pierde por miramiento a un imprudente; y por un tal hombre se pierde a sí mismo.

**25.** Hay quien por respetos humanos promete al amigo *lo que no puede cumplir:* y la ganancia que de eso saca es hacérselo gratuitamente enemigo.

**26.** Es una tacha infame la mentira en el hombre; ella está de continuo en la boca de los mal criados.

**27.** Menos malo es el ladrón que el hombre que miente a todas horas; bien que ambos a dos tendrán por herencia la perdición.

**28.** Deshonradas *y viles* son las costumbres de los mentirosos; siempre llevan consigo su propia confusion.

**29.** Acredítase el sabio con su hablar; y el varón prudente será grato a los magnates.

---

**27.** Dice S. Ambrosio que el *rostro es un tácito intérprete del corazón;* y lo mismo sucede con la manera de vestir, de andar, de reír, etc. Es memorable el hecho del mismo Santo, que rehusó admitir en el clero a un joven, sólo por ver en él un gesto indecente y a otro por su manera chocante de andar, y el desastrado fin de ambos probó que no se había engañado. *Offic.* I, 18.

---

CAP. XX. — 22. *Prov.* XXVI, *v.* 7, 9.

**30.** Aquel que labra *bien* su tierra formará más alto el acervo de sus frutos; y el que hace obras de justicia será ensalzado, y el que es acepto a los magnates debe huir la injusticia, *y portarse con rectitud.*

**31.** Los regalos y las dávidas ciegan los ojos de los jueces, y les cierran la boca para no corregir *a los malos.*

**32.** La sabiduría que se tiene oculta, y el tesoro escondido, ¿de qué sirven ni aquélla ni éste?

**33.** Mejor es el hombre que oculta su ignorancia, que el que tiene escondido su saber.

## CAPITULO XXI

*De la malicia del pecado, medios para preservarnos de él.*

**1.** Hijo, ¿has pecado? *Pues* no vuelvas a pecar más; antes bien haz oración *a Dios* por las culpas pasadas, a fin de que te sean perdonadas.

**2.** Como de la vista de una serpiente, así huye del pecado; porque si te arrimas a él, te morderá.

**3.** Sus dientes son dientes de león, que matan las almas de los hombres.

**4.** Todo pecado es como espada de dos filos; sus heridas son incurables *en lo humano.*

**5.** La arrogancia y las injurias reducen a humo la hacienda; y la más opulenta casa será arruinada por la soberbia; así también serán aniquilados los bienes del soberbio.

**6.** La súplica del pobre llegará desde su boca hasta los oídos de dios, y al punto se le hará justicia.

**7.** El aborrecer la corrección es indicio *manifiesto* de hombre pecador; pero el que teme a Dios entrará en sí *y reconocerá sus defectos.*

**8.** De lejos se da a conocer el poderoso por su osada lengua; mas el varón sensabo sabe escabullirse de tal.

**9.** Quien edifica su casa a expensas de otro, es como el que reune sus piedras para *edificar en* el invierno.

**10.** Todos los pecadores juntos son como un montón de estopa para ser consumida con llamas de fuego.

**11.** El camino de los pecadores está bien enlosado y liso; pero va a parar en el infierno, en las tinieblas y en los tormentos.

**12.** El que observa la justicia *o ley del Señor,* comprenderá el espíritu de ella.

**13.** El perfecto temor de Dios es la *verdadera* sabiduría y prudencia.

**14.** Quien no es sabio en el bien nunca será *bien* instruido.

**15.** Mas hay una sabiduría fecunda en lo malo; bien que no hay prudencia donde se halla la amargura *del pecado.*

**16.** La ciencia del sabio rebosa *por todas partes* como una avenida de agua, y sus consejos son cual fuente perenne de vida.

**17.** Como un vaso roto, así es el corazón del fatuo, no puede retener ni una gota de sabiduría.

**18.** Cualquiera palabra bien dicha que oyere el sabio, la celebrará, y se la aplicará a sí; oírla el hombre dado a los deleites, y le desagradará, y la echará detrás de sí.

**19.** Los razonamientos del necio son *molestos,* como un fardo para el que anda de viaje; mientras los labios del prudente están llenos de gracia.

**20.** La boca del varón prudente es buscada en las asambleas, y cada uno medita en su corazón las palabras que le oye.

**21.** Como una casa demolida es la sabiduría para el necio, y la ciencia del insensato se reduce a dichos ininteligibles.

**22.** Como grillos en los pies, y como cadena *o esposa* en su mano derecha, así es para el necio la ciencia.

**23.** El tonto cuando ríe, ríe a carcajada suelta; mas el varón sabio apenas se sonreirá.

**24.** La ciencia es para el hombre prudente un joyel de oro, y como un brazalete en el brazo derecho.

**25.** El tonto con facilidad mete el pie en casa ajena: mas el hombre avisado mira con timidez la persona del poderoso.

**26.** El necio registra por las ventanas lo que pasa dentro de la casa; mas el hombre bien criado se queda a la puerta *hasta que abran.*

**27.** Es propio del tonto *y mal criado* el estar escuchando en la puerta *lo que dicen;* y el hombre prudente tendrá esto por afrenta insoportable.

---

**31.** *Exod.* XXIII, *v.* 8.— *Deut.* XVI, *v.* 19.
**32.** Véase después *cap.* XLI, *v. 17.— Matth.* XXV, *v.* 25.
**CAP. XXI.** — 1. San Agustín (*de nupt. et conc. lib.* I, *c.* 26), observa que para librarse del pecado cometido no basta no pecar más, sino que debe pedirse a Dios el perdón, orando, etc. ¿*Cómo queda el pecado si ha pasado ya? Ha pasado en cuanto al acto; pero queda en cuanto al reato y pena que merece.*

---

**23.** Véase lo que el Nacianceno decía sobre esto en elogio de su hermana Gorgonia; y Clem. Alejandrino en el *Pedagogo lib.* II, *c.* 5.

28. Los labios de los indiscretos cuentan mil tonterías; mas las palabras de los sabios serán *como pesadas* en una balanza.

29. El corazón de los fatuos está en su boca, y la boca de los sabios en su corazón.

30. Cuando el impío maldice al diablo, a sí mismo se maldice.

31. El chismoso contamina su propia alma y de todos será odiado, y será mal visto quien converse con él; mas el hombre que sabe callar y tiene prudencia, será honrado *de todos.*

# CAPITULO XXII

*De la pereza: es tiempo perdido instruir a un tonto. Como se debe conservar la amistad.*

1. Con piedras llenas de lodo es apedreado el perezoso; y todos hablarán de él con desprecio.

2. Tíranle boñigas de buey, y todos los que lo tocan sacuden *y se limpian* las manos, *y se ríen.*

3. Afrenta del padre es el hijo mal criado; y la hija *inmodesta* será poco estimada.

4. La hija prudente es una herencia para su esposos; mas aquella que acarrea desdoro es el oprobio del que la ha engendrado.

5. La que es descocada es la deshonra del padre y del marido y en nada es inferior a los malvados: y será vilipendiada de uno y otro.

6. Un discurso fuera de tiempo viene a ser como la música en un duelo; mas el azote *o la corrección* y la instrucción, en toda ocasión son *oportunos para infundir la* sabiduría.

7. Quien pretende amaestrar a un tonto, es como el que quiere reunir con engrudo los pedazos de un tiesto.

8. Quien cuenta una cosa al que no escucha, hace como el que quiere despertar de su letargo al que duerme.

9. Habla con un dormido quien discurre de la sabiduría con un necio, el cual al fin del discurso suele decir: ¿Quién es éste?

10. Llora tú por el muerto, porque le faltó la luz; y llora por el fatuo *o pecador,* porque le falta el seso.

11. Llora, empero, poco por un muerto, pues ya goza de reposo.

12. Porque la pésima vida del impío fatuo es peor que la muerte.

13. Siete días dura el llanto por un muerto; pero el llanto por el fatuo e impío ha de durar mientras vivan.

14. Con el necio no hables mucho, y no te acompañes con el insensato.

15. Guárdate de él para no tener inquietudes, a fin de que no te manche su pecado.

16. Desvíate de él, y tendrás sosiego, y no recibirás tedio *o fastidio* por su necedad.

17. ¿Qué otra cosa se nombrará que sea más pesada que el plomo, a no ser el tonto?

18. Más fácil es cargar sobre sí arena, sal y barras de hierro, que con un imprudente, un fatuo o un impío.

19. La trabazón de vigas encajads para cimiento del edificio no se descompondrá; así tampoco un corazón robustecido con un consejo maduro *y deliberado.*

20. Las resoluciones del hombre sensato no serán alteradas por el miedo en ningún tiempo.

21. Como los palos plantados en lugares elevados, y las paredes en seco, *o sin argamaza,* no pueden resistir contra la fuerza del viento;

22. Así igualmente el corazón del fatuo, tímido en sus pensamientos, no temerá en todo tiempo, no resistirá el ímpetu del temor.

23. Así como el corazón del fatuo, que está pavoroso en sus pensamientos, no temerá en todo tiempo, así aquel que está firme en los mandamientos de Dios, está siempre sin temor.

24. El que punza el ojo hace salir lágrimas, y quien punza el corazón hace salir los afectos.

25. El que tira una piedra contra los pájaros, los hace huir; así también el que zahiere al amigo, rompe la amistad.

26. Aunque hubieres desenvainado la espada contra el amigo, no desesperes: pues todavía podrás reconciliarte con él.

27. Si has dicho al amigo palabras pesadas, no temas; porque hay lugar a la concordia, no habiendo habido dicterios, ni desvergüenzas, ni orgullo, ni revelación de un secreto, ni golpe a traición; por todas estas cosas *sí que* huirá el amigo.

28. Guarda fidelidad al amigo en medio de su pobreza, a fin de gozar *algún día* de su prosperidad.

29. En el tiempo de su tribulación manténte fiel a él; si quieres también ser llamado a la parte de su herencia.

---

29. *Prov.* XVI. *v.* 23.

CAP. XXII. — 13. *Gen.* L, *v.* 10.
18. *Prov.* XXVII, *v.* 3.

**30.** El vapor y el humo se levantan del horno antes que la llama del fuego: así también las maldiciones, las injurias, y las amenazas preceden al derramamiento de sangre.

**31.** No me avergonzaré de saludar al amigo *pobre y abatido,* ni me retiraré de su trato: que si *después de eso* me vinieren males por causa de él, *o me fuere ingrato,* sabré sufrirlos.

**32.** *Pero* todos los que lo entendieron se guardarán de él.

**33.** ¿Quién pondrá un candado a mi boca, y sobre mis labios un sello inviolable para que no me deslice por su culpa, y no sea mi lengua la perdición mía?

## CAPITULO XXIII

*Oración a Dios para preservarse de la soberbia, de la gula, y de la lujuria. Represión de los vicios de la lengua y de la carne.*

**1.** ¡Oh Señor, Padre *mío* y dueño de mi vida! No me abandones a la indiscreción de mis labios; ni permitas que yo me deslice por causa de ellos.

**2.** ¿Quién será el que emplee el azote *o castigo* sobre mis pensamientos, y la corrección de la sabiduría sobre mi corazón, de tal modo que no me perdone sus errores; a fin de que de ellos no broten pecados,

**3.** Ni se acrecienten mis ignorancias, ni se multipliquen mis faltas y aumenten mis pecados, por cuya causa ande yo por el suelo delante de mis contrarios y se ría de mí el enemigo mío?

**4.** ¡Oh Señor, Padre *mío* y Dios de mi vida! No me abandones a sus *malvados* pensamientos.

**5.** No permitas en mis ojos la altanería; y aleja de mí todo *mal* deseo.

**6.** Quita de mí la intemperancia de la gula, y no se apoderen de mí los apetitos de la lujuria; ni quieras entregarme a un ánimo inverecundo y desenfrenado.

**7.** Vosotros ¡oh hijos *míos!* escuchad los documentos para gobernar la lengua; y quien los observare no se perderá por causa de sus labios, ni resbalará en obras perversas.

**8.** En su *mismo* necio hablar queda tomado el pecador, y el soberbio y maldiciente se arruinarán por sus mismos labios.

**9.** No acostumbres tu boca al juramento; porque son muchas por eso las caídas.

**10.** Tampoco tomes continuamente en boca, *sino para honrarle,* el Nombre de Dios; ni interpongas *siempre* los nombres de las cosas santas, porque no quedarás libre de culpa si lo haces.

**11.** Pues así como un esclavo puesto a todas horas a cuestión de tormento nunca está sin cardenales, así todo el que jura y repite aquel Nombre, jamás estará eternamente limpio de culpa.

**12.** El hombre que jura mucho, se llenará de pecados; y no se apartará de su casa la desgracia.

**13.** Porque si no cumple el juramento, tendrá sobre sí el delito; y si no hace caso, peca doblemente.

**14.** Y si ha jurado en vano, *o sin necesidad,* no será tenido por inocente; antes bien lloverán castigos sobre su casa.

**15.** Hay todavía otro lenguaje *o sea la blasfemia,* que confina con la muerte: nunca se oiga entre los descendientes de Jacob.

**16.** Así pues, todas estas cosas estarán lejos de los hombres religiosos; los cuales no se envuelven en semejantes delitos.

**17.** No se acostumbre tu boca al hablar indiscreto; porque siempre va acompañado de la mancha del pecado.

**18.** Acuérdate de tu padre y de tu madre, aunque estés sentado entre los magnates,

**19.** Para que no suceda que Dios se olvide de ti a vista de los mismos; y que infatuado con su familiaridad, tengas que sufrir tales oprobios, que quisieras más no haber venido al mundo, y maldigas el día de tu nacimiento.

**20.** El hombre acostumbrado a decir improperios, no se corregirá en toda su vida.

**21.** Dos especies de personas pecan con frecuencia, y otra tercera provoca la ira y la perdición:

**22.** El ánimo fogoso como una ardiente llama; el cual no se calma sin devorar primero alguna cosa;

**23.** Y el hombre que es esclavo de los apetitos de su carne, el cual no tendrá sosiego hasta que haya comunicado el fuego.

---

**33.** *Ps.* CXL, *v.*3.
**CAP. XXIII.—** 4. *Exod.* VII, *v.* 3. — *Rom.* I, *v.* 24.

**9.** *Exod.* XX, *v.* 7. — *Matth.* V, *v.* 33.
**15.** *Job.* II, *v.* 9. — III *Reg.* XXI, *v.* 13. — *Lev.* XXIV, *v.* 14.

**24.** Al hombre fornicario todo pan le es dulce; y no cesará de pecar hasta el fin.

**25.** Todo hombre que deshonra su tálamo conyugal, como quien tiene en poco su alma, suele decir: ¿Quién hay que me vea?

**26.** Rodeado estoy de tinieblas, y las paredes me encubren, y nadie me atisba: ¿a quién tengo que temer? El Altísimo no se parará en mis delitos.

**27.** Mas él no reflexiona que el ojo de Dios está viendo todas las cosas: porque semejante temor humano, temor no más que de los hombres, expele de él el temor de Dios;

**28.** Y no sabe que los ojos del Señor son mucho más luminosos que el sol, y que descubren todos los procederes de los hombres y lo *más* profundo del abismo, y ven hasta los más recónditos senos del corazón humano.

**29.** Porque todas las cosas, antes de ser creadas fueron conocidas del Señor Dios, y aun después que fueron hechas las está mirando a todas.

**30.** Este tal *adúltero* será por lo mismo castigado en *medio de* la plaza de la ciudad; él, cual potro *indómito*, echará a huir; pero lo pillarán donde menos pensaba.

**31.** Y será deshonrado delante de todos, por no haber conocido el temor del Señor.

**32.** Lo mismo será de cualquiera mujer que deja a su propio marido, y que le da un heredero habido del marido de otra.

**33.** Porque ella en primer lugar fué rebelde a la ley del Altísimo; lo segundo, ultrajó a su propio marido; lo tercero, se contamina con el adulterio, y se procrea hijos del marido ajeno.

**34.** Esta será conducida a la asamblea pública y se hará información sobre sus hijos;

**35.** Los cuales no echarán raíces, ni darán fruto sus ramos.

**36.** Ella dejará en maldición su memoria; y jamás se borrará su infamia.

**37.** Por donde los venideros conocerán que no hay cosa mejor que temer a Dios, y nada más suave que observar los mandamientos del Señor.

**38.** Servir al Señor es una gloria grande; pues de él se recibirá larga vida.

---

24. *Prov.* IX, *v.* 17.
25. *Isai.* XXIX, *v.* 15.

# CAPITULO XXIV

*Declara el origen y eternidad de la sabiduría, y predica sus alabanzas; explica sus efectos maravillosos, y el ardiente deseo que tiene de comunicarse a los hombres.*

**1.** La Sabiduría se hará ella misma su elogio, y se honrará en Dios, y se gloriará en medio de su pueblo.

**2.** Ella abrirá su boca en medio *del pueblo de Dios,* o de las reuniones del Altísimo, y se glorificará a la vista de los escuadrones de Dios *o de la celestial milicia.*

**3.** Será ensalzada en medio de su pueblo, y admirada en la plena congregación de los santos.

**4.** Y recibirá alabanzas de la muchedumbre de los escogidos, y será bendita entre los benditos, y dirá:

**5.** Yo salí de la boca del Altísimo, engendrada primero que existiese ninguna criatura.

**6.** Yo hice nacer en los cielos la luz indeficiente, y como con una niebla cubrí toda la tierra.

**7.** En los altísimos cielos puse yo mi morada, y el trono mío sobre una columna de nubes.

**8.** Y sola hice todo el giro del cielo, y penetré por el profundo del abismo, me pasé por las olas del mar,

**9.** Y puse mis pies en todas las partes de la tierra; y en todos los pueblos,

**10.** Y en todas las naciones tuve el supremo dominio.

**11.** Yo sujeté con mi poder los corazones de todos, grandes y pequeños; y en todos esos *pueblos y naciones* busqué donde posar *o fijarme,* y en la heredad del Señor fijé mi morada.

**12.** Entonces el Creador de todas las cosas dió sus órdenes, y me habló; y el que a mí me dió el ser, estableció mi tabernáculo *o morada.*

**13.** Y me dijo: Habita en Jacob, y sea Israel tu herencia, y arráigate en medio de mis escogidos.

**14.** Desde el principio, y antes de los siglos *ya* recibí yo el ser, y no dejaré de existir en todos los siglos venideros; y en el Tabernáculo santo ejercité el ministerio mío ante su acatamiento.

**15.** Y así fijé mi estancia en *el monte* Sión, y fué el lugar de mi reposo la ciudad santa, y en Jerusalén está el trono mío.

---

CAP. XXIV. — 1. *Prov.* VIII, *Sap.* VII, *v.* 24.

**16.** Y me arraigué en un pueblo glorioso, y en la porción de mi Dios, la cual es su herencia; y mi habitación fué en la plena reunión de los santos.

**17.** Elevada estoy cual cedro sobre el Líbano, y cual ciprés sobre el monte de Sión.

**18.** Extendí mis ramos como una palma de Cades, y como el rosal plantado en Jericó;

**19.** Me alcé como un hermoso olivo en los campos, y como el plátano en las plazas junto al agua.

**20.** Como el cinamomo y el bálsamo aromático despedí fragancia. Como mirra escogida exhalé suave olor;

**21.** Y llené mi habitación de odoríferos perfumes, como de estoraque, de gálbano, de ónice, y de lágrima de *mirra*, y de incienso virgen, y mi fragancia es como la del bálsamo sin mezcla.

**22.** Yo extendí mis ramas como el terebinto, y mis ramas llenas están de majestad y hermosura.

**23.** Yo como la vid broté pimpollos de suave olor, y mis flores dan frutos de gloria y de riqueza.

**24.** Yo soy la madre del bello amor y del temor, y de la ciencia *de la salud*, y de la santa esperanza.

**25.** En mí está toda la gracia *para conocer* el camino de la verdad; en mí toda esperanza de vida y de virtud.

**26.** Venid a mí todos los que os halláis presos de mi amor, y saciaos de mis *dulces* frutos;

**27.** Porque mi espíritu es más dulce que la miel, y más suave que el panal de miel mi herencia.

**28.** Se hará memoria de mí en toda la serie de los siglos.

**29.** Los que de mí comen, tienen siempre hambre de mí, y tienen siempre sed los que de mí beben, *jamás se empalagan*.

**30.** El que me escucha, jamás tendrá de qué avergonzarse; y aquellos que se guían por mí, no pecarán.

**31.** Los que me esclarecen obtendrán la vida eterna.

**32.** Todas estas cosas contiene el libro de la vida, que es el testamento del Altísimo y la doctrina de la verdad.

**33.** Moisés intimó la ley de la justicia, *dejándola* en herencia a la casa de Jacob con las promesas hechas a Israel.

**34.** *Dios* prometió a su siervo David que había de nacer de él, *o de su linaje*, el rey forzí-

símo, que se sentaría sobre un trono de gloria para siempre;

**35.** El cual rebosa en sabiduría, como *en agua* del Fisón y el Tigris en la estación de los nuevos frutos.

**36.** Ella lo inunda todo de inteligencia como el Eufrates, y crece más y más como el Jordán en el tiempo de la siega.

**37.** Ella derrama la ciencia como la luz, e inunda como el Gehón en la estación de la vendimia.

**38.** El *Hijo de Dios*, es el primero *o único* que la ha conocido perfectamente, y otro que sea menos fuerte, *o inferior*, no la comprende.

**39.** Porque son más vastos que el mar sus pensamientos, y sus consejos más profundos que el grande abismo.

**40.** Yo la Sabiduría derramé ríos *de agua viva y celestial*.

**41.** Yo como canal de agua inmensa, derivada del río, y como acequia sacada del río, y como un acueducto salí del paraíso.

**42.** Yo dije: Regaré los plantíos de mi huerto, y hartaré de agua los frutales de mi prado;

**43.** Y he aquí que mi canal ha salido de madre, y mi río se iguala a un mar.

**44.** Porque la luz de mi doctrina, con que ilumino a todos, es como la luz de la aurora, y seguiré esparciéndola hasta los remotos tiempos.

**45.** Penetraré todas las partes más hondas de la tierra, y echaré una mirada sobre todos los que duermen *para juzgarlos*: e iluminaré a todos los que esperan en el Señor.

**46.** Yo proseguiré difundiendo la doctrina como profecía, y la dejaré a aquellos que buscan la sabiduría, y no cesaré de anunciarla a toda su descendencia hasta el siglo *venidero o eternidad* santa.

**47.** Observad cómo yo no he trabajado sólo para mí, sino para todos aquellos que andan en busca de la verdad.

## CAPITULO XXV

*Varios efectos de la sabiduría. Los ancianos deben guardar decoro. Nueve cosas que todos tienen por buenas. Elogio del temor de Dios. Entre los males el peor es la mala mujer.*

**1.** En tres cosas se ha complacido mi corazón, las cuales son de la aprobación de Dios y de los hombres:

---

**31.** O me dan a conocer a los demás, especialmente a los pequeñuelos y a los hambrientos que piden el pan de la divina palabra. — Véase *S. Bernardo Serm.* XXXIX, *in Cant.*

---

**36.** *Gen.* II, v. 11. *Josue* III, v. 15.

**2.** La concordia entre los hermanos *y parientes,* y el amor de los prójimos, y un marido y una mujer bien unidos entre sí.

**3.** Tres especies de personas aborrece mi alma, y su proceder me es sumamente enfadoso:

**4.** El pobre soberbio, el rico mentiroso, el viejo fatuo e imprudente.

**5.** Lo que no juntaste en tu juventud ¿cómo lo has de hallar en tu vejez?

**6.** ¡Oh qué bello adorno para las canas el saber juzgar, y para los ancianos el saber dar un consejo!

**7.** ¡Cuán bien parece la sabiduría en las personas de edad avanzada! ¡Y en las que están en alto puesto la inteligencia y el consejo!

**8.** Corona de los ancianos es la mucha experiencia, y la gloria de ellos el temor de Dios.

**9.** Nueve cosas he tenido yo en mucha estima, de las cuales nadie formará mal concepto en su corazón; y la décima la anunciaré con mi lengua a los hombres:

**10.** Un hombre que halla consuelo en sus hijos, y uno que ya en vida ve la ruina de sus enemigos.

**11.** Dichoso el que vive con una esposa juiciosa; y aquel que no se deslizó en su lengua; y el que no ha sido siervo de personas indignas de sí;

**12.** Dichoso el que ha hallado un verdadero amigo; y aquel que explica la justicia a oídos que escuchan.

**13.** ¡Oh cuán grande es el que adquirió la sabiduría, y el que posée la ciencia! Pero ninguno *de los dichos* supera al que teme a Dios.

**14.** El temor de Dios se sobrepone a todas las cosas.

**15.** Bienaventurado el hombre a quien le ha sido concedido el don de temor de Dios; ¿con quién compararemos al que lo posee?

**16.** El temor de Dios es el principio de su amor; mas debe unírsele el principio de la fe.

**17.** La tristeza del corazón es la mayor plaga; y la suma malicia la malignidad de la mujer.

**18.** Sufrirá uno cualquiera llaga: mas no la llaga del corazón;

**19.** Y cualquiera maldad: mas no la maldad de la mujer;

**20.** Y toda la aflicción: mas no la que viene de aquellos que proceden con odio enconado;

**21.** Y cualquiera castigo: mas no el que viene de los enemigos.

**22.** No hay cabeza peor que la cabeza *venenosa* de la culebra,

**23.** Ni hay ira peor que la ira de la mujer: antes quisiera habitar con un león, y con un dragón, que con una mujer malvada.

**24.** La malignidad de la mujer la hace inmutar su semblante y poner tétrico *y ceñudo* aspecto, como el de un oso, y la presenta tal como un saco *o vestido* de luto.

**25.** Gime su marido en medio de sus vecinos, y escucha *lo que dicen de ella.* Y suspira poco a poco, *o con disimulo.*

**26.** Toda malicia es muy pequeña en comparación de la malicia de la mujer: caiga ella en suerte al pecador.

**27.** Lo que es para los pies de un viejo el subir un monte de arena, eso es para un hombre sosegado una mujer habladora.

**28.** No mires *sólo* el buen parecer *o hermosura* de la mujer, ni de la mujer te enamores por su belleza.

**29.** Grande es la ira de la mujer, y el desacato y la ignominia *que de ahí se sigue.*

**30.** Si la mujer tiene el mando, se rebela contra su marido

**31.** La mujer de mala ralea aflige el ánimo, y abate el semblante, y llaga el corazón *del marido.*

**32.** La mujer que no da gusto a su marido, le descoyunta los brazos, y le debilita las rodillas.

**33.** De la mujer tuvo principio el pecado, y por causa de ella morimos todos.

**34.** No dejes ni aun el menor agujero a tu agua, ni a la mujer mala le des licencia de salir fuera.

**35.** Si ella no camina bajo tu dirección, te afrentará delante de tus enemigos.

**36.** Sepárala de tu lecho, porque no se burle siempre de ti, *o de tu sufrimiento.*

## CAPITULO XXVI

*Elogio de la mujer buena, y malas artes de la que no lo es. Tres cosas que afligen; y dos que parecen difíciles.*

**1.** Dichoso el marido de una mujer virtuosa; porque será doblado el número de sus años.

**2.** La mujer fuerte *o varonil* es el consuelo de su marido, y lo hace vivir en paz los años de su vida.

---

CAP. XXV. — 11. *Prov.* XXX, *v.* 21.

**26.** El que tiene por mujer a una perversa, sepa que tiene la paga debida a sus propios pecados. *S. Juan. Crisost. — Prov.* V, *v.* 4.
**33.** *Gen.* III, *v.* 6.
**36.** *Deut.* XXIV, *v.* 1.

3. Es una suerte dichosa la mujer buena: suerte que tocará al que teme a Dios, y le será dada al hombre por sus buenas obras.

4. Ora sea rico, ora pobre, tendrá contento el corazón, y se verá alegre en todo tiempo su semblante.

5. De tres cosas tiene temor mi alma, y por otra cuarta me sale la palidez a la cara:

6. De la persecución que mueve *toda* una ciudad; del motín de un pueblo;

7. Y de la falsa calumnia: cosas todas más dolorosas que la muerte;

8. Pero la mujer celosa es dolor y llanto del corazón;

9. Su lengua es un azote que alcanza a todos.

10. Como el yugo de bueyes que está flojo, así es la mujer mala. Quien la toma, cuente que toma un escorpión.

11. La mujer que se embriaga es una plaga grande; y su ignominia y torpeza no podrán encubrirse.

12. La deshonestidad de la mujer se deja conocer en su mirar desvergonzado y en la altivez de sus ojos.

13. Vela atentamente sobre la hija que no refrena sus ojos; no sea que hallando oportunidad, desfogue sus pasiones.

14. Séate sospechosa toda inmodestia de sus ojos, y no te maravilles si *después* no hace caso de ti.

15. Ella, como un caminante sediento, aplicará la boca a *toda* fuente, y beberá del agua más cercana, sea la que fuere, y se sentará junto a cualquier esquina, y abrirá la aljaba a cualquiera saeta hasta que más no pueda.

16. La gracia de la mujer hacendosa alegra al marido, y le llena de jugo los huesos.

17. La buena crianza de ella es un don de Dios.

18. Es cosa que no tiene precio una mujer discreta y amante del silencio, y con el ánimo morigerado.

19. Gracia es sobre gracia la mujer santa y vergonzosa.

20. No hay cosa de tanto valor que pueda equivaler a esta alma casta.

21. Lo que es para el mundo el sol al nacer en las altísimas moradas de Dios, eso es la gentileza de la mujer virtuosa para el adorno de una casa.

22. Antorcha que resplandece sobre el candelero sagrado es la compostura del rostro en una edad robusta.

23. Columnas de oro sobre basas de plata son los pies que descansan sobre las plantas de una matrona grave.

24. Cimientos eternos sobre piedra sólida son los mandamientos de Dios en el corazón de la mujer santa.

25. Dos cosas contristan mi corazón, y la tercera me provoca a cólera:

26. Un varón aguerrido que desfallece de hambre; y el varón sabio de quien no se hace caso;

27. Y el hombre que de la justicia se vuelve al pecado, al cual destina Dios a la perdición.

28. Dos profesiones me han parecido difíciles y peligrosas: el negociante con dificultad evitará la negligencia *en las cosas de su alma;* y el figonero o *tabernero* no estará exento de los pecados de la lengua.

## CAPITULO XXVII

*El hombre debe contentarse con moderadas riquezas, y permanecer en el temor del Señor. Modestia en el hablar. Guardar el secreto al amigo. No armar lazos a otro.*

1. Muchos han pecado por causa de la miseria; y quien busca el enriquecerse, a nada más atiende.

2. Como se hinca una estaca en medio de la juntura de dos piedras trabadas una con otra, así se introducirá el pecado entre la venta y la compra.

3. Mas el delito y el delincuente serán destruidos.

4. Si no te mantienes siempre firme en el temor del Señor, presto se arruinará tu casa.

5. Como zarandeando la criba queda el polvo o *tamo,* así del pensar nace la ansiedad del hombre.

6. En el horno se prueban las vasijas de tierra; y en la tentación de las tribulaciones los hombres justos.

7. Como el cultivo del árbol se muestra por su fruto, así por la palabra pensada se ve el corazón del hombre.

8. No alabes a un hombre antes que haya hablado; porque en el hablar se dan a conocer los hombres.

9. Si tú vas en pos de la justicia, la alcanzarás, y te revestirás de ella como de una vestidura talar de gloria; y con ella morarás, y ella te amparará para siempre, y en el día de la cuenta o *del juicio* hallarás en ella apoyo.

CAP. XXVI. — 15. *Genes. cap.* XXXVIII, *v.* 14. — *Prov.* XXX, *v.* 16.

27. *Jerem.* II, *v.* 12.
CAP. XXVII. — 1. *Prov.* XXX, *v.* 8.

10. Las aves van a juntarse con sus semejantes: así la verdad va a encontrar a los que la ponen en práctica.

11. El león va siempre en busca de presa: así el pecado arma lazos a los que obran la iniquidad.

12. El hombre santo persevera en la sabiduría como el sol; mas el necio se muda como la luna.

13. En medio de los insensatos *no hables,* y reserva las palabras para otro tiempo; pero asiste de continuo en medio de los que piensan *con juicio.*

14. La conversación de los pecadores es insoportable; porque ellos hacen gala de las delicias del pecado.

15. La lengua que jura mucho, hará erizar el cabello, y su irreverencia le hace a cualquiera tapar las orejas.

16. Paran en derramamiento de sangre las riñas de los soberbios, y da pena el oír sus maldiciones.

17. Quien descubre los secretos del amigo, pierde el crédito, y no hallará un amigo a su gusto.

18. Ama al amigo, y séasle leal.

19. Porque si descubrieres sus secretos, no lo volverás a ganar.

20. Porque el hombre que viola *o hace traición a* la amistad que tenía con su prójimo, es como quien pierde al amigo *por morirse éste.*

21. Y como uno que se deja escapar de la mano un pájaro, así tu dejaste ir a tu amigo, y ya no lo recobrarás.

22. No lo sigas; porque está ya muy lejos, habiendo huido como un gamo que escapa del lazo, por haberlo tú herido en el alma.

23. Jamás podrás atraértelo a ti: porque después de una injuria de palabras se halla resarcimiento, *o hay lugar a la reconciliación;*

24. Mas el revelar los secretos del amigo, quita toda esperanza al alma desgraciada *que ha incurrido en esta falta.*

25. Adula uno con los ojos, y está *al mismo tiempo* fraguando maldades, y nadie lo desecha de sí.

26. En tu presencia hablará con dulzura, y celebrará tus discursos; mas a lo último mudará de lenguaje, y de tus palabras sacará ocasión para arruinarte.

27. Muchas cosas aborrezco; pero a ninguna más que a semejante hombre; y el Señor también lo aborrecerá.

28. Si uno tira a lo alto una piedra, le caerá sobre su cabeza; y la herida a traición abrirá las llagas del traidor.

29. Aquel que cava la fosa, caerá en ella; y el que ha puesto una piedra de tropiezo al prójimo, en ella tropezará; y quien arma lazos a otros, perecerá en ellos.

30. El perverso designio redundará en daño de quien lo fragua, y no sabrá de dónde le viene el mal.

31. Los escarnios y ultrajes son propios de soberbios; mas la venganza *divina,* cual león, los tomará de sorpresa.

32. Perecerán en el lazo *o súbitamente* aquellos que se huelgan de la caída de los justos; y consumirlos ha el dolor antes que mueren.

33. La ira y el furor son cosas ambas bien detestables; pero el hombre pecador las tendrá dentro de sí.

# CAPITULO XXVIII

*Sobre perdonar las injurias y refrenar la lengua. Debe evitarse el hombre maldiciente.*

1. El que quiere vengarse, experimentará la venganza del Señor; el cual tendrá exacta cuenta de sus pecados.

2. Perdona a tu prójimo cuando te agravia, y así cuando tú implores el perdón, te serán perdonados tus pecados.

3. ¿Un hombre conserva encono contra otro hombre, y pide a Dios la salud?

4. ¿No usa de misericordia con otro hombre como él, y pide perdón de sus pecados?

5. ¿Siendo él carne *miserable* conserva el enojo, y pide a Dios reconciliación? ¿Quién se la alcanzará por sus pecados?

6. Acuérdate de las postrimetrías, y déjate de enemistades;

7. Pues que la corrupción y la muerte están intimadas en los mandamientos *o Ley* del Señor.

8. Acuérdate de temer a Dios, y no estés airado con tu prójimo.

9. Ten presente la ley del Altísimo, y no hagas caso del yerro *o ignorancia* del prójimo *que te ofendió.*

10. Abstente de litigios, y te ahorrarás pecados;

11. Porque el hombre iracundo enciende querellas, y el pecador suscita discordias entre los amigos, y siembra enemistades en medio de los que viven en paz.

12. Y como a proporción de la leña del bosque es el incendio, así según el poder del hombre suele ser su enojo; y según es de rico, exaltará su cólera.

---

11. *Rom.* VII.
28. *Prov.* XXVI, *v.* 27.

CAP. XXVIII. — 1. *Deut.* XXXII, *v. 35.*— *Matth.* VI, *v.* 14.—*Marc.* XI, *v.* 25. — *Rom.* XII. *v.* 19.

**13.** La reyerta precipitada enciende el fuego, y la querella temeraria viene a parar en derramar sangre; y la lengua amenazadora *contra otro*, acarrea la muerte.

**14.** Si soplares en una chispa se encenderá de ella fuego, y si escupieres sobre ella se apagará; y lo uno y lo otro sale de la boca.

**15.** El murmurador, y el hombre de dos caras es maldito; porque mete confusión entre muchos que vivían en paz.

**16.** La *mala* lengua de un tercero ha alborotado a muchos, y los ha dispersado de un pueblo a otro.

**17.** Arruinó ciudades fuertes y ricas, y destruyó desde los cimientos los palacios de los magnates.

**18.** Aniquiló las fuerzas de los pueblos, y disipó gentes valerosas.

**19.** La lengua de un tercero echó fuera de casa a mujeres varoniles, y privólas del fruto de sus fatigas.

**20.** El que la escucha no tendrá sosiego, ni hallará un amigo con quien consolarse.

**21.** El golpe del azote deja un cardenal; mas el golpe de la lengua desmenuza los huesos.

**22.** Muchos han perecido al filo de la espada; pero no tantos como por culpa de su lengua.

**23.** Bienaventurado el que estuvo a cubierto de la mala lengua, ni experimentó su furor, ni probó su yugo, ni fué atado con sus cadenas.

**24.** Porque su yugo es yugo de hierro, y sus cadenas son cadenas de bronce.

**25.** La especie de muerte que de ella proviene es la peor; más tolerable que ella es el sepulcro.

**26.** Ella no será de larga duración; pero se enseñoreará de los caminos de los perversos; sus llamas, empero, no quemarán a los justos.

**27.** Los que abandonan a Dios, caerán en poder de la mala lengua, la cual encenderá en ellos su fuego que no se apagará; y se desencadenará contra ellos como león, y cual leopardo los despedazará.

**28.** Haz de espinas una cerca a tus orejas, y no des oídos a la mala lengua, y pon puerta y candado a tu boca.

**29.** Funde tu oro y tu plata, y haz de ellos una balanza para tus palabras, y un freno bien ajustado para tu boca;

**30.** Y mira no resbales en tu hablar por lo cual caigas por tierra delante de los enemigos que te acechan, y sea incurable y mortal tu caída.

## CAPITULO XXIX

*De varias obras de misericordia; y prudencia con que deben hacerse. Debemos procurar adquirir honestamente, y conservar lo necesario para vivir.*

**1.** Quien es misericordioso, da prestado a su prójimo; y el que tiene abierta la mano para dar, observa los mandamientos *del Señor*.

**2.** Préstale a tu prójimo en tiempo de su necesidad; y tú, a su tiempo, restituye lo que él te ha prestado.

**3.** Cumple tu palabra, y pórtate fielmente con él; y en todo tiempo hallarás lo que necesites.

**4.** El dinero prestado lo reputaron muchos como un hallazgo; y dieron que sentir a los que los favorecieron.

**5.** Hasta tanto que han recibido, besan las manos del que puede dar, y con voz humilde hacen *grandes* promesas;

**6.** Mas cuando es tiempo de pagar piden espera y dicen cosas pesadas, y murmuran; y echan la culpa al tiempo.

**7.** Y aunque se hallen en estado de pagar, pondrán dificultades; apenas volverán la mitad de la deuda; y el *acreedor* deberá hacer cuenta que aquello es como si se lo hubiese hallado.

**8.** Y no siendo así lo defraudarán de su dinero; y sin más ni más se ganará el acreedor un enemigo,

**9.** El cual le pagará con injurias y maldiciones, y por un honor y un beneficio recibido le volverá ultrajes.

**10.** Muchos dejan de prestar, no por dureza de corazón, sino por temor de ser burlados injustamente;

**11.** Sin embargo, sé tú de alma más generosa con el humilde, y no le hagas esperar *días y más días* por la limosna.

**12.** En cumplimiento del mandamiento *de Dios* socorre al pobre, y en su necesidad no lo despidas con las manos vacías.

**13.** Pierde *o gasta* el dinero por amor de tu hermano y de tu amigo, y no lo escondas debajo de una losa para que se pierda, *y con él tu alma*.

**14.** Emplea tu tesoro según los preceptos del Altísimo, y eso te valdrá más que no el oro.

---

**29.** Esto es, procura a toda costa o con todo conato adquirir el hábito de saber hablar y callar a su tiempo, pesando tus palabras en la balanza del Evangelio. *S. Crisóst. in Psal. CXL. — S. Ambr. Offic. I, 3.*

---

CAP. XXIX. — 12. *Luc.* VI, *v.* 30. — *Matth. v.* 42.

**15.** Mete la limosna en el seno del pobre, y ella rogará por ti para librarte de toda suerte de males.

**16, 17 y 18.** Peleará contra tu enemigo harto mejor que el escudo y la lanza de un campeón.

**19.** El hombre de bien da fianza por su prójimo; mas el que ha perdido el rubor, lo abandona a su suerte.

**20 .** No te olvides del beneficio que te ha hecho tu fiador, pues ha expuesto por ti su *hacienda y aun quizá su* vida.

**21.** El pecador y el inmundo *o infiel* huyen del que ha salido fiador por ellos.

**22.** El pecador hace cuenta que son suyos los bienes del que ha dado fianza por él, y con corazón ingrato abandona a su libertador.

**23.** Sale uno por fiador de su prójimo; y éste, perdida toda vergüenza, lo abandona.

**24.** Fianzas indiscretas han perdido a muchos que lo pasaban bien, y los han sumergido en un mar de trabajos.

**25.** Ellas son las que han trastornado a los hombres acaudalados, los han hecho trasmigrar y andar errantes entre gentes extrañas.

**26.** El pecador que traspasa los mandamientos del Señor, se enredará en fianzas ruinosas; y el que se mete a tratar muchos negocios, no se verá libre de pleitos.

**27.** Sostén al prójimo según tu posibilidad; pero mira también por ti mismo, a fin de que no te precipites.

**28.** Lo esencial de la vida del hombre es agua y pan, y vestido y casa para tener cubierto aquello que no debe dejarse ver.

**29.** Mejor es la comida del pobre, al abrigo de una choza, que banquetes espléndidos en tierra extraña donde no se tiene domicilio.

**30.** Conténtate con lo que tuvieres, sea poco o mucho, y no tendrás que sentir los improperios que se hacen a los forasteros.

**31.** Es una vida infeliz la del que va hospedándose de casa en casa; pues donde quiera que se hospede, no obrará con libertad, ni abrirá su boca.

**32.** Lo hospedará uno el cual *se quejará de que* da de comer y beber a ingratos; y tras esto oirá *otras* cosas que lo amarguen.

**33.** Vamos, le dirán al hospedado, pon la mesa, y da de comer a los otros con lo que tienes a mano, *o en tus alforjas.*

**34.** O bien, vete afuera, que vienen unos amigos míos de distinción, y necesito mi casa; *o* he de alojar a un hermano mío.

**35.** Para un hombre sensato *dos* cosas son *muy* pesadas: los desprecios que recibe el patrón de la casa, y los improperios del que le ha hecho el préstamo *cuando tarda en recobrarlo.*

## CAPITULO XXX

*Sobre la buena educación de los hijos y cuán peligrosa es la demasiada indulgencia con ellos. Vale más la salud del cuerpo que las riquezas. Daños de la melancolía y bienes de la alegría del corazón.*

**1.** El que ama a su hijo, le hace sentir a menudo el azote *o castigo,* para hallar en él al fin su consuelo, y procurarle que no haya de ir mendigando de puerta en puerta.

**2.** Quien instruye a su hijo será honrado en él; y él se gloriará con la gente de su familia.

**3.** Quien instruye a su hijo causará envidia a su enemigo, y se preciará de él en medio de sus amigos.

**4.** Viene a morir su padre y es como si no muriese, porque deja después de sí otro su semejante.

**5.** En vida suya lo vió y se alegró en él; al morir no tuvo por qué contristarse, ni confundirse a vista de sus enemigos;

**6.** Pues que ha dejado a la casa un defensor contra los enemigos, y uno que será agradecido a los amigos.

**7.** Por amor de las almas de sus hijos vendará sus heridas, y a cualquiera voz *o rumor* se conmoverán sus entrañas.

**8.** Un caballo no domado se hace intratable; así un hijo abandonado a sí mismo se hace insolente.

**9.** Halaga al hijo, y te hará temblar; juega con él, y te llenará de pesadumbres.

**10.** No te rías con él, no sea que al fin tengas que llorar y te haga rechinar de dientes.

**11.** No le dejes hacer lo que quiera en su juventud, y no disimules sus travesuras.

**12.** Dóblale la cerviz en la mocedad, y dale con la vara en las costillas, mientras es niño: no sea que se endurezca y te niegue la obediencia, lo que causará dolor a tu alma.

---

**15.** *Tob.* IV, *v.* 11, 16.
**19.** *Prov.* VI, *v.* 1; III *Reg.* XX, *v.* 39.

**CAP. XXX.** — 3. *Deut.* VI, *v.* 7.

**13.** Instruye a tu hijo y trabaja en formarle, para no ser cómplice en su deshonor.

**14.** Más vale el pobre sano y de robustas fuerzas, que el rico débil y acosado de males.

**15.** La salud del alma, que consiste en la santidad de la justicia, vale más que todo el oro y la plata; y un cuerpo robusto, más que inmensas riquezas.

**16.** No hay tesoro que valga más que la salud del cuerpo, ni hay placer mayor que el gozo del corazón.

**17.** Preferible es la muerte a una vida amarga, y el eterno reposo *de los que mueren* a una dolencia continua.

**18.** Los bienes reservados para uno que tiene la boca cerrada, son como las exquisitas viandas dispuestas alrededor de un sepulcro.

**19.** ¿De qué le sirven al ídolo las libaciones *u ofrendas?* porque él ni comerá ni percibirá el olor de ella.

**20.** Así acontece a quien es castigado del Señor, y recibe el pago de su iniquidad:

**21.** Está mirando con sus ojos *muchos bienes,* y no hace sino gemir, como el eunuco que abraza una doncella, y da un suspiro.

**22.** No dejes que la tristeza se apodere de tu alma, ni te aflijas a ti mismo con tus ideas *melancólicas.*

**23.** El contentamiento del corazón, ése es la vida del hombre y un tesoro inexhaustivo de santidad: la alegría alarga la vida del hombre.

**24.** Apiádate de tu alma, procurando agradar a Dios, y sé continente, y fija tu corazón en la santidad del Señor; y arroja lejos de ti la tristeza,

**25.** Porque a muchos ha muerto ella, la cual para nada es buena.

**26.** La envidia y la ira abrevian los días, y las zozobras o *afanes* aceleran la vejez antes de tiempo.

**27.** El corazón alegre y benigno *con todos* está *siempre contento,* como si se hallase en *continuos banquetes;* y sus platos se guisan presto y con esmero.

---

**16.** *Phil.* IV, *v.* 4.
**18.** *Tob.* IV, *v.* 18. *Baruch,* VI, *v.* 26. *Dan.* XIV, *v.* 6.
**22.** II *Cor.* VII, *v.* 10. I *Petr.* V, *v.* 7.
**23.** S. Antonio Abad: *El único modo de vencer al enemigo es la alegría espiritual y la constante memoria de Dios; la cual deshaciendo como humo las tentativas del demonio, en lugar de temerle, le perseguirá.* Pallad. *Hist. Laus.* c. 52.

## CAPITULO XXXI

*Tribulaciones del avaro: elogio del rico que conserva la inocencia. De la modestia y sobriedad en la mesa.*

**1.** El desvelo por las riquezas consume las carnes, y sus cuidados quitan el sueño.

**2.** Los pensamientos de lo que podrá suceder perturban el sosiego, como la grave enfermedad hace perder el sueño al hombre.

**3.** Afanóse el rico para allegar riquezas, y en su reposo se rellena de bienes.

**4.** Trabaja el pobre para poder comer; y si deja de trabajar queda mendigando.

**5.** No será justo el que es amante del oro; y quien sigue la corrupción, de ella se llenará.

**6.** Muchos han caído en el precipicio a causa del oro, el resplandor del cual fué su perdición.

**7.** Leño de tropiezo o *ídolo* es el oro, para los que idolatran en él: ¡ay de aquellos que se van tras del oro! Por su causa perecerá todo imprudente.

**8.** Bienaventurado el rico que es hallado sin culpa, y que no anda tras del oro, ni pone su esperanza en el dinero y en los tesoros.

**9.** ¿Quién es éste y lo elogiaremos? porque él ha hecho cosas admirables en su vida.

**10.** El fué probado por medio del oro, y hallado perfecto: por lo que reportará gloria eterna. El podía pecar y no pecó, hacer mal y no lo hizo:

**11.** Por eso sus bienes están asegurados en el Señor; y celebrará sus limosnas toda la congregación de los santos.

**12.** ¿Te sentaste en una espléndida mesa? No seas tú el primero en abrir tu garganta *para engullir.*

**13.** Tampoco digas *con anhelo:* ¡Oh cuántas viandas hay en ella!

**14.** Mira que es mala cosa el ojo maligno.

**15.** ¿Hay en el mundo cosa peor que semejante ojo? Por eso derramará lágrimas por toda su cara, cuando mirare *cómo se gastan sus bienes.*

**16.** No alargues el primero tu mano, no sea que tachado por el envidioso quedes avergonzado.

**17.** En el tomar las viandas no vayas atropellado.

**18.** Juzga del genio de tu prójimo por el tuyo.

**19.** Toma como persona frugal de los platos que se te presentan, para que no te hagas odioso o despreciable con el mucho comer.

**20.** Muestra tu buena crianza acabando el primero; y no seas nimio, a fin de no disgustar a nadie.

**21.** Que si estás sentado en medio de muchos, no alargues primero que ellos tu mano, ni seas el primero a pedir de beber.

**22.** ¡Oh cuán poco vino es suficiente para un hombre bien educado! y así cuando duermas no te causará desasosiego, ni sentirás incomodidad.

**23.** Pervigilio, cólera y retortijones padecerá el hombre destemplado.

**24.** Sueño saludable gozará el hombre templado; él dormirá hasta la mañana, y despertará con el corazón alegre.

**25.** Que si te has visto forzado a comer mucho, retírate de la concurrencia, y vomita; y te hallarás aliviado, y no acarrearás una enfermedad a tu cuerpo.

**26.** Escúchame, hijo *mío*, y no me desprecies, que a la postre hallarás ser verdad lo que digo.

**27.** En todas tus operaciones, sé diligente, y no tendrás ningún achaque.

**28.** Al liberal en distribuir el pan *o comida al prójimo* lo bendecirán los labios de muchos, y darán un testimonio fiel de su bondad.

**29.** Contra aquel que es mezquino en dar pan *a los pobres* murmurará *toda* la ciudad, y será verdadero el testimonio que darán de su mezquindad.

**30.** A los buenos bebedores no los provoques a beber; porque la perdición de muchos del vino viene.

**31.** Como el fuego prueba la dureza del hierro; así el vino bebido hasta embriagarse descubre los corazones de los soberbios.

**32.** Vida tranquila para los hombres es el vino usado con sobriedad; serás sobrio si lo bebes con moderación.

**33.** ¿Qué vida es la de aquel a quien falta el vino?

**34.** ¿Qué cosa es la que nos priva de la vida? La muerte.

**35.** El vino desde el principio fué criado para alegría, no para embriaguez.

**36.** Recrea el alma y el corazón el vino bebido moderadamente.

**37.** El beberlo con templanza es salud para el alma y para el cuerpo.

**38.** El demasiado vino causa contiendas, iras y muchos estragos.

---

CAP. XXXI. — 35. *El vino es criatura de Dios*, dice el Crisóstomo; *la embriaguez sí que viene del diablo. Ps.* CIII, *v.* 15. — *Prov.* XXXI, *v.* 4.

**39.** Amargura del alma es el vino bebido con exceso.

**40.** La embriaguez hace osado al necio para ofender; enerva las fuerzas y es ocasión de heridas.

**41.** En un convite en que se beba, no reprendas al prójimo, ni lo desprecies en el calor de su alegría.

**42.** No le digas dicterios, ni lo apremies a que te vuelva lo que te debe.

## CAPITULO XXXII

*Del modo de portarse en los convites, así los ancianos como los jóvenes. Buscar en todo a Dios. No hacer nada sin consejo.*

**1.** ¿Te han hecho rey *o director del convite?* No te engrías; pórtate entre ellos como uno de tantos.

**2.** Cuida bien de todos, y después que habrás satisfecho plenamente tu oficio, siéntate a la mesa;

**3.** A fin de que ellos te causen alegría y *en premio* recibas la corona *de flores* como ornamento de distinción, y obtengas el honor de la porción que ellos separan para ti.

**4.** Tú, el más anciano en edad, a quien toca hablar el primero,

**5.** Habla sabia y prudentemente; mas no estorbes *con largos discursos* el oír la armonía de los instrumentos músicos.

**6.** Donde no hay quien escuche no eches palabras al viento; ni quieras fuera de sazón ostentar tu saber.

**7.** Un concierto de música en un convite espléndido, es como un *rubí o precioso* carbunclo engastado en oro.

**8.** Como esmeralda engastada en un anillo de oro, así es la melodía de los cantares con el beber alegre y moderado.

**9.** Escucha en silencio, y con tu modestia te conciliarás el amor *de todos.*

**10.** Tú ¡oh joven! habla, si es necesario, a duras penas, en lo que a ti te toque.

**11.** Preguntado una y otra vez, reduce a pocas palabras tu respuesta.

**12.** En muchas cosas haz del ignorante, y escucha, ya callando, ya también preguntando *algunas veces.*

**13.** En medio de los magnates no seas presumido, y donde hay ancianos, no hables tú mucho.

**14.** El granizo *o trueno* es precedido del relámpago: así la vergüenza *o rubor* es precedido de la gracia *o estimación*, y por tu modestia serás bien visto de todos.

**15.** En llegando la hora de levantarte *de la mesa* no te entretengas, vete el primero a tu casa; y allí diviértete, y allí juega.

**16.** Y haz lo que te pluguiere con tal que sea sin pecar, ni decir palabras insolentes.

**17.** Y después de todo eso, bendice al Señor que te crió, y que te colma de todos sus bienes.

**18.** El que teme al Señor abrazará sus *saludables* documentos; y los que *solícitos* madrugaren en busca de él, lograrán su bendición .

**19.** Quien ama la ley, se enriquecerá con *los frutos de* ella; mas el que obra con hipocresía, tomará de la ley ocasión de ruina.

**20** . Los que temen al Señor sabrán discernir lo que es justo, y sus buenas obras brillarán como una antorcha.

**21.** Huye de la represión el hombre pecador, y halla *siempre* ejemplos en que apoyar sus antojos.

**22.** El varón prudente cuida de reflexionar bien lo que ha de hacer; pero el que no lo es y el soberbio nunca temen nada,

**23.** Aun después de haber obrado por sí, sin consejo: no obstante, sus mismas empresas los condenarán.

**24.** Tú, hijo *mío*, no hagas cosa alguna sin consejo, y no tendrás que arrepentirte después de hecha.

**25.** No vayas por camino malo, y no tropezarás en las piedras; ni te arriesgues a ir por senda escabrosa, para que no expongas a caídas tu alma.

**26.** Cautélate aun de tus propios hijos, y guárdate de tus criados.

**27.** En todas tus acciones sigue el dictamen fiel de tu conciencia; pues en eso consite la observancia de los mandamientos.

**28.** Quien es fiel a Dios, atiende a sus preceptos, y el que confía en él, no padecerá menoscabo alguno.

## CAPITULO XXXIII

*Es alabado el temeroso de Dios. El Señor ensalza a unos, y humilla a otros. Reglas para el gobierno de la familia; y modo de tratar a los esclavos.*

**1.** Al que teme al Señor, nada malo le sucederá; antes bien en la tentación, Dios lo guardará y lo librará de males.

**2.** El varón sabio *ama*, no aborrece los preceptos y las leyes; ni se estrellará como un navío en la tormenta.

**3.** El hombre prudente es fiel a la ley de Dios, y la ley será fiel para con él.

**4.** El que ha de aclarar *o satisfacer a* una pregunta, debe premeditar la respuesta; y así, después de haber hecho oración *a Dios* será oído y conservará la buena doctrina, y entonces podrá responder *con acierto*.

**5.** El corazón del fatuo es como la rueda del carro; y como un eje que da vueltas, así son sus pensamientos.

**6.** El amigo escarnecedor es como el caballo padre, que relincha debajo de cualquier jinete.

**7.** ¿De dónde viene que un día se prefiere a otro, y la luz de un día *hace ventaja* a la luz de otro, y un año a otro año, proviniendo todos de un mismo sol?

**8.** La sabiduría del Señor es la que los diferenció después de creado el sol, el cual obedece las órdenes recibidas.

**9.** Dios arregló las estaciones y los días fetivos de ellas, en que se celebran las somenidades a la hora *establecida*.

**10.** De estos mismos días, a unos los hizo Dios grandes y sagrados, y a otros los dejó en el número de días comunes. Así también a todos los hombres los hizo del polvo y de la tierra, de que Adán fué formado;

**11.** A los cuales distinguió el Señor con su gran sabiduría, y diferenció sus condiciones *o estados*.

**12.** De ellos a unos bendijo, y los ensalzó y consagró, y tomó para sí; y a otros los maldijo y abatió, y los arrojó del país en donde vivían separados *de los demás*

**13.** Como el barro está en manos del alfarero para hacer y disponer de él,

**14.** Y pende de su arbitrio el emplearlo en lo que quiera, así el hombre está en las manos de su Hacedor, el cual le dará el destino según sus juicios.

**15.** Contra el mal está el bien, y contra la muerte la vida; así también contra el hombre justo, el pecador; y de este modo todas las obras del Altísimo las veréis pareadas, y la una opuesta a la otra.

---

**CAP. XXXIII.** — 14. *Rom.* IX *v.* 21.

**15.** Cuando creó Dios al hombre, ya previó su pecado; pero su sabiduría infinita permitió que el hombre pecase, para manifestar de un modo admirable su inmensa bondad y misericordia. *¡Oh feliz culpa*, dice la Iglesia, *que mereció tal y tan grande Redentor!* En el castigo que da a los pecadores no sólo resplandece su justicia, sino también su amor a los escogidos, quienes habrían merecido los mismos castigos, a no haberlos preservado de ellos la bondad de Dios. San Ag. *De Civit*, XI, *c.* 18.

---

**CAP. XXXII.** — 27. *Rom.* XIV, *v.* 28.

**16.** Yo ciertamente me he levantado *o puesto a escribir* el último y soy como el que recoge rebuscos tras los vendimiadores.

**17.** Pero puse mi esperanza en la bendición de Dios, y así he henchido mi lagar, como el que vendimia.

**18.** Observad que no he trabajado para mí solo, sino para todos los que buscan el instruirse.

**19.** Escuchadme ¡oh magnates y pueblos todos! y vosotros que presidís las asambleas, prestadme atentos vuestros oídos.

**20.** Al hijo, ni a la mujer, ni al hermano, ni al amigo, jamás en tu vida les des potestad sobre ti: ni cedas a otro lo que posees, para que no suceda que arrepentido hayas de pedirle rogando que te lo devuelva.

**21.** Mientras estés en este mundo y respires, ningún hombre te haga mudar de este propósito.

**22.** Porque mejor es que tus hijos hayan de recurrir a ti, que no el que tú hayas de esperar el auxilio de las manos de tus hijos.

**23.** En todas tus cosas mantén tu superioridad,

**24.** A fin de no manchar tu reputación: y reparte tu herencia cuando estén para terminarse los días de tu vida, al tiempo de tu muerte.

**25.** Pienso, y palos, y carga para el asno: pan, y castigo, y qué trabajar para el siervo *o esclavo*.

**26.** Este trabaja cuando es castigado, y apetece el reposo; si le dejas sueltas las manos, buscará libertad.

**27.** El yugo y la coyunda doblan la dura cerviz *del buey*: así las continuas faenas amansan al siervo.

**28.** Al siervo de mala inclinación, azotes y cepo. Envíalo al trabajo para que no esté mano sobre mano;

**29.** Pues es la ociosidad maestra de muchos vicios.

**30.** Fuérzalo a trabajar, que esto es lo que le conviene; y si no hiciere lo que le mandas, aprémialo con meterlo en el cepo; guárdate, empero, de excederte contra el cuerpo de quien quiera que sea; y no hagas cosa de gravedad sin consejo *o premeditación*.

**31.** Si tienes un siervo fiel, cuida de él como de ti mismo: trátalo como a hermano; pues lo compraste a costa de tu sangre.

**32.** Si lo maltratas injustamente, se te huirá.

---

25. *Prov.* XXIX, *v.* 9.

**33.** Y si él se aparta de ti y se marcha, no sabrás a quién preguntar, ni por qué camino lo has de buscar.

## CAPITULO XXXIV

*Vanidad de los sueños, adivinaciones y agüeros: utilidad de las tentaciones. Bienaventurado el que teme a Dios. La ofrenda del pecador es abominable a Dios. Es inútil la penitencia del que no se enmienda de sus vicios.*

**1.** Las vanas esperanzas y las mentiras son *el entretenimiento del necio*; y los sueños dan alas a los imprudentes.

**2.** Como el que se abraza con una sombra, y persigue al viento, así es el que atiende a sueños engañosos.

**3.** Las visiones de los sueños son la semejanza de una cosa; como es la iamgen del hombre puesta delante del mismo hombre.

**4.** Una persona sucia, ¿a qué otra limpiará? Y de una mentirosa, ¿qué verdad se sacará?

**5.** Las adivinaciones erróneas, los agüeros falsos y los sueños de los malvados son una vanidad.

**6.** Y tu espíritu padecerá, como el de la mujer que está de parto, *muchos* fantasmas *o imaginaciones*. No hagas caso de semejantes visiones, a no ser que te fuesen enviadas del Altísimo.

**7.** Porque a muchos les indujeron a error los sueños, y se perdieron por haber puesto en ellos su confianza.

**8.** La palabra de la ley será perfecta *en sí misma* sin estas mentiras; y la sabiduría será fácil y clara en boca del hombre fiel.

**9.** Quien no ha sido probado, ¿qué es lo que puede saber? El varón experimentado en muchas cosas, será muy reflexivo; y el que ha aprendido mucho, discurrirá con prudencia.

**10.** El que no tiene experiencia, sabe poco; mas el que se ha ocupado en muchos negocios, adquiere mucha sagacidad.

**11.** Quien no ha sido tentado *o probado*, ¿qué cosas puede saber? El que ha sido engañado, se hace siempre más cauteloso.

**12.** Muchas cosas he visto en mis peregrinaciones; y muchísima diversidad de *usos y* costumbres.

**13.** Por esta razón me he visto algunas veces en peligros aun de muerte, y me he librado por la gracia de Dios.

**14.** Es custodiado el espíritu de aquellos que temen a Dios; y será bendito con sus *benéficas* miradas;

**15.** Porque tienen ellos puesta su esperanza en su Salvador, y los ojos de Dios están fijos sobre los que le aman.

**16.** De nada temblará ni tendrá miedo quien teme al señor; pues éste es su esperanza.

**17.** Bienaventurada es el alma del que teme al Señor.

**18.** ¿En quién pone *ella* sus ojos, y quién es su fortaleza?

**19.** Fijos están los ojos del Señor sobre los que le temen; *el Señor* es el poderoso protector, el apoyo fuerte, un toldo contra los ardores *del sol* y fresca sombra contra el resistero o *bochorno* del mediodía.

**20.** Sustentáculo para no tropezar, socorro en las caídas, el que eleva el alma y alumbra los ojos; el que da sanidad, y vida, y bendiciones.

**21.** Inmunda es la ofrenda de aquel que ofrece sacrificio de lo mal adquirido; porque no son gratas *a Dios* estas irrisiones de los hombres injustos.

**22.** El Señor solo *es todas las cosas* para aquellos que en el camino de la verdad y de la justicia le aguardan con paciencia.

**23.** El Altísimo no acepta los dones de los impíos, ni atiende a las oblaciones de los malvados, ni por muchos sacrificios que ellos ofrezcan les perdonará sus pecados.

**24.** El que ofrece sacrificios de la hacienda de los pobres, es como el que degüella un hijo delante del padre.

**25.** Es la vida de los pobres el pan que necesitan; y es un hombre sanguinario cualquiera que se lo quita.

**26.** Quien quita a alguno el pan ganado con su sudor, es como el que asesina a su prójimo.

**27.** Hermanos son, *o corren parejas*, el que derrama la sangre y el que defrauda el jornal al jornalero.

**28.** Si lo que uno edifica, el otro lo destruyen ¿qué provecho sacan ambos sino el fastidiarse?

**29.** Si uno hace oración y el otro echa maldiciones, ¿de quién escuchará Dios las plegarias?

**30.** Quien se lava *o purifica* por haber tocado un muerto, y de nuevo lo toca, ¿de qué le sirve el haberse lavado?

**31.** Así el hombre que ayuna por sus pecados, y de nuevo los comete, ¿qué provecho saca de su mortificación? ¿Su oración quién la oirá?

## CAPITULO XXXV

*La verdadera religión y piedad consiste en la obediencia a Dios, y no en la mera multitud de sacrificios. Protege el Señor a los oprimidos, y tomará algún día venganza de sus opresores.*

**1.** El que observa la ley puede decirse *que* hace muchas oblaciones *a Dios*.

**2.** *Porque* sacrificio de salud es el guardar los mandamientos y alejarse de toda iniquidad.

**3.** Y el apartarse de la injusticia, es como ofrecer un sacrificio de propiciación por las injusticias *cometidas*, y remover la pena merecida por los pecados.

**4.** Tributa gracias *a Dios* el que *le* ofrece la flor de harina; así el que hace obras de misericordia, *le* ofrece *también* un sacrificio.

**5.** Lo que agrada al Señor es el huir de la iniquidad; y la expiación de los pecados debe empezar por alejarse de al injusticia.

**6.** No comparezcas en la presencia del Señor con las manos vacías;

**7.** Porque todas estas cosas se hacen por mandamiento de Dios.

**8.** La oblación del justo *es como víctima escogida que* engrasa el altar, y es un olor suave en la presencia del Altísimo.

**9.** Acepto es el sacrificio del justo, y no se olvidará de él el Señor.

**10.** Da con alegre corazón gloria a Dios; y no disminuyas las primicias de tus fatigas.

**11.** Todo lo que das, dalo con semblante alegre y consagra tus diezmos con regocijo.

**12.** Retribuye al Altíssimo a proporción de lo que te ha dado, y preséntale con alegría ofrendas, según tus facultades.

**13.** Porque el Señor es remunerador, y te volverá siete veces más.

**14.** No le ofrezcas dones defectuosos; porque no le serán aceptos.

---

CAP. XXXIV. — 19. *Psalm.* XXXIII, v. 16.
22. *Psalm.* LXXII, *v.* 25.
27. *Deut.* XXIV, *v.* 14. — *Tobías* IV, *v.* 15.
30. *Levit.* XVII, *v.* 15. — *Num.* XIX, *v.* 11.

---

31. II *Petr.* II, v. 21 — *Joann.* V, *v.* 14.
**CAP. XXXV.** — 2. *Lev.* III y VII. — I *Reg.* XV, *v.* 22. — *Eccles.* IV, *v.* 17. — *Jacob* I, *v.* 27.
5. *Jerem.* VII, *v.* 3; XXVI, *v.* 13.
6. *Exod.* XXIII, *v.* 15; XXXIV, *v.* 20. — *Deut.* XVI, *v.* 16.

**15.** Y no cuentes para nada un sacrificio injusto; porque el Señor es juez, y no tiene miramiento a la dignidad de las personas.

**16.** No hace el Señor acepción de personas en perjuicio del pobre; y escucha las plegarias del injuriado.

**17.** No desechará los ruegos del huérfano; ni tampoco a la viuda que le habla con sus suspiros.

**18.** Las lágrimas de la viuda, que corren por sus mejillas ¿no son por ventura otros tantos clamores contra aquel que se las hace derramar?

**19.** Desde las mejillas suben hasta el cielo, y el Señor que la escucha, no las verá sin irritarse.

**20.** Quien adora o *sirve* a Dios con buena voluntad, será protegido, y su oración llegará hasta *más allá* de las nubes.

**21.** La oración del humilde o *afligido* traspasará las nubes, y no reposará hasta acercarse al Altíssimo; del cual no se apartará hasta tanto que incline hacia él los ojos.

**22.** Y el Señor no dará largas, sino que vengará a los justos, y hará justicia: y el fortísimo no sufrirá más *a sus opresores*, sino que con tribulaciones quebrantará su espinazo;

**23.** Y a las naciones le dará su merecido, hasta aniquilar la multitud de los soberbios, y desmenuzar los cetros de los inicuos;

**24.** Hasta dar el pago a los hombres según sus méritos, y conforme las obras de cada cual, y su presunción o *soberbia*;

**25.** Hasta que haya hecho justicia a su pueblo, y consolado con su misericordia a los justos.

**26.** ¡*Oh cuán* amable es la misericordia de Dios en el tiempo de la tribulación! Es como las nubes que se deshacen en agua, en tiempo de sequía.

## CAPITULO XXXVI

*Oración del autor de este Libro a Dios, a favor de su pueblo de Israel oprimido. Sagacidad necesaria en el hombre, y utilidades que acarrea al casado una esposa virtuosa*

**1.** ¡Oh Dios de todas las cosas! ten misericordia de nosotros y vuelve hacia nosotros tus ojos, y muéstranos la luz de tus piedades.

**2.** Infunde tu temor en las naciones, que no han pensado en buscarte; a fin de que entiendan que no hay otro Dios sino tú, y pregonen tus maravillas.

**3.** Levanta tu brazo contra las naciones extrañas o *infieles*, para que experimenten tu poder.

**4.** Porque así como a vista de sus ojos demostraste en nosotros tu santidad, así también a nuestra vista muestres en ellas tu grandeza;

**5.** A fin de que conozcan, como nosotros hemos conocido ¡oh Señor! que no hay otro Dios fuera de ti.

**6.** Renueva los prodigios y haz nuevas maravillas.

**7.** Glorifica tu mano y tu brazo derecho.

**8.** Despierta la cólera y derrama la ira.

**9.** Destruye al adversario y abate al enemigo.

**10.** Acelera el tiempo, no te olvides de poner fin *a nuestros males*, para que sean celebradas tus maravillas.

**11.** Devorados sean por el fuego de la ira aquellos que escapan; y hallen su perdición los que tanto maltratan a tu pueblo.

**12.** Quebranta las cabezas de los príncipes enemigos nuestros, los cuales dicen: No hay otro *Señor* fuera de nosotros.

**13.** Reune todas las tribus de Jacob; para que conozcan que no hay más Dios que tú, ¡*oh Señor!* y publiquen tu grandeza y sean *posesión o* herencia tuya, como lo fueron desde el principio.

**14.** Apiádate de tu pueblo, que lleva tu nombre, y de Israel a quien has tratado *y amado* como a primogénito tuyo.

**15.** Apiádate de Jerusalén, ciudad que has santificado, ciudad en que tienes tu reposo o *residencia*.

**16.** Llena a Sión de tus *oráculos o* palabras inefables, y a tu pueblo de tu gloria.

**17.** Declárate a favor de aquellos que desde el principio, *desde Abraham*, son criaturas tuyas *escogidas*, y verifica las predicciones que anunciaron en tu nombre los antiguos profetas.

**18.** Remunera a los que *viven de* la esperanza *que* tienen en ti, a fin de que se vea la veracidad de tus profetas: y oye las oraciones de tus siervos,

---

**15.** *Deut.* X, *v.* 17. — II *Par.* XIX, *v.* 7. — *Job* XXIV, *v.* 19. — *Sap.* VI, *v.* 8. — *Act.* X, *v.* 34. — *Rom.* II, *v.* 11. — *Gal.* II, *v.* 6. — *Colos.* III, *v.* 15. — I *Petr.* I, *v.* 17.

**19.** *Exod.* XXII, *v.* 22 y sig.

**CAP. XXXVI.** — **10.** Acelera el tiempo de la venida del Mesías nuestro Libertador. S. Ag. *De Civ. Dei lib.* XVII, c. 20.

**12.** *Dan*, VII, *v.* 25.

**13.** *S. Mateo* c. XIX, *v.* 28. — *Rom.* IX, *v.* 6. *Joann* XI, *v.* 52.

**14.** *Exod.* IV, *v.* 22.

**19.** Conforme a la bendición que dió Aarón a tu pueblo; y enderézanos por el sendero de la justicia, a fin de que los moradores todos de la tierra conozcan que tú eres el Dios disponedor de los siglos.

**20.** El vientre recibe toda suerte de manjares; pero hay un manjar que es mejor que otro.

**21.** El paladar distingue *con el gusto* el plato de caza *que se le presenta*: así el corazón discreto las palabras falsas *de las verdaderas*.

**22.** El corazón depravado ocasionará dolores *y molestias*; mas el hombre sabio se le opondrá.

**23.** La mujer tomará por marido a cualquier varón; mas entre las hijas *solteras* una es mejor que otra.

**24.** Las gracias de la mujer bañan de alegría el rostro de su marido, y producen en él un afecto superior a todos los deseos del hombre.

**25.** Si su lengua habla palabras salutíferas, si de blandura y de compasión, el marido de esta mujer tendrá una ventaja que no es común entre los hombres.

**26.** Quien posee una buena esposa, comienza *ya con eso* a formar un patrimonio, tiene una ayuda semejante a él, y una columna de apoyo.

**27.** *Al contrario, así como* donde no hay cerca, la heredad será saqueada, donde no hay una mujer *hacendosa*, gime el hombre en la pobreza.

**28.** ¿Quién se fía de aquel que no tiene nido o casa, y que se echa para dormir donde le toma la obscuridad de la noche, y es como un ladrón muy listo que salta de una ciudad a otra?

## CAPITULO XXXVII

*Del amigo fingido y del verdadero. Discreción que debe usarse en tomar consejos. Ciencia verdadera o falsa, útil o peligrosa. Males que vienen de la gula.*

**1.** Todo amigo dirá: Yo también he trabado amistad contigo. Pero hay amigos que lo son sólo de nombre. ¿Y no causa esto un disgusto a par de muerte,

**2.** Que el compañero y el amigo se cambien en enemigos?

**3.** ¡Oh perversísima invención! ¿de dónde has salido tú a cubrir la tierra de tal malicia y perfidia?

**4.** Un amigo se goza con el amigo en las diversiones, y en el tiempo de la tribulación será su contrario.

**5.** Un amigo se conduele con el amigo por amor de su propio vientre, y embrazará el escudo *para defenderlo* contra el enemigo.

**6.** ¡Ah! no te olvides en tu corazón de tu amigo, y no pierdas la memoria de él en medio de tu opulencia.

**7.** No quieras aconsejarte con aquel que te arma asechanzas: y encubre tus intentos a los que te envidian.

**8.** Todo el que es consultado da su consejo; mas hay consejero que lo da mirando a su propio interés.

**9.** Mira bien con quién te aconsejas; infórmate primero de qué necesita; pues también él lo pensará dentro de sí:

**10.** No sea que él fije en el suelo una estaca *para que tropieces*, y te diga *después*:

**11.** Bueno es tu camino; y se esté en frente para ver lo que te acontece.

**12.** Vete a tratar de santidad con un hombre sin religión; y de justicia con un injusto; y con una mujer, de la otra que le da celos *o es su rival*; de guerra, con el cobarde; de cosas de tráfico, con el negociante; de la venta con el comprador; con el hombre envidioso, del agradecimiento;

**13.** Con el impío, de la piedad; con el deshonesto, de la honestidad; de cualquier artefacto con el labrador;

**14.** Con el jornalero asalariado por un año, de la obra que en él se puede hacer; con el siervo perezoso, sobre el tesón en el trabajo. Nunca tomes consejo de éstos sobre tales cosas.

**15.** Comunica *sí y trata* de continuo con el varón piadoso, cualquiera que tú conozcas constante en el temor de Dios,

**16.** Y cuya alma sea conforme a la tuya; y el cual si tú vacilases alguna vez entre tinieblas, tenga compasión de ti.

**17.** Fórmate dentro de ti un corazón de buen consejo; porque no hay cosa que deba serte más estimable.

**18.** El alma de un varón piadoso descubre algunas veces la verdad, mejor que siete centinelas apostadas en un lugar alto para atalayar.

**19.** Mas sobre todo has de rogar al Altísimo que enderece tus pasos por la senda de la verdad.

**20.** Preceda a todas tus obras la palabra *o dictamen* de la verdad, y un consejo firme *o maduro* a todas tus acciones.

**21.** Una palabra *o consejo* malo altera el corazón; del cual nacen estas cuatro cosas: el bien y el mal, la muerte y la vida, cosas que constantemente están en poder de la lengua. Hay quien es hábil para instruir a muchos, que para su alma no vale nada.

**22.** Otro es prudente e instruye a muchos, y sirve de consuelo a su propia alma.

**23.** El que discurre con sofisterías; se quedará con las manos enteramente vacías.

**24.** No le ha dado el Señor gracia *poca ni mucha*; porque carece de todo saber.

**25.** Aquel es sabio, que es sabio para su alma; y son dignos de alabanza los frutos de su prudencia.

**26.** El hombre sabio instruye a su pueblo, y los frutos de su prudencia son fieles *o estables*.

**27.** Colmado será de bendiciones el varón sabio, y alabado de cuantos le conozcan.

**28.** La vida del hombre se reduce a cierto número de días; mas los días de Israel son innumerables.

**29.** El varón sabio continuará en ser honrado del pueblo, y su nombre vivirá eternamente.

**30.** Hijo, durante tu vida examina *y procura conocer bien* tu alma; y si es mal inclinada, no le des libertad:

**31.** Porque no todas las cosas son útiles a todos; ni todas las personas se complacen en unas mismas cosas.

**32.** Guárdate de ser glotón en los convites, ni te abalances a todos los platos;

**33.** Porque ocasiona enfermedades el mucho comer, y la glotonería viene a parar en cólicos *y malos humores*.

**34.** De un hartazgo han muerto muchos; mas el hombre sobrio alargará la vida.

## CAPITULO XXXVIII

*El hombre prudente acude primero a Dios en sus enfermedades; y aprecia las medicinas y al médico. Deberes de los vivos hacia los difuntos. De la agricultura y de las artes.*

**1.** Honra al médico porque lo necesitas; pues el Altísimo es el que lo ha hecho *para tu bien*.

**2.** Porque de Dios viene toda medicina; y será remunerada por el rey.

**3.** Al médico lo elevará su ciencia a los honores; y será celebrado ante los magnates.

**4.** El Altísimo es quien crió de la tierra los medicamentos, y el hombre prudente no los desechará.

**5.** ¿No endulzó un palo las aguas amargas?

**6.** La virtud de los medicamentos pertenece al conocimiento de los hombres; y el Señor se la ha descubierto para que lo glorifiquen por sus maravillas.

**7.** Con ellos cura y mitiga los dolores, y el boticario hace electuarios *o composiciones* suaves, y forma ungüentos saludables, y no tendrán fin sus operaciones.

**8.** Porque la bendición de Dios está extendida sobre toda la tierra.

**9.** Hijo, cuando estés enfermo, no descuides de ti mismo; antes bien, haz oración al Señor, y él te curará.

**10.** Apártate del pecado y endereza tus acciones, y limpia tu corazón de toda culpa.

**11.** Ofrece *incienso de* suave olor, y la flor de harina en memoria; y sea perfecta tu oblación, y *después* da lugar *a que obre* el médico,

**12.** Pues *para eso* lo ha puesto el Señor; y no se aparte de ti, porque su asistencia es necesaria.

**13.** Puesto que hay un tiempo en que has de caer en manos de los médicos;

**14.** Y ellos rogarán al Señor que te aproveche lo que te recetan para tu alivio, y *te* conceda la salud, que es a lo que se dirige su profesión.

**15.** Caerá en manos del médico el que peca en la presencia de su Creador.

**16.** Hijo, derrama lágrimas sobre el muerto, y como en un fatal acontecimiento comienza a suspirar, y cubre su cuerpo según costumbre, y no te olvides de su sepultura.

**17.** Y para evitar el que murmuren de ti, continúa en llorar amargamente por un día. Consuélate después para huir de la tristeza.

**18.** Así que hagas el duelo, según el mérito de la persona, uno o dos días, para evitar la maledicencia.

**19.** Porque de la tristeza viene luego la muerte y la melancolía del corazón deprime el vigor, y encorva la cerviz.

**20.** Con el retiro se mantiene la tristeza: y la vida del pobre *o afligido* es *triste*, como *lo* es su corazón.

**21.** No abandones tu corazón a la tristeza; arrójala de ti, y acuérdate de las postrimerías;

**22.** No te olvides de ellas, porque de allá no se vuelve; y no ayudarás en nada a los otros, y te harás daño a ti mismo.

CAP. XXXVII. — 32. *Tú me enseñaste* (decía S. Agustín lib. X, Conf. 31), *a acercarme a la mesa para tomar el alimento, como una medicina o remedio. El manjar*, decía S. Ambrosio, Ep. 82, *úsese con templanza, como remedio; por razón de nuestra flaqueza, no por deleite.*

CAP. XXXVIII. — 5. *Exod.* XV, *v.* 25.
11. *Lev.* II, *v.* 2.

**23.** Considera, *te dice el muerto*, lo que ha sido de mí; porque lo mismo será de ti: hoy por mí, mañana por ti.

**24.** El descanso del difunto tranquilice en ti la memoria de él; pero consuélalo antes que se separe de él su espíritu.

**25.** La sabiduría la adquiere el letrado en el tiempo que está libre de negocios; y el que tiene pocas ocupaciones; *ése* la adquirirá.

**26.** *Mas* ¿qué sabiduría podrá adquirir el que está asido del arado, y pone su gloria en *saber* picar los bueyes con la aguijada, y se ocupa en sus labores, y no habla de otra cosa que de *las castas de* los toros?

**27.** Aplicará su corazón a tirar *bien* los surcos, y sus desvelos en engordar sus vacas.

**28.** Así todo menestral y arquitecto, que trabaja día y noche, y el que graba las figuras de los sellos, y con tesón va formando varias figuras, tiene su corazón atento a imitar el dibujo, y a fuerza de vigilias perfecciona su obra.

**29.** Así el herrero, sentado junto al yunque, está atento al hierro que está trabajando; el vaho del fuego tuesta sus carnes, y está luchando con los ardores de la fragua.

**30.** El estruendo del martillo le aturde los oídos, y tiene fijos sus ojos en el modelo de su obra.

**31.** Su corazón atiende a acabar las obras, y con su desvelo las pule y les da la última mano.

**32.** Así el alfarero, sentado a su labor, gira con sus pies la rueda, siempre cuidadoso de lo que tiene entre las manos, y llevando cuenta de todo lo que labra.

**33.** Con sus brazos amasa el barro; y encorvándose sobre sus pies, con su fuerza *lo hace manejable*.

**34.** Pondrá toda su atención en vidriar perfectamente la obra, y madrugará para limpiar el horno.

**35.** Todos estos tienen su esperanza en la industria de sus manos, y cada uno es sabio en su arte.

---

**25.** S. Agustín (*De Civit* XIX, 19). *El amor de la verdad desea y procura el ocio o quietud santa. La necesidad de la caridad obliga a aceptar la ocupación justa: si esta carga no viene impuesta por otra, atendamos a adquirir y entender la verdad: si, empero, dicha carga se nos impone* (por el superior) *debemos aceptarla, obligados por la caridad; pero ni aun entonces debe dejarse del todo la deleitable verdad, a fin de que privados de la suavidad de ella, no nos veamos oprimidos por aquella necesidad de llevar la carga impuesta.*

**36.** Sin todos estos no se edifica una ciudad.

**37.** Mas no habitarán en medio de ella, ni andarán paseando, ni entrarán a las asambleas *públicas*.

**38.** No se sentarán entre los jueces, ni entenderán las leyes judiciales, ni enseñarán las reglas de la moral, ni del derecho, ni se meterán a declarar parábolas;

**39.** Sino que restaurarán las cosas del mundo, y *todos* sus votos serán para hacer bien las obras de su arte, aplicando *también* su propia alma a *oír* y entender la ley del Altísimo.

## CAPITULO XXXIX

*Ocupaciones del sabio y celebridad de su nombre. Alabanzas de la providencia Divina: todo se convierte en bien para los buenos y en mal para los malos.*

**1.** El sabio indagará la sabiduría de todos los antiguos, y hará estudio de los Profetas.

**2.** Recogerá *en su corazón* las explicaciones de los varones ilustres, y penetrará asimismo las agudezas de las parábolas.

**3.** Sacará el sentido oculto de los proverbios, y se ocupará en el estudio de las alegorías de los enigmas.

**4.** Asistirá en medio de los magnates, y se presentará delante del que gobierna.

**5.** Pasará a países de naciones extrañas, para reconocer aquello que hay de bueno y de malo entre los hombres.

**6.** Despertándose muy de mañana, dirigirá su corazón al Señor que lo creó, y se pondrá en oración en la presencia del Altísimo.

**7.** Abrirà su boca para orar, y pedirá perdón de sus pecados.

**8.** Que si aquel gran Señor quisiere, lo llenará del espíritu de inteligencia,

**9.** Y derramará sobre él como lluvia máximas de su sabiduría; y en la oración dará gracias al Señor.

**10.** Y pondrá en práctica sus consejos y documentos, y meditará sus ocultos juicios.

**11.** Expondrá públicamente la doctrina que ha aprendido, y pondrá su gloria en la ley del testamento del Señor.

**12.** Celebrarán muchos su sabiduría, la cual nunca jamás será olvidada.

**13.** No perecerá su memoria, y su nombre será repetido de generación en generación.

**14.** Las naciones pregonarán su sabiduría, y la Iglesia celebrará sus alabanzas.

**15.** Mientras viva, tendrá más nombradía que mil otros; y en pasando a mejor vida, hallará en esto su provecho *o bienestar.*

**16.** Yo seguiré todavía dando consejos, porque me siento poseído como de un sagrado entusiasmo.

**17.** Una *voz de la Sabiduría* dice: Escuchadme vosotros que sois prosapia de Dios, y brotad como rosales plantados junto a las corrientes de las aguas.

**18.** Esparcid suaves olores, como en el Líbano *el árbol del incienso.*

**19.** Floreced como azucenas; despedid fragancia, y echad graciosas ramas, y entonad cánticos de alabanza, y bendecid al Señor en sus obras.

**20.** Engrandeced su *santo* Nombre, y alabadlo con la voz de vuestros labios, y con cánticos *que articule* vuestra lengua, y al son de las cítaras; y diréis así en loor suyo;

**21.** Todas las obras del Señor son extremadamente buenas.

**22.** A una voz suya se contuvo el agua como si fuera una masa, y quedó como en un depósito *o aljibe* a un *solo* dicho de su boca.

**23.** Porque todo es favorable cuando él manda, y la salud que él da es perfecta.

**24.** Están a su vista las acciones de todos los hombres, y no hay cosa escondida a sus ojos.

**25.** El alcanza a ver los siglos todos; y no hay cosa que sea maravillosa para él.

**26.** No hay que decir: ¿Qué viene a ser esto? ¿o para qué es esto otro? Porque todas las cosas servirán a su tiempo.

**27.** Su bendición es como un río que inunda.

**28.** Como el diluvio empapó en agua la tierra, así la ira del Señor será la suerte que tocará a las naciones que no han hecho caso de él.

**29.** Así como es convirtió las aguas en una sequedad, y quedó enjuta la tierra, y abrió un camino cómodo para que pasasen los *de su pueblo:* así los pecadores, por un efecto de la ira del Señor, hallaron allí su tropiezo.

**30.** Los bienes fueron desde el principio creados para los buenos; pero para los malos igualmente los bienes y los males.

**31.** Lo que principalmente se necesita *o sirve* para el uso de la vida humana, es agua, fuego, y hierro, sal, leche, y harina de trigo, miel y racimos de uvas, aceite y vestido.

**32.** Así como todas estas cosas son un bien para los buenos; así para los impíos y pecadores se convierten en mal.

**33.** Hay *ciertos* espíritus creados para ministros de la venganza *divina*, los cuales en su furor hacen sufrir continuamente sus castigos.

**34.** En el tiempo de la consumación *o fin de las cosas* echarán el resto de sus fuerzas, y aplacarán la cólera de aquel Señor que los crió.

**35.** El fuego, el pedrisco, el hambre y la muerte, todas estas cosas se hicieron para castigo;

**36.** Como los dientes de las fieras, los escorpiones, y las serpientes, y la espada vengadora que extermina los impíos.

**37.** Se regocijarán *como en un banquete,* en cumplir el mandamiento del *Creador,* y estarán aparejadas sobre la tierra para cuando fuere menester, y llegado el tiempo ejecutarán puntualmente cuanto se les ordene.

**38.** Y así desde el principio estoy persuadido, y lo he meditado, y pensado, y dejado por escrito:

**39.** *Es a saber,* que todas las obras de Dios son buenas, y cada una de ellas a su tiempo hará su servicio.

**40.** No hay para qué decir: Esto es peor que aquello; pues se verá que todas las cosas serán aprobadas *de todos* a su tiempo.

**41.** Y ahora con todo el corazón y a boca llena, alabad *todos* a una, y bendecid el Nombre del Señor.

## CAPITULO XL

*De las miserias del hombre, y especialmente de que lleva consigo la impiedad. Elogio de algunas cosas y comparación con otras.*

**1.** Una molestia grande es innata a todos los hombres, y un pesado yugo abruma a los hijos de Adán, desde el día que salen del vientre materno, hasta el día de su entierro en el seno de la común madre.

CAP. XXXIX. — 21. *Gen.* I, *v.* 31. — *Marc.* VII, *v.* 37.
22. *Exod.* XV, *v.* 8. — *Gen.* I, *v.* 9.
29. *Exod.* XIV, *v.* 21.

32. *Rom.* VIII, *v.* 28. — *Sap.* XIV, *v.* 11.
34. *Gen.* XIX, *v.* 2. — IV *Reg.* XIX, *v.* 35. — *Ps.* CV, *v.* 30.
CAP. XL. — 1. Job *c.* V, *v.* 7; VII, *v.* 1; XIV, *c.* 1.

**2.** *Viven llenos de* cuidado y *de* sobresaltos de su corazón, en aprehensión *o recelo* de lo que aguardan y del día de la muerte.

**3.** Desde el que está sentado sobre un glorioso trono, hasta el que yace por tierra y sobre la ceniza;

**4.** Desde el que viste jacinto y trae corona, hasta el que se cubre de lienzo crudo; *todo es* saña, celos, alborotos, zozobras, y temor de muerte, rencor obstinado, y contiendas.

**5.** Aun al tiempo de reposar en su lecho, perturba su imaginación el sueño de la noche.

**6.** Breve o casi ninguno es su reposo, y aun en el mismo sueño está *sobresaltado,* como el que está de centinela *cerca del enemigo.*

**7.** Y turbado por las visiones o *pesadillas* de su espíritu, y como quien echa a huir al tiempo de la batalla; cuando se imagina en salvo, despierta y se admira de su vano temor.

**8.** Esto sucede en todo viviente, desde el hombre hasta la bestia; mas en los pecadores, siete veces peor.

**9.** Además de esto, la muerte, el derramamiento de sangre, las contiendas, la espada, las opresiones, el hambre, las ruinas y los azotes:

**10.** Todas estas cosas fueron destinadas para los impíos; y por causa de ellos vino el diluvio.

**11.** Todo cuanto de la tierra viene, en tierra se convertirá; así como todas las aguas vuelven al mar.

**12.** Todas las dávidas *o cohechos* y las injusticias se acabarán; pero la rectitud subsistirá para siempre.

**13.** Secaránse como un torrente las riquezas de los injustos, y a manera de un gran trueno en medio de un aguacero pararán en un estampido.

**14.** Al abrir su mano *el juez* se alegrará; mas al fin los prevaricadores pararán en humo.

**15.** No multiplicarán sus ramos, *o su linaje,* los nietos de los impíos; y como raíces viciadas *o plantas inútiles* que están sobre la punta de un risco, meterán ruido, *y no más.*

**16.** Duran como la verdura que se cría en sitio húmedo y a las orillas de un río, la cual es arrancada antes que otra yerba.

**17.** *Pero* la beneficencia es como un jardín amenísimo, y la misericordia jamás perece.

**18.** Dulce será la vida del operario que está contento con su suerte, y hallará en ella un tesoro.

**19.** Dan un nombre duradero los hijos, y *asímismo* la fundación de una ciudad; más será preferida a todas estas cosas una mujer irreprensible.

**20.** El vino y la música alegran el corazón, y más que ambas cosas el amor de la sabiduría.

**21.** La flauta y el salterio causan dulce melodía; mas la lengua suave es superior a entrambas cosas.

**22.** La gentileza y la hermosura recrearán tu vista; pero más que todo eso, los verdes sembrados.

**23.** El amigo y el compañero mutuamente se valen en la ocasión; y más que ambos, la mujer y su marido.

**24.** Los hermanos sirven de gran socorro en el tiempo de la aflicción; pero la misericordia puede librar de ella mejor que aquéllos.

**25.** El oro y la plata mantienen al hombre en pie *o en su estado;* pero más que ambas cosas agrada un buen consejo.

**26.** Engrandecen el corazón las riquezas y el valor; pero más que estas cosas el temor del Señor.

**27.** Al que tiene el temor del Señor nada le falta, y con él no hay necesidad de otro auxilio.

**28.** Es el temor del Señor como un jardín amenísimo; cubierto está de gloria, superior a todas las glorias.

**29.** Hijo, no andes mendigando durante *toda* tu vida, que más vale morir que mendigar.

**30.** El hombre que se atiene a mesa ajena, no piensa jamás cómo ha de ganar su sustento; porque se alimenta de las viandas de otro.

**31.** Pero un hombre bien educado y cuerdo, se guardará de hacer esto.

**32.** En la boca del insensato será suave el mendigar; y *eso que* en su vientre arderá el fuego *de una hambre canina.*

## CAPITULO XLI

*Para quiénes es dulce y para quiénes amarga la memoria de la muerte. Suerte de los impíos. Debemos cuidar del buen nombre. De qué cosas debemos tener vergüenza.*

**1.** ¡Oh muerte, cuán amarga es tu memoria para un hombre que vive en paz, en medio de sus riquezas!

10. *Gen.* VII, *v.* 10. — *Eccles.* I, *v.* 7.

25. *Prov.* XI, *v.* 14.

27. *Ps.* XXIV, *v.* 13; XXXII, *v.* 11.

2. ¡Para un hombre tranquilo, y a quien todo le sale a medida de sus deseos, y que aun puede disfrutar de los manjares!

3. ¡Oh muerte! tu sentencia es dulce al hombre necesitado y falto de fuerzas,

4. Al que de una edad ya decrépita, y al que está lleno de cuidados, y al que se halla sin esperanza *de mejorar,* y a quien falta la paciencia.

5. No temas la sentencia de muerte. Acuérdate de lo que fué antes de ti, y de lo que ha de venir después de ti: ésta es la sentencia dada por el Señor a todos los mortales.

6. ¿Y *qué remedio hay,* o qué otra cosa te sobrevendrá, sino lo que fuere del agrado del Altísimo, ahora sean diez, o bien ciento, ora mil tus años?

7. Que no se pide cuenta en el otro mundo de lo que ha vivido, *sino del modo.*

8. Hijos abominables se hacen *comúnmente* los hijos de los pecadores, y asímismo aquellos que frecuentan las casas de los impíos.

9. Perecerá la herencia de los hijos de los pecadores, y acompañará siempre el oprobio a sus descendientes.

10. Quéjanse de su padre los hijos del impío, viendo que por culpa de él viven deshonrados.

11. ¡Ay de vosotros, hombres impíos, que habéis abandonado la ley del Señor *y Dios* Altísimo!

12. Cuando nacisteis, en la maldición nacisteis; y cuando murieréis, la maldición será vuestra herencia.

13. Todo aquello que la tierra procede, en tierra se convertirá; así los impíos pasarán de la maldición a la perdición *eterna.*

14. Los hombres harán duelo o llanto sobre sus cadáveres: mas el nombre de los impíos será raído *y execrado.*

15. Ten cuidado de tu buena reputación, porque ésa será tuya, más establemente que mil grandes y preciosos tesoros.

16. La buena vida se cuenta por días, pero el buen hombre permanecerá para siempre.

17. Hijos, conservad en la paz *o prosperidad* los buenos documentos *que os doy.* Pues la sabiduría escondida y un tesoro enterrado, ¿qué utilidad acarrean?

18. Más digno de estima es el hombre que oculta su ignorancia, que el hombre que oculta su sabiduría.

19. Tened, pues, rubor de lo que voy a deciros:

20. Que no de todo es bueno avergonzarse; ni todas las cosas bien hechas agradan a todos.

21. Avergonzaos de la deshonestidad delante del padre y de la madre; y de la mentira, delante del que gobierna o del hombre poderoso;

22. De un delito, ante el príncipe y el juez; del crimen, delante de la asamblea, y delante del pueblo;

23. De la injusticia, delante del compañero y del amigo; y delante de la gente del lugar donde moréis,

24. Y del hurto: *cosas todas* contra la verdad de Dios y la ley *santa. Avergüénzate* de comer con los codos encima del pan, *o sobre la mesa,* y de tener embrollado el libro de cargo y data;

25. De no responder a los que te saludan; de fijar tus ojos sobre mujer fornicaria: y de torcer tu rostro por no ver al pariente.

26. No vuelvas al otro lado tu cara para no mirar a tu prójimo. Avergüénzate de defraudar a otro lo que es suyo, y de no restituirlo.

27. No pongas tus ojos en la mujer de otro, ni solicites a su criada; no te arrimes a su lecho.

28. Con los amigos guárdate de palabras injuriosas; y si has dado algo, no lo eches en cara.

## CAPITULO XLII

*De no revelar el secreto, y de varias cosas de que no debemos avergonzarnos. Vigilancia de un padre de familia particularmente en guardar a sus hijos. Debemos aplicarnos a considerar las obras maravillosas de Dios.*

1. No divulgues la conversación que has oído, revelando el secreto, y no tendrás de qué avergonzarte; antes bien hallarás gracia delante de todos los hombres. No te avergüences de las cosas siguientes; ni por respeto a nadie, sea el que fuere, cometas pecado.

2. No te avergüences de la ley del Altísimo y de su testamento; ni de modo que justifiques en juicio al impío;

3. Ni *de fallar lo justo,* cuando tus compañeros tienen algún negocio con pasajeros *o* extraños; ni en la repartición de herencias entre amigos;

---

CAP. XLI. — 2. Y las delicias de la vida. *Es doble muerte la del hombre rico* (dice el Crisóstomo): *pues su alma debe separarse no sólo del cuerpo, sino además de las riquezas, a las cuales amaba como a su cuerpo.*

18. *c.* XX, *v.* 32.

**4.** No *te avergüences* de tener balanzas y pesos fieles, ni te mueva el hacer mucho o poca ganancia;

**5.** Ni de impedir los fraudes o monopolios de los negociantes en el vender; ni de contener a los hijos con *una justa* severidad; ni de azotar al siervo malvado hasta que salte la sangre.

**6.** A la mujer mala es bueno tenerla encerrada.

**7.** Donde hay muchas manos *o individuos,* echa por todo la llave, y todo cuanto entregares cuéntalo y pésalo; y apunta aquello que das y aquello que recibes.

**8.** *Tampoco te avergüences* de corregir a los insensatos y a los necios, ni *de volver por* los ancianos, que son condenados por los mozos; y así te mostrarás sabio en todo, y serás bien visto delante de todos los vivientes.

**9.** La hija soltera tiene desvelado a su padre, y el cuidar de ella le quita el sueño: no sea que creciendo y llegando a ser mujer, se familiarice con algún hombre, y se haga despreciable;

**10.** Corrompa tal vez su virginidad y aparezca encinta en casa de sus padres; o quizá habitando con varón peque, o tal vez se haga estéril.

**11.** A la hija desenvuelta guárdala con estrecha custodia, no sea que algún día te haga el escarnio de tus enemigos, la fábula de la ciudad y la befa de la plebe; y te cubra de ignominia delante del concurso del pueblo.

**12.** No quieras fijar tus ojos en la hermosura de persona alguna, ni estar de asiento en medio de las mujeres.

**13.** Pues como de las ropas nace la polilla, así *de los halagos* de la mujer la maldad del hombre.

**14.** Porque menos te dañará la malignidad del hombre, que la mujer *dolosamente* benéfica, la cual acarrea la confusión o ignominia.

**15.** Ahora traeré yo a la memoria las obras del Señor, y publicaré aquello que he visto. Por la palabra del Señor existen y *fueron hechas* sus obras.

**16.** Como el sol resplandeciente ilumina todas las cosas; así toda obra del Señor está llena de su magnificencia.

**17.** ¿No es así que ordenó el Señor a los santos que pregonasen todas sus maravillas las cuales el Señor todopoderoso ha perpetuado para monumento estable de su gloria?

**18.** El penetra el abismo y los corazones de los hombres, y tiene caladas sus astucias.

**19.** Porque el Señor sabe cuanto hay que saber, y distingue las señales de los tiempos. Declara las cosas pasadas y las futuras, y descubre los rastros de las que están escondidas.

**20.** No se le escapa pensamiento alguno, ni se le oculta una sola palabra.

**21.** Hermoseó *con bellísimo orden* las maravillas de su sabiduría. El existe antes de los siglos y por todos los siglos, y nada se le puede añadir.

**22.** Ni disminuir, ni ha menester consejo de nadie.

**23.** ¡Oh cuán amables son todas sus obras! Y eso que lo que de ellas podemos comprender, viene a ser como una centella.

**24.** Todas estas cosas subsisten y duran para siempre; y todas en toda ocasión a él obedecen.

**25.** Pareadas son todas, y la una opuesta a la otra, y ninguna hizo imperfecta.

**26.** Aseguró *el Señor* el bien *o las propiedades* de cada una de ellas. Pero, ¿y la gloria de él quién se saciará de contemplarla?

## CAPITULO XLIII

*Prosigue el sabio haciendo memoria de las obras maravillosas del Señor.*

**1.** Hermosura del altísimo cielo es el firmamento; la belleza del cielo es una muestra en que se ve la gloria *del Creador.*

**2.** El sol, al salir, anuncia con su presencia *la luz,* admirable instrumento, obra del Excelso.

**3.** Al hilo del mediodía quema la tierra; ¿y quién es el que puede resistir de cara el ardor de sus rayos? Como quien mantiene la fragua encendida para las labores que piden fuego muy ardiente.

**4.** El sol abrasa tres veces más los montes, vibrando rayos de fuego, con cuyo resplandor deslumbra los ojos.

**5.** Grande es el Señor que lo crió, y de orden suya acelera su curso.

**6.** También la luna con todas sus mutaciones *o períodos* indica los tiempos y señala los años.

**7.** La luna señala los días festivos: luminar, que luego que llega a su plenitud, comienza a menguar;

---

CAP. XLII. — 9. 1 *Cor.* VII, *v.* 36.

**14.** *Prov.* VII, *v.* 10. — *Eccles.* VII, *v.* 29. — *Eccli.* XXV, *v.* 26.

---

**25.** *Cap.* XXXIII, *v.* 7, y sig.

CAP. XLIII. — 5. *Josué* X. — Is. XXXVIII, *v.* 8.

**8.** De ella ha tomado nombre el mes; crece maravillosamente hasta estar llena.

**9.** Un ejército de *estrellas* hay en las alturas, el cual brilla gloriosamente en el firmamento del cielo.

**10.** El resplandor de las estrellas es la hermosura del cielo; el Señor es el que allá desde lo alto ilumina el mundo.

**11.** A una *sola* palabra del Santo están prontas a sus órdenes, *ni jamás* se cansan de hacer centinela.

**12.** Contempla el arco iris, y bendice al que lo hizo: es muy hermoso su resplandor;

**13.** Ciñe al cielo con el cerco glorioso *de sus vivos colores;* las manos del Altísimo son las que lo han formado.

**14.** El Señor con su mandato hace venir con presteza la nieve, despide con *suma* velocidad las centellas, según sus decretos.

**15.** Por eso se abren sus tesoros, de donde vuelan las nubes a manera de aves.

**16.** Con su gran poder condensa las nubes, y lanza de ellas piedras y granizo.

**17.** A una mirada suya se conmueven los montes, y a su querer sopla el ábrego.

**18.** La voz de su trueno conmueve la tierra; el huracán del Norte y el remolino de los vientos.

**19.** Esparcen *los copos de* nieve, la cual desciende como las aves que bajan para descansar *en el suelo*, o como las langostas que se echan *y cubren* la tierra.

**20.** Los ojos admiran la belleza de su blancura, y las inundaciones *que causa* llenan de espanto el corazón.

**21.** *El Señor* derrama como sal sobre la tierra la escarcha, la cual en helándose se vuelve como puntas de abrojos.

**22.** Al soplo del frío del Norte se congela el agua como cristal; el cual cubre toda reunión de aguas, y pone encima de ellas una como coraza *de hielo,*

**23.** Y devora los montes, y quema los desiertos, y seca toda la verdura como fuego.

**24.** El remedio de todo esto es una nube que comparezca luego; y un rocío que sobrevenga templado lo hará amansar o *derretir.*

**25.** A una palabra suya calman los vientos y con sólo querer sosiega el mar profundo; en medio del cual plantó el Señor varias islas.

**26.** Que los que navegan el mar cuenten

sus peligros; y al escucharlos nosotros con nuestros propios oídos, quedaremos atónitos.

**27.** Allí hay obras grandes y admirables: varios géneros de animales, y bestias de todas especies, y criaturas monstruosas o *enormes.*

**28.** Por él fué prescrito *a todas las cosas* el fin a que camina, y con su mandato lo puso en orden.

**29.** Por mucho que digamos, nos quedará mucho que decir: mas la suma de cuanto se puede decir es: que el mismo *Dios* está en todas las cosas.

**30.** Para darle gloria ¿qué es lo que valemos nosotros? Pues siendo él Todopoderoso es superior a todas sus obras.

**31.** Terrible es el Señor, y grande sobremanera, y su poder es admirable.

**32.** Glorificad al Señor cuanto más pudiéreis, que todavía quedará él superior *a vuestras alabanzas;* siendo *como es* prodigiosa e *incomparable* su magnificencia.

**33.** Bendecid al Señor, ensalzadlo cuanto podáis, porque superior es a toda alabanza.

**34.** Para ensalzarle recoged todas vuestras fuerzas: y no os canséis, que jamás llegaréis al cabo.

**35.** ¿Quién le ha visto a fin de poderle describir? ¿Y quién explicará su grandeza tal cual es ella abeterno?

**36.** Muchas son sus obras que ignoramos, mayores que las ya dichas; pues es poco lo que de sus obras sabemos.

**37.** Pero todo lo hizo el Señor; y a los que viven virtuosamente, les da la sabiduría.

## CAPITULO XLIV

*Elogio de los antiguos justos, en particular de Henoc, Noé, Abraham, Isaac y Jacob.*

**1.** Alabemos a los valores ilustres, a nuestros mayores, a quienes debemos el ser.

**2.** Mucha gloria redundó el Señor por su magnificencia con ellos desde el principio del mundo.

**3.** Gobernaron sus estados, fueron hombres grandes en valor y adornados de *singular* prudencia; y como profetas que eran, hicieron conocer la dignidad de profeta.

**4.** Gobernaron al pueblo de su tiempo con la virtud de la prudencia, dando muy santas instrucciones a sus súbditos.

**5.** Con su habilidad inventaron tonos o *conciertos* musicales, y compusieron los cánticos de las Escrituras.

---

16. *Job.* XXXVIII, *v.* 22, 25. CXXXIV, *v.* 8.—
26. *Ps.* CVI, *v.* 23.

6. Hombres ricos en virtudes, solícitos del decoro *del Santuario,* pacíficos en sus casas.

7. Todos éstos en sus tiempos alcanzaron gloria, y honraron su siglo.

8. Los *hijos* que de ellos nacieron, dejaron un nombre que hace recordar sus alabanzas.

9. Mas hubo algunos de los cuales no queda memoria, que perecieron como si nunca hubieran existido, así ellos como sus hijos; y aunque nacieron, fueron como si no hubiesen nacido.

10. Pero aquellos fueron varones misericordiosos y *caritativos,* cuyas obras de piedad no han caído en olvido.

11. En su descendencia permanecerán sus bienes.

12. Sus nietos son una sucesión o *pueblo* santo, y su posteridad se mantuvo constante en la alianza *con Dios;*

13. Y por el mérito suyo durará para siempre su descendencia; nunca perecerán su linaje y su gloria.

14. Sepultados en paz fueron sus cuerpos; y vive su nombre por todos los siglos.

15. Celebren los pueblos su sabiduría, y repítanse sus alabanzas en las asambleas sagradas.

16. Henoc agradó a Dios, y fué transportado al paraíso para predicar *al fin del mundo,* a las naciones la penitencia.

17. *Noé* fué hallado perfectamente justo; y en el tiempo de la ira vino a ser instrumento de reconciliación.

18. Por eso fué dejado un resto *de vivientes* en la tierra, cuando vino el diluvio.

19. A Noé fué hecha aquella promesa sempiterna, según la cual no pueden ser destruidos por *otro* diluvio todos los mortales.

20. Abraham, aquel gran padre de muchas gentes, que no tuvo semejante en la gloria, el cual guardó la ley del Altísimo, y estrechó con él la alianza,

21. La que ratificó con la circuncisión de su carne, y en la tentación fué hallado fiel.

22. Por eso juró el Señor darle gloria en su descendencia, y que multiplicaría *su linaje* como el polvo de la tierra,

23. Y que su posteridad sería ensalzada como las estrellas *del cielo,* y tendría por heren-

cia *el continente* de mar a mar, y desde el río *Eufrates* hasta los términos de la tierra.

24. Y del mismo modo se portó con Isaac por amor de Abraham, su padre.

25. A él le dió el Señor la bendición de todas las naciones, y *después* confirmó su pacto o *promesa* sobre la cabeza de Jacob.

26. Al cual reconoció y distinguió con sus bendiciones, y le dió la herencia, repartiéndosela entre las doce tribus.

27. Y le concedió el que en su linaje hubiese siempre varones piadosos, que fuesen amados de todas las gentes.

## CAPITULO XLV

*Elogio de Moisés, de Aarón, de Fineés: sacerdocio de Aarón, y castigo de Coré, Datán y Abirón.*

1. *Tal fué* Moisés, amado de Dios y de los hombres; cuya memoria se conserva en bendición *entre su pueblo.*

2. Hízolo el Señor semejante en la gloria a los santos, y engrandeciólo, e hízolo terrible a los enemigos; y él con su palabra hizo cesar las horrendas plagas.

3. Glorificólo en presencia de los reyes; dió los preceptos o *mandamientos* que promulgase a su pueblo, y le mostró su gloria.

4. Santificólo por medio de su fe y mansedumbre, y escogióle entre todos los hombres.

5. Por eso oyó *Moisés* a Dios y su *divina* voz; e hízolo *Dios* entrar dentro de la nube;

6. Donde cara a cara le dió los mandamientos y la ley de vida y de ciencia, para que enseñase a Jacob su pacto o *alianza,* y sus juicios u *ordenanzas* a Israel.

7. Ensalzó a Aarón, hermano de Moisés y semejante a él, de la tribu de Leví.

8. Asentó con él un pacto eterno; y dióle el sacerdocio de la nación, y lo llenó de felicidad y gloria.

9. Ciñóle con un cíngulo precioso, y lo vistió con vestiduras de gloria; y honróle con ornamentos de *mucha* majestad.

---

24. *Gen.* XXVI, *v.* 3.
26. *Gen.* XXVIII, *v.* 13.
CAP. XLV. — 1. *Exod.* XI, *v.* 3. — *Num.* XII, *v.* 6.

3. *Exod.* VI, *v.* 7; XXXI, *v.* 12
4. *Exod.* III, *v.* 10. — *Num.* XII, *v.* 3, 7. — *Hebr.* III, *v.* 5.
9. *Exod.* XXVIII, *v.* 4.

---

CAP. XLIV. — 6. *Ps.* LXXVII, *v.* 67.
16. *Gen.* V. *v.* 24.— *Hebr.* XI, *v.* 5.— *Apoc.* XI, *v.* 3.
20. *Gen.* XV, *v.* 5; XVII, *v.* 4. — *Gen.* XV, *v.* 5.
23. *Ps.* LXXI, *v.* 3; CIV, *v.* 24.

**10.** Púsole la túnica talar sobre la túnica interior, y dióle el efod o *espaldar,* y puso alrededor de la orla *de la vestidura talar* muchísimas campanillas de oro,

**11.** Para que sonasen cuando se moviere, y se oyese su sonido *al entrar* en el templo: a fin de excitar la atención de los hijos de su pueblo.

**12.** *Púsole* el racional, o *pectoral* santo, tejido de oro, y de jacinto, y de púrpura, obra de un varón sabio, dotado de verdadera prudencia;

**13.** Labor artificiosa hecha de hilo de púrpura torcido, con piedras preciosas engastadas en oro, esculpidas por industrioso lapidario, tantas en número cuantas eran las tribus de Israel, y para memoria de éstas.

**14.** Sobre su mitra *colocó* una diadema o *lámina* de oro, donde estaba esculpido el sello de santidad, ornamento de gloria, obra primorosa, que con su belleza se llevaba tras sí los ojos.

**15.** No se han visto antes de este *adorno sacerdotal* cosas tan preciosas, desde que el mundo es mundo.

**16.** Jamás la vistió o *usó* hombre alguno de otra gente, sinó solamente los hijos de éste y sus nietos perpetuamente.

**17.** Sus sacrificios eran diariamente consumidos con el fuego.

**18.** Moisés le llenó o *consagró* las manos, y ungióle con el óleo sagrado.

**19.** A él fué concedido, y a su descendencia por un pacto o *promesa* eterna, y duradera como los cielos, el ejercer las funciones del sacerdocio y cantar las alabanzas *de Dios,* y en su nombre bendecir *solemnemente* a su pueblo.

**20.** El Señor lo escogió entre todos los vivientes para que le ofreciese los sacrificios, y el incienso, y olor suave; a fin de que haciendo con eso memoria de su pueblo, se le mostrase propicio.

**21.** Dióle también autoridad acerca de sus preceptos y leyes judiciales, para enseñar a Jacob los mandamientos, y dar a Israel la inteligencia de su ley.

**22.** Mas subleváronse contra él *durante la peregrinación* en el Desierto unos hombres extraños *a su familia,* y por envidia y despecho le embistieron: *es a saber,* los que estaban con Datán y Abirón, y los de la facción de Coré.

**23.** Violó el Señor Dios, y se irritó, y con el ímpetu de su enojo los consumió.

**24.** Obró horrendos prodigios contra ellos, y con ardientes llamas los aniquiló.

**25.** Y añadió nueva gloria a Aarón: y señalóle herencia, y dióle las primicias de los frutos de la tierra.

**26.** Con ellas proveyó a él y a sus hijos de abundante sustento, y además de eso comerán *parte* de los sacrificios del Señor, que les concedió a él y a su linaje.

**27.** Pero no tendrá herencia en la tierra de las naciones, ni se le dió porción *como a los demás* entre su pueblo; pues el mismo Dios es la porción suya y su herencia.

**28.** Finees, hijo de Eleazar, es el tercero en tanta gloria, imitador de Aarón en el temor del Señor.

**29.** Y por haber hecho respetar *la Ley de Dios* en medio *de la prevaricación* de la nación; él con su bondad y ánimo resuelto aplacó al Señor a favor de Israel.

**30.** Por este motivo hizo Dios con él un pacto de paz; constituyóle príncipe de las cosas santas, o *del Santuario,* y de su pueblo, adjudicándole para siempre a él y a su estirpe la dignidad sacerdotal.

**31.** Semejante fué el pacto con el rey David, hijo de Jesé, de la tribu de Judá, cuando hizo heredero del reino a él y a su linaje, a fin de llenar de sabiduría nuestros corazones, y de que su pueblo fuese gobernado con justicia, para que no perdiese su felicidad. Con lo cual hizo eterna la gloria de estos *varones* entre sus gentes.

## CAPITULO XLVI

*Elogio de Josué, de Caleb y de los jueces, hasta Samuel.*

**1.** Esforzado en la guerra fué Josué, hijo de Navé, sucesor de Moisés en el don de la profecía; el cual fué grande, como denota su nombre.

**2.** Fué más que grande en salvar a los escogidos de Dios, en sojuzgar a los enemigos que se levantaban contra él, y en conseguir para Israel la herencia.

**3.** ¡Cuánta gloria alcanzó teniendo levantado su brazo, y vibrando la espada contra aquellas ciudades *de los Amorreos!*

**4.** ¿Quién antes de él combatió así, o *hizo estas proezas?* Porque el mismo Señor le puso en sus manos los enemigos.

---

12. *Exod.* XXVIII, *v.* 15.
18. *Lev.* VIII, *v.* 12, 24, 26; XVI, *v.* 11, 23.
19. *Hebr.* VII, *v.* 24.
22. *Num.* XVI, *v.* 1.

24. *Num.* XVI, *v.* 31 y sig.
27. *Num.* XVIII, *v.* 20; XXXV, *v.* 1.
30. *Num.* XXV, *v.* 11.
**CAP. XLVI.** — 3. *Jos.* VIII, *v.* 18.

**5.** ¿No es así que al ardor de su celo se detuvo el sol, por lo que un día llegó a ser *casi* como dos?

**6.** Invocó al Altísimo todopoderoso mientras lo estaban batiendo por todos lados los enemigos; y el grande, el santo Dios oyendo su oración envió un furioso granizo de piedras de mucho peso.

**7.** Se arrojó impetuosamente sobre las huestes enemigas, y en la bajada *de Bet-Horón* arrolló a los contrarios;

**8.** Para que conociesen las naciones el poder de Dios, contra quien no es fácil combatir. Fué siempre en pos del Omnipotente;

**9.** Y en vida de Moisés hizo una obra muy buena junto con Caleb, hijo de Jefone, resolviendo hacer frente al enemigo, arredrando al pueblo de pecar, y apaciguando el sedicioso murmullo *que causaron los otros exploradores.*

**10.** Estos dos fueron aquellos, que del número de seiscientos mil hombres salieron salvos de todo peligro, *y quedaron vivos* para conducir al pueblo a la posesión de la tierra que mana leche y miel.

**11.** Y al mismo Caleb dióle el Señor gran valor, y conservólo vigoroso hasta la vejez, para subir a *ocupar* la montaña *de Hebrón* en la tierra prometida, que fué la herencia de sus descendientes;

**12.** A fin de que viesen todos los hijos de Israel cuán bueno es el obedecer al santo Dios.

**13.** *Loados sean* también los Jueces, cada uno por su nombre, *aquellos* cuyo corazón no fué pervertido, porque no se apartaron del Señor;

**14.** A fin de que sea bendita la memoria de ellos, y reverdezcan sus huesos allá donde reposan,

**15.** Y dure para siempre su nombre, y pase a sus hijos con la gloria de aquellos santos varones.

**16.** Samuel, querido del Señor Dios suyo, y profeta del Señor, estableció un nuevo gobierno, y ungió *y puso* reyes en su nación.

**17.** Juzgó,*o gobernó,* al pueblo según la ley del Señor, y Dios miró *benigno* a Jacob: y *Samuel* por su fidelidad fué reconocido por profeta.

**18.** Habiendo sido hallado fiel en sus palabras o *vaticinios,* como quien había visto al Dios de la luz.

**19.** Y mientras combatía contra los enemigos que lo estrechaban por todas partes, invocó al Señor todopoderoso con la ofrenda de un cordero inmaculado.

**20.** Y tronó el Señor desde el cielo, y con grande estruendo hizo sentir su voz,

**21.** Con lo que destrozó a los príncipes de los Tirios y a todos los caudillos de los *Filisteos.*

**22.** Y antes que terminase su vida y saliese del mundo, protestó públicamente en la presencia del Señor y de su Cristo, *o rey ungido,* que de nadie había recibido dinero, ni siquiera unas sandalias; y ninguno entre todos tuvo de qué acusarle.

**23.** Después de esto murió, y se apareció al rey *Saúl,* y le notificó el fin de su vida, y alzó su voz desde bajo de la tierra, profetizando la destrucción de la impiedad del pueblo.

## CAPITULO XLVII

*Elogio de Natán, de David y de los primeros años del reinado de Salomón: ignominiosa vejez de este príncipe. Imprudencia de Roboam. Impiedad de Jeroboam.*

**1.** Después de esto floreció Natán, profeta, en tiempo de David.

**2.** Como la grosura de la víctima *pacífica* se separa de la carne, *y es ofrecida al Señor;* así fué David separado *y escogido* de entre los hijos de Israel.

**3.** En su juventud se burló de los leones, como si fuesen unos corderos, y otro tanto hizo con los osos, como si fuesen corderitos *recentales.*

**4.** ¿No fué él quien mató al gigante, quitando *así* el oprobio de su nación?

**5.** Alzando la mano, derribó con la piedra de su honda al orgulloso Goliat.

**6.** Porque él invocó al Señor todopoderoso; el qual dió fuerza a su brazo para degollar a tan valiente campeón, y realzar los bríos de su nación.

**7.** Así le dió el Señor la gloria de haber muerto diez mil hombres, y lo hizo ilustre con sus bendiciones, y dióle una corona gloriosa.

**8.** Pues derrotó por todas partes a los enemigos, y exterminó hasta hoy día a los Filisteos sus contrarios, quebrantando sus fuerzas para siempre.

**9.** En todas sus acciones dió gloria al santo y excelso *Dios* con palabras o *himnos* de suma alabanza.

5. *Jos.* X, *v.* 13.
6. *Jos.* X, *v.* 11.
11. *Jos.* XIV, *v.* 6 y sig.
16. 1 *Reg.* VIII, *v.* 6, 22.
19. 1 *Reg.* VII, *v.* 6.

22. I *Reg.* XII, *v.* 3.
23. I *Reg.* XXVIII, *v.* 16, 17, 18.
**CAP. XLVII.** — 3. I *Reg.* XVII, *v.* 34.
4. I *Reg.* XVII, *v.* 49.
7. I *Reg.* XVIII, *v.* 7.

**10.** Alabó al Señor con todo su corazón, y amó a Dios, su Creador; el cual le había armado de fortaleza contra los enemigos.

**11.** Y estableció cantores en frente del altar, y para sus cánticos les dió armoniosos tonos.

**12.** Aumentó la majestad en la celebración de las solemnidades, y hasta el fin de su vida dió *mayor* magnificencia a *las festividades de* cada tiempo, haciendo que se alabase el Nombre santo del Señor, y se celebrase *con salmos* desde la madrugada la santidad de Dios.

**13.** Purificóle el Señor de sus pecados, y ensalzó para siempre su poder, asegurándole con juramento la promesa del reino y el trono glorioso de Israel.

**14.** Sucedióle después el hijo sabio; y el Señor por amor del padre tuvo abatido el poder de sus enemigos.

**15.** El reinado de Salomón fué una época de paz, y sometióle Dios todos los enemigos; a fin de que fabricase un templo a su *santo* Nombre, y le preparase un eterno Santuario. *¡Ah!* ¡cuán bien instruído fuiste en tu juventud,

**16.** Y cómo estuviste lleno de sabiduría cual río *caudaloso! Con ella* descubrió tu alma los secretos de la tierra.

**17.** Y en tus parábolas, reuniste *la explicación de muchos* enigmas; llegó la fama de tu nombre hasta las islas *o regiones más* remotas, y fuiste amado en tu *reinado de* paz.

**18.** Todas las gentes admiraron tus cánticos y proverbios, y las parábolas y las soluciones de los enigmas,

**19.** Y la protección del Señor Dios, que se apellida el Dios de Israel.

**20.** Tú reuniste oro *en tanta abundancia* como si fuera cobre, y amontonaste la plata como si fuese plomo.

**21.** *Mas* después te prostituiste a las mujeres *extranjeras,* y tuviste quien ejerciese dominio sobre ti.

**22.** Echaste un borrón a tu gloria, y profanaste tu linaje, provocando la ira *de Dios* sobre tus hijos, y llevando a tal extremo tu necedad,

**23.** Que causaste la división del reino en dos partes, y que de Efraím saliese un reino de rebeldes.

**24.** Pero no se desprenderá Dios de su misericordia, y no trastornará ni destruirá sus obras, ni arrancará de raíz los nietos de *David* su escogido, ni extinguirá la descendencia de aquel varón amante del Señor.

**25.** Por eso dejó un residuo a Jacob, y a David *un sucesor* de su mismo linaje.

**26.** Al fin Salomón pasó a descansar con sus padres,

**27.** Y dejó después de sí a Roboam, uno de sus hijos, ejemplo de necedad para su nación,

**28.** Y falto de prudencia, el cual con su *mal* consejo enajenó de sí el corazón del pueblo;

**29.** Y a Jeroboam, hijo de Nabat, que indujo a pecar a Israel, y enseñó el camino del pecado a Efraím: siendo causa de la grandísima inundación de sus vicios,

**30.** Por los cuales fueron muchas veces arrojados del país.

**31.** Porque *Israel* se entregó a toda suerte de maldades, hasta que descargó sobre ellos la veganza *divina,* que puso fin a todos sus pecados.

## CAPITULO XLVIII

*Elogio de Elías, de Eliseo y de Ezequías.*

**1.** Levantóse después el profeta Elías como un fuego, y sus palabras eran como ardientes teas.

**2.** Hizo venir sobre ellos el hambre, y fueron reducidos a un corto número los que por envidia lo perseguían; porque no podían sufrir los mandamientos del Señor.

**3.** Con la palabra del Señor cerró el cielo, del cual por tres veces hizo bajar fuego.

**4.** Así se hizo célebre por sus milagros. ¿Y quién ¡oh Elías! ha alcanzado tanta gloria como tú?

**5.** Tú, en virtud de la palabra del Señor Dios, sacaste *vivo* del sepulcro a un difunto, arrancándoselo a la muerte.

**6.** Tú arrojaste los reyes al precipicio, y quebrantaste su poderío, y en medio de su gloria los trasladaste del lecho *al sepulcro.*

**7.** Tú oíste en el *monte* Sinaí el juicio del Señor, y en *el de* Horeb los decretos de *su* venganza.

**8.** Tú ungiste, *o consagraste,* reyes para que castiguen *a los impíos,* y dejaste después de ti profetas sucesores tuyos.

11. I *Paral.* XXIII, XXIV, XXV.
13. *Luc.* I, *v.* 32. — II *Reg.* XII, *v.* 13.
14. III *Reg.* IV, *v.* 29.
16. III *Reg.* IV, *v.* 24. — I *Paral.* XXII, *v.* 9.
17. III *Reg.* IV, *v.* 29, 32; X, *v.* 1.
20. III *Reg.* X, *v.* 27. — II *Par.* IX, *v.* 13, 27.

27. III *Reg.* XII, *v.* 13.
30. III *Reg.* XII, *v.* 28.
**CAP. XLVIII.** — 1. III *Reg.* XVII, *v.* 1.
3. III *Reg.* XVII, *v.* 1. — IV *Reg.* I, *v.* 10.
5. III *Reg.* XVII, *v.* 22.
6. III *Reg.* XXI, *v.* 22. — IV *Reg.* I, *v.* 16; IX, *v.*
12. — II *Paral.* XXI, *t.* 12.

**9.** Tú fuiste arrabatado en un torbellino de fuego sobre una carroza tirada de caballos de fuego.

**10.** Tú estás escrito en los decretos de los tiempos *venideros* para aplacar el enojo del Señor, reconciliar el corazón de los padres con los hijos, y restablecer las tribus de Jacob.

**11.** Dichosos los que te vieron y fueron honrados con tu amistad;

**12.** Porque nosotros vivimos solo esta vida *momentánea;* mas después de la muerte no será nuestro nombre como el tuyo.

**13.** En fin, Elías fué cubierto por el torbellino; y quedó en Eliseo la plenitud de su espíritu; al cual mientras vivió no le arredró príncipe alguno, ni nadie fué más poderoso que él.

**14.** Ni hubo cosa de este mundo que pudiese doblarlo; *y aun después de* muerto, su cuerpo hizo milagros.

**15.** Durante su vida obró prodigios, y en su muerte hizo cosas admirables.

**16.** Mas ni con todas estas cosas hizo penitencia el pueblo; ni se apartaron de sus pecados hasta que fueron arrojados de su país y dispersados por toda la tierra,

**17.** Y quedó poquísima gente *en la Palestina,* y un *solo* príncipe de la casa de David.

**18.** Algunos de éstos hicieron lo que era del agrado de Dios; otros, empero, cometieron muchos pecados.

**19.** Ezequías fortificó su ciudad, y condujo el agua al centro de ella; y excavó *a pico o a* fuerza del hierro una peña viva, e hizo en ella una *gran* cisterna para *conservar* el agua.

**20.** En tiempo vino Sennaquerib, y envió delante a Rabsaces; el cual levantó su mano contra los Judíos, y amenazó con ella a Sión, ensoberbecido de sus fuerzas.

**21.** Entonces se estremecieron sus corazones, y *temblaron* sus manos, y sintieron dolores como de mujer que está de parto.

**22.** Pero invocaron al Señor misericordioso, y extendiendo sus manos, levantáronlas al cielo, y el Señor Dios santo oyó luego sus voces.

**23.** No se acordó más de sus pecados, ni los entregó en poder de sus enemigos; sino que los purificó por medio de *la penitencia que predicó* el santo profeta Isaías.

**24.** Disipó el campamento de los Asirios, y el Angel del Señor los exterminó;

**25.** Porque Ezequías hizo lo que era del agrado de Dios, y siguió con firmeza las sendas de David, su padre, como se lo había recomendado Isaías, profeta grande y fiel en la presencia del Señor.

**26.** En su tiempo retrogradó el sol, y el *mismo profeta* prolongó la vida al rey.

**27.** *Vió Isaías* con su grande espíritu *profético* los últimos tiempos, y consoló a los que lloraban en Sión.

**28.** Anunció las cosas que han de suceder *a la Iglesia* hasta la eternidad; y las ocultas, antes que aconteciesen.

## CAPITULO XLIX

*Elogio de Josías, de Jeremías, de Ezequiel, de los doce Profetas, de Zorobabel, del pontífice Jesús, de Nehemías, de Henoc, de José, de Set, de Sem y de Adán.*

**1.** La memoria de Josías es como una confección de aromas hecha por un *hábil* perfumero.

**2.** Será su nombre en los labios de todos dulce como la miel, y como un concierto de música en un banquete donde se bebe *exquisito* vino.

**3.** El fué destinado a Dios para la conversión del pueblo, y quitó las abominaciones de la impiedad.

**4.** Dirigió su corazón hacia el Señor; y en los días *del mayor desenfreno* de los pecadores restableció la piedad.

**5.** A excepción de David, de Ezequías y de Josías, todos los otros pecaron;

**6.** Porque los *demás* reyes de Judá abandonaron la ley del Altísimo, y despreciaron el *santo* temor de Dios.

**7.** Por esta causa tuvieron que ceder a otros el propio reino, y su gloria a una nación extranjera.

**8.** *Por lo mismo* incendiaron *los Caldeos* la escogida y santa ciudad, y redujeron sus calles a un desierto, según la predicción de Jeremías.

**9.** Porque maltrataron a aquel que desde el vientre de su madre fué consagrado profeta para trastornar, arrancar y destruir, y después reedificar y restaurar.

---

9. IV *Reg.* II, *v.* 11.
10. *Malach.* IV, *v.* 6. — *Matth.* XI, *v.* 14; XVII, *v.* 12. — III *Reg.* XVIII, *v.* 37, 38.
14. IV *Reg.* XIII, *v.* 21.
19. II *Paral.* XXXII, *v.* 30. — *Is.* XXII, *v.* 10.
20. IV *Reg.* XVIII, *v.* 19; XIX, *v.* 10, 11. — II *Paral.* XXXII, *v.* 1.

24. IV *Reg.* XIX, *v.* 35. — *Tob.* I, *v.* 21. — *Is.* XXXVII, *v.* 36. — I *Mach.* VII, *v.* 41. — II *Mach.* VIII, *v.* 19.
26. IV *Reg.* XX, *v.* 1. — *Is.* XXXVIII, *v.* 8.
**CAP. XLIX.** — 1. IV *Reg.* XXII, *v.* 1.
5. III *Reg.* XV, *v.* 14; XXII, *v.* 4, 44.

**10.** Ezequiel es el que vió aquel espectáculo de gloria que el Señor le mostró en la carroza de los Querubines.

**11.** Y habló *después* bajo la figura de la lluvia, de los *castigos de los* enemigos *de Dios,* y del bien que hace *el Señor* a los que andan por el recto camino.

**12.** Reverdezcan también, en el lugar donde reposan, los huesos de los doce profetas; pues que restauraron a Jacob, y se salvaron a sí mismos por la virtud de su fe.

**13.** ¿Qué diremos para ensalzar a Zorobabel? a Zorobabel que fué como un *precioso* anillo en la mano derecha *de Dios.*

**14.** ¿Y qué diremos asimismo de Jesús, hijo de Josedec? Ellos en sus días edificaron la casa *de Dios,* y levantaron el Templo santo del Señor destinado para la gloria sempiterna.

**15.** Durará también largo tiempo la memoria de Nehemías: el cual levantó nuestros arruinados muros, y repuso nuestras puertas y cerrojos, y reedificó nuestras casas.

**16.** No nació en la tierra otro hombre semejante a Henoc; el cual fué también arrebatado de ella.

**17.** Ni otro comparable a José, nacido para ser el príncipe de sus hermanos, el sostén de la nación, guía de sus hermanos y firme apoyo de su pueblo;

**18.** Cuyos huesos fueron visitados o *trasladados;* y *así* profetizaron después de su muerte.

**19.** Set y Sem fueron celebrados entre los hombres *por su virtud;* y sobre todos Adán por razón de su origen *inmediato de Dios.*

## CAPITULO L

*Elogio de Simón, Sumo sacerdote. Son vituperados los Idumeos, los Filisteos y los Samaritanos.*

**1.** Simón, hijo de Onías, sumo sacerdote, durante su vida levantó de nuevo la Casa *del Señor,* y en sus tiempos fué el restaurador del templo.

**2.** Por él también fundada o *levantada* la altura del templo, el edificio doble o *de dos altos,* y los altos muros del templo.

**3.** En sus días se renovaron los manantiales de las aguas en los pozos, los cuales se llenaron sobremanera como un mar.

**4.** Este cuidó *bien* de su pueblo, y lo libró de la perdición.

**5.** Consiguió engrandecer la ciudad, y se granjeó gloria, viviendo *sencillamente* en medio de su nación; y ensanchó la entrada del templo y atrio *del Señor.*

**6.** Como el lucero de la mañana entre tinieblas, y como resplandece la luna en tiempo de su plenitud,

**7.** Y como sol refulgente, así brillaba él en el templo de Dios.

**8.** Como el arco iris, que resplandece en las transparentes nubes, y como la flor de la rosa en tiempo de primavera, y como las azucenas junto a la corriente de las aguas, y como el árbol del incienso que despide fragancia en tiempo del estío;

**9.** Como luciente llama, y como incienso encendido en el fuego;

**10.** Como un vaso de oro macizo, guarnecido de toda suerte de piedras preciosas;

**11.** Como el olivo que retoña, y como el ciprés que descuella por su altura: tal parecía *el pontífice* Simón cuando se ponía el manto glorioso, y se revestía de todos los ornamentos de su dignidad.

**12.** Cuando subía al altar santo hacía honor a las vestiduras sagradas.

**13.** Y asimismo cuando recibía de las manos de los sacerdotes una parte de la hostia *u ofrenda* estando él en pie junto al altar, circuido del coro de sus hermanos, *o sacerdotes* y a la manera de un alto cedro *entre pequeños árboles* sobre el monte Líbano.

**14.** Como una *hermosa* palmera cercada de sus renuevos o *racimos,* así estaban alrededor suyo todos los hijos de Aarón en su magnificencia.

**15.** Los cuales tenían en sus manos la oblación que había de ofrecerse al Señor en presencia de toda la congregación de Israel; y él consumando el sacrificio, para hacer más solemne la ofrenda al rey altísimo.

**16.** Extendía la mano para hacer la libación, y derramaba la sangre o *el vino* de la uva,

**17.** Esparciéndolo al pie del altar en olor suavísimo al altísimo Príncipe.

**18.** Entonces los hijos de Aarón alzaban sus voces, empezaban a tocar las trompetas hechas a martillo, y hacían sentir un

---

10. *Ezech.* I, *v.* 4, 10; VIII, *v.* 1, 2; X, *v.* 1, 2.
13. I *Esd.* III, *v.* 2. — *Agg.* II, *v.* 3, 5, 22, 24.
14. *Zach.* III, *v.* 1.
15. II *Esd.* II, *v.* 17.
17. *Gen.* XLI, *v.* 40; XLV, *v.* 4; L, *v.* 20.
19. *Gen.* IV, *v.* 25; V, *v.* 31.
  **CAP. L.** — 1. *Mach.* XII, *v.* 6. — II *Mach.* III,
*v.* 4. Josefo *Antiquit.* XII, c. 2, y 4.

13. *Levit.* III, *v.* 16; IV, *v.* 18.
16. *Num.* XXVIII, *v.* 7.

gran concierto para renovar a Dios la memoria *de su alianza.*

**19.** Asimismo todo el pueblo, a una, se postraba de repente sobre su rostro en tierra para adorar al Señor Dios suyo, y ofrecer sus plegarias al Altísimo, Dios omnipotente.

**20.** Y alzaban sus voces los cantores, con lo cual se acrecentaba en aquella gran casa *de Dios* el sonido de una suave melodía.

**21.** Y presentaba el pueblo sus preces al Señor altísimo, hasta que quedaba terminado el culto de Dios, y acabadas las sagradas funciones.

**22.** Entonces el sumo sacerdote, bajando *del altar,* extendía sus manos hacia toda la congregación de los hijos de Israel, para dar gloria a Dios con sus labios, y celebrar su *santo* Nombre.

**23.** Y segunda vez repetía su oración, deseoso de hacer conocer el poder de Dios.

**24.** Y ahora vosotros rogad a Dios *Señor* de todo lo creado, que ha hecho cosas grandes en toda la tierra, que ha conservado nuestra vida desde el seno de nuestras madres, y que nos ha tratado siempre según su misericordia;

**25.** *Orad, digo,* para que nos dé el contentamiento del corazón, y que reine la paz en Israel en nuestros días y para siempre.

**26.** Con lo cual crea Israel que la misericordia de Dios está con nosotros en sus días, para librarnos *de todo mal.*

**27.** A dos naciones *o gentes* tiene aversión mi alma *por su impiedad;* y la tercera que aborrezco no es gente:

**28.** A los que habitan en la montaña de Seir, y a los Filisteos, y al pueblo insensato que mora en Siquem.

**29.** Estos son los documentos de sabiduría y de moralidad que dejó escritos en este libro Jesús, hijo de Sirac, *ciudadano* de Jerusalén; el cual restauró *en su pueblo* la sabiduría, derramándola de su corazón.

**30.** Bienaventurado el que practica estos buenos consejos, y los estampa en su corazón. Este tal será siempre sabio.

**31.** Porque obrando así, será bueno para todo; pues la luz de Dios guiará sus pasos.

## CAPITULO LI

*Oración de Jesús, hijo de Sirac, en la cual da gracias a Dios por haberle librado de muchos y graves peligros, y exhorta a todos al estudio de la sabiduría.*

**1.** Oración de Jesús, hijo de Sirac. Te glorificaré ¡oh Señor y Rey! A ti alabaré ¡oh Salvador mío!

**2.** Gracias tributaré a tu nombre: porque tú has sido mi auxiliador y mi protector;

**3.** Y has librado mi cuerpo de la perdición, y del lazo de la lengua maligna, y de los labios que urden la mentira; y delante de mis acusadores te has manifestado mi defensor.

**4.** Y por tu gran misericordia, de la cual tomas nombre, me has librado de los *leones* que rugían, ya prontos a devorarme;

**5.** De las manos de aquéllos que buscaban cómo quitarme la vida, y del tropel de *diversas* tribulaciones que me cercaron;

**6.** De la violencia de las llamas entre las cuales me vi encerrado, y *así es que* en medio del fuego no fuí abrasado;

**7.** Del profundo seno del infierno o *sepulcro,* y de los labios impuros, y del falso testimonio: de un rey inicuo, y de la lengua injusta.

**8.** Mi alma alabará al Señor hasta la muerte.

**9.** Pues que mi vida estuvo a pique de caer en el infierno.

**10.** Cercáronme por todas partes, y no había quien me prestase socorro; volvía los ojos en busca del amparo de los hombres; pero tal amparo no parecía.

**11.** Acordéme ¡oh Señor! de tu misericordia, y de tu *modo de* obrar desde el principio del mundo;

**12.** Y de cómo salvas, Señor, a los que en ti esperan *con paciencia,* y los libras de las naciones *enemigas.*

**13.** Tú ensalzaste mi casa *o morada* sobre la tierra, y yo te supliqué que me librases de la muerte, que todo lo disuelve.

**14.** Invoqué al Señor, padre de mi Señor, que no me desamparase en el tiempo de mi tribulación, y mientras dominaren los soberbios.

**15.** Alabaré sin cesar tu *santo* Nombre, y lo celebraré con acciones de gracias; pues fué oída mi oración,

---

22. *Lev.* IX, *v.* 22. — *Num.* VI, *v.* 23.
28. IV. *Reg.* XVII, *v.* 24. — *Joan* IV, *v.* 22.

---

14. *Salmo* CIX, *v.* 1.

**16.** Y me libraste de la perdición, y me sacaste a salvo en el tiempo calamitoso.

**17.** Por tanto te glorificaré, y te cantaré alabanzas y bendeciré *eternamente* el Nombre del Señor.

**18.** Siendo yo todavía mozo, antes que anduviese errante, hice profesión de buscar la sabiduría con mis oraciones.

**19.** Yo la estaba pidiendo en el atrio del templo, *y díjeme a mí mismo:* La buscaré hasta mi último aliento. Ella brotó *en mí* su flor *desde luego,* como la uva temprana.

**20.** Regocijóse con ella mi corazón; mis pies tomaron el camino recto; desde mi juventud iba yo en seguimiento de ella.

**21.** Apliqué un tanto mi oído, y la percibí;

**22.** Y acopié mucha sabiduría en mi mente, e hice en ella muchos progresos.

**23.** A aquél que me dió la sabiduría tributaré yo la gloria.

**24.** Resolvíme, pues, a ponerla en práctica; fuí celoso del bien, y no me avergonzaré.

**25.** Por ella ha combatido mi alma y manténgome constante en seguirla.

**26.** Levanté mis manos a lo alto *pidiéndola a Dios,* y deploré la necedad *y tinieblas* de mi alma.

**27.** Hacia ella enderecé el alma mía; y conociéndome *a mí,* la hallé.

**28.** Con ella desde luego fuí dueño de mi corazón, *y adquirí cordura:* por lo que no seré abandonado *del Señor.*

**29.** Acongojado anduvo mi corazón en busca de ella; por lo tanto gozaré de esta rica herencia.

**30.** Dióme el Señor en recompensa una lengua *elocuente,* y con ella lo alabaré.

**31.** Acercaos a mí ¡oh ignorantes! y reuníos en la casa de la enseñanza.

**32.** ¿Por qué os detenéis todavía? ¿Y qué respondéis a esto estando vuestras almas ardiendo de sed?

**33.** Abrí mi boca *para convidaros,* y os dije: Venid a comprarla sin dinero.

**34.** Y someted a su yugo vuestro cuello, y reciba vuestra alma la instrucción; pues fácil es el encontrarla.

**35.** Mirad con vuestros ojos lo poco que me he fatigado, y cómo he adquirido mucho descanso.

**36.** Recibid la enseñanza como un gran caudal de plata, y poseeréis con ella *bienes preferibles a* un inmenso tesoro de oro.

**37.** Consuélese vuestra alma en la misericordia de Dios; y alabándole a él, nunca quedaréis confundidos.

**38.** Haced lo que debéis hacer antes que el tiempo pase; y él os dará a su tiempo vuestra recompensa.

---

**31.** *Nótese bien* (dice S. Agustín serm. 39 de Temp.) *que en toda la serie de las Escrituras Sagradas se nos exhorta y estimula a levantar nuestro corazón de las cosas terrenas a las celestiales, en las cuales se halla la verdadera y eterna felicidad.*

# LOS PROFETAS EN GENERAL

## Introducción

En los textos bíblicos se denomina profeta al encargado por delegación divina de hablar al pueblo en nombre de Dios. La profecía, así pues, no es un arte adquirido por el estudio sino un carisma divino. Pero este sentido elemental del nombre *profeta* se multiplica en diferentes significaciones. Distingamos, pues, las diversas acepciones de la palabra.

Se llama profeta al hombre dotado de conocimientos superiores en temas divinos o humanos. En este sentido llamó San Pablo «profeta de los cretenses» a un buen conocedor de las cosas de aquella tierra. Se daba también el nombre de profeta al que manifestaba conocimiento de cosas ocultas o futuras. Con tal idea decían los sayones que atormentaban a Jesús: «Profetiza quién es el que te ha herido». También se daba este nombre a aquél a quien Dios hacía hablar aun sin entender el sentido de lo que decía. Profeta era también el que hablaba en nombre de otro; Dios dijo a Moisés: «Tu hermano Aarón será tu profeta, él hablará por tí». Profeta era pues San Juan Bautista cuando increpaba a Herodes en nombre de Dios. Se dice de David y otros que eran profetas porque componían o cantaban himnos en alabanza de Dios con una energía que parecía sobrenatural. Se aplica también este nombre a los que obraban maravillas y milagros. Por eso decían los judíos al ver los milagros de Jesucristo: «Un gran profeta se ha levantado entre nosotros y Dios ha visitado a su pueblo». Finalmente, es profeta en sentido propio el hombre a quien Dios revela cosas futuras para que las anuncie a los hombres.

Dos misiones principales cumplían los profetas. La primera era de orden consultivo. Exactamente igual que en otros muchos pueblos de la antigüedad, en Israel era uso común consultar la voluntad divina antes de emprender alguna actividad. Para evitar que su pueblo acudiese a los adivinos y oráculos gentiles, Dios lo proveyó de profetas. El rey David, por ejemplo, tenía su profeta, a través del cual consultaba al Señor sobre los asuntos públicos.

La segunda y principal misión de los profetas estaba ligada al destino de Israel. El Señor los escogía para preparar la llegada del Mesías y la salvación del mundo. Esta es la peculiaridad principal de la actividad profética israelita, que en su aspecto salvífico se diferencia de la de otros pueblos antiguos. Convivían con los profetas auténticos los falsos profetas, que daban a los fieles los productos de su imaginación como palabra de Yavé. Era su objeto halagar al pueblo y a los poderosos con promesas de prosperidad. Como los escribas fueron adversarios de Jesucristo, así fueron los falsos profetas adversarios de los verdaderos.

Los profetas probaban la verdad de su misión por medio de una vida ajustada a la ley, gran fortaleza para luchar contra los pecados e iniquidades de Israel y un intenso celo por la causa divina. En algunos casos la prueba era la capacidad taumatúrgica. De otros (por ejemplo San Juan Bautista) no se conoce ningún milagro.

Los profetas que nos han transmitido sus vaticinios por escrito aparecen en el siglo VIII antes de Jesucristo, época en que los asirios invaden Palestina con grave peligro para la vida religiosa y moral de Israel. Su orden cronológico es como sigue:

*Época asiria:* años 750-612. Amós, Oseas, Isaías, Miqueas y Nahum.

*Época babilónica:* años 612-539. Jeremías, Baruc, Habacuc, Sofonías, Ezequiel y Daniel.

*Época persa:* años 539-333. Ageo, Zacarías y Malaquías.

Suele llamarse profetas mayores a Isaías, Jeremías, Baruc, Ezequiel y Daniel. Los comúnmente llamados profetas menores son Oseas, Amós, Jonás, Abdías, Miqueas, Joel, Sofonías, Nahum, Ageo, Habacuc, Malaquías y Zacarías.

Los textos de los profetas nos han llegado principalmente en forma de discursos. En ocasiones son estrofas de composición artificiosa y modelos de elocuencia y poesía. La historia de Jeremías nos enseña que los profetas se dirigían al pueblo en el templo, en los lugares públicos, a las puertas de las ciudades, en su propia casa y dondequiera que estuviesen. Sus discursos se recogían en versos escritos que el pueblo aprendía, recitaba y cantaba. Daniel es una de las pocas excepciones, pues sus vaticinios fueron directamente formulados por escrito. De la divulgación oral de las profecías proviene el desorden cronológico que en ellas se observa.

Preocupación principal de los profetas en los tiempos difíciles era conservar la pureza de la ley y extirpar la idolatría. Las tendencias idolátricas del pueblo judío estaban arraigadísimas. A la muerte del rey Ezequías toda su obra reformista quedó en nada. Durante los reinados de su hijo Manasés y su nieto Amón, adoradores ambos de los ídolos y perpetradores incluso de sacrificios humanos, estos males se agravaron. Hacia el año 628, en tiempo de Josías, se inicia una reforma radical. Pero a la muerte de Josías esta reforma, que no había pasado del estado meramente oficial y externo, desaparece. Jeremías y Ezequiel son testimonio de la reaparición de la idolatría en todas sus formas. Con ella cundió la inmoralidad tanto entre el pueblo como entre sus gobernantes. A tan penosa situación contribuían los falsos profetas, que confundían al pueblo hablando en nombre de los dioses o de Yavé. Dios castigó a su pueblo con el destierro. Y en la adversidad renació la fe de los que habían de formar el grupo de los escogidos, de que tanto hablan los profetas.

No faltan entre las profecías oráculos dirigidos a pueblos ajenos para anunciarles los juicios de Dios. Cabe suponer que la formulación de estos vaticinios no tenía por objeto llegar a oídos de reyes y pueblos extraños. Se proferían con la intención de mostrar al propio pueblo de Israel que la justicia divina alcanzaba a todos. La prosperidad material de los gentiles era una tentación para Israel, que no entendía la severidad que Dios mostraba con su pueblo. Muchas veces los oráculos dedicados a naciones ajenas sólo pretenden consolar al pueblo anunciando los castigos que recibirían sus enemigos.

La actividad de los profetas siempre tuvo lugar en el seno de la vida política, moral y religiosa del pueblo israelita. Por eso sólo puede entenderse bien a los profetas leyendo la Biblia y conociendo el marco histórico en que ejercieron su ministerio.

# LA PROFECÍA DE ISAÍAS

# Introducción

Isaías es el primero de los cuatro profetas denominados mayores. Provenía de la familia de David y era hijo de Amós. Su actividad profética se extendió por los reinados de Ozías, Joatán, Acaz y Ezequías, unos ochocientos años antes de Jesucristo. Según la tradición judía, recogida por San Jerónimo, San Agustín y otros Padres de la Iglesia, el rey Manasés, su cuñado, lo mandó matar haciéndole aserrar el cuerpo por la mitad. Murió el profeta cuando contaba cien años de edad.

Isaías ha sido considerado siempre el más elocuente de los profetas. Su lenguaje es elevado y enérgico. Por su pureza y la vehemencia de su estilo ha sido comparado con Demóstenes. Es el profeta más citado en los textos del Nuevo Testamento.

El libro de Isaías parece haber sufrido muchas traslocaciones y es extremadamente difícil restituirle su orden primitivo.

El principal objeto de las profecías de Isaías es fustigar a los habitantes de Judá y de Jerusalén por sus infidelidades. Les anuncia el castigo de Dios, personificado primero por las tropas asirias en tiempos del rey Sennaquerib y después por los ejércitos caldeos en tiempo de Nabucodonosor. Profetiza que este último rey se llevaría cautivos a los judíos destruyendo Jerusalén y su templo. Predice además que durante el reinado de Ciro (a quien nombra expresamente) volverían los judíos a su patria. Anuncia la reedificación de Jerusalén y del templo y la unificación de los reinos de Israel y de Judá.

La elocuencia de Isaías brilla especialmente en el primer discurso, en que reprende al pueblo de Israel por su ingratitud. También son elocuentes la réplica a los embajadores asirios, el oráculo contra Tiro, las amenazas contra Efraím y las conminaciones contra Asur. La abundancia de oráculos mesiánicos en el texto de Isaías le ha hecho merecedor del apelativo de «profeta evangelista».

Aunque en ningún punto se dice expresamente que Isaías interviniera en ella, es indudable su colaboración con Ezequías en la reforma religiosa. En ciertos fragmentos de su obra Isaías se muestra como si perteneciera a una época muy posterior a la suya, la inmediatamente precedente a la vuelta de la cautividad. Esta singularidad ha llevado a la exégesis protestante a negar la autenticidad de ciertos capítulos, que los expositores católicos atribuyen en ocasiones a discípulos del profeta. Este problema escriturario mereció un documento pontificio publicado a principios del presente. Dicho documento consideraba insuficientes los argumentos aducidos para negar a Isaías la paternidad de los capítulos conflictivos.

## CAPITULO PRIMERO

*El profeta Isaías amenaza a Jerusalén con una espantosa ruina por no haberse convertido al Señor, a pesar de haber sido afligida con toda suerte de males: le advierte que sus fiestas y sus sacrificios son abominables a los ojos de Dios; y qué es lo que debe hacer para alcanzar de nuevo su gracia. Le anuncia que después del castigo que sufrirá por sus maldades, vendrá día en que recuperará la libertad y será feliz.*

1. Visión profética que tuvo Isaías, hijo de Amós, en orden a las cosas de Judá y de Jerusalén, en tiempo de Ozías, de Joatán, de Acaz y de Ezequías, reyes de Judá.

2. Oíd ¡oh cielos! y tú ¡oh tierra! presta *toda* tu atención; pues el Señor es quien habla. He criado hijos, *dice*, y los he engrandecido, y ellos me han menospreciado.

3. *Hasta* el buey reconoce a su dueño, y el asno el pesebre de su amo; pero Israel no me reconoce, y mi pueblo no entiende mi voz.

4. ¡Ay de la nación pecadora, del pueblo apesgado de iniquidades, de la raza malvada, de los hijos desgarrados! Han abandonado al Señor, han blasfemado del Santo de Israel, *le* han vuelto las espaldas.

5. ¿De qué servirá el descargar yo nuevos golpes sobre vosotros, si *obstinados* añadís *siempre* pecados sobre pecados? Toda cabeza está enferma, y todo corazón doliente.

6. Desde la planta del pie hasta la coronilla de la cabeza no hay en él cosa sana, sino heridas, y cardenales, y llaga corrompida que no ha sido curada, ni vendada, ni suavizada con bálsamo.

7. Vuestra tierra está desierta, incendiadas vuestras ciudades: a vuestra vista devoran los extranjeros vuestras posesiones, y a manera de enemigos las devastan.

8. Y la hija de Sión, *o Jerusalén*, quedará como cabaña de una viña, como choza de un melonar, y como una ciudad tomada por asalto.

9. *De suerte que* si el Señor *Dios* de los ejércitos no hubiese conservado algunos de nuestro linaje, hubiéramos corrido la misma suerte de Sodoma, y sido *en todo* semejante a Gomorra.

10. Oíd la palabra del Señor ¡oh príncipes *de Judá que imitáis a los reyes* de Sodoma! Escucha atento la ley de nuestro Dios, tú ¡oh pueblo *semejante al* de Gomorra!

11. ¿De qué me sirve a mí, dice el Señor, la muchedumbre de vuestras víctimas? Ya me tiene fastidiado. Yo no gusto de los holocaustos de carneros, ni de la gordura de los pingües *bueyes*, ni de la sangre de los becerros, de los corderos y de los machos de cabrío.

12. Cuando os presentáis ante mi acatamiento, ¿quién os ha mandado llevar semejantes dones en vuestras manos, para pasearos por mis atrios?

13. No me ofrezcáis *ya* más sacrificios inútilmente: *pues* abomino del incienso. El novilunio, el sábado y las demás fiestas *vuestras* no puedo ya sufrirlas más tiempo; *porque* en vuestras asambleas reina la iniquidad.

14. Vuestras calendas y vuestras solemnidades son *por lo mismo* odiosas a mi alma, las tengo aborrecidas: cansado estoy de aguantarlas.

15. Y así cuando levantareis las manos *hacia mí,* yo apartaré mi vista de vosotros; y cuantas más oraciones me hiciereis, tanto menos os escucharé; porque vuestras manos están llenas de sangre.

16. Lavaos, *pues,* purificaos, apartad de mis ojos la malignidad de vuestros pensamientos, cesad de obrar mal,

17. Aprended a hacer bien, buscad lo que es justo, socorred al oprimido, haced justicia al huérfano, amparad a la viuda.

18. Y entonces venid y argüidme, dice el Señor: aunque vuestros pecados *os hayan teñido* como la grana, quedarán *vuestras almas* blancas como la nieve; y aunque fuesen *teñidas* de encarnado como el bermellón, se volverán del color de la lana más blanca.

19. Como queráis, y me escuchéis, seréis alimentados de los frutos de *vuestra* tierra.

20. *Pero* si no quisiereis, y provocareis mi indignación, la espada *de los enemigos* traspasará vuestra garganta; pues así lo ha dicho el Señor por su propia boca.

---

CAP. 1. *Rom.* XI, *v.* 5. Tertuliano, S. Jerónimo, Teodoreto y otros entienden estas palabras de la destrucción de Jerusalén por los Romanos. — *Rom.* IX, *v.* 27.

15. Estas palabras, dice S. Jerónimo, condenan a aquellos falsos devotos que pasan orando horas enteras, mientras que siguen en sus usuras, en sus calumnias, o tratos criminales.

19. *Esther* XV, *v.* 11.

**21.** ¿Cómo la ciudad fiel, y llena de juicio, se ha convertido en una ramera? Ella fué en otro tiempo alcázar de justicia, y ahora lo es de homicidios.

**22.** Tu plata se ha convertido en escoria, y tu vino se ha adulterado con el agua.

**23.** Tus magistrados son desleales, y van a medias con los ladrones: todos ellos gustan de regalos; corren tras del interés; no hacen justicia al huérfano, y no encuentra apoyo en ellos la causa de la viuda.

**24.** Por esto dice el Señor Dios de los ejércitos, el *Dios* fuerte de Israel: ¡Ay cómo tomaré satisfacción de mis contrarios, y venganza de mis enemigos!

**25.** Y volveré mi mano sobre ti, y acrisolándote quitaré tu escoria, y separaré de ti todo tu estaño.

**26.** Y restableceré tus jueces, *haciendo que sean tales* cuales eran antes, y tus consejeros como fueron antiguamente; después de lo cual serás llamada ciudad del Justo, ciudad fiel.

**27.** *Sí*, Sión será redimida en juicio, y repuesta en libertad por justicia.

**28.** Pero *Dios* destruirá desde luego los malvados y los pecadores, y serán anonadados los que abandonaron al Señor.

**29.** Los *mismos* ídolos a quienes sacrificaron serán su *mayor* confusión; y os avergonzaréis de los jardines que habéis escogido.

**30.** Cuando fuereis lo mismo que un alcornoque que ha quedado sin hojas, y como un huerto sin agua.

**31.** Y vuestra *resistencia o* fortaleza será igual a la pavesa de la estopa *arrimada* a la lumbre, y vuestras obras como una chispa: uno y otro arderán en el fuego que nadie apagará.

## CAPITULO II

*Todas las naciones correrán al monte santo de la Casa del Señor: de Sión saldrá la Ley, y ya no la molestarán más las guerras. La casa de Jacob será desechada a causa de su idolatría, avaricia y otros vicios. Los soberbios serán humillados, y solo el Señor será exaltado.*

**1.** Cosas que vió Isaías, hijo de Amós, tocante a Jerusalén y a Judá.

**2.** En los últimos días el monte en que se erigirá la casa del Señor tendrá sus cimientos sobre la cumbre de todos los montes, y se elevará sobre los collados; y todas las naciones acudirán a él.

**3.** Y vendrán muchos pueblos y dirán: ¡Ea! subamos al monte del Señor, y a la casa del Dios de Jacob, y él *mismo* nos mostrará sus caminos, y por sus sendas andaremos; porque de Sión saldrá la ley, y de Jerusalén la palabra del Señor.

**4.** Y él será el juez *supremo* de todas las gentes, y convencerá *de error* a muchos pueblos; los cuales de sus espadas forjarán rejas de arado, y hoces de sus lanzas; *entonces* no desenvainará la espada un pueblo contra otro, ni se adiestrarán más en el arte de la guerra.

**5.** *¡Oh vosotros de la* casa de Jacob! venid, y caminemos en la luz del Señor *o de su Mesías.*

**6.** Pues tú *¡oh Señor!* has desechado a tu pueblo, a los de la casa de Jacob: porque están llenos, como antiguamente, *de superstición e idolatría*, y han tenido tenido adivinos como los Filisteos, y se complacen *en tener* esclavos extranjeros.

**7.** *Su* país está rebosando de plata y oro, y son inagotables sus tesoros.

**8.** *Su* tierra está cubierta de caballos, y son innumerables sus carrozas. Y está lleno de ídolos su país: han adorado la obra de sus manos, la *obra* que habían formado con sus *propios* dedos.

**9.** Y *delante de esta obra* el hombre dobló la cerviz, y humillóse *ante ella* el varón. ¡Oh Señor! *no*, no se lo perdones.

**10.** Métete entre las peñas, *pueblo infiel*, escóndete en las actividades de la tierra, *huye* del semblante airado del Señor y de la gloria de su majestad.

**11.** Los ojos altaneros del hombre serán humillados, y la altivez de los grandes quedará abatida, y sólo el Señor será ensalzado en aquel día.

**12.** Porque el día del Señor de los ejércitos *va a aparecer terrible* para todos los soberbios y altaneros, y para todos los arrogantes; y serán humillados;

**13.** Y para todos los cedros *más* altos y erguidos del Líbano, y para todas las encinas de Basán;

**14.** Y para todos los montes encumbrados; y para todos los collados elevados;

**15.** Y para todas las torres eminentes, y para todas las murallas fortificadas;

---

**CAP. II.** — 2. San Juan (I *Ep.* II, *v.* 18).

---

**3.** Alude a la venida del Espíritu Santo el día de Pentecostés, y a la salida de los Apóstoles a predicar por todo el mundo.

**10.** Esto es, ya puedes correr a meterte en las cuevas. Es una ironía con que se burla del susto de los Judíos, cuando la irrupción de los Caldeos.

**13.** Los reyes de Siria y los de Israel; o también en general los hombres poderosos.

**16.** Y para todas las naves de Tarsis; y para todo lo que es hermoso *y agradable* a la vista.

**17.** Y la arrogancia de los hombres será doblegada *o abatida,* y humillada la altivez de los magnates, y el Señor sólo será el ensalzado en aquel día.

**18.** Y los ídolos todos serán hechos añicos.

**19.** Y meteránse *los hombres* en las cavernas de las peñas y en las concavidades de la tierra, por causa de la presencia formidable del Señor y de la gloria de su majestad, cuando se levantará para castigar la tierra.

**20.** En aquel día el hombre, *aterrorizado,* arrojará lejos de sí sus ídolos de plata y sus estatuas de oro, *las imágenes de* los topos y murciélagos, que se había fabricado para adorarlas.

**21.** Y se entrará por las aberturas de las rocas y por las cavernas de los peñascos; *aterrado* por el miedo del Señor y por la gloria de su majestad, cuando se levantará para castigar la tierra.

**22.** Cesad, pues, de *irritar al* hombre, que tiene el espíritu en las narices; porque él es el que ha sido reputado Excelso *o Todopoderoso.*

## CAPITULO III

*Los Judíos, a causa de sus pecados, serán afligidos de varios modos, reducidos a la desolación; gobernados por muchachos y hombres afeminados. Declama el profeta contra la iniquidad de los magnates, y contra la soberbia y la lascivia de las hijas de Sión.*

**1.** Porque he aquí que el soberano Señor de los ejércitos privará a Jerusalén y a Judá de todos los *varones* robustos y fuertes, de todo sustento de pan y de todo sustento de agua;

**2.** Del hombre esforzado y guerrero, del juez, y del profeta, y del adivino, y del anciano;

**3.** Del capitán de cincuenta hombres, y del varón de aspecto venerable, y del consejero, y del artífice sabio, y del hombre prudente en el lenguaje místico.

**4.** Y daréles por príncipes muchachos, y serán dominados por hombres afeminados.

**5.** Y el pueblo se arrojará con violencia, hombre contra hombre, y cada uno contra su prójimo. Se alzará el joven contra el anciano, y el plebeyo contra el noble.

**6.** Sucederá que uno asirá por el brazo a su hermana, criado en la familia de su padre, *diciéndole: Oye,* tú estás *bien* vestido: sé nuestro príncipe, ampáranos en esta ruina.

**7.** El entonces le responderá: Yo no soy médico; y en mi casa ni hay qué comer ni con qué vestir; no queráis hacerme príncipe del pueblo.

**8.** Pues se va arruinando Jerusalén y se pierde Judá: por cuanto su lengua y sus designios son contra el Señor, hasta irritar los ojos de su majestad.

**9.** El semblante *descarado* que presentan da testimonio contra ellos; pues, como *los de* Sodoma, hacen alarde de su pecado, ni lo encubren: ¡Ay de su alma de ellos! porque se les dará el castigo merecido.

**10.** Dad al varón justo la enhorabuena: porque él comerá *o gozará* del fruto de sus *buenas* obras.

**11.** ¡Ay del impío maléfico! porque se le pagará según merecen sus acciones.

**12.** Mi pueblo ha sido despojado por sus exactores, y es gobernado por mujeres. Pueblo mío, los que te llaman bienaventurado, ésos son los que te traen engañado, y destruyen el camino que tú debes seguir.

**13.** El Señor se presenta para hacer justicia, se presenta para juzgar a los pueblos.

**14.** El Señor entrará en juicio con los ancianos de su pueblo y con sus príncipes. Porque vosotros *sois, les dirá, los que* habéis devorado mi viña, y en vuestra casa están las rapiñas hechas al pobre.

**15.** Y ¿por qué motivo despedazáis mi pueblo, y deshacéis a golpes los rostros de los pobres, dice el Señor Dios de los ejércitos?

**16.** Y el señor dijo *también:* Por cuanto se han empinado las hijas de Sión, y andan paseando con el cuello erguido, guiñando con los ojos, y haciendo gestos *con sus manos* y ruido con sus pies, y caminan con pasos afectados:

**17.** Raerá el Señor la cabeza de las hijas de Sión, y las despojará de sus cabellos.

**18.** En aquel día les quitará el Señor el adorno del calzado, y las lunetas,

**19.** Y los collares *de perlas,* y los joyeles, y los brazaletes, y las escofietas,

---

**19.** *Os.* X, *v.* 3. *Luc.* XXIII, *v.* 30. *Apoc.* VI, *v.* 15.

**4.** *Eccles.* X, *v.* 16. *Josefo. De bello jud.* lib. V y VI.

---

**12.** *Ezech.* XIII, *v.* 3.

**20.** Y los partidores del pelo, y las ligas, y las cadenillas, y los pomitos de olor, y los zarcillos,

**21.** Y los anillos, y las piedras preciosas que cuelgan sobre la frente,

**22.** Y la muda de vestidos, y los mantos, y las gasas o *velos,* y los *preciosos* alfileres,

**23.** Y los espejos, y los finos lienzos, y las cintas, y los vestidos de verano;

**24.** Y en lugar de olores suaves tendrán la hediondez, y por ceñidor una cuerda, y en lugar de cabellos rizados, la calva, y *reemplazará* un cilicio la faja de los pechos.

**25.** Tus más gallardos varones caerán también al filo de la espada, y tus campeones quedarán tendidos en el campo de batalla.

**26.** Y las puertas *de Jerusalén, desiertas,* estarán cubiertas de tristeza y de luto, y ella desolada, estará *abatida* por el suelo.

## CAPITULO IV

*Describe el Profeta con varias metáforas la grande diminución que padecerá el pueblo de Israel: vaticina su restablecimiento y el de la Iglesia por el Mesías, quien multiplicará y dará mayor gloria que nunca a los restos de dicho pueblo.*

**1.** Y en aquel día echarán mano de un solo hombre siete o *muchas* mujeres diciendo: Nosotras comeremos nuestro pan, y con nuestras ropas nos vestiremos: basta que nos comuniques tu nombre, *o seas esposo nuestro:* líbranos de nuestro oprobio.

**2.** En aquel día brotará el pimpollo del Señor con magnificencia y con gloria, y el fruto de la tierra será ensalzado, y será el regocijo de aquéllos de Israel que se salvaren.

**3.** Y sucederá que todos aquéllos que fueren dejados en Sión, y quedaren en Jerusalén, serán llamados santos; todo el que está escrito o *destinado* para la vida en Jerusalén.

**4.** *Y esto acaecerá* cuando el Señor habrá limpiado las inmundicias de las hijas de Sión, y lavado la sangre con que está manchada Jerusalén, mediante el espíritu de justicia y el espíritu de celo.

**5.** Y criará el Señor por todos los lugares del monte de Sión, y doquiera que es invocado, una nube sombría durante el día, y un resplandor luminoso durante la noche: porque sobre toda *el Arca* gloriosa *brillará* su protección.

**6.** Y el tabernáculo servirá de sombra contra el calor del día, y para seguridad y refugio contra el torbellino y la lluvia.

## CAPITULO V

*Bajo la figura de una viña estéril predice el Profeta la ingratitud del pueblo, y los castigos que le esperan. Humillación de los soberbios y felicidad de los justos. El Señor levantará las naciones contra los Judíos.*

**1.** *Ahora* cantaré a mi amado la canción de mi pariente sobre su viña. Adquirió mi amado una viña en un collado muy fértil.

**2.** La cual cercó de seto, y la despedregó, y la plantó de *cepas* escogidas, y edificó una torre en medio de ella, y construyó en ella un lagar, y esperó hasta que diese uvas, y las dió silvestres.

**3.** Ahora, pues, habitadores de Jerusalén, y vosotros ¡oh varones de Judá! sed jueces entre mí y mi viña.

**4.** ¿Qué es lo que debí hacer, y que no haya hecho por mi viña? ¿Acaso porque esperé que llevase uvas y ella dió agraces?

**5.** Pues ahora os diré claramente lo que voy a hacer con mi viña: le quitaré su cerca, y será talada, derribaré su tapia, y será hollada.

**6.** Y la dejaré que se convierta en un erial; no será podada ni cavada, y crecerán en ella zarzas y espinas, y mandaré a las nubes que no lluevan gota sobre ella.

**7.** El hecho es que la viña del Señor de los ejércitos es la casa de Israel, y los hombres de Judá *son* su plantel delicioso; y me prometí de ellos juicio o *acciones justas,* y no veo más que iniquidades; y *esperé* la justicia, y no oigo sino clamores *de los oprimidos.*

**8.** ¡Ay de vosotros los que juntáis casa con casa, y agregáis heredades a heredades hasta que no quede *ya* más terreno! ¿Por ventura habéis de habitar vosotros solos en medio de la tierra?

**9.** Llegan a mis oídos estas cosas, dice el Señor de los ejércitos: os aseguro que muchas casas grandes y hermosas quedarán desiertas y sin habitador.

---

**26.** *Jerem. Thren, cap.* I.
**CAP. IV.** — 3. *Rom.* XV, *v.* 25. — Hebr. XII, *v.* 22.
**5.** *Exod.* XXV, *v.* 10. — I *Reg.* IV, *v.* 21.

---

**CAP. V.** — 2. *Matth.* XXI, *v.* 33.
**8.** Observa aquí el Crisóstomo que el pobre no suele codiciar lo necesario con tanta ansia como el rico avaro codicia lo superfluo.

10. Porque diez yugadas de viña sólo producirán un pequeño frasco *de vino*, y treinta modios de siembra darán tres medios.

11. ¡Ay de vosotros los que os levantáis de mañana a emborracharos, y a beber *con exceso* hasta la noche, hasta que os abrasa el vino!

12. Cítara, y lira, y pandero, y flauta, y vino en vuestros convites; y no dais *siquiera* una mirada a la obra del Señor, ni consideráis las obras de sus manos.

13. Por eso mi pueblo fué llevado cautivo, porque le faltó el saber, y sus nobles murieron de hambre, y la plebe pereció de sed.

14. Por eso ensanchó el infierno su seno, y abrió su inmensa boca, y en ella caerán sus campeones, y el pueblo y cuanto hay en él de ilustre y glorioso.

15. Y tendrá que encorvarse el piebeyo, y humillarse el grande, y serán abatidos los ojos de los altivos.

16. Y el Señor de los ejércitos será ensalzado por *la rectitud de* su juicio, y la santidad de Dios será reconocida por su administración de la justicia.

17. Y pacerán los corderos según su costumbre, y los extranjeros disfrutarán de los campos desiertos convertidos en fértiles campiñas.

18. ¡Ay de vosotros que arrastráis la iniquidad con las cuerdas de la vanidad, y el pecado a manera de carro del cual tiráis *como bestias!*

19. Los que váis diciendo: Dése prisa, y venga presto lo que él quiere hacer, a fin de que lo veamos: y acérquese, y ejecútese la determinación del Santo de Israel, y los sabremos.

20. ¡Ay de vosotros los que llamáis mal al bien y bien al mal; y tomáis las tinieblas por la luz, y la luz por las tinieblas; y tenéis lo amargo por dulce y lo dulce por amargo!

21. ¡Ay de vosotros los que os tenéis por sabios en vuestros ojos, y por prudentes allá en vuestro interior!

22. ¡Ay de vosotros que sois briosos para beber vino, y hombres fuertes para embriagaros con diversos licores!

23. ¡Vosotros, que por regalos absolvéis al impío, y despojáis al justo de su derecho!

24. Por esto, así como la lengua del fuego devora la estopa, y la quema el ardor de la llama; del mismo modo la raíz de ellos será como pavesa, y cual polvo se desvanecerá su renuevo. Porque han desechado la ley del Señor de los ejércitos, y blasfemado de la palabra del Santo de Israel.

25. Por esta causa el furor del Señor se encendió contra su pueblo, y extendió su mano sobre él, y lo hirió, y los montes se estremecieron, y sus cadáveres yacen tendidos como basura en medio de las plazas. Ni se ha aplacado su furor con todas estas cosas; todavía está levantada su mano *justiciera.*

26. Y alzará bandera para servir de señal a un pueblo lejano, y lo llamará con un silbo desde los extremos de la tierra, y he aquí que, diligente, acudirá con *la mayor* celeridad.

27. En él no hay quien se canse o fatigue, ni hay soñoliento, ni dormilón: ninguno se quitará el cinto de su pretina, ni desatará la correa de su calzado.

28. Sus saetas están aguzadas, y todos sus arcos entesados. Las pezuñas de sus caballos son como pedernal, y las ruedas *de sus carros* como una tempestad impetuosa.

29. Rugirá como león, rugirá como una manada de leoncillos, y dará bramidos, y se arrojará sobre la presa, y asirá de ella, ni habrá quien se la quite.

30. Y su estruendo será para Israel en aquel día como el bramido del mar: miraremos la tierra, y he aquí *por todas partes* tinieblas de tribulación, cuya lobreguez oscurecerá la luz *del día.*

## CAPITULO VI

*Isaías ve la gloria de Dios, y se condena a sí mismo por haber callado. Se le manda anunciar a Israel que Dios le reprobaría por su obstinación, y asolaría todo el país, pero que el verdadero Israel subsistiría en algunos escogidos, que después serían padres de muchas gentes.*

1. En el año que murió el rey Ozías, vi al Señor sentado en un solio excelso y elevado, y las franjas de sus vestidos llenaban el templo.

2. Alrededor del solio estaban los Serafines: cada uno de ellos tenía seis alas; con dos cubrían su rostro, y con dos cubrían los pies, y con dos volaban.

3. Y con voz esforzada cantaban a coros, diciendo: ¡Santo, Santo, Santo, el Señor Dios de los ejércitos, llena está toda la tierra de su gloria!

4. Y estremeciéronse los dinteles y quicios de las puertas a la voz del que cantaba, y se llenó de humo el templo.

---

12. *V.* 19, y cap. XXVIII, *v.* 21.
18. *San Agustín lib.* VIII, *Conf. c.* 5.

**5.** Y dije: ¡Desgraciado de mí! que no he hablado, por ser yo hombre de labios impuros, y habitar en medio de un pueblo cuyos labios están contaminados; y he visto con mis propios ojos al Rey, Señor de los ejércitos!

**6.** Y voló hacia mí uno de los Serafines, y en su mano tenía una brasa ardiente, que con las tenazas había tomado de encima del altar.

**7.** Y tocó con ella mi boca, y dijo: He aquí que la brasa ha tocado tus labios, y será quitada tu iniquidad, y tu pecado será expiado.

**8.** Y *luego* oí la voz del Señor, que decía: ¿A quién enviaré? y ¿quién irá por nosotros? Y respondí yo: Aquí estoy, envíame a mí.

**9.** Y dijo *entonces el Señor:* Anda y dirás a ese pueblo: Oiréis y más oiréis, y no querréis entender; y veréis lo que presento a vuestros ojos, y no querréis haceros cargo de ello.

**10.** Embota el corazón de ese pueblo, tapa sus orejas, y véndale los ojos; no sea que quizá con sus ojos vea, y con sus orejas oiga, y comprenda con su mente, y se convierta, y tenga yo que curarle.

**11.** Y dije yo: ¿Hasta cuándo *durará,* Señor, *tu indignación?* Y respondió: Hasta que desoladas las ciudades, queden sin habitantes, y las casas sin gente, y la sierra desierta.

**12.** Y el Señor arrojará a los hombres lejos *de su país,* y se multiplicarán los que quedaron sobre la tierra.

**13.** Y todavía serán éstos diezmados, y se convertirán *otra vez al Señor,* y denotarán su *pasada* grandeza como un terebinto, y como una *vieja* encina que extendía muy lejos sus ramas; y la simiente que de ellos quedará, será una semilla santa.

## CAPITULO VII

*Sitiada Jerusalén por los reyes de Siria e Israel, Isaías predice al rey Acaz que no será tomada, y le da por señal que una Virgen tendría un hijo, cuyo nombre sería Emmanuel. Profetiza la ruina total de las diez tribus, y la aflicción y soledad de Judá.*

**1.** Y sucedió que reinando en Judá Acaz, hijo de Joatán, hijo de Ozías, vino Rasín, rey de Siria, con Facée, hijo de Romelía, rey de Israel, sobre Jerusalén para combatir contra ella, y no pudieron tomarla.

**2.** Dieron, pues, aviso a la casa de David, diciendo: La Siria se ha coligado con Efraím, y conmovióse el corazón de Acaz, y el corazón de su pueblo, a la manera que se agitan los árboles en los bosques con el ímpetu del viento.

**3.** Y dijo el Señor a Isaías: *Ve,* sal al encuentro de Acaz, tú y el hijo que te queda, Jasub, al último del canal que conduce el agua a la piscina superior, por el camino que conduce al campo del Batanero.

**4.** Y le dirás: Estate quedo: no temas, ni se acobarde tu corazón a la vista de esos dos cabos de tizones que humean en furiosa ira, Rasín, rey de Siria, y el hijo de Romelía,

**5.** Y por más que hayan maquinado pésimos designios contra ti la Siria, Efraím y el hijo de Romelía, diciendo:

**6.** Marchemos contra Judá y provoquémoslo, y arraquémoslo a viva fuerza, y en medio de él pongamos por rey al hijo de Tabeel.

**7.** *Pues* esto dice el Señor Dios: No cuajará, ni tendrá efecto tal designio;

**8.** Antes bien Damasco, capital de la Siria, y Rasín jefe de Damasco, serán destruidos, y de aquí a sesenta y cinco años Efraím dejará de ser pueblo;

**9.** Ni será Samaria capital de Efraím, ni el hijo de Romelía jefe de Samaria. Si vosotros no creyéreis, tampoco tendréis estabilidad.

**10.** Y habló de nuevo el Señor a Acaz, diciendo:

**11.** Pide a tu gusto al Señor tu Dios una señal *o prodigio,* sea del profundo del infierno, sea de arriba en lo más alto *del cielo.*

**12.** Y respondió Acaz: No pediré tal, por no tentar al Señor.

**13.** Entonces dijo *Isaías;* Oye, pues, tú *ahora* ¡oh prosapia de David! ¿Acaso os parece poco el hacer agravio a los hombres, que osáis también hacerlo a mi Dios?

**14.** Por tanto el mismo Señor os dará la señal: SABED QUE UNA VIRGEN CONCEBIRÁ Y TENDRA UN HIJO, Y SU NOMBRE SERÁ EMMANUEL, *o Dios con vosotros.*

**15.** Manteca y miel comerá, hasta que sepa desechar lo malo y escoger lo bueno.

---

CAP. VI. — 9. *Matth.* XIII, *v.* 14. — *Luc.* VIII, *v.* 10. — *Joann.* XII, *v.* 40. — *Act.* XXVIII, *v.* 26. — *Rom.* XI, *v.* 8.

13. *Rom.* IX, *v.* 12, 26.

---

CAP. VII. — 12. Parece que Acaz respondió con hipocresía, y por eso se indignó Isaías contra él. No quería renunciar a la impiedad, la cual le hacía aborrecible a Dios y a los hombres.

**16.** Porque antes que el niño sepa desechar lo malo y escoger lo bueno, la tierra que tú detestas será desamparada de sus dos reyes.

**17.** Enviará el Señor por medio del rey de los Asirios, sobre ti, sobre tu pueblo y sobre la casa de tu padre tiempos tales *y tan aciagos,* cuales no existieron desde el día en que Efraím se separó de Judá.

**18.** Y sucederá que en aquel día el Señor dará un silbido a los *pueblos que cubren como* moscas lo último de los ríos de Egipto, y a otros que *armados de saetas,* están como abejas en la tierra de Asur;

**19.** Y vendrán *volando,* y posarán todas en las cañadas de los torrentes, y en las aberturas de las peñas, y en todos los matorrales, y en todos los resquicios.

**20.** En aquel día el Señor por medio de una navaja afilada, *esto es,* por medio de aquéllos que habitan en la otra parte del río *Eufrates,* por medio del rey de los Asirios, raerá *todas* las cabezas, el vello de los pies y todas las barbas.

**21.** Y sucederá en aquel día que un hombre criará una vaca y dos ovejas;

**22.** Y por sobra de leche comerá manteca; porque manteca y miel comerá todo el que quedare en el país.

**23.** Y acaecerá en aquel día, que todo lugar en que antes mil cepas valían mil monedas de plata, no producirá más que espinas y zarzas.

**24.** Entrarán en él con flechas y con arco, porque malezas y espinas cubrirán toda *aquella* tierra.

**25.** Y todos los montes que se cultivaban con *azada* o escardillo, no tendrán ya para resguardo el terror de las espinas y de las zarzas, *que los cercaban,* sino que servirán para pasto de bueyes, y para majada de los ganados.

## CAPITULO VIII

*Manda el Señor a Isaías que confirme con otra señal la próxima destrucción de los reinos de Siria y de Israel. Judá será afligida: pero después será libertada. La exhorta el Profeta a que ponga la confianza en sólo Dios, y no en medios ilícitos y profanos.*

**1.** Díjome más el Señor: Toma un pergamino grande, y escribe en él en caracteres claros e inteligibles: Date prisa a tomar los despojos, apresúrate a coger la presa.

**2.** Y tomé *por* testigos fieles *de lo que escri-*

*bía,* a Urías sacerdote y a Zacarías, hijo de Baraquías;

**3.** Y cohabité con la profetisa *mi esposa,* y ella concibió y dió a luz un hijo. Y me dijo el Señor: Ponle un nombre *que signifique* «toma a prisa los despojos, apresúrate a tomar la presa».

**4.** Porque antes que sepa el niño pronunciar los nombre de padre y madre, ya el rey de los Asirios habrá destruido el poder de Damasco, y saqueado a Samaria.

**5.** Y hablóme el Señor de nuevo diciendo:

**6.** Por cuanto este pueblo ha desechado las aguas de Siloé que corren sosegadamente *en Sión,* y ha preferido a Rasín y al hijo de Romelía,

**7.** Por esto he aquí que el Señor traerá sobre ellos las aguas del río *Eufrates* impetuosas y abundantes, *esto es,* al rey de los Asirios con todas sus fuerzas, y subirán sobre todos sus arroyos, y se extenderán por todas sus riberas,

**8.** Y romperán por el país de Judá, y al pasar lo inundarán *todo,* y llegarán hasta la garganta. Y él con la anchura de sus alas *o escuadrones* llenará ¡oh Emmanuel! todo el espacio de tu tierra.

**9.** Reuníos ¡oh pueblos! y venid; que habéis de ser vencidos; vosotras todas ¡oh regiones *las más* remotas! escuchad: armaos de fuerzas, y seréis vencidas; formaos en buen orden, y seréis vencidas.

**10.** Haced planes, y serán desbaratados; dad órdenes y no se ejecutarán; porque Dios *está* con nosotros.

**11.** Pues esto me dijo el Señor cuando con mano poderosa me corrigió, advirtiéndome que no siguiese los pasos de este pueblo: *Mira,*

**12.** No estéis diciendo: Conspiración; pues que no habla de otra cosa este pueblo que de conspiración; antes bien no temáis lo que tanto él teme, y no os amilanéis.

**13.** Al Señor de los ejércitos glorificad: él *sólo* sea el que os haga temer y temblar. Y él será el que os santifique.

**14.** Al paso que *será* piedra de tropiezo y piedra de escándalo para las dos casas de Israel; y lazo y ruina para los habitantes de Jerusalén.

**15.** Y muchísimos de ellos tropezarán y caerán, y se harán pedazos, y se verán prendidos en el lazo, y quedarán presos.

---

**6.** *Joann.* IX, *v.* 7.
**14.** *Luc.* II, *v.* 34. — *Rom.* IX, *v.* 32. — I. *Petr.* II, *v.* 6, 15.

**16.** Recoge *ahora* el testimonio; sella la ley para mis discípulos.

**17.** Yo, *sin embargo,* tengo puesta mi esperanza en el Señor, que ha escondido su rostro de la casa de Jacob, y en esta esperanza perseveraré.

**18.** Véisme aquí a mí y a mis hijos, que me dió el Señor para que sirvan de señal y portento a Israel, de parte del Señor de los ejércitos, que habita en el monte de Sión.

**19.** Que si os dijeren: Consultad a los pitones y a los adivinos, los cuales rechinan en sus encantamientos, *responded:* ¿Pues qué, no ha de acudir el pueblo a su Dios? ¿A los muertos *ha de recurrir* para *saber de* los que viven?

**20.** A la ley más bien y al Arca *santa es a donde ha de recurrir.* Que si no hablaren conforme a lo dicho, no amanecerá para ellos la luz del día.

**21.** Y *la luz* pasará por su casa *sin detenerse,* y ellos caerán por el suelo, y tendrán hambre; y cuando estén hambrientos se enfurecerán y maldecirán a su rey y a su Dios, y levantarán los ojos hacia arriba,

**22.** Y los bajarán hacia la tierra, y no verán sino tribulación, y tinieblas, y abatimiento, y angustia, y lobreguez que los persigue, y no podrán, por más que hagan, librarse de su *gran* congoja.

## CAPITULO IX

*Profecías del nacimiento del Mesías y de su reino. Judá será libertada del poder de los reyes de Israel y de Siria; de cuyos reinos, especialmente de Israel, se predicen las discordias y estragos.*

**1.** Primeramente fué menos afligida la tierra de Zabulón y la tierra de Neftalí, y después fué gravemente herida la costa del mar, la Galilea de las naciones, más allá del Jordán.

**2.** El pueblo que andaba entre tinieblas vió una gran luz; amaneció el día a los que moraban en la sombría región de la muerte.

**3.** Multiplicaste la nación; mas no aumentaste la alegría. *Sin embargo,* alegrarse han *algún día* delante de ti, como los que se alegran en la siega, o como se huelgan los vencedores con el botín que tomaron, al repartirse los despojos.

**4.** Porque su pesado yugo y la vara que *hería* sus espaldas, y el bastón de un exactor *o tirano,* tú los hiciste pedazos, como en la jornada de Madián.

**5.** Porque todo despojo hecho con violencia y tumulto, y los vestido manchados de sangre serán quemados y hechos pábulo del fuego.

**6.** Ahora que *ha nacido un parvulito* para nosotros, y se nos ha dado un hijo, el cual lleva sobre sus hombros el principado, *o la divisa de rey,* y tendrá por nombre el Admirable, el Consejero, Dios, el Fuerte, el Padre del siglo venidero, el Príncipe de paz.

**7.** Su imperio será amplificado, y la paz no tendrá fin: sentaráse sobre el solio de David, y poseerá su reino para afianzarlo y consolidarlo haciendo *reinar* la equidad y la justicia desde ahora y para siempre. El celo del Señor de los ejércitos *es el que* hará estas cosas.

**8.** Lanzó el Señor una palabra contra Jacob, y cayó sobre Israel.

**9.** Y lo echará de ver todo el pueblo de Efraím, y los habitantes de Samaria, quienes con soberbia ehinchazón de corazón andan diciendo:

**10.** Los *edificios de* ladrillos han sido arruinados *por los enemigos,* mas nosotros edificaremos con piedras de sillería; cortaron los cabrahigos, pero en su lugar sustituiremos cedros.

**11.** Entre tanto, el Señor hará que los enemigos, *los asirios,* prevalezcan contra Rasín, y reunirá *después* en tropel a los *mismos* enemigos contra Efraím.

**12.** A los Sirios por el lado del Oriente, y a los Filisteos por el de Occidente; y llenos de rabia devorarán a Israel. A pesar de todo esto no se retira su furor, sino que aún está levantado su brazo,

**13.** Porque el pueblo no se ha convertido hacia aquel que lo hiere, y no ha buscado al Señor de los ejércitos;

**14.** Y el Señor destruirá en un solo día la cabeza y la cola a los que obedecen *sumisos,* como a los que gobiernan.

**15.** El anciano y el hombre respetable, ése es la cabeza; el profeta que vende embustes, ése es la cola.

---

**17.** *Hebr.* II, *v.* 13.
**CAP. IX.** — *Matth.* IV, *v.* 13.

---

**4.** *Jud.* VIII, *v.* 22. *v.* 3, *cap.* VIII — *Act.* XXVIII *v.* 22, — *Matth.* X, *v.* 34.
**6.** *Gal. IV, v.* 4.— *Rom.* V, *v.* 14. — *Ephes* II, *v.* 18. — *Rom.* V. *v.* 10. — *Philip.* IV, *v.* 7. — *Joann.* XIV, *v.* 27.
**11.** *IV. Reg.* XVI, *v.* 9.
**12.** *IV Reg.* XIX, *v.* 35. — Véase *c.* XXXVII, *v.* 36.

**16.** Y tanto los que llaman bienaventurado a este pueblo, seduciéndolo, como los mismos que son llamados bienaventurados, perecerán desgraciadamente.

**17.** Por esto no se enternecerá el Señor en favor de los jovencitos de ese pueblo, ni tendrá compasión de sus huérfanos, ni de sus viudas: porque todo él es hipócrita y malvado, y todas sus bocas no hablan más que desatinos. Por todas estas cosas su furor no se aplaca, sino que aún está levantada su mano.

**18.** Pues la impiedad se encendió cual fuego que devora las zarzas y las espinas, y toma vigor en lo más espeso del bosque, y se eleva en torbellinos de humo densísimo.

**19.** La tierra está en la *mayor* consternación por la ira del Señor de los ejércitos, y el pueblo será como cebo del fuego: el hombre no perdonará a su propio hermano.

**20** Y volveráse a la derecha *para devorarlo todo,* y aún tendrá hambre, y comerá *cuanto halle* a la izquierda, y tampoco podrá saciarse: cada uno devorará la carne de su mismo brazo. Manasés *devastará* a Efraím, y Efraím a Manasés; luego ambos se unirán contra Judá.

**21.** A pesar de todas estas cosas no está aplacada la ira del Señor, sino que aún está levantando su brazo.

## CAPITULO X

*¡Desdichados aquellos que hacen leyes injustas, y oprimen al pobre y a las viudas! Isaías predice la humillación de Sennaquerib; y consuela a Israel, y promete que los restos de este pueblo al fin se convertirán.*

**1.** ¡Ay de aquellos que establecen leyes inicuas, y escriben continuamente *sentencia* de injusticia,

**2.** Para oprimir a los pobres en juicio y hacer violencia a los desvalidos de mi pueblo, para devorar cual presa a las viudas y saquear a los huérfanos!

**3.** ¿Qué haréis en el día en que os tomará residencia, y en la calamidad que viene *amenazando* de lejos? ¿A quién acudiréis para que os ayude? ¿Y en dónde dejaréis *o de qué servirá* vuestra grandeza,

**4.** Para no doblar la cerviz a la cadena entre *los esclavos* y no caer entre los muertos? A pesar de todas estas cosas no está calmada

la ira del Señor, sino que aún está levantando su brazo.

**5.** ¡Ay de Asur! vara y bastón de mi furor: en su mano he puesto mi ira.

**6.** Enviarle he contra un pueblo fementido, y contra un pueblo que ha provocado mi indignación; y daréle mis órdenes para que se lleve sus despojos, y lo entregue al saqueo, y lo reduzca a ser pisado como el lodo de las plazas.

**7.** Es verdad que él no lo pensará así, y que en su corazón no formará tal concepto; su corazón *solamente* pondrá la mira en destruir y exterminar no pocas naciones.

**8.** Porque dirá:

**9.** ¿Acaso mis palaciegos no son otros tantos reyes? ¿Pues qué, no ha tenido la misma suerte Gálano que Cárcamis? ¿Y Emat que Arfad? ¿Por ventura no ha sido de Samaria lo que de Damasco?

**10.** Así como ganó mi mano los reinos de *varios* ídolos, del mismo modo *venceré* los simulacros de los de Jerusalén y de Samaria.

**11.** ¿Acaso lo que hice ya con Samaria y con sus ídolos, no lo ejecutaré *también* con Jerusalén y con sus simulacros?

**12.** Pero luego que el Señor hubiere cumplido todas sus obras en el monte de Sión y en Jerusalén, el mismo tomará residencia de las empresas del altivo corazón del rey asirio y de la jactancia de sus altivos ojos.

**13.** Ya que ha dicho: Con el poder de mi mano hice lo que hice, y con mi sabiduría lo tracé; y he mudado los límites de los pueblos y despojado sus príncipes, y con el poder que tengo he derribado a los que estaban en altos puestos;

**14.** Y el poderío de los pueblos fué respecto de mi valor como una nidada de pajarillos; y como se recogen *del nido* los huevos que han sido abandonados, así reuní yo bajo mi poder toda la tierra y no hubo quien moviese una ala, ni abriese el pico, ni piase.

**15.** ¿*Pero y* por ventura se gloriará la segur contra el que corta con ella, o se ensoberbecerá la sierra contra el que la mueve? *Eso es* como si se levantara la vara contra el que la maneja, o se envaneciese el bastón que al cabo no es más que un palo.

**16.** Por esto el soberano Señor de los ejércitos enviará la extenuación a sus robustos guerreros, y arderá debajo de sus galas como una hoguera de fuego que los consuma.

---

18. IV *Reg.* XIX, *v.* 35.

CAP. X. — 12. IV *Reg.* XIX, *v.* 35. — c. XXXVII, *v.* 36.

**17.** Y la luz de Israel será el fuego, y su santo la llama con que se encenderán y arderán las espinas y las zarzas de Asur en un solo día.

**18.** Y la gloria de este bosque y de este Carmelo será consumida en cuerpo y alma, y él, *o Sennaquerib,* huirá azorado.

**19.** Y los árboles que de esta selva quedaren, se podrán contar, por su corto número, y un niño podrá formar lista de ellos.

**20.** Y entonces será cuando los que quedaren de Israel, y los de la casa de Jacob que habrán escapado, no volverán a fiarse en el que los hiere, sino que sinceramente se apoyarán en el Señor, el Santo de Israel.

**21.** Los residuos de Jacob, los residuos digo, se convertirán al Dios fuerte.

**22.** Porque aun cuando tu pueblo, oh Israel, fuese como la arena del mar, *solamente* los restos de él se convertirán; pero los restos que se salven de la destrucción, rebosarán en justicia.

**23.** Porque destrucción y diminución hará el Señor Dios de los ejércitos en toda la tierra *de Judea.*

**24.** Por tanto, esto dice el Señor Dios de los ejércitos: Pueblo mío que habitas en Sión, no tengas miedo del Asirio: él te sacudirá con la vara, y alzará contra ti su bastón desde el camino que va a Egipto.

**25.** Pero dentro de poco, muy en breve, mi enojo y mi furor *provocado* por sus maldades, llegará a su colmo.

**26.** Y el Señor Dios de los ejércitos levantará contra el Asirio su brazo, y hará en él el estrago *que hizo* con los Madianitas en la peña de Horeb; y así como *alzó* su vara sobre el mar *Rojo,* del mismo modo la alzará sobre el camino de Egipto.

**27.** Y aquel día será quitado de encima de tus hombros el peso de Asur, y su yugo de tu cerviz, y pudriráse el yugo por *la abundancia* del aceite.

**28.** Llegará *el rey de Asiria* hasta Ayat, pasará a Magrón, en Macmas depositará su bagaje.

**29.** Pasarán a marchas forzadas, *diciendo:* En Gábaa plantaremos a nuestros reales: Ramá está sobresaltada, Gábaa la de Saúl huye *precipitadamente.*

**30.** Esfuerza tu grito ¡oh ciudad de Gallim!

mira por ti ¡oh Laisa!y tú *también,* pobrecita Anatot.

**31.** Los de Medemena escaparon: esforzaos, moradores de Gabim.

**32.** Aún falta un día para llegar a hacer alto en Nobe: *desde ahí* levantará *Sennaquerib* su mano en ademán de amenaza contra el monte de la hija de Sión, contra el collado de Jerusalén.

**33.** Pero he aquí que el soberano Señor de los ejércitos estrellará con ímpetu el vaso de tierra; y los de agigantada estatura serán desjarretados, y los sublimes serán abatidos.

**34.** Y la espesura del bosque será cortada con el hierro, y caerá el Líbano con sus altos cedros.

## CAPITULO XI

*Profetiza la venida del Mesías en carne humana y su exaltación; y la conversión de los gentiles, y la de los Judíos.*

**1.** Y saldrá un renuevo del tronco de Jesé, y de su raíz se elevará una flor.

**2.** Y reposará sobre él el Espíritu del Señor, espíritu de sabiduría y de entendimiento, espíritu de consejo y de fortaleza, espíritu de ciencia y de piedad;

**3.** Y estará lleno del espíritu del temor del Señor. El no juzgará por lo que aparece exteriormente a la vista, no condenará sólo por lo que oye decir;

**4.** Sino que juzgará a los pobres con justicia, y tomará con rectitud la defensa de los humildes de la tierra, y a la tierra la herirá con la vara de su boca, y con el aliento de sus labios dará muerte al impío.

**5.** Y el cíngulo de sus lomos será la justicia; y la fe el cinturón con que se ceñirá su cuerpo.

**6.** Habitará el lobo juntamente con el cordero; y el tigre estará echado junto al cabrito; el becerro, el león y la oveja andarán juntos, y un niño pequeño será su pastor.

**7.** El becerro y el oso irán a los mismos pastos, y estarán echadas en un mismo sitio sus crías: y el león comerá paja como el buey.

**8.** Y el niño que aún mama estará jugando en el agujero de un áspid; y el recién destetado meterá la mano en la madriguera del basilisco.

---

**18.** IV *Reg.* XIX, *v.* 35.
**22.** IV *Reg.* XVIII, *v.* 12. — II *Par.* XXX.
**23.** *Rom.* IX, *v.* 27, 28. — *Isai.* XI, *v.* 11.
**26.** *Judic.* VII, *v.* 25. c. XXXVII, *v.* 37.

**CAP. XI.** — 4. II *Thes.* II, *v.* 8.
**8.** *Infra.* LXV, *v.* 25. — *Luc.* X, *v.* 19.

**9.** Ellos no dañarán ni matarán en todo mi monte santo; porque el conocimiento del Señor llenará la tierra, como las aguas llenan el mar.

**10.** En aquel día el renuevo de la raíz de Jesé, que está puesto como señal *o estandarte de la salud* para los pueblos, será invocado de las naciones, y su sepulcro será glorioso.

**11.** Y en aquel día extenderá el Señor nuevamente su mano para atraer los restos de su pueblo que quedaren entre los Asirios, y en el Egipto, y en Fetros, y en Etiopía, y en Elam, y en Sennaar, y en Emat, y en las islas del mar.

**12.** Y enarbolará un estandarte entre las naciones, y reunirá los fugitivos de Israel, y recogerá los dispersos de Judá, de los cuatro puntos de la tierra.

**13.** Y será quitado el cisma de Efraím, y serán destruidos los enemigos de Judá. Efraím no tendrá envidia de Judá, y Judá no hará la guerra a Efraím.

**14.** Y volarán *juntos a echarse* encima de los Filisteos por la parte del mar, y harán también *su* botín de los hijos del Oriente. La idumea y los Moabitas muy presto serán presa de sus manos, y prestaránles obediencia los hijos de Ammón.

**15.** El Señor sacará la lengua del mar de Egipto, y extenderá su mano sobre el río con su impetuoso viento, y le herirá en sus siete bocas, de modo que se pueda pasar sin descalzarse.

**16.** Y quedará *libre* paso a los restos de mi pueblo que hubieren dejado *vivos* los Asirios, así como lo tuvo Israel en aquel día en que salió de la tierra de Egipto.

## CAPITULO XII

*Cántico de alabanza y acción de gracias a Cristo vencedor y Salvador.*

**1.** Y dirán en aquel día: Te daré alabanza ¡oh Señor! porque estabas enojado conmigo, y se alejó tu furor y me has consolado.

**2.** He aquí que Dios es el Salvador mío: viviré lleno de confianza, y no temeré; porque mi fortaleza y mi gloria es el Señor, y él ha tomado por su cuenta mi salvación.

**3.** Sacaréis agua con gozo de las fuentes del Salvador;

**4.** Y diréis en aquel día: Dad gracias al Señor, e invocad su Nombre; anunciad a las gentes sus designios; acordaos que es excelso su Nombre.

**5.** Tributad alabanzas al Señor, porque ha hecho cosas grandes *y magníficas:* divulgad esto por toda la tierra.

**6.** Salta de gozo y entona himnos de alabanza, casa de Sión: pues que se muestra grande en medio de ti el Santo de Israel.

## CAPITULO XIII

*Babilonia será arruinada por los Medos.*

**1.** Duro anuncio contra Babilonia, revelado a Isaías, hijo de Amós.

**2.** Sobre el monte cubierto de tinieblas plantad el estandarte, alzad la voz, tended la mano, y entren los caudillos por las puertas.

**3.** Yo he dado mis órdenes a los *guerreros* que tengo prevenidos, he llamado en mi ira a mis campeones llenos de alborozo por defender mi gloria.

**4.** Algazara de mucho gentío sobre las montañas, como de pueblos numerosos: voces de alarma de príncipes y de naciones reunidas. El Señor de los ejércitos ha dado sus órdenes *o pasado revista* a la belicosa milicia,

**5.** La cual viene de países remotos desde el cabo del mundo; el Señor y los instrumentos de su ira *vienen* para dejar desierta toda la tierra.

**6.** Esforzad los aullidos, porque cercano está el día del Señor: la desolación será como de la *terrible* mano del Señor.

**7.** Por esto todos los brazos perderán su vigor y energía, y todos los corazones de los hombres desfallecerán,

**8.** Y serán quebrantados. Se verán agitados de tormentos y dolores, y gemirán como mujer que está de parto; cada uno quedará atónito mirando a su vecino; sus rostros se pondrán secos y denegridos.

**9.** Mirad que va a llegar el día del Señor, día horroroso y lleno de indignación, y de ira, y de furor, para convertir en un desierto la tierra, y borrar de ella a los pecadores.

---

**10.** *Rom.* XV, *v.* 12. *Joann.* XII, *v.* 31.
**CAP. XII.** — 2. *Exod.* XV. *v.* 2. *Ps.* CXVII, *v.* 14.

---

**3.** I *Cor.* X, *v.* 4. — *Joann.* VIII, *v.* 37.

**10.** Porque las más resplandecientes estrellas del cielo no despedirán la luz acostumbrada: se obscurecerá el sol al nacer, y la luna no alumbrará con su luz.

**11.** Y castigaré la tierra por sus maldades, y a los impíos por su iniquidad; y pondré fin a la soberanía de los infieles, y abatiré la arrogancia de los fuertes.

**12.** El hombre será más apreciado que el oro, y más que el oro acendrado.

**13.** Desconcertaré a más de esto el cielo, y se moverá de sus quicios la tierra; por cuanto está airado el Señor de los ejércitos, y porque es el día de su ira y de su furor.

**14.** Y echarán a huir como gamos; y serán como ovejas que no hay quien las recoja; volveráse cada uno a un pueblo, y cada uno huirá a su tierra.

**15.** Todo el que se encuentre *en la ciudad* será muerto; y cuantos acudan a su socorro, perecerán al *filo de la* espada.

**16.** Sus niños serán estrellados delante de sus ojos, saqueadas sus casas, y forzadas sus mujeres.

**17.** He aquí que yo levantaré contra ellos a los Medos, los cuales no buscarán plata, ni querrán oro,

**18.** Sino que matarán a saetazos a los niños, y no tendrán compasión de las mujeres embarazadas, ni perdonarán a sus hijitos.

**19.** Y aquella *famosa* Babilonia, gloriosa entre los *demás* reinos, de la que *tanto* se vanagloriaban los Caldeos, será, como Sodoma y Gomorra, arruinada por el Señor.

**20.** Nunca jamás será habitada ni reedificada por los siglos de los siglos: ni aun el árabe plantará allí sus tiendas, ni harán en ella majada los pastores.

**21.** Sino que se guarecerán allí las fieras, y sus casas estarán llenas de dragones, y allí habitarán los avestruces, y allí retozarán los *sátiros* peludos.

**22.** Y entre *las ruinas* de sus palacios resonarán los ecos de los buhos, y cantarán las sirenas en aquellos lugares que fueron consagrados al deleite.

---

CAP. XIII. — 10. *Ezech.* XXXII. *v.* 7. — *Joel*, II, *v.* 10; III, *v.* 15. — *Matth.* XVII, *v.* 29. — *Marc.* XIII, *v.* 24. — *Luc.* XXI, *v.* 25.

16. *Ps.* CXXXVI, *v.* 9.
20. *Apoc.* XVIII, *v.* 2.
21. *c.* XXXIV, *v.* 14.

## CAPITULO XIV

*Profetiza Isaías la vuelta del pueblo del cautiverio de Babilonia, la ruina de este imperio, la mortandad de los Asirios y la derrota de los Filisteos por Ezequías.*

**1.** Próximo está a llegar *éste* su tiempo, y sus días no están remotos. Porque *al fin* el Señor tendrá compasión de Jacob, y todavía escogerá algunos de Israel, y hará que reposen en su nativo suelo. Juntaráse con éstos el extranjero, y se incorporará con la casa de Jacob.

**2.** Y los pueblos los hospedarán, y los acompañarán a su país; y la casa de Israel los poseerá en la tierra del Señor para siervos y siervas; y quedarán cautivos los que los habían cautivado, y súbditos sus opresores.

**3.** Y en aquel tiempo, cuando te sea dado por Dios el respirar de tus trabajos, y de tu opresión, y de la dura esclavitud a que estuviste sujeto,

**4.** Te servirás de este cántico contra el rey de Babilonia, y dirás: ¿Cómo es que no parece ya el exactor y que cesó el tributo?

**5.** El Señor ha hecho pedazos el cetro de los impíos, la vara de los que dominaban;

**6.** Al que indignado azotaba a los pueblos haciéndoles llagas incurables, y tiranizaba furiosamente las naciones, y las maltrataba con crueldad.

**7.** Toda la tierra está en silencio, y en paz, y se huelga, y regocija.

**8.** Hasta los abetos y cedros del Líbano se divierten a costa tuya. Desde que tú feneciste, *dicen*, nadie sube a cortarnos.

**9.** El infierno allá abajo se conmovió a tu llegada; al encuentro tuyo envió los gigantes; levantáronse de sus tronos todos los príncipes de la tierra, todos los príncipes de las naciones.

**10.** Todos, dirigiéndote la palabra, te dirán: ¡Conque tú también has sido herido como nosotros, y a nosotros has sido hecho semejante!

**11.** Tu soberbia ha sido abatida hasta los infiernos, tendido yace por el suelo tu cadáver, tendrás por colchón la podredumbre, y tu cubierta serán los gusanos.

---

CAP. XIV. — 2. I *Esd.* II. *v.* 65. — *Exod.* XXI, *v.* 6.

**12.** ¿Cómo caíste del cielo ¡oh lucero! *tú* que *tanto* brillabas por la mañana? ¿*Cómo* fuiste precipitado por tierra, tú que has sido la ruina de las naciones?

**13.** Tú que decías en tu corazón: Escalaré el cielo: sobre las estrellas de Dios levantaré mi trono, sentaréme sobre el Monte del testamento *situado* al lado del Septentrión;

**14.** Sobrepujaré la altura de las nubes, semejante seré al Altísimo.

**15.** Pero tú has sido precipitado al infierno, a la más honda mazmorra.

**16.** Los que te vieren se inclinarán a ti, y te contemplarán. ¿Y es éste, *dirán*, aquel hombre que alborotó la tierra que hizo estremecer los reinos,

**17.** El que dejó desierto el mundo, y asoló las ciudades, y no abrió *jamás* la cárcel a sus prisioneros?

**18.** Todos los reyes de las naciones, todos murieron *y fueron enterrados* con gloria; cada cual descansa en el sepulcro de su familia.

**19.** Mas tú has sido arrojado lejos de tu sepulcro como un tronco inútil e inmundo, y confundido, como podrido cadáver con los que fueron muertos a cuchillo, y descendieron a lo más hondo de la fosa.

**20.** Tú no has de tener consorcio con ellos, ni aun en la sepultura, porque has destruido tu país, has hecho perecer a tu pueblo. No se conservará la memoria de la raza de los malhechores.

**21.** Preparaos a dar la muerte a sus hijos por la iniquidad de sus padres; pues no crecerán, ni heredarán la tierra, ni llenarán de ciudades la superfície del mundo.

**22.** Porque yo me levantaré contra ellos, dice el Señor de los ejércitos; y destruiré el nombre de Babilonia, y los residuos, y el retoño, y *toda* su raza, dice el Señor.

**23.** Y la reduciré a manida de erizos, y a lagunas de aguas estancadas, y la barreré con escoba devastadora, dice el Señor de los ejércitos.

**24.** Juró el Señor de los ejércitos diciendo: Como lo pensé así será, y como lo tracé en mi mente,

**25.** Así sucederá: destruiré el Asirio en mi tierra, y sobre mis montes lo hollaré; con lo cual será quitado a Israel el yugo, y de sus hombros el peso de aquel *opresor*.

**26.** Esto es lo que he pensado y resuelto tocante a toda la *dicha* tierra, y así *es como* extenderé la mano sobre todas las naciones *amigas suyas*.

**27.** El Señor de los ejércitos *lo* ha decretado, y ¿quién podrá invalidarlo? Su brazo está levantado, y ¿quién podrá detenerlo?

**28.** El año en que murió el rey Acaz se cumplió este duro anuncio.

**29.** No te entregues todo a la alegría ¡oh país de los Filisteos! porque haya sido hecha pedazos la vara del que te hería; pues que de la estirpe de la culebra nacerán el basilisco, y lo que de éste saldrá engullirá las aves.

**30.** Y los primeros *o más infelices* entre los mendigos tendrán pan y reposarán con seguridad los pobres, y haré morir de hambre tu raza ¡oh Filisteo! y acabaré con todo lo que de ti quedare.

**31.** Aúllen las puertas, esfuercen sus gritos las ciudades: todo el país de los Filisteos está por tierra, porque de hacia el septentrión viene la humareda, y no habrá quien pueda escapar de sus escuadrones.

**32.** Y ¿qué respuesta se dará a los embajadores de las naciones? Que el Señor es el que fundó a Sión, y que en él esperan los humildes de su pueblo.

## CAPITULO XV

*Vaticina Isaías las calamidades que padecerán los Moabitas, de los cuales muestra compadecerse.*

**1.** Duro anuncio contra Moab. Porque en una noche fué Ar, *su capital*, asolada, Moab ha enmudecido; porque en una noche fué aterrada la muralla, ha enmudecido Moab.

**2.** Ha subido la casa *real y toda* Dibón a los lugares elevados para llorar sobre Nabo y sobre Médaba: Moab ha dado *grandes* aullidos. Calvas *o peladas* se ven todas las cabezas, y raídas todas las barbas, *en señal de luto*.

---

7. Avasallada por él.

9. Se usa aquí de una figura retórica, por la cual se consideran los reyes muertos como revestidos aún de su dignidad, y que van a visitar a otro príncipe que ha sido vencido en un combate.

13. Alude a la caída de Lucifer; y de un modo semejante habló Jesucristo. *Luc.* X, *v.* 18. A Lucifer imitaron en su orgullo Nabucodonosor (*Judit*, III, *v.* 13), Baltasar, y otros reyes de las naciones.

18. O pompa fúnebre.

---

29. IV. *Reg.* XVIII, *v.* 8.

**CAP. XV.** — 1. Jerem. XLVIII. IV *Reg.* XVII, *v.* 5.

2. *Jerem.* XLVIII, *v.* 37. — *Ezech.* VII, *v.* 18. I *Esd. IX*, v. 3.

**3.** Andan por sus calles vestidos de saco; sobre sus terrados y por sus plazas sólo se oyen aullidos acompañados de lágrimas.

**4.** Hesebón y Eléale darán grandes gritos; hasta en Jasa se ha oído la voz de ellos; a vista de este espectáculo aullarán los mismos guerreros de Moab; el alma de cada uno de ellos lamentará sobre su propia suerte.

**5.** Mi corazón dará suspiros por Moab; sus sostenedores *huirán* hasta Segor, *ciudad fuerte*, cual novilla de tres años. Por la cuesta de Luit subirá cada uno llorando y por el camino de Oronaím irán dando gritos de quebranto.

**6.** Las *excelentes* aguas de Nemrim serán abandonadas o *descuidadas;* por lo que se secó la yerba, marchitáronse todos los retoños, pereció todo verdor.

**7.** Serán visitados o *castigados* a proporción de la gravedad de sus maldades; al torrente de los sauces serán conducidos.

**8.** Los gritos se oyeron en contorno por todos los confines de Moab. Hasta Gallim *llegaron sus aullidos,* y sus clamores hasta el pozo de Elim.

**9.** Porque las aguas de Dibón llenas están de sangre *de Moabitas;* pues haré venir sobre Dibón un acrecentamiento de *desgracias;* y contra los que habrán escapado de Moab, o quedádose en el país, enviaré leones.

## CAPITULO XVI

*Ruega a Dios que envíe el Cordero dominador de la tierra, esto es, el Mesías. Moab es castigado por su inflexible soberbia.*

**1.** Envía ¡oh Señor! el Cordero dominador, *o soberano,* de la tierra, desde la Peña del Desierto al monte de la hija de Sión.

**2.** *¡Mas ay!* sucederá que las hijas de Moab, en el paso de Arnón, se hallarán como una ave que huye *espantada,* y como pollitos que saltan fuera del nido.

**3.** Aconséjate, consulta el caso, haz sombra *a los que huyen;* de modo que se oculten en medio del día como en una *obscura* noche; esconde a los fugitivos, y no entregues *alevosamente* a los Isrealitas que andan errantes.

**4.** Hospeda junto a ti mis *hijos* fugitivos. Sé tú ¡oh Moab! su asilo contra el devastador, porque *como* el polvo está *ya* desva-

necido, feneció *por fin* aquel desdichado, aterrado está el que hollaba la tierra.

**5.** Y fundarse ha un trono sobre la misericordia, y sentaráse en él en la casa de David un juez recto y celoso de la justicia, el cual dará a cada uno con prontitud aquello que es justo.

**6.** Hemos oído hablar de la soberbia de Moab, él es orgulloso en extremo: su soberbia, su arrogancia y su impetuosidad exceden *mucho* a sus fuerzas.

**7.** Por esto Moab aullará contra Moab, todos sus moradores prorumpirán en aullidos. A los que jactan de tener sus murallas de ladrillo cocido al fuego, *o inexpugnables,* a ésos anunciadles sus calamidades.

**8.** Porque los arrabales de Hesebón están *ya* desiertos, y talada ha sido por los príncipes de las naciones la viña *o país* de Sábama, cuyos sarmientos han ido a parar hasta Jazer; anduvieron errantes por el desierto; y los *pocos* mugrones que quedaron, pasaron a la otra parte del mar.

**9.** Por tanto, mezclaré mis lágrimas con las de Jazer, lloraré *por* la viña de Sábama. Te bañaré toda con mis lágrimas ¡oh Hesebón!, a ti *también* ¡oh Eléale! porque vino la irrupción, y se acabó la algaraza de los que pisan las vendimias y trillan las mieses.

**10.** Y huirá del Carmelo la alegría y regocijo, y ya no habrá más fiestas y alborozo en las viñas; y el que solía exprimir el vino en la prensa, no lo exprimirá más; y no se oirán ya las canciones de los que piensan en el lagar.

**11.** Por esto mi vientre y mis entrañas resonarán cual cítara *de lúgubre sonido* por los infortunios de Moab y por la ruina de la *fuerte* muralla de ladrillo colado al fuego.

**12.** Y sucederá que cuando Moab esté cansado de acudir a sus lugares altos, entrará en sus santuarios para orar; pero no podrá *tampoco conseguir nada.*

**13.** Esta es la palabra que tiempo ha habló el Señor relativamente a Moab.

**14.** Y lo que ahora dice el Señor es: Dentro de tres años, *cabales* como años de jornalero, será quitada a Moab la gloria de todo su numeroso pueblo; y pocos quedarán *de él,* y éstos pequeños y nada robustos.

---

CAP. XVI. — 1. IV *Reg. v.* 4.

6. *Jerem.* XLVIII, *v,* 29.

## CAPITULO XVII

*Profecía de la ruina de Damasco y de su reino, y asimismo del de las diez tribus: promete Isaías que quedarían algunas reliquias de ellas, que se convertirían después al Señor. Anuncia el estrago que haría el Angel en el ejército de los Asirios.*

1. Duro anuncio contra Damasco. He aquí que Damasco dejará de ser ciudad, y parará en un montón de piedras, en edificio arruinado.

2. Las ciudades de Aroer serán abandonadas a los ganados que tendrán allí sus apriscos, y no habrá quien los espante.

3. Y Efraím perderá su sostén y se acabará el reino de Damasco, y será de los restos de Siria lo que de los hijos gloriosos de Israel: *perecerán*, dice el Señor de los ejércitos.

4. Pues en aquel día se marchitará la gloria de la casa de Jacob y desaparecerá la gordura de su carne.

5. Y sucederá como cuando uno en la siega reúne las espigas que quedaron, y las tome con su mano; o como el que las rebusca en el valle de Rafaím.

6. Y sólo quedará de él como uno que otro racimo de rebusca, y como después de sacudido el olivo quedan dos o tres aceitunas en la punta de una rama, o bien cuatro o cinco en lo alto de la rama fructífera, dice el Señor Dios de Israel;

7. En aquel día se humillará el hombre delante de su Hacedor, y sus ojos se volverán a mirar al Santo de Israel;

8. Y no se postrará ante los altares que fueron obra de sus manos, y no hará caso alguno de los bosques y templos *de los ídolos*, que por él fueron construidos.

9. En aquel día serán abandonadas sus ciudades fortificadas, como lo fueron los arados y las mieses a la llegada de los hijos de Israel; del mismo modo serás tú ¡oh Samaria! desamparada.

10. Por cuanto olvidaste a Dios tu Salvador, y no te acordaste de tu poderoso defensor; por eso plantarás planta buena, y sembrarás simiente, *que servirá para una gente* extraña.

11. Y de aquello que tú plantaste, salió uva silvestre, y temprano floreció tu simiente; *pero* te es arrebatada la mies cuando debía recogerse, lo cual te causará una gran pena.

12. ¡Ay de la muchedumbre de esos pueblos, semejantes a las innumerables olas del mar embravecido; y de ese tumultuoso ejército, parecido al ruido de impetuosas aguas!

13. Los pueblos moverán un ruido, como las aguas de una inundación; pero Dios los reprenderá y ellos huirán lejos; serán dispersados como lo es el polvo sobre los montes al soplo del viento, y como un torbellino *de polvo* es arrebatado en la tempestad.

14. ¡Al tiempo de la tarde no véis qué espanto causaban! Viene la mañana, y ya no existen. Tal es la paga que tendrán los que nos devastaron, tal la suerte *futura* de los que nos han saqueado.

## CAPITULO XVIII

*Profetiza Isaías contra una nación que no nombra.*

1. ¡Ay de la tierra, címbalo alado, que está a la otra parte de los ríos de Etiopía,

2. La cual envía embajadores por mar en barcos de papiro, *o de juncos, que corren* sobre las aguas! Id, mensajeros veloces, a la nación conmovida y despedazada, a aquel pueblo formidable más que otro alguno, a la nación que espera, y *entre tanto* es hollada, cuya tierra se van comiendo los ríos.

3. Habitadores todos del mundo, vosotros que estáis de asiento en el país, cuando fuere alzado el estandarte sobre los montes, vosotros lo veréis, y oiréis el ronco sonido de la trompeta.

4. Porque he aquí lo que el Señor me dice: Yo me estaré tranquilo, y lo contemplaré desde mi asiento; como *se ve* la clara luz del medio día; y *seré* al modo que una nube de rocío al tiempo de la cosecha.

5. Ya que todo él, *esto es, el poder de los enemigos,* antes de la mies se ha ido y sus tallos serán cortados con la podadera, y lo que quedare será tronchado y arrojado.

6. Y serán abandonados a un mismo tiempo a las aves montaraces y a las bestias de la tierra; y todo el verano estarán las aves sobre ellos y sobre él invernarán todas las bestias de la tierra.

---

CAP. XVII — 1. IV *Reg.* XVI, *v.* 9.
8. II *Par.* XXX, XXXI.
9. *Jos.* II, *v.* 9; V. *v.* 1.

CAP. XVIII — 6. V. II *Par.* XXXII, *v.* 23.

**7.** En aquel tiempo, el pueblo dividido y despedazado, el pueblo formidable más que otro alguno, la nación que espera y más espera y es *entre tanto* hollada, cuya tierra está desmoronada por los ríos, llevará ofrendas al Señor de los ejércitos *que reside* en el lugar donde se invoca el Nombre del *mismo* Señor de los ejércitos, en el monte de Sión.

## CAPITULO XIX

*Profecía contra el Egipto: del cual, y otros pueblos gentiles, anuncia que serán llamados a la salud eterna.*

**1.** Duro anuncio contra Egipto. He aquí que el Señor montará sobre una nube ligera, y entrará en Egipto, y a su presencia se conturbarán los ídolos de Egipto, y el corazón de Egipto se repudrirá en su pecho.

**2.** Y haré que vengan a las manos Egipcios contra Egipcios, y combatirá el hermano contra su propio hermano, y el amigo contra su amigo, ciudad contra ciudad, reino contra reino.

**3.** Y quedará Egipto sin espíritu en sus entrañas, y transtornaré sus consejos, y andarán consultando sus ídolos y sus adivinos, y sus pitones y magos.

**4.** Y entregaré a Egipto en poder de señores crueles; y un rey fiero los dominará, dice el Señor Dios de los ejércitos.

**5.** Y el mar quedará sin *que suba tanto su agua*, y menguará *por consiguiente* el río *Nilo*, y vendrá a secarse.

**6.** Y faltarán los ríos *o bocas del Nilo;* irán menguando hasta quedarse secos los canales que van entre malecones; la caña y el junco se marchitarán.

**7.** El cauce del río quedará sin aguas desde allá donde tiene su origen, y toda la sementera de regadío se secará, se agostará y perecerá,

**8.** Y andarán mustios los pescadores, y llorarán cuantos echan el anzuelo en el río, y los que tienden redes en las aguas, se consumirán de *pena.*

**9.** Quedarán confusos los que trabajaban el lino y lo rastrillaban, y hacían de él telas delicadas,

**10.** Porque los lugares de regadío quedarán sin jugo, y *tristes* todos los que hacían balsas para pescar peces.

**11.** ¡Oh qué necios son los príncipes de Tanis! los sabios consejeros de Faraón *le* han dado un consejo desatinado. ¿Cómo sugeriréis a Faraón *que diga ufano:* Yo, hijo de sabios, yo hijo de reyes antiguos?

**12.** *Mas* ¿en dónde están ahora tus sabios? Que te anuncien y expongan lo que el Señor de los ejércitos tiene resuelto sobre Egipto.

**13.** Los príncipes de Tanis se han vuelto necios, y están alucinados los príncipes de Memfis, engañado han a Egipto, baluarte de sus pueblos.

**14.** El Señor ha derramado en medio de ellos el espíritu de vértigo, y ellos han sido causa que desacierte Egipto en todo cuanto hace; a la manera que anda desatinado un borracho cuando está en el vómito.

**15.** Y Egipto no ejecutará cosa que tenga pies ni cabeza, ni el que manda ni el que obedece.

**16.** Como *tímidas* mujeres serán en aquel día los Egipcios, y se volverán estúpidos y medrosos al movimiento de la mano del Señor de los ejércitos, la cual descargará contra ellos.

**17.** Y la tierra de Judá será el espanto de Egipto; y cada uno al acordarse de ella temblará, por causa de los designios que a favor de la misma formó el Señor de los ejércitos.

**18.** En aquel día habrá cinco ciudades en la tierra de Egipto que hablarán la lengua del Canaán, y que jurarán por el Señor de los ejércitos. Ciudad del Sol será llamada una.

**19.** En aquel día estará en medio de la tierra de Egipto el altar del Señor, y el trofeo del Señor hasta sus confines;

**20.** *El cual* servirá de señal y testimonio dado al Señor de los ejércitos en la tierra de Egipto; porque invocaran al Señor contra el opresor, y aquél les enviará un Salvador y defensor que los libre.

**21.** Y el Señor será conocido de Egipto, y los Egipcios confesarán al Señor en aquel día, y honraránle con hostias y ofrendas, y harán al Señor votos y los cumplirán.

**22.** Y el Señor herirá a Egipto con plagas y lo sanará, y se volverán al Señor, y se aplacará con ellos, y los sanará.

**23.** En aquel día estará libre el paso de Egipto a Asiria, y entrará el Asirio en Egipto, y el Egipcio en la Asiria, e irán de acuerdo *y servirán al Señor* los de Egipto con el Asirio.

**24.** En aquel día Israel será el tercero, *o medianero,* con el Egipcio y el Asirio: la bendición será en medio de la tierra,

---

CAP. XIX. — 11. *Num,* XIII, *v.* 23.

**14.** II *Thes.* II, *v*, 10 — *c*, VI, *v.* 10.
**24.** *Joann.* IV, *v.* 22.

**25.** A la cual bendijo el Señor de los ejércitos, diciendo: Bendito el pueblo mío de Egipto y el Asirio que es obra de mis manos; pero mi herencia es Israel.

## CAPITULO XX

*Manda Dios al Profeta que ande desnudo y descalzo, para que anuncie de este modo el cautiverio de los Egipcios y Etíopes.*

**1.** El año en que Tartán, enviado por Sargón, rey de los Asirios, llegó a Azoto, y la combatió y la tomó,

**2.** En aquel mismo tiempo habló el Señor a Isaías, hijo de Amós, diciendo: Ve y despójate de tu saco o *sayal,* y quita de tus pies el calzado. E hízolo así *Isaías,* yendo desnudo, *o con sola la ropa interior,* y descalzo.

**3.** Y dijo el Señor: Así como mi siervo Isaías anduvo desnudo y descalzo, en señal y predicción de tres años *de guerra* contra Egipto y contra Etiopía,

**4.** Así también el rey de los Asirios se llevará delante de sí cautivos a los de Egipto y transportará a los de Etiopía, jóvenes y viejos, desnudos y descalzos y descubiertas las nalgas, para ignominia de Egipto.

**5.** Y *los de mi pueblo* estarán amedrentados, y se avergonzarán de haber puesto su esperanza en Etiopía, y en Egipto su gloria.

**6.** Y los habitantes de esta isla dirán en aquel día: Mirad ahí los que eran nuestra esperanza, y a qué hombres acudimos implorando socorro, para que nos librasen del rey de los Asirios. ¿Pues cómo podremos nosotros escapar *de sus manos?*

## CAPITULO XXI

*Profecía contra Babilonia, contra la Idumea y contra la Arabia.*

**1.** Duro anuncio contra el Desierto del mar. De un desisierto de una tierra horrible viene el *enemigo,* como vienen del Abrego los torbellinos.

**2.** Una terrible visión me ha sido anunciada: el que es fementido obra como fementino,

el saqueador devasta. Ponte en marcha ¡oh Elam! Pon el sitio ¡oh Medo! Yo daré descanso a todos los que ella hacía gemir.

**3.** Por esto están doloridas mis entrañas, y padezco una congoja semejante a la de una mujer que está en parto; me atemoricé al oírlo, y al verlo quedé sin aliento.

**4.** El corazón se me derrite, me quedo pasmado de horror. Babilonia, mi querida *Babilonia,* es para mí un objeto de asombro.

**5.** Pon la mesa; está de observación desde una atalaya; vosotros ¡oh príncipes, que estáis comiendo y bebiendo! levantaos, embrazad la rodela.

**6.** Porque el Señor me ha hablado de este modo: Anda, y pon un centinela, y que dé aviso de todo lo que observe.

**7.** Y descubrió dos carros de guerra con dos caballeros, uno montado en un asno y el otro en un camello, y los estuvo contemplando atentamente por mucho tiempo.

**8.** Y gritó como león: Yo estoy de centinela de parte del Señor; de día permanezco aquí continuamente, y estoy pasando en mi puesto las noches enteras.

**9.** He aquí que viene la pareja de los de a caballo en sus cabalgaduras; y añadió, y dijo: Cayó, cayó Babilonia, y todos los simulacros de sus dioses se han estrellado contra la tierra.

**10.** ¡Oh vosotros, trilladura mía, vosotros hijos de mi era! lo que oí del Señor de los ejércitos, del Dios de Israel, eso os he anunciado.

**11.** Duro anuncio contra Duma, o *Idumea:* Gritando están desde Seir: *Centinela,* ¿que ha habido esta noche? Centinela, ¿que ha habido esta noche?

**12.** Responde el centinela: Ha venido la mañana, y la noche *vendrá:* si buscáis; buscad de veras, convertíos, y venid.

**13.** Duro anuncio contra la Arabia: Vosotros dormiréis a la noche en el bosque, sobre el camino de Dedanim.

**14.** Los que moráis por la parte de Mediodía, salid al encuentro, llevad agua al sediento, e id provistos de pan para socorro del que huye.

**15.** Porque huyen de la espada *desenvainada,* de la cuchilla inminente, del arco entesado, del *furor del* sangriento combate.

**16.** Porque esto me dice el Señor: Dentro de un año, año *cabal* como el de mozo jornalero, desaparecerá toda la gloria de Cedar.

---

**CAP. XX.** — 1. *Reg.* XVIII, *v,* 17.
2. *Num.* XIV, *v.* 34, — *Ezech.* IV, *v.* 6.
**CAP. XXI.** — 1. *Cap.* XIV, *v,* 23.— *Jerem.* LI, *v,* 42.

10. *Luc.* III, *v,* 17.
13. *Genes.* XXXVI, *v.* 11.

**17.** Y el número que quedará de los esforzados flecheros de Cedar, será pequeño; porque el Señor Dios de Israel *así* lo ha dicho.

# CAPITULO XXII

*Profetiza Isaías la destrucción de Jerusalén, condenando la vana confianza que tenían sus moradores. Anuncia a Sobna, prefecto del Templo, que será privado de su dignidad; y a Eliacim que será su sucesor.*

**1.** Duro anuncio contra el valle de la Visión, *o Jerusalén.* ¿Qué es lo que tú también tienes, que tu gente toda se sube a los terrados?

**2.** Ciudad llena de tumulto, populosa en extremo, ciudad de regocijo: tus muertos no perecieron al filo de la espada, ni fallecieron en batalla.

**3.** Todos tus magnates de común acuerdo huyeron y fueron atados cruelmente; todos los que han sido encontrados han sido encadenados juntos, y desterrados lejos.

**4.** Por eso dije: Apartaos de mí; yo lloraré amargamente; no os empeñéis en consolarme en la desolación de la hija de mi pueblo;

**5.** Porque día es éste de mortandad, y de devastación, y de gemidos, prefijado por el Señor Dios de los ejércitos para el valle de la Visión: él va socavando en busca de los cimientos de la muralla, y hace ostensión de su gloria sobre el monte.

**6.** Y el Elamita ha tomado consigo la aljaba y el carro de guerra para el caballero, y ha descolgado de la pared la rodela.

**7.** Y tus hermosos valles estarán cubiertos de carros de guerra, y la caballería acampará en la puerta.

**8.** Y se correrá el velo de Judá, y se acudirá en aquel día a la armería del palacio del Bosque.

**9.** Y observaréis las brechas de la ciudad de David, que son en gran número: y *para repararlas* habéis *ya* recogido las aguas de la piscina *o presa* inferior.

**10.** Y habéis contado las cosas de Jerusalén, y habéis demolido algunas para fortificar las murallas,

**11.** Y habéis hecho un foso entre los dos muros para recoger el agua de la piscina vieja;

y no habéis alzados los ojos al Creador de ella, ni siquiera de lejos habéis mirado al que la hizo.

**12.** Y el Señor Dios de los ejércitos *os* llamará en aquel día a llanto y a gemidos, y a raer la cabeza, y a vestiros de saco.

**13.** Mas he aquí *que vosotros no pensaréis sino* en danzas y alegría en matar terneras, degollar carneros, y en comer sus carnes y beber vino, *diciendo:* Comamos y bebamos, porque mañana moriremos.

**14.** Y ha sido revelada a mis oídos esta voz del Señor de los ejércitos: No, no se os perdonará esa iniquidad hasta que muráis, dice el Señor Dios de los ejércitos.

**15.** El Señor Dios de los ejércitos dice también: Ve a encontrar a aquel que habita en el Tabernáculo, a Sobna, prefecto del templo y le dirás:

**16.** ¿Qué haces aquí tú? ¿o a quién representas tú aquí? *tú*, que te has hecho labrar con grande esmero un monumento en lugar elevado, un tabernáculo en la peña.

**17.** Pues sábete que el Señor hará que te lleven de aquí, como es llevado *atado* el gallo *de un gallinero*, y como se lleva a un hombre *criminal* con la cara cubierta.

**18.** Coronarte ha con corona de abrojos, te arrojará como pelota en plaza ancha y espaciosa; allí morirás tú, que eres la deshonra de la casa del Señor, y allí parará la carroza de tu gloria.

**19.** Yo te echaré de tu puesto, y te depondré de tu ministerio.

**20.** Y en aquel día llamaré a mi sierve Eliacim, hijo de Helcías,

**21.** Y lo revestiré de tu túnica, y lo adornaré con tu cinturón, y en sus manos pondré tu autoridad, y él será como padre para los moradores de Jerusalén y para la casa de Judá.

**22.** Y pondré sobre sus hombros la llave de la casa de David: y abrirá y no habrá quien pueda cerrar; y cerrará, y no habrá quien pueda abrir.

**23.** Y lo colocaré como clavo hincado en lugar firme; y él será como trono de gloria para la casa de su padre.

**24.** De él colgará toda la gloria de la casa de su padre, alhajas de varias clases, vasos pequeños de toda especie, desde las tazas *finas* hasta todo instrumento de música.

---

CAP. **XXII** — 1. *Gen.* XXII, *v*, 14. — IV *Reg.*, XXV, *v.*, 3.
11. II *Par.* XXXIII, *v.* 14. — IV. *Reg.*XVIII, *v.* 17; XX, *v.* 20 — *Eccli.* XLVIII, *v.* 19.

---

22. *Matth.* XVI, *v.* 19 — *Apoc.* III, *v.* 7.

**25.** En aquel día, pues, dice el Señor de los ejércitos, será arrancado el clavo que fué hincado en lugar firme, y será quebrado; y andará rodando por el suelo, y perecerá todo lo que de él estaba colgado: porque *así* lo ha dicho el Señor.

## CAPITULO XXIII

*Vaticina Isaías la destrucción de Tiro en castigo de sus soberbia; y predice su restauración.*

**1.** Duro anuncio contra Tiro. Prorrumpid en aullidos, naves del mar; porque desolada ha sido la casa, *o ciudad*, de donde acostumbraban hacerse a la vela. De la tierra de Cetim les ha venido el aviso.

**2.** Callad vosotros ¡oh habitadores de la isla! tú estabas llena de comerciantes en Sidón que pasaban el mar.

**3.** La sementera que crece por las aguas redundantes del Nilo, y las cosechas que producía este río eran para ella; y había llegado a ser el emporio de las naciones.

**4.** Avergüénzate ¡oh Sidón! pues así habla *esta ciudad del* mar, la señora del mar. Tú que dices: No concebí, ni parí, y no crié mancebos, ni eduqué doncellas hasta la edad florida.

**5.** Cuando lleguen a Egipto noticias, se dolerán de lo que oigan relativamente a Tiro.

**6.** Pasad los mares, levantad vuestros gritos, habitantes de la isla.

**7.** ¿Por ventura no es esta vuestra *ciudad*, aquella que mucho tiempo ha se gloriaba de su antigüedad? Por tierras extrañas *o remotas*, irán peregrinando sus moradores.

**8.** ¿Quién es el que tales cosas decretó contra Tiro, la cual en otro tiempo era la reina *del mar*, cuyos comerciantes eran príncipes, y sus mercaderes los más ilustres de la tierra?

**9.** El Señor de los ejércitos ordenó esto, para hollar la soberbia de todos los jactanciosos, y reducir a la ignominia a todos los ilustres del país.

**10.** Atraviesa corriendo su tierra como un río ¡oh tú, hija del mar! Ya no tienes más ceñidor *o amparo*.

**11.** El Señor ha extendido su mano contra el mar, commovido ha los reinos; él ha dado sus órdenes contra Canaán, para exterminar a sus campeones.

**12.** Y ha dicho: No te vanagloriarás ya más, cuando te veas afrentada ¡oh virgen hija de Sidón! Levántate, navega a Cetim, que ni allí tampoco tendrás reposo.

**13.** Mirad la tierra de los Caldeos: *pues* no existió jamás un pueblo tal *como aquél:* Asur lo fundó; *con todo ahora* fueron llevados cautivos sus cam-peones, sus casas han sido demolidas, convirtiéronlo *en un montón* de ruinas.

**14.** Aullad ¡oh naves del mar! porque destruida ha sido vuestra fortaleza.

**15.** Y entonces será cuando tú ¡oh Tiro! quedarás sepultada en el olvido, por espacio de setenta años, que suelen ser los días de un rey; y pasados los setenta años, será Tiro como una prostituta que canta *para seducir.*

**16.** Toma la cítara, da la vuelta por la ciudad ¡oh *vil* ramera! *ya* entregada al olvido canta con *envenenada* dulzura, repite tu *seductora* cantinela, a fin de que piensen en ti.

**17.** Y después de los setenta años el Señor visitará a Tiro: y la volverá a su tráfico, y tendrá comercio como antes con todos los reinos del mundo, en toda la extensión de la tierra.

**18.** *Al fin Tiro se convertirá*, y sus contratos de compra y venta y sus ganancias serán consagrados al Señor; no se almacenarán, ni se reservarán; porque su negocio será para utilidad de aquellos que asisten en la presencia del Señor, a fin de que tengan alimentos en abundancia y vestidos que mudarse hasta la vejez.

## CAPITULO XXIV

*Profecía de los males que enviará Dios a toda la tierra para castigo de los pecados de los hombres: el día del juicio solamente es terrible para los malos.*

**1.** He aquí que el Señor desolará *después*, y despojará la tierra y pondrá afligido el aspecto de ella, y esparcirá sus moradores.

**2.** Y como el pueblo, así será *tratado* el sacerdote; y como el esclavo, así su señor; como la sierva, así su señora; como el que compra, así el que vende; como el que da prestado, así el que recibe; como el acreedor, así el deudor.

---

CAP. XXIII. — 1. *Jeremías*, c. XXVII y XLVII, *Ezequiel*, c., XXVI, XXVII y XXVIII.

**15.** *Jerem.XXV*, *v.* 11. —*Ezech.* XXIX, *v.* 12.
**18.** *Salmo* XLIV, *v.* 13. — *S. Mateo*, *c.* XV, *v.* 21.
**CAP. XXIV.** — *Matth.* XXIV.
**2.** *Oseas* IV, *v.* 9.

**3.** Enteramente arruinada quedará la tierra, y totalmente devastada. Por cuanto el Señor así lo ha pronunciado.

**4.** La tierra se deshace en lágrimas y se consume, y desfallece, consúmese el mundo, consúmense los magnates del pueblo de la tierra.

**5.** Inficionada está la tierra por sus habitadores, pues han quebrantado las leyes, han alterado el derecho, rompieron la alianza sempiterna.

**6.** Por esto la maldición devorará la tierra; porque sus habitantes son pecadores, y por esto perderán el juicio los que en ella moran, de que sólo se libertará un corto número.

**7.** La vendimia está llorando, la vid perdió su vigor; llorando están a lágrima viva los que se alegraban de corazón.

**8.** Cesó el festivo sonido de los panderos, se acabó la algazara de las bulliciosas cuadrillas de gente, emmudeció la melodiosa cítara.

**9.** No beberán ya vino en medio de cantares; amargo será todo licor para los bebedores.

**10.** La ciudad de la vanidad se va destruyendo, todas las cosas están cerradas, sin que nadie entre en ellas.

**11.** Habrá gritos en las calles por *la* escasez del vino; todo contento queda desterrado, desapareció la alegría de la tierra.

**12.** La ciudad está hecha un páramo, y quedarán destruidas sus puertas.

**13.** Tales cosas sucederán en medio de la tierra, en el centro de los pueblos: como cuando vareado el olivo quedan unas pocas aceitunas en el árbol, y algunos rebuscos después de acabada la vendimia.

**14.** Estos *restos de Israel* levantarán su voz, y entonarán alabanzas: mostrarán su júbilo desde el mar, luego que fuere el Señor glorificado.

**15.** Por tanto glorificad al Señor con la ilustración de la doctrina *de la salud: anunciad* el Nombre del Señor Dios de Israel en las islas del mar *o remotas regiones.*

**16.** Desde las extremidades del mundo hemos oído las alabanzas que se cantaban a la gloria del justo. Y yo dije: Mi secreto es para mí, mi secreto es para mí: ¡ay de mí! los prevaricadores han prevaricado, y han prevaricado con prevaricación propia de contumaces.

**17.** El espanto, la fosa y el lazo están *reservados* para ti, que eres habitador de la tierra.

**18.** Y sucederá que el que huyere de la espantosa voz, caerá en la hoya, y el que escapare de la hoya será preso en el lazo; porque se abrirán desde lo alto las cataratas, y se bambolearán los cimientos de la tierra.

**19.** Será despedazada con gande estruendo la tierra; hendérase con aberturas grandes; conmovida será con el mayor desconcierto.

**20.** Estará la tierra, *o el hombre,* en una agitación semejante a la de un borracho; y mudará de sitio, como tienda que sólo se arma para pasar una noche: se verá agobiada con el peso de su propia iniquidad, y caerá y nunca jamás se levantará.

**21.** Y sucederá que en aquel día residenciará el Señor *públicamente* a la milicia del cielo *allá* en lo alto, y a los reyes del mundo que están *acá* en la tierra.

**22.** Y serán reunidos todos y hacinados en un solo haz, *y echados* en el lago, y allí serán encerrados en una cárcel, y aún después de muchos días *continuarán en padecer, y eternamente* serán visitados o *castigados.*

**23.** Y se pondrá roja *o de color de sangre* la luna, y el sol se obscurecerá *y avergonzará* cuando el Señor Dios de los ejércitos habrá tomado posesión del reino en el monte de Sión y en Jerusalén, y sido glorificado en presencia de sus ancianos.

## CAPITULO XXV

*Cántico de acción de gracias al Señor por los beneficios hechos a su pueblo.*

**1.** ¡Oh Señor! Tú eres mi Dios: yo te ensalzaré, y bendeciré tu Nombre; porque has ejecutado cosas maravillosas, designios antiguos y fieles o *infalibles.* Amén.

**2.** *Bendito seas,* porque has convertido en escombros la ciudad, la ciudad poderosa, el alcázar de hombres extranjeros en un montón de ruinas, para que cese de ser ciudad, y nunca jamás sea reedificada.

**3.** Por esto te tributará alabanzas el pueblo fuerte, te temerá *la nueva Jerusalén,* la ciudad de las gentes valerosas.

**4.** Porque tú has sido fortaleza para el menesteroso en su tribulación; su esperanza en la tormenta; su refrigerio en el ardor; pues el

---

6. *Deut.* XXVIII, *v.* 28. — *Luc,* XXI, *v.* 25.

21. I *Cor,* VI, *v.* 3.
29. *Joel.* II, *v.* 31. — *Matth.* XXIV, *v.* 29 — *Act,* II, *v.* 20.

ímpetu *u orgullo* de los poderosos es como un torbellino que hace bambolear una pared.

5. Tú abatirás la arrogancia de los extranjeros a la manera que *abate* el sol ardiente en medio de un sequedal; y como ardor de nube abrasadora, harás secar los renuevos de esos prepotentes.

6. Y el Señor de los ejércitos a todos los pueblos *fieles* les dará en este monte *de la nueva Sión* un convite de manjares mantecosos, un convite de vendimia *o vinos exquisitos,* de carnes gordas y de mucho meollo, de vinos puros sin mezcla.

7. Y en este monte romperá las cadenas que tenían aprisionados a todos los pueblos, y las redes tendidas contra todas las naciones.

8. Y abismará la muerte para siempre y el Señor Dios enjugará las lágrimas de todos los rostros, y borrará de toda la tierra el oprobio de su pueblo: porque *así* lo ha pronunciado el Señor.

9. Y dirá *el pueblo de Dios* en aquel día: Verdaderamente que éste es nuestro Dios: en él hemos esperado, y él nos salvará. Éste es el Señor *nuestro:* nos hemos mantenido en la esperanza y *ahora* nos regocijamos; y en la salud que viene de él nos holgaremos.

10. Porque reposará la mano del Señor sobre este monte *santo de Sión*; y debajo de él será desmenuzado Moab *y demás enemigos nuestros,* así como la paja que se trilla debajo de un carro.

11. Y extenderá sus brazos debajo del *carro* como las extiende un nadador para *escapar* a nado; pero el *Señor* abatirá su altivez, rompiéndole los brazos.

12. Y caerán ¡*oh Moab!* los baluartes de tus altos muros, y serán abatidos y echados a tierra, y reducidos a polvo.

## CAPITULO XXVI

*Cántico de acción de gracias por la exaltación de los justos y humillación de los réprobos. De la resurrección de los muertos.*

1. En aquel día será cantado este cántico en tierra de Judá: Sión es nuestra ciudad fuerte, el Salvador será para ella muro y antemural.

2. Abrid las puertas, y entre la gente justa, que observa la verdad *o justicia de mis preceptos.*

3. Ya se ha disipado el antiguo error: tú ¡*oh Señor!* nos conservarás la paz; la paz *o reunión de todos los bienes*, ya que en ti tenemos puesta nuestra esperanza.

4. Vosotros pusisteis para siempre vuestra esperanza en el Señor, en el Señor Dios, que es nuestra fortaleza eterna.

5. Porque él abatirá a los que se ven sublimados, humillará la ciudad altiva. La humillará hasta el suelo; la humillará hasta *reducirla a polvo.*

6. La hollarán los pies, los pies del pobre; la pisarán los mendigos.

7. La senda del justo es recta; derecha es la vereda por donde el justo camina *a la felicidad.*

8. Y *andando* por la senda de tus juicios *o leyes*, hemos puesto en ti ¡oh Señor! nuestra confianza: todo el deseo de nuestra alma se cifra en traer a la memoria tu Nombre.

9. Mi alma te deseó en *medio* de la noche; y mientras haya aliento en mis entrañas, me dirigiré a ti desde que amanezca. Cuando habrás ejecutado tus juicios en la tierra, entonces aprenderán la justicia los moradores del mundo.

10. Téngase compasión del impío, y no aprenderá *jamás* la justicia: en la tierra de los santos ha cometido él la maldad, y *así* no verá la gloria del Señor.

11. Levanta ¡oh Señor! tu mano, y no vean ellos *tu* gloria; pero al *fin* la verán los que envidian a tu pueblo, y quedarán confundidos; y serán devorados del fuego de tus enemigos.

12. A nosotros, Señor, nos darás la paz: porque todas nuestras obras tú nos las hiciste *por medio de nosotros.*

13. Oh Señor Dios nuestro, hemos tenido otros amos fuera de ti, que nos han dominado: haz que de ti sólo y de tu Nombre nos acordemos.

14. No vuelvan a vivir los que murieron ya; ni resuciten los gigantes: que por eso tú los residenciaste, y los exterminaste, y borraste del todo su memoria.

---

CAP XXVI — 5. *Sap*, V .*v.* 6.

7. *Prov.* IV, *v.*11.

12. San Jerónimo expone del modo siguiente estas palabras: *Pues que se acerca el fin del mundo, y todo cuanto has anunciado por tus profetas se ha cumplido efectivamente, y has dado completamente aquello que prometiste: danos a nosotros aquella paz que sobrepuja todo sentido.*

14. *Prov.* IX, *v.* 18; XXV, *v.* 16.

---

CAP. XXV. — 6. *Apocalipsis* XIX, *v. 7* — *Matth.* XXII, *v.* 2; XXXV, *v.*10—10. *Luc.* XIV, *v.* 16.

8. *Apoc.* VII, *v.* 17; XXI, ., 4. *Matth.* V, *v*, 5.

10. *Num.* XXV. — II *Reg.* VIII, *v.* 2.

**15.** Propicio fuiste, oh Señor, al pueblo *de Israel*, fuiste propicio a *tu* pueblo: ¿por ventura has sido tú glorificado *de él* por haber dilatado los confines de *su* tierra?

**16.** En la aflicción, oh Señor, *entonces* te buscaron; y la tribulación en que gimen, es para ellos *una* instrucción tuya.

**17.** Como la que concibió da gritos acongojada con los dolores del parto que se acerca, tales somos nosotros, Señor delante de ti.

**18.** Concebimos y sufrimos como dolores de parto, y hemos dado a luz nada; mas no hacemos en esta tierra obras saludables; y por esto no se han extinguido *nuestros enemigos,* sus *antiguos* moradores.

**19.** Tus muertos, Señor, tendrán *nueva* vida; resucitarán los muertos míos *por la justicia;* despertaos y cantad himnos de alabanza vosotros que habitáis en el polvo *del sepulcro;* porque tu rocío ¡oh Señor! es rocío de luz *y de vida*, y a la tierra de los gigantes, *o impíos,* tú la arruinarás.

**20.** Anda, pueblo mío, entra en tus aposentos: cierra las puertas tras ti, escóndete por un momento, hasta que pase la indignación *o castigo de los malos.*

**21.** Porque he aquí que saldrá el Señor de su *celestial* morada a castigar las maldades que el habitador de la tierra ha cometido contra él; y la tierra pondrá de manifiesto la sangre que ha bebido, y no ocultará más tiempo a los *justos*, que en ella fueron muertos.

## CAPITULO XXVII

*Castigo de Leviatán; corrección paternal del Señor para con sus hijos. Desolación de la ciudad fuerte. Vueltos los Israelitas de su cautiverio adorarán al Señor en Jerusalén.*

**1.** En aquel día el Señor con su espada cortante, y grande, y fuerte, tomará residencia a Leviatán, serpiente gruesa; a Leviatán, serpiente tortuosa; y matará la ballena, que está en el mar *de este mundo.*

**2.** En aquel día la viña del vino rico le cantará alabanzas.

**3.** Yo el Señor soy quien la guardo; y yo la regaré continuamente; para que no reciba *ningún* daño, la guardo noche y día.

**4.** No hay en mí enojo *contra ella;*

¿quién podrá hacer que sea yo como una espina o zarza *que la punce?* ¿Saldré yo quizá a pelear contra ella? ¿La entregaré también a las llamas?

**5.** ¿O más bien, no detendrá ella mi fortaleza? *Sí:* hará paz conmigo, conmigo hará paz.

**6.** Los que con fervor vienen a encontrar a Jacob, harán florecer y echar renuevos a Israel, y llenarán toda la tierra de fruto *o descendencia suya.*

**7.** ¿Por ventura lo maltrató *Dios*, como de él fué maltratado? ¿O como él mató a sus muertos *que eran siervos del Señor,* así también ha sido muerto él?

**8.** Con medida igual a la medida *de sus* maldades ejercerán el juicio contra la viña, cuando fuere ya desechada *por su obstinación.* El Señor ha tomado con su espíritu de *justo* rigor la resolución para el día del ardor *de su ira.*

**9.** Y así con esto será perdonada su iniquidad a la casa de Jacob; y ése será todo su fruto, que sea borrado su pecado, después que *Dios* haya hecho que todas las piedras del altar, *o templo de Jerusalén,* queden como piedras de cal desmenuzadas; y que sean arrasados los bosquetes y templos profanos.

**10.** Porque la ciudad fuerte será desolada; *Jerusalén*, la hermosa ciudad, será desamparada, y quedará como un desierto; en ella pacerá el becerro, y allí tendrá su majada, y comerá las puntas de los tallos de *esta viña abandonada.*

**11.** Sus mieses se echarán a perder de sequedad. Vendrán mujeres, y harán con ella de maestras. Porque no es pueblo sabio, sino *necio y obstinado*; por eso aquel *Señor* que lo hizo no tendrá compasión de él; y no le perdonará el que lo formó.

**12.** Y en aquel día el Señor hará sentir su azote desde el álveo del río *Eufrates* hasta el torrente de Egipto, *o Nilo;* y vosotros ¡oh hijos de Israel! seréis congregados uno a uno.

**13.** Y en aquel día resonará una grande trompeta; y vendrán *a la Iglesia* los que estaban desterrados *y cautivos* en la tierra de los Asirios, y los que habían sido arrojados a la tierra de Egipto, y adorarán al Señor en el monte santo de Jerusalén.

---

**CAP. XXVII.** — 9. *Matth.* XXIV, *v.* 2.

# CAPITULO XXVIII

*Amenazas contra Samaria, y ruina del reino de los diez tribus. Desolación del reino de Judá. Promesa del Mesías, el cual será la piedra angular de la nueva Sión.*

1. ¡Ay de la corona de soberbia de los embriagados de Efraím, de la flor caduca de la gloria y alegría de los que estaban en *Samaria,* en la cumbre del fertilísimo valle, desatentados por causa del vino!

2. He aquí al Señor poderoso y fuerte, como pedrisco impetuoso, como torbellino quebrantador, como el ímpetu de muchas aguas que inundan y anegan un espacioso país.

3. La corona de soberbia de los embriagados de Efraím será hollada con los pies.

4. Y la caduca flor de la gloria y alegría del que está sobre la cumbre del fertilísimo valle, será como un fruto temprano, que madura antes del otoño; al cual el primero que lo ve, al instante lo toma, y lo devora.

5. En aquel día el Señor de los ejércitos será corona de gloria y guirnalda de regocijo para las reliquias de su pueblo.

6. Y será espíritu de justicia para aquel que esté sentado *en el trono,* a fin de administrarla; y *espíritu* de fortaleza para aquellos *valientes* que vuelven de pelear en las puertas *mismas de los enemigos.*

7. Mas aun éstos perdieron el entendimiento por el demasiado vino, y anduvieron desatentados por causa de su embriaguez. El sacerdote y el profeta perdieron el seso por su embriaguez, el vino los trastornó, la embriaguez los extravió del camino; no quisieron conocer al *verdadero* Profeta, ni saber qué cosa es justicia.

8. Porque todas las mesas atestadas están de vómito y de inmundicias, sin que quede ningún lugar limpio.

9. ¿A quién comunicará *el Señor* la ciencia? ¿Y a quién dará la inteligencia de lo que dice? A los *niños* acabados de detestar, a los que son arrancados de los pechos *de sus madres.*

10. Ya que *dicen por escarnio:* Manda, vuelve a mandar ¡oh Profeta! manda, vuelve a mandar; espera, vuelve a esperar; un poquito aquí, otro poquito allí.

11. Pero *el Señor* hablará con otros labios y otro lenguaje *extraño* a ese pueblo *insano.*

12. Al cual dijo *un día:* Aquí tengo mi reposo; reparad las fuerzas del que está fatigado, que en eso consiste mi refrigerio; y no han querido *escucharme.*

13. Y el Señor les dirá *algún día:* Manda, vuelve a mandar; manda, vuelve a mandar; espera, vuelve a esperar; espera, vuelve a esperar; un poquito aquí, otro poquito allí: y dejará que vayan y caigan de espaldas, y sean hollados y presos en los lazos.

14. Por tanto, escuchad la voz del Señor, oh hombres escarnecedores, que domináis al pueblo mío que está en Jerusalén.

15. Pues que vosotros dijisteis: Hemos hecho pacto con la muerte, y un convenio con el infierno: cuando venga el azote, como un torrente, no llegará a nosotros; porque nos hemos apoyado en la mentira *o intriga,* y ésta nos pondrá a descubierto.

16. Por tanto, esto dice el Señor Dios: He aquí que yo pondré en los cimientos de la *nueva* Sión una piedra, piedra escogida, angular, preciosa, asentada por *solidísimo* fundamento: el que creyere no se apresure.

17. Y ejerceré el juicio con peso, y la justicia con medida; y un pedrisco trastornará la esperanza puesta en la mentira, y vuestra protección quedará sumergida en las aguas *de la calamidad.*

18. Y el contrato vuestro con la muerte será cancelado, y no subsistirá vuestro pacto con el infierno; y cuando, como un torrente, vendrá el azote, os arrastrará consigo.

19. Al instante que venga, os arrebatará; porque vendrá muy de madrugada; y continuará día y noche; y sólo la aflicción hará entender las cosas que se han escuchado.

20. Porque el lecho es angosto en tal manera, que uno de los dos ha de caer; y tan pequeña la manta, que no puede cubrir a entrambos.

21. *Sabed que* el Señor se levantará, como hizo en otro tiempo en el monte de las Divisiones, *o Baalfarasim;* se enojará como hizo en el valle de Gabaón, para ejecutar su obra *o venganza,* una obra que es ajena de

---

CAP. XXVIII. — 1. Judic. VIII, v. 1.
4. IV. Reg. XVII. — II Par. XXX, XXXI.

16. *Ps* CXVII, *v.* 22. — *Dan.* XI, *v.* 34. — *Zach.* III, *v.* 9. — *Matth.* XXI, *v.* 42. — I *petr.* II, *v.* 6. — *Act.* IV, *v.* 11. — *Rom.* IX, *v.* 33.
21. II *Reg.* V, *v.* 20. I *Paral.* XIV, *v.* 11. — *Jos.* X, *v.* 10.

él; para hacer su obra, una obra que es extraña de él.

**22.** Dejad, pues, ya de burlaros *de mis amenazas,* porque no se aprieten más vuestras ligaduras. Porque el Señor Dios de los ejércitos es de quien he oído la destrucción de toda la tierra, *o país que habitáis,* la destrucción que sucederá dentro de poco.

**23.** Prestadme vuestra atención, y oíd mi voz; atended y escuchad mis palabras.

**24.** Qué ¿acaso el arador está siempre arando para sembrar? ¿Está siempre rompiendo o allanando la tierra?

**25.** Luego que ha igualado su superficie, ¿no siembra por ventura el git, esparce el comino, y pone con *cierto* orden, y en sus respectivos lugares, el trigo, la cebada, el mijo y la veza *o arveja?*

**26.** Porque *el Señor* su Dios le da conocimiento *en la agricultura,* y le amaestra *en estas labores.*

**27.** El git no se trillará por medio de tablas con dientes de hierro *o pedernal,* ni sobre el comino andará dando vueltas la rueda del carro; sino que el git será sacudido con una vara y con unas varillas el comino.

**28.** El trigo, empero, será trillado; mas no lo estará trillando siempre el que lo trilla, ni siempre la rueda del carro lo estará oprimiendo, ni hollándolo las pezuñas de las bestias.

**29.** Esto es lo que ha decretado el Señor Dios de los ejércitos, el cual ha hecho admirables sus consejos y célebre *la sabiduría de* su justicia.

## CAPITULO XXIX

*Vaticina Isaías el sitio y ruina de Jerusalén; la ceguedad de los Judíos; y el restablecimiento o la conversión de las reliquias de Jacob por el Mesías.*

**1.** ¡Ay de Ariel, de Ariel, ciudad que conquistó David! Pasará uno y otro año, y pasarán las solemnidades;

**2.** Y yo circunvalaré a Ariel, y quedará en duelo y aflicción; y será para mí como Ariel.

**3.** Yo te cercaré *por todas partes, formando* como una corona alrededor de ti, y alzaré contra ti trincheras, y construiré baluartes para sitiarte.

**4.** Tú serás humillada; desde el suelo, *en que estarás abatida,* abrirás tu boca; y desde el polvo *de la tierra subirá y* se hará oir tu habla; y saldrá tu voz de debajo de la tierra como la de una pitonisa, y saldrá de la tierra con sonido débil y obscuro.

**5.** Y la muchedumbre de aquellas que te atentarán será *disipada* como menudo polvo, y como una pavesa arrebatada del viento la multitud de los que te han sojuzgado.

**6.** Y será esto cosa repentina y no esperada. El Señor de los ejércitos la visitará, *a esta muchedumbre,* en medio de truenos y de terremotos, y estruendo grande de torbellinos y tempestades, y de llamas de un fuego devorador.

**7.** Y la muchedumbre de todas las gentes que han combatido contra Ariel, y todos los soldados que la han sitiado, y prevalecido contra ella, vendrán a ser como un sueño y visión nocturna.

**8.** Y así como el hambriento sueña que come, y cuando despierta se siente con hambre; y como sueña el sediento que bebe, y cuando despierta se siente acosado de la sed y con ansia de beber, del mismo modo sucederá a todas aquellas gentes *o naciones* que pelearon contra el monte de Sión.

**9.** Pasmaos y quedaos atónitos ¡oh hijos de Israel! id fluctuando y bamboleando, como embriagados y no de vino; tambaleaos, y no por embriaguez;

**10.** Porque el Señor ha derramado sobre vosotros el espíritu de letargo, cerrará vuestros ojos, pondrá un velo *para que no entendáis* a los profetas y príncipes *o ancianos* vuestros, que tienen visiones.

**11.** Y las visiones *o profecías* de todos éstos serán para vosotros como palabras de un libro sellado, que cuando lo dieren a uno que sabe leer, y le digan: Léelo, responderá: No puedo, porque está sellado.

**12.** Y si lo dieren a uno que no sabe leer y le dicen: Léelo, responderá: No sé leer.

**13.** Y dijo el Señor: Por cuanto este pueblo se me acerca de palabra *no más,* y me honra *sólo* con sus labios, y su corazón empero está lejos de mí; y me rinden culto según los ritos y doctrinas de los hombres,

---

CAP. XXIX — *Ezech.* XLIII, *v.* 15.

10. *Rom.* XI, *v.* 8.

**14.** Por tanto, he aquí que nuevamente excitaré la admiración de este pueblo con un prodigio grande y espantoso: porque faltará la sabiduría a sus sabios, y desaparecerá el *don de* consejo de sus prudentes.

**15.** ¡Ay de vosotros los que os encerráis en vuestro corazón para ocultar al Señor vuestros designios! ¡Ay de los que hacen sus obras en las tinieblas, y dicen: ¿Quién nos ve, y quién nos descubre?

**16.** ¡Desvariado pensamiento el vuestro! como si el barro se levantase contra el alfarero, y dijese la obra a su hacedor: No me has hecho tú, y la vasija dijese al que la ha hecho: Tú no has sabido.

**17.** ¿No es verdad que en breve y dentro de poco tiempo el Líbano se convertirá en *un deliciosísimo* Carmelo y el Carmelo se convertirá en un bosque?

**18.** Y en aquel día los sordos oirán las palabras del libro *de la ley.* Y los ojos de los ciegos recibirán la luz, saliendo en las tinieblas y obscuridad.

**19.** Y los mansos se alegrarán cada día más y más en el Señor, y los *antes* pobres se regocijarán en el Santo de Israel:

**20.** Porque el soberbio fué abatido, fué consumido el escarnecedor, y destruidos todos aquellos *falsos doctores* que madrugaban para hacer mal;

**21.** Aquellos que con sus palabras inducían a los hombres a pecar, y armaban lazos al que en la puerta, *o juzgado de la ciudad,* los reprendía, y sin causa se alejaron del justo *y de la justicia.*

**22.** Por tanto el Señor que rescató a Abraham, habla de esta manera a la casa de Jacob: No será ahora confundido Jacob, ni ahora se cubrirá de vergüenza su cara;

**23.** Sinó cuando viere en medio de sí a sus hijos, obra de mis manos, que glorificarán mi *santo* Nombre, y alabarán al Santo de Jacob, y ensalzarán al Dios de Israel.

**24.** Entonces aquellos, cuyo espíritu vivía en el error, tendrán la ciencia *de la salud* y aprenderán la ley *del Señor* los que se burlaban *de ella.*

## CAPITULO XXX

*Amenazas contra los Judíos, porque desconfiando del Señor pedían socorro a los Egipcios. Cuán bueno es Dios para los que acuden a él. Cuán terrible es su juicio contra los impíos.*

**1.** ¡Ay de vosotros hijos *rebeldes* y desertores! dice el Señor, que formáis designios sin contar conmigo; y urdís una tela, y no según mi deseo, para añadir *así* pecados a pecados;

**2.** Que estáis en camino para bajar a Egipto, y no habéis consultado mi voluntad, esperanto el socorro del valor de Faraón, y poniendo vuestra confianza en la sombra *o protección* de Egipto.

**3.** Pero la fortaleza de Faraón será la confusión vuestra, y la confianza en la protección de Egipto, vuestra ignominia.

**4.** Porque cuando tus príncipes hayan ido hasta Tanis, y hayan llegado hasta Hanes tus enviados,

**5.** Todos *en Israel* quedarán corridos, a causa de un pueblo que de nada les ha podido servir, y que no les ha auxiliado, ni les ha sido de utilidad alguna, sino de confusión y de oprobio.

**6.** Anuncio pesado contra las bestias de carga del mediodía. Van por tierra de tribulación y de angustia, de donde salen la leona y el león, la víbora y la serpiente que vuela, llevando sobre lomos de jumentos sus riquezas, y sus tesoros sobre el dorso de los camellos, a un pueblo que no podrá ayudarles.

**7.** Porque inútil y en vano será el auxilio que les preste Egipto; por lo mismo clamé yo *diciendo*: No es más que soberbia, nò te muevas.

**8.** Anda, pues, ahora y escríbeles esta *predicción* sobre una tablilla de boj, y regístrala exactamente como un libro, para que sea en los días venideros un testimonio sempiterno.

**9.** Porque éste es un pueblo que me provoca a ira, y ellos son hijos infieles, hijos que no quieren escuchar la ley de Dios;

**10.** Que dicen a los que profetizan: No profeticéis; y a los videntes *o profetas:* No estéis mirando para nosotros *o vaticinando* cosas rectas; habladnos de cosas placenteras, y profetizadnos cosas *alegres, aunque* sean falsas.

---

**14.** *Abd.* I, *v.* 8, —I *Cor.* I, *v.* 19. — II *Cor.* III, *v.* 15.
**15.** *Ezech.* IX, *v.* 9.
**17.** *Matth.* XXI, *v.* 43.

---

**CAP. XXX.** —1. *Jerem.* XLII
**3.** *Jerem.* XLII, *c.* 15.

**11.** Quitadnos de delante de los ojos este modo de obrar *según la ley;* alejad de nosotros tal sistema de *vida;* no nos vengáis siempre con *que* el Santo de Israel *dice o manda.*

**12.** Por esto el Santo de Israel dice así: Ya que vosotros habéis desechado lo que os he mandado, y habéis puesto vuestra confianza en la calumnia y en la perversidad, y apoyádoos sobre esas cosas,

**13.** Por lo mismo esta maldad será para vosotros como un portillo en una alta muralla, que está para caer, y preguntan por él, y del cual se origina la ruina repentina en la hora menos pensada.

**14.** Y queda toda hecha pedazos, como se rompe con un fuerte golpe una vasija de alfarero, sin que ninguno de sus tiestos sirva ni para llevar una ascua de un hogar, o para sacar un poco de agua de un pozo.

**15.** Porque el Señor Dios, el Santo de Israel, dice: Si os volviereis y os estuviereis quietos, seréis salvos: en la quietud y en la esperanza estará vuestra fortaleza. Mas vosotros no lo quisisteis hacer;

**16.** Sino que dijisteis: De ninguna manera, antes bien huiremos a caballo. Pues por eso *mismo digo yo,* tendréis que huir *de vuestros enemigos.* Montaremos, dijisteis, velocísimos caballos. Por eso *mismo* serán más veloces lo que os perseguirán.

**17.** Un solo hombre llenará de terror y hará huir a mil de los vuestros; y si se presentan cinco, aterrados echaréis a huir de todos, hasta que los que queden de vosotros sean a manera de árbol *altísimo como* de navío, sobre la cima de un monte, como bandera sobre un collado.

**18.** Por esto da largas el Señor, para poder usar de misericordia con vosotros y ensalzar su gloria con perdonaros, porque el Señor es Dios justo: bienaventurados todos los que esperan en él.

**19.** El pueblo de Sión morará en Jerusalén; enjugarás tus lágrimas *¡oh pueblo fiel!* El Señor, apiadándose de ti, usará contigo de misericòrdia; al momento que oyere la voz de tu clamor, te responderá *benigno.*

**20.** Y *antes* te dará el Señor pan de dolor y agua de tribulación ; pero *después,* hará que jamás se aleje de ti tu maestro, y tus ojos estarán viendo siempre a tu preceptor.

**21.** Escuchen tus oídos sus palabras, cuando yendo tras de ti te grite *diciendo:* Este es el camino, andad por él; y no torzáis ni a la derecha ni a la izquierda.

**22.** Entonces desecharás como cosas profanas esas láminas de plata que cubren tus ídolos; y los *preciosos* vestidos de tus estatuas de oro; y los arrojarás lejos de ti como el lienzo más sucio de una mujer inmunda. ¡Fuera de aquí! les dirás.

**23.** Y el Señor enviará lluvia a tus sementeras, en cualquier parte de la tierra en que hayas sembrado: las mieses darán abundante y rico trigo; y al mismo tiempo hallarán tus corderos pingües y dilatados pastos en tus heredades,

**24.** Y tus bueyes y pollinos que trabajaban la tierra, comerán el pienso mezclado con variedad de granos, del modo que vienen aventados de la era, *o limpios de paja.*

**25.** Y de todo monte alto y de todo collado elevado correrán arroyos de *fértiles* aguas en el día aquel en que habrá gran mortandad, cuando habrán caído las torres.

**26.** La luz de la luna será como la luz del sol, y la del sol será siete veces mayor que sería la luz *reunida* de siete días; en aquel día en que el Señor habrá vendado la herida de su pueblo, y sanado la abierta llaga.

**27.** Mira que viene, *se oye ya* allá a lo lejos el Nombre o *majestad* del Señor; está su saña encendida e insoportable; llenos de indignación sus labios, y como fuego devorador su lengua.

**28.** Es su respiración como un torrente *impetuoso,* cuya agua llega hasta la garganta, para aniquilar las naciones *ímpias,* y *destrozar* el freno del error, *o el poder infernal,* que sujetaba las quijadas de los pueblos.

**29.** Vosotros, *empero,* entonaréis un cántico como en la noche de la santa solemnidad *de la Pascua;* y la alegría de vuestro corazón será como la del que sube, al son de la flauta, a presentarse sobre el monte del Señor, *al templo del Dios* fuerte de Israel.

**30.** Y hará el Señor que se oiga su majestuosa voz, y que se conozca su terrible brazo en medio de su ira amenazadora y de su fuego devorador; lo arrasará todo con tempestades y pedriscos.

**31.** Porque a la voz del Señor quedará temblando el Asirio, herido con la vara *de la divina venganza,*

---

**16.** *Jerem.* XLIII, *v.* 2.

**29.** *Apoc.* XV, *v.* 3.

**32.** Y el herir de esta vara será constante *y duradero*; y hará el Señor que la vara descargue sobre él al son de panderos y de cítaras. Lo vencerá el Señor en un señalado combate.

**33.** Porque hace ya tiempo que les está preparado *el valle de* Tofet, aparejado fué por el *gran rey*, profundo y espacioso: cuyo cebo es el fuego y mucha leña; un soplo del Señor, como torrente de azufre, es el que lo enciende.

## CAPITULO XXXI

*Predice que los Judíos que, faltos de confianza en Dios, pedirán auxilio a los Egipcios, perecerán junto con éstos; pero que convirtiéndose al Señor serán libertados por el Angel, que matará a los Asirios.*

**1.** ¡Ay de aquellos que van a buscar socorro en Egipto, poniendo la esperanza en *sus* caballos, y confiando en sus muchos carros *de guerra*, y en su caballería, por ser muy fuerte; y no han puesto su confianza en el Santo de Israel, ni han recurrido al Señor!

**2.** *¡Desdichados!* Pues el mismo *Señor*, el sabio por esencia les ha enviado calamidades, y no ha dejado de cumplir su palabra; y se levantará contra la casa de los malvados y contra los auxiliadores de los que obran la iniquidad.

**3.** El *rey de* Egipto es un hombre, y no un dios; y carne son sus caballos, y no espíritu. El Señor, pues, extenderña su mano, y precipitará al auxiliador, y caerá al suelo el auxiliado y ambos perecerán a un tiempo.

**4.** Porque he aquí lo que me ha dicho el Señor: De la manera que ruge el león o un leoncillo sobre su presa, y por más que vaya contra él una cuadrilla de pastores no se acobarda ni a gritos, ni se aterrará por muchos que sean los que lo acometan, así descenderá el Señor de los ejércitos para combatir sobre el monte de Sión y sobre sus collados.

**5.** Como una ave que revolotea *en torno de su nido*, del mismo modo amparará a Jerusalén el Señor de los Ejércitos, la protegerá y librará, pasando de un lado a otro; y la salvará.

**6.** Convertíos, *pues, al Señor,* ¡oh hijos de Israel! acércandoos tanto a *él*, como os habíais alejado.

**7.** Porque en aquel día arrojará de sí cada uno de sus ídolos de plata, y sus ídolos de oro; ídolos que os habíais fabricado para idolatrar.

**8.** Y caerá el Asirio al filo de la espada, pero no de espada de hombre; pues la espada que lo atravesará, espada será *de Dios*, no de ningún hombre; él huirá, pero no porque lo persiga la espada *de sus enemigos;* y serán tributarios o *sojuzgados* sus jóvenes *guerreros.*

**9.** Y por el terror vendrán a desfallecer sus fuerzas; y huirán despavoridos sus príncipes. Lo ha dicho el Señor el cual tiene su fuego en Sión y su horno en Jerusalén.

## CAPITULO XXXII

*Bajo la figura del piadoso rey Ezequías se vaticina el reino de Jesucristo o fundación de la Iglesia. Háblase también de la destrucción de Jerusalén.*

**1.** Sabed que un rey *de Judá* reinará con justicia, y sus magistrados gobernarán con rectitud.

**2.** Y este varón será como un lugar de refugio para guardarse del viento y guarecerse de las tempestades; como arroyos de *frescas* aguas en tiempo de sequía, y como la sombra de una alta peña en medio de un *ardiente páramo.*

**3.** No se ofuscarán *ya* los ojos de los videntes *o profetas,* y escucharán con atención los oídos de los que oirán *a los profetas.*

**4.** Entonces el corazón de los necios extenderá la ciencia: y hablará clara y expeditamente la lengua de los balbucientes.

**5.** El insensato no será más llamado príncipe, ni tendrá el tramposo el título de magnate.

**6.** Porque el necio hablará necedades; y su corazón maquinará maldades usando de hipocresías, y hablando de Dios con doblez, y consumiendo el alma del hambriento, y quitando el agua al que muere de sed.

**7.** Las armas de que se vale el impostor son muy malignas; pues está siempre maquinando tramas para perder con mentirosas palabras a los mansos *o pobres afligidos,* mientras el pobre habla *y pide* lo que es justo.

**8.** Pero el príncipe *que yo os vaticino* pensará cosas dignas de un príncipe, y velará sobre los caudillos *de su pueblo.*

---

33. IV *Reg.* XXIII, *v.* 10; XVI, *v.* 3.
**CAP XXXI.** — 3. *Jerem.* XVII, *v.* 5.

**9.** Mujeres opulentas, levantaos y escuchad mi voz; hijas que confiáis *en las riquezas,* prestad oídos a mis palabras.

**10.** Porque después de días y de año *o años,* vosotras que vivís tan confiadas os hallaréis en *gran* turbación: pues ya no habrá más vendimias *en el país de Judá,* ni más recolección de frutos.

**11.** Pasmaos, *mujeres* opulentas; temblad vosotras que estabais tan confiadas; desnudaos *de vuestras galas,* confundíos, ceñid vuestros lomos.

**12.** Llorad por los *niños que criáis a vuestros* pechos: *llorad* sobre vuestra amada patria, sobre vuestras fértiles viñas.

**13.** Espinas y abrojos cubrirán la tierra de mi pueblo: ¿cuánto más *descargará el castigo* sobre las casas todas de la *ufana Jerusalén, de esa* ciudad que rebosa en alegría?

**14.** Lo cierto es que la casa *mía* quedará abandonada, reducida a una soledad esa ciudad populosa, cubiertas para siempre de densísimas tinieblas sus *casas, las cuales quedarán hechas* cavernas, donde retozarán los asnos monteses, y pastarán los ganados.

**15.** Hasta tanto que desde lo alto se derrame sobre nosotros el espíritu *del Señor.*

Pues *entonces* el desierto se convertirá en un Carmelo, y el Carmelo en un desierto *o carrascal.*

**16.** Y la equidad o *la virtud* habitará *entonces* en el desierto, y fijará su morada en el *nuevo* Carmelo la justicia *o santidad.*

**17.** Y la obra *o fruto* de la justicia será la paz, y el efecto de esta justicia el sosiego y seguridad sempiterna.

**18.** Y reposará mi pueblo en hermosa *mansión de* paz, y en tabernáculo de *perfecta* seguridad, y en el descanso de la opulencia.

**19.** Pero abajo en el desierto caerá el pedrisco, y la ciudad quedará profundamente humillada.

**20.** Bienaventurados vosotros los que sembráis en *tierras que* todas *abundan en* aguas, y metéis en ellas al buey y al asno *para cultivarlas.*

## CAPITULO XXXIII

*Profetiza Isaías la ruina de los Asirios y el restablecimiento de Judá. Invectiva contra los hipócritas. Habla de la celestial Jerusalén, donde será alabado eternamente el Señor, nuestro Rey y Legislador.*

**1.** ¡Ay de ti *Sennaquerib,* que saqueas *a los otros!* Qué, ¿no serás tú también saqueado? Y tú que desprecias, ¿no serás también despreciado? Cuando acabarás el saqueo, serás tú saqueado; cuando ya cansado de menospreciar, serás tú menospreciado.

**2.** Apiádate, Señor de nosotros; pues *siempre* hemos esperado en ti: sé nuestra fortaleza desde la mañana y la salvación nuestra en el tiempo de tribulación.

**3.** A la voz del Angel huyeron los pueblos; y al alzar *de tu brazo,* quedaron disipadas las naciones *enemigas.*

**4.** *Pueblos orgullosos,* vuestros depojos serán recogidos, como se recogen las langostas, cuando *han tanta abundancia que* se llenan de ellas los fosos.

**5.** Engrandecido ha sido el Señor, que habita en lo alto, ha colmado Sión de rectitud y de justicia.

**6.** Y reinará la fe en tus tiempos *¡oh príncipe!* La sabiduría y la ciencia son tus riquezas saludables, y el temor del Señor tu *verdadero* tesoro.

**7.** *Pero* he aquí que desde afuera gritarán los que vean *venir a los enemigos:* llorarán amargamente los ángeles *o embajadores encargados* de la paz.

**8.** Desiertos están los caminos, ni un pasajero se ve por las sendas: ha roto *el enemigo* la alianza, ha arruinado las ciudades, en nada estima a los hombres.

**9.** En llanto está todo el país, y en *lo sumo* del abatimiento; cubierto de oprobio y envilecido el Líbano; el Sarón convertido en un páramo; el Basán y el Carmelo talados.

**10.** Mas ahora me levantaré yo, dice el Señor; ahora seré ensalzado, ahora seré glorificado.

**11.** *Naciones orgullosas,* vosotras concebiréis fogosos designios *contra mi pueblo;* y el resultado será *no más que* paja; vuestro mismo espíritu cual fuego os devorará.

---

CAP. XXXII. — 14. *Luc.* XIII, *v.* 35.
15. *Ezech.* XXXVII, *v.* 9. — *Rom.* X, *v.* 25. — *Apoc.* II, *v.* 8.

---

CAP. XXXIII. — 7. IV *Reg.* XVIII, *v.* 17.
8. IV *Reg.* XVIII, *v.* 14, 17.
9. *Cap.* XXXVII, *v.* 24.

12. Y quedarán estos pueblos como la ceniza después del incendio; como haces de espinas serán pábulo de las llamas.

13. Vosotros, los que estáis lejos, escuchad las cosas que he hecho yo, y aprended a conocer mi poder los que estáis cerca.

14. Aterrados han sido en Sión los pecadores; y el temblor se ha apoderado de los hipócritas. ¿Quién de vosotros podrá habitar en un fuego demoledor? ¿Quién de vosotros podrá morar entre los ardores sempiternos?

15. Aquel que anda por *las sendas de* la justicia, y habla verdad, que aborrece las riquezas adquiridas con la calumnia *o extorsión*, y tiene limpias sus manos de todo cohecho; que tapa sus orejas para no prestar oídos a los sanguinarios, y cierra sus ojos para no ver lo malo.

16. Este es el que tendrá morada en las alturas; vivirá seguro *como* en una alta roca; tendrá pan *en abundancia*, y nunca le faltará el agua.

17. Sus ojos verán al rey de los cielos en su gloria; y la tierra la mirarán lejos *de ellos.*

18. *Entonces* tu corazón hará memoria de sus *pasados* temores. ¿Dónde está, *dirá él*, el letrado? ¿Dónde el *orgulloso* que pesaba las palabras de la ley? ¿Dónde el maestro de los niños?

19. No verás *ya ¡oh príncipe!* un pueblo descarado, un pueblo de un hablar oscuro, cuya algarabía de lenguaje no puedas entender, el cual carece de toda sabiduría.

20. Vuelve la vista a Sión, ciudad donde se celebran nuestras solemnidades; tus ojos verán a Jesucristo, mansión opulenta; un tabernáculo *o pabellón* que no podrá ser trasladado a otra parte, pues ni las estacs serán jamás arrancadas, ni se romperá ninguna de sus cuerdas.

21. Porque allí solamente hace nuestro Señor alarde de su magnificencia. Aquel es lugar de ríos, anchísimos y caudalosos: no pasarña por el barco de remos *de ningún enemigo*, ni *menos* lo surcará galera grande de tres órdenes de remos.

22. Pues el Señor es nuestro juez, el Señor nuestro legislador, el Señor nuestro rey: él es el que nos ha de salvar.

23. Aflojáronse *¡oh nave orgullosa!* tus cables, y ya no servirán; quedará tan mal parado tu mástil, que no podrás desplegar una bandera. Entonces se repartirán los despojos, y el gran botín *que habías hecho: hasta* los cojos se llevarán parte de él.

24. Ni dirá el vecino: Soy yo débil *para llevarlo;* y el pueblo que morará allí recibirá el perdón de sus pecados.

## CAPITULO XXXIV

*Dios castigará con rigor las naciones, en particular la Idumea. Profecía del fin del mundo.*

1. Venid acá, oh naciones, y escuchad; pueblos, estad atentos, oiga la tierra y toda su población; el orbe todo, y cuanto en él vive.

2. Porque la indignación del Señor va a descargar sobre todas las naciones y su furor sobre todos sus ejércitos, los matará y hará en ellos una carnicería.

3. Arrojados serán al campo sus muertos, y exhalarán sus cadáveres un hedor *insufrible;* los montes quedarán inficionados con su sangre.

4. Desfallecerá toda la milicia *o astros* del cielo; y los cielos se arrollarán como un pergamino; y como cae la hoja de la parra y de la higuera, así caerá toda su milicia, *o todos sus astros.*

5. Porque mi espada se ha embriagado *de sangre* en *las creaturas* del cielo; he aquí que va a descargar *ahora* sobre la Idumea, sobre el pueblo en cuya mortandad señalaré yo mi justicia.

6. Bañada está toda en sangre la espada del Señor, chorreando grasa y sangre de corderos, y de macho cabrío, sangre de gordos carneros; porque las víctimas del Señor están en Bosra; *hará él* una gran mortandad en el país de los Idumeos.

7. Y caerán con éstos a tierra los unicornios y los toros con los poderosos; la tierra se embriagará de la sangre de ellos, y de la grosura de los cuerpos sus campiñas.

8. Porque ha llegado el día de la venganza del Señor, el año *o tiempo* de hacer justicia a Sión.

9. Y convertirse han en pez *encendida las aguas de* sus torrentes, y en azufre el polvo *de Idumea;* y arderán sus campiñas como si fueran todas de pez.

---

15. *Ps.* XIV, *v.*2; XXXV.
18. I *Cor.* I, *v.* 20.
21. Véase más abajo *c.* XLVIII, *v.* 18; *c.* LXVI *v.* 12 -Apoc, *c.* XXII, *v.* 1.

CAP. XXXIV. — 4. *Matth.* XXIV, *v.* 29. — *Apoc.* VI, *v.* 12, 14.
7. Ps. XXI, *v.* 13.

**10.** Ni de día ni de noche cesará el incendio: estará eternamente saliendo una *gran* humareda; permanecerá asolada de generación en generación, ni transitará alma alguna por ella por los siglos de los siglos.

**11.** Sino que se harán dueños de ella el onocrótalo y el erizo; el ibis o *cigüeña* y el cuervo establecerán allí su morada. Tirarse ha sobre ella la cuerda de medir para reducirla a nada, y el nivel para arrasarla *enteramente*.

**12.** No se verán allí más los nobles de ella; implorarán con ahinco *el socorro de* un rey, y todos sus príncipes serán aniquilados.

**13.** En el solar de sus casas nacerán espinas y ortigas, y cardos en sus fortalezas; y vendrá a ser guarida de dragones y pasto de avestruces.

**14.** Y se encontrarán allí los demonios, *o seres malignos,* con los onocentauros, y gritarán unos contra otros los sátiros o *diablos*; allí se acostará la lamia y encontrará su reposo.

**15.** Allí tendrá su cueva el erizo o *puerco espín,* y allí criará sus cachorrillos, y cavando al rededor *con el hocico* los abrigará a la sombra de ella; allé se juntarán los milanos, y *se unirán* uno con otro.

**16.** Examinad atentamente el libro *que ahora escribo de parte* del Señor, y leed en él; nada de lo que os anuncio dejará de suceder, ni una sola de estas cosas faltará; pues lo que sale de mi boca, el *Señor* me lo ha dictado y su espíritu mismo ha reunido todo esto.

**17.** Y él es quien distribuirá *a las fieras* su porción *en Idumea:* su mano les repartirá la *tierra* con medida; para siempre la poseerán; de generación en generación habitarán en ella.

## CAPITULO XXXV

*Profecía de la asombrosa mudanza que la gracia de Jesucristo causará en la tierra; alegría de los gentiles convertidos a la fe, figura de la que gozarán después en el cielo.*

**1.** *Entonces* la región desierta e intransitable se alegrará y saltará de gozo la soledad, y florecerá como lirio.

**2.** Fructificará copiosamente, y se regocijará llena de alborozo y entonará himnos; se le

ha dado a ella la gala del Líbano, la hermosura del Carmelo y de Sarón; éste, *sus habitantes,* verán la gloria del Señor y la grandeza de nuestro Dios.

**3.** Esforzad ¡*oh ministros del Señor!* las manos flojas, y robusteced las rodillas débiles.

**4.** Decid a los pusilánimes: ¡*Ea!* buen ánimo y no temáis: mirad a vuestro Dios que viene a ejecutar una justa venganza. Dios mismo en persona vendrá y os salvará.

**5.** Entonces se abrirán los ojos de los ciegos, y quedarán expeditas las orejas de los sordos.

**6.** Entonces el cojo saltará como el ciervo, y se desatará la lengua de los mudos; porque *también* las aguas rebosarán *entonces* en el desierto y *correrán* arroyos en la soledad.

**7.** Y en la tierra que estaba árida, quedará llena de estanques, y de aguas la que ardía en sed. En las cuevas, que eran antes guarida de dragones, nacerán la verde caña y el junco.

**8.** Allí habrá una senda y camino *real*, que se llamará, *o será* camino santo: no lo pisará hombre immundo, y éste será para vosotros un camino recto; de tal suerte que aun los *más* lerdos no se perderán en él.

**9.** No habrá allí león, ni bestia *alguna* feroz transitará por dicho camino, ni allí se hallará, sino que caminarán por aquella senda los que habrán sido libertados *de la esclavitud del pecado.*

**10.** Y volverán los rescatados por el Señor, y vendrán a Sión cantando alabanzas, coronados de gozo sempiterno; disfrutarán de *un celestial* placer y contentamiento, y huirá de ellos *para siempre* el dolor y el llanto.

## CAPITULO XXXVI

*Sennaquerib, rey de los Asirios, depués de haberse apoderado de las plazas de Judea, envió a Rabsaces a Jerusalén, quien pidió con insolencia la rendición de la ciudad.*

**1.** Y sucedió que en el año décimocuarto del reinado de Ezequías, Sennaquerib, rey de los Asirios, puso sitio a todas las ciudades fortificadas de Judea y se apoderó de ellas.

---

**11.** II *Reg.* VIII, *v.* 2.
**14.** C. XIII, *v.* 21.
**16.** Véase *Cap.* XXX, *v.* 8.
**CAP XXXV.** — 2. *Joann* I, *v.* 14.

**6.** *Matth.* XI, *v.* 5. — *Luc.* VII, *v.* 21.
**7.** *Joann.* XIV, *v.* 6.
**CAP. XXXVI.** — 1. IV *Reg.* XVIII, *v.* 13.- II *Paral.* XXXII, *v.* 1.

**2.** Y envió *después* él mismo a Rabsaces *su general,* desde Laquis a Jerusalén con un grueso cuerpo de tropas contra el rey Ezequías; y *Rabsaces* puso su campamento en el acueducto del estanque superior, en el camino del campo del Batanero.

**3.** Y salieron a encontrarle Eliacim, hijo de Elcías, mayordomo mayor del palacio, y Sobna, doctor de la ley, y Joahe, hijo de Asaf, canciller.

**4.** Y Rabsaces les habló de esta manera: Decid a Ezequías: El gran rey, el rey de los Asirios, dice: ¿Qué seguridad es ésa en que confías tú?

**5.** O ¿con qué designio o fuerzas te atreves tú a hacerme la guerra? ¿En quién te apoyas para haberte rebelado contra mí?

**6.** Veo que tú te apoyas en Egipto, el cual es como un bastón de caña cascada, que al que se apoyare en él le horadará la mano y se la traspasará: eso será Faraón, rey de Egipto, para con todos aquellos que en él confían.

**7.** Que si tú me respondieres: Nosotros confiamos en el Señor Dios nuestro, ¿acaso no es ése aquel mismo cuyos lugares excelsos y cuyos altares destruyó Ezequías, diciendo a Judá y a Jerusalén: *Solamente* ante este altar adoraréis *con sacrificios* a Dios?

**8.** ¡Ea pues! Sujétate a mi señor el rey de los Asirios; yo te daré, *si quieres,* dos mil caballos, y tu no podrás hallar para ellos en todo tu pueblo bastantes jinetes.

**9.** Pues ¿cómo podrás hacer frente al gobernador de un lugar, aunque sea de los de menos graduación entre los siervos de mi señor? Que si confías tú en Egipto por su carros de guerra y por *su fuerte* caballería,

**10.** ¿Acaso he venido yo sin orden del Señor a destruir este país? Marcha a esa tierra, me dijo a mí el Señor, y arrásla.

**11.** Entonces Eliacim, Sobna y Joahe, dijeron a Rabsaces: Habla a *éstos* tus siervos en lengua siríaca, pues que la entendemos; no nos hables en hebreo, a oídas del pueblo que está sobre la muralla.

**12.** Contestóles Rabsaces: ¿Por ventura mi amo me ha enviado a decir todo esto a tu señor y a ti, y no más bien a los ciudadanos que están sobre el muro, expuestos a que, *si no se rinden,* coman sus propios excrementos, y beban con vosotros los mismos orines?

**13.** Y púsose en pie Rabsaces, y gritó en alta voz, y dijo en lengua judaica: Oíd las palabras del gran rey, el rey de los Asirios.

**14.** Esto dice el rey: No os engañe Ezequías, pues que no podrá libraros.

**15.** No os llene Ezequías la cabeza de confianza en el Señor, diciéndoos: Sin falta nos librará el Señor: *no temáis,* no será entregada esta ciudad en manos del rey de los Asirios.

**16.** No escuchéis a Ezequías; porque esto dice el rey de los Asirios: Aceptad la paz que os ofrezco, y venid a tratar conmigo *de vuestra rendición:* y comerá cada uno del fruto de su viña, y cada uno del fruto de su higuera y beberá cada cual de vosotros el agua de su cisterna,

**17.** Hasta tanto que yo vaya y os conduzca a una tierra que es como la vuestra, tierra de grano y vino, tierra de panes y de viñas.

**18.** Ni os conturbe Ezequías diciendo: El Señor me librará. ¿Acaso los dioses de las gentes han librado cada uno a su tierra de las manos del rey de los Asirios?

**19.** ¿Dónde está el dios de Emat y de Arfad? ¿Dónde está el dios de Sefarvaím? *¿Por ventura* han librado *sus dioses a* Samaria de caer en mi poder?

**20.** ¿Cuál es *el dios* entre todos los dioses de estos países, el cual haya podido librar su tierra *de la fuerza* de mi brazo, para que *esperéis que* el Señor podrá salvar a Jerusalén de *caer en* mis manos?

**21.** Callaron *todos* y no le respondieron palabra; pues así se lo había mandado el rey diciendo: No le respondáis.

**22.** Y *en seguida* Eliacim, hijo de Helcías, mayordomo mayor de palacio, y Sobna, doctor de la ley, y Joahe, hijo de Asaf, canciller, rasgados sus vestidos volvieron a Ezequías, y refiriéronle las palabras de Rabsaces.

## CAPITULO XXXVII

*Ezequías, al oír las amenazas de Rabsaces, consulta a Isaías; el cual le asegura que el Señor salvaría a Jerusalén. Carta insolente de Sennaquerib a Ezequías. Isaías confirma la promesa, y el Angel del Señor mata ciento ochenta y cinco mil enemigos.*

**1.** Y cuando lo oyó el rey Ezequías, rasgó sus vestidos, vistióse de saco *o cilicio,* y entró en la casa del Señor;

---

8 . *Deut.* XVII, *v.* 16.

**2.** Y envió a Eliacim, mayordomo mayor de su palacio, y a Sobna, doctor de la ley y a los más ancianos de entre los sacerdotes, vestidos de cilicio, a encontrar al profeta Isaías, hijo de Amós,

**3.** A quien le dijeron: Esto dice Ezequías: Día de tribulación y de castigo, y día de blasfemia es éste; las criaturas están ya a punto de nacer, y falta la fuerza *en la madre* para dar a luz.

**4.** Interpón, pues, tu oración por las reliquias del pueblo; para ver si el Señor Dios tuyo ha reparado en las palabras de Rabsaces, enviado de su amo el rey asirio a blasfemar el Nombre de Dios vivo, y demostrarle con las expresiones que ha oído el Señor tu Dios.

**5.** Fueron, pues, los ministros del rey Ezequías a encontrar a Isaías;

**6.** El cual les dijo: He aquí la respuesta que habéis de llevar a vuestro amo: El Señor dice: No temas las palabras que has oído, con las cuales han blasfemado de mí los criados del rey de los Asirios.

**7.** Mira, yo voy a darle un soplo *que le perturbe,* y recibirá cierta noticia, y se volverá a su tierra, y en su tierra haré que perezca al filo de la espada.

**8.** En efecto, Rabsaces, habiendo oído que el rey de los Asirios se había retirado de Laquis, marchóse *luego* y hallóle peleando contra Lobna.

**9.** Y *Sennaquerib* oyó decir de Taraca, rey de Etiopía, que venía a pelear contra él; y así que hubo recibido esta noticia, envió embajadores a Ezequías, diciéndoles:

**10.** Esto diréis al presentaros a Ezequías, rey de Judá: No te lisonjee tu Dios, en quien tú tienes puesta la confianza, con decirte: No caerá Jerusalén en poder del rey de los Asirios.

**11.** Bien sabes tú todas las cosas que han hecho los reyes de los Asirios a todas las regiones que han destruido. ¿Y tú *piensas que* podrás librarte *de sus manos?*

**12.** Acaso los dioses de las naciones libraron a los que arruinaron mis padres, a los de Gozam, y de Haram, y de Resef, y a los hijos de Edén que moraban en Talasar?

**13.** ¿Dónde están el rey de Emat, el rey de Arfad, y el rey de la ciudad de Sefarvaím, y de Ana, y de Ava?

**14.** En esto tomó Ezequías la carta de mano de los embajadores, leyóla, y subió al templo del Señor, ante cuya presencia la extendió;

**15.** E hízole Ezequías al Señor la siguiente oración:

**16.** Señor de los ejércitos, Dios de Israel, que tienes tu asiento sobre los Querubines: sólo tú eres el Dios de todos los reinos del mundo; tú el que hiciste el cielo y la tierra.

**17.** Señor, inclina tus oídos y escucha: abre Señor, tus ojos, y mira, y repara todas las palabras dictadas por Sennaquerib para blasfemar al Dios vivo.

**18.** Es verdad, Señor, que los reyes de los Asirios asolaron aquellas naciones y sus tierras;

**19.** Y que entregaron a las llamas a los dioses de ellas, porque no eran dioses, sino hechura de mano de hombres, madera, y piedra, *por eso* los hicieron pedazos.

**20.** Mas tú ahora ¡oh Señor Dios nuestro! sálvanos de las manos de éste; y conozcan los reinos todos de la tierra que sólo tú eres el Señor *y Dios verdadero.*

**21.** En esto Isaías, hijo de Amós, envió a decir a Ezequías: El Señor Dios de Israel dice así: En orden a lo que me has pedido que haga respecto a Sennaquerib, rey de los Asirios,

**22.** Este es el fallo que contra él ha pronunciado el Señor: Te ha despreciado a ti, y te ha insultado ¡oh virgen, hija de Sión! A espaldas tuyas ¡oh hija de Jerusalén! ha meneado su cabeza *mofándose de ti.*

**23.** ¿A quién has ultrajado tú *oh príncipe soberbio?* ¿De quién has tú blasfemado, y contra quién has osado alzar la voz, y dirigido tus altivos ojos? Ha sido contra el Santo de Israel.

**24.** Por medio de tus siervos has ultrajado al Señor y has dicho: Yo con la muchedumbre de mis carros de guerra he subido a las alturas de los montes, sobre las cordilleras del Líbano; y cortaré sus más empinados cedros y sus más robustos abetos; y llegaré a su más alta cima, y entraré en el *soto o* bosque de su *famoso* Carmelo.

**25.** Yo he abierto pozos y bebido sus aguas y donde he puesto los pies *con mi ejército,* he sacado todas las aguas de sus acequias *o canales.*

**26.** Pero qué, ¿no has oído tú, *dice el Señor,* que yo hace ya tiempo que dispuse todas esas cosas? Desde los días antiguos, *o ab aeterno,* yo lo resolví, y ahora lo he efectuado; y se ha hecho de tal manera que han sido destruidos enteramente los peñascos *o collados* bien defendidos y las ciudades fortificadas.

---

CAP. XXXVII. — **7.** IV, *Reg. VII, v.* 7.
**13.** IV *Reg.* XVIII, *v.* 34; XIX, *v.* 13.

**27.** Los habitantes o *defensores* de éstas, embargadas sus manos, temblaron y quedaron despavoridos, secáronse como heno de prado y grama de dehesa y como la yerba de los tejados, que se seca antes de madurar.

**28.** Yo tengo *bien* conocida tu mansión, tus entradas y salidas, y tu locura o *insensatez* contra mí.

**29.** Cuando tú te enfurecías contra mi mismo, subió hasta mis oídos aquella insolencia tuya; por eso te pondré yo un anillo en tus narices y un freno en tus labios, y te haré volver por el *mismo* camino por donde has venido.

**30.** Pero tú ¡oh Ezequías! tendrás por señal esto *que ahora oirás*: Por este año come lo que de sí espontáneamente dará la tierra, en el segundo; mantente de las frutas; en el tercero, sembrad y segad, y plantad viñas, y comed sus frutos.

**31.** Y lo que se salvare de la casa de Judá, los restos que quedaren, echarán profundas raíces, y extenderán en alto sus *ramas cargadas de* frutos.

**32.** Porque de Jerusalén es de donde han de salir los residuos de *mi pueblo*, y del monte Sión los que se salvarán. Esto hará el celo del Señor de los ejércitos.

**33.** Por tanto, eso dice el Señor acerca del rey de los Asirios: No pondrá el pie en esta ciudad, ni arrojará acá una saeta, ni la asaltará el soldado cubierto con su escudo, ni levantará trincheras alrededor de ella.

**34.** Por el camino que vino, por el *mismo* se volverá y no entrará en esta ciudad, dice el Señor.

**35.** Y yo protegeré esta ciudad para salvarla, por respeto mío y de David, mi siervo.

**36.** En efecto, bajó un Angel del Señor e hirió en el campamento de los Asirios a ciento y ochenta y cinco mil hombres; y al levantarse a la madrugada, he aquí que no vieron sino *montones de* cadáveres.

**37.** Por lo que se fué de allí Sennaquerib, rey de los Asirios, y marchó, y volvióse a su residencia de Nínive.

**38.** Donde aconteció que mientras adoraba en el templo a su dios Nesroc, sus hijos Adramelec y Sarasar le mataron a puñaladas, y huyéronse a tierra de Ararat, y le sucedió en el reino su hijo Asarhaddón.

---

**30.** IV. *Reg.* XIX, *v.* 29.
**36.** IV. Reg. XIX, *v.* 35.

---

## CAPITULO XXXVIII

*Ezequías enferma, y es librado de la muerte; milagrosa retrogradación del sol en el reloj de Acaz; da a Dios gracias con un cántico.*

**1.** En aquellos días, Ezequías enfermó de muerte; y entró a visitarlo el profeta Isaías, hijo de Amós y le dijo: Esto dice el Señor: Dispón de las cosas de tu casa; porque vas a morir, y estás al fin de tu vida.

**2.** Y volvió Ezequías su rostro a la pared, y oró al Señor,

**3.** Diciendo: Acuérdate, te ruego y suplico, ¡oh Señor! de cómo he caminado en tu presencia con sinceridad y con un corazón perfecto y que he hecho lo que era agradable a tus ojos. Y prorrumpió Ezequías en un deshecho llanto.

**4.** Y *luego* habló el Señor a Isaías, diciendo:

**5.** Anda y di a Ezequías: Esto dice el Señor Dios de tu padre David: He oído tu oración y visto tus lágrimas: He aquí que te daré quince años más de vida;

**6.** Y te libraré del poder del rey de los Asirios a ti y a esa ciudad, y la protegeré.

**7.** Y de que el Señor cumplirá lo que ha dicho, se te dará por el *mismo* Señor esta señal:

**8.** He aquí que voy a hacer que la sombra del sol retroceda las diez líneas que ha bajado el reloj de Acaz. Y retrocedió el sol por las diez líneas que había bajado.

**9.** Cántico que dejó escrito Ezequías, rey de Judá, cuando enfermó, y sanó de su enfermedad.

**10.** Dije yo: A la mitad de mis días entraré por la puerta del sepulcro: privado me veo del resto de mis años.

**11.** Ya no veré yo al Señor Dios, dije, en la tierra de los que viven. No veré más a hombre alguno, ni a los que morarán en *dulce* paz.

**12.** Se me quita el vivir, y se va a plegar o *doblar* mi vida, como *se hace con* la tienda de un pastor. Cortada ha sido mi vida, como tela por el tejedor; mientras la estaba aún urdiendo, *entonces* él me la ha cortado: de la mañana a la noche acabarás conmigo ¡oh Dios mío!

---

**CAP. XXXVIII.** — 1. IV. Reg. XX, *v.* 1 — II *Paral.* XXXII, *v.* 24. *Según las causas inferiores*, dice S. Agustín, *(De Gen.* XVII), *el rey estaba al fin de su vida, o era mortal su enfermedad; pero no lo era según la presencia de Dios*, o la determinación de su divina voluntad.
**10.** Ps. LXXXIX, *v.* 10; LIV, *v.* 24; CI, *v*, 25.
**12.** II *Cor.* V. *v.* 4.

**13.** Esperaba *vivir* hasta el amanecer; el Señor, como un león *fuerte* había quebrantado todos mis huesos; *pero* por la mañana *decía:* Antes de anochecer acabarás, *oh Señor,* mi vida.

**14.** Gritaba yo como un pollito de golondrina, gemía como paloma; debilitáronse mis ojos de mirar, *siempre* a lo alto *del cielo.* Mi situación, Señor, es muy violenta: toma a tu cargo mi defensa.

**15.** ¿Mas qué es lo que digo? ¿Cómo me tomará el que ha hecho esto? Repasaré *¡oh Dios mío!* delante de ti con amargura de mi alma todos los años de mi vida.

**16.** ¡Oh Señor! si esto es vivir, y en tales apuros se halla la vida de mi alma, castígame, *te ruego,* y *castigado,* vivifícame.

**17.** Ved cómo se ha cambiado en paz mi amarguísima aflicción; y tú *¡oh Señor!* has librado de la perdición a mi alma; has arrojado tras de tus espaldas todos mis pecados.

**18.** Porque no han de cantar tus glorias *los que están en* el sepulcro, ni han de entonar las alabanzas *los que están en poder de* la muerte; ni aquellos que bajan a la fosa esperarán ver el cumplimiento de tus verídicas promesas.

**19.** Los vivos, *Señor,* los vivos son los que te han de tributar alabanzas, como hago yo en este día; el padre anunciará a sus hijos tu fidelidad *en las promesas.*

**20.** ¡Oh Señor! sálvame, y cantaremos nuestros salmos en el templo del Señor todos los días de nuestra vida.

**21.** Es de saber que Isaías había mandado que tomasen una porción de higos, y que haciendo de ellos una masa, compusiesen una cataplasma y la pusiesen sobre la llaga *de Ezequías,* y se curaría.

**22.** Y entonces *fué cuando* dijo Ezequías: ¿Qué señal tendré yo, de que aún he de subir al templo del Señor?

## CAPITULO XXXIX

*Habiendo venido unos embajadores del rey de Babilonia a Ezequías, les muestra éste sus tesoros; e Isaías le vaticina que algún día sería presa de los Caldeos.*

**1.** Por aquel tiempo Merodac Baladán, hijo de Baladán, rey de Babilonia, envió *embajadores*

con cartas y presentes a Ezequías, por haber sabido que había estado enfermo y que había convalecido.

**2.** Y se alegró mucho de esto Ezequías e hízoles ver el repuesto *o recámara* de los aromas, y de la plata, y del oro, y de los bálsamos, y de los ungüentos preciosos, y todo cuanto se hallaba en sus tesoros. No dejó Ezequías, cosa alguna de su casa o en su poder, que no se lo mostrara.

**3.** Mas entró *después* el profeta Isaías a ver al rey Ezequías, y le preguntó: ¿Qué han dicho esos hombres, y de dónde vienen? Han venido a mí, respondió Ezequías, de lejanas tierras, de Babilonia.

**4.** ¿Y qué han visto en tu palacio? repuso Isaías. Han visto todo cuanto hay en él, dijo Ezequías: nada ha quedado por mostrarles de todas mis preciosidades.

**5.** Entonces dijo Isaías a Ezequías: Escucha la palabra del Señor de los ejércitos:

**6.** He aquí que vendrá tiempo en que todas las cosas que hay en tu palacio, y cuanto atesoraron tus padres hasta el día de hoy, será todo llevado a Babilonia; no dejarán *ahí* nada, dice el Señor.

**7.** Y escogerán de entre tus hijos, que descenderán de ti por línea recta, para que sirvan de eunucos en el palacio del rey de Babilonia.

**8.** Y respondió Ezequías a Isaías: Justa es la sentencia que ha pronunciado el Señor. Me contento, añadió, con que haya paz y se cumplan en mis días las promesas *del Señor.*

## CAPITULO XL

*Jerusalén será consolada y salvada por el Mesías. Necedad de los idólatras. Felicidad de los que esperan en Dios.*

**1.** Consuélate, oh pueblo mío, consuélate: *porque he aquí lo que me* ha dicho vuestro Dios:

**2.** Habladle al corazón a Jerusalén, alentadla, pues se acabó su aflicción; *ya* está perdonada su maldad: ella ha recibido *ya* de la mano del Señor al doble por todos sus pecados.

**3.** *Ya oigo la* voz del que clama en el desierto. Aparejad el cambio del Señor: enderezad en la soledad las sendas de nuestro Dios;

---

**15.** *Job.* XLII, *v.* 3; IX, *v.* 12, 14.
**18.** *Ps.* VI, *v.* 6; CXIII, *v.* 17.
**19.** *Ps.* VI, *v.* 6; CXIII, *v.* 17, *etc.*
**CAP. XXXIX.** — 1. IV. *Reg. v.* 12.

---

**CAP. XL.** — 1. *Matth.* III, *v,* 3. —*Luc.* III. *v.* 4.
**3.** *Matth.* III, *v.* 3. —*Luc.* III, *v.* 4.

**4.** Todo valle ha de ser alzado, y todo monte y cerro abatido; y los caminos torcidos se harán rectos, y los ásperos llanos.

**5.** Entonces se manifestará la gloria del Señor, y verán a una todos los hombres que la boca del Señor *Dios* es la que ha hablado *por los Profetas*.

**6.** *Oí una* voz que me decía: Clama. Yo respondí: ¿Qué es lo que he de clamar? *Clama, dijo,* que toda carne es heno, y toda su gloria como la flor del prado.

**7.** Se seca el heno y la flor cae, así que se dirige contra él el soplo del Señor. Verdaderamente que es como heno todo hombre.

**8.** Secóse el heno, y cayó la flor; mas la palabra del Señor nuestro dura eternamente.

**9.** Súbete sobre un alto monte tú que anuncias buenas nuevas a Sión; alza esforzadamente tu voz; ¡oh tú que evangelizas a Jerusalén! álzala y no temas. Di a las ciudades de Judá: He visto a vuestro Dios.

**10.** He aquí que viene el Señor *vuestro* Dios con *infinito* poder, y dominará con *la fuerza de* su brazo: mirad, él lleva consigo su recompensa *para los que le sigan* y tiene a la vista su obra *de la redención del mundo*.

**11.** Como un pastor apacentará su rebaño, recogerá con su brazo los corderillos; los tomará en su seno, y llevara él mismo las ovejas paridas.

**12.** ¿Quién es aquel que ha medido las aguas *del océano* en el hueco de la palma de su mano, y extendiendo ésta ha pesado los cielos? ¿Quién es el que con solos tres dedos sostiene la *gran* mole de la tierra y pesa los montes y los collados como en una balanza?

**13.** ¿Quién ayudó al espíritu del Señor? ¿O quién fue su consejero, o le comunicó alguna idea?

**14.** ¿A quién llamó él a consulta, o quién hay que le haya instruido a él, o mostrádole la senda de la justicia, o comunicádole la ciencia, o le haya hecho conocer el camino de la prudencia?

**15.** He aquí que las naciones *todas* son *delante de él* como una gota de agua *que se rezuma* de un cántaro, y como un pequeño grano en la balanza: asimismo las islas son como un granito de polvo.

**16.** Cuantos árboles hay en el Líbano no bastarían para encender el fuego *de su altar;* ni todos sus animales para ser un holocausto *digno de él.*

**17.** Todas las naciones *de la tierra* son en presencia suya como si no fueran, y como una nonada, y una cosa que no existe, así son por él consideradas.

**18.** ¿A qué cosa, pues, habéis, vosotros asemejado a Dios, o qué diseño trazaréis de él?

**19.** ¿Por ventura la imagen *o el ídolo* no es obra de un fundidor? ¿No es el platero de oro el que la ha formado de este metal, o de láminas de plata el platero?

**20.** El hábil artífice escoge una madera dura e incorruptible, y procura afianzar la estatua, de modo que no caiga.

**21.** ¿Acaso no sabéis *lo que es Dios?* ¿No habéis oído *hablar de él?* ¿Acaso no se os anunció desde el principio *del mundo?* ¿No ha llegado a vuestra noticia *que él hizo* los fundamentos de la tierra?

**22.** Sabed que él es el que está sentado sobre el orbe terráqueo; y los moradores de éste son *en su presencia* como *pequeñas* langostas; él es el que extendió los cielos como *un velo o* cosa muy leve, y los desplegó como una tienda de campaña en que se ha de habitar.

**23.** El es quien *confunde y* anonada a los escudriñadores de los arcanos *de la naturaleza,* y reduce a la nulidad los jueces *o gobernadores* de la tierra.

**24.** Estos *son para Dios* como un tronco, que ni ha sido plantado, ni sembrado, ni tiene arraigo en la tierra; de repente, a un *ligero* soplo del *Señor* contra ellos, se secaron, y un torbellino los arrebata como hojarasca.

**25.** ¿A qué cosa, *pues,* me habéis asemejado? ¿A qué cosa me habéis igualado, dice el Santo *por esencia?*

**26.** Alzad hacia lo alto vuestros ojos, y considerad quién crió *esos cuerpos celestes;* quién hace marchar ordenadamente aquel ejército *de estrellas,* y llama a cada una de ellas por su nombre, sin que ninguna se quede atrás: tal es la grandeza de su poder, de su fortaleza y su virtud.

**27.** Pues ¿por qué dices tú, oh Jacob, por qué *osas* afirmar tú ¡oh Israel!: No conoce el Señor la *triste* situación en que me hallo, y no se cuida mi Dios de hacerme justicia?

---

**5.** *Joann.* I, *v.* 14.

**6.** *Eccli.* XIV, *v.* 18. — *Jac,* I, *v.* 10 — I *Petr* I, *v.* 24.

**11.** *Ezech.* XXXIV, *v.* 23; XXXVII, *v.* 24 — *Joann.* X, *v.* 11; XI; *v.* 17. — *Luc.* XV, *v.* 5.

**12.** *Sap.* XI, *v.* 23.

**13.** *Rom.* XI, *v.* 34. — I *Cor.* II, *v.* 16. — *Sap.* IX, *v.* 13.

**18.** *Act.* XVII, *v.* 29.

**23.** *Rom.* I, *v.* 21.

**26.** *Ps.* XVIII, *v.* 1-6.

28. ¿Por ventura ignoras tú, o no has oído que Dios es el Señor eterno que crió la extensión de la tierra, sin cansancio ni fatiga, y que es incomprensible su sabiduría?

29. El es el que robustece al débil, y el que da mucha fuerza y vigor a los que no son *para nada*.

30. Desfallecerá fatigada de cansancio la edad lozana, y se caerá de flaqueza la juventud.

31. Mas los que tienen puesta en el Señor su esperanza, adquirirán nuevas fuerzas, tomarán alas como de águila, correrán y no se fatigarán, andarán y no desfallecerán.

## CAPITULO XLI

*Poder infinito de Dios, y su bondad para con los hombres. Redención de Israel, ruina de Babilonia y vanidad de sus ídolos.*

1. Callen ante mí las islas, y tomen nuevas fuerzas las gentes; acérquense y hablen después, y entremos juntos en juicio:

2. ¿Quién sacó del Oriente al justo, y le llamó para que le siguiese? El *Señor* sujetó a su vista las naciones, e hízolo superior a los reyes, que entregados al *filo de* su espada, y por *blanco de* su arco, quedaron reducidos a polvo, y como paja que arrebata el viento.

3. Persiguiólos, pasó adelante sin desastre, *tan velozmente que* no se vió la huella de sus pies.

4. ¿Quién obró y llevó a cumplimiento estas cosas? ¿Quién ya desde el principio eligió *y ordenó a este fin* todas las generaciones? Yo el Señor, yo *que* soy el primero y el último.

5. Viéronle las islas, y se llenaron de temor; pasmáronse las más remotas naciones; *y a pesar de eso* se reunieron y se acercaron.

6. Se auxiliaron mutuamente *en esta loca empresa,* y cada cual decía a su hermano: ¡Buen ánimo!

7. El broncista que trabajaba a martillo, esforzaba al que batía en el yunque diciendo: Bien hecha está la soldadura; ahora asegura con clavos la estatua *del ídolo,* para que no se mueva.

8. Mas tú, ¡oh Israel! siervo mío, tú ¡oh Jacob! a quien escogí, tú, *que eres* estirpe de mi amigo Abraham,

9. Tú, a quien traje yo de los últimos términos de la tierra, y te llamé de sus lejanas regiones, y te dije: Siervo mío eres tú; yo te he escogido, y no te desecharé:

10. No temas, *digo,* que yo estoy contigo; no te desvíes, pues yo soy tu Dios; yo te he confortado, y te he auxiliado, y la diestra *poderosa* de mi Justo te ha amparado.

11. Sábete que quedarán confundidos y avergonzados todos aquellos que te hacen guerra; serán como si no fuesen, y perecerán los que te contradicen.

12. Buscarás a esos hombres que se alzan contra ti, y no los hallarás: serán como si no fuesen, y quedarán como un esqueleto cuantos te hacen guerra.

13. Porque yo soy el señor tu Dios, que te tomo por la mano, y te estoy diciendo: No temas, que soy yo el que te socorro.

14. No temas, gusanillo, *o débil* Jacob, no tienes que temer; ni vosotros los *que parecéis unos* muertos de Israel. Yo soy tu auxilio, dice el Señor; y el Santo de Israel es el redentor tuyo.

15. Yo haré que seas como un carro nuevo de trillar las mieses, armadas *sus ruedas* de dientes de hierro; tú brillarás y desmenuzarás los montes, y reducirás como a polvo los collados.

16. Los aventarás, y el viento se los llevará y los esparcirá el torbellino; y tú rebosarás de alegría en el Señor, y te regocijarás en el Santo de Israel.

17. Los pobres y menesterosos buscan agua, y no la hay; secóse de sed su lengua; yo el Señor los oiré *benigno.* Yo el Dios de Israel no los abandonaré.

18. Yo haré brotar ríos en los más altos cerros, y fuentes en medio de los campos; al desierto lo convertiré en estanques de aguas, y en la tierra *árida* e inhabitable haré correr *copiosos* arroyos.

19. Haré nacer en la soledad el cedro, el setim, y el arrayán, y el olivo; y en el desierto *mismo* produciré a un tiempo el abeto, el olmo y el boj;

20. A fin de que todos a una vean, y sepan, y consideren, y comprendan que la mano del Señor es la que ha hecho una tal cosa, y que es el Santo de Israel quien la ha criado.

21. Salid *ahora* a defender vuestra causa, dice el Señor: alegad si tenéis alguna razón fuerte, dice el rey de Jacob.

22. Vengan *vuestros dioses* y anúnciennos cuantas cosas están por suceder: declaren las antiguas que ya fueron, y estaremos atentos, y sepamos los sucesos que vendrán después; anúnciennos lo que ha de suceder.

---

CAP. XLI. — 2. *Hebr.* XI, *v.* 8. — *Gen,* XIV.

4. *C.* XLIV, *v.* 6; XLVIII, *v.*12. —*Apoc.* I, *v.* 8, 17; XXII, *v.* 18.

14. I *Cor.* I, *v.* 26.

**23.** Vaticinad *¡oh ídolos!* lo que ha de acontecer en lo venidero, y *entonces* conoceremos que vosotros sois dioses; haced el bien o el mal, si es que podéis *hacer algo*; y hablemos y discurramos juntos *sobre vuestro poder.*

**24.** Pero es claro que vosotros sois hechos de la nada, y de una cosa que nada es, viene vuestro ser: abominable es quien os escogió *para adoraros como dioses.*

**25.** Yo, *empero*, lo llamé del norte para que viniese del oriente; él invocó mi Nombre, y pisó como lodo a los príncipes y como el alfarero que pisa el barro.

**26.** ¿Quién otro *más que yo* ha anunciado estas cosas desde su principio? *Decidlo* a fin de que le conozcamos, y desde los tiempos antiguos, para que digamos: *Tienes razón*, a favor tuyo está la justicia. Mas no hay *entre vuestros ídolos* quien profetice, ni quien prediga lo futuro, ni quien oiga *siquiera* las palabras de vuestra boca.

**27.** El primero dirá a Sión: Hélos ahí, y daré a Jerusalén un portador de alegres nuevas.

**28.** Y *yo Isaías* estuve observando, y no hubo allí entre estos *partidarios de los ídolos* ni uno siquiera que fuese capaz de consejo, ni de contestar una sola palabra a quien le preguntaba.

**29.** Luego todos son unos inicuos, y vanas son las obras de sus manos, viento y vanidad sus simulacros.

## CAPITULO XLII

*Caracteres del Libertador de Israel, y felicidad de su reino. Castigo de los idólatras.*

**1.** He aquí mi siervo, yo estaré con él; mi escogido, en quien se complace el alma mía; sobre él he derramado mi espíritu; él mostrará la justicia a las naciones.

**2.** *Mansísimo y modesto* no voceará, ni será aceptador de personas; no se oirá en las calles su voz.

**3.** La caña cascada no la quebrará; ni apagará el pabilo que aún humea: ejercerá el juicio conforme a la verdad.

**4.** No será melancólico *su aspecto*, ni turbulento, mientras establecerá en la tierra la justicia; y de él esperarán la ley *divina* las islas.

**5.** Estas cosas dice el Señor Dios que crió y extendió los cielos; el que da el ser a la tierra y a cuanto en ella brota; el que da respiración a los pueblos que la habitan, y aliento a los que caminan por ella.

**6.** Yo el Señor te he llamado por amor *o celo* de la justicia, te he tomado por la mano, y te he preservado: te he puesto para ser el reconciliador del pueblo y luz de las naciones;

**7.** Para que abras los ojos de los ciegos, y saques de la cárcel a los encadenados, y de la estancia de los presos a los que yacen entre tinieblas.

**8.** Yo soy el Señor *Jehová:* éste es mi Nombre: la gloria mía no la cederé a otro, ni el honor mío a los *vanos* simulacros *de los ídolos.*

**9.** Las cosas anteriores *que predije*, ya véis que se han cumplido: ahora yo anuncio otras nuevas; y os las revelo a vosotros antes que sucedan.

**10.** Cantad al Señor un nuevo cántico, *publicad* sus alabanzas hasta los últimos términos de la tierra; vosotros que navegáis por la vasta extensión de los mares, y vosotras *¡oh islas!* y *todos* sus moradores.

**11.** Levántese *alegre* el desierto con todas sus ciudades. Cedar habitará en *hermosas* casas. Moradores de Petra, cantad alabanzas *al Señor*, alzad la voz desde la cumbre de los montes.

**12.** Ellos darán gloria al Señor, y publicarán en las islas, *o naciones remotas*, sus alabanzas.

**13.** *Porque* el Señor saldrá fuera como un *invencible* campeón; como un fuerte guerrero excitará su celo; dará voces y clamará; prevalecerá contra sus enemigos.

**14.** *Hasta ahora, dirá él*, estuve siempre callado, guardé silencio, fuí sufrido; *mas ya* como voces de mujer que está de parto, así serán las mías: desolaré y devoraré de un golpe *a todos mis enemigos.*

**15.** Yo arrasaré los montes y collados *frondosos*, y agostaré todas sus yerbas, y convertiré en islas los ríos, y secaré los estanques.

**16.** Y guiaré a los ciegos por un camino que no saben, y les haré andar por sendas que no conocen; convertiré delante de sus ojos las tinieblas en luz, y los caminos torcidos en vías rectas; tales cosas haré a su favor, y jamás los desampararé.

**17.** *Pero* ellos apostarán, y quedarán cubiertos de confusión los que ponen su confianza en los simulacros *de los ídolos*; los que dicen a las estatuas que han fundido: Vosotros sois nuestros dioses.

---

**24.** I *Cor.* VIII, *v.* 4.

**CAP. XLII.** — 8. *Cap.* XLVIII, *v.* 11.

**18.** Oíd ¡oh sordos! y vosotros, ciegos, abrid los ojos para ver.

**19.** ¿*Y* quién es el ciego, sino *Israel*, siervo mío? ¿Y quién el sordo, sino aquél a quien envié mis mensajeros? ¿Quién es el ciego, sino el que se ha venido *al enemigo*? ¿Y quién es el ciego, sino el siervo del Señor?

**20.** Tú que ves tantas cosas *vaticinadas por mis Profetas,* ¿cómo no haces reflexión sobre ellas? Tú que tienes abiertas las orejas, ¿cómo no escuchas?

**21.** *Y eso que* el Señor le tuvo *a Israel* buena voluntad, *escogiéndolo* para santificarlo y para dar a conocer la grandeza y excelencia de su *santa* ley.

**22.** Mas ese mismo pueblo *mío* es saqueado y devastado; presos han sido todos sus jóvenes y encerrados en las cárceles; arrebatados han sido, sin que haya quien los libere; robados, y no hay quien diga: restitúyelos.

**23.** ¿Quién hay entre vosotros que escuche, y atienda, y piense en lo que ha de venir?

**24.** ¿Quién ha abandonado a Jacob e Israel, para que sea presa de los que le han saqueado? ¿No es el mismo Señor contra quienes hemos pecado, no queriendo seguir sus caminos, sin obedecer su ley?

**25.** Por eso ha descargado *el Señor* sobre este *pueblo su* terrible indignación, y le hace guerra atroz, y le ha pegado fuego por todos sus costados, y ni *por eso* cayó *Israel* en la cuenta; y le ha entregado a las llamas, y *con todo* no ha entrado en conocimiento *de sus culpas.*

## CAPITULO XLIII

*Promete el Señor su protección a Israel, y se lamenta de la ingratitud de su pueblo. Se vaticina la conversión de los gentiles; y la reprobación de la sinagoga, y su entrada en la Iglesia al fin de los siglos.*

**1.** Y ahora he aquí lo que dice el Señor, Creador tuyo ¡oh Jacob!, el que te formó ¡oh Israel!: No temas; pues yo te redimí, y te llamé por tu nombre: tu eres *todo* mío.

**2.** Cuando pasares por medio de las aguas, estaré yo contigo, y no te anegarán sus corrientes; cuando anduvieres por medio del fuego, no te quemarás, ni la llamá tendrá ardor para ti:

**3.** Porque yo soy el Señor Dios tuyo, el Santo de Israel, tu Salvador; yo dí por tu rescate el Egipto, la Etiopía, y a Sabá.

**4.** Después que te hiciste estimable y glorioso a mis ojos, yo te he amado, y entregaré por ti hombres, y *daré* pueblos por tu salvación.

**5.** No temas, *pues,* porque yo estoy contigo: desde el Oriente conduciré tus hijos ¡oh Jerusalén! y desde Occidente los congregaré.

**6.** Dámelos, diré al septentrión, y al mediodía: No los retengas; traedme a mis hijos de sus remotos climas, y a mi hijas del cabo del mundo;

**7.** Porque a todos aquellos que invocan mi *santo* Nombre los crié, los formé, e hice para gloria mía.

**8.** Echa, *empero,* fuera al pueblo aquel que es ciego, aunque tiene ojos, y sordo, no obstante que tiene orejas.

**9.** Júntense a una las naciones todas, y reúnanse las tribus: ¿quién de vosotros anunciará esto, y nos hará oír aquello que debe primeramente acontecer? Presenten sus testigos, justifíquense de modo que los oyentes puedan decir: Verdad es.

**10.** Y vosotros, dice el Señor, sois mis testigos, y el siervo mío a quien escogí; a fin de que conozcáis y creáis, y comprendáis *bien* que yo soy el mismo *Dios.* No fué formado antes de mí Dios alguno, ni lo será después de mí.

**11.** Yo soy, yo soy el Señor, y no hay otro salvador que yo.

**12.** Yo lo predije, y yo fuí el que os salvé; os lo hice conocer, y no hubo *entonces dios* extraño entre vosotros; vosotros sois mis testigos, dice el Señor, y *vosotros sabéis* que yo soy el Dios *único y verdadero;*

**13.** Y yo soy el mismo desde el principio *o desde la eternidad;* y no hay nadie que pueda sustraerse de mi mano. Yo haré una cosa, ¿y quién me la impedirá?

---

contra Egipto, la Etiopía y el país de los Sebeos, y así estos pueblos fueron como el precio con que quedó libertado Israel. Pero en el sentido espiritual puede entenderse de esta manera: Oh Israel, por el precio de la sangre de tu Cristo y de tus mártires he sujetado a la nueva Jerusalén el Egipto, la Etiopía, el país de los Sabeos y todas las naciones; las cuales se reunirán contigo en la fe de Jesucristo. Nótese que el pueblo de Israel es figura no sólo de la Iglesia, sino también de su cabeza Jesucristo; y que aquello que se dice de la cabeza, se aplica también al cuerpo, y al contrario. S. Agust. *De Doctr. Crist. lib.* III, *cap.* 21.

**6.** *Joann.* XII, *v.* 40.

**8.** *Cap.* XLII, *v.* 19. *Matth.* —. XIII, *v.* 14.

**10.** *Cap,* XLII, v. 1. — *Apo. c.* I, *v.* 5; III, *v.* 14. — *Act,* I, *v.* 22.

**11.** *Os.* XIII, *v.* 4.

---

CAP. XLIII. — 3. Cuando Sennaquerib estaba para devastar toda la Judea, y poner sitio a Jerusalén, hizo Dios que en vez de ir contra la Judea, fuera

**14.** Esto dice el Señor y redentor vuestro, el Santo de Israel: Por amor de vosotros he enviado gentes a Babilonia, y he echado por tierra todas sus defensas, y a los Caldeos que se jactaban de sus naves.

**15.** Yo el Señor, el Santo vuestro, el creador de Israel, el rey vuestro.

**16.** Esto dice el Señor que abrió camino en el mar, y senda en medio de corrientes impetuosas.

**17.** El es quien hizo salir de *Egipto* carros armados y caballos: los escuadrones y todos sus valientes durmieron a una *el sueño de la muerte,* y no despertarán; fueron machacados como lino, y perecieron.

**18.** Mas no hagáis mención de las cosas pasadas, ni miréis a las antiguas.

**19.** Héos aquí que las haré yo nuevas *y más maravillosas,* y ahora saldrán a luz, y vosotros los presenciaréis: abriré un camino en el desierto, y manantiales de agua en país yermo.

**20.** Las bestias fieras, los dragones y avestruces me glorificarán; porque he hecho brotar aguas en el Desierto, y ríos en despoblado, para que beba mi pueblo, mi pueblo escogido;

**21.** Pueblo que yo formé para mí, el cual cantará mis alabanzas.

**22.** Pues que tú ¡oh Jacob! no me invocaste; ni hiciste caso de mí ¡oh Israel!

**23.** No me ofreciste a mí los carneros en holocausto, ni me has honrado con tus sacrificios; no soy yo aquél a quien tú has servido con ofrendas; ni el que te ha dado el trabajo de *quemar* el incienso.

**24.** No has comprado para mí, con dinero, la caña aromática, ni me has satisfecho con la grosura de tus víctimas. Antes bien te has servido de mí en tus pecados, y me has causado *gran* pena con tus iniquidades.

**25.** Yo soy, *no obstante,* yo mismo soy el que borro tus iniquidades por amor de mí mismo, y no me acordaré *más* de tus pecados.

**26.** Tráeme *si no* tú a la memoria *tus acciones;* entremos ambos en juicio: alega si tienes alguna cosa que te justifique.

**27.** Tu padre pecó el primero, y prevaricaron contra mí tus intercesores *o mediadores.*

**28.** Por eso declaré inmundos los príncipes del Santuario, y a Jacob le entregué al exterminio, y a Israel al oprobio.

## CAPITULO XLIV

*Dios consuela a su pueblo, prometiéndole una maravillosa restauración y acrecentamiento. El Señor es el solo Dios verdadero. Vanidad de los ídolos y de los que los fabrican.*

**1.** Ahora bien, escucha ¡oh Jacob, siervo mío! y tú ¡oh Israel! a quien escogí.

**2.** Esto dice el Señor, que te ha hecho y te ha formado, tu favorecedor desde el seno de tu madre: No temas ¡oh Jacob, siervo mío! y tú ¡oh rectísimo! a quien elegí *para que fueses mío;*

**3.** Porque yo derramaré aguas sobre la tierra sedienta; y haré correr *caudalosos* ríos por los eriales; derramaré mi espíritu sobre tu linaje, y la bendición mía sobre tus descendientes.

**4.** Y crecerán como crecen los sauces entre la yerba junto a las corrientes de las aguas.

**5.** Este dirá: Yo soy el Señor; aquel otro se gloriará de llevar el nombre de Jacob; y otro escribirá sobre su mano: Soy del Señor, y se apellidará con un nombre semejante a Israel.

**6.** Esto es lo que dice el Señor, rey de Israel y de su redentor, el Señor de los ejércitos: Yo soy el primero, y yo el último y fuera de mí no hay otro Dios.

**7.** ¿Quién hay semejante a mí? Que se declare y se explique; y expóngame la serie de las cosas desde que yo fundé la antigua gente *del mundo;* anuncie a los suyos lo porvenir, y las cosas que han de suceder.

**8.** No temáis, *pues,* ni os conturbéis: Yo he sido ¡oh Israel! el que desde el principio te las hice saber a ti, y te las predije; vosotros me sois testigos. ¿Hay por ventura otro Dios fuera de mí, u otro hacedor de las cosas a quien yo no conozca?

**9.** Todos los forjadores de ídolos son un *puro* nada, y de nada les aprovecharán esas cosas que más aman. Ellos mismos para confusión propia son testigos de que los ídolos ni ven, ni entienden.

**10.** ¿Quién *es, pues, tan insensato que* pensó formar un dios, y fundió una estatua que para nada sirve?

---

**16.** *Exod.* XIV, *v.* 21 — *Jos.* III, *v.* 15.
**19.** II *Cor* V, *v.* 17 — *Apoc.* XXI, *v.* 5.
**24.** *Jer.* VI, *v.* 20.
**27.** *Núm.* XX, *v.* 9, 11. — *Rom,* III, *v.* 23. — I Joann, I, *v.* 8.
**28.** *Lev.* X, *v.* 1.

**CAP. XLIV** — 1. *Jer,* XXX, *v.* 10; XLVI, *v.* 27.
**2.** *Gen.* XXV, *v.* 23.
**6.** *Cap.* XLI, *v.* 4; *c.* XLVIII, *v.* 12 — *Apoc.* I, *v.* 8, 17 *y* XXII, *v.* 13.

**11.** Lo cierto es que todos cuantos tienen parte en esto, quedarán avergonzados, porque estos artífices son unos hombres *necios; y si no*, júntense todos ellos, y preséntense *delante de mí*, y temblarán todos, y quedarán confundidos.

**12.** El herrero trabaja el ídolo con la lima; en la fragua y a golpes de martillo lo forja, labrándolo a fuerza de sus brazos; y sentirá a veces el hambre, y desfallecerá, y a pesar de su cansancio, no irá a beber agua.

**13.** El escultor extiende la regla *sobre el madero*, forma el ídolo con el cepillo, lo ajusta a la escuadra, le da su contorno con el compás y saca la imagen de un hombre, asemejándola a un hombre bien parecido, que habita en una casa *o templo*.

**14.** Cortó cedros, trajo el roble y la encina criada entre los árboles del bosque; plantó un pino, que mediante la lluvia se hizo grande.

**15.** Y sírvese de estos árboles el hombre para el hogar; toma parte de ellos, y se calienta, y con su fuego cuece el pan; pero de lo restante fabrica un dios y lo adora; hace una estatua y se postra delante de ella.

**16.** Una parte *del árbol* quema en la lumbre, y con otra cuece la carne para comer, y compone el asado, se sacia y se calienta, y dice: ¡Bueno! me he calentado, he hecho un buen fuego.

**17.** Mas del resto *del árbol* forma para sí un dios y una estatua; se postra delante de ella, y la adora y la suplica, diciendo: Sálvame, porque tú eres mi dios.

**18.** Son unos ignorantes, sin entendimiento; tienen embarrados los ojos para no ver, ni ser cuerdos.

**19.** No reflexionan, ni consideran, ni tienen seso para decir: Yo quemé la una mitad al fuego, y cocí el pan sobre sus ascuas, aderecé las carnes, y las comí; ¿y del resto he de fabricar un ídolo? ¿Me he de postrar ante el tronco de un árbol?

**20.** Una parte de éste es *ya* ceniza; y *no obstante* un corazón necio lo adora, y no se desengaña a sí mismo diciendo: Quizá la obra hecha por mi mano es una falsedad.

**21.** Acuérdate de estas cosas ¡oh Jacob, tú, oh Israel! ya que tú eres mi siervo. Yo te formé: siervo mío eres tú ¡oh Israel! No te olvides de mí.

**22.** Desvanecí, como una nube, tus maldades, y como a niebla tus pecados; conviértete a mí, pues yo te he redimido.

**23.** Cantad ¡oh cielos! alabanzas, porque el Señor ha hecho *tan grande* misericordia; alégrate, tierra, de un cabo a otro; montes, selvas y todas sus plantas haced resonar sus alabanzas, porque redimió el Señor a Jacob, y será glorificado en Israel.

**24.** Esto dice el Señor, redentor tuyo, que te formó en el seno de la madre: Yo soy el Señor, hacedor de todas las cosas, que por mí solo extiendo los cielos, y fundo la tierra, sin ayuda de nadie.

**25.** Que falsifico los presagios de los adivinos, y a los agoreros les quito el juicio; que dejo corridos a los sabios, y convierto en necedad su ciencia.

**26.** Yo soy el que llevo a efecto la palabra de mi siervo, y cumplo los oráculos de mis enviados *o Profetas*: el que digo a Jerusalén *destruida:* Habitada serás *algún día*; y a las ciudades de Judá: Seréis reedificadas, y yo poblaré vuestros desiertos.

**27.** Yo el que digo al abismo: Sécate, yo dejaré áridos tus ríos.

**28.** El que digo a Ciro: Tú serás mi pastor; tú has de cumplir todos mis designios. El que digo a Jerusalén: Tú serás reedificada; y al templo: Tú serás fundado *de nuevo*.

## CAPITULO XLV

*Profecía de la victoria de Ciro. En la libertad que por medio de éste promete el Señor a los Judíos cautivos en Babilonia, hace entrever la de todos los hombres por Jesucristo; que es el solo Dios, el Justo, el Salvador nuestro y la ruina de la idolatría.*

**1.** Esto dice el Señor a mi ungido Ciro, a quien he tomado de la mano para sujetar a su persona las naciones y hacer volver las espaldas a los reyes, y para abrir delante de él las puertas, sin que ninguna pueda resistirle:

**2.** Yo iré delante de ti, y humillaré a los grandes de la tierra; despedazaré las puertas de bronce y romperé las barras *o cerrojos* de hierro.

**3.** Y te daré a ti los tesoros escondidos y las riquezas recónditas; para que sepas que yo soy el Señor, el Dios de Israel, que *ya desde ahora* te llamo por tu *mismo* nombre.

**4.** Por amor de mi siervo Jacob, y de Israel mi escogido, te llamé por tu nombre, te puse el sobrenombre *de Ungido*, y tú no me conociste.

---

27. C. XXI, *v.* 1. — I *Esdr*, I, *v.* 2.
CAP. XLV. — 3. *Exod*, XXXI, *v.* 2; XXXIII, *v.* 17.

**5.** Yo el Señor, y no hay otro que yo: no hay Dios fuera de mí. Yo te ceñí la espada y tú no me has conocido;

**6.** *Y te armé,* a fin de que sepan *todos* desde oriente a poniente, que no hay más Dios que yo. Yo el Señor y no hay otro.

**7.** Yo que formo la luz, y crío las tinieblas; que hago la paz, y envío los castigos *a los pueblos.* Yo el Señor, *yo* que hago todas estas cosas.

**8.** ¡Oh cielos! derramad desde arriba vuestro rocío; y lluevan las nubes al Justo: ábrase la tierra, y brote al Salvador, y nazca con él la justicia. Yo el Señor le crié.

**9.** ¡Desdichado aquel que disputa contra su hacedor, *no siendo más que* una vasija de tierra *o arcilla* de Samos! ¿Acaso dirá el barro al alfarero: Qué haces? ¿No ves que tu labor no tiene *la perfección del* arte?

**10.** ¡Ay del que dice a su padre: ¿Por qué me engendraste?, y a su madre: ¿Por qué me concebiste?

**11.** *No obstante,* esto dice el Señor, el Santo de Israel *a los hombre* que él formó: Preguntadme sobre las cosas venideras, demandadme sobre mis hijos, y sobre las obras de mis manos.

**12.** *Pues* yo hice la tierra y crié en ella al hombre; mis manos extendieron los cielos, y di mis órdenes a toda su milicia *o celestial muchedumbre.*

**13.** Yo soy también el que levantaré un varón, *Ciro,* para ejercer mi justicia, y dirigiré todos sus pasos; él reedificará mi ciudad, y dará libertad a mis *hijos* cautivos, sin rescate ni dádivas, dice el Señor Dios de los ejércitos.

**14.** Esto dice *asimismo* el Señor: Las labores de Egipto, y el tráfico *o comercio* de Etiopía, y los Sabeos, hombres agigantados, se pasarán a ti y serán tuyos; caminarán en pos de ti yendo con las manos atadas, y te adorarán, y te presentarán súplicas; en ti solamente está Dios, fuera del cual no hay otro Dios.

**15.** Verdaderamente eres tú un Dios escondido *o invisible,* Dios de Israel Salvador *nuestro.*

**16.** Confusos y avergonzados quedaron todos los forjadores de los errores *o ídolos;* a una han sido cubiertos de oprobio.

**17.** Israel, *empero,* ha sido salvada por el Señor con salvación eterna: no seréis confundidos, ni tendréis de qué avergonzaros nunca jamás.

**18.** Porque esto dice el Señor, creador de los cielos, el mismo Dios que formó y conserva la tierra; el que es su hacedor, y que no en vano la crió, sinó que la hizo para que fuese habitada: Yo el Señor, y no hay otro que yo.

**19.** No he hablado en oculto, en algún lugar tenebroso de la tierra; no dije al linaje de Jacob: Buscadme inútilmente. Yo el Señor que enseña la justicia y predico la rectitud.

**20.** Reuníos y venid, y acercaos todos vosotros que habéis salido salvos de entre las naciones: *confesad que* son unos necios los que levantan una estatua de madera, que han entallado ellos mismos, y dirigen sus plegarias a un dios que no *los* puede salvar:

**21.** Hablad *con todos ellos,* y venid, y consultad unos con otros: ¿Quién anunció desde el principio estas cosas? ¿Quién desde entonces las predijo ya? ¿Por ventura no soy yo el Señor? ¿Acaso hay otro Dios que yo? Dios justo y que salve, no hay sino yo.

**22.** Convertíos, *pues,* a mí, pueblos todos de la tierra, y seréis salvos: pues que yo soy Dios, y no hay otro *que lo sea.*

**23.** Jurado he por mí mismo; ha salido de mi boca una palabra justísima, y no será revocada;

**24.** *Es a saber:* Ante mí se doblará toda rodilla, y por mi *Nombre,* jurará toda lengua.

**25.** Dirán, pues, en el Señor, *o con juramento,* que mía es la justicia, y el imperio. Ante el *Señor* comparecerán y quedarán confundidos todos los que se le oponen.

**26.** Y *entonces* será justificada por el Señor, y glorificada *o ensalzada* toda la posteridad de Israel.

## CAPITULO XLVI

*Predice Dios la ruina de los ídolos, y exhorta a los Israelitas a que se conviertan a él para conseguir la salud por medio de Jesucristo.*

**1.** Bel está hecho pedazos; Nabo queda reducido a polvo; sus simulacros, *hechos trozos,* sirven de carga para las bestias y jumentos; cargas que con su grave peso os abrumaban a vosotros.

---

9. *Jerem.* XVIII, *v.* 6. — *Rom.* IX, *v.* 20. *Plinio,* XXXV, *cap.* 12.

19. *Joann.* XVIII, *v.* 20.
24. *Rom,* XIV, *v.* 11. — *Philip* II, *v.* 10.
CAP. XLVI. — 1. *Nabo,* como observa S. Jerónimo significa *oráculo o divinación;* la cual se hacia en el templo de *Bel o Baal.* — *Baruch VI, v.* 3, 25.

**2.** Esos dioses han caído en tierra, y todos se han hecho pedazos; no han podido salvar al que los.llevaba *en las fiestas de su culto*, antes bien ellos mismos han tenido que ir cautivos.

**3.** Escuchadme ¡oh casa de Jacob! y vosotros todos, restos de la casa de Israel, a quienes llevo yo en mi seno y traigo en mis entrañas.

**4.** Yo mismo os llevaré *en brazos* hasta la vejez, hasta que encanezcáis: yo os hice, y yo os llevaré, yo os sostendré *siempre,* y os salvaré *de todo peligro.*

**5.** Mas vosotros ¿a quién me habéis asemejado, e igualado; y parangonado, y héchome parecido?

**6.** Vosotros sacáis del talego el oro, y pesáis la plata con la balanza, y os ajustáis con un platero para que haga un dios, ante quien se arrodille la gente y le adore;

**7.** Al cual llevan *en procesión* sobre los hombros y lo colocan en su nincho, y él allí se está; ni se moverá de su puesto; y aun cuando clamaren a él, nada oirá, ni los salvará de su tribulación.

**8.** Acordaos de esto, y avergonzaos; entrad en vosotros mismos ¡oh prevaricadores!

**9.** Renovad la memoria de *mis prodigios en* los siglos antiguos; porque *así veréis que* yo soy Dios, y que no hay otro Dios, ni nadie que a mí sea semejante.

**10.** Yo soy el que desde el principio *del mundo* anuncio lo que ha de suceder al último, y predigo *mucho* tiempo antes aquello que todavía está por hacer. Yo que hablo y sostengo mi resolución, y hago que se cumplan todos mis deseos.

**11.** Yo que llamo al ave desde oriente, *o a* un varón que ejecuta mi voluntad, *haciéndolo volar* desde una región remota. Yo he dicho esto, y lo ejecutaré; yo lo he ideado, y lo cumpliré.

**12.** Oídme vosotros, corazones endurecidos, que tan lejos estáis de la justicia.

**13.** Yo aceleraré la venida de mi justicia: ella no tardará; y no se dilatará la salud que de mí viene. Yo pondré la salud en Sión, y *haré brillar* mi gloria en Israel.

## CAPITULO XLVII

*Ruina de Babilonia por causa de su soberbia, y por la crueldad usada con los hijos de Israel, y en fin por tener puesta la confianza en los agoreros, magos, etc.*

**1.** *Entonces dirán a Babilonia:* ¡Oh tú virgen, hija de Babilonia! desciende y siéntate sobre el polvo, siéntate en el suelo; ya no hay más trono para la hija de los Caldeos; no te llamarán ya en adelante tierna y delicada.

**2.** Aplica *como esclava* tu brazo a la rueda del molino, y muele harina; manifiesta la fealdad *de tu cabeza pelada*, descubre tu espalda, arregázate los vestidos, vadea los ríos.

**3.** Entonces será pública tu ignominia, patente tu oprobio. Yo me vengaré de ti, y no habrá hombre que se oponga.

**4.** El redentor nuestro, *¡oh Israel!*, es aquél que tiene por nombre Señor de los ejércitos, el Santo de Israel.

**5.** Tú ¡oh hija de los Caldeos! *infeliz Babilonia,* guarda *un mudo* silencio, y escóndete en las tinieblas; porque ya no te llamarán más la señora de los reinos.

**6.** *Porque* yo me irrité contra mi pueblo, deseché como profana mi herencia, y los entregué en tus manos; tú, *empero,* no tuviste compasión de ellos: agravaste en extremo tu yugo, *aun* sobre los ancianos.

**7.** Y dijiste: Yo dominaré para siempre; y no pensaste en estas cosas, ni reflexionaste en el paradero que habías de tener.

**8.** Ahora, pues, escucha estas cosas ¡oh *Babilonia!* tú que vives entre delicias, y que estás llena de arrogancia; tú que dices en tu corazón: Yo soy *la dominadora,* y no hay otra más que yo; no quedaré jamás viuda *o sin rey,* ni conoceré nunca la esterilidad.

**9.** Vendrán estos dos males súbitamente sobre ti en un mismo día: quedarás sin hijos, y quedarás viuda. Todo esto vendrá sobre ti por causa de la muchedumbre de tus maleficios, y por la extremada dureza *tuya, hija* de tus encantadores.

**10.** Tú te has tenido por segura en tu malicia, y dijiste: No hay quien me vea. Ese tu saber y ciencia *vana* te sedujeron, cuando *orgullosa* dijiste en tu corazón: Yo *soy la soberana,* y fuera de mí no hay otra.

---

7. *Baruch* VI, *v.* 25.
11. Cap. XLI, *v.* 3. — *Malach* IV, *v.* 2.

CAP. XLVII. — 2. *Exod.* XI, *v.* 5. — *Matth.* XXIV, *v.* 41. — *Cap.* III, *v.* 17.
8. *Nahum* III, *v.* 5.

**11.** Caerá sobre ti la desgracia, y no sabrás de dónde nace; y se desplomará sobre ti una calamidad, que no podrás alejar con víctimas de expiación; vendrá repentinamente sobre ti una imprevista miseria.

**12.** Estáte con tus encantadores y con la muchedumbre de tus hechicerías en que te has ejercitado *tanto*, desde tu juventud, por si acaso puede esto ayudarte algo, o puedes tú hacerte más fuerte.

**13.** *Pero ¡ah!* en medio de la multitud de tus consejeros, tú te has perdido. *Y si no*, levántense y sálvense los agoreros del cielo, que contemplaban las estrellas y contaban los meses para pronosticarle lo que había que acontecer.

**14.** He aquí que se han vuelto como paja, el fuego los ha devorado; no librarán su vida de la violencia de las llamas; éstas no dejarán brasas con que se calienten *las gentes,* ni hogar ante el cual se sienten.

**15.** Tal será el paradero de todas aquellas cosas por las cuales tanto te afanaste; los *opulentos* comerciantes, que trabajaban contigo, desde tu juventud, huyeron cada cual por su camino: no hay quien te salve.

## CAPITULO XLVIII

*Echa en cara el Señor a los Judíos su hipocresía e ingratitud: sólo Dios ha predicho lo futuro y cumplido las promesas. Promete el perdón a Israel, y hace ver la felicidad de los que cumplen su santa Ley.*

**1.** Oíd estas cosas *los de la* casa de Jacob, vosotros que os apellidáis con el nombre de Israel, y venís de la estirpe de Judá: vosotros que juráis en el nombre del Señor, y hacéis mención del Dios de Israel mas no con verdad ni con justicia;

**2.** Y que os llamáis *ciudadanos* de la ciudad santa, y estáis apoyados en el Dios de Israel, el cual tiene por nombre Señor de los ejércitos.

**3.** Yo anuncié mucho antes las cosas pasadas, y las predije e hice oír de mi propia boca; de repente las puse en ejecución, y se efectuaron.

**4.** Porque sabía yo que tú eres *un pueblo* duro, y que tu cerviz es de nervios de hierro, y tu frente de bronce.

**5.** Te las predije muy de antemano; antes que sucedieran te las hice saber, a fin de que nunca dijeses: Mis ídolos han hecho estas cosas, y lo han ordenado así mis estatuas de escultura y de fundición.

**6.** Mira ejecutado todo lo que oíste: ¿y acaso no lo habéis vosotros mismos pregonado? Hasta ahora te he revelado cosas nuevas, y tengo reservadas otras que tú no sabes.

**7.** Ahora *es cuando* estas predicciones *te* son hechas, y no antes; pues hasta aquí tú no oíste hablar de ellas, a fin de que no puedas decir: Ya yo me las sabía.

**8.** Ni las había oído, ni las sabías; ni entonces te-nías abiertas tus orejas: que bien sé que tú has de proseguir siempre prevaricando; y prevaricador te llamé desde el seno de tu madre.

**9.** *Con todo* por amor de mi Nombre contendré mi furor; y con la gloria mía te tiraré del freno para que no te despeñes.

**10.** Mira: yo te he acrisolado con el fuego *de las tribulaciones*; mas no como la plata, sino que he hecho prueba de ti en la fragua de la pobreza.

**11.** Por respeto, por respeto mío haré esto, a fin de que no sea yo blasfemado *de vuestros enemigos:* que no daré yo *jamás* a otro mi gloria.

**12.** Escúchame ¡oh Jacob, y tú oh Israel! a quien yo doy nombre: yo mismo, yo el primero y yo el último.

**13.** Mi mano fué la que fundó la tierra, y mi diestra la que midió los cielos: a una voz que yo les dé, al momento se presentarán todos.

**14.** Reuníos todos vosotros, *pueblos*, y escuchadme: ¿Cuál de esos *ídolos* anunció tales cosas? El Señor amó a este hombre; y este *Ciro* ejecutará la voluntad del Señor en Babilonia, y será su brazo contra los Caldeos.

**15.** Yo, yo soy el que le he hablado, y yo el que lo he llamado: yo lo he guiado, y le he allanado el camino.

**16.** Acercaos a mí y escuchad esto: Yo desde el principio jamás he hablado a escondidas; ya tiempo antes que esto sucediese, estaba yo allí, y ahora me ha enviado el Señor Dios, y su Espíritu.

**17.** Esto dice el Señor tu redentor, el Santo de Israel: Yo el Señor Dios tuyo que te enseñó lo que te importa, y te dirijo por el camino que sigues.

**18.** ¡Ojalá hubieras atendido a mis mandamientos! Hubiera sido tu paz *o felicidad* como un río, y tu justicia *o santidad tan copiosa* como los abismos del mar,

---

CAP. XLVIII — 1. *Cap.* XLV, *v.* 24.

**11.** *Cap.* XLII *v.* 8; XLIV, *v.* 6. — *Apoc.* I, *v.* 8, 17; XXII, *v.* 13.

**19.** Y como *sus* arenas la descendencia tuya, y como sus granitos o *piedrecitas* los hijos de tus entrañas; no hubiera perecido, ni quedado borrado tu nombre delante de mis ojos.

**20.** Salid, *pues, ahora* de Babilonia, huid de los Caldeos, anunciad con voces de júbilo, haced oir esta *alegre* nueva, y llevadla hasta las últimas extremidades del mundo, *decid en todas partes:* Redimió el Señor a *los hijos de* su siervo Jacob.

**21.** Cuando los guió por el desierto, no padecieron sed; de una roca les hizo salir agua; rompió la peña, y brotaron aguas *en abundancia.*

**22.** *Pero* para los impíos no hay paz dice el Señor.

## CAPITULO XLIX

*El Mesías prometido a los Judíos y reconocido por ellos, forma su reino compuesto de todas las naciones. Felicidad de los que creen en él. Consuela a Sión abominada de Dios, pronunciadno su futura conversión y su gloria.*

**1.** Oíd, islas, y atended, pueblos distantes! El Señor me llamó desde el vientre de mi madre; se acordó o *declaró* mi nombre cuando yo estaba *aún* en el seno materno.

**2.** E hizo mi boca o *mis palabras* como una aguda espada: bajo la sombra de su mano me cobijó; e hizo de mí como una saeta bien afilada, *y* me ha tenido guardado dentro de su aljaba.

**3.** Y díjome: Siervo mío eres tú ¡oh Israel! En ti seré yo glorificado.

**4.** Pero yo dije: En vano me he fatigado *predicando a mi pueblo;* sin motivo y en balde he consumido mis fuerzas: por tanto *espero que* el Señor me hará justicia, y en mi Dios está depositada la recompensa de mi obra.

**5.** Por lo que ahora el Señor, que me destinó desde el seno de mi madre para ser siervo suyo, me dice que yo conduzca a Jacob nuevamente a él, mas Israel no querrá reunirse: yo, empero, seré glorificado a los ojos del Señor, y mi Dios se ha hecho mi fortaleza.

**6.** El *me* ha dicho: Poco es el que tú me sirvas para restaurar las tribus de Jacob y convertir los despreciables restos de Israel: He aquí que yo te he destinado para ser luz de las naciones, a fin de que tú seas la salud *o el Salvador* enviado por mí hasta los últimos términos de la tierra.

**7.** Esto dice el Señor, el redentor, el Santo de Israel, al hombre reputado como despreciable *entre los tuyos;* a la nación o *nueva Iglesia* abominada de *todos,* a aquél que es *tratado* como un esclavo de los príncipes. *Día vendrá en que* los reyes y los príncipes al verte se levantarán, y *te* adorarán por amor del Señor, porque ha sido fiel *en sus promesas,* y por amor al Santo de Israel, que te escogió.

**8.** Esto dice *también* el Señor: En el tiempo de mi beneplácito otorgué tu petición, y en el día de la salvación te auxilié y te conservé y te constituí reconciliador de *mi pueblo,* a fin de que tú restaurases la tierra, y entrases en posesión de las heredades devastadas;

**9.** Para que dijeses a los que están encarcelados: Salid fuera; y a los que están entre tinieblas: Venid a ver la luz. En medio de los caminos hallarán con qué alimentarse, y en todas las llanuras habrá qué comer para ellos.

**10.** No padecerán hambre ni sed, ni el ardor del sol les ofenderá; porque aquel *Señor* que usa de tanta misericordia para con ellos, los conducirá, y los llevará a beber en los manantiales de las aguas.

**11.** Y haré caminos *llanos* para transitar por todos mis montes, y mis sendas se convertirán en calzadas.

**12.** Mira cómo vienen unos de remotos países, y otros desde el septentrión, y desde el mar *u occidente,* y estos otros de las regiones del mediodía.

**13.** ¡Oh cielos! entonad himnos; y tú ¡oh tierra! regocíjate; resonad vosotros ¡oh montes! en alabanzas: porque el Señor ha consolado a su pueblo, y se apiadará de sus pobres.

**14.** *Y entonces* dijo Sión: El Señor me ha abandonado, y se ha olvidado de mí el Señor.

**15.** Pues qué, *respondió el Señor,* ¿puede la mujer olvidarse de su niño, sin que tenga compasión del hijo de sus entrañas? Pero aun cuando ella pudiese olvidarle, yo *nunca* podré olvidarme de ti.

**21.** *Ezod.* XVII, *v.* 6. — Num XX, *v.* 12.
**22.** *Cap.* XLVII, *v.* 21.
**CAP. XLIX.** — 1. *Jerem.* I, *v.* 5. *Galat.* I, *v.*15. — *Ephes.* VI, *v.* 17. — *Matth.* I, *v.* 21.
**2.** *Hebr.* IV, *v.* 12. — *Apoc.* I, *v.* 16.
**3.** *Matth.* X, *v.* 5.
**6.** XLII, *v.* 6. — Act XIII, *v.* 47.

**7.** *Ps.* XXI, *v.* 7. — I *Cor.* IV, *v.* 9, 13.
**8.** II *Cor.* XI, *v.* 2.
**10.** *Apoc.* XII, *v.* 16, 17.
**14.** *Rom.* IX.
**14.** *Jerem.* II, *v.* 32.

**16.** Mira cómo te llevo grabado en mis manos: tus muros los tengo siempre delante de mis ojos.

**17.** Vendrán aquellos que han de reedificarte; y los que te destruían y asolaban se alejarán de ti.

**18.** Levanta ¡oh Jerusalén! tus ojos y mira alrededor de ti; todas estas gentes se han congregado para venir a ti. Yo te juro, dice el Señor, que de todas ellas te has de adornar como de un ropaje de gala, y engalanarte como una esposa.

**19.** Porque tus desiertos y tus soledades, y la tierra cubierta con tus ruinas, todo será entonces angosto para tus muchos moradores, y serán arrojados lejos de ti los que te devoraban.

**20.** Aún oirás que los hijos que tendrás después de tu esterilidad, dirán: Estrecho es para mí este lugar; dame sitio espacioso para que yo habite.

**21.** Y tú dirás en tu corazón: ¿Quién me ha dado estos hijos a mí, que era estéril y no daba a luz, expatriada y cautiva? Pues ¿quién crió estos hijos, estando yo sola y desamparada? ¿De dónde han salido ellos?

**22.** He aquí lo que responde el Señor Dios: Sábete que yo extenderé mi mano hacia las naciones y enarbolaré entre los pueblos mi estandarte. Y a tus hijos te los traerán en brazos, y en hombros llevarán a tus hijas.

**23.** Y los reyes serán los que te alimenten, y las reinas tus amas de leche. Rostro por tierra te adorarán, y besarán el polvo de tus pies. Y entonces conocerás que yo soy el Señor, y que no quedarán confundidos los que esperan en mí.

**24.** ¿Por ventura podrá quitársele a un hombre esforzado la presa? ¿O podrá recobrarse aquello que ha arrebatado un varón valiente?

**25.** Sí, porque esto dice el Señor: Ciertamente que le serán quitados al hombre esforzado los prisioneros que ha hecho y será recobrado lo que arrebató el valiente. A aquellos ¡oh Sión! que te juzgaron a ti, yo los juzgaré; y yo salvaré a tus hijos.

---

20. *Cap.* XLVII, *v.* 29.
23. Tal vez alude a la suma veneración que los cristianos han manifestado desde los primeros siglos a los Obispos, postrándose a sus pies, como observó S. Agustín, *Serm* XVIII. *De verbis Apost.* O según S. Jerónimo al respeto que se tiene a los santos lugares de Jerusalén que consagró el Señor de un modo especial con su nacimiento, pasión y muerte.
24. *Matth.* XII, *v.* 29.-
25. *Ephes.* IV, *v.* 8.

**26.** Yo haré comer a tus enemigos sus propias carnes; y que se embriaguen con su misma sangre, como si fuera mosto; y sabrán todos los mortales que quien te salva soy yo el Señor, y que el fuerte *Dios* de Jacob es tu redentor.

## CAPITULO L

*La sinagoga es repudiada por su rebeldía e incredulidad. Jesucristo, a quien ella insulta y ultraja, consuela a los fieles y anuncia a los incrédulos su eterna perdición.*

**1.** Esto dice el Señor: ¿Qué libelo de repudio es ése, con el cual he desechado a vuestra madre? ¿O quién es ese acreeedor mío, a quien os he yo vendido? Tened por entendido que por vuestras maldades habéis sido vendidos, y que por vuestros crímenes he repudiado yo a vuestra madre.

**2.** Porque yo vine al mundo, y no hubo nadie *que me recibiese;* llamé y no hubo nadie quien *me* escuchase. ¿Es por ventura que se ha acortado o achicado mi mano, de suerte que no pueda redimir? ¿O no tengo yo poder para libertaros? Saber que a una amenaza mía haré del mar un desierto, y secaré los ríos; pudriránse los peces por falta de agua, y morirán en seco.

**3.** Cubriré los cielos de tinieblas, y los vestiré de un saco *de luto.*

**4.** El Señor me dió una lengua sabia, a fin de que sepa yo sostener con mis palabras al que está desmayado; él me llama por la mañana, llama de madrugada a mis oídos, para que le escuche como a maestro.

**5.** El Señor Dios me abrió los oídos, y yo no me resistí: no me volví atrás.

**6.** Entregué mis espaldas a los que me azotaban, y mis mejillas a los que mesaban mi barba; no retiré mi rostro de los que me escarnecían y escupían.

**7.** El Señor Dios es mi protector; por eso no he quedado yo confundido; por eso presenté mi cara a los golpes, *inmoble* como una piedra durísima, y sé que no quedaré avergonzado.

**8.** A mi lado está el *Dios y Padre mío,* que me justifica, ¿quién se me opondrá? Presentémonos juntos en juicio: ¿quién es mi adversario? Lléguese a mí.

**9.** Sabed que el Señor Dios es mi auxiliador. ¿Quién es el que me condenará? Ciertamente que todos *mis contrarios* serán consumidos como un vestido *muy gastado;* la polilla se los comerá.

---

CAP. L. — 2. *Joann.* I, *v.* 11.
3. *Exod.* X. *v.* 22. — *Matth.* XXXII, *v.* 45.
4. *Joann.* VII, *v.* 46.

10. ¿Quién hay entre vosotros temeroso del Señor, y que escuche la voz de su siervo? Quien de *entre los tales* anduvo entre tinieblas y no tiene luz, espere en el Nombre del Señor, y apóyese en su Dios.

11. Pero he aquí que vosotros todos estáis encendiendo el fuego *de la venganza divina*, y estáis *ya* rodeados de llamas. Caminad, *pues,* a la luz de vuestro fuego y de las llamas que habéis encendido. Mi mano *vengadora* es la que así os trata: yaceréis entre dolores.

## CAPITULO LI

*Consuela el Señor a los pocos que han quedado de su pueblo, anunciándoles la restauración de Jerusalén por el Mesías y la total ruina de sus enemigos.*

1. Escuchadme, vosotros los que seguís la justicia y buscáis al Señor; atended a la cantera de donde habéis sido cortados, al manantial del que habéis salido.

2. Poned los ojos *en el anciano* Abraham vuestro padre, y en Sara *estéril* que os dió a luz: porque a él, que era solo, *sin hijos,* lo llamé, y lo bendije, y lo multipliqué.

3. Del mismo modo, pues, consolará el Señor a Sión, y reparará todas sus ruinas, y convertirá sus desiertos en lugares de delicias, y su soledad en un jardín amenísimo. Allí será el gozo y la alegría, el hacimiento de gracias, y las voces de alabanza *a la gloria del Señor.*

4. Atiende a lo que te digo ¡oh pueblo mío! y escúchame, nación mía; porque de mí ha de salir la *nueva* ley, y mi justicia se establecerá entre los pueblos a fin de iluminarlos.

5. Está para venir mi Justo. El Salvador que yo envío está *ya* en camino, y mi brazo regirá los pueblos; *las* islas *o naciones de la tierra* me estarán aguardando y esperando en *el poder de* mi brazo.

6. Alzad al cielo vuestros ojos, y bajadlos *después* a mirar la tierra, porque los cielos como humo se desharán *y mudarán* y la tierra se consumirá como un vestido, y perecerán como estas cosas sus moradores. Pero la salud *o el Salvador* que yo envío durará para siempre, y nunca faltará mi justicia.

7. Escuchad los que conocéis lo que es justo; *vosotros los del* pueblo mío, en cuyos corazones está *grabada* mi ley: No temáis los

oprobios de los hombres, no se arredren sus blasfemias;

8. Porque como a un vestido, así los roerá a ellos el gusano, y como a la lana, los devorará la polilla; más la salvación que yo envío, durará para siempre, y mi justicia por los siglos de los siglos.

9. Levántate, levántate: ármate de fortaleza ¡oh brazo del Señor!, levántate como en los días antiguos y en las pasadas edades. ¿No fuiste tú el que azotaste al soberbio *Faraón,* el que heriste al dragón *de Egipto?*

10. ¿No eres tú el que secaste el mar, las aguas del tempestuoso abismo; el que abriste camino en el profundo del mar, para que pasaran los que habías libertado?

11. Ahora, pues, los que han sido redimidos por el Señor volverán y llegarán a *su amada* Sión cantando alabanzas, coronados de sempiterna alegría, tendrán gozo y alegría constante, y huirá *de ellos* el dolor y la pena.

12. *Yo mismo os consolaré.* ¿Quién eres tú que *tanto* temes a un hombre mortal y al hijo del hombre que como el heno ha de secarse?

13. Porque te has olvidado del Señor tu Creador, que extendió los cielos y fundó la tierra. Por eso temblaste continuamente todo el día a vista del furor de aquel *enemigo* que te afligía y tiraba a exterminarte: ¿dó está ahora el furor de aquel tirano?

14. Presto llegará aquel que viene a dar la libertad: que no permitirá *el Señor* el total exterminio, y no faltará *nunca del todo* su alimento.

15. *En fin,* yo soy el Señor Dios tuyo que embravezco el mar, y encrespó sus olas: Señor de los ejércitos es mi nombre.

16. En tu boca he puesto mis palabras, y te he amparado con la sombra de mi *poderosa* mano, para que plantes los cielos y fundes la tierra, y digas a Sión: Tú eres mi pueblo.

17. Alzate ¡oh Sión! álzate; levántate ¡oh Jerusalén! tú que has bebido de la mano del Señor el cáliz de su ira: hasta el fondo has bebido tú el cáliz que causa *un mortal* sopor, y lo has bebido hasta las heces.

18. De todos los hijos que ella engendró, no hay uno que la sostenga; y entre todos los hijos que ella ha criado, no hay quien la tome de la mano.

---

CAP. LI. — 3. *Ephes. I, v.* 3.
6. *Rom.* VIII, *v.* 19. — *Hebr.* I, *v.* 10. — *Matth,* XXIV, *v.* 35. — *Ps.* XXXVI, *v.* 39.

---

10. *Exod.* XIV, *v.* 21.

**19.** Doblados males son los que te han acontecido: ¿quién te compadecerá? *Sobre ti ha venido* la desolación y el exterminio, el hambre y la espada: ¿quien te consolará?

**20.** Tus hijos yacen tirados por tierra, *atados* duermen a lo largo de todas las calles, como búfalo enmaromado *o preso,* cubiertos de la indignación del Señor y de la venganza de tu Dios.

**21.** Por tanto, escucha esto tú, pobrecita *Jerusalén,* y embriagada no de vino, *sino de aflicciones:*

**22.** Estas cosas dice tu dominador, el Señor Dios tuyo que peleará por su pueblo: Mira, yo voy a quitar de tu mano ese cáliz soporífero: las heces del cáliz de mi indignación no las beberás ya otra vez.

**23.** Yo lo pondré en la mano de aquellos que te han humillado, y que te dijeron *en tu angustia:* Póstrate, para que pasemos por encima; y tú pusiste tu cuerpo como tierra *que se pisa,* y como camino que huellan los pasajeros.

## CAPITULO LII

*La redención del género humano está simbolizada en la libertad que Dios cedió por medio de Ciro, al pueblo de Israel cautivo en Babilonia. Jesucristo será ensalzado y reconocido como Dios por todas las naciones.*

**1.** Levántate, levántate ¡oh Sión!, ármate de tu fortaleza; vístete de tus ropas de gala, ¡oh Jerusalén, ciudad del *Dios* Santo! porque ya no volverá en adelante a pasar por medio de ti incircunciso, ni inmundo.

**2.** Alzate del polvo, levántate: toma asiento ¡oh Jerusalén! Sacude de tu cielo el yugo, oh esclava hija de Sión.

**3.** Porque esto dice el Señor: De balde fuisteis vendidos, y sin dinero *o graciosamente* seréis rescatados.

**4.** Dice más el Señor Dios: Mi pueblo bajó al principio de Egipto, para morar allí como forastero; pero Asur lo maltrató sin ningún motivo.

**5.** Y ahora ¿qué debo hacer yo aquí, dice el Señor, después que mi pueblo ha sido llevado esclavo por nada? Sus amos hacen de tiranos,

dice el Señor; y todo el día sin cesar está blasfemándose mi Nombre.

**6.** Por esto vendrá día en que mi pueblo conocerá *la grandeza de* mi Nombre: porque soy el mismo que *le* hablaba, he aquí que estoy ya presente.

**7.** ¡Oh cuán hermosos son los pies de aquel que sobre los montes *de Israel* anuncia y predica la paz!, de aquel que pregona la salud, y dice *ya* a Sión: Reinará *luego* el Dios tuyo, *y tú con él.*

**8.** *Entonces* se oirá la voz de tus centinelas: a un tiempo alzará el grito, y cantarán cánticos de alabanza, porque verán con sus mismos ojos cómo el Señor hace volver *del cautiverio* a Sión.

**9.** Regocijaos y a una cantad alabanzas *al Señor,* oh desiertos de Jerusalén, pues ha consolado el Señor a su pueblo, ha rescatado a Jerusalén.

**10.** Ha revelado el Señor a la vista de todas las naciones *la gloria de* su santo brazo, y todas las regiones del mundo verán al Salvador que envía nuestro Dios.

**11.** Marchad *luego,* marchaos, salid de ahí, no toquéis cosa inmunda, salid de en medio de ella, purificaos vosotros los que traéis los vasos del Señor.

**12.** Que no partiréis tumultuariamente, ni en precipitada fuga; pues el Señor irá delante de vosotros, y el Dios de Israel os congregará.

**13.** Sabed que mi siervo estará lleno de inteligencia *y sabiduría;* será ensalzado y engrandecido, y llegará a la cumbre misma de la gloria.

**14.** Al modo que tú ¡oh Jerusalén! fuiste *en tu ruina* el asombro de muchos, así también su aspecto parecerá sin gloria delante de los hombres, y en una forma despreciable entre los hijos de los hombres.

**15.** El rociará *o purificará* a muchas naciones; en su presencia estarán los reyes *escuchando* con silencio: porque aquéllos a quienes nada se había anunciado de él *por sus Profetas,* lo verán, y los que no habían oído hablar de él, lo contemplarán.

---

23. *Josué.* X, *v.* 24. — *Ps,.* CIX, *v.* 1.
CAP. LII. — 3. I *Petr.* I, *v.* 18.
4. *Ezech.* XXXI, *v.* 3.
5. *Ezech.* XXXVI, *v.* 20, — *Rom.* II, *v.* 24.

---

6. *Hebr.* I, *v.* 1.
7. *Nahum* I, *v.* 35. — *Rom.* X, *v.* 15.
10. *Nahum* I, *v.* 15. — *Rom.* X, *v.* 15.
10. *Ps.* XCVII, *v.* 3. — *Luc.* II, *v.* 30: III, *v.* 6.
11. II *Cor.* VI, *v.* 17.
15. *Núm.* XIX. — *Hebr.* IX, *v.* 13. — *Rom,* XV, *v.* 21.

## CAPITULO LIII

*Profetiza Isaías que muchos no creerán en el Evangelio: predice claramente la pasión y muerte de Jesucristo por nuestros pecados, y su gloriosa exaltación, y la propagación del Evangelio.*

**1.** *Mas ¡ay!* ¿quién ha creído, *o creerá* a nuestro anuncio? ¿Y a quién ha sido revelado ese *Mesías,* brazo *o virtud* del Señor?

**2.** Porque él crecerá a los ojos del *pueblo* como una humilde planta, *y brotará* como una raíz en tierra árida: no es de aspecto bello, ni es esplendoroso: nosotros le hemos visto, y nada hay que atraiga a nuestros ojos, ni llame nuestra atención hacia él.

**3.** *Vímosle después* despreciado, y el desecho de los hombres, varón de dolores, y que sabe lo que es padecer; y su rostro como cubierto de vergüenza y afrentado; por lo que no hicimos ningún caso de él.

**4.** Es verdad que él mismo tomó sobre sí nuestras dolencias *y pecados,* y cargó con nuestras penalidades; pero nosotros le reputamos *entonces* como un leproso, y como un hombre herido *de la mano* de Dios y humillado.

**5.** Siendo así que por causa de nuestras iniquidades fué él llagado, y despedazado por nuestras maldades; el castigo de que debía nacer nuestra paz *con Dios,* descargó sobre él, y con sus cardenales fuimos nosotros curados.

**6.** Como ovejas descarriadas hemos sido todos nosotros; cada cual se desvió *de la senda del Señor* para seguir su propio camino, y a él *sólo* le ha cargado el Señor sobre las espaldas la iniquidad de todos nosotros.

**7.** Fué ofrecido *en sacrificio* porque él mismo lo quiso; y no abrió su boca *para quejarse;* conducido será a la muerte *sin resistencia suya,* como va la oveja al matadero, y guardará silencio sin abrir siquiera su boca *delante de sus verdugos,* como el corderito que está mudo delante del que le esquila.

**8.** Después de *sufrida* la opresión e *inicua* condena, fué levantado en alto. *Pero* la generación suya ¿quién podrá explicarla? Arrancado ha sido de la tierra de los vivientes;

para *expectación de* las maldades de mi pueblo le he yo herido, *dice el Señor.*

**9.** Y en recompensa de bajar al sepulcro le concederá *Dios la conversión de* los impíos; tendrá por *precio de* su muerte al hombre rico; porque él no cometió pecado, ni hubo dolo en sus palabras.

**10.** Y quiso el Señor consumirle con trabajos; mas luego que él ofrezca su vida *como hostia* por el pecado, verá una descendencia larga *y duradera,* y cumplida será por medio de él la voluntad del Señor.

**11.** Verá el fruto de los afanes de su alma, y quedará saciado. Este mismo Justo, mi siervo, *dice el Señor,* justificará a muchos con su doctrina *o predicación;* y cargará sobre sí los pecados de ellos.

**12.** Por tanto, le daré como porción, *o en herencia* suya, una gran muchedumbre *de naciones;* y repartirá los despojos de los fuertes; pues que ha entregado su vida a la muerte, y ha sido confundido con los fascinerosos, y ha tomado sobre sí los pecados de todos, y ha rogado por los transgresores.

## CAPITULO LIV

*Propagación admirable de la Iglesia por todo el mundo: Jesucristo, su espiritual Esposo, la colmará de dones, y vendrá tiempo en que todos sus hijos serán justos, santos y libres de todas las maquinaciones de sus enemigos.*

**1.** Regocíjate, *pues,* ¡oh estéril! tú que no das a luz; canta himnos de alabanza y de júbilo tú que no eres fecunda: porque *ya* son muchos más los hijos de la que había sido desechada, que los de aquella que tenía marido, dice el Señor.

**2.** Toma un sitio más espacioso para tus tiendas, y extiende cuanto puedas las pieles *o cubiertas* de tus pabellones, alarga tus cuerdas, y afianza más tus estacas.

**3.** Porque tú te extenderás a la derecha y a la izquierda; y tu prole señoreará las naciones, y poblará las ciudades *ahora* desiertas.

---

CAP. LIII. — 1. *Joann.* XII, *v,* 38. — *Rom.* X, *v.* 16.

3. *Lev.* XIII, *v.* 45. — *Marc.* IX, *v.* 11.

4. I *Petr.* II, *v.* 24. — *Matth.* VIII. *v.* 17.

5. I *Cor.* XV, *v.* 3.

6. I *Petr.* II, *v.* 25. — *Luc.* XV, *v.* 4.

7. *Joann.* X, *v.* 18. — *Matth,* XXVI, *v.* 63. — *Ac.,* VIII, *v.* 32.

---

9. *Luc.* XXIII, *v.* 53. — I *Petr.* II, *v.* 22. — I *Joann.* III, *v.* 5.

10. II *Cor.* V, *v.* 21.

12. *Marc.* XX, *v.* 28. — *Luc.* XXII, *v.* 37; XXIII, *v.* 34.

CAP. LIV. — 1. *Luc,* XXIII, *v.* 29. — *Gal.* IV, *v.* 27.

**4.** No temas: no quedarás confundida, ni sonrojada, ni tendrás de qué avergonzarte; porque ni memoria conservarás de la confusión de tu mocedad, ni te acordarás más del oprobio de tu viudez.

**5.** Pues será tu dueño *y esposo* aquel *Señor* que te ha criado, cuyo nombre es el Señor de los ejércitos; y tu redentor, el Santo de Israel, será llamado el Dios de toda la tierra.

**6.** Porque el Señor te ha llamado *a sí cuando eras* como una mujer desechada, y angustiada de espíritu, como una mujer que ha sido repudiada desde su tierna edad, dice tu Dios.

**7.** *En efecto,* por un momento, por poco tiempo te desemparé, *dice el Señor;* mas *ahora* yo te reuniré *a mí,* usando de gran misericordia.

**8.** En el momento de mi indignación aparté de ti mi rostro por un poco; pero en seguida me he compadecido de ti con eterna misericordia, dice el Señor que te ha redimido.

**9.** Hago lo que en los días de Noé, a quien juré que no derramaría más sobre la tierra las aguas *del diluvio:* así yo juro no enojarme contigo ni vituperarte más.

**10.** Aun cuando los montes sean conmovidos, y se estremezcan los collados, mi misericordia no se apartará de ti, y será firme la alianza de paz que he hecho contigo, dice el Señor, compadecido de ti.

**11.** Pobrecilla, combatida *tanto tiempo* de la tempestad, privada de todo consuelo: mira, yo *mismo* colocaré por orden las piedras y te edificaré sobre zafiros,

**12.** Y haré de jaspe tus baluartes, y de piedras de relieve tus puertas, y de piedras preciosas todos tus recintos.

**13.** Tus hijos todos serán adoctrinados por el *mismo* Señor, y gozarán abundancia de paz, *o completa prosperidad.*

**14.** Y tendrás por cimientos la justicia; estarás segura de la opresión, y no tendrás que temerla; y del espanto, el cual no tendrá lugar en ti.

**15.** He aquí que vendrá el forastero que no estaba conmigo; unirse ha contigo aquel que en otro tiempo era para ti extranjero.

**16.** Sábete que yo he criado el herrero que soplando *con los fuelles* enciende los carbones para formar un instrumento para la obra suya, y yo crié también al matador *que lo emplea después* para matar *a los hombres.*

**17.** Ningún instrumento preparado contra ti te hará daño: y tú condenarás toda lengua que se presente en juicio contra ti. Esta es la herencia de los siervos del Señor, y ésta es la justicia que deben esperar de mí, dice el Señor.

## CAPITULO LV

*Convida Jesucristo a todos los hombres a la participación de su gracia por medio de la viva fe en él, y asegurándoles la inmutable misericordia de Dios, los llama a la penitencia.*

**1.** Sedientos, venid a las aguas; y vosotros que no tenéis dinero, apresuraos, comprad y comed; venid, comprad sin dinero y sin ninguna otra permuta vino y leche.

**2.** ¿Por qué expendéis vuestro dinero en cosas que no son *buen* alimento, y *empleáis* vuestras fatigas en lo que no puede saciaros? Escuchadme con atención; y alimentaos del buen manjar, y vuestra alma se recreará en lo más sustancioso *de las viandas.*

**3.** Prestad oídos *a mis palabras,* y venid a mí: escuchad, y vuestra alma hallará vida, y asentaré con vosotros alianza sempiterna, en cumplimiento de las misericordias prometidas a David.

**4.** He aquí que yo voy a presentarle por testigo *de mi verdad* a los pueblos, y por caudillo, y por maestro o *legislador* a las naciones.

**5.** He aquí que *entonces,* tú ¡oh Jerusalén! llamarás al pueblo *gentil* que tú no reconocías; y las naciones que no te conocían, correrán a ti por amor del Señor Dios tuyo, y del Santo de Israel que te habrá llenado de gloria.

**6.** Buscad al Señor, mientras puede ser hallado: invocadle mientras está cercano.

**7.** Abandone el ímpio su camino y el inicuo sus designios, y conviértase al Señor, el cual se apiadará de él, y a nuestro Dios, que es generosísimo en perdonar.

**8.** Que los pensamientos míos no son vuestros pensamientos, ni vuestros caminos son los caminos míos, dice el Señor;

---

**9.** *Gen.* IX. *v.* 15. — I *Petr.* III. *v.* 19. Tan inmutable como la promesa hecha a Noé será la que ahora hago de no abandonar jamás la Iglesia de Cristo. Noé reparador del género humano fué figura de Cristo, así como las aguas del diluvio lo fueron de las del bautismo, y el arca de Noé lo fué de la Iglesia. I *Petr.* III, p. 19, *San Just. cont. Triph.*

---

CAP. LV. — 1. *Joann.* VII, *v.* 37. — *Eccli.* LI, *v.* 33. — *Apoc.* XXII, *v.* 17.

3. *Act.* XIII, *v.* 34. — *Ps.* LXXXVIII, *v.* 4, 5, 21 *ad* 39, 50.

6. II. *Cor.* IX, *v.* 2. — *Matth.* X, *v.* 7.

**9.** Sino que cuanto se eleva el cielo sobre la tierra, así se elevan mis caminos sobre los caminos vuestros, y mis pensamientos sobre los pensamientos vuestros.

**10.** Y al modo que la lluvia y la nieve descienden del cielo, y no vuelven allá, sino que empapan la tierra, y la penetran, y la fecundan, a fin de que dé simiente que sembrar y pan que comer,

**11.** Así será de mi palabra *una vez* salida de mi boca: no volverá a mí vacía *o sin fruto,* sino que obrará todo aquello que yo quiero, y ejecutará felizmente aquellas cosas a que yo la envié.

**12.** Por tanto saldréis con gozo *de la esclavitud,* y haréis en paz vuestro viaje *a Jerusalén;* los montes y los collados resonarán a vuestra vista en cánticos de alabanza y los árboles todos del país os aplaudirán meciendo sus ramas.

**13.** En *vez de la pequeña planta* del espliego se alzará el *robusto* abeto, y en lugar de la ortiga se verá crecer el arrayán; y el Señor tendrá *desde entonces* un nombre y una señal eterna que jamás desaparecerá.

## CAPITULO LVI

*Exhorta el Señor a todos los hombres al cumplimiento de su Ley, declarando que todos, sin distinción de naciones ni de cualidad de personas, entrarán en su Iglesia, y serán benditos. Amenazas contra los pastores de Jerusalén.*

**1.** Esto dice el Señor: Observad *las reglas de* la equidad, y practicad la justicia; porque la salvación que yo envío, está para llegar, y va a manifestarse mi justicia.

**2.** Bienaventurado el varón que así obra, y el hijo del hombre que a esto se atiene con firmeza; que observa el sábado y no lo profana, y que guarda sus manos de hacer mal ninguno.

**3.** Y no diga *ya* el hijo del advenedizo *o gentil* que *por la fe* está unido al Señor: El Señor me ha separado de su pueblo con un muro de división. Ni tampoco diga el eunuco: He aquí que yo soy un tronco seco *y estéril.*

**4.** Porque esto dice el Señor a los eunucos: A los que observaren mis sábados *o fiestas,* y practicaren lo que yo quiero, y se mantuvieren firmes en su alianza,

**5.** Les daré un lugar *distinguido* en mi casa, y dentro de mis muros, y un nombre más apreciable que el que le darían los hijos e hijas: dáreles yo un nombre sempiterno que jamás se acabará.

**6.** Y a los hijos del advenedizo que se unen al Señor para honrarle, y amar su *santo* Nombre, y para ser *fieles* siervos suyos; a todos los que observen el sábado, que no lo profanen, y que guarden fielmente mi alianza,

**7.** Yo los conduciré a mi santo Monte *de la Iglesia,* y en mi casa de oración los llenaré de alegría: me serán agradables los holocaustos y víctimas que ofrecerán sobre mi altar; porque mi casa será llamada casa de oración para todos los pueblos.

**8.** Dice *también* el Señor Dios que congrega a los dispersos de Israel: Yo le agregaré todavía aquellos que *algún día* han de reunírsele.

**9.** Vosotras las bestias todas del campo, todas las fieras del bosque, venid a devorar *la presa.*

**10.** Ciegos son todos sus atalayas, ignorantes todos: perros mudos impotentes para ladrar, visionarios, dormilones y aficionados a sueños *vanos.*

**11.** Y estos perros sin rastro de vergüenza, jamás se ven hartos *de rapiñas.* Los pastores mismos están faltos de *toda* inteligencia; todos van descarriados por su camino, cada cual a su propio interés desde el más alto al más bajo.

**12.** Venid, *dicen,* bebamos vino; y embriaguémonos bien, y lo mismo que hoy haremos también mañana, y mucho más.

## CAPITULO LVII

*Amargas quejas del Señor por la insensibilidad de su pueblo, al cual reprende fuertemente y amenaza. Promete paz y consuelo a los que se conviertan, mientras el corazón de los impíos es un mar borrascoso.*

**1.** *Entre tanto* el Justo perece, y no hay quien reflexione *sobre esto* en su corazón, y son arrebatados los hombres piadosos, sin que nadie lo sienta; siendo así que para libertarles de los males, es el Justo arrebatado *de este mundo.*

**2.** ¡*Ah!* venga sobre él la paz, descanse en su morada el que ha procedido rectamente.

---

CAP. LVI. — 1. *Sap.* I, *v.* 1.
3. *Deut.* XXIII, *v.* 1. — *Matth.* XIX, *v.* 12. — *Sap.* III, *v.* 14.

---

7. *Jerem.* VII, *v.* 11. — *Matth,* XXI, *v.* 13. — *Marc.* XI, *v.* 17. — *Luc.* XIX, *v.* 45.
8. *Joann.* X. *v.* 16. — *Rom.* XI, *v.* 1.
10. *Matth.* XV. *v.* 14.
11. *Jerem.* VI, *v.* 13; VIII, *v.* 10.
CAP. LVII. — 1. IV *Reg.* XXII, *v.* 20.

**3.** Entre tanto llegaos vosotros, *moradores de Jerusalén,* hijos de una agorera, raza de padre adúltero y de mujer prostituta.

**4.** ¿De quién habéis hecho vosotros befa? ¿Contra quién abristeis toda vuestra boca, y soltasteis la lengua para *mofaros?* ¿Acaso no sois vosotros hijos malvados y de raza de bastardos?

**5.** ¿Vosotros que os solazáis *venerando* con *infames placeres* vuestros dioses a la sombra de todo árbol frondoso, sacrificando *en honor suyo vuestros* hijos en los torrentes y debajo de las altas peñas?

**6.** Allá junto al torrente está ¡oh Hebreo! tu heredad, allí tienes tu bien; y a estos *dioses* derramaste libaciones, y ofreciste sacrificios. ¡Pues cómo no he de indignarme a vista de tales cosas?

**7.** Sobre un excelso y encumbrado monte colocaste tu tálamo, y allá subiste para inmolar víctimas.

**8.** Y detrás de la puerta y tras el dintel colocaste *los ídolos para* tu recuerdo. Junto a mí has pecado, recibiendo al adúltero, *o adorando al ídolo:* has ensanchado tu lecho, y te has amancebado con otros semejantes; has amado su compañía descaradamente.

**9.** Con perfumes te ataviaste para *ser presentada* al rey, y has multiplicado tus afeites. Enviaste lejos tus embajadores, y te has abatido hasta los infiernos.

**10.** Has procedido *idolatrando* de muchísimos modos y te has fatigado, y nunca dijiste: Tomaré descanso; hallaste la vida *y tus delicias* en *los ídolos obra de* tus manos y por eso no has recurrido a mí.

**11.** ¿Qué es lo que tú temiste, *tan* acongojada que *así* has faltado a la fe, ni te has acordado de mí, ni has reflexionado en tu corazón? Porque yo callaba y hacía el desentendido, por eso tú no hiciste caso de mí.

**12.** *Pero* yo haré conocer cuál es tu justicia, y de nada te aprovecharán tus *ídolos* obras *de tus manos.*

**13.** Cuando levantares el grito *quejándote,* sálvente *entonces* aquellos *dioses de las naciones* que tú has recogido; mas a todos ellos se los llevará el viento, un soplo los disipará. Al contrario, quien pone en mí su confianza, tendrá por herencia la tierra, y poseerá mi santo monte *de Sión.*

**14.** Yo diré *entonces:* Abrid camino, dejad expedito el paso, despejad la senda, apartad los estorbos del camino de mi pueblo.

**15.** Pues esto dice el excelso y el sublime *Dios* que mora en la eternidad, y cuyo nombre es Santo: El que habita en las alturas y en el Santuario, y en el corazón contrito y humillado, para vivificar el espíritu de los humildes y dar vida al corazón de los contritos.

**16.** Que no para siempre he de ejercer la vindicta, ni conservar hasta el fin mi enojo; pues de mi boca salió el espíritu, y crié yo las almas.

**17.** Por la malvada avaricia de mi publo, yo me irrité y lo he azotado; le oculté mi rostro y me indigné, y él se fué vagando tras de los antojos de su corazón.

**18.** Yo vi sus andanzas y le di salud, y le convertí *al buen camino* y le di mis consuelos, así a él como a los suyos que lloraban *arrepentidos.*

**19.** He criado la paz, fruto de *mis* labios, *o promesas;* paz para el que está lejos y para el que está cerca, dice el Señor; y los he curado *a todos.*

**20.** Pero los impíos son como un mar alborotado, que no puede estar en calma, cuyas olas rebosan en lodo y cieno.

**21.** No hay paz para los impíos, dice el Señor Dios.

## CAPITULO LVIII

*Cuál es el ayuno que Dios estima. Bendiciones que enviará el Señor sobre los que le sirven y santifican sus fiestas.*

**1.** Clama, *pues* ¡oh Isaías! no ceses: haz resonar tu voz como una trompeta, y declara a mi pueblo sus maldades, y a la casa de Jacob sus pecados;

**2.** Ya que cada día me requieren *como en juicio,* y quieren saber mis consejos. Como gente que hubiese vivido justamente, y que no hubiese abandonado la ley de su Dios, así me demandan razón de los juicios *o decretos* de *mi* justicia, y quieren acercarse a Dios.

**3.** ¿Cómo es que hemos ayunado, *dicen al Señor,* y tú no has hecho caso; hemos humillado nuestras almas, y te haces el desentendido? Es, *responde Dios,* porque en el día *mismo* de vuestro ayuno hacéis todo cuanto se os antoja y apremiáis *entonces mismo* a todos vuestros deudores.

---

**5.** IV. *Reg.* XVII, *v.* 10.
**8.** IV. *Reg.* XVI, *v.* 11; XXI, *v.* 4; XVI, *v.* 11; XXI, *v.* 4.
**9.** *Ezech.* XXIII, *v.* 16.

**14.** Antes *cap.* XL, *v.* 3 y LXII, *v.* 10.
**16.** *Gen.* II *v.* 7.
**21.** *Cap.* XLVIII, *v.* 22.

**4.** Es porque vosotros ayunáis para seguir los pleitos y contiendas, y herir con puñadas a otro sin piedad. No ayunéis como hasta hoy día, si queréis que se oigan en lo alto vuestros clamores.

**5.** El ayuno que yo aprecio, ¿consiste acaso en que un hombre mortifique por un día su alma, o en que traiga su cabeza inclinada *o baja,* de modo que casi forme un círculo, o se tienda sobre el cilicio o la ceniza? ¿Por ventura a esto lo llamarás tú ayuno y día aceptable al Señor?

**6.** ¿Acaso el ayuno que yo estimo no es más bien el que tú deshagas los injustos contratos, que canceles las obligaciones *usurarias* que oprimen, que dejes en libertad a los que han quebrado, y quites todo gravamen?

**7.** ¿Que partas tu pan con el hambriento, y que a los pobres y a los que no tienen hogar los acojas en·tu casa, y vistas al que veas desnudo, y no desprecies tu propia carne *o a tu prójimo?*

**8.** Si esto haces amanecerá tu luz como aurora, y llegará presto tu curación, y delante de ti irá *siempre* tu justicia, y la gloria del Señor te acogerá *en su seno.*

**9.** Invocarás entonces al Señor, y te oirá benigno; clamarás y él te dirá: Aquí estoy. Si arrojares lejos de ti la cadena, y cesares de extender *maliciosamente* el dedo, y de charlar neciamente;

**10.** Cuando abrieres tus entrañas para *socorrer* al hambriento, y consolares al alma angustiada, *entonces* nacerá para ti la luz en las tinieblas, y tus tinieblas se convertirán en claridad de medio día.

**11.** Y el Señor te dará un perpetuo reposo, y llenará tu alma de resplandores *de gracia,* y reforzará tus huesos; y serás como huerto bien regado y como manantial perenne cuyas aguas jamás faltarán.

**12.** Los lugares desiertos desde muchísimos tiempos, serán por ti poblados: alzarás los cimientos que han de durar de generación en generación; y te llamarán el restaurador de los muros, y el que hace seguros los caminos.

**13.** Si te abstuvieres de caminar en *día de* sábado, y de hacer tu voluntad *o gusto* en mi santo día, y llamares al sábado día de reposo y santo *o consagrado* a la gloria del Señor, y lo solemnizares con no volver a las andadas, ni hacer tu gusto, ni contentarte sólo con palabras,

**14.** Entonces tendrás tus delicias en el Señor, y yo te elevaré sobre toda terrena altura; y para alimentarte te daré la herencia de Jacob tu padre; que todo esto está anunciado por la boca del Señor.

## CAPITULO LIX

*Declara Isaías que los pecados del pueblo eran la causa de que Dios hubiese desamparado a Israel; pero que vendrá día en que, renovando con él su alianza, destruirá a todos sus enemigos, y se ostentará glorioso haciendo felices a sus hijos arrepentidos.*

**1.** *Porque* mirad que no se ha encogido la mano del Señor, para que ella no pueda salvar; ni se le han entupido sus oídos, para no poder oír *vuestros clamores;*

**2.** Sino que vuestras iniquidades han puesto *un muro de* separación entre vosotros y vuestro Dios; y vuestros pecados le han hecho volver su rostro de vosotros para no escucharos.

**3.** Porque manchadas están de sangre vuestras manos, y *llenos* de iniquidad vuestros dedos; *no* pronuncian *más que* la mentira vuestros labios, y *sólo* habla palabras de iniquidad vuestra lengua.

**4.** No hay quien clame por la justicia; no hay quien juzgue con verdad; sino que *todos* ponen su confianza en la nada, y tienen en su boca la vanidad. Concibieron o *idearon* el trabajo *o daño del prójimo,* y dieron a luz la iniquidad.

**5.** Han hecho abrir, *o que nacieran* los huevos de áspides, *y con sus afanes* tejieron telas de araña: quien de dichos huevos comiere, morirá; y un basilisco es lo que saldrá si hubiere empollado alguno.

**6.** No serán buenas para vestidos las telas de ellos; ni podrán cubrirse con sus labores; los trabajos que hagan son trabajos útiles; pues obra de iniquidad es la que tienen entre manos.

**7.** Sus pies corren a la maldad, y se apresuran a derramar la sangre inocente; pensamientos nocivos son *todos* sus pensamientos: por doquiera que pasan, dejan la desolación y el quebranto.

---

CAP. LVIII. — 5. *Zach.* VII, *v.* 5. — *Matth.* VI, *v.* 16.

10. II *Cor.* IX, *v.* 6, 10.

12. *Cap.* LXI, *v.* 4.

---

CAP. LIX. — 1. *Núm.* XI, *v.* 23. Antes *cap.* L. *v.* 2.

4. *Job.* XV, *v.* 35. — *Ps.* VII, *v.* 15. — *Mich.* II, *v.* 1.

7. *Prov.* I, *v.* 16. — *Rom.* III, *v.* 15.

**8.** No conocen la senda de la paz, y sus pasos no van enderezados hacia la justicia; torcidos son sus senderos, y cualquiera que anda por ellos no sabe qué cosa es paz.

**9.** Por eso se alejó de nosotros el juicio *recto,* y no nos abrazará *en su seno* la justicia; esperamos la luz, y he aquí que nos hallamos con las tinieblas; la claridad del día, y caminamos a oscuras.

**10.** Vamos palpando la pared como ciegos; y andamos a tientas como si no tuviéramos ojos; en medio del día tropezamos como si estuviésemos en medio de la noche; estamos en oscuros lugares como los muertos *en los sepulcros.*

**11.** Como osos rugimos todos nosotros; y meditando *nuestros pecados* gemimos como palomas. Esperamos la justicia y ella no parece; que llegue la salud, y ésta se alejó de nosotros.

**12.** Y es que nuestras maldades, *oh Señor,* se han multiplicado en tu presencia, y están atestiguando contra nosotros nuestros pecados; puesto que permanecen en nosotros nuestras iniquidades, y conocemos *bien* nuestros crímenes.

**13.** Pecado hemos y mentido contra el Señor, y hemos vuelto las espaldas por no seguir a nuestro Dios, y sí para calumniar y cometer maldades; concebimos, y proferimos del corazón palabras de mentira.

**14.** Y así es que el *recto* juicio se volvió atrás, y la justicia se paró a lo lejos de nosotros, visto que la verdad ha ido por tierra en el foro, *o tribunales,* y que la rectitud no ha hallado entrada.

**15.** Y la verdad fué puesta en olvido; y quedó *oprimido* o hecho presa *de los malvados* aquel que se apartó del mal.

Vió esto el Señor e hirióle en los ojos el que ya no hubiese justicia;

**16.** Y vió que no quedaba hombre *de bien;* y se pasmó de no encontrar quien se pusiese por medio; y halló en su mismo brazo la salud y su justicia fué la que le fortaleció.

**17.** Armóse de la justicia como de una coraza, y púsose en la cabeza el yelmo de la salud: la venganza es el ropaje con que se viste, y el celo es el manto con que se cubre.

**18.** Saldrá preparado para vengarse, y para descargar el merecido enojo sobre sus enemigos, y dar el justo pago a sus adversarios; él tratará a las islas *o naciones* según su merecido.

**19.** Con esto temerán el Nombre *santo* del Señor los *pueblos* que están al occidente y los del oriente *venerarán* su gloria *y majestad;* cuando venga como un río impetuoso impelido del espíritu del Señor.

**20.** Y llegue el Redentor que ha de redimir a Sión, y aquellos *hijos* de Jacob que se convierten del pecado, dice el Señor.

**21.** Y este es mi *nuevo* pacto con ellos, dice el Señor: El Espíritu mío que está en ti, y las palabras mías que puse yo en tu boca, no se apartarán de tus labios, dice el Señor, ni de la boca de tus hijos, ni de la boca de tus nietos, desde ahora para siempre.

## CAPITULO LX

*Triunfo de la Iglesia, en la cual irán entrando muchas naciones. Desterrada la iniquidad, el Señor será su paz, su satisfacción y su felicidad eterna.*

**1.** ¡Levántate, oh Jerusalén! Recibe la luz: porque ha venido tu lumbrera, y ha nacido sobre ti la gloria del Señor.

**2.** Porque he aquí que la tierra estará cubierta de tinieblas, y de oscuridad las naciones; mas sobre ti nacerá el Señor, y en ti se dejará ver su gloria.

**3.** Y a tu luz caminarán las gentes, y los reyes al resplandor de tu nacimiento.

**4.** Tiende tu vista alrededor tuyo, y mira: todos ésos se han congregado para venir a ti; vendrán de lejos tus hijos, y tus hijas acudirán a ti de todas partes.

**5.** Entonces te verás en la abundancia; se asombrará tu corazón, y se ensanchará cuando vendrá a unirse contigo la muchedumbre *de naciones de la otra parte* del mar; cuando a ti acudirán poderosos pueblos.

**6.** Te verás inundada de una muchedumbre de camellos, de dromedarios de Madián y de Efa: todos los Sabeos vendrán a traerte oro e incienso, y publicarán las alabanzas del Señor.

**7.** Se recogerán para ti todos los rebaños de Cedar; para tu servicio serán los carneros de Na-bayot: sobre mi altar de propiación serán ofrecidos, y yo haré gloriosa la casa de mi majestad.

**8.** ¿Quiénes son ésos que vuelan como nubes, y como las palomas a sus nidos?

---

**17.** *Ephes.* VI, *v.* 17. — I *Thes.* V, *v.* 8.

**20.** *Rom,* XI. *v.* 26.
**CAP. LX.** — 6. *Matth.* II, *v.* 9. — *Gen.* XXV, *v.* 2, 4.
**7.** *Gen.* XXV, *v.* 12, 13.

**9.** *Sé, dice el Señor,* que me están esperando *con ansia* las islas o *naciones,* y las naves del mar ya desde el principio, para que traiga de las remotas regiones a tus *nuevos* hijos y con ellos su plata y su oro, *que consagran* al Nombre del Señor Dios tuyo, y al Santo de Israel que te ha glorificado.

**10.** *Entonces* los hijos de los extranjeros edificarán tus muros; y los reyes de ellos serán servidores tuyos; porque si bien estando enojado te afligí, ahora reconciliado uso contigo de misericordia.

**11.** Y estarán abiertas siempre tus puertas; ni de día ni de noche se cerrarán, a fin de que *a toda hora* pueda introducirse en ti la riqueza de las naciones, juntamente con sus reyes.

**12.** Puesto que la nación y el reino que a ti no se sujetare, perecerá, y tales gentes serán destruidas y asoladas.

**13.** A ti vendrá lo más precioso del Líbano, y el abeto, y el boj, y el pino para servir todos juntos al adorno de mi Santuario, y yo llenaré de gloria el lugar donde asentaré mis pies.

**14.** Y a ti vendrán y se te postrarán los hijos de aquellos que te abatieron, y besarán las huellas de tus pies todos los que te insultaban, y te llamarán la ciudad del Señor, y la Sión del Santo de Israel.

**15.** Por cuanto estuviste tú abondonada y aborrecida, sin haber quien te frecuentase, yo haré que seas la gloria de los siglos y el gozo de todas las generaciones venideras;

**16.** Y te alimentarás con la leche de las naciones, y te criarán regios pechos; y conocerás que yo soy el Señor que te salva, el redentor tuyo, el fuerte de Jacob.

**17.** En vez de cobre te traeré oro, y plata en lugar de hierro; y en vez de maderas, cobre, y en lugar de piedras, hierro; y pondré por gobierno tuyo la paz, y por prelados tuyos la justicia.

**18.** No se oirá ya hablar más de iniquidad en tu tierra, ni de estragos, ni de plagas dentro de tus confines; antes bien reinará la salud *o felicidad* dentro de tus muros, y resonarán en tus puertas cánticos de alabanza.

**19.** Ya no habrás menester sol que te dé luz durante el día, ni te alumbrará el esplendor de la luna; sino que el Señor *mismo* será la sempiterna luz tuya, y tu gloria *o claridad* el *mismo* Dios tuyo.

**20.** Nunca jamás se pondrá tu sol, ni padecerá menguante tu luna; porque el Señor serápara tí sempiterna luz tuya, y se habrá acabado ya los días de llanto.

**21.** El pueblo tuyo se compondrá de todos los justos; ellos poseerán eternamente la tierra; siendo unos pimpollos plantados por mí, obra de mis manos, para que yo sea glorificado.

**22.** El menor de ellos valdrá por mil, y el parvulillo por una nación poderosísima. Yo el Señor haré súbitamente *todo* esto, cuando llegare su tiempo.

## CAPITULO LXI

*Ministerio u oficio del Mesías. Redención del género humano. Conversión de los gentiles por la predicación de los Apóstoles. Consuelo de los fieles, y gloria de los pastores de la Iglesia.*

**1.** *A este fin* ha reposado sobre mí el Espíritu del Señor; porque el Señor me ha ungido, y me ha enviado para evangelizar a los mansos *y humildes,* para curar a los del corazón contrito, y predicar la redención de los esclavos, y la libertad a los que están encarcelados;

**2.** Para publicar el año de reconciliación con el Señor, *o su jubileo,* y el día de la venganza de nuestro Dios; para que yo consuele a todos los que lloran;

**3.** Para cuidar de los de Sión que están llorando, y para darles una corona *de gloria* en lugar de la ceniza *que cubre sus cabezas;* el óleo propio de los días solemnes y alegres en vez de luto; un ropaje de gloria en cambio de su espíritu de aflicción; y los que habitarán en ella serán llamados los valientes en la justicia, plantío del Señor para gloria suya.

**4.** Los cuales repoblarán los lugares que desde tiempos remotos están desiertos, y alzarán las ruinas antiguas, y restaurarán las ciudades yermas, despobladas desde muchos siglos.

**5.** Entonces se presentarán los extranjeros, y apacentarán vuestros ganados, y los hijos de los forasteros serán vuestros labradores y viñadores.

**6.** Vosotros, empero, seréis llamados sacerdotes del Señor; a vosotros se os dará el nombre de ministros de Dios; seréis alimentados con la sustancia de las naciones, y os honraréis con la gloria de ellas.

---

13. *Exod.* XXV, *v.* 5, 10. — I *Paral.* XXVIII, *v.* 2.
16. *Act.* VIII, *v.* 1.
19. *Apoc.* XXI, *v.* 4, 23; XXII, *v.* 5.

**CAP. LXI.** — 1. *Luc.* IV, *v.* 18. — *Joann,* I, *v.* 16. — *Act.* X, *v.* 38.
2. *Matth.* V, *v.* 5.
4. *Cap.* LVIII, *v.* 12.
6. I *Cor.* I, *v.* 4.

**7.** En vez de vuestra doble confusión y vergüenza, daréis las gracias de la parte *de herencia* que os tocará; y por eso poseeréis en vuestra tierra doblada porción, y será perdurable vuestra alegría.

**8.** Porque yo soy el Señor que amo la justicia, y que aborrezco el latrocinio consagrado en holocausto, y yo recompensaré fielmente sus obras; y asentaré con ellos eterna alianza.

**9.** Y será discernido entre los pueblos su linaje, y su descendencia en medio de las naciones; cuanto los vieren los conocerán *luego*, por ser ellos el linaje bendito del Señor.

**10.** Yo me regocijaré con sumo gozo en el Señor, y el alma mía se llenará de placer en mi Dios; pues él me ha revestido del ropaje de la salud, y me ha cubierto con el manto de la justicia, como a esposa ataviada con sus joyas.

**11.** Porque así como la tierra produce sus plantas, y el jardín hace brotar la semilla que se ha sembrado en él, así el Señor Dios hará florecer su justicia y su gloria, a vista de todas las naciones.

## CAPITULO LXII

*Isaías prosigue vaticinando la venida de Jesucristo y la conversión de los gentiles. Felicidad y gloria de la Iglesia.*

**1.** Yo no me estaré, *pues* callado; sin *cesar rogaré a* favor de Sión; por amor de Jerusalén no he de sosegar hasta tanto que su Justo nazca como la luz del día, y resplandezca su Salvador cual *brillante* antorcha.

**2.** Las naciones *¡oh Jerusalén!*, verán a tu Justo; y los reyes todos a tu glorioso *Salvador;* y se te impondrá un nombre nuevo, que pronunciará el Señor de su propia boca.

**3.** Y serás, *entonces*, una corona de gloria en la mano del Señor, y una real diadema en mano de tu Dios.

**4.** Ya no serás llamada en adelante la repudiada, ni tu tierra tendrá el nombre de desierta; sino que serás llamada la querida mía, y tu tierra la poblada; porque el Señor ha puesto en ti sus delicias, y tu tierra estará llena de habitantes;

**5.** Pues al modo que vive *en paz y alegría* un mancebo con la doncella *que se escogió para esposa,* así tus hijos morarán en ti; y como el gozo del esposo y de la esposa, así serás tú el gozo de tu Dios.

---

**6.** Sobre tus muros, oh Jerusalén, he puesto centinelas; todo el día y toda la noche *estarán alerta,* no callarán jamás. Vosotros, *pues,* que hacéis memoria del Señor, no os estéis callados.

**7.** Y no estéis en silencio *delante de él: rogadle,* hasta tanto que restablezca a Jerusalén, y la ponga por objeto de alabanza en la tierra.

**8.** El Señor ha jurado por su diestra y por su brazo fuerte, *diciendo:* No daré más tu trigo para sustento de tus enemigos; ni beberán en adelante los extranjeros el vino tuyo, fruto de tu trabajo;

**9.** Sino que aquellos que recogen el trigo, lo comerán, y bendecirán al Señor; y aquellos que acarrean el vino lo beberán en los atrios de mi santo templo.

**10.** Salid, *pues,* salid afuera de las puertas *de Jerusalén,* preparad el camino al pueblo, allanadle la senda, apartad de ellas las piedras, y alzad el estandarte *o señal* para los pueblos.

**11.** He aquí que el Señor ha mandado echar este pregón hasta las extremidades de la tierra, y decir a la hija de Sión: Mira que *ya* viene el Salvador tuyo; mira cómo trae consigo su galardón, y tiene delante de sí la recompensa *para sus siervos.*

**12.** Entonces *tus hijos* serán llamados pueblo santo, redimidos del Señor. Y a ti te llamarán ciudad apetecida de todos, y no la desamparada.

## CAPITULO LXIII

*El Profeta representa a Jesucristo con la ropa teñida de sangre, después de vencidos nuestros enemigos. Israel es abandonado de Dios por su ingratitud; pero Isaías implora a favor de él la Divina clemencia.*

**1.** ¿Quién es ése que viene de Edom *o Idumea,* y de Bosra con las vestiduras teñidas *de sangre?* ¿Ese tan gallardo en su vestir, y en cuyo *majestuoso* andar se descubre la mucha fortaleza suya? Yo soy, *responderá,* el que predico la justicia y soy el protector que da la salud *a los hombres.*

**2.** Pues ¿por qué está rojo tu vestido, y está tu ropa como la de aquellos que pisan la vendimia en el lagar?

---

7. *Act.* V, *v.* 41.

**CAP. LXII.** — 10. *Cap.* LVII, *v.* 14.
11. *Cap.* XL, *v.* 10. — *Zach,* IX, *v.* 9. — *Matth,* XXI, *v.* 5. — *Apoc.* XXII, *v.* 12.
**CAP. LXIII.** — 1. *Ps.* XXIII, *v.* 9. — *Jerem, Theren,* I, *v.* 15. — *Apoc.* XIX, *v.* 13.

**3.** El lagar lo he pisado solo, sin que nadie de entre las gentes haya estado conmigo. Pisélos *a los enemigos* con mi furor, y los rehollé con mi ira, y su sangre salpicó mi vestido, y manché toda mi ropa.

**4.** Porque he aquí el día fijado en mi corazón para tomar venganza: es llegado *ya* el tiempo de redimir a los míos.

**5.** Eché la vista al rededor, y no hubo quien acudiese a mi socorro; anduve buscando y no hallé persona que me ayudase y *sólo* me salvó mi brazo; y la indignación que concebí, ésa me sostuvo.

**6.** Y en mi furor pisoteé a los pueblos, y los embriagué *de su sangre* en mi indignación, y postré por tierra sus fuerzas.

**7.** Yo me acordaré de las misericordias del Señor; y al Señor alabaré por todas las cosas que él ha hecho a favor nuestro, y por la muchedumbre de sus beneficios concedidos a la casa de Israel, según su benignidad y la dilatada serie de sus piedades.

**8.** Porque él dijo: Al cabo es éste el pueblo mío; son mis hijos: no me faltarán más a la fidelidad; y con eso se hizo Salvador suyo.

**9.** En todas las tribulaciones que les acontecieron, jamás se cansó el Señor de librarlos; antes bien el Angel que está en su presencia los sacaba a salvo; y él mismo a impulso de su amor, y de su clemencia los redimió, y los sobrellevó, y los alzó en todo tiempo.

**10.** Mas ellos lo provocaron a ira, y contristaron el espíritu de su Santo; y el Señor se les convirtió en enemigo, y él mismo los derrotó.

**11.** Pero *luego* se acordó de los tiempos antiguos, de Moisés y de su pueblo. ¿Dónde está, *dijo,* ahora aquel que los sacó del mar *Rojo* a ellos y a los que eran pastores de su grey? ¿Dónde está aquel que puso en medio de ellos el espíritu de su Santo?

**12.** ¿Dónde el que puesto a la derecha de Moisés los sacó *de Egipto* con su majestuoso brazo; el que delante de ellos dividió las aguas *del mar*, con lo cual se adquirió un renombre sempiterno;

**13.** El que los guió por medio de los abismos, como se hace con un *vigoroso* caballo por una llanura desierta, sin ningún tropiezo?

**14.** Como se lleva a un jumento por una ladera al campo, *con el mayor sosiego,* así los condujo el espíritu del Señor; así ¡oh Dios! fuiste tú el conductor de tu pueblo, a fin de adquirirte un nombre glorioso.

**15.** Atiende desde el cielo ¡oh Señor! y echa una mirada *hacia nosotros* desde el lugar santo donde moras tú, y *reside* la gloria tuya. ¿Dónde está *ahora* tu celo y tu fortaleza, la ternura de tus entrañas y la gran misericordia tuya? *¿Por qué* no la usas conmigo?

**16.** Tú, no obstante, eres nuestro *verdadero* padre; porque Abraham no nos conoció, e Israel no supo nada de nosotros. *Sí,* tú ¡oh Señor! eres nuestro Padre, nuestro Redentor: éste es tu nombre desde la eternidad.

**17.** ¿Y por qué, Señor, nos dejaste desviar de tu camino? ¿Por qué *permitiste* que se endureciese nuestro corazón, de modo que perdiésemos tu *santo* temor? Vuélvete a nosotros por amor de tus siervos, y de las tribus que forman la herencia tuya.

**18.** Como si tu pueblo santo nada fuese *a tu vida,* se han enseñoreado de él nuestros enemigos, han pisoteado tu Santuario.

**19.** Hemos vuelto a ser como al principio, antes que tú te hubieses posesionado de nosotros, ni llevásemos el nombre de pueblo tuyo.

## CAPITULO LXIV

*El pueblo de Israel clama al Señor para que se digne librarle: confiesa y llora sus pecados y le pide que le saque de su lastimosa ruina.*

**1.** ¡Oh, si rasgaras los cielos, y descendieras! A tu presencia se derretirían *como cera* los montes.

**2.** Consumiríanse como en un horno de fuego; las aguas *mismas* arderían como llamas, para que se hiciese manifiesto tu Nombre a tus enemigos, y temblasen delante de ti las naciones.

**3.** Cuando tú habrás hecho *estas* maravillas, no podremos soportarlas; has descendido *del cielo,* y al verte los montes, se han derretido.

**4.** Desde que el mundo es mundo, *jamás* nadie ha entendido, ni ninguna oreja ha oído, ni ha visto ojo alguno, sino sólo tú ¡oh Dios! las cosas que tienes preparadas para aquellos que te están aguardando.

---

**4.** *Cap.* XXXIV, *v.* 8.
**11.** *Exod.* XIV, *v.* 29. — *Ps.* CV, *v.* 16, 32.

**15.** *Deut.* XXVI, *v.* 15. — *Baruch.* II, *v.* 16.
**16.** *Matth.* XXIII. *v.* 9.
**17.** *Rom.* IX.
**CAP. LXIV.** — *Exod.* XIX, *v.* 18.

**5.** Tú saliste al encuentro de aquellos que se regocijan *en ti,* y practican la justicia; de aquellos que caminando *con alegría* por tus caminos se acuerdan de ti.

Mas tú ahora estás enojado *contra nosotros,* porque hemos pecado; en pecados estuvimos siempre *enredados;* y con todo, *por tu misericordia,* seremos salvos.

**6.** Todos nosotros venimos a ser como un inmundo·*leproso,* y como un sucio y hediondo trapo todas nuestras obras de justificación: como la hoja *de los árboles* hemos caído todos, y nuestras maldades como un viento *impetuoso* nos han arrebatado *y esparcido.*

**7.** No hay ninguno que invoque tu Nombre; no hay quien se levante *para mediar,* y te detenga; nos has escondido tu rostro, y nos has estrellado contra nuestra *misma* maldad.

**8.** Ahora bien, Señor, tú eres nuestro padre; nosotros somos el barro, y tú el alfarero; obras somos todos de tus manos.

**9.** No te irrites. Señor, en demasía, ni te acuerdes más de nuestra maldad; mira y atiende a que somos todos pueblo tuyo.

**10.** Ha quedado desierta la ciudad de tu Santuario. Sión está hecha un yermo; Jerusalén se halla asolada.

**11.** La casa de nuestra santificación y de nuestra gloria, donde nuestros padres cantaron tus alabanzas, está hecha un montón de cenizas, y todas nuestras grandezas se han convertido en ruinas.

**12.** Pues Señor, y al ver tales cosas, ¿te estarás tú quedo? ¿Continuarás guardando silencio, y afligiéndonos en tanto extremo?

## CAPITULO LXV

*Isaías profetiza la conversión de los gentiles y la reprobación de los Judíos, y que las reliquias de éstos serán salvadas. Felicidad de la Iglesia de Jesucristo.*

**1.** Han venido a buscarme aquellos que antes no preguntaban por mí, hanme hallado aquellos que no me buscaron. Yo he dicho a una nación, que no invocaba mi Nombre: Aquí estoy, heme aquí.

**2.** Extendí todo el día mis brazos hacia un pueblo incrédulo, *y rebelde* que no anda por el buen camino, *sino* en pos de sus antojos.

**3.** Pueblo que cara a cara me está provocando continuamente a enojo: hombres que inmolan víctimas en los huertos, y ofrecen sacrificios sobre *altares fabricados* de ladrillos;

**4.** Que se meten en los sepulcros, que duermen en los templos de los ídolos *o falsos* oráculos; que comen la carne del cerdo, y echan en sus tazas un caldo profano *o prohibido.*

**5.** Que dicen a otros: Apártate de mí, no me toques, porque tú eres inmundo: *todos* éstos se convertirán en humareda en el día de mi furor, en fuego que arderá siempre.

**6.** Sabed que lo dicho lo tengo escrito delante de mí. Por lo que no callaré, dice el Señor, sino que *les* retornaré *el cambio,* y les pondré en su seno la paga;

**7.** *La paga o castigo* juntamente de sus iniquidades y de las iniquidades de sus padres; los cuales ofrecieron sacrificios sobre los montes, y me deshonraron sobre los collados. Yo derramaré en el seno de los hijos la paga debida a las antiguas obras de los padres.

**8.** *Sin embargo,* esto dice el Señor: Como cuando se halla un grano *bueno* en un racimo *podrido,* y se dice: No lo desperdicies, pues es una bendición *o don de Dios,* eso mismo haré yo por amor de mis siervos: no exterminaré *a Israel* del todo;

**9.** Antes bien entresacaré de Jacob un linaje, y de Judá quien domine sobre mis montes. Y esta *tierra de Sión* será la herencia de mis escogidos, y en ella habitarán mis *fieles* siervos;

**10.** Y las campiñas serán rediles de rebaños, y en el *fértil* valle de Acor se albergarán los ganados mayores de mi pueblo, de aquellos que han ido en pos de mí.

**11.** Pero a vosotros que abandonasteis al Señor, que os olvidasteis de *Sión,* mi santo monte, que aprejasteis una mesa *o altar al* ídolo de la Fortuna, y derramáis sobre ella libaciones;

**12.** Yo os iré entregando uno a uno al filo de mi espada, y todos pereceréis en esta mortandad; puesto que os llamé y no respondisteis, os hablé y no hicisteis caso; antes bien cometíais la maldad delante de mis ojos, y habéis escogido las cosas que yo aborrecía.

---

9. *Ps.* LXXVIII, *v.* 8.

CAP. LXV. — 3. *Exod.* XX, *v.* 24; XXVII, *v.* 8.
7. *Matt.* XXIII, *v.* 32.
10. *Josué.* VII, *v.* 26.
11. *Jud.* IX, *v.* 27. — *Dan.* XIV, *v.* 2.
12. *Prov.* I, *v.* 24. — *Jerem,* VI, *v.* 13. — *Infra* LXVI, *v.* 4.

**13.** Por tanto, esto dice el Señor Dios: Sabed que mis siervos comerán, y vosotros padeceréis hambre: mis siervos beberán y vosotros padeceréis sed;

**14.** Mis siervos se regocijarán y vosotros estaréis avergonzados: y sabed, *en fin,* que mis siervos, a impulsos del júbilo de su corazón, entonarán himnos de alabanza y vosotros, por el dolor de *vuestro* corazón, alzaréis el grito, y os hará dar aullidos la aflicción de ánimo.

**15.** Y dejaréis cubierto de execración vuestro nombre a mis escogidos. El Señor Dios acabará contigo ¡oh Israel! y a sus siervos los llamará con otro nombre.

**16.** En el cual *nombre* quien fuere bendito sobre la tierra, bendito será del Dios verdadero; y el que jurare sobre la tierra, por *este nombre del* Dios verdadero jurará: porque las precedentes angustias o *tribulaciones* se han echado en olvido, y desaparecieron de mis ojos.

**17.** Porque he aquí que yo voy a crear nuevos cielos y nueva tierra, y de las cosas o *tribulaciones* primeras no se hará más memoria, ni recuerdo alguno.

**18.** Sino que os alegraréis, y regocijaréis eternamente en aquellas cosas que voy a criar; pues he aquí que yo formaré a Jerusalén, ciudad de júbilo, y a su pueblo, pueblo de alegría.

**19.** Y colocaré yo mis delicias en Jerusalén, y hallaré mi gozo en mi pueblo; nunca jamás se oirá en él la voz de llanto, ni de lamento.

**20.** No se verá más allí un niño *que viva* pocos días, ni anciano que no cumpla el tiempo de su vida; pues el que morirá más niño, tendrá cien años, y el pecador, *o el que no viva* cien años, *será reputado como* maldito.

**21.** Y edificarán casas, las habitarán, y plantarán viñas, y comerán de su fruto.

**22.** No acontecerá que ellos edifiquen y sea otro el que habite; ni plantarán para que otro sea el que coma; pues los días de mi pueblo serán *duraderos* como los días del árbol *de la vida,* y permanecerán largo tiempo las obras de sus manos.

**23.** No se fatigarán en vano mis escogidos, ni tendrán hijos que los conturben; porque estirpe de benditos del Señor son, así ellos como sus nietos.

**24.** Y antes que clamen, yo los oiré; cuando estén aún con la palabra en la boca, otorgaré su petición.

**25.** El lobo y el cordero pacerán juntos; el león, como el buey, comerá heno; el alimento de la serpiente será el polvo; no habrá quien haga daño, ni cause muertes en todo mi santo monte, dice el Señor.

## CAPITULO LXVI

*El espíritu contrito y humillado es el templo que el Señor desea para sí; y sin ese espíritu desecha los sacrificios legales. Castigos de la obstinación de la sinagoga, y fecundidad de la nueva iglesia. Los Israelitas, según el espíritu, son una nueva estirpe que subsistirá eternamente.*

**1.** Esto dice el Señor: El cielo es mi solio, y la tierra peana de mis pies: ¿qué casa, *pues,* es ésa que vosotros edificaréis para mí, y cuál es aquel lugar donde he de fijar mi asiento?

**2.** Estas cosas todas las hizo mi mano, y todas ellas son obra mía, dice el Señor. ¿Y en quién pondré yo mis ojos, sino en el pobrecito y contrito de corazón y que oye con *respetuoso* temor mis palabras?

**3.** Aquel que *me* inmola un buey, es como el que degollase un hombre; el que sacrifica un cordero, es como quien descabezase un perro; el que hace una ofrenda, es como quien me presentase la sangre de cerdo; el que se acuerda de *ofrecerme* incienso, es como quien bendijese *u honrase* a un ídolo. *En efecto,* todas estas cosas *prohibidas en mi ley* han elegido ellos, según sus antojos; y su alma ha puesto sus delicias en estas abominaciones.

**4.** Por lo que yo me complaceré también en burlarme de ellos, y haré que les acontezcan las cosas *desastrosas* que temían: ya que llamé, y no hubo quien respondiese; hablé y no me escucharon, y obraron la maldad ante mis ojos, y han querido lo que yo reprobaba.

**5.** Oíd la palabra del Señor vosotros que la escucháis con *respetuoso* temor: Vuestros hermanos que os aborrecen, y os desechan por razón de mi Nombre, dijeron: ¡Ea! que muestre el Señor *en vosotros* su gloria, y le reconoceremos al ver la alegría de vuestro rostro. Mas *no temáis;* ellos quedarán confundidos.

---

**16.** II *Cor.* I, *v.* 20.
**17.** *Apoc.* XXI, *v.* 1. — C. XXXIV, LXVI, *v.* 22.
**22.** *Apoc.* II, *v.* 7.

**24.** *Ps.* XXXI, *v.* 5.
**25.** *Cap.* XI, *v.* 6. — *Gen.* III, *v.* 14.
**CAP. LXVI.** — 1. *Act* VII, *v.* 49; XVII, *v.* 24.
— *Jerem.* VII, *v.* 4. *Joann.* XIV, *v.* 23.
**4.** *Prov.* I, *v.* 24. — *Jerem,* VII, *v.* 13.

**6.** *Ya oigo* la voz *lastimera* del pueblo de la ciudad *de Jerusalén,* la voz del templo, la voz del Señor que da el pago a sus enemigos.

**7.** Antes del tiempo del parto ha dado a luz *la nueva Sión:* antes que le viniesen los dolores, ha dado a luz un hijo varón.

**8.** ¿Quién jamás oyó cosa tal, ni quién vió nada semejante a esto? ¿Da a luz acaso la tierra en un solo día *el fruto?* ¿O ha sido engendrada nunca de una vez toda una nación? Pues *he* aquí que Sión se sintió embarazada, y dió a luz a sus hijos.

**9.** ¿Acaso yo, que hago dar a luz *o doy la fecundidad* a los otros, dice el Señor, no daré a luz yo mismo? ¿Yo que doy a los otros sucesión, seré acaso estéril, dice el Señor Dios tuyo?

**10.** Congratulaos, *pues,* con *la nueva* Jerusalén, y regocijaos con ella todos los que la amáis; rebosad con ella de gozo todos cuantos por ella estáis llorando.

**11.** A fin de que chupéis así de sus pechos la leche de sus consolaciones *celestiales* hasta quedar saciados, y saquéis abundante copia de delicias de su consumada gloria.

**12.** Porque esto dice el Señor: He aquí que yo derramé sobre ella como un río la paz, y como un torrente que todo lo inunda la gloria de las naciones; vosotros chuparéis su leche, a sus pechos seréis llevados, y acariciados sobre su regazo.

**13.** Como una madre acaricia a su hijito, así yo os consolaré a vosotros, y hallaréis vuestra *paz y* consolación en Jerusalén.

**14.** Vosotros lo veréis, y se regocijará vuestro corazón, y vuestros huesos reverdecerán como la yerba; y será visible la mano del Señor a favor de sus siervos; al paso que hará experimentar su indignación a sus enemigos.

**15.** Porque he aquí que el Señor vendrá en medio del fuego, y su carroza será como un *impetuoso* torbellino para derramar con la indignación suya su furor, y su venganza con llamas de fuego.

**16.** Pues el Señor rodeado de fuego y armado de su espada juzgará a todos los mortales; y será grande el número de aquellos a quienes el Señor quitará la vida.

**17.** Aquellos que creían santificarse, y quedar puros en los huertos, *y lavándose* detrás de la puerta de *sus casas,* en lo interior *de ellas,* que comían carne de cerdo, y cosas abominables, y ratones, serán consumidos a una todos, dice el Señor.

**18.** Mas yo vendré a recoger sus obras, y sus pensamientos, y para reunirlos con todas las naciones de cualquiera país y lengua y comparecerán *delante de mí,* y verán mi gloria.

**19.** Y levantaré en medio de ellos una señal de *salud;* y de los que se salvaren, yo enviaré a las naciones *de la otra parte* del mar, al Africa, a la Lidia, *que son pueblos* flecheros, a Italia, a Grecia, a las islas *más* remotas, a gentes que jamás han oído hablar de mí, ni han visto mi gloria. Y estos *enviados,* anunciarán a las naciones la gloria mía;

**20.** Y traerán a todos vuestros hermanos de todas las naciones, y los ofrecerán como un presente al Señor, *conduciéndolos* en caballos, y en carrozas, y en literas, y en mulas y carruajes a mi monte santo de Jerusalén, dice el Señor, como cuando los hijos de Israel llevan en un vaso puro la ofrenda a la casa del Señor.

**21.** Y de entre éstos escogeré yo para hacerlos sacerdotes y levitas, dice el Señor.

**22.** Porque como los cielos nuevos, y la nueva tierra que yo haré permanecer *siempre* delante de mí, así ¡oh *Jerusalén!,* permanecerá tu descendencia y tu renombre, dice el Señor.

**23.** Y de mes en mes y de sábado en sábado vendrá todo hombre a postrarse delante de mí, *y* me adorará, dice el Señor.

**24.** Y saldrán a ver los cadáveres de los que prevaricaron contra mí; cuyo gusano no muere *nunca,* y cuyo fuego jamás se apagará; y el verlos causará náusea a todo hombre.

---

**8.** *Matth.* VIII. *v.* 11; VII, *v.* 31.

**11.** I *Petr.* II. *v.* 2.

**12.** *Cap.* XLIX, *v.* 25.

**17.** *Lev.* XI, *v.* 29.

# LA PROFECÍA DE JEREMÍAS

# Introducción

Jeremías, el segundo de los profetas mayores, era hijo del sacerdote Helcías, de Anatot, lugar cercano a Jerusalén. Su estirpe, pues, era sacerdotal. Vino al mundo durante el reinado de Manasés. Teniendo veinte años recibió la llamada de Dios y empezó a profetizar. Poco tiempo después, en el año 621, se inicia la reforma religiosa de Josías. A la muerte de este príncipe, acaecida en el año 608, la causa de la reforma decayó. En los dos reinados siguientes, el de Joaquim (años 608-597) y el de Sedecías (años 598-587), Isaías se dedicó a llamar al pueblo judío a la penitencia. Se opuso a la idolatría dominante y a la inobservancia de la ley. Anunció la destrucción del templo y de Jerusalén y la deportación del pueblo de Jerusalén a Babilonia. Pero tanto los poderosos como el pueblo, seducidos por los falsos profetas y la corrupción sacerdotal, no le prestaron oído. Jeremías conoció, pues, todo tipo de sufrimientos. Soportó acusaciones de traición, atentados contra su vida, encarcelamientos, insultos y oprobios de toda laya. En ocasiones el dolor le hacía quejarse amargamente y maldecir el día de su nacimiento. Jeremías, íntimamente identificado con la causa divina, pide personalmente a Dios venganza por sus padecimientos.

Tuvo que ejercer Jeremías la triste misión que Dios le encomendó: profetizar la ruina completa de Judá y presenciar con sus propios ojos cómo se cumplían sus oráculos. Como único consuelo le mandó Dios pronosticar la llegada del Mesías, que inevitablemente relacionaba el profeta en aquella circunstancia histórica con la vuelta de los deportados a la patria. Tras la destrucción de Jerusalén, Jeremías pasó a Egipto. Allí se acumuló en su corazón, sobre la amargura de los sucesos anteriores, el dolor de ver cómo los judíos se entregaban a la idolatría. Y aquí concluyen las noticias sobre este profeta. Se ignoran, pues, las circunstancias de su muerte. Con todo, cierta tradición cultivada en las sinagogas judías y recogida por San Jerónimo y Tertuliano afirma que Jeremías murió en la ciudad egipcia de Tafnis lapidado por los mismos judíos.

Entre las versiones que nos han llegado de *La profecía de Jeremías* hay diferencias notables. El texto hebreo es bastante más largo que la versión griega llamada de los Setenta. Además, el orden de las profecías varía en ambos textos. Los exégetas no se han puesto de acuerdo en lo referente al origen y al particular interés que puedan tener las adiciones del texto hebreo. Probablemente en un principio los oráculos se conservaban separados; luego habrían sido objeto de una ordenación tanto en la versión hebrea como en la de los Setenta; el resultado fue que las compilaciones se hicieron de diferente manera.

Desde las primeras líneas el profeta parece consciente de la importante misión encomendada por el Señor; se muestra tímido ante Él y se manifiesta inhábil para el sagrado ministerio que le cayó en gracia.

# CAPITULO PRIMERO

*Declara Jeremías cómo fué llamado al ministerio de profeta. En dos visiones le manifiesta el Señor que el objeto principal de sus profecías será anunciar la destrucción de Jerusalén por los Caldeos.*

**1.** Palabras o profecías de Jeremías, hijo de Helcías, uno de los sacerdotes que habitaban en Anatot, ciudad de la tierra o *tribu de Benjamín.*

**2.** El Señor, *pues,* le dirigió a él su palabra en los días *del rey* Josías, hijo de Ammón, rey de Judá, el año décimo tercero de su reinado.

**3.** Y se la dirigió también en los días del *rey* Joaquim, hijo de Josías, rey de Judá, hasta acabado el año undécimo de Sedecías, hijo de Josías, rey de Judá; *esto es,* hasta la transportación de *los Judíos desde* Jerusalén *a Babilonia* en el mes quinto.

**4.** Y el Señor me habló diciendo:

**5.** Antes que yo te formara en el seno materno te conocí; y antes que tú nacieras te santifiqué o *segregué* y te destiné para profeta entre las naciones.

**6.** A lo que dije yo: ¡Ah! ¡Ah! ¡Ah! ¡Señor, Dios! Bien véis vos que yo *casi* no sé hablar, porque soy *todavía* un jovencito.

**7.** Y me replicó el Señor: No digas: Soy un jovencito; porque *con mi auxilio* tú ejecutarás todas las cosas para las cuales te comisione, y todo cuanto yo te encomiende que digas, lo dirás.

**8.** No temas la presencia de aquéllos *a quienes te enviaré:* porque contigo estoy yo para sacarte de cualquier embarazo, dice el Señor.

**9.** Después alargó el Señor su mano, y tocó mis labios; y añadióme el Señor: Mira, yo pongo mis palabras en tu boca:

**10.** He aquí que hoy te doy autoridad sobre las naciones y sobre los reinos para *intimarles que los voy a* desarraigar y destruir, y arrasar, y disipar; y a edificar, y plantar *otros.*

**11.** Luego me habló el Señor, y dijo: ¿Qué es eso que tú ves, Jeremías? Yo estoy viendo, respondí, la vara de uno que está vigilante.

**12.** Y díjome el Señor: Así es como tú has visto: pues yo seré vigilante en cumplir mi palabra.

**13.** Y hablóme de nuevo el Señor, diciendo: ¿Qué es eso que tú ves? Veo, respondí, una olla o *caldera* hirviendo, y viene de la parte del norte.

**14.** Entonces me dijo el Señor: *Eso te indica que* del norte se difundirán los males sobre todos los habitantes de la tierra esta.

**15.** Porque he aquí que yo convocaré todos los pueblos de los reinos del norte, dice el Señor; y vendrán, y cada uno de ellos pondrá su pabellón a la entrada de las puertas de Jerusalén, y alrededor de todos sus muros, y en todas las ciudades de Judá.

**16.** Yo trataré con ellos de castigar toda la malicia de aquellos que me abandonaron a mí, y ofrecieron libaciones a dioses extranjeros, y adoraron a los *ídolos,* obra de sus manos.

**17.** Ahora, pues, prepárate, y anda luego, y predícales todas las cosas que yo te mando: no te detengas por temor de ellos; porque yo haré que no temas su presencia.

**18.** Puesto que en este día te constituyo como una ciudad fuerte, y como una columna de hierro, y un muro de bronce contra toda *esta tierra;* contra los reyes de Judá, y sus príncipes, y sacerdotes, y la gente del país.

**19.** Los cuales te harán la guerra; mas no prevalecerán: pues contigo estoy yo, dice el Señor, para librarte.

---

CAP. I. — 5. Santificar. San Agustín y otros padres creen que Jeremías fué purificado del pecado original antes de nacer, como lo fué el Bautista. *Lib.* IV. *Op. imp. contra Julian, cap.* XXXIV.

**13.** *Ezech,* XI, *v.* 3. Metáfora tomada de las calderas en que los Judíos veían cocerse en el atrio del Templo las carnes de las víctimas ofrecidas a Dios; carnes que servían después para los sacerdotes y para los convites religiosos que celebraban los Judíos ante el Templo en la presencia del Señor.

**14.** Estos es, de la Caldea. Después *cap.* IV. *v.* 6. — *Deut.* XII, *v.* 14.

**16.** *Cap.* XXXIX. *v.* 3. Por medio de los Caldeos castigaré a mi pueblo, que me ha abandonado. Según refiere *Josefo (Lib.* X. *c.* 10. *Antiquit.)* después que Nabucodonosor tomó a Jerusalén, dijo a su rey Sedecías estas palabras: *El gran Dios, al cual hollaba tu malicia, te ha sujetado a mi imperio.*

**18.** *Cap.* VI, *v.* 27.

## CAPITULO II

*Quéjase el Señor amargamente de los Judíos, y especialmente de los pastores y profetas falsos; y por Jeremías les intima su próxima ruina en castigo de sus maldades.*

1. Y hablóme el Señor, y me dijo:

2. Anda y predica a toda Jerusalén, diciendo: Esto dice el Señor: Compadecido de tu mocedad me he acordado de ti, y del amor *que te tuve,* cuando me desposé contigo, y cuando *después* me seguiste en el desierto, en aquella tierra que no se siembra.

3. Israel está consagrado al Señor, y es como las primicias de sus frutos; todos los que lo devoran se hacen reos de pecado, y *todos* los desastres caerán sobre ellos, dice el Señor.

4. Ahora, pues, oíd la palabra del Señor *vosotros los de la* casa de Jacob, y vosotras todas las familias del linaje de Israel.

5. Esto dice el Señor: ¿Qué tacha hallaron en mí vuestros padres, cuando se alejaron de mí, y se fueron tras de la vanidad *de los ídolos,* haciéndose también ellos vanos?

6. Ni *siquiera* dijeron: ¿En dónde está el Señor que nos sacó de la tierra *y esclavitud* de Egipto; que nos condujo por el Desierto, por una tierra inhabitable y sin senda alguna, por un país árido e imagen de la muerte, por una tierra que no pisó *nunca* ningún mortal, ni habitó humano viviente?

7. Yo os introduje *después* en un país fertilísimo para que comieseis sus frutos y gozaseis de sus delicias; y vosotros así que hubisteis entrado, profanasteis mi tierra; e hicisteis de mi heredad un objeto de abominación.

8. Los sacerdotes no dijeron *tampoco:* ¿En dónde está el Señor? Los depositarios de la ley me desconocieron, y prevaricaron contra mis *preceptos* los *mismos* pastores o *cabezas de mi pueblo;* y los profetas profetizaron invocando el nombre de Baal, y se fueron en pos de los ídolos.

9. Por tanto, yo entraré en juicio contra vosotros, dice el Señor, y sostendré *la justicia* de mi causa contra vuestros hijos.

10. Navegad a las islas de Cetim, e informaos; enviad a Cedar y examinad con toda atención *lo que allí pasa,* y notad si ha sucedido cosa semejante.

11. Ved si alguna de aquellas naciones cambió sus dioses; aunque verdaderamente ellos no son dioses: pero mi pueblo ha trocado la gloria suya, por un ídolo *infame.*

12. Pasmaos, cielos, a la vista de esto; y vosotras ¡oh puertas celestiales! horrorizaos con extremo sobre este hecho, dice el Señor.

13. Porque dos maldades ha cometido mi pueblo: me han abandonado a mí, que soy fuente de agua viva, y han ido a fabricarse aljibes, aljibes rotos, que no pueden retener las aguas.

14. ¿Es acaso Israel algún esclavo, o hijo de esclava? ¿Pues por qué ha sido entregado en presa *de los enemigos?*

15. Rugieron contra él los leones, y dieron bramidos; su país lo redujeron a un páramo; quemadas han sido sus ciudades, y no hay una *sola* persona que habite en ellas.

16. Los hijos de Memfis y de Táfnis te han cubierto de oprobio e infamia hasta la coronilla de tu cabeza.

17. ¿Y por ventura no te ha acaecido *todo* esto, porque abandonaste al Señor Dios tuyo, al tiempo que te guiaba en tu peregrinación?

18. Y ahora ¿qué es lo que pretendes tú con andar hacia Egipto, y con ir a beber el agua turbia *del Nilo?* ¿O qué tienes tú que ver con el camino de Asiria, ni para qué ir a beber el agua de su río *Eufrates?*

19. Tu malicia ¡oh *pueblo ingrato!* te condenará, y gritará contra ti tu apostasía. Reconoce, *pues,* y advierte *ahora* cuán mala y amarga cosa es el haber tú abandonado el Señor Dios tuyo, y el no haberme temido a mí, dice el Señor Dios de los ejércitos.

---

**CAP. II.** — 2. Separándote del resto de las naciones. *Ezech,* XVI. *v.* 8.

5. *Mich.* VI, *v.* 3. — O insensatos como los mismos simulacros que adoraron? *Ps.* CXIII, *v.* 8.

6. Milagrosamente.

7. O también: *En una tierra que toda ella era un Carmelo.* — Con vuestras idolatrías.

8. Olvidándose de su ministerio, callaron. — Tenía el ídolo Baal gran número de falsos profetas. Véase III *Reg.* XIII, *v.* 22. — IV *Reg.* XXI, *v.* 3.

10. Cetim por regiones de ultramar y Cedar por países de Oriente.

11. Esto es, los simulacros que adoran. — Que era el Señor. — Véase *Ezech. c.* V, *v.* 7. — *Rom. c.* II. *v.* 11, 14.

18. Muchas veces los Hebreos, cuando permitía Dios que fuesen afligidos por los Egipcios, en lugar de pedir perdón a Dios, imploraban el auxilio de los Asirios; y cuando éstos eran sus opresores acudían a pedir socorro a los Egipcios: de lo cual se quejaba Dios muy frecuentemente por los Profetas. *Is.* XXX, *v.* 2.

**20.** Ya desde tiempo antiguo quebraste mi yugo, rompiste mis coyundas, y dijiste: No quiero servir *al Señor.* En efecto, en todo collado alto y debajo de todo árbol frondoso te has prostituido cual mujer disoluta.

**21.** *Yo en verdad* te planté cual viña escogida, de sarmientos de buena calidad; ¿pues cómo has degenerado, convirtiéndote en viña bastarda?

**22.** Por más que te laves con nitro, y hagas continuo uso de la yerba borit, a mis ojos quedarás *siempre* sórdida por causa de tu iniquidad, dice el Señor Dios.

**23.** ¿Y con qué cara dices tú: Yo no estoy contaminada; no he ido en pos de los Baales *o ídolos?* Mira tu conducta allá en aquel valle: reconoce lo que has hecho, dromedaria desatinada que vas girando por los caminos.

**24.** Cual asna silvestre, acostumbrada al desierto, que en el ardor de su apetito va buscando con su olfato aquello que desea; nadie podrá detenerla; todos los que andan buscándola, no tienen que cansarse: la encontrarán con las señales de su inmundicia.

**25.** Guarda tu pie de la desnudez, y tu garganta de la sed. Mas tú has dicho: Desesperada estoy; por ningun caso lo haré, porque amé los *dioses* extraños, y tras ellos andaré.

**26.** Como queda confuso un ladrón cuando es tomado en el hurto, así quedarán confusos los hijos de Israel, ellos y sus reyes, los príncipes y sacerdotes y sus profetas;

**27.** Los cuales dicen a un leño: Tú eres *mi padre; y a una piedra: Tú me has* dado el ser. Volviéronme las espaldas, y no el rostro; y al tiempo de su angustia *entonces* dirán: Ven luego, *Señor,* y sálvanos.

**28.** ¿*Dónde* están, les responderé yo, aquellos dioses tuyos, que tú te hiciste? Acudan ellos y líbrente en el tiempo de tu aflicción; ya que eran tantos tus dioses ¡oh Judá! como tus ciudades.

**29.** ¿Para qué queréis entrar conmigo en juicio, *a fin de excusaros?* Todos vosotros me habéis abandonado, dice el Señor.

**30.** En vano castigué a vuestros hijos; ellos no hicieron caso de la corrección; *antes bien* vuestra espada acabó con vuestros profetas; como león destrozador,

**31.** Así es vuestra raza *perversa.* Mirad lo que dice el Señor: ¿Por ventura he sido yo para Israel algún desierto o tierra *sombría* que tarda en fructificar? Pues ¿por qué motivo *me* ha dicho mi pueblo: Nosotros nos retiramos, no volveremos jamás a ti?

**32.** ¿Podrá acaso una doncella olvidarse de sus atavíos, o una novia de la faja que adorna su pecho? Pues ello es que el pueblo mío se ha olvidado de mí innumerables días.

**33.** ¿Cómo intentas tú demostrar ser recto tu proceder para ganarte mi amistad, cuando aun has enseñado a otros tus malos pasos,

**34.** Y en las faldas de tu vestido se ha hallado *todavía* la sangre de los pobrecitos e inocentes? No los hallé *muertos* dentro de escondrijos, sino en todos los lugares y parajes que acabo de decir.

**35.** Sin embargo, dijiste *con descaro:* Sin culpa estoy yo, e inocente; y por tanto aléjese de mí tu indignación. Pues mira, yo he de entrar contigo en juicio, porque has dicho: No he pecado.

**36.** ¡Oh, y cómo te has envilecido hasta lo sumo volviendo a tus malos pasos! Tú serás burlada de Egipto, como lo fuiste ya de Asur.

**37.** *Sí,* volverás también de Egipto *avergonzada,* con tus manos sobre la cabeza; por cuanto el Señor ha frustrado enteramente la confianza tuya, y no tendrás allá prosperidad ninguna.

## CAPITULO III

*El Señor con suma bondad llama otra vez a sí a su pueblo. Gloria de Jerusalén con la reunión de los reinos y de Judá y de Israel, y la agregación de todas las naciones.*

---

**20.** Adorando a los dioses de las naciones. Después *cap.* III, *v.* 6.

**21.** *Is.* V. *v.* 1. *Matth.* XXI, *v.* 33.

**22.** Yerba jabonera, que no solamente servía para limpiar las manchas de la ropa, sino que la usaban las mujeres de aquel país para lavarse y dar lustre a la piel. Algunos creen que es la *sosa* o *barrilla.*

**24.** *O va en pos del huelgo del objeto que ama.* — *En sus meses de preñado,* cuando ande pesada, *y pueda andar poco.*

**25.** No te abandones, corriendo tras de las abominaciones de los ídolos. — Véase la significación de *agua: Eccli.* XXVI, *v.* 15.

**22.** *Cap.* XXXII, *v.* 33.

**28.** *Cap.* XI, *v.* 13.

---

**33.** O también: *Como te empeñes en hacer ver que,* etc.

**36.** Cuyo auxilio imploras. Te sucederá lo mismo que cuando imploraste el auxilio de los Asirios. IV *Reg.* XVI, *v.* 7. — II *Cron.* XXVIII, *v.* 16.

**37.** IV. *Reg.* XXIII, *v.* 29. — Nada te saldrá allí prósperamente.

**CAP. III.** — 1. *Deut.* XXIV, *v.* 4.

1. Comúnmente se dice: Si un marido repudia a su mujer, y ella separada de éste toma otro marido, ¿acaso volverá jamás a recibirla? ¿No quedará la tal mujer inmunda y contaminada? Tú, es cierto que has pecado con muchos amantes: esto no obstante vuélvete a mí, dice el Señor, que yo te recibiré.

2. Alza tus ojos a los collados, y mira si hay lugar donde no te hayas prostituido; te sentabas en medio de los caminos, aguardando a los pasajeros *para entregarte a ellos,* como *para robar* se pone el ladrón en sitio solitario, y contaminaste la tierra con tus fornicaciones y tus maldades.

3. Por esta causa cesaron las lluvias abundantes, y faltó la lluvia de primavera. Tú, empero, *en vez de arrepentirte,* presentas el semblante de una mujer prostituta *o descarada;* no has querido tener rubor ninguno.

4. Pues a lo menos desde ahora *arrepiéntete,* y dime: Tú eres mi padre, tú el que velabas sobre mi virginidad:

5. ¿Acaso has de estar siempre enojado, o mantendrás hasta el fin tu indignación? Pero he aquí que tú has hablado así, y has ejecutado toda suerte de crímenes, hasta no poder más.

6. Díjome también el Señor en tiempo del rey Josías: ¿No has visto tú las cosas que ha hecho la rebelde Israel? Fuése *a adorar* sobre todo monte alto, y debajo de todo árbol frondoso, y allí se ha prostituido.

7. Y después que hizo ella todas estas cosas, le dije yo: Vuélvete a mí, y no quiso volverse. Y su hermana Judá, la prevaricadora, vió

8. Que por haber sido adúltera la rebelde Israel yo la había desechado y dado libelo de repudio; y no *por eso* se amedrentó su hermana la prevaricadora Judá, sino que se fué e idolatró también ella.

9. Y con la frecuencia de sus adulterios *o idolatrías* contaminó *toda* la tierra, idolatrando con las piedras y con los leños.

10. Y después de todas estas cosas no se convirtió a mí, dice el Señor, su hermana, la prevaricadora Judá, con todo su corazón, sino fingidamente.

11. Y así díjome el Señor: La rebelde Israel viene a ser una santa, en comparación de Judá la prevaricadora.

12. Anda y repite en alta voz estas palabras hacia el septentrión, y di: Conviértete, ¡oh tú, rebelde Israel!, dice el Señor; que no te torceré

yo mi rostro para no mirarte; pues yo soy santo *y benigno,* dice el Señor, y no conservaré siempre mi enojo.

13. Reconoce, empero, tu infidelidad: pues has prevaricado contra el Señor Dios tuyo, y te prostituiste a los *dioses* extraños debajo de todo árbol frondoso, y no escuchaste mi voz, dice el Señor.

14. Convertíos a mí ¡oh hijos rebeldes! dice el Señor: porque yo soy vuestro esposo, y escogeré de vosotros uno de cada ciudad y dos de cada familia, y os introduciré a Sión.

15. Y os daré pastores según mi corazón, que os apacentarán con la ciencia y con la doctrina.

16. Y cuando os habréis multiplicado y crecido sobre la tierra, en aquellos días, dice el Señor, no se hablará ya del Arca del Testamento del Señor; ni se pensará en ella, ni habrá de ella memoria, ni será visitada, ni se hará ya nada de esto.

17. En aquel tiempo Jerusalén será llamada trono del Señor; y se agregarán a ella las naciones todas, en el nombre del Señor, en Jerusalén, y no seguirán la perversidad de su pésimo corazón.

18. En aquel tiempo la familia *o reino* de Judá se reunirá con la familia de Israel, y vendrán juntas de la tierra del septentrión a la tierra que dí a vuestros padres.

19. Entonces dije yo: ¡Oh cuántos hijos te daré a ti! Yo te daré la tierra deliciosa; una herencia esclarecida de ejércitos de gentes. Y añadí: Tú me llamarás padre, y no cesarás de caminar en pos de mí.

20. Pero como una mujer que desprecia al que la ama, así se ha desdeñado a mí la familia de Israel, dice el Señor.

21. Clamores se han oído en los caminos, llantos, alaridos de los hijos de Israel, por haber procedido infielmente, olvidados del Señor su Dios.

---

4. *Guía o custodio* de la virginidad, es una perífrasis, que equivale a *esposo. Prov.* II, *v.* 17.

13. Según los *Setenta* puede traducirse: *dirigiste tus pasos* a buscar por acá y acullá dioses extraños para adorarlos. *Ezech.* XVI, *v.* 25.

14. Esto es, a algunos, no a todos los del pueblo de Israel. Puede aludir a los Judíos que abrazaron luego el Evangelio.

15. No solamente deben ser virtuosos los ministros de la Religión, sino también sabios o instruidos en la palabra Divina, como dice el Apóstol, *ad Tit, cap.* I, *v.* 9.

16. Porque el nuevo pueblo tendrá a Jesucristo, que residirá personalmente en medio de su Iglesia; y cesarán las figuras y ceremonias de la antigua Ley, que lo representaban.

18. El *norte o septentrión,* como región más apartada de la luz, suele significar en la Escritura una cosa mala, u origen de males; al contrario del *oriente.* — Véase S. Jerónimo.

**22.** Convertíos a mí, hijos rebeldes, que yo os perdonaré vuestras apostasías.

He aquí ¡oh Señor! que ya volvemos a ti; porque tú eres el Señor Dios nuestro.

**23.** Verdaderamente no eran más que embuste *todos los ídolos de* los collados y *de* tantos montes: verdaderamente que en el Señor Dios nuestro está la salud de Israel.

**24.** Aquel *culto* afrentoso consumió desde nuestra mocedad los sudores de nuestros padres, sus rebaños y sus vacadas, sus hijos y sus hijas.

**25.** Moriremos en nuestra afrenta, y quedaremos cubiertos de nuestra ignomia; porque contra nuestro Dios hemos pecado nosotros, y nuestros padres, desde nuestra mocedad hasta el día de hoy; y no hemos escuchado la voz del Señor Dios nuestro.

## CAPITULO IV

*Exhorta Dios por Jeremías a los Judíos a la verdadera penitencia; y les anuncia si no la hacen, la irrupción de los Caldeos.*

**1.** ¡Oh Israel! si te has de convertir *de tus extravíos,* conviértete a mí *de corazón,* dice el Señor. Si quitas tus escándalos o *ídolos* de mi presencia, no serás removido de tu tierra.

**2.** Y sea tu juramento hecho con verdad, en juicio y con justicia: Vive el Señor; y bendecirán y alabarán al Señor las naciones *todas.*

**3.** Porque esto dice el Señor a los varones de Judá y de Jerusalén: Preparad vuestro barbecho, y no sembréis sobre espinas.

**4.** Circuncidaos por amor del Señor y separad de vuestro corazón las inmundicias, ¡oh vosotros, varones de Judá, y moradores de Jerusalén!, no sea que se manifieste cual fuego *abrasador* mi enojo, y suceda un incendio, y no haya quién pueda apagarle por causa de la malicia de vuestros designios.

**5.** Anunciad, *pues,* a Judá *todo esto,* e intimadlo a Jerusalén; echad la voz, y tocad la trompeta por *todo* el país; gritad fuerte y decid: Juntaos y encerrémonos en las ciudades fortificadas.

**6.** Alzad en Sión el estandarte; fortificaos, y no os detengáis porque yo hago venir del septentrión el azote y una gran desolación.

**7.** Ha salido el león de su guarida, y se ha alzado el destrozador *o conquistador* de las gentes: se ha puesto en camino para asolar tu tierra; arruinadas serán tus ciudades, sin que quede un solo morador.

**8.** Por tanto vestíos de cilicio, prorrumpid en llanto y en alaridos; pues que la tremenda indignación del Señor no se ha apartado de nosotros.

**9.** En aquel día, dice el Señor, desfallecerá el corazón del rey, y el corazón de los príncipes; estarán atónitos los sacerdotes, y consternados los profetas.

**10.** Y yo dije *al oír eso:* ¡Ay, ay, ay! ¡Señor Dios mío! ¿Y es posible que hayas permitido que *los falsos profetas* alucinasen a este pueblo *tuyo,* y a Jerusalén, diciendo: Paz tendréis vosotros; cuando he aquí que la espada *del enemigo* ha penetrado hasta el corazón?

**11.** En aquel tiempo se dirá a este pueblo y a Jerusalén: Un viento abrasador sopla de la parte del desierto, en el camino que viene *de Babilonia* a la hija de mi pueblo, y no es viento para aventar y limpiar *el grano.*

**12.** Un viento más impetuoso me vendrá de aquel lado, y entonces yo les haré conocer *la severidad de* mis juicios.

**13.** He aquí que *el ejército enemigo* vendrá como una *espesa* nube, y sus carros de guerra como un torbellino; más veloces que águilas son sus caballos. ¡Ay desdichados de nosotros! *dirán entonces;* sómos perdidos.

**14.** Lava, pues, ¡oh Jerusalén! tu corazón de toda malicia, si quieres salvarte. ¿Hasta cuándo tendrán acogida en ti los pensamientos nocivos *o perversos?*

**15.** *Mira que ya se oye la voz de uno que llega* de Dan, y anuncia y hace saber que el ídolo está viniendo por el nombre de Efraím.

**16.** Decid, *pues,* a las gentes: Sabed que se ha oído en Jerusalén que vienen las milicias *o tropas enemigas* de lejanas tierras y han alzado ya el grito contra la ciudad de Judá.

**17.** Se estarán *día y noche* alrededor de ella como los guardas en las heredades; porque me ha provocado a ira, dice el Señor.

---

CAP. IV. — 1. Pude traducirse: Oh Israel, *si te convirtieres de tus extraños, volverás* a mi gracia.

2. Es pues lícito el juramento cuando se hace con las condiciones necesarias. Otros traducen: *con juicio,* o con discreción.

3. Oseas X, v. 12. — No hagáis que vuestra religión o culto sea sólo aparente e inútil.

4. *Rom.* II, *v.* 28.

---

7. Esto es, Nabucodonosor.

**18.** Tus procederes y tus pensamientos te han ocasionado, *¡oh Jerusalén!* estas cosas; esa malicia tuya es la causa de la amargura que ha traspasado tu corazón.

**19.** *¡Ah!* Mis entrañas, las entrañas mías se han conmovido de dolor *y congoja*; todos los interiores afectos de mi corazón están en desorden: no puede callar cuando ha oído *ya* mi alma el sonido de la trompeta, el grito de la batalla.

**20.** Ha venido desastre sobre desastre, y ha quedado asolada toda la tierra: de repente, en un momento fueron derribadas mis tiendas y pabellones.

**21.** ¿Hasta cuándo he de ver fugitivos *a los de mi pueblo,* y he de oír el sonido de la trompeta *enemiga?*

**22.** El necio pueblo mío, *dice el Señor,* no me conoció; hijos insensatos son y mentecatos: para hacer el mal son sabios; mas el bien no saben hacerlo.

**23.** Eché una mirada a la tierra, y la vi vacía sin nada; y a los cielos, y no había luz en ellos.

**24.** Miré los montes, y reparé que temblaban, y que todos los collados se estremecían.

**25.** Estuve observando *la Judea,* y no se veía un hombre *siquiera*; y se habían retirado *del país* todas las aves del cielo.

**26.** Miré y ví convertidas en un desierto sus fértiles campiñas; todas sus ciudades han quedado destruidas a la presencia del Señor, a la presencia de su tremenda indignación.

**27.** Pero he aquí lo que dice el Señor: Toda la tierra *de Judá* quedará desierta, más no acabaré de arruinarla del todo.

**28.** Llorará la tierra, y se enlutarán arriba los cielos por razón de lo que decreté; resolvílo y no me arrepentí, ni ahora mudo de parecer.

**29.** Al ruido de la caballería y de los flecheros echó a huir toda la ciudad; corrieron a esconderse entre los riscos, subiéronse a los peñascos; fueron desamparadas todas las ciudades, sin que quedase en ellas un solo habitante.

**30.** ¿Y qué harás ahora, oh desolada *hija de Sión?* ¿Qué harás? Por más que te vistas de grana, aunque te adornes con joyeles de oro, y pintes con antimonio tus ojos, en vano te engalanarás; tus amantes te han desdeñado, quieren acabar contigo.

---

18. *Sap.* I, *v.* 3, 5.
30. IV *Reg.* IX, *v.* 30. En lugar de *tus ojos* puede entenderse *tu rostro,* suponiendo aquí la figura *sinécdoque* en que se toma la parte por el todo.

**31.** Porque he oído gritos como de mujer que está de parto, *ansias y* congojas como de primeriza; la voz de la hija de Sión moribunda que extiende sus manos, *y dice:* ¡Ay de mí! que me abandona mi alma al ver la mortandad *de mis hijos.*

## CAPITULO V

*El Señor, en vista de haber llegado a lo sumo las maldades de su pueblo, le anuncia que va a castigarle por medio de un pueblo extranjero.*

**1.** Recorred las calles de Jerusalén: ved, y observad, y buscad en sus plazas si encontráis un hombre que obre lo que es justo, y que procure ser fiel; y *si lo halláis,* yo usaré con ella de misericordia.

**2.** Pues aun cuando dicen todavía: Vive el Señor, *Dios verdadero,* aun entonces juran con mentira.

**3.** Señor, tus ojos están mirando siempre la fidelidad *o verdad;* azotaste a estos *perversos* y no les dolió; molístelos a golpes, y no han hecho caso de la corrección; endurecieron sus frentes más que un peñasco, y no han querido convertirse *a ti.*

**4.** Entonces dije yo: Tal vez éstos son los pobres e idiotas que ignoran el camino del Señor, los juicios de su Dios.

**5.** Iré, pues, a los principales *del pueblo* y hablaré a ellos: que sin duda ésos saben el camino del Señor, los juicios de su Dios. Pero hallé que éstos aún más que los otros, *todos* a una quebrantaron el yugo *del Señor,* rompieron sus coyundas.

**6.** Pero el león del bosque los ha desgarrado; el lobo del anochecer los ha exterminado; el leopardo está acechando en torno de sus ciudades; todos cuantos salgan de ellas, caerán en sus garras; porque se han multiplicado sus prevaricaciones, y se han obstinado en sus apostasías.

**7.** ¿Por qué título podré yo inclinarme a serte propicio a ti, *oh pueblo rebelde?* Tus hijos me han abandonado, y juran por el nombre de aquellos que no son dioses; yo los colmé de bienes, y ellos se han entregado al adulterio, y han desahogado su lujuria en casa de la mujer prostituta.

---

**CAP. V.** — 1. *O que quiera seguir la verdad.* Es una hipérbole para significar cuán pocos eran los justos en Jerusalén.
6. Nabucodonosor es llamado *león* por su poder, *lobo* por su voracidad y avaricia, y *leopardo* por la celeridad en sus empresas.

**8.** Han llegado a ser como caballos desenfrenados y en estado de calor: con tanto ardor persigue cada cual la mujer de su prójimo.

**9.** Pues qué, ¿no he de castigar yo estas cosas, dice el Señor, y no se vengará mi alma de una tal gente?

**10.** Escalad *¡oh pueblos de Caldea!* sus muros, y derribadlos; mas no acabéis del todo con ella; quitadle los sarmientos, porque no son del Señor;

**11.** Puesto que la casa de Israel y la casa de Judá han pecado enormemente contra mí, dice el Señor;

**12.** Ellas renegaron del Señor, y dijeron: No es él *el Dios verdadero*; no nos sobrevendrá ningún desastre; no veremos la espada, ni el hambre.

**13.** Sus profetas hablaban al aire; y no tuvieron *jamás* respuesta de Dios. Tales cosas, pues, a ellos les sobrevendrán, *no a nosotros.*

**14.** Esto *me* dice el Señor Dios de los ejércitos: Porque habéis proferido vosotros tales palabras, he aquí *¡oh Jeremías!* que yo desde ahora pongo en tu boca mis palabras cual fuego *devorador*, y le doy ese pueblo por leña para que sea de él consumido.

**15.** Yo voy a traer sobre vosotros, ¡oh familia de Israel! dice el Señor, una nación lejana, nación robusta, nación antigua, nación cuya lengua tú no sabrás, ni entenderás lo que habla.

**16.** Su aljaba es como un sepulcro abierto; todos ellos son valerosos *soldados.*

**17.** Esta nación *conquistadora* se comerá tus cosechas y tu pan; se tragará tus hijos y tus hijas; comerá tus rebaños y tus vacadas; acabará con tus viñas y tus higuerales; y asolará con la espada tus fuertes ciudades, en que tú tienes puesta la confianza.

**18.** Con todo eso, en aquellos días no acabaré del todo con vosotros, dice el Señor.

**19.** Que si dijereis: ¿Por qué ha hecho el Señor Dios nuestro contra nosotros todas estas cosas?, tú les responderás: Así como vosotros me habéis abandonado a mí, *dice el Señor*, y habéis servido a los dioses extraños en vuestra tierra, así les serviréis *ahora* en tierra extranjera.

**20.** Anunciad esto a la casa de Jacob, y pregonadlo en Judá, diciendo:

**21.** Escucha ¡oh pueblo insensato y sin cordura! vosotros que teniendo ojos no véis, y teniendo orejas no oís:

**22.** Conque ¿a mí no me temeréis, dice el Señor, ni os arrepentiréis delante de mí? Yo soy el que al mar le puse por término la arena, ley perdurable que no quebrantará; levantarse han sus olas, y no traspasarán sus límites; y se encresparán, pero no pasarán más adelante.

**23.** Pero este pueblo se ha formado un corazón incrédulo y rebelde; se han retirado de mí y se han ido *en pos de los ídolos,*

**24.** En vez de decir en su corazón: Temamos al Señor Dios nuestro, que nos da a su tiempo la lluvia temprana y la tardía, y que nos da todos los años una abundante cosecha.

**25.** Vuestras maldades han hecho desaparecer estas cosas; y vuestros pecados han retraido de vosotros el bien*estar:*

**26.** Por cuanto se hallan impíos en mi pueblo, acechando como cazadores, poniendo lazos y pihuelas para cazar hombres.

**27.** Como jaula o *red* de cazadores llena de aves, así están sus casas llenas de fraudes; con ellos se han engrandecido y se han hecho ricos.

**28.** Engrosáronse y engordaron; y han violado pésimamente mis preceptos. No han administrado justicia a la viuda, ni han defendido la causa del huérfano, y no hicieron justicia al pobre.

**29.** ¿Cómo no he de castigar yo estas cosas, dice el Señor? ¿O cómo puede mi alma dejar de tomar venganza de una tal gente?

**30.** Cosa asombrosa, cosa muy extraña es la que ha sucedido en esta tierra:

**31.** Los profetas profetizaban mentiras, y los sacerdotes *los* aplaudían con palmoteo; y mi pueblo gustó de tales cosas: ¿qué será, pues, de él al llegar su fin?

## CAPITULO VI

*Viendo el Señor que a pesar de la predicación de Jeremías el pueblo no se convierte, pronuncia contra éste la sentencia final, y confirma a Jeremías en su ministerio.*

**1.** Esforzaos ¡oh hijos de Benjamín! en

---

**8.** *Ezech.* XXII, *v.* 11.

**15.** Los *Caldeos* traían su origen de *Nemrod,* fundador del imperio de Babilonia. *Gen,* X, *v.* 10. — *Deut.* XXVIII, *v.* 49. — *Baruch.* IV, *v.* 16.

**16.** Cuantas saetas salen de ella, otras tantas muertes causan.

**19.** *Cap.* XVI, *v.* 10.

---

**28.** *O no patrocinaron su causa. Is.* I, *v.* 23. — *Zach.* VII, *v.* 10.

**CAP. VI.** — 1. Roboam había hecho en Tecua un arsenal. II *Paral.* XI, *v.* 6, 11, 12. El Profeta habla aquí irónicamente.

medio de Jerusalén, y tocad el clarín *de guerra* en Tecua, y alzad una bandera sobre Betacarem; porque hacia el septentrión se deja ver un azote y una calamidad grande.

2. Yo he comparado la hija de Sión a una hermosa y delicada doncella.

3. A ella, *a sitiarla,* acudirán los pastores *o capitanes* con sus rebaños; plantarán alrededor sus pabellones: cada uno cuidará de los que están bajo sus órdenes.

4. Declaradle solemnemente la guerra: vamos y escalémosla en medio del día. *Mas* ¡ay de nosotros! el día va ya declinando; se han extendido mucho las sombras de la tarde.

5. ¡Ea, pues! Asaltémosla de noche, y arruinemos sus casas.

6. Pues esto dice el Señor de los ejércitos: Cortad sus árboles, abrid trincheras en torno de Jerusalén. Esta es la ciudad que voy a castigar; en ella se abriga toda especie de calumnia *e injusticia.*

7. Como la cisterna conserva fresca su agua, así conserva Jerusalén fresca *y reciente* la malicia suya. No se oye hablar en ella sino de desafueros y robos; yo veo siempre gente afligida y maltratada.

8. Enmiéndate ¡oh Jerusalén! a fin de que no se aleje de ti mi alma: no sea que te reduzca a un desierto inhabitable.

9. Esto dice el Señor de los ejércitos: Los restos *del pueblo* de Israel serán tomados como un *pequeño* racimo en una viña *ya vendimiada.* Vuelve ¡oh *Caldeo!* tu mano, como el vendimiador para meter en el cuévano *el rebusco.*

10. Mas ¿a quién dirigiré yo la palabra? ¿Y a quién conjuraré para que me escuche?, después que tienen tapadas sus orejas y no pueden oír. Lo peor es que la palabra del Señor les sirve de escarnio, y no la recibirán.

11. Por lo cual estoy lleno del furor del Señor: canséme de sufrir. Derrámale fuera, *me dije a mí mismo,* sobre los niños, y también en las reuniones de los jóvenes; porque preso será el marido con la mujer, el anciano con el decrépito.

12. Y sus casas pasarán a ser de otros, y también las heredades y las mujeres: porque yo extenderé mi mano contra los moradores del país, dice el Señor.

13. Ya que desde el más pequeño hasta el más grande, se han dado todos a la avaricia; y todos urden engaños, desde el profeta *o cantor* al sacerdote.

14. Y curan las llagas de la hija de mi pueblo, con burlarse de ella, diciendo: Paz, paz; y tal paz no existe.

15. ¿Se han avergonzado acaso por las cosas abominables que han hecho? Antes bien no han tenido ni pizca de confusión, ni sabido *siquiera* qué cosa es tener vergüenza. Por este motivo caerán entre los que perecen y serán precipitados, dice el Señor, cuando llegue el tiempo de tomárles residencia.

16. Esto decía *también* el Señor: Paraos en los caminos, ved y preguntad cuáles son las sendas antiguas, cuál es el buen camino, y seguidlo: y hallaréis refrigerio para vuestras almas. Más ellos dijeron: No lo seguiremos.

17. Yo destiné para vosotros centinelas, *les dijo aún;* estad atentos al sonido de su trompeta; y respondieron: No lo queremos oír.

18. Por tanto escuchad ¡oh naciones!, gentes todas, entended cuán terribles castigos les enviaré.

19. Oye ¡oh tierra!, mira, yo acarrearé sobre ese pueblo desastres, fruto de sus *depravados* designios; puesto que no escucharon mis palabras, y desecharon mi ley.

20. ¿Para qué me ofrecéis vosotros el incienso de Sabá y la caña olorosa de lejanas tierras? Vuestros holocaustos no me son agradables, ni me placen vuestras víctimas.

21. Por tanto así dice el Señor: He aquí que yo llevaré desgracias sobre ese pueblo: caerán a una los padres con los hijos, y el vecino perecerá juntamente con su vecino.

---

4. O también: *Preparaos a hacerle una guerra santa.* — Demos el asalto sin perder momento.

9. Nabucodonosor sitió varias veces a Jerusalén. IV *Reg.* XXIV, *v.* 1; II, *v.* 11; XXV, *v.* 1.

10. *Lev.* XXVI, *v.* 41. — *Act.* VII, *v.* 51.

18. *Is.* LVI, *v.* 11. *Después cap.* VIII, *v.* 10.

15. San Jerónimo y otros Padres tradujeron estas palabras con interrogación.

16. *Matth.* XI, *v.* 29. Preguntad el camino que siguieron los Patriarcas, y seguid sus pasos. Admirable documento para que lo mediten los cristianos de cualquier grado o condición. Para arreglar su conducta, estudien o pregunten lo que hacían los Apóstoles y primeros cristianos; los cuales miraban cerca de sí la norma de nuestra fe y costumbres, que es Jesucristo; y téngase siempre presente que Jesucristo y su Evangelio no se mudaron con la sucesión de los siglos. Ayer, y hoy, y para siempre serán lo mismo, como dice el Apóstol. Y no son las opiniones de los hombres las que nos han de salvar, sino la *verdad,* como ya dijo el Redentor. Todas las herejías y males de la Iglesia han venido por apartarse algunos de los caminos antiguos que nos mostraron los Apóstoles y sus sucesores, y que confirmaron ellos con su doctrina y con su ejemplo, y sellaron con su sangre.

20. *Is.* I, *v.* 11.

**22.** Esto dice el Señor: Mirad que viene un pueblo del septentrión, y una nación grande saldrá de los extremos de la tierra.

**23.** Echará mano de las saetas, y del escudo; es cruel y no se apiadará *de nadie*; el ruido *de sus tropas* es como el ruido del mar, y montarán sobre caballos, dispuestos a combatir como valientes contra ti ¡oh hija de Sión!

**24.** Oído hemos su fama, *dicen los Judíos,* y se nos han caído los brazos: nos ha sorprendido la tribulación, y dolores como de mujer que está de parto.

**25.** ¡Ah! No salgáis por los campos, ni andéis por los caminos: pues la espada del enemigo y su terror os cercan por todos lados.

**26.** ¡Oh *Jerusalén*, hija del pueblo mío!, vístete de cilicio, cúbrete de ceniza; llora con amargo llanto, como se llora en la muerte de un hijo único; porque el exterminador caerá súbitamente sobre nosostros.

**27.** A ti, *Jeremías,* te he constituido cual robusto ensayador en medio de mi pueblo; y tú examinarás y harás prueba de sus procederes.

**28.** Todos esos magnates *del pueblo* andan descarriados, proceden fraudulentamente; *no* son *más que* cobre y hierro; toda es gente corrompida.

**29.** Faltó el fuelle, el plomo se ha consumido en el fuego, inútilmente derritió los metales en el crisol el fundidor; pues que no han sido *separadas* o consumidas las maldades de aquéllos.

**30.** Llamadlos plata espúrea; porque el Señor *ya* los ha reprobado.

## CAPITULO VII

*Sermón que Jeremías hace, por orden del Señor al pueblo incorregible y obstinado.*

**1.** Palabras que habló el Señor a Jeremías, diciendo:

**2.** Ponte a la puerta del templo del Señor, y predica allí este sermón, hablando en los términos siguientes: Oíd la palabra del Señor todos vosotros ¡oh hijos de Judá! que entráis por estas puertas para adorar al Señor.

**3.** Esto dice el Señor de los ejércitos, Dios de Israel: Enmendad vuestra conducta y

vuestras aficiones, y yo habitaré con vosotros en este lugar.

**4.** No pongáis vuestra confianza en aquellas *vanas y* falaces expresiones, diciendo: Este es el templo del Señor, el templo del Señor, el templo del Señor.

**5.** Porque si enderezareis al bien vuestras acciones y vuestros deseos; si administrareis justicia entre hombre y hombre;

**6.** Si no hiciereis agravio al forastero, y al huérfano, y a la viuda, ni derramareis la sangre inocente en este lugar; y no anduviereis en pos de dioses ajenos para vuestra misma ruina:

**7.** Yo habitaré con vosotros en este lugar, en esta tierra que di a vuestros padres por siglos y siglos.

**8.** Pero vosotros estáis *muy* confiados en palabras mentirosas *o vanas,* que de nada os aprovecharán.

**9.** Vosotros hurtáis, matáis, cometéis adulterios; vosotros juráis en falso, hacéis libaciones a Baal, y os vais en pos de dioses ajenos que no conocíais.

**10.** Y *después de esto* venís *aún,* y os presentáis delante de mí en este templo en que es invocado mi Nombre, y decís *vanamente confiados:* Ya estamos a cubierto *de todos los males,* aunque hayamos cometido todas esas abominaciones.

**11.** Pues qué ¿este templo mío en que se invoca mi Nombre, ha venido a ser para vosotros una guarida de ladrones? Yo, yo soy, yo *mismo soy* el que he visto *vuestras abominaciones,* dice el Señor.

**12.** Y *si no,* id a Silo, lugar de mi morada, donde al principio estuvo *la gloria de* mi Nombre, y considerad lo que hice por él por causa de la malicia de mi pueblo de Israel.

**13.** *Ahora* bien, por cuanto habéis hecho todas estas fechorías, dice el Señor, y en vista de que yo os he predicado, y os he avisado con tiempo y exhortado, y vosotros no me habéis escuchado; y que os he llamado, y no me habéis respondido:

---

**27.** Se dice varias veces que los Profetas *hacen* aquello que predicen que hará Dios, o que debe suceder.

**CAP. VII.** — **3.** *Cap.* XXVI, *v.* 13. — Véase aquí denotado el *libre albedrío* del hombre.

**4.** Es y será siempre nuestra salvaguardia. No escogió Dios al pueblo por el Templo, sino al Templo por amor del pueblo. II *Mach.* V. *v.* 19. Hechas las oraciones sin devoción, de nada sirve que se hagan aquí o acullá. Pero al contrario son más eficaces hechas en la casa del Señor, cuando se puede acudir a orar en ella, sin faltar a la obligación. — Véase III *Reg.* VIII. — II *Paral.* VI.

**10.** *Después* c. XLIV, *v.* 18. — I *Mach.* I *v.* 12.

**11.** *Matth.* XXI, *v.* 13. — *Marc.* XI, *v.* 17. — *Luc.* XIX, *v.* 46.

**12.** I *Reg.* II, *v.* 22. — *Ps.* LXXVII, *v.* 60. — O establecí el *Tabernáculo.*

**13.** *Prov.* I, *v.* 24. — *Is.* LXV, *v.* 12.

**14.** Yo haré con esta casa, en que se ha invocado mi Nombre, y en la cual vosotros tenéis vuestra confianza, y con este lugar que os señalé a vosotros y a vuestros padres, *haré, digo,* lo mismo que hice con Silo.

**15.** Yo os arrojaré de mi presencia como arrojé a todos vuestros hermanos *de las diez tribus,* a toda la raza de Efraím.

**16.** Así, pues, no tienes tú, *Jeremías,* que interceder por este pueblo, ni te empeñes por ellos en cantar mis alabanzas y rogarme; ni te me opongas: porque no he de escucharte.

**17.** ¿Por ventura no estás viendo tú mismo lo que hacen esos hombres en las ciudades de Judá y en las plazas públicas de Jerusalén?

**18.** Los hijos recogen la leña, encienden el fuego los padres, y las mujeres amasan la pasta con manteca, para hacer tortas, *y presentarlas* a la *que adoran por* reina del cielo, y ofrecer libaciones a los dioses ajenos, y provocarme a ira.

**19.** Pero ¿es *acaso* a mí, dice el Señor, a quien iritan ellos, *y perjudican?* ¿No es más bien a sí mismos a quien hacen daño, cubriéndose así de ignominia?

**20.** Por tanto esto dice el Señor Dios: Ya mi furor y mi indignación están para descargar contra ese lugar *que han profanado,* contra los hombres y las bestias, contra los árboles de la campiña, y contra los frutos de la tierra, y todo arderá y no se apagará.

**21.** Esto dice el Señor de los ejércitos, el Dios de Israel: Añadid *cuanto queráis* vuestros holocaustos a vuestras víctimas, y comed sus carnes;

**22.** Puesto que cuando yo saqué de la tierra de Egipto a vuestros padres, no les hablé ni mandé cosa alguna en materia de holocaustos y de víctimas.

**23.** Ved aquí el mandamiento que *entonces* les dí: Escuchad mi voz, les dije, y yo seré vuestro Dios, y vosotros seréis el pueblo mío; y seguid constantemente el camino que os he señalado, a fin de que seáis felices.

**24.** Empero, ellos no me escucharon, ni hicieron caso de eso, sino que se abandonaron a sus apetitos y a la depravación de su maleado corazón; y en lugar de ir hacia adelante, fueron hacia atrás,

**25.** Desde el día *mismo* en que salieron sus padres de la tierra de Egipto, hasta el día de hoy. Y yo os envié a vosotros todos, mis siervos, los profetas: cada día me daba prisa a enviarlos.

**26.** Mas *los hijos de mi pueblo* no me escucharon, sino que se hicieron sordos y endurecieron su cerviz, y se portaron peor que sus padres.

**27.** Tú, pues, les dirás todas estas palabras; mas no te escucharán; los llamarás; más no te responderán.

**28.** Y así les dirás: Esta es aquella nación que no ha escuchado la voz del Señor Dios suyo, ni ha admitido sus instrucciones. Muerta está su fe *o fidelidad;* desterrada está de su boca.

**29.** Corta tu cabello, y arrójalo, y ponte a plañir en alta voz; porque el Señor ha desechado y abandonado esta generación, digna de su cólera.

**30.** Pues los hijos de Judá han obrado el mal ante mis ojos, dice el Señor; pusieron sus escándalos *o ídolos* en el templo en que se invoca mi Nombre, a fin de contaminarlo;

**31.** Y edificaron *altares o* lugares altos en Tofet, situada en el valle del hijo de Ennom, para consumir en el fuego a sus hijos e hijas: cosa que yo no mandé, ni me pasó por el pensamiento.

**32.** Por tanto, ya viene el tiempo, dice el Señor, y no se llamará más Tofet, ni Valle del hijo de Ennom, sino Valle de la mortandad; y enterrarán en Tofet, por falta de otro sitio.

**33.** Y los cadáveres de este pueblo serán pasto de las aves del cielo y de las bestias de la tierra; ni habrá nadie que las ahuyente.

**34.** Y haré que no se oiga en las ciudades de Judá, ni en las plazas de Jerusalén, voz de regocijo y de alegría, voz de esposo y de esposa: porque *toda* la tierra quedará desolada.

---

14. I *Reg.* IV, *v.* 2. 10.

16. Modo figurado de hablar, que indica que el Señor solamente (por decirlo así) castiga cuando ya no puede sufrir más. *Exod.* XXX, *v.* 10. — *Ezech.* XXII, *v.* 30. Jeremías aquí y después *c.* XI, *v.* 14; XIV, *v.* 11; XV, *v.* 1, muestra que a veces llega la obstinación del pueblo a tal estado, que Dios no quiere oír ya intercesores. — Véase *Ezech.* XIV, *v.* 14 y siguientes. — *Joann.* V, *v.* 16.

18. A la *luna,* o sea *Astarte* o *Diana,* o *Venus.* Después *cap.* XLIV, *v.* 18, 25.

21. Creyendo santificaros: comed aun la parte que según la Ley debe quemarse toda en honor mío: de nada os servirá eso.

22. Lo que hice, fué darles el *Decálogo.* Y si después les ordené sacrificios, fué para apartarlos luego de la perversa inclinación que mostraron a la idolatría, cuando adoraron al *becerro,* y de imitar los sacrificios que ofrecían los Egipcios.

*Is.* I, *v.* 13. — *Amos* V.

29. En señal de luto. *Lev.* XIX, *v.* 27. — *Is.* VII, *v.* 20. — *Jer.* XVI, *v.* 6. — *Deut.* XIV, *v.* 1.

31. *Deut.* XVIII, *v.* 10. — IV *Reg.* XXIII, *v.* 10.

34. Después *c.* XVI, *v.* 9. — *Ezech.* XXVI, *v.* 13.

## CAPITULO VIII

*Extrema desolación de Jerusalén en la cual se-
rán todos castigados, reyes, sacerdotes, profetas y el pueblo todo, porque todos se han
obstinado en sus maldades.*

**1.** En aquel tiempo, dice el Señor, arrojarán *los Caldeos* fuera de los sepulcros los
huesos de los reyes de Judá, y los huesos de
príncipes, y los huesos de los sacerdotes, y
los huesos de los profetas, y los huesos de los
que habitaron en Jerusalén;

**2.** Y los dejarán expuestos al sol, y a la luna, y a toda la milicia *o estrellas* del cielo; que
son las cosas que ellos han amado, y a las
cuales han servido, y tras de las cuales han
ido, y a las que han consultado, y han adorado *como a dioses.* Los huesos *de los cadáveres*
no habrá quien los recoja ni entierre; quedarán como el estiércol sobre la superficie de la
tierra.

**3.** Y todos aquellos que restaren de esta perversa raza, en todos los lugares *o sitios* abandonados a donde yo los arroje, dice el Señor
de los ejércitos, preferirán más el morir que el
vivir *en tantos trabajos.*

**4.** Tú, empero, les dirás: Esto dice el Señor:
¿Acaso aquel que cae, no cuida de levantarse
luego? ¿Y no procura volver a la senda el que
se ha descarriado de ella?

**5.** ¿Pues por qué este pueblo de Jerusalén
se ha rebelado con tan pertinaz obstinación?
Ellos han abrazado la mentira y no han querido convertirse.

**6.** Yo estuve atento, y los escuché: nadie
habla cosa buena; ninguno hay que haga penitencia de su pecado, diciendo: *¡Ay! ¿Qué es
lo que yo he hecho? Al contrario,* todos han
vuelto a tomar la *impetuosa* carrera *de sus vicios,* como caballo que a rienda suelta corre a
la batalla.

**7.** El milano conoce por la *variación de la*
atmósfera su tiempo; la tórtola, y la golondrina, y la cigüeña saben discernir constantemente la estación *o tiempo* de su transmigración: pero mi pueblo no ha conocido *el tiempo* del juicio del Señor.

**8.** ¿Cómo decís: Nosotros somos sabios,
y somos los depositarios de la ley del Señor? *Os engañáis:* la pluma de los doctores de la ley verdaderamente es pluma de

error, y no ha escrito sino mentiras.

**9.** Confundidos están *vuestros* sabios, aterrados y presos: porque desecharon la palabra del Señor, y ni rastro hay *ya* en ellos de
sabiduría.

**10.** Por este motivo yo entregaré sus mujeres a los extraños, sus tierras a *otros* herederos, porque desde el más pequeño hasta el
más grande, todos se dejan llevar de la avaricia; desde el profeta *o cantor* hasta el sacerdote; todos se ocupan en la mentira.

**11.** Y curan las llagas de la hija del pueblo
mío con burlarse de ella, diciendo: Paz, paz;
siendo así que no hay tal paz.

**12.** ¿Y están acaso corridos de haber hecho
cosas abominables? Ni aun ligeramente han
llegado a avergonzarse, ni saben qué cosa es
tener vergüenza; por tanto serán envueltos en
la rutina de los demás, y precipitados en el
tiempo de la venganza, dice el Señor.

**13.** *Pues* yo los reuniré todos juntos *para
perderlos* dice el Señor; las viñas están sin
uvas, y sin higos las higueras, hasta las hojas
han caído; y las cosas que yo les diera, se les
han escapado de las manos.

**14.** ¿Por qué nos estamos aquí quietos?
*Dirán ellos:* Juntémonos y entremos en
la ciudad fuerte, y estémonos allí callando; puesto que el Señor Dios nuestro nos ha
condenado al silencio, y nos ha dado a beber agua de hiel por haber pecado contra el
Señor.

**15.** Aguardando estamos la paz, y este bien
no viene; que llegue el tiempo de nuestro remedio, y sólo vemos terror *y espanto.*

**16.** Desde Dan se ha oído el relinchar de
los caballos del *enemigo;* y al estrepitoso ruido de sus combatientes se ha conmovido toda
la tierra; han llegado y han consumido el país
y todas sus riquezas, las ciudades y sus moradores.

**17.** Porque he aquí que yo enviaré contra
vosotros *a los Caldeos, como* serpientes y
basiliscos, contra los cuales no sirve ningún
encantamiento; y os morderán, dice el
Señor.

---

**10.** Antes VI, *v.* 13. — *Is.* LVI, *v.* 11.

**11.** Dirán los Judíos de los pueblos. Esto es, *muramos.* Este sentido tiene el *callar;* según se lee
también en el *c.* XXV, *v.* 36; XLIV, *v.* 26, etc. San
Jerónimo lo entiende como una expresión de ánimo ya desesperado del auxilio de Dios. Después
*cap.* IX, *v.* 15.

**15.** Vaticinado o prometido por los Profetas.
Después *cap.* XIV, *v.* 19.

---

**CAP. VIII.** —1. Después de robadas las riquezas que buscaban en los sepulcros de los reyes, etc.
dejarán esparcidos fuera los huesos. *Baruch.* II, *v.*
24. *Josefo, lib.* XIII, *Antiq.* c. XV.

**18.** Mi dolor es sobre todo dolor: lleno de angustia está mi corazón.

**19.** Oigo la voz *de Jerusalén,* de la hija de mi pueblo que clama desde tierras remotas: Pues qué ¿no está ya el Señor en Sión? ¿O no está dentro de ella su rey? Mas, ¿y por qué *sus moradores, responde el Señor,* me provocaron a ira con sus simulacros y con sus vanas deidades extranjeras?

**20.** Pasóse la siega, *dicen ellos:* el verano se acabó, y nosotros no somos libertados.

**21.** Traspasado estoy de dolor y lleno de tristeza por la aflicción de la hija de mi pueblo; el espanto se ha apoderado de mí.

**22.** ¿Por ventura no hay resina *o bálsamo* en Galaad? ¿O no hay allí ningún médico? ¿Por qué, pues, no se ha cerrado la herida de la hija del pueblo mío?

# CAPITULO IX

*Jeremías llora inconsolable los males espirituales y corporales de su pueblo: le convida en nombre de Dios al arrepentimiento; y habla del castigo del Señor contra todos los pecadores.*

**1.** ¿Quién dará agua a mi cabeza, y hará de mis ojos dos fuentes de lágrimas para llorar día y noche la muerte que se ha dado a *tantos* moradores de la historia de mi pueblo, *o de Jerusalén?*

**2.** ¿Quién me dará en la soledad una *triste* choza de pasajeros, para abandonar a los de mi pueblo, y apartarme de ellos? Pues todos son adúlteros o *apóstatas de Dios,* una gavilla de prevaricadores.

**3.** Sírvense de su lengua, como de un arco, para disparar mentiras, y no verdades; se han hecho poderosos en la tierra con pasar de un crimen a otro crimen; y a mí me han desconocido *y despreciado,* dice el Señor.

**4.** Guárdese cada uno, *entre ellos,* de su prójimo, porque todo hermano hará el oficio de traidor, y todo amigo procederá con fraudulencia.

**5.** Y cada cual se burlará de su propio hermano; ni hablarán jamás verdad, porque tienen avezada su lengua a la mentira; se afanaron en hacer mal.

---

**18.** Aquí habla el Profeta.

**22.** La *resina* de Galaad era famosa desde los más antiguos tiempos, por su gran virtud salutífera. *Gen.* XXXVII, *v.* 25. La *resina* del alma, en sentido espiritual (que es el literal de este texto) es la oración, el ayuno, la penitencia y los sacramentos.

**6.** Tú *¡oh Jeremías!* vives rodeado de engañadores; porque aman el dolo, rehusan el conocerme a mí, dice el Señor.

**7.** Por tanto, esto dice el Señor de los ejércitos: Sábete que yo los fundiré, y ensayaré al fuego. Porque, ¿qué otra cosa puedo hacer para *convertir a los de* la hija de mi pueblo?

**8.** Su lengua es como una penetrante flecha; habla *siempre* para engañar; con los labios anuncian la paz a su amigo, y en secreto le arman acechanzas.

**9.** Pues qué ¿no he de tomarles yo residencia sobre estas cosas? dice el Señor. ¿O dejaré de tomar venganza de un pueblo como ése?

**10.** *La tomará el Señor; y* yo me pondré a llorar y a lamentar a vista de los montes, y gemiré al ver hechas un parámo las amenas campiñas; porque todo ha sido abrasado; de manera que no transita por allí nadie, ni se oye ya la voz de sus dueños; desde las aves del cielo hasta las bestias, todo se ha ido de allí, y se ha retirado.

**11.** En fin, yo reduciré a Jerusalén, *dice el Señor,* a un montón de escombros, y a ser guarida de dragones, y a las ciudades de Judá las convertiré en despoblados, sin que en ellas quede un solo morador.

**12.** ¿Cuál es el varón sabio que entiende esto, y a quien el Señor comunique de su boca la palabra, a fin de que declare *a los otros* el por qué ha sido asolada esta tierra, y está *seca y* quemada como un *árido* desierto, sin haber persona que transite por ella?

**13.** La causa es, dice el Señor, porque abandonaron mi ley que yo les había dado, y no han escuchado mi voz, ni la han seguido;

**14.** Sino que se han dejado llevar de su depravado corazón, y han ido en pos de los ídolos; como lo aprendieron de sus padres.

**15.** Por tanto, esto dice el Señor de los ejércitos, el Dios de Israel: He aquí que yo a este pueblo le daré para comida ajenjos, y para bebida agua de hiel.

---

**CAP. IX.** — **14.** De donde se infiere que nada vale la autoridad de los padres o mayores, para que hayamos de abrazar un error, o para apoyarlo. La tradición de los Padres de la Iglesia nunca es contra el dogma o doctrina; sino que es siempre conforme a las Santas Escrituras, y por eso la veneramos tanto los católicos. *Eph.* IV, *v.* 11, 14.

**15.** *Cap.* XXIII, *v.* 15.

**16.** Y los desparramaré por entre naciones, que no conocieron ellos ni sus padres, y enviaré tras de ellos la espada, hasta tanto que sean consumidos.

**17.** Esto dice el Señor de los ejércitos, el Dios de Israel: Id en busca de plañideras, y llamadlas que vengan *luego,* y enviad a buscar a las que son mas diestras *en hacer el duelo, y decidles* que se den prisa,

**18.** Y comiencen luego los lamentos sobre nosotros: derramen lágrimas nuestros ojos, y desháganse en agua nuestros párpados;

**19.** Porque ya se oye una voz lamentable desde Sión *que dice:* ¡Oh! ¡y a qué desolación hemos sido reducidos, y en qué extrema confusión nos vemos! Abandonamos nuestra tierra *nativa,* porque nuestras habitaciones han sido arruinadas.

**20.** Escuchad, pues, ¡oh mujeres *de mi país!* la palabra del Señor, y perciban bien vuestros oídos lo que os anuncian sus labios; y enseñad a vuestras hijas, y cada cual a su vecina endechas y canciones lúgubres.

**21.** Pues la muerte ha subido por vuestras ventanas, se ha entrado en vuestras casas, y ha hecho tal estrago, que ya no se verán niños ni jóvenes por las calles y plazas.

**22.** Diles, pues, tú, *Jeremías:* Así habla el Señor: los cadáveres humanos quedarán tendidos por el suelo, como el estiércol sobre un campo, y como el heno que tira tras de sí el segador, sin que haya quien lo recoja.

**23.** Esto dice el Señor: no se gloríe el sabio en su saber; ni se gloríe el valeroso en su valentía, ni el rico se gloríe en sus riquezas;

**24.** Mas el que quiera gloriarse, gloríese en conocerme y saber que yo soy el Señor, el autor de la misericordia, y del juicio, y de la justicia en la tierra; pues éstas son las cosas que me son gratas, dice el Señor.

**25.** He aquí que vienen días, dice el Señor, en que yo residenciaré a todos los que están circuncidados, *y a los que no lo están;*

**26.** Al Egipto, a Judá, a la Idumea, y a los hijos de Ammón, y a los de Moab, y a todos aquellos que llevan cortado el cabello, habitantes del Desierto: que si todas las naciones son circuncisas según la carne, los hijos de Israel son circuncisos en el corazón.

## CAPITULO X

*Vanidad del culto de los astros y de los ídolos. Sólo Dios es Criador y Gobernador del universo: él castigará a los pecadores; por éstos ruega a Dios el Profeta.*

**1.** Oíd los de la casa de Israel las palabras que ha hablado el Señor acerca de vosotros.

**2.** Esto dice el Señor: No imitéis las *malas* costumbres de las naciones; ni temáis las señales del cielo, que temen los gentiles.

**3.** Porque las leyes de los pueblos vanas son *y erróneas;* visto que un escultor corta con la segur un árbol del bosque, y lo labra con su mano;

**4.** Lo adorna con plata y oro; lo *acopla y* afianza con clavos, a golpe de martillo, para que no se desuna.

**5.** Esta *estatua* ha salido recta *e inmoble,* como *el tronco de* una palmera; pero no habla; porque de por sí no puede moverse. No temáis, pues, tales cosas o *ídolos,* pues que no pueden hacer ni mal ni bien.

**6.** ¡Oh Señor! no hay nadie semejante a ti. Grande eres tú, y grande es el poder de tu Nom-bre.

**7.** ¿Quién no te temerá a ti, oh rey de las naciones? porque tuya es la gloria; entre todos los sabios de las naciones, y en todos los reinos no hay ninguno semejante a ti.

---

**21.** Alude a los Caldeos cuando escalaron los muros, y después las casas de Jerusalén, saqueando, y llevándolo todo a sangre y fuego. En sentido moral se entiende la muerte del alma, que entra por los sentidos, etc. *Orig. serm.* III, *in Cantica.*

**23.** I *Cor.* I *v.* 31. — II *Cor.* X, *v.* 17. — *Is.* XXIX, *v.* 14.

**24.** La fe, pues, y el conocimiento de Dios han de ir acompañados de las obras que le agradan, como de la misericordia, etc. Sin ellas la fe es como *muerta.*

**26.** S. Jerónimo y otros expositores, explicando este texto, opinan que en las naciones vecinas y oriundas de Abraham, como los Idumeos, etc. había también muchos que se circuncidaban, aunque no por razón de la Ley de Moisés. Ni esto era general, como se ve en *Aquior. Judit.* XIV, *v.* 6. — A modo de cerquillo, esto es, a los Arabes. *Lev.* XIX, *v.* 27. — *Rom.* II, *v.* 25.

**CAP. X.**—2. No temáis, etc. O también: *no adoréis.* — Se condenan aquí tácitamente los errores y delirios de los *Genetlíacos* y otros, que por los astros quieren pronosticar si las acciones humanas serán buenas o malas, etc. *Sap.* XIII, *v.* 11; XIV, *v.* 8. — *Is.* XLI, *v.* 7, 24.

**6.** *Mich.* VII, *v.* 19.

**7.** *Apoc.* XV, *v.* 4.

**8.** De necios e insensatos quedarán vencidos todos ellos: el leño, *que adoran,* es la prueba de su vanidad *o insensatez.*

**9.** Tráese de Tarsis la plata en planchas arrolladas, y el oro de Ofaz; lo trabaja la mano del artífice y del platero; es vestida *luego la estatua* de jacinto y de púrpura: obra de artífice es todo eso.

**10.** Mas el Señor es el Dios verdadero: él es el Dios vivo y el rey sempiterno. A su indignación se estremecerá la tierra, y no podrán las naciones soportar su ceño.

**11.** Así, pues, les hablaréis: Los dioses que no han hecho los cielos y la tierra perezcan sobre la faz de la tierra, y del número de las cosas que están debajo del cielo.

**12.** El *Señor es el* que con su poder hizo la tierra: con su sabiduría ordenó el mundo, y extendió los cielos con su inteligencia.

**13.** Con una *sola* voz reúne en el cielo una gran copia de aguas, y levanta de la extremidad de la tierra las nubes; resuelve en lluvia los *rayos y* relámpagos, y saca el viento de los repuestos suyos.

**14.** Necio se hizo todo hombre con su ciencia *de los ídolos,* la misma estatua *del ídolo* es la confusión de todo artífice; pues no es más que falsedaad lo que ha formado, un cuerpo sin alma.

**15.** Cosas ilusorias son, y obras dignas de risa; todas ellas perecerán al tiempo de la visita.

**16.** *No,* no es como estas *estatuas* aquel *Señor,* que es la suerte que cupo a Jacob; pues él es el autor de todo lo criado, y es Israel la porción de su herencia; su nombre es Señor de los ejércitos.

**17.** ¡Oh tú, *Jerusalén!* que te hallarás *luego* sitiada, bien puedes ya reunir de toda la tierra *tus ídolos,* el oprobio tuyo:

**18.** Pues mira lo que dice el Señor: Sábete que yo esta vez arrojaré lejos los moradores de esta tierra, y los atribularé de tal manera que nadie escapará.

**19.** *Entonces exclamarás:* ¡Ay de mí infeliz en mi quebranto! Atrocísima es la llaga *o calamidad* mía. Pero esta desdicha, me digo luego a mí misma, yo me la he procurado, y justo es que la padezca.

**20.** Asolado ha sido mi pabellón; rotas todas las cuerdas *que lo afianzaban;* mis hijos, *hechos cautivos,* se han separado de mí, y desaparecieron; no queda ya nadie para levantar otra vez mi pabellón, y que alce mis tiendas.

**21.** Porque todos los pastores se han portado como insensatos, y no han ido en pos del Señor; por eso les faltó inteligencia *o tino,* y ha sido, *o va a ser,* dispersada toda su grey;

**22.** *Porque* he aquí que ya se percibe una voz, y un grande alboroto que viene de la parte del septentrión, para convertir en desiertos y en manida de dragones las ciudades de Judá.

**23.** Conozco bien ¡oh Señor! que no está en el *solo* querer del hombre el dirigir su camino; ni es del hombre el andar, ni el enderezar sus pasos.

**24.** Castígame ¡oh Señor! pero sea según tu *benigno* furor; y no según *el motivo de* tu furor, a fin de que no me reduzcas a la nada.

**25.** Derrama *más bien* tu indignación sobre las naciones que te desconocen, y sobre las provincias que no invocan tu *santo* Nombre, ya que ellas se han encarnizado contra Jacob, y lo han devorado, y han acabado con él, y disipado toda su gloria.

## CAPITULO XI

*Recuerda Jeremías al pueblo la alianza con el Señor y las maldiciones contra sus transgresores; a quienes intima, vista su dureza, los irrevocables castigos de Dios. Jeremías, perseguido de muerte, es imagen de Jesucristo.*

**1.** Palabras que dirigió el Señor a Jeremías, diciendo:

**2.** Oíd las palabras de este pacto y referidlas a los varones de Judá y a los habitantes de Jerusalén;

**3.** Y tú ¡oh *Jeremías!* les dirás: Esto dice el Señor Dios de Israel: Maldito será el hombre que no escuchare las palabras de este pacto;

**4.** Pacto que yo establecí con vuestros padres, cuando los saqué de la tierra de Egipto, de aquel horno de hierro *encendido,* y les dije: Escuchad mi voz y haced todo lo que os mando, y *así* vosotros seréis el pueblo mío, y yo seré vuestro Dios;

---

9. Esto es de *Ofir.* Según Calmet y otros expositores, es el mismo oro del río *Fisón. Gen.* II, *v.* 11. — II *Par* IX, *v.* 21 y VIII, *v.* 18.

12. Cap. LI, *v.* 15.

17. *Oprobio, confusión, ignominia, abominación,* son todos sinónimos de ídolo.

18. *Ibid. v.* 16. — Ps. CXXXIV, *v.* 7. — *Job* XXXVIII, *v.* 22.

---

24. *Ps.* VI, *v.* 1; XXXVII, *v.* 1.

25. *Ps.* LXXVIII, *v.* 6, 7.

3. Que no obedeciere.

**5.** A fin de renovar *y cumplir* el juramento que hice a vuestros padres de darles una tierra que manase leche y miel, como se ve *cumplido* hoy día. A lo cual respondí yo *Jeremías*, y dije: ¡Así sea, oh Señor!

**6.** Entonces me dijo el Señor: Predica en alta voz todas estas palabras en las ciudades de Judá y en las plazas de Jerusalén, diciendo: Oíd las palabras de este pacto, y observadlas;

**7.** Porque yo he estado conjurando fuertemente a vuestros padres desde el día en que los saqué de Egipto hasta el presente, amonestándoles y diciéndoles, continuamente: Escuchad mi voz.

**8.** Pero no la escucharon, ni prestaron oídos a mi palabra: sino que cada uno siguió los depravados apetitos de su maligno corazón; y descargué sobre ellos todo el castigo que estaba escrito en aquel pacto que les mandé guardar, y no guardaron.

**9.** Díjome en seguida el Señor: En los varones de Judá y en los habitantes de Jerusalén se ha descubierto una conjuración.

**10.** Ellos han vuelto a las antiguas maldades de sus padres, los cuales no quisieron obedecer mis palabras; también éstos han ido como aquéllos en pos de los dioses ajenos para adorarlos; y la casa de Israel y la casa de Judá quebrantaron mi alianza, la *alianza* que contraje yo con sus padres.

**11.** Por lo cual esto dice el Señor: He aquí que yo descargaré sobre ellos calamidades, de que no podrán liberarse; y clamarán a mí, mas yo no los escucharé.

**12.** Con eso las ciudades de Judá y los habitantes de Jerusalén irán y clamarán *entonces* a los dioses a quienes ofrecen libaciones y éstos no los salvarán en el tiempo de la aflicción.

**13.** Porque *sabido es que* tus dioses ¡oh Judá! eran tantos como tus ciudades; y *que* tú ¡oh Jerusalén! erigiste en todas tus calles altares de ignominia, altares para ofrecer sacrificios a los ídolos.

**14.** Ahora pues, no tienes tú que rogar por este pueblo, ni te empeñes en dirigirme oraciones y súplicas a favor de ellos; porque yo no he de escucharlos cuando clamen a mí en el trance de su aflicción.

**15.** ¿Cómo es que ese *pueblo, que era* mi *pueblo* querido, ha cometido tantas maldades *o sacrilegios* en *mi misma* casa? ¿Acaso las carnes sacrificadas *de las víctimas ¡oh pueblo insensato!* te han de purificar de tus maldades, de las cuales has hecho alarde?

**16.** El Señor te dió el nombre de olivo fértil, bello, fructífero, ameno; *mas después* a la voz de una palabra suya prendió en el olivo un gran fuego, y quedaron abrasadas todas sus ramas.

**17.** Y el Señor de los ejércitos que te plantó, decretó calamidades contra ti, a causa de las maldades que la casa de Israel y la casa de Judá cometieron para irritarme, sacrificando a los ídolos.

**18.** Mas tú ¡oh Señor! me lo hiciste ver, y lo conocí; tú me mostraste entonces sus *depravados* designios.

**19.** Y yo *era* como un manso cordero, que es llevado al sacrificio, y no había advertido que ellos habían maquinado contra mí, diciendo: ¡Ea! démosle el leño en lugar de pan, y exterminémoslo de la tierra de los vivientes; y no quede ya más memoria de su nombre.

**20.** Pero tú ¡oh Señor de los ejércitos! que juzgas con justicia, y escudriñas los corazones y los afectos, *tú* harás que yo te vea tomar venganza de ellos; puesto que en tus manos puse mi causa.

**21.** Por tanto, así habla el Señor a los habitantes de Anatot, que atentan contra tu vida, y te dicen: No profetices en el nombre del Señor, si no quieres morir a nuestras manos.

**22.** He aquí, pues, lo que dice el Señor de los ejércitos: Sábete que yo los castigaré: al filo de la espada morirán sus jóvenes, y sus hijos e hijas perecerán de hambre;

**23.** Sin que quede reliquia alguna de ellos: porque yo descargaré desdichas sobre los habitantes de Anatot, cuando llegue el tiempo de que sean residenciados.

---

**7.** *Deut.* IV, *v.* 26; XXXII, *v.* 1. — *Josué* VIII, *v.* 32.

**9.** Esto es, un abandono de la Ley del Señor premeditado; no defecto de fragilidad, sino de aversión voluntaria de Dios.

**13.** Antes *cap.* II, *v.* 28. — antes *cap.* X, *v.* 17; III, *v.* 24.

---

**19.** Los Padres de la Iglesia han creído siempre que Jeremías, asemejado a un manso o *inocente cordero*, como traducen los *Setenta*, era figura del *Cordero de Dios:* de aquel Cordero inmaculado, representado por el Cordero Pascual, y por el que se ofrecía mañana y tarde en el Templo. *Sigamos la regla*, dice S. Jerónimo, *de que todos los Profetas, en la mayor parte de las cosas que hacían, eran figura de Jesucristo. Is.* LIII, v. 7.

# CAPITULO XII

*Se lamenta Jeremías, viendo que prosperaban los impíos y los hipócritas: le manifiesta el Señor el desgraciado fin que tendrán, como también las aflicciones que le esperan a él y a Jerusalén; el restablecimiento de esta ciudad y la ruina total de otros pueblos.*

1. Verdaderamente, Señor, *conozco que tú eres justo,* aunque yo *ose* pedirte la razón de algunas cosas. A pesar de eso yo te diré una queja mía *al parecer* justa: ¿por qué motivo a los impíos todo les sale prósperamente, y lo pasan bien todos los que prevarican y obran mal?

2. Tú los plantaste *en el mundo,* y ellos echaron *hondas* raíces; van medrando y fructifican. Te tienen mucho en sus labios, pero muy lejos de su corazón.

3. En cuanto a mí, ¡oh Señor! tú me conoces bien, me has visto, y has experimentado qué tal es mi corazón para contigo. Reúnelos como rebaño para el sacrificio, y destínalos aparte para el día de la mortandad.

4. ¿Hasta cuándo ha de llorar la tierra y secarse la yerba en toda la región por la malicia de sus habitantes? Han perecido *para ellos* las bestias y las aves, porque dijeron: No verá el *Señor* nuestro fin.

5. Si tú, *responde el Señor,* corriendo con gente de a pie, te fatigaste, ¿cómo podrás apostarlas con los que van a caballo? Y si *no* has estado sin miedo en una tierra de paz, ¿qué harás en medio de la soberbia *de los moradores* del Jordán?

6. Y pues tus mismos hermanos y la casa de tu padre te han hecho guerra, y gritado altamente contra ti, no te fíes de ellos, *aun* cuando te hablen con amor.

7. *Para castigarlos, dice el Señor,* he desamparado mi casa o *templo,* he abandonado mi heredad: he entregado la que era las delicias de mi alma en manos de mis enemigos.

8. Mi heredad, *mi pueblo escogido,* se ha vuelto para mí como un león entre breñas; ha levantado la voz *blasfemando* contra mí; por eso la he aborrecido.

9. ¿Es acaso para mí la heredad mía *alguna cosa exquisita,* como ave de varios colores? ¿Es ella como el ave toda matizada de colores? ¡*Ea!* venid bestias todas de la tierra, corred a devorarla.

10. Muchos pastores han talado mi viña, han hollado mi heredad, han convertido mi deliciosa posesión en un puro desierto.

11. Asoláronla, y ella vuelve hacia mí sus llorosos ojos; está horrorosamente desolada toda la tierra *de Judá;* porque no hay nadie que reflexione en su corazón.

12. Por todos los caminos del Desierto han venido los salteadores; porque la espada del Señor ha de atravesar destrozando de un cabo a otro de la tierra: no habrá paz para ningún viviente.

13. Sembraron trigo, y segaron espinas; han adquirido una heredad, mas no les traerá provecho alguno; confundidos quedaréis, frustrada la esperanza de vuestros frutos por la tremenda ira del Señor.

14. Mas esto dice el Señor contra todos mis pésimos vecinos o *naciones enemigas* que *se entremeten y* usurpan la heredad que yo distribuí a mi pueblo de Israel. Sabed que yo los arrancaré a ellos de su tierra, y sacaré de en medio de ellos la casa de Judá.

15. Mas después que los habré extirpado, me aplacaré, y tendré misericordia de ellos, y los restableceré a cada cual en su heredad, a cada uno en su tierra.

16. Y si ellos, escarmentados, aprendieren la ley del pueblo mío, de manera que sus juramentos los hagan en mi nombre, diciendo: Vive el Señor; así como enseñaron ellos a mi pueblo a jurar por Baal, *entonces* yo los estableceré en medio de mi pueblo.

---

**CAP. XII.** — 1. Semejante modo de pedir a dios la inteligencia de algunas cosas, se ve en David y en otros Profetas. *Ps.* LXXII, *v.* 3. — *Job* XXI, *v.* 7. — *Habac.* I, *v.* 13.

2. *Matth.* XV, *v.* 8.

4. De esta esterilidaad y hambre se habla en el *cap.* XII, *v.* 13 y XIV, *v.* 4. — Alimento de los hombres.

5. Frases para denotar que el que no puede hacer lo menos, no puede lo más. No da el Señor respuesta a las razones que había alegado Jeremías; sino que, considerándolas por de ninguna importancia, viene a decirle: «Si ya no puedes sobrellevar los agravios e insultos de tus conciudadanos de Anatot, ¿cómo harás frente a los reyes y príncipes de Jerusalén, que se levantarán contra ti por causa de tus profecías?» Tal es el sentido que dan a este texto casi todos los expositores.

9. Quizá alude al pavo real o a otras aves hermosas, que entre varias cosas preciosas habían traído de Ofir o Tarsis a Judea las naves enviadas por Salomón. II *Par.* IX, *v.* 11.

14. Los Ammonitas, Moabitas y los Idumeos, pocos años después de la ruina de Jerusalén, fueron vencidos por Nabucodonosor, y llevados cautivos a la otra parte del Eufrates. — Véase C. XXVII. *v.* 3-8; XLIX, *v.* 6.

15. También se anuncia aquí la vocación o reunión de los gentiles en la Iglesia de Jesucristo.

**17.** Pero si fueren indóciles, arrancaré de raíz aquella gente y la exterminaré, dice el Señor.

## CAPITULO XIII

*El cíngulo o faja de Jeremías es una figura con que el Señor representa a Jerusalén abandonada de Dios: la exhorta a la penitencia, y la amenaza con la total ruina.*

**1.** El Señor me habló de esta manera: Ve y cómprate una faja de lino, y cíñete con ella, y no dejes que toque el agua.

**2.** Compré, pues, la faja, según la orden del Señor, y me la ceñí al cuerpo por la cintura.

**3.** Y hablóme de nuevo el Señor, diciendo:

**4.** Quítate la faja que compraste y tienes ceñida sobre los lomos, y marcha, y ve al Eufrates, y escóndela allí en el agujero de una peña.

**5.** Marché, pues, y la escondí junto al Eufrates, como el Señor me lo había ordenado.

**6.** Pasados muchos días, díjome el Señor: Anda y ve al Eufrates, y toma la faja que yo te mandé que escondieras allí.

**7.** Fuí, pues, al Eufrates, y abrí el agujero, y saqué la faja del lugar en que la había escondido, y hallé que estaba ya podrida, de suerte que no era útil para uso alguno.

**8.** Entonces me habló el Señor, diciendo:

**9.** Esto dice el Señor: Así haré yo que se pudra la soberbia de Judá y el grande orgullo de Jerusalén.

**10.** Esta pésima gente, que no quiere oír mis palabras, y prosigue con su depravado corazón, y se ha ido en pos de los dioses ajenos para servirles y adorarlos, vendrá a ser como esa faja, que para nada es buena.

**11.** Y eso que al modo que una faja se aprieta a la cintura del hombre, así había yo unido estrechamente conmigo, dice el Señor, a toda la casa de Israel y a toda la casa de Judá, para que fuesen el pueblo mío, y para ser yo allí conocido, alabado, y glorificado; y ellos, *a pesar de eso*, no quisieron escucharme.

**12.** Por tanto les dirás estas palabras: Esto dice el Señor Dios de Israel: Todas las vasijas serán llenadas de vino. Y ellos te responderán: ¿Acaso no sabemos que *en años abundantes* se llenan de vino todos los vasos?

**13.** Y tú *entonces* les dirás: Así habla el Señor: Pues mirad, yo llenaré de embriaguez a todos los habitantes de esta tierra, y a los reyes de la estirpe de David, que están sentados sobre su solio, y a los sacerdotes y profetas, y a todos los moradores de Jerusalén;

**14.** Y los desparramaré *entre las naciones*, dice el Señor, separando el hermano de su hermano, y los padres de sus hijos; no perdonaré, ni me aplacaré, ni me moveré a compasión para dejar de destruirlos.

**15.** Oíd, *pues*, y escuchad con atención: no queráis ensoberbeceros *confiando en vuestras fuerzas*, porque el Señor *es quien* ha hablado.

**16.** *Al contrario*, dad gloria al Señor Dios vuestro, *arrepentíos*, antes que vengan las tinieblas *de la tribulación*, y antes que tropiecen vuestros pies en montes cubiertos de espesas nieblas; *entonces* esperaréis la luz, y la trocará *el Señor* en sombra de muerte y en obscuridad.

**17.** Que si no obedeciereis en esto, llorará mi alma en secreto, al ver vuestra soberbia; llorará amargamente, y mis ojos derramarán arroyos de lágrimas, por haber sido cautivada la grey del Señor.

**18.** Di al rey y a la reina: Humillaos, sentaos en el suelo, *poneos de luto*, porque se os cae ya de la cabeza la corona de vuestra gloria.

**19.** Las ciudades del mediodía están cerradas, sin que haya un habitante que las abra; toda la tribu de Judá ha sido conducida fuera *de su tierra* y ha sido general la trasmigración.

**20.** Levantad los ojos y mirad ¡oh vosotros que venís del lado del septentrión! ¿En dónde está, *diréis a Jerusalén*, aquella grey que se te encomendó, aquél tu esclarecido rebaño?

**21.** ¿Qué dirás cuando *Dios* te llamará a ser residenciada? puesto que tú amaestraste contra ti a los enemigos, y los instruíste para tu perdición. ¡Cómo no te han de asaltar dolores, semejantes a los de una mujer que está de parto!

**22.** Que si dijeres en tu corazón: ¿Por qué me han acontecido a mí tales cosas? *Sábete que* por la muchedumbre de tus vicios han quedado descubiertas tus vergüenzas, y manchadas tus plantas.

---

CAP. XIII.— 16. En los montes nebulosos y sombríos de la Caldea.

17. *Thren.* I, *v.* 2.

18. IV. *Reg.* XXIV, *v.* 8, 15.

19. Al país de la Caldea.

20. Muchos traducen, apoyados en S. Jerónimo: *Mirad a los que vienen del mediodía,* esto es, a los Caldeos. Pero puede también entenderse de los Judíos que habitaban hacia el mediodía. El hebreo: *ved los que vienen.*

**23.** Si el *negro* etíope puede mudar su piel, o el leopardo sus varias manchas, podréis también vosotros obrar bien, después de avezados al mal.

**24.** *Y por eso, dice el Señor:* Yo los desparramaré, como paja menuda que el viento arrebata al desierto.

**25.** Tal es la suerte que te espera *¡oh Jerusalén!* y la porción o *paga* que de mí recibirás, dice el Señor, por haberte olvidado de mí, ya apoyándote en la mentira.

**26.** Por lo cual yo mismo manifesté tus deshonestidades delante de tu cara; y se hizo patente tu ignominia,

**27.** Tus adulterios, y tu furiosa concupiscencia, en fin, la impía fornicación o *idolatría* tuya. En el campo y sobre las colinas vi yo tus abominaciones. ¡Desdichada Jerusalén! ¿Y aún no querrás purificarte siguiéndome a mí *invariablemente*? ¿Hasta cuándo aguardas a hacerlo?

## CAPITULO XIV

*Jeremías predice al pueblo una gran sequedad y carestía: no escucha el Señor los ruegos del Profeta, ni los sacrificios del pueblo. Con todo eso, Jeremías no cesa de implorar la Divina misericordia*

**1.** Palabras que habló el Señor a Jeremías sobre el suceso de la sequedad.

**2.** La Judea está cubierta de luto, y sus puertas destruidas y derribadas por el suelo, y Jerusalén alza el grito *hasta el cielo.*

**3.** Los amos envían a sus criados por agua; van éstos a sacarla, y no la encuentran, y se vuelven con sus vasijas vacías, confusos y afligidos, y cubiertas sus cabezas *en señal de dolor.*

**4.** A causa de la esterilidad de la tierra, por haberle faltado la lluvia, los labradores, abatidos, cubren sus cabezas:

**5.** Pues hasta la cierva, después de haber parido en el campo, abandona la cría por falta de yerba;

**6.** Y los asnos bravíos se ponen encima de los riscos, atraen a sí *la frescura* del aire, como *hacen* los dragones, y ha desfallecido la luz de sus ojos, por no haber yerba *con qué alimentarse.*

**7.** Aunque nuestras maldades dan testimonio contra nosotros, tú ¡oh Señor! míranos con piedad por amor de tu *santo* Nombre; pues nuestras rebeldías son muchas, y hemos pecado *gravísimamente* contra ti.

**8.** ¡Oh esperanza de Israel *y* salvador suyo en tiempo de tribulación! ¿Por qué has de estar en esta tierra *tuya* como un extranjero y como un caminante que sólo se detiene para pasar la noche?

**9.** ¿Por qué has de ser *para tu pueblo* como un hombre que va divagando, *o como* un campeón sin fuerzas para salvar? Ello es ¡oh Señor! que tú habitas entre nosotros, y nosotros llevamos el nombre *de pueblo* tuyo: no nos abandones, *pues.*

**10.** Esto dice el Señor a ese pueblo que *tanto* gusta tener *siempre* en movimiento los pies, y no sosiega, y ha desagradado a Dios: Ahora se acordará *el Señor* de sus maldades y tomará residencia de sus pecados.

**11.** Y díjome el Señor: No tienes que rogar que haga bien a ese pueblo.

**12.** Cuando ayunaren, no atenderé a sus oraciones, y si ofrecieren holocaustos y víctimas no los aceptaré; sino que los he de consumir con la espada, con el hambre y con la peste.

**13.** Entonces dije yo: ¡Ah! ¡Ah! ¡Ah! ¡Señor Dios *mío!* que los profetas les dicen: No *temáis*; no veréis vosotros la espada *enemiga*; ni habrá hambre entre vosotros; antes bien os concederá *el Señor* una paz verdadera en este lugar.

---

**23.** Se necesita entonces un milagro de la gracia de Dios. Porque la costumbre de pecar se hace ya como una naturaleza. *De la voluntad perversa viene la inclinación, de la inclinación, la costumbre, y de la costumbre, no reprimida, viene la necesidad.* S. *August. Confess.* VIII, *cap.* 5. — Véase lo que dijo Jesucristo. *Matth.* XIV, *v.* 26.

**26.** Dejándote desnudar, cual vil esclava. Téngase presente que los repetidos pecados de idolatría en que caía el pueblo, se significan en la Escritura con los nombres de *fornicación, adulterio, estupro, amor torpe,* etc. *Ezech.* XVI, etc. — Véase *Fornicación.*

---

CAP. XIV. — **5.** A pesar del mucho amor a sus hijos.

**6.** Abriendo y ensanchando sus narices, para templar la sed. — Efecto del hambre y de la, sed. I *Reg.* XIV, *v.* 27. El asno montés tiene la vista muy vigorosa.

**9.** Palabras son éstas que la Iglesia aplica con mucha propiedad a la presencia de Jesucristo en nuestros templos.

**10.** Para ir de un ídolo a otro.

**11.** Antes *cap.* VII, *v.* 16; XI, *v.* 14. El Apóstol S. Juan dice: *Hay un pecado de muerte: no hablo yo de tal pecador cuando* ahora *digo que intercedáis.* I *Joann.* V, *v.* 16. Este pecado, dice S. Jerónimo, es la impenitencia final. *Es una necedad creer que permaneciendo en nuestros pecados, podamos redimirnos con votos o sacrificios: si pensamos así, hacemos á Dios injusto.*

**13.** ¡Ah! ellos están alucinados.

**14.** Y díjome el Señor: Falsamente vaticinan en mi nombre *esos* profetas: yo no los he enviado, ni dado orden alguna, ni les he hablado; os venden por profecías visiones falsas, y adivinaciones, e imposturas, y las ilusiones de su corazón.

**15.** Por tanto, esto dice el Señor: En orden a los profetas que profetizan en mi nombre, sin ser enviados por mí, diciendo: No vendrá espada ni hambre sobre esta tierra, al filo de la espada y por hambre perecerán los tales profetas.

**16.** Y los *moradores de los* pueblos, a los cuales éstos profetizaban, serán arrojados por las calles de Jerusalén, muertos de hambre, y al filo de la espada ellos y sus mujeres, y sus hijos e hijas, sin que haya nadie que les dé sepultura; y sobre ellos derramaré *el castigo de* su maldad.

**17.** Y tú les dirás *entretanto* estas palabras: Derramen mis ojos sin cesar lágrimas noche y día, porque *Jerusalén,* la virgen hija del pueblo mío se halla quebrantada de una extrema aflicción, con una llaga sumamente maligna.

**18.** Si salgo al campo, yo no veo sino cadáveres de gente pasada a cuchillo; si entro en la ciudad, he aquí la población transida de hambre. Hasta los profetas y los Sacerdotes son conducidos *cautivos* a un país desconocido.

**19.** ¿Por ventura, *Señor,* has desechado del todo a Judá? ¿O es Sión abominada de tu alma? ¿Por qué, pues, nos has azotado con tanto rigor, que no nos queda parte sana? Esperamos la paz *o felicidad,* y no tenemos ningún bien; y el tiempo de restablecernos, y he aquí que estamos todos llenos de confusión.

**20.** ¡Oh Señor! reconocemos nuestras impiedades y las maldades de nuestros padres: pecado hemos contra ti.

**21.** No nos dejes caer en el oprobio *¡oh Señor!* por amor de tu Nombre. Ni nos castigues con ver ultrajado *el templo,* solio de tu gloria; acuérdate de mantener tu *antigua* alianza con nosotros.

**22.** Pues qué ¿hay por ventura entre los simulacros o *ídolos* de las gentes quien dé la lluvia? ¿O pueden *ellos desde* los cielos enviar*nos* agua? ¿No eres tú el que la envías, Señor Dios nuestro, en quien nosotros esperamos? *Sí:* porque tú eres el que has hecho todas estas cosas.

## CAPITULO XV

*Confirma el Señor la sentencia dada contra su pueblo en vista de su obstinación. Jeremías representa al Señor los disgustos y contradicciones que sufre en su ministerio, y es confortado por Dios.*

**1.** Entonces me dijo el Señor: Aun cuando Moisés y Samuel se me pusiesen delante, no se doblaría mi alma a favor de este pueblo; arrójalos de mi presencia, y que vayan fuera.

**2.** Que si te dicen: ¿A dónde iremos?, les responderás: Esto dice el Señor: El que *está destinado* a morir *de peste,* vaya a morir; el que a *perecer al filo de* la espada, a la espada; el que de hambre, *muera de* hambre; el que *está destinado* a ser esclavo, *vaya* al cautiverio.

**3.** Y emplearé contra ellos cuatro especies de castigo, dice el Señor; el cuchillo que los mate, los perros que los despedacen, y las aves del cielo y las bestias de la tierra que los devoren y consuman.

**4.** Y haré que sean *cruelmente* perseguidos en todos los reinos de la tierra; por causa de Manasés, hijo de Ezequías, rey de Judá, por todas las cosas que hizo en Jerusalén.

**5.** Porque ¿quién se apiadará de ti, oh Jerusalén? ¿O quién se contristará por tu amor? ¿O quien irá a rogar por tu paz *o felicidad?*

**6.** Tú me abandonaste, dice el Señor, y me volviste las espaldas: y yo extenderé mi mano sobre ti, y te exterminaré. Cansado estoy de rogarte.

**7.** Y así, *a tus hijos ¡oh Jerusalén!* yo los desparramaré con el bieldo hasta las puertas *o extremidades* de la tierra; hice muertes y estragos en mi pueblo; y no aun con todo eso han retrocedido de sus *malos* caminos.

**8.** Yo he hecho más viudas entre ellos que arenas tiene el mar; he enviado contra ellos quien en el mismo mediodía les mate a las madres sus hijos; he esparcido sobre las ciudades un repentino terror.

---

CAP. XV. — 1. Expresiones que denotan la gravedad de los pecados de los Israelitas, obstinados e impenitentes.

2. *Zach.* XI, *v.* 9.

3. *Ezech.* XIV, *v.* 21.

4. IV *Reg.* XXI, *v.* 7, 12.

7. Como a las fajas o tamo de la era.

8. Expresión hiperbólica.

**9.** Debilitóse la madre que había dado a luz siete, *o muchísimos* hijos; desmayó su alma;· escondiósele el sol cuando aún era de día: quedó confusa y llena de rubor; y a los hijos que quedaren de ella, yo los entregaré a ser pasados a cuchillo a vista *o por medio* de sus enemigos, dice el Señor.

**10.** ¡Ay, madre mía, cuán infeliz soy yo! ¿Por qué me diste a luz para ser, *como soy,* un hombre de contradicción, un hombre de discordia, en toda esta tierra? Yo no he dado dinero a interés, ni nadie me lo ha dado a mí, y *no obstante* todos me maldicen.

**11.** Entonces el Señor me respondió: Yo juro que serás feliz el resto de tu vida; que yo te sostendré al tiempo de la aflicción, y en tiempo de tribulación *te defenderé* contra tus enemigos.

**12.** ¿Por ventura el hierro *común* hará liga con el hierro del norte? ¿Y el bronce *común* con aquel bronce?

**13.** ¡Oh Jerusalén! Yo entregaré, y de balde, al saqueo tus riquezas y tus tesoros, por causa de todos los pecados que has hecho y de todos *los ídolos que tienes en* tus términos;

**14**. Y traeré tus enemigos de una tierra que te es desconocida; porque se ha encendido el fuego de mi indignación, que os abrasará con sus llamas.

**15.** Tú ¡oh Señor! que sabes *mi inocencia,* acuérdate de mí, y ampárame, y defiéndeme de los que me persiguen; no difieras el socorrerme, *por razón de tu paciencia con los enemigos:* bien sabes que por amor tuyo he sufrido mil oprobios.

**16.** Yo hallé tu *divina* palabra, y alimenté-me con ella; y en tu palabra hallé el gozo mío y la alegría de mi corazón: porque yo llevo el nombre *de profeta* tuyo ¡oh Señor dios de los ejércitos!

**17.** No me he sentado en los conciliábulos de los escarnecedores *o impíos;* ni me engreí de lo que obró *el poder de* tu mano; sólo me estaba *y retirado,* pues tú me llenaste de *vaticinios o* palabras amenazadoras.

**18.** ¿Por qué se ha hecho continuo mi dolor, y no admite remedio mi llaga desahuciada? Ella se ha hecho para mí como unas aguas engañosas, en *cuyo vado* no hay que fiarse.

**19.** Por esto, así habla el Señor: Si te vuelves a mí, yo te mudaré, y estarás *firme y animoso* ante mi presencia; y si sabes separar lo precioso de lo vil, tú serás *entonces* como *otra* boca mía. *Entonces* ellos se volverán hacia ti *con ruegos,* y tú no te volverás hacia ellos.

**20.** Antes bien haré yo que seas con respecto a ese pueblo un muro de bronce inexpugnable; ellos combatirán contra ti, y no podrán prevalecer: porque estoy contigo para salvarte y librarte, dice el Señor.

**21.** Yo te libraré, pues, de las manos de los malvados, y te salvaré del poder de los fuertes.

## CAPITULO XVI

*Calamidades que enviará Dios sobre el pueblo de Israel; después de las cuales le enviará predicadores que le conviertan al buen camino, y hará brillar en él su infinita misericordia.*

**1.** Hablóme después el Señor, diciéndome:

**2.** No tomarás mujer, y no tendrás hijos ni hijas en este lugar, *o país de Judea.*

**3.** Porque esto dice el Señor acerca de los hijos e hijas que nacerán en este lugar, y acerca de las madres que los darán a luz, acerca de los padres que los engendrarán en este país:

**4.** Morirán de varias enfermedades, y no serán plañidos ni enterrados, yacerán como estiércol sobre la superficie de la tierra, y serán consumidos con la espada y el hambre, y sus cadáveres serán pasto de las aves del cielo y de las bestias de la tierra.

**5.** Porque esto dice el Señor: No entrarás tú en la casa del convite *mortuorio,* ni vayas a dar el pésame, ni a consolar; porque yo, dice el Señor, he desterrado de este pueblo mi paz, *mi* misericordia y *mis* piedades.

**6.** Y morirán los grandes y los chicos en este país, y no serán enterrados ni plañidos: ni habrá quien *en señal de luto* se haga sajaduras en su cuerpo, ni se corte a raíz el cabello.

---

**9.** Esto es, la populosa Jerusalén perdió su fecundidad. — En el libro I de los *Reyes* c. II *v.* 5, donde el hebreo dice: *parió siete hijos,* en la Vulgata se traduce: *parió un gran número de hijos.*

**12.** Esto es, los Judíos con los Caldeos.

**13.** *Cap.* XI, *v.* 13.

**17.** *Ps.* I, *v.* 1; XXV, *v.* 4. — De amenazas contra mi pueblo.

---

**CAP.** XVI. — 1. San Jerónimo no duda que Jeremías se conservó virgen hasta la muerte. *S. Hier.* cap. XXIII.

**6.** *Lev.* XIX,.*v.* 27,28. — *Deut.* XIV, *v.* 1.

**7.** Ni entre ellos habrá nadie que parta el pan, para consolar al que está llorando por su difunto; ni a los que lloran la pérdida de su padre y de su madre les darán alguna bebida para su consuelo.

**8.** Tampoco entrarás en casa en que hay banquete, para sentarte con ellos a comer y beber;

**9.** Porque eso dice el Señor de los ejércitos, el Dios de Israel: Sabete que yo a vuestros ojos, y en vuestros días, desterraré de este lugar la voz del gozo y la voz de la alegría, la voz del esposos y la voz o *cantares* de la esposa.

**10.** Y cuando hayas anunciado a ese pueblo todas estas cosas, y ellos te digan: ¿Por qué ha pronunciado el Señor contra nosotros todos estos grandes males o *calamidades*? ¿Cuál es nuestra maldad? ¿Y qué pecado es el que nosotros hemos cometido contra el Señor Dios nuestro?,

**11.** Tú les responderás: Porque vuestros padres me abandonaron, dice el Señor, y se fueron en pos de los dioses extraños, y les sirvieron y los adoraron, y me abandonaron a mí, y no guardaron mi ley.

**12.** Y todavía vosotros lo habéis hecho peor que vuestros padres; pues está visto que cada uno sigue la corrupción de su corazón depravado, por no obedecerme a mí.

**13.** Y *así* yo os arrojaré de esta tierra a otra desconocida de vosotros y de vuestros padres, donde día y noche serviréis a dioses ajenos, que nunca os dejarán en reposo.

**14.** He aquí que vendrá tiempo, dice el Señor, en que no se dirá más: Vive el Señor, que sacó a los hijos de Israel de la tierra de Egipto;

**15.** Sino: Vive el Señor, que sacó a los hijos de Israel de la tierra del septentrión y de todos los países por donde los había esparcido. Y yo los volveré a traer a *esta* su tierra, que di a sus padres.

**16.** He aquí que yo enviaré a muchos pescadores, dice el Señor, los cuales los pescarán; y enviaré después muchos cazadores que los cazarán por todos los montes, y por todos los collados, y por las cuevas de los peñascos.

**17.** Porque mis ojos están observando todos sus pasos; no se oculta ninguno a mis miradas; como no hubo maldad suya oculta a mi vista.

**18.** Pero primeramente les pagaré al doble lo que merecen sus iniquidades y pecados; porque han contaminado mi tierra con las carnes mortecinas sacrificadas a sus ídolos, y llenado mi heredad de sus abominaciones.

**19.** ¡Oh Señor, fortaleza mía, y el sostén mío, y mi refugio en el tiempo de la tribulación! a ti vendrán las gentes desde las extremidades de la tierra, y dirán: Verdaderamente que nuestros padres poseyeron la mentira y la vanidad, la cual para nada les aprovechó.

**20.** ¿Acaso un hombre podrá hacerse sus dioses? *No:* ésos no son dioses.

**21.** Por lo cual he aquí que yo de esta vez los he de convencer: les mostraré mi poder y mi fortaleza, y conocerán que mi nombre es el Señor.

## CAPITULO XVII

*Obstinación de los Judíos, causa de su castigo. Debemos poner la confianza en Dios, no en los hombres. Jeremías ruega a Dios que le dé fuerzas para resistir a sus enemigos. Santificación del Sábado.*

**1.** El pecado de Judá está escrito con punzón de hierro, y grabado con punta de diamante sobre la tabla de su corazón y en los lados de sus *sacrílegos* altares.

**2.** Ya que sus hijos se han acordado de sus altares *dedicados a los ídolos,* y de sus bosques, y de los árboles frondosos que hay en los altos montes,

**3.** Y ofrecen sacrificios en los campos; yo entregaré al saqueo tu hacienda, y todos tus tesoros y tus lugares excelsos *en que adoras a tus ídolos,* por causa de los pecados cometidos por ti ¡oh Judá! en todas tus tierras.

**4.** Y quedarás despojada de la herencia que te había yo dado; y te haré esclava de tus enemigos en una tierra desconocida de ti: porque tú has encendido el fuego de mi indignación, que arderá eternamente.

---

**9.** Esto es, los cantares de alegría; como eran los *epitalamios* y los *himeneos* entre los gentiles. Cap. XXV, *v.* 10.

**10.** Cap. V, *v.* 19.

**16.** Metafóricamente llama *pescadores* a Zorobabel, Esdras, Nehemías, etc. Hermosa alusión a los doce Apóstoles. — Véase lo que decía Jesucristo a S. Pedro y S. Andrés: *Yo haré que vengais a ser pescadores de hombres. Marc.* I, *v.* 17.

---

**19.** El Profeta vaticina, lleno de gozo, la conversión de las naciones a la Iglesia.

**21.** O que *yo Jehová:* o *El que es.*

**CAP. XVII.** — 1. Es grande su obstinación.— Véase *Act.* XVIII, *v.* 12. En los lados o cornijales del altar solían grabar los gentiles algún símbolo o la imagen del ídolo a quien ofrecían sacrificios.

**5.** Esto dice el Señor: Maldito sea el hombre que confía en *otro* hombre, *y no en Dios,* y se apoya en un brazo de carne *miserable,* y aparta del Señor su corazón.

**6.** Porque será semejante a los tamariscos *o retama* del *árido* desierto, y no se aprovechará del bien cuando venga, sino que permanecerá en la sequedad del desierto, en un terreno salobre e inhabitable.

**7.** *Al contrario,* bienaventurado el varón que tiene puesta en el Señor su confianza, y cuya esperanza es el Señor

**8.** Porque será como el árbol transplantado junto a las corrientes de las aguas, el cual extiende hacia la humedad sus raíces, y *así* no temerá *la sequedad,* cuando venga el estío. Y estarán *siempre* verdes sus hojas, ni le hará mella la sequía, ni jamás dejará de producir fruto.

**9.** *Pero ¡ah!* perverso *y falaz* es el corazón de todos *los hombres,* e impenetrable: ¿quién podrá conocerlo?

**10.** Yo el Señor soy el que escudriño los corazones, y el que examino los afectos *de ellos,* y doy a cada uno la paga según su proceder y conforme al mérito de sus obras.

**11.** Como la perdiz que empolla los huevos que ella no puso, así es el que junta riquezas por medios injustos: a la mitad de sus días tendrá que dejarlas, y al fin de ellos se verá su insensatez.

**12.** ¡Oh trono de gloria del Altísimo desde el principio, lugar de nuestra santificación!

**13.** ¡Oh Señor, esperanza de Israel! Todos los que te abandonan quedarán confundidos; los que de ti se alejan, en *el polvo de* la tierra serán escritos, porque han abandonado al Señor, vena de aguas vivas.

**14.** Sáname, Señor, y quedaré sano; sálvame y seré salvo: pues que *toda* mi gloria eres tú.

**15.** He aquí que ellos me están diciendo: ¿Dónde está la palabra del Señor? Que se cumpla.

**16.** Mas yo no *por eso* me he turbado siguiendo tus huellas ¡oh pastor *mío!* pues nunca apetecí día o *favor* de hombre *alguno:* tú lo sabes. Lo que anuncié con mis labios fué *siempre* recto en tu presencia.

**17.** No seas, *pues,* para mí motivo de temor, tú ¡oh Señor, esperanza mía en el tiempo de la aflicción!

**18.** Confundidos queden los que me persiguen, y no quede confundido yo; teman ellos, y no tema yo; envía sobre ellos el día de la aflicción, y castígalos con doble azote.

**19.** Esto me dice el Señor: Anda y ponte a la puerta *más concurrida* de los hijos del pueblo, por la cual entran y salen los reyes de Judá, y en todas las puertas de Jerusalén;

**20.** Y les dirás *a todos:* Oíd la palabra del Señor ¡oh reyes de Judá! y tú, pueblo todo de Judá, y todos vosotros ciudadanos de Jerusalén que entráis por estas puertas;

**21.** Mirad lo que dice el Señor: Cuidad de vuestras almas, y no llevéis cargas en día de sábado, ni las hagáis entrar por las puertas de Jerusalén.

**22.** Ni hagáis en día de sábado sacar cargas de vuestras casas, ni hagáis labor alguna; santificad dicho día, como lo mandé a vuestros padres.

**23.** Mas ellos no quisieron escuchar, ni prestar oídos *a mis palabras:* al contrario, endurecieron su cerviz por no oírme, ni recibir mis documentos.

**24.** Con todo, si vosotros me escuchareis, dice el Señor, de suerte que no introduzcáis cargas por las puertas de esta ciudad en día de sábado, y santificareis el día sábado, no haciendo en él labor ninguna,

**25.** Seguirán entrando por las puertas de esta ciudad los reyes y los príncipes, sentándose en el trono de David, y montando en carrozas y caballos, así ellos como sus príncipes *o cortesanos,* los varones de Judá y los ciudadanos de Jerusalén, y estará esta ciudad para siempre poblada.

---

5. Aluden estas palabras al rey Sedecías y a los príncipes de los Judíos, que imploraban el auxilio de los Egipcios en vez de acudir al de Dios. Ya Isaías le decía: *El Egipto es hombre y no Dios.* Después Cap. XLVIII, *v.* 7. — *Is.* XXX, *v.* 2; XXXI *v.* 1, 3.

6. Siempre infructuosos. Se habla de una planta que nace en tierra arenisca; y así sus raíces no sienten el beneficio de las lluvias; y por eso vive poco, y no produce ningún fruto. O de los beneficios que Dios concederá a sus siervos.

10. I *Reg.* XVI, *v.* 7. — *Ps.* VII, *v.* 10. — *Apoc.* II, *v.* 23.

12. Así llama al cielo, de donde nos viene toda santidad.

16. El hebreo: *presente tienes cuanto pronunciaron,* etc.

19. Puede entenderse la puerta occidental del templo, por la cual entraban en él desde palacio el rey y toda su comitiva.

**26.** Y vendrán de las otras ciudades de Judá, y de la comarca de Jerusalén, y de tierra de Benjamín, y de las campiñas, y de las montañas, y de hacia el mediodía a traer holocaustos, y víctimas, y sacrificios, e incienso, y lo ofrecerán en el templo del Señor.

**27.** Pero si no me obedeciereis en santificar el día del sábado, y en no acarrear cargas, ni meterlas por las puertas de Jerusalén en día de sábado, yo pegaré fuego a estas puertas, fuego que devorará las casas de Jerusalén, y que nadie apagará.

## CAPITULO XVIII

*Con la semejanza del barro y del alfarero demuestra el Señor que está en su mano el hacer beneficios o enviar castigos al pueblo de Israel. Manda al profeta que le exhorte a penitencia. Conjuración del pueblo contra Jeremías: figura de la que se formaron después contra Jesús.*

**1.** Orden dada a Jeremías por el Señor, diciendo:

**2.** Anda y baja a casa de un alfarero, y allí oirás mis palabras.

**3.** Bajé, pues, a casa de un alfarero, y hallé que estaba trabajando sobre la rueda.

**4.** Y la vasija de barro que estaba haciendo se deshizo entre sus manos; y al instante volvió a formar del mismo barro otra vasija de la forma que le plugo.

**5.** Entonces me habló el Señor, y dijo:

**6.** ¿Por ventura no podré hacer yo con vosotros ¡oh casa de Israel! como ha hecho este alfarero *con su barro?* dice el Señor. Sabed que lo que es el barro en manos del alfarero, eso sois vosotros en mi mano ¡oh casa de Israel!

**7.** Yo pronunciaré de repente mi sentencia contra una nación y contra un reino, para arrancarlo, destruirlo y aniquilarlo.

**8.** *Pero* si la tal nación hiciere penitencia de sus pecados, por los cuales pronuncié el decreto contra ella, me arrepentiré yo también del mal que pensé hacer contra ella.

**9.** Asimismo trataré yo de repente de fundar y establecer una nación y un reino.

**10.** Pero si éste obrare mal ante mis ojos, de suerte que no atienda a mi voz, yo me arrepentiré del bien que dije que le haría.

**11.** Tú, pues, ahora di a los varones de Judá y a los habitantes de Jerusalén: Esto dice el Señor: Mirad que yo estoy amasando estragos contra vosotros, y trazando designios en daño vuestro; conviértase cada uno de vosotros de su mala vida, y enmendad vuestras costumbres e inclinaciones.

**12.** A esto dijeron ellos: *Ya no hay remedio;* hemos desesperado; y así seguiremos nuestras ideas, y cada cual hará lo que le sugiera la perversidad de su maleado corazón.

**13.** Por tanto, esto dice el Señor: Preguntad a las *demás* naciones: ¿Quién ha jamás oído tales y tan horrendas cosas, como las que no se hartaba de hacer la virgen de Israel?

**14.** ¿Acaso puede faltar nieve en los peñascos de las espaciosas sierras del Líbano? ¿O pueden agotarse los manantiales, cuyas frescas aguas corren *sobre la tierra?*

**15.** Pues *he aquí que* mi pueblo se ha olvidado de mí, ofreciendo sacrificios a la vanidad *de los ídolos,* y tropezando *de continuo* en sus caminos, por seguir un carril no trillado,

**16.** Reduciendo así su tierra a desolación, y a ser para siempre objeto de mofa y de asombro para todo pasajero, que al verla, *admirándose* meneará su cabeza.

**17.** *Porque* como viento abrasador los dispersaré delante de sus enemigos; les volveré las espaldas, y no mi *benigno* rostro, en el día de su perdición.

---

**27.** Valiéndome de los Caldeos.

**CAP. XVIII.** — **6.** Jeremías no habla aquí de la bondad o malicia de las acciones humanas: si no de que Dios envía a los hombres bienes o males, según su infinita sabiduría. *Is.* XLV, c. 9. — *Rom.* IX, v. 20.

**8.** Habla Dios según el modo de explicarse los hombres. Aunque el hombre que hace penitencia, suele decirse que *desarma o contiene la indignación de Dios;* no se sigue de aquí que pueda convertirse a Dios o hacer penitencia sin el socorro de la gracia. *La reconciliación o la justificación* del hombre, no tanto se obra de éste, como de la gracia de Dios; pero lo es de modo que, salvada la libertad del hombre, que también obra, la principal parte se atribuye a la gracia de Dios. San Jerónimo.

**11.** Si queréis evitarlos, Cap. XXV, *v.* 5; XXXV, *v.* 15. — IV. *Reg.* XVII, *v.* 13. — *Jonas* III, *v.* 9.

**13.** Al pueblo judaico, a quien llamó en el v. 6, *casa de Israel,* aquí le llama *virgen de Israel.* — Quizá indica la gravedad de los pecados de la nación, que de virgen esposa de Dios, se había hecho una prostituta con el culto de los ídolos.

**16.** Cap. L, *v.* 13. — *O mofándose.*

**18.** Mas ellos dijeron *entonces:* Venid y tratemos seriamente de obrar contra Jeremías: porque *a pesar de lo que él predice,* no *nos* faltará *la explicación de* la ley de boca del Sacerdote, ni el consejo del sabio, ni la palabra del profeta. Venid, *pues,* atravesémosle con *los dardos de* nuestra lengua, y no hagamos caso de ninguna de sus palabras.

**19.** ¡Oh Señor! mira por mí, y para tu atención en lo que dicen mis adversarios.

**20.** Conque ¿así se vuelve mal por bien? ¿Y así ellos *que tanto me deben,* han cavado una hoya para hacerme perder la vida? Acuérdate ¡oh Señor! de cuando me presentaba yo en tu acatamiento, para hablarte a su favor, y para desviar de ellos tu enojo.

**21.** Por tanto, abandona sus hijos al hambre, y entrégalos al filo de la espada; viudas y sin hijos queden sus mujeres y mueran de una muerte infeliz sus maridos, y véanse en el combate sus jóvenes atravesados con la espada.

**22.** Óiganse alaridos en sus casas. Porque tú has de conducir contra ellos súbitamente al salteador, contra ellos que cavaron la hoya para tomarme, y tendieron lazos ocultos para mis pies.

**23.** Mas tú ¡oh Señor! conoces bien todos sus designios de muerte contra mí. No les perdones su maldad; ni se borre de tu presencia su pecado: derribados sean delante de ti; acaba con ellos en el tiempo de tu furor.

## CAPITULO XIX

*Jeremías, quebrando delante de todos una vasija de barro, anuncia de orden de Dios, con esta figura, la total ruina de Jerusalén.*

**1.** Me dijo *también* el Señor: Anda y lleva contigo una vasija de barro, obra del alfarero, de algunos de los ancianos del pueblo y de los ancianos de los Sacerdotes;

**2.** Y vete al valle del hijo de Ennom, que está *al oriente* poco antes de la entrada *de la ciudad,* junto a la puerta de los alfareros; y allí publicarás las palabras que voy a decirte.

**3.** Escuchad, les dirás, la palabra del Señor ¡oh reyes de Judá y ciudadanos de Jerusalén! Esto dice el Señor de los ejércitos, el Dios de Israel: Sabed que yo descargaré sobre este lugar tales castigos, que a cualquiera que los oyere contar le retiñirán las orejas.

**4.** Y por cuanto ellos me han abandonado, y han profanado este lugar, y sacrificado en él a dioses ajenos, que ni ellos conocen, ni han conocido sus padres, ni los reyes de Judá, llenando este sitio de sangre de inocentes,

**5.** Y han erigido altares a Baal, para abrasar en el fuego a sus hijos, en holocausto al mismo Baal, cosas que ni mandé, ni dije, ni me pasaron por el pensamiento.

**6.** Por tanto, he aquí, dice el Señor, que llega el tiempo en que ya no se ha de llamar más este sitio *Valle de* Tofet, ni Valle del hijo de Ennom, sino Valle de la mortandad.

**7.** Y en este sitio disiparé yo los designios *de los habitantes* de Judá y de Jerusalén; y exterminaré a éstos con la espada, a la vista de sus enemigos, y por mano de aquellos que buscan su perdición, y daré sus cadáveres en pasto a las aves del cielo y a las bestias de la tierra.

**8.** Y a esta ciudad la haré objeto de pasmo y de escarnio; todos los que pasaren por ella quedarán atónitos, y la insultarán por razón de todas sus desdichas.

**9.** Y les daré a comer *a los padres* las carnes de sus hijos y las carnes de sus hijas; y al amigo la carne de su amigo, durante el asedio y apuros a que los reducirán sus enemigos, que quieren acabar con ellos.

**10.** Y *después* romperás la vasija, a vista de los varones que te habrán acompañado.

**11.** Y les dirás: Esto dice el Señor de los ejércitos: Así haré yo pedazos a este pueblo y a esta ciudad, como se hace añicos una vasija de barro cocido, la cual ya no puede restaurarse; y serán sepultados en *el inmundo valle de* Tofet, porque no habrá otro sitio para enterrarlos.

---

21. Ya que la justicia lo exige.

22. A Nabucodonosor, ladrón que se apodera de las naciones.

23. Esta es la significación de la voz *abutere,* que usa la Vulgata, en cuyo sentido la usan varios autores latinos. *Abuti* es lo mismo que *consumere, consumir.* Así se ve en Catón, Plauto, Terencio y otros, que cita A. *Lapide.* — Hágase así Señor, ya que así lo tiene decretado tu Justicia en vista de la obstinación de ese pueblo ingrato. Parece que se habla del *Deicidio* cometido por los Judíos en la muerte de Jesús.

---

CAP. XIX. — 2. Cap. VII, *v.* 31.

8. Antes cap. XVIII, *v.* 16. — Después cap. XLIX, *v.* 13; L, *v.* 13.

**12.** De esta manera trataré yo a esta población y a sus habitantes, dice el Señor, y haré que esta ciudad sea *un lugar de abominación,* así como Tofet.

**13.** Y las casas de Jerusalén y las casas de los reyes de Judá quedarán inmundas como el sitio de Tofet. Todas estas casas, *digo,* en cuyos terrados se ofrecen sacrificios a toda la milicia o *estrellas* del cielo, y libaciones a los dioses ajenos.

**14.** En seguida volvió Jeremías de Tofet, a donde le había mandado el Señor a profetizar, y paróse en el atrio del templo del Señor, y dijo a todo el pueblo:

**15.** Esto dice el Señor de los ejércitos, el Dios de Israel: Mirad, yo voy a traer sobre esta ciudad y sobre todas las ciudades que dependen de ella, todos los males con que yo la he amenazado; ya que han endurecido su cerviz para no atender a mis palabras.

## CAPITULO XX

*Jeremías, maltratado y encarcelado por Fasur, profetiza contra éste y contra toda la Judea. Se lamenta a Dios de que permita que padezca por anunciar su palabra. Y pone en él su confianza.*

**1.** Y Fasur, hijo o *descendiente* del sacerdote Emmer, y que era uno de los prefectos de la casa del Señor, oyó a Jeremías que profetizaba tales cosas.

**2.** E *irritado* Fasur hirió al profeta Jeremías, y los puso en el cepo, que estaba en la puerta superior de Benjamín, en la casa del Señor.

**3.** Al amanecer del siguiente día, sacó Fasur del cepo a Jeremías; el cual les dijo: El Señor no te llama *ya* Fasur, sino el Espantado por todas partes.

**4.** Porque esto dice el Señor: Sábete que yo te llenaré de espanto a ti y a todos tus amigos, los cuales perecerán al filo de la espada de sus enemigos, y es cosa que la verás con tus ojos; y entregaré a todo Judá en poder del rey de Babilonia; quien trasladará sus habitantes a Babilonia, y *a muchos* los pasará a cuchillo.

**5.** Y todas las riquezas de esta ciudad, y todas sus labores, y cuanto haya de precioso, y los tesoros de todos los reyes de Judá los entregaré en manosde sus enemigos; los cuales los robarán, y cargarán con ellos, y los conducirán a Babilonia.

**6.** Mas tú ¡oh Fasur! y todos los moradores de tu casa iréis cautivos; y tú irás a Babilonia, y allí morirás, y allí serás enterrado tú y todos tus amigos a quienes profetizaste mentiras.

**7.** ¡Oh Señor! Tú me deslumbraste, *al encargarme este penoso ministerio;* y yo quedé deslumbrado, *yo ya me resistía; pero* tú fuiste más fuerte que yo, y te saliste con la tuya; yo soy todo el día objeto de irrisión, todos hacen mofa de mí;

**8.** Porque ya tiempo hace que estoy clamando contra la iniquidad, y anunciando a voz en grito la devastación; y la palabra del Señor no me acarrea más que a continuos oprobios y escarnios.

**9.** Y así dije *para conmigo:* No volveré más a hacer mención de ella, y no hablaré más en nombre del Señor. Pero luego sentí en mi corazón como un fuego abrasador, encerrado dentro de mis huesos, y desfallecí, no teniendo fuerzas para aguantarlo.

**10.** El hecho es que oí las maldiciones de muchos, y el terror se apoderó de mí por todos lados: Perseguidle, persigámosle, *oí que decían* todos aquellos que vivían en paz conmigo, y estaban a mi lado. Observemos si comete alguna falta; que en tal caso, prevaleceremos contra él y tomaremos de él venganza.

**11.** Pero el Señor, cual esforzado campeón está conmigo; por eso caerán y quedarán sin fuerzas aquellos que me persiguen; quedarán sumamente avergonzados por no haber logrado su intento, con un oprobio sempiterno, que jamás se borrará.

---

**7.** Así exclamó Jeremías a impulsos de la debilidad de su naturaleza. *Job.* X. — II *Cor.* I, *v.* 8. Dios había prometido a Jeremías que sus enemigos *no le vencerían* (Cap. I, *v.* 19), o que no le harían desistir de su ministerio o predicación; pero no le prometió que no tendría que sufrir de ellos.

**8.** Para los que aman a Dios es gran pena tener que ver o saber la mala vida de los pecadores; y si ésta no les causa pena, es señal de muy poca o ninguna caridad. Porque cuando más se aleja el justo del pecado, tanto mayor tormento les causa el del prójimo; y cuanto más procura adquirir la virtud o piedad, y seguir el Evangelio, tanto mayor será la persecución que le moverán los mundanos, especialmente los que aparentan celo de la Religión: como hacían los fariseos con Jesucristo; o aquellos de quienes decía este Señor, que mirarían como un obsequio a Dios el matar a sus Apóstoles. *Joann.* XVI, *v.* 2.

---

CAP. XX. — 1. Cap. XXI, *v.* 1. — I *Paral.* IX, *v.* 12; XXIV, *v.* 14. — Véase *c.* XXIX, *v.* 25.

2. O calabozo. Así la traducción de *Ferrara.* — Puerta de la ciudad contigua al Templo. Cap. XXXVII, *v.* 12.

**12.** Y tú, oh Señor de los ejércitos, que haces prueba del justo, tú que disciernes los afectos interiores del corazón, haz que yo te vea tomar de ellos una *justa* venganza; porque a ti te tengo encomendada mi causa.

**13.** Cantad himnos al Señor. Alabad al Señor, porque él *es el que* ha librado el alma del pobre de las garras de los malvados; *del pobre que como fuera de sí, decía:*

**14.** Maldito el día en que nací: no sea bendito el día en que mi madre me dió a luz.

**15.** Maldito aquel hombre que dió la nueva a mi padre diciéndole: Te ha nacido un hijo varón; como quien pensó colmarle de gozo.

**16.** Sea el tal hombre como están las ciudades que asoló el Señor sin tener de ellas compasión; oiga gritos por la mañana y aullidos al mediodía.

**17.** ¡Que no me hiciera morir *Dios* en el seno materno, de modo que la madre mía fuese mi sepulcro, y fuese eterna su preñez!

**18.** ¿Para qué salí del seno materno a padecer trabajos y dolores, y a que se consumiesen mis días en *continua* afrenta?

# CAPITULO XXI

*Respuesta de Jeremías a la pregunta de Sedecías sobre la suerte de Jerusalén sitiada. Solamente se salvarán aquellos que se sujeten a los enemigos.*

**1.** He aquí lo que respondió el Señor a Jeremías, cuando el rey Sedecías le envió a decir por Fasur, hijo de Melquías, y por el Sacerdote Sofonías, hijo de Maasías, *lo siguiente:*

**2.** Consulta por nosotros al Señor, pues

---

**12.** Antes cap. XI, *v.* 20; XVII, *v.* 10. — Véase *Profeta.*

**14.** *Job* III, *v.* 3.

**17.** El *qui* de la Vulgata está en lugar de *quia*, y así traducen los *Setenta.* — Véase *Job.* X, *v.* 18. Todo este discurso del Profeta es una hipérbole para expresar la grandeza de su dolor.

**CAP. XXI.** — **1.** Al juntar en un volumen estas profecías no parece que se siguió siempre el orden cronológico. Lo que se refiere en este capítulo pertenece al segundo año del sitio de Jerusalén, reinando Sedecías; y así su propio lugar es después del capítulo XXXVII. Sofonías tenía el segundo lugar entre los sacerdotes después del Pontífice. IV *Reg.* XXV, *v.* 18.

**2.** Antes cap. XV, *v.* 19. En este lance se vió cumplido lo que el Señor había prometido a Jeremías, esto es, que la necesidad le obligaría a pedir e implorar su favor.

Nabucodonosor, rey de Babilonia, nos ataca con su ejército: *y sepas* si el Señor por ventura está en obrar a favor nuestro alguno de sus muchos prodigios, que obligue a aquél a retirarse de nosotros.

**3.** Y Jeremías les respondió: Así diréis a Sedecías:

**4.** Esto dice el Señor, el Dios de Israel: Sabed que yo haré volver *en daño vuestro* las armas que tenéis en vuestras manos, y con que peleáis contra el rey de Babilonia y los Caldeos que os tienen sitiados rodeando vuestros muros, y las amontonaré *todas* en medio de la ciudad.

**5.** Y yo mismo pelearé contra vosotros, y os derrotaré extendiendo mi mano y el fuerte brazo mío con furor e indignación y enojo grande.

**6.** Porque descargaré el azote sobre los vecinos de esta ciudad; hombres y bestias morirán de horrible pestilencia.

**7.** Y tras esto, dice el Señor, yo entregaré a Sedecías, rey de Judá, y a sus servidores, y a su pueblo, y a los que habrán quedado en la ciudad salvos de la peste, y de la espada, y del hambre, los entregaré, digo, en poder del rey de Babilonia Nabucodonosor, y en poder de sus enemigos, y en poder de los que buscan cómo matarlos, y serán pasados a cuchillo, y no se aplacará, ni perdonará, ni tendrá compasión.

**8.** También dirás a ese pueblo: Esto dice el Señor: He aquí que yo os pongo delante del camino de la vida y el camino de la muerte.

**9.** El que se quede en esta ciudad, perecerá al filo de la espada, o de hambre, o de peste; mas aquel que salga y se entregue a los Caldeos que os tienen sitiados, salvará la vida y reputará esto por una ganancia.

**10.** Por cuanto yo tengo fijados los ojos sobre esta ciudad, dice el Señor, no para hacerle bien, sino mal: yo la entregaré en poder del rey de Babilonia, el cual la entregará a las llamas.

**11.** Dirás también a la casa del rey de Judá: Oíd la palabra del Señor:

---

**5.** No es resistir la voluntad divina el usar de todos los medios lícitos para precavernos de las calamidades que Dios envía, y con las cuales, al paso que purifica más a los justos, castiga nuestros pecados. Pero si nos constare ser voluntad de Dios y decreto suyo el que nos entregáramos en manos de los enemigos, como aquí lo declaró Jeremías al rey, sería temeridad el resistir. Así nuestro divino Maestro Jesucristo se entregó en manos de los suyos, sabiendo que ésta era la voluntad de su Eterno Padre. *S. Atanasio en la apología de su huída.*

**12.** ¡*Oh vosotros de* la casa de David esto dice el Señor: Administrad presto la justicia, y a los oprimidos por la prepotencia, libradlos del poder del opresor; no sea que prenda en vosotros como fuego mi enojo, y encendido que sea no haya quien pueda apagarlo, por causa de la malignidad de vuestras inclinaciones *o mala conducta vuestra.*

**13.** Heme aquí, *oh Jerusalén:* contra ti vengo ¡oh habitadora del valle fortalecido y campestre! dice el Señor; *contra* vosotros que decís: ¿Quién será capaz de asaltarnos y de apoderarse de nuestras casas?

**14.** Yo os castigaré por el fruto que han dado vuestras *perversas* inclinaciones, dice el Señor; y yo pegaré fuego a sus *profanos* bosques, el cual devorará todos sus alrededores.

## CAPITULO XXII

*Terrible profecía de Jeremías contra el rey de Judá y su familia.*

**1.** Esto dice el Señor: Anda, ve a la casa del rey de Judá, y le hablarás allí en estos términos,

**2.** Y dirás: Escucha ¡oh rey de Judá! la palabra del Señor, tú que te sientas sobre el trono de David, tú y los de tu servidumbre, y tu pueblo que entráis por estas puertas.

**3.** Esto dice el Señor: Juzgad con rectitud y justicia, y librad de las manos del calumniador a los oprimidos por la violencia, y no aflijáis ni oprimáis inicuamente al forastero, ni al huérfano, ni a la viuda, y no derraméis sangre inocente en este lugar.

**4.** Porque si realmente os portareis así como os digo, seguirán ocupando el solio de David los reyes sus descendientes, y montados en carrozas y caballos entrarán *y saldrán* por las puertas de esta casa con sus servidores *o cortesanos* y su pueblo.

**5.** Pero si vosotros desobedeciereis estas palabras, juro por mí mismo, dice el Señor que esta casa *o palacio* quedará reducido a una soledad.

**6.** Porque he aquí lo que dice el Señor contra la casa del rey de Judá: ¡*Oh casa ilustre y rica co-*

*mo* Galaad! tú que eres para mí *como* la cumbre del Líbano, júrote que te reduciré a una soledad, como las ciudades inhabitables *de Pentápolis.*

**7.** Y destinaré contra ti al matador de hombres, y a sus armas *o tropas,* y cortarán tus cedros escogidos, y los arrojarán al fuego.

**8.** Y atravesará mucha gente por esta ciudad, y dirá cada uno a su compañero: ¿Por qué motivo trató así el Señor a esta gran ciudad?

**9.** Y se le responderá: Porque abandonaron la alianza del Señor Dios suyo, y adoraron y sirvieron a los dioses ajenos.

**10.** ¡*Ah!* no lloréis al difunto rey *Josías,* ni hagáis por él el duelo: llorad, *sí,* por el que se va, *por Joacaz;* que no volverá ya *del cautiverio,* ni verá más la tierra de su nacimiento.

**11.** Por lo cual esto dice el Señor acerca de Sellum *o Joacaz,* hijo de Josías, rey de Judá, que sucedió en el reino a su padre Josías, y salió de este lugar: No ha de volver más acá,

**12.** Sino que morirá en el lugar a donde le traslade, ni verá ya más esta tierra.

**13.** ¡Ay de aquel que fabrica su casa sobre la injusticia, y sus salones sobre la iniquidad, forzando a su prójimo *a que trabaje* de balde, y le paga su jornal!

**14.** Aquel que va diciendo: Yo me edificaré un suntuoso palacio y espaciosos salones; que ensancha sus ventanas y hace artesonados de cedro, pintándolos de bermellón.

**15.** ¿Piensas tú, *oh rey Joakim,* que reinarás *mucho tiempo,* pues que te comparas con el cedro? ¿Por ventura tu padre, *el piadoso Josías,* no comió y bebió y fué feliz gobernando con rectitud y justicia?

**16.** Defendía la causa del pobre y del desvalido, *y así trabajaba* para su propio bien, y la razón de esto ¿no fué porque *siempre* me reconoció a mí? dice el Señor.

**17.** Pero tus ojos y tu corazón no buscan sino la avaricia y en derramar sangre inocente, y el calumniar y correr tras de la maldad.

---

**13.** Jerusalén estaba situada en un monte, dividido en varias colinas; y por eso la ciudad se hallaba en una posición muy buena para defenderse.

**CAP. XXII.** — 1. Antes cap. XXI, *v.* 12.

**6.** Según S. Jerónimo quiere decir: Oh casa real de Judá, que por tu grandeza y situación elevada eres la cabeza de Jerusalén, como Galaad es lo más

delicioso y grande del monte Líbano. El país de Galaad era muy abundante y fértil, y el *Líbano* a veces se pone para significar por antonomasia un país delicioso y fértil. *Ps.* LXXI, *v.* 16. — *Cantic.* IV, *v.* 14. — *Gen.* XXXVII, *v.* 25. — O la que descuella sobre todo.

**7.** Esta es la significación de *santificar* aquí y en otros pasajes de la Escritura. — Véase *Santo. Nabucodonosor y su ejército se llaman* santos *porque ejecutan la sentencia de Dios, dice* S. Jerónimo. — Esto es, a Nabucodonosor.

**8.** *Deut.* XXIX, *v.* 24. — *Reg.* IX, *v.* 8.

**18.** Por tanto esto dice el Señor de Joakim, hijo de Josías, rey de Judá: No lo endecharán *los de su casa* con aquellos lamentos: ¡Ay hermano mío! ¡Ay hermana mía!, ni *los extraños* gritarán: ¡Ah Señor! ¡Ah ínclito *rey!*

**19.** Sepultado será como lo es el asno, *esto es,* será arrojado fuera de las puertas de Jerusalén para que allí se pudra.

**20.** Ya puedes subir tú, *obstinado pueblo, sube* al Líbano, y da gritos, y desde el *monte* Basán levanta tu voz, y clama *por socorro* a los que pasen; porque todos tus amigos han sido anonadados.

**21.** Yo te prediqué en medio de tu prosperidad, y tú dijiste: No quiero escuchar; ésta es tu conducta desde tu mocedad, el hacerte sordo a mis palabras.

**22.** Del viento se alimentarán todos tus pastores, y cautivos serán llevados *todos* tus amigos *o favorecedores.* Confuso quedarás entonces ¡oh *pueblo orgulloso!* y tú *mismo* te avergonzarás de todos tus vicios.

**23.** ¡Oh tú que pones tu asiento sobre el Líbano, y anidas en sus *altos* cedros: ¡cuáles serán tus ayes cuando te acometan dolores semejantes a los de tu mujer que está de parto!

**24.** Juro yo, dice el Señor, que aunque Jeconías, hijo de Joakim rey de Judá, fuese *tan interesante* para mí como el *sello o* anillo de mi mano derecha, me lo arrancaría del dedo.

**25.** Yo te entregaré *¡oh príncipe impío!* en poder de los que buscan cómo matarte, y de aquellos cuyo rostro te hace temblar, en poder de Nabucodonosor, rey de Babilonia, y en poder de los Caldeos.

**26.** Y a ti y a tu madre que te dió a luz os enviaré a un país extraño, en que no nacisteis, y allí moriréis.

**27.** Y *a la Judea*, esta tierra a la cual su alma anhela volver, no volverán jamás.

**28.** *¡Oh Señor!* ¿Es quizá ese hombre Jeconías alguna vasija de barro quebrada? ¿Es algún mueble *inútil* que nadie lo quiere? ¿Por qué motivo han sido abatidos él y su linaje, y arrojados a un país desconocido de ellos?

**29.** ¡Tierra, tierra! oye ¡oh tierra! la palabra del Señor, *y escarmienta.*

**30.** He aquí lo que *me* dice el Señor: Escribe que ese hombre será estéril *en sus cosas;* que nada le saldrá bien de lo que emprenda durante su vida, pues que no quedará de su linaje varón alguno que se siente sobre el trono de David, y que tenga jamás en adelante poder *ninguno* en Judá.

## CAPITULO XXIII

*Predice Jeremías que en lugar de los malos pastores del pueblo de Israel enviará el Señor al BUEN PASTOR, quien con sus mayorales formará un nuevo y dichosísimo rebaño; y anuncia la ignominia eterna con que serán castigados los falsos profetas.*

**1.** ¡Ay de los pastores que arruinan y despedazan el rebaño de mi dehesa! dice el Señor.

**2.** Por tanto he aquí lo que dice el Señor Dios de Israel a los pastores que apacientan mi pueblo: Vosotros habéis desparramado mi grey, y la habéis arrojado fuera, y no la habéis visitado: pues he aquí que yo vendré a castigaros a vosotros por causa de la malignidad de vuestras inclinaciones, dice el Señor.

**3.** Y yo reuniré las ovejas que quedaron de mi rebaño, de todas las tierras a donde las hubiere echado, y las volveré a sus propias tierras, y crecerán y se multiplicarán.

**4.** Y crearé para ellas *unos* pastores que las apacentarán *con pastos saludables;* no tendrán ya miedo ni pavor *alguno*, y no faltará ninguna de ellas *en el redil*, dice el Señor.

---

**19.** Véase c. XXXVI, *v.* 30. Aunque Nabucodonosor le mandó llevar cargado de cadenas a Babilonia (II *Paral.* XXXVI, *v.* 6); pero después le mandó matar, porque Joakim faltó a lo que había jurado, y su cadaver fué arrojado al campo.

**22.** O de vanas esperanzas. — Ésto es, tus príncipes y sacerdotes.

**23.** Cual águila que se remonta.

**24.** Por causa de su impiedad.

**26.** Llamábase *Nohesta.* IV Reg. XXIV, *v.* 8, 15.

**28.** ¡Ah! su impiedad ha sido la causa de su ruina.

**30.** Ese impío Jeconías. — Jeconías tuvo varios hijos; y de él descendía Salatiel, padre de Zorobabel (I *Paral.* III, *v.* 17. — *Matth.* I, *v.* 12) pero ninguno fué rey, o se sentó en el trono de David. Los *Setenta* en lugar de *estéril*, dicen *que no creció, y Teodoción*, que fué un hombre *desechado* de Dios.

**CAP. XXIII.** — **2.** Parece que habla aquí el Profeta de los sacerdotes. Destruyen el rebaño de Cristo los pastores que le enseñan el error y el vicio; le despedazan los que siembran con él la división o el cisma; le ahuyentan los que injustamente le separan de la Iglesia, y no le visitan los que por atender a los negocios del siglo se descuidan de apacentarle con la doctrina el buen ejemplo. *Cris.*

5. Mirad que viene el tiempo, dice el Señor, en que yo haré nacer de David un vástago, *un descendiente* justo, el cual reinará como rey, y será sabio, y gobernará la tierra con rectitud y justicia.

6. En aquellos días suyos, Judá será salvo, e Israel vivirá tranquilamente; y el nombre con que será llamado aquel *rey,* es el de justo Señor *o Dios* nuestro.

7. Por eso vendrá tiempo, dice el Señor, en que ya no dirán: Vive el Señor que sacó a los hijos de Israel de la tierra de Egipto;

8. Sino: Vive el Señor que ha sacado y traído el linaje de la casa de Israel del país del norte y de todas las regiones a donde los había yo arrojado; y habitarán en su propia tierra.

9. En orden a los *falsos* profetas, mi corazón, *dijo Jeremías,* se despedaza en medio de mi pecho: desencajados tengo todos mis huesos; me hallo como un ebrio, como un hombre tomado del vino, al considerar el *enojo del* Señor y a vista de sus santas palabras

10. Porque la tierra está llena de adúlteros, y llorando a causa de las blasfemias; secáronse las campiñas del desierto; su carrera de ellos se dirige siempre al mal, y su valentía es para cometer injusticias.

11. Porque así el profeta como el Sacerdote se han hecho inmundos, y dentro de mi casa, *o templo, allí* he encontrado su malicia, dice el Señor.

12. Por eso el camino de ellos será como un *continuo* resbaladero entre tinieblas; en él serán empujados, y caerán; pues yo descargaré desastres sobre ellos en el tiempo en que sean residenciados, dice el Señor.

13. Así como en los profetas de Samaria vi la insensatez *de que* profetizaban en nombre de Baal, y embaucaban a mi pueblo de Israel,

14. Así los profetas de Jerusalén los vi imitar a los adúlteros, e ir en pos de la mentira, y que infundían orgullo a la turba de los malvados, para que cada uno de ellos dejase de convertirse de su maldad; todos han venido a ser *abominables* a mis ojos como Sodoma; como los de Gomorra, tales *son* sus habitantes.

15. Por tanto, esto dice el Señor de los ejércitos a los profetas: He aquí que yo les daré a comer ajenjos y hiel para beber, ya que de los profetas de Jerusalén se ha difundido la corrupción *e hipocresía* por toda la tierra.

16. *Moradores de Jerusalén,* he aquí lo que *os* dice el Señor de los ejércitos: No queráis escuchar las palabras de los profetas que os profetizan cosas *lisonjeras,* y os embaucan: ellos os cuentan las visiones *o sueños* de su corazón, no lo que ha dicho el Señor.

17. Dicen a aquellos que blasfeman de mí: El Señor lo ha dicho: Tendréis paz. Y a todos los que siguen la perversidad de su corazón les han dicho: No vendrá sobre vosotros ningún desastre.

18. Pero ¿quién *de ellos* asistió al consejo del Señor, y vió y oyó lo que dijo *o decretó?* ¿Quién penetró su resolución y la comprendió?

19. He aquí que se levantará el torbellino de la indignación divina; y la tempestad, rompiendo la nube, descargará sobre la cabeza de los impíos.

20. No cesará la saña del Señor, hasta tanto que se haya ejecutado y cumplido el decreto de su voluntad; en los últimos días es cuando conoceréis su designio *sobre vosotros.*

21. Yo no envidiaba esos profetas *falsos;* ellos de suyo corrían *por todas partes;* no hablaba yo con ellos; sino que ellos profetizaban *lo que querían.*

22. Si hubiesen asistido a mi consejo y anunciado mis palabras al pueblo mío, yo ciertamente les hubiera desviado de su mala vida y de sus pésimas inclinaciones.

23. ¿Acaso piensas tú, dice el Señor, que yo soy Dios *sólo* de cerca, y no soy Dios desde lejos?

24. ¿Si se ocultará acaso un hombre en algún escondrijo sin que yo le vea?, dice el Señor. ¿Por ventura no lleno yo, dice el Señor, el cielo y la tierra?

25. He oído lo que andan diciendo aquellos profetas que en mi nombre profetizan la mentira. He soñado, dicen, he tenido un sueño *profético.*

26. ¿Y hasta cuándo ha de durar esta *imaginación* en el corazón de los profetas que vaticinan la falsedad y anuncian las ilusiones de su corazón?

27. Los cuales quieren hacer que el pueblo mío se olvide de mi Nombre, por los sueños que cada uno cuenta a su vecino, al modo que de mi Nombre se olvidaron sus padres por amor a Baal.

28. Que cuente su sueño aquel profeta que *así* sueña, y predique mi palabra con *toda* verdad aquel que recibe mi palabra, *y se verá la diferencia.* ¿Qué tiene que ver la paja con el trigo? dice el Señor.

**29.** ¿No es así que mis palabras son como fuego, dice el Señor, y como martillo que quebranta las peñas?

**30.** Por tanto, vedme aquí, dice el Señor, contra aquellos profetas que roban mis palabras, cada cual a su más cercano *profeta.*

**31.** Vedme aquí, dice el Señor, contra aquellos profetas, que toman en sus lenguas estas palabras: Dice el Señor.

**32.** Vedme aquí contra aquellos profetas *o visionarios* que sueñan mentiras, dice el Señor, y las cuentan, y traen embaucado a mi pueblo con sus falsedades y prestigios; siendo así que yo no los he enviado, ni dado comisión alguna a tales *hombres* que ningún bien han hecho a este pueblo, dice el Señor.

**33.** Si te preguntare, pues, este pueblo o un profeta o un sacerdote, *burlándose de ti,* y te dijere: ¿Cuál es la carga *o duro vaticinio que nos anuncias* de parte del Señor?, les responderás: La carga sois vosotros; y yo, dice el Señor, os arrojaré lejos de mí.

**34.** Que si el profeta o el sacerdote, o alguno del pueblo dice: ¿*Cuál* es la carga del Señor?, yo castigaré *severamente* al tal hombre y a su casa.

**35.** Lo que habéis de decir cada uno a su vecino y a su hermano es: ¿Qué es lo que el Señor ha hablado?

**36.** Y no se ha de nombrar más *por irrisión* la carga del Señor, que *de lo contrario* la carga de cada uno será su modo de hablar, ya que habéis pervertido las palabras del Dios vivo, del Señor de los ejércitos, nuestro Dios.

**37.** Le preguntarás, pues, al profeta: ¿Qué te ha respondido el Señor? o ¿Qué es lo que el Señor ha dicho?

**38.** Mas si todavía dijereis, *mofándoos:* La carga del Señor ¿*cuál es?,* en tal caso, esto dice el Señor: Porque dijisteis esa expresión *irrisoria:* La carga del Señor; siendo así que yo os envié a decir: No pronunciéis más *por mofa* esa expresión: La carga del Señor.

**39.** Por tanto, tened entendido que yo os tomaré, yo os transportaré, y os abandonaré, *desechándoos* de mi presencia a vosotros y a la ciudad que os di a vosotros y a vuestros padres.

**40.** Y haré de vosotros un padrón de oprobio sempiterno y de ignominia perdurable, cuya memoria jamás se borrará.

---

**31.** No habiéndoles el Señor hablado nada.

# CAPITULO XXIV

*Con la figura de dos canastillos de higos declara el Señor la piedad con que tratará a los Judíos que se convirtieren en Babilonia, y el rigor con que tratará a los que se quedaren en el país.*

**1.** Mostróme el Señor una visión, y vi dos canastillos llenos de higos puestos *en el atrio* delante del templo del Señor; después que Nabucodonosor, rey de Babilonia, había transportado de Jerusalén a Babilonia a Jeconías, hijo de Joakim, rey de Judá, y a sus cortesanos, y a los artífices y a los joyeros.

**2.** En un canastillo tenía higos muy buenos, como suelen ser los higos de la primera estación; y el otro canastillo tenía higos muy malos, que no se podían comer de puro malos.

**3.** Y díjome el Señor: ¿Qué es lo que ves, Jeremías? Yo respondí: Higos: higos buenos, y tan buenos que no pueden ser mejores; y otros malos, muy malos, que no se pueden comer de puro malos.

**4.** Entonces hablóme el Señor, diciendo:

**5.** Esto dice el Señor Dios de Israel: Así como esos higos son buenos, así haré yo bien a los desterrados de Judá, que yo he echado de este lugar a la región de los Caldeos;

**6.** Y yo volveré hacia ellos mis ojos propicios, y los restituiré a esta tierra, y lejos de exterminarlos, los estableceré sólidamente, y los plantaré, y no los extirparé.

**7.** Y les daré un corazón *dócil,* para que reconozcan que yo soy el Señor *su Dios,* y ellos serán mi pueblo, y yo seré su Dios; pues que se convertirán a mí de todo corazón.

**8.** Y así como los *otros* higos *son* tan malos que no se pueden comer de puro malos, así yo, dice el Señor, trataré a Sedecías, rey de Judá, y a sus grandes, y a todos los demás que

---

**CAP. XXIV.** — **1.** En el atrio se vendían varias cosas para hacer ofrendas al Señor.

**7.** Cap. VII, *v.* 23. — ¿Cómo se concilia esta profecía con el estado actual del pueblo judaico? Las palabras que siguen lo dan a entender, pues el Profeta anuncia que los Judíos se *convertirán a Dios de todo corazón:* lo que en parte se verificó en la nueva Iglesia de Jerusalén; y acabará de cumplirse en la conversión de todos Judíos a la fe de Cristo. Pero aún estando al riguroso sentido literal, puede entenderse de cuanto los Judíos, volviendo de la cautividad de Babilonia a Jerusalén, no volvieron más a dejar de vivir en dicha ciudad hasta que fué destruida.

quedaren en esta ciudad de Jerusalén, y a los que habitan en tierra de Egipto.

9. Y haré que sean vejados y maltratados en todos los reinos de la tierra, y vendrán a ser el oprobio, la fábula, el escarmiento y la execración de todos los pueblos a donde los habré arrojado.

10. Y los perseguiré con la espada, con el hambre y con la peste, hasta que sean exterminados de la tierra que yo les di a ellos y a sus padres.

## CAPITULO XXV

*Mostrándose los Judíos rebeldes a las amonestaciones de Jeremías y demás profetas, les intima éste la destrucción de Jerusalén por los Caldeos, y que serán llevados cautivos; hasta que pasados setenta años beban sus enemigos el caliz de la indignación del Señor.*

1. Profecía que se reveló a Jeremías, acerca de todo el pueblo de Judá, en el año cuarto de Joakim, hijo de Josías, rey de Judá; que es año primero de Nabucodonosor, rey de Babilonia;

2. La cual predicó Jeremías, profeta, a todo el pueblo de Judá y a todos los habitantes de Jerusalén, diciendo:

3. Desde el año décimotercio de Josías, hijo de Amón, rey de Judá, hasta el día de hoy, en que han pasado veintitrés años, el Señor me ha hecho oír su palabra, y yo os la he estado anunciando, levantándome antes de amanecer para predicaros, y vosotros no me habéis escuchado.

4. Asimismo el Señor os ha enviado muy a tiempo todos sus siervos los profetas; sin que vosotros, mientras los iba enviando, los escuchaseis, ni apliqueis vuestros oídos para atender.

5. Cuando él *os* decía: Convertíos cada uno de vosotros de vuestra malvada conducta y de vuestras pésimas inclinaciones, y con eso moraréis por todos los siglos en la tierra que el Señor os dió a vosotros y a vuestros padres;

6. Y no queráis ir en pos de dioses ajenos para adorarlos y servirlos; ni me provoquéis a ira con las obras de vuestras manos, y *yo* no os enviaré aflicciones.

7. Pero vosotros, dice el Señor, no me habéis escuchado, antes me habéis irritado con vuestras fechorías para vuestro propio daño.

8. Por lo cual, esto dice el Señor de los ejércitos: Por cuanto no habéis atendido a mis palabras,

9. Sabed que yo reuniré, y enviaré, dice el Señor, todas las familias o *pueblos* del norte con Nabucodonosor, rey de Babilonia, ministro o *instrumento* mío, y los conduciré contra esta tierra y contra sus habitantes, y contra todas las naciones circunvecinas, y daré cabo de ellos, y los reduciré a ser el pasmo y el escarnio de todos, y a una soledad perdurable *todas sus ciudades.*

10. Y desterraré de entre ellos las voces de gozo y las voces de alegría, la voz o *cantares* del esposo y de la esposa, el ruido de la tahona y las luces que alumbran *las casas.*

11. Y toda esta tierra quedará hecha una soledad espantosa; y todas estas gentes servirán al rey de Babilonia por espacio de setenta años.

12. Y cumplidos que sean los setenta años, yo tomaré residencia al rey de Babilonia y a aquella nación, dice el Señor, *castigando sus iniquidades*, y a *todo* el país de los Caldeos, reduciéndolo a un eterno páramo.

13. Yo verificaré sobre aquella tierra todas las palabras que he pronunciado contra ella; todo lo que está escrito en este libro, todas cuantas cosas ha profetizado Jeremías contra las naciones,

14. Pues que a ellos sirvieron, sin embargo de ser naciones numerosas y reyes poderosos; y yo les daré el pago merecido, y según las fechorías que han cometido.

---

CAP. XXV. — 1. Año del mundo 3398. — Este año primero de Nabucodonosor es aquel en que este rey fué asociado al imperio de su padre Nabopolasar, que era el año IV de Joakim, rey de Judá. En este año tomó Nabucodonosor a Jerusalén, y se llevó gran número de cautivos, entre ellos muchos de las principales familias, y aun de la casa real: de los cuales fueron *Daniel, Ananías, Micael y Azarías.* El vencedor dejó en el trono a Joakim, pero con condiciones muy duras. Y al principio del reinado de Nabucodonosor fué cuando recibió Jeremías orden de Dios para anunciar los males que dicho rey había de causar a Jerusalén.

4. A Joel, Habacuc, Sofonías, Holda y otros.

5. Antes XVIII, *v.* 11. Después XXXV, *v.* 15. — IV *Reg.* XVII, *v.* 13.

10. Antes *c.* VII, 34; XIV, *v.* 9. — De suerte que faltará el pan o la harina. Véase *Matth.* XIV, *v.* 21. Se hacía la harina con molinos que movían los esclavos, y especialmente era la ocupación de las esclavas, que solían distraer su aflicción, cantando como hacen los jornaleros, los presos, etc. En esto se funda esta última versión; pero me parece más natural la primera, por lo que después se sigue.

14. *A los Caldeos.*

**15.** Porque esto dice el Señor de los ejércitos, el Dios de Israel: Toma de mi mano esa copa del vino de mi furor, y darás a beber de él a todas las gentes a quienes yo te envío;

**16.** Y beberán de él, y se turbarán y perderán el juicio, a vista de la espada que yo desenvainaré contra ellas.

**17.** Tomé, pues, la copa de la mano del Señor, y di a beber de ella a todas las naciones a que el Señor me envió:

**18.** A Jerusalén y a las ciudades de Judá, y a sus reyes, y a sus príncipes, para convertir su tierra en una espantosa soledad, y en objeto de escarnio y de execración, como yo lo estamos viendo;

**19.** A Faraón, rey de Egipto, y a sus ministros, y a sus grandes y a todo su pueblo;

**20.** Y generalmente a todos; a todos los reyes de la tierra de Hus, y a todos los reyes del país de los Faraones, y a Ascalón, y a Gaza, y Accarón, y a los pocos que han quedado en Azoto,

**21.** Y a la Idumea, y a Moab, y a los hijos de Ammón,

**22.** Y a todos los reyes de Tiro, y a todos los reyes de Sidón, y a los reyes de las islas que están al otro lado del mar *Mediterráneo.*

**23.** Y *a las provincias de* Dedam *y de* Tema *y de Buz,* y a todos aquellos que llevan cortado el cabello a modo de corona,

**24.** Y a todos los reyes de Arabia, y a todos los reyes del occidente, que habitan en el desierto,

**25.** Y a todos los reyes de Zambri, y a todos los reyes de Elam, y a todos los reyes de los Medos,

**26.** Y asimismo a todos los reyes del norte, los de cerca y los de lejos. A cada uno de estos pueblos *le di a beber del cáliz de la ira para irritarlo* contra su hermano, y a todos cuantos reinos hay en la superficie de la tierra; y el rey de Sesac, *o Babilonia,* lo beberá después de ellos.

**27.** Y tú ¡oh Jeremías! les dirás: Esto dice el Señor de los ejércitos, el Dios de Israel: Bebed y embriagaos hasta vomitar, y echaos por el suelo, y no os levantéis a la vista de la espada que yo voy a enviar contra vosotros.

**28.** Y cuando no quisieren recibir de tu mano la copa *de mi ira* para beber de ella, les dirás: Ved lo que me dice el Señor de los ejércitos: la beberéis sin recurso.

**29.** ¿Es bueno que yo he de comenzar el castigo por *Jerusalén,* la ciudad en que ha sido invocado mi Nombre; y vosotros, como si fueseis inocentes, habíais de quedar impunes? No quedaréis exentos de castigo: pues yo desenvaino mi espada contra todos los moradores de la tierra, dice el Señor de los ejércitos.

**30.** Todas estas cosas les profetizarás y les dirás: El Señor rugirá *como león* desde lo alto, y desde su santa morada hará resonar su voz; rugirá fuertemente contra *Jerusalén, lugar de* su gloria: se oirá un grito de triunfo contra todos los habitantes de *esta* tierra, una algazara semejante a la de aquellos que pisan la vendimia.

**31.** Hasta el cabo del mundo llegó el estrépito *de las armas de los Caldeos:* porque el Señor entra en juicio con las naciones, *y* disputa su causa contra todos los mortales. Yo he entregado a los impíos, dice el Señor, al filo de la espada.

**32.** Esto dice *también* el Señor de los ejércitos: Sabed que la tribulación pasará de un pueblo a otro pueblo, y de la extremidad de la tierra se alzará una espantosa tempestad.

**33.** Y aquellos quienes el Señor habrá entregado a la muerte en este día, quedarán tendidos por el suelo desde un cabo de la tierra hasta el otro; no serán llorados, nadie los recogerá, ni les dará sepultura; yacerán sobre la tierra como estiércol.

**34.** Prorrumpid en alaridos vosotros ¡oh pastores! y alzad el grito, y cubríos de ceniza, ¡oh mayorales de la grey! porque se han acabado vuestros días y vais a ser despedazados, y siendo vasos preciosos caeréis por tierra y os haréis pedazos.

---

**18.** IV *Reg.* XXIV, *v.* 1.— II *Paral.* XXXVI, *v.* 6.

**19.** *Ezech.* XXIX, *v.* 12.

**20.** Estas palabras pueden mirarse como unidas al verso anterior, y denotar que las amenazas se dirigen también a los Hebreos, que, contra la voluntad de Dios, fueron a refugiarse en Egipto. Cap. XXIV, *v.* 8. — *Is.* XX, *v.* 1.—IV Reg. XXIII, *v.* 29.

**23.** De lejanos países. — Antes c. IX, *v.* 26.— *Lev.* XIX, *v.* 27.

**29.** I. *Petr.* IV, *v.* 17.

**30.** *Joel* III, *v.* 16. — *Amos* I, *v.* 2. — Es frecuente en la Escritura el hablar de la venganza o castigos de Dios con la metáfora de la vendimia. *Ps.* LXXXIX, *v.* 13. — *Apoc.* XIV, *v.* 18. El grito o algazara de los Caldeos cuando recogen el botín se compara al canto de los que pisan la vendimia, alegres por tener ya en casa el vino de la cosecha. El canto llamado *Celeuma,* en griego *Keleusma,* es propiamente aquél con que los marineros se esfuerzan en remar.

**31.** *Is.* I, *v.* 18; XLIII, *v.* 26.

**34.** Habla a los príncipes y sacerdotes, y a todos los que tenían mando, y les anuncia su fin.

**35.** Y no podrán escapar los pastores, ni ponerse en salvo los mayorales de la grey.

**36.** Oiránse las voces y la gritería de los pastores, y los alaridos de los mayorales de la grey, porque el Señor ha talado sus pastos,

**37.** Y en las amenas campiñas reinará un triste silencio, a la vista de la tremenda ira del Señor.

**38.** El cual, como león, ha abandonado el lugar *santo* donde moraba, y *luego* ha quedado reducida toda la tierra de ellos a un páramo por la ira de la paloma y por la terrible indignación del Señor.

## CAPITULO XXVI

*Jeremías preso y en peligro de perder la vida, por haber predicado lo que Dios le mandaba.*

**1.** En el principio del reinado de Joakim, hijo de Josías, rey de Judá, *me* habló el Señor en estos términos:

**2.** Esto dice el Señor: Ponte en el atrio de la casa del Señor, y a todas las ciudades de Judá, cuyos moradores vienen a adorar en el templo del Señor, les anunciarás todo aquello que te he mandado decirles: no omitas ni una sola palabra;

**3.** A ver si acaso *te* escuchan, y se convierten de su mala vida; por lo cual me arrepienta yo *o desista* del castigo que medito enviarles por la malicia de sus procederes.

**4.** Tú, pues, les dirás: Esto dice el Señor: Si vosotros no me escuchareis, si no siguiereis la ley mía que yo os di,

**5.** Y no creyereis en las palabras de mis siervos los profetas que yo con tanta solicitud os envié, y dirigí a vosotros, y a quienes no habéis dado crédito,

**6.** Yo haré con esta casa, *o templo,* lo que hice con Silo, y a esta ciudad la haré la execración de todas las naciones de la tierra.

**7.** Oyeron los sacerdotes y los profetas, y el pueblo todo cómo Jeremías anunciaba tales cosas en la casa del Señor.

**8.** Y así que hubo concluido Jeremías de hablar cuanto le había mandado el Señor que hiciese saber a todo el pueblo, prendiéronle los sacerdotes y los *falsos* profetas, y el pueblo todo, diciendo: ¡Muera sin remedio!

**9.** ¿Cómo ha *osado* profetizar en el nombre del Señor, diciendo: Este templo será destruido como Silo, y esta ciudad quedará de tal manera asolada que no habrá quien la habite? Y todo el pueblo se amotinó contra Jeremías en la casa del Señor.

**10.** Llegó esto a noticia de los príncipes de Judá, y pasaron desde el palacio del rey a la casa del Señor, y sentáronse *en el tribunal que está* a la entrada de la puerta nueva de la casa del Señor.

**11.** Entonces los sacerdotes y los profetas hablaron a los príncipes y a toda la gente, diciendo: Este hombre es reo de muerte; porque ha profetizado contra esta ciudad, conforme vosotros mismos habéis oído.

**12.** Pero Jeremías habló en estos términos a todos los príncipes y al pueblo todo: El Señor me ha enviado para que profetizara contra esta casa y contra esta ciudad todas las palabras que habéis oído.

**13.** Ahora pues, enmendad vuestra vida, y *purificad* vuestras inclinaciones, y escuchad la voz del Señor Dios vuestro, y *no dudéis que* el Señor se arrepentirá o *desistirá* del castigo con que os ha amenazado.

**14.** En cuanto a mí, en vuestras manos estoy; haced de mí lo que mejor os parezca y sea de vuestro agrado.

**15.** Sabed, no obstante, y tened por cierto, que si me quitáis la vida, derramaréis la sangre inocente, y la haréis recaer sobre vosotros mismos, sobre esta ciudad y sobre sus habitantes; porque verdaderamente es el Señor el que me ha enviado a intimar a vuestros oídos todas las dichas palabras.

**16.** Entonces los príncipes y todo el pueblo dijeron a los sacerdotes y a los profetas: No es este hombre reo de muerte; pues que él nos ha predicado en nombre del Señor Dios nuestro.

---

**37.** Las campiñas de Jerusalén antes tan pobladas de cultivadores, quedarán hechas un páramo.
**38.** Que defendía su guarida.
**CAP. XXVI.** — 3. Habla Dios a la manera de los hombres. — *Dios muda las obras; no muda sus designios,* dice San Agustín.
**6.** I *Reg.* IV, *v.* 2, 10. Antes c. VII, *v.* 12.

**8.** Así gritaron los sacerdotes y el pueblo contra Jesucristo.
**9.** Como si Dios pudiese abandonar su herencia.
**12.** Antes c. XXV. *v.* 13.
**13.** CAP. VII, *v.* 3. Casi del mismo modo hablaron los Apóstoles cuando fueron llevados al *sinedrio,* o tribunal. Act. IV.

17. Levantáronse luego algunos de los ancianos del país, y hablaron al pueblo de esta manera:

18. Miqueas, *natural* de Morasti, fué profeta en tiempo de Ezequías, rey de Judá, y predicó a todo el pueblo, diciendo: Esto dice el Señor de los ejércitos: Sión será arada como un barbecho, y Jerusalén parará en un montón de piedras, y el monte *Moria*, en que está situado el templo, será un espeso bosque.

19. ¿Fué por ventura *Miqueas* condenado a muerte por Ezequías, rey de Judá, y todo su pueblo? *Al contrario* ¿no temieron ellos al Señor e imploraron su clemencia, y el Señor se arrepintió o *desistió* de *enviarles* el castigo con que les había amenazado? Luego nosotros cometeríamos un gran pecado en daño de nuestras almas.

20. Hubo también un varón llamado Urías, hijo de Semeí, *natural* de Cariatiarim, que profetizaba en el nombre del Señor, y profetizó contra esta ciudad y contra este país todo lo que ha dicho Jeremías.

21. Y habiendo oído el rey Joakim, y todos sus magnates y cortesanos lo que profetizaba, intentó el rey quitarle la vida. Súpolo Urías, y temió, y se escapó, y refugióse en Egipto.

22. Y el rey Joakim envió a Egipto, *para prenderlo*, a Elnatam, hijo de Acobor, acompañado de otros hombres,

23. Quienes sacaron a Urías de Egipto, y lo condujeron al rey Joakim; el cual lo mandó degollar, y arrojar el cadáver en la sepultura de la ínfima plebe.

24. El auxilio, pues, de Ahicam, hijo de Safán, protegió a Jeremías, para que no fuese entregado en manos del pueblo y le matasen.

## CAPITULO XXVII

*Manda al Señor a Jeremías que con cierta señal declare la próxima sujeción de la Judea y provincias vecinas a los Caldeos: exhorta a todos a que se sometan espontáneamente, sin hacer caso de los vanos pronósticos de los falsos profetas.*

1. Al principio del reinado de Joakim, hijo de Josías, rey de Judá, el Señor habló a Jeremías de esta manera:

2. Esto me dice el Señor: Hazte unas ataduras a *modo de coyundas*, y unas cadenas *como colleras,* y póntelas al cuello.

---

24. Después XXXIX, *v.* 14; XI, *v.* 6. — IV *Reg.* XXV. *v.* 22.

Que arengó del modo dicho al pueblo.

3. Y las enviarás al rey de Edom, y al rey de Moab, y al rey de los hijos de Amón y al rey de Tiro, y al rey de Sidón, por medio de los embajadores que han venido a Jerusalén, a tratar con Sedecías, rey de Judá;

4. A los cuales encargarás que digan a sus amos: Esto dice el Señor de los ejércitos, el Dios de Israel, y esto diréis a vuestros amos:

5. Yo crié la tierra, y los hombres, y las bestias que están sobre la tierra, con mi poder y mi excelso brazo, y he dado su dominio a quien me plugo.

6. Al presente, pues, he puesto todos estos países en poder de Nabucodonosor, rey de Babilonia, ministro mío; y le he dado también las bestias del campo, para que le sirvan.

7. Y todos estos pueblos serán esclavos suyos, y de su hijo y del hijo de su hijo; hasta que llegue el plazo de *la ruina de* él mismo y de su tierra o *reino:* entre tanto le servirán muchas naciones y grandes reyes.

8. Mas a la nación y al reino que no quiera someterse a Nabucodonosor, rey de Babilonia, y a cualquiera que no doblare su cerviz al yugo del rey de Babilonia, yo los castigaré, dice el Señor, con la espada, con hambre y con peste hasta que por medio de Nabucodonosor acabe con ellos.

9. Vosotros, pues, no escuchéis a vuestros profetas y adivinos, ni a los intérpretes de sueños, ni a los agoreros, ni a los hechiceros, los cuales os dicen: No seréis vosotros sojuzgados por el rey de Babilonia.

10. Porque lo que os profetizan son mentiras, para *acarrearos* el que seáis arrojados *por los Caldeos* lejos de vuestra tierra, y desterrados y destruido.

---

CAP XXVII. — 3. Cuando yo te lo diré. Al principio del reinado de Joakim mandó Dios a Jeremías que se proveyese de unas ataduras y cadenas, de las cuales usase para llamar más la atención del Pueblo. — Pero la orden de enviarlas a los reyes vecinos de Edom, Moab, se la dió después reinando Sedecías, cuando se hallaban en Jerusalén los embajadores de aquellos reyes para tratar de la defensa contra el común enemigo Nabucodonosor. Las *ataduras* son las cuerdas con que se ataba el yugo a la cerviz de los bueyes: las *cadenas* que servían como de argollas y esposas, eran de la hechura de un *horcajo* u *horcate,* o de la figura de una V consonante vuelta al revés, cuya base se cerraba con una cuerda o cadena, o con un palo, de suerte que formaba un triángulo: le metían en el cuello de los esclavos, atando después sus manos en los dos ángulos de la base del triángulo. De este modo profetizaba Jeremías que Nabucodosor haría esclavos a los Judíos y naciones vecinas.

11. Al contrario, la nación que doblare su cerviz al yugo del rey de Babilonia y lo sirviere, yo la dejaré en su tierra, dice el Señor, y seguirá cultivándola y habitando en ella.

12. También le anuncié a Sedecías, rey de Judá, todas estas mismas cosas, diciendo: Doblad vuestra cerviz al yugo del rey de Babilonia, y servidle a él y a su pueblo, y *así* salvaréis la vida.

13. ¿Para qué queréis morir tú y el pueblo tuyo, a cuchillo, y de hambre, y de peste, como tiene Dios predicho a la nación que no quisiere someterse al rey de Babilonia?

14. No déis oídos a las palabras de aquellos profetas que os dicen: No seréis vosotros siervos del rey de Babilonia. Porque los tales os hablan mentira;

15. Pues no son ellos enviados míos, dice el Señor, sino que profetizan falsamente en mi Nombre para *acarrearos el* que seáis desterrados y perezcáis, tanto vosotros como los profetas que *falsamente* os anuncian lo futuro.

16. Y a los sacerdotes y a este pueblo les dije asismismo lo siguiente: Esto dice el Señor: No hagáis caso de las palabras de vuestros profetas, que os anuncian lo futuro, diciendo: Sabed que los vasos *sagrados del templo* del Señor serán restituidos acá desde Babilonia; pues lo que os profetizan es una mentira.

17. No queráis, pues, escucharlos; antes bien sujetaos al rey de Babilonia, si queréis salvar vuestra vida. ¿Por qué se ha de ver esta ciudad reducida *por culpa vuestra* a un desierto?

18. Que si los tales son verdaderamente profetas, y está en ellos la palabra del Señor, intercedan con el Señor de los ejércitos para que los vasos que han quedado en el templo del Señor, y en el palacio del rey de Judá, y en Jerusalén, no vayan también a Babilonia.

19. Porque esto dice el Señor de los ejércitos acerca de las columnas, y del mar *o concha de bronce,* y de las basas, y de los otros vasos *o muebles* que han quedado en esta ciudad.

20. Los cuales no se llevó Nabucodonosor, rey de Babilonia, cuando transportó a esta ciudad desde la de Jerusalén a Jeconías, hijo de Joakim, rey de Judá, y a todos los magnates de Judá y de Jerusalén.

21. Dice, pues, así, el Señor de los ejércitos, el Dios de Israel, acerca de los vasos que quedaron en el templo del Señor, y en el palacio del rey de Judá, y en Jerusalén:

22. A Babilonia serán trasladados, y allí estarán hasta el día en que *ésta* será visitada *o castigada* por mí, dice el Señor, que yo *entonces* los haré traer y restituir a este lugar.

## CAPITULO XXVIII

*Hananías, profeta falso, es redargüido por Jeremías, quien confirma nuevamente lo que había profetizado, y vaticina la próxima muerte de Hananías.*

1. En aquel mismo año, al principio del reinado de Sedecías, rey de Judá, y en el quinto mes del año cuarto, Hananías, hijo de Azur, profeta *falso* de Gabaón, me dijo en el templo del Señor en presencia de los sacerdotes y de todo el pueblo:

2. Esto dice el Señor de los ejércitos, el Dios de Israel: Yo he roto el yugo del rey de Babilonia.

3. Dentro de dos años cumplidos yo haré restituir a este lugar todos los vasos del templo del Señor, que quitó de acá Nabucodonosor rey de Babilonia, a cuya ciudad los transportó.

4. Y yo haré volver a este lugar a Jeconías, hijo de Joakim, rey de Judá, y a todos los de Judá que han sido llevados cautivos a Babilonia, dice el Señor; porque yo quebrantaré el yugo *y todo el poder* del rey de Babilonia.

5. En seguida el profeta Jeremías respondió al *falso* profeta Hananías, en presencia de los sacerdotes y de todo el pueblo que se hallaba en la casa del Señor,

6. Y díjole: Amén; ojalá que así lo haga el Señor; *ojalá* que se verifiquen esas palabras con´que tú has profetizado, de suerte que se restituyan los vasos *sagrados* desde Babilonia a la casa del Señor y que todos los *Judíos* que fueron llevados cautivos a Babilonia, vuelvan a este lugar.

---

6. San Jerónimo cree que por bestias del campo se entienden las naciones más bárbaras.

9. Cap. XXIII, *v.* 16: XXIX, *v.* 8.

15. Cap. XIV, *v.* 14; XXIII, *v.* 21; XXIX, *v.* 9.

16. A donde fueron transportados con el rey Joakim. IV *Reg.* XXIV, *v.* 13.

19. IV *Reg.* XXV, *v.* 13.

---

22. Sirviéndose de Ciro y de Darío. I *Esdr.* VI, *v.* 5.

CAP. XXVIII. — 1. De haber pasado el año sabático, año que coincide con el primero del reinado de Sedecías.

**7.** Pero con todo, escucha esto que voy yo a decir, para que lo oigas tú y el pueblo todo.

**8.** Los profetas *del Señor* que ha habido desde el principio, anteriores a mí, y a ti, profetizaron también ellos a muchos países y a grandes reinos guerras, tribulaciones y hambre.

**9.** El profeta que predice *ahora* la paz *o felicidad*, verificado que se haya su profecía, *entonces* se sabrá que es profeta verdaderamente enviado del Señor.

**10.** Entonces el *falso* profeta Hananías, quitó del cuello del profeta Jeremías la cadena *o atadura*, y la hizo pedazos.

**11.** Y *hecho esto*, dijo Hananías delante de todo el pueblo: Esto dice el Señor: Así romperé yo de aquí a dos años el yugo que Nabucodonosor, rey de Babilonia, ha echado sobre la cerviz de todas las naciones.

**12.** Y fuese Jeremías profeta por su camino. Y el Señor, después que Hananías *falso profeta hubo* roto la *atadura o* cadena, que llevaba al cuello el profeta Jeremías, habló a éste diciendo:

**13.** Ve y di a Hananías: Esto dice el Señor: Tú quebraste las ataduras *o coyundas* de madera; *y yo digo a Jeremías:* Tú en lugar de ellas hazte otras de hierro.

**14.** Porque esto dice el Señor de los ejércitos, el Dios de Israel: Yo voy a poner un yugo de hierro sobre el cuello de todas estas naciones, para que sirvan a Nabucodonosor, rey de Babilonia, y en efecto, a él estarán sujetas: hasta las bestias de la tierra he puesto a su disposición.

**15.** Y añadió Jeremías profeta al *falso* profeta Hananías: Oye tú, Hananías: A ti el Señor no te ha enviado, y *sin embargo, tomando su Nombre,* has hecho que este pueblo confiase en la mentira.

**16.** Por tanto, esto dice el Señor: Sábete que yo te arrancaré de este mundo: tú morirás en este *mismo* año, ya que has hablado contra el Señor.

**17.** En efecto, murió el *falso* profeta Hananías aquel año, en el séptimo mes.

## CAPITULO XXIX

*Carta de Jeremías a los cautivos de Babilonia, exhortándolos a la paciencia. Les anuncia la libertad para después de los setenta años prefijados por el Señor: confirma la total ruina de los que quedarán en la Judea, y amenaza a los falsos profetas Acab y Sedecías, y a Semeías.*

**1.** Estas son las palabras de la carta que el profeta Jeremías envió desde Jerusalén a los ancianos que quedaban entre los cautivos transportados *a Babilonia,* y a los sacerdotes, y a los profetas, y a todo el pueblo transportado por Nabucodonosor desde Jerusalén a Babilonia.

**2.** Después que salieron de Jerusalén el rey Jeconías, y la reina *madre,* y los eunucos *o cortesanos,* y los príncipes de Judá y de Jerusalén, y los artífices y los joyeros,

**3.** *Jeremías envió esta carta* por mano de Elasa, hijo de Safán y de Gamarías, hijo de Elcías, despachados a Babilonia por Sedecías, rey de Judá, a Nabucodonosor, rey de Babilonia; el contenido de la carta era:

**4.** Esto dice el Señor de los ejércitos, el Dios de Israel, a todos los que yo he enviado cautivos desde Jerusalén a Babilonia:

**5.** Edificad casas, y habitadlas, y plantad huertos, y comed de sus frutos.

**6.** Contraed matrimonios y procread hijos e hijas, casad a vuestros hijos, y dad maridos a vuestras hijas, con lo cual nazcan hijos e hijas; multiplicaos ahí, y no quedéis reducidos a corto número.

**7.** Y procurad la paz de la ciudad donde os trasladé y rogad por ella al Señor, porque en la paz de ella tendréis vosotros paz.

**8.** Porque esto dice el Señor de los ejércitos, el Dios de Israel: No os engañen vuestros falsos profetas que están en medio de vosotros, ni vuestros adivinos; y no hagáis caso de vuestros sueños;

**9.** Porque falsamente profetizan aquellos en mi Nombre, y yo no los envié, dice el Señor.

---

**17.** O a los dos meses de esta predicción. Es una señal de ser *falso profeta* el alagar las pasiones y deseos del pueblo, o el seguir su corriente, pronosticándole felices sucesos, en lugar de llamarle a la penitencia, reprender sus vicios, etc. Algunas veces permite el Señor que se verifique alguno de los sucesos felices que anuncian los hipócritas o falsos profetas, para probar si su pueblo le ama de veras. *Deut.* XIII, *v.* 3.

---

CAP. XXIX. — **1.** Daniel, Ezequiel y otros que habían sido llevados a Babilonia.

**9.** Antes XIV, *v.* 14; XXIII, *v.* 16; XXVII, *v.* 15.

**10.** Lo que dice el Señor es esto: Cuando estén para cumplirse los setenta años *de vuestra estancia* en Babilonia, yo os visitaré, y daré cumplimiento a mi agradable promesa de restituiros a este lugar.

**11.** Porque yo sé los designios que tengo sobre vosotros, dice el Señor, designios de paz, y no de aflicción, para daros *la libertad que es* el objeto de vuestra expectación.

**12.** Entonces me invocaréis, y partiréis *a vuestra patria:* me suplicaréis y yo os escucharé benignamente.

**13.** Me buscaréis, y me hallaréis, cuando me buscareis de todo vuestro corazón.

**14.** Entonces seré yo hallado de vosotros, dice el Señor; y yo os haré volver de la esclavitud, y os congregaré de todas las regiones, y de todos los lugares a donde os había desterrado, dice el Señor, y os haré volver del lugar al cual os había hecho transmigrar.

**15.** Pero vosotros habéis dicho: El Señor nos ha enviado profetas *aquí* en Babilonia.

**16.** Pues he aquí lo que dice el Señor acerca del rey *Sedecías* que está sentado en el solio de David, y de todo el pueblo que habita esta ciudad, *esto es,* de vuestros hermanos que no han transmigrado con vosotros;

**17.** Esto es lo que dice el Señor de los ejércitos: Sabed que yo enviaré contra ellos la espada, el hambre, y la peste, y los trataré como a higos malos, que *se arrojan,* porque no se pueden comer de puro malos.

**18.** Los perseguiré a cuchillo, y con hambre, y con peste, y los entregaré a la tiranía de todos los reinos de la tierra; y serán la maldición, el pasmo, la mofa y el oprobio de todas las naciones a donde los hubiera arrojado;

**19.** Por cuanto, dice el Señor, no quisieron dar oídos a mis palabras que les he hecho anunciar por la boca de mis siervos los profetas, enviándoselos oportunamente con anticipación. Mas vosotros no quisisteis obedecer, dice el Señor.

**20.** Entre tanto, vosotros todos, a quienes hice yo pasar desde Jerusalén a Babilonia, oíd la palabra del Señor:

**21.** Esto es lo que dice el Señor de los ejércitos, el Dios de Israel, acerca de Acab,

hijo de Colías, y de Sedecías, hijo de Maasías, que falsamente os profetizan en mi Nombre: Sabed que yo los entregaré en manos de Nabucodonosor, rey de Babilonia, que los hará morir delante de vuestros ojos.

**22.** De suerte que todos los que han sido trasladados de Judá a Babilonia los tomarán por frase de maldición, diciendo: Póngate el Señor como a Sedecías y a Acab, a quienes quemó a fuego *lento* el rey de Babilonia,

**23.** Por haber ellos hecho necedades *abominables* en Israel, y cometido adulterios con las mujeres de sus amigos, y hablado mentirosamente en nombre mío, sin haberles yo dado ninguna comisión; yo *mismo* soy el juez y el testigo *de todo eso,* dice el Señor.

**24.** Asimismo dirás a Semeías, Nehelamita, *o soñador:*

**25.** Esto dice el Señor de los ejércitos, el Dios de Israel: Por cuanto enviaste cartas en tu nombre a todo el pueblo que se halla en Jerusalén, y a Sofonías, hijo de Maasías, Sacerdote, y a todos los sacerdotes, diciendo a *Sofonías:*

**26.** El Señor te ha constituido *Sumo* Sacerdote en lugar del Sacerdote Joíada, a fin de que tú tengas autoridad en la casa del Señor, para reprimir a todo fanático que se finge profeta, y meterlo en el cepo y en la cárcel.

**27.** ¿Cómo es, pues, que no has castigado a Jeremías, *natural* de Anatot, que hace de profeta entre nosostros,

**28.** Siendo así que además de eso nos ha enviado a decir acá en Babilonia: No volveréis en mucho tiempo: edificaos casas y morad en ellas; haced plantíos en las huertas y comed sus frutos?

**29.** Leyó, pues, el Sacerdote Sofonías esta carta *de Semeías* delante del profeta Jeremías;

**30.** Y el Señor habló entonces a Jeremías en estos términos:

**31.** Envía a decir lo siguiente a todos los que han sido trasladados cautivos *a Babilonia*: Esto dice el Señor acerca de Semeías, Nehelamita: Por cuanto Semeías se ha metido a profetizaros *lo futuro,* sin tener ningu-na misión mía, y os ha hecho confiar en la mentira;

---

10. Cap. XXV, *v.* 12. — II *Paral.* XXXVI, *v.* 21. — *Esdr* I, *v.* 1. — *Dan.* IX, *v.* 2.
17. Antes XXIV, *v.* 1, 8, 9, 10.

22. Este suplicio consistía en meter poco a poco el cuerpo del paciente en una caldera de aceite hirviendo. Tal fué el martirio de los santos hermanos *Macabeos,* y después el de *S. Juan Evangelista,* etc.
25. O por tu propio capricho: el sentido de esto se ve en el verso 32.

**32.** Por tanto, esto dice el Señor: He aquí que yo castigaré a Semeías, Nehelamita, y a su raza; no tendrá jamás un descendiente que se siente *o viva* en medio de este pueblo, ni verá el bien *o la libertad* que yo he de conceder al pueblo mío, dice el Señor: porque ha hablado como prevaricador contra *los oráculos* del Señor.

## CAPITULO XXX

*Predice Jeremías el fin de la cautividad de Babilonia; y que en seguida las dos casas de Judá e Israel servirán al Señor reunidas bajo un rey del linaje de David.*

**1.** Habló el Señor a Jeremías, diciendo:

**2.** Esto manda el Señor Dios de Israel: Escribe en un libro todas las palabras que yo te he hablado.

**3.** Porque he aquí que llegará tiempo, dice el Señor, en que yo haré volver los cautivos de mi pueblo de Israel y de Judá, y harélos regresar, dice el Señor, a la tierra que di a sus padres, y la poseerán.

**4.** He aquí las palabras que dirigió el Señor a Israel y a Judá:

**5.** Así habla el Señor: *Algún día diréis:* Oído hemos voces de terror y espanto, y no de paz.

**6.** Preguntad y sabed si son por ventura los varones los que han de dar a luz. Porque ¿cómo es que estoy viendo *en ansiedad* a todos los hombres con las manos sobre sus lomos, como la mujer que está de parto, y cubiertos sus rostros de amarillez?

**7.** ¡Ay! que aquel día es grande *y terrible*, ni hay otro que se le parezca; tiempo de tribulación para Jacob, de la cual será *al fin* librado.

**8.** Y sucederá en aquel día, dice el Señor de los ejércitos, que yo haré pedazos el yugo

que Nabucodonosor puso sobre tu cuello, y romperé sus ataduras, y no te dominarán más los extranjeros;

**9.** Sino que *los hijos de Israel* servirán al Señor su Dios y *al hijo de* David su rey, que ·yo suscitaré para ellos.

**10.** No temas, pues, tú ¡oh siervo mío, Jacob! dice el Señor, ni tengas miedo ¡oh Israel!, que yo te sacaré de *ese* país remoto *en que estás,* y a tus descendientes de la región en qüe se hallan cautivos; y Jacob volverá y vivirá en reposo, y en abundancia de bienes, sin que tenga que temer a nadie.

**11.** Pues que estoy yo contigo, dice el Señor para salvarte. Porque yo exterminaré todas las naciones, entre las cuales te dispersé; a ti, empero, no te destruiré *del todo,* sino que te castigaré según mis juicios, a fin de que no te tengas por inocente.

**12.** Así pues, esto dice el Señor: Incurable es tu fractura: es muy maligna tu llaga.

**13.** No hay quien forme un *cabal* juicio de tu mal para curarlo; no hay remedios que te aprovechen.

**14.** Olvidado se han de ti todos tus amadores, y no se curarán ya de ti *para ser amigos tuyos,* en vista de que te he hecho una llaga como de mano hostil y con un terrible azote; *porque* estás endurecida en tus pecados, a causa de la abundancia de tu iniquidad.

**15.** ¿Por qué alzas el grito en tus penas? Tu dolor es incurable: por la muchedumbre de tus maldades y por la obstinación en tus pecados hice contigo esas cosas.

**16.** Mas todos aquellos que te muerden serán devorados, y todos tus enemigos serán llevados cautivos, y aquellos que te asuelan serán asolados, y entregados al saqueo tus saqueadores.

**17.** Porque yo cicatrizaré tu llaga, y curaré tus heridas, dice el Señor. Ellos ¡oh Sión! te han llamado la repudiada: Esta es, *dicen,* la que no tiene quien la busque *o pretenda.*

**18.** *Pero* esto dice el Señor: Yo haré que vuelvan los *cautivos* que habitan en las tiendas *o tabernáculos* de Jacob, y tendré piedad de sus casas, y será reedificada la ciudad en su altura, y fundado el Templo según su *anterior* estado.

---

CAP. XXX. — **3.** Pero antes castigarés sus delitos. El Profeta parece que habla principalmente de la libertad completa en que será puesto el pueblo de Israel, cuando todo entero reconocerá al Mesías, y entrará en su Iglesia por la fe: porque tan sólo una pequeña parte de la nación fué la que se convirtió en tiempo del Mesías. Tal vez por esto se añade en el *v.* 24, que las cosas que aquí se dicen serán entendidas *al fin de los tiempos.* Es de notarse con S. Jerónimo, que profetizaban las mismas cosas Jeremías en Jerusalén y Ezequiel en Babilonia. Véase *Ezech.* XXXVII, *v.* 24.

**6.** Enérgica figura con que se explica la acerbidad del dolor. La amarillez es el color de los que padecen la *ictericia,* o el color de oro, como trasladan los *Setenta.*

---

**10.** A la tierra que yo le di.

**13.** Esto es, la ceguedad y dureza del pueblo judaico en no querer reconocer al Mesías, es de suyo incurable; se necesita un milagro de la gracia, el cual obrará Dios a su tiempo. *Rom.* II.

**14.** Cap. XXIII, *v.* 19.

**18.** Aquellos que están en la Caldea.

19. Y saldrán de sus labios alabanzas y voces de júbilo: y yo los multiplicaré, y no se disminuirá su número; los llenaré de gloria, y no volverán a ser envilecidos.

20. Y serán sus hijos *fieles* como al principio, y su congregación permanecerá estable en mi presencia; y castigaré a todos los que la atribulan.

21. Y de él, *esto es, de Jacob,* nacerá su caudillo *o Mesías,* y de en medio de él saldrá a luz el Príncipe al cual me lo allegaré a mí, y él se estrechará conmigo. Porque ¿quién es aquel que *de tal modo* se acerque a mí con su corazón? dice el Señor.

22. Vosotros seréis entonces mi pueblo *fiel,* y yo seré vuestro Dios *siempre benigno.*

23. *Pero* he aquí que el torbellino del Señor, el furor que está respirando, la inminente tempestad, todo descargará sobre la cabeza de los ímpios.

24. No apaciguará el Señor el furor de su indignación, hasta tanto que haya ejecutado y cumplido los designios de su corazón: al fin de los tiempos entenderéis estas cosas.

## CAPITULO XXXI

*Jeremías profetiza la libertad del pueblo de Israel, el cual reunido todo, servirá al Señor y será colmado de bienes. Nacimiento del Mesías y formación de la nueva Ley.*

1. En aquel tiempo, dice el Señor, yo seré el Dios de todas las tribus de Israel, y ellas serán mi pueblo.

2. Esto dice el Señor: En el Desierto el *resto del* pueblo, que quedó libre del castigo, halló gracia *delante de mí: también,* Israel llegará a *la tierra de* su descanso.

3. Es verdad *que* me visitó el Señor, *responde Israel,* mas hace ya mucho tiempo. *Te engañas, dice Dios,* porque yo te he amado con perpetuo *y no interrumpido* amor: por eso misericordioso, te atraje a mí.

4. Y otra vez te renovaré y te daré nuevo ser ¡oh virgen de Israel! Todavía saldrás acompañada del sonido de tus panderos, y caminarás rodeada de coros de música;

5. Todavía plantarás viñas en los montes de Samaria; y aquellos que las plantarán no recogerán su fruto hasta el tiempo prescrito.

6. Porque tiempo vendrá en que los centinelas *o jefes de mi pueblo* clamarán sobre el monte de Efraím: Vamos *todos,* y subamos a Sión, al *templo del* Señor Dios nuestro.

7. Porque esto dice el Señor: Regocijaos y haced fiestas por amor de Jacob, y prorrumpid en gritos de júbilo al frente de las naciones: resuenen vuestros cánticos, y decid: ¡Salva, Señor, al pueblo tuyo, *salva* las reliquias de Israel!

8. Sabed, *dice el Señor,* que yo los conduciré *a todos* de las tierras del norte, y los recogeré de los extremos de la tierra: entre ellos vendrán juntamente el ciego y el cojo, la preñada y la que dió a luz, grande será la muchedumbre de los que volverán acá.

9. Vendrán llorando *de gozo,* y yo compadecido *de ellos* los conduciré a la vuelta por medio de arroyos de *frescas* aguas, vía recta y sin ningún tropiezo; porque padre soy yo de Israel, y Efraím es mi primogénito.

10. Escuchad ¡oh naciones! la palabra del Señor, y anunciadla a las islas *más* remotas, y decid: Aquel *mismo* que dispersó a Israel, lo reunirá y lo guardará como guarda el pastor a su rebaño.

11. Pues el Señor ha redimido a Jacob, y lo ha librado de las manos del prepotente.

12. Y *así* vendrán, y cantarán himnos *a* Dios en el monte Sión, y correrán en tropa a gozar de los bienes del Señor, del trigo, del vino, del aceite y de las crías de ovejas y de vacas, y estará su alma cual *hermoso* jardín abundante de aguas, y no padecerán *ya* más necesidades.

13. Entonces se regocijarán las vírgenes al sonido de músicos instrumentos y *también* los jóvenes a una con los ancianos. Yo cambiaré su llanto en gozo, y los consolaré, y los llenaré de alegría en cambio de su pasado dolor.

---

21. Todos los Expositores antiguos y modernos ven aquí una clara profecía de Cristo. *Is.* XLVI, *v.* 11. — *¿Ese que se me arrime sin arrimarle yo?* Tal parece a varios intérpretes el sentido de la Vulgata *applicabo eum* en la segunda parte de la antítesis. La expresión de la primera parte de la antítesis se entiende del pueblo de *Jacob,* no del Príncipe.
 **CAP. XXXI.** — 4. Esto es, *oh pueblo de Israel.*

---

5. *Lev.* XIX, *v.* 25.
6. *Is.* II, *v.* 3. — *Mich,* IV, *v.* 2.
9. *Is.* XXXV, *v.* 7; XLI, *v.* 18; XLIX, *v.* 10. — Alude a la preferencia que le dió Jacob. *Gen.* XLVIII, *v.* 13, et. seq. Efraím denota las diez tribus.
13. *Apoc.* XIV, *v.* 4.

**14.** Y saciaré el alma de los sacerdotes con *otras* pingüísimas carnes, y el pueblo mío será colmado de mis bienes, dice el Señor.

**15.** *Porque* esto dice el Señor: Se han oído allá en lo alto voces de lamentos, de luto y de gemidos, y son de Raquel, que llora sus hijos, ni quiere admitir consuelo en orden a la muerte de ellos, visto que ya no existen.

**16.** El Señor dice así: Cesen tus labios de prorrumpir en voces de llanto, y tus ojos de derramar lágrimas; pues por tu pena recibirás galardón, dice el Señor, y ellos volverán de tu tierra enemiga.

**17.** Y para tus últimos días te queda la *segura* esperanza, dice el Señor, de que tus hijos volverán a sus hogares.

**18.** He escuchado con atención a Efraím *que* en su cautiverio *dice:* Tú me has castigado, *oh Señor;* yo cual indómito novillo he sido corregido. Conviérteme a ti, y yo me convertiré; pues que tú ¡oh Señor! eres mi Dios.

**19.** Porque *estoy viendo ahora que después* que tú me convertiste, yo he hecho penitencia; después que me iluminaste, he herido mi muslo; y he quedado confuso y avergonzado, porque he sufrido el oprobio de mi mocedad.

**20.** ¿No es Efraím para mí el hijo querido, el niño que yo he criado con ternura? Desde que yo he hablado, le traigo siempre en la memoria; por eso se han conmovido por amor suyo mis entrañas. Y tendré para con él entrañas de misericordia, dice el Señor.

**21.** Seas, *pues, oh Efraím, a manera de* un centinela: entrégate a las amarguras *de la penitencia;* convierte tu corazón hacia el recto camino, por donde anduviste; vuelve ¡oh virgen de Israel! *vuelve, ¡oh pueblo mío!* vuelve a tus ciudades.

**22.** ¿Hasta cuándo estás estragándote en medio de los deleites, oh hija perdida? Pues *mira,* el Señor ha hecho una cosa nueva, *o milagrosa,* sobre la tierra: UNA MUJER *VIRGEN* ENCERRARÁ DENTRO DE SÍ AL HOMBRE *DIOS*.

**23.** Esto dice el Señor de los ejércitos, el Dios de Israel: Todavía se oirán estas palabras en la tierra de Judá y en sus ciudades, cuando yo hubiere redimido sus cautivos: Bendígate el Señor ¡oh mansión hermosa de la justicia, oh monte santo *de Sión!*

**24.** Y habitará allí Judá y juntamente todas sus ciudades; así aquellos que labran la tierra, como los que apacientan los ganados;

**25.** Porque yo embriagaré *en Sión* a toda alma sedienta, y hartaré a todo hambriento.

**26.** Por eso desperté yo como de un sueño y abrí los ojos, y me saboreé con mi sueño *profético*.

**27.** He aquí que viene el tiempo, dice el Señor, en que yo sembraré la casa de Israel y la casa de Judá de simiente de hombres y de simiente de jumentos.

**28.** Y al modo que puse mi atención en extirparlos, y abatirlos, y disiparlos, y desparramarlos, y afligirlos *de mil maneras,* así no perderé tiempo *ahora* para restaurarlos y plantarlos, dice el Señor.

**29.** En aquellos días no se oirá más aquel dicho: Los padres comieron uvas agraces, y los hijos padecieron la dentera,

**30.** Sino que cada uno morirá por su propio pecado: el hombre que comiere la uva agraz, ése sufrirá la dentera.

**31.** He aquí que viene el tiempo, dice el Señor, en que yo haré una nueva alianza con la casa de Israel y con la casa de Judá.

**32.** Alianza, no como aquella que contraje con sus padres el día que los cogí por la mano para sacarlos de la tierra de Egipto; alianza que ellos invalidaron, y *por tanto* ejercí sobre ellos mi *soberano* dominio, dice el Señor.

**33.** Mas ésta será la *nueva* alianza que yo haré, dice el Señor, con la casa de Israel, después que llegue aquel tiempo. Imprimiré mi ley en sus entrañas, y la grabaré en sus corazones; y yo seré su Dios, y ellos serán el pueblo mío.

**34.** Y no tendrá ya el hombre que hacer de maestro de su prójimo, ni el hermano de su hermano, diciendo: Conoce al Señor. Pues

---

**14.** De víctimas más preciosas. *Act.* II, *v.* 13. — Pero antes sufrirá la pena de sus delitos.

**15.** En Ramá, pequeña ciudad de la tierra de Benjamín. — *Matth.* II, *v.* 18.

**18.** O al pueblo mío. — Esto es, aumenta en mi siempre más y más el conocimiento y el dolor de mis pecados, a fin de que sea más grande también y más fervorosa y sólida mi conversión, que ha principiado a obrar la luz de tu gracia.

**29.** *Ezech.* XVIII, *v.* 2. Los Judíos solían siempre atribuir a los pecados de sus padres más que a los suyos los castigos que el Señor les enviaba. Pero más humildes, los nuevos fieles o servidores del Señor no lo dirán así, sino que pedirán perdón a Dios.

**33.** *Hebr.* X, *v.* 16. En la Ley de gracia los preceptos de Dios quedan íntimamente grabados en el corazón del hombre por la caridad que el Espíritu Santo derrama en él.

**34.** Abusan de este lugar los que creen que cada uno puede por medio de su *espíritu privado* entender la Sagrada Escritura; error que S. Pedro condenó *expresamente*. II. *Petr. I*, v. 20. — *Act. X*, *v.* 43.

todos me conocerán, desde el más pequeño hasta el más grande, dice el Señor: porque yo perdonaré su iniquidad, y no me acordaré más de su pecado.

**35.** Esto dice el Señor, *aquel Señor* que envía el sol para dar luz al día, y ordena el curso de la luna y de los astros para esclarecer la noche; el que alborota el mar, y *al instante* braman sus olas; el que se llama Señor de los ejércitos.

**36.** Cuando estas leyes, dice el Señor, establecidas por mi providencia vinieren a faltar, entonces podrá faltar también el linaje de Israel, y dejar de ser nación perdurable a mi presencia.

**37.** Esto dice *todavía* el Señor: Cuando alguno pudiere medir allá arriba los cielos, y escudriñar allá abajo los cimientos de la tierra, entonces podré yo reprobar todo el linaje de Israel por sus fechorías, dice el Señor.

**38.** Sabed que llega el tiempo, añade el Señor, en que será edificada por el Señor la ciudad desde la torre de Hananeel hasta la puerta *llamada* del Rincón.

**39.** Y la línea de la demarcación se tirará más adelante en frente de esa *puerta* sobre el collado de Gareb, y seguirá dando vuelta por el de Goata, *o Gólgota*.

**40.** Y por todo el Valle de los cadáveres y de la ceniza, *o de Ennom*, y por todo el sitio de los ajusticiados, hasta el torrente de Cedrón y hasta la esquina de la puerta de los caballos que está al oriente. El Santuario del Señor nunca jamás será arrancado, ni destruido.

## CAPITULO XXXII

*Jeremías, durante el sitio de Jerusalén por Nabucodonosor, compra por orden del Señor un campo y hace escritura de compra, no obstante que aquel país iba a ser asolado y cautivado el pueblo, para manifestar con esa señal que los Judíos volverían libres a su antiguo país donde el Señor haría con ellos una nueva alianza.*

**1.** Palabras que el Señor habló a Jeremías el año décimo de Sedecías rey de Judá, que corresponde al año décimo octavo de Nabucodonosor.

**2.** A la sazón el ejército del rey de Babilonia tenía sitiada a Jerusalén; y el profeta Jeremías estaba preso en el patio de la cárcel que había en el palacio del rey de Judá;

**3.** Porque Sedecías rey de Judá, lo había hecho poner preso, diciendo: ¿Cómo es que andas vaticinando y diciendo: Esto dice el Señor: Sabed que yo entregaré esta ciudad en poder del rey de Babilonia, el cual se apoderará de ella;

**4.** Y Sedecías, rey de Judá, no escapará de las manos de los Caldeos, sino que caerá en poder del rey de Babilonia, y hablará con él boca a boca, y le verá con sus mismos ojos;

**5.** Y será conducido por él a Babilonia, donde estará hasta tanto que yo le visite, dice el Señor? Que si peleareis contra los Caldeos, *añade,* no tendréis buen suceso.

**6.** Jeremías, pues, *estando preso,* dijo: El Señor me ha hablado, diciendo:

**7.** Mira que tu primo hermano por parte de padre, Hananeel, hijo de Sellum, ha de venir a decirte que le compres un campo que tiene en Anatot; pues que a ti te compete la compra por ser el pariente más cercano.

**8.** En efecto, según la palabra del Señor, Hananeel, hijo de mi tío paterno, vino a encontrarme en el patio de la cárcel, y me dijo: Cómprame el campo que tengo en Anatot, tierra de Benjamín; pues que a ti te toca por derecho de herencia el poseerlo, por ser tú el pariente más cercano. Conocí que aquello venía del Señor;

**9.** Y compré a Hananeel, hijo de mi tío paterno, aquel campo situado en Anatot, y le pesé la cantidad de dinero de diez y siete siclos de plata.

**10.** E hice una escritura de contrato, y la sellé *o firmé* en presencia de testigos, y pesé la plata en la balanza.

**11.** Y tomé la escritura de compra firmada con sus estipulaciones y ratificaciones, y con los sellos por defuera.

**12.** Y di esta escritura de compra a Baruc, hijo de Neri, hijo de Maasías, en presencia de Hananeel, mi primo hermano, delante de los testigos citados en la escritura de compra, y a vista de todos los Judíos que estaban en el patio de la cárcel.

**13.** Y en presencia de ellos di orden a Baruc, y le dije:

**14.** Esto dice el Señor de los ejércitos, el Dios de Israel: Toma estas escrituras, y esta otra escritura abierta, y mételas en una vasija de barro, para que puedan conservarse mucho tiempo.

---

40. El valle de *Ennon*. Después de la nueva Ley o alianza.
CAP. XXXII. — 2. IV *Reg.* XXV, *v.* 1.

9. Es estilo hebreo anteponer el número pequeño.
14. O simple traslado.

**15.** Porque esto dice el Señor de los ejércitos, el Dios de Israel: Todavía se han de poseer en esta tierra casas y campos, y viñas.

**16.** Así que hubo entregado a Baruc, hijo de Neri, la escritura de venta, púseme luego en oración, y dije:

**17.** ¡Ah! ¡ah! ¡ah! Señor Dios *mío*, bien veo que tú creaste el cielo y la tierra con tu gran poder y con tu brazo fuerte: ninguna cosa será *jamás* difícil para ti:

**18.** *Tú eres* el que usas de misericordia en *la serie* de mil generaciones, y la iniquidad de los padres la castigas después de ellos en sus hijos; *tú eres* el fortísimo, el grande, el poderoso: Señor de los ejércitos es tu nombre.

**19.** Grandioso eres en tus consejos e incomprensible en tus designios; contemplando están tus ojos todas las acciones de los hijos de Adán, para retribuir a cada uno según sus obras y según el mérito de su conducta.

**20.** Tú obraste milagros y prodigios *celebrados* hasta hoy día en la tierra de Egipto, y en Israel, y entre todos los hombres, e hiciste tan grande tu Nombre como se ve que es en el día de hoy;

**21.** Tú sacaste a tu pueblo de Israel de la tierra de Egipto por medio de los milagros y portentos, con mano poderosa, y brazo fuerte, y grande espanto:

**22.** Y le diste esta tierra, conforme lo habías prometido con juramento a sus padres, tierra que mana leche y miel.

**23.** Entraron, en efecto, en ella, y la han poseído; mas no obedecieron tu voz, ni siguieron tu *santa* ley, nada hicieron de cuanto les mandaste, y por eso les han sobrevenido todos estos desastres.

**24.** He aquí ya levantadas las máquinas de guerra contra la ciudad para batirla; y cómo está para caer en poder de los Caldeos, que la combaten a fuerza de armas, y del hambre, y de la peste; y cuantas cosas hablaste *¡oh Dios mío!* todas se han cumplido, como tú mismo lo estás viendo.

**25.** ¡Y tú, oh Señor Dios, *no obstante* me dices a mí: Compra un campo a dinero contante, en presencia de testigos; siendo así que la ciudad va a ser entregada en poder de los Caldeos!

**26.** Entonces respondió el Señor a Jeremías, diciendo:

**27.** Mira, yo soy el Señor Dios de todos los mortales: ¿habrá por ventura cosa ninguna difícil para mí?

**28.** Por tanto, esto dice el Señor: Sábete que yo voy a entregar esta ciudad en manos de los Caldeos, y en poder del rey de Babilonia, y la rendirán.

**29.** Y entrarán los Caldeos con espada en mano en esta ciudad, y le pegarán fuego, y la quemarán junto con las casas en cuyos terrados se ofrecían sacrificios a Baal, y libaciones a dioses ajenos para irritarme.

**30.** Porque ya desde su mocedad los hijos de Israel y los hijos de Judá están continuamente obrando mal delante de, mis ojos; los hijos de Israel, *digo*, que hasta el presente no hacen sino exasperarme con las obras de sus manos, dice el Señor.

**31.** De suerte que esta ciudad se ha hecho para mí objeto de furor y de la indignación mía, desde el día en que fué edificada hasta el día presente, en que será borrada de delante de mis ojos.

**32.** Por la maldad de los hijos de Israel y de los hijos de Judá, cometida cuando me provocaron a ira ellos, y sus reyes, y sus príncipes, y sus sacerdotes, y sus profetas, los varones de Judá y los habitantes de Jerusalén,

**33.** Y volvieron hacia mí sus espaldas y no su cara, cuando yo desde la mañana los instruía y los avisaba, no queriendo ellos escuchar ni recibir la corrección;

**34.** Y *antes bien* colocaron sus ídolos en la casa en que se invoca mi *santo* Nombre, a fin de profanarla;

**35.** Y erigieron altares a Baal en el valle del hijo de Ennom para consagrar *o sacrificar* sus hijos y sus hijas *al ídolo* Moloc: cosa que yo jamás les mandé *para mí*, ni me pasó por el pensamiento que ellos hicieran tal abominación, e indujesen a Judá a *tan abominable* pecado.

**36.** Ahora bien, en medio de estas cosas, así habla el Señor, el Dios de Israel, a esta ciudad, de la cual decís vosotros que caerá en poder del rey de Babilonia a fuerza de armas, de hambre y de peste:

**37.** Sabed que yo *después* los reuniré de todas las regiones, por donde los habré desparramado en la efusión de mi furor, de mi cólera y de mi grande indignación, y los restituiré a este lugar donde los haré morar tranquilamente.

**38.** Y ellos serán mi pueblo, y yo seré su Dios.

**39.** Y les daré un *mismo* corazón y un solo culto, para que me teman todos los días *de su* vida, y sean felices ellos, y después de ellos sus hijos.

---

**18.** *Exod.* XX, *v.* 5. — *Deut.* V, *v.* 9, 10.

**31.**  O engrandecida y adornada por Salomón y otros reyes.

**34.** IV *Reg.* XXI, *v.* 4.

**35.** Véase c. VII, *v.* 31; XIX, *v.* 5.

**40.** Y sentaré con ellos una eterna alianza, ni cesaré *jamás* de hacerles bien; e infundiré mi temor en su corazón, para que no se aparten de mí.

**41.** Y mi gozo será el hacerles beneficios, y los estableceré en esta tierra, de veras, y con todo mi corazón, y con toda mi alma.

**42.** Porque esto dice el Señor: Así como he descargado yo sobre este pueblo todos estos grandes males, del mismo modo los colmaré a ellos de todos los bienes que les prometo.

**43.** Y de nuevo serán poseídos *por sus dueños* los campos en esta tierra; de la cual decís vosotros que está desierta, por no haber quedado en ella ni hombre ni bestia; porque fué abandonada al poder de los Caldeos.

**44.** Comprárnse por *su* dinero los campos, formáránse escrituras de contrata, se imprimirá en ellas el sello, y asistirán los testigos, en la tierra de Benjamín, y en el territorio de Jerusalén, y en las ciudades de Judá, y en las ciudades de las montañas, y en las ciudades de las llanauras, y en las ciudades que están al mediodía; puesto que yo pondré fin a su cautiverio, dice el Señor.

## CAPITULO XXIII

*El Señor promete nuevamente el feliz restablecimiento de Jerusalén: anuncia otra vez la venida del Mesías y su reino eterno. Incredulidad de los Judíos.*

**1.** Segunda vez el Señor habló a Jeremías, estando éste todavía preso en el patio de la cárcel, y le dijo:

**2.** Esto dice el Señor, el cual hará y efectuará y dispondrá *de antemano* aquello que dice, aquel cuyo nombre es *Jehová o* el Señor.

**3.** Invócame, y yo te oiré benigno, y te declararé cosas grandes y ciertas que tú ignoras.

**4.** Porque esto dice el Señor, el Dios de Israel, acerca de las casas de esta ciudad y acerca de las del rey de Judá, que han sido destruidas, y en orden a las fortificaciones y a las espadas.

**5.** De aquellos que van a pelear contra los Caldeos, y que llenarán sus casas de cadáveres de hombres, a los cuales yo herí en mi furor e indignación, habiendo apartado mi ros-

tro de esa ciudad por causa de todas sus maldades.

**6.** He aquí que yo cerraré sus llagas, y les volveré la salud, y remediaré sus males, y les haré gozar de la paz y de la verdad *de mis promesas,* conforme ellos han pedido.

**7.** Y haré que vuelvan los cautivos de Judá y los cautivos de Jerusalén, y los restituiré a su primitivo estado.

**8.** Y los purificaré de todas las iniquidades con que pecaron contra mí; y les perdonaré todos los pecados con que me ofendieron y despreciaron.

**9.** Lo cual hará que las naciones todas de la tierra, a cuya noticia lleguen todos los beneficios que les habré hecho, celebrarán con gozo mi *santo* Nombre, y me alabarán con voces de júbilo; y quedarán llenas de asombro y de *un saludable* temor, a vista de tantos bienes y de la suma paz que yo les concederé.

**10.** Esto dice el Señor: En este lugar, (que vosotros llamáis un desierto, porque no hay en él hombre ni bestia), en las ciudades de Judá, y en los contornos de Jerusalén, que están asolados y sin hombre alguno, sin habitantes ni ganados, se han de oír todavía

**11.** Voces de gozo y alegría, voces o *cantares* de esposo y de esposa, voces de gentes que dirán; Tributad alabanzas al Señor, porque hace brillar eternamente su misericordia; y voces *también* de aquellos que vendrán a presentar sus ofrendas en la casa del Señor. Porque yo he de restituir a su primer estado, dice el Señor, a los que fueron llevados de esta tierra cautivos *a Babilonia.*

**12.** Dice *asimismo* el Señor de los ejércitos: En este lugar despoblado, donde no se ve hombre ni bestia, y en todas sus ciudades, aún se verán *otra vez* cabañas de pastores que recogerán los rebaños en sus apriscos.

**13.** En las ciudades de las montañas, y en las ciudades de las llanuras, y en las ciudades meridionales, y en la tierra de Benjamín, y en los contornos de Jerusalén, y en las ciudades de Judá, todavía se verán pasar las reses, dice el Señor, debajo de la mano *de su pastor* que las irá contando.

**14.** Vienen ya los días, dice el Señor, en que yo llevaré a efecto la palabra o *promesa* buena, que di a la casa de Israel y a la casa de Judá.

---

CAP. XXXIII. — 13. Para hacer varias obras de defensa.
5. De nada aprovecharán los preparativos de defensa. *Cap.* XXVII.

---

11. I. *Esdr.* III. v. 11. — *Ps.* CXVII, CXXXV.
14. *Cap.* XXIII, *v.* 5.

**15.** En aquellos días y en aquel tiempo yo haré brotar *de la estirpe* de David un pimpollo de justicia, *el Mesías,* el cual gobernará con rectitud, y *establecerá la* justicia en la tierra.

**16.** En aquellos días Judá conseguirá su salvación y vivirá Jerusalén en *plena* paz; y el nombre con que le llamarán será éste: El Señor, nuestro Justo.

**17.** Porque esto dice el Señor: No faltará jamás un varón de la estirpe de David que se asiente sobre el trono de la casa de Israel.

**18.** Y no faltará de la estirpe de los sacerdotes y Levitas un varón que me ofrezca holocaustos, y encienda el fuego para el sacrificio, e inmole víctimas en todos tiempos.

**19.** Habló el Señor todavía a Jeremías, diciendo:

**20.** Esto dice el Señor: Si puede faltar el orden que tengo establecido para el día, y el orden que tengo establecido para la noche, de modo que no venga el día ni la noche a su debido tiempo,

**21.** Podrá también ser nula la alianza mía con David, mi siervo, de suerte que no nazca de él un hijo que reine en su trono, y no haya Levitas y sacerdotes ministros míos.

**22.** Así como no pueden contarse las estrellas del cielo, ni numerarse las arenas del mar, así yo multiplicaré sin cuento los descendientes de mi siervo David y los Levitas mis ministros.

**23.** Habló el Señor *aún* a Jeremías, diciendo:

**24.** ¿No has tú hecho alto en lo que habla este pueblo, que dice: Las dos familias que el Señor había escogido están desechadas? De tal manera desprecian ellos a mi pueblo, que a sus ojos ya no es nación.

**25.** Esto dice el Señor: Si yo no establecí ese orden *invariable* entre el día y la noche, ni di leyes al cielo y a la tierra,

**26.** Podrá en tal caso suceder que yo deseche el linaje de Jacob y de David, siervo mío, de modo que yo deje de elegir de su descendencia príncipes de la estirpe de Abraham, de Isaac, y de Jacob. Mas yo haré volver los que fueron llevados cautivos, y tendré de ellos misericordia.

# CAPITULO XXXIV

*El Señor entregará al rey Sedecías y a Jerusalén en poder del rey de Babilonia. Reprende a los Judíos por no haber cumplido la promesa de dar libertad a los esclavos hebreos.*

**1.** Palabras dichas por el Señor a Jeremías cuando Nabucodonosor, rey de Babilonia, y todo su ejército, y todos los reinos de la tierra, y pueblos que estaban bajo su dominio, hacían guerra contra Jerusalén y contra todas sus ciudades.

**2.** Esto dice el Señor, el Dios de Israel: Ve y habla a Sedecías, rey de Judá, y le dirás: Estas cosas dice el Señor: Mira que yo entregaré esta ciudad en poder del rey de Babilonia, el cual la abrasará.

**3.** Y tú no escaparás de sus manos, sino que infaliblemente serás tomado y entregado en ellas, y tus ojos verán los ojos del rey de Babilonia, y hablarás con él cara a cara, y entrarás en Babilonia.

**4.** Esto no obstante, escucha lo que dice el Señor ¡oh Sedecías, rey de Judá! Esto dice el Señor: Tú no morirás a cuchillo,

**5.** Sino que morirás de muerte natural, y al modo que fueron quemados *los restos de* tus padres los reyes pasados, tus predecesores, así quemarán tu cadáver, y te plañirán, exclamando: ¡Ay Señor! ¡ay! Porque así lo he decretado yo, dice el Señor.

**6.** Todas estas cosas dijo el profeta Jeremías en Jerusalén a Sedecías, rey de Judá.

**7.** Entretanto el ejército del rey de Babilonia estrechaba a Jerusalén y a todas las ciudades de Judá, que habían quedado *por conquistar,* a Laquís y a Azeca; pues que de las ciudades fortificadas de Judá, estas dos solas no se habían aún reunido.

**8.** Palabras que dijo el Señor a Jeremías, después que el rey Sedecías hizo un pacto con todo el pueblo de Jerusalén, publicando

**9.** Que todos debían dar libertad a sus esclavos hebreos y a sus esclavas hebreas, y que nadie tuviese dominio sobre ellos, siendo como eran Judíos y hermanos suyos.

---

16. Por este hijo de David. — *Cap.* XXIII, *v.* 6. — *Is.* IX, *v.* 6.

17. *Gen.* XLIX, *v.* 10.

CAP. XXXIV. — 5. I. *Reg.* XXXI, *v.* 12. — II *Paral.* XVI. *v.* 14.

10. Con efecto, todos los príncipes y el pueblo todo que habían hecho el pacto de dar libertad cada uno a su esclavo, y a su esclava, y de no tratarlos más como a esclavos, obedecieron, y los dieron por libres.

11. Pero arrepintiéronse después, y se llevaron por fuerza los esclavos y esclavas que habían dejado en libertad, y los sujetaron *otra vez* al yugo de la servidumbre.

12. Entonces habló el Señor a Jeremías, diciendo:

13. Esto dice el Señor, el Dios de Israel: Yo hice un pacto con vuestros padres el día que los saqué de la tierra de Egipto, de la casa de la esclavitud, y dije:

14. Cuando se cumplieren siete años, dé cada uno libertad a su hermano hebreo, que le fué vendido; él te servirá por espacio de seis años, y *después* lo dejarás ir libre. Mas vuestros padres no me escucharon, ni fueron dóciles a mis palabras.

15. Pero hoy día vosotros os habéis convertido *a mí*, y habéis hecho aquello que es agradable a mis ojos, publicando que cada uno dé la libertad a su prójimo y confirmásteis esta resolución en mi presencia, en la casa donde es invocado mi Nombre.

16. Mas después os habéis vuelto atrás, y habéis hecho un insulto a mi Nombre, y vuelto a recobrar cada uno su esclavo y a su esclava, que habíais dejado ir para que fuesen libres y dueños de sí: y les habéis puesto otra vez el yugo, haciéndoles *nuevamente* esclavos y esclavas vuestros.

17. Por lo cual esto dice el Señor: Vosotros no me habéis querido escuchar, asegurando cada uno la libertad a su hermano y a su prójimo; pues he aquí que yo promulgo para vosotros la libertad, dice el Señor, *para separaros de mí*, y quedar a merced de la espada, de la peste y del hambre, y os enviaré desparramados por todos los reinos de la tierra.

18. Y entregaré a los que han violado mi alianza, y no han guardo las palabras del pacto que acordaron en mi presencia, degollando y dividiendo en dos partes el becerro, y pasando después por medio de ellas

19. Los príncipes de Judá, y de Jerusalén, y los eunucos, *o palaciegos*, y los sacerdotes, y todo el pueblo del país, los cuales pasaron por en medio de los trozos del becerro.

20. Los entregaré en poder de sus enemigos, y en manos de los que ansían quitarles la vida; y sus cadáveres servirán de pasto a las aves del cielo y a las bestias de la tierra.

21. Y a Sedecías, rey de Judá, y a sus príncipes *o cortesanos* los pondré en manos de sus enemigos, en manos de los que se maquinan su muerte, y en manos de los ejércitos del rey de Babilonia que se han retirado de vosotros.

22. Pues he aquí que yo voy a dar mis órdenes dice el Señor, y los volveré a traer contra esta ciudad, y la batirán y se apoderarán de ella, y la incendiarán: y a las ciudades de Judá convertirlas hé en un desierto, de tal suerte que no quede en ellas ningún habitante.

## CAPITULO XXXV

*Obediencia de los Recabitas a las reglas de sus mayores, y desobediencia de los Judíos: intima a éstos el castigo, y promete la bendición a aquéllos.*

1. Palabras que el Señor dirigió a Jeremías en tiempo de Joakim, hijo de Josías, rey de Judá, diciéndole:

2. Anda, ve a la familia de los Recabitas, y habla con ellos, y condúcelos a la casa *o templo* del Señor, a uno de los aposentos de los tesoros *o repuestos*, y preséntales vino para que beban.

3. Llevé, pues, conmigo a Jezonías, hijo de Jeremías, hijo de Habsanías, y sus hermanos, y a todos sus hijos, y a la familia toda de los Recabitas,

4. Y los introduje a la casa del Señor, en el aposento *llamado* de los tesoros, donde estaban los hijos de Hanán, hijo de Jegedelías, varón de Dios; aposento que estaba junto al tesoro de los príncipes, sobre la tesorería de Maasías, hijo de Sellum, el cual era el guarda del atrio del templo.

5. Y presenté a los hijos de la casa de los Recabitas tazas y copas llenas de vino, y díjeles: Bebed vino.

6. Mas ellos respondieron: No lo beberemos porque nuestro padre Jonadab, hijo de Recab, nos dejó este precepto: Nunca jamás beberéis vino, ni vosotros, ni vuestros hijos;

---

14. *Exod.* XXI. *v.* 2. — *Deut.* XV, *v.* 12. Esto es, cuando se comenzarán a cumplir, o al principiar el año séptimo. Modismo hebreo, igual al que se usa en otros lugares: *Luc.* II, *v.* 21, *etc.*

18. *Gen.* XV, *v.* 10. — *Exod.* XXIV, *v.* 6.

---

21. Por un poco de tiempo. — Véase *el capítulo* XXXVII, *v.* 4.

CAP. XXXV. — 2. I *Faral.* II, *v.* 55.

**7.** No edificaréis casa, ni sembraréis granos, ni plantaréis viñas, ni las poseeréis; sino que habitaréis en tiendas todos los días de vuestra vida, a fin de que viváis mucho tiempo sobre la tierra *de Israel*, en la cual sois vosotros peregrinos.

**8.** Hemos, pues, obedecido a la voz de nuestro padre Jonadab, hijo de Recab, en todo cuanto nos dejó mandado, y por eso no bebemos vino en toda nuestra vida nosotros, ni nuestras mujeres, ni los hijos, ni las hijas;

**9.** Ni fabricamos casa, para nuestra habitación, ni tenemos viñas, ni campos, ni sementeras;

**10.** Sino que habitamos en tiendas de campaña, y hemos sido obedientes a todos los preceptos que nos dejó Jonadab, nuestro padre.

**11.** Pero habiendo entrado Nabucodonosor, rey de Babilonia, en nuestra tierra, hemos dicho: Vámonos y retirémonos a Jerusalén, para huir del ejército de los Caldeos y del ejército de la Siria; y por eso nos estamos en Jerusalén.

**12.** Entonces el Señor habló a Jeremías, diciendo:

**13.** Esto dice el Señor de los ejércitos, el Dios de Israel: Anda y di al pueblo de Judá, y a los habitantes de Jerusalén: ¿Es posible que no habéis de tomar ejemplo para obedecer a mis palabras, dice el Señor?

**14.** Las palabras con que Jonadab, hijo de Recab, intimó a sus hijos que no bebieran vino, han sido tan fielmente observadas que no lo han bebido hasta el día de hoy, obedeciendo el precepto de su padre; mas yo os he hablado a vosotros de continuo y a todas horas, y no me habéis obedecido.

**15.** Pues os he enviado todos mis siervos, los profetas, de antemano y con mucha solicitud; y os envié a decir *por su boca*: Conviértase cada uno de vosotros de su pésima vida, y rectificad vuestros afectos, y no andéis tras los dioses ajenos, ni les déis culto; y *así* habitaréis en la tierra que yo di a vosotros y a vuestros padres; però vosotros no habéis querido obedecerme ni escucharme.

**16.** Así, pues, los hijos de Jonadab, hijo de Recab, han observado constantemente el precepto que les dejó su padre; mas ese pueblo no me ha obedecido a mí.

**17.** Por tanto, esto dice el Señor de los ejércitos, el Dios de Israel: Yo voy a descargar sobre Judá, y sobre todos los habitantes de Jerusalén todas las tribulaciones con que les he amenazado; puesto que yo les he hablado, y no han querido escucharme, los he llamado, y no han querido responderme.

**18.** Pero a la familia de los Recabitas díjole Jeremías: Esto dice el Señor de los ejércitos, el Dios de Israel: Por cuanto vosotros habéis obedecido el mandamiento de vuestro padre Jonadab, y habéis observado todas sus órdenes, y cumplido todo cuanto os prescribió;

**19.** Por tanto, esto dice el Señor de los ejércitos, el Dios de Israel: No faltará varón de la estirpe de Jonadab, hijo de Recab, que asista en mi presencia todos los días.

# CAPITULO XXXVI

*Jeremías hace leer a todo el pueblo por medio de Baruc, el volumen de sus profecías, o amenazas de Dios; pero el rey Joakim quema el libro, y da orden de prender a Jeremías y a Baruc, e intime a Joakim se ruina y la de Jerusalén.*

**1.** Corriendo el año cuarto de Joakim, hijo de Josías, rey de Judá, el Señor habló a Jeremías, y le dijo:

**2.** Toma un cuaderno, y escribirás en él todas las palabras que yo te he hablado contra Israel y contra Judá, y contra todos los pueblos, desde el tiempo del reinado de Josías, en que yo te hablé, hasta el día de hoy;

**3.** Por si tal vez *los hijos de* la casa de Judá, oyendo todos los males que yo pienso enviarles, se convierte cada uno de su pésimo proceder, de suerte que pueda yo perdonarles sus maldades y pecados.

**4.** Llamó, pues, Jeremías a Baruc, hijo de Neerías, y, dictàndole Jeremías, escribió Baruc en aquel volumen todas las palabras que el Señor le dijo.

**5.** Y dióle Jeremías a Baruc esta orden, diciendo: Yo estoy encerrado y no puedo ir a la casa del Señor.

---

**7.** Admirable documento de perfección evangélica, y de la viva persuasión en que estaban de que, a imitación de los santos Patriarcas, debían vivir como peregrinos en el mundo: *Hebr.* XI, *v.* 9. *Recab* fué un varón célebre del linaje de *Jetro*, suegro de Moisés. *Exod.* XVIII. Los *Recabitas* o *Cineos* fueron muy estimados entre los Judíos por su piedad y austeridad de vida. I *Judic.* I, *v.* 16. — I *Paral.* II, *v.* 55.

**15.** *Cap.* XVIII, *v.* XXV, *v.* 5.

---

**19.** Véase I *Paral.* II, *v.* 55, y la Nota.
**CAP. XXXVI.** — **2.** O un rollo de pergamino.

**6.** Ve, pues, tú, y lee las palabras del Señor que yo te he dictado, y tú has escrito en este libro, de modo que las oiga el pueblo, en la casa del Señor, el día del ayuno; y asimismo las leerás de manera que las oigan todos los de Judá que vienen de sus ciudades;

**7.** Por si tal vez se humillan orando en el acatamiento del Señor, y se convierte cada uno de su perverso proceder. Porque es *muy* grande el furor y la indignación que ha manifestado el Señor contra este pueblo.

**8.** Ejecutó Baruc, hijo de Nerías, puntualmente todo cuanto le ordenó Jeremías, profeta, y puesto en la casa del Señor leyó en el libro las palabras del Señor.

**9.** Pues *es de saber que* el año quinto del reinado de Joakim, hijo de Josías, rey de Judá, en el nono mes, fué intimado un ayuno en la presencia del Señor a todo el pueblo de Jerusalén y a todo el gentío que había concurrido a Jerusalén de las ciudades de Judá.

**10.** Y *entonces* leyó Baruc por el libro las palabras de Jeremías en la casa del Señor, desde el gazofilacio, que está a cargo de Gamarías, hijo de Safán, doctor de la ley, sobre el atrio de arriba, a la entrada de la puerta nueva del templo del Señor, oyéndolo todo el pueblo.

**11.** Y Miqueas, hijo de Gamarías, hijo de Safán, oído que hubo todas las palabras del Señor, leídas en el *dicho* libro,

**12.** Pasó al palacio del rey, al despacho del secretario, donde se hallaban sentados todos los príncipes o *magnates, a saber*: Elisama, secretario, y Dalaías, hijo de Semeías, y Elnatán, hijo de Acobor, y Gamarías, hijo de Safán, y Sedecías, hijo de Hananías, y en suma, todos los prícipes o *jefes*.

**13.** Y les refirió Miqueas todo aquello que había oído leer a Baruc en el libro, y que había escuchado el pueblo.

**14.** Con esto, todos aquellos señores enviaron a decir a Baruc, por medio de Judí, hijo de Natanías, hijo de Selemías, hijo de Cusi: Toma en tu mano ese libro que tú has leído delante del pueblo, y vente acá. Tomó, pues, Baruc, hijo de Nerías, en su mano el libro, y fué a donde ellos estaban.

**15.** Los cuales le dijeron: Siéntate y léenos esas cosas para que las oigamos. Y leyólas Baruc en su presencia.

**16.** Así que oyeron todas aquellas palabras, quedaron atónitos, mirándose unos a otros; y dijeron a Baruc: Es preciso que demos parte al rey de todo esto.

**17.** Y los interrogaron, diciendo: Cuéntanos cómo recogiste tú de su boca todas estas cosas.

**18.** Y respondióles Baruc: Dictábame él todas estas palabras, como si fuera leyéndolas *en un libro*; y yo las iba escribiendo con tinta en este volumen.

**19.** Entonces los príncipes dijeron a Baruc: Ve y escóndete tú, y Jeremías, y nadie sepa en donde estáis.

**20.** Y ellos fueron a encontrar al rey en el atrio; pero el libro lo depositaron en el gazofilacio o *aposento* de Elisama, secretario o *canciller*, y dieron parte al rey en su audiencia de todo lo ocurrido.

**21.** Envió luego el rey a Judí para que trajese aquel libro; el cual sacándolo del gazofilacio o *gabinete* del secretario Elisama, lo leyó a presencia del rey y de todos los príncipes que estaban alrededor del rey.

**22.** Estaba el rey en la habitación de invierno, siendo el nono mes; y había delante de él un brasero lleno de ascuas muy encendidas.

**23.** Y así que Judí hubo leído tres o cuatro páginas, el rey hizo pedazos el libro con el cortaplumas del secretario, y arrojólo en el fuego del brasero, el cual lo hizo consumir todo.

**24.** Y *así* ni el rey, ni ninguno de su cortesanos que oyeron estas palabras o *amenazas*, no temieron *por esto*, ni rasgaron sus vestidos *en señal de dolor*.

**25.** Si bien Elmatán, y Dalaías, y Gamarías no aprobaron la voluntad del rey en quemar el libro; mas el rey no hizo caso de ellos.

**26.** Antes bien mandó a Jeremiel hijo de Amelec, y a Saraías, hijo de Ezriel, y a Seremías, hijo de Abdeel, que prendiesen a Baruc, el amanuense o *secretario*, y al profeta Jeremías; pero el Señor los ocultó.

**27.** Después que el rey quemó el libro, y las palabras que, dictando Jeremías, había escrito Baruc, habló el Señor a Jeremías profeta, diciéndole:

**28.** Toma de nuevo otro cuaderno, y escribe en él todas las palabras que había ya en el primer volumen, quemado por Joakim, rey de Judá.

**29.** Y le dirás a Joakim, rey de Judá: Esto dice el Señor: Tú has quemado aquel cuaderno, diciendo *a Jeremías*: ¿Por qué has puesto tú por escrito en él ese vaticinio, amenazando con decir que vendrá con presteza el rey de Babilonia, y asolará esta tierra sin dejar en ella hombre ni bestia?

---

6. El día del ayuno universal. Después *v.* 9.

30. Por tanto, esto dice el Señor contra Joakim, rey de Judá: No se verá ningún descendiente suyo que se siente en el solio de David, y su cadáver será arrojado, y expuesto al calor del día y al hielo de la noche.

31. Y vendré a tomar residencia de su maldades, y de las de su linaje, y de las de sus servidores, y descargaré sobre ellos, y sobre los habitantes de Jerusalén, y sobre el pueblo de Judá todos los males que les tengo anunciados, ya que no han querido escucharme.

32. Tomó, pues, Jeremías otro cuaderno, y dióselo a Baruc, hijo de Nerías, su secretario; el cual, dictándole Jeremías, escribió en él todas las palabras del libro quemado por Joakim, rey de Judá; y aún fueron añadidas muchas cosas sobre las que antes había.

## CAPITULO XXXVII

*El nuevo rey Sedecías se encomienda a las oraciones del Profeta. Retírase Nabucodonosor, y Jeremías predice que volverá, y que la ciudad será entregada a las llamas. Preso Jeremías vaticina a Sedecías su cautiverio, y no obstante mandó el rey que le trasladen al patio de la cárcel, y que le den de comer.*

1. Entró a reinar Sedecías, hijo de Josías, en lugar de Jéconías, hijo de Joakim, habiendo sido establecido rey de Judá por Nabucodonosor, rey de Babilonia.

2. Y ni él, ni sus servidores, ni la gente de la tierra obedecieron a las palabras que el Señor dijo por boca del profeta Jeremías.

3. Y envió el rey Sedecías a Jucal, hijo de Selemías, y a Sofonías, hijo de Maasías sacerdote, a decir al profeta Jeremías: Ruega por nosotros al Señor Dios nuestro.

4. Andaba entonces Jeremías libremente por entre el pueblo, pues no le habían aún puesto en la cárcel. Entretanto el ejército de Faraón salió de Egipto: oído lo cual por los Caldeos, que tenían cercada a Jerusalén, levantaron el sitio.

5. Entonces el Señor habló al profeta Jeremías, del modo siguiente:

6. Esto dice el Señor Dios de Israel: Diréis al rey de Judá, que os ha enviado a consultarme: Mira que el ejército de Faraón, que venía a socorreros, se volverá a su tierra, a Egipto;

7. Y volverán los Caldeos, y combatirán contra esta ciudad, y se apoderarán de ella, y la entregarán a las llamas.

8. Esto dice el Señor: No queráis engañaros a vosotros mismos, diciendo: Iranse los Caldeos para no volver, y nos dejarán en paz: porque *entended que* no se irán.

9. Pero aun cuando vosotros derrotareis todo el ejército de los Caldeos, que os hace la guerra, y solamente quedaren de él algunos pocos heridos, saldrían estos solos de sus tiendas, y entregarían esta ciudad a las llamas.

10. Habiéndose, pues, retirado de Jerusalén el ejército de los Caldeos, por causa del ejército de Faraón,

11. Partió Jeremías de Jerusalén para irse a la tierra de Benjamín, y para repartir allí cierta posesión en presencia de aquellos ciudadanos.

12. Y así que llegó a la puerta *llamada* de Benjamín, el que estaba por turno haciendo la guardia de la puerta, el cual se llamaba Jerías, hijo de Hananías, asió al profeta Jeremías, diciendo: Tú te huyes a los Caldeos.

13. Es falso, respondió Jeremías: yo no me huyo a los Caldeos. Pero Jerías no lo escuchó; sinó que prendió a Jeremías y lo presentó a los príncipes.

14. Irritados con esto los príncipes contra Jeremías, después de haberlo hecho azotar, lo metieron en la cárcel que había en la casa de Jonatán secretario o *escriba*, por tener éste a su cargo la cárcel.

15. Entró, pues, Jeremías en un hondo calabozo, y en una mazmorra, donde permaneció muchos días.

16. Después el rey Sedecías envió a sacarlo de allí, y lo interrogó secretamente en su palacio, diciéndole: ¿Crees tú que hay efectivamente alguna revelación de parte del Señor? Sí la hay, respondió Jeremías: y añadió: Tú serás entregado en manos del rey de Babilonia.

17. ¿Y en qué he pecado contra ti, añadió Jeremías al rey Sedecías, ni contra tus servidores, ni contra tu pueblo para que me hayas mandado poner en la cárcel?

18. ¿Dónde están aquellos profetas vuestros que os profetizaban, y decían: No vendrá contra vosotros, ni contra esta tierra el rey de Babilonia?

---

30. Véase *c.* XXII, *v.* 19. — IV *Reg.* XXIV, *v.* 8. Jeconías, hijo de Joakim, sólo tuvo por tres meses una sombra de trono.

CAP. XXXVII. — 1. *Cap.* LII, *v.* 1. — IV *Reg.* XXIV, *v.* 17. — II *Paral.* XXXVI, *v.* 10.

6. *Cap.* XLVI, *v.* 15. — *Ezcq.* XVII, *v.* 15; XXX, *v.* 21.

---

15. La voz *ergastulum*, que usa la Vulgata, parece que propiamente significa el lugar en que encerraban de noche a los esclavos, atados con una cadena.

**19.** Ahora, pues, escúchame, te ruego ¡oh rey mi señor! recibe favorablemente la súplica que te hago, y no vuelvas *otra vez* a la casa *o cárcel* de Joanatán secretario, para que no me muera yo allí.

**20.** Mandó, pues, el rey Sedecías que pusiesen a Jeremías en el patio de la cárcel, y que cada día le diesen una torta de pan, además de la vianda, mientras hubiese pan en la ciudad: con eso se mantuvo Jeremías en el patio de la cárcel.

## CAPITULO XXXVIII

*Jeremías es entregado por el rey en manos de los príncipes quienes lo encierran en un calabozo lleno de cieno: de allí lo saca Abdemelec por orden del rey, al cual exhorta el Profeta a que se rinda a los Caldeos. El rey manda a Jeremías que no diga a nadie lo que há hablado con él.*

**1.** Pero Safatías, hijo de Matán, y Gedelías, hijo de Fasur, y Jucal, hijo de Selemías, y Fasur, hijo de Melquías, habían oído las palabras que Jeremías predicaba a todo el pueblo, diciendo:

**2.** Así habla el Señor: Cualquiera que se quedare en esta ciudad, morirá a cuchillo, o de hambre, o de peste; pero el que se refugiare a los Caldeos, vivirá y pondrá en salvo su vida.

**3.** Esto dice el Señor: Sin falta será entregada esta ciudad en poder del ejército del rey de Babilonia, el cual se apoderará de ella.

**4.** Entonces dijeron los príncipes al rey: Pedímoste que sea condenado a muerte ese hombre: porque él procura de intento que desmayen los brazos de los valientes, y el esfuerzo de los guerreros que han quedado en esta ciudad, y de todo el pueblo, con aquellas palabras que dice. Pues *está visto* que ese hombre no procura el bien sino el mal de este pueblo.

**5.** A lo que contestó el rey Sedecías: Ahí lo tenéis a vuestra disposición; que no es posible que el rey os niegue cosa alguna.

**6.** Cogieron, pues, a Jeremías, y lo metieron en la cisterna de Melquías, hijo de Amelec, situada en el atrio de la cárcel; y por medio de sogas descolgaron a Jeremías en la cisterna, donde no había agua, sino lodo; así, pues, Jeremías quedó hundido en el cieno.

**7.** Y abdemelec, eunuco etíope que estaba en el palacio del rey, supo que habían echado a Jeremías en la cisterna. Hallábase el rey a la sazón sentado en la puerta de Benjamín.

**8.** Salió, pues, Abdemelec de palacio, y fué a hablar al rey, diciendo:

**9.** ¡Oh rey y señor mío! muy mal han obrado estos hombres en todo lo que han atentado contra el profeta Jeremías, echándolo en la cisterna para que allí muera de hambre, pues ya no hay pan en la ciudad.

**10.** Entonces el rey le dió esta orden a Abdemelec etíope: Llévate de aquí contigo treinta hombres, y saca de la cisterna al profeta Jeremías antes que muera.

**11.** Tomando, pues, consigo Abdemelec los hombres, entró en el palacio del rey en una pieza *subterránea* que estaba debajo de la tesorería, y cogió de allí unas ropas viejas y trozos de paño medio consumido y los echó a Jeremías en la cisterna por medio de cordeles.

**12.** Y dijo el etíope Abdemelec a Jeremías: Pon esos trapos viejos y retazos medio consumidos debajo de tus sobacos y sobre *o alrededor de* las cuerdas: hízolo así Jeremías;

**13.** Y tiraron de él con las cuerdas, y sacáronlo de la cisterna; y quedó Jeremías en el atrio de la cárcel.

**14.** Envió después el rey Sedecías a buscar al profeta Jeremías, y se le hizo traer a la tercera puerta del templo del Señor; y dijo el rey a Jeremías: Una cosa te voy a preguntar: no me ocultes nada.

**15.** Y Jeremías contestó a Sedecías: Si yo te la declaro, ¿no es así que tú me quitarás la vida? y si yo te diere un consejo, tú no me has de escuchar.

**16.** Entonces el rey Sedecías juró secretamente a Jeremías, diciendo: Júrote por el Señor que ha criado en nosotros esta alma, que no te quitaré la vida, ni te entregaré en manos de esos hombres que de-sean matarte.

**17.** Dijo, pues, Jeremías a Sedecías: Esto dice el Señor de los ejércitos, el Dios de Israel: Si te sales *de Jerusalén*, y te pones en manos de los príncipes *o generales* del rey de Babilonia, salvarás tu vida, y esta ciudad

---

CAP. XXXVIII. — 2. *Cap.* XXI, *v.* 9. Jeremías en el patio de la cárcel continuaba anunciando con santa libertad a los que iban a verle, las mismas cosas que antes predicaba por orden de Dios.

---

9. Como sucederá infaliblemente. — Según el hebreo puede traducirse: *Igual hubiera sido matarlo de hambre.*

13. Preparado de esta manera para que no se lastimase con los cordeles. — Pero con cadenas en las manos. *Cap.* XL, *v.* 4.

no será entregada a las llamas; y te pondrás en salvo tú y tu familia.

**18.** Pero si no vas a encontrar a los príncipes del rey de Babilonia, será entregada la ciudad en poder de los Caldeos, los cuales la abrasarán, y tú no escaparás de sus manos.

**19.** Dijo el rey Sedecías a Jeremías: Témome de aquellos Judíos que se han desertado a los Caldeos: no sea que éstos me entreguen en sus manos, y me insulten *y maltraten.*

**20.** Pero Jeremías le respondió: No te abandonarán en su manos. Ruégote que escuches las palabras del Señor, que yo te hablo, y te irá bien, y salvarás tu vida.

**21.** Que si no quisieras salir, he aquí lo que me ha revelado el Señor:

**22.** Sábete que todas las mujeres que han quedado en el palacio del rey de Judá, serán conducidas para los príncipes del rey de Babilonia; y estas mismas te dirán *entonces:* ¡Oh, cómo te han engañado y prevalecido para daño tuyo los que te lisonjean con la paz! dirigieron tus pasos a un resbaladero, y te han metido en un atolladero, y en seguida te han abandonado.

**23.** Y todas tus mujeres y tus hijos serán llevados a los Caldeos, y tú no escaparás de sus manos sino que caerás prisionero del rey de Babilonia, el cual incendiará esta ciudad.

**24.** Sedecías dijo entonces a Jeremías: Nadie sepa estas cosas, y de este modo tú no morirás,

**25.** Y si los príncipes supieren que yo he hablado contigo, y fueren a ti, y te dijeren: Manifiésta-nos lo que has dicho al rey, y qué es lo que el rey ha hablado contigo, no nos lo encubras, y no te mataremos;

**26.** Les has de responder: Postrado a los pies del rey le supliqué que no me hiciese conducir otra vez a la casa *cárcel* de Jonatán, para no morirme yo allí.

**27.** En efecto, vinieron luego todos los príncipes de Jeremías, y se lo preguntaban, y él les respondió palabra por palabra todo lo que le había prevenido el rey; y no le molestaron más, pues nada se había traslucido.

**28.** Y Jeremías permaneció en el zaguán de la cárcel hasta el día en que fué tomada Jerusalén: porque al fin Jerusalén fué rendida.

## CAPITULO XXXIX

*Conquista de Jerusalén: Sedecías es hecho prisionero; matan a sus hijos delante de él, y después le sacan los ojos. Incendio de la ciu-*

*dad y del Templo. El resto del pueblo es llevado cautivo a Babilonia junto con Sedecías. Jeremías es puesto en libertad.*

**1.** En el año nono de Sedecías, rey de Judá, en el décimo mes, vino Nabucodonosor, rey de Babilonia, con todo su ejército a Jerusalén, y le puso sitio.

**2.** Y el año undécimo de Sedecías, en el día cinco del cuarto mes, fué asaltada por la brecha la ciudad.

**3.** Y entraron todos los príncipes del rey de Babilonia, e hicieron alto en la puerta del medio: Neregel, Sereser, Semegarnabú Sarsaquim, Rabsares, Neregel, Sereser, Rebmag y todos los demás príncipes *o capitanes* del rey de Babilonia.

**4.** Así que los vieron Sedecías, rey de Judá, y todos sus guerreros, echaron a huir; y salieron de noche de la ciudad, por el camino del jardín del rey, y por la puerta que está entre las dos murallas, y tomaron el camino del desierto.

**5.** Pero fueles a los alcances el ejército de los Caldeos, y prendieron a Sedecías en el campo desierto de Jericó, y le llevaron preso a Nabucodono-sor, rey de Babilonia, que estaba en Reblata, situada en el territorio de Emat, donde le juzgó.

**6.** E hizo matar el rey de Babilonia, en Reblata, a los hijos de Sedecías, delante de los ojos de éste: a todos los nobles de Judá los hizo morir el rey de Babilonia.

**7.** Además hizo sacar los ojos a Sedecías, y lo aprisionó con grillos, para que fuese conducido a Babilonia.

**8.** Entretando los Caldeos, *que estaban en Jerusalén*, abrasaron el palacio del rey y la casa *o las habitaciones* del pueblo, y derribaron las murallas de Jerusalén.

---

CAP. XXXIV. — 1. *Cap. LII, v. 4.—Reg.* XXV, *v. 1.*

**2.** En el hebreo y en los Setenta se lee el día 9, y *novem* tienen varios códices manuscristos de la Vulgata aquí y después cap. LII, *v.* 6 y en el cap. XXV, *v.* 3 del lib. IV de los Reyes. Algunos opinan que, sin necesidad de suponer aquí errata de número, puede ser que el día 5 se abrió la brecha, y el 9 se tomó la ciudad.

**3.** O en la segunda puerta. *Soph.* I, *v.* 10. — Algunos opinan que *Rebmag* y *Sereser* son nombres de oficio o empleo. No se sabe por qué están puestos dos veces. *Neregel* era nombre de un dios de los Asirios. IV. *Reg.* XVII, *v.* 30. Las voces *rab* y *ser* significan *cabeza* o *jefe*, etc.

*LA ANUNCIACIÓN*, DE STEFAN LOCHNER,
*óleo y témpera sobre tela, Catedral de Colonia*

*La asunción de la Virgen*, de Matteo di Giovanni,
témpera sobre madera, National Gallery, Londres

*LA ANUNCIACIÓN* (DETALLE), DE FRA ANGELICO,
*témpera sobre tela, Museo del Prado, Madrid*

*La muerte de la Virgen* (detalle), de Georges de La Tour,
*témpera sobre madera, Museo del Prado, Madrid*

**9.** Y a los restos del vecindario que habían quedado en la ciudad, y a los desertores que se habían refugiado a él, y a lo restante de la plebe, los condujo a Babilonia Nabuzardán, general del ejército.

**10.** Mas a la turba de los pobres, que no tenían absolutamente nada, Nabuzardán, general del ejército, los dejó libres en la tierra de Judá, y dióles entonces viñas y *tierras, con* depósitos de agua *para regar.*

**11.** Es de saber que Nabucodonosor, rey de Babilonia, había dado sus órdenes a Nabuzardán, comandante de sus ejércitos, acerca de Jeremías, diciendo:

**12.** Encárgate de ese hombre, trátale con distinción, y no le hagas ningún daño, antes bien concédele cuanto quiera.

**13.** Por este motivo Nabuzardán, general del ejército, y Nabuzezbán, y Rabsares, y Neregel, y Sereser, y Rebmag, y todos los magnates del rey de Babilonia,

**14.** Enviaron a sacar del zaguán de la cárcel a Jeremías, y lo recomendaron a Godolías, hijo de Ahicam, hijo de Safán, para que lo volviese a su casa, y viviese *con libertad* en medio del pueblo.

**15.** Había el Señor prevenido *de antemano* a Jeremías, estando aún encerrado en el atrio de la cárcel, diciéndole:

**16.** Anda, y di a Abdemelec etíope: Esto dice el Señor de los ejércitos, el Dios de Israel: Mira, yo voy a ejecutar todo lo que he anunciado para daño *o castigo,* no para bien de esa ciudad, y tú verás en aquel día el cumplimiento de esto.

**17.** En ese día yo te libraré, dice el Señor; y no serás entregado en poder de los hombres, de quienes tiemblas *tanto,*

**18.** Sino que te libraré de todo trance; ni morirás a cuchillo, antes bien conservarás segura tu vida, porque tuviste confianza en mí, dice el Señor.

## CAPITULO XL

*Jeremías, puesto en plena libertad, va a verse con Godolías, prefecto de Judea. No cree éste a Johanán que le avisa una traición que se urdía.*

**1.** Palabra o *profecía* que el Señor manifestó a Jeremías, después que Nabuzardán, general del ejército, le envió libre desde Rama, cuando le llevaba atado a la cadena, *confundido* en medio de los demás que transmigraban de Jerusalén y de Judá, y eran conducidos cautivos a Babilonia.

**2.** *Es de advertir que* el general del ejército, tomando a Jeremías, *luego que lo conoció,* le dijo: El Señor Dios tuyo había predicho estas calamidades sobre este país;

**3.** Y el Señor las ha puesto en ejecución, y ha cumplido lo que había dicho; porque vosotros pecasteis contra el Señor, y no escuchásteis su voz; por lo cual os ha sucedido eso.

**4.** Ahora bien, yo te he quitado hoy las cadenas que tenías en tus manos: si te place venir conmigo a Babilonia, vente; que yo miraré por ti; mas si no quieres venirte conmigo a Babilonia, quédate aquí; ahí tienes a tu vista todo el país; a donde escogieres y más te agradare, allí puedes irte.

**5.** No vengas, pues, conmigo, *si no quieres:* quédate en compañía de Godolías, hijo de Ahicam, hijo de Safán, a quien el rey de Babilonia ha puesto por gobernador de las ciudades de Judá: habita, pues, con él en medio de tu pueblo, o vete donde mejor te parezca. Dióle también el general del ejército comestibles y *algunos* regalitos, y lo despidió.

**6.** En consecuencia Jeremías se fué a casa de Godolías, hijo de Ahicam, en Masfat, y habitó con él en medio del pueblo que había quedado en el país.

**7.** Y habiendo sabido todos los capitanes del ejército *de los Judíos* (desparramados por varias partes ellos y sus camaradas) que el rey de Babilonia había nombrado gobernador del país a Godolías, hijo de Ahicam, y que había recomendado los hombres, y las mujeres, y los niños, y los pobres del país, que no habían sido transportados a Babilonia,

**8.** Fueron a encontrar a Godolías en Masfat, es a saber; Ismael, hijo de Natanías, y Johanán y Jonatán, hijos de Caree, y Sareas, hijo de Tanehumet, y los hijos de Ofi, naturales de Netofati, y Jezonías, hijo de Maacati, ellos y sus gentes.

**9.** Y Godolías, hijo de Ahicam, hijo de Safán, les aseguró con juramento a ellos y a sus compañeros, diciendo; No temáis obedecer a los Caldeos: habitad en el país, y servid al rey de Babilonia, y lo pasaréis bien.

**10.** Ya véis, yo habito en Masfat para ejecutar las órdenes que nos vienen de los Caldeos. Y así vosotros recoged la vendimia, las mieses y el aceite, y metedlo en vuestras tinajas, y perma-

---

15. *Cap.* XXXVIII, *v.* 7.

neced en las ciudades vuestras que habéis ocupado.

11. Asimismo todos los Judíos que estaban en Moab, y entre los hijos de Ammón, y en la Idumea, y en los demás países, que oyeron que el rey de Babilonia había dejado alguna parte del pueblo en la Judea, y nombrado gobernador del país a Godolías, hijo de Ahicam, hijo de Safán,

12. Todos aquellos Judíos, digo, regresaron de los países donde se habían refugiado, y vinieron a la tierra de Judá a encontrar a Godolías en Masfat, y recogieron la vendimia y una cosecha grandísima de *otros* frutos.

13. Por este tiempo Johanán, hijo de Caree, y todos los capitanes del ejército que habían estado esparcidos en varias tierras, fueron a encontrar a Godolías en Masfat,

14. Y le dijeron: Has de saber que Baalis, rey de los Ammonitas, ha despachado a Ismael, hijo de Natanías, para que te quite la vida. Más Godolías, hijo de Ahicam, no les dió crédito.

15. Entonces Johanán, hijo de Caree, hablando a parte a Godolías, en Masfat, le dijo: Yo iré y mataré a Ismael, hijo de Natanías, sin que nadie lo sepa, para que no te mate a ti, y no sean desparramados todos los Judíos que se han acogido a ti, y venga a perecer el resto *del pueblo* de Judá.

16. Pero Godolías, hijo de Ahicam, contestó a Johanán, hijo de Caree: No hagas tal cosa; porque lo que tú dices de Ismael es una falsedad.

## CAPITULO XLI

*Bárbara crueldad con que Ismael mata a Godolías y a sus soldados. Persigue Johanán a Ismael, el cual huye con ocho personas. El resto de la gente determina huir a Egipto.*

1. Mas sucedió que al séptimo mes vino Ismael, hijo de Natanías, hijo de Elisama, que era de estirpe real, y los grandes del rey, con diez hombres *atrevidos y valientes*, a encontrar a Godolías, hijo de Ahicam en Masfat, y comieron allí con él.

2. Y levantóse Ismael, hijo de Natanías, y los diez hombres que le acompañaban; y asesinaron a Godolías, hijo de Ahicam, hijo de Safán, quitando la vida al que el rey de Babilonia había puesto por gobernador del país.

3. Mató también Ismael a todos los Judíos que estaban en Masfat con Godolías, y a los Caldeos que allí se hallaban, y a todos los guerreros.

4. Y al día siguiente después que mató a Godolías, y antes de saberse el suceso,

5. Llegaron de Siquem, y de Silo, y de Samaria, ochenta hombres, raída la barba, y rasgados los vestidos, y desaliñados o *desfigurados*, trayendo consigo incienso y dones para ofrecerlos en la casa del Señor.

6. Ismael, pues, hijo de Natanías, saliendo de Masfat al encuentro de esta gente, caminaba despacio y llorando; y así que los encontró, les dijo: Venid a Godolías, hijo de Ahicam.

7. Pero así que llegaron al medio de la ciudad, Ismael, hijo de Natanías, los mató *a todos* con la ayuda de aquellos hombres que tenía consigo, y los echó en medio de la cisterna o foso.

8. Mas entre los dichos se hallaron diez hombres que dijeron a Ismael: No nos mates; porque tenemos en el campo repuestos o *silos* de trigos y de cebada, de aceite y de miel. Contúvose con esto, y no les quitó la vida como a los otros compañeros suyos.

9. La cisterna o foso en que Ismael arrojó todos los cadáveres de aquella gente que asesinó por causa o *envidia* de Godolías, es aquella misma que hizo el rey Asa con motivo de Baasa, rey de Israel; la cual llenó Ismael, hijo de Natanías de los cuerpos de aquellos que había muerto.

10. Y se llevó Ismael cautivos todos los restos del pueblo que había en Masfat, con las hijas del rey y todos cuantos se hallaron en Masfat, los cuales Nabuzardán, general del ejército, había dejado encargados a Godolías, hijo de Ahicam. Y tomándolos Ismael, hijo de Natanías, se fué para pasarse a los Ammonitas.

11. Entretanto Johanán, hijo de Caree, y todos los jefes de la milicia que estaban con él, recibieron aviso de todo el estrago hecho por Ismael, hijo de Natanías.

12. Y reunida toda su gente, partieron para combatir contra Ismael, hijo de Natanías, y alcanzáronle cerca de la grande piscina o *estanque* de Gabaón.

---

CAP. XLI. — 3. *A todos, esto es, a muchos;* pues en el verso 16 se ve que quedaron vivos algunos.
5. I *Reg.* VII, *v.* 5, 6; X, *v.* 17. — *Judic.* XX, *v.* 1. — I *Mach.* III, *v.* 46.
9. III *Reg.* XV, *v.* 20.
12. II *Reg.* II, *v.* 13.

**13.** Y cuando todo el pueblo, que iba con Ismael, vió a Johanán, hijo de Caree, y a todos los capitanes del ejército que le acompañaba, se llenó de alegría.

**14.** Con esto toda aquella gente que Ismael había hecho prisionera regresó a Masfat, y se fué con Johanán, hijo de Caree.

**15.** Ismael, empero, hijo de Natanías, huyó de Johanán con ocho hombres, y se pasó a los Ammonitas.

**16.** Johanán, pues, hijo de Caree, con todos los oficiales de guerra que tenía consigo, se encargó de Masfat, de todos los residuos de la plebe que había él recobrado de Ismael, hijo de Natanías, después que éste asesinó a Godolías, hijo de Ahicam: y cogió todos los hombres aptos para la guerra, y las mujeres, y los niños, y los eunucos, o *mayorales* que había hecho volver de Gabaón;

**17.** Y fuéronse, y estuvieron como peregrinos en Camaam, que está cerca de Betlehem, para pasar después adelante y entrar en Egipto,

**18.** Huyendo de los Caldeos; porque los temían a causa de haber Ismael, hijo de Natanías, muerto a Godolías, hijo de Ahicam, al cual el rey de Babilonia había dejado por gobernador de la tierra de Judá.

## CAPITULO XLII

*Jeremías después de haber rogado, y consultado al Señor, responde que los Judíos vivirán seguros si se quedan en Judea, pero que si pasan a Egipto perecerán al filo de la espada, de hambre, y de peste.*

**1.** Y vinieron todos los oficiales de la milicia, y Johanán, hijo de Caree, y Jezonías, hijo de Osaías, y el resto del pueblo, chicos y grandes,

**2.** Y dijeron al profeta Jeremías: Condesciende a nuestra súplica, y haz oración al Señor tu Dios por nosotros y por todos estos restos *del pueblo*, pues pocos hemos quedado de muchos que éramos, conforme estás viendo tú con tus ojos.

**3.** Y háganos conocer el Señor Dios tuyo el camino que debemos seguir, y aquellos que hemos de hacer.

**4.** Respondióles el profeta Jeremías: Bien está, he aquí que voy a hacer oración al Señor Dios vuestro, conforme me lo habéis pedido: cualquiera cosa que me responda el Señor, yo os la manifestaré sin ocultaros nada.

**5.** Y dijeron ellos a Jeremías: Sea el Señor entre nosotros testigo de la verdad y sinceridad nuestra, *y castíguenos*, si no cumpliéremos fielmente todo cuanto nos mandare decir por tu boca el Señor Dios tuyo.

**6.** Ya sea cosa favorable, ya sea adversa, obedeceremos a la voz del Señor Dios nuestro, a quien te enviamos; para que, obedeciendo a la voz del Señor Dios nuestro, nos vaya prosperamente.

**7.** Pasados, pues, diez días, habló el Señor a Jeremías;

**8.** El cual llamó a Johanán, hijo de Caree, y a todos los oficiales de guerra que con él estaban, y a todo el pueblo, chicos y grandes,

**9.** Y les dijo: Esto dice el Señor Dios de Israel a quien me habéis enviado, para que expusiese humildemente vuestros ruegos ante su acatamiento:

**10.** Si permaneciereis quietos en tierra, yo os restauré, y no os destruiré; os plantaré, y no os arrancaré; porque yo estoy aplacado con el castigo que os he enviado.

**11.** No temáis al rey de Babilonia, del cual teneis tanto miedo; no lo temais, dice el Señor, porque yo soy con vosotros para salvaros, y libraros de sus manos.

**12.** Y usare con vosotros de misericordia, y me apiadaré de vosotros, y haré que habitéis en vuestra tierra.

**13.** Mas si vosotros dijereis: No queremos permanecer en esta tierra, ni escuchar lo que dice el Señor Dios nuestro:

**14.** Y continuáis diciendo: No, no; sino que nos vamos a la tierra de Egipto, en donde no veremos guerra, ni oiremos sonido de trompetas, ni padeceremos hambre, y allí permaneceremos:

**15.** En este caso, oíd ahora ¡oh restos de Judá! lo que dice el Señor: Esto dice el Señor de los ejércitos, el Dios de Israel: Si vosotros os obstináis en querer ir a Egipto, y fuereis a habitar allí,

**16.** Allí en la tierra de Egipto os alcanzará la espada que vosotros teméis: y el hambre de que receláis vosotros, allí en Egipto se os echará encima, y allí hallareis la muerte.

**17.** Y todos cuantos se habrán obstinado en querer ir a Egipto para habitar allí, perecerán al filo de la espada, y de hambre, y de peste: no quedará ninguno de ellos con vida, ni escapará del castigo que yo descargaré sobre ellos.

**18.** Porque esto dice el Señor de los ejércitos, el Dios de Israel: Al modo se encendió mi furor y mi indignación contra los moradores de Jerusalén, del mismdo modo se encenderá contra vosotros la indignación mía, cuando habréis entrado en Egipto; y seréis objeto de execración, y de pasmo, y de maldición, y de oprobio, y nunca jamás volveréis a ver este lugar.

**19.** ¡Oh restos de Judá! el Señor es el que os dice: No vayáis a Egipto: tened bien presente que yo he protestado en esta día.

**20.** Que os habéis engañado a vosotros mismos, pues me habéis enviado a hablar al Señor Dios nuestro, diciendo: Ruega por nosotros al Señor Dios nuestro, y todo aquello que te dirá el Señor Dios nuestro anúncianoslo del mismo modo, y lo practicaremos.

**21.** Y hoy os lo he referido, y vostros no habéis querido obedecer lo que dice el Señor Dios vuestro, acerca de todas aquellas cosas sobre las cuales me ha mandado hablaros.

**22.** Ahora bien, tened entendido de cierto que moriréis al filo de la espada, y de hambre, y de peste, allí donde habéis querido ir a habitar.

## CAPITULO XLIII

*Azarías, Johanán y el resto de los Judíos inobedientes al precepto del Señor se van a Egipto, llevándose consigo a Jeremías y a Baruc. Allí predice Jeremías la ruina de Egipto y de sus ídolos por Nabucodonosor.*

**1.** Y así que Jeremías hubo concluído de hablar al pueblo todas las palabras del Señor Dios de ellos, palabras todas que el Señor Dios suyo le había enviado a decirles,

**2.** Respondieron Azarías, hijo de Asaías y Johanán, hijo de Caree, y todos aquellos hombres soberbios, y dijeron a Jeremías: Mientes en lo que dices. No te ha enviado el Señor Dios nuestro a decirnos: No vayáis a habitar en Egipto;

**3.** Sino que Baruc, hijo de Nerías, te instiga contra nosotros, para entregarnos en manos de los Caldeos, y hacernos morir, y llevarnos *a los demás* a Babilonia.

**4.** No obedecieron, pues, Johanán, hijo de Caree, y todos los oficiales de guerra, y todo el pueblo a la voz del Señor de permanecer en la tierra de Judá;

**5.** Sino que Johanán, hijo de Caree, y todos los oficiales de guerra, cogieron todos los restos de Judá, que habían vuelto a habitar en la tierra de Judá, de todas las regiones por las cuales habían antes sido dispersos;

**6.** A hombres, y mujeres, y niños, y a las hijas del rey, y a todas las personas que habían dejado Nabuzardán, general del ejército, con Godolías, hijo de Ahicam, hijo de Safán, y al profeta Jeremías, y a Baruc, hijo de Nerías,

**7.** Y entraron en tierra de Egipto, pues no obedecieron a la voz del Señor; y llegaron hasta Tafnis, *su capital.*

**8.** Y habló el Señor a Jeremías en Tafnis, diciendo:.

**9.** Toma en tu mano unas piedras grandes, y escóndelas en la bóveda que hay debajo de la pared de ladrillos, a la puerta del palacio de Faraón, en Tafnis a presencia de algunos Judíos

**10.** Y les dirás a éstos: Así habla el Señor de los ejércitos, el Dios de Israel: He aquí que enviaré a llmar a Nabucodonosor, rey de Babilonia, mi siervo: y colocaré su trono sobre estas piedras que he escondido, y asentará su solio sobre ellas.

**11.** Y vendrá y azotará la tierra de Egipto: aquellos que *he destinado* a la muerte, morirán; irán al cautiverio aquellos que al cautiverio *son destinados*; y los que *los son a morir* al filo de la espada, al filo de la espada morirán.

**12.** Y pegará fuego a los templos de los dioses de Egipto, y los abrasará, y se llevará cautivos sus ídolos; y se vestirá de los despojos de Egipto, como el pastor se cubre con su capa, y se irá de allí en paz.

**13.** Y hará pedazos las estatuas de la casa *o templo* del Sol, que hay en tierra de Egipto, e incendiará los templos de los dioses de Egipto.

## CAPITULO XLIV

*Los Judíos en Egipto, reprendidos por Jeremías a causa de sus idolatrías, responden descaradamente, hombres y mujeres, que continuarán haciendo lo que hacen. Les predice su ruina, dándoles por señal cierta de ella la derrota y muerte de Faraón.*

**1.** Palabra *de Dios* anunciada a todos los Judíos que habitaban en tierra de Egipto, en Mágdalo, y en Tafnis, y en Memfis, y en la tierra de Fatures, por boca del profeta Jeremías, el cual decía:

**2.** Así habla el Señor de los ejércitos, el Dios de Israel: Vosotros habéis visto todos los castigos que yo he enviado sobre Jerusalén, y sobre todas las ciudades de Judá; y he aquí que ellas están en el día de hoy desiertas y despobladas,

**3.** Por causa de la maldad que ellos cometieron para provocar mi indignación, yéndose a ofrecer sacrificios, y adorar a dioses ajenos, desconocidos de ellos, de vosotros y de vuestros padres.

**4.** Yo muy solícito os envié para deciros: No hagáis cosas tan abominables, y que tanto aborrece mi alma.

**5.** Mas no quisieron escuchar, ni dar oídos a eso para convertirse de su maldades, y abstenerse de ofrecer sacrificios a los dioses extraños.

**6.** Y encendióse mi indignación y el furor mío, y estalló en las ciudades de Judá y en las plazas de Jerusalén, y quedaron convertidas en un desierto y desolación, como se ve hoy día.

**7.** Ahora, esto dice el Señor de los ejércitos, el Dios de Israel: ¿Por què motivo hacéis tan grande mal contra vosotros mismos, acarreando la muerte a hombres, y a mujeres, y a los párvulos, y a los niños de pecho que hay en Judá, de tal suerte que no quede nadie de vosotros.

**8.** Provocándome con los *ídolos*, obra de vuestras manos, sacrificando a los dioses ajenos en tierra de Egipto, a donde habéis venido a habitar, para perecer infelizmente, y ser la maldición y el oprobio de todas las gentes en la tierra?

**9.** ¿Acaso os habéis ya olvidado de los pecados de vuestros padres, y de los pecados de los reyes de Judá, y de los pecados de sus mujeres, y de los pecados vuestros y de los de. vuestras mujeres, cometidos en tierra de Judá y en los barrios de Jerusalén?

**10.** Hasta ahora no se han limpiado todavía de ellos, ni han tenido respeto ninguno, ni han observado la ley del Señor, ni los mandamientos que os intimé a vosotros y a vuestros padres.

**11.** Por tanto, esto dice el Señor de los ejércitos, el Dios de Israel: He aquí que os miraré con rostro airado, y destruiré a todo Judá.

**12.** Y me dirigiré *después* contra los restos de Judá, que se obstinaron en meterse en tierra de Egipto para morar allí; y allí en tierra de Egipto serán consumidos, pereciendo al filo de la espada y de hambre: desde el más chico hasta el más grande serán consumidos, muriendo pasados a cuchillo o de hambre, y serán objeto de execración, de terror, de maldición y de oprobio.

**13.** Y castigaré a los *Judíos* que habitan en Egipto, como he castigado a los de Jerusalén, con la espada, con el hambre y con la peste.

**14.** No habrá nadie que se escape; y del resto de Judíos que viven peregrinando en la tierra de Egipto, no habrá ninguno que vuelva a la tierra de Judá, a la cual tanto suspiran ellos volver para habitarla; no volverán a ella sino aquellos que huirán *de Egipto*.

**15.** Entonces respondieron a Jeremías todos los hombres, los cuales sabían que sus mujeres ofrecían sacrificios a los dioses extraños, y todas las mujeres, de que había allí gran muchedumbre, y todo el pueblo *de Israel* que habitada en tierra de Egipto en Fatures, y le dijeron:

**16.** Acerca de lo que tú nos has hablado en nombre del Señor, no queremos obedecerte;

**17.** Sino que absolutamente haremos todo cuanto nos pareciere bien; y ofreceremos sacrificios y libaciones a la reina del cielo *o luna*, conforme lo hemos practicado nosotros, y nuestros padres, y nuestros reyes, y nuestros príncipes en las ciudades de Judá y en las plazas de Jerusalén, con lo cual tuvimos abundancia de pan, y fuimos felices, y no vimos ninguna aflicción.

**18.** Desde aquel tiempo, empero, en que dejamos de ofrecer sacrificios y libacidones a la reina del cielo, estamos faltos de todo, y nos vemos consumidos por la espada y por el hambre.

**19.** Que si nosotros ofrecemos sacrificios y libaciones a la reina del cielo, ¿por ventura le hemos hecho la ofrenda de las tortas, para tributarle culto, y ofrecerle libaciones, sin *consentimiento de* nuestros maridos?

**20.** Entonces Jeremías habló a todo el pueblo contra los hombres, y contra las mujeres, y contra la plebe toda, que tal respuesta le habían dado, y les dijo:

**21.** ¿Acaso el Señor no tuvo presentes, y no se irritó su corazón con aquellos sacrificios *infames* que ofrecíais en las ciudades de Judá y en las plazas de Jerusalén vosotros y vuestros padres, vuestros reyes, y vuestros príncipes, y el pueblo de aquella tierra?

**22.** Ya el Señor no podía soportaros más, por causa de vuestras perversas inclinaciones, y por las abominaciones que cometisteis; y así ha sido asolado vuestro país, y hecho un objeto de espanto y de maldición y sin habitante ninguno como se halla en el día.

---

CAP. XLIV. — 8. *De nada hace ya caso el impío* (dice Salomón) *cuando ha caído en el abismo de los pecados; pero se cubre de ignominia y oprobio.* Prov. XVIII, *v.* 3.

---

19. Aquí hablan la mujeres. — De la voz hebrea se deduce que estas *tortas* tenían impresa la figura de la *Luna.* — Véase c. VII, *v.* 18.

**23.** Porque sacrificasteis a los ídolos, y pecasteis contra el Señor: porque no quisisteis escuchar la voz del Señor, ni observar su ley, ni sus mandamientos, e instrucciones, por eso os han sobrevenido estas desgracias que se ven hoy día.

**24.** Y dijo Jeremías a todo el pueblo y a las mujeres todas: Escuchad la palabra del Señor, vosotros todos los del pueblo de Judá que estáis en tierra de Egipto.

**25.** Esto dice el Señor de los ejércitos, el Dios de Israel: Vosotros y vuestras mujeres habéis pronunciado con vuestra boca, y habéis ejecutado con vuestras manos aquello que decíais: Cumplamos los votos que hicimos de ofrecer sacrificios y libacidones a la reina del cielo. En efecto, vosotros cumplisteis vuestros votos, y los pusisteis por obra.

**26.** Por tanto, oíd la palabra del Señor todos los de Judá que vivís en tierra de Egipto: He aquí que yo he jurado por mi grande Nombre, dice el Señor, que de ningún modo será pronunciado más en toda la tierra de Egipto el Nombre mío, por la boca de judío alguno, diciendo: Vive el Señor Dios.

**27.** Mirad: yo estaré velando sobre ellos para su daño, y no para su bien; y todos cuantos hombres de Judá se hallan en Egipto, perecerán al filo de la espada y de hambre, hasta que del todo sean exterminados.

**28.** Mas aquellos pocos que se librarán de la espada saliendo de Egipto, éstos volverán a la tierra de Judá; y todos los residuos del pueblo de Judá que han entrado en Egipto para vivir allí, conocerán si se verificará mi palabra o la de ellos.

**29.** Y ved aquí una señal, dice el Señor, de que yo he de castigaros en este lugar; para que conozcáis que verdaderamente se cumplirán mis palabras contra vosotros para vuestro castigo.

**30.** Esto dice el Señor: He aquí que yo entregaré a Faraón Efree, o *Vafres*, rey de Egipto, en poder de sus enemigos, en manos de aquellos que buscan su perdición: así como entregué a Sedecías, rey de Judá, en manos de Nabucodonosor, rey de Babilonia, enemigo suyo, que buscaba cómo perderlo.

---

**30.** Vafres le llamaron los Setenta. Fué el último de los faraones. — Esta guerra la describe Ezequiel muy patéticamente, *cap.* XXIX, XXX, XXXI y XXXII. — Véase, *Josefo*, lib. I *contr. App.*, y *Antiq. lib.* X, *c.* 11.

## CAPITULO XLV

*Dios por medio de Jeremías reprende a Baruc, el cual se lamentaba de no tener reposo alguno: y después le consuela.*

**1.** Palabra que dijo el profeta Jeremías a Baruc, hijo de Nerías, cuando éste escribió en el libro aquellas cosas que le dictó Jeremías, en el año cuarto de Joakim, hijo de Josías, rey de Judá. Dijo *Jeremías*:

**2.** Esto te dice a ti ¡oh Baruc! el Señor, el Dios de Israel:

**3.** Tú has exclamado: ¡Ay infeliz de mí! porque el Señor ha añadido dolor a mi dolor: cansado estoy de gemir, y no he hallado reposo alguno.

**4.** Esto dice el Señor: Tú le dirás: he aquí que yo destruyo aquellos que había ensalzado, y arranco los que había plantado, y a toda esta tierra o *nación entera*:

**5.** ¿Y tú pides para ti *portentos o* cosas grandes? No tienes que pedirlas; porque he aquí que yo enviaré desastres sobre todos los hombres, dice el Señor; pero a ti te salvaré la vida en cualquier lugar a donde vayas.

## CAPITULO XLVI

*Jeremías profetiza la derrota de Faraón Necao y la desolación de Egipto por Nabucodonosor: vaticina a los Judíos su libertad y su vuelta a Jerusalén.*

**1.** Palabras que dijo el Señor a Jeremías profeta contra las naciones.

**2.** Contra Egipto, contra el ejército de Faraón Necao, rey de Egipto, que estaba junto al río Eufrates, en Cárcamis, y que fué desbaratado por Nabucodonosor, rey de Babilonia, el año cuarto de Joakim, hijo de Josías, rey de Judá, *dijo*:

**3.** Preparad *en hora buena* los escudos y las rodelas, y salid al combate.

**4.** Uncid los caballos *a los carros de guerra*: soldados de a caballo, montad, poneos los morriones, acicalad las lanzas, revestíos de las corazas.

**5.** ¿Pero qué sucederá? Los vi despavoridos, y

---

CAP. XLV. — 1. Véase *cap.* XXXVI. Después que vió Baruc como el rey Joakim había rasgado y quemado el primer escrito o profecía de Jeremías, se llenó de temor y receló que le matarían o encarcelarían por causa de haber escrito esta otra profecía de Jeremías, aún más fuerte y dura contra los Judíos, que la anterior.

CAP. XLVI. — 1. En este y los cinco capítulos siguientes profetiza Jeremías contra las naciones extranjeras. — Véase *c.* I, *v.* 5.

que volvían las espaldas, muertos su valientes; huían azorados sin volverse a mirar atrás: el terror se esparce por todas partes, dice el Señor.

**6.** No hay que pensar en que pueda escaparse el ligero, ni salvarse el valiente; a la parte del Norte, junto al río Eufrates, han sido derrotados y postrados por el suelo.

**7.** ¿Quién es ese *ejército* que se hincha a manera de una riada, y cuyos remolinos se encrespan con los de los ríos?

**8.** El Egipto, que se hincha cual torrente, cuyas olas se conmueven como ríos, y ha dicho: yo me avanzaré, inundaré la tierra: destruiré la ciudad y sus habitantes.

**9.** Montad a caballo, y corred locamente en los carros, y avancen los valientes de Etiopía, y los Lidios echando mano de las saetas y arrojándolas.

**10.** Mas aquel día será el día del Señor Dios de los ejércitos, día de venganza en que hará pagar la pena a sus enemigos: la espada devorará, y se hartará *de matar*, y se embriagará con la sangre de ellos; porque he aquí que la víctima del Señor Dios de los ejércitos estará en la tierra septentrional de junto al río Eufrates.

**11.** Sube a Galad y toma bálsamo ¡oh virgen hija de Egipto! en vano multiplicas tú las medicinas; no hay *ya* remedio para ti.

**12.** Divulgado se ha entre las gentes tu afrenta, y llena está la tierra de tus alaridos; porque el valiente chocó con el valiente, y juntos cayeron en tierra.

**13.** Palabra que habló el Señor a Jeremías profeta, sobre el futuro arribo de Nabucodonosor, rey de Babilonia, a devastar la tierra de Egipto.

**14.** Llevad esta nueva a Egipto, anunciadla en Mádalo, y haced que resuene en Memfis y en Tafnis, y decid. Ponte en pie y prevente; porque la espada devorará todo cuanto hay en tus comarcas.

**15.** ¿Cómo *ha caído y* se pudre en el suelo tu campeón? No se ha mantenido firme: porque el Señor lo ha derribado.

**16.** Derribado ha un grande número de ellos; han caído unos sobre otros, y han di-

cho: Levantémonos, volvámonos a nuestro pueblo y al país donde nacimos, sustrayéndonos a la espada de la paloma.

**17.** A faraón, rey de Egipto, ponedle este nombre: Tumulto: *pues* él ha hecho venir el tiempo *del trastorno*.

**18.** Juro yo por vida mia, (dice aquel rey que tiene por nombre Señor de los ejércitos), que así como el Tabor descuella entre los montes, y el Carmelo sobre el mar, así vendrá él.

**19.** Prepárate lo necesario para transmigrar a otro país ¡oh tú, hija y moradora de Egipto! porque Memfis será convertida en una soledad, será desamparada, sin que quede un habitante.

**20.** Becerra lozana y hermosa es Egipto: del norte vendrá quien la dome.

**21.** También sus soldados mercenarios, que vivían en medio de ella como becerros cebados, volvieron las espaldas y echaron a huir; y no pudieron hacer frente *al enemigo*, porque llegó para ellos el día de su ruina, el día de su castigo.

**22.** Resonarán como bronce sus clamores: porque *los Caldeos* avanzarán rápidamente con el ejército, y vendrán *contra Egipto* armados de segures, como quien va a cortar leña.

**23.** Talarán, dice el Señor, sus bosques *o población*, cuyos árboles son sin cuento; multiplicáronse más que langostas: son innumerables.

**24.** Abatida está la hija de Egipto, y entregada en poder del pueblo de Norte.

**25.** El Señor de los ejércitos, el Dios de Israel ha dicho: He aquí que yo castigaré la multitud tumultuosa de Alejandría, y a su reyes; a Faraón, y a los que en él confían.

**26.** Y los entregaré en manos de los que buscan cómo exterminarlos, esto es, en poder de Nabucodonosor, rey de Babilonia, y se sus siervos; y después de todo esto volverá *Egipto* a ser poblado como en lo antiguo, dice el Señor.

**27.** Mas tú, siervo mío Jacob, no temas, no te asustes ¡oh Israel! porque yo te libraré en aquellos remotos países, y sacaré tus descendientes de la tierra donce están cautivos, y se volverá Jacob, y descansará, y será feliz, sin que haya nadie que le atemorice.

**28.** No temas, pues, ¡oh jacob, siervo mío! dice el Señor, porque contigo estoy, pues yo consumiré todas las gentes entre las cuales te he dispersado; mas a ti no te consumiré, sino que te castigaré con medida; pero no te dejaré impune, porque no te creas inocente.

---

**9.** Scio: *armados de escudos*.

**15.** Los *Setenta* tradujeron: *¿Cómo ha huído de ti Apis, y no se ha mantenido firme tu escogido becerro?* Adoraban los Egipcios un becerro vivo con el nombre de *Apis*, y cuando moría, escogían otro con grande esmero y mucha solemnidad. Y así Jeremías dice con ironía al Egipto: ¿dónde ha ido aquel Dios tuyo tan fuerte?

**16.** Insignia de los Babilonios. *Cap*. XXV, *v*. 38.

**26.** Véase *Ezech*. XXIX, *v*. 14.

## CAPITULO XLVII

*Jeremías profetiza la destrucción de los Filisteos, de Tiro, de Sidón, de Gaza y de Ascalón.*

**1.** Palabra que el Señor dijo a Jeremías profeta, contra los Filisteos, antes que faraón se apoderase de Gaza.

**2.** Esto dice el Señor Dios: He aquí que vienen aguas o *tropas* del norte, a manera de un torrente que *todo lo* inunda, y cubrirán la tierra y cuanto hay en ella, la ciudad y los habitantes; los hombres darán gritos, y aullarán todos los moradores de la tierra,

**3.** Al *oír el* estruendo pomposo de las armas, y de los combatientes, y del movimiento de sus carros *armados*, y de la multitud de sus carruajes; los padres, perdido todo el aliento, no cuidaban ya de mirar por su hijos.

**4.** Porque ha llegado el día en que serán exterminados todos los Filisteos, y serán arruinados Tiro y Sidón, con todos sus auxiliares que le quedaban: pues el Señor ha entregado al saqueo los Filisteos, restos de la isla o *provincia marítima* de Capadocia.

**5.** Gaza lleva rapada su cabeza, Ascalón no se atreve a desplegar sus labios, y lo mismo el resto de sus valles. ¿hasta cuándo te sajarás, o *rasgarás tus carnes?*

**6.** ¡Oh espada del Señor! ¿no descansarás tú nunca? Entrate *otra vez* en tu vaina, mitiga ese ardor, y estate queda.

**7.** Mas ¿cómo estará ella quieta cuando el Señor le ha dado sus órdenes contra Ascalón y contra sus regiones marítimas, y le ha mandado que obre contra ellos?

## CAPITULO XLVIII

*Profetiza Jeremías la ruina del reino y nación de los Moabitas por su soberbia, por haber perseguido al pueblo de Dios y por sus idolatrías; pero después les promete que finalmente saldrán del cautiverio.*

**1.** Esto dice contra Moab el Señor de los ejércitos, el Dios de Israel: ¡Desdichada Nabo! devastada ha sido y abatida. Tomada ha sido Cariataím: la ciudad fuerte, avergonzada está y temblando.

**2.** No hay ya alegría en Moab; han formado malignos proyectos contra Hesebón: venid exterminémosla de en medio de la nación. Y tú ¡oh *Madmen!* ciudad silenciosa, no chistarás; y la espada te irá siguiendo.

**3.** Estruendo y gritos de Aronaím: devastación y estrago grande.

**4.** Moab ha sido abatida: anunciad a sus parvulitos que tendrán *mucho* que clamar.

**5.** Ella subirá el collado de Luit, llorando sin cesar: ya han oído los enemigos los alaridos de los miserables en la bajada de Oronaím.

**6.** Huid, salvad vuestras vidas; sed como tamariscos en el desierto.

**7.** Porque por haber puesto tú ¡oh *Moab!* la confianza en tus fortalezas y en tus tesoros, por lo mismo serás tú también presa, e irán cautivos a otro país *el dios* Camos, y sus sacerdotes y príncipes juntamente.

**8.** Y el ladrón *Nabucodonosor* se echará sobre todas las ciudades *de Moab*, sin que ninguna se libre; y serán asolados los valles y taladas las campiñas: porque el Señor lo ha dicho.

**9.** Coronad de flores a Moab; pero *aunque* coronada, saldrá *para el cautiverio*, y quedarán desiertas e inhabitables sus ciudades.

**10.** Maldito aquel que ejecuta de mala fe *y con negligencia* la obra que el Señor *le manda*; y maldito el que *por lo mismo* veda a su espada al verter sangre.

**11.** Fértil *viña* fué Moab desde su mocedad; *y como un vino que* permaneció en sus heces, ni fué trasegado de una tinaja a otra, ni mudado a otro país; por eso ha conservado el mismo sabor suyo, ni se ha mudado *o mejorado* su olor.

**12.** Pero he aquí que llega el tiempo, dice el Señor, en que yo le enviaré hombres prácticos en disponer las tinajas y en trasegar el vino, y harán el trasiego; y vaciarán *después* las tinajas, y las harán pedazos.

**13.** Y Moab se verá avergonzada por causa de Samos; al modo que fué afrentada la casa de Israel por causa de *los ídolos de* Betel, en que tenía puesta su confianza.

**14.** ¿Cómo decís vosotros: esforzados somos y robustos para pelear?

---

4. *Deut.* II, *v.* 28.
**CAP. XLVII.** — 5. En señal de gran calamidad. Después cap. XLVIII, *v.* 37. — Cap. VLI, *v.* 5. — *Lev.* XIX, 28. — *Deut.* XIV, *v.* 1. — III *Reg.* XVIII, v. 28.

---

**CAP. XLVIII.** — 7. *Núm.* XXI, *v.* 9. — *Judic.* XI, *v.* 24. — IV *Reg.* XI, *v.* 7.
12. Así el pueblo de Moab será transportado a la Caldea, y todos su pueblos y ciudades figurados las cubas o tinajas. — Véase III *Reg.* XII, *v.* 29.

**15.** Devastado ha sido el país de Moab, y taladas sus ciudades, ha sido degollada toda su escogida juventud, dice aquel rey cuyo nombre es Señor de los ejércitos.

**16.** La ruina de Moab es inminente; y van a comenzar muy pronto sus desastres.

**17.** Tened compasión todos los que estáis a su alrededor; y vosotros cuantos habéis oído hablar de su nombradía, decid: ¿Cómo ha sido hecho pedazos el fuerte cetro *de Moab*, el bastón de gloria *que empuñaba?*

**18.** Desciende de la gloria, y siéntate en un árido lugar ¡oh hija moradora de Dibón! porque *Nabucodonosor*, el exterminador de Moab, viene contra ti, y destruirá tus fortalezas.

**19.** Estáte en medio del camino, y mira a lo lejos ¡oh tú, habitadora de Aroer! pregunta a los que huyen y a los que se han escapado, y diles: ¿Qué es lo que ha acontecido?

**20.** Confundido queda Moab, *responderán*, porque ha sido vencido; dad alaridos, alzad el grito, anunciad por todo *el país* de Arnón que Moab ha sido devastada.

**21.** Y el castigo ha venido sobre la tierra llana; sobre Helón, y sobre Jasa, y sobre Mefaat,

**22.** Y sobre Dibón, y sobre Nabo, y sobre la casa de Deblataím,

**23.** Y sobre Cariataím, y sobre Betgamul, y sobre Betmaón,

**24.** Y sobre Cariot, y sobre Bosra, y sobre todas las ciudades del país de Moab, así las que están lejos como las que están cerca.

**25.** Aniquilado ha sido el poderío de Moab, y quebrantado su brazo, dice el Señor.

**26.** Embriagadle *con el cáliz de la ira de Dios ¡oh Caldeos!* pues que se levantó contra el Señor: y vomite Moab, y bata sus manos *como desesperado*, y sea también objeto de mofa.

**27.** Porque tú ¡oh Moab! insultaste a Israel, como si le hubieses sorprendido en compañía de ladrones, por las palabras, pues, que contra él has dicho, serás llevado cautivo.

**28.** Desamparad las ciudades ¡oh habitantes de Moab! idos a vivir entre las breñas, e imitad a la paloma que hace su nido en la hendidura más alta de la peña.

**29.** Hemos oído hablar de la soberbia de Moab, soberbia que es muy grande; de su orgullo, y de su arrogancia, y de su hinchazón, y de la altivez de su corazón.

**30.** Yo conozco, dice el Señor, su jactancia, a la cual no corresponde su valor, y que sus tentativas no tenían proporción con sus fuerzas.

**31.** Por tanto, yo prorrumpiré en endechas sobre Moab y a toda Moab haré sentir mis voces, a los hombres *de la ciudad* del muro de ladrillos, los cuales están lamentándose.

**32.** Del modo que lloré por Jazer, así lloraré por ti ¡oh viña de Sabama! tus sarmientos pasaron a la otra parte del mar, llegaron hasta el mar de Jazer; el ladrón, *el exterminador* se arrojó sobre tu miés y sobre tu vendimia.

**33.** Al *país fértil y delicioso como el* Carmelo y a la tierra de Moab se les ha quitado la alegría y el regocijo; se acabó el vino para sus lagares, no cantará sus canciones acostumbradas el pisador de la uva.

**34.** Desde Hesebón hasta Eleale y Jasa se oirán los clamores *de los Moabitas:* desde Segor, que es como una novilla de tres años, hasta Oromaím; aun las aguas mismas de Nemrim serán malísimas.

**35.** Y yo exterminaré de Moab, dice el Señor, al que presenta ofrendas en las alturas, y sacrifica a los dioses de ellas.

**36.** Por *todo* esto, mi corazón se desahogará por amor de Moab en voces tristes, como de flauta *en los entierros*; e imitando el triste sonido de flauta, se explayará por amor de aquellos *que habitan en la ciudad*, del muro de ladrillos; los cuales perecieron por haber emprendido más de lo que podían.

**37.** Porque toda cabeza quedará rapada, y raída será toda barba *en señal de tristeza*, atadas *o sajadas* se verán todas las manos, y toda espalda se cubrirá de saco *o cilicio*.

**38.** En todos los terrados y plazas de Moab se oirán plañidos; porque yo hice pedazos de Moab como de un vaso inútil, dice el Señor.

---

**18.** La ciudad de *Dibón* era célebre por la abundancia y buena calidad de sus aguas. *Is.* XV, *v.* 9.

**24.** Se habla aquí de Bosra como de una ciudad perteneciente a los Moabitas; y en *Is.* LXIII, *v.* 1, como que es la Idumea.

---

**34.** *Is.* XV, *v.* 4, 5. Porque arruinada la población ya no habrá cisternas, habrán de beber de las aguas que tienen comunicación con el mar Muerto.

**39.** ¡Cómo ha sido ella derrotada, y ha levantado el grito! ¡Cómo ha bajado Moab su *altiva* cerviz, y ha quedado avergonzada! De escarnio servirá Moab, y de escarmiento a todos los de su comarca.

**40.** Esto dice el Señor: He aquí que *el Caldeo* como águila extenderá sus alas para venir volando sobre Moab.

**41.** Cariot ha sido tomada, y ganadas sus fortificaciones; y el corazón de los valientes de Moab será en aquella ocasión como corazón de mujer que está de parto.

**42.** Y Moab dejará de ser una nación, por haberse ensoberbecido contra el Señor.

**43.** El espanto, la fosa y el lazo se emplearán contra ti ¡oh habitador de Moab!, dice el Señor.

**44.** El que huyere del espanto caerá en la fosa, y quien salieren de la fosa quedará preso en el lazo; porque yo haré que llegue sobre Moab el tiempo de su castigo, dice el Señor.

**45.** A la sombra de Hesebón hicieron alto aquellos que escaparon del lazo; pero salió fuego de Hesebón: llamas salieron de en medio de Sehón, las cuales devorarán una parte de Moab y los principales de los hijos del tumulto.

**46.** !Ay de ti, oh Moab! perecido has ¡oh pueblo del *dios Camos!* porque al cautiverio han sido llevados tus hijos y tus hijas.

**47.** Mas yo, dice el Señor, haré que vuelvan del cautiverio en los últimos días los hijos de Moab. Hasta aquí los juicios *del Señor* contra Moab.

## CAPITULO XLIX

*Jeremías profetiza la ruina de los Ammonitas, de los Idumeos, de los de Damasco, y de Cedar, y de los reinos de Asor y de Elam.*

**1.** *Profecía* contra los hijos de Ammón. Esto dice el Señor: Pues qué ¿No tiene hijos Israel, o está acaso sin heredero? ¿Por qué, pues, Melcom se ha hecho dueño de Gad, su pueblo, y está habitando en las ciudades de esta tribu?

**2.** Por tanto, he aquí que viene el tiempo, dice el Señor, en que yo haré oír en Rabbat de los hijos de Ammón el estruendo de la guerra; y quedará reducida a un montón de ruinas, y sus hijas o *pueblos,* serán abrasadas, e Israel se harà señor de aquellos que lo habían sido de él.

**3.** ¡Oh Hesebón! prorrumpe en alaridos, al ver que ha sido asolada Haíl, *tu vecina;* alzad el grito ¡oh hijos de Rabat! ceñíos de cilicios, plañid, y dad vueltas por los vallados; porque Melcom será llevado *cautivo* a otro país, y juntamente con él sus sacerdotes y sus príncipes.

**4.** ¿Por qué te glorias de tus *amenos* valles? Arruinados han sido tus valles ¡oh hija criada entre delicias! que, confiada en tus tesoros, decías: ¿Quién vendrá contra mí?

**5.** He aquí que yo, dice el Señor de los ejercitos, haré que te llenen de terror todos los *pueblos* comarcanos tuyos, y quedaréis dispersos el uno lejos del otro, sin que haya nadie que reuna a los fugitivos.

**6.** Y después de esto haré que regresen *a su país* los hijos de Ammnón, dice el Señor.

**7.** Contra la Idumea: Esto dice el Señor de los ejércitos: pues qué, ¿no hay más sabiduría que ésa en Temán? No; ya no hay consejo en sus hijos: de nada sirve su sabiduría.

**8.** Huid, no os volváis a mirar atrás: bajaos a las más profundas simas ¡oh habitantes de Dedán! porque yo he enviado sobre Esaú su ruina, el tiempo de su castigo.

**9.** Si hubiesen venido a ti vendimiadores, no hubieran dejado racimos, *pero sí algún rebusco:* si hubiesen venido ladrones, habrían robado cuanto les bastase, *sin destruir lo demás.*

**10.** Mas yo he descubierto a Esaú, he manifestado aquello que él había escondido, y no podrá ya ocultarlo: queda destruído su linaje, y sus hermanos y vecinos y él no existirá más.

**11.** Deja *no obstante* tus huérfanos: yo los haré vivir; y en mí pondran su esperanza tus viudas.

---

**45.** *Sehón* es lo mismo que *Hesebón.* El Profeta cita un adagio o dicho antiguo que se cantaba; y de que se habla. *Núm.* XXI, *v.* 27 y 28. — O la soberbia de los turbulentos Moabitas. Por los principales hijos del tumulto se significa la soberbia.

---

**CAP. XLIX.** — **7.** El profeta Abdías describe la crueldad y odio extremado de los Idumeos contra los Israelitas. *Abd. v.* 5. Se llamaba así un nieto de Esaú que sería su fundador. *Gen.* XXXVII, *v.* 2. Era como la Academia o pueblo más instruído de la Idumea, en el cual residían los hombres más instruídos, y a donde irían muchos jóvenes para instruirse. La expresión en boca de Dios es una especie de *sarcasmo.*

**10.** *He dejado desnudo a Edom* o a los *Idumeos.*

**12.** Porque esto dice el Señor: He aquí que aquellos que no estaban sentenciados a beber el cáliz *de la ira del Señor*, también lo beberán sin falta, ¿y tú querrás ser dejada aparte como inocente? *No*, tú no serás *tratada como inocente* y lo beberás sin remedio.

**13.** Pues por mí mismo he jurado, dice el Señor, que Bosra será devastada, y llenada de oprobio, y objeto de maldición; y una eterna soledad es lo que vendrán a ser todas sus ciudades.

**14.** Estas cosas oí yo del Señor; y *luego Nabucodonosor* ha enviado mensajeros a las gentes *suyas*, diciendo: Reuníos, y venid contra Bosra, y vamos a combatirla;

**15.** Porque pequeño haré yo que seas *¡oh Idumeo!* entre las naciones, y despreciable entre los hombres.

**16.** La arrogancia tuya y la soberbia de tu corazón te engañaron: tú que habitas en las cavernas de las peñas, y te esfuerzas a levantarte hasta la cima del monte; aunque hicieses tu nido más alto que el águila, de allí te arrojaré, dice el Señor.

**17.** Y la Idumea quedará desierta: todo el que pasare por ella se pasmará, y hará mofa de sus desgracias.

**18.** Así como fueron arrasadas Sodoma y Gomorra, y sus vecinas, dice el Señor, también ella quedará sin hombre que la habite, no morará allí ni una persona.

**19.** He aquí que *Nabucodonosor*, como león, vendrá desde el hinchado Jordán a caer sobre la bella y robusta *Idumea*: porque yo lo haré correr súbitamente hacia ella, ¿y quién *sino Nabucodonosor* será el *varón* escogido, al cual yo encargué que se apodere de ella? Porque ¿quién hay semejante a mí? ¿quién habrá que se me oponga? ¿ni cuál es el pastor *o capitán* que se pondrá delante de mi?

**20.** Oíd, pues, el designio que ha formado el Señor acerca de Edom; y lo que ha resuelto sobre los moradores de Temán: Juro yo, *dice*, que los pequeñuelos del rebaño derribarán por tierra, y destruirán a los Idumeos y a su habitaciones *o ciudades*.

**21.** Al rumor de su ruina se conmovió la tierra: hasta el mar Rojo llegaron sus voces y clamores.

**22.** He aquí que vendrá, y extendidas sus alas levantará el vuelo como águila, y se echará sobre Bosra; y el corazón de los valientes de la Idumea será en aquel día como corazón de mujer que está de parto.

**23.** Contra Damasco: Confundidas han sido Emat y Arfod; porque han oído una malísima nueva, se han turbado los *de las islas* del mar; su inquietud no la deja sosegar.

**24.** Damasco está azorada, ha echado a huir; ella está temblando toda; oprimida se halla de congojas y dolores, como la mujer que está de parto.

**25.** ¡Cómo han abandonado ellos la ciudad famosa, la ciudad de las delicias!

**26.** Serán degollados sus jóvenes por las calles; y quedarán exánimes en aquel día todos sus guerreros dice el Señor de los ejércitos.

**27.** Y aplicaré fuego al muro de Damasco, el cual consumirá las murallas *del rey* Benadad.

**28.** Contra Cedar y contra los reinos *o posesiones* de Asor, destruídos por Nabucodonosor, rey de Babilonia: Esto dice el Señor: Levantaos, marchad contra Cedar, y extermdinad los hijos de Oriente.

**29.** Se apoderarán de sus tiendas y de sus ganados; robarán sus pieles, y todos sus muebles, y sus camellos; y acarrearán de todas partes el terror sobre ellos.

**30.** Huíd, escapad lejos a toda prisa, dice el Señor; reposad en las cavernas, vosotros que habitáis en Asor; porque contra vosotros he formado designios, y ha maquinado males el rey de Babilonia Nabucodonosor.

**31.** Levantaos, dice el Señor *a los Caldeos*, marchad a invadir una nación tranquila, que vive sin temor alguno; no tienen puertas ni cerrojos: habitan solitarios.

**32.** Vosotros les arrebataréis sus camellos, y serán presa vuestra sus muchísimos jumentos. Yo dispersaré a todos vientos a estos que se cortan sus cabellos *en forma de corona*, y de todos sus confines haré venir contra ellos la muerte, dice el Señor.

---

**20.** O los más débiles soldados de Nabucodosor

**28.** Cedar denota los Cedarenos, descendientes del hijo de Ismael llamado Cedar (*Gen.* XXV, *v.* 13), pueblo de la Arabia desierta sito al oriente de la Judea. Los reinos de Asor no son, según Teodoreto, sino las diferentes ciudades o poblaciones de esta nación, o como unas tribus errantes que van mudando de local, según lo exige el pasto para sus ganados. Pero el Profeta habla de Asor como de una ciudad murada, que sería a manera de metrópoli de aquel vasto desierto. S. Jerónimo sobre el *cap.* XXI, *de Isaías.* —*Jud.* IV, *v.* 2. — *Gen.* XXV, *v.* 13.

**32.** *Cap.* IX, *c.* 26; XXV, *v.* 23.

**33.** Y Asor pasará a ser guarida de dragones, y eternamente desierta; no quedará allí hombre alguno, ni la habitará persona humana.

**34.** Palabras que el Señor dijo a Jeremías, profeta, contra Elam, al principio del reinado de Sedecías, rey de Judá:

**35.** Esto dice el Señor de los ejércitos: He aquí que yo haré pedazos el arco de Elam, que es el cimiento de su pujanza.

**36.** Y soltaré contra Elam los cuatro vientos de los cuatro puntos del cielo, y dispersaré a sus moradores hacia todos estos vientos; sin que haya nación alguna a donde no lleguen fugitivos de Elam.

**37.** Y haré que tiemble Elam delante de sus enemigos, y a la vista de aquellos que intentan su ruina. Enviaré calamidades sobre ellos, la furibunda indignación mía, dice el Señor; y enviaré tras de ellos la espada que los persiga hasta acabarlos.

**38.** Y pondré mi trono en Elam, y arrojaré de allí a los reyes y a los príncipes, dice el Señor.

**39.** Mas en los últimos días yo haré que vuelvan a *su patria* los cautivos de Elam, dice el Señor.

## CAPITULO L

*Profecía de la ruina de Babilonia por los Medos y Persas, y de la libertad que logrará el pueblo de Dios; al cual exhorta que se aproveche de tan gran beneficio del Señor.*

**1.** Palabra que habló el Señor acerca de Babilonia y del país de los Caldeos, por boca del profeta Jeremías.

**2.** Llevad la noticia a las naciones, y haced que corra la voz; alzad señales *en las alturas*, publicadlo, y no lo encubráis; decid: Tomada ha sido Babilonia, corrido ha quedado Bel, y abatido Merodac; cubiertos quedan de ignominia sus simulacros, aterrados han sido sus ídolos.

**3.** Porque vendrá contra ella del Norte una nación, la cual asolará su país, sin que quede quien lo habite: desde el hombre hasta la bestia, *todos* se pusieron en movimiento y se marcharon.

**4.** En aquellos días y en aquel tiempo se reunirán, dice el Señor, los hijos de Israel, y juntamente con ellos, los hijos de Judá para volver a *Jesuralén*: y llorando *de alegría* se darán prisa, y buscarán al Señor su Dios.

**5.** Preguntarán cuál es el camino que va a Sión, a ella dirigirán sus ojos. Volverán *del cautiverio*, y se unirán al Señor con una alianza eterna, cuya memoria no se borrará jamás.

**6.** Rebaño perdido fué el pueblo mío; sus pastores lo extraviaron, y los hicieron ir vagando por los montañas; anduvo por montes y collados, y se olvidó del lugar de su reposo.

**7.** Todos cuantos encontraban a los de mi pueblo, los devoraban; y sus enemigos decían: En esto no hacemos nada malo; porque éstos han pecado contra el Señor, esplendor de justicia o *santidad*; contra el Señor, esperanza de sus padres.

**8.** Huid de en medio de Babilonia y salid del país de los Caldeos; y sed como los moruecos delante del rebaño.

**9.** Porque he aquí que yo pondré en movimiento, y traeré reunidos contra babilonia los *ejércitos* de naciones grandes de la tierra del Norte, los cuales se dispondrán para asaltarla, y en seguida será tomada; sus saetas, como de fuertes y mortíferos guerreros, no serán disparadas en vano.

**10.** Y la Caldea será entregada al saqueo; quedarán atestados de riquezas todos sus saqueadores, dice el Señor.

**11.** Ya que saltáis de contento, y habláis con arrogancia por haber devastado la heredad mía; ya que retozáis como novillos sobre la yerba, y mugís como toros.

**12.** *Babilonia*, vuestra madre, ha quedado profundamente abatida, y asolada ha sido la que os engendró; he aquí que será la más despreciable entre las naciones, desierta quedará, intransitable y árida.

**13.** La indignación del Señor la dejará inhabitada, y reducida a una soledad; todo el que pasare por Babilonia quedará lleno de pasmo, y hará rechifla de todas las desgracias de ella.

**14.** ¡Oh vosotros, todos cuantos estáis diestros en manejar el arco! apercibíos de todas partes contra Babilonia; embestidla, no escaseéis las saetas, porque ha pecado contra el Señor.

---

**34.** Provincia de Persia, cuya capital era Susa. Se llamaba Elam, el primogénito de Sem.

**35.** *Is.* XXII, *v.* 6, 7.

**39.** Se verificó en tiempo de *Ciro*, y más perfectamente en tiempo de Cristo. — Véase *Act.* II, *v.* 7, 8, 9.

**CAP. L.** — 2. *IS.* V, *v.* 26, etc. Isaías habla de esta ruina de Babilonia, cap. XLV, XLVI, XLVII.

**3.** *Is.* XLI, *v.* 25; XLVI, *v.* 11.

---

**5.** II *Esdr.* XI, *v.* 18; XI, *v.* 2. Aquí se habla también de la alianza entre Dios y todos los hombres, hijos de Abraham, según la fe, de que fué mediador Jesucristo.

**15.** Levantad contra ella el grito; *ya* tiende sus manos por todos lados, *dándose por vencida*, conmuévense sus fundamentos, destruídos quedan sus muros, porque es el tiempo de la veganza del Señor; tomad venganza de ella; tratadla como ella trató a los demás.

**16.** Acabad en Babibliona *con todo viviente*: ni perdonéis a aquel que siembra, ni al que maneja la hoz en tiempo de la siega; al relumbrar la espada de la paloma, volverán todos a sus pueblos, y cada cual huirá al propio país.

**17.** Israel es una grey descarriada: los leones la dispersaron. El primero a devorarla fué el rey de Asur: el último ha sido Nabucodonosor, rey de Babilonia, que ha acabado hasta con sus huesos.

**18.** Por tanto, esto dice el Señor de los ejércitos, el Dios de Israel: he aquí que yo castigaré al rey de Babilonia y a su país, al modo que castigué al rey de Asur.

**19.** Y conduciré otra vez Israel a su antigua morada, y gozará de los pastos del Carmelo; y en Basán y en los collados de Efraím y de Galaad se saciarán sus deseos.

**20.** En aquellos días, dice el Señor, y en aquel tiempo se andará en busca de la iniquidad o *idolatría* de Israel, mas ésta no existirá ya; y del pecado de Judá, y tampoco se hallará; porque yo seré propicio a los restos *de dicho pueblo* que me habré reservado.

**21.** ¡Oh Ciro! Marcha tú contra la *Caldea*, tierra de los dominadores, y castiga a sus habitantes, devasta y mata a aquellos que les siguen detrás; *a todos* dice el Señor; y obra según las órdenes que te tengo dadas.

**22.** Estruendo de batalla *se oye* sobre la tierra, y de grande exterminio.

**23.** ¿Cómo ha sido hecho pedazos y desmenuzado *el rey de Babilonia*, el que era el martillo de toda la tierra? ¿cómo está Babilonia hecha un desierto entre las gentes?

---

16. Véase antes *c.* XXV, *v.* 38 y XLVI, *v.* 16.
17. Los reyes asirios. — IV *Reg.* XXV, *v.* 9, etc.
18. *Ezech.* XXX, *v.* 1.
21. Admirable documento que nos enseña que todo cuanto sucede en las revoluciones de los imperios, todo viene dispuesto por la sabia y altísima Providencia de Dios: el cual ordena, o permite, y da los medios, y prospera las acciones o empresas de aquellos que él elige para que sean instrumentos de su justa indignación, o de su miseriocrdia. Ciro fué instrumento de Dios para castigar a los Caldeos y para dar libertad a Israel.

**24.** Yo te cogí en el lazo, y sin pensarlo te has visto presa; ¡oh Babilonia! has sido hallada y cogida, porque hiciste guerra al Señor.

**25.** Abrió el Señor su tesoro, y ha sacado de él instrumentos de su indignación; pues va a ejecutar el Señor Dios de los ejércitos su obra contra la tierra de los Caldeos.

**26.** Venid contra ella desde las más remotas regiones, dad lugar para que salgan los que la dan de hollar; quitad las piedras del camino, y ponedlas en montones; haced en ella una carnicería, hasta que no quede viviente alguno.

**27.** Exterminad a todos sus guerreros, sean conducidos al matadero; ¡ay de ellos! porque ha llegado ya su día, el día de su castigo.

**28.** La voz de los fugitivos y de aquellos que escaparon de la tierra de Babilonia, para llevar a Sión la noticia de la venganza del Señor Dios nuestro, de la venganza de su *santo* templo.

**29.** A toda la multitud de los que en Babilonia entesan el arco, decidles: Asentad los reales contra ella por todo el alrededor, a fin de que ninguna escape, dadle el pago de sus fechorías; portaos con ella conforme ella se ha portado, pues se levantó contra el Señor, contra el Santo de Israel.

**30.** Por tanto caerán muertos en sus plazas sus jóvenes, y quedarán sin aliento en aquel día todos sus guerreros, dice el Señor.

**31.** Aquí estoy yo contro ti ¡oh soberbio *Baltasar*! dice el Señor Dios de los ejércitos; porque ha llegado tu día, el día de tu castigo.

**32.** Ya caerá el soberbio, y dará en tierra, sin que haya quien le levante; y pegaré fuego a sus ciudades, el cual devorará todos sus alrededores.

**33.** Esto dice el Señor de los ejércitos: los hijos de Israel, juntamente con los de Judá, se ven oprimidos; todos aquellos que los cautivaron, los retienen, no quieren soltarlos.

**34.** Pero el fuerte redentor suyo, aquel que tiene por nombre Señor de los ejércitos, defenderá en juicio la causa de ellos, y llenará de espanto la tierra, y hará que se estremezcan los habitantes de Babilonia.

**35.** Espada, *o guerra*, contra los Caldeos, dice el Señor, y contra los habitantes de Babilonia, y contra sus príncipes, y contra sus sabios.

---

25. Véase *Job.* XXXVIII, *v.* 22.

**36.** Espada contra sus adivinos, y quedarán entontecidos: espada contra sus valientes, y quedarán llenos de terror.

**37.** Espada contra sus cabellos, y contra sus carros de guerra, y contra todo el gentío que ella contiene, y serán *tímidos* como mujeres; espada contra los tesoros, los cuales serán saqueados.

**38.** Se secarán y agotarán sus aguas; porque tierra es esa de *vanos* simulacros, y que se gloría en sus monstruos.

**39.** Por tanto, vendrá a ser guarida de los dragones y de los faunos, que se alimentan de higos silvestres, y morada de avestruces; quedando inhabitada para siempre, sin que nunca jamas vuelva a ser reedificada.

**40.** Vendrá a ser ella, dice el Señor, como las ciudades de Sodoma y Gomorra y sus vecinas, que el Señor destruyó; no quedará hombre alguno que la habite, ni persona humana que allí more.

**41.** He aquí que viene del Norte un pueblo y una nación grande; y se levantarán muchos reyes de los extremos de la tierra.

**42.** Asirán del arco y del escudo; son crueles y sin misericordia; sus voces serán como un mar que brama, y se montarán sobre sus caballos, como un guerrero apercibido para combatir contra ti !oh hija de Babilonia!

**43.** Oyó el rey de Babilonia la fama de ellos, y quedó sin aliento, y oprimido de angustia y de dolor como mujer que está de parto.

**44.** He aquí que *un rey* vendrá como un león, desde el hinchado Jordán a caer sobre la bella y fuerte *Babilonia*; porque yo lo haré correr súbitamente hacia ella: ¿y quién *sino Ciro*, será el escogido, a quien yo 'le encargue que se apodere de ella? Pues ¿quien hay semejante a mí? ¿quién habrá que se me oponga? ¿ni cuál es el pastor o *capitán* que pueda ponérseme delante?

**45.** Por tanto oíd el designio que tiene formado *allá* en su mente el Señor contra Babilonia, y sus decretos en orden al país de los Caldeos: *Juro, dice el Señor*, que los zagales pequeñuelos del rebaño, *lo más débiles*

---

39. *Is. c.* XXXIV, *v.* 14.
40. La *Babilonia* de que hablan los viajeros modernos no está donde la antigua; ni puede llamarse la misma.
41. *Estos reyes son Ciro y Darío.* Xenofonte, *lib.* V. *Cirop*, refiere también los nombres de muchos príncipes que eran tributarios de Ciro, y le acompañaban en la expedición a Babilonia.
44. Se sirve hablando de Ciro de la misma semejanza que usó hablando de Nabucodonosor, *c.* XLIX.

*soldados*, darán en tierra con ellos; *juro* que serán destruídos ellos y las ciudades en que habitan.

**46.** A la noticia de la conquista de Babilonia se ha estremecido la tierra, y sus gritos se han oído entre las naciones.

## CAPITULO LI

*Continúa Jeremías describiendo la ruina de Babilonia; a cuya ciudad envía estas profecías para que sean leídas y confirmadas con una señal visible.*

**1.** Esto dice el Señor: He aquí que yo levantaré un viento pestífero *o destructor* contra Babilonia y sus moradores, los cuales se han levantado contra mí.

**2.** Y enviaré contra Babilonia aventadores, que la aventarán, y asolarán su país; porque en el día de su tribulación acudirán de todas partes contra ella.

**3.** El que entesa el arco, *poco importa* que no lo entese, ni que vaya sin coraza; *porque la victoria es segura*. No tenéis que perdonar a su jóvenes: matad a todos sus soldados.

**4.** Y muertos caerán en tierra de los Caldeos, y heridos serán en sus regiones.

**5.** Porque no han quedado Israel y Judá abandonados de su Dios, el Señor de los ejércitos; y porque la tierra *de los Caldeos* está llena de pecados contre el Santo de Israel.

**6.** Huid *¡oh Judíos!* de en medio de Babilonia, y ponga cada cual en salvo su propia vida; no seáis indolentes en orden a su iniquidad; porque llegado ha el tiempo de la venganza del Señor, el cual le dará su merecido.

**7.** Babilonia ha sido *hasta ahora* en la mano del Señor, como un cáliz de oro para embriagar *o hacer beber su ira*, a toda la tierra. Todas las naciones bebieron de su vino, y quedaron como fuera de sí.

**8.** Babilonia ha caído repentinamente y se ha hecho pedazos: prorrumpid en alaridos sobre ella; tomad triaca para sus heridas, por si tal vez puede curarse.

**9.** Hemos medicinado a Babilonia, y no ha curado, *dicen sus amigos*, abandonémosla, pues, y volvámonos cada cual a su tierra; pues sus delitos subieron más allá de las nubes, llegaron hasta el cielo.

---

CAP. LI. — 6. Salid, Judíos, huyendo de esta ciudad, para que no quedéis sepultados en su ruinas. No permanezcáis en un pueblo tan perverso y corrompido. Mirad que ha llegada ya el tiempo de la veganza del Señor.

10. El Señor ha hecho aparecer nuestra justicia: venid, y publiquemos en Sión la obra del Señor Dios nuestro.

11. Aguzad ¡oh *Babilonios*! vuestras saetas, llenad de ellas vuestras aljabas. El Señor ha suscitado el espíritu de los reyes de la Media, y ha tomado *ya* su resolución de arruinar a Babilonia; porque el Señor debe ser vengado, debe ser vengado su templo.

12. Levantad *enhorabuena* las banderas sobre los muros de Babilonia, aumentad las guarnición, poned centinelas, disponed emboscadas; pero el Señor ha decretado y ejecutará todo cuanto predijo contra los habitantes de Babilonia.

13. ¡Oh tú, que tienes tu asiento entre abundancia de aguas, colmada de riquezas! tu fin ha llegado, ha llegado el punto fijo de tu destrucción.

14. El Señor de los ejércitos ha jurado por sí mismo, *diciendo*: Yo te inundaré de una turba de hombre *asoladores* como langostas, y se cantará contra ti la canción de la vendimia *o del castigo*.

15. El es el que con su poderío hizo la tierra, y el que con su sabiduría dispuso el mundo, y extendió los cielos con su inteligencia.

16. A una voz suya se congregan las aguas en el cielo; él hace venir del cabo del mundo las nubes; deshace en lluvia los relámpagos, y saca de sus tesoros el viento.

17. Todo hombre se ha hecho necio por la ciencia: la misma estatua *del ídolo* es la confusión de todo artífice; porque cosa mentirosa es la obra que él ha hecho; no hay en ella espítitu *de vida*.

18. Obras vanas son esas y dignas de risa *o desprecio*: ellas perecerán en el tiempo del castigo.

19. No es como las tales obras aquél que es la porción *o la herencia* de Jacob; pues él es quien ha formado todas las cosas, e Israel es su reino hereditario: Señor de los ejércitos es el nombre suyo.

20. Tú ¡oh *Babilonia*! has sido para mí el martillo con que he destrozado las gentes belicosas, y por medio de ti yo arruinaré naciones, y asolaré reinos;

21. Y por tu medio acabaré con los caballos y caballeros, y con los carros armados y los que los montan:

22. Por medio de ti acabaré con hombres y mujeres; por medio de ti acabaré con viejos y niños; y acabaré por tu medio con los jóvenes y doncellas.

23. Por tu medio acabaré con el pastor y con su grey, y por tu medio acabaré con el labrador y con sus yuntas, y acabaré por tu medio con los caudillos y los magistrados.

24. Y después, ante vuestros ojos, yo pagaré a Babilonia y a todos los moradores de la Caldea, todo el mal que hicieron contra Sión, dice el Señor.

25. Aquí estoy yo contra ti, dice el Señor, ¡oh monte pestífero que inficionas toda la tierra! y extenderé contra ti mi mano, y te precipitaré de entre tu peñas, y te haré semejante a un monte consumido por las llamas.

26. No se sacará de ti piedra útil para un esquina, ni piedra para cimientos: sino que quedarás destruído para siempre, dice el Señor.

27. Alzad bandera en la tierra, haced resonar la trompeta entre las naciones, preparad los pueblos a una guerra sagrada contra Babilonia; llamad contra ella a los reyes de Ararat, de Menni y de Ascenez, alistad contra ella los soldados de Tafsar; poned en compaña soldados como un ejército de langostas armadas de aguijones.

28. Preparad a la guerra sagrada contra ella a los pueblos, y a los reyes de la Media, y a su capitanes, y a todos sus magnates, y a todas las provincias que le están sujetas.

29. En seguida será conmovida y conturbada la tierra, porque pronto se cumplirá el decreto del Señor, por el cual el país de Babilonia quedará desierto e inhabitable.

30. Han abandonado el combate los valientes de Babilonia, se han metido en las fortalezas, se acabó su valor, son ya como mujeres, incendiadas han sido sus casas, y hechos pedazos los cerrojos de su puertas.

31. Un correo alcanzará a otro correo, un mensajero a otro mensajero: van a noticiar al rey de Babilonia que su ciudad ha sido tomada desde un cabo al otro;

32. Y que están tomados los vados *del río*, que han incendiado *los cañaverales de junto* a las lagunas, y que están llenos de turbación todos los guerreros.

33. Porque esto dice el Señor de los ejércitos, el Dios de Israel: La hija de Babilonia será *hollada* como *la mies en* la era: ha llegado el tiempo de ser trillada; dentro de poco comenzará la siega.

---

CAP LI. — 11. Habla el Profeta irónicamente.
13. El hebreo: *el fin de tus ganancias*.

---

25. Llama *monte* a Barcelonia por razón de su soberbia y orgullo, o tal vez por la gran elevación de su murallas y torres.

**34.** Nabucodonosor, rey de Babilonia, me ha consumido, me ha devorado; me ha dejado como una vasija vacía *de todo;* cual dragón me ha tragado; ha llenado su vientre de todo lo que tenía yo más precioso, y me ha echado fuera *y dispersado.*

**35.** Las injusticas cometidas contra mí, dice la hija de Sión, y la carnicería que ha hecho en mis hijos, está *clamando* contra Babilonia, y la sangre mía, dice Jerusalén, grita contra los habitantes de la Caldea.

**36.** Por tanto esto dice el Señor: He aquí que yo tomaré por mi cuenta tu cauba, y el vengarte de los agravios; yo dejaré sin agua a su mar, y secaré sus manantiales.

**37.** Y quedará Babilonia reducida a un montón de escombros, guarida de dragones, objeto de pasmo y de escarnio; pues permacece inhabitada.

**38.** Rugirán *los Caldeos* todos a una como leones; sacudirán sus melenas como *vigorosos* leoncitos.

**39.** Los dejaré que se calienten en su banquetes, y que se embriaguen; para que, aletargados, duerman un sueño perdurable, del qual no despierten, ya, dice el Señor.

**40.** Los conduciré como corderos al matadero y como carneros y cabritos.

**41.** ¡Cómo ha sido tomada Sesac y vencida la más esclarecida *entre las ciudades* de la tierra! ¡cómo ha venido a ser aquella *gran* Babilonia el asombro de todos los pueblos!

**42.** Un mar ha inundado a Babilonia, y la muchedumbre de sus olas la ha ahogado.

**43.** Sus ciudades se han hecho un objeto de terror, un terreno inhabitable y desierto, en el cual no viva nadie, ni transite por él persona humana.

**44.** Y castigaré a Bel en Babilonia, y le haré vomitar lo que ha engullido; y de allí en adelante no concurran a él las naciones, pues hasta los muros de Babilonia serán arrasados.

**45.** Salid de ella !oh pueblo mío! salve cada cual su vida de la terrible ira del Señor.

**46.** Y procurad que no desmaye vuestro corazón, y no os amedrenten las nuevas que correrán por el país; un año vendrá un noticia, y se verá la maldad *u opresión* en la tierra, y a un dominador seguirse otro dominador.

**47.** Pues entonces llegará el tiempo en que yo destruiré los ídolos de Babilonia, y quedará llena de confusión toda su tierra, en medio de la cual caerán muertos todos *sus ciudadanos.*

**48.** Los cielos y la tierra, y cuanto hay en ellos cantarán alabanzas *al Señor* por los sucedido a Babilonia; porque del Norte le vendrán sus destructores, dice el Señor.

**49.** Y al modo que Babilonia hizo morir a tantos en Israel, así los de Babilonia se verán caer muertos por todo el país.

**50.** Vosotros que huísteis de la espada, venid, no os paréis; desde lejos acordaos del Señor, y ocupe otra vez Jerusalén *todo* vuestro corazón.

**51.** Avergonzados estamos ¡oh Señor! de los oprobios que hemos oído: cubriéronse de confusión nuestros rostros, porque los extranjeros entraron en el Santuario del tempo del Señor.

**52.** Por eso, dice el Señor, he aquí que llega el tiempo en que yo destruiré los simulacros, y en todo su territorio se oirán los aullidos de sus heridos.

**53.** Aun cuando Babilonia se levantare hasta el cielo, y afianzare en lo alto su fuerza, yo enviaré, dice el Señor, gentes que la destruirán.

**54.** Grandes gritos *se oirán* de Babilonia, y un grande estruendo de tierra de los Caldeos;

**55.** Porque ha asolado el Señor a Babilonia, y ha hecho cesar su orgulloso tono; y será el ruido de sus oleadas, semejante al de una grande mole de aguas: tal será el sonido de sus gritos.

**56.** Porque ha venido el ladrón sobre ella, esto es, sobre Babilonia, y han sido cogidos sus valientes, cuyo arco se quedó sin fuerza; porque vengador poderoso es el Señor, el cual les dará la paga merecida.

**57.** Y embriagaré *con el cáliz de mi ira* a sus príncipes, y a sus sabios, y a sus capitanes, y a sus magistrados, y a sus campeones, y haré que duerman un sueño perdurable, del cual jamás despertarán dice el Señor, cuyo nombre es Señor de los ejércitos.

**58.** Esto dice el Señor de los ejércitos: Aquel anchísimo muro de Babilonia será arruinado de arriba abajo, y serán abrasadas sus altísimas puertas: y reducido a la nada el trabajo de los pueblos, y a ser pasto de las llamas la faena de las naciones.

---

41. Algunos opinan que *Sesac* era una diosa de Babilonia, la *luna* o sea *Diana.* Cap. XXV, *v.* 26.
42. *Is.* VIII, *v.* 8.
44. *Dan* V, *v*, 80, XIV, *v.* 2.

---

58. Ya se sabe que comúnmente se cuentan las murallas de Babilonia por una de las maravillas del mundo.

**59.** Orden que dió Jeremías profeta a Saraías, hijo de Nerías, hijo de Maasías, cuando iba con el rey Sedecías a babilonia, en el cuarto año de su reinado. Saraías era el jefe de la embajada.

**60.** Escribió Jeremías en un volumen todas las calamidades que habían de venir contra Babilonia, *es a saber*, todo esto que queda escrito contra ella.

**61.** Y díjole Jeremías a Saraías: Cuando habrás llegado a Babilonia, y habrás visto y leído todas estas palabras.

**62.** Dirás: ¡Oh Señor! tú has dicho que destruirás este lugar de modo que no quede quien lo habite, ni hombre ni bestia y sea una eterna soledad.

**63.** Y así que habrás concluido la lectura de este libro, atarás a él una piedra, y lo arrojarás en medio del Eufrates;

**64.** Y dirás: De esta manera será sumergida Babilonia, y no se recobrará del *completo* estrato que voy a descargar contra ella, y quedará *para siempre* destruida. Hasta aquí las palabras de Jeremías.

## CAPITULO LII

*Nabucodonosor se apodera de Jerusalén: incendio de la ciudad y del Templo: hace sacar los ojos al rey Sedecías; y se le lleva cautivo a Babilonia con el resto del pueblo. Exaltación de Joakim después de treinta y siete años de estar preso.*

**1.** Veintiún años tenía Sedecías cuando comenzó a reinar, y reinó once años en Jerusalén. Su madre se llamaba Amital, hija de Jeremías de Lobna.

**2.** Y pecó Sedecías en la presencia del Señor obrando en todo y por todo como había obrado Joakim.

**3.** Estaba el Señor tan altamente irritado contra Jerusalén y contra Judá, que llegó a arrojarlos de delante de sí; y Sedecías se rebeló contra el rey de Babilonia.

**4.** Y en el año nono de su reinado, el día diez del mes décimo, vino Nabucodonosor, rey de Babilonia, él mismo con todo su ejército, contra Jerusalén; pusiéronle sitio, y se levantaron baterías al rededor de ella.

**5.** Y estuvo la ciudad sitiada hasta el año undécimo del rey Sedecías.

**6.** Mas en el mes cuarto, a nueve del mes, se apoderó el hambre de la ciudad, y la gente del pueblo no tenía con qué alimentarse.

**7.** Y se abrió brecha en la ciudad, y huyeron todos sus guerreros, saliéndose de noche por la puerta que hay entre los dos muros, y va a la huerta del rey (mientras que los Caldeos tenían cercada la ciudad) y tomaron el camino que conduce al desierto.

**8.** Pero el ejército de los Caldeos fué en persecución de Sedecías, y se apoderó de él en el desierto que está cerca de Jericó, y lo abandonó toda su comitiva.

**9.** Y luego que lo cogieron, lo condujeron ante el rey de Babilonia, a Reblata, sita en el país de Emat; el cual pronunció sentencia contra él.

**10.** Y el rey de Babilonia hizo degollar a los hijos de Sedecías en presencia de éste: e hizo matar también en Reblata a todos los príncipes de Judá.

**11.** A Sedecías le hizo sacar los ojos, y púsole grillos; y el rey de Babilonia se lo llevó a esta ciudad, y lo condenó a prisión perpetua.

**12.** En el mes quinto, a los diez del mes, esto es, el año décimono *del reinado* de Nabucodonosor, rey de Babilonia, llegó a Jerusalén Nabuzardán, general del ejército, y uno de los *primeros* palaciegos del rey de Babilonia,

**13.** Y abrasó el templo del Señor, y el palacio del rey, y todas las casas de Jerusalén, y todos los grandes edificios quedaron incendiados.

**14.** Y todo el ejército de los Caldeos, que estaba allí con su general, arrasó todo el muro que circuía a Jerusalén.

**15.** Y a los pobres del pueblo, y a los restos de la plebe que había quedado en la ciudad, y a los fugitivos que se habían pasado al rey de Babilonia, y al resto de la multitud, los transportó Nabuzardán general del ejército, *a Babilonia*.

**16.** Dejó, empero, Nabuzardán, general del ejército, algunos pobres del país para cultivar la viñas, y para las demás labores de la tierra.

**17.** Los Caldeos hicieron también pedazos las columnas de bronce que estaban en el templo del Señor, y los pedestales, y el mar *o concha* de bronce que había en el templo del Señor; y se llevaron a Babilonia todo su cobre.

**18.** Y se llevaron las calderas, y los garfios, y los salterios, y las tenazas, y los morterillos, y todos los muebles de cobre del uso del templo;

---

**59.** Según los *Setenta y el caldeo* debe traducirse *de parte del rey.* Jeremías vaticinaba la destrucción de Babilonia seis años antes que los Babilonios arruinasen a Jerusalén.

**CAP. LII.** — 1. IV *Reg.* XXIV *v.* 1 y sig. — II *Paral.* ult. Opinan algunos que lo que aquí se refiere lo añadió Baruc, tomándolo del libro IV de los *Reyes.*

**19.** Y los cántaros, y los braserillos de los perfumes, y los jarros, y las hacías, y los candeleros, y los morteros, y las copas, y todo cuanto había de oro y de plata se lo llevó el general del ejército;

**20.** Y las dos columnas, y el mar *de bronce*, y los doce becerros de bronce que estaban debajo de las basas, que había mandado hacer Salomón en el templo del Señor. Inmenso era el peso del metal de todos estos muebles.

**21.** En cuanto a las columnas, cada una de ellas tenía dieciocho codos de alto, y se necesitaba una cuerda de doce codos para medir su circunferencia: y tenía cuatro dedos de grueso, siendo hueca por dentro.

**22.** Y eran de bronce los capiteles de una y otra columna: cada capitel tenía cinco codos de alto; y las redes y las granadas que había por encima en rededor, eran todas de bronce. Lo mismo la otra columna y sus granadas.

**23.** Y las granadas que estaban pendientes *y se veían* eran noventa y seis; pero el total de las granadas era ciento, rodeadas de redes.

**24.** Y el general del ejército se llevó también a Saraías, que era el primer sacerdote, y a Sofonías que era el segundo, y a tres guardas del atrio.

**25.** Y además se llevó de las ciudad un eunuco, que era el comandante de las tropas, y a siete personas *de las principales* de la corte del rey, que fueron halladas en la ciudad; y al secretario, jefe o *inspector* de la milicia, el cual instruía a los soldados bisoños, y a sesenta hombres del vulgo del país, que se hallaron en la ciudad.

**26.** Cogiólos, pues, Nabuzardán, general del ejército, y los condujo a Reblata al rey de Babilonia.

**27.** Y el rey de Babilonia los hizo matar a todos en Reblata, país de Emat. Y *el resto de* Judá fué conducido fuera de su tierra *a la Caldea*.

**28.** Este es el pueblo que trasladó Nabucodonosor: en el año séptimo, tres mil veintitrés Judíos;

**29.** En el año décimo octavo se llevó Nabucodonosor, de Jerusalén, ochocientas treinta y dos almas;

**30.** En el año vigésimo tercero de Nabucodonosor, transportó Nabuzardán, general del ejército, setecientos cuarenta y cinco Judíos: con esto fueron en todos cuatro mil y seiscientas personas.

**31.** En el año trigésimo séptimo de haber sido transportado Joakim, rey de Judá, el més duodécimo, a veinticinco del mes, Evilmerodac, rey de Babilonia, el primer año de su reinado hizo levantar cabeza a Joakim, rey de Judá, y lo sacó del encierro.

**32.** Y lo consoló con palabras amistosas: y le puso en asiento superior a los demás reyes vencidos, que tenía en su corte de Babilonia.

**33.** Y le hizo quitar los vestidos que llevaba en la cárcel, y lo admitió a comer en su mesa todo el tiempo que vivió;

**34.** Y le señaló un tanto diario para su manutención perpétuamente por todos los días de su vida.

---

21. Véase II *Paral.* III *v.* 15.

# TRENOS O LAMENTACIONES DE JEREMÍAS PROFETA

## Introducción

Cuando el pueblo de Israel fue llevado al cautiverio, su capital, Jerusalén, quedó desierta, en ruinas y abandonada. El profeta Jeremías, a la vista de la ciudad, entonó este cántico lleno de amargura.

La atribución de estos cantos al profeta Jeremías se halla contenida en la versión griega de los textos bíblicos. Las composiciones de este género eran usuales en la literatura oriental y se sabe que Jeremías dedicó también unas lamentaciones a la muerte de Josías.

### CAPITULO PRIMERO

*Jeremías llora amargamente la ruina de Jerusalén por los Caldeos: recuerda la pasada prosperidad y grandeza; últimamente insinúa el castigo que dará el Señor a los enemigos de la ciudad santa.*

*Alef.* **1.** ¡Cómo ha quedado solitaria la ciudad *antes* tan populosa! La señora de las naciones ha quedado como viuda *desamparada*; la soberana de las provincias es ahora tributaria.

*Bet.* **2.** Inconsolable llora ella *toda* la noche, *e hilo a hilo* corren las lágrimas por sus mejillas; entre todos sus amantes no hay quien la consuele; todos sus amigos la han despreciado, y se han vuelto enemigos suyos.

*Gimel.* **3.** Emigró *y dispersóse* Judá, por verse oprimida con muchas maneras de esclavitud; fijó su habitación entre las naciones; mas no halló reposo; estrecháronla por todas partes todos sus perseguidores.

*Dalet.* **4.** Enlutados están los caminos de Sión; porque ya no hay quien vaya a sus puertas, gimiendo sus Sacerdotes, llenas de tristeza sus vírgenes, y ella oprimida de amargura.

*He.* **5.** Sus enemigos se han enseñoreado de ella; los que la odiaban se han enriquecido *con sus despojos*; porque el Señor falló contra ella a causa de la muchedumbre de sus maldades: sus pequeñuelos han sido llevados al cautiverio, arreándolos el opresor.

*Vau.* **6.** Perdido ha la hija de Sión toda su hermosura; sus príncipes han venido a ser como carneros *descarriados* que no hallan pastos, y han marchado desfallecidos delante del *perseguidor* que los conduce.

*Zain.* **7.** Jerusalén trae a su memoria aquellos días de su aflicción, y sus prevaricaciones, y todos aquellos bienes de que gozó desde los antiguos tiempos; *acordóse de todo eso* al tiempo que caía *o perecía* su pueblo por mano enemiga, sin que acudiese nadie a socorrer-

---

Este pequeño prólogo no se halla en el hebreo sino en los *Setenta*; menos las últimas palabras y *suspirando*, etc., que las añade la *Vulgata*.

**CAP. PRIMERO.** — 1. O caída por el suelo y desamparada de todos. — Sin rey, sin templo, sin pontífice sin magistrados, y sufriendo el yugo de los Caldeos. O también: ha quedado sin Dios que es el *verdadero esposo del alma*, dice *San Agustín in Ps.* LV.

**4.** Se dice que están tristes o de luto los caminos, cuando no hay quien transite por ellos; Pues entonces les falta su principal adorno que es la multitud de los caminantes.

lo; viéronla sus enemigos y mofáronse de sus solemnidades.

*Het.* **8.** Enorme pecado fué el de Jerusalén: por eso ha quedado ella *divagando* sin estabilidad; todos aquellos que la elogiaban, la han despreciado, por haber visto sus inmundicias; y ella misma, sollozando, volvió su rostro hacia atrás *llena de vergüenza.*

*Tet.* **9.** Hasta sus pies llegan sus inmundicias; ella no se acordó de su fin; está profundamente abatida sin haber quién la consuele. Mira, Señor, *Mira* mi aflicción; porque el enemigo se ha engreído.

*Jod.* **10.** El enemigo echó su mano a todas las cosas que *Jerusalén* tenía más apreciables: y ella ha visto entrar en su Santuario los gentiles, de los cuales habías tú mandado que no entrasen en tu iglesia.

*Caf.* **11.** Todo su pueblo está gimiendo, y anda en busca de pan: todo cuanto tenían de precioso lo han dado para adquirir un bocado, con que conservar su vida. Míralo, Señor, y considera cómo estoy envilecida.

*Lamed.* **12.** ¡Oh vosotros cuantos pasáis por este camino! atended, y considerad si hay dolor como el dolor mío; porque el Señor, según él lo predijo, me ha vendimiado *o despojado de todo,* en el día de su furibunda ira.

*Mem.* **13.** Desde lo alto metió fuego dentro de mis huesos, y me ha escarmentado: tendió una red a mis pies, me volcó hacia atrás. Me ha dejado desolada, *todo el día desolada,* todo el día consumida de tristeza.

*Nun.* **14.** El yugo *o castigo* de mis maldades se dió prisa a venir sobre mí: el mismo *Señor* con sus manos las arrolló *como un fardo,* y las puso sobre mi cuello: faltáronme las fuerzas: el Señor me ha entregado en manos de que no podré librarme.

*Samec.* **15.** Arrebatado ha el Señor de en medio de mí todos mis príncipes *y campeones;* ha aplazado contra mí el tiempo *de la ruina,* en el cual destruyese a mis jóvenes escogidos. El Señor *mismo los* ha pisado *como*

*en* un lagar, para *castigar a* la virgen hija de Judá.

*Ain.* **16.** Por eso estoy yo llorando, y son mis ojos fuentes de agua; porque está lejos de mí el consolador, que haga revivir el alma mía. Perecido han mis hijos, pues el enemigo ha triunfado.

*Fe.* **17.** Sión extiende sus manos; pero no hay quien la consuele. El Señor ha convocado los enemigos de Jacob, para que le cincunvalasen; cual mujer manchada en sus períodos *o impureza legal,* así es Jerusalén en medio de ellos.

*Sade.* **18.** Justo es el Señor; pues que yo, rebelde contra sus órdenes le irrité. Pueblos todos, oíd os ruego, y considerad mi dolor: mis doncellas y mis jóvenes han sido llevados al cautiverio.

*Cof.* **19.** Recurrí a los amigos míos, y me engañaron. Mis Sacerdotes y mis ancianos han perecido dentro de la ciudad, habiendo buscado en vano alimento para sustentar su vida.

*Res.* **20.** Mira ¡oh Señor! cómo estoy atribulada: conmovidas están mis entrañas; se ha transformado todo mi corazón; llena estoy de amargura. Por afuera a la muerte la espada, y dentro de casa está *el hambre, que es* otro género de muerte.

*Sin.* **21.** Han oído mis gemidos; y no hay nadie que me consuele: todos mis enemigos han sabido mis desastres; y se han regocijado de que tú los hayas causado. Tú me enviarás el día de la consolación; *y entonces* ellos se hallarán en el estado en que me hallo.

*Tau.* **22.** Pon a la vista toda su malicia, y trátalos como me has tratado a mí por todas mis maldades; porque continuos son mis gemidos, y mi corazón desfallece.

# CAPITULO II

*El Profeta sigue con sus lamentos por la desolación de la ciudad, del Templo y de todo el país: y exhorta a Sión a llorar.*

*Alef.* **1.** ¡Cómo cubrió el Señor de oscuridad en medio de su cólera a la hija de Sión! El ha arrojado del cielo a la tierra a la ínclita

---

**8.** En sentido profético o espiritual se habla del pecado máximo y horrendo de la muerte que dieron los Judíos al Hijo de Dios.

**10.** Esto es, que no se incorporasen en el pueblo de Dios: o no entrasen en el censo o empadronamiento de él.

**13.** En efecto, no se lee que después del cautiverio de Babilonia recayesen los Judíos en la idolatría.

**19.** Esto es a los Egipcios, con los cuales estaban aliados los Judíos, contra la orden de Dios. *Jerem.* II, *v.* 18.

**21.** Así sucedió al cabo de setenta años, cuando los Caldeos fueron destruidos por los Persas y Medos, habiendo asesinado a Baltasar, último rey de Babilonia, en la misma noche de su espléndido banquete. *Dan.* V, *v. 30.*

Israel; ni se ha acordado de la peana de sus pies, *o de su Santuario,* en el día de su furor.

*Bet.* **2.** El Señor ha destruído sin excepción, todo cuanto había de hermoso en Jacob; ha desmantelado en medio de su furor los baluartes de la virgen de Judá, y los ha arrasado; ha tratado al reino y a sus príncipes como una cosa profana *o inmunda.*

*Gimel.* **3.** En medio del ardor de su ira ha reducido a polvo todo el poderío de Israel; retiró atrás su derecha auxiliadora así que vino el enemigo; y encendió en Jacob un fuego, que con su alma devora cuanto hay en contorno.

*Dalet.* **4.** Entesó su arco como hace un enemigo, y cual adversario afirmó su mano derecha *para disparar;* y mató todo cuanto había de bello aspecto en el pabellón de la hija de Sión; lanzó cual fuego la indignación suya.

*He.* **5.** El Señor se ha hecho como enemigo *de Jerusalén:* ha precipitado a Israel; ha destruído todos sus muros, arrasó sus baluartes, y ha llenado de abatimiento a hombres y mujeres de la hija de Judá.

*Vau.* **6.** Y ha destruído su pabellón como la choza de un huerto; ha demolido su Tabernáculo: el Señor ha entregado al olvido en Sión las solemnidades y los sábados; y ha abandonado al oprobio y a la indignación de su furor al rey y al Sacerdote.

*Zain.* **7.** El Señor ha deshecho su altar, ha maldecido a su Santuario; ha entregado sus murallas y torres en poder de los enemigos; los cuales han dado voces *de júbilo* en la casa del Señor, como en una solemne fiesta.

*Het.* **8.** Determinó el Señor destruir los muros de la hija de Sión, tiró su cordel, y no retiró su mano hasta que la demolió; se resintió el antemural, y quedó luego arrasada la muralla.

*Tet.* **9.** Sepultadas quedan sus puertas entre las ruinas; *el Señor* destruyó e hizo pedazos sus cerrojos, *desterró* a su rey y a sus magnates entre las naciones: ya no hay ley; y sus profetas ya no tienen visiones del Señor.

*Jod.* **10.** Sentados están en tierra, y en profundo silencio los ancianos de la hija de Sión; tienen cubiertas de ceniza sus cabezas, vistiéronse de cilicio, abatida hasta la tierra tienen sus cabezas las vírgenes de Jerusalén.

*Caf.* **11.** Cegáronse mis ojos de tanto llorar; estremeciéronse mis entrañas, derramóse en tierra mi corazón al ver el quebranto de la hija del pueblo mío, cuando los pequeñuelos y niños de teta desfallecían *de hambre* en las plazas de la ciudad.

*Lamed.* **12.** Ellos decían a sus madres: ¿Dónde está el pan y vino? cuando, a manera de heridos, iban muriéndose por las calles de la ciudad, cuando exhalaban su alma en el regazo de sus madres

*Mem.* **13.** ¿Con quién te compararé, o a qué cosa te asemejaré, oh hija de Jerusalén? ¿A quién te igualaré, a fin de consolarte, oh virgen hija de Sión? Porque grande es como el mar tu tribulación: ¿quién podrá remediarte?

*Nun.* **14.** Tus profetas te vaticinaron cosas falsas y necias, y no te manifestaban tus maldades para moverte a penitencia; sino que te profetizaban falsamente sucesos *contra tus enemigos,* y su expulsión.

*Samec.* **15.** Todos cuantos pasaban por el camino *te insultaban* dando palmadas; te silbaban, y meneaban su cabeza contra la hija de Jerusalén, diciendo: ¿Es ésta la ciudad de extremada belleza, el gozo de todo el mundo?

*Fe.* **16.** Abrieron contra ti su boca todos tus enemigos; daban silbidos, y rechinaban sus dientes, y decían: Nosotros nos la tragaremos; ya llegó el día que estábamos aguardando; ya vino, ya lo tenemos delante.

*Ain.* **17.** El Señor ha hecho lo que tenía resuelto, cumplió lo que había anunciado desde los tiempos antiguos; te ha destruído sin remisión, y te ha hecho un objeto de gozo para tus enemigos, y ha ensalzado la pujanza de los que te odiaban.

---

**CAP. II.** — 2. A Joakim, Jeconías y Sedecías.
4. A los gallardos y robustos jóvenes, a las tiernas doncellas, a los sacerdotes, etc.
8. Como hacen los arquitectos cuando quieren allanar la superficie de un sitio, o ponerla a nivel. — Véase IV *Reg.* XXI, *v.* 14.

---

11. Es una *hipérbole* para denotar la suma grandeza del dolor.
17. La letra *Ain* está en el abecedario hebreo antes de la *Fe.* No se sabe la causa de esta inversión que aquí se observa. La letra *Fe* significa *boca;* y tal vez por eso se puso dicha letra, como en continuación de lo que se decía en el verso anterior. Lo mismo se nota en el *cap.* III, *v.* 48, 49. — *Deut.* XXVIII, *v.* 15. — *Lev.* XXVI, *v.* 16.

*Sade.* **18.** El corazón de los *sitiados* levantó el grito al Señor desde sobre las murallas de la hijà de Sión: derrama ¡*oh Jerusalén!* día y noche, *haz correr* a manera de torrente las lágrimas; no reposes, ni cesen de llorar tus ojos.

*Cof.* **19.** Levántate, clama de noche *al Señor,* desde el principio de las vigilias; derrama como agua tu corazón, ante su presencia; levanta hacia él tus manos, haciéndole presente la vida de tus parvulitos que se están muriendo de hambre en todas las esquinas y encrucijadas de las calles.

*Res.* **20.** ¡Oh Señor! mira y considera a quién has tú desolado de esta manera. ¿Y será verdad que las mujeres se coman sus propios hijos, niños del tamaño de la palma de la mano? ¿Y será asesinado dentro del Santuario del Señor el Sacerdote y el profeta?

*Sin.* **21.** Muertos yacen por fuera el mozo y el anciano; mis vírgenes y mis jóvenes han sido pasados a cuchillo; los has hecho perecer en el día de tu furor; los has herido de muerte sin compasión ninguna.

*Tau.* **22.** Tú, *Señor,* has convidado como a una gran fiesta a esa nación *enemiga,* para que me aterrase por todos lados; y en aquel día de tu furor no hubo nadie que pudiese escapar y salvarse; a aquellos que yo crié y alimenté, los hizo perecer el enemigo mío.

# CAPITULO III

*Prosigue Jeremías lamentándose, primero de sus propios trabajos, y después de los comunes a toda la ciudad. Alegóricamente habla en la mayor parte del capítulo de los trabajos de nuestro Señor Jesucristo en su Pasión, del cual fué Jeremías un bosquejo en muchos sucesos·de su vida.*

*Alef.* **1.** *Hombre* soy yo que estoy viendo la miseria mía o *aflicción* en la vara de la indignación del *Señor.*

*Alef.* **2.** Entre tinieblas o *aflicciones* me ha hecho andar, y no en el resplandor de la luz.

*Alef.* **3.** No ha cesado día y noche de descargar sobre mí su mano.

*Bet.* **4.** Ha hecho envejecer mi piel y mi carne, y ha quebrantado mis huesos.

*Bet.* **5.** Ha levantado una pared alrededor mío; y me ha cercado de amarguras y de congojas.

*Bet.* **6.** Colocado me ha en lugar tenebroso, como a aquellos que ya han muerto para siempre.

*Gimel.* **7.** Me circunvaló por todos lados para que no escapase; púsome pesados grillos.

*Gimel.* **8.** Y aunque yo clame y ruegue, no hace caso de mis plegarias.

*Gimel.* **9.** Cerró los caminos como con piedras de sillería; desbarató todos. mis senderos o *designios.*

*Dalet.* **10.** Ha venido a ser para mí como un oso en acecho, como un león en lugar oculto.

*Dalet.* **11.** El ha trastornado mis senderos, y me ha destrozado; abandonado me ha a la desolación.

*Dalet.* **12.** Entesó su arco, y me puso por blanco de sus saetas.

*He.* **13.** Ha clavado en mis lomos las flechas de su aljaba.

*He.* **14.** He venido a ser el escarnio de todo mi pueblo; y su cantinela diaria.

*He.* **15.** Llenado me ha de amargura, me ha embriagado de ajenjo.

*Vau.* **16.** Ha quebrado todos mis dientes *dándome pan lleno de arena;* ceniza me ha dado a comer.

*Vau.* **17.** Desterrada está de mi alma la paz o *abundancia;* no sé ya lo que es felicidad.

*Vau.* **18.** Y dije yo: Ha desaparecido para mi todo término *de mis males,* y toda la esperanza que tenía en el Señor.

*Zain.* **19.** Acuérdate, *Señor,* de mi miseria y persecución, y del ajenjo y de la hiel *que me hacen beber.*

*Zain.* **20.** De continuo tengo en la memoria estas cosas, y se repudre dentro de mí el alma mía.

*Zain.* **21.** *Con todo,* considerando estas cosas dentro de mi corazón, hallaré mi esperanza *en el Señor.*

---

**CAP. III.** — 4. A fuerza de tantos golpes.

5. Para hacer una cárcel acomodándola a mi cuerpo.

---

8. *O las desechará.* — Véase *Jerem.* XIV, *v.* 11, VII, *v.* 16; IX, *v.* 14.

13. Las *flechas* se llaman en estilo oriental *hijas de la aljaba,* porque salen de ella, donde están encerradas como en el vientre de su madre.

18. Estas expresiones son hiperbólicas, y sólo se dicen para denotar el exceso de dolor. — Véase *Job cap.* XXX, *v.* 14.

19. *Pobreza* significa también *desgracia, tribulación,* etc.

*Het.* **22.** Es una misericordia del Señor el que nosotros no hayamos sido consumidos *del todo*, porque jamás han faltado sus piedades.

*Het.* **23.** Cada día las hay nuevas desde muy de mañana; grande es ¡oh Señor! tu fidelidad.

*Het.* **24.** Mi herencia, dice el alma mía, es el Señor: por tanto pondré en él mi confianza.

*Tet.* **25.** Bueno es el Señor para los que esperan en él, para las almas que le buscan.

*Tet.* **26.** Bueno es aguardar en silencio la salud *que viene* de Dios.

*Tet.* **27.** Bueno es para el hombre el haber llevado el yugo ya desde su mocedad.

*Jod.* **28.** Se estará quieto y callado: porque ha tomado sobre sí el yugo.

*Jod.* **29.** Su boca la pegará al suelo, para ver si *orando* consigue lo que espera.

*Jod.* **30.** Presentará su mejilla al que le hiere; le hartarán de oprobios.

*Caf.* **31.** Pero no para siempre *lo* desechará de sí el Señor.

*Caf.* **32.** Pues si él *nos* ha desechado, aun se apiadará *de nosotros*, según la abundancia de sus misericordias.

*Caf.* **33.** Puesto que no de buena gana abate él, ni desecha a los hijos de los hombres,

*Lamed.* **34.** Ni huella debajo de sus pies, *como un tirano*, todos los cautivos de la tierra,

*Lamed.* **35.** Ni pesa con infiel balanza, ante su presencia, la causa del hombre,

*Lamed.* **36.** Ni daña con injusta sentencia a hombre ninguno: eso no sabe el Señor hacerlo.

*Mem.* **37.** ¿Quién es aquél que ha dicho que se hace alguna cosa sin que el Señor lo ordene?

*Mem.* **38.** ¿No vienen acaso de orden del Señor los males y los bienes?

*Mem.* **39.** Pues ¿por qué se ha de quejar nunca hombre viviente del castigo de sus pecados?

*Nun.* **40.** Examinemos, y escudriñemos nuestros pasos, y convirtámonos al Señor.

*Nun.* **41.** Levantemos al cielo, hacia el Señor, junto con las manos, nuestros corazones.

*Nun.* **42.** Nosotros, *empero*, nos portamos inicuamente, y provocamos ¡oh Señor! tu enojo: por eso te muestras inexorable.

*Samec.* **43.** Te cubriste de furor y nos castigaste: mataste sin perdonar a nadie.

*Samec.* **44.** Pusiste una nube delante de ti, para que no pudiesen llegar a tu presencia nuestras plegarias.

*Samec.* **45.** Tú nos has arrancado de cuajo y arrojado como basura en medio de los pueblos.

*Fe.* **46.** Han abierto todos los enemigos su boca contra nosotros.

*Fe.* **47.** Convirtióse la profecía en terror nuestro, y en lazo y en ruina nuestra.

*Fe.* **48.** Ríos de agua salen de mis ojos en vista del quebranto de la hija del pueblo mío.

*Ain.* **49.** Deshácense mis ojos en continuo llanto, porque no hay reposo alguno,

*Ain.* **50.** Hasta tanto que el Señor vuelva desde el cielo su vista, y se ponga a mirar.

*Ain.* **51.** Las muchas lágrimas que he derramado por *los desastres de* todas las hijas *o pueblos* de mi patria, han consumido en mí todo el jugo vital.

*Sade.* **52.** Como de ave en el cazadero, se apoderaron de mí mis enemigos sin que yo les diese motivo.

*Sade.* **53.** Cayó en el lago *o fosa* el alma mía; han puesto la losa sobre mí.

---

**23.** La palabra *novi* de la Vulgata no es verbo sino adjetivo masculino, correspondiente al del texto hebraico. Pero en latín el substantivo *miserationes*, a quien se refiere, es femenino, y así la terminación del adjetivo debió ser *novæ*; como se lee en algunos códices de la Vulgata. Lo mismo sucedió en el *Psalm.* XXVI, *v.* 4, al traducir *unam petii*, etc., en vez de *unum*, y en algunos otros lugares.

**28.** Y en este suave yugo del Señor ha hallado él su reposo y consuelo. *Matth.* XI, *v.* 29.

**31.** *Ps.* LXXVI, *v.* 10. — *Deut.* XXXII, *v.* 39.

**39.** Dios siempre nos castiga en esta vida menos de lo que merecemos por nuestros pecados; más en el infierno ejercerá su justicia rigurosa.—

**43.** se representa aquí a Dios, como a un amo irritado y lleno de cólera, que sale hecho un león contra todos, sean domésticos o extraños: lo cual denota la gravedad de los pecados y la pena o castigo que dará a los obstinados pecadores.

**44.** *Is.* LIX. *v.* 2.

**51.** Dependientes de Jerusulén, que es la *metrópoli*, o la madre de todos.

**53.** El pozo o cárcel llena de cieno, en que metieron a Jeremías los malvados de Jerusalén.

*Sade.* **54.** Las aguas *de la tribulación* descargaron como un diluvio sobre mi cabeza. Yo dije entonces: Perdido estoy.

*Cof.* **55.** Invoqué, oh Señor, tu *santo* Nombre desde lo más profundo de la fosa;

*Cof.* **56.** Y tú escuchaste mi voz: no cierres, *pues*, tus oídos a mis sollozos y clamores.

*Cof.* **57.** Te me acercaste en el día en que te invoqué; y me dijiste: No temas.

*Res.* **58.** Tú fallaste a favor del alma mía, ¡oh Señor, oh redentor de mi vida!

*Res.* **59.** Viste, oh Señor, las iniquidades de ellos contra mí: hazme justicia.

*Res.* **60.** Viste todo su furor, todas sus maquinaciones contra mí.

*Sin.* **61.** Tú oíste, oh Señor, sus oprobios, y todos sus proyectos contra mí,

*Sin.* **62.** Y las palabras *malignas* de los que me hacen la guerra, y todo cuanto traman continuamente contra mí.

*Sin.* **63.** Repara, *Señor*, todas sus idas y vueltas; yo soy *siempre* el objeto de sus canciones *burlescas*.

*Tau.* **64.** Tú les darás ¡oh Señor! lo que merecen las obras de sus manos.

*Tau.* **65.** Pondrás sobre su corazón, en vez de escudo, las aflicciones que les enviarás.

*Tau.* **66.** ¡Oh Señor! tú los perseguirás con saña, y los exterminarás de debajo de los cielos.

## CAPITULO IV

*El profeta sigue llorando las miserias que padeció su pueblo en el sitio de Jerusalén por los Caldeos, en castigo de los pecados de los falsos profetas y malos sacerdotes. Profetiza a los Idumeos las mismas calamidades; y anuncia a Jerusalén el fin de las suyas.*

*Alef.* **1.** ¡Cómo se ha oscurecido el oro *del*

---

*Jem. XXXVIII, v.* 6. En sentido alegórico significa el sepulcro de Jesucristo y la losa con que le taparon.

**58.** Alude a que el Señor le libró de la prisión, y le salvó la vida por medio de Abdemelec. *Jerem. XXXVIII, v.* 13.

**65.** En la versión de Ferrara se traduce: *Les darás a ellos ansias o congojas de corazón; tu maldición a ellos: O imprecación tuya para ellos,* como traduce *Arias Montano.*

**CAP. IV.**—1. II *Paral. III.* Con el incendio del Templo quedaron ahumadas y renegridas todas las paredes, que antes parecían una ascua de oro, de cuyo metal estaban cubiertas, y el cual se llevarían los caldeos.

*templo,* y mudado su color bellísimo! ¡Dispersas, *¡ay! dispersas* están las piedras del Santuario por los ángulos de todas las plazas!

*Bet.* **2.** Los ínclitos hijos de Sión, que vestían *de tisú* de oro finísimo, ¡cómo son ya mirados cual si fuesen vasos de barro, obra de manos de alfarero!

*Gimel.* **3.** Aun las mismas lamias descubren sus pechos, y dan de mamar a sus cachorrillos; pero cruel la hija de mi pueblo imita al avestruz del desierto *y los abandona.*

*Dalet.* **4.** Al niño de pecho se le pegaba la lengua al paladar, por causa de la sed; pedían pan los parvulitos, y no había quien se lo repartiese.

*He.* **5.** Aquellos que comían con más regalo han perecido *de hambre* en medio de las calles: cubiertos se ven de basura *o andrajos* aquellos que se criaban entre púrpura *y ropas preciosas.*

*Vau.* **6.** Y ha sido mayor *el castigo de* la maldad de la hija de mi pueblo, que el *del* pecado de Sodoma; la cual fué destruída en un momento, sin que tuviese parte mano de hombre.

*Zain.* **7.** Sus nazareos eran más blancos que la nieve, más lustrosos que la leche, más rubicundos que el marfil antiguo, más bellos que el zafiro.

*Het.* **8.** *Pero ahora* más denegrido que el carbón está su rostro, ni son conocidos por las calles; pegada tienen su piel a los huesos, árida y seca como un palo.

*Tet.* **9.** Menos mala fué la suerte de los que perecieron al filo de la espada, que la de aquellos que murieron de hambre; pues éstos se fueron aniquilando consumidos por la carestía de la tierra.

*Jod.* **10.** Las mujeres, de suyo compasivas, pusieron a cocer con sus manos a sus propios hijos; éstos fueron su vianda en tiempo de la calamidad de la hija del pueblo mío.

*Caf.* **11.** El Señor ha desahogado su furor, ha derramado la ira de su indignación, ha encendido en Sión un fuego que ha consumido *hasta* sus cimientos.

*Lamed.* **12.** No creían los reyes de la tierra, ni los habitantes todos del mundo que el enemigo y adversario entrase por las puertas de Jerusalén;

---

**2.** En el hebreo: *estimados como finísimo oro.*

**3.** O bestias feroces. — Véase *Is.* XXXIV, *v.* 22. *Nota.* Aquí parece que denota *el perro marino,* pez sumamente voraz y carnívoro. — *Job* XXXIX, *v.* 14.

**7.** Véase *Núm.* VI, *v.* 18. — *Jud,* XIII, *v.* 5. — Teñido de color púrpura. Así solían usarlo los antiguos. Hom. *Iliad.* IV. Virg. *Eneida* XII.

*Mem.* **13.** Pero entró por causa de los pecados de sus profetas y las maldades de sus sacerdotes, que en medio de ella derramaron la sangre de los justos.

*Nun.* **14.** Andaban errantes como ciegos por las calles, mancillándose con la sangre; y no Podían evitarlo, aunque se alzaban la extremidad de sus vestidos *para no mancharse.*

*Samec.* **15.** Apartaos, inmundos, decian gritando a los otros; retiraos, marchad fuera, no nos toquéis: porque *de resultas de eso* tuvieron pendencias entre sí; y los que fueron dispersos entre las naciones, dijeron: No volverá *el Se*ñor ya a habitar entre ellos.

*Fe.* **16.** El rostro *airado* del Señor los ha dispersado; ya no volverá él a mirarlos; no han respetado la persona de los sacerdotes, ni se han compadecido de los ancianos.

*Ain.* **17.** Cuando aún subsistíamos, desfallecían nuestros ojos esperando en vano nuestro socorro, poniendo nuestra atención en una nación que no había de salvarnos.

*Sae.* **18.** Al andar por nuestras calles hallaban tropiezos nuestros pies; acercóse nuestro fin; completáronse nuestros días, pues ha llegado nuestro término.

*Cof.* **19.** Más veloces que las águilas del cielo han sido nuestros enemigos; nos han perseguido por los montes, nos han armado emboscadas en el desierto.

*Res.* **20.** El Cristo del Señor, resuello de nuestra boca, ha sido preso por causa de nuestros pecados: aquel a quien habíamos dicho: A tu sombra viviremos entre las naciones.

*Sin.* **21.** Gózate y regocíjate ¡oh hija de Edom que habitas en la tierra de Hus! también te llegará a ti el cáliz *de la tribulación;* embriagada serás y despojada *de todos los bienes.*

*Tau.* **22.** ¡Oh hija de Sión! tiene su término el castigo de tu maldad: el Señor nunca más te hará pasar a otro país. *Mas* él castigará ¡oh hija de Edom! tu iniquidad, él descubrirá tus maldades.

---

**17.** Hacia el Egipto, el cual fué asolado sor los Caldeos

**19.** Alude al rey *Sedecías* cuando huía perseguido de los Caldeos. IV. *Reg.* XXV, *v.* 4.— *Jerem.* XXXIX, *v.* 6; LII, *v.* 8.

**20.** La expresion de la Vulgata *Christus Dominus* parece que no se puede entender sino de Jesucristo. Algunos la entienden literalmente del rey Sedecías. Por el *resuello* se entiende la respiración o el aliento, o la *vida,* la cual pende de él. — Según S. Agustín se indica aquí que la ver-

# CAPITULO V

*Recopila el profeta lo que ha dicho en los capitulos antecedentes. No se conoce el lugar y tiempo en que compuso esta oración.*

**1.** Acuérdate ¡oh Señor! de lo que nos ha sucedido; mira y considera nuestra ignominia.

**2.** Nuestra heredad ha pasado a manos de extranjeros, en poder de extraños se hallan nuestras casas.

**3.** Nos hemos quedado *como* huérfanos, privados de su padre; están como viudas nuestras madres.

**4.** A precio de dinero bebemos nuestra agua, y con dinero compramos nuestra leña.

**5.** Atados del cuello nos conducen *como a bestias,* no se da descanso a los fatigados.

**6.** Alargamos nuestras manos a los Egipcios y a los Asirios, para saciarnos de pan.

**7.** Pecaron nuestros padres, y ya no existen; y el castigo de sus iniquidades lo llevamos nosotros.

**8.** Nuestros esclavos se han enseñoreado de nosotros; no hubo quien nos libertase de sus manos.

**9.** Con peligro de nuestras vídas vamos a lugares desiertos en busca de pan, temiendo siempre la espada.

**10.** Quemada *y denegrida* como un horno, ha puesto nuestra piel el hambre atroz.

**11.** Deshonraban a las mujeres de Sión, *violaban* a las vírgenes en las ciudades de Judá.

**12.** Colgados de la mano *en un madero* han sido los príncipes; no han tenido respeto alguno a las personas de los ancianos. ·

**13.** Abusaron deshonestamente de los jóvenes; y los muchachos caían al peso de la leña.

---

dadera Iglesia se establecerá entre los gentiles convertidos a la fe, entre los cuales serán comprendidos los Judíos que crean en Cristo.

**21.** Es una ironía contra los Idumeneos, aliados entonces de los Caldeos contra Jerusalén; pero destruídos por éstos, pasados unos cinco años.

**CAP. V.** — **7.** No somos nosotros inocentes (verso 16); pero más culpables son nuestros padres; fueron ellos los autores de los desórdenes del día, y murieron sin experimentar estos males.

**8.** Eran los Caldeos descendientes de *Cam,* el cual fue condenado por su padre *Noé* a servir a *Sem. Gen.* IX, *v.* 27.

**13.** Otros traducen: *murieron en el patíbulo.* Otros: *apaleados.*

**14.** Faltan *ya* en las puertas los ancianos, ni se ven los jóvenes en el coro de los músicos que tañen.

**15.** Extinguióse la alegría en nuestro corazón; convertido se han en luto nuestras danzas.

**16.** Han caído de nuestras cabezas las coronas o *guirnaldas*: ¡ay de nosotros, que hemos pecado!

**17.** Por esto ha quedado melancólico nuestro corazón; por esto perdieron la luz nuestros ojos.

**18.** Porque desolado está el monte *santo de* Sión; las raposas *y demás fieras* se pasean por él.

**19.** Empero tú ¡oh Señor! permanecerás eternamente; tu solio subsistirá en todas las generaciones venideras.

**20.** ¿Por qué para siempre te has de olvidar tú de nosotros? ¿Nos has de tener abandonados por largos años?

**21.** Conviértenos ¡oh Señor! a ti, y nos convertiremos; renueva tú nuestros días *felices*, como desde el principio.

**22.** Mas tú, *Señor*, nos has desechado como para siempre: te has irritado terriblemente contra nosotros.

---

21. Sin tí, o sin tu gracia, no podemos nosotros convertirnos a ti.

# LA PROFECÍA DE BARUC

# Introducción

Baruc fue discípulo y compañero inseparable del profeta Jeremías, quien lo cita en sus escritos. Provenía de una familia de notables y en un texto se da el título de príncipe a su hermano Saraías. Baruc recogió al dictado todas las profecías de Jeremías para leérselas al pueblo y al mismo rey. Siguió en la deportación a su maestro Jeremías, así de Egipto pasó a Babilonia, donde anunció también a los judíos cautivos aquellas profecías.

La primera parte de *La profecía de Baruc* es de corte histórico; la segunda es sapiencial y la tercera, parenética (esto es, de carácter exhortatorio). El apéndice consiste en una carta que dirige Jeremías a los deportados; en ella satiriza la idolatría.

Este texto bíblico no se ha conservado en su versión hebrea. De todos modos, la versión griega es muy antigua y evidentemente fue hecha a la vista del original hebreo. El canon judío no cuenta este libro entre los suyos; tampoco los protestantes lo admiten. La Iglesia cristiana, que lo recibió de los apóstoles con la versión de los Setenta, siempre lo ha respetado como libro canónico. En ocasiones los Padres de la Iglesia no mencionan este libro entre los sagrados; el motivo es que su texto se incluía entre los de Jeremías.

## CAPITULO I

*Los judíos de Babilonia envían a los de Jerusalén el libro de Baruc, juntamente con algún dinero recogido para que ofreciesen holocaustos y rogasen a Dios por ellos, por Nabucodonosor y por su hijo Baltasar; y hacen una solemne confesión de sus pecados.*

1. Y éstas son las palabras del libro que escribió Baruc, hijo de Nerías, hijo de Maasías, hijo de Sedecías, hijo de Sedei, hijo de Helcías, en Babilonia,

2. El año quinto, a siete del mes, desde que los Caldeos se apoderaron de Jerusalén y la incendiaron.

3. Y leyó Baruc las palabras de este libro en presencia de Jeconías, hijo de Joakim, rey de Judá, y delante de todo el pueblo que acudía a oírlas,

4. Y delante de todos los magnates de la estirpe real, y delante de los ancianos, y delante del pueblo desde el más pequeño hasta el más grande, de todos cuantos habitan en Babilonia, junto al río Sodi;

5. Los cuales lloraban oyendo *a Baruc,* y ayunaban, y oraban en la presencia del Señor.

6. E hicieron una colecta de dinero, conforme la posibilidad de cada uno;

---

*Jerem. cap. LI, v. 61.*
** De Civit. Dei, lib. XVIII, cap. 33.

---

CAP. PRIMERO. — 4. *Sodi* en hebreo significa *soberbia. Se* cree que Baruc llamó así al río Eufrates; al cual Ezequiel dió el nombre de *Sobar,* esto es, *Gran río, cap. I, v.* 1.

**7.** Y lo remitieron a Jerusalén, a Joakim, hijo de Helcías. hijo de Salom sacerdote, y a los sacerdotes, y a todo el pueblo que se hallaba con él en Jerusalén,

**8.** Después que Baruc hubo recibido los vasos del templo del Señor, que habían sido robados del templo, para volverlos otra vez a tierra de Judá, a diez del mes de Siván; vasos de plata que había hecho Sedecías, hijo de Josías, rey de Judá,

**9.** Así que Nabucodonosor rey de Babilonia, hubo aprisionado a Jeconías y a los príncipes, a todos los magnates y al pueblo de la tierra, y llevádoselos presos desde Jerusalén a Babilonia.

**10.** Y díjéronles *en una carta lo que sigue*: He aquí que os enviamos dinero, con el cual compraréis *víctimas para* los holocaustos, e incienso, y haced ofrendas, e inmolad víctimas por el pecado en el altar del Señor Dios nuestro.

**11.** Y rogaréis por la vida de Nabucodonosor, rey de Babilonia, y por la vida de Baltasar, su hijo, a fin de que los días de ellos sobre la tierra sean como los del cielo;

**12.** Y para que el Señor nos conceda a nosotros fortaleza, y nos haga ver la luz *de la prosperidad*, para vivir *felizmente* bajo el amparo de Nabucodonosor, rey de Babilonia, y bajo el amparo de su hijo Baltasar, y les sirvamos a ellos por largo tiempo, y seamos gratos a sus ojos.

**13.** Rogad también por nosotros mismos al Señor Dios nuestro, porque hemos pecado contra el Señor Dios nuestro, y no se ha apartado su ira de sobre nosotros hasta el día presente.

**14.** Y leed este libro *o escrito*, el cual os hemos enviado para que se haga la lectura de él en *donde estaba* el templo del Señor, en día solemne y tiempo oportuno.

**15.** Diréis, pues: Del Señor Dios nuestro es la justicia *o santidad*; mas de nosotros la confusión de nuestros rostros, como está sucediendo en este día a todo Judá y a los moradores *todos* de Jrusalén,

**16.** A nuestros reyes, y a nuestros príncipes, y a nuestros sacerdotes, y a nuestros profetas y a nuestros padres.

---

10. El ara que los pocos Judíos que quedaron erigieron en Jerusalen, después que se retiraron los Caldeos.

11. Cornelio A Lápide hace notar aqui la insigne piedad de los judíos cautivos que mandan rogar a Dios y ofrecerle sacrificios por el impío tirano y destructor del reino judío, el rey Nabucodonosor.

**17.** Pecado hemos contra el Señor Dios nuestro, y no le creímos, faltos de confianza en él;

**18.** Y no le estuvimos sumisos, ni quisimos escuchar la voz del Señor Dios nuestro para proceder conforme a los mandamientos que él nos había dado.

**19.** Desde aquel día en que sacó de la tierra de Egipto a nuestros padres hasta el presente, hemos sido rebeldes al Señor Dios nuestro; y disipados o *entregados a nuestros vicios,* nos apartamos de él por no oír su voz.

**20.** Por lo cual se nos han apegado muchos desastres y las maldiciones intimadas por el Señor a su siervo Moisés; por el Señor que sacó de la tierra de Egipto a nuestros padres para darnos una tierra que mana leche y miel; *maldiciones* que estamos experimentando en el día de hoy.

**21.** Nosotros, empero, no quisimos escuchar la voz del Señor Dios nuestro, según lo que decían los profetas, que él nos tenía enviados;

**22.** Y cada uno de nosotros nos fuimos tras las inclinaciones de nuestro perverso corazón, a servir *como esclavos* a dioses extraños, obrando la maldad delante de los ojos del Señor Dios nuestro.

## CAPITULO II

*Los Judíos de Babilonia confiesan sus pecados, y que justamente los castiga el Señor. Imploran la misericordia que tiene prometida a los que se arrepienten.*

**1.** Por este motivo el Señor Dios nuestro cumplió su palabra, que nos había *ya* intimado a nosotros, y a nuestros jueces gobernadores de Israel, y a nuestros reyes, y a nuestros príncipes, y a todo Israel y Judá,

**2.** De que traería el Señor sobre nosotros grandes males, tales que jamás se habían visto debajo del cielo, como los que han sucedido en Jerusalén, conforme a lo que se halla escrito en la ley de Moisés;

**3.** Y que el hombre comería la carne de su propio hijo y la carne de su hija.

**4.** Y entrególos el Señor en poder de todos los reyes comarcanos nuestros, para escarnio y ejemplar de desolación en todas las naciones, por entre las cuales nos dispersó el Señor.

---

CAP. II. — 3. *Deut.* XXVIII, 53. — *Thren* II, *v.* 20.

**5.** Esclavos hemos venido a ser, y no amos, por haber pecado contra el Señor Dios nuestro, no obedeciendo a su voz.

**6.** Del Señor Dios nuestro es la justicia; de nosotros, empero, y de nuestros padres la confusión de nuestros rostros, como se está viendo hoy día.

**7.** Porque el Señor, todos estos castigos que padecemos, nos los había ya amenazado.

**8.** Mas nosotros ni *por eso* acudimos al Señor Dios nuestro para rogarle y para convertirnos cada cual de su depravada vida.

**9.** Con esto echó luego el Señor mano del castigo, y lo descargó sobre nosotros; porque justo es el Señor en todas sus obras y en cuanto nos ha mandado.

**10.** Y *con todo*, nosotros no quisimos obedecer a su voz para que caminásemos según los preceptos que el Señor nos había puesto delante de los ojos.

**11.** Ahora, pues, ¡oh Señor Dios de Israel! que sacaste a tu pueblo de la tierra de Egipto con mano fuerte y por medio de portentos y prodigios, y con tu gran poderío y robusto brazo, y te adquiriste la nombradía que hoy tienes:

**12.** Hemos pecado, *Señor*, hemos obrado impíamente; inicuamente nos hemos portado ¡oh Señor Dios nuestro! contra todos tus mandamientos.

**13.** Aléjese de nosotros la indignación tuya; porque somos pocos los que quedamos ya entre las naciones en que nos dispersaste.

**14.** Escucha, Señor, nuestros ruegos y nuestras oraciones, y líbranos por amor de ti mismo, y haz que hallemos gracia a los ojos de aquellos que nos han sacado de nuestra patria;

**15.** A fin de que *con eso* conozca todo el mundo que tú eres el Señor Dios nuestro, y que Israel y toda su estirpe lleva tu Nombre.

**16.** Vuelve ¡oh Señor! tus ojos hacia nosotros desde tu santa casa, e inclina tus oídos y escúchanos.

**17.** Abre tus ojos y míranos; porque no son los muertos que están en el sepulcro, cuyo espíritu se separó de sus entrañas, los que tributarán honra a la justicia del Señor;

**18.** Sino el alma que está afligida por causa de la grandeza de los males que ha cometido, y anda encorvada y macilenta, y con los ojos caídos; el alma hambrienta o *mortificada*, ésta es la que te tributa gloria ¡oh Señor! a ti y a tu justicia.

**19.** Puesto que no apoyados en la justicia de nuestros padres derramamos nuestras plegarias, e imploramos misericordia ante tu acatamiento ¡oh Señor Dios nuestro!

**20.** Sino porque tú has descargado tu indignación y tu furor sobre nosotros, según anunciaste por medio de tus siervos los profetas, diciendo:

**21.** Esto dice el Señor: Inclinad vuestro hombro y vuestra cerviz y servid al rey de Babilonia, y así viviréis tranquilos, *y no seréis echados de* la tierra que yo dí a vuestros padres.

**22.** Mas si no obedeciereis la orden del Señor Dios vuestro de servir al rey de Babilonia, yo haré que seáis arrojados de las ciudades de Judá, y echados de Jerusalén;

**23.** Y quitaré de entre vosotros las voces de alegría, y de gozo, y los *alegres* cantares de los esposos y de las esposas, y quedará todo el país sin vestigio de persona que lo habite.

**24.** Ellos, empero, no quisieron obedecer la orden tuya de servir al rey de Babilonia; y tú cumpliste tus palabras que anunciaron tus siervos los profetas, cuando dijeron que serían trasladados de su lugar *por los enemigos* los huesos de nuestros reyes y los huesos de nuestros padres.

**25.** Y he aquí que han sido arrojados al calor del sol y a la escarcha de la noche; y murieron entre crueles dolores, causados por hambre, por la espada y por un *penoso* destierro.

**26.** Y el templo en que se invocaba tu *santo* Nombre, lo redujiste al estado en que se halla hoy día, por causa de las maldades de la casa de Israel y de la casa de Judá.

**27.** Y te has portado con nosotros ¡oh Señor Dios nuestro! con toda tu bondad y con toda aquella tu grande misericordia,

**28.** Conforme lo habías predicho por Moisés, siervo tuyo, en el día que le mandaste escribir tu ley a vista de los hijos de Israel,

**29.** Diciendo: Si vosotros no obedeciereis mi voz, esta grande muchedumbre de gente será reducida a un pequeño número en las naciones, entre las cuales la dispersaré;

**30.** Porque yo sé que el pueblo *ese* no me escuchará, pues es un pueblo de dura cerviz; pero él volverá en sí, cuando esté en la tierra de su esclavitud,

**31.** Y conocerán que yo soy el Dios suyo. Y les daré un *nuevo* corazón, y entenderán; y oídos, y oirán;

---

23. *Jer* VII, *v.* 34. — *Ezech.* XXVI. *v.* 13.
24. *Jer.* VIII, *v.* 1.

**32.** Y me tributarán alabanzas en la tierra de su cautiverio, y se acordarán de mi *santo* Nombre

**33.** Y dejarán la dureza de su cerviz y la malignidad suya; pues se acordarán de lo que sucedió a sus padres por haber pecado contra mí.

**34.** Y los conduciré otra vez a la tierra que prometí con juramento a sus padres Abraham, Isaac y Jacob; y serán señores de ella, y los multiplicaré, y no irán en disminución.

**35.** Y asentaré con ellos otra alianza, que será sempiterna, por la cual yo sea su Dios, así como ellos sean el pueblo mío; y no removeré jamás a mi pueblo, a los hijos de Israel, de la tierra que les dí.

## CAPITULO III

*Continúa el Profeta implorando la misericordia del Señor. Israel abandonó la senda de la sabiduría; y por eso fué llevado cautivo: esta senda, desconocida de los soberbios, la mostró el Señor a su pueblo. Profecía de la Encaración del Hijo de Dios.*

**1.** Y ahora, oh Señor todopoderoso, Dios de Israel, a ti dirige sus clamores el alma mía angustiada y mi espíritu acongojado.

**2.** Atiende ¡oh Señor! y ten piedad, pues tú eres un Dios de misericordia, y apiádate de nosotros, porque hemos pecado en tu presencia.

**3.** Pues tú, oh *Señor,* permaneces eternamente; y nosotros *tus hijos,* ¿habremos de perecer para siempre?

**4.** ¡Oh Señor todopoderoso, Dios de Israel! escucha ahora la oración de los muertos de Israel, *de los Israelitas atribulados* y de los hijos de aquellos los cuales pecaron delante de ti, y no quisieron escuchar la voz del Señor Dios suyo, por cuyo motivo se han apegado a nosotros *todos* los males.

**5.** No quieras acordarte de las maldades de nuestros padres; mas acuérdate en esta ocasión de tu poder y de tu *santo* Nombre.

**6.** Porque tú eres el Señor Dios nuestro; y nosotros ¡oh Señor! te tributaremos la alabanza;

**7.** Pues por eso has llenado de temor nuestros corazones a fin de que invoquemos tu *santo* Nombre, y te alabemos en nuestra cautivi-

dad; puesto que detestamos *ya* la iniquidad de nuestros padres que pecaron en tu presencia.

**8.** Y he aquí que permanecemos nosotros en nuestro cautiverio, en donde nos tienes tú dispersos, para que seamos el escarnio, la maldición y la hez de los pecadores, en pena de todas las maldades de nuestros padres, los cuales se alejaron de ti ¡oh Señor Dios nuestro!

**9.** Escucha ¡oh Israel! los mandamientos de vida: aplica tus oídos para aprender la prudencia.

**10.** ¿Cuál es el motivo, oh Israel, de que estés tú en tierra de enemigos?

**11.** ¿Y de que hayas envejecido en país extranjero, que te hayas contaminado entre los muertos, y de que ya se te cuente en el número de los que descienden al sepulcro?

**12.** ¡Ah! es por haber tú abandonado la fuente de la sabiduría.

**13.** Porque si hubieses andado por la senda de Dios, hubieras vivido ciertamente en una paz o *felicidad* perdurable.

**14.** Aprende, *pues,* dónde está la sabiduría, dónde está la fortaleza, dónde está la inteligencia, para que sepas así también donde está la longura de la vida y el sustento, dónde está la luz de los ojos *del alma,* y la paz o *felicidad verdadera.*

**15.** ¿Quién halló el lugar en que ella habita? ¿Ni quién penetró en sus tesoros?

**16.** ¿Dónde están los príncipes de las naciones y aquellos que dominaban sobre las bestias de la tierra?

**17.** ¿Aquellos que jugaban o *se enseñoreaban* de las aves del cielo?

**18.** ¿Aquellos que atesoraban plata y oro, en que ponen los hombres su confianza, y en cuya adquisición jamás acaban de saciarse; aquellos que hacían labrar *muebles de* plata, y andaban afanados, sin poner término a sus empresas?

**19.** Exterminados fueron y descendieron a los infiernos; y su puesto lo ocuparon otros.

**20.** Estos jóvenes vieron la luz, y habitaron sobre la tierra *como sus padres;* pero desconocieron *también* el camino de la sabiduría;

**21.** Ni comprendieron sus verdades, ni sus hijos la abrazaron; se alejó de la presencia de ellos.

**22.** No se oyó palabra de ella en la tierra de Canaán, ni fué vista en Temán.

---

**18.** *Sap. cap.* VI.

**22.** En la tierra de *Canaán* habitaban los *Fenicios,* pueblo astuto y célebre por la invención de las letras o del arte de escribir, etc. Los *Temanitas* eran reputados por un pueblo sabio o más instruído que los otros.

---

CAP. III. — De un modo semejante movían al Señor a que se apiadase de ellos XIII, *v.* 25; XIV, *v.* 1. y David *Ps* CII, *v.* 9,13.

**4.** Vers. 11.

**23.** Asimismo los hijos de Agar, que van en busca de la prudencia *o sabiduría* que procede de la tierra, y los negociantes de Merra y de Temán y los autores de fábulas *instructivas* y los investigadores de la sabiduría e inteligencia, desconocieron igualmente el camino de la *verdadera* sabiduría, ni hicieron mención de sus veredas.

**24.** ¡Oh Israel, cuán grande es la casa de Dios y cuán espacioso el lugar de su dominio !

**25.** Grandísimo es y no tiene término, excelso es e inmenso.

**26.** Allí vivieron aquellos famosos gigantes, que hubo al principio *del mundo,* de grande estatura, diestros en la guerra.

**27.** No fueron éstos escogidos por el Señor; no hallaron éstos la senda de la doctrina: por lo tanto perecieron.

**28.** Porque no tuvieron sabiduría, perecieron por su necedad.

**29.** ¿Quién subió al cielo, y la tomó, y la trajo de encima de las nubes?

**30.** ¿Quién atravesó los mares, y pudo hallarla, y la trajo con preferencia al oro purísimo?

**31.** No hay nadie que pueda conocer los caminos de ella, ni investigar las veredas por donde anda.

**32.** Mas aquel *Señor* que sabe todas las cosas, la conoce y la manifiesta con su prudencia, aquel que fundó la tierra para que subsista eternamente, y la llenó de ganados y de cuadrúpedos;

**33.** Aquel que despide la luz, y ella marcha *al instante;* y la llama, y ella obedece *luego,* temblando de respeto.

**34.** Las estrellas difundieron su luz en sus estaciones, y se llenaron de alegría:

**35.** Fueron llamadas, y *al instante* respondieron: Aquí estamos; y resplandecieron, gozosas de servir al *Señor* que las creó.

**36.** Este es nuestro Dios, y ningún otro será reputado por tal en su presencia.

**37.** Este fué el que dispuso todos los caminos de la doctrina *o sabiduría, y* el que la dió a su siervo Jacob y a Israel su amado.

**38.** Después de tales cosas, él se ha dejado ver sobre la tierra, y ha conversado con los hombres.

## CAPITULO IV

*Prerrogativas del pueblo de Israel. El Señor castigó sus pecados con un largo cautiverio; pero le dará la libertad, y castigará a sus enemigos.*

**1.** *La Sabiduría,* éste es el Libro de los mandamientos de Dios, y la ley que subsiste eternamente: todos los que la abrazan, llegarán a la vida *verdadera;* mas aquellos que la abandonan, van a parar en la muerte.

**2.** Conviértete ¡oh Jacob, y tenla asida! Anda a la luz de ella por el camino que te señala con su resplandor.

**3.** No des tu gloria a otro *pueblo,* ni tu dignidad a una nación extraña.

**4.** Dichosos somos nosotros ¡oh Israel! porque sabemos las cosas que son del agrado de Dios.

**5.** Ten buen ánimo ¡oh pueblo de Dios! tú que conservas el nombre de Israel.

**6.** Vendidos habéis sido vosotros a las naciones, *pero* no para que seáis aniquilados; sino por haber provocado la indignación de Dios, por eso fuísteis entregados a los enemigos.

**7.** Pues exasperásteis a aquel *Señor* que os creó, al Dios eterno, ofreciendo sacrificios a los demonios en lugar de Dios.

**8.** Porque echásteis en olvido al Dios que os crió, y llenásteis de aflicción a Jerusalén, vuestra nodriza.

**9.** Porque ella vió venir sobre vosotros la ira de Dios, y dijo: Escuchad ¡oh ciudades vecinas de Sión! Dios me ha enviado una aflicción grande;

**10.** Pues yo he visto la esclavitud del pueblo mío, de mis hijos e hijas, a la cual el Éterno los ha conducido.

**11.** Porque yo los crié con gozo; pero con llanto y con dolor los he dejado.

**12.** Ninguno se alegre al verme viuda y desolada: desamparada he sido de muchos, por causa de los pecados de mis hijos; los cuales se desviaron de la ley de Dios,

---

CAP. V.— 23. Se cree que ésta es la ciudad de *Maara* de los Sidonios *(Josué,* XIII, *v.* 4), los cuales eran muy entendidos, como generalmente todos los fenicios. Temán en la Idumea era un pueblo diferente del otro de la Arabia, país de los Ismaelitas; y unos y otros habitantes tenían fama de instruídos. *Jerem.* XLIX, *v.* 7.

**33.** *Jos.* X, *v.* 12.— IV *Reg.* XX, *v.* 9.

**34.** *Is.* XXIV, *v.* 21.—*Jud.* V, *v.* 20.

---

**38.** Véase una magnifica profecía de la Encarnación del Hijo de Dios. Todos los Santos Padres lo exponen del mismo modo, refiriéndose a lo que se lee en el *cap.* I del *Evangelio de S. Juan* y en la *Epístola* I a *Timoteo, cap.* III *v.* 16.

CAP. IV.— 4. *Ps.* CXLVII, *v.* 19.—*Deut.* IV, *v.* 8.

**13.** Y desconocieron sus preceptos, y no anduvieron por el camino de los mandamientos de Dios, ni con la justicia siguieron por las sendas de su verdad.

**14.** Vengan las *ciudades* vecinas de Sión, y consideren *y lamenten* conmigo la esclavitud a que el Eterno ha reducido a mis hijos e hijas;

**15.** Porque el *Señor* hizo venir contra ellos una nación remota, nación perversa y de lengua desconocida,

**16.** La cual no ha respetado al anciano, ni ha tenido piedad de los niños, y le ha arrancado a la viuda sus queridos *hijos*, dejándola sin ellos desolada.

**17.** Y ahora ¿en qué puedo yo ayudaros?

**18.** Pero aquel Señor que envió sobre vosotros los males, él mismo os librará de las manos de vuestros enemigos

**19.** Andad ¡oh hijos mios! id *al cautiverio:* yo me quedo solitaria.

**20.** Me desnudé del manto o *vestido* de paz *y regocijo,* y me vesti del saco de rogativa, y clamaré al Altísimo todos los días de mi vida.

**21.** Tened buen ánimo ¡oh hijos *míos*! llamad al Señor, y él os libertará del poder de los príncipes enemigos.

**22.** Porque yo he puesto la esperanza mía en el Eterno, *que es* vuestra salud; y el Santo me ha consolado con la *promesa de la* misericordia que tendrá de vosotros el Eterno, nuestro salvador.

**23.** Pues con lágrimas y sollozos os dejé ir; mas el Señor os volverá otra vez a mí con gozo y alegría duradera.

**24.** Y al modo que las *ciudades* vecinas de Sión vieron que venía de Dios vuestra esclavitud; así verán muy presto que os vendrá de Dios la salud con grande honra y resplandor eterno.

**25.** Hijos, soportad con paciencia el castigo que ha descargado sobre vosotros. Porque, *¡oh Israel!* tu enemigo te ha perseguido; pero en breve verás tú la perdición suya, y pondrás tu pie sobre su cuello.

**26.** Mis delicados hijos han andado por caminos ásperos; porque han sido llevados como un rebaño robado por enemigos.

**27.** Hijos, tened buen ánimo, y clamad al Señor; pues aquél *mismo* que os ha transportado *ahí,* se acordará de vosotros.

**28.** Porque si vuestra voluntad os movió a descarriaros de Dios, *también* le buscaréis con una voluntad diez veces mayor, luego que os hayáis convertido.

**29.** Porque aquél que os envió estos males, él mismo traerá un gozo sempiterno con la salud que os dará.

**30.** Ten buen ánimo ¡oh Jerusalén! pues te consuela aquel *Dios* que te dió el nombre *de ciudad suya.*

**31.** Los malos que te destrozaron perecerán, y castigados serán aquellos que se alegraron en la ruina tuya.

**32.** Las ciudades a las cuales han servido tus hijos, serán castigadas; y será castigada aquella que se apoderó de ellos.

**33.** Así como se gozó ella en tu ruina y se alegró de tu caída así se verá angustiada en su desolación.

**34.** Y cesará la alegre algazara de su muchedumbre, y su regocijo se convertirá en llanto.

**35.** Porque el Eterno enviará fuego sobre ella por largos días, y será habitada de demonios durante mucho tiempo.

**36.** Mira ¡oh Jerusalén! hacia el Oriente, y contempla la alegría que Dios te envía;

**37.** Porque he aquí que vuelven tus hijos que tú enviaste dispersos: ellos vienen congregados desde Oriente a Occidente, según la promesa del Santo, alabando a Dios con alegría.

## CAPITULO V

*Convida a Jerusalén a que deponga sus vestidos de luto, porque sus hijos llevados con ignominia al cautiverio volverán de él llenos de gozo y de honra.*

**1.** Quítate ¡oh Jerusalén! el vestido de luto, correspondiente a tu aflicción. y vístete del esplendor y de la magnificencia de aquella gloria perdurable que te viene de Dios

**2.** Te revestirá el Señor de un doble manto de justicia o *santidad,* y pondrá sobre tu cabeza una diadema de honra sempiterna.

**3.** Pues en ti dará a conocer Dios su magnificencia a todos los hombres que existen debajo del cielo.

**4.** Porque tu nombre, el nombre que te impondrá Dios para siempre será éste: La paz o *felicidad* de la justicia, y la gloria de la piedad.

---

**25.** En esta parte se verificó esto cuando Ester y Mardoqueo en Susa, y Daniel en Babilonia tuvieron tan gran poder en el imperio de los Caldeos. Pero su principal cumplimiento fué cuando después se sujetaron las naciones a la Iglesia.

---

**35.** Esto es, el fuego de la Divina venganza por medio de los Persas. *Is.* XIII *v.* 19. —*Jer.* L, *v.* 29. —*Is.* XXXIV, *v.* 14. — *Jer.* L, *v.* 39.

**5.** Levántate ¡oh Jerusalén! y ponte en la altura, y dirige tu vista hacia Oriente, y mira cómo se congregan tus hijos desde el Oriente hasta el Occidente en virtud de la palabra del Santo, gozándose en la memoria de *su* Dios;

**6.** Porque se partieron de ti a pie llevados por los enemigos: el Señor, empero, te los volverá a traer conducidos con el decoro *o magnificencia* de hijos *o príncipes* del reino.

**7.** Porque Dios ha decretado abatir todo monte empinado, y todo peñasco eterno, y terraplenar los valles al igual de la tierra; para que Israel camine sin demora para gloria de Dios.

**8.** Aun las selvas y todos los árboles aromáticos harán sombra a Israel por mandamiento de Dios.

**9.** Porque Dios guiará alegremente a Israel con el esplendor de su majestad, mediante la misericordia y la justicia que de él vienen.

## CAPITULO VI

*Carta de Jeremías a los cautivos de Babilonia, en que les predice que lograrán la libertad pasadas siete generaciones: y les exhorta a huir de la idolatría.*

*Copia de la carta que envió Jeremías a los Judíos cuando habían de salir para Babilonia, a donde los hacía conducir cautivos el rey de los Babilonios, en que les hace saber lo que Dios les había mandado.*

**1.** Por los pecados que habéis cometido en la presencia de Dios, seréis llevados cautivos a Babilonia por Nabucodonosor, rey de los Babilonios.

**2.** Llegados, pues, a Babilonia, estaréis allí muchísimos años y por muy largo tiempo, hasta siete generaciones; después de lo cual os sacaré de allí en paz.

**3.** Ahora bien, vosotros veréis en Babilonia dioses de oro, y de plata, y de piedra, y de madera, llevados en hombros, que causan un temor *respetuoso* a las gentes.

**4.** Guardaos, pues, vosotros de imitar lo que hacen los extranjeros, de modo que vengáis a temerlos *o respetarlos, y* a concebir temor de tales dioses.

**5.** Cuando veáis, pues, detrás y delante de ellos la turba que los adora, decid allá en vuestro corazón: ¡Oh Señor! *sólo* a ti se debe adorar.

**6.** Porque mi Angel con vosotros está; y yo mismo tendré cuidado de vuestras almas.

**7.** Puesto que la lengua de los ídolos limada fué por el artífice, *y muda se queda;* y aunque están ellos dorados y plateados, son un mero engaño, e incapaces de poder hablar.

**8.** Y al modo que se hace con una doncella amiga de engalanarse, así echando mano del oro los adoran con esmero.

**9.** A la verdad los dioses de ellos tienen puestas sobre la cabeza coronas de oro; oro que después juntamente con la plata les quitan los sacerdotes, a fin de gastarlo ellos para sí mismos.

**10.** Y aun lo hacen servir para engalanar a las barraganas y a las rameras; *y a veces* recobrándolo de ellas, adornan con él a sus dioses.

**11.** Sin embargo que estos dioses no saben librarse del orín y de la polilla.

**12.** Y después que los han revestido de púrpura, les limpian el rostro, con motivo del muchísimo polvo que hay en sus templos.

**13.** Tiene también el ídolo un cetro en su mano, como lo tiene aquel que es juez *o gobernador* de un país; mas él no puede quitar la vida, *ni dañar al* que le ofende.

**14.** Tiene igualmente en su mano la espada y la segur; mas no se puede librar a sí mismo de la guerra, ni de los ladrones: por todo lo cual podéis echar de ver que no son dioses.

**15.** Y así no tenéis que temerlos; porque los tales dioses son como una vasija hecha pedazos, que para nada sirve.

**16.** Colocados que se hallan en una casa *o templo,* sus ojos se cubren *luego* del polvo que levantan los pies de los que entran.

**17.** Y al modo que al que ofendió al rey se le encierra dentro de muchas puertas; y como se practica con un muerto que se lleva al sepulcro, así aseguran los sacerdotes las puertas con cerraduras y cerrojos, para que los ladrones no despojen a los dioses.

**18.** Enciéndenles también delante muchas lámparas; mas no pueden ver ninguna de ellas; son los tales *dioses* como vigas de una casa

---

6. *Josefo* lib. XI. *Antiq.* c. 4.

7. En estas palabras se contiene una alegoría por la cual se significa que Dios suavizará toda aspereza a los que han de volver a Babilonia. *Vid. C. A Lápide.*

CAP. VI.— 2. Cuenta el Profeta diez años por cada generación.

3. *Is* X LIV, *v.* 10.

**19.** Dicen que unas sierpes, que salen de la tierra, les lamen el interior, cuando se los comen a ellos y a sus vestiduras, sin que ellos lo perciban.

**20.** Negras se vuelven sus caras del humo que hay en su casa.

**21.** Sobre su cuerpo y sobre su cabeza vuelan las lechuzas, y las golondrinas, y otras aves, y también los gatos andan sobre ellos.

**22.** Por donde podéis conocer que los tales no son dioses; y por lo mismo, no los temáis.

**23.** Además de esto, el oro que tienen es para bien parecer: si alguno no los limpia del orín, ya no relucirán. Ni aun cuando los estaban fundiendo *en el crisol,* sintieron nada.

**24.** Y a pesar de que no hay en ellos espíritu alguno, fueron comprados a sumo precio.

**25.** Llevados son en hombros, como que no tienen pies; demostrando así a los hombres su vergonzosa impotencia.

Avergonzados sean también aquellos que los adoran.

**26.** Por eso si caen en tierra, no se levantan por sí mismos; ni por sí mismos se mantendrán, si alguno los pone en pie; y les han de poner delante las ofrendas como a los muertos.

**27.** Estas ofrendas las venden y malgastan sus sacerdotes, y también sus mujeres roban para sí; no dan nada de ello al enfermo ni al mendigo.

**28.** Tocan los sacrificios de ellos las mujeres paridas y las menstruosas. Conociendo, pues, por todas estas cosas que los tales no son dioses, no tenéis que temerlos.

**29.** Mas ¿cómo es que los llaman dioses? Es porque las mujeres presentan dones a estos dioses de plata, y de oro, y de madera;

**30.** Y los sacerdotes se están en las casas *o templos* de ellos, llevando rasgadas sus túnicas, y raído el cabello y la barba, y con la cabeza descubierta.

**31.** Y rugen dando gritos en la presencia de sus dioses, como se practica en la cena *o convite* de un muerto.

**32.** Los sacerdotes les quitan a los ídolos sus vestidos, y los hacen servir para vestir a sus mujeres y a sus hijos.

**33.** Y aunque *a los ídolos* se les hiciere algún mal o algún bien, no pueden volver la paga correspondiente. Ni pueden poner un rey, ni pueden quitarlo.

**34.** Y asimismo, ni pueden dar riquezas, ni tomar venganza de nadie. Si alguno les hace un voto y no lo cumple, ni de esto se quejan.

**35.** No pueden librar a un hombre de la muerte, ni amparar al débil contra el poderoso.

**36.** No restituyen la vista a ningún ciego, ni sacarán de la miseria a nadie.

**37.** No se compadecerán de la viuda, ni serán bienhechores de los huérfanos.

**38.** Semejantes son a las piedras del monte esos sus dioses de madera, de piedra, de oro, de plata. Confundidos serán sus adoradores.

**39.** ¿Cómo, pues, puede juzgarse ni decirse que los tales son dioses,

**40.** Cuando aun los mismos Caldeos los desprecian? Así que oyen que uno no puede hablar porque es mudo, lo presentan a Bel, rogándole que lo haga hablar;

**41.** Como si tuviesen sentido aquellos que no tienen movimiento alguno; y ellos mismos, cuando lleguen a desengañarse, los abandonarán; pues ningún sentido tienen sus dioses.

**42.** Las mujeres, empero, ceñidas de cordones, se sientan en los caminos, quemando el terrón *o el desecho* de la aceituna.

**43.** Y así que alguna de ellas, atraída por algún pasajero, ha dormido con él, zahiere a su compañera de que no ha sido escogida como ella, y no ha sido roto su cordón *o cinta* .

**44.** Y todas cuantas cosas se hacen en *honor de los ídolos,* están llenas de engaño e *infamia.* ¿Cómo, pues, podrá nunca juzgarse o decirse que los tales sean dioses ?

**45.** Han sido fabricados por carpinteros y por plateros. No serán otra cosa que aquello que quieran los sacerdotes.

**46.** Los artífices mismos de los ídolos duran poco tiempo. ¿Podrán, pues, ser dioses aquellas cosas que ellos mismos fabrican?

---

**19.** Por *sierpes* se entiende aquí toda suerte de *gusanos.* Los ídolos eran regularmente de madera, aunque adornados con plata, oro y vestidos preciosos, etc. Todo lo consumía la polilla. — Como para halagarlos u obsequiarlos.

**26.** En varias ediciones de la Vulgata se lee *humeri* en vez de *munera.* — Véase *Dan,* XIV.

**28.** *Lev* XII, *v.* 4; XV, *v.* 19.

**30.** Parece que alude esto al culto que daban los gentiles a Adonis cuando lamentaban su muerte. De este luto o duelo habla Luciano: *De dea Syria.* Este aparato luctuoso estaba prohibido a los sacerdotes hebreos. *Levit.* X, *v.* 6; XXI, *v.* 5, 10.

---

**42.** *Para honrar a Venus.* — Era una necia y supersticiosa opinión del vulgo el cual creía que aquel humo era apto para atraerse el Amor de otro.

**47.** Mentira y oprobio es lo que dejan a los que han de nacer.

**48.** Porque si sobreviene alguna guerra o desastre, los sacerdotes andan discurriendo dónde guarecerse con aquellos sus dioses.

**49.** ¿Cómo, pues, pueden merecer jamás el concepto de dioses, aquellos que ni pueden librarse de la guerra, ni sustraerse de las calamidades?

**50.** Porque siendo como son cosa de madera, dorados y plateados, conocerán después al fin todas las naciones y reyes que son un engaño, viendo claramente cómo no son dioses, y que nada hacen ellos en prueba de ser dioses.

**51.** Pero ¿y de dónde se conoce que no son ellos dioses, sino obras de las manos de los hombres, y que nada hacen en prueba de que son dioses?

**52.** En que ellos no ponen rey en ningún país, ni pueden dar la lluvia a los hombres.

**53.** No decidirán ciertamente las contiendas, ni librarán de la opresión a las provincias; porque nada pueden; son como las cornejitas, las cuales ni vienen a ser *aves* del cielo, ni *animales* de la tierra.

**54.** Porque si se prendiere fuego en el templo de los dioses *esos* de madera, de plata y de oro, a buen seguro que echarán a huir sus sacerdotes, y se pondrán en salvo; pero ellos se abrasarán dentro, lo mismo que las vigas.

**55.** Ni harán resistencia a un rey en tiempo de guerra. ¿Cómo, pues, puede creerse, ni admitirse que sean ellos dioses ?

**56.** No se librarán de ladrones, ni de salteadores, unos dioses que son de madera y de piedra, dorados y plateados; porque aquellos pueden más que ellos;

**57.** Y les quitarán el oro, y la plata, y el vestido de que están cubiertos, y se marcharán; sin que los ídolos puedan valerse a sí mismos.

**58.** Por manera que vale más un rey que muestra su poder, o cualquiera mueble útil en una casa, del cual se precia el dueño, o la puerta de la casa, que guarda lo que hay dentro de ella, que no los falsos dioses.

**59.** El sol ciertamente, y la luna y las estrellas, que están puestas para alumbrarnos y sernos provechosas, obedecen *puntualmente al Creador.*

**60.** Asimismo el relámpago se hace percibir cuando aparece; y el viento sopla por todas las regiones.

**61.** Igualmente las nubes, cuando Dios les manda recorrer todo el mundo, ejecutan lo que se Ies ha mandado.

**62.** El fuego también enviado de arriba para abrasar los montes y los bosques, cumple lo que se le ha ordenado. Mas estos *ídolos*, ni en la belleza, ni en la virtud se parecen a ninguna de esas cosas.

**63.** Y así no debe pensarse, ni decirse que los tales sean dioses, cuando no pueden, ni hacer justicia, ni servir en cosa alguna a los hombres.

**64.** Sabiendo, pues, que ellos no son dioses, no teneis que temerlos;

**65.** Pues ni enviarán maldición, ni bendición a los reyes;

**66.** Ni muestran tampoco a los pueblos las estaciones de los tiempos, ni lucen como el sol, ni alumbran como la luna.

**67.** Más que ellos valen las bestias; las cuales pueden huir a refugiarse bajo cubierto, y valerse a sí mismas.

**68.** De ninguna manera son dioses, como es evidente: por tanto, pues, no tenéis que temerlos.

**69.** Porque así como no es buen guarda en el melonar un espantajo, así son sus dioses de madera, de plata y de oro.

**70.** Son como la espina blanca en un huerto, sobre la cual vienen a posar toda suerte de pájaros. Aseméjanse también estos dioses suyos de madera, dorados y plateados, a un muerto que yace entre las tinieblas *del sepulcro.*

**71.** Por la púrpura y escarlata, las cuales véis que se apolillan sobre ellos, conoceréis claramente que no son dioses: ellos mismos son al fin pasto de la polilla, y servirán de oprobio al país.

**72.** Mejor *que todo* es el varón justo, el cual no conoce los ídolos; porque estará bien lejos de la ignominia.

# LA PROFECÍA DE EZEQUIEL

# Introducción

Ezequiel formaba parte de los judíos deportados con Jeconías en el año 595 y pertenecía a una familia sacerdotal. Instalados los judíos por Nabucodonosor a orillas del río Cobar, allí empezó Ezequiel a profetizar. En el año 5 del cautiverio Ezequiel tuvo una misteriosa visión en que Dios inspiraba al profeta para que hablara en nombre suyo. Sus oráculos están llenos de símbolos y de parábolas y explican acciones también de orden simbólico. Combate el profeta con fiereza las debilidades idólatras de Israel y de Judá. No sabemos la fecha de la muerte de Ezequiel. El buen orden en que se hallan sus vaticinios permite aventurar que fue el mismo profeta quien los reunió.

La primera parte de *La profecía de Ezequiel* anuncia el castigo de Jerusalén, cuyos pecados enumera para justificar el azote de Dios. Cumplida la sentencia, Ezequiel habla del retorno, de la misericordia divina, de la penitencia y de la restauración mesiánica. Hay también en esta primera parte oráculos contra Egipto y Tiro.

La segunda parte describe de modo espacial y geométrico la restauración de Israel posterior al cautiverio: es una ordenación en que reparte por igual entre las doce tribus la tierra de Palestina, los alrededores de Jerusalén, la ciudad misma y el templo. Evidentemente esta distribución tiene valor simbólico y ha de entenderse como una parábola. San Jerónimo dice de esta última parte del libro de Ezequiel que es «océano de las escrituras y laberinto de los misterios de Dios».

## CAPITULO PRIMERO

*Ezequiel declara el lugar y tiempo en que tuvo las visiones divinas de los cuatro animales, de las ruedas, y del trono, y del personaje sentado sobre él, y rodeado de fuego.*

1. En el año trigésimo, en el mes cuarto, a cinco del mes, sucedió que estando yo en medio de los cautivos junto al río Cobar, se *me* abrieron los cielos, y tuve visiones divinas, *o* extraordinarias.

2. A cinco del mes, en el quinto año después de haber sido trasladado *a Babilonia* el rey Joaquín, *o Jeconías,*

3. Dirigió el Señor su palabra a Ezequiel sacerdote, hijo de Buzi, en la tierra de los Caldeos, junto al río Cobar; y allí se hizo sentir sobre él la mano *o virtud* de Dios.

---

2. I *Paral* III, *v.* 16.
2. III *Reg.* XVIII, *v.* 46. — IV *Reg.* III, *v.* 15.

**4.** Y miré, y he aquí que venía del Norte un torbellino de viento, y una gran nube, y un fuego que se revolvía dentro *de la nube,* y un resplandor alrededor de ella; y en su centro, esto es en medio del fuego, una imagen *de un personaje, tan brillante* como de ámbar.

**5.** Y en medio de aquel fuego se veía una semejanza de cuatro animales; la apariencia de los cuales era la siguiente: había en ellos algo que se parecía al hombre.

**6.** Cada uno tenía cuatro caras y cuatro alas.

**7.** Sus pies eran derechos *como los de un hombre,* y la planta de sus pies como la planta del pie de un becerro, y despedían centellas, como se ve en un acero muy encendido.

**8.** Debajo de sus alas, a los cuatro lados, había manos de hombre; y tenían caras y alas por los cuatro lados.

**9.** Y juntábanse las alas del uno con las del otro. No se volvían cuando andaban, sino que cada uno caminaba adelante según la dirección de su rostro.

**10.** Por lo que hace a su rostro, todos cuatro lo tenían de hombre, y todos cuatro tenían *una* cara de león a su lado derecho; al lado izquierdo tenían todos cuatro *una* cara de buey; y en la parte de arriba tenían todos cuatro *una* cara de águila.

**11.** Sus caras y sus alas *miraban y* extendíanse hacia lo alto: juntábanse *por la punta* dos alas de cada uno, y con las otras dos cubrían sus cuerpos.

**12.** Y andaba cada cual de ellos según la dirección de su rostro: a donde les llevaba el ímpetu del espíritu, allá iban; ni se volvían cuando andaban.

**13.** Y estos animales a la vista parecían como ascuas de ardiente fuego, como hachas encendidas. Veíase discurrir por en medio de los animales un resplandor de fuego, y salir del fuego relámpagos.

**14.** Y los animales iban y volvían a manera de resplandecientes relámpagos.

**15.** Y mientras estaba yo mirando los animales, apareció una rueda sobre la tierra, junto a cada uno de los animales: la cual tenía cuatro caras *o frentes;*

**16.** Y las ruedas y la materia de ellas era a la vista como del color del mar; y todas cuatro eran semejantes, y su forma y su estructura eran como de una rueda que está en medio de otra rueda.

**17.** Caminaban constantemente por sus cuatro lados, y no se volvían cuando andaban.

**18.** Asimismo las ruedas tenían tal circunferencia y altura, que causaba espanto el verlas; y toda la circunferencia de todas cuatro estaba llena de ojos por todas partes.

**19.** Y caminando los animales, andaban igualmente también las ruedas junto, *o detrás* de ellos; y cuando los animales se levantaban de la tierra, se levantaban también del mismo modo las ruedas con ellos.

**20.** A cualquier parte adonde iba el espíritu, allá se dirigían también en pos de él las ruedas: porque había en las ruedas espíritu de vida.

**21.** Andaban las ruedas si *los animales* andaban; parábanse si ellos se paraban: y levantándose ellos de la tierra, se levantaban también las ruedas en pos de ellos; porque había en las ruedas espíritu de vida.

**22.** Y sobre las cabezas de los animales, había una semejanza de firmamento, que parecía a la vista un cristal estupendo; el cual estaba extendido arriba por encima de sus cabezas.

**23.** Debajo, empero, del firmamento, *se veían* las alas de ellos extendidas, tocando el ala del uno a la del otro, y cubriendo cada cual su cuerpo con las *otras* dos alas: cubríase cada uno del mismo modo.

**24.** Y oía yo el ruido de las alas como ruido de muchas aguas, como trueno del excelso Dios; así que caminaban, el ruido era semejante al de un gran gentío, y como ruido de un ejército; y así que paraban, bajaban sus alas.

**25.** Porque cuando salía una voz de sobre el firmamento que estaba encima de sus cabezas, ellos se paraban y bajaban sus alas.

**26.** Y había sobre el firmamento que estaba encima de sus cabezas, como un trono de piedra de zafiro, y sobre aquella especie de trono había la figura como de un personaje.

**27.** Y yo vi *su aspecto* como una especie de electro *resplandeciente, y* a manera de fuego dentro de él, y alrededor de su cintura hasta arriba; y desde la cintura abajo vi como un fuego *ardiente* que resplandecía alrededor.

**28.** Cual aparece el arco iris cuando se halla en una nube en día lluvioso, tal era el aspecto del resplandor que se veía alrededor *del trono.*

---

**4.** La voz hebrea denota, según S. Jerónimo, una especie de metal muy precioso, sumamente brillante y más estimado que el oro. Otros traducen *electro.*

## CAPITULO II

*Ezequiel cuenta cómo Dios le envió a los hijos de Israel para condenar su rebeldía y excitarlos a la enmienda. Le manda el Señor devorar un volumen escrito por dentro y por fuera, figura de la comisión que le da.*

**1.** Esta visión era una semejanza de la gloria de Dios. Yo la tuve, y postréme *atónito* sobre mi rostro, y oí la voz de un *personaje* que hablaba: y me dijo a mí: Hijo de hombre, ponte en pie, y hablaré contigo.

**2.** Y después que él hubo hablado, entró en mí el espíritu, y me puso sobre mis pies; y escuché al *personaje* que me hablaba,

**3.** Y decía: Hijo de hombre, yo te envío a los hijos de Israel, a esos gentiles y apóstatas que se han apartado de mí; ellos y sus padres han violado hasta el día de hoy el pacto que tenían conmigo.

**4.** Son hijos de rostro duro y de corazón indomable ésos a quienes yo te envío. Y les dirás: Esto *y esto* dice el Señor Dios:

**5.** Por si acaso ellos escuchan, y por si cesan *de pecar;* porque es ésa una familia contumaz. Y *a lo menos* sabrán que tienen un profeta en medio de ellos.

**6.** Tú, pues, hijo de hombre, no los temas, ni te amedrenten sus palabras; pues tú tienes que habértelas con incrédulos y pervertidores, y habitas con escorpiones; no temas sus palabras, ni te amedrenten sus rostros; pues ella es una familia rebelde.

**7.** Tú, pues, les repetirás mis palabras, por si acaso escuchan, y cesan *de pecar,* porque es gente a propósito para irritar.

**8.** Empero tú ¡oh hijo de hombre! escucha todo aquello que te digo; y no seas rebelde, como lo es esta familia: abre tu boca, y come todo lo que yo te doy.

**9.** Y miré, y he aquí una mano extendida hacia mí, la cual tenía un *volumen* o libro enrollado, y lo abrió delante de mí, y estaba escrito por dentro y por fuera: y lamentaciones y canciones lúgubres, y ayes o *maldiciones,* era lo que se hallaba escrito en él.

## CAPITULO III

*Ezequiel come el libro que le dió el Señor, y queda lleno de valor para reprender a Israel, del cual se ve constituído centinela. Se le aparece nuevamente la gloria del Señor, el cual le manda que se encierre en casa y no hable hasta segunda orden.*

**1.** Y díjome *el Señor:* Hijo de hombre, come cuanto hallares; come ese volumen, y ve a hablar a los hijos de Israel.

**2.** Entonces abrí mi boca y dióme a comer aquel volumen,

**3.** Y díjome: Hijo de hombre, con este volumen que yo te doy, tu vientre se alimentará, y llenaránse tus entrañas. Comílo, pues, y mi paladar hallólo dulce como lo miel.

**4.** Y díjome él: Hijo de hombre, anda y anuncia a la familia de Israel mis palabras.

**5.** Porque no eres enviado tú a un pueblo de extraño lenguaje y de idioma desconocido, sino a la casa de Israel:

**6.** Ni a varias naciones, cuyo hablar te sea desconocida y extraña su lengua, cuyas palabras no puedas entender; que si a éstos fueses tú enviado, ellos te escucharían.

**7.** Mas los de la casa de Israel no quieren escucharte, porque ni a mí mismo quieren oírme: pues la casa de toda Israel es de frente descarada y de corazón endurecido.

**8.** He aquí que yo te daré a ti un rostro más firme que el rostro de ellos y una frente más dura que la frente suya.

**9.** Te daré un rostro *tan firme* como el diamante y el pedernal: no tienes que temer, ni turbarte delante de ellos; porque ella es una familia contumaz.

**10.** Y díjome: Hijo de hombre, recibe en tu corazón, y escucha bien todas las palabras que yo te hablo;

**11.** Y anda, preséntate a los hijos de tu pueblo, que fueron traídos al cautiverio, y les hablarás de esta manera: He aquí lo que dice el Señor Dios: por si atienden y cesan *de pecar.*

**12.** Y arrebatóme el espíritu, y oí detrás de mí una voz muy estrepitosa, *que decía:* Bendita sea la gloria del Señor *que se va* de su lugar.

**13.** Y *oí* el ruedo de las alas de los animales, de las cuales la una batía con la otra, y el ruido de las ruedas que seguían a los animales y el ruido de un grande estruendo.

**14.** Y me reanimó el espíritu, y me tomó: e iba yo lleno de amargura e indignación de ánimo; pero estaba conmigo la mano del Señor que me confortaba.

**15.** Llegué, pues, a los *cautivos* transportados al *lugar llamado* Montón de las nuevas mieses, donde estaban aquellos que habitaban junto al río Cobar; y detúveme donde estaban ellos, y allí permanecí melancólico siete días en medio de ellos.

**16.** Y al cabo de los siete días, hablóme el Señor, diciendo:

**17.** Hijo de hombre, yo te he puesto por centinela en la casa de Israel, y de mi boca oirás mis palabras y se las anunciarás a ellos de mi parte.

**18.** Si diciendo yo al impío: Morirás sin remedio, tú no se lo intimas, ni le hablas, a fin de que se retraiga de su impío proceder y viva, aquel impío morirá en su pecado; pero yo te pediré a ti cuenta de su sangre *o perdición.*

**19.** Pero si tú has apercibido al impío, y él no se ha convertido de su impiedad, ni de su impío proceder, él ciertamente morirá en su maldad; mas tú has salvado tu alma.

**20.** De la misma manera, si el justo abandonare la virtud, e hiciere obras malas, yo le pondré delante tropiezos; él morirá, porque tú no le has amonestado: morirá en su pecado, y no se hará cuenta ninguna de las obras justas que hizo, pero yo te pediré a ti cuenta de su sangre.

**21.** Mas si hubieres apercibido al justo a fin de que no peque, y él no pecare; en verdad que tendrá él verdadera vida, porque lo apercibiste; y tú has librado tu alma.

**22.** E hizose sentir sobre mí la mano *o virtud* del Señor; y díjome: Levántate y sal al campo, y allí hablaré contigo.

**23.** Y poniéndome en camino, salí al campo; y he aquí que la gloria del Señor que estaba allí, era al modo de aquella que vi junto al río Cobar: y postréme sobre mi rostro.

**24.** Y entró en mí el Espíritu, y me puso sobre mis pies: y me habló, y me dijo: Ve, y enciérrate dentro de tu casa.

**25.** Y tú ¡oh hijo de hombre! mira que han dispuesto para ti ataduras, y te atarán; y tú no podrás salir de en medio de ellos.

**26.** Y yo haré que tu lengua se pegue, tu paladar, de suerte que estés mudo, y no seas ya un hombre que reprende: porque ella es una familia contumaz.

**27.** Mas así que yo te habré hablado, abriré tu boca, y tú les dirás a ellos: Esto dice el Señor Dios: El que oye, oiga, y quien duerme, duerma: porque es ésta una familia contumaz.

## CAPITULO IV

*Manda el Señor a Ezequiel que represente el sitio de Jerusalén y sus calamidades venideras, por medio de ciertas señales.*

**1.** Y tú, hijo de hornbre, toma un ladrillo y póntelo delante; y dibujarás en él la ciudad de Jerusalén,

**2.** Y delinearás con orden un asedio contra ella. y levantarás fortificaciones y harás trincheras, y sentarás un campamento contra ella, y colocarás arietes alrededor de sus muros.

**3.** Toma luego una sartén *o plancha* de hierro, y la pondrás, cual si fuera una muralla de hierro, entre ti y la ciudad *delineada;* y a ésta la mirarás con un rostro severo, y ella quedará sitiada, pues tú le pondrás cerco. *Todo lo dicho* es una señal o vaticinio contra la casa de Israel.

**4.** Asimismo tú dormirás sobre tu lado izquierdo, y pondrás sobre él las maldades de Israel, durante el número de días en los cuales dormirás sobre dicho lado, y llevarás *la pena* de su maldad.

**5.** Ahora bien, yo te he dado el número de trescientos y noventa días, por otros tantos años de la maldad de ellos, y tú llevarás *la pena de* la iniquidad de la casa de Israel.

**6.** Concluídos, empero. estos días, dormirás otra vez. *y dormirás* sobre tu lado derecho. y llevarás *la pena de* la iniquidad de la casa de Judá por cuarenta días, día por año, pues que por cada año te he señalado un día.

**7.** Y volverás tu rostro airado contra la sitiada Jerusalén, y extendiendo tu brazo profetizarás contra ella.

**8.** Mira que yo te he rodeado de cadenas, y no te podrás volver del un lado al otro, hasta que hayas cumplido los días del sitio.

**9.** Tú, pues, haz provisión de trigo, y cebada, y habas, y lentejas, y mijo, y alverja; y ponlo todo en una vasija, y te harás de ello panes, según el número de los días en los cuales dormirás sobre tu costado: trescientos y noventa días comerás de ellos.

---

**18.** *Porque*, como dice S. Gregorio. *el pastor mató* a la oveja *cuando con su silencio la abandonó a la muerte.* — Véase S. Agustín, *Hom. 28, entre* las 50.

**10.** Y lo que comerás para tu sustento será veinte siclos de peso cada día: lo comerás una sola vez al día.

**11.** Beberás también el agua con medida, esto es, la sexta parte de un hin: la beberás una sola vez al día.

**12.** Y el pan lo comerás cocido bajo la ceniza o rescoldo. como una torta de cebada: debajo de *la ceniza de* excremento humano lo cocerás, a vista de ellos.

**13.** Y dijo el Señor: De este modo los hijos de Israel comerán su pan inmundo entre los gentiles, a donde yo los arrojaré.

**14.** Entonces dije yo: ¡Ah, ah, ah! ¡Señor Dios! mira que mi alma no está contaminada, y desde mi infancia hasta ahora no he comido cosa mortecina, ni despedazada de fieras, ni jamás ha entrado en mi boca especie ninguna de carne inmunda.

**15.** Y respondióme *el Señor:* He aquí que en lugar de excremento humano, te daré a ti estiércol de bueyes, con el cual cocerás tu pan.

**16.** Y añadióme: He aquí ¡oh hijo de hombre! que yo quitaré a Jerusalén el sustento del pan; y comerán el pan por onzas, y *aun* con sobresalto, y beberán agua muy tasada, y llenos de congoja.

**17.** Y faltándoles al cabo el pan y el agua, vendrán a caer *muertos* unos sobre otros, y quedarán consumidos por sus maldades.

## CAPITULO V

*El Señor manda a Ezequiel que con ciertas señales y palabras intime a los Hebreos su entera destrucción.*

**1.** Y tú ¡oh hijo de hombre! toma una navaja de barbero afilada, y afeitarás con ella tu cabeza y tu barba: y toma *después* una balanza y harás la división del pelo.

**2.** Una tercera parte la quemarás al fuego en medio de la ciudad, concluídos que estén los días del sitio; y tomando otra tercera parte la cortarás con cuchillo al rededor *de la ciudad;* y la otra tercera parte la esparcirás al viento; y en seguida desenvainaré yo la espada en seguimiento de ellos.

**3.** Y de esta *tercera parte de los cabellos* tomarás un pequeño número, y los atarás en la extremidad de tu capa.

**4.** Y tomarás también algunos, y los echarás en medio del fuego, y los quemarás, y de allí saldrá fuego contra toda la casa de Israel.

**5.** Pues he aquí lo que dice el Señor Dios: Esta es aquella Jerusalén que yo fundé en medio de los gentiles, habiendo puesto las regiones de éstos al rededor de ella.

**6.** Pero *Jerusalén* despreció mis juicios, *o leyes,* y se ha hecho más impía que las naciones, y ha violado mis mandamientos más que las naciones que la rodean; pues *los hijos de Israel* despreciaron mis leyes, y no han procedido según mis preceptos.

**7.** Por tanto, esto dice el Señor Dios: Pues que vosotros habéis excedido *en la maldad* a las naciones que tenéis al rededor, y no habéis procedido según mis preceptos, ni observado mis leyes, ni obrado *siquiera* conforme a las leyes de las gentes que viven al rededor vuestro,

**8.** Por eso así habla el Señor Dios: Heme aquí ¡oh Jerusalén! contra ti, y yo mismo ejecutaré mis castigos en medio de ti, a la vista de las naciones.

**9.** Y haré contra ti, a causa de todas tus abominaciones, aquello que nunca he hecho, y tales cosas, que jamás las haré semejantes.

**10.** Por eso se verá en ti que los padres comerán a sus hijos, y los hijos comerán a sus padres, y cumpliré mis castigos en medio de ti, y aventaré *o dispersaré* a todo viento todos cuantos de ti quedaren.

**11.** Por tanto juro yo, dice el Señor Dios, que así como tú has profanado mi Santuario con todos tus escándalos y con todas tus abominaciones; yo también te exterminaré y no te miraré con ojos benignos, ni tendré *de ti* misericordia.

**12.** Una tercera parte de los tuyos morirá de peste, y será consumida de hambre en medio de ti; otra tercera parte perecerá al filo de la espada al rededor tuyo; y a la otra tercera parte *de tus hijos* la esparciré a todo viento, y *aun* desenvainaré la espada en pos de ellos.

**13.** Y desahogaré mi furor, y haré que pese sobre ellos la indignación mía, y quedaré satisfecho; y cuando yo hubiere desahogado sobre ellos mi indignación, entonces conocerán que yo el Señor he hablado *lleno* de celo *por mi gloria.*

**14.** Y te reduciré ¡oh Jerusalén! a un desierto, y a ser el escarnio de las naciones circunvecinas, y de cuantos transitando por ti te echen una mirada.

---

**10.** Cerca de ocho onzas castellanas o de diez onzas romanas.

**5.** Para que imitasen su religión. — Véase *cap.* XXXVIII. *v.* 12.

15. Y tú serás el oprobio y la maldición, y el escarmiento y asombro de las naciones circunvecinas, luego que yo haya ejecutado en ti mis castigos con furor e indignación, y con mi vengadora ira.

16. Y *conocerán que yo* el Señor he hablado, cuando yo arrojaré contra ellos las funestas saetas del hambre; las cuales llevarán *consigo* la muerte: que para mataros las despediré yo; y amontonaré sobre vosotros el hambre, y os quitaré el sustento del pan.

17. Despacharé, pues, contra vosotros el hambre y las bestias fieras hasta destruiros enteramente; y se pasearán por en medio de ti *¡oh pueblo infiel!* la peste y la mortandad, y haré que la espada descargue sobre ti. Yo el Señor lo he dicho.

## CAPITULO VI

*Vaticinio de la ruina de la tierra de Israel por causa de su idolatría: los pocos que no perezcan por la peste, el hambre, o la espada, serán llevados cautivos, y allí, oprimidos de calamidades, se convertirán al Señor.*

1. Y hablóme el Señor, diciendo:

2. Hijo del hombre, vuelve tu cara hacia ·los montes de Israel, y profetizarás contra ellos,

3. Y dirás: Montes de Israel, escuchad la palabra del Señor Dios: Esto dice el Señor Dios a los montes y a los collados, a los peñascos y a los valles: Mirad, yo haré que descargue sobre vosotros la espada, y destruiré vuestros lugares excelsos;

4. Y arrasaré vuestros altares, y vuestros simulacros serán hechos pedazos, y a vuestros moradores los arrojaré muertos delante de vuestros ídolos.

5. En presencia de vuestros simulacros pondré los cadáveres de los hijos de Israel, y esparciré vuestros huesos al rededor de vuestros altares.

6. En todos los lugares donde moráis: despobladas quedarán las ciudades, y serán demolidos y arrasados los altos lugares *en que sacrificáis,* y arruinados vuestros altares, y hechos pedazos; y se acabarán vuestros ídolos, y serán derribados vuestros templos, y deshechas vuestras obras.

7. Y se hará una gran mortandad entre vosotros, y conoceréis que yo soy el Señor.

8. Y a algunos de vosotros que habrán escapado de la espada, los conservaré entre las naciones, cuando yo os habré dispersado por varios países.

9. Aquellos pues de vosotros que se habrán librado *de la muerte,* se acordarán de mí entre las naciones a donde serán llevados cautivos; porque yo quebrantaré su corazón adúltero, que se apartó de mí; y humillaré sus ojos, encendidos siempre en el *impuro* amor de sus ídolos; y ellos se disgustarán de sí mismos, al recordar las maldades que cometieron en todas sus abominaciones.

10. Y conocerán que no en balde dije yo el Señor, que haría en ellos tal escarmiento.

11. Esto dice el Señor Dios: Hiere una mano con otra, y da golpes con tu pie, y di: ¡Ay de la casa de Israel, a causa de sus inicuas abominaciones! porque *todos ellos* han de perecer al filo de la espada, y de hambre, y de peste.

12. El que esté lejos *de Jerusalén* morirá de peste; y el que esté cerca caerá bajo el filo de la espada; y el que se librare y fuere sitiado, morira de hambre y yo desahogaré en ellos mi indignacion.

13. Y vosotros conoceréis que yo soy el Señor, cuando vuestros muertos estuvieren en medio de vuestros ídolos, al rededor de vuestros altares, en todos los altos collados, sobre todas las cimas de los montes, y debajo de todo árbol frondoso y de toda robusta encina; lugares en donde se quemaron olorosos inciensos a todos sus ídolos.

14. Y yo sentaré bien mi mano sobre ellos, y dejaré asolado y abandonado su país, desde el desierto de Deblata en todos los lugares en que habitan: y conocerán que yo soy el Señor.

## CAPITULO VII

*Ezequiel anuncia a los Hebreos, de orden del Señor, la próxima ruina de su país.*

1. Y hablóme el Señor, y dijo:

2. Tú, pues, oh hijo de hombre, *atiende:* esto dice el Señor Dios a la tierra de Israel: El fin llega, el fin por todos los cuatro lados de este país.

3. Llega ahora el fin para ti, y yo derramaré sobre ti mi furor, y te juzgaré según tus procederes, y pondré delante de ti tus abominaciones.

4. Y no te miraré con ojos compasivos, ni tendré de ti misericordia; sino que pondré tus obras encima de ti, y en medio de ti tus abominaciones, y conoceréis que yo soy el Señor.

**5.** Esto dice el Señor Dios: La aflicción única, la aflicción *singularísima,* he aquí que viene.

**6.** El fin llega, llega *ya* el fin: se ha despertado contra ti; helo aquí que viene.

**7.** Viene el exterminio sobre ti, que habitas esta tierra; llega ya el tiempo, cerca está el día de la mortandad, y no *día* de alborozo en los montes.

**8.** Yo, pues, me acerco ya para derramar mi ira sobre ti, y desahogaré en ti el furor mío, y te castigaré según tus obras, y colocaré sobre ti todas tus maldades.

**9.** Y no te miraré con ojos benignos, ni me apiadaré de ti, sino que te echaré a cuestas todas tus maldades, y pondré delante de ti tus abominaciones; y conoceréis que yo soy el Señor que castigo.

**10.** He aquí el día, he aquí que *ya* llega: el exterminio viene ya: la vara *del castigo* floreció, la soberbia *u obstinación* ha echado sus ramas.

**11.** La maldad produjo la vara *del castigo* de la impiedad: no escapará ninguno de ellos, ninguno del pueblo, ninguno de aquellos que hacen ruido; nunca gozarán de reposo.

**12.** Llega el tiempo, acércase el día; no tiene que alegrarse el que compra, ni que llorar el que vende; porque la ira *del Señor va a descargar* sobre todo su pueblo.

**13.** Pues el que vende, no volverá a adquirir lo vendido, aunque viva todavía: porque la visión *que he tenido y* comprende toda la muchedumbre *de su pueblo,* no quedará sin efecto; y ninguno se sostendrá por medio de las maldades de su vida.

**14.** Tocad *enhorabuena* la trompeta, prepárense todos, mas nadie hay que vaya al combate, porque la indignación mía descarga sobre todo su pueblo.

**15.** Por afuera espada, y por dentro peste y hambre: el que está en la campiña perecerá al filo de la espada; y la peste y el hambre devorarán al que esté en la ciudad.

**16.** Se salvarán de ella aquellos que huyeren; y se irán a los montes como las palomas de los valles, todos temblando de miedo, cada uno por causa de su maldad.

**17.** Descoyuntados quedarán todos los brazos; y *poseídos de miedo,* se les irán las aguas rodillas abajo.

**18.** Y se vestirán de cilicio, y quedarán cubiertos de pavor; en todas las caras se verá la confusión, y rapadas aparecerán todas sus cabezas.

---

**19.** Arrojada será por la calle la plata de ellos, y entre la basura su oro. *Pues* ni su plata ni su oro podrá salvarles en aquel día del furor del Señor, ni saciar su alma, ni llenar sus vientres: pues que les ha servido de tropiezo en su maldad.

**20.** Y las joyas con que se adornaban, las convirtieron en pábulo de su soberbia, e hicieron de ellas las imágenes de sus abominaciones y de sus ídolos: por lo mismo haré yo que sean para ellos como inmundicia,

**21.** Y las entregaré en saqueo a los extranjeros, y vendrán a ser presa de los impíos de la tierra, los cuales las contaminarán.

**22.** Y apartaré de ellos mi rostro; y aquellos *impíos* violarán mi arcano, y entrarán en él los saqueadores, y lo profanarán.

**23.** Haz la conclusión *de esta dura profecía:* porque está la tierra llena de delitos sanguinarios, y llena está la ciudad de maldades.

**24.** Yo conduciré allí a los más perversos de las naciones, y ellos poseerán sus casas, y reprimiré *así* el orgullo de los poderosos, y haré que otros se apoderen de sus santuarios, *o cosas santas.*

**25.** Llegado que haya el día del exterminio, buscarán la paz, y no habrá paz;

**26.** Sino que habrá disturbio sobre disturbio, y las *malas* nuevas se alcanzarán unas a otras; y preguntarán al profeta qué es lo que ha visto *en sus visiones;* mas ya no se hallará en los sacerdotes *el conocimiento* de la ley *de Dios;* ni en los ancianos ningún consejo *atinado.*

**27.** Sumergido quedará el rey en la aflicción, y cubiertos de tristeza los príncipes *o magnates,* y temblando de miedo las manos del pueblo. Los trataré yo como merecen, y los juzgaré según sus obras; y conocerán que yo soy el Señor.

## CAPITULO VIII

*Ezequiel, conducido en espíritu a Jerusalen, ve en el Templo mismo las idolatrías de los Judíos; por cuyo motivo declara Dios que no los perdonará ni oirá sus ruegos.*

**1.** Y sucedió en el año sexto, el sexto mes, el día cinco, que estando yo sentado en mi casa, y estándolo al rededor mío los ancianos de Judá, se hizo sentir sobre mí la virtud del Señor Dios.

---

CAP. VII.—7. Puede aludir al regocijo de los vendimiadores. *Jerem.* XLVIII, *v.* 38.

17. Véase después *cap.* XXI, *v.* 7

18. *Is.* XV, v. 2. — *Jerem.* XLVIII, *v.* 37.

19. *Prov.* XI, *v.* 4. — *Ecci.* V, *v.* 10. — *Soph.* I, *v.* 18.

CAP. VIII. — I. De la cautividad de Jeconías.

**2.** Y miré, y he aquí la imagen *de un hombre* que parecía de fuego: desde la cintura a los pies era *todo* fuego, y desde la cintura arriba era como una luz resplandeciente, como electro que brilla.

**3.** Y vi la figura de una mano extendida que me tomó de una guedeja de mi cabeza, y levantóme en espíritu entre cielo y tierra, y llevóme a Jerusalén en una visión *maravillosa* de Dios, junto a la puerta de adentro *del templo*, que miraba al Norte, en donde estaba colocado el ídolo de los celos, *o celotipia*, para provocar los celos *del Señor.*

**4.** Y vi allí la gloria del Dios de Israel del modo que yo la había visto en la visión tenida en el campo.

**5.** Y díjome él: Hijo de hombre. Ievanta tus ojos hacia la parte del Norte; y alzando mis ojos hacia la banda del Norte, he aquí al Norte de la puerta del altar, en la entrada misma, el ídolo del celo.

**6.** Y díjome: Hijo de hombre. ¿piensas acaso que ves tú lo que éstos hacen, las grandes abominaciones que comete aquí la casa de Israel para que yo me retire lejos de mi Santuario? Pues si vuelves otra vez a mirar, verás abominaciones mayores.

**7.** Y me llevó a una salida del atrio, y miré, y había un agujero en la pared.

**8.** Y díjome: Hijo de hombre. horada la pared; y horadado que hube la pared, apareció una puerta.

**9.** Díjome entonces: Entra y observa las pésimas abominaciones que cometen éstos aquí.

**10.** Y habiendo entrado, miré; y he aquí figuras de toda especie de reptiles y de animales, y la abominación de la familia de Israel, y todos sus ídolos estaban pintados por todo el alrededor de la pared.

**11.** Y setenta hombres de los ancianos de la familia de Israel estaban en pie delante de las pinturas, y en medio de ellos Jezonías, hijo de Safán, teniendo cada uno de ellos su incensario en la mano, y el incienso levantaba tanto humo, que parecía una niebla.

**12.** Y díjome él: Hijo de hombre, bien ves tú lo que están haciendo los ancianos de la casa de Israel, en la oscuridad, cada cual en lo escondido de su aposento; porque dicen

---

**10.** *Exod.* XX, *v.* 4. — *Lev.* XXVI, *v.* 1. — *Num.* XXXIII, *v.* 52.

**16.** Los Judíos ofrecían el incienso y adoraban a Dios mirando hacia Occidente, para huir de adorar el sol como los gentiles *Job.* XXXI, *v.* 26. El lugar en que estaban indica que eran sacerdotes y Levitas. *Joël* II, *v.* 17 — *Matth.* XXIII, *v.* 35.

**17.** En señal de adorar al sol. *Job.* XXXI, *v.* 26.

ellos: No nos ve el Señor: desamparó el Señor la tierra.

**13.** Y añadióme: Aun volviéndote a otra parte, verás peores abominaciones que las que éstos cometen.

**14.** Y llevóme a la entrada de la puerta del templo del Señor, que caía al Norte, y vi a unas mujeres que estaban allí sentadas llorando a Adonis.

**15.** Y díjome: Tú ciertamente lo has visto, ¡oh hijo de hombre! mas si otra vez vuelves a mirar, verás abominaciones peores que ésas.

**16.** Y me introdujo en el atrio interior del templo del Señor, y he aquí que vi en la puerta del templo del Señor, entre el vestíbulo y el altar, como unos veinticinco hombres que tenían sus espaldas vueltas al templo del Señor, y las caras hacia el Oriente, adorando al sol que nacía.

**17.** Y díjome: Ya lo has visto ¡oh hijo de hombre! Pues qué, ¿es cosa de poco momento para la casa de Judá, el cometer esas abominaciones que han hecho aquí, que *aun* después de haber llenado de iniquidad la tierra, se han empleado en irritarme? y he aquí que aplican un ramo a su olfato.

**18.** Ahora, pues, yo también los trataré con rigor: no se enternecerán mis ojos, ni usaré de misericordia; y por más que levantaren el grito para que los oiga, yo no los escucharé.

## CAPITULO IX

*Manda Dios que mueran todos los que no se hallan señalados con la letra Tau. Oración de Ezequiel; a quien dice el Señor que las maldades de su pueblo le fuerzan a castigarle con tanta severidad.*

**1.** Y gritó *el Señor* con grande voz a mis oídos, diciendo: Se acerca la visita *o castigo* de la ciudad, y cada uno tiene en su mano un instrumento de muerte.

**2.** Y he aquí seis varones *respetables* que venían por el camino de la puerta superior que mira al Norte, y cada uno de ellos traía en su mano un instrumento de muerte; había también en medio de ellos un varón, *o personaje,* con vestidura de lino, el cual traía un recado de escribir en la cintura, y entraron, y pusiéronse junto al altar de bronce.

**3.** Entonces la gloria del Señor de Israel se trasladó desde los querubines, sobre los cuales residía, al umbral de la casa, *o templo,* y llamó al varón que llevaba la vestidura de lino, y tenía en su cintura recado de escribir.

4. Y díjole el Señor: Pasa por medio de la ciudad, por medio de Jerusalén, y señala con la *letra* Thau las frentes de los hombres que gimen y se lamentan por todas las abominaciones que se cometen en medio de ella.

5. A aquellos, empero, les dijo, oyéndolo yo: Pasad por la ciudad, siguiendo en pos de él, y herid *de muerte a los restantes:* no sean compasivos vuestros ojos, ni tengáis piedad.

6. Matad al anciano, al jovencito, y a la doncella, y a los niños, y a las mujeres, hasta que no quede nadie; pero no matéis a ninguno en quien viereis la Thau; y comenzaréis por mi Santuario. Comenzaron, pues, por aquellos ancianos que estaban delante del templo.

7. Y díjoles él: Contaminad el templo, llenad sus pórticos de cadáveres: salid. Y salieron y mataron a cuantos estaban en la ciudad.

8. Y acabada la mortandad, quedé yo *allí, y* me postré sobre mi rostro, y levantando el grito, dije: ¡Ay, ay, ay, Señor Dios! ¿Por ventura destruirás todos los restos de Israel, derramando tu furor sobre Jerusalén?

9. Y díjome a mí: La iniquidad de la casa de Israel y de Judá es excesivamente grande, y la tierra está cubierta de enormes delitos y llena de apostasías la ciudad; pues dijeron: Abandonó el Señor la tierra; el Señor no lo ve.

10. Ahora, pues, tampoco miraré con compasión, ni usaré de piedad; los trataré como ellos merecen.

11. Y he aquí que el varón que llevaba la vestidura de lino, y tenía en su cintura el recado de escribir, vino a dar parte, diciendo: He hecho lo que me mandaste.

## CAPITULO X

*Manda Dios al ángel que llevaba la vestidura de lino que simbolice el incendio de Jerusalén y el abandono en que dejará el Señor a su Templo.*

1. Y miré, y vi que el firmamento *o extensión* que había sobre la cabeza de los Querubines apareció sobre ellos como una piedra de zafiro, que figuraba a manera de un trono *o solio.*

2. Y el Señor habló al varón aquel que llevaba la vestidura de lino, y le dijo: Métete por entre las ruedas que están bajo los Querubines, y toma con tu mano brasas de fuego de las que están entre los Querubines, y arrójalas sobre la ciudad. Y entró aquel a vista mía.

3. Y cuando entró, estaban los Querubines al lado derecho del templo; y la nube llenó el atrio interior.

4. Y trasladóse la gloria del Señor desde encima de los Querubines al umbral del templo y llenóse el templo de una nube *tenebrosa;* el atrio, empero, quedó lleno del resplandor de la gloria del Señor.

5. Y el ruido de las alas de los Querubines se oía hasta el atrio exterior, a manera de la voz del Dios todopoderoso cuando habla *o truena.*

6. Y luego que él hubo mandado y dicho al varón que iba con vestidura de lino: toma fuego de en medio de las ruedas que están entre los Querubines; (fué aquél, y se puso junto a una rueda).

7. Entonces uno de los Querubines alargó la mano al fuego que estaba en medio de los Querubines, y lo tomó, y púsolo en la mano de aquel varón de la vestidura de lino; quien habiéndolo recibido, se marchó.

8. Y se vió en los Querubines uno como brazo de hombre debajo de sus alas.

9. Y miré, y vi cuatro ruedas junto a los Querubines, una rueda junto a cada Querubín; y las ruedas parecían como de piedra de crisólito:

10. Y todos cuatro eran al parecer de una misma forma: como si una rueda estuviese en medio de otra.

11. Y así que andaban se movían por los cuatro lados; ni se volvían a otra parte mientras andaban, sino que hacia donde se dirigía aquella que estaba delante, seguían también las demás, sin mudar de rumbo.

12. Y todo el cuerpo, y el cuello, y las manos y las alas *de los Querubines,* y los cercos de las cuatro ruedas estaban en todo su rededor llenos de ojos.

13. Y a estas ruedas oí que les dió el nombre de volubles *o ligeras.*

14. Cada uno, pues, *de los Querubines* tenía cuatro caras: la primera cara era cara de Querubín: la segunda cara era cara de hombre: la tercera cara era cara de león: y la cuarta cara, cara de águila.

---

9. O de color de oro, *Cap.* I, *v.* 16, 26.

12. San Jerónimo entiende metafóricamente por cuello los ejes de las ruedas, por manos los rayos de ellas, por alas los cercos de madera, etc. — Todo lo cual estaba lleno de ojos. — Véase antes *cap.* I, *v.* 18. Es probable como dice *A Lapide,* que aquí se habla confusamente de los querubines y de las ruedas porque ambas cosas se movían como una sola cosa.

14. Dice S. Jerónimo que la palabra *querubin* está puesta aquí en lugar de *buey.* — Véase antes *c.* I, *v.* 10; aunque confiesa el mismo Santo que ignora el motivo.

---

CAP. X. — 2. Cap. I, *v.* 4, 18,

**15.** Y levantáronse en lo alto los Querubines: ellos son los mismos *cuatro* animales que yo había visto junto al río Cobar.

**16.** Y mientras andaban los Querubines, andaban también las ruedas junto a ellos; y así que los Querubines extendían sus alas para remontarse de la tierra, no se quedaban inmobles las ruedas, sino que también seguían junto a ellos.

**17.** Cuando ellos se paraban, parábanse también las ruedas, y alzábanse éstas cuando es alzaban ellos; porque espíritu de vida había en ellas.

**18.** Y la gloria de Dios partió del umbral del templo, y se puso sobre los Querubines.

**19.** Extendiendo los Querubines sus alas, se remontaron del suelo a mi vista; y al marcharse ellos, les siguieron también las ruedas; y paráronse a la entrada de la puerta oriental del templo del Señor; y la gloria del Dios de Israel iba sobre los Querubines.

**20.** Eran aquellos mismos animales que vi debajo del Dios de Israel, junto al río Cobar, y yo comprendí que eran los Querubines:

**21.** Cuatro caras tenía cada uno de ellos, y cada uno cuatro alas, y debajo de éstas una semejanza de brazo de hombre.

**22.** Y era la figura de sus caras como la de aquellas mismas caras que había yo visto junto al río Cobar; como también su mirar y la acción de moverse hacia delante según la dirección de su cara.

## CAPITULO XI

*Vaticinio contra los príncipes y pueblo de Jerusalén, que se burlaban de las profecías. Por este delito cae muerto Feltías. Promesas en favor de los cautivos.*

**1.** Arrebatóme el espíritu y condújome a la puerta oriental del templo del Señor que mira hacia el Oriente, y vi que a la entrada de la puerta había veinticinco hombres, y vi en medio de ellos a Jezonías, hijo de Azur, y a Feltías, hijo de Banaías, príncipes del pueblo.

**2.** Y díjome el Señor: Hijo de hombre, éstos son los varones que meditan la maldad; y forman en esta ciudad pésimos designios,

**3.** Diciendo: ¿No han sido edificadas poco

há *varias* casas? Esta *ciudad* es la caldera, y nosotros las carnes.

**4.** Por tanto, profetiza contra ellos, profetiza, ¡oh hijo de hombre!

**5.** Y vino sobre mí el Espíritu del Señor, y me dijo: Habla: Esto dice el Señor: Vosotros habéis hablado así ¡oh familia de Israel! y yo conozco los pensamientos de vuestro corazón.

**6.** Vosotros habéis muerto a muchísimos en esta ciudad y llenado sus calles de cadáveres.

**7.** Por tanto, esto dice el Señor Dios: Aquellos que vosotros habéis muerto y arrojado en medio de la ciudad, ésos son las carnes; y ella, *la ciudad,* es la caldera; mas yo os echaré fuera de ella.

**8.** Temisteis la espada *de los Caldeos:* pues la espada enviaré yo sobre vosotros, dice el Señor.

**9.** Y os arrojaré de la ciudad, y os entregaré en poder de los enemigos, y ejercitaré mi justicia sobre vosotros.

**10.** Al filo de la espada pereceréis; en los confines de Israel os juzgaré a vosotros, y conoceréis que yo soy el Señor.

**11.** No será esta *ciudad* la caldera para vosotros, ni seréis vosotros en medio de ella las carnes: en los confines de Israel haré yo la justicia con vosotros.

**12.** Y conoceréis que yo soy el Señor; por cuanto no habéis vosotros procedido según mis mandamientos, ni observado mis leyes, sino que habéis seguido los ritos de los gentiles que viven al rededor vuestro.

**13.** Y acaeció que mientras estaba yo vaticinando, cayó muerto Feltías, hijo de Banaías. Y yo me postré sobre mi rostro, gritando en alta voz, y diciendo: ¡Ay, ay, ay, Señor Dios! ¿Quieres acabar tú con los restos de Israel?

**14.** Y hablóme el Señor, diciendo:

**15.** Hijo de hombre, a tus hermanos, a los hermanos tuyos, y a tus parientes, y a todos los hombres de la casa de Israel les dijeron *esos* moradores de Jerusalén: Andad lejos del Señor: a nosotros se nos ha dado en posesión esta tierra.

**16.** Por tanto esto dice el Señor Dios: Si yo los envié lejos entre las naciones; y los dispersé en países extraños, yo mismo les serviré de Santuario en ese breve tiempo, en el país a donde fueron.

**16.** Documento que enseña, dice S. Jerónimo que no debemos despreciar ni burlarnos de los pecadores, cuando sufren por sus pecados el castigo o los trabajos que Dios les envía porque muchas veces son ellos entonces más amados del Señor que otros a quienes deja vivir con tranquilidad y sosiego. Así se ve en lo que sigue en los versos siguientes.

---

**CAP. XI.** — **1.** Son diferentes de aquellos de quienes se habla en el *cap.* VIII, *v.* 16.

**17.** Por eso les dirás: Así dice el Señor Dios: Yo os recogeré de entre las naciones, y os reuniré de los países por los cuales habéis sido dispersados, y os daré la tierra de Israel.

**18.** Y volverán a ella *los hijos de Israel, y* quitarán de allí todos los escándalos y todas las abominaciones.

**19.** Y yo les daré un corazón unánime, e infundiré un nuevo espíritu en sus entrañas, y les quitaré el corazón que tienen de piedra, y daréles un corazón de carne

**20.** Para que sigan mis mandamientos, y observen mis leyes, y las practiquen, con lo cual sean ellos el pueblo mío, y yo sea su Dios.

**21.** Mas en cuanto a aquellos cuyo corazón va en seguimiento de los escándalos y de sus abominaciones, yo los castigaré según merecen, dice el Señor Dios.

**22.** Extendieron luego los Querubines sus alas, y siguieron las ruedas, y la gloria del Dios de Israel iba sobre ellos.

**23.** Retiróse, pues, de la ciudad la gloria del Señor, y se paró sobre el monte que está al Oriente de la ciudad.

**24.** Y me tomó el Espíritu, y me condujo *otra vez* en visión, en espíritu de Dios, a la Caldea, en donde estaban cautivos *los Judíos:* y desapareció de delante de mí la visión que yo había tenido.

**25.** Entonces dije a los *Judios* cautivos todas cuantas cosas me había el Señor manifestado

## CAPITULO XII

*Ezequiel vaticina con diferentes figuras el cautiverio del rey y del pueblo de Jerusalén después de las calamidades del sitio: condena la vana seguridad de los Judios, y anuncia el pronto cumplimiento de las terribles predicciones de los Profetas.*

**1.** Y hablóme el Señor, diciendo:

**2.** Hijo de hombre, tú habitas en medio de un pueblo rebelde: que tiene ojos para ver y no mira, y oídos para oír y no escucha; porque es ella una gente contumaz.

**3.** Tú, pues ¡oh hijo de hombre! vete preparando los avíos *necesarios* para mudar de país, y los sacarás fuera de día, a la vista de ellos, y partirás del lugar en que habitas a otro lugar, viéndolo ellos, por si tal vez paran en esto su atención: porque es ésa una familia contumaz.

**4.** De día, pues, y a vista de ellos sacarás afuera tu equipaje, como quien se muda a otro país; pero tú partirás al caer la tarde, a la vista de ellos, como uno que va a vivir a otra tierra.

**5.** Harás, viéndolo ellos, una abertura en la pared *de tu casa, y* saldrás por ella.

**6.** *Luego,* a la vista de ellos, te harás llevar en hombros de otros, y serás conducido fuera siendo ya casi de noche; cubrirás tu rostro, y no verás la tierra: porque yo te he puesto para *anunciar* portentos a la casa de Israel.

**7.** Hice, pues, yo lo que el Señor me mandara; saqué fuera mi equipaje siendo de día, como quien va a mudar de país, y por la tarde horadé yo mismo la pared, y partí siendo ya de noche, llevado en hombros de otros, a la vista de todos ellos.

**8.** Y hablóme el Señor por la mañana, diciéndome:

**9.** Hijo de hombre, ¿por ventura los de la familia de Israel, familia contumaz, dejarán de preguntarte, qué significa lo que haces?

**10.** Les dirás, *pues:* Así habla el Señor Dios: Este duro vaticinio descargará sobre el jefe que está en Jerusalén y sobre toda la familia de Israel que habita en su recinto.

**11.** Diles: Yo soy para vosotros un portento, o *señal maravillosa;* como *lo que yo* he hecho, así se les hará a ellos; serán transportados a otro país, y hechos cautivos.

**12.** Y el jefe que está en medio de ellos, llevado será en hombros, saldrá de noche; horadarán la pared para sacarlo fuera; su cara será cubierta para que no vea la tierra.

**13.** Y yo extenderé mis redes sobre él, y quedará tomado en ellas; y lo llevaré a Babilonia a la tierra de los Caldeos; mas él no la verá, y morirá en ella.

**14.** Y a todos los que están al rededor suyo, a su guardia y a sus tropas los dispersaré por los cuatro ángulos de la tierra, y haré que la espada *del enemigo* los vaya persiguiendo.

**15.** Y conocerán que yo soy el Señor, cuando los habré desparramado por entre las naciones, y diseminado por toda la tierra.

---

**19.** Después *cap.* XXXVI, *v.* 26. — *Jerem.* XXXI, *v.* 33. — *Rom.* V, *v.* 5.

**23.** Esto es, en el Monte Olivete, o de los Olivos, según opina S. Jerónimo, desde donde Jesucristo se subió a los cielos después de acabada la misión que recibió de su Eterno Padre.

---

**CAP XII.** — IV *Reg.* XXV, *v.* 4. — *Jer.* XXXIX, *v.* 4.

**13.** *Cap.* XVII, *v.* 20. — IV *Reg.* XXV, *v.* 7.

**16.** Y preservaré de la espada, y del hambre, y de la peste a algunos pocos de ellos, para que cuenten entre las naciones a donde irán todas sus maldades, y conocerán que yo soy el Señor.

**17.** Y hablóme el Señor y díjome:

**18.** Hijo de hombre, come tu pan con azoramiento, y bebe el agua con agitación y con tristeza.

**19.** Y dirás al pueblo *de Israel* que está en esta tierra: Así habla el Señor Dios a aquellos que *aún* habitan en Jerusalén, en la tierra de Israel: Comerán su pan llenos de sobresalto, y beberán su agua poseídos de congoja; porque quedará el país desolado de su mucha gente, por causa de las maldades de sus habitantes.

**20.** De suerte que las ciudades hoy día pobladas quedarán desiertas y el país hecho un páramo, y conoceréis que yo soy el Señor.

**21.** Hablóme el Señor otra vez, y díjome:

**22.** Hijo de hombre, ¿qué refrán es ese que tenéis vosotros en tierra de Israel, según el cual dicen: Iran corriendo los días, y en nada pararán todas las visiones?

**23.** Por lo mismo diles: Esto dice el Señor Dios: Yo haré que cese ese refrán, y que nunca jamás se repita por el vulgo de Israel; y díles que están para llegar los días en que se cumplirán los sucesos anunciados en todas las visiones.

**24.** Porque no quedará más sin efecto ninguna visión, ni habrá predicción ambigua entre los hijos de Israel;

**25.** Pues yo, que soy el Señor, hablaré, y sucedera cuanto yo dijere, ni se diferira para más adelante; sino que en vuestros días ¡oh familia contumaz! yo hablaré, y obraré, dice el Señor Dios.

**26.** Hablóme de nuevo el Señor, y díjome:

**27.** Hijo de hombre, mira lo que dicen los de la casa de Israel: La visión que éste ha tenido es para de aquí a muchos años, y él vaticina para tiempos lejanos.

**28.** Por tanto tú les dirás a ellos: Así habla el Señor Dios: Todas mis palabras en lo sucesivo no se diferirán más: lo que yo dijere se ejecutará, dice el Señor Dios.

## CAPITULO XIII

*Amenazas de Dios contra los falsos profetas que engañan al pueblo vaticinándole felicidades, y contra los falsos profetas que adulaban a los pecadores.*

**1.** Hablóme de nuevo el Señor, y díjome:

**2.** Hijo de hombre, vaticina contra los profetas *falsos* de Israel que se entrometen a profetizar; y a éstos tales, que profetizan por su capricho, les dirás: Escuchad lo que dice el Señor:

**3.** Así habla el Señor Dios: ¡Ay de los profetas insensatos, que siguen su propio espíritu y no ven nada!

**4.** Tus profetas ¡oh Israel! son como raposas en los despoblados.

**5.** Vosotros no habéis hecho frente, ni os habéis opuesto como muro a favor de la Casa de Israel, para sostener la pelea en el día del Señor.

**6.** Vanas son las visiones que ellos tienen, y embustes sus adivinaciones, cuando dicen: El Señor ha dicho; siendo así que no son enviados del Señor, y persisten en asegurar aquello que han anunciado.

**7.** ¿Acaso dejan de ser vanas vuestras visiones, y mentirosas las adivinaciones que habéis propalado? Vosotros decís: Así ha hablado el Señor; cuando yo nada os he hablado.

**8.** Por tanto, esto dice el Señor Dios: Porque habéis publicado cosas vanas, y por ser mentirosas vuestras visiones: por eso vedme aquí contra vosotros, dice el Señor Dios.

**9.** Y mi mano descargará sobre los profetas *forjadores* de visiones vanas y de mentirosas adivinaciones: no serán ya admitidos en la reunión de mi pueblo, ni escritos en el censo de la familia de Israel, en cuya tierra no volverán a entrar: y conoceréis que yo soy el Señor Dios.

**10.** Porque han engañado ellos a mi pueblo diciéndole: ¡Paz! siendo así que no hay tal paz; mi pueblo construía una muralla, y ellos la revocaban con légamo *suelto* sin mezcla de paja.

**11.** Diles, *pues,* a ésos que revocaban con mala mezcla, que la muralla caerá; porque vendrán aguaceros e inundaciones, y arrojaré del cielo enormes piedras, y *enviaré* un viento tempestuoso que todo lo destruirá

**12.** Y así que la muralla haya caído, acaso no se os dirá *por mofa:* ¿Dónde está la encostradura que vosotros hicisteis?

**13.** Por tanto esto dice el Señor Dios: En medio de mi indignación haré estallar de repente un viento tempestuoso, y lleno de furor enviaré aguaceros, que todo lo inundarán, y airado arrojaré enormes piedras que todo lo arrasarán;

14. Y arruinaré el muro que encostrasteis con barro sin mezcla, y lo igualaré con el suelo, y se descubrirán sus cimientos, y caerá; y perecerán *con él aquellos falsos* profetas, y conoceréis que yo soy el Señor.

15. Y desfogaré mi indignación en la muralla, y en aquellos que la encostraron sin mezcla, y os diré a vosotros: La muralla ya no existe; ni existen aquellos que la encostraron.

16. *Es a saber,* los profetas de Israel, que profetizaban sobre Jerusalén, y veían para ella visiones *lisonjeras o* de paz; siendo así que no hay tal paz, dice el Señor Dios.

17. Tú, empero ¡oh hijo de hombre! reprende con rostro firme a las hijas de tu pueblo, que profetizan por su propio capricho, y vaticina acerca de ellas,

18. Y di: Así habla el Señor Dios: ¡Ay de aquellas que ponen almohadillas bajo de todos los codos, y hacen cabezales para poner debajo de las cabezas de los de toda edad, a fin de hacer presa de las almas del pueblo mío; y mientras cazaban las almas de mi pueblo, *decían que* las vivificaban.

19. Y deshonrábanme delante de mi pueblo por un puñado de cebada y por un pedazo de pan, matando las almas que no son muertas, y dando por vivas las que no viven, vendiendo mentiras a mi pueblo, el cual da crédito a ellas.

20. Por tanto, así habla el Señor Dios: Vedme aquí contra vuestras almohadillas *o lisonjas,* con las cuales cazáis las almas como las aves; y yo las destruiré en vuestras *mismas* manos, y haré volar libremente las almas que vosotras cazáis.

21. Yo romperé vuestros cabezales, y libraré de vuestro poder a los del pueblo mío, y no dejaré que sean presa de vuestras manos: y sabréis que yo soy el Señor.

22. Porque vosotras con vuestras mentiras habéis contristado el corazón del justo, al cual no había yo contristado; y habéis fortalecido los brazos del impío, para que no se convirtiese de su mal proceder, y viviese:

23. Por tanto, no tendréis ya en adelante *esas* falsas visiones vuestras, ni esparciréis

---

CAP. XIII. — 14. Según S. Jerónimo debe leerse *consumentur,* en vez de *consumetur* que se lee en la Vulgata. Realmente así lo exige el texto *hebreo* y la versión de los *Setenta.* Es digna de leerse la aplicación que hace S. Gregorio de este pasaje a aquellos ministros de la religión que, aparentando celo por ella, buscan, no la gloria de Dios y el bien de las almas, sino su propia utilidad y conveniencia.

vuestras adivinaciones, y yo libraré de vuestras manos al pueblo mío; y conoceréis que yo soy el Señor.

## CAPITULO XIV

*Amenazas de Dios contra los hipócritas. Ni Noé, ni Daniel, ni Job podrían con sus oraciones librar al pueblo de la ruina. Con todo, los restos de Israel se salvarán.*

1. Y vinieron a encontrarme algunos de los ancianos de Israel, y sentáronse junto a mí.

2. Y hablóme el Señor, diciendo:

3. Hijo de hombre, esos varones llevan sus inmundicias *o ídolos* dentro de sus corazones, y tienen *siempre* delante de sí el escándalo de su maldad: cuando ellos, pues, me preguntarán, ¿piensas que acaso he de contestarles?

4. Por tanto, háblales, y diles: Esto dice el Señor Dios: Cualquier hombre de la casa de Israel que tenga colocadas en su corazón sus inmundicias *o ídolos,* y tenga delante de sí el escándalo de su maldad, y viniere a encontrar al profeta para preguntarme por su medio: yo el Señor le responderé según la muchedumbre de sus inmundicias *o idolatrías*

5. Para que la casa de Israel halle su ruina en su propio corazón, con el cual se alejaron de mí para seguir todos sus ídolos.

6. Por tanto, di a la casa de Israel: Así habla el Señor Dios: Convertíos, y apartaos de vuestros ídolos, y no volváis vuestras caras para mirar todas vuestras abominaciones.

7. Porque cualquier hombre de la casa de Israel, y cualquier extranjero que sea prosélito en Israel, si se enajenare de mí, y colocare sus ídolos en su corazón, y estableciere delante de sí el escándalo de su iniquidad, y viniere a encontrar al profeta a fin de preguntarme por medio de éste; yo el Señor le responderé a él por mí *según mi justicia;*

8. Y miraré a aquel hombre con rostro airado, y haré que venga a ser el escarmiento y la fábula de todos, y le exterminaré de en medio de mi pueblo; y sabréis que yo soy el Señor.

9. Y cuando cayere el profeta en error, y hablare *falso,* yo el Señor he dejado que se engañase aquel profeta: mas yo descargaré mi mano sobre él, y lo borraré *del censo* del pueblo mío de Israel.

10. Y ellos llevarán la pena de su iniquidad: según sea *el castigo de* la iniquidad del que consulte; así será *el castigo de* la iniquidad del profeta *que responda:*

11. A fin de que en adelante no se desvíe de mí la familia de Israel, ni se contamine con todas sus prevaricaciones; sino que sean ellos el pueblo mío, y yo sea su Dios, dice el Señor de los ejércitos.

12. Háblome de nuevo el Señor, diciendo:

13. Hijo de hombre, si la tierra *esa* pecare contra mi, prevaricando enormemente, yo descargaré mi mano sobre ella, y le quitaré el sustento del pan, y le enviaré el hambre, y mataré personas y bestias.

14. Y si se hallaren en ella estos tres hombres, Noé, Daniel y Job; ellos por su justicia librarán sus vidas, dice el Señor de los ejércitos.

15. Que si yo enviare además a esa tierra feroces bestias para devastarla, y quedare inhabitable, sin que transite persona alguna por ella, por temor de las fieras;

16. Si estos tres varones estuvieren en ella, juro yo, dice el Señor Dios, que no librarán a sus hijos ni hijas, sino que ellos solos serán librados, y la tierra quedará asolada.

17. 0 si enviare yo contra aquella tierra la espada, y dijere a la espada: Recorre ese país; y matare yo allí personas y bestias,

18. Y se hallaren en medio de aquel país dichos tres varones, juro yo, dice el Señor Dios, que no librarán ellos sus hijos ni hijas, sino que ellos solos serán librados.

19. Y si también enviare yo pestilencia sobre aquella tierra, y derramare sobre ella mi indignación causando gran mortandad, y quitando de ella hombres y animales;

20. Y Noé, Daniel y Job estuvieren en medio de ella, juro yo, dice el Señor Dios, que no librarán a sus hijos ni hijas, sino que por su inocencia salvarán ellos *solos* sus almas.

21. Porque esto dice el Señor Dios: Si yo enviare contra Jerusalén los cuatro castigos peores, la espada, el hambre, las bestias feroces y la peste, a fin de acabar con los hombres y ganados;

22. Sin embargo, se salvarán algunos de ellos, los cuales sacarán fuera *de la tierra* a sus hijos e hijas; y he aquí que éstos vendrán a vosotros *aqui a Babilonia, y* veréis su conducta y sus obras, y os consolaréis *entonces* de los desastres que yo he descargado sobre Jerusalén, y de todo el peso con que la he oprimido.

23. Y os servirá de consuelo el ver sus costumbres y sus procederes; y conoceréis que no sin razón hice en ella todo lo que hice, dice el Señor Dios.

## CAPITULO XV

*Con la semejanza del sarmiento cortado de la vid, que sólo sirve para el fuego, se anuncia la destrucción de Jerusalén por causa de su obstinada malicia.*

1. Háblome de nuevo el Señor, diciendo:

2. Hijo de hombre, ¿qué se hará del tronco de la vid, con preferencia a todos los leños *o maderas* que se hallan entre los árboles de las selvas y de los bosques?

3. Acaso se echará mano de dicho tronco para hacer de él *alguna* obra, o se podrá formar de él *tan solo* una estaca para colgar alguna cosa?

4. He aquí que se arroja al fuego: el fuego consume los dos extremos de él, y lo de en medio queda reducido a pavesas; ¿será acaso útil para alguna obra?

5. Aun cuando estaba entero no era a propósito para obra alguna, ¿cuánto menos podrá hacerse de él ninguna cosa después que el fuego lo ha devorado y consumido?

6. Por tanto, esto dice el Señor Dios: Como el árbol o *tronco* de la vid entre los árboles de los bosques, el cual entrego yo al fuego para que lo devore, así haré con los moradores de Jerusalén.

7. Yo los miraré con semblante airado; saldrán de un fuego, y *otro* fuego los consumirá; y conoceréis que yo soy el Señor, cuando volviere mi rostro contra ellos,

8. Y dejare inhabitable y desolada su tierra: puesto que ellos se hicieron prevaricadores, dice el Señor Dios.

## CAPITULO XVI

*Jerusalén ensalzada a grande gloria por Dios, se hace más pérfida y abominable que Samaria y Sodoma. Por esto será asolada y hecha el escarnio de las naciones. Con todo, promete el Señor establecer con los residuos de ella una alianza eterna.*

1. Háblome de nuevo el Señor, diciendo:

2. Hijo de hombre, haz conocer a Jerusalén sus abominaciones,

3. Y *dile:* Esto dice el Señor Dios a Jerusalén: Tu orígen y tu raza es de tierra de Canaán. Amorreo era tu padre, y Cetea tu madre.

**4.** Y cuando tú saliste a luz, en el día de tu nacimiento, no te cortaron el ombligo, ni te lavaron con agua saludable, ni usaron contigo la sal, ni fuiste envuelta en pañales.

**5.** Nadie te miró compasivo, ni se apiadó de ti, para hacer contigo alguno de estos oficios; sino que fuiste echada sobre el suelo con desprecio de tu vida, el *mismo* día en que naciste.

**6.** Pasando yo, empero, cerca de ti, te vi ensuciada *aún* en tu propia sangre; y te dije entonces mismo que estabas envuelta en tu sangre: Vive, vive, te dije ¡oh tú que estás envuelta en tu sangre!

**7.** Como la yerba del prado te hice crecer; y tú creciste, y te hiciste grande, y llegaste a la edad y tiempo de usar los adornos mujeriles, al tiempo de la pubertad; pero tú estabas desnuda o *desamparada, y* cubierta de ignominia.

**8.** Y pasé junto a ti, y te vi, y estabas tú ya entonces en la edad de los amores, *o en la pubertad, y* extendí yo sobre ti *la punta de* mi manto y cubrí tu ignominia, y te hice un juramento, e hice contigo un contrato, dice el Señor Dios, y desde entonces fuiste mía.

**9.** Y te lavé con agua, y te limpié de tu sangre, y te ungí con óleo.

**10.** Y te vestí con ropas de varios colores, y te di calzado de color de jacinto y ceñidor de lino fino, y te vestí de un manto finísimo.

**11.** Y te engalané con ricos adornos, y puse brazaletes en tus manos y un collar alrededor de tu cuello.

**12.** Y adorné con joyas tu frente, y tus orejas con zarcillos, y tu cabeza con hermosa diadema.

**13.** Y quedaste ataviada con oro y con plata, y vestida de fino lienzo y de bordados de varios colores: se te dió para comer la flor de harina con miel y aceite: veniste en fin a ser extremadamente bella, y llegaste a ser la reina *del mundo.*

**14.** Y tu hermosura te adquirió nombradía entre las naciones, por causa de los adornos que yo puse en ti, dice el Señor Dios.

**15.** Envanecida, empero, con tu hermosura, te prostituiste, como si fueras dueña de ti, y te ofreciste lujuriosa a todo el que pasaba, entregándote a él.

**16.** Y tomando tus vestidos, y cociendo de aquí y de allí, hiciste de ellos adornos para *los idolos de* las alturas; en donde tú, de tal manera, te prostituiste, que nunca jamás se había visto ni se verá cosa semejante.

**17.** Y echando mano de los adornos de tu gloria, hechos con mi oro y con mi plata, los cuales te había yo dado, hiciste de ellos figuras humanas, y has idolatrado con ellas.

**18.** Y tus vestidos de diversos colores los empleaste en las imágenes *de tus idolos, y* a ellas ofreciste el óleo mío y mis perfumes.

**19.** Y el pan que yo te di, y la flor de harina, el óleo y la miel con que yo te alimentaba, lo presentaste ante ellos como ofrenda de suave color; esto hiciste, dice el Señor Dios.

**20.** Y tomaste tus hijos e hijas, que habías engendrado para mí, y se los sacrificaste para que fuesen devorados *del fuego.* ¿Y te parece poca cosa esa tu prostitución?

**21.** Tú inmolaste mis hijos, y los diste a los ídolos, a los cuales los consagraste.

**22.** Y después de todas tus abominaciones y prostituciones, te has olvidado de los tiempos de tu mocedad; cuando te hallabas desnuda y llena de ignominia, envuelta en tu propia sangre.

**23.** Y acaeció que después de tanta malicia tuya, ¡ay! ¡ay de ti! dice el Señor Dios,

**24.** Te construiste lupanares; y te hiciste ramerías en todas las plazas;

**25.** En toda encrucijada de camino pusiste tú la señal de prostitución; y has hecho abominable tu hermosura: y te abandonaste a todo pasajero, y multiplicaste tus fornicaciones, *o idolatrias.*

**26.** Y pecaste con los hijos de Egipto vecinos tuyos, muy corpulentos, *adorando sus innumerables ídolos,* multiplicando así las idolatrías para irritarme.

**27.** He aquí que yo extendí mi mano sobre ti, y te quité tus cosas sagradas, y te abandoné al arbitrio de las hijas *o ciudades* de los Filisteos que te aborrecen, y se avergüenzan de tu malvado proceder.

**28.** Pero tú, aún no estando saciada, has pecado con los hijos de los Asirios, y ni después de tales idolatrias has quedado satisfecha.

**29.** Y multiplicaste tus idolatrías en tierra de Canaán con los Caldeos, y tampoco con esto te saciaste.

**30.** ¿Con qué podré yo limpiar tu corazón, dice el Señor Dios, haciendo tú todas estas cosas propias de una mujer ramera y descarada?

---

CAP. XVI.— 8. *Rut* III, *v.* 9.

19. *Lev.* II, *v.* 11.

**31.** Porque en cada encrucijada de camino o *calle* fabricaste tu burdel, y en toda plaza te hiciste un altar profano; ni fuiste como ramera que con el desdén aumenta el precio;

**32.** Sino como una mujer adúltera, que en vez del propio marido, convida a los extraños.

**33.** A todas las otras rameras se les da paga; mas tú la has dado a todos tus amantes, y les ha-cías regalos, para que de todas partes viniesen a pecar contigo.

**34.** Y ha sucedido en ti lo contrario de aquello que se acostumbra con las mujeres de mala vida; ni habrá después de ti fornicación semejante. Porque en haber tú dado la paga, en lugar de haberla recibido, has hecho todo lo contrario *de lo que se acostumbra.*

**35.** Por tanto ¡oh mujer pecadora! he aquí lo que dice el Señor;

**36.** Así habla el Señor Dios: Pues que has malgastado tu dinero, *prostituyéndote a los ídolos,* y has hecho pública tu ignominia en tus idolatrías con tus amantes y en la sangre de tus hijos, que has ofrecido a los ídolos de tus abominaciones,

**37.** He aquí que yo reuniré a tus amantes, con quienes has pecado, y a todos tus queridos, y a todos los que habías aborrecido, y los reuniré contra ti de todas partes, y delante de ellos descubriré tu ignominia, y verán ellos toda tu torpeza;

**38.** Y te castigaré según las leyes que hay sobre adúlteras y sobre homicidas, y te quitaré la vida lleno de furor y de celos.

**39.** Y te entregaré en poder de ellos, y ellos destruirán tu burdel, y demolerán tu ramería *la ciudad de Jerusalén,* y te desnudarán de tus vestidos, y robarán aquello que te embellecía, y te dejarán desnuda y llena de ignominia;

**40.** Y reunirán contra ti la muchedumbre, y te apedrearán y te atravesarán con sus espadas.

**41.** Y tus casas las entregarán a las llamas, y tomarán justa venganza de ti, a la vista de muchísimas mujeres o *naciones;* y tu cesarás de pecar, y nunca más darás pagas.

---

**42.** Te abandonaré enteramente. *Pena gravísima* (dice S. jerónimo) *es el quedar el hombre abandonado por sus maldades y delitos.* Orígenes dice: *Observa la misericordia, la piedad y la paciencia de nuestro buen Dios: cuando quiere usar con nosotros la piedad dice que se irrita porque el Señor castiga a todo aquel que reconoce por hijo suyo. ¿Quieres oir una voz terrible de Dios? Escucha aquello que dice por Oseas, cap. IV: No castigaré a vuestras hijas cuando pequen, etc.*

**42.** Entonces cesará *también* mi indignación contra ti, y se acabarán los celos que me causaste, y quedaré quieto, y no me irritaré más.

**43.** Por cuanto te olvidaste de los días de tu mocedad, y me provocaste con todas esas cosas; por lo mismo yo también he hecho que recaigan sobre ti los desórdenes de tu vida, dice el Señor Dios; y *aún* no te castigué conforme merecen los delitos de todas tus abominaciones.

**44.** Mira que todo el que profiere aquel proverbio común, te lo aplicará a ti, diciendo: Cual la madre, tal su hija.

**45.** Verdaderamente que tu eres hija de tu madre, que abandonó a su marido y a sus hijos; y hermana eres tú de tus hermanas, que desecharon a sus maridos y a sus hijos: Cetea es tu madre, y Amorreo tu padre.

**46.** Tu hermana mayor es Samaria, con sus hijas, que habitan a tu izquierda; y Sodoma, con sus hijas, que habitan a la derecha, ésa es tu hermana menor.

**47.** Pero tú no solamente no te has quedado atrás en seguir sus caminos e imitar sus maldades; sino que casi has sido más perversa que aquellas en todos tus procederes.

**48.** Juro yo, dice el Señor Dios, que no hizo Sodoma tu hermana, ella y sus hijas, lo que tú y tus hijas habéis hecho.

**49.** He aquí cuál fué la maldad de Sodoma tu hermana: la soberbia, la hartura *o gula,* y la abundancia o lujo, y la ociosidad de ella y de sus hijas, y el no socorrer al necesitado y al héroe.

**50.** Y engriéronse, y cometieron abominaciones delante de mí, y yo las aniquilé, como tú has visto.

**51.** Y no cometió Samaria la mitad de los pecados que has cometido tú; sino que la has sobrepujado en tus maldades, y has hecho que pareciesen justas tus hermanas, a fuerza de tantas abominaciones como has tú cometido.

**52.** Carga, pues, tú también con la ignominia, ya que en pecar has excedido a tus hermanas, obrando con mayor malicia que ellas, pues paragonadas contigo son ellas justas. Por eso confúndete tú también, *y* lleva sobre ti la ignominia tuya, tú *que eres tan perversa* que haces *parecer* buenas a tus hermanas.

**53.** Mas yo las restableceré, haciendo que Sodoma vuelva del cautiverio junto con sus hijas, y haciendo volver del cautiverio a Samaria y las hijas suyas, y junto con ellas haré también volver a tus hijos llevados al cautiverio:

**54.** Para que esto te sirva de ignominia y te llenes de confusión por todo lo que hiciste, y les seas a ellas motivo de consuelo.

**55.** Y tu hermana Sodoma y sus hijas volverán a su antiguo estado, y volverán al antiguo estado Samaria y sus hijas, y tu también y las hijas tuyas volveréis a vuestro primitivo estado.

**56.** Tú ¡oh Jerusalén! en el tiempo de tu fausto jamás te dignaste de tomar en boca a tu hermana Sodoma;

**57.** Antes que se descubriese tu malicia, como lo está ahora, y que tú fueses el escarnio de las hijas, o ciudades, de Siria y de todas las hijas de los Filisteos que tienes alrededor, y te circuye por todos lados.

**58.** Tú has llevado el castigo de tu maldad, y quedado cubierta de ignominia, dice el Señor Dios.

**59.** Porque así habla el Señor Dios: Yo te trataré a ti de este modo; pues que tú despreciaste el juramento, e hiciste nulo el pacto.

**60.** Con todo, yo me acordaré aún del pacto hecho contigo en los días de tu mocedad, y haré revivir contigo la alianza sempiterna.

**61.** Entonces te acordarás tú de tus desórdenes, y te avergonzarás, cuando recibirás contigo a tus hermanas, mayores que tú, juntamente con las menores, y te las haré yo a ti en lugar de hijas; mas no en virtud de la antigua alianza contigo.

**62.** Y renovaré contigo mi alianza, y conocerás que yo soy el Señor:

**63.** A fin de que te acuerdes de tus crímenes, y te confundas, y no te atrevas a abrir la boca de pura verguenza, cuando yo me hubiere aplacado contigo, después de todas tus fechorías, dice el Señor Dios.

## CAPITULO XVII

*Ezequiel por figuras, y después claramente, predice la rebelión de Sedecias rey de Judá contra el rey de Babilonia, acompañada de perjurio contra Dios: de donde se seguiría su cautiverio y la ruina del reino. Pero promete para después el restablecimiento del reino de Israel.*

**1.** Hablóme el Señor, diciendo:

**2.** Hijo de hombre, propón un enigma, y cuenta una parábola a la casa de Israel.

**3.** Diles, pues: Así habla el Señor Dios: Una grande águila, de grandes alas y de miembros muy extendidos, poblada de plu-mas de varios colores, vino al Líbano, o a Judea, y se llevó lo mejor del cedro.

**4.** Arrancó de él los nuevos que despuntaban, y los transportó a la tierra de Canaán, o de los traficantes, y púsolos en una ciudad de grande comercio.

**5.** Y tomó de la semilla de aquella tierra, y sembróla en un campo para que echase sus raíces, junto a una grande abundancia de aguas: sembróla en la superficie.

**6.** Y cuando hubo brotado, creció e hízose una cepa muy lozana, pero de poca elevación; cuyos vástagos se dirigían hacia aquella águila, y debajo de cuya sombra estaban sus raíces; llegó, pues, a ser una parra, y echó mugrones y sarmientos.

**7.** Y vino otra águila grande, de grandes alas y de muchas plumas; y he aquí que aquella parra, como que volvió sus raíces, y extendió sus sarmientos hacia ella, para ser regada con sus fecundos canales.

**8.** Plantada fué aquella vid en buena tierra, y junto a copiosas aguas, para que se dilate frondosa, y dé fruto y llegue a ser una parra grande.

**9.** Les dirás, pues: Así habla el Señor Dios: ¿Que acaso prosperará? ¿No arrancará sus raíces la primera águila, y no destruirá sus frutos, y hará secar todos los sarmientos que había arrojado, de suerte que quede un tronco seco; y eso sin necesidad de gran poder, ni de mucha gente para arrancarla de cuajo?

**10.** Mira, ella es cierto que está plantada; ¿pero acaso prosperará? ¿No es verdad que luego que el viento abrasador la tocare se secará y quedará árida, a pesar de todos los canales que la fecundan?

**11.** Y hablóme el Señor, diciendo:

**12.** Di a esa familia provocadora: ¿No sabéis vosotros lo que esto significa? Mirad, el rey de Babilonia vino a Jerusalén, y se apoderó del rey y de sus príncipes, y se los llevó a su reino, a Babilonia.

**13.** Y tomó uno de la estirpe real, e hizo alianza con él, y recibió de él el juramento de fidelidad; y además sacó del país a los valientes,

**14.** Para que el reino quedase abatido, y no pudiese levantarse, sino que observase y mantuviese el pacto.

**15.** Pero el nuevo rey apartándose de lo pactado, envió mensajeros a Egipto para que lo ayudara con su caballería y muchísima tropa. ¿Acaso prosperará o hallará salvación quien esto hizo? ¿Y el que ha roto la alianza, podrá ponerse en salvo?

**16.** Yo juro, dice el Señor Dios, que en el país del rey que le había puesto sobre el trono, y cuyo juramento quebrantó, violando el pacto que con él había hecho; allí eń medio de Babilonia morirá.

**17.** Y Faraón con su grande ejército y su mucha gente no peleará contra el *enemigo,* cuando éste levantará terraplenes, y formará trincheras para matar mucha gente,

**18.** Por haber despreciado el rey el juramento y violado el pacto, después de haber contraído alianza; pues que todo esto hizo, no se librará.

**19.** Por tanto, esto dice el Señor Dios: Juro yo que por causa del juramento que él despreció, y de la alianza que violó, lo castigaré en su propia persona.

**20.** Y extenderé mi red *barredera* sobre él, y quedará tomado en mis redes, y lo conduciré a Babilonia, y allí lo juzgaré por la prevaricación con que me ha despreciado.

**21.** Y perecerán al filo de la espada todos los fugitivos y todos sus escuadrones, y los que quedaren serán esparcidos por toda la tierra, y conoceréis que yo el Senor he hablado.

**22.** Esto dice el Señor Dios: Yo tomaré de los más escogido del cedro empinado, y lo plantaré: desgajaré de lo alto de sus ramas un tierno ramito, y lo plantaré sobre un monte alto y descollado.

**23.** Sobre el alto monte de Israel lo plantaré, y brotará un pimpollo, y dará fruto, y llegará a ser un grande cedro, debajo del cual hallarán albergue todas las aves, y anidarán a la sombra de sus hojas todas las especies de volátiles.

**24.** Y conocerán todos los árboles del país que yo el Señor humillé al árbol empinado, y ensalcé la humilde planta; y sequé el árbol verde, e hice reverdecer el árbol seco. Yo el Señor lo dije y lo hice.

## CAPITULO XVIII

*Declara el Profeta que Dios juzga a todos con justicia: que aflige al que persevera en sus pecados, o imita los de sus padres, y por el contrario, que perdona a los que se convierten de corazón. Exhorta al pueblo a la penitencia.*

**1.** Háblome nuevamente el Señor, diciendo:

---

**2.** ¿Cómo es que entre vosotros, en tierra de Israel, habéis convertido en proverbio este dicho: Los padres comieron el agraz, y los hijos sufren la dentera?

**3.** Juro yo, dice el Señor Dios, que esta parábola no será ya más para vosotros un proverbio en Israel.

**4.** Porque todas las almas son mías; como es mía el alma del padre, lo es también la del hijo: el alma que pecare, esa morirá.

**5.** Y si un hombre fuere justo, y viviere según derecho y justicia;

**6.** Si no celebrare banquetes en los montes, ni levantare sus ojos hacia los ídolos de la casa de Israel; si no violare la mujer de su prójimo, ni se acercare a *su propia* mujer en el tiempo de su menstruación,

**7.** Y no ofendiere a nadie; si volviere la prenda al deudor; si no tomare nada ajeno a la fuerza; si partiere su pan con el hambriento, y vistiere al desnudo;

**8.** Si no prestare a usura, ni recibiere más de lo prestado, si no obrare la maldad, y sentenciare justamente sin acepcion de personas;

**9.** Si arreglare su proceder a mis mandamientos, y observare mis leyes para obrar rectamente: éste tal es varón justo, y tendrá vida verdadera *y feliz,* dice el Señor Dios.

**10.** Pero si él tiene un hijo, el cual sea ladrón y homicida, o cometa otras maldades;

**11.** Y que lejos de hacer cosa buena, celebre banquetes en los montes *de los idolos, y* viole la mujer de su prójimo;

**12.** Ofenda al desvalido y al pobre, robe lo ajeno, no devuelva la prenda, levante sus ojos hacia los ídolos, cometa abominaciones;

**13.** Dé a usura y reciba más de lo prestado: ¿acaso ése vivirá? No vivirá. Habiendo hecho todas esas cosas tan detestables, morirá sin remedio: su sangre caerá sobre él.

**14.** Y si éste tuviere un hijo, que viendo todos los pecados que su padre ha cometido entrare en temor, y no lo imitare en ellos;

**15.** Si no celebrare banquetes en los montes, ni levantare sus ojos hacia los ídolos de la casa de Israel, y no violare la mujer de su prójimo;

**16.** Si no ofendiere a nadie, ni retuviere la prenda, ni robare lo ajeno; si diere de su pan al hambriento, y vistiere al desnudo;

---

CAP. XVII. —17. Contra Nabucodonosor.

CAP. XVIII. — 6. Consagrados a los ídolos. *Lev.* XX, *v.* 18.

**17.** Si no hiciere ningún agravio al pobre, ni recibiere usura, ni interés; si observare mis leyes, y anduviere según mis preceptos; este tal no morirá por causa de la iniquidad de su padre; sino que vivirá felizmente.

**18.** Su padre. por haber sido un caluminador y opresor de su prójimo, y por haber obrado la maldad en medio de su pueblo, murió en pena de su iniquidad.

**19.** Y vosotros decías: ¿Por qué motivo no ha pagado el hijo *la pena de* la iniquidad de su padre? Por esto, porque el hijo ha obrado según la ley y según la justicia; él ha observado todos mis mandamientos. y los ha cumplido; y por lo mismo tendrá vida verdadera *y feliz.*

**20.** El alma que pecare, esa morirá: no pagará el hijo *la pena de* la maldad de su padre, ni el padre *la de* la maldad de su hijo: la justicia del justo sobre él recaerá, y la piedad del impío sobre él caerá.

**21.** Pero si el impío hiciere penitencia de todos sus pecados que ha cometido, y observare todos mis preceptos, y obrare según derecho y justicia, tendrá vida verdadera, y no morirá.

**22.** De todas cuantas maldades haya él cometido, yo no me acordaré más: él hallará vida en la virtud que ha practicado.

**23.** ¿Acaso quiero yo la muerte del impío, dice el Señor Dios: y no antes bien que se convierta de su mal proceder, y viva?

**24.** Pero si el justo se desviare de su justicia, y cometiere la maldad según las abominaciones que suele hacer el impío, ¿por ventura tendrá él vida? Todas cuantas obras buenas había él hecho, se echarán en olvido; por la prevaricación en que ha caído y por el pecado que ha cometido, por eso morirá.

**25.** Y vosotros habéis dicho: La conducta que observa el Señor no es justa. Escuchad, pues, oh hijos de Israel: ¿Acaso es el proceder mío el que no es justo, y no son más bien perversos vuestros procederes?

**26.** Porque cuando el justo se desviare de su justicia y pecare, por ello morirá: morirá por la injusticia que obró:

**27.** Y si el impío se apartare de la impiedad que obró, y procediere con rectitud y justicia, dará él mismo la vida a su alma;

**28.** Porque si él entra otra vez en sí mismo, y se aparta de todas las iniquidades que ha cometido, tendrá verdadera vida y no morirá.

**29.** Y dicen los hijos de Israel: No es justa la conducta que tiene el Señor. ¿Acaso es la conducta mía la que no es justa ¡oh casa de Israel! y no son antes bien depravados vuestros procederes?

**30.** Por tanto, yo juzgaré, dice el Señor Dios ¡oh casa de Israel! a cada cual según sus obras. Convertíos y haced penitencia de todas vuestras. maldades; y no serán éstas causa de vuestra perdición.

**31.** Arrojad lejos de vosotros todas vuestras prevaricaciones que habéis cometido, y formaos un corazón nuevo y un nuevo espíritu. ¿Y por qué has de morir, oh casa de Israel?

**32.** Y pues que yo no deseo la muerte de aquel que muere, dice el Señor Dios, convertíos y viviréis.

## CAPITULO XIX

*Con la parábola de la leona de los leoncillos representa los pecados y castigo de reyes de Judá: y bajo el símbolo de la viña llora las calamidades de Jerusalén.*

**1.** Tú, empero, ponte a endechar por los príncipes de Israel,

**2.** Y dirás: ¿Por qué vuestra madre, como una leona, habitó entre leones, y crió sus cachorros en medio de los leoncillos?

**3.** Y ensalzó a uno de los leoncillos, el cual se hizo león, y aprendió a arrebatar la presa y a devorar hombres.

**4.** Y corrió su fama por entre las gentes; y éstas, no sin recibir de *él muchas* heridas, le cogieron y lleváronle encadenado a tierra de Egipto.

**5.** Mas élla, *la leona,* viéndose privada de su apoyo, y que había salido fallida su esperanza, cogió a otro de sus leoncillos, del cual formó un *nuevo* león.

**6.** Andaba éste entre los *otros* leones, e hízose león, y aprendió a arrebatar la presa y a devorar hombres;

**7.** Aprendió a dejar viudas las mujeres y a convertir en desierto las ciudades; y al estruendo de sus rugidos quedó desolado todo el país.

**8.** Y reuniéronse contra él las gentes de todas las provincias, y le tendieron el lazo, y lo cogieron, saliendo ellas heridas.

---

CAP. XIX. — 2. Tal vez alude a lo que se dice de Judá en el Génesis, *cap.* XLIX, *v.* 9.

3. Se habla aquí de Joacaz (*llamado también Sellum. Jer.* XXII, *v.* 11) uno de los hijos del rey Josías. IV *Reg.* XXIII, *v.* 33.

9. Y lo metieron en una jaula, y lo condujeron encadenado al rey de Babilonia; y encerráronle en una cárcel, para que se oyese más su voz sobre los montes de Israel.

10. Vuestra madre, como una vid de vuestra sangre o estirpe, ha sido plantada junto al agua; por la abundancia de agua crecieron sus frutos y sarmientos.

11. Y sus fuertes varas vinieron a ser cetros de soberanos, y elevóse su tronco en medio de las ramas; y vióse ensalzada con la muchedumbre de sus sarmientos.

12. Mas élla fué arrancada con ira, y echada por tierra, y un viento abrasador secó sus frutos; marchitáronse y secáronse sus robustas varas, y el fuego la devoró.

13. Y ahora ha sido trasplantada a un desierto, en una tierra árida e inaccesible.

14. Y de una vara de sus ramas salió un fuego que devoró sus frutos; sin que quedara en ella una vara fuerte para servir de cetro a los soberanos. Cántico lúgubre es éste, y para llanto servirá.

## CAPITULO XX

*El Señor echa en cara a los Israelitas su infidelidad e ingratitudes desde la salida de Egipto, y les intima el castigo. Pero promete sacarlos después de la cautividad y volverlos a su país. Profecía contra Judá al cual llama bosque del Mediodía.*

1. Y sucedió que en el año séptimo, en el quinto mes, a diez días del mes, vinieron algunos de los ancianos de Israel a consultar al Señor, y sentáronse en frente de mí.

2. Y hablóme el Señor, diciendo:

3. Hijo de hombre, habla a los ancianos de Israel, y les dirás: Esto dice el Señor Dios: ¿Y vosotros venís a consultarme? Yo os juro que no os daré ninguna respuesta, dice el Señor Dios.

4. Júzgalos a estos tales ¡oh hijo de hombre! júzgalos; muéstrales las abominaciones de sus padres.

5. Y les dirás: Así habla el Señor Dios: El día en que escogí yo a Israel, y extendí mi mano a favor de los de la casa de Jacob, y me manifesté a ellos en la tierra de Egipto, y levanté mi mano para protegerlos, diciendo: *Yo seré* el Señor Dios vuestro:

6. En aquel día empleé mi poder para sacarlos de la tierra de Egipto, a una tierra que yo le tenía destinada, la cual mana leche y miel, tierra la más excelente de todas.

7. Y díjeles: Arroje fuera cada uno aquello que fascina sus ojos, y no os contaminéis con los ídolos de Egipto. Yo soy el Señor Dios vuestro.

8. Ellos, empero, me irritaron, y no quisieron escucharme: ninguno de ellos apartó de sí lo que fascinaba sus ojos, ni abandonó los ídolos de Egipto. Entonces dije yo que derramaria sobre ellos mi indignación, y desahogaría en ellos mi cólera en medio de la tierra de Egipto.

9. Pero *no lo hice, y* antes bien los saqué de la tierra de Egipto, para que mi Nombre no se viese vilipendiado entre las naciones, en medio de las cuales vivían, y entre las que les aparecí yo.

10. Los saqué, pues, de la tierra de Egipto, y los conduje al Desierto.

11. Les di en seguida mis mandamientos, y les enseñé mis leyes, en cuya observancia el hombre hallará la vida.

12. Además les instituí mis sábados o *solemnidades,* para que fuesen una señal entre mí y ellos, y conociesen que yo soy el Señor que los santifica.

13. Pero los hijos de la casa de Israel me provocaron a ira en el desierto, no se condujeron según mis mandamientos, y despreciaron mis leyes, que dan vida al que las observa, y violaron sobre manera mis sábados. Resolví, pues, derramar sobre ellos mi indignación en el Desierto, y destruirlos.

14. Mas por amor de mi Nombre hice de manera que no fuese vilipendiado entre las naciones, de entre las cuales, y a vista de las mismas, los había sacado *de Egipto.*

15. Yo también alcé mi mano contra ellos en el Desierto, jurándoles que no los introduciría en la tierra que les di, tierra que mana leche y miel, la más excelente de todas las tierras;

16. Porque habían despreciado mis leyes y no vivieron segun mis mandamientos, y profanaron mis sábados: pues que su corazón se iba tras de los ídolos.

17. Pero los miré con ojos de misericordia y no les quité la vida, ni acabé con ellos en el Desierto;

18. Antes bien dije yo allí a sus hijos: No sigáis los ejemplos de vuestros padres, ni imitéis su conducta, ni os contaminéis con sus ídolos.

19. Yo soy el Señor Dios vuestro: seguid mis mandamientos, observad mis leyes, y ponedlas en práctica;

**20.** Y santificad mis sábados para que sean un recuerdo entre mí y vosotros, y sepáis que yo soy el Señor Dios vuestro.

**21.** Pero sus hijos me exasperaron, no anduvieron según sus preceptos, ni observaron mis leyes ni practicaron aquellas cosas en que el hombre halla la vida, y violaron mis sábados: por lo que les amenacé que derramaría mi indignación sobre ellos, y que desfogaría en ellos mi cólera en el Desierto.

**22.** Pero contuve *otra vez* mi mano, y esto por amor de mi Nombre, para que no fuese profanado delante de las naciones, de entre las cuales, y a la vista de las mismas, los había yo sacado.

**23.** Nuevamente los amenacé en el Desierto que los esparciría entre las naciones, y los dispersaría por toda la tierra,

**24.** Por no haber observado mis leyes, y haber despreciado mis mandamientos, y profanado mis sábados y por haber vuelto a poner sus ojos en los ídolos de sus padres.

**25.** Por esto, pues, les di *en castigo* preceptos no buenos, *o imperfectos,* y leyes en las cuales no hallarán la vida.

**26.** Y los traté como inmundos en sus oblaciones, cuando por sus pecados ofrecían sus primogénitos; con lo que conocerán que yo soy el Señor.

**27.** Por este motivo, habla tú ¡oh hijo de hombre! a la casa de Israel, y le dirás: Esto dice el Señor Dios: Aun después de éstos blasfemaron de mí vuestros padres, deshonrándome y vilipendiándome;

**28.** Pues habiéndolos yo llevado a la tierra que con juramento había prometido darles, pusieron los ojos en todo collado elevado y en todo árbol frondoso, y se fueron a inmolar allí sus víctimas, y a presentar allí sus ofrendas para irritarme, y allí quemaron suaves perfumes e hicieron libaciones.

**29.** Y díjeles yo *entonces:* ¿Qué viene a ser esa altura *o collado* a donde vais? Y el nombre de Altura le ha quedado hasta el día de hoy.

**30.** Por tanto di a la casa de Israel: Esto dice el Señor Dios: Ciertamente que vosotros os contamináis siguiendo la conducta de vuestros padres, y os entregáis a la misma fornicación *o idolatría* que ellos.

**31.** Y con la ofrenda de vuestros dones *a Moloc,* cuando hacéis pasar por el fuego a vuestros hijos, os contamináis en gracia de todos vuestros ídolos hasta el día de hoy.

Y *después de esto,* ¿queréis que yo os responda, oh hijos de Israel? Juro yo, dice el Señor Dios, que no os responderé.

**32.** Ni se efectuará lo que pensáis en vuestro corazón, diciendo: Adorando los leños y las piedras seremos nosotros *felices* como las naciones y pueblos de la tierra.

**33.** Yo os juro, dice el Señor, que dominaré sobre vosotros con mano pesada y con brazo extendido, derramando todo mi furor.

**34.** Y os sacaré de los pueblos, y os reuniré de los países por donde habéis sido dispersados, y dominaré sobre vosotros con mano pesada y con brazo extendido, derramando todo mi furor.

**35.** Y os conduciré a un desierto *o país* despoblado, y allí entraré en juicio con vosotros, cara a cara.

**36.** Como disputé en juicio contra vuestros padres allá en el desierto de la tierra de Egipto, así entraré en juicio con vosotros, dice el Señor Dios.

**37.** Y os someteré a mi cetro, y os haré entrar en los lazos de mi alianza.

**38.** Y entresacaré de en medio de vosotros los transgresores y los impíos, y los sacaré de la tierra en que habitan; pero no entrarán en la tierra de Israel: y conoceréis que yo soy el Señor.

**39.** A vosotros, empero, los de la familia de Israel, esto dice el Señor Dios: Váyase cada cual de vosotros en pos de vuestros ídolos, y dedíquese *enhorabuena* a su servicio. Que si ni con esto me escucháis, y siguiereis profanando mi santo Nombre con vuestras ofrendas y con vuestros ídolos;

**40.** *Yo sé que* sobre mi santo monte sobre el excelso monte de Israel, dice el Señor, allí me servirán *algún día* todos los de la familia de Israel; todos, digo, en aquella tierra, en la cual me serán gratos, y donde estimaré yo vuestras primicias y la ofrenda de vuestros diezmos, con *todos los actos de* vuestro culto sagrado.

**41.** Como suavísimo timiama, así me seréis agradables, cuando os habré sacado de entre las naciones, y os habré recogido de todas las regiones, por las cuales estáis dispersos; y se hará manifiesta en vosotros mi santidad a los ojos de las naciones.

**42.** Y conoceréis que yo soy el Señor, cuando os habré llevado a la tierra de Israel, a la tierra que yo juré que daría a vuestros padres.

**43.** Y allí os acordaréis de vuestros procederes, y de todas vuestras maldades, con las cuales os contaminasteis; y os incomodará la vista de vosotros mismos, por razón de todas las maldades que habéis cometido.

**44.** Y conoceréis, oh vosotros de la casa de Israel, que yo soy el Señor, cuando os colmaré de bienes por amor de mi Nombre, y no os trataré según vuestros malos procederes, ni según vuestras detestables maldades, dice el Señor Dios.

**45.** Y hablóme el Señor, diciendo:

**46.** Hijo de hombre, vuelve tu rostro hacia el Mediodía, y dirige tu palabra hacia el lado que viene ábrego, y vaticina contra el bosque de la campiña del Mediodía.

**47.** Y dirás al bosque del Mediodía: Escucha la palabra del Señor: Esto dice el Señor Dios: Mira, yo pondré en ti fuego y abrasaré todos tus árboles, los verdes y los secos: no se apagará la llama del incendio, y arderá toda su superficie desde el Mediodía hasta el Norte.

**48.** Y conocerán todos los hombres que yo el Señor he puesto el fuego; y éste no se apagara.

**49.** Y dije yo: ¡ Ah, ah, ah, Señor Dios! esto dicen ellos de mí: ¿Acaso no son parábolas *oscuras* lo que éste profiere?

## CAPITULO XXI

*Vaticinio de la destrucción de Jerusalén, y lamentos del Profeta. Profecía contra los Ammonitas y Caldeos.*

**1.** Y hablóme el Señor, diciendo:

**2.** Hijo de hombre, vuelve tu rostro hacia Jerusalén, y habla contra los santuarios, *o el templo,* y profetiza contra la tierra de Israel.

**3.** Y dirás a la tierra de Israel: Esto dice el Señor Dios: Mira que yo vengo contra ti, y desenvainaré mi espada, y mataré en ti al justo y al impío.

**4.** Y por cuanto he de matar en ti al justo y al impío, por eso saldrá mi espada de su vaina contra todo hombre, desde el Mediodía hasta el Septentrión,

**5.** A fin de que sepan todos que yo el Señor he desenvainado mi irresistible espada.

**6.** Pero tú, hijo de hombre, gime como quien tiene quebrantados sus lomos, y gime en la amargura de tu corazón, a vista de éstos.

**7.** Y cuando te preguntaren: ¿Por qué gimes? responderás: Por la nueva que corre: porque viene *el enemigo,* y desmayarán todos los corazones, y desfallecerán todos los brazos, y decaerán los ánimos de todos, y todas las rodillas darán una contra otra de puro miedo: he aquí que llega *tu ruina,* y se efectuará, dice el Señor Dios.

**8.** Y hablóme el Señor diciendo:

**9.** Profetiza ¡oh hijo de hombre! y di: Esto dice el Señor Dios: Di: La espada, la espada está aguzada y bruñida.

**10.** Está aguzada para degollar las víctimas, y bruñida a fin de que reluzca: *¡oh espada!* tú que abates el cetro de mi hijo, tú cortarás cualquier otro árbol.

**11.** Yo la di a afilar para tenerla a la mano; aguzada ha sido esta espada, acicalada ha sido ella para que la empuñe el matador.

**12.** Grita y aúlla ¡oh hijo de hombre! porque esta *espada* se ha empleado contra el pueblo mío, contra todos los caudillos de Israel que habían huído: entregados han sido al filo de la espada, junto con mi pueblo; date, pues, con tu mano golpes en el muslo.

**13.** Porque espada es ésta probada ya; y *se verá* cuando habrá destruído el cetro *de Judá,* el cual no existirá más, dice el Señor Dios.

**14.** Tú, pues, ¡oh hijo de hombre! vaticina, y bate una mano con otra: y redóblese y triplíquese *el furor de* la espada homicida; ésta es la espada de la grande mortandad, que hará quedar atónitos a todos,

**15.** Y desmayar de ánimos, y multiplicará los estragos. A todas sus puertas he llevado yo el terror de la espada aguda y bruñida, a fin de que brille, y esté pronta para dar la muerte.

**16.** Agúzate ¡oh espada! ve a la diestra o a la siniestra, ve a donde gustes.

**17.** Lo aplaudiré yo también con palmadas, y se saciará mi indignación. Yo el Señor soy el que he hablado.

**18.** Hablóme de nuevo el Señor diciendo:

**19.** Y tú, hijo de hombre, diséñate dos caminos, por los cuales pueda venir la espada del rey de Babilonia; ambos saldrán de un mismo punto; y al principio del *doble* camino el rey con su misma mano sacará por suerte una ciudad.

---

CAP. XXI. — 6. Esto es, de los Ancianos de quienes se habla en el *cap.* XX, *v.* 1.

---

11. Rey de Babilonia.

**20.** Señalará, *pues,* un camino por el cual la espada vaya a Rabbat, *capital* de los Ammonitas, y otro por el cual vaya a Judá, a la fortificadísima Jerusalén.

**21.** Porque el rey de Babilonia se parará en la crucijada, al principio de los dos caminos, buscando el adivinar por medio de la mezcla de las saetas; *además* preguntará a los ídolos y consultará las entrañas de los animales.

**22.** La adivinación le conducirá a la derecha contra Jerusalén, a fin de que vaya a batirla con arietes, para que intime la muerte, para que alce la voz con aullidos, para que dirija los arietes contra las puertas, y forme terraplenes, y construya fortines.

**23.** Y parecerá a la vista de ellos, *los Judíos,* como si aquel rey hubiese en vano consultado el oráculo; y como si celebrase el descanso del sábado. El, *Nabucodonosor,* empero, tendrá presente la perfidia *de los Judíos,* y tomará la ciudad.

**24.** Por tanto esto dice el Señor Dios: Porque habéis hecho alarde de vuestra perfidia, y habéis hecho públicas vuestras prevaricaciones, y en todos vuestros designios habéis hecho patentes vuestros pecados: ya que, repito, os habéis jactado de eso, seréis cautivados.

**25.** Mas tú ¡oh profano e impío caudillo de Israel ! para quien ha llegado el día señalado *del castigo de tu* iniquidad;

**26.** Esto dice el Señor Dios: Depón la diadema, quítate la corona: ¿no es esa *corona* la que *a su arbitrio* ensalzó al *hombre* vil, y abatió al varón grande?

**27.** Yo haré manifiesta la iniquidad, su iniquidad, la iniquidad de él; mas esto no sucederá hasta tanto que venga aquel cuyo es el juicio *o reino;* y a él daré yo esa *corona.*

**28.** Y tú ¡oh hijo de hombre! profetiza, y di: Esto dice el Señor Dios acerca de los hijos de Ammón, y de sus insultos *contra Israel;* y dirás tú: ¡Espada, espada! sal de la vaina para degollar: afílate para dar la muerte y relumbrar,

**29.** En la ocasión en que *tus adivinos ¡oh Ammón!* te anuncien cosas vanas y mentirosas adivinaciones, a fin de que estés pronta, y descargues tus golpes sobre los cuellos de los impíos *Ammonitas,* a quienes llegó el plazo señalado para *el castigo de* su maldad.

**30.** Y *después* vuélvete a tu vaina. En el lugar donde fuiste formada, en la *Caldea* tierra de tu nacimiento, *allí* te juzgaré,

**31.** Y derramaré sobre ti la indignación mía; soplaré contra ti en *la fragua de* mi encendido furor, y te entregaré en manos de hombres insensatos y fraguadores de desastres.

**32.** Servirás ¡oh *Caldeo!* de cebo al fuego; *despreciada* se verá por el suelo la sangre tuya, y serás entregado a *perpetuo* olvido: porque yo el Señor he hablado.

## CAPITULO XXII

*Maldades de Jerusalén. Pecados de los sacerdotes, de los príncipes, de los falsos profetas y de todo el pueblo. No se ha hallado nadie para calmar la indignación del Señor.*

**1.** Hablóme el Señor nuevamente, diciendo:

**2.** Y tú, ¡oh hijo de hombre! ¿por ventura no juzgarás tú, no condenarás a esa ciudad sanguinaria?

**3.** ¿No le harás ver todas sus abominaciones? Tú le dirás, pues: Esto dice el Señor Dios: He aquí la ciudad que a vista de todos derrama la sangre *inocente,* a fin de que llegue el tiempo *de su castigo;* y la que se fabricó ídolos, con que se contaminó para su propia ruina.

**4.** Tú has pecado, derramando la sangre, y te has contaminado con los ídolos que fabricaste, y has acelerado el tiempo *de tu castigo,* y hecho llegar el fin de tus años. Por este motivo te he hecho el oprobio de las naciones y el escarnio de toda tierra.

**5.** De ti triunfarán, *y harán mofa* los que están cerca de ti y los que están lejos ¡oh *ciudad* infame, famosa y grande por tu desolación!

**6.** Mira cómo los príncipes de Israel se han ocupado, cada uno según su poder, en derramar sangre en medio de ti.

**7.** En medio de ti ultrajaron al padre y a la madre, calumniaron en ti al extranjero, y en tu recinto han afligido al huérfano y a la viuda.

**8.** Vosotros despreciasteis mis santuarios, y violasteis mis sábados.

**9.** En medio de ti tienes tú hombres calumniadores para derramar sangre, y dentro de ti se celebraron banquetes *idolátricos* sobre los montes; en medio de ti han cometido las maldades.

---

**27.** S. Jerónimo lee: *fiet, donec veniat* donde la Vulgata dice *factum est, etc.* — O el reinar sobre todos los hombres. Profecía del *Mesías* semejante a la que hizo Jacob. *Gen.* XLIX, *v.* 10; *Joann.* V, *v.* 22.

10. Dentro de ti se han cometido incestos con la mujer del propio padre; y en ti no se ha respetado la mujer durante su menstruación.

11. Cada uno de esos hombres hizo en ti cosas abominables con la mujer de su prójimo, y el suegro violó feamente a su nuera, e hizo el hermano violencia a su hermana, a la hija de su propio padre.

12. En ti se recibieron regalos para hacer derramar sangre; tú has sido usurera y logrera; y por avaricia calumniabas a tus prójimos; y a mí, dice el Señor Dios, me echaste en olvido.

13. Por eso batí yo mis manos, *en señal de horror,* al ver tu avaricia y la sangre derramada en medio de ti.

14. ¿Por ventura podrá mantenerse firme tu corazón, o serán bastante robustos tus brazos en los días *de quebranto* que yo te preparo? Yo el Señor lo dije, y lo haré:

15. Yo te esparciré entre las naciones, y te desparramaré por todo el mundo, y pondré fin a tus abominaciones.

16. Y *después* tomaré *otra vez* posesión de ti, a la vista de las gentes, y sabrás que yo soy el Señor.

17. Y hablóme el Señor, diciendo:

18. Hijo de hombre, la casa de Israel se me ha convertido en escoria: cobre, y estaño, y hierro, y plomo, son todos éstos *de Israel* en medio del crisol; escoria de plata han venido a ser.

19. Por lo cual esto dice el Señor Dios: Por cuanto todos habéis venido a ser *no más que* escoria, por eso he aquí que yo os reuniré en medio de Jerusalén,

20. Como quien junta plata, y cobre, y estaño, y hierro, y plomo en medio de la fragua, y enciende fuego debajo de ella para fundirlos. Así yo os recogeré lleno de furor e ira, y allí os dejaré, y os derretiré.

21. Os congregaré, y os abrasaré con el fuego de mi furor; y en medio de él os derretiré.

22. Como se funde la plata en medio del horno, así vosotros lo seréis en medio de Jerusalén; y conoceréis que yo soy el Señor cuando habré derramado sobre vosotros la indignación mía.

23. Y hablóme el Señor diciendo:

24. Hijo de hombre, dile a ella, *a Jerusalén:* Tú eres una tierra inmunda, y no humedecida con lluvia *y rocío del cielo,* en el día de *mi ira.*

25. En medio de ella hay una conjuración de *falsos* profetas: como león rugiente que arrebata la presa, así han devorado las almas, han recibido ricas pagas, y han aumentado en ellas las viudas.

26. Sus sacerdotes han despreciado mi ley, han contaminado mis santuarios: no han sabido hacer diferencia entre lo sagrado y lo profano, ni distinguir entre lo inmundo y lo puro, y no hicieron caso de mis sábados, y he sido yo deshonrado en medio de ellos.

27. Sus príncipes están en medio de ella como lobos para arrebatar la presa, para derramar sangre, y destruir vidas, y buscar usuras para pábulo de su avaricia.

28. Y sus profetas revocaron sin la mezcla necesaria, adulando al pueblo con falsas visiones y mentirosos vaticinios, diciendo: Esto dice el Señor Dios: siendo así que el Señor no había hablado.

29. Las gentes de esta tierra forjaban calumnias, y robaban con violencia lo ajeno, afligían al necesitado y al pobre, y oprimían al extranjero con imposturas e injusticias.

30. Y busqué entre ellos un varón *justo* que se interpusiese *entre mí y el pueblo* como un vallado, y pugnase contra mí a favor de la tierra, para que yo no la destruyere; mas no hallé ninguno.

31. En vista de todo esto, derramaré sobre ellos la indignación mía: los consumiré con el fuego de mi furor; y haré caer sobre su cabeza *el castigo de* sus *malas* obras, dice el Señor Dios.

## CAPITULO XXIII

*Con la alegoría de dos rameras se describe la torpe idolatría de Jerusalén y de Samaria, por la cual serán entregadas en poder de los gentiles para su total ruina.*

1. Hablóme el Señor nuevamente, diciendo:

2. Hijo de hombre: hubo dos mujeres hijas de una misma madre,

3. Las cuales se prostituyeron estando en Egipto; se prostituyeron en su mocedad; allí perdieron su honor, y fueron desfloradas al entrar en la pubertad.

4. Llamábanse, la mayor Oolla, y la hermana menor Ooliba. Me desposé yo con

---

ellas, y parieron hijos e hijas. Por lo que hace a sus nombres, Oolla es Samaria, Ooliba es Jerusalén.

5. Oolla, pues, me fué infiel, y perdió el juicio yéndose tras de sus amantes, los Asirios sus vecinos,

6. Que estaban vestidos de jacinto, *o púrpura,* y eran grandes señores, y de altos destinos, jóvenes amables, caballeros todos que montaban *briosos* caballos.

7. Y se prostituyó *descaradamente* a todos estos hombres que ella se escogió, todos Asirios: y contaminóse con las inmundicias de todos ellos, en el amor de los cuales había enloquecido.

8. Además de lo dicho, no abandonó las malas costumbres que había tenido en Egipto; porque también los Egipcios durmieron con ella en su mocedad, y deshonraron su pubertad, y le comunicaron todas sus fornicaciones, *o maneras de idolatría*

9. Por *todo* lo cual la entregué en poder de sus amantes, en poder de los Asirios, a quienes había amado con furor.

10. Estos la llenaron de ignominia, le quitaron sus hijos e hijas, y la pasaron a cuchillo, con lo cual *Samaria y sus hijas* se hicieron mujeres famosas por el castigo que se hizo de ellas.

11. Habiendo visto esto su hermana Ooliba, enloqueció de lujuria aún más que la otra; y se prostituyó con más furor que su hermana.

12. Abandonóse descaradamente a los Asirios, a los capitanes y a los magistrados, que venían a encontrarla, vestidos de varios colores, a caballeros montados en sus caballos, y a jóvenes, que eran todos de extraordinaria belleza.

13. Y conocí que ambas hermanas tenían las mismas brutales pasiones.

14. Pero Ooliba fué siempre aumentando su prostitución: y habiendo visto unos hombres pintados en la pared, imágenes de Caldeos, hechas con colorido,

15. Los cuales tenían los lomos ceñidos con talabartes, y sus cabezas con tiaras *o turbantes* de varios colores, que todos parecían capitanes *o generales,* y representados como los hijos de Babilonia y de la tierra de los Caldeos, de donde eran naturales,

16. Esta vista la hizo enloquecer de amor hacia ellos, y les envió mensajeros a la Caldea.

17. Y habiendo venido los hijos de Babilonia, y sido admitidos en su tálamo, la deshonraron con sus deshonestidades, y

quedó contaminada y bien harta de ellos.

18. No se recató Ooliba de sus prostituciones, sino que hizo pública su ignominia; por lo que abominó de ella el alma mía, como había abominado de su hermana.

19. Pues aumentó sus prostituciones recordando la memoria del tiempo de su mocedad, cuando ella pecaba en la tierra de Egipto.

20. Y ardió en amor infame hacia aquéllos, cuyas carnes son como carnes de asnos, y su furor como el furor de los caballos.

21. Y recordaste las maldades de tu mocedad, cuando perdiste tu honor en Egipto, y fué violada tu pubertad.

22. Por tanto ¡oh Ooliba! esto dice el Señor Dios: He aquí que yo levantaré contra ti a todos tus amantes, de los cuales esté ya harta tu alma, y los reuniré contra ti de todas partes;

23. *Reuniré, digo,* a los hijos de Babilonia, y a todos los Caldeos, los nobles, y señores, y príncipes; a todos los hijos de los Asirios, jóvenes gallardos, a todos los capitanes, y magistrados, y príncipes de príncipes, y famosos jinetes.

24. Y vendrá contra ti una muchedumbre de pueblos pertrechados de carros de guerra, y de carrozas; en todas partes se armarán contra ti de corazas, y de escudos, y de morriones, y yo les daré potestad para juzgarte, y te juzgarán según sus leyes.

25. Con esto tomaré yo venganza en ti de mi amor ofendido; la cual ejecutarán ellos sin misericordia: te cortarán *ignominiosamente* la nariz y orejas, y el resto lo destrozarán con la espada; se llevarán cautivos a tus hijos e hijas; y cuanto quedare de ti lo consumirá el fuego.

26. Y te despojarán de tus vestidos, y te quitarán las galas de tu adorno.

27. Y *así* haré que cesen tus maldades y las prostituciones *aprendidas* en tierra de Egipto; no levantarás tus ojos hacia los ídolos; ni te acordarás más de Egipto.

28. Porque esto dice el Señor Dios: He aquí que yo te entregaré en poder de aquellos que tú aborreciste, en poder de aquellos de quienes se hartó tu alma.

29. Y te tratarán con odio, y te robarán todos tus sudores, y te dejarán desnuda y llena de ignominia; y se hará patente la infamia de tus prostituciones, tu maldad y tus adulterios.

30. Así te tratarán, porque imitaste los pecados de las naciones, entre las cuales te contaminaste adorando sus ídolos.

**31.** Seguiste los pasos de tu hermana y te castigaré a ti del mismo modo que a élla.

**32.** Esto dice el Señor Dios: Beberás el cáliz que bebió tu hermana, cáliz profundo y ancho; objeto serás de befa y de escarnio: porque grandísimo es el cáliz.

**33.** Embriagada quedarás y llena de dolor *al beber* el cáliz de aflicción y de amargura, el cáliz que bebió tu hermana Samaria.

**34.** Y lo beberás, y apurarás hasta sus heces y morderás sus tiestos, y te despedazarás el pecho: porque yo he hablado, dice el Señor Dios.

**35.** Por tanto, esto dice el Señor Dios: Porque te has olvidado de mí y me has vuelto las espaldas, por lo mismo lleva tú también sobre ti *la pena de* tus maldades y prostituciones.

**36.** Y hablóme el Señor, diciendo: Hijo de hombre, ¿qué, no juzgas tú a Oolla y a Ooliba, ni les echas en cara sus delitos?

**37.** Pues son ellas unas adúlteras y sanguinarias, y se han contaminado con su ídolos; y además les han ofrecido para ser devorados *por el fuego* los hijos que yo había tenido en ellas.

**38.** Y aún han hecho más contra mí: profanaron en aquel tiempo mi Santuario, y violaron mis sábados.

**39.** Pues el día mismo que inmolaban sus propios hijos a los ídolos, venían a mi Santuario para profanarlo: y cometían estas maldades dentro de mi *mismo* templo.

**40.** Ellas enviaron mensajeros a buscar gentes que viven lejos: cuando llegaron, te lavaste ¡oh *infiel esposa!* y pintaste con alcohol tus ojos, y te adornaste con todas tus galas.

**41.** Te has recostado sobre un hermosísimo lecho o *triclinio* y se te puso delante la mesa preparada *para el banquete,* sobre la cual pusiste mi incienso y mis perfumes,

**42.** Y en cuyo alrededor *se oía* la algazara de gentes que se alegraban; y aquellos hombres *extranjeros,* que eran conducidos entre la muchedumbre de gentes, y venían de la parte del desierto, les pusieron ellas sus brazaletes en las manos, y hermosas coronas sobre sus cabezas.

**43.** Y dije yo con respecto a aquella que está envejecida en sus adulterios: Todavía continuará ésta en sus prostituciones.

**44.** Porque a ella acudía la gente, como a una pública ramera. De esta suerte iban *todos* a Oolla y a Ooliba, mujeres nefandas.

**45.** Justo es, pues, lo que ejecutan estos hombres, *los Caldeos,* estos las condenarán a la pena debida a las adúlteras y a la pena debida a los sanguinarios, pues ellas adúlteras son, y han ensangrentado sus manos.

**46.** Porque esto dice el Señor Dios: Conduce contra ellas el ejército, y abandónalas al terror y a la rapiña;

**47.** Y sean apedreadas por los pueblos, y traspasadas con espadas; maten a los hijos e hijas de ellas, y peguen fuego a sus casas.

**48.** Y yo quitaré de la tierra las maldades, y aprenderán todas las mujeres o *ciudades* a no imitar la maldad de aquellas *dos.*

**49.** *La pena de* vuestras maldades descargará sobre vuestras cabezas, y pagaréis los pecados de vuestras idolatrías: y conoceréis que yo soy el Señor Dios.

## CAPITULO XXIV

*Ezequiel, bajo la figura de una olla llena de carnes puesta al fuego, declara el sitio e incendio de Jerusalén. Muere la esposa del Profeta, y Dios le prohibe el hacer duelo.*

**1.** Hablóme el Señor en el año nono *del cautiverio,* en el mes décimo, a diez del mes, diciendo:

**2.** Hijo de hombre: Ten presente este día; porque hoy el rey de Babilonia ha sentado sus reales delante de Jerusalén

**3.** Y hablarás a esa familia de rebeldes de un modo alegórico, y les propondrás esta parábola. Esto dice el Señor Dios: Toma una olla o *caldera,* tómala, te digo yo, y echa agua en ella.

**4.** Mete dentro pedazos de carne, todos escogidos, pierna y espalda, las partes mejores y donde están los huesos.

**5.** Toma la res más gorda, y pon además un montón de huesos debajo de la olla: haz que hierva a borbollones, y se cuezan también los huesos que hay dentro de élla.

**6.** Pues esto dice el Señor Dios: ¡Ay de la ciudad sanguinaria! olla que está toda llena de sarro, sin que el sarro se haya quitado de ella: saca fuera *la carne de* porción en porción; no se dé lugar a la suerte.

**7.** Porque en medio de ella está la sangre *inocente* que ha derramado: sobre muy limpias piedras la derramó; no la derramó sobre la tierra, de modo que se pueda cubrir con el polvo.

**8.** Para hacer yo caer sobre ella la indignación mía y tomar venganza de élla, derramaré *también* su sangre sobre limpísimas piedras, a fin de que quede manifiesta.

**9.** Por tanto, esto dice el Señor Dios: ¡Ay de la ciudad sanguinaria, a la cual convertiré yo en una grande hoguera!

**10.** Amontona huesos, que yo les daré fuego: se consumirán las carnes, y se deshará todo cuanto contiene la olla, y los huesos se disolverán.

**11.** Después de ésto pondrás sobre las brasas la olla vacía, para que se caldee y se derrita su cobre; con lo cual se deshaga dentro de élla su inmundicia y quede consumido su sarro.

**12.** Se ha trabajado con afán; pero no se ha podido quitar su mucho sarro, ni aun a fuerza del fuego.

**13.** Digna de execración es tu inmundicia; pues yo te he querido limpiar de tu porquería, y tú no te has limpiado: ni te limpiarás hasta tanto que yo haya desfogado en ti la indignación mía.

**14.** Yo el Señor he hablado: vendrá *el tiempo* y lo ejecutaré; no volveré atrás mi palabra, ni perdonaré, ni me aplacaré: según tus caminos y tus procederes te juzgaré yo, dice el Señor.

**15.** Háblome de nuevo el Señor, diciendo:

**16.** Hijo de hombre: Mira, yo voy a quitarte de golpe lo que más agradable es a tus ojos; pero no te lamentes, ni llores, ni dejes correr tus lágrimas.

**17.** Gemirás en secreto: no harás el duelo que se acostumbra por los muertos; no te quitarás la tiara, *o turbante*, ni el calzado de tus pies; no te cubrirás el rostro con velo, ni usarás de los manjares propios del tiempo de luto.

**18.** Esto refería yo al pueblo por la mañana, y por la tarde murió mi mujer; y a la mañana siguiente me porté como el Señor me había mandado.

**19.** Y díjome el pueblo: ¿Por qué no nos explicas qué significan esas cosas que haces?

**20.** Y respondíles: El Señor me ha hablado, diciendo:

**21.** Di a la casa de Israel: Esto dice el Señor Dios: He aquí que yo profanaré, *permitiré que sea profanado* mi Santuario, que es la gloria de vuestro reino, y lo más amable a

vuestros ojos, y que causa más ansiedad a vuestra alma; y los hijos y las hijas que habéis dejado, perecerán al filo de la espada.

**22.** Y tendréis que hacer lo que yo he hecho: pues no os cubriréis el rostro con velo, ni os alimentaréis con las viandas que usan los que están de luto.

**23.** Tendréis la corona o *turbante* en vuestra cabeza, y calzados estarán vuestros pies; no endecharéis, ni lloraréis; sino que os consumiréis en vuestras maldades, y gemiréis, mirándoos atónitos uno a otro.

**24.** Y Ezequiel será un modelo para vosotros: lo mismo que él ha practicado *en la muerte de su esposa,* practicaréis vosotros cuando llegaren estos sucesos; y conoceréis entonces que yo soy el Señor Dios.

**25.** Y tú ¡oh hijo de hombre! mira que en el día en que yo les quitaré lo que los hace fuertes, aquello que es su consolación y su gloria, que más aman sus ojos, y en que su corazón tiene puesta su confianza, y les quitaré sus hijos e hijas:

**26.** En aquel día, cuando el que escapare *de Jerusalén,* llegará a ti y te dará la noticia *de su ruina.*

**27.** En aquel día, repito, tú hablarás que habrá escapado, y hablarás *con toda libertad,* y no guardarás más silencio; y habrás sido una señal *o vaticinio* para ellos, y vosotros conoceréis que yo soy el Señor.

## CAPITULO XXV

*Ezequiel profetiza la destrucción de los Ammonitas, Moabitas, Idumeos y Filisteos, por los ultrajes hechos al pueblo de Dios.*

**1.** Háblome de nuevo el Señor, diciendo:

**2.** Hijo de hombre, vuelve tu rostro contra los Ammonitas, y vaticinarás contra ellos.

**3.** Dirás, pues, a los hijos de Ammón: Oíd lo que habla el Señor Dios: Esto dice el Señor Dios: Por cuanto acerca de mi Santuario que ha sido profanado, y de la tierra de Israel que ha sido desolada, y de la casa de Judá llevada al cautiverio, tú ¡oh pueblo de Ammón! has dicho *por mofa:* Bien, bien les está:

**4.** Por eso yo te entregaré como herencia a los hijos del Oriente; los cuales colocarán en ti sus apriscos, y levantarán en ti sus tiendas; se comerán ellos tus frutos y beberán tu leche.

---

**CAP. XXV.** — 4. Esto es, a los Arabes.

**5.** Y haré que *tu capital* Rabbat venga a ser una cuadra para camellos, y *el país de* los hijos de Ammón un redil de ganados: y conoceréis que yo soy el Señor.

**6.** Porque esto dice el Señor Dios: Pues tú has aplaudido con palmadas, y saltado de gozo, y te has alegrado sobremanera por *lo sucedido a* la tierra de Israel.

**7.** He aquí que yo descargaré mi mano contra ti, y te haré presa de las naciones, y te borraré del número de los pueblos, y te exterminaré de la superficie de la tierra, y te duciré a polvo: y sabrás que yo soy el Señor.

**8.** Esto dice el Señor Dios: Por cuanto Boab y Seir o *la Idumea* han dicho: Mirad la casa de Judá; ella es como todas las otras naciones:

**9.** Por eso he aquí que yo dejaré descubierto el flanco *del país* de Moab por la parte de las ciudades, de las ciudades, digo, de élla, y que están en sus confines, las más famosas del país, Betiesimot, y Beelmeón, y Cariataím;

**10.** A los hijos del Oriente *abriré yo el flanco del país de Moab; como* abrí el

de los Ammonitas, y les daré el dominio de Moab; de tal modo que ni memoria

quedará *de éllos, como ni* de los hijos de Ammón entre las gentes.

**11.** Y tomaré venganza de Moab: y sabrán que yo soy el Señor.

**12.** Esto dice el Señor Dios: Por cuanto la Idumea ejerció siempre su odio inveterado para vengarse de los hijos de Judá, y ha pecado desfogando sin medida sus deseos de vengarse,

**13.** Por tanto, esto dice el Señor Dios: Yo descargaré mi mano sobre la Idumea, y exterminaré de élla hombres y bestias, y la dejaré hecha un desierto por el lado del Mediodía; y los que se hallan en Dedán o *hacia el Norte,* serán pasados a cuchillo.

**14.** Y tomaré venganza de la Idumea, por medio del pueblo mío de Israel, el cual tratará a Edom según mi indignación y furor *le prescribirán;* y sabrán lo que es la venganza mía, dice el Señor Dios.

**15.** Esto dice el Señor Dios. Por cuanto los Filisteos han tomado venganza, y lo han hecho con el mayor encono, matando y desahogando *así* sus antiguas enemistades,

**16.** Por tanto, esto dice el Señor Dios: He aquí que yo descargaré mi mano sobre los

Filisteos, y mataré a los matadores, y exterminaré lo que queda en la costa del mar,

**17.** Y tomaré de éllos una terrible venganza, castigándolos con furor: y conocerán que yo soy el Señor, cuando me habré vengado de ellos.

## CAPITULO XXVI

*Tiro será tomada y arruinada por Nabucodonosor de un modo espantoso: porque se regocijaba de las calamidades de Israel.*

**1.** Y sucedió que en el año undécimo *del cautiverio,* el primer día del mes, me habló el Señor, diciendo:

**2.** Hijo de hombre, pues que Tiro ha dicho de Jerusalén: Bien, bien le está: destruídas quedan ya las puertas *o la concurrencia* de las naciones; ella se ha pasado a mí; yo *ahora* me llenaré *de riqueza, pues Jerusalén* ha quedado hecha un desierto:

**3.** Por tanto, esto dice el Señor Dios: ¡Oh Tiro! heme aquí contra ti: yo haré subir contra ti muchas gentes, como olas del mar borrascoso.

**4.** Y arrasarán los muros de Tiro, y derribarán sus torres, y yo raeré *hasta* el polvo de élla, dejándola como una peña muy lisa.

**5.** Ella, en medio del mar, será como un tendedero para enjugar las redes; porque yo lo he dicho, dice el Señor Dios; será élla hecha presa de las naciones.

**6.** Sus hijas o *aldeas* de la campiña perecerán también al filo de la espada: y conocerán que yo soy el Señor.

**7.** Porque esto dice el Señor Dios: He aquí que yo conduciré a Nabucodonosor, rey de reyes, desde el Norte a Tiro, con caballos y carros *de guerra,* y caballeros, y con gran muchedumbre de tropa.

**8.** A tus hijas que están en la campiña, las pasará a cuchillo, y te circunvalará con fortines, y levantará trincheras alrededor tuyo, y embrazará el escudo contra ti.

**9.** Y dispondrá sus manteletes y arietes contra tus muros, y con sus máquinas de guerra derribará tus torres.

**10.** Con la llegada de su numerosa caballería quedarás cubierta de polvo; estremecerse han tus muros al estruendo de la caballería, y de los carros y carrozas, cuando él entrará por tus puertas como quien entra en una ciudad destruída.

---

16. *I Reg.* XXX, *v.* 14, 16. — *Soph.,* II, *v.* 5.

**11.** Holladas se verán todas tus plazas por las pezuñas de los caballos, pasará a cuchillo a tu pueblo, y serán derribadas al suelo tus insignes estatuas.

**12.** Saquearán todos tus tesoros, pillarán tus mercaderías, y destruirán tus muros, y derribarán tus magníficos edificios, arrojando al mar tus piedras, tus maderas, y *hasta* tu polvo.

**13.** Y haré que no se oigan más en ti tus conciertos de música, ni el sonido de tus arpas.

**14.** Y te dejaré tan arrasada como una limpísima peña, y servirás de tendedero para enjugar las redes; ni volverás a ser reedificada: porque yo lo he decretado, dice el Señor Dios.

**15.** Esto dice el Señor Dios a Tiro: ¿Por ventura no se estremecerán las islas al estruendo de tu ruina, y al gemido de los que morirán en la mortandad que en ti se hará?

**16.** Y todos los príncipes del mar descenderán de sus tronos, y se despojarán de sus insignias, y arrojarán sus vestidos bordados, y se cubrirán de espanto; se sentarán en el suelo, y atónitos de tu repentina caída quedarán como fuera de sí.

**17.** Y deplorando tu desgracia, te dirán: ¡Cómo has perecido, oh habitadora del mar, ciudad esclarecida, que fuiste poderosa en el mar con tus moradores, a quienes temían todos!

**18.** Los navegantes quedarán atónitos en el día de tu ruina, y las islas del mar se afligirán al ver que ya nadie sale de ti.

**19.** Porque esto dice el Señor Dios: Cuando te habré convertido en un desierto, como las ciudades despobladas: y habré enviado sobre ti un diluvio *de desastres*, y te verás sumergida en un abismo de aguas;

**20.** Y cuando yo te habré precipitado allá abajo, a la región de la eternidad, con aquellos que descendieron al sepulcro, y te habré colocado en lo más profundo de la tierra, con aquellos que bajaron a la fosa, hecha tú semejante a las antiguas soledades, a fin de que nadie te habite; en fin cuando yo habré restituído la gloria a *Jerusalén,* tierra de los vivientes,

**21.** Entonces te dejaré reducida a la nada, y no existirás, y te buscarán y nunca jamás serás hallada, dice el Señor Dios.

# CAPITULO XXVII

*Canción lúgubre sobre la ruina de Tiro, ciudad marítima y opulentísima.*

**1.** Hablóme de nuevo el Señor, diciendo:

**2.** Ahora pues, ¡oh hijo de hombre! entona una lamentación sobre Tiro.

**3.** Dirás, pues, a Tiro, situada en una entrada *o puerto* de mar para fondeadero de los pueblos de muchas regiones: Esto dice el Señor Dios: ¡Oh Tiro! tú dijiste: Yo soy de una belleza extremada,

**4.** Y situada estoy en medio del mar. Tus vecinos que te edificaron, te embellecieron con toda suerte de ornato;

**5.** Construyéronte de abetos del Sanir, con todas las crujías a uso del mar: para hacer tu mástil trajeron un cedro del Líbano.

**6.** Labraron encinas de Basán para formar tus remos; y de marfil de India hicieron tus bancos y tus magníficas cámaras de popa de materiales traídos de las islas de Italia.

**7.** Para hacer la vela que pende del mástil, se tejió para ti el rico lino de Egipto con varios colores: el jacinto y la púrpura de las islas de Elisa formaron tu pabellón.

**8.** Los habitantes de Sidón y los de Arad fueron tus remeros: tus sabios ¡oh Tiro! te sirvieron de pilotos.

**9.** Los ancianos de Gebal y los más peritos de élla te suministraron gentes para la maestranza, que trabajasen en el servicio de tu marina; las naves todas del mar y sus marineros estaban en tu pueblo sirviendo a tu tráfico.

**10.** Tú tenías en tu ejército guerreros de Persia, y de Lidia, y de Libia: y en ti colgaron sus escudos y morriones, los cuales te servían de gala.

**11.** Entre tus huestes se veían coronando tus muros los hijos de Arad; y además los pigmeos *o valientes,* que estaban sobre tus torres coigaban alrededor de tus murallas sus aljabas; éllos ponían el colmo a tu hermosura.

**12.** Los Cartagineses que comerciaban contigo, henchían tus mercados con gran copia de toda suerte de riquezas, de plata, de hierro, de estaño y de plomo.

---

CAP. XXVII. — 9. Ciudad de la Fenicia, por otro nombre *Giblos* o *Biblos,* cuyos *carpinteros* eran tenidos por muy hábiles. III *Reg.* v. 18.

11. *Pigmeos.* S. Jerónimo advierte que aquí significa esta voz hombres guerreros.

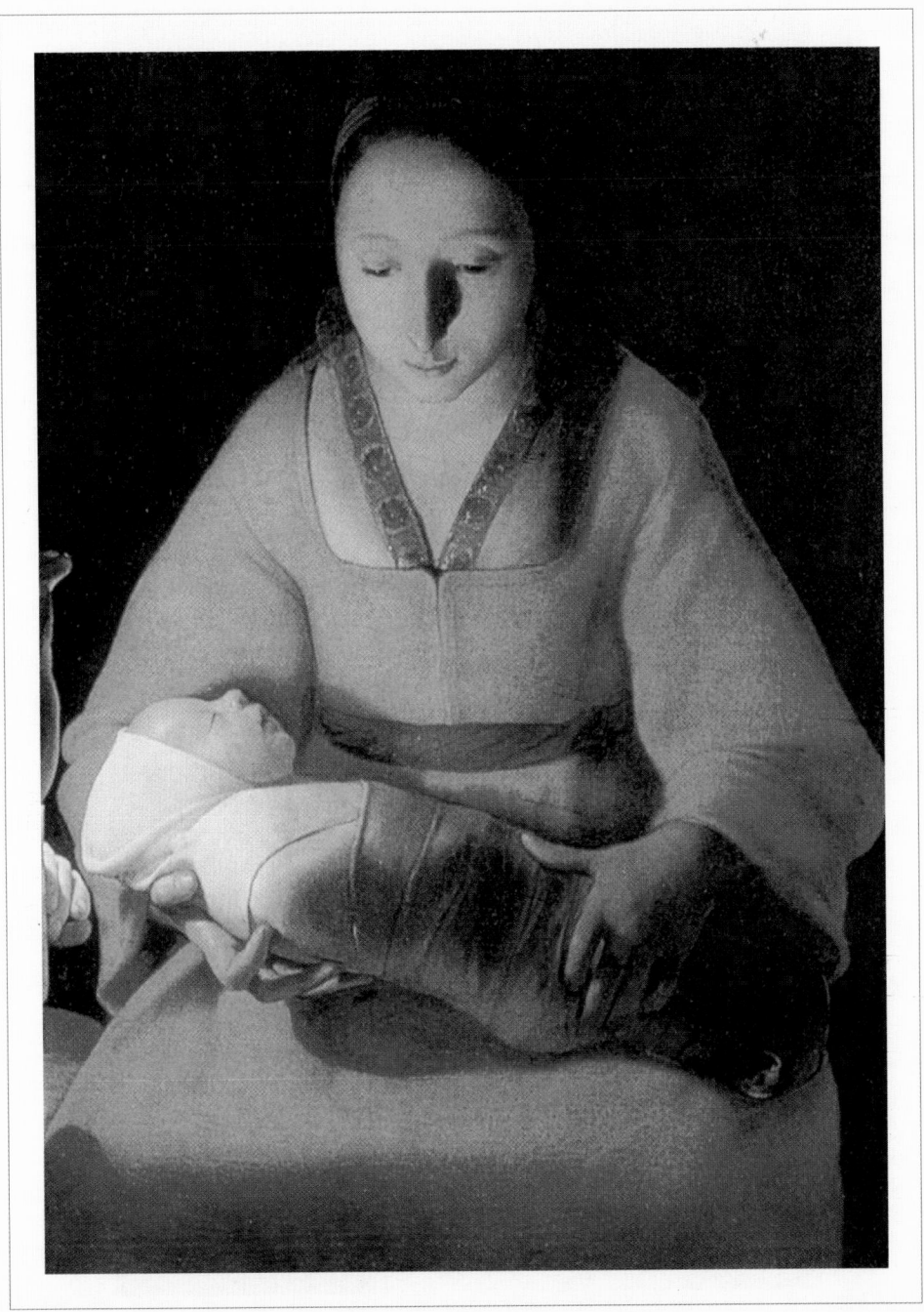

*EL RECIÉN NACIDO* (DETALLE), DE GEORGES DE LA TOUR,
*óleo sobre tela, Musée des Beaux-Arts, Rennes*

*La Virgen y el Niño con el donante*, de Bicci di Lorenzo,
témpera y láminas de oro sobre madera, Iglesia Colegial, Empolia

*La Virgen de las rocas*, de Leonardo da Vinci,
óleo sobre tela, Musée du Louvre, París

*EL BAUTISMO DE CRISTO* (DETALLE), DE PARIS BORDONE,
*óleo sobre tela, National Gallery of Art, Washington D.C.*

**13.** La Grecia, Tubal y Mosoc también negociaban contigo, trayendo a tu pueblo esclavos y artefactos de cobre.

**14.** De tierra de Togorma traían a tu mercado caballos y jinetes y mulos.

**15.** Los hijos de Dedán comerciaban contigo; tú dabas tus géneros a muchas islas *o naciones;* y recibías en cambio colmillos de *elefante o el* marfil o el ébano.

**16.** El Siro traficaba contigo, y para proveerse de tus muchas manufacturas presentaba en tus mercados perlas, y púrpura, y telas bordadas, y lino fino, y sedería, y toda especie de géneros preciosos.

**17.** Judá y la tierra de Israel negociaban contigo, llevando a tus mercados el más rico trigo, el bálsamo, la miel, el aceite y la resina.

**18.** El mercader de Damasco contrataba contigo, y en cambio de tus muchas mercaderías te daba muchas y varias cosas ricas, excelentes vinos y lanas de extraordinaria blancura.

**19.** Dan, y la Grecia, y Mosel, llevaban a tu mercado, para comerciar contigo, hierro labrado, mirra destilada y caña aromática.

**20.** Los de Dedán te vendían las alfombras para tus estrados.

**21.** La Arabia y todos los príncipes de Cedar compraban tus mercaderías, dándote en cambio los corderos, y carneros y cabritos que traían.

**22.** Los mercaderes de Sabá y de Reema traían a vender en tus plazas toda especie de aromas los más exquisitos, y piedras preciosas, y oro.

**23.** Harán, y Quene, y Edén contrataban contigo; Saba, Assur y Quelmad te vendían géneros.

**24.** Hacían ellos el comercio contigo, de varias cosas, llevándote fardos *de ropas de color* de jacinto *o carmesí,* y de varias estofas y bordados, y liadas con cuerdas; vendíante también maderas de cedro.

**25.** Tus naves ocupaban el primer lugar en el comercio marítimo y fuiste populosa y opulentísima en medio del mar.

**26.** Tus remeros te condujeron por muchos mares; *pero* el viento del mediodia acabó contigo en medio de las aguas.

**27.** Tus riquezas, y tesoros, y tu gran cargamento; tus marineros y tus pilotos que estaban encargados de todas tus preciosidades, y que dirigían tu gente; asimismo todos los guerreros que tenías contigo y todo el gentío que estaba dentro de ti, todo ha sido precipitado al abismo del mar en el día de tu ruina.

**28.** Al estruendo de la gritería de tus pilotos quedarán llenas de su terror las demás naves;

**29.** Y todos los remeros se saldrán de sus naves; y saltarán a tierra los marineros y todos los pilotos:

**30.** Y prorrumpirán en grandes alaridos sobre ti, y en gritos de dolor, y esparcirán polvo sobre sus cabezas y se cubrirán de ceniza,

**31.** Y se raparán por tu causa sus cabezas, y se vestirán de cilicio, y te llorarán en la angustia de su corazón con lágrimas amarguísimas.

**32.** Y entonarán sobre ti lúgubres cantares, y te plañirán, *diciendo:* ¿Qué ciudad ha habido como Tiro, que haya sido como élla destruída en medio del mar?

**33.** Tú con tu comercio marítimo enriqueciste a muchas naciones; con la abundancia de las riquezas tuyas y de tu gente hiciste ricos a los reyes de la tierra:

**34.** Ahora, *empero,* has sido destrozada en medio del mar, tus riquezas han caído al fondo de las aguas, y ha perecido todo el gentío que había en ti.

**35.** Pasmáronse con tu ruina todos, los habitantes de las islas *o regiones,* y demudáronse los semblantes de sus reyes, atónitos de tal tempestad.

**36.** Los comerciantes de los pueblos silbaron, *haciendo mofa* de ti: a la nada has sido reducida tú, y nunca jamás volverás a existir.

## CAPITULO XXVIII

*Ezequiel intima al rey de Tiro su terrible ruina. Anuncia la desolación de Sidón, y promete el restablecimiento del reino de Israel.*

**1.** Hablóme nuevamente el Señor, diciendo:

**2.** Hijo de hombre, di al príncipe de Tiro: Esto dice el Señor Dios: Porque se ha engreído tu corazón, y has dicho: Yo soy un dios, y sentado estoy cual dios en el trono, en medio del mar, siendo tú un hombre y no un dios, y te has creído dotado de un entendimiento como de dios.

**3.** Está visto que te crees más sabio que Daniel, y que no hay nada que no sepas.

---

**26.** Nabucodonosor se llama *viento del Mediodía.* Hecho dueño de Jerusalén, que está opuesta al Mediodía de Tiro, se apoderó de esta opulenta ciudad.

**4.** Tú te has hecho poderoso con tu saber y con tu prudencia; y has amontonado oro y plata en tus tesoros.

**5.** Con tu mucho saber y con tu comercio has aumentado tu poderío: y con este motivo se ha engreído tu corazón.

**6.** Por tanto, esto dice el Señor Dios: Porque tu corazón se ha ensalzado como si fuera de un dios,

**7.** Por eso mismo yo haré venir contra ti gentes extranjeras, las más fuertes de las naciones, y desenvainarán sus espadas contra tu preciado saber, y oscurecerán tu gloria.

**8.** Te matarán, y te destrozarán, y morirás de la muerte de aquellos que mueren en combate naval.

**9.** ¿Acaso hablarás tú delante de tus matadores, diciendo: Yo soy un dios: siendo tú un hombre sujeto a los que te han de matar, y no un dios?

**10.** Como mueren los incircuncisos, así morirás tú a mano de los extranjeros: porque yo lo he dicho, dice el Señor Dios.

**11.** Hablóme de nuevo el Señor, diciendo: Hijo de hombre, entona una lamentación sobre el rey de Tiro.

**12.** Y le dirás: Esto dice el Señor Dios: Tú, *creí-do* sello o imagen *de Dios* lleno de sabiduría y colmado de hermosura

**13.** Vivías en medio del paraíso de Dios; en tus vestiduras brillaban toda suerte de piedras preciosas: el sardio, el topacio, el jaspe *o diamante,* el crisólito, el onique, el berilo, el zafiro, el carbunclo, la esmeralda y el oro, que te daban hermosura, y los instrumentos músicos estuvieron preparados para ti en el día de tu creación.

**14.** Tú *has sido* un Querubín, que extiende las alas y cubre *el trono de Dios;* yo te coloqué en el monte santo de Dios; tú caminabas en medio de piedras *brillantes* como el fuego.

**15.** Perfecto has sido en tus obras, desde el día de tu creación hasta que se halló en ti la maldad.

**16.** Con la abundancia de tu tráfico se llenó de iniquidad tu corazón, y pecaste, y yo te arrojé del monte de Dios; y a ti ¡oh querubín, que cubrías *el trono!* te eché de en medio de las piedras *resplandecientes* como el fuego.

**17.** Por haberse engreído tu corazón por causa de tu hermosura, y corrompídose tu

sabiduría por causa de tu brillo, por eso te arrojé yo al suelo, y te expuse a la vista de los reyes, para que te contemplasen.

**18.** Con la muchedumbre de tus maldades, y con tus injustos tráficos contaminaste la santidad *de esa porción de tierra de Israel* que posees: por lo que haré salir de en medio de ti un fuego que te devorará, y te convertiré en ceniza sobre la tierra, a la vista de cuantos tienen puestos sobre ti sus ojos.

**19.** Todos los de las demás naciones que te vean, quedarán pasmados sobre ti: reducido serás a la nada, y nunca jamás volverás a existir.

**20.** Hablóme el Señor nuevamente, diciendo:

**21.** Hijo de hombre, vuelve tu rostro contra Sidón, y profetizarás contra ella,

**22.** Y dirás: Esto dice el Señor Dios: Heme aquí contra ti ¡oh *ciudad de* Sidón! y glorificado seré en medio de ti. Porque conocerán que yo soy el Señor, cuando ejerceré mi juicio en ella, y haré resplandecer en ella mi santidad y *justicia.*

**23.** Yo le enviaré la peste, e inundaré en sangre sus calles, y en todas partes se verán morir hombres pasados a cuchillo: y conocerá que yo soy el Señor.

**24.** Ya no será más ella en adelante piedra de escándalo y de amargura para la casa de Israel; ni le serán como espina punzante esos enemigos de que está rodeada por todos lados: y conocerán que yo soy el Señor Dios.

**25.** Esto dice el Señor Dios: Cuando yo habré congregado la familia de Israel de entre las naciones en que fué dispersada, entonces yo manifestaré en ella mi santidad a la vista de las naciones, y ella habitará en la tierra que yo di a Jacob, siervo mío.

**26.** Y allí habitará libre de temor, y construirá casas, y plantará viñas, y vivirá tranquilamente, cuando habré hecho yo justicia en todos los pueblos que la rodean, y que son sus enemigos: y conocerán que yo soy el Señor Dios suyo.

# CAPITULO XXIX

*Profecía de la desolación y ruina del rey de Egipto y de su reino, por la perfidia usada con el pueblo de Dios. Nabucodonosor se hará dueño de dicho reino en premio del sitio de Tiro.*

**1.** En el año décimo, en el décimo mes, á los once días del mes, me habló el Señor, y dijo:

---

CAP. XXVIII. — 10. Véase después *capítulo* XXXI, *v.* 18.

2. Hijo de hombre, dirige tu rostro contra Faraón, rey de Egipto, y profetizarás cuanto ha de suceder contra él y contra Egipto.

3. Habla, y di: Esto dice el Señor Dios: Heme aquí contra ti, oh Faraón, rey de Egipto, dragón *o monstruo* grande que yaces en medio de tus rios, y dices: Mío es el río, y a nadie debo el ser.

4. Pero yo pondré un freno en tus quijadas, y haré que los peces de tu río se peguen a tus escamas; y te sacaré de en medio de tus ríos, y todos tus peces estarán pegados a tus escamas.

5. Y a ti y a todos los peces de tus ríos os arrojaré al desierto: tú caerás *muerto* sobre la superficie de la tierra, sin que nadie te recoja y dé sepultura: a las bestias de la tierra y a las aves del cielo te entregaré para que te devoren.

6. Y conocerán todos los moradores de Egipto, que yo soy el Señor, porque tú has sido un báculo de caña para la casa de Israel.

7. Cuando te cogieron con la mano, tú te quebraste y lastimaste todas sus espaldas *o lomos;* y cuando ellos se apoyaron sobre ti, te hiciste pedazos, y los desplomaste enteramente.

8. Por tanto, esto dice el Señor Dios: Mira, yo descargaré la espada contra ti, y mataré tus hombres y tus bestias.

9. Y la tierra de Egipto quedará hecha un desierto y una soledad: y conocerán que yo soy el Señor; pues que tú dijiste: Mío es el río: yo lo hice.

10. Por tanto, heme aquí contra ti y contra tus ríos: y yo haré que la tierra de Egipto quede hecha un desierto, después de haberla asolado con la espada desde la torre de Siene hasta los confines de Etiopía.

11. No transitará por ella pie humano, ni la hollará pezuña de jumento: despoblada quedará por cuarenta años.

12. Y haré que quede yermo el país de Egipto en medio de otros países yermos, y destruídas quedarán sus ciudades en medio de otras ciudades destruídas, y permanecerán desoladas por espacio de cuarenta años; y esparciré los Egipcios por entre las naciones, y los arrojaré aquí y allá por todo el mundo.

13. Porque esto dice el Señor Dios: Pasado el plazo de los cuarenta años, yo congregaré a los Egipcios de entre los pueblos por donde han estado dispersos;

14. Y los sacaré del cautiverio, y los pondré en la tierra de Fatures, en el país de su nacimiento, y formarán allí un reino humilde.

15. Será el más débil entre los demás reinos, ni en adelante se alzará sobre las *otras* naciones, y yo los mantendré débiles, a fin de que no dominen sobre ellas.

16. Y no inspirarán ya confianza a los de la casa de Israel, a los cuales enseñaban la iniquidad; ni acudirán ya a ellos, ni los seguirán; sabrán que yo soy el Señor Dios.

17. Y el año vigésimo séptimo, en el primer día del primer mes, me habló el Señor, diciendo:

18. Hijo de hombre, Nabucodonosor, rey de Babilonia, ha fatigado mucho a su ejército en la guerra contra Tiro: han quedado calvas todas las cabezas, y pelados todos los hombros; y no se ha dado recompensa alguna ni a él, ni a su ejército, por el servicio que me han hecho contra Tiro.

19. Por tanto, esto dice el Señor Dios: He aquí que yo pondré a Nabucodonosor, rey de Babilonia, en tierra de Egipto; y hará cautivo a su pueblo, y lo saqueará, y repartirá los despojos, con lo cual quedarán sus tropas recompensadas

20. Por el servicio prestado contra Tiro: yo le he dado el país de Egipto, porque él ha trabajado para mí, dice el Señor Dios.

21. En aquel día reflorecerá el poderío de la casa de Israel, y te haré hablar libremente en medio de ellos: y conocerán que yo soy el Señor.

## CAPITULO XXX

*El Profeta anuncia a los Egipcios y a otros pueblos aliados suyos la completa desolación de su tierra.*

1. Hablóme nuevamente el Señor, diciendo:

2. Hijo de hombre, profetiza, y di: Esto dice el Señor Dios: *¡Oh Egipcios!* prorrumpid en aullidos: ¡Ay, ay de aquel día!

3. Porque cercano está el día, llega ya el día del Señor; día de tinieblas, que será la hora *del castigo* de las naciones.

---

CAP. XXIX. — 3. Véase *Jerem.* XLIV, *v.* 30. — *Herodoto lib.* I, CLXI.

6. *Is.* XXXVI, v. 6. — *Jerem.* XXXVII, *v.* 6, 7

---

20. Téngase presente que Nabucodonosor era un instrumento de Dios; y que el Señor, como dice S. Agustín, remunera algunas virtudes morales con victorias y dominio temporal, etc. De civ. *Dei lib.* V, *c.* 2.

**4.** Y la espada *enemiga* descargará contra Egipto: y Etiopía quedará aterrorizada cuando los Egipcios caerán heridos *al filo de la espada,* y el pueblo será llevado cautivo, y serán destruídos sus cimientos.

**5.** Etiopía, y Libia, y los Lidios, y todos los demás pueblos, y Cub, y los hijos de la tierra de *mi* alianza perecerán juntamente con ellos al filo de la espada.

**6.** Esto dice el Señor Dios: Caerán por tierra los que sostienen a Egipto, y quedará destruído su soberbio imperio: comenzando desde la torre de Siene, pasados serán a cuchillo *los Egipcios,* dice el Señor Dios de los ejércitos.

**7.** Y *aquellas regiones* serán asoladas quedando como otras tierras desiertas; y sus ciudades serán del número de las ciudades devastadas.

**8.** Y conocerán que yo soy el Señor, cuando habré pegado fuego a Egipto, y sean derrotadas todas sus tropas auxiliares.

**9.** En aquel día partirán en naves mensajeros despachados por mí, para abatir la arrogancia de Etiopía; la cual se llenará de terror en el día *del castigo* de Egipto: día que llegará sin falta.

**10.** Esto dice el Señor Dios: Yo destruiré el numeroso gentío de Egipto, por medio de Nabucodonosor, rey de Babilonia:

**11.** El cual y su pueblo, el más fuerte entre las naciones, serán llevados a asolar la tierra; desenvainarán sus espadas contra Egipto, y cubrirán la tierra de càdáveres.

**12.** Y secaré las madres de los ríos, y entregaré el país a hombres feroces, y lo aniquilaré por medio de extranjeros: yo el Señor soy quien lo digo.

**13.** Esto dice el Señor Dios: Yo destruiré los simulacros, y acabaré con los ídolos de Menfis, y no habrá más rey propio en la tierra de Egipto, y enviaré el terror sobre ella,

**14.** Y asolaré la tierra de los Fatures, y entregaré a Tafnis a las llamas, y castigaré *severamente* a Alejandría.

**15.** Derramaré la indignación mía sobre Pelusio, baluarte del Egipto y haré pasar a cuchillo al numeroso pueblo de Alejandría,

**16.** Y entregaré Egipto a las llamas. Como la mujer que está de parto, sentirá dolores Pelusio; y Alejandría será asolada; y Menfis estará en continua congoja.

**17.** Pasados serán a cuchillo los jóvenes de Heliópolis y de Bubaste, y las mujeres serán llevadas cautivas.

**18.** Y en Tafnis el día se convertirá en noche, cuando haré yo allí pedazos los cetros de Egipto, y se acabará la arrogancia de su poder; la cubrirá un negro torbellino *de males,* y sus hijas serán llevadas al cautiverio.

**19.** Y ejerceré mi juicio contra Egipto: y conocerán que yo soy el Señor.

**20.** Y en el año undécimo, en el mes primero, a los siete días del mes, me habló el Señor, diciendo:

**21.** Hijo de hombre: Yo he roto el brazo de Faraón, rey de Egipto, y he aquí que no ha sido vendado para restablecerlo en su primer estado, ni envuelto con paños, ni fajado con vendas, a fin de que, recobrado el vigor, pueda manejar la espada.

**22.** Por tanto esto dice el Señor Dios: Heme aquí contra Faraón, rey de Egipto, y desmenuzaré su brazo que era robusto; pero está ya quebrado; y haré caer de su mano la espada,

**23.** Y dispersaré los Egipcios entre las naciones, y los arrojaré aquí y allá por todo el mundo.

**24.** Y daré vigor a los brazos del rey de Babilonia, y pondré en su mano mi espada; y romperé los brazos de Faraón, y prorrumpirán en grandes gemidos los *de su pueblo* que serán muertos en su presencia.

**25.** Y esforzaré los brazos del rey de Babilonia, y quedarán como baldados los de Faraón: y conocerán que yo soy el Señor, cuando habré puesto mi espada en manos del rey de Babilonia, y él la habrá desenvainado contra la tierra de Egipto.

**26.** Y dispersaré a los de Egipto por entre las naciones, y los desparramaré por todo el mundo: y conocerán que yo soy el Señor.

## CAPITULO XXXI

*La ruina del rey de los Asirios, figura de la de Faraón.*

**1.** En el año undécimo, en el mes tercero, el día primero del mes, me habló el Señor, y dijo:

**2.** Hijo de hombre, di a Faraón, rey de Egipto y a su pueblo: ¿A quién te has comparado en tu grandeza?

**3.** *Depón ese orgullo:* mira a Asur, que cual cedro sobre el Líbano, de hermosos ramos y frondosas hojas, y de sublime altura, elevaba su copa en medio de sus densas ramas.

---

CAP. XXX. — 14. Véase *Jerem.* cap. XLVI, v. 25.

**4.** Nutriéronle las aguas, y un abismo *o mar inmenso* lo encumbró; sus ríos corrían alrededor de sus raices, y él hacía pasar sus arroyos por todos los árboles de aquella región.

**5.** Por eso superó en altura todos los árboles del país, y multinplicáronse sus arboledas, y se dilataron, merced a la abundancia de las aguas.

**6.** Y como él arrojaba una grande sombra, anidaron bajo de sus ramas todas las aves del cielo, y criaron debajo de su frondosidad todas las bestias de los bosques, y a su sombra se acogía un inmenso gentío.

**7.** Y era un árbol hermosísimo por su elevación y por la extensión de sus ramas; porque sus raíces se hallaban cerca de abundantes aguas.

**8.** En el paraíso de Dios no hubo cedros más empinados que él; no igualaron los abetos a su copa; ni los plátanos emparejaron con sus ramas; no hubo en el paraíso de Dios un árbol semejante a él, ni de tanta hermosura.

**9.** Y porque yo lo hice tan hermoso, y de tantas y tan frondosas ramas, tuvieron envidia de él todos los árboles deliciosos que habia en el paraíso de Dios.

**10.** Por lo cual esto dice el Señor Dios: Porque él se ha encumbrado, y ostentado su verde y frondosa copa, y su corazón se ha ensoberbecido viéndose tan alto,

**11.** Yo lo he entregado en poder del más fuerte de entre los pueblos, el cual hará de él lo que querrá: yo lo he desechado, según merecía su impiedad.

**12.** Y unas gentes extrañas, y de las más feroces entre las naciones, lo troncharán y lo arrojarán sobre los montes, y sus ramas caerán por todos los valles, y quedarán cortados sus arbustos en todas las rocas de la tierra; y todos los pueblos de la tierra se retirarán de su sombra, y lo abandonarán.

**13.** Sobre sus ruinas posarán todas las aves del cielo, y sobre sus ramas estarán todas las bestias del país.

**14.** Por esta causa ninguno de los árboles plantados junto a la corriente de las aguas se engreirá en su grandeza, ni elevará su copa entre las espesas arboledas, ni se fiarán en su grandeza todos estos árboles de regadío; porque todos han sido entregados en poder de la muerte, cayeron en la profunda fosa, como los demás hijos de los hombres que descienden al sepulcro.

**15.** Esto dice el Señor Dios: En el día en que él descendió a los infiernos *o al sepulcro*, causé yo un duelo grande: lo sumergí en el abismo, y vedé a sus ríos *que lo regasen*, y detuve las abundantes aguas. El Líbano se contristó por causa de él, y estremeciéronse todos los árboles del campo.

**16.** Con el estruendo de su ruina hice estremecer las naciones, así que yo lo vi caer en el infierno con los demás que bajan al sepulcro; y se consolaron allá en lo profundo de la tierra todos los *príncipes o* árboles *del jardín* de delicias, insignes y famosos en el Líbano, todos los que eran regados en las aguas.

**17.** Porque ellos descendieron también con él al infierno con los que perecieron al filo de la espada; los cuales siendo como el brazo del *rey* estaban bajo su sombra entre las naciones.

**18.** ¿A quién te has hecho semejante, *oh Faraón*, oh árbol ilustre y sublime entre los árboles *del jardín* de delicias? He aquí que con los árboles *del jardín* de delicias has sido precipitado al profundo de la tierra; en medio de los incircuncisos dormirás tú con aquellos que fueron pasados a cuchillo. Así sucederá a Faraón y a toda su gente, dice el Señor Dios.

## CAPITULO XXXII

*Canción lúgubre sobre la ruina de Faraón y de su pueblo.*

**1.** En el año undécimo, el día primero del duodécimo mes, me habló el Señor, diciendo:

**2.** Hijo de hombre, entona una lamentación sobre Faraón, rey de Egipto, y le dirás *así:* A un león entre las gentes, y al dragón *o monstruo* que está en el mar *entre los peces,* te hiciste semejante; con tu *gran* poder todo lo revolvías en tus ríos, y enturbiabas con tus pies las aguas, y hollabas sus corrientes.

**3.** Por tanto, esto dice el Señor Dios: Con una turba inmensa de pueblos tenderé yo sobre ti mis redes, y con mi *esparavel* te sacaré fuera.

**4.** Y te arrojaré en tierra, te dejaré en medio del campo, y haré bajar sobre ti todas las aves del cielo, y que se ceben en ti todas las bestias de la tierra.

**5.** Pondré tus carnes sobre los montes, y henchiré los collados de tu sangre podrida.

**6.** Y regaré la tierra de las montañas con tu fétida sangre, y se henchirán de ella los valles.

---

CAP XXXII. — 3 Antes *cap.* XII, *v.* 13; XVII, *v.* 20 S. Jerónimo siguiendo la versión de los Setenta, traduce *hamo,* en vez de *sagena.* Los cocodrilos, lo mismo que las ballenas y otros grandes peces, se sacan a tierra, clavándoles antes un grande anzuelo o garfio.

**7.** Y cuando te mataren oscureceré el cielo, y ennegreceré sus estrellas; cubriré de nubes el sol, y la luna no despedirá su luz.

**8.** Haré que todas las lumbreras del cielo se vistan de luto por ti, y esparciré tinieblas sobre tu país, dice el Señor Dios, cuando los tuyos caerán muertos en medio del campo, dice el Señor Dios.

**9.** Y llenaré de terror el corazón de muchos pueblos, cuando haga llegar la nueva de tu calamidad a las gentes de países que tú no conoces.

**10.** Y haré que queden atónitas de tu desgracia muchas naciones; y que sus reyes tiemblen por causa de ti, poseídos de sumo espanto, así que mi espada comenzará a relumbrar delante de sus ojos; y todos de repente se pondrán a temblar por su vida en el día de tu ruina.

**11.** Porque esto dice el Señor Dios: Vendrá sobre ti la espada del rey de Babilonia.

**12.** Con las espadas de aquellos valientes abatiré tus numerosos escuadrones; invencibles son todas aquellas gentes, y ellas humillarán la soberbia de Egipto, y sus ejércitos quedarán deshechos.

**13.** Y haré perecer todas sus bestias, que pacen a la orilla de sus abundantes aguas; no las enturbiará jamás el pie del hombre, ni pezuña de bestia los enlodará.

**14.** Entonces yo volveré limpísimas sus aguas, y haré que sus ríos corran *suavemente* como aceite, dice el Señor Dios,

**15.** Cuando yo habré asolado la tierra de Egipto. Despojado quedará este país de cuantos bienes contiene, cuando yo habré herido a todos sus moradores: y conocerán que yo soy el Señor.

**16.** Esta es la canción lúgubre con que se lamentarán: la entonarán las hijas de las naciones, la cantarán sobre Egipto y sobre su pueblo, dice el Señor Dios.

**17.** Y en el año duodécimo, a los quince días del mes, me dirigió el Señor su palabra, diciendo:

**18.** Hijo de hombre, canta una lamentación sobre el pueblo de Egipto; y, *vaticinando*, arrójale a él y a las hijas de las naciones poderosas al hondo de la tierra, donde están los que descienden al sepulcro.

**19.** ¿En qué eres tú *¡oh pueblo de Egipto!* más respetable *que los demás?* Desciende abajo y yace entre los incircuncisos.

**20.** Perecerán ellos en medio de todos los demás, pasados a cuchillo; la espada ha sido entregada *por Dios a los Caldeos,* y han aterrado al Egipto y a todos sus pueblos.

**21.** Desde en medio del infierno le dirigirán la palabra los campeones más poderosos que descendieron allí con sus auxiliares, y perecieron incircuncisos al filo de la espada.

**22.** Allí está Asur y todo su pueblo, sepultado alrededor de él: todos estos fueron muertos; al filo de la espada perecieron.

**23.** Los cuales fueron sepultados en lo más profundo de la fosa; y toda su gente yace alrededor de su sepulcro; murieron todos pasados a cuchillo, éstos que en otro tiempo llenaban de espanto la tierra de los vivos.

**24.** Allí está Elam y todo su pueblo alrededor de su sepulcro; todos éstos murieron pasados a cuchillo, y descendieron incircuncisos a lo más profundo de la tierra, éstos que *antes* fueron el terror de todos en la tierra de los vivos, y llevaron sobre sí su ignominia, como los que bajan a la fosa.

**25.** En medio de los que fueron muertos, fué colocado el lecho para él y para todos sus pueblos que están sepultados alrededor suyo: todos ellos incircuncisos y pasados a cuchillo. Porque pusieron el terror en la tierra de los vivos y llevaron su ignominia como los que descienden a la fosa, *por eso* fueron colocados en medio de los que fueron muertos.

**26.** Allí está Mosoc, y Tubal y toda su gente, cuyos sepulcros están alrededor de él: todos ellos incircuncisos y pasados a cuchillo por haber sido el terror de la tierra de los vivos.

**27.** Mas no morirán con la muerte *gloriosa* de los valientes incircuncisos que perecieron y bajaron al infierno *o sepucro, adornados* con sus armas, y debajo de cuyas cabezas se les pusieron sus espadas, donde yacen con sus huesos los instrumentos de sus iniquidades, con que fueron el terror de los fuertes en la tierra de los vivos.

**28.** Pues tú también serás hollado en medio de los incircuncisos, y dormirás con aquellos que perecieron al filo de la espada.

**29.** Allí está la Idumea, y sus reyes y todos sus caudillos, los cuales juntamente con sus ejércitos han sido puestos entre los que murieron pasados a cuchillo; y duermen entre los incircuncisos y entre los que bajaron a la fosa.

---

21. *Is.* XIV, *v.* 9, 10.

30. Allí están los príncipes todos del septentrión y todos los tiranos, los cuales, junto con los que perecieron al filo de la espada, han sido llevados allí despavoridos y humillados a pesar de toda su valentía; quienes durmieron incircuncisos entre aquellos que fueron pasados a cuchillo, y llevaron su propia ignominia como los que bajaron a la fosa.

31. Vió a *todos* éstos Faraón, y se consoló de la mucha gente suya pasada a cuchillo: *los vió* Faraón y *también* todo su ejército, dice el Señor Dios.

32. Porque yo derramaré mi terror sobre la tierra de los vivos; y en medio de los incircuncisos, con aquellos que perecieron al filo de la espada: *allí fué* Faraón *a dormir* con todo su pueblo, dice el Señor Dios.

## CAPITULO XXXIII

*El oficio de los verdaderos profetas y pastores es amonestar a los pecadores para que se libren de los castigos de Dios. Ezequiel profetiza contra la presunción de los judíos que se quedaron en su propio país, y contra la hipocresía de los que estaban en Babilonia.*

1. Hablóme nuevamente el Señor, diciendo:

2. Hijo de hombre, habla a los hijos de tu pueblo, y les dirás: Cuando yo enviare la espada de la guerra sobre algún país, y el pueblo de aquel país destinare un hombre de entre los ínfimos de sus moradores, y lo pusiere por centinela suya;

3. Y este centinela, viendo venir la espada enemiga hacia el país, sonare la bocina y avisare al pueblo;

4. Si aquel, quien quiera que sea, que oye el sonido de la bocina no se pone en salvo, y llega la espada y. lo mata, su muerte sólo se imputará a él mismo.

5. Oyó el sonido de la bocina y no se puso en salvo: solamente él tiene la culpa: pues él salvará su vida si se pone en lugar seguro.

6. Mas si el centinela viera venir la espada y no sonare la bocina, y el pueblo no se pusiere en salvo, y llegare la espada, y quitare la vida a alguno de ellos; este tal verdaderamente por su pecado padece la muerte, mas yo demandaré la sangre de él al centinela.

7. Ahora bien, hijo de hombre, yo te he puesto a ti por centinela en la casa de Israel: las palabras que oyeres de mi boca se las anunciarás a ellos de mi parte.

8. Si cuando yo digo al impío: Impío, tú morirás de mala muerte: no hablares al impío para que se aparte de su mala vida, morirá el impío por su iniquidad, pero a ti te pediré cuenta de su sangre.

9. Mas si amonestando tú al impío para que se convierta, no dejare él su mala vida, morirá el impío por su iniquidad; pero tu alma no será responsable de su muerte.

10. Tú, pues, hijo de hombre, di a la casa de Israel: Vosotros habéis hablado *y dicho con corazón:* Están ya sobre nosotros *los castigos* de nuestras maldades y pecados, y por ellas nos vamos consumiendo: ¿cómo, pues, podremos *aún* conservar la vida?

11. *Pero* diles a ésos: Yo juro, dice el Señor Dios, que no quiero la muerte del impío, sino que se convierta de su mal proceder y viva. Convertíos, convertíos de vuestros perversos caminos; ¿y por qué habéis de morir, oh vosotros los de la casa de Israel?

12. Tú, pues, ¡oh hijo de hombre! diles a los hijos de tu pueblo: En cualquiera ocasión en que el justo pecare, no podrá librarle su justicia, y en cualquiera ocasión en que el impío se convirtiere de su impiedad, la impiedad no le dañará; y. el justo, siempre y cuando pecare, no podrá *ya* vivir por su justicia.

13. Aun cuando yo haya dicho al justo que gozará de vida verdadera, si él, confiado en su justicia, cometiere la maldad, todas sus buenas obras serán puestas en olvido, y morirá en la misma iniquidad que él ha cometido.

14. Mas si yo dijere al impío: Tú morirás de mala muerte; y él hiciere penitencia de sus pecados, y practicare obras buenas y justas,

15. Si este impío volviere la prenda *al deudor,* y restituyere lo que ha robado, si siguiere los mandamientos que dan vida, y no hiciere cosa injusta; él tendrá verdadera vida, y no morirá.

16. Ninguno de los pecados que cometió le será imputado: ha hecho obras de equidad y de justicia; tendrá, *pues,* vida verdadera.

17. Mas los hijos de tu pueblo dijeron: No es justo el proceder del Señor; siendo así que es el proceder de ellos el que es injusto.

18. Porque cuando el justo se desviare de la justicia e hiciere obras malas, hallará en éstas la muerte.

---

CAP XXXIII. — 7. Todo este pasaje lo aplican los Santos Padres con mucha propiedad a los prelados de la Iglesia. Son dignas de leerse las enérgicas reflexiones que sobre él hace. *Orígenes. Homil.* VII; in Jos.—Véase antes *cap*. III, *v.* 17.

**19.** Y asimismo siempre que el impío abandonare su impiedad, e hiciere obras de equidad y de justicia, hallará en ellas la vida.

**20.** Y vosotros decís: No es justo el proceder del Señor. ¡Oh casa de Israel! a cada uno de vosotros le juzgaré yo según sus obras.

**21.** En el año undécimo de nuestra transportación al cautiverio, el día cinco del décimo mes, vino a mí uno que había huído de Jerusalén, el cual me dijo: Ha sido asolada la ciudad.

**22.** Y la virtud del Señor se había hecho sentir sobre mí la tarde antes que llegase el que había escapado; y el Señor había abierto mi boca antes que este hombre se me presentase por la mañana; y abierta que tuve mi boca no guardé ya silencio.

**23.** Y hablóme el Señor diciendo:

**24.** Hijo de hombre, los que habitan entre aquellas ruinas de la tierra de Israel, hablan de esta manera: Un solo hombre era Abraham, y tuvo por herencia esta tierra; mas nosotros somos muchos, y se nos ha dado la posesión de ella.

**25.** Por tanto les dirás: Esto dice el Señor Dios: Vosotros que coméis *carnes* con sangre, y levantáis los ojos hacia vuestros ídolos, y derramáis sangre *humana*, ¿pensáis acaso ser herederos y poseedores de esta tierra?

**26.** Habéis tenido siempre la espada en la mano, habéis cometido mil abominaciones, cada cual de vosotros ha seducido la mujer de su prójimo: ¿y seréis herederos y poseedores de la tierra?

**27.** Les dirás también: El Señor Dios dice lo siguiente: Juro yo que aquellos que habitan entre las ruinas *de Jerusalén*, perecerán al filo de la espada; aquellos que están en la campiña serán entregados a las fieras para que los devoren; y los que moran en lugares fuertes y en las cavernas, morirán de peste.

**28.** Y reduciré esta tierra a una soledad y desierto; y fenecerá su altivo poder, y las montañas de Israel quedarán asoladas, de manera que no habrá nadie que pase por ellas.

**29.** Y conocerán que yo soy el Señor, cuando habré reducido su país a una soledad y desierto, en castigo de todas las abominaciones que han cometido.

**30.** Y en cuanto a ti ¡oh hijo de hombre! los hijos de tu pueblo hablan de ti junto a la muralla, y en las puertas de las casas, y se dicen *en tono de mofa* el uno al otro, el vecino a su vecino: ¡Ea! vamos a oír qué es lo que dice el Señor *por medio del Profeta.*

**31.** Y acuden a ti en gran muchedumbre, se sientan delante de ti los del pueblo mío, y escuchan tus palabras; pero no las ponen en práctica; porque ellos las convierten en asuntos de sus canciones, y su corazón corre tras de la avaricia.

**32.** Y vienes tú a ser para ellos, como una canción puesta en música, cantada con voz dulce y suave; ellos escuchan tus palabras, mas no las ponen en ejecución.

**33.** Pero cuando sucederá lo que ha sido profetizado (y he aquí que llegará luego *la noticia),* entonces conocerán que ha habido un profeta entre ellos.

## CAPITULO XXXIV

*Profecía contra aquellos malos pastores que solo buscan su interés, despreciando el de la grey. Promesa de un pastor que saldrá de entre ellos, el cual reunirá sus ovejas, y las conducirá a pastos saludables.*

**1.** Hablóme nuevamente el Señor, diciendo:

**2.** Hijo de hombre, profetiza acerca de los pastores de Israel; profetiza y di a los pastores: Esto dice el Señor Dios: ¡Ay de los pastores de Israel, que se apacientan a sí mismos! ¿Acaso no son los rebaños los que deben ser apacentados por los pastores?

**3.** Vosotros os alimentáis de su leche, y os vestís de su lana, y matáis las reses mas gordas; mas no apacentáis mi grey.

**4.** No fortalecísteis las ovejas débiles, no curásteis las enfermas, no bizmasteis las perniquebradas, ni recogísteis las descarriadas, ni fuísteis en busca de las perdidas; sino que dominábais sobre ellas con aspereza y con prepotencia.

**5.** Y mis ovejas se han dispersado, por que estaban sin pastor *que las cuidase:* con lo cual vinieron a ser presa de todas las fieras del campo, descarriadas como habían quedado.

**6.** Perdida anduvo mi grey por todos los montes y por todas las altas colinas: dispersáronse mis rebaños por toda la tierra, ni había quien fuese en busca de ellos; nadie, repito, hubo que los buscase.

---

**21.** Antes *cap.* XXII, *v.* 26.
**25.** *Lev. cap.* XIX, *v.* 26.

---

**CAP. XXXIV.** — 3 Antes *cap.* XIII, *v.* 3. — *Jerem* XXIII, *v* 1. — *Los pastores,* dice S. Agustín, *reciban del pueblo el alimento necesario; pero la paga de su ministerio espérenla del Señor; porque no le es posible al pueblo dar una digna retribución a los que le rinden conforme dicta la caridad evangélica, etc.*
**4.** *Matth.* XXIII, *v.* 4.—I *Petr.* V, *v* 2.

7. Por tanto, escuchad, oh pastores, la palabra del Señor:

8. Juro yo, dice el Señor Dios, que pues mis rebaños han sido entregados al robo, y mis ovejas a ser devoradas de todas las fieras del campo, por falta de pastor; pues que mis pastores no cuidaban de mi grey; cuidaban, sí, de apacentarse a sí mismos, y no de apacentar mis ovejas:

9. Por tanto oíd ¡oh pastores! la palabra del Señor:

10. Esto dice el Señor Dios: He aquí que yo mismo pediré cuenta de mi grey a los pastores, y acabaré con ellos, para que nunca más sean pastores de mis rebaños, ni se apacienten más a sí mismos; y libraré mi grey de sus fauces, para que jamás les sirva de vianda.

11. Porque esto dice el Señor Dios: He aquí que yo mismo iré en busca de mis ovejas, y las reconoceré *y contaré.*

12. Al modo que el pastor va revistando su rebaño, en el día en que se halla en medio de sus ovejas, después que estuvieron descarriadas; así revistaré yo las ovejas mías y las recogeré de todos los lugares por donde fueron dispersadas en el día del nublado y de las tinieblas.

13. Y yo las sacaré de los pueblos, y las recogeré de varias naciones, y las conduciré a su propio país, y las apacentaré en las montañas de Israel, junto a los arroyos, y en todos los lugares de esta tierra.

14. En pastos muy fértiles las apacentaré, y estarán sus pastos en los altos montes de Israel; allí se estarán entre la verde yerba, y con los abuntantes pastos de los montes de Israel quedarán saciadas.

15. Yo, dice el Señor Dios, *yo mismo* apacentaré mis ovejas y las haré sestear.

16. Andaré en busca de aquellas que se habían perdido, y recogeré las que habían sido abandonadas: vendaré las heridas de aquellas que han padecido alguna fractura, y daré vigor a las débiles, y conservaré las que son gordas y gruesas, y a todas las apacentaré con juicio *o sabiduría.*

17. A vosotros, empero, ¡oh rebaños míos! esto os dice el Señor Dios: He aquí que yo hago distinción entre ganado y ganado, entre carneros y machos de cabrío.

18. Pues qué, ¿no os bastaba tener buenos pastos? Pero vosotros también lo que os sobraba de ellos lo hollásteis con vuestros pies; y habiendo sído abrevados en aguas limpísimas, enturbiasteis con vuestros pies las que sobraban,

19. *Y muchas de* mis ovejas tenían que apacentarse de lo que vosotros hollasteis con vuestros pies, y beber del agua que con vuestros pies habías enturbiado.

20. Por tanto, esto dice a vosotros el Señor Dios: He aquí que yo haré juicio o *distinción* entre el ganado gordo y el flaco:

21. Pues que vosotros atropellábais con vuestros costados y hombros todas las ovejas flacas, y, *como toros,* las aventabais con vuestras astas para echarlas fuera y dispersarlas:

22. Yo salvaré mi grey, y no quedará más expuesta a la presa, y discerniré entre ganado y ganado.

23. Y estableceré sobre mis ovejas un solo pastor que las apaciente, esto es, *el hijo de* David, siervo mío: él mismo las apacentará, y él será su pastor.

24. Yo el Señor seré su Dios, y el siervo mío David será el príncipe en medio de ellas: yo el Señor lo he dicho.

25. Y haré con ellas alianza de paz; y exterminaré de *la tierra* o país las bestias malignas; y aquellos que habitan en los desiertos dormirán sosegadamente en medio de los bosques.

26. Y las colmaré de bendiciones a ellas y a todos los alrededores de mi *santo* monte, y enviaré a su tiempo las lluvias, y serán lluvias de bendición;

27. Y los árboles del campo darán sus frutos y la tierra sus esquilmos, y vivirán sin temor ninguno en su país; y conocerán que yo soy el Señor, cuando habré roto las cadenas de su yugo, y las habré librado del poder de aquellos que les dominan;

28. Y no quedarán más expuestas a ser presa de las naciones, ni serán devoradas de las bestias de la tierra; sino que reposarán tranquilamente sin temor alguno.

---

11. Es verdad que alude todo esto al regreso del pueblo de la cautividad de Babilonia; pero todos los Padres y aún muchos Rabinos, consideran la libertad del pueblo de Israel como la alegoria o figura con que señalaban la reunión de todos los pueblos en una sola Iglesia, gobernada Por el Supremo Pastor Jesucristo, Isaías, Jeremias Y otros Profetas usan de la misma alegoría.

17. *Matth.* XXV, *v.* 33.

---

23. *Is.* XL, *v.* 11. — *Oseas* III, *v.* 5. — *Joam.* I, *v.* 45; X, *v.* 11, 14

25. *Jerem.* XXXI, *v.* 31. — *Cor.* XIV, *v.* 33. — *Mich.* V, *v.* 5. — *Rom.* X, *v.* 15. — *Ephes.* VI, *v.* 15.

**29.** Y yo haré brotar para ellas el *tan* renombrado pimpollo, y no serán más consumidos en tu tierra por el hambre, ni llevarán más el oprobio de las gentes.

**30.** Y conocerán que yo soy el Señor su Dios que estaré con ellos; y ellos, los de la casa de Israel, serán el pueblo mío, dice el Señor Dios.

**31.** Vosotros, pues, ¡oh hombres! vosotros sois los rebaños míos, los rebaños que yo apaciento, y yo soy el Señor Dios vuestro, dice el Señor.

## CAPITULO XXXV

*Ezequiel anuncia a los Idumeos su última ruina, por haber perseguido al pueblo de Dios.*

**1.** Hablóme el Señor nuevamente, diciendo:

**2.** Hijo de hombre, dirige tu semblante contra la montaña de Seir, y vaticinarás acerca de ella, y le dirás:

**3.** Esto dice el Señor Dios: Heme aquí contra ti ¡oh montaña de Seir! y yo descargaré sobre ti mi mano, y te dejaré asolada y desierta.

**4.** Arrasarás tus ciudades, y quedarás despoblada: y conocerás que yo soy el Señor.

**5.** Por cuanto has sido enemiga eterna, y has perseguido espada en mano a los hijos de Israel en el tiempo de su aflicción, en el tiempo de su extrema calamidad,

**6.** Por eso juro yo, dice el Señor Dios, que te abandonaré a *tu* sangre, y la sangre *tuya* te perseguirá.

**7.** Y dejaré asolada y yerma la montaña de Seir, y haré que no se vea en ella yente ni viniente.

**8.** Y henchire sus montes de sus muertos: pasados serán a cuchillo sobre tus collados, y en tus valles, y en tus arroyos.

**9.** Te reduciré a una soledad eterna, y quedarán desiertas tus ciudades: y conoceréis que yo soy el Señor Dios.

**10.** Por cuanto tú dijiste: Dos naciones y dos tierras serán mías, y yo las poseeré como herencia; siendo así que el Señor estaba allí:

**11.** Por esto te juro, dice el Señor Dios, que yo te trataré como merece tu ira, y tu envidia, y tu odio contra ellas, y yo seré conocido por medio de ellas, cuando te habré juzgado a ti.

**12.** Y conocerás que yo el Señor he oído todos los denuestos que has pronunciado contra los montes de Israel, diciendo: Abandonados están: se nos han dado para que los devoremos.

**13.** Y os levantásteis contra mi con vuestras lenguas *blasfemas,* y lanzásteis contra mi vuestros dicterios: yo los oí.

**14.** Esto dice el Señor Dios: Con júbilo de toda la tierra te reduciré a una soledad.

**15.** Así como tú celebraste con júbilo el que fuese destruída la herencia de la casa de Israel, asi yo te destruiré a ti. Devastada serás ¡oh montaña de Seir! y toda tú ¡oh *tierra de* Idumea! y conocerán que yo soy el Señor.

## CAPITULO XXXVI

*Promesa de la vuelta de los hijos de Israel y restauración de su país. El Señor les dará un corazón nuevo y un espiritu nuevo para conocerle y obedecerle.*

**1.** Mas tú ¡oh hijo de hombre! profetiza acerca de los montes e Israel, y dirás: Montes de Israel, escuchad la palabra del Señor.

**2.** Esto dice el Señor: Porque el enemigo ha dicho de vosotros: Bueno, bien está: se nos han dado a nosotros *como* en herencia los eternos montes *de Israel:*

**3.** Por tanto, profetiza y di: Esto dice el Señor Dios: Porque vosotros habéis sido asolados y hollados por todas partes, y habéis venido a ser como herencia de otras naciones, y andáis en boca de todos, hechos el escarnio de la plebe:

**4.** Por tanto, oid ¡oh montes de Israel! la palabra del Señor Dios: Esto dice el Señor Dios a los montes, y a los collados, a los arroyos y a los valles, y a los desiertos, y a las murallas derrocadas, y a las ciudades abandonadas que han quedado sin moradores, y son la mofa de todas las demás naciones circunvecinas.

**5.** He aquí lo que el Señor Dios dice: En medio del ardor de mi celo he hablado yo contra las otras naciones y contra toda la Idumea; las cuales llenas de gozo se han apropiado para sí, y con todo su corazón y voluntad, la tierra mia, y han arrojado de ella a sus herederos para saquearla.

---

**29.** *Pimpollo de justicia* o santidad le llaman *Isaías* XI, *v* 1. — Jerem. XXIII, *v.* 6.

**CAP. XXXV.** — 6. En poder de tu hermano Israel o de los Israelitas. — Así sucedió en tiempo de los Macabeos. 1 *Mach.* IV, *v.* 15; V, *v.* 8.

---

**CAP. XXXVI.** — 5. No solamente los *Idumeos,* sino los *Moabitas* y otras naciones, aliadas antes de Sedecías, se unieron después con los Caldeos para sitiar y destruir a Jerusalén. *Jerem* XII, *v..* 6; XXV, *v.* 11.

**6.** Por tanto profetiza acerca de la tierra de Israel, y dirás a los montes y collados, a los cerros y a los valles: Esto dice el Señor Dios: He aquí que yo he hablado en medio de mi celo y furor, porque vosotros habéis sufrido los insultos de las naciones.

**7.** Por lo cual esto dice el Señor Dios: Yo he levantado mi mano, *jurando* que las naciones que están alrededor vuestro, ellas mismas llevarán sobre sí su ignominia.

**8.** Vosotros, empero, ¡oh montes de Israel!, brotad vuestros pimpollos, y producid vuestros frutos para el pueblo mío de Israel, porque está ya cercana su vuelta *del cautiverio:*

**9.** Porque vedme aquí hacia vosotros, a vosotros me vuelvo, y seréis arados y sembrados.

**10.** Y multiplicaré en vosotros la gente y toda la familia de Israel, y las ciudades serán pobladas, y los lugares arruinados se restaurarán.

**11.** Y os henchiré de mohrbes y de bestias; que se multiplicarán y crecerán, y haré que seáis poblados como antiguamente, y os daré bienes más grandes que los que tuvísteis desde el principio: y conoceréis que yo soy el Señor.

**12.** Y os conduciré hombres, *os traeré* el pueblo mío de Israel, y éste os poseerá y heredará; y vosotros seréis su herencia, y nunca más volverá ésta a quedar privada de ellos.

**13.** Esto dice el Señor Dios: Por cuanto dicen de vosotros que sois una tierra que devora los hombres, y se traga sus gentes,

**14.** Por eso en adelante no *podrá decirse que tú* ¡oh tierra de Israel! te comas más a los hombres, ni mates más tu gente, dice el Señor Dios.

**15.** *Pues* yo haré que no oigas más los insultos de las naciones, ni tengas que sufrir ya los oprobios de los pueblos, ni pierdas jamás tus habitantes, dice el Señor Dios.

**16.** Háblóme nuevamente el Señor, diciendo:

**17.** Hijo de hombre, los de la familia de Israel habitaron en su tierra, y la contaminaron con sus obras y costumbres: era su vida ante mis ojos como la inmundicia de la mujer menstruosa.

**18.** Y yo descargué sobre ellos la indignación mía, en castigo de la sangre que derramaron sobre la tierra, la cual contaminaron con sus ídolos.

**19.** Y yo los dispersé entre las naciones, y fueron arrojados aquí y allá a todos vientos: los juzgué según sus procederes y conducta.

**20.** Y llegados a las naciones, entre las cuales fueron *dispersados,* causaron la deshonra de mi santo Nombre, diciéndose de ellos: Este es el pueblo del Señor; de la tierra de él han tenido éstos que salirse.

**21.** Os perdoné, pues, por amor de mi santo Nombre, al cual deshonraba la casa de Israel entre las naciones en donde habita.

**22.** Por tanto, di a la casa de Israel: Esto dice el Señor Dios: No lo haré por vosotros, ¡oh casa de Israel! sino por amor de mi santo Nombre, que vosotros deshonrasteis entre las naciones en que vivís.

**23.** Yo glorificaré, pues, mi grande Nombre, que se halla deshonrado entre las naciones, por haberlo vosotros deshonrado a los ojos de ellas: para que las naciones sepan que yo soy el Señor, cuando a su vista habré hecho patente en vosotros la santidad mía, dice el Señor de los ejércitos.

**24.** Porque yo os sacaré de entre las naciones, y os recogeré de todos los países, y os conduciré a vuestra tierra.

**25.** Y derramaré sobre vosotros agua pura, y quedaréis purificados de todas las inmundicias; y os limpiaré de todas vuestras idolatrías.

**26.** Y os daré un nuevo corazón, y pondré en medio de vosotros un nuevo espíritu, y quitaré de vuestro cuerpo el corazón de piedra, y os daré un corazón de carne.

**27.** Y pondré el espíritu mío en medio de vosotros, y haré que guardéis mis preceptos, y observéis mis leyes, y las practiqueis.

**28.** Y habitaréis en la tierra que yo di a vuestros padres: y vosotros seréis el pueblo mío, y yo seré vuestro Dios

**29.** Y os purificaré de todas vuestras inmundicias; y haré venir el trigo, y lo multiplicaré; nunca os haré padecer hambre.

**30.** Y multiplicaré los frutos de los árboles y las cosechas del campo, a fin de que jamás las naciones os echen en cara el que os morís de hambre.

**31.** Vosotros entonces traeréis a la memoria vuestras perversas costumbres y depravados afectos, y miraréis con amargura las maldades e iniquidades vuestras.

**32.** Mas esto no lo haré yo por amor de vosotros, dice el Señor Dios: tenedlo así entendido; confundíos y avergonzaos de vuestros procederes, oh vosotros los de la casa de Israel.

---

**20.** *Is.* LII, *v.* 5. — *Rom.* II, *v.* 24.

**21.** Agua que hará limpia a vuestra alma *Ad. Tit.* III, *v.* 5.

**26.** Antes *cap.* XI, 19. — *Rom.* V *v.* 5. — S. Aug. *De doct. Christ.* lib III, *c.* XXXIV.

**33.** Esto dice el Señor Dios: En el día en que yo os purificaré de todas vuestras maldades, y poblaré vuestras ciudades, y repararé lo arruinado,

**34.** Y se verá cultivada la tierra yerma, donde antes no veía el viajero más que desolación,

**35.** Dirán: Aquella tierra inculta está hecha ahora un jardín de delicias, y las ciudades desiertas, abandonadas y derruídas se hallan ya restauradas y fortificadas.

**36.** Y todas aquellas naciones, que quedarán alrededor vuestro, conocerán que yo el Señor reedifiqué lo arruinado, y reduje a cultivo lo que estaba inculto; que yo el Señor lo dije, y lo puse por obra.

**37.** Esto dice el Señor Dios: También logrará de mí la casa de Israel que yo haga esto a favor suyo: yo los multiplicaré como un rebaño de hombres,

**38.** Como un rebaño santo, como el rebaño *que se ve* en Jerusalén, en sus festividades; del mismo modo estarán las ciudades *antes* desiertas, llenas como de rebaños de hombres: y conocerán que yo soy el Señor.

## CAPITULO XXXVII

*Restablecimiento de Israel figurado en una multitud de huesos secos que recobran la vida: reunión de Israel y Judá figurada en la unión de dos varas. El santuario del Señor se fijará en medio de su pueblo, bajo un solo rey y pastor por medio de la nueva y eterna alianza.*

**1.** La virtud del Señor se hizo sentir sobre mí, y me sacó fuera en espíritu del Señor; y me puso en medio de un campo que estaba lleno de huesos,

**2.** E hízome dar una vuelta alrededor de ellos: estaban en grandísimo número tendidos sobre la superficie del campo, y secos en extremo.

**3.** Díjome, pues, *el Señor:* Hijo de hombre, ¿crees tú acaso que estos huesos vuelvan a tener vida? ¡Oh Señor Dios! respondí yo, tú lo sabes.

**4.** Entonces me dijo él: Profetiza acerca de estos huesos, y les dirás: Huesos áridos, oíd las palabras del Señor:

**5.** Esto dice el Señor Dios a esos huesos:

He aquí que yo infundiré en vosotros el espíritu, y viviréis;

**6.** Y pondré sobre vosotros nervios, y haré que crezcan carnes sobre vosotros, y las cubriré de piel, y os daré espíritu, y viviréis: y sabréis que yo soy el Señor.

**7.** Y profeticé como me lo había mandado: y mientras yo profetizaba oyóse un ruido, y he aquí una conmoción *grande;* y uniéronse huesos a huesos, cada uno por su propia coyuntura.

**8.** Y miré, y observé que iban saliendo sobre ellos nervios y carnes, y que por encima se cubrían de piel; mas no tenían espíritu *o vida.*

**9.** Y díjome *el Señor:* Profetiza al espíritu, profetiza, oh hijo de hombre, y dirás al espíritu: Esto dice el Señor Dios: Ven tú ¡oh espíritu! de las cuatro partes del mundo, y sopla sobre estos muertos, y resuciten.

**10.** Profeticé, pues, como me lo había mandado; y entró el espíritu en los muertos, y resucitaron; y se puso en pie una muchedumbre grandísima de hombres.

**11.** Y díjome *el Señor:* Hijo de hombre, todos esos huesos representan la familia de Israel: ellos, *los Hebreos,* dicen: Secáronse nuestros huesos y pereció nuestra esperanza, y nosotros somos ya ramas cortadas.

**12.** Por tanto, profetiza tú, y les dirás: Esto dice el Señor Dios: Mirad, yo abriré vuestras sepulturas, y os sacaré fuera de ellas ¡oh pueblo mío! y os conduciré *desde vuestro cautiverio* a la tierra de Israel.

**13.** Y conoceréis que yo soy el Señor, cuando yo habré abierto vuestras sepulturas ¡oh pueblo mío! y os habré sacado de ellas,

**14.** Y habré infundido en vosotros mi espíritu, y tendréis vida, y os daré el que reposéis en vuestra tierra: y conoceréis que yo el Señor hablé, y lo puse por obra, dice el Señor Dios.

**15.** Hablóme nuevamente el Señor, diciendo:

**16.** Y tú ¡oh hijo de hombre! tómate una vara, y escribe sobre ellas a Judá y a los hijos de Israel sus compañeros; y toma otra vara, y escribe sobre ella: A José, vara de Efraím, y a toda la familia de Israel, y a los que con ella están.

**17.** Y acerca la una vara y a la otra, como para formarte de las dos una sola vara; y ambas se harán en tu mano una sola.

---

CAP. XXXVII. — 2. Profecía célebre, que dando por cierta y ya conocida de todos la resurrección de los muertos, simboliza la vida o libertad que el Señor dará a su pueblo de Israel y también la que obrará después en los hombres la gracia de Jesucristo.

---

17. Figura de la reunión de todas las naciones en la Iglesia de Jesucristo. *Eph.* II, *v.* 14. — *Colos.* III, *v.* 11.

**18.** Entonces, cuando los hijos de tu pueblo te pregunten, diciendo: ¿No nos explicarás qué es lo que quieres significar con eso?

**19.** Tú les responderás: Esto dice el Señor Dios: He aquí que yo tomaré la vara de José que está en la mano de Efraím y las tribus de Israel que le están unidas; y las juntaré con la vara de Judá, y haré de ellas una sola vara *o un solo cetro,* y serán una sola en su mano.

**20.** Y tendrás a vista de ellos en tu mano las varas en que escribiste;

**21.** Y les hablarás así: Esto dice el Señor Dios: He aquí que yo tomaré los hijos de Israel de en medio de las naciones a donde fueron, y los recogeré de todas partes, y los conduciré a su tierra.

**22.** Y formaré de ellos una sola nación en la tierra en los montes de Israel, y habrá solamente un rey que los mande a todos, y nunca más formarán ya dos naciones, ni en lo venidero estarán divididos en dos reinos.

**23.** No se contaminarán más con sus ídolos, ni con sus abominaciones, ni con todas sus maldades; y yo los sacaré salvos de todos los lugares donde ellos pecaron, y los purificaré, y serán ellos el pueblo mío, y yo seré su Dios.

**24.** Y el siervo mío David será el rey suyo, y uno solo será el pastor de todos ellos; y observarán mis leyes, y guardarán mis preceptos, y los pondrán por obra.

**25.** Y morarán sobre la tierra que yo di a mi siervo Jacob, en la cual moraron vuestros padres; y en la misma morarán ellos y sus hijos, y los hijos de sus hijos eternamente; y David mi siervo será perpetuamente su príncipe.

**26.** Y haré con ellos una alianza de paz, que será para ellos una alianza sempiterna; y les daré firme estabilidad, y los multiplicaré, y colocaré en medio de ellos mi Santuario para siempre.

**27.** Y tendré junto a ellos mi tabernáculo, y yo seré su Dios, y ellos serán el pueblo mío.

**28.** Y conocerán las naciones que yo soy el Señor, el santificador de Israel, cuando estará perpetuamente mi Santuario en medio de ellos.

---

**22.** *Joann.* X, *v.* 16.
**24.** *Is.* XL, *v.* 11.— *Jerem.* XXIII, *v.* 5. — *Dan.* IX, *v.* 24.—*Joann* I, *v.* 45.
**26.** *Ps.* CIX, *v.* 4; CXVI, *v.* 2. — *Joann* XII, *v.* 34.

# CAPITULO XXXVIII

*Profecía contra Gog y Magog, de quienes será infestado Israel en los últimos tiempos: pero el Señor los destruirá.*

**1.** Hablóme el Señor, diciendo:

**2.** Hijo de hombre, dirige tu rostro contra Gog, a la tierra de Magog, al príncipe y cabeza de Mosoc y de Tubal, y profetiza sobre él,

**3.** Y le dirás: Esto dice el Señor Dios: Heme aquí contra ti, oh Gog, príncipe y cabeza de Mosoc y de Tubal:

**4.** Yo te llevaré por donde quiera, y pondré un freno en tus quijadas, y te sacaré fuera de ti y a todo tu ejército, caballos y jinetes, cubiertos todos de corazas; gentío inmenso, que empuñará lanzas, escudos y espadas.

**5.** Con ellos estarán los Persas, los Etíopes y los de la Libia, todos con sus escudos y morriones.

**6.** Gomer y todas sus tropas, la familia de Togorma, y los habitantes del lado del Norte con todas sus fuerzas, y muchos *otros* pueblos contigo *se hallarán.*

**7.** Aparéjate *para resistirme,* ponte en orden *de batalla* con toda tu muchedumbre agolpada alrededor tuyo, y dales tus órdenes.

**8** Pues al cabo de muchos días serás tú visitado *y castigado:* al fin de los años irás tú a una tierra, que fué librada de la espada, y *cuya población* ha sido recogida de entre muchas naciones en los montes de Israel, que estuvieron por mucho tiempo desiertos; esta gente ha sido sacada de entre las naciones, y morará toda en dicha tierra tranquilamente.

**9.** Tú irás *allá* y entrarás como una tempestad, y como un nublado para cubrir la tierra con todos tus escuadrones, y con los muchos pueblos que están contigo.

**10.** Esto dice el Señor Dios: En aquel día formarás en tu corazón *altivos* pensamientos, y maquinarás perversos designios;

**11.** Y dirás: Yo me dirigiré a una tierra indefensa; iré contra una nación que descansa y vive sin recelo ninguno, y todos ellos habitan en lugares abiertos, sin puertas ni cerrojos:

---

CAP. XXXVIII. — 2. S. Jerónimo cree que *Gog* significa todos los heresiarcas. y *Magog* sus secuaces. S. Agustín y otros entienden esta profecía de lo que (*Apoc.* XX. *v.* 7) sucederá a la Iglesia, a la cual siempre hará cruda guerra el Anticristo pero mucho más terrible en los últimos tiempos.

**12.** Para enriquecerte de esta manera con los despojos y hacerte dueño de la presa, y descargarás la mano sobre aquellos que habían sido dispersados, y fueron después restablecidos; sobre el pueblo que ha sido recogido de entre las naciones, el cual comenzó a poseer y habitar *el país que se miraba como* el centro *de las naciones* de la tierra.

**13.** Saba y Dedán, y los mercaderes de Tarsis, y todos sus leones te dirán: ¿Vienes tú acaso a recoger despojos? He aquí que has reunido tu gente para apoderarte de la presa, para pillar la plata y el oro, y hacer el saqueo de los muebles y alhajas y de riquezas sin cuento.

**14.** Por tanto profetiza ¡oh hijo de hombre! y dirás a Gog: Esto dice el Señor Dios: Pues qué, ¿no sabrás tú bien el día en que mi pueblo vivirá tranquilo y sin recelo ninguno?

**15.** Tú partirás de tu país de la parte del Norte, llevando contigo muchas tropas, soldados todos de a caballo, que compondrán una grande muchedumbre, un poderoso ejército.

**16.** Y te dirigirás contra mi pueblo de Israel, a manera de nublado que cubre la tierra. En los postreros días vivirás tú y en ellos yo te conduciré a mi tierra; con el fin de que las naciones me conozcan, así que yo haré resaltar en ti ¡oh Gog! la santidad mía a la vista de ellas.

**17.** Esto dice el Señor Dios: Tú eres, pues, aquel de quien hablé yo antiguamente por medio de mis siervos los profetas de Israel, los cuales en aquellos tiempos profetizaron que yo te traería contra ellos.

**18.** Y en aquel día, día en que llegue Gog a la tierra de Israel, dice el Señor Dios, se desahogará mi indignación y mi furor.

**19.** Así lo decreté lleno de celo, y encendido en cólera. Grande será en aquel día la conmoción en la tierra de Israel;

**20.** Y a mi presencia se agitarán *y andarán perturbados* los peces del mar, y las aves del cielo, y las bestias del campo y todos los reptiles que se mueven sobre la tierra, y cuantos hombres moran en ella; y serán derribados los montes, y caerán los vallados *o baluartes,* e irán por el suelo todas las murallas.

**21.** Y llamaré contra él en todos mis montes la espada, dice el Señor Dios; cada uno dirigirá la espada contra su propio hermano.

**22.** Y lo castigaré con la peste, y con la espada, y con furiosos aguaceros y terribles piedras; fuego y azufre lloveré sobre él, y sobre su ejército, y sobre los muchos pueblos que van con él.

**23.** Con esto haré que se vea mi grandeza y mi santidad, y me haré conocer de muchas naciones: y sabrán que yo soy el Señor.

## CAPITULO XXXIX

*Profecía del total exterminio de Gog y de Magog, para gloria del Nombre de Dios, y para consuelo y restauración de Israel, después del castigo sufrido por sus pecados.*

**1.** Ahora tú, oh hijo de hombre, profetiza contra Gog, y dirás: Esto dice el Señor Dios: Heme aquí contra ti ¡oh Gog, príncipe y cabeza de Mosoc y de Tubal!

**2.** Yo te llevaré por donde quiera, y te sacaré fuera, y te haré venir de la parte del Norte, y te conduciré sobre los montes de Israel.

**3.** Y destrozaré tu arco que tienes en la mano izquierda, y haré caer de tu derecha las saetas.

**4.** Sobre los montes de Israel caerás muerto tú y todas tus huestes, y los pueblos que van contigo; a las fieras, a las aves y a todos los volátiles y bestias de la tierra te he entregado para que te devoren.

**5.** Tú perecerás en medio del campo: porque yo lo he decretado, dice el Señor Dios.

**6.** Y despediré fuego sobre *la tierra de* Magog y sobre los habitantes de las islas *o países sujetos a Gog,* los cuales viven sin temor alguno: y conocerán que yo soy el Señor.

**7.** Y haré que mi santo Nombre sea conocido en medio del pueblo mío de Israel, y no permitiré que sea en adelante mi santo Nombre profanado; y conocerán las gentes que yo soy el Señor, el Santo de Israel.

**8.** He aquí que llega el tiempo, y la cosa sucederá infaliblemente, dice el Señor Dios: éste es el día aquel que yo hablé.

---

**12.** En medio de Europa, Asia y Africa — Véase antes c. V. *v.* 5. — *Ps.* LXXIII, *v.* 12.

**13.** I. *Mach.* III, *v.* 41.

**17.** En la Carta canónica del apóstol S. Judas se habla de una profecía de Henoc acerca del fin del mundo. Tal vez aludía al Anticristo lo que profetizó Jacob. *Gen.* XLIX, *v.* 17. — *Apoc.* VII, *v.* 4. — *Dan* VII; VIII; IX.

---

**22.** Véase *Apoc.* XVI, *v.* 21.
**CAP. XXXIX.** — 4. II Mach. IX.

**9.** Y saldrán los moradores de las ciudades de Israel, y recogerán para el fuego y quemarán las armas, los escudos, las lanzas, los arcos, las saetas, los bastones o *garrotes* y las picas, y serán pábulo para el fuego por siete, *por muchos* años.

**10.** De suerte que no traerán leña de los campos, ni la irán a cortar en los bosques, porque harán lumbre con las armas; y disfrutarán de los despojos de aquellos que los habían a ellos saqueado, y tomarán el botín de los mismos que los habían robado a ellos, dice el Señor Dios.

**11.** En aquel día yo señalaré a Gog para sepultura suya un lugar famoso en Israel, el valle que está hacia el Oriente del mar *de Genezaret*, valle que causará espanto a los pasajeros; allí enterrarán a Gog y a toda su muchedumbre, y le quedará el nombre de Valle de la muchedumbre o *de los ejércitos* de Gog.

**12.** Y la familia de Israel los estará enterrando durante siete meses o *muchos días*, a fin de purificar la tierra.

**13.** Y concurrirá a enterrarlos todo el pueblo del país; para el cual será célebre aquel día en que he sido yo glorificado, dice el Señor Dios.

**14.** Y destinarán hombres que recorran continuamente el país para enterrar, yendo en busca de los cadáveres que quedaron insepultos sobre la tierra, a fin de purificarla, y comenzarán a hacer estas pesquisas después de los siete meses.

**15.** Y girarán y recorrerán el país; y al ver un hueso humano pondrán una señal cerca de él, hasta tanto que los sepultureros lo entierren en el Valle de la muchedumbre de Gog.

**16.** La ciudad *vecina* tendrá por nombre Amona, y dejarán purificada la tierra.

**17.** A ti, pues, hijo de hombre, esto dice el Señor Dios: Diles a todos los volátiles, y a todas las aves, y a todas las bestias del campo: Reuníos, daos prisa y venid de todas partes a la víctima mía, víctima grande, que os presento sobre los montes de Israel, para que comáis sus carnes, y bebáis su sangre.

**18.** Comeréis las carnes de los valientes, y beberéis la sangre de los príncipes de la tierra. *sangre* de los carneros, y de corderos, y de machos cabríos, y de toros, y de animales cebados, y de toda res gorda:

**19.** Y comeréis hasta saciaros, de la grosura de la víctima que yo inmolaré para vosotros, y beberéis de su sangre hasta embriagaros,

**20.** Y en la mesa, que os pondré, os saciaréis de caballos, y de fuertes caballeros, y de todos los hombres guerreros, dice el Señor Dios.

**21.** Y haré ostentación de mi gloria en medio de las naciones, y todas las gentes verán la venganza que habré tomado, y cómo he descargado sobre ellos mi mano.

**22.** Y desde aquel día en adelante conocerá la casa de Israel que yo soy el Señor Dios suyo.

**23.** Y las naciones entenderán que los de la casa de Israel en castigo de sus maldades fueron llevados cautivos, porque me abandonaron, y yo aparté de ellos mi rostro, y los entregué en poder de los enemigos, con lo cual perecieron todos al filo de la espada.

**24.** Yo los traté según merecía su inmundicia y sus maldades, y aparté de ellos mi rostro.

**25.** Por tanto, esto dice el Señor Dios: Yo ahora volveré a traer los cautivos de Jacob, y me apiadaré de toda la familia de Israel, y me mostraré celoso de la honra de mi santo Nombre.

**26.** Y ellos se penetrarán de una *santa* confusión, y *sentirán* todas las prevaricaciones que cometieron contra mí, cuando habitarán tranquilamente en su tierra, sin temer a nadie;

**27.** Y cuando los habré yo sacado de en medio de los pueblos, y los habré reunido de las tierras de sus enemigos, y habré ostentado en ellos mi santidad delante de los ojos de muchísimas gentes.

**28.** Y conocerán que yo soy el Señor Dios suyo, pues que los transporté a las naciones, y los volví a su país, sin dejar allí ni uno de ellos.

**29.** Ya no les ocultaré más mi rostro: porque derramado he el espíritu mío sobre toda la casa de Israel, dice el Señor Dios.

## CAPITULO XL

*El Señor muestra en visión al Profeta la forma de los atrios, de las puertas y del pórtico del Templo del Señor, destruído por los Caldeos.*

**1.** El año vigésimo quinto de haber sido llevados al cautiverio, al principio del año, a los diez días del mes, catorce años después

---

14. *Num.* XIX, *v.* 11.

---

29. Véase antes cap. XXXVI, v. 27.

**CAP. XL.** — Los nueve capítulos restantes de Ezequiel están tan llenos de dificultades y obscuridad, que S. Jerónimo resolvió no decir nada sobre ellos. Y protesta que lo que escribió a instancia de la virgen Santa Eustoquio, todo es una simple conjetura.

que la ciudad fué arruinada, en aquel mismo día se hizo sentir sobre mí la virtud del Señor, y condújome allá *a Jerusalén*.

2. Llevóme en una visión divina a la tierra de Israel, y púsome sobre un monte muy elevado, sobre el cual había como el edificio de una ciudad, que miraba hacia el mediodía.

3. E introdújome dentro de él: y he aquí un varón cuyo aspecto era como de *lucidísimo* bronce, y tenía en su mano una cuerda de lino, y una caña o *vara* de medir en la *otra* mano; y estaba parado a la puerta.

4. Y díjome este varón: Hijo de hombre, mira *atentamente* con tus ojos, y aplica bien tus oídos para escuchar, y deposita en tu corazón todas las cosas que yo te mostraré; porque para que se te manifiesten has sido tú conducido acá: cuenta a la casa de Israel todo cuanto ves.

5. Y vi afuera un muro que circuía la casa, y el varón en cuya mano estaba la caña de medir de seis codos y un palmo, midió la anchura del edificio, la cual era de una caña, y de una caña también la altura.

6. Y fué al portal que miraba al camino de oriente, y subió sus gradas, y midió el umbral de la puerta, cuya anchura era de una caña, esto es, cada uno de los umbrales tenía una caña de ancho.

7. Y cada cámara tenía una caña de largo y una de ancho: y entre una cámara y otra había cinco codos.

8. Y el umbral de la puerta, junto al vestíbulo de la puerta interior tenía una caña.

9. Y midió el vestíbulo de la puerta que era de ocho codos, y de dos codos su fachada; y el vestíbulo o *corredor* de la puerta estaba en la parte de adentro del *edificio*.

10. Las cámaras de la puerta de oriente eran tres a un lado y tres al otro: una misma era la medida de las tres cámaras; e igual medida tenían las fachadas de ambas partes.

11. Y midió la anchura del umbral de la puerta, que era de diez codos, y de trece codos su longitud.

12. Y la margen que había delante de las cámaras era de un codo; y un codo hacía toda su medida, por una y otra parte; y las cámaras de ambos lados tenían seis codos.

13. Y midió *el atrio de* la puerta desde el fondo de una cámara hasta el fondo de la otra, y tenía veinticinco codos de anchura:

la puerta de una *cámara* estaba en frente de la otra.

14. E hizo o *midió* las fachadas de sesenta codos; y *correspondiente* a la fachada hizo el atrio de la puerta por todo alrededor.

15. Y desde la fachada de la puerta hasta la fachada interior de la otra puerta del atrio había cincuenta codos;

16. Y ventanas oblicuas, en las cámaras y en las fachadas que estaban de dentro de la puerta por todas partes alrededor; había también en los zaguanes ventanas alrededor, por la parte de dentro; y delante de las fachadas había figuras de palmas.

17. Y condújome al atrio exterior, y vi allí cámaras, y el pavimento del atrio estaba enlosado de piedra alrededor: treinta cámaras o *estancias* había alrededor del pavimento.

18. Y el pavimento en la fachada de las puertas era más bajo, según la longitud de las puertas.

19. Y midió la anchura desde la fachada de la puerta inferior hasta el principio del atrio interior por la parte de fuera, y tenía cien codos al oriente y *otros tantos* al norte.

20. Asimismo midió tanto la longitud como la anchura de la puerta del atrio exterior que cae al norte.

21. Y sus cámaras tres a un lado y tres al otro; y su frontispicio y su vestíbulo eran según la medida de la primera puerta, de cincuenta codos de largo, y veinticinco codos de ancho.

22. Y sus ventanas, y el vestíbulo, y las entalladuras eran según la medida de la puerta que miraba al oriente; y para subir a ella había siete gradas, y delante de ella un zaguán.

23. Y la puerta del atrio interior estaba en frente de la puerta *del atrio exterior* a norte y a oriente; y desde una a otra puerta midió cien codos.

24. Y llevóme a la parte de mediodía, en donde estaba la puerta que miraba al mediodía; y midió su fachada y su vestíbulo, que eran de las mismas medidas que las otras.

25. También sus ventanas y los zaguanes alrededor eran, como las otras ventanas, de cincuenta codos de largo y veinticinco de ancho.

26. Y subíase a esta *puerta* por siete gradas, y delante de ella había un zaguán y palmas entalladas una de un lado y otra de otro en su fachada.

27. La puerta del atrio interior caía al mediodía; y midió de puerta a puerta en la parte meridional cien codos.

---

2. El Templo con todos sus edificios anejos ya fue llamado por David *Ciudad del Rey grande. Ps.* XLVII, *v.* 3.

**28.** Y llevóme al atrio interior a la puerta del mediodía; y midió la puerta, la cual era de las mismas medidas que las otras.

**29.** Sus cámaras, y fachada, y zaguán, y sus ventanas y su zaguán alrededor tenían las mismas medidas, cincuenta codos de largo y veinticinco de ancho.

**30.** Y el vestíbulo que había alrededor tenía veinticinco codos de largo y cinco de ancho.

**31.** Y su pórtico daba al atrio exterior; había también palmas en la fachada, y ocho gradas para subir a la puerta.

**32.** E introdújome en el *mismo* atrio interior por la parte oriental; y midió la puerta, la cual era de las mismas medidas que las otras.

**33.** Sus cámaras, su fachada y sus vestíbulos, así como arriba: y las ventanas y el vehículo alrededor tenían de longitud cincuenta codos, y veinticinco codos de anchura.

**34.** Y su pórtico caía al atrio exterior, y había en su fachada, de un lado y de otro palmas entalladas; y subíase a la puerta por ocho gradas.

**35.** Y llevóme a la puerta que miraba al norte, y midióla según las mismas medidas que las otras.

**36.** Sus cámaras y su fachada, y su vestíbulo, y sus ventanas alrededor tenían cincuenta codos de largo y veinticinco de ancho.

**37.** Y su vestíbulo caía al atrio exterior, y había palmas entalladas en su fachada, de un lado y de otro; y subíase a la puerta por ocho gradas.

**38.** Y en cada una de las cámaras había un postigo en frente de las puertas junto a las cuales lavaban el holocausto

**39.** Y en el zaguán de la puerta había dos mesas a un lado y dos al otro, para degollar sobre ellas las víctimas para el holocausto, por el pecado y por el delito.

**40.** Y al lado exterior que sube al postigo de la puerta que mira al norte había dos mesas y otras dos al otro lado, delante del zaguán de la puerta.

**41.** Cuatro mesas de un lado y cuatro de otro. A los lados de la puerta había ocho mesas, sobre las cuales inmolaban las víctimas.

**42.** Y las cuatro mesas para el holocausto estaban hechas de piedras cuadradas, de codo y medio de largo, y de codo y medio de ancho, y de un codo de alto, para poner sobre ellas los instrumentos que se usan al inmolar el holocausto y la víctima.

**43.** Y tenían todas ellas alrededor un borde de un palmo, que se redoblaba hacia dentro, y sobre las mesas poníanse las carnes de la ofrenda.

**44.** Y fuera de la puerta interior había las cámaras de los cantores en el atrio interior, que estaba al lado de la puerta que mira al norte, y sus fachadas miraban al mediodía; una estaba al lado de la puerta oriental que miraba al norte.

**45.** Y díjome *el Angel:* Esta cámara *o habitación* que mira al mediodía, será para los sacerdotes que velan en la guardia del templo.

**46.** Aquella cámara que da al norte será para los sacerdotes que velan en el servicio del altar. Estos son los hijos de Sadoc, los cuales son descendientes de Levi, y se acercan al Señor para emplearse en servirlo.

**47.** Y midió el atrio que tenía cien codos de largo y cien codos en cuadro de ancho, y el altar que estaba delante de la fachada del templo.

**48.** E introdújome en el vestíbulo del templo; y midió el vestíbulo, que tenía cinco codos de una parte y cinco codos de otra; y la anchura de la puerta tres codos de un lado y tres de otro.

**49.** Y la longitud del vestíbulo era de veinte codos y de once codos de anchura, y se subía a la puerta por ocho gradas. Y en la fachada había dos columnas, una de un lado y otra de otro.

## CAPITULO XLI

*Descripción del Templo; esto es, del lugar Santo, del Santísimo o Santo de los Santos, y de las estancias contiguas al Templo.*

**1.** E introdújome *el Angel* en el templo y midió los postes, *que tenían* seis codos de anchura por un lado y seis codos por otro; la cual era la anchura del Tabernáculo *antiguo.*

**2.** La anchura de la puerta era de diez codos; y sus lados tenian cinco codos cada uno. Y midió la longitud del *Santo,* y tenía cuarenta codos, y su anchura veinte codos.

**3.** Y habiendo entrado en lo interior, midió un poste de la puerta que era de dos codos, y la puerta de seis codos; y *además de esta abertura,* siete codos de ancho desde la puerta *a cada rincón.*

---

**38.** III *Reg.* VII, *v.* 39. — II *Paral.* IV, *v.* 6.

**4.** Y midió *el fondo del Santuario* delante de la fachada del templo, y halló ser de veinte codos de largo y otros veinte de ancho; y díjome: Este es el Santo de los Santos.

**5.** Y midió *el grueso de* la pared de la casa, *o templo*, que era de seis codos; y la anchura de los lados por todo el rededor de la casa era de cuatro codos.

**6.** Y los lados, unidos el uno al otro, componían dos veces treinta y tres *cámaras;* y había modillones que sobresalían y entraban en la pared de la casa por los lados alrededor, a fin de que sostuviesen *las cámaras,* sin que éstas tocasen a la pared del templo.

**7.** Y había una pieza redonda, con una escalera de caracol, por donde se subía a lo alto, y dando vueltas conducía a la cámara más alta del templo; de suerte que el templo era más ancho en lo más alto: y así desde el pavimento se subía a la estancia del medio, y de ésta a la más alta.

**8.** Y observé la altura de la casa alrededor: sus lados tenían de fondo la medida de una caña de seis codos.

**9.** Y la anchura de la pared del lado de afuera era de cinco codos; y la casa *o templo,* estaba rodeada de estos lados *o edificios.*

**10.** Y entre las cámaras había un espacio de veinte codos al rededor de la casa, por todos lados.

**11.** Y las puertas de las cámaras eran para ir a la oración; una puerta al norte y otra al mediodía: y el lugar para la oración tenía de ancho cinco codos por todos lados.

**12.** Y el edificio que estaba separado, y miraba hacia el mar *u occidente,* tenía de ancho setenta codos; y la pared del edificio cinco codos en ancho por todas partes y noventa de largo.

**13.** Y midió la longitud de la casa *o templo,* y era de cien codos; y cien codos de largo tenía con sus paredes el edificio que estaba separado *del templo.*

**14.** Y la plaza que había delante de la casa y delante del edificio separado hacia el oriente, era de cien codos.

**15.** Y midió la longitud del edificio *o muro* que estaba delante de aquel que estaba separado, y sito en la parte de detrás, y las galerías de ambos lados, y era de cien codos: y *midió* el templo interior y los vestíbulos del atrio.

**16.** *Midió* los umbrales *o puertas,* y las ventanas oblicuas, y las galerías que estaban alrededor en los tres lados *del templo,* frente de cada umbral, todo lo cual estaba revestido de madera; *lo midió todo* desde el pavimento hasta las ventanas; y las ventanas de encima de las puertas estaban cerradas *con celosías.*

**17.** Y *midió* hasta la casa *o templo* interior, y por la parte de afuera toda la pared al rededor por dentro y por fuera, según medida.

**18.** Y había entalladuras de querubines y de palmas, pues entre querubín y querubín había una palma, y cada querubín tenía dos caras,

**19.** La cara de hombre vuelta hacia una palma a un lado, y la cara de león hacia la otra palma al otro lado, esculpidas de relieve por todo alrededor del templo

**20.** Estas esculturas de los querubines y palmas estaban en la pared del templo desde el pavimento hasta la altura de la puerta.

**21.** La puerta era cuadrangular, y la fachada del Santuario miraba de frente *a la del templo.*

**22.** La altura del altar de madera era de tres codos, y su longitud de dos codos, y sus ángulos, y su superficie y sus lados eran de madera. Y díjome el *Angel:* He aquí la mesa *que está* delante del Señor.

**23.** Y en el templo y en el Santuario había dos puertas.

**24.** Y en estas dos puertas había en una y en otra parte otras dos pequeñas puertas; las que se doblaban una sobre otra, pues dos eran las hojas de una y otra parte de las puertas.

**25.** Y en las dichas puertas del templo había entallados querubines y palmas; así como se veían también de relieve en las paredes: por esta razón eran más gruesas las vigas en la frente del vestíbulo de afuera,

**26.** Sobre las cuales estaban las ventanas oblicuas; y las figuras de las palmas de un lado y de otro en los capiteles de la galería, a lo largo de los costados de la casa y en la extensión de las paredes.

---

CAP. XLI. — 19. III Reg. VI, v. 26.
22. *Exod.* XXX.

## CAPITULO XLII

*De las cámaras o estancias que había en el atrio de los sacerdotes, y de su uso. Dimensiones del atrio exterior.*

**1.** Y me sacó *del templo* al patio de afuera por el camino que va hacia el norte; y me introdujo en las cámaras que estaban en frente del edificio separado, y delante de la casa o *templo* por la parte que miraba al Norte.

**2.** En la fachada tenía *este edificio* cien codos de largo desde la puerta del norte, y cincuenta de ancho,

**3.** En frente del atrio interior de veinte codos, y en frente del pavimento enlosado del atrio exterior, donde estaba el pórtico que se unía a los tres pórticos *de los tres lados.*

**4.** Y delante de las cámaras había una galería de diez codos de ancho, que miraba a la parte de adentro y tenía delante un borde o *antepecho* de un codo. Sus puertas estaban al norte,

**5.** Donde había las cámaras más bajas en el plano de arriba; por estar sostenidas de los pórticos, los cuales salían más afuera en la parte ínfima y media del edificio.

**6.** Porque había tres pisos, y aquellas cámaras no tenían columnas, como eran las columnas de los patios: por esto se levantaban de tierra cincuenta codos, comprendidas la estancia ínfima y la del medio.

**7.** Y el recinto exterior a lo largo de las cámaras, las cuales estaban en el paso del patio de afuera delante de las cámaras, tenía de largo cincuenta codos.

**8.** Porque la longitud de las cámaras del atrio exterior era de cincuenta codos, y la longitud delante de la fachada del templo, de cien codos.

**9.** Y debajo de estas cámaras había un pasadizo al Oriente para entrar en ellas desde el patio exterior.

**10.** A lo ancho del recinto del patio, que estaba frente a la pared oriental de la fachada del edificio separado, había también cámaras delante de este edificio.

**11.** Y el pasadizo de delante de ellas era semejante al de las cámaras que estaban al norte; la longitud de este pasadizo era como la de aquél, y la misma la anchura del uno que del otro; y así sus entradas, y su figura, y sus puertas.

**12.** Las cuales eran como las puertas de las cámaras que estaban al mediodía: tenían una puerta en la cabeza del pasadizo, y este pasadizo estaba delante del pórtico separado para quien venía del lado oriental.

**13.** Y díjome *el Angel:* Las cámaras del norte y las cámaras del mediodía, que están delante del edificio separado, son cámaras santas, en las cuales comerán los sacerdotes que se acercan al Señor en el Santuario; allí meterán las cosas sacrosantas y la ofrenda por el pecado y por el delito; porque el tal lugar santo es.

**14.** Y cuando los sacerdotes hubieren entrado, no saldrán del lugar santo al patio de afuera, sino que dejarán allí las vestiduras con que ejercen su ministerio, porque son santas; y tomarán otro vestido, y así saldrán *a tratar* con el pueblo.

**15.** Y cuando *el Angel* hubo acabado de medir la casa o *templo* interior, me sacó fuera por la puerta que miraba al oriente, y midió la casa por todos lados rededor.

**16.** Midió, pues, por la parte del oriente con la caña de medir, y hubo la medida de quinientas cañas alrededor.

**17.** Y por la parte del norte hubo la medida quinientas cañas de medir alrededor.

**18.** Y por la parte del mediodía hubo quinientas cañas de medir al rededor.

**19.** Y por la parte del poniente midió también quinientas cañas de medir *alrededor.*

**20.** Por los cuatro vientos midió su pared por todas partes alrededor, y hubo quinientos codos o *cañas* de longitud y quinientos codos de ancho; la cual *pared* hace la separación entre el Santuario y el lugar o *atrio* del pueblo.

## CAPITULO XLIII

*Entrada del Señor en el Templo. Descripción del altar de los holocaustos, y de la ceremonia de su consagración.*

**1.** Y condújome *el Angel* a la puerta *del atrio exterior* que miraba al oriente.

**2.** Y he aquí que la gloria del Dios de Israel entraba por la puerta del oriente, y el estruendo que ello causaba era como el estruendo de una gran mole de aguas, y su majestad hacía relumbrar la tierra.

---

**CAP. XLII.** — 14. Después XLIV, *v.* 17. — *Lev.* VI, *v.* 11. — *Exod.* XXVIII, *v.* 42.

**20.** Advierte S. Jerónimo que en vez de *cubitorum* debe leerse *cannarum*, como se ve en varios manuscritos de nuestra Vulgata.

**3.** Y tuve una visión semejante a aquella que yo había tenido cuando *el Señor* vino para destruir la ciudad, y su semblante era conforme a la imagen que yo había visto cerca del río Cobar, y postréme sobre mi rostro.

**4.** Y la majestad del Señor entró en el templo por la puerta que mira al oriente.

**5.** Y el espíritu me arrebató, y me llevó al atrio interior, y he aquí que el templo estaba lleno de la gloria del Señor.

**6.** Y oí cómo me hablaba desde la casa y aquel varón que estaba cerca de mí,

**7.** Me dijo: Hijo de hombre, he aquí el lugar de mi trono, y el lugar donde asentaré mis pies, y donde tendré mi morada entre los hijos de Israel para siempre. Los de la familia de Israel no profanarán ya más mi santo nombre, ni ellos ni sus reyes, con sus fornicaciones *o idolatrías,* con los cadáveres de sus reyes y con los *oratorios en los* lugares altos.

**8.** Ellos edificaron su puerta junto a la puerta mía, *o de mi templo;* y sus postes junto a los postes míos, y no había más que una pared entre mí y ellos, y profanaron mi santo Nombre con las abominaciones que cometieron: por esta causa los consumí lleno de indignación.

**9.** Ahora, pues, arrojen lejos de mí sus idolatrías y los cadáveres de sus reyes, y yo moraré para siempre en medio de ellos.

**10.** Mas tú ¡oh hijo de hombre? muestra a los de la casa de Israel el templo, y confúndanse de sus maldades; y midan la fábrica.

**11.** Y avergüéncense de toda su conducta; muéstrales la figura de la casa o *del Templo,* las salidas y entradas del edificio y todo su diseño, y todas sus ceremonias, y el orden que debe observarse en ella, y todas sus leyes; y lo escribirás todo a vista de ellos, para que observen todo el diseño que se da de ella, y sus ceremonias, y las pongan en práctica.

**12.** Esta es la ley o *norma* de la casa *que se reedificará* sobre la cima del monte *santo:* todo su recinto alrededor es sacrosanto. Tal es, pues, la ley *o arreglo* en orden a esta casa.

**13.** Estas son, empero, las medidas del altar hechas por un codo exacto, el cual tenía un codo exacto, el cual tenía un codo *ordinario* y un palmo. El seno o *canal* tenía un codo *de alto* y un codo de ancho; y el remate *o cornisa* del mismo seno, que se levantaba por todo el rededor de su borde, era de un palmo: tal era el foso del altar.

**14.** Y desde el seno o *canal* que había en el pavimento hasta la base inferior *del altar* dos codos *de alto* y la anchura de un codo; y desde la basa inferior hasta la boca superior había cuatro codos *de alto* y un codo de ancho.

**15.** Y el mismo Ariel tenía cuatro codos *de alto;* y desde *el plano del Ariel* se levantaban hacia arriba cuatro pirámides.

**16.** Y el Ariel tenía de largo doce codos y doce codos de ancho: era un cuadrángulo de lados iguales.

**17.** Y el borde de su base tenía catorce codos de largo y catorce de ancho en todos sus cuatro ángulos; y al rededor del *altar* había una cornisa de medio codo, y su seno *o canal* de un codo alrededor, y sus gradas miraban al oriente.

**18.** Y *aquel Angel* me dijo: Hijo de hombre, esto dice el Señor Dios: Estas son las ceremonias pertenecientes al altar para cuando será construído. a fin de que se ofrezca sobre él el holocausto y se derrame la sangre.

**19.** Y tú las enseñarás a los sacerdotes y a los Levitas que son de la estirpe de Sadoc, y se acercan a mi presencia, dice el Señor Dios, para ofrecerme un becerro de la vacada por el pecado.

**20.** Tomarás tú de su sangre y la echarás sobre los cuatro remates del altar, y sobre los cuatro ángulos de la basa, y sobre la cornisa alrededor, y *así* purificarás y expiarás el altar

**21.** Y tomarás aquel becerro ofrecido por el pecado, y lo quemarás en un lugar separado de la casa, *o Templo,* fuera del Santuario.

**22.** Y en el segundo día ofrecerás un macho cabrío sin defecto, por el pecado; y se purificará el altar, como se purificó con el becerro.

**23.** Y así que hayas acabado de purificarlo, ofrecerás un becerro de la vacada sin defecto, y un carnero del rebaño *también* sin defecto.

**24.** Y los ofrecerás en la presencia del Señor; y los sacerdotes echaran sal sobre ellos, y los ofrecerán en holocausto al Señor.

---

CAP. XLIII. — 3. Según representaba la visión de entonces. Antes *cap.* IX, *v.* 1; I, *v.* 1.

7. IV *Reg.* XVI.

14. Por donde la sangre de las víctimas degolladas al pie del altar iba al torrente Cedrón. Capítulo XLVII, *v.* 5.

21. *Exod.* XXIX, *v.* 14. — *Lev.* IV, *v.* 12

24. *Lev.* II, *v.* 13.

**25.** Por siete días ofrecerás diariamente un macho cabrío por el pecado; y un becerro de la vacada, y un carnero del rebaño, *todos* sin defecto.

**26.** Por siete días expiarán el altar, y lo purificarán, y lo consagrarán.

**27.** Cumplidos los días, en el día octavo, y en adelante, los sacerdotes inmolarán vuestros holocaustos y las víctimas pacíficas. Y yo me reconciliaré con vosotros, dice el Señor Dios.

## CAPITULO XLIV

*Queda cerrada la puerta oriental del Templo. No entrarán en él los incircuncisos en la carne y en el corazón. Exhortación a la penitencia. Orden de los ministros sagrados, y leyes que deben observar.*

**1.** Y el Angel me hizo volver hacia la puerta del Santuario exterior, la cual miraba al oriente, y estaba cerrada.

**2.** Y díjome el Señor: Esta puerta estará cerrada; y no se abrirá, y no pasará nadie por ella: porque por ella ha entrado el Señor Dios de Israel; y estará cerrada,

**3.** *Aun* para el príncipe. El príncipe mismo se quedará en *el umbral de* ella para comer el pan en la presencia del Señor: por la puerta del vestíbulo entrará, y por la misma saldrá.

**4.** Y llevóme por el camino de la puerta del Norte delante del templo; y miré, y he aquí que la gloria del Señor había henchido la casa del Señor: y yo me postré sobre mi rostro.

**5.** Y díjome el Señor: Hijo de hombre, considera en tu corazón, mira atentamente, y escucha con cuidado todo aquello que yo te digo acerca de todas las ceremonias de la casa del Señor, y en orden a todas las leyes que a ella pertenecen; y aplicarás tu corazón a observar los ritos *o usos* del templo, en todas las cosas que se practican en el Santuario.

**6.** Y dirás a la familia de Israel, la cual me provoca a ira: Esto dice el Señor Dios: Baste

ya ¡oh familia de Israel! de todas vuestras maldades;

**7.** Porque *yo veo que* aun introducís gente extranjera no circuncidada en el corazón, ni circuncidada en la carne, para estar en mi Santuario, y profanar mi casa, y ofrecerme los panes, y la grosura y la sangre: y *de esta manera* con todas vuestras maldades rompéis mi alianza.

**8.** Ni habéis guardado las leyes de mi Santuario, y vosotros mismos os habéis elegido los custodios *o ministros* de los ritos que yo prescribí para mi Santuario.

**9.** Esto dice el Señor Dios: Ningún extranjero, no circuncidado de corazón, ni circuncidado en la carne, ni ningún hijo de extranjero que habita entre los hijos de Israel, entrará en mi Santuario.

**10.** Pero los del linaje de Leví, que en la apostasía de los hijos de Israel se apartaron lejos de mí, y de mí se desviaron en pos de los ídolos y pagaron la pena de su maldad,

**11.** Estos serán en mi Santuario *no más que* guardas y porteros de las puertas de la casa, y sirvientes de ella: ellos degollarán los holocaustos y víctimas del pueblo, y estarán ante el *pueblo* para servirle;

**12.** Pues que le servieron delante de sus ídolos, y fueron ellos piedra de escándalo a la familia de Israel, para que cayera en la maldad. Por eso yo alcé mi mano contra ellos, dice el Señor Dios, y *juré que* llevarán *la paga* de su maldad.

**13.** Y no se acercarán a mí para ejercer las funciones de sacerdotes míos, ni se llegarán a nada de mi Santuario cerca del Santa de los Santos; sino que llevarán sobre sí su confusión y la pena de las maldades que cometieron.

**14.** Los pondré, pues, por porteros de la casa y sirvientes de ella, para todo cuanto se necesite.

**15.** Pero aquellos sacerdotes y Levitas, hijos de Sadoc, los cuales observaron las ceremonias de mi Santuario, cuando los hijos de Israel se desviaron de mí, éstos se acercarán a mí para servirme, y estarán en la presencia mía para ofrecerme la grosura y la sangre, dice el Señor Dios.

**16.** Y ellos entrarán en mi Santuario, y se llegarán a mi mesa para servirme y observar mis ceremonias.

---

26. *Exod.* XXVIII, *v.* 41; XXIX, *v.* 35.

CAP. XLIV. — 3. En esta puerta *que se conservará cerrada por haber entrado por ella el Señor*, vieron los Santos Padres una expresiva figura de la Virgen María, en el seno de la cual tomó carne humana el Verbo de Dios, quedando María siempre virgen, antes del parto, en el parto y después del parto. Y fué María Santísima como el trono de aquel que es llamado el *Oriente. Zach.* III, *v.* 8.

---

7. *Lev.* XXII, *v.* 25.

12. S. Jerónimo cree que el Profeta habla de los sacerdotes que en el reinado de Manasés y otros reyes impíos promovieron la idolatría.

**17.** Y así que entraren en las puertas del atrio interior, se vestirán de ropas de lino; y no llevarán encima cosa de lana, mientras ejercen su ministerio en las puertas del atrio interior y más adentro.

**18.** Fajas o *turbantes* de lino traerán en sus cabezas, y calzoncillos de lino sobre sus lomos; y no se ceñirán *apretadamente* de modo que les excite el sudor.

**19.** Y cuando saldrán al atrio exterior donde está el pueblo, se desnudarán de las vestiduras con que hubieren ejercido su ministerio, y las dejarán en las cámaras del Santuario, y se vestirán otras ropas, para no consagrar al pueblo con *el contacto de aquellas* vestiduras suyas.

**20.** Y no raerán su cabeza, ni dejarán crecer su cabello, sino que lo acortarán cortándolo *con tijeras.*

**21.** Y ningún sacerdote beberá vino, cuando hubiere de entrar en el atrio interior.

**22.** Y no se desposarán con viuda, ni con repudiada, sino con una virgen del, linaje de la casa de Israel; pero podrán también desposarse con viuda, que lo fuere de otro sacerdote.

**23.** Y enseñarán a mi pueblo a discernir entre lo santo y lo profano, entre lo puro y lo impuro.

**24.** Y cuando sobreviniere alguna controversia, estarán a mis juicios, y *según ellos* juzgarán; observarán mis leyes y mis preceptos en todas mis solemnidades, y santificarán mis sábados.

**25.** Y no se acercarán adonde haya un cadáver, a fin de no quedar con eso contaminados, si no es que sea padre o madre, hijo o hija, hermano o hermana que no haya tenido marido: y *aun* por estos contraerán *alguna* impureza *legal.*

**26.** Y después que se hubiere el *sacerdote* purificado, se le contarán siete días.

**27.** Y en el día que entrare en el Santuario, en el atrio interior para ejercer mi ministerio en el Santuario, presentará una ofrenda por su pecado, dice el Señor Dios.

**28.** Y los sacerdotes no tendrán heredad o *tierras;* la heredad de ellos soy yo: y *así* no les daréis a ellos *ninguna* posesión en Israel; porque yo soy su posesión.

**29.** Ellos comerán *la carne de* la víctima ofrecida por el pecado y por el delito; y todas las ofrendas que haga Israel por voto, serán de ellos.

**30.** De los sacerdotes serán también las primicias *u ofrenda* de todo lo primerizo, y las libaciones todas de cuanto se ofrece, y a los sacerdotes daréis las primicias de vuestros manjares, para que esto atraiga la bendición sobre vuestras casas.

**31.** Ninguna cosa de aves, ni de reses que hayan muerto de suyo, o hayan sido muertas por otra bestia, la comerán los sacerdotes.

## CAPITULO XLV

*El Señor señala la porción de tierra para el Templo, para los usos de los sacerdotes, y para propiedades de la ciudad y del príncipe. Equidad en los pesos y medidas. Sacrificiòs en las fiestas principales.*

**1.** Y cuando comenzaréis a repartir la tierra por suerte *entre las familias,* separad como primicia para el Señor una parte de tierra, que se consagre al Señor, de veinticinco mil medidas *o codos* de largo, y diez mil de ancho: santificado quedará este espacio en toda su extensión alrededor.

**2.** De todo este espacio de tierra separaréis para ser consagrado al Señor, un cuadrado de quinientas medidas por cada lado, y cincuenta codos.de espacio vacío por todo el rededor.

**3.** Y con esta misma medida mediréis la longitud del espacio de veinticinco mil codos, su anchura de diez mil; y en este espacio estará el templo y el Santo de los Santos

**4.** Esta porción de tierra consagrada *a Dios* será para los sacerdotes ministros del Santuario que se ocupan en el servicio del Señor, y será el lugar para sus casas y para el Santuario de santidad.

**5.** Habrá también otros veinticinco mil *codos* de longitud y diez mil de anchura para los Levitas que sirven a la casa o *Templo:* los cuales tendrán veinte habitaciones *cerca de las de los sacerdotes.*

**6.** Y para posesión de la ciudad, común a toda la familia de Israel, señalaréis cinco mil medidas de ancho y veinticinco mil de largo, en frente de la porción separada para el Sántuario *y sus ministros.*

---

**18.** *Exod.* XXIX, *v.* 9. — *Lev.* VIII, *v.* 13.
**19.** *Exod.* XXIX, *v.* 37; XXX, *v.* 29.

**30.** *Exod.* XXII, *v.* 29. — *Num.* XV, *v.* 20.
**31.** *Lev.* XXII, *v.* 8.
**CAP. XLV.** — 2. *Num.* XXXV, *v.* 2.

**7.** Al príncipe también *le daréis su porción* en un lado y otro, junto a la porción separada para el Santuario *y sus ministros,* y a la separada para la ciudad, en frente de la señalada para el Santuario y de la señalada para la ciudad, desde un lado del mar, *o de occidente,* hasta el otro; y desde un lado oriental hasta el otro. La longitud de las porciones será igual en cada una de las dos partes desde su término occidental hasta el oriental.

**8.** El *príncipe* tendrá una porción de tierra en Israel. Y los príncipes no despojarán ya más en lo venidero a mi pueblo; sino que distribuirán la tierra a la familia de Israel, tribu por tribu.

**9.** Esto dice el Señor Dios: Básteos ya esto, príncipes de Israel: dejad la iniquidad y las rapiñas; haced justicia y portaos con rectitud; separad vuestros términos de los de mi pueblo, dice el Señor Dios.

**10.** Sea justa vuestra balanza, y justo el efí, y justo el bato.

**11.** El efí y el bato serán iguales y de una misma medida: de manera que el bato sea la décima parte del coro, y el efí la décima parte del coro: su peso será igual comparado con la medida del coro.

**12.** El siclo tiene veinte óbolos; y veinte siclos con veinticinco siclos y otros quince siclos hacen una mina.

**13.** Las primicias, pues, que ofreceréis vosotros serán las siguientes: de cada coro de trigo la sexta parte de un efí, y la sexta parte de un efí de cada coro de cebada.

**14.** En cuanto a la medida de aceite se dará un bato de aceite; la décima parte de cada coro: diez batos hacen el coro; pues éste con diez batos queda lleno.

**15.** Y de cada rebaño de doscientas cabezas que se críen en Israel, *daréis* un carnero para los sacrificios, para los holocaustos y para las hostias pacíficas, a fin de que os sirvan de expiación, dice el Señor Dios.

**16.** Todo el pueblo de la tierra estará obligado a dar estas primicias al príncipe de Israel.

**17.** Y a cargo del príncipe estará *proveer para* los holocaustos, para los sacrificios y para las libaciones en los días solemnes, y en las calendas, y en los sábados, y en todas las festividades de la casa de Israel: él ofrecerá el sacrificio por el pecado, y el holocausto, y las víctimas pacíficas para la expiación de la familia de Israel.

**18.** Esto dice el Señor Dios: En el mes primero, el día primero del mes, tomarás de la vacada un becerro sin defecto, y purificarás el Santuario.

**19.** Y el sacerdote tomará de la sangre de la víctima ofrecida por el pecado, y rociará con ella los postes de la puerta del templo, y los cuatro ángulos del borde del altar, los postes de la puerta del atrio interior.

**20.** Y lo mismo practicarás el día séptimo del mes por todos aquellos que pecaron por ignorancia o por error, y *así* purificarás la casa, *o el templo.*

**21.** En el mes primero, a catorce del mes, celebraréis la solemnidad de la Pascua. comeréis *panes* ázimos durante siete días.

**22.** Y en aquel día el príncipe ofrecerá por sí y por todo el pueblo de la tierra un becerro por el pecado.

**23.** Y durante la solemnidad de los siete días ofrecerá al Señor en holocausto siete becerros y siete carneros sin defecto, cada día durante los siete días; y un macho cabrío por el pecado, cada uno de los días.

**24.** Y con el becerro ofrecera un efí *de la flor de harina,* y otro efí con el carnero, y un hin de aceite con cada efí.

**25.** En el mes séptimo a los quince días del mes en que se celebra la solemnidad *de los Tabernáculos,* hará durante siete días lo que arriba se ha dicho, tanto para la expiación del pecado, como para el holocusto, y para los sacrificios *de las oblaciones* y del aceite.

## CAPITULO XLVI

*La puerta oriental se abrirá en ciertos días: ofrendas que entonces deberá hacer el príncipe. Por qué puerta han de entrar él y el pueblo para adorar al Señor, y del lugar en que deben cocerse las carnes de las víctimas.*

**1.** Esto dice el Señor Dios: La puerta del atrio interior que mira al Oriente estará cerrada los seis días que son de trabajo; mas el día del sábado se abrirá, y se abrirá también en el día de las calendas.

---

12. *Exod.* XXX, *v.* 13. — *Lex.* XXVII, *v.* 25. — *Num.* III, *v.* 47.

**2.** Y entrará el príncipe por el vestíbulo de la puerta de afuera, y se parará en el umbral de la puerta, y los sacerdotes ofrecerán por él el holocausto y las hostias pacíficas; y hará su adoración desde el umbral de la puerta, y se saldrá: la puerta, empero, no se cerrará hasta la tarde.

**3.** Y el pueblo hará su adoración delante del Señor a la entrada de aquella puerta, en los sábados y en las calendas.

**4.** Y éste es el holocausto que el príncipe ofrecerá al Señor: En el día del sábado seis corderos sin defecto, y un carnero sin defecto;

**5.** Y la ofrenda de un efí *de harina* con el carnero, y lo que él quisiere con los corderos; y ademas un hin de aceite por cada efí.

**6.** En el día, empero, de las calendas ofrecerá un becerro de la vacada que no tenga defecto, y seis corderos, y seis carneros igualmente sin defecto;

**7.** Y con cada becerro ofrecerá un efí *de harina, y* otro efí con cada uno de los carneros; mas con los corderos dará la cantidad que quisiere; y además un hin de aceite por cada efí.

**8.** Cada vez que deba entrar el príncipe, entre por la parte del vestíbulo de la puerta *oriental,* y salga por el mismo camino.

**9.** Y cuando entrará el pueblo de la tierra a la presencia del Señor en las solemnidades, aquel que entrare por la puerta septentrional para adorar, salga por la puerta del mediodía; y aquél que entrare por la puerta del mediodía, salga por la puerta septentrional: nadie saldrá por la puerta que ha entrado, sino por la que está en frente de ella.

**10.** Y el príncipe en medio de ellos entrará y saldrá *por su puerta,* como los demás que entran y salen:

**11.** Y en las ferias *o fiestas y* solemnidades ofrecerá un efí *de harina* con cada becerro, y un efí con cada carnero, y con los corderos lo que quisiere; y además un hin de aceite con cada efí.

**12.** Y cuando el príncipe ofreciere al Señor un holocausto voluntario, o un voluntario sacrificio pacífico, le abrirán la puerta oriental, y ofrecerá su holocausto y sus hostias pacíficas, como suele practicarse en el día de sábado: y se irá; y luego que haya salido se cerrará la puerta.

**13.** Ofrecerá él también todos los días en holocausto al Señor un cordero primal, sin defecto: lo ofrecerá siempre por la mañana.

**14.** Y con él ofrecerá también cada mañana la sexta parte de un efí *de harina,* y la tercera parte de un hin de aceite, para mezclarse con la harina; sacrificio al Señor según la ley, perpetuo y diario.

**15.** Ofreceré el cordero y el sacrificio *de la harina y* el aceite cada mañana; holocausto sempiterno.

**16.** Esto dice el Señor Dios: Si el príncipe hiciere alguna donación a uno de sus hijos, pasará ella en herencia a los hijos de éste, los cuales la poseerán por derecho hereditario.

**17.** Pero si él de su herencia hiciere un legado a alguno de sus criados, éste lo poseerá hasta el año del jubileo; y entonces la cosa legada volverá al príncipe: quedarán, pues, para sus hijos las heredades suyas.

**18.** No tomará el príncipe por la fuerza cosa alguna de la heredad del pueblo, y de cuanto éste posea; sino que de sus propios bienes dará una herencia a sus hijos: para que ninguno de mi pueblo sea despojado de sus posesiones.

**19.** *Después el Angel* por una entrada que estaba junto a la puerta, me introdujo en las cámaras del Santuario pertenecientes a los sacerdotes, las cuales estaban al norte y había allí un lugar que caía hacia el Poniente.

**20.** Y díjome el *Angel:* Este es el lugar donde los sacerdotes cocerán las víctimas ofrecidas por el pecado y por el delito; donde cocerán aquello que se sacrifica, a fin de que no se saque al atrio exterior, y no quede el pueblo consagrado.

**21.** Y me sacó fuera al atrio exterior, y llevóme alrededor por los cuatro lados del patio; y vi que en el ángulo del patio había un zaguanete; un zaguanete en cada ángulo del patio.

**22.** Estos zaguanetes *así* dispuestos en los cuatro ángulos, tenían de largo cuarenta codos y treinta codos de ancho: los cuatro tenían una misma medida.

**23.** Y habia alrededor una pared que circuía los cuatro zaguanetes, y debajo de los pórticos estaban fabricadas alrededor las cocinas.

**24.** *Y díjome el Angel:* Este es el edificio de las cocinas, en el cual los sirvientes de la casa del Señor cocerán las víctimas de *que ha de comer* el pueblo.

---

CAP. XLVL. — 2. II *Pard.* XXVI, *v.* 16.

**20.** *Lev.* VI. *v.* 26. — *Num.* XCVIII. *v.* 9. — O no necesite purificarse. *Cap.* XLIV, *v.* 10.

**24.** I *Paral,* XXIII, *v.* 25. — *Lev.* VII. *v.* 25. — *Deut.* XII. *v.* 18.

## CAPITULO XLVII

*Aguas que salen de debajo de la puerta oriental del Templo, y forman después un torrente caudaloso, las cuales son muy salutíferas. Límites de la tierra santa, que debe distribuirse entre los hijos de Israel y los extranjeros.*

1. Y me hizo volver hacia la puerta de la casa *del Señor;* y vi que brotaban aguas debajo del umbral de la casa hacia el oriente, pues la fachada de la casa miraba al oriente, y las aguas descendían hacia el lado derecho del templo, al mediodía del altar.

2. Y me condujo fuera por la puerta septentrional, e hízome dar la vuelta por fuera hasta la puerta exterior que cae al oriente; y vi las aguas salir a borbollones por el lado derecho.

3. Aquel personaje, pues, dirigiéndose hacia el oriente, y teniendo en su mano la cuerda de medir, midió mil codos *desde el manantial;* y en seguida me hizo vadear el arroyo y me llegaba el agua a los tobillos.

4. Midió en seguida otros mil codos, y *allí* hízome vadear el agua, que me llegaba a las rodillas.

5. De nuevo midió otros mil, y *allí* hízome vadear el agua, la cual me llegaba hasta la cintura; y medidos otros mil, era ya tal el arroyo que no pude yo pasarlo, porque habían crecido las aguas de este arroyo profundo, de modo que no podía vadearse.

6. Díjome entonces: Hijo de hombre, bien lo has visto *ya;* e hízome salir y volvióme a la orilla del arroyo.

7. Y así que hube salido, he aquí en la orilla del arroyo un grandísimo número de árboles a una y otra parte.

8. Y díjome *el Angel:* Estas aguas que corren hacia los montones de arena al oriente, y descienden a la llanura del desierto, entrarán en el mar y saldrán; y las aguas *del mar* quedarán salutíferas.

9. Y todo animal viviente de los que anden serpeando por donde pasa el arroyo tendrá la vida; y habrá allí gran cantidad de peces después que llegasen estas aguas; y todos aquellos a quienes tocare este arroyo tendrán salud y vida.

10. Y los pescadores que pararán junto a estas aguas: Desde Engaddí hasta Engallim se pondrán redes a enjugar: serán muchísimas las especies de peces, y en grandísima abundancia, como los peces en el mar grande.

11. Pero *fuera de* sus riberas, y en las lagunas o *charcos,* no serán salutíferas las aguas; y *solo servirán* para salinas.

12. Y a lo largo del arroyo nacerá en sus riberas de una y otra parte toda especie de árboles fructíferos; no se les caerá la hoja, ni les faltarán jamás frutos; cada mes llevarán frutos nuevos, pues las aguas *que los riegan* saldrán del Santuario; y sus frutos servirán de comida, y sus hojas para medicina.

13. Estas cosas dice el Señor Dios: Estos son los términos dentro de los cuales tendréis vosotros la posesión de la tierra dividida entre las doce tribus de Israel; pues José tiene doble porción.

14. Esta tierra prometida por mí con juramento a vuestros padres, la poseeréis todos igualmente, cada uno lo mismo que su hermano; y será esta tierra vuestra herencia.

15. Ved aquí, pues, los límites de la tierra: Por el lado del norte, desde el mar grande, viniendo de Hetalón a Sedada,

16. A Emat, a Berota, a Sabarim, que está entre los confines de Damasco y los confines de Emat, la casa de Ticón, que está en los confines de Aurán.

17. Y sus confines serán desde el mar hasta el atrio de Enón, término de Damasco, y desde un lado del norte hasta el otro. Emat será el término por el lado del Norte.

18. Su parte oriental será desde el medio de Aurán, y desde el medio de Damasco, y desde el medio de Galaad, y desde el medio de la tierra de Israel. El *río* Jordán será su término hacia el mar oriental. Mediréis también vosotros la parte oriental.

19. Y la parte meridional será desde Tamar o *Palmira* hasta las Aguas de Contradicción en Cadés; y desde el torrente *de Egipto* hasta el mar grande o *Mediterráneo:* ésta es la parte de medio-día.

20. Y la parte *occidental* o del mar será el mar grande desde su extremo en línea recta hasta llegar a Emat: éste es el lado *de la parte* del mar.

---

10. Estos *pecadores* eran la figura de los Apóstoles del Señor. *Matth* IV, *v.* 19.

19. III *Reg.* IX, v. 18. —*Num.* XX, *v.* 19 — *Num.* XXXIX, *v.* 5.

---

**CAP. XLVII.** — 1. *Cap.* XXXVI, *v.* 26. — *Zach.* XIV, *v.* 8. — *Apoc.* VIII, *v.* 10; XIX, *v.* 6.

**21.** Y ésta es la tierra que os repartiréis entre las tribus de Israel;

**22.** Y la sortearéis para herencia vuestra y de aquellos extranjeros que se unirán a vosotros, y procrearán hijos entre vosotros, y a quienes deberéis vosotros mirar como del mismo pueblo de los hijos de Israel; con vosotros entrarán en la parte de las posesiones en medio de las tribus de Israel.

**23.** Y en cualquiera tribu que se halle el extranjero *agregado*, en ella le daréis su heredad o *porción de tierra*, dice el Señor Dios.

## CAPITULO XLVIII

*El Señor hace un nuevo repartimiento de la tierra santa entre las doce tribus. Porciones destinadas para el Templo, para la ciudad, para los sacerdotes y levitas, y para el príncipe. Nombres de las puertas de la ciudad.*

**1.** Y he aquí los nombres de las tribus desde la extremidad septentrional, a lo largo del camino de Hetalón para ir a Emat; el atrio de Enán es el término por la parte de Damasco al norte a lo largo del camino de Emat; y el lado oriental y el mar terminarán la porción de *la tribu de* Dan.

**2.** Y desde los confines de Dan por la parte de oriente hasta el mar será la porción de Aser.

**3.** Y desde los confines de Aser, de oriente al mar, la porción de Neftalí.

**4.** Y desde los confines de Neftalí, de oriente al mar, la porción de Manasés.

**5.** Y desde los confines de Manasés, del oriente al mar, la porción de Efraím.

**6.** Y desde los confines de Efraím, de oriente al mar, la porción de Rubén.

**7.** Y desde los confines de Rubén, de oriente al mar, la porción de Judá.

**8.** Y desde los confines de Judá, de oriente al mar, estará la porción que separaréis a modo de primicias, la cual será de veinticinco mil *medidas o codos* de largo y de ancho, conforme tiene cada una de las porciones desde el oriente hasta el mar: y en medio estará el Santuario.

**9.** Las primicias *o porción* que separaréis para el Señor, serán de veinticinco mil *medidas* de largo y diez de ancho.

**10.** Estas serán las primicias del lugar santo de los sacerdotes. Veinticinco mil *medidas* de largo hacia el norte; y diez mil de ancho hacia el mar; y hacia el oriente diez mil *también* de ancho; y veinticinco mil de largo hacia el mediodía; y en medio *de esta porción* estará el Santuario del Señor.

**11.** Todo éste será lugar santo destinado para los sacerdotes hijos de Sadoc, los cuales observaron mis ceremonias, y no cayeron en el error cuando iban extraviados los hijos de Israel, y se extraviaron también los Levitas.

**12.** Y tendrán ellos, en medio de las primicias *o porciones* de la tierra, la primicia santísima al lado del término de los Levitas.

**13.** Mas a los Levitas igualmente se les señalará, junto al término de los sacerdotes, veinticinco mil *medidas* de largo y diez mil de ancho. Toda la longitud *de su porción* será de veinticinco mil *medidas* y de diez mil la anchura.

**14.** Y de esto no podrán hacer venta ni permuta, ni traspasar a otros las primicias *o porción* de tierras, porque están consagradas al Señor.

**15.** Y las cinco mil medidas que quedan de largo de las veinticinco mil, serán un espacio profano, *o destinado* para edificios de la ciudad y para arrabales; y la ciudad estará en medio.

**16.** Y he aquí sus medidas: A la parte del norte cuatro mil y quinientas; a la del mediodía cuatro mil y quinientas; a la de oriente cuatro mil y quinientas; y cuatro mil y quinientas a la de occidente.

**17.** Y los ejidos de la ciudad tendrán hacia el Norte doscientas y cincuenta; y hacia el mediodía doscientas y cincuenta; y a oriente doscientas y cincuenta; y doscientas y cincuenta al lado del mar; *o de occidente.*

**18.** Y aquello que quadere de la longitud, junto a las primicias del lugar santo, *esto es,* diez mil *medidas* al oriente y diez mil al occidente, será *como aditamento* a las primicias del lugar santo; y los frutos de aquel terreno servirán para alimentar a aquellos que sirven a la ciudad.

**19.** Y aquellos que se emplearán en servir a la ciudad serán de todas las tribus de Israel.

**20.** Todas las primicias de veinticinco mil *medidas* en cuadro serán separadas para primicias del Santuario, y para posesión *y sitio* de la ciudad.

---

22. Para adorar a Dios: alude a la Iglesia de Jesucristo, en la cual es igual la condición de todos los hombres. *Rom.* X, *v.* 12. — *Gal.* VI, *v.* 15.

23. *Rom.* X, *v.* 12.

CAP. XLVIII. — 8. *Cap.* XLV, *v.* 3, 5, 6.

**21.** Y aquello que sobrare alrededor de todas las primicias del Santuario, y de la porción señalada a la ciudad en frente de las veinticinco mil *medidas* de las primicias hasta el término oriental, será del príncipe; y asimismo será de él lo de la parte del mar, u *occidente,* en frente de las veinticinco mil *medidas* hasta el límite del mar; y las primicias del Santuario y el lugar santo del templo quedarán en medio.

**22.** Y el resto de la posesión de los Levitas y de la posesión de la ciudad estará en medio de la porción del príncipe: pertenecerá al príncipe aquello que está entre los confines de Judá y los confines de Benjamín.

**23.** En cuanto a las demás tribus: desde oriente a occidente la porción para Benjamín.

**24.** Desde los confines de Benjamín, de oriente a occidente, la porción de Simeón.

**25.** Y desde el término de Simeón, de oriente a occidente, la porción de Isacar.

**26.** Y desde el término de Isacar, de oriente a occidente, la porción de Zabulón.

**27.** Y desde el término de Zabulón, de oriente al mar u occidente, la porción de Gad.

**28.** Y desde el término de Gad hacia la región del mediodía, serán sus confines desde Tamar hasta las Aguas de Contradicción en Cadés: su herencia en frente del mar grande.

**29.** Esta es la tierra que repartiréis por suerte a las tribus de Israel, y tales son sus porciones, dice el Señor Dios.

**30.** Y éstas son las salidas de la ciudad: por el lado del norte medirás cuatro mil y quinientas *medidas;*

**31.** Y las puertas de la ciudad tomarán nombre de las tribus de Israel: tres puertas al norte, una puerta de Rubén, una de Judá, y una de Leví.

**32.** A oriente medirás cuatro mil y quinientas *medidas*; y habrá tres puertas, una puerta de José, una de Benjamín y una de Dan.

**33.** Y a mediodía medirás cuatro mil y quinientas *medidas;* y habrá tres puertas, una puerta de Simeón, una de Isacar y una de Zabulón.

**34.** Y al dado de occidente medirás cuatro mil y quinientas *medidas;* y habrá tres puertas, una puerta de Gad, otra de Aser y otra de Neftalí.

**35.** Su recinto será de dieciocho mil *medidas.* Y el nombre de la ciudad, desde aquel día será: habitación o *ciudad* el Señor.

---

**35.** *Apoc* XXI, *v.* 10. Nombre que es de la misma naturaleza que el de *Emmanuel*, que significa *Dios con nosotros;* y así solamente conviene con rigor a la Iglesia de Jesucristo, en la cual habitará el señor hasta el fin del mundo. *Matth.* XXVIII, *v.* 20.

# LA PROFECÍA DE DANIEL

# Introducción

Daniel era un joven hebreo que fue escogido junto con otros tres para ser educado en la corte de Babilonia y entrar a servir al rey. Sucedían estos hechos en una deportación anterior a las dos de que tenemos noticia, las de los años 598 y 587. Una vez en el palacio real, el joven Daniel se ganó la confianza del rey Nabucodonosor y llegó a ejercer altas funciones en el gobierno de Caldea. Según la tradición, a los doce años pronunció su célebre sentencia a favor de Susana, mujer de Joaquim, y contra los dos viejos que intentaban agobiarla con calumnias por haberse resistido a cumplir sus impuros deseos.

Cuando Caldea pasó a manos de medos y persas (año 539) el rey medo Darío puso a Daniel a la cabeza de los sátrapas o gobernadores de las provincias. El sucesor de Darío, Ciro, siguió teniéndolo como hombre de confianza. Desde su alta posición social no dejó de profesar abiertamente la religión judaica. Atacó sin descanso a los dioses caldeos y esto le atrajo enemistades que le hicieron correr peligro de muerte. Nada se sabe del fin de Daniel.

Es Daniel el más misterioso de los profetas. Sus escritos están envueltos en enigmas históricos y doctrinales. Para su estudio suele dividirse la *Profecía de Daniel* en dos partes. La primera, histórica, ocupa los seis primeros capítulos y el apéndice, formado por otros dos capítulos. Contiene la famosa visión profética de la estatua con pies de barro. La parte profética, que comprende los capítulos siete a doce, contiene cuatro visiones. Todas ellas abarcan el mismo marco histórico y concluyen con la persecución del rey Antíoco IV. Es en estas visiones incomparables donde mejor se muestra el admirable espíritu profético de Daniel. Se refieren estas visiones a las cuatro grandes monarquías del mundo antiguo: la caldea, la medo-persa, la griega y la romana. Describe el profeta la sucesión de estos imperios, su destrucción y el estado de la Iglesia cautiva antes de la venida del Mesías. Se anuncia además el reinado de los Seleúcidas, reyes de Siria, y de otros sucesores de Alejandro el Magno.

Dios cuidó con particular providencia de Daniel; le colmó de gracias infusas y de un singular espíritu de celo, piedad y santificación. Estas virtudes las expuso el Señor a terribles pruebas. Se elevó Daniel a los principales cargos y dignidades del imperio gracias a su buen juicio, su prudencia y su sobrenatural sabiduría. Su elevada posición le permitió procurar ayuda y consuelo a los judíos cautivos y les hizo más llevaderos los sufrimientos padecidos en Babilonia.

Desde el punto de vista exegético, la *Profecía de Daniel* ofrece abundantes problemas. El libro se ha conservado en tres lenguas: la aramea, la griega y la hebrea. El canon judío sólo admite las partes aramea y hebrea. La Iglesia reconoce también la parte griega, transmitida por los apóstoles en la vérsión de los Setenta. Como resultado de estas exclusiones, los judíos no consideran que Daniel fuera un profeta. Las dificultades y contradicciones de la parte histórica son de difícil aclaración. Pero esto en modo alguno empaña el valor de sus profecías mesiánicas y de sus enseñanzas doctrinales .

San Jerónimo apreciaba particularmente este libro y consideraba sus vaticinios válidos no sólo para el lapso de tiempo existente entre la vida del profeta y la encarnación del Verbo, sino incluso hasta la consumación de los siglos.

La interpretación de los sueños, que tiene gran importancia en la vida de Daniel, era y ha sido siempre un modo de conocimiento practicado por todos los pueblos.

## CAPITULO PRIMERO

*Daniel, Ananías, Micael y Azarías son escogidos para servir en la corte de Nabucodonosor. Recusaron los manjares de la casa real por no faltar a la ley de Dios, y por eso el Señor les da su bendición, y comunica, señaladamente a Daniel, el don de profecía.*

1. En el año tercero del reinado de Joakim, rey de Judá, vino Nabucodonosor, rey de Babilonia contra Jerusalén, y la sitió.

2. Y el Señor entregó en sus manos a Joakim, rey de Judá, y una parte de los vasos del templo de Dios, y los trasladó a tierra de Senaar a la casa, *o templo,* de su dios, y los metió en la casa del tesoro de su dios.

3. Y dijo el rey a Asfenez, jefe de los eunucos, *o mayordomo,* que de los hijos de Israel, y de la estirpe de sus reyes y grandes, le destinase

4. *Algunos* niños que no tuviesen ningún defecto, de bella presencia y completamente instruídos, adornados con conocimientos científicos, y bien educados, y dignos, *en fin,* de estar en el palacio del rey, y que les enseñase la lengua y las letras *o ciencias* de los Caldeos.

5. Y dispuso el rey que todos los días se les diese *de comer* de lo mismo que él comía y del vino mismo que él bebía; a fin de que mantenidos así por espacio de tres años, sirviesen después en la presencia del rey.

6. Entre éstos, pues, se hallaron de los hijos de Judá, Daniel, Ananías, Misael y Azarías.

7. Y el prefecto de los eunucos les puso los nombres siguientes: a Daniel el de Baltasar; a Ananías el de Sidrac; a Misael el de Misac; y a Azarías el de Abdénago.

8. Daniel, espero, resolvió en su corazón el no contaminarse con comer de la vianda de la mesa del rey, ni con beber del vino que el rey bebía; y rogó al prefecto de los eunucos *que le permitiese* el no contaminarse.

9. Y Dios hizo que Daniel hallase gracia y benevolencia ante el jefe de los eunucos.

10. Y dijo el prefecto de los eunucos a Daniel: Me temo yo del rey mi señor, el cual os ha señalado la comida y bebida; que si él llegare a ver vuestras caras más flacas que las de los otros jóvenes vuestros coetáneas, seréis causa de que el rey me condene a muerte.

11. Dijo, entonces, Daniel a Malasar al cual el prefecto de los eunucos había encargado el cuidado de Daniel, de Ananías, de Misael y de Azarías:

12. Suplícote que hagas la prueba con nosotros tus siervos por espacio de diez días; y dénsenos legumbres para comer y agua para beber;

13. Y observa nuestras caras y las caras de los jóvenes que comen de la vianda del rey; y según vieres, harás con tus siervos.

14. Oída por él semejante propuesta, hizo con ellos la prueba por diez días.

15. Y al cabo de los diez días aparecieron de mejor color sus rostros, y más llenos que los de todos los jóvenes que comían de las viandas del rey.

16. Malasar, pues, tomaba para sí las viandas, y el vino que ellos habían de beber; y les daba a comer legumbres.

---

CAP. PRIMERO. — 2. Senaar se llamaba el país de *Babilonia. Cen.* X, *v.* 10.

3. O mayordomo mayor. *Is.* XXXIX, *v.* 7.

**17.** Y dióles Dios a estos jóvenes ciencia y pericia en todos los escritos y conocimientos *de los Caldeos*: a Daniel, espero, la inteligencia de todas las visiones y sueños.

**18.** Cumplido, pues, el tiempo, después del cual había mandado el rey que le fuesen presentados los jóvenes, condújoles el prefecto de los eunucos a la presencia de Nabucodonosor.

**19.** Y habiéndolos el rey examinado, no se halló entre todos ellos quien igualase a Daniel, a Ananías, a Misael y a Azarías; y se quedaron para el servicio de la persona real.

**20.** Y en cualquiera especie de conocimientos y ciencias sobre que los examinó el rey, halló que eran diez veces más sabios que cuantos adivinos y magos había en todo su reino.

**21.** Y permaneció Daniel e*n el servicio del rey*, hasta el año primero del rey Ciro.

## CAPITULO II

*Los sabios o magos caldeos, no pudiendo adivinar un sueño de Nabucodonosor, son condenados a muerte. Revélalo Dios a Daniel, quien explica al rey lo que significaba la estatua. Ensalza el rey a Daniel, y confiesa al Dios verdadero.*

**1.** En el año segundo de su reinado tuvo Nabucodonosor un sueño, que dejó consternado su espíritu, y huyósele dicho sueño de la memoria.

**2.** Y mandó el rey convocar los adivinos y magos, y los hechiceros y los caldeos *o astrólogos*, para que mostrasen al rey los sueños que había tenido; y llegados que fueron se presentaron delante del rey.

**3.** Y díjoles el rey: He tenido un sueño; y perturbaba mi mente, ya no sé lo que he visto.

**4.** A esto le respondieron los caldeos en su lengua siríaca, *o caldaica*: ¡Oh rey, vive para siempre! Refiere el sueño a tus siervos, y nosotros te daremos su interpretación.

**5.** Replicó el rey, y dijo a los caldeos. Olvidóseme lo que era; y si vosotros no me exponéis el sueño, y no me dais su interpretación, pereceréis vosotros y serán confiscadas vuestras casas.

**6.** Mas si expusiereis el sueño y lo que significa, recibiréis de mí premios y dones, y grandes honores: exponedme, pues el sueño y su significación.

**7.** Respondiéronle otra vez ellos, diciendo: Refiera el rey su sueño a sus siervos, y le declararemos su significación.

**8.** A esto repuso el rey, y dijo: Conozco bien que vosotros queréis ganar tiempo, porque sabéis que se me fué de la memoria la cosa que soñé.

**9.** Por lo cual si no me decís aquello que he soñado, yo no pensaré otra cosa de vosotros, sino que forjaréis también una interpretación falaz y llena de engaño, para entretenerme con palabras hasta que vaya pasando el tiempo. Por tanto, decidme el sueño mio, a fin de que conozca que también la interpretación que de él daréis será verdadera.

**10.** A esto dijeron los caldeos, respondiendo al rey: No hay hombre sobre la tierra ¡oh rey! que pueda cumplir tu mandato; ni hay rey alguno grande y poderoso que demande tal cosa a ningún adivino, mago o caldeo,

**11.** Porque es cosa muy difícil ¡oh rey! la que pides: ni se hallará nadie que pueda ilustrar al rey sobre ella: fuera de los dioses, los cuales no tienen trato con los hombres.

**12.** Al oír esto el rey, lleno de furor y grandísimo enojo, mandó que se quitara la vida a todos los sabios de Babilonia.

**13.** Y publicada que fué esta sentencia, fueron a matar a los sabios, y andaban en busca de Daniel y de sus compañeros para hacerlos morir.

**14.** Entonces Daniel fué a preguntar a Arioc, capitán de las tropas del rey, el cual tenía la comisión de hacer morir a los sabios de Babilonia, qué venía a ser aquella ley y aquella sentencia.

**15.** Y al dicho *Arioc*, que había recibido la comisión del rey, le preguntó por qué causa había pronunciado el rey tan cruel sentencia. Y habiendo Arioc declarado a Daniel lo que había sobre eso,

**16.** Entró Daniel al rey y le suplicó que le concediese tiempo para dar la solución.

**17.** Enseguida fué a su casa, y contó el caso a sus compañeros Ananías, Misael y Azarías,

---

**17.** *Num.* XII; XXII. — I *Paral.* XXV, *v.* 5.
**21.** Después *cap.* VI, *v.* 28; X, *v.* 1.
**CAP. II.** — **2.** S. Jerónimo traduce *malefici;* porque cree que se ser-vían de los cadáveres humanos y de otros medios propios de los hechiceros.

18. Para que implorasen la misericordia del Dios del cielo acerca de un tal arcano; a fin de que no pereciesen Daniel y sus compañeros, junto con los otros sabios de Babilonia

19. Entonces tuvo Daniel por la noche una visión, en la cual le fué revelado el arcano; y bendijo Daniel al Dios del cielo,

20. Y prorrumpió en estas palabras: Bendito sea el nombre del Señor ab eterno y para siempre: porque de él son la sabiduría y la fortaleza.

21. El muda los tiempos y las edades; traslada los reinos, y los afirma; da la sabiduría a los sabios, y la ciencia a los inteligentes.

22. El revela las cosas profundas y recónditas, y conoce las que se hallan en medio de tinieblas, pues la luz está con el.

23. A ti ¡oh Dios de nuestros padres! te tributo las gracias, y rindo alabanzas, porque me has concedido sabiduría y fortaleza, y me has hecho conocer ahora lo que te hemos pedido; puesto que nos has revelado lo que el rey pregunta.

24. Después de esto fuese Daniel a encontrar a Arioc, a quien había dado el rey el encargo de hacer morir a los sabios de Babilonia; y le habló de esta manera: No quites la vida a los sabios de Babilonia: acompáñame a la presencia del rey y yo le expondré la solución.

25. Entonces Arioc condujo luego a Daniel a la presencia del rey, a quien dijo: He hallado el hombre entre los hijos de Judá cautivos, el cual dará al rey la explicacion que desea.

26. Respondió el rey, y dijo a Daniel, a quien se daba el nombre de Baltasar: ¿Crees tú realmente que podrás decirme el sueño que tuve, y darme su interpretación ?

27. A lo que respondió Daniel al rey, diciendo: El arcano que el rey desea descubrir, no se lo pueden declarar al rey los sabios, ni los magos, ni los adivinos, ni los arúspices.

28. Pero hay un Dios en el cielo, que revela los misterios, y éste te ha mostrado ¡oh rey Nabucondonosor! las cosas que sucederán en los últimos tiempos.

Tu sueño y las visiones que ha tenido tu cabeza en la cama, son las siguientes:

29. Tú ¡oh rey! estando en tu cama, te pusiste a pensar en lo que sucedería en los tiempos venideros; y aquel que revela los misterios te hizo ver lo que ha de venir.

30. A mí también se me ha revelado ese arcano no por una sabiduría que en mí haya más que en cualquier otro hombre mortal ¡sino a fin de que el rey tuviese una clara interpretación, y para que reconocieses ¡oh rey! los pensamientos de tu espíritu.

31. Tú ¡oh rey! tuviste una visión: y te parecía que veías como una grande estatua, y esta estatua grande y de elevada altura estaba derecha en frente de tí; y su presencia era espantosa.

32. La cabeza de esta estatua era de oro finísimo; el pecho, empero, y los brazos de plata; mas el vientre y los muslos de cobre o *bronce;*

33. Y de hierro las piernas; y la una parte de los pies era de hierro y la otra de barro.

34. Así la' veías tú cuando, sin que mano ninguna la moviese, se desgajó del monte una piedra, la cual hirió la estatua en sus pies de hierro y de barro *cocido,* y los desmenuzó.

35. Entonces se hicieron pedazos igualmente el hierro, el barro, el cobre, la plata y el oro, y quedaron reducidos a ser como el tamo de una era en el verano, que el viento esparce; y así no quedó nada de ellos. Pero la piedra que había herido a la estatua, se hizo una gran montaña, y llenó toda la tierra.

36. Tal es el sueño. Diremos también en tu presencia ¡oh rey! su significación.

37. Tú eres rey de reyes; y el Dios del cielo te ha dado a ti reino, y fortaleza, e imperio y gloria;

38. Y ha sujetado a tu poder los lugares todos en que habitan los hijos de los hombres, como también las bestias del campo y las aves del aire; todas las cosas ha puesto bajo tu dominio: tú, pues, eres la cabeza de oro.

39. Y después de ti se levantará otro reino menor que el tuyo, que será de plata; y *después* otro tercer reino, que será de cobre o *bronce,* el cual mandará a toda la tierra.

40. Y el cuarto reino será como el hierro. Al modo que el hierro desmenuza y doma todas las cosas, así *este reino* destrozará y desmenuzará a todos los demas.

41. Mas en cuanto a lo que has visto que una parte de los pies y de los dedos era de barro de alfarero y la otra de hierro, *sepas que* el reino, sin embargo que tendrá origen de vena de hierro, será dividido, conforme lo que viste del hierro mezclado con el barro cocido.

27. *Ezech.* XXI, *v.* 21.

**42.** Y *como* los dedos de los pies en parte son de hierro y en parte de barro cocido, *así* el reino en parte será firme y en parte quebradizo.

**43.** Y al modo que has visto el hierro mezclado con el barro cocido, *así* se unirán por medio de parentelas; mas no formarán un cuerpo el uno con el otro, así como el hierro no puede ligarse con el barro.

**44.** Pero en el tiempo de aquellos reinos, el Dios del cielo levantará un reino que nunca jamás será destruído; y este reino no pasará a otra nación, sino que quebrantará y aniquilará todos estos reinos, y él subsistirá eternamente.

**45.** Conforme viste tú que la piedra desprendida del monte sin concurso de hombre alguno, desmenuzó el barro, y el hierro, y el cobre, y la plata y el oro, el gran Dios ha mostrado al rey las cosas futuras. Y el tal sueño es verdadero, y es fiel su interpretación.

**46.** Entonces el rey Nabucodonosor postróse en tierra sobre su rostro y adoró a Daniel, y mandó que se le hiciesen sacrificios de víctima, y le quemasen incienso.

**47.** El rey, pues, dirigió su palabra a Daniel, y le dijo: Verdaderamente que vuestro Dios es el Dios de los dioses, y el Señor de los reyes, y el que revela los arcanos, pues has podido tú descubrir éste.

**48.** Entonces el rey ensalzó a Daniel colmándole de honores, y le hizo muchos y magníficos regalos, y le constituyó príncipe de todas las provincias de Babilonia; y presidente de los magistrados y de todos los sabios de Babilonia.

**49.** E impetró Daniel del rey que se encargasen los negocios de la provincia de Babilonia a Sidrac, Misac y Abdénago: Daniel, empero, estaba al lado del rey.

## CAPITULO III

*Ananías, Micael y Azarías, no queriendo adorar la estatua de Nabucodonosor, son echados en un horno encendido y milagrosamente librados por Dios. Asombrado el rey, da gloria a Dios, y manda que sea muerto el que blasfemare su santo Nombre.*

**1.** Hizo el rey Nabucodonosor una estatua de oro de sesenta codos de altura y seis de anchura, y púsola en el campo de Dura, en la provincia de Babilonia

**2.** Mandó, pues, el rey Nabucodonosor júntar los sátrapas, magistrados y jueces, los capitanes y grandes señores, y los prefectos y los gobernadores todos de las provincias, para que asistiesen a la dedicación de la estatua que había levantado el rey Nabucodonosor.

**3.** Reuniéronse, pues, los sátrapas, los magistrados, y los jueces, y los capitanes, y los grandes señores, y los presidentes de los tribunales, y todos los gobernadores de las provincias, para concurrir a la dedicación de la estatua que había levantado el rey Nabucodonosor. Y estaban en pie delante de la estatua erigida por el rey Nabucodonosor;

**4.** Y gritaba un pregonero en alta voz: A vosotros ¡oh pueblos, tribus y lenguas! se os manda

**5.** Que en el mismo punto en que oyereis el sonido de la trompeta, de la flauta, del arpa, de la zampoña, y del salterio, y de la sinfonía, y de toda especie de instrumentos músicos, postrándoos, adoréis la estatua de oro erigida por el rey Nabucodonosor.

**6.** Que si alguno no se postrare, y no la adorare, en el mismo momento será arrojado en un horno de fuego ardiente.

**7.** Así, pues, luego que los pueblos todos oyeron el sonido de la trompeta, de la flauta, del arpa, de la zampoña, y del salterio, y de la sinfonía, y de toda especie de instrumentos músicos, postrándose todos los pueblos, tribus, y lenguas, adoraron la estatua de oro que había levantado el rey Nabucodonosor.

**8.** Y luego en el mismo momento fueron algunos Caldeos a acusar a los Judíos;

**9.** Y dijeron al rey Nabucodonosor: ¡Oh rey, vive eternamente!

**10.** Tú ¡oh rey! has dado un decreto, para que todo hombre que oyere el sonido de la trompeta, de la flauta, y del arpa, de la zampoña, y del salterio, y de la sinfonía, y de toda especie de instrumentos músicos, se postre, y adore la estatua de oro;

**11.** Y que cualquiera que no se postrare y no la adorare, será arrojado en un horno de fuego ardiente.

**12.** Hay, pues, *tres* hombres entre los Judíos, a los cuales tú constituíste sobre los negocios de la provincia de Babilonia, que son Sidrac, Misac y Abdénago: estos hombres han despreciado, oh rey, tu decreto; no dan culto a tus dioses, ni adoran la estatua de oro que has levantado.

---

**45.** Admirable profecía es ésta del Reino eterno de Jesucristo. I. *Cor.* I, *v.* 25. También varios Rabinos vieron aquí profetizado el Mesías. Bereschit Rabba, ad *Gen*, XXVII, *v.* 10.

13. Entonces Nabucodonosor, lleno de furor y saña, mandó que le trajesen a Sidrac, Misac y Abdénago, los cuales al momento fueron conducidos a la presencia del rey.

14. Y hablóles el rey Nabucodonosor, diciendo: ¿Es verdad ¡oh Sidrac, Misac y Abdénago! que no dáis culto a mis dioses, ni adoráis la estatua de oro que yo hice levantar?

15. Ahora, pues, si estáis dispuestos *a obedecer*, al punto que oigáis el sonido de la trompeta, de la flauta, del arpa, de la zampoña, y del salterio, y de la sinfonía, y de todo género de instrumentos músicos, postraos, y adorad la estatua que yo he hecho; pero si no la adoráis, al instante seréis arrojados en el horno ardiente de fuego. ¿Y cuál es el dios que os librará de mi mano?

16. Respondieron Sidrac, Misac y Abdénago, y dijeron al rey Nabucodonosor: No es necesario que nosotros respondamos sobre esto.

17. Porque he aquí que nuestro Dios, a quien adoramos, puede librarnos del horno del fuego ardiente, y sustraernos, oh rey, de tus manos.

18. Que si él no quisiere, sepas ¡oh rey! que nosotros no daremos culto a tus dioses, ni adoraremos la estatua de oro que has levantado.

19. Enfurecióse con esto Nabucodonosor, y mudó el aspecto de su rostro para con Sidrac, Misac y Abdénago, y mandó que se encendiese el horno con fuego siete veces mayor de lo acostumbrado.

20. Y dió orden a unos soldados de los más fuertes de su ejército para que atando de pies *y manos* a Sidrac, Misac y Abdénago, los arrojasen en el horno de fuego ardiente.

21. Y al punto fueron atados aquellos tres varones, y echados en el horno ardiente de fuego con sus fajas, y tiaras, y calzados, y vestidos.

22. Porque era urgente el mandato del rey, y el horno estaba extraordinariamente encendido. Pero *de repente* las llamas del fuego mataron a aquellos hombres que habían echado a Sidrac, a Misac, y a Abdénago.

23. Y estos tres varones Sidrac, Misac y Abdénago cayeron atados en medio del horno de ardientes llamas.

*Lo que se sigue no lo hallé en los códices hebreos.*

24. Y andaban por medio de las llamas loando a Dios, y bendiciendo al Señor.

25. Y Azarías, poniéndose en pie, oró de esta manera, y abriendo su boca en medio del fuego, dijo:

26. Bendito seas ¡oh Señor Dios de nuestros padres! y digno es de alabanza tu nombre, y glorioso por *todos* los siglos.

27. Porque justo eres en todo aquello que has hecho con nosotros; y verdaderas *o perfectas* son todas las obras tuyas, rectos tus caminos, y justos todos tus juicios.

28. Pues justos fueron los juicios tuyos, según los cuales hiciste recaer todas estas cosas sobre nosotros, y sobre la santa ciudad de nuestros padres, Jerusalén; porque en verdad y en justicia enviaste todas estas cosas por causa de nuestros pecados.

29. Puesto que nosotros hemos pecado y obrado inicuamente, apostatando de ti, y en todo hemos faltado,

30. Sin querer atender a tus preceptos, ni observarlos, ni guardarlos, según tú habías dispuesto para que fuésemos felices.

31. Todo cuanto, pues, has enviado sobre nosotros, y todo lo que nos has hecho, justísimamente lo has hecho:

32. Y nos has entregado en manos de nuestros malvados, perversos y prevaricadores enemigos, y de un rey injusto y el peor de toda la tierra.

33. Y en esta sazón no podemos abrir la boca, siendo, como somos, objeto de confusion y de oprobio para tus siervos y para aquellos que te adoran.

34. Rogámoste, *Señor,* que por amor de tu Nombre, no nos abandones para siempre, ni destruyas tu alianza *con Israel:*

35. Ni apartes de nosotros tu misericordia, por amor de Abraham, tu amado, y de Isaac, siervo tuyo, y de Israel, tu santo:

36. A los cuales hablaste, prometiéndoles que multiplicarías su linaje como las estrellas del cielo y como la arena que está en la playa del mar.

37. Porque nosotros ¡oh Señor! hemos venido a ser la más pequeña de todas las naciones, y estamos hoy día abatidos en todo el mundo por causa de nuestros pecados.

---

CAP. III. — 18. Una respuesta semejante dieron S. Pedro y S. Juan al Sinedrío de Jerusalén. *Act.* IV.

24. Lo que sigue hasta el verso 91 lo tomó S. Jerónimo de la Versión griega que Teodoción hizo del hebreo: se halla también en la versión de los *Setenta,* ultimamente impresa en Roma; y la Iglesia ha admitido todos estos versiculo; como *Escritura sagrada y canónica.*

**38.** Y no tenemos en este tiempo ni príncipe, ni caudillo, ni profeta, ni holocausto, ni sacrificio, ni ofrenda ni incienso, ni lugar donde presentarte las primicias,

**39.** A fin de poder alcanzar tu misericordia. Pero recíbenos tú ¡oh Señor! contritos de corazón y con espíritu humillado.

**40.** Como recibías el holocausto de los carneros y toros, y los sacrificios de millares de gordos corderos: así sea hoy agradable nuestro sacrificio en presencia tuya; puesto que jamás quedan confundidos aquellos que en ti confían.

**41.** Y ahora te seguimos con todo el corazón, y te tememos, *o respetamos, y* buscamos tu rostro.

**42.** No quieras, pues, confundirnos: haz, si, con nosotros, según la mansedumbre tuya, y según tu grandísima misericordia.

**43.** Y líbranos, con tus prodigios, y glorifica ¡oh Señor! tu Nombre.

**44.** Y confundidos sean todos cuantos hacen sufrir tribulaciones a tus siervos confundidos sean por medio de tu infinito poder, y aniquilada quede su fuerza.

**45.** Y sepan que sólo tú eres el Señor Dios y el glorioso en la redondez de la tierra.

**46.** Entretanto los ministros del rey que los habían arrojado, no cesaban de cebar el horno con un cierto betún, estopa y pez, y con sarmientos.

**47.** Y alzábase la llama sobre el horno cuarenta y nueve codos:

**48.** Y se extendió, y abrazó a los Caldeos que halló cerca del horno.

**49.** Y el Angel del Señor habiendo descendido al horno, estaba con Azarías y con sus compañeros, y los preservaba de la llama del fuego del horno.

**50.** E hizo que en medio del horno soplase como un viento *fresco y* húmedo que los recreaba; y el fuego no les tocó en parte alguna, ni los afligió, ni causó la menor molestia.

**51.** Entonces aquellos tres *jóvenes,* como si no tuviesen los tres sino una sola boca, alababan, y glorificaban, y bendecian a Dios en medio del horno, diciendo:

**52.** Bendito seas tú ¡oh Señor Dios de nuestros padres! y digno eres de loor, y de gloria, y de ser ensalzado para siempre; y digno de ser alabado y sobremanera ensalzado en todos los siglos.

**53.** Bendito eres tú en el templo santo de tu gloria, y sobre todo loor y sobre toda gloria por *todos* los siglos *de siglos.*

**54.** Bendito eres tú en el trono de tu reino, y sobre todo loor y sobre toda gloria por *todos* los siglos.

**55.** Bendito eres tú que con tu vista penetras los abismos, y estás sentado sobre querubines, y eres digno de loor, y de ser ensalzado por *todos* los siglos.

**56.** Bendito eres tú en el firmamento del cielo, y digno de loor, y de gloria por *todos* los siglos.

**57.** Obras todas del Señor, bendecid al Señor: loadle y ensalzadle sobre todas las cosas por *todos* los siglos.

**58.** Angeles del Señor bendecid al Señor: loadle y ensalzadle sobre todas las cosas por *todos* los siglos.

**59.** Cielos, bendecid al Señor: alabadle y ensalzadle sobre todas las cosas por *todos* los siglos.

**60.** Aguas todas que estáis sobre los cielos, bendecid al Señor: alabadle y ensalzadle sobre todas las cosas por *todos* los siglos.

**61.** Virtudes todas, *o milicias celestiales,* bendecid vosotras al Señor: loadle y ensalzadle sobre todas las cosas por *todos* los siglos.

**62.** Sol y luna, bendecid al Señor: loadle y ensalzadle sobre todas las cosas por *todos* los siglos.

**63.** Estrellas del cielo, bendecid al Señor: loadle y ensalzadle sobre todas las cosas por *todos* los siglos.

**64.** Lluvias todas y rocíos, bendecid al Señor: alabadle y ensalzadle sobre todas las cosas por *todos* los siglos.

**65.** Espíritus *o vientos* de Dios, bendecid todos vosotros al Señor: loadle y ensalzadle sobre todas las cosas por *todos* los siglos.

**66.** Fuego y calor, bendecid vosotros al Señor: loadle y ensalzadle sobre todas las cosas por *todos* los siglos.

**67.** Frío y calor, bendecid al Señor: loadle y ensalzadle sobre todas las cosas por *todos* los siglos.

**68.** Rocíos y escarchas, bendecid al Señor: loadle y ensalzadle sobre todas las cosas por *todos* los siglos.

**69.** Hielos y fríos, bendecid al Señor: loadle y ensalzadle sobre todas las cosas por *todos* los siglos.

**70.** Heladas y nieves, bendecid al Señor: loadle y ensalzadle sobre todas las cosas por *todos* los siglos.

**71.** Noches y días, bendecid al Señor: loadle y ensalzadle sobre todas las cosas por *todos* los siglos.

**72.** Luz y tinieblas, bendecid al Señor: loadle y ensalzadle sobre todas las cosas por *todos* los siglos.

**73.** Relámpagos y nubes, bendecid al Señor:

---

60. *Ps.* CXLIII, *v.* 4.

loadle y ensalzadle sobre todas las cosas por *todos* los siglos.

**74.** Bendiga al Señor la tierra, alábele y ensálcele sobre todas las cosas por *todos los* siglos.

**75.** Montes y collados, bendecid al Señor: loadle y ensalzadle sobre todas las cosas por *todos los* siglos.

**76.** Plantas todas que nacéis en la tierra, bendecid al Señor: loadle y ensalzadle sobre todas las cosas por *todos* los siglos.

**77.** Fuentes, bendecid al Señor: loadle y ensalzadle sobre todas las cosas por *todos los* siglos.

**78.** Mares y ríos, bendecid al Señor: loadle y ensalzadle sobre todas las cosas por *todos* los siglos.

**79.** Ballenas y peces todos, que giráis por las aguas, bendecid al Señor: loadle y ensalzadle por *todos* los siglos sobre todas las cosas.

**80.** Aves todas del cielo, bendecid al Señor: loadle y ensalzadle por *todos* los siglos sobre todas las cosas.

**81.** Bestias todas y ganados, bendecid al Señor: loadle y ensalzadle por *todos* los siglos sobre todas las cosas.

**82.** ¡*Oh* hijos de los hombres! bendecid al Señor: loadle y ensalzadle por *todos* los siglos sobre todas las cosas.

**83.** Bendiga Israel al Señor: alábele y ensálcele por *todos* los siglos sobre todas las cosas.

**84.** Vosotros, Sacerdotes del Señor, bendecid al Señor: loadle y ensalzadle por *todos* los siglos sobre todas las cosas.

**85.** Siervos del Señor, bendecid vosotros al Señor: loadle y ensalzadle por *todos* los siglos sobre todas las cosas.

**86.** Espíritus y almas de los justos, bendecid al Señor: loadle y ensalzadle por *todos* los siglos sobre todas las cosas.

**87.** Vosotros, santos y humildes de corazón, bendecid al Señor: alabadle y ensalzadle por *todos* los siglos sobre todas las cosas.

**88.** Vosotros, Ananías, Azarías y Misael, bendecid al Señor: loadle y ensalzadle por *todos* los siglos sobre todas las cosas. Porque él nos ha salvado del infierno, *o del sepulcro,* y librado de las manos de la muerte; y nos ha sacado de en medio de las ardientes llamas, y libertado del fuego *del horno.*

**89.** Tributad las gracias al Señor: porque es *tan* bueno, y por ser eterna su misericordia.

**90.** Vosotros todos, los que dais culto al Señor, bendecid al Dios de los dioses: loadle y tributadle gracias, porque su misericordia permanece por todos los siglos.

*Hasta aquí falta en el hebreo; y lo que hemos puesto es de la traslación de Teodoción.*

**91.** Entonces el rey Nabucodonosor quedó atónito, levantóse apresuradamente, y dijo a sus mag-nates: ¿No hemos mandado arrojar tres hombres atados aquí en medio del fuego? Respondieron diciendo: Así es ¡oh rey!

**92.** Repuso él, y dijo: He aquí que yo veo cuatro hombres sueltos, que se pasean por medio del fuego, sin que hayan padecido ningún daño, y el aspecto del cuarto es semejante a *un* hijo de Dios *o Angel.*

**93.** Acercóse entonces Nabucodonosor a la boca del horno de fuego ardiente, y dijo: Sidrac, Misac y Abdénago, siervos del Dios Altísimo, salid fuera, venid. Y luego salieron de en medio del fuego Sidrac, Misac y Abdénago.

**94.** Y agolpándose los sátrapas, y magistrados, y jueces, y los cortesanos del rey, contemplaban aquellos varones, en cuyo cuerpo no había tenido el fuego poder ninguno; y ni un cabello de su cabeza se había chamuscado, ni sus ropas habían padecido nada, ni habían tan siquiera percibido el olor *o vecindad* del fuego.

**95.** Entonces Nabucodonosor prorrumpió en estas palabras: ¡Bendito sea el Dios de ellos, el Dios de Sidrac, Misac y Abdénago, el cual ha enviado a su Angel, y ha librado a sus siervos, que creyeron *o confiaron* en él, y pospusieron el mandato del rey, y sacrificaron sus cuerpos por no servir ni adorar a otro dios alguno fuera de su Dios!

**96.** Este, pues, es el decreto que yo expido: Perezca cualquier pueblo, tribu o lengua que hable mal del Dios de Sidrac, Misac y Abdénago: y sean derruídas sus casas: porque no hay otro dios que pueda así salvar.

**97.** En seguida el rey ensalzó a Sidrac, Misac y Abdénago en la provincia de Babilonia.

**98.** El rey Nabucodonosor a todos los pueblos, naciones y lenguas que habitan en toda la tierra: Vaya siempre en aumento vuestra paz *o felicidad.*

**99.** El altísimo Dios ha obrado conmigo portentos y maravillas. Por eso, pues, he querido publicar

**100.** Sus prodigios, pues son *tan* grandes, y sus maravillas que son estupendas: es su reino un reino eterno, y su poderío *permanece* por todos los siglos.

---

**92.** Los *Setenta y Teodoción* tradujeron un *ángel de Dios.* Los ángeles se llaman *Hijos de Dios. Job* XXXVIII. *v.* 7.

## CAPITULO IV

*Sueño de Nabucodonosor interpretado por Daniel. El rey, echado de su reino, vivió siete años con las bestias; hasta que, reconociendo la mano de Dios, fué restituído al trono.*

1. Yo Nabucodonosor, vivía tranquilo en mi casa, y lleno de felicidad en mi palacio.

2. Y tuve un sueño que me estremeció; y las ideas, y los fantasmas que me pasaron por la cabeza estando en cama, me llenaron de turbación.

3. E hice publicar un decreto para que viniesen *a mi presencia* todos los sabios de Babilonia, a fin de que me declarasen la significación de mi sueño.

4. Entonces fueron introducidos a mi presencia los adivinos, los magos, los caldeos y los agoreros, y referí yo el sueño ante ellos; mas no supieron darme la interpretación de él:

5. Hasta tanto que vino a mi presencia el compañero *suyo* Daniel, que se llama Baltasar, del nombre de mi dios; y el cual tiene dentro de sí el espíritu de los santos dioses, y expuse delante de él mi sueño.

6. ¡Oh Baltasar, príncipe de los adivinos! por cuanto yo sé que tienes dentro de ti el espíritu de los santos dioses, y que no hay para ti arcano alguno impenetrable, expónme las visiones que he tenido en mis sueños, y dime su significación.

7. He aquí la visión que tenía yo en mi cabeza, estando en mi cama: Me parecía ver un árbol en medio de la tierra, de extremada altura.

8. Un árbol grande y robusto, cuya copa tocaba al cielo, y se alcanzaba a ver desde los últimos términos de la tierra.

9. Eran sus hojas hermosísimas y copiosísimos sus frutos: bastaban para alimentar a todos. Vivían a la sombra de él animales y fieras, y en sus ramas hacían nidos las aves del cielo, y de él sacaba su comida todo animal viviente.

10. Esta visión tenía yo en mi cabeza estando en la cama, cuando he aquí que el velador y santo *Angel* descendió del cielo;

11. Y clamó en alta voz, diciendo: Cortad el árbol y desmochad sus ramas, sacudid sus hojas, y desparramad sus frutos; huyan las bestias que están bajo de él, y las aves que están en sus ramas.

12. Empero, dejad en la tierra la cepa de sus raíces; y sea él atado con cadenas de hie-

rro y de bronce, entre las yerbas que están en descubierto; y sea bañado del rocío del cielo, y su vivienda sea con las fieras entre la yerba del campo.

13. Cámbiesele a él el corazón, y désele un corazón de fiera en vez de hombre: y pasen *de este modo* siete tiempos, *o años,* sobre él.

14. Así queda resuelto por sentencia de los veladores *o Angeles, y* es cosa que han pedido los santos *o justos:* hasta que conozcan los mortales que el Altísimo tiene dominio sobre el reino de los hombres, y lo dará a aquel que bien le pareciere, y pondrá sobre él, *si quiere,* al más abatido de los mortales.

15. Yo Nabucodonosor rey vi esto en sueños: tú pues ¡oh Baltasar! dime luego su significación; porque los sabios todos de mi reino no han sabido decírmelo; pero tú puedes, pues reside en ti el espíritu de los santos dioses.

16. Entonces Daniel, que era llamado Baltasar, quedóse pensativo y en silencio como una hora, conturbábanle sus pensamientos. Mas el rey tomó la palabra, y dijo: Baltasar, no te turbes por causa del sueño y de su explicación. A lo que respondió Baltasar diciendo: *Ojalá,* señor mío, *que* el sueño recaiga sobre los que te quieren mal, y sea para tus enemigos lo que él significa.

17. El árbol que has visto elevadísimo y robusto, cuya altura llega hasta el cielo, y se ve de toda la tierra;

18. Cuyas ramas son hermosísimas y abundantísimos sus frutos, y que da alimento para todos; y debajo de cuya sombra habitan las bestias del campo, y en cuyas ramas anidan las aves del cielo:

19. Ese eres tú ¡oh rey! que has sido engrandecido, y te has hecho poderoso, y ha crecido tu grandeza, y elevádose hasta el cielo, y tu poderío hasta los últimos términos de toda la tierra.

20. Y en orden a aquello que ha visto el rey de bajar del cielo el velador y el santo que decía: Cortad el árbol y hacedlo trozos, pero dejad en la tierra una punta de sus raíces, y sea atado él con hierro y con bronce, y

---

CAP. IV. — 13. Véase lo que sobre esta transformación dice Santo Tomás, S. Jerónimo, Teodoreto, etc. De este extraordinario suceso hablan los historiadores gentiles *Megástenes y Abydene.* —Véase Euseb. Praep. Evang. *lib.* IX, *c.* 41. *Abydene, o Palafete* de Abyde era discípulo de Aristóteles. *Mesgástenes* escribía su historia poco despues de la muerte de Alejandro Magno. — Véase *Dan.* VII, *v.* 25.

esté al descubierto sobre la yerba, y sea bañado con el rocío del cielo, y su pasto sea común con las fieras hasta que pasen así por él siete tiempos, *o años:*

**21.** Esta es la interpretación de la sentencia del Altísimo, pronunciada contra el rey, mi señor:

**22.** Te echarán de entre los hombres, y habitarás con las bestias y fieras, y comerás heno como si fueses buey, y serás bañado con el rocío del cielo: y así pasarán por ti siete tiempos, o años, hasta tanto que conozcas que el Altísimo tiene dominio sobre el reino de los hombres, y lo da a quien le parece.

**23.** Y en cuanto a la orden de dejar la punta de las raíces del árbol, *significa que* tu reino te quedará para ti después que conocieres que hay una potestad en el cielo.

**24.** Por tanto, toma ¡oh rey! mi consejo, y redime con limosnas tus pecados y maldades, ejercitando la misericordia con los pobres; que tal vez perdonará el *Señor* tus pecados.

**25.** Todas estas cosas acontecieron al rey Nabucodonosor.

**26.** Al cabo de doce meses se estaba *el rey* paseando por el palacio de Babilonia.

**27.** Y comenzó a hablar de esta manera: ¿No es ésta la gran Babilonia que yo he edificado para capital de mi reino con la fuerza de mi poderío y el esplendor de mi gloria?

**28.** No había aún acabado el rey de decir esto, cuando vino de repente una voz del cielo *que dijo:* A ti ¡oh rey Nabucodonosor! se te dice: Tu reino te ha sido quitado;

**29.** Y te echarán de entre los hombres, y habitarás con las bestias y fieras, heno comerás como el buey, y pasarán de esta manera por ti siete tiempos, *o años,* hasta tanto que conozcas que el Altísimo tiene dominio sobre el reino de los hombres, y lo da a quien le place.

**30.** En aquel mismo punto se cumplió en Nabucodonosor esta sentencia, y fué separado de la compañía de los hombres, y comió heno como el buey, y su cuerpo recibió el rocío del cielo; de suerte que le crecieron los cabellos como si fuesen alas de un águila, y las uñas como las de las aves de rapiña.

**31.** Mas cumplidos que fueron aquellos días, levanté yo, Nabucodonosor, los ojos al cielo, y me fué restituído mi juicio; y bendije al Altísimo, y alabé y glorifiqué al que vive eternamente. Porque su poder es un poder eterno, y su reino dura por todos los siglos;

**32.** Y ante él son reputados como una nonada todos los habitantes de la tierra; porque según él quiere, así dispone, tanto de las po-

testades del cielo, como de los moradores de la tierra, ni hay quien resista a lo que él hace, y le pueda decir: ¿por qué has hecho esto?

**33.** En aquel mismo punto me volvió a mí el juicio, y recobré el honor, y la dignidad de mi reino, y volví a tener el mismo aspecto que antes; y los grandes de mi corte y mis magistrados vinieron a buscarme, y fuí restablecido en mi trono, y aumentóse la magnificencia mía.

**34.** Ahora, pues, alabo yo, Nabucodonosor, y ensalzo, y glorifico al Rey del cielo; porque todas sus obras son verdaderas, y justos sus caminos; y puede él abatir a los soberbios.

## CAPITULO V

*Baltasar celebra un banquete, y se sirve en él de los vasos sagrados del Templo de Jerusalén. Aparece una mano que escribe en la pared. Interpreta Daniel la escritura: y la terrible sentencia, que en ella se contiene, se verifica aquella misma noche.*

**1.** Dió el rey Baltasar un grande banquete a mil de los grandes de su corte, y cada uno bebía según su edad.

**2.** Estando, pues, él ya lleno de vino, mandó traer los vasos de oro y plata, que su padre Nabucodonosor se había llevado del templo que hubo en Jerusalén, para que bebiesen en ellos el rey, y sus grandes, y sus mujeres y sus concubinas.

**3.** Trajeron, pues, los vasos de oro y de plata transportados del templo que hubo en Jerusalén, y bebieron en ellos el rey, y sus grandes, y sus mujeres, y sus concubinas.

**4.** Bebían el vino, y celebraban a sus dioses de oro y de plata, de bronce, de hierro, de madera y de piedra.

**5.** En la hora misma aparecieron unos dedos como de mano de hombre que escribía en frente del candelero, sobre la superficie de la pared de aquel regio salón, y el rey estaba observando los dedos de la mano que escribía.

**6.** Mudósele al instante al rey el color del rostro, llenábanle de turbación los pensamientos que le venían, y se le desencajaban las junturas de los riñones, y batíanse una contra otra sus rodillas.

---

**34.** No consta con certeza que Nabucodosor dejase enteramente de adorar a los ídolos, aunque algunos Expositores y Padres lo creen así. — Véase *c.* III, *v.* 96.

**7.** Gritó, pues, en alta voz el rey que hiciesen venir los magos, y los caldeos, y los adivinos. Y comenzó el rey a decir a los sabios de Babilonia: Cualquiera que leyere esta escritura, y me declarare su significación, será revestido de púrpura, y llevará color de oro en su cuello, y será la tercera persona de mi reino.

**8.** Vinieron, pues, los sabios del reino, y no pudieron ni leer la escritura, ni indicar al rey su significación.

**9.** Por lo cual quedó el rey Baltasar muy conturbado, y mudósele el color del rostro; y quedaron también aterrados sus cortesanos.

**10.** Mas la reina, con motivo de lo acaecido al rey y a sus cortesanos, entró en la sala del convite, y tomando la palabra, dijo: ¡Vive, oh rey, eternamente! No te conturben tus pensamientos que tienes, ni se altere tu semblante.

**11.** Hay en tu reino un varón el cual tiene dentro de sí el espíritu de los santos dioses, y en tiempo de tu padre se manifestaron en él la ciencia y la sabiduría, por cuya causa el mismo rey Nabucodonosor tu padre lo constituyó jefe de los magos, de los encantadores, caldeos y agoreros; tu padre, digo ¡oh rey!

**12.** Porque se conoció en él un espíritu superior, y prudencia, e inteligencia para interpretar los sueños, para investigar los arcanos, y para la solución de cosas intrincadas; hablo de Daniel, a quien el rey puso el nombre de Baltasar: ahora, pues, que se llame a Daniel, y él dará la interpretación.

**13.** Fué en seguida presentado Daniel ante el rey; y dirigióle el rey su palabra, diciendo: ¿Eres tú aquel Daniel de los hijos desterrados de Judá, que trajo mi padre de la Judea?

**14.** He oído decir que tú tienes el espíritu de los dioses, y que se hallan en ti en grado superior la ciencia, e inteligencia, y la sabiduria.

**15.** Ahora, pues, han venido a mi presencia los sabios y los magos para leer esta escritura, y declararme su significado; mas no han podido decirme el sentido de estas palabras.

**16.** Pero yo he oído decir de ti que tú puedes interpretar las cosas oscuras, y desatar las cosas intrincadas. Si puedes, pues, leer la escritura, y declararme lo que significa, serás revestido de púrpura. y llevarás collar de oro en tu cuello, y serás la tercera persona de mi reino.

**17.** A lo que respondiendo Daniel, dijo al rey: Quédate con tus dones, y dispensa a otro los honores de tu palacio; mas la escritura, ¡oh rey! yo te la leeré, y te declararé su significado.

**18.** El Dios Altísimo ¡oh rey! dió a tu padre Nabucodonosor el reino y la magnificencia, la gloria y los honores;

**19.** Y por la grandeza que le concedió, le respetaban, y temblaban en su presencia todos los pueblos, tribus y lenguas; él hacía morir a aquellos que quería, y castigaba a quien le daba la gana; a los que quería ensalzaba, y a los que quería abatía.

**20.** Pero cuando se engrió su corazón, y se obstinó su espíritu en la soberbia, fué depuesto del trono de su reino, y despojado de su gloria,

**21.** Y fué separado del trato de los hombres; además su corazón se hizo semejante al de una bestia, y habitó con los asnos monteses; comió heno como si fuera un buey, y su cuerpo recibió el rocío del cielo: hasta tanto que reconoció que el Altísimo tiene el dominio sobre el reino de los hombres, y que ensalza sobre el solio a quien él quiere.

**22.** Y tú, oh Baltasar, siendo hijo suyo y sabedor de estas cosas, con todo no has humillado tu corazón;

**23.** Sino que te has levantado contra el dominador del cielo, y has hecho traer a tu presencia los vasos *sagrados* de su *santo* templo, y en ellos has bebido el vino tú, y los grandes de tu corte, y tus mujeres, y tus concubinas; has dado también culto a los dioses de plata, y de oro, y de cobre, y de hierro, y de madera, y de piedra, los cuales no ven, ni oyen, ni sienten; pero aquel *gran* Dios, de cuyo arbitrio pende tu respiración y cualquiera movimiento tuyo, a ése no le has glorificado.

**24.** Por lo cual envió él los dedos de aquella mano que ha escrito eso que está señalado.

**25.** Esto es, pues, lo que está allí escrito: Mane, Técel, Fares.

**26.** Y esta es la interpretación de aquellas palabras. Mane: Ha numerado Dios *los días de* tu reinado, y le ha fijado termino.

**27.** Técel: Has sido pesado en la balanza, y has sido hallado falto.

**28.** Fares: Dividido ha sido tu reino, y se ha dado a los Medos y a los Persas.

**29.** En seguida por orden del rey fué Daniel revestido con la púrpura, y se le puso al cuello el collar de oro, y se hizo saber a todos que Daniel tenía el tercer puesto de autoridad en el reino.

**30.** Aquella noche misma fué muerto Baltasar, rey de los Caldeos

**31.** Y le sucedió en el reino Darío el Medo, de edad de sesenta y dos años.

## CAPITULO VI

*Darío ensalza sobre todos los gobernadores del reino a Daniel; el cual es acusado de haber hecho oración al Dios del cielo, y echado por eso al lago o cueva de los leones de donde sale ileso. Edicto de Darío en favor de la religión de los judíos.*

**1.** Plugo a Darío establecer para el gobierno del reino ciento y veinte sátrapas *o gobernadores*, repartidos por todas las provincias del reino;

**2.** Y sobre ellos tres principales, uno de los cuales era Daniel; a fin de que los sátrapas diesen cuenta a esos tres, y el rey no tuviese *tanta* molestia.

**3.** Daniel, empero, aventajaba a todos los príncipes y sátrapas; porque abundaba más en él el espíritu de Dios.

**4.** Pensaba, pues, el rey en conferirle la autoridad sobre todo el reino; por lo cual los príncipes y sátrapas iban buscando ocasión de indisponer al rey contra Daniel; pero no pudieron hallar motivo de ninguna acusación, ni de sospecha; por cuanto él era fiel, y se hallaba bien lejos de todo delito y de todo indicio de él.

**5.** Dijeron, pues: Nosotros no hallaremos por dónde acusar a este Daniel, sino tal vez por lo tocante a la ley de su Dios.

**6.** Entonces los príncipes y sátrapas sorprendieron al rey y le hablaron de esta manera: ¡Oh rey Darío, vive eternamente!

**7.** Todos los príncipes de tu reino, los magistrados y los sátrapas, los senadores y jueces son de parecer que se promulgue un real decreto, mandando, que todo aquel que pidiere alguna cosa a cualquier dios u hombre hasta que pasen treinta días, sino a ti, oh rey, sea arrojado en el lago de los leones.

**8.** Ahora, pues, ¡oh rey! confirma este parecer y firma el decreto, para que sea irrevocable, como establecido por los Medos y Persas; ni sea lícito a nadie el traspasarlo.

**9.** Y el rey Darío publicó el decreto y lo confirmó.

**10.** Lo que sabido por Daniel, esto es, que había sido establecida dicha ley, se fué a su casa; y allí, abiertas las ventanas de su habitación, que miraba hacia Jerusalén, hincaba sus rodillas tres veces al día, y adoraba y daba gracias a Dios, como antes había acostumbrado hacerlo.

**11.** Aquellos hombres, pues, espiándole con el mayor cuidado, hallaron a Daniel orando y rogando a su Dios.

**12.** Y habiendo ido al rey, le hablaron acerca del edicto, diciendo: ¡Oh rey! ¿no has mandado que cualquiera persona que hasta pasado el espacio de treinta días rogase a algún dios o algún hombre, sino a ti ¡oh rey! fuera echado en el lago de los leones? A lo que respondió el rey diciendo: Verdad es, según ley de los Medos y Persas, la cual no es lícito quebrantar.

**13.** Entonces repusieron, y dijeron al rey: Daniel, uno de los hijos cautivos del Judá, no ha hecho caso de tu ley ni del edicto que tú pusiste: sino que tres veces al día hace oración a su manera.

**14.** Al oír esto quedó el rey contristado; y resolvió en su corazón salvar a Daniel; y hasta que el sol se puso trabajó por librarle.

**15.** Mas aquellos hombres, conociendo el ánimo del rey, le dijeron: Sepas ¡oh rey! que es ley de los Medos y de los Persas, que sea inmutable todo edicto puesto por el rey.

**16.** Entonces dió el rey la orden, y trajeron a Daniel, y le echaron en el lago de los leones. Y dijo el rey a Daniel: Tu Dios, a quien siempre adoras, él te librará.

**17.** Y trajeron una piedra, y la pusieron sobre la boca del lago; y la selló el rey con su anillo y con el anillo de sus magnates, a fin de que nada pudiese intentarse contra Daniel.

**18.** Volvióse *luego* el rey a su palacio, se acostó sin cenar, ni se puso delante de él comida alguna y además no pudo conciliar el sueño.

**19.** Al otro día, levantádose el rey muy de mañana, fué a toda prisa al lago de los leones.

**20.** Y arrimándose a la fosa, llamó a Daniel con voz llorosa, diciendo: Daniel, siervo de Dios vivo, el Dios tuyo, a quien sirves siempre, ¿ha podido acaso librarte de los leones?

**21.** Y Daniel respondió al rey, diciendo: Oh rey, vive para siempre:

---

CAP, VI. — 2. *S. Jerónimo, Josefo y* otros dicen que Darío, después de tomada Babilonia, se volvió a la Media, llevándose a Daniel; y que allí sucedió lo que aquí se refiere.

**22.** Mi Dios envió su ángel, el cual cerró las bocas de los leones, y no me han hecho daño ninguno; porque he sido hallado justo delante de él; mas ni tampoco para contigo, oh rey, he cometido delito alguno.

**23.** Llenóse entonces el rey de la mayor alegría por amor a Daniel, y mandó que sacasen a Daniel fuera del lago, y sacado que fué, no se halló en él lesión ninguna, porque tuvo confianza en su Dios.

**24.** Luego por orden del rey fueron traídos aquellos que habían acusado a Daniel, y fueron echados en el lago de los leones, ellos, y sus hijos, y sus mujeres; y aun no habían llegado al suelo del lago, cuando los leones los arrebataron, y desmenuzaron todos sus huesos.

**25.** Entonces el rey Darío escribió a todos los pueblos, tribus y lenguas, que habitan sobre la tierra: La paz abunde más y más en vosotros:

**26.** Ha sido decretado por mí que en todo mi imperio y reino se respete y tema al Dios de Daniel; porque él es el Dios viviente y eterno para siempre; y su reino no será destruído, y eterno es su poder.

**27.** El es el libertador y el salvador, el que obra prodigios y maravillas en cielo y tierra: él es el que ha librado a Daniel del lago de los leones.

**28.** Conservóse después Daniel *en grande honor* durante el reinado de Darío, y el reinado de Ciro, rey de los persas.

## CAPITULO VII

*Daniel ve en una visión cuatro bestias, figura de cuatro monarquías. Potestad eterna del Hijo del hombre, o de Jesucristo en el mundo.*

**1.** En el año primero de Baltasar, rey de Babilonia, tuvo Daniel una visión en sueños; y la visión la tuvo su mente estando en su cama: y escribió el sueño, púsole en pocas palabras, refiriéndole en compendio de esta manera:

**2.** Tuve yo una noche esta visión: los cuatro vientos del cielo combatían, *o chocaban entre sí,* en el mar grande.

**3.** Y cuatro grandes bestias, diversas entre sí, salían del mar.

**4.** La primera era como una leona, y tenía alas de águila; mientras yo la miraba, he aquí que le fueron arrancadas las alas, y se alzó de tierra, y se tuvo sobre sus pies como un

hombre, y se le dió un corazón de hombre.

**5.** Y vi otra bestia semejante a un oso, que se puso a su lado, la cual tenía tres órdenes de dientes, y le decían así: Levántate, come carnes en abundancia.

**6.** Después de esto estaba yo observando, y he aquí otra bestia como un leopardo, y tenía en la parte superior cuatro alas como de ave; y tenía esta bestia cuatro cabezas, y le fué dado a ella el poder.

**7.** Después de esto estuve yo contemplando la visión nocturna; cuando he aquí que apareció una cuarta bestia terrible y prodigiosa, y extraordinariamente fuerte: la cual tenía grandes dientes de hierro, comía y despedazaba, y lo que le sobraba, lo hollaba con los pies; mas no se parecía a las otras bestias que antes había yo visto, y tenía diez astas.

**8.** Estaba yo contemplando las astas, cuando he aquí que despuntó por en medio de ellas otra asta más pequeña, y así que ésta apareció fueron arrancadas tres de las primeras astas; había en esta asta *pequeña* ojos como de hombre, y una boca que profería cosas grandes, *o jactanciosas.*

**9.** Estaba yo observando, hasta tanto que se pusieron unas sillas; y el anciano de *muchos* días se sentó: eran sus vestiduras blancas como la nieve, y como lana limpia los cabellos de su cabeza; de llamas de fuego era su trono, y fuego encendido las ruedas de éste.

**10.** Salía de delante de él un impetuoso río de fuego; eran millares de millares los que le servían, y mil millones, *o innumerables,* los que asistían ante su presencia. Sentóse para juzgar, y fueron abiertos los libros, *o procesos.*

**11.** Estaba yo en expectación, a causa del ruido de las palabras grandiosas que salían de aquella asta; pero reparé que la bestia había sido muerta, y que su cuerpo muerto había sido echado a arder en el fuego;

**12.** Y que a las otras bestias se les había también quitado el poder, y fijado el espacio de su vida hasta un tiempo y otro tiempo.

**13.** Yo estaba, pues, observando durante la visión nocturno, y he aquí que venía entre las nubes del cielo un *personaje* que parecía

---

CAP. VII. — 7. Todos los Escritores eclesiásticos, dice S. Jerónimo, opinan que esta profecía de los diez reyes pertenece al fin del mundo; y que después de los diez se levantará otro, el cual vencerá o matará a los diez. Este rey será (según creen los mismos Escritores) el *Anticristo,* del cual se habla en el *v.* 25, y en el *cap.* VIII, *v.* 23: XI. *v.* 36. — I *Mach. v.* 46. — *Apoc.* XIII. *v.* 5 — II *Thes. v.* 4.

hijo de hombre; quien se adelantó hacia el anciano de *muchos* días, y le presentaron ante él.

**14.** Y dióle éste potestad, el honor y el reino; y todos los pueblos, tribus y lenguas le servirán a él; la potestad suya es potestad eterna que no le será quitada, y su reino es indestructible.

**15.** Apoderóse de mí el terror: yo, Daniel, quedé atónito con tales cosas; y las visiones que había tenido llenaron de turbación mi mente.

**16.** Lleguéme a uno de los asistentes, y pedíle el verdadero significado de aquellas visiones; y me dió la interpretación de ellas, y me instruyó:

**17.** Estas cuatro bestias grandes, *me dijo*, son cuatro reinos que se levantarán en la tierra.

**18.** Después recibirán el reino los santos del Dios altísimo, y reinarán hasta el fin del siglo, y por los siglos de los siglos.

**19.** Quise en seguida informarme por menor de la cuarta bestia, que era tan diferente de todas las otras, y sobremanera horrorosa; cuyos dientes y uñas eran de hierro, y que comía y desmenuzaba, hollando con sus pies aquello que quedaba:

**20.** E *informarme asimismo* acerca de las diez astas que tenía en la cabeza; y de la otra asta que le había comenzado a salir, al aparecer la cual habían caído las tres astas; y de cómo aquella asta tenía ojos y boca que profería cosas grandiosas, y era mayor que todas las otras.

**21.** Estaba yo observando, y he aquí que aquella asta hacía guerra contra los santos, y prevalecía sobre ellos,

**22.** Hasta tanto que llegó el anciano de *muchos* días, y sentenció en favor de los santos del Altísimo, y vino el tiempo, y los santos obtuvieron el reino.

**23.** Y aquél me habló así: La cuarta bestia será el cuarto reino sobre la tierra, el cual será mayor que todos los reinos, y devorará toda la tierra, y la hollará y desmenuzará.

**24.** Y las diez astas del dicho reino serán diez reyes, después de los cuales se levantará otro, que será más poderoso que los primeros, y derribará tres reyes.

**25.** Y él hablará mal contra el Excelso, y atropellará los santos del Altísimo, y se creerá con facultad de mudar los tiempos *de las*

solemnidades, y las leyes *ceremonias*, y serán dejadas a su arbitrio *todas las cosas* por un tiempo, *o año*, y *dos* tiempos, y la mitad de un tiempo.

**26.** Y *después* se celebrará juicio, a fin de que se le quite el poder, y sea destruído, y perezca para siempre.

**27.** Y para que el reino, y la potestad, y la magnificencia del reino, cuanta hay debajo de todo el cielo, sea dada al pueblo de los santos del Altísimo, cuyo reino es reino sempiterno, y a él le servirán y obedecerán los reyes todos.

**28.** Aquí acabó el razonamiento. Yo Daniel, quedé muy conturbado con estos mis pensamientos, y mudóse el color de mi rostro: conservé, empero, en mi corazón esta visión *admirable*.

## CAPITULO VIII

*En otra visión se muestra a Daniel un carnero con dos astas, y después un macho cabrío, que primero sólo tiene una asta, y luego le nacen cuatro, el cual vence al carnero. El primero señala al rey de los Medos y Persas, y el segundo al de los Griegos. Vaticinio de un príncipe cruel, cuya impiedad y ruina se muestran al Profeta.*

**1.** En el año tercero del reinado del rey Baltasar, se me presentó una visión a mí Daniel, después de aquella que tuve al principio, *o el año primero.*

**2.** Esta visión la tuve hallándome en el alcázar de Susa, que está en el país de Elam; y en la visión parecióme que yo estaba sobre la puerta de Ulai.

**3.** Y levanté mis ojos, y miré, y he aquí un carnero que estaba delante de una laguna, el cual tenía unas astas altísimas, y la una más que la otra, y que iba creciendo. Después

**4.** Vi al carnero que acorneaba hacia el Poniente, y hacia el Septentrión, y hacia el Mediodía, y ninguna bestia podía resistirle, ni librarse de su poder: e hizo cuanto quiso, y se engrandeció.

**5.** Estaba yo considerando esto, cuando he aquí que un macho cabrío que venía de hacia el Occidente, recorría toda la tierra, y *tan rápidamente que* no tocaba el suelo. Tenía el macho cabrío una asta muy notable entre sus ojos.

**6.** Y se dirigió contra aquel carnero bien armado de astas, que yo había visto que estaba delante de la puerta, y embistió hacia él con todo el ímpetu de su fuerza.

---

**25.** Después *cap.* XII, *v.* 7. — I *Mach.* I, *v* 30. — *Apoc.* XII. *v.* 6; XIII, *v.* 5. Las palabras de letra cursiva denotan el sentido que comúnmente se da a este verso: sentido que tal vez hasta ahora no se ha podido averiguar bien.

**7.** Y al llegar cerca del carnero, lo atacó furiosamente, e hirióle, y le rompió ambas astas, y no podía el carnero resistirle; y después de haberlo echado por tierra, lo pisoteó, sin que nadie pudiese librar de su poder al carnero.

**8.** Este macho cabrío se hizo en extremo grande; y cuando hubo crecido fué quebrantada el asta grande, en cuyo lugar nacieron cuatro astas con dirección a los cuatro vientos del cielo.

**9.** Y de la una de éstas salió un asta pequeña, la cual creció mucho hacia el Mediodía, y hacia el Oriente, y hacia la tierra fuerte, *o de Israel.*

**10.** Y se elevó hasta contra la fortaleza del cielo, y derribó *al suelo parte* de los fuertes y de las estrellas, y las holló.

**11.** Y se engrandeció hasta contra el príncipe de la fortaleza, *o de los fuertes*, y quitóle el sacrificio perenne, y abatió el lugar de su santificación.

**12.** Y le fué dado poder contra el sacrificio perpetuo, a causa de los pecados *del pueblo; y* la verdad será abatida sobre la tierra; y él emprenderá *cuanto se le antoje, y* saldrá con su empresa.

**13.** Y oí a uno de los santos que hablaba: y dijo un santo a otro que yo no conocí, y que estaba hablando: ¿Por cuánto tiempo durará lo que se significa en la visión acerca del sacrificio perpetuo, y acerca del pecado, *causa* de la desolación, y en orden a ser hollado el Santuario, y la tierra fuerte *de Israel?*

**14.** Y le respondió: Por espacio de dos mil y trescientos días *enteros, o* de tarde y mañana: y *después* será purificado el Santuario.

**15.** Y mientras yo Daniel tenía esta visión, y buscaba su inteligencia, he aquí que se presentó delante de mí como una figura de hombre.

**16.** Y oí la voz de un varón de dentro *de la puerta* de Ulai, el cual exclamó, diciendo: Gabriel, explícale a éste la visión.

**17.** Con esto vino, y paróse junto al sitio en que yo estaba; y así que llegó, me postré rostro por tierra, despavorido, y díjome él entonces: ¡Oh hijo de hombre! entiende el modo con que se cumplirá esta visión en el tiempo prefijado.

---

CAP. VIII. — 8. Alude a la muerte de Alejandro Magno cuyo imperio solo duró doce años: y a la división de él entre sus cuatro capitanes. *Tolomeo* que reinó en Egipto, *Antígono* en Asia, *Seleuco* en Babilonia y Siria y *Antípatro* en la Grecia.

10. Parece que se denotan aquellos ilustres personajes del pueblo judaico que por no sufrir los tormentos, violaron la ley del señor, para obedecer al tirano. I *Mach*, I, 58. — II *Mach*. IV, *v*. 14.

**18.** Y mientras él me hablaba, yo caí sobre mi rostro al suelo; mas él me tocó, y me hizo volver a mi anterior estado.

**19.** Y díjome entonces: Yo te mostraré las cosas que han de suceder al fin de la maldición *o castiso de Israel:* porque este tiempo tiene su término.

**20.** El carnero que viste armado de astas, es el rey de los Medos y de los Persas.

**21.** El macho cabrío es el rey de los Griegos; y la grande asta que tiene entre sus ojos denota el primer rey.

**22.** Las cuatro astas que, quebrada aquella, nacieron en su lugar, significan cuatro reyes que se alzarán en su nación; mas no tendrán la fuerza *o poder* del primer rey.

**23.** Y después del reinado de éstos, creciendo las maldades *de los Judíos,* se levantará un rey descarado, y entendedor de enigmas, *o muy astuto,*

**24.** Y se afirmará su poder; mas no por sus fuerzas, *sino por su astucia y* no es fácil figurarse como lo asolará todo, y hará cuanto se le antoje, y todo le saldrá bien; y quitará la vida a los esforzados *Israelitas*, al pueblo de los santos.

**25.** Según le pluguiere, y tendrán buen éxito los dolos o *maquinaciones* que urdiere, y *con esto* se hinchará su corazón, y sobrándole todas las cosas hará perecer a muchísimos, y se alzará contra el Príncipe de los príncipes; pero será aniquilado, y no por obra del hombre.

**26.** Y es verdadera esta explicación de la visión, *y tendrá cumplimiento* entre la tarde y la mañana *del último día.* Sella tú, pues, o *guarda* la visión, que ella se verificará pasados muchos años.

**27.** Y yo Daniel perdí las fuerzas, y estuve enfermo por *algunos* días; y restablecido, continuaba despachando en los asuntos del rey; pero estaba pasmado de la visión, sin que hubiese nadie que la interpretase *ni conociese.*

## CAPITULO IX

*Oración de Daniel. Revelación de las setenta semanas hasta la unción del Santo de los santos, y muerte de Cristo; después de la cual quedaría exterminado el pueblo de Israel, y colocada la abominación en el Lugar santo.*

**1.** En el año primero de Darío, hijo de Asuero, de la estirpe de los Medos, el cual gobernó el reino de los Caldeos:

**2.** En el primer año de su reinado, yo Daniel consideré en los libros *de Jeremías* la cuenta de los años que habló el Señor al profeta Jeremías, en los cuales debían cumplirse los setenta años de la desolación de Jerusalén.

**3.** Y volví mi rostro hacia el Señor Dios mío, para dirigirle mis ruegos y súplicas, con ayunos, y vestidos de cilicio, y cubierto de ceniza.

**4.** Haciendo, pues, oración al Señor Dios mío, y tributándole mis alabanzas, dije: Dígnate escucharme ¡Oh Señor, Dios grande y terrible, que eres fiel en cumplir tu alianza y misericordia con los que te aman, y observan tus mandamientos !

**5.** Nosotros hemos pecado, hemos cometido la maldad, hemos vivido impíamente, y hemos apostatado, y nos hemos desviado de tus mandamientos y juicios.

**6.** No hemos obedecido a tus siervos los Profetas, los cuales hablaron en tu nombre a nuestros reyes, y a nuestros príncipes, y a nuestros padres, y al pueblo de la tierra.

**7.** Tuya es ¡oh Señor! *de tu parte está* la justicia; para nosotros, empero, la confusión de nuestro rostro; como está hoy sucediendo a todo hombre de Judá, y a todo habitante de Jerusalén, a todo Israel, así a aquellos que están cerca, como a los que están lejos, en todos los países a donde los arrojaste por causa de las maldades con que te ofendieron.

**8.** Señor, *justa es* la confusión de nuestro rostro, la de nuestros reyes, la de nuestros príncipes, y la de nuestros padres, *todos* los cuales pecaron.

**9.** Mas de ti ¡oh Señor Dios nuestro! es propia la misericordia y la clemencia *para con los pecadores;* porque nosotros nos hemos apartado de ti,

**10.** Y no hemos escuchado la voz del Señor Dios nuestro para proceder según su ley *santa,* que nos prescribió por medio de sus siervos los Profetas.

**11.** Todo Israel se hizo prevaricador de tu ley, y se desvió para no oír la voz tuya; y *así* llovió sobre nosotros la maldición y el anatema que está escrito en el libro de Moisés, siervo de Dios, pues que pecamos contra el Señor.

**12.** Y él ha cumplido la sentencia que pronunció sobre nosotros y sobre nuestros príncipes que nos gobernaron, enviando contra nosotros una grande calamidad, cual jamás la hubo debajo del cielo, y cual ha acontecido a Jerusalén.

**13.** Todo este mal vino sobre nosotros, conforme está escrito en la ley de Moisés, y no recurrimos a ti ¡oh Señor Dios nuestro! para convertirnos de nuestras maldades y meditar la verdad *de tus promesas.*

**14.** Y no se descuidó el Señor de enviar el castigo, y descargólo sobre nosotros: justo es el Señor Dios nuestro en todas las obras que él hace; pues nosotros no quisimos escuchar su voz.

**15.** Ahora, pues!, ¡oh Señor Dios nuestro! tú que con mano fuerte sacaste de tierra de Egipto a tu pueblo, y te adquiriste un renombre *glorioso,* cual es el que ahora gozas; *confesamos* que hemos pecado, que hemos cometido la maldad.

**16.** Señor, por toda tu justicia *o misericordia,* ruégote que aplaques la ira y el furor tuyo contra tu ciudad de Jerusalén, y contra tu santo monte *de Sión:* pues por causa de nuestros pecados, y por las maldades de nuestros padres, Jerusalén y el pueblo tuyo son el escarnio de todos los que están al rededor nuestro.

**17.** ¡Ea, pues! atiende ¡oh Dios nuestro! a la oracion de tu siervo y a sus súplicas: y por amor de ti mismo mira benigno a tu Santuario, que está desierto.

**18.** Dígnate escuchar ¡oh Dios mío! y atiende: abre tus ojos, y mira nuestra desolación y la *de la* ciudad, en la que se invocaba tu *santo* Nombre; pues postrados delante de ti te presentamos nuestros *humildes* ruegos: confiando, no en nuestra justicia, sino en tu grandísima misericordia.

**19.** Escucha benigno ¡oh Señor! Señor aplácate, atiende, y ponte a obrar *nuestra salvación:* no lo difieras ¡oh Dios mío! por amor de ti mismo: pues que la ciudad y tu pueblo llevan el Nombre tuyo.

**20.** Y mientras aún yo hablaba, y adoraba, y confesaba mis pecados y los pecados del pueblo de Israel, y presentaba mis humildes ruegos en la presencia de mi Dios a favor del monte santo de mi Dios:

**21.** Estando yo todavía profiriendo las palabras de mi oración, he aquí que Gabriel, aquel varón que yo había visto al principio de la visión, volando súbitamente, me tocó en la hora del sacrificio de la tarde;

**22.** Y me instruyó, y me habló en los términos siguientes: Daniel, yo he venido ahora a fin de instruirte, y para que conozcas *los designios de Dios.*

**23.** La orden se *me* dió desde luego que te pusiste a orar, y yo vengo para mostrártela; porque tú eres un varón muy agradable *a Dios.* Atiende, pues, tú ahora a mis palabras, y entiende la visión.

**24.** Se han fijado setenta semanas *de años* para tu pueblo y para tu santa ciudad, al fin de las cuales se acabará la prevaricación, y tendrá fin el pecado, y la iniquidad quedará borrada, y vendrá la justicia o *santidad* perdurable, y se cumplirá la visión y la profecía, y será ungido el Santo de los santos.

**25.** Sábete, pues, y nota atentamente: Desde que saldrá la orden *o edicto* para que sea reedificada Jerusalén, hasta el Cristo príncipe, pasarán siete semanas, y sesenta y dos semanas; y será nuevamente edificada la plaza, *o ciudad,* y los muros en tiempos de angustia.

**26.** Y después de las sesenta y dos semanas se quitará la vida al Cristo: y no será más suyo el pueblo, el cual le negará: Y un pueblo con su caudillo vendrá, y destruirá la ciudad y el Santuario; y su fin será la devastación: y acabada la guerra quedará establecida *allí* la desolación.

**27.** Y el *Cristo* afirmará su *nueva* alianza en una semana con muchos *fieles convertidos; y* a la mitad de esta semana cesarán las hostias y los sacrificios; y estará en el templo la abominación de la desolación, y durará la desolación hasta la consumación y el fin *del mundo.*

## CAPITULO X

*Ayuno de Daniel: el cual tiene después una visión. Resistencia del príncipe de los Persas al restablecimiento deseado de Jerusalén: únesele el príncipe de los Griegos contra el ángel Gabriel.*

**1.** En el año tercero de Ciro, rey de los Persas, fué revelado a Daniel, por sobrenombre Baltasar, un suceso verdadero y una fuerza grande, *o ejército celestial:* y él comprendió el suceso; pues necesaria es para esta visión la inteligencia.

**2.** En aquellos días estuve yo Daniel llorando por espacio de tres semanas *de días:*

**3.** Pan delicado *o sabroso* no lo probé; carne ni vino no entraron en mi boca, ni me perfumé con ungüento; hasta tanto que fueron cumplidos los días de estas tres semanas.

**4.** Mas el día veinticuatro del primer mes estaba yo a la orilla del grande río Tigris.

**5.** Y levanté mis ojos y miré, y he aquí un varón con vestidura de lino, y ceñidos sus lomos con *una faja bordada de* oro acendrado;

**6.** Su cuerpo *brillaba* como el crisólito, y su rostro como un relámpago, y como *dos* ardientes antorchas así eran sus ojos; sus brazos y el resto del cuerpo hasta los pies era semejante al bronce reluciente; y el sonido de sus palabras como el ruido de un grande gentío

**7.** Y solamente yo Daniel tuve esta visión; mas aquellos hombres que estaban conmigo no la vieron; sino que se apoderó de ellos un extremo terror, y huyeron a esconderse.

**8.** Y habiendo quedado yo solo, vi esta grande visión, y me quedé sin aliento, y se me demudó el rostro, y caí desmayado, perdidas todas las fuerzas.

**9.** Y oía yo el sonido de sus palabras; y mientras tanto yacía boca abajo, todo atónito, y mi rostro continuaba pegado al suelo;

**10.** Cuando he aquí que una mano me tocó, e hízome levantar sobre mis rodillas y sobre los dedos *o palmas* de mis manos.

**11.** Y díjome él: Daniel, varón muy agradable *a Dios,* atiende a las palabras que yo te hablo, y ponte en pie; pues yo vengo ahora enviado a ti. Y así que él me hubo dicho estas palabras, me puse en pie, temblando.

**12.** Y díjome: No tienes qué temer ¡oh Daniel ! porque desde el primer día en que, a fin de alcanzar *de Dios* la inteligencia, resolviste en tu corazón mortificarte en la presencia de tu Dios, fueron atendidos tus ruegos; y por causa de tus oraciones he venido yo.

**13.** Pero el príncipe del reino de los Persas se ha opuesto a mí por espacio de veintiún días: y he aquí que vino en mi ayuda Miguel, uno de los primeros príncipes, y yo me quedé allí al lado del rey de los Persas.

**14.** He venido, pues, *ahora* para explicarte las cosas que han de acontecer a tu pueblo en los últimos días: porque esta visión se dirige a tiempos remotos.

**15.** Y al tiempo que me decía él estas palabras, bajé hacia el suelo mi rostro, y me quedé en silencio.

**16.** Cuando he aquí que aquel, que era semejante a un hijo de hombre, tocó mis labios, y abriendo mi boca, hablé y dije al varón que

---

CAP. IX. — 25. Todos los expositores, antiguos y modernos, y muchos Rabinos, convienen en que son semanas de años. El Angel divide en tres partes estas *setenta semanas* una de *siete semanas*, otra de *sesenta y dos*, y la tercera sólo de *una semana* a la mitad de la cual será muerto el *Mesías.*

---

CAP. X. — 13. S. Jerónimo, Teodoreto, S. Gregorio, etc. convienen en que se habla del *Angel custodio,* a quien Dios tenía encargada, por decirlo así, la protección del reino de Persia. — Véase Sto. Tomás I part., *quaest.* CXIII, *art.* 7 y 8.

estaba parado delante de mí: ¡Oh Señor mío! así que te he mirado se han desencajado todas mis coyunturas, y me he quedado sin fuerza alguna.

**17.** ¿Y cómo podrá el siervo de mi señor dirigir su palabra al señor mío? Pues no ha quedado en mi vigor ninguno, y hasta la respiración me falta.

**18.** Tocóme luego nuevamente aquel *personaje* que yo veía en figura de hombre, y me confortó,

**19.** Y díjome: No temas ¡oh varón muy agradable *a Dios!* paz sea contigo: aliéntate, y ten buen ánimo. Y mientras me estaba hablando, yo adquiría valor, y dije: Habla ¡oh señor mío! porque tú me has confortado.

**20.** Y dijo él: ¿Sabes tú el por qué he venido yo a ti? Y ahora yo me vuelvo a combatir contra el príncipe de los Persas. Cuando yo salía se dejaba ver el príncipe de los Griegos que venía.

**21.** Sin embargo, yo te anunciaré a ti lo que está declarado en la escritura *o decreto* de verdad: nadie me ayuda en todas estas cosas, sino Miguel que es vuestro príncipe.

## CAPITULO XI

*El ángel declara al Profeta la destrucción del imperio de los persas por el rey de los griegos. Guerras entre los reyes del Mediodía y del Norte. Vendrá un rey impío; sus expediciones y su fin desastrado.*

**1.** Yo, pues, *Gabriel*, desde el primer año *del reinado* de Darío el Medo, le asistía para que se fortificase y corroborase.

**2.** Y ahora te comunicaré yo la verdad. He aquí que aún habrá tres reyes en Persia, y el cuarto sobrepujará a todos los otros por sus inmensas riquezas; y cuando se habrá enriquecido sobre todos, incitará a todas las gentes contra el reino de Grecia.

**3.** Pero se levantará un rey poderoso, que extenderá muchísimo sus dominios, y hará cuanto quiera.

**4.** Y así que él estará en su auge, será deshecho su reino y repartido hacia los cuatro vientos del cielo; mas no entre sus descendientes, ni con el poder con que él dominó; porque a más de los *cuatro* dichos *reinos*, todavía será dividido entre otros príncipes extraños.

**5.** Y el rey del Mediodía se hará poderoso; mas uno de los príncipes *o capitanes* de aquel *rey poderoso* podrá más que él, y será señor de muchas naciones, pues extenderá mucho su dominio.

**6.** Y al cabo de *muchos* años se confederarán; y la hija del rey del Mediodía pasará a *ser esposa del* rey del Norte para hacer las paces; empero ella no podrá detener la fuerza del brazo *de su marido,* ni subsistirá su estirpe; y será entregada *a la muerte* ella y los jóvenes que la habían acompañado, y sostenido en aquel tiempo.

**7.** Sin embargo, se conservará un renuevo de su misma estirpe, el cual vendrá con un ejército, y entrará en los estados del rey del Norte, y los destruirá, y se hará dueño de ellos.

**8.** Además se llevará prisioneros a Egipto sus dioses y simulacros, y los vasos preciosos de plata y oro. El triunfará del rey del Norte.

**9.** Y el rey del Mediodía entrará a poseer el reino, y se volverá a su tierra.

**10.** Sin embargo, irritados los hijos de aquel reunirán grandes ejércitos, y vendrá rápidamente uno de ellos, a modo de una inundación; y volverá al *año siguiente,* y lleno de ardor entrará en combate contra las fuerzas de Egipto.

**11.** Y el rey del Mediodía provocado saldrá y peleará contra el rey del Norte, y pondrá en campaña un ejército sumamente formidable, y caerá mucha gente en su poder.

**12.** Y hará gran número de prisioneros, y se engreirá su corazón, y hará perecer a muchos millares, y con todo no prevalecerá.

**13.** Porque el rey del Norte volverá a levantar un ejército mucho mayor que el primero: y al cabo de cierto número de años vendrá precipitadamente con numeroso ejército y poder grande.

**14.** Y en aquellos tiempos se levantarán muchos contra el rey del Mediodía; y también los hijos de los prevaricadores de tu pueblo se alzarán, de manera que se cumpla la visión, y perecerán.

**15.** Y vendrá el rey del Norte, y formará terraplenes, y se apoderará de las ciudades más fortificadas, sin que puedan resistirle las fuerzas del *rey del* Mediodía; y saldrán a oponérseles sus campeones, pero se hallarán sin fuerzas.

---

CAP. XI. — 3. *Cap.* VII, *v.* 6; VIII, *v.* 5. Alejandro Magno.

---

**6.** Se habla de los dos reyes del Egipto y de la Siria, *Tolomeo Filadelfo y Antíoco:* cuya guerra terminó con casarse Antíoco con *Berenice,* hermana de Tolomeo. — Véase *S. Jerónimo Justino, lib.* VII, c. I; *Valer. Max. Lib.* IX. c. 10, etc.

**16.** Y viniendo aquél sobre el rey del Mediodía, hará cuanto querrá, sin que haya quien pueda resistirle, y entrará en la tierra ilustre *de la Judea,* la cual será por él asolada.

**17.** Y dirigirá sus miras a venir a ocupar todo el reino de aquél, y tratará con él como de buena fe, y le dará su hija, la más hermosa de las mujeres, para arruinarle; pero no le saldrá bien, ni ella estará a favor suyo.

**18.** Y se dirigirá hacia las islas, y se apoderará de muchas de ellas; y hará parar al autor de su oprobio; mas *al fin* quedará él cubierto de confusión.

**19.** Y se volverá al imperio de su país, y allí hallará un tropiezo, y perecerá, sin que parezca más.

**20.** Y tendrá por sucesor un hombre vilísimo e indigno del honor de rey; pero en pocos días acabará su vida, y no en contienda ni en batalla.

**21.** En seguida ocupará su lugar un príncipe despreciable, y no se le tributará el honor debido a un rey; el cual vendrá secretamente, y con dolo se apoderará del reino.

**22.** Y quedarán deshechas y destruídas las fuerzas del que peleará contra él; y además el caudillo de la confederación.

**23.** Y después de hacer amistad con él, usando de dolo, subirá a *Egipto* y triunfará de él con un pequeño ejército.

**24.** Y se apoderará de las ciudades abundantes, y llenas de riquezas; cosas que no pudieron hacer nunca todos sus antepasados: saqueará y arrebatará, y disipará sus riquezas, e irá trazando sus designios contra las más fuertes; y esto hasta cierto tiempo.

**25.** Y se verá instigado de su mismo poder y coraje a salir contra el rey del Mediodía con un grande ejército; y el rey de Mediodía se animará a la guerra, mediante las muchas y fuertes tropas auxiliares; mas no le valdrán, porque tramarán designios contra él.

**26.** Y aquellos mismos que comían en su mesa, serán la ruina suya, y quedará derrotado su ejército, siendo muchísimos los muertos.

**27.** Los mismos dos reyes no pensarán en otra cosa que en hacerse daño; y comiendo en una misma mesa, se hablarán con dolo; mas ninguno llegará a conseguir sus intentos, porque el plazo es para otro tiempo.

**28.** Aquél, empero, regresará a su tierra con muchas riquezas, y su corazón estará siempre contra el testamento santo *de Dios,* y obrará *contra Jerusalén,* y se volverá a su tierra.

**29.** Al tiempo prefijado volverá y vendrá al Mediodía; mas esta última expedición no saldrá como la primera.

**30.** Porque vendrán sobre él las naves de los Romanos; y quedará consternado, y se volverá, y encenderáse su saña contra el testamento santo, y la explayará; y se irá, y pondrá en su pensamiento en aquellos que abandonaron el testamento santo.

**31.** Y los brazos *de los prevaricadores* estarán de su parte, y contaminarán el santuario de la fortaleza, y quitarán el sacrificio perenne, y sustituirán la abominación de la desolación.

**32.** Y los prevaricadores del testamento usarán de fraudulento disimulo; mas el pueblo, el cual reconoce a su Dios, se mantendrá firme, y obrará *según la ley.*

**33.** Y los sabios del pueblo iluminarán a mucha gente, haciéndose víctimas de la espada, del fuego, del cautiverio y de la rapiña *o saqueo,* que durará muchos días.

**34.** Y en medio de su opresión tendrán un pequeño socorro, y muchos se agregarán a ellos fraudulentamente.

**35.** Y perecerán *varios* de los sabios, para que sean acrisolados, y purificados, y blanqueados hasta el tiempo señalado; porque aún quedará otro plazo.

**36.** Y hará el rey cuanto querrá, y se levantará soberbio e insolente contra todos los dioses; hablará con arrogancia contra el Dios de los dioses, y todo le saldrá bien, hasta tanto que se despliegue la cólera *de Dios:* porque así está decretado.

**37.** Y no tendrá respeto al Dios de sus padres, y será dominado de la lascivia, y no hará caso alguno de los dioses, pues se creerá superior a todo.

**38.** Mas tributará culto al dios Maozim en el lugar de su residencia; y a este dios desconocido de sus padres lo honrará con presentes de oro, de plata, de piedras preciosas y con alhajas de gran valor.

---

**17.** Era Cleopatra, hija de Antíoco el Grande, la cual después se declarará contra el padre a favor de su marido Tolomeo Epifanes. *Cap.* II, *v.* 43.

**20.** El ángel S. Gabriel en todo lo que sigue, habla de *Antíoco Epifanes* y de la persecución que padeció la Sinagoga, figura de las persecuciones de la Iglesia especialmente en tiempo del Anticristo. Así lo explican *S. Jerónimo, Teodoreto, S. Hipólito mártir* y muchos otros Padres.

**21.** Habla de Antíoco, llamado Epifanes.

---

**38.** *Maozim: fortaleza.* Este era el dios Marte. Según otros era Júpiter Olimpio, cuya imagen o estatua fué puesta en el templo de Jerusalén (II *Mach.* VI, *v.* 2).

**39.** Y pondrá por tutelar de las fortalezas a un dios extranjero; y a los que a éste le reconozcan *por su dios,* él los colmará de honores, y les dará autoridad sobre muchos, y les repartirá gratuitamente la tierra.

**40.** Y en el tiempo prefijado le hará la guerra el rey del Mediodía; y el rey del Norte, a manera de una tempestad, se dejará caer sobre él con carros armados, y tropas de caballería, y con una grande armada, y entrará en sus provincias, y las talará y pasará adelante.

**41.** Y entrará en la tierra gloriosa *o en la Judea,* y serán destruídas muchas gentes; y solamente se librarán de sus manos Edom y Moab, y las fronteras de los hijos de Ammón.

**42.** Y se apropiará las provincias, y no escapará de sus manos el país de Egipto.

**43.** Asimismo se hará dueño de los tesoros de oro, y de plata, y de todas las preciosidades de Egipto, y pasará también por Libia y Etiopía.

**44.** Y le conturbarán unos rumores que vendrán del oriente y del norte, y partirá con un numeroso ejército para asolar y hacer una horrorosa carnicería.

**45.** Y sentará su real pabellón entre los mares, sobre el ínclito y santo monte, y subirá hasta su cumbre; *pero después perecerá,* y nadie le dará socorro.

## CAPITULO XII

*Después de una grande tribulación serán salvadas las reliquias del pueblo judaico. Resucitarán los muertos, unos para gloria, otros para ignominia eterna. Los doctores evangélicos resplandecerán como las estrellas en el firmamento. Explicación de una visión.*

**1.** Y en aquel tiempo se levantará Miguel, príncipe grande, que es el defensor de los hijos de tu pueblo; porque vendrá un tiempo tal, cual nunca se ha visto desde que comenzaron a existir las naciones hasta aquel día. Y en aquel tiempo tu pueblo será salvado: *lo será* todo aquel que se hallare escrito en el libro.

**2.** Y la muchedumbre de aquellos que duermen *o descansan* en el polvo de la tierra, despertará: unos para la vida eterna, y otros para la ignominia, la cual tendrán siempre delante de sí.

**3.** Mas los que hubieren sido sabios brillarán como la luz del firmamento: y como estrellas por toda la eternidad aquellos que hubieren enseñado a muchos la justicia *o la virtud.*

**4.** Pero tú ¡oh Daniel, ten guardadas estas palabras, y sella el libro hasta el tiempo determinado: muchos lo recorrerán, y sacarán de él mucha doctrina.

**5.** Y yo Daniel observé, y vi como otros dos *Angeles* que estaban en pie, uno de esta parte de la orilla del río y el otro de la otra parte.

**6.** Entonces dije a aquel varón que estaba con las vestiduras de lino y en pie sobre las aguas del río: ¿Cuándo se cumplirán estos portentos?

**7.** Y oí a aquel varón de las vestiduras de lino, que estaba en pie sobre las aguas del río, el cual habiendo alzado su diestra y su izquierda hacia el cielo, juró por aquel *Señor* que siempre vive, y dijo: En un tiempo, y en *dos* tiempos, y en la mitad de un tiempo. Y cuando se habrá cumplido la dispersión de la muchedumbre del pueblo santo, entonces tendrán efecto todas estas cosas.

**8.** Yo oí esto, mas no lo comprendí. Y dije: ¡Oh Señor mío! ¿qué es lo que sucederá después de estas cosas?

**9.** Mas él me dijo: Anda Daniel, que estas son cosas recónditas y selladas hasta el tiempo determinado.

**10.** Muchos serán escogidos, y blanqueados, y purificados como por fuego. Los impíos obrarán impíamente; ninguno de los impíos lo entenderá; mas los sabios *o prudentes* lo comprenderán.

**11.** Y desde el tiempo en que será quitado el sacrificio perpetuo, y será entronizada *en el templo* la abominación de la desolación, pasarán mil doscientos y noventa días.

**12.** Bienaventurado el que espere y llegue a mil trescientos treinta y cinco días.

**13.** Mas tú, Daniel, anda hasta el término señalado; y *después* reposarás, *y te levantarás,* y gozarás de tu suerte al fin de los días.

*Lo que hasta aquí hemos puesto de Daniel se lee en el texto hebreo. Lo demás que sigue hasta el fin del libro, se ha trasladado de la edición de Teodo-ción.* — Nota de S. Jerónimo.

---

**11.** Esto es, el de la *Eucaristía.* Así S. Jerónimo, Teodoreto, S. Ireneo, S. Hipólito, etc. II *Thes.* II, v. 4. — *Apoc.* XI, *v.* 2.

**12.** *Bienaventurado aquel, dice* S. Jerónimo, *que después de la muerte del Anticristo aguarda con paciencia, a más del número arriba dicho, cuarenta y cinco días más, dentro de los cuales vendrá con majestad el Señor y Salvador.*

---

**CAP. XII.** — 2. *Rom.* V, *v.* 19.

## CAPITULO XIII

*Susana, acusada de adulterio y condena-*
*da injustamente, es librada por medio de*
*Daniel; y sus acusadores mueren apedrea-*
*dos.*

1. Había un varón, que habitaba en Babilonia llamado Joakim;

2. El cual casó con una mujer llamada Susana, hija de Helcías, hermosa en extremo, y temerosa de Dios,

3. Porque sus padres que eran virtuosos, instruyeron a su hija según la ley de Moisés.

4. Era Joakim un hombre muy rico, y tenía un jardín junto a su casa, al cual concurrían muchos Judíos, por ser *Joakim* el más respetable de todos ellos.

5. Y en aquel año fueron elegidos jueces del pueblo *de los Judíos* dos ancianos de aquellos de quienes dijo el Señor que la iniquidad había salido de Babilonia de los ancianos que eran Jueces, los cuales parecía que gobernaban al pueblo.

6. Frecuentaban éstos la casa de Joakim, donde acudían a ellos todos cuantos tenían algún pleito.

7. Y cuando al medio día se iba la gente, entraba Susana a pasearse en el jardín de su marido

8. Veíanla los viejos cada día cómo entraba a pasearse; e infláronse en malos deseos hacia ella;

9. Y perdieron el juicio, y desviaron sus ojos para no mirar al cielo, y para no acordarse de sus justos juicios.

10. Quedaron, pues, ambos ciegos por ella; pero no se comunicaron el uno al otro su pasión;

11. Pues se avergonzaban de descubrir su concupiscencia y deseos de pecar con ella.

12. Y buscaban cada día con mayor solicitud el poderla ver. Y *una vez* dijo el uno al otro:

13. Vámonos a casa, que ya es hora de comer; y salieron y se separaron el uno del otro.

14. Mas volviendo cada cual otra vez, se encontraron en un mismo puesto; y preguntándose mutuamente el motivo, confesaron su pasión, y entonces acordaron el tiempo en que podrían hallarla sola.

15. Y mientras estaban aguardando una ocasión oportuna, entró ella en el jardín, como solía todos los días, acompañada solamente de dos doncellas, y quiso bañarse en el jardín, pues hacía *mucho* calor.

16. Y no había en él nadie sino los dos viejos, que se habían escondido, y la estaban acechando.

17. Dijo, pues, ella a sus doncellas: Traedme la confección aromática y los perfumes, y cerrad las puertas del jardín; pues quiero bañarme.

18. Hiciéronlo como lo mandaba, y cerraron las puertas del jardín; y salieron por una puerta excusada para traer lo que había pedido; sin saber ellas que los viejos estaban dentro escondidos.

19. Así que se hubieron ido las criadas, salieron los dos viejos, y corriendo hacia ella, le dijeron:

20. Mira, la puertas del jardín están cerradas, nadie nos ve, y nosotros estamos enamorados de ti: condesciende, pues, con nosotros, y cédete a nuestros deseos.

21. Porque si te resistieres a ello, testificaremos contra ti, diciendo que estaba contigo un joven, y que por eso despachaste tus doncellas.

22. Prorrumpió Susana en gemidos, y dijo: Estrechada me hallo por todos lados: eso que queréis, sería una muerte para mí; y si no lo hago, no me libraré de vuestras manos.

23. Pero mejor es para mí el caer en vuestras manos sin haber hecho tal cosa, que el pecar en la presencia del Señor.

24. Y dió Susana un fuerte grito; y gritaron entonces los viejos contra ella.

25. Y corrió uno de ellos a las puertas del jardín, y abriólas.

26. Y así que los criados de la casa oyeron ruido en el jardín, corrieron allá por la puerta excusada para ver lo que era.

27. Y después de haber oído los criados lo que decían los jueces, quedaron sumamente avergonzados; porque nunca tal cosa se había dicho de Susana. Llegó, pues, el día siguiente.

28. Y habiendo acudido el pueblo a la casa de Joakim su marido, vinieron también los dos viejos, armados de falsedades contra Susana, para condenarla a muerte.

29. Dijeron, pues, en presencia del pueblo: Envíese a llamar a Susana, hija de Helcías, mujer de Joakim. Y enviaron luego por ella.

30. La cual vino acompañada de sus padres e hijos y de todos sus parientes.

31. Era Susana sumamente fina y de extraordinaria belleza.

32. Y aquellos malvados la mandaron descubrir, (pues estaba ella con su velo puesto) para saciarse por lo menos viendo su hermosura.

**33.** Entre tanto lloraban los suyos y cuantos la conocían.

**34.** Y levantándose los dos viejos en medio del pueblo, pusieron sus manos sobre la cabeza de Susana.

**35.** Ella, empero, deshaciéndose en lágrimas, levantó sus ojos al cielo; porque su corazón estaba lleno de confianza en el Señor.

**36.** Y dijeron los viejos: Estándonos paseando solos en el jardín, entró ésta con dos criadas; y cerró las puertas del jardín enviando fuera las criadas.

**37.** Entonces se le acercó un joven que estaba escondido, y pecó con ella.

**38.** Y nosotros que estábamos en un lado del jardín, viendo el atentado fuimos corriendo a donde estaban, y los hallamos en el mismo acto.

**39.** Mas al joven no pudimos prenderlo, porque era más robusto que nosotros, y abriendo la puerta se escapó corriendo.

**40.** Pero habiendo tomado a ésta, le preguntamos quién era el joven, y no nos lo quiso declarar: de este suceso somos nosotros testigos.

**41.** Dióles créditos la asamblea, como ancianos que eran y jueces del pueblo; y la condenaron a muerte.

**42.** Susana, empero, exclamó en alta voz y dijo: ¡Oh Dios eterno, que conoces las cosas ocultas, que sabes todas las cosas aun antes que sucedan!

**43.** Tú sabes que éstos han levantado contra mi un falso testimonio; y he aquí que yo muero sin haber hecho nada de lo que han inventado maliciosamente contra mí.

**44.** Y oyó el Señor su oración.

**45.** Y cuando la conducían al suplicio, el Señor manifestó el santo espíritu *de profecía* en un tierno jovencito llamado Daniel:

**46.** El cual, a grandes voces, comenzó a gritar: Inocente seré yo de la sangre de ésta.

**47.** Y volviéndose a él toda la gente, le dijeron: ¿Qué es eso que tú dices?

**48.** Mas él, puesto en pie en medio de todos, dijo: ¿Tan insensatos sois ¡oh hijos de Israel! que, sin forma de juicio y sin conocer la verdad del hecho, habéis condenado a una hija de Israel?

**49.** Volved al tribunal, porque éstos han dicho falso testimonio contra ella.

**50.** Retrocedió, pues, a toda prisa el pueblo; y los ancianos le dijeron a Daniel: Ven, y siéntate en medio de nosotros e instrúyenos; ya que te ha concedido Dios la honra *y dignidad* de anciano.

**51.** Y dijo Daniel al pueblo: Separad a éstos *dos* lejos el uno del otro, y yo los examinaré.

**52.** Y así que estuvieron separados el uno del otro, llamando a uno de ellos, le dijo: Envejecido en la mala vida, ahora llevarán su merecido tus pecados que has cometido hasta aquí, .

**53.** Pronunciando injustas sentencias, oprimiendo a los inocentes y librando a los malvados, a pesar de que el Señor tiene dicho: No harás morir al inocente, ni al justo.

**54.** Ahora bien, si la viste pecar, di: ¿Bajo qué árbol los viste confabular entre sí? Respondió él: Debajo de un lentisco.

**55.** A lo que replicó Daniel: Ciertamente que a costa de tu cabeza has mentido; pues he aquí que el Angel del Señor, por sentencia que ha recibido de él, te partirá por medio.

**56.** Y habiendo hecho retirar a éste, hizo venir al otro, y le dijo: Raza de Canaán y no de Judá, la hermosura te fascinó y la pasión pervirtió tu corazón.

**57.** Así os portabais con las hijas de Israel, las cuales de miedo condescendían con vuestros deseos; pero esta hija de Judá no ha sufrido vuestra maldad.

**58.** Ahora bien, dime: ¿Bajo qué árbol los sorprendiste tratando entre sí? El respondió: Debajo de una encina.

**59.** A lo que repuso Daniel: Ciertamente que también tú mientes en daño tuyo; pues el Angel del Señor te está esperando con la espada en la mano, para partirte por medio y matarte.

**60.** Entonces toda la asamblea o *muchedumbre* exclamó en alta voz, bendiciendo a Dios que salva a los que ponen en él su esperanza.

**61.** Y se levantaron contra los dos viejos, a los cuales convenció Daniel por la misma boca de ellos de haber proferido un falso testimonio, e hiciéronles el mal que ellos habían intentado contra su prójimo;

**62.** Y poniendo en ejecución la ley de Moisés, los mataron; con lo que fué salvada en aquel día la sangre inocente.

**63.** Entonces Helcías y su esposa alabaron a Dios por *haber salvado a* su hija Susana; y lo mismo hizo Joakim su marido con todos los parientes; porque nada se halló en ella de menos honesto.

**64.** Y Daniel desde aquel día en adelante fué tenido en gran concepto por todo el pueblo.

**65.** Y el rey Astiages fué a reunirse con sus padres; entrando a sucederle en el trono Ciro de Persia.

# CAPITULO XIV

*Astucias de los sacerdotes de Bel descubiertas por Daniel, el cual hace morir a un dragón que adoraban los babilonios. Echado por segunda vez en el lago de los leones, donde el Señor le alimenta por medio de Habacuc, es librado por Dios.*

**1.** Era Daniel uno de aquellos que comían a la mesa del rey, quien lo distinguía entre todos sus amigos o *cortesanos.*

**2.** Había a la sazón en Babilonia un ídolo llamado Bel; y se consumían para él cada día doce artabas o *fanegas* de flor de harina y cuarenta ovejas, y seis cántaros de vino.

**3.** Tributábale culto también el rey, e iba todos los días a adorarle. Daniel, empero, adoraba a su Dios. Y díjole el rey: ¿Por qué no adoras tú a Bel?

**4.** A lo que respondió, diciendo: Porque yo no adoro a los ídolos hechos de mano *de hombres,* sino al Dios vivo, que creó el cielo y la tierra, y es Señor de todo viviente.

**5.** Replicóle el rey: Pues qué, ¿crees tú que Bel no es un dios vivo? ¿No ves cuánto come y bebe cada día?

**6.** A esto contestó Daniel, sonriéndose: No vivas engañado ¡oh rey! porque él por dentro es de barro, y por defuera de bronce, y nunca come.

**7.** Montó el rey en cólera, y llamando a los sacerdotes del ídolo, les dijo: Si no me decís quién come todo eso que se gasta, moriréis.

**8.** Pero si me hacéis ver que todo eso lo come Bel, morirá Daniel por haber blasfemado contra Bel. Y dijo Daniel al rey: Así sea como lo has dicho.

**9.** Eran los sacerdotes de Bel setenta, sin contar las mujeres, y los párvulos y los muchachos. Y fué el rey con Daniel al templo de Bel.

**10.** Dijeron, pues, los sacerdotes de Bel: He aquí que nosotros nos salimos fuera: y tú ¡oh rey! haz poner las viandas y servir el vino, y cierra la puerta, y séllala con tu anillo:

**11.** Y si mañana temprano no hallares, al entrar que todo se lo ha comido Bel, moriremos nosotros sin recurso; de lo contrario, morirá Daniel, que ha mentido contra nosotros.

**12.** Burlábanse ellos *en su interior;* pues habían hecho debajo de la mesa una comunicación secreta, y siempre entraban por allí y se comían aquella vianda.

**13.** Luego, pues, que se hubieron ellos salido, hizo el rey poner las viandas delante de Bel. Daniel, *empero,* mandó a sus criados traer ceniza, y la hizo esparcir con una criba por todo el templo en presencia del rey. Saliéronse, cerraron la puerta, la sellaron con el anillo del rey, y se fueron.

**14.** Mas los sacerdotes entraron de noche, según su costumbre, con sus mujeres e hijos y se lo comieron y bebieron todo.

**15.** Levantóse el rey muy de mañana, y del mismo modo Daniel.

**16.** Y preguntó el rey: ¿Están intactos los sellos, oh Daniel? Y respondió éste: ¡Oh rey! intactos están.

**17.** Y abriendo luego la puerta, así que dirigió el rey sus ojos hacia la mesa o *altar,* exclamó en alta voz: Grande eres ¡oh Bel! y no hay engaño alguno en tu templo.

**18.** Sonrióse Daniel, y detuvo al rey para que no entrase dentro: y dijo: Mira el pavimento, y reflexiona de quién serán estas pisadas.

**19.** Veo, dijo el rey, pisadas de hombres, y de mujeres, y de niños. Con esto irritóse el rey,

**20.** E hizo luego prender a los sacerdotes, y a sus mujeres e hijos: quienes le descubrieron el postigo secreto por donde entraban allí a comer cuanto había sobre la mesa.

**21.** Por lo cual el rey los hizo morir y entregó a Bel en poder de Daniel: quien lo destruyó juntamente con el templo.

**22.** Había en aquel lugar un dragón grande, al cual adoraban los Babilonios.

**23.** Y dijo el rey a Daniel: Mira; no puedes tú decir ya que no sea éste un dios vivo: adórale, pues, tú también.

**24.** A lo que respondió Daniel: Yo adoro al Señor mi Dios, porque él es el Dios vivo; más ése no es el Dios vivo.

**25.** Y así, dame ¡oh rey! licencia, y mataré al dragón sin espada ni palo. Y le dijo el rey: Yo te la doy.

**26.** Tomó, pues, Daniel pez y sebo, y pelos, y cociólo todo junto, e hizo de ellas unas pellas, las que arrojó a la boca del dragón, el cual reventó. Entonces dijo Daniel: Ved aquí al que adorábais.

**27** Así que supieron esto los Babilonios, se irritaron en extremo; y levantándose contra el rey, dijeron: El rey se ha vuelto judío: destruyó a Bel, ha muerto al dragón, y quitado la vida a los sacerdotes.

**28.** Y habiendo ido a encontrar al rey, le dijeron: Entréganos a Daniel; de lo contrario te matamos a ti y a tu familia.

29. Viéndose, pues, el rey tremendamente acometido, obligado de la necesidad les entregó a Daniel.

30. Metiéronle ellos en el lago o *cueva* de leones, donde estuvo seis días.

31. Había en el lago siete leones, y les daban cada día dos cadáveres y dos ovejas; y nada les dieron entonces, a fin de que devorasen a Daniel.

32. Estaba el Profeta Habacuc en la Judea; y había cocido un potaje, y desmenuzado unos panes en una vasija, e íbase al campo a llevarlo a los segadores.

33. Y dijo el Angel del Señor a Habacuc: Esa comida que tienes, llévala a Babilonia, a Daniel que está en el lago de los leones.

34. Y respondió Habacuc. Señor, yo no he visto a Babilonia, ni tengo noticia del lago.

35. Entonces el Angel del Señor lo tomó por la coronilla de la cabeza, y asiéndolo por

___

CAP. XIV. — 30. Ya otra vez arrojado en ella; mas entonces solamente estuvo una noche. Antes, *cap*. VI, *v*. 16.

los cabellos lo llevó con la celeridad de su espíritu a Babilonia sobre el lago.

36. Y Habacuc levantó la voz, y dijo. ¡Daniel, siervo de Dios! toma la comida que Dios te envía.

37. Daniel entonces, dijo: Tú ¡oh Señor! te has acordado de mí, y no has desamparado a los que te aman.

38. Y levantóse Daniel y comió. Y el Angel del Señor volvió luego a Habacuc a su lugar.

39. Vino, pues, el rey el día séptimo para hacer el duelo por Daniel; y llegando al lago, miró hacia dentro, y vió a Daniel sentado en medio de los leones.

40. Entonces exclamó el rey en alta voz, diciendo: ¡Grande eres, oh Señor Dios de Daniel! Y lo hizo sacar del lago de los leones.

41. A aquellos, empero, que habían maquinado perderle, les hizo echar dentro del lago, y fueron al punto devorados en su presencia.

42. Entonces dijo el rey: Teman al Dios de Daniel todos los moradores del orbe: porque él es el salvador, el que obra prodigios y maravillas sobre la tierra, y ha librado a Daniel del lago de los leones.

# INTRODUCCIÓN GENERAL A LOS DOCE PROFETAS MENORES

El motivo de que se llame menores a estos doce profetas no es otro que la concisión de los escritos que nos dejaron. Corresponde a Esdras la compilación en un volumen de dichos escritos. Su elogio resulta evidente en las siguientes palabras puestas en boca del autor del *Eclesiástico:* «Renazcan también en el lugar donde reposan los huesos de los doce profetas; pues ellos restauraron a Jacob y con la virtud de su fe a sí mismos se salvaron».

La ordenación cronológica de estos doce profetas varía según la versión del texto que se considere. La *Vulgata* latina anterior a san Jerónimo establece un orden. De este orden difiere la versión griega llamada de los Setenta. Y muy otra es, por fin, la ordenación de la *Vulgata* posterior a san Jerónimo, que procede directamente de la *Biblia* hebrea. A la labor exegética de san Jerónimo debemos la siguiente ordenación cronológica de los profetas, que incluye tanto a los mayores como a los menores.

1. Jonás. Profetizó en tiempos de los reyes Joás y su hijo Jeroboam.

2. Oseas. Fue coetáneo de Ozías, rey de Judá, y de Jeroboam II, rey de Israel.

3. Amós. Su actividad profética se centra alrededor del año 23 de Ozías, rey de Judá. Su profecía se refiere tanto a Judá como a Israel.

4. Isaías. Empezó a profetizar a la muerte del rey Ozías y continuó bajo los reinados de Joatán, Acaz y Ezequías.

5. Miqueas. Su actividad se extiende al tiempo de estos tres últimos reyes y sus oráculos se refieren a los dos reinos.

6. Nahum. Sus profecías se referían a Nínive y puede situársele en tiempos de Manasés o de Ezequías.

7. Sofonías. Dedicó sus profecías al rey de Judá que había en su tiempo, Josías.

8. Jeremías. Profetizó desde el año 13 del reinado de Josías hasta después de la destrucción de Jerusalén por el rey Nabucodonosor. Tocan sus profecías en particular al reino de Judá.

9. Joel. Su profecía, dirigida al reino de Judá, se conoció en los inicios del reinado de Joaquim.

10. Habacuc. Pertenece también al reinado de Joaquim y dedica su actividad profética a Judá y a los caldeos.

11. Daniel. Su profecía refiere la sucesión de las cuatro grandes monarquías y el establecimiento victorioso del reinado eterno de Jesucristo. Profetizó por espacio de ochenta años, desde los primeros tiempos de la cautividad hasta el rey Ciro.

12. **Ezequiel.** Profetizó durante veinte años a partir de la cautividad de Jeconías en Babilonia. Refiérese particularmente su profecía al reino de Judá.

13. **Abdías.** Profetizó por los mismos años en que Ezequiel ejercía su ministerio. El objeto de sus profecías fue Idumea.

14. **Baruc.** Dirigiéndose a los reinos de Judá y de Israel, profetizó en el año 5 de la ruina de Jerusalén, poco después de Jeremías.

15. **Ageo.** Inició su actividad profética en el año 2 del rey Darío, hijo de Histaspes. Su profecía estaba dedicada a los reinos de Judá y de Israel.

16. **Zacarías.** Fue coetáneo de Ageo y también dirigió sus profecías a ambos reinos.

17. **Malaquías.** Su profecía estuvo dedicada a los reinos de Israel y de Judá. Cronológicamente se sitúa en tiempos de Nehemías.

# LA PROFECÍA DE OSEAS

# Introducción

Oseas profetizó en los reinados de Jeroboam II y Menahem, reyes de Israel, y Ozías y Jotam, reyes de Judá. Anunciaba a las diez tribus de Israel el castigo de Dios. Era tiempo en que dominaban el lujo y la relajación de las costumbres, la corrupción y la avaricia de los gobernantes y la violencia de los poderosos. Aunque se daba culto a Yavé, no escaseaban la superstición y la adoración de los ídolos. Los tres primeros capítulos de esta profecía están escritos a modo de parábola, si bien no faltan quienes los consideren episodios históricos.

## CAPITULO PRIMERO

*El Señor manda a Oseas que se case con cierta mujer que había sido de mala vida; y que a dos hijos y una hija que tendrá de ella les ponga nombres que declaren lo que el Señor quiere hacer con su pueblo de Israel. Conversión de los gentiles, y reunión de los dos pueblos de Judá y de Israel.*

**1.** Palabras del Señor, dichas a Oseas, hijo de Beeri, en el tiempo de Ozías, de Joatán, de Acaz, de Ezequías, reyes de Judá, y en los días de Jeroboam, hijo de Joás, rey de Israel.

**2.** El Señor comenzó a hablar a Oseas, y le dijo: Anda, cásate con una mujer ramera, y ten hijos de ramera; porque la tierra *de Israel* no ha de cesar de fornicar o *idolatrar* contra el Señor.

CAP. I. — 2. Que llamarán *hijos de ramera*, porque lo fué antes de casarse con el Profeta. Las palabras correspondientes a las dos latinas *fac tibi* no se hallan en el texto hebreo ni en la versión de los *setenta*: mas se entiende por *zeugma* del inciso precedente, y expresan aquí la relación mutua entre padres e hijos, y allí la de marido y esposa. Téngase presente que los Profetas casi siempre usaban de los nombres de *fornicación, adulterio*, etc., para denotar la idolatría.

**3.** Fué, pues, y se casó con Gomer, hija de Debelaím, la cual concibió y le parió un hijo.

**4.** Y dijo el Señor a Oseas: Ponle por nombre Jezrahel; porque dentro de poco yo tomaré venganza de la casa *real* de Jenú por la sangre *que ha derramado en la ciudad* de Jezrahel, y acabaré con el trono de la casa de Israel.

**5.** Y en aquel día yo haré trozos el arco *o regio poder* de Israel en el valle de Jezrahel.

**6.** Concibió de nuevo *Gomer* y dió a luz una hija. Y díjole el Señor a Oseas: Ponle por nombre "No más misericordia"; porque yo no usaré ya en adelante de misericordia alguna con los de la casa de Israel; sino que *a todos* los echaré en un profundo olvido.

**7.** Pero me apiadaré de la casa *o reino de* Judá; y la salvaré por medio del Señor su Dios, *por mí mismo*, y no por medio de arcos ni espadas, ni por medio de combates, o de caballos, ni caballeros.

**8.** Y destetó *Gomer a su hija* llamada: "No más misericordia"; y *otra vez* concibió y parió un hijo.

**9.** Y dijo *el Señor a Oseas*: Ponle por nombre: "No mi pueblo"; porque vosotros no seréis *ya* mi pueblo, ni yo seré vuestro *Dios*.

10. Mas *algún día* el número de los hijos del *verdadero* Israel será como el de las arenas del mar, que no tienen medida ni guarismo. Y sucederá que donde se les habrá dicho a ellos: Vosotros no sois mi pueblo, se les dirá: Vosotros sois hijos del Dios vivo.

11. Y se congregarán en uno los hijos de Judá y los de Israel; y se elegirán un solo caudillo o *cabeza*, y saldrán de la tierra *de su cautiverio*. Porque grande será aquel día de *la reunión de* Jezrahel.

## CAPITULO II

*Amenaza Dios a Israel que lo repudiará como a una adúltera si no se convierte: habla de la reunión de Israel y de Judá, y del restablecimiento de Israel.*

1. Llamad a vuestros hermanos, "Pueblo mío"; y a vuestra hermana, "La que ha alcanzado misericordia".

2. Redargüid a vuestra madre, redargüidla; porque ya no es mi esposa, ni yo soy su esposo. Aparte de sí sus prostituciones o *idolatrías*, y arroje de su seno los adulterios.

3. No sea que yo la despoje y desnude, y la ponga tal como en el día que nació, y la deje hecha una soledad, y como una tierra inhabitable, y la reduzca a morir de sed.

4. No tendré compasión de sus hijos: porque son hijos de fornicación.

5. Puesto que la madre de ellos, *la nación*, es una adúltera, ha quedado deshonrada la que los parió. Pues ella dijo: Iré en pos de mis amantes, *los ídolos*, que son los que me dan mi pan y mi agua, mi lana, mi lino, mi aceite y mi bebida.

6. Por lo cual he aquí que yo le cerraré la salida con un seto de espinos, la cerraré con una pared, y ella no hallará paso.

7. E irá en pos de sus amantes, y no los encontrará, los buscará y no los hallará; y dirá: Iré, y volveré a mi primer esposo, pues mejor me iba entonces que ahora.

8. Y no sabía ella que fuí yo, *y no los ídolos*, quien le dió el trigo, y el vino, y el aceite, y el que le dió la abundancia de plata y de oro que ofrecieron a Baal.

9. Por esto yo me portaré de otro modo, y a su tiempo recogeré mi trigo y mi vino, y quitaré de sus manos mis lanas y mis linos, que cubren sus vergüenzas

10. Y ahora manifestaré su necedad a los quitaré de sus manos mis lanas y mis linos, que cubren sus vergüenzas ojos de sus mismos amadores, nadie la librará de mis manos;

11. Y haré cesar todos sus regocijos, sus solemnidades, sus neomenias, sus sábados y todos sus días festivos;

12. Y destruiré sus viñas y sus higueras, de las cuales dijo ella: Estos son los galardones que me dieron mis amantes; y yo la convertiré en un matorral, y la devorarán las fieras del campo.

13. Y ejerceré en ella mi venganza por los días que sirvió a Baalim, en los cuales *le* ofrecía incienso, y se ataviaba con sus zarcillos y con sus galas, e iba en pos de sus amantes, y se olvidaba de mí, dice el Señor.

14. Pero con todo, después yo la acariciaré, y la llevaré a la soledad, y la hablaré al corazón.

15. Daréle viñadores de su mismo lugar, y el valle de Acor, para que entre en esperanza; y allí cantará *himnos a su Dios* como en los días de su juventud, como en los días en que salió de la tierra de Egipto.

16. Y aquel será el día, dice el Señor, en que ella me llamará esposo suyo; y no me llamará más Baalí.

17. Y quitaré de su boca los nombres de Baalim, ni volverá a acordarse más de los nombres de los ídolos.

18. Y en aquel día pondré yo paz entre ellos, y las bestias del campo, y las aves del cielo, y los reptiles de la tierra; y quebrantaré en el país los arcos y las espadas, y haré cesar las guerras, y que ellos duerman con toda seguridad.

19. Y te desposaré conmigo para siempre; y te desposaré conmigo mediante la justicia o *santidad* y el juicio, y mediante la misericordia y la clemencia.

20. Y te desposaré conmigo mediante la fe: y conocerás que yo soy el Señor.

21. Entonces será, dice el Señor, cuando yo escucharé *benigno* a los cielos, y éstos escucharán a la tierra.

22. Y la tierra atenderá a dar el grano, y el vino, y el aceite; y estas cosas atenderán o *consolarán* a Jezrahel.

23. Y la sembraré yo para mí *como preciosa simiente* sobre la tierra, porque apiadarme he de aquella *nación* que fué llamada: "No más misericordia".

24. Y al que dije que no era mi pueblo, le diré: Pueblo mío eres tú; y él dirá: Tú eres mi Dios.

---

CAP. II. — 9. Rom. VIII, v. 20.

## CAPITULO III

*El Señor ordena al Profeta que tome otra mu-*
*jer que había sido adúltera, y que antes de*
*casarse le haga esperar durante muchos*
*días; para significar con esto que los hijos*
*de Israel, después de estar mucho tiempo*
*sin rey y sin sacrificios, por último se con-*
*vertirán al Señor.*

1. Díjome el Señor: Ve aún, y ama a una
mujer *que ha sido* amada de su amigo y adúltera: así como el Señor ama a los hijos de
Israel, y ellos vuelven sus ojos hacia los dioses ajenos, y aman el hollejo de las uvas.

2. Yo me la adquirí por quince siclos de
plata, y un coro y medio de cebada.

3. Y le dije: Tendrás que esperar muchos
días: entre tanto no cometerás adulterio, ni
tendrás trato con ningún hombre; y yo también te aguardaré a ti.

4. Porque los hijos de Israel mucho tiempo estarán sin rey, sin caudillo, sin sacrificios, sin altar, sin efod, y sin terafines, *u orá-*
*culos;*

5. Y después de esto volverán los hijos de
Israel en busca del Señor Dios suyo, y *del*
*descendiente* de David, su Rey *y Salvador:* y
buscarán con *santo* temor *y respeto* al Señor y
a sus bienes en el fin de los tiempos.

## CAPITULO IV

*Reprende el Profeta a Israel por sus  grandes*
*pecados, y le intima los terribles castigos de*
*Dios. Exhorta a Judá que no imite los peca-*
*dos de las otras diez tribus.*

1. Escuchad la palabra del Señor ¡oh vosotros hijos de Israel! pues el Señor viene a juzgar a los moradores de esta tierra: porque no
hay verdad, ni hay misericordia, no hay conocimiento de Dios en el país.

2. La maldición o *blasfemia,* y la mentira,
y el homicidio, y el robo, y el adulterio lo

han inundado todo; y una maldad alcanza a
otra,

3. Por cuya causa se cubrirá de luto o *de-*
*solación* la tierra, y desfallecerán todos sus
moradores; y *aun* las bestias del campo, y las
aves del cielo, y hasta los peces del mar perecerán.

4. Sin embargo, ninguno se ponga a reprender ni corregir a nadie: porque tu pueblo es como aquellos que se las apuestan al
Sacerdote.

5. Mas tú ¡oh Israel! hoy, *luego* perecerás,
y perecerán contigo tus *falsos* profetas: en
aquella noche reduciré a *un fúnebre* silencio
a tu madre.

6. Quedó sin habla el pueblo mío, porque
se hallaba falto de la ciencia *de la salud.* Por
haber tú desechado la ciencia, yo te desecharé a ti, para que no ejerzas mi sacerdocio; y
pues olvidaste la ley de tu Dios, yo también
me olvidaré de tus hijos.

7. A la par que ellos se han multiplicado
*con mi protección,* se han multiplicado también sus pecados contra mí. Yo trocaré su
gloria en ignominia.

8. Comen *las víctimas de* los pecados de mi
pueblo; y mientras éste peca, le dan ánimo.

9. Por lo cual será *tratado* el sacerdote como el pueblo; y yo castigaré su *mal* proceder, y le daré la paga de sus designios.

10. Y comerán, y no se saciarán: han prevaricado incesantemente; han abandonado al
Señor; desobedeciendo *su santa ley.*

11. La deshonestidad, y el vino y embriaguez, quitan el buen sentido.

12. *Por eso* el pueblo mío ha consultado
con un pedazo de leño, y las varas suyas, *o de*
*los agoreros,* le han dado las respuestas acerca
de lo futuro; porque el espíritu de fornicación, *o idolatría,* los ha fascinado, y han vuelto la espalda a su Dios.

13. Han ofrecido sacrificios sobre las cimas de los montes, y sobre los collados quemaban el timiama *o incienso,* y debajo de la
encina, y del álamo, y del terebinto, por ser-
les grata su sombra; por esto vuestras hijas
darán al traste con su honor, y serán adúlteras vuestras esposas.

14. Yo *les daré rienda suelta:* no castigaré
a vuestras hijas cuando habrán pecado, ni a
vuestras esposas cuando se hayan hecho adúlteras; pues que los mismos *padres y esposas*
tienen trato con las rameras, y van a ofrecer
sacrificios con los hombres afeminados *y co-*
*rrompidos.* Por esta causa será azotado este
pueblo *insensato* que no quiere darse por
entendido.

---

CAP. III. — 1. Manda Dios a *Oseas* que tome o
compre una mujer amada de otro, y de mala vida:
el Profeta, aunque no se diga que la tomó como a
*esclava,* sino como a *esposa,* de todos modos la
apartó del vicio

3. Antes de ser mi esposa: o veré si tu conversión es verdadera, para reconciliarte con tu legítimo esposo. S. Jerónimo.

15. Si tú ¡oh Israel! te has entregado a la fornicación, *o idolatría*, a lo menos tú ¡oh Judá! no peques; y no queráis ir a Gálgala ni subáis a Betaven, *para idolatrar*, ni juréis diciendo: Vive el Señor.

16. Porque Israel se ha descarriado, cual vaca indómita y *lozana;* mas luego el Señor los conducirá a pacer como *tímidos* corderos en campiñas espaciosas.

17. Efraím ha hecho alianza con los ídolos: apártate de él *¡oh Judá!*

18. El celebra aparte sus convites *idolátricos,* y ha caído en la más desenfrenada fornicación, *o idolatría:* sus protectores se complacen en cubrirle de ignominias.

19. A Israel le llevará atado a sus alas el viento *de la indignación divina; y sus hijos* quedarán cubiertos de ignominia por sus sacrificios.

## CAPITULO V

*Dios castigará a Israel por sus maldades; amenaza también a Judá. Cuando los hombres tienen al Señor por enemigo, les es inútil todo socorro humano hasta que se convierten a él.*

1. Escuchad esto ¡oh sacerdotes! Tú ¡oh casa de Israel! oye con atención, atiende bien tú ¡oh casa real! porque a vosotros se os va a juzgar. Pues debiendo ser unos centinelas *del pueblo,* le habéis armado lazos, y sido para él como una red tendida *por los cazadores* sobre el monte Tabor.

2. Y habéis hecho caer la víctima en el abismo. Yo, empero, os he instruído a todos.

3. Conozco bien a *Efraím,* no me es desconocido Israel: sé que Efraím es ahora idólatra, sé que está contaminado Israel.

4. No dedicarán ellos su pensamiento a convertirse a su Dios, porque están dominados del espíritu de fornicación, *o idolatría,* y desconocieron al Señor.

5. Y se descubrirá la arrogancia o *impudencia* de Israel en su *descarado* rostro; e Israel y Efraím perecerán por causa de su maldad: también Judá perecerá con ellos.

6. Irán a buscar al Señor con *la ofrenda de* sus rebaños y vacadas, y no lo hallarán: se retiró de ellos.

7. Han sido infieles al Señor, pues que han engendrado hijos bastardos: ahora en un mes serán consumidos con todo cuanto poseen.

8. Tocad la bocina en Gábaa, *tocad* la trompeta en Rama: levántese el aullido en Betaven, tras de tus espaldas ¡oh Benjamín!

9. En el día del castigo será asolado Efraím. Veraz me he mostrado en las *profecías tocantes a las* tribus de Israel.

10. Los príncipes de Judá son como aquellos que mudan los mojones: como un diluvio derramaré sobre ellos mi indignación.

11. Efraím se ve tiranizado *por sus príncipes,* y es oprimido en juicio: porque se fué a buscar las inmundicias *de los ídolos.*

12. Yo seré para Efraím como polilla: como una carcoma seré yo para la casa de Judá.

13. Sintió Efraím su falta de fuerzas y Judá sus cadenas; y Efraím recurrió al Asirio, y *Judá* llamó a un rey en su defensa; mas éste no podrá daros la salud, ni podrá libraros de las cadenas.

14. Porque yo soy para Efraím como una leona, y como un joven *o vigoroso* león para la casa de Judá. Yo, yo haré mi presa y me iré con ella; yo la tomaré, y no habrá quien me la quite.

15. Me marcharé y me volveré a mi habitación: hasta tanto que os halléis *bien* desfallecidos, y vengáis en busca de mí.

## CAPITULO VI

*Israel y Judá conviértense al Señor por medio de las tribulaciones. Quejas y amenazas de Dios contra ellos.*

1. En medio de sus tribulaciones se levantarán con presteza para convertirse a mí. Venid, *dirán,* volvámonos al Señor;

2. Porque él nos ha cautivado, pero él mismo nos pondrá en salvo; él nos ha herido, y él mis-mo nos curará.

3. El mismo nos volverá a la vida después de dos días; al tercer día nos resucitará, y viviremos en la presencia suya. Conoceremos al Señor y le seguiremos para conocer-

---

CAP. V. — 1. Habla a los falsos sacerdotes que creó Jeroboam.

---

10. Y roban la tierra del vecino. *Deut.* XIX, *v.* 14; XXVII, *v.* 17. — *Job.* XXIV, *v.* 2.

13. IV *Reg.* XV, *v.* 19; XVI, *v.* 17.

**CAP. VI.** — 3. Por *dos días* se entiende un *breve tiempo. Núm.* IX, *v.* 22; XI, *v.* 19. — *Is.* XVII, *v.* 6. La cautividad de Babilonia se representa como *una muerte. Dan.* XXII, *v.* 1. — *Ezech.* XXXVII, *v.* 11.

lo. Preparado está su advenimiento como la aurora; y el Señor vendrá a nosotros, como la lluvia de otoño y de primavera sobre la tierra.

4. ¿Qué es lo que podré yo hacer contigo, oh Efraím? ¿Qué haré contigo, oh Judá? La piedad vuestra es como una nube o *niebla* de la mañana, y cual rocío de la madrugada, que *luego* desaparece.

5. Por esto por medio de mis profetas os acepillé, *o castigué,* con las palabras *amenazadoras* SALIDAS de mi boca, *con las cuales* les he acarreado la muerte. Así tu condenación aparecerá *clara* como la luz.

6. Porque la misericordia es la que yo quiero, y no *lo exterior* del sacrificio; y el conocimiento *práctico o temor* de Dios, más que los holocaustos.

7. Mas ellos han violado mi alianza, a imitación de Adán: allí prevaricaron contra mí.

8. Galaad *es ahora* una ciudad de fabricadores de ídolos, inundada de sangre *inocente.*

9. Su garganta es como la de los ladrones: se han unido con los sacerdotes *impíos* que matan en el camino a las gentes que van de Siquem: verdaderamente que son horrendas las cosas que han ejecutado.

10. Horrible cosa es la que he visto en la casa o *pueblo* de Israel; he visto en ella las idolatrías de Efraím: Israel se contaminó.

11. Y tú también ¡oh Judá! prepárate para la siega; hasta que *por fin* haga volver del cautiverio al pueblo mío.

## CAPITULO VII

*Reprende Dios la obstinación de su pueblo y su confianza en las naciones gentiles, la cual será su ruina.*

1. Cuando yo quería curar *los males de* Israel, se descubrió la *interior* malicia de Efraím y la iniquidad de Samaria; porque *entonces mismo* se han dedicado a la mentira; y así entrará *en su casa* el ladrón a despojarlos, y por fuera lo hará el salteador.

2. Y porque no digan acaso en sus corazones, que yo vuelvo a acordarme de todas sus maldades; actualmente están ellos rodeados de sus impiedades: las están cometiendo delante de mis ojos.

3. Con su perversidad dieron gusto al rey; dieron gusto a los príncipes con sus mentiras, o *idolatrías.*

4. Son adúlteros todos *los de mi pueblo:* son como horno encendido por el hornero: calmó la ciudad por un poco de tiempo, *como* después de mezclada la levadura, hasta que todo estuvo fermentado.

5. Es el día *del cumpleaños* de nuestro rey, *dicen los Israelitas;* los príncipes, *o cortesanos,* tomados del vino, comenzaron a loquear, y el *rey* daba la mano a aquellos bufones *o libertinos.*

6. Aplicaron su corazón a *la idolatría, encendido* como un horno, mientras él los acechaba: se echó a dormir toda la noche, mientras que ellos se cocían: a la mañana él mismo se encendió *en la idolatría,* cual llama ardiente.

7. Todos se encendieron *en la impiedad* como un horno, e incendiaron *con ella* a sus jueces *o gobernadores;* cayeron *en ella* todos sus reyes; no hay entre ellos quien levante su voz hacia mí.

8. Mezclábase Efraím con las naciones *idólatras:* vino a ser Efraím como un pan que se cuece al rescoldo, y al cual no se le da la vuelta.

9. Devorarán sus riquezas los extranjeros, y él no ha caído aún en la cuenta: así se ha visto luego cubierto con canas, y no por eso entra en conocimiento.

10. E Israel mirará con sus propios ojos humillada la soberbia suya: y *con todo eso* no se convertirán al Señor Dios suyo, ni después de todas estas cosas irán en busca de él.

11. Se ha vuelto Efraím como una imbécil paloma, falta de entendimiento. A los Egipcios fueron a llamar, recurrieron a los Asirios.

12. Y cuando hubieren ido, extenderé yo mi red sobre ellos, y los haré caer como una ave del cielo; haré de ellos un destrozo, según se les ha dicho en sus asambleas.

13. ¡Ay de ellos, porque se apartaron de mí!: destruídos serán, pues se rebelaron contra mí; y habiendo yo sido *muchas veces* su redentor, ellos profirieron contra mí mentiras.

14. No han clamado a mí de corazón; sino que aullaban *angustiados* en sus lechos: sobre el trigo y sobre el vino *era sobre lo que únicamente rumiaban:* alejáronse de mí.

---

6. Esto es, nuestra bondad o buenas obras. I *Reg.* XV, *v.* 22. — *Ecles.* IV, *v.* 17. — *Matth.* IX, *v.* 13; XII, *v.* 7.

CAP. VII. — 11. *Soph.* III, *v.* 8.
12. *Deut.* XXVII, *v.* 26; XXVIII. — IV *Reg.* XVII, *v.* 13.

**15.** Y yo los instruí, y yo dí vigor a sus brazos; mas ellos *sólo* discurrieron cómo obrar el mal contra mí.

**16.** Quisieron volver a vivir sin el yugo *de mi ley:* asemejáronse a un arco falso. Perecerán sus príncipes al filo de la espada en castigo de su furiosa e *impía* lengua. Tal fué *ya* el escarnio que de mí hicieron en tierra de Egipto.

## CAPITULO VIII

*Manda Dios al Profeta que intime al pueblo de Israel su próxima ruina por haberse rebelado contra su Señor y despreciado su Ley; y que asimismo amenace a Judá que será entregado a las llamas.*

**1.** Sea tu garganta como una trompeta *y pregona que* el enemigo se dejará *caer* como águila sobre la casa del Señor; porque *estos pueblos míos* han quebrantado mi alianza, han violado mi ley.

**2.** Me invocarán diciendo: ¡Oh Dios nuestro! nosotros los de Israel te hemos reconocido.

**3.** *Mas* Israel, *dice Dios,* ha desechado el bien *obrar; y por eso* lo destrozará
su enemigo.

**4.** Ellos reinaron, pero no por mí; fueron príncipes, mas yo no los reconocí. De su plata y de su oro se forjaron ídolos para su perdición.

**5.** Derribado por el suelo ha sido tu becerro ¡oh Samaria! Encendido se ha contra ellos mi indignación. ¿Hasta cuándo será imposible el curarlos *de su idolatría ?*

**6.** Porque obra fué ciertamente de Israel aquel *becerro:* fabricólo un artífice, y no es Dios; como telas de araña, así será el becerro de Samaria.

**7.** Sembrarán viento, y recogerán torbellinos *para su ruina:* no habrá allí espiga que se mantenga en pie, y sus granos no darán harina; y si la dieren, se la comerán los extraños.

**8.** Devorado ha sido Israel: ha venido él a ser entre las naciones como un vaso inmundo.

**9.** Recurrió a *el rey de* los Asirios, asno silvestre que anda solo; los hijos de Efraím han ofrecido dones a sus amigos *los Asirios.*

**10.** Pero después que se habrán procurado a *caro* precio el socorro de las naciones, yo entonces los reuniré *en Asiria, y siendo cauti-*

vos, quedarán por algún tiempo exentos del tributo que pagan al rey y a los príncipes.

**11.** Por haber Efraím multiplicado sus altares para pecar *idolatrando, y* haber sido sus altares el origen de sus delitos,

**12.** Yo *también* multiplicaré contra·él mis leyes *penales;* las cuales han mirado como si no fuesen para ellos.

**13.** Ofrecerán hostias, inmolarán víctimas para el sacrificio, de las cuales comerán; mas el Señor no las aceptará, antes bien se acordará ahora de las maldades de ellos, y castigará sus pecados: *entonces* se acogerán a Egipto.

**14.** Olvidóse Israel de su Hacedor, y erigió templos *a los ídolos;* Judá se ha construído muchas plazas fuertes; mas yo aplicaré fuego a sus ciudades *fortificadas,* el cual devorará *todos* sus edificios.

## CAPITULO IX

*Intima Dios a los Israelitas el hambre el cautiverio, y que por su obstinación serán dispersados en las naciones, enteramente desamparados de Dios.*

**1.** No tienes que regocijarte *tanto* ¡oh Israel! no te ocupes en danzas, como hacen los gentiles; porque tú has abandonado a tu Dios: has codiciado como recompensa *de tu idolatría* las eras *llenas* de trigo.

**2.** *Pero* ni la era, ni el lagar les darán con que sustentarse: y la viña dejará burladas sus esperanzas.

**3.** No morarán en la tierra del Señor. Efraím se acogerá a Egipto, y comerá entre los Asirios manjares impuros.

**4.** No ofrecerán libaciones de vino al Señor, ni le serán gratas sus ofrendas: sus sacrificios serán como los convites de los funerales: cualquiera que en ellos comiere, quedará contaminado. Guárdense para sí su *inmundo* pan; no entre en el templo del Señor *hostia impura.*

**5.** ¿ Qué es lo que entonces haréis en el día de la solemnidad, en el día de la fiesta del Señor?

**6.** Yo los veo escapar ya del asolado país. El Egipto los recogerá; *el país de* Memfis les dará sepultura. Sobre sus codiciadas riquezas crecerá la ortiga, y se verán nacer abrojos en sus habitaciones.

---

CAP. VIII. — 9. Antes *cap.* V, *v.* 13.

---

12. *Deut.* XXVII, *v.* 9.
13. Después *cap.* IX, *v.* 6.

**7.** Vendrán los días de la visita *del Señor,* los días del castigo llegarán *luego.* Sepas ¡oh Israel! que tus profetas son unos fatuos: esos *que se creen* varones espirituales son unos insensatos; *permitiéndolo Dios* en pena de tus muchas iniquidades y de la suma necedad tuya.

**8.** *El Sacerdote,* el centinela de Efraím para con mi Dios, el Profeta se ha hecho un lazo tendido en todos los caminos para ruina *del pueblo:* es objeto de odio en el templo de su Dios.

**9.** Han pecado enormemente, como en los días *aquellos* pecaron los Gabaonitas. Acordarse ha el Señor de la perversidad de ellos, y castigará sus maldades.

**10.** Como uvas en *árido* desierto, *con tanto gusto* tomé yo a Israel: como los primeros frutos de las altas ramas de la higuera, así miré a sus padres. Mas ellos se fueron al templo de Beelfegor, y se enajenaron de mí, para ignominia suya, haciéndose execrables como las cosas que amaron.

**11.** *Desapareció* la gloria de Efraím como un pájaro que ha tomado el vuelo: *perecerán* sus hijos apenas hayan nacido; desde el seno materno, o desde su misma concepción.

**12.** Y aún cuando llegaren a criar sus hijos, yo haré que queden sin ellos en este mundo. ¡Ay, empero, de ellos cuando yo llegare a abandonarlos *enteramente !*

**13.** Efraím, cual yo la vi, se parecía a *la rica* Tiro, situada en hermosísimo país; mas Efraím entregará sus propios hijos en manos del mortífero *conquistador.*

**14.** Dales ¡oh Señor!... pero, y ¿qué les darás? Dales vientres estériles y pechos sin leche.

**15.** El colmo de su maldad fué allá en Galgal; allí les tomé yo aversión: echarlos he yo de mi casa por causa de sus perversas obras: nunca más los amaré: todos sus príncipes son unos apóstatas.

**16.** Efraím ha sido herido *de muerte;* seca está su raíz: no producirán ellos más fruto; y si tuvieren hijos, yo haré morir los más amados de sus entrañas.

**17.** Los desechará mi Dios; porque no le han escuchado: y andarán prófugos entre las naciones.

# CAPITULO X

*Israel, por causa de su idolatría, es entregado a los Asirios; y quedarán destruídos los dos reinos de Israel y de Judá por no haberse convertido al Señor.*

**1.** Era Israel una frondosa viña, que llevó los frutos correspondientes: cuanto más abundó en bienes, tanto mayor número tuvo de altares *a los ídolos;* y cuanto más fecunda fué su tierra, mayor número tuvo de *vanos* simulacros.

**2.** Está dividido su corazón, y perecerán luego. Les hará el Señor pedazos sus simulacros, y derrocará sus altares.

**3.** Porque ellos dirán luego: Nos hallamos sin rey: porque no tememos al Señor; y el rey ¿qué es lo que haría por nosotros?

**4.** Repetid ahora las palabras de la falsa visión *de vuestros profetas:* ajustad la alianza *con el Asirio;* que *a pesar de eso* la venganza *de Dios* brotará como yerba nociva sobre los surcos de un campo *sembrado.*

**5.** Adoraron los habitantes de Samaria las vacas de Betaven; y aquel pueblo y sus sacerdotes, que celebraban ya fiesta en honor de aquel becerro, derraman lágrimas, porque queda desvanecida su gloria.

**6.** Pues *el becerro* fué transportado a Asiria, y sirvió de donativo o *presente,* al rey *que habían tomado por* defensor: cubierto de ignominia quedará Efraím; Israel será afrentado por sus antojos.

**7.** Samaria *con sus pecados* ha hecho desaparecer su rey, como la ampollita de aire se eleva sobre la superficie del agua.

**8.** Destruídos serán los lugares altos *consagrados* al ídolo, que es el pecado de Israel: espinas y abrojos crecerán sobre sus altares. *Entonces los hijos de Israel* dirán a los montes: Sepultadnos; y a los collados: Caed sobre nosotros.

**9.** Desde el tiempo *de los sucesos* de Gabaa está Israel pecando *con los ídolos;* en el pecado han perseverado; sufrirán una guerra peor que aquella que se hizo a los facinerosos de Gabaa.

**10.** A medida de mi deseo los castigaré yo: las naciones se reunirán contra ellos, entonces que serán castigados por su doble maldad.

---

CAP. IX. — 10. Idolo de la impureza. *Num.* XXV, *v.* 1 y sig.

15. I *Reg.* XI, *v.* 14. — *Judic.* III, *v.* 7. Antes *cap.* IV, *v.* 15.

---

CAP. X. — 5. O becerros de oro.

11. Alude a que la novilla siente mucho el yugo y bozal que le ponen. *Deut.* XXV, *v.* 4.

11. Efraím, novilla avezada a trillar con gusto las mieses: yo pasaré sobre su lozana cerviz; subiré sobre Efraím *y la dominaré*. Judá echará mano al arado, Jacob abrirá los surcos.

12. Sembrad para vosotros *semilla u obras de* virtud, y segaréis abundancia de misericordia; romped vuestra tierra inculta: porque tiempo es de buscar al Señor, hasta tanto que venga el que os ha de enseñar la justicia *o santidad*.

13. Arásteis *para sembrar* impiedad; y habéis segado iniquidad, y comido un fruto mentiroso. Pusisteis vuestra confianza en vuestros planes y en la muchedumbre de vuestros valientes.

14. Se levantarán alborotos en vuestro pueblo, y serán destruídas todas vuestras fortalezas: como fué destruído Salmana en el día de la batalla por el ejército de Gedeón, que tomó venganza de Baal, habiendo quedado estrellada la madre junto con sus hijos.

15. He aquí lo que debéis a Betel; tal es el resultado de vuestras perversas maldades.

## CAPITULO XI

*El Señor demuestra como habiendo siempre amado a los hijos de Israel, los ha entregado a los asirios por sus maldades; pero que acordándose de su misericordia, los volverá algún día a restablecer en su propia tierra, a fin de que le adoren a una con las naciones convertidas.*

1. Como pasa el crepúsculo de la mañana, así pasó el rey de Israel. *Al principio* era *la casa de* Israel un niño: y yo lo amé; y yo llamé e *hice venir* de Egipto a mi hijo.

2. Mis *Profetas* amonestaron *a los hijos de Israel;* pero éstos se alejaron tanto más de ellos: ofrecían víctimas a Baal y sacrificios a los ídolos.

3. Yo me hice como ayo de Efraím, le traje en mis brazos: y los hijos de Efraím desconocieron que yo soy el que cuida de su salud.

4. Yo los atraje hacia mí con vínculos propios de hombres, con los vínculos de la caridad; yo fuí para ellos como quien les aliviaba el yugo que apretaba sus quijadas, y les presenté que comer.

5. No volverán ya *todos* ellos a la tierra de Egipto; sino que el Asirio será su rey: por cuanto no han querido convertirse.

6. La espada ha comenzado a recorrer sus ciudades, y consumirá la flor de sus habitantes, y devorará sus caudillos.

7. Entre tanto estará mi pueblo como en un hilo, esperando con ansia que yo vuelva; mas a todos se les pondrá un yugo perpetuo.

8. ¿Qué haré yo de ti, oh Efraím? ¿Seré yo tu protector, oh Israel? Pues qué ¿podré yo tratarte como a Adama, ni ponerte como puse a Seboím? ¡Ah! mis entrañas se conmueven dentro de mí: yo me siento como arrepentido.

9. No dejaré obrar el furor de mi indignación, no me resolveré a destruir a Efraím: porque yo soy Dios y no un hombre. El Santo *ha habitado* en medio de ti: y *asi* no entraré en la ciudad *para destruirla*.

10. Ellos seguirán al Señor, *cuando* él rugirá como león: rugirá el Señor, y causará asombro a los hijos del mar.

11. Y volarán desde Egipto como *una* ave *ligera,* y como *veloz* paloma *a su nido vendrán* de tierra de Asiria: y yo los restableceré en sus moradas, dice el Señor.

12. Efraím me ha estrechado el paso con renegar de mí, y con sus fraudes la casa de Israel; Judá, empero, ha venido a dar testimonio a Dios *de su amor*, y sigue fielmente el camino de los santos.

## CAPITULO XII

*Israel en vano espera la protección del Egipto. El Señor castigará toda la casa de Jacob por sus infidelidades e ingratitudes: con todo eso, aún les ofrece la paz. Idolos de Galaad y de Galgal.*

1. Efraím se apacienta del viento, y *confiando en Egipto* respira el aire ardiente. Todo el día está aumentando sus falsedades y las causas de su perdición: se ha confederado con los Asirios, y ha llevado sus *excelentes* aceites a Egipto.

2. Vendrá, pues, el Señor, a residenciar la conducta de Judá, y a castigar a Jacob: y le dará el pago que merecen sus obras y sus *vanos* caprichos.

3. Jacob en el seno materno cogió por el calcañar a su hermano; y con su fortaleza luchó con el Angel.

---

CAP. XI. — 1. *Matth.* II, *v.* 15. Israel, pueblo llamado *hijo primogénito de Dios* (*Exod.* IV, *v.* 22), fué al salir de Egipto símbolo del niño *Jesús,* cuando, muerto Herodes, volvió a su patria, llamado por el Angel.

---

8. *Gen.* X, *v.* 19; XIX, *v.* 24. — *Deut.* XXIX, *v.* 23. De la sentencia pronunciada contra ti.
CAP. XII. — 1. IV *Reg.* XV, *v.* 19; XVII, *v.* 4.

4. Y prevaleció sobre él, y lo venció; y con lágrimas se encomendó a dicho Angel *del Señor*. En Betel fué donde tuvo este feliz encuentro, y allí habló *el Señor* con nosotros.

5. Y al Señor, que es el Dios de los ejércitos, al Señor tuvo siempre presente Jacob en su memoria.

6. ¡*Ea* pues! conviértete tú al Dios tuyo: observa la misericordia y la justicia; y confía siempre en tu Dios.

7. Mas este Cananeo tiene en sus manos una balanza engañosa: él se complace en estafar *al prójimo*.

8. Efraím está diciendo: Ello es que yo me he hecho rico; he adquirido para mí el ídolo *de las riquezas;* en todos mis afanes no se hallará que yo haya cometido injusticia alguna.

9. Pero no obstante, yo *me acuerdo que* soy el Señor Dios tuyo desde *que te saqué de* la tierra de Egipto; aún te dejaré reposar en tus moradas como en los días de aquella solemnidad *de los Tabernáculos*.

10. Yo soy el que te hablé por los profetas, haciéndoles ver muchas cosas venideras; y por medio de los profetas me descubrí a vosotros.

11. Si aquello de Galaad es un ídolo, luego en vano se inmolaban bueyes en Galgal; y en efecto, ya sus altares son como los montes *de piedras* cerca de los surcos del campo.

12. Huyóse Jacob a tierra de Siria, Israel sirvió *a Labán* por adquirir una esposa, y por adquirir otra sirvió de pastor.

13. Después el Señor por medio de un profeta sacó a Israel de Egipto, y por medio de otro profeta le salvó.

14. Efraím, *no obstante eso*, con acerbos disgustos ha provocado mi enojo: sobre él hará recaer su Señor la sangre *derramada*, y le dará la paga de los insultos que le ha hecho.

## CAPITULO XIII

*Ingratitud del pueblo de Israel: por ella fué castigado en tiempos pasados, y lo será aún mas en los venideros. No obstante promete Dios librarle de la muerte por medio del Mesías, vencedor de la muerte misma y del infierno.*

1. A las palabras que pronunció *Jeroboam,* *rey de* Efraím, intimidóse Israel, y pecó adorando a Baal, con lo cual quedó como un muerto.

2. Y ahora han añadido pecados a pecados, y han fundido su plata, y formádose de ella figuras de ídolos; todo es obra de artífices. A tales *adoradores* les dicen éstos: Vosotros que adoráis *por dioses* los becerros, inmoladles víctimas humanas.

3. Por esto serán ellos como una nube al rayar el día, y como el rocío de la mañana que al instante se desvanece, y como el polvo que arrebata de la era un torbellino, y como el humo que sale de una chimenea.

4. Mas yo soy el Señor Dios tuyo desde *que saliste de* la tierra de Egipto; ni has de reconocer a otro Dios fuera de mí; ni hay otro Salvador sino yo.

5. Yo te reconocí *por hijo* en el Desierto, en una tierra estéril.

6. Cercanos *los Israelitas* al delicioso país que les di *para vivir,* se rellenaron y hartaron *de bienes;* y engreído su corazón, me echaron a mí en olvido.

7. Mas yo seré para ellos lo que una leona o un leopardo en el camino que va a Asiria.

8. Saldré a embestirlos, como osa a quien han robado sus cachorros; y despedazaré sus entrañas hasta lo más íntimo del corazón; y allí los devoraré, como *lo ejecuta un* león: las fieras los destrozarán.

9. Tu perdición ¡oh Israel! viene de ti mismo; y solo de mí tu socorro.

10. ¿Dónde está tu rey? ¿dónde tus jueces? Ahora es la ocasión de que te salven a ti y a tus ciudades; puesto que *me* dijiste tú: Dame un rey y príncipes *que me gobiernen*

11. En medio de mi indignación te concedí un rey; y en medio de mi enojo te lo quitaré.

12. He ido reuniendo las iniquidades de Efraím; depositados tengo sus pecados.

13. Le asaltarán *agudos* dolores como de una mujer que está de parto. Es ese *pueblo* un hijo insensato: y no podrá subsistir ahora en medio del destrozo de sus hijos.

14. *No obstante*, yo los libraré del poder de la muerte; de las garras de la *misma* muerte los redimiré. ¡Oh muerte! yo he de ser la muerte tuya: seré tu destrucción, ¡oh infierno! No veo cosa que pueda consolarme.

---

**4.** *Gen.* XXV, *v.* 25; XXXII, *v.* 24.
**12.** *Gen.* XXVIII, *v.* 5; XXXI, *v.* 46.
**13.** *Exod.* XIV, *v.* 21, 22. — *Jos.* X.

**CAP. XIII.** — 14. I *Cor.* XV, *v.* 54. — *Hebr.* II, *v.* 14. — *Apoc.* XX, *v.* 13. S. Pablo citó este texto con las pocas palabras que usaron los *Setenta* en su versión griega.

15. Porque el *infierno o sepulcro* dividirá unos hermanos de otros. El Señor enviará un viento abrasador que se levantará del desierto, el cual agotará sus manantiales y secará sus fuentes. El *rey Salmanasar* arrebatará *del pais* todos los más preciosos tesoros.

## CAPITULO XIV

*Ruina de Samaria y de todo el reino de Israel: el Señor exhorta aún a su pueblo a que se convierta, y le promete grandes bienes.*

1. ¡Oh! mal haya Samaria por haber exasperado a su Dios: perezcan todos al filo de la espada!, sean estrellados contra el suelo sus niños, y abiertos los vientres de sus mujeres preñadas.

2. ¡Oh Israel! conviértete al Señor Dios tuyo; porque por tus maldades te has precipitado.

3. Pensad en lo que diréis al Señor: convertíos a él, y decidle *contritos:* Quita de nosotros toda iniquidad, acepta este bien, *o buen deseo nuestro:* y te presentaremos la ofrenda de nuestras alabanzas.

4. No confiaremos ya en que el Asirio nos salve: no montaremos *confiados* en los caballos *de los Egipcios:* no llamaremos en adelante dioses nuestros a las obras de nuestras manos: porque tú ¡oh Señor! te apiadarás de este *pueblo, como de un* huérfano que se pone en tus manos.

5. Yo curaré sus llagas, *responde el Señor, los* amaré por pura gracia; por cuanto se ha aplacado mi indignación contra ellos.

6. Seré como el rocío para Israel; el cual brotará como el lirio, y echará raíces como un árbol del Líbano.

7. Se extenderán sus ramas; será bello *y fecundo* como el olivo, y odorífero como el *árbol del* incienso.

8. Se convertirán *al Señor:* y reposarán bajo su sombra; se alimentarán del trigo; se propagarán como la vid; la fragancia de su nombre será como la del vino del Líbano.

9. Efraím *dirá entonces:* ¿Qué tengo yo ya que ver con los ídolos? Y yo le escucharé benignamente: yo lo haré crecer como un *alto y* verde abeto: de mí tendrán origen tus frutos *¡oh Israel!*

10. ¿Quién es el sabio que estas cosas comprenda? ¿Quién tiene talento para penetrarlas? Porque los caminos del Señor son rectos, y por ellos andarán los justos; mas los prevaricadores hallarán en ellos su ruina.

# LA PROFECÍA DE JOEL

## Introducción

Poco o nada se sabe del profeta Joel, hijo de Petuel. Probablemente vivió en Judá a la vuelta de la cautividad. Describe la invasión de langosta en tierras palestinas y judías. Basándose en el relato de estos estragos, el profeta describe los del día del Señor, que aquejarán a Israel y a todas las naciones.

### CAPITULO PRIMERO

*Joel, con varias parábolas, anuncia los castigos con que Dios desolará toda la Judea; y exhorta a todos, pero especialmente a los sacerdotes, a la penitencia.*

1. Palabra de Dios, revelada a Joel, hijo de Fatuel.

2. Escuchad ¡oh ancianos! y atended también vosotros moradores todos de la tierra *de Judá.* ¿ Ha sucedido una cosa como ésta en vuestros días o en tiempo de vuestros padres?

3. De ella hablaréis a vuestros hijos, y vuestros hijos a los hijos suyos, y los hijos de éstos a los que vayan viniendo.

4. Lo que dejó la oruga se lo comió la langosta, y lo que dejó la langosta se lo comió el pulgón, y lo que dejó el pulgón lo consumió el añublo.

5. Despertaos ¡oh ebrios! y llorad; alzad el grito todos los que estáis bebiendo alegremente el vino: porque se os quitará de vuestra boca.

6. Pues que va viniendo hacia mi tierra una gente fuerte e innumerable: como de león así son sus dientes; son sus muelas como de un joven *y robusto* león.

7. Ella ha convertido en un desierto mi viña; ha descortezado mis higueras, las ha dejado desnudas, y todas despojadas, y derribadas *al suelo.* Sus ramas, *roídas y secas,* se vuelven blancas.

8. Laméntate *¡oh Jerusalén!* cual joven esposa, que vestida de cilicio llora al esposo que tomó en su edad florida.

9. Faltaron los sacrificios y las libaciones en la casa del Señor; los sacerdotes ministros del Señor están llorando.

10. El país está asolado, los campos lloran; por cuanto han sido destruídos los sembrados, quedan perdidas las viñas, y secos los olivos.

11. Andan cabizbajos los labradores, los viñadores prorrumpen en tristes acentos; por haber faltado la cosecha del campo, el trigo y la cebada.

12. Las viñas causan lástima; secáronse los higuerales, y secos han quedado el granado, la palma, y el manzano, y todos los árboles de la campiña: la alegría se ha ido lejos de los hijos de los hombres.

13. Ceñíos de cilicio y llorad vosotros ¡oh sacerdotes! prorrumpid en tristes clamores ¡oh ministros del altar! venid a postraros sobre el cilicio ¡oh ministros de mi Dios! porque han desaparecido de la casa de vuestro Dios el sacrificio y la libación.

---

**CAP. PRIMERO. — 4.** Según S. Jerónimo, Teodoreto y muchos otros Expositores, *Joel* habla proféticamente de los cuatro castigos que envió Dios a los judíos en varias épocas, por medio de los *Caldeos,* de los *Persas,* de *Antíoco Epífanes* y demás sucesores de Alejandro Magno, y finalmente por los *Romanos.* Véase A. Scholz: Comm. zum Buche d. Proph. Joel.

---

**12.** *Is.* XVI, *v.* 10. — *Jer.* XLVIII. *v.* 3.

**14.** Intimad el santo ayuno, convocad al pueblo, congregad los ancianos y a todos los moradores del país en la casa de vuestro Dios, y levantad al Señor vuestros clamores.

**15.** ¡Ay, ay, ay! ¡qué día *tan terrible* es ese día que llega! cercano está el dia del Señor, y vendrá como una *espantosa* borrasca *enviada* del *Todopoderoso.*

**16.** Pues qué ¿no habéis visto ya con vuestros ojos cómo han faltado de la casa de Dios todos los alimentos, y la alegría, y el regocijo?

**17.** Las bestias perecen *de hambre* en sus establos, los graneros han quedado exhaustos, vacías las despensas; porque faltaron los granos.

**18.** ¿Cómo es que gimen las bestias, y mugen las vacas del hato? Porque no tienen pasto, y hasta los rebaños de las ovejas están pereciendo.

**19.** A ti ¡oh Señor! levantaré mis clamores: porque el fuego ha devorado todas las hermosas praderías del desierto, y las llamas han abrasado todos los árboles del país.

**20.** Y aun las mismas bestias del campo levantan los ojos hacia ti, como la tierra sedienta de agua: porque se secaron los manantiales de las aguas, y el fuego ha devorado todas las hermosas praderías del desierto.

## CAPITULO II

*Descripción de la calamidad que amenaza al pueblo. Exhortación a la penitencia: prosperidad prometida por Dios a los que se conviertan. El espíritu del Señor se difundirá sobre todos los hombres. Prodigios que anunciarán el día terrible del Señor. Cualquiera que le invocare será salvo.*

**1.** Sonad la trompeta en Sión, prorrumpid en alaridos desde mi santo monte, estremézcanse todos los moradores de la tierra; porque se acerca el día del Señor, porque está ya para llegar.

**2.** Día de tinieblas y de oscuridad, día de nublados y de torbellinos: un pueblo numeroso y fuerte se derrama por todos los montes *de la Judea,* como *se extiende* la luz por la mañana: no lo ha habido semejante desde el principio, ni lo habrá en muchas generaciones.

**3.** Delante de él va un fuego devorador, y lleva en pos de sí una abrasadora llama, la tierra que antes de su llegada era un paraíso de delicias, la deja hecha un asolado desierto, sin que nadie pueda librarse de él.

**4.** El aspecto de esa multitud *de langostas* es como de caballos; y como caballería *ligera,* así correrán.

**5.** Saltarán sobre las cordilleras de los montes con un ruido semejante al de los carros, como el ruido que hacen las llamas cuando abrasan los pajares, como una muchedumbre de gente armada cuando se ordena en batalla.

**6.** A su arribo quedarán yertos de terror los pueblos, y todas las caras se pondrán del color *denegrido* de una olla.

**7.** Correrán como campeones; como fuertes guerreros, así escalarán el muro; nadie se saldrá de sus filas, ni se desviará de su camino.

**8.** No se estorbarán los unos a los otros: cada uno tirará línea recta por su senda, y aun cayendo, *o saltando* desde las ventanas, no se harán daño.

**9.** Asaltarán una ciudad, correrán por las murallas, subirán por las casas, entrarán por las ventanas como ladrones.

**10.** A su llegada se estremecerá la tierra, los cielos se conmoverán, se oscurecerán el sol y la luna, y las estrellas retirarán su resplandor.

**11.** Porque el Señor ha hecho oír su voz al arribo de sus ejércitos: pues son innumerables sus batallones, los cuales son fuertes, y ejecutan sus órdenes. Porque se grande y muy terrible el día del Señor. ¿Y quién podrá soportarlo?

**12.** Ahora, pues, convertíos a mí, dice el Señor, de todo vuestro corazón, con ayunos, con lágrimas, y con gemidos.

**13.** Y rasgad vuestros corazones, y no vuestros vestidos; y convertíos al Señor Dios vuestro: puesto que el *Señor* es benigno, y misericordioso, y paciente, y de mucha clemencia, e inclinado a suspen der el castigo.

**14.** ¿Quién sabe si se inclinará *a piedad*, y os perdonará, y os dejará gozar de la bendición, y el poder ofrecer sacrificios y libaciones al Señor Dios vuestro?

**15.** Sonad la trompeta en Sión, intimad un santo ayuno, convocad a junta;

**16.** Congregad el pueblo, purificad toda la gente, reunid los ancianos, haced venir los párvulos y los niños de pecho; salga del lecho nupcial el esposo, y de su tálamo la esposa.

---

CAP. II. — 6. *Is.* III, *v.* 8. — *Nahum* II, *v.* 10.

10. *Is.* XIII, *v.* 10. — *Ezech.* XXXII, *v.* 7. — *Matth.* XXIV, *v.* 29. — *Marc.* XIII, *v.* 24. — *Luc.* XXI, *v.* 25.

11. Véase después *cap.* III, *v.* 15. — *Jerem.* XXX, *v.* 7. — *Amos.* V, *v.* 18. — *Soph.* I, *v.* 15.

17. Lloren entre el vestíbulo y el altar los sacerdotes, ministros del Señor, y digan: ¡Perdona, Señor, perdona a tu pueblo, y no abandones al oprobio la herencia tuya, entregándola al dominio de las naciones! Porque tendrán pretexto las gentes para decir: el Dios de ellos ¿dónde está?

18. El Señor mira con ardiente amor a su tierra, y ha perdonado a su pueblo.

19. Y ha hablado el Señor, y ha dicho a su pueblo: Yo os enviaré trigo, y vino, y aceite, y seréis abastecidos de ello, y nunca más permitiré que seáis el escarnio de las naciones.

20 Y arrojaré lejos de vosotros a aquel *enemigo* que vino del Septentrión, y le echaré a un país despoblado y yermo: su vanguardia hacia el mar de Oriente; y la retaguardia hacia el mar más distante: y *allí* se pudrirá y despedirá fétido olor por haber obrado con *tanta* soberbia.

21. No tienes ya que temer ¡oh tierra *de Judá!* gózate y alégrate: porque el Señor ha obrado grandes maravillas *a favor tuyo.*

22. Vosotros ¡oh animales del campo! no temáis ya; porque las campiñas del desierto van a cubrirse de yerba, darán su fruto los árboles, los higuerales y las viñas han brotado con todo vigor.

23. Y vosotros ¡oh hijos de Sión! gozaos y alegraos en el Señor Dios vuestro, porque os ha dado *que nazca de vosotros* el maestro de la justicia *o santidad,* y os enviará las lluvias de otoño y de primavera como antiguamente.

24. Y se llenarán de trigo las eras, y los lagares *o prensas* rebosarán de vino y de aceite.

25. Y os compensaré los años estériles que ocasionó la langosta, el pulgón, y la roya, y la oruga, terribles ejércitos que envié contra vosotros.

26. Y comeréis abundantemente hasta saciaros del todo, y bendeciréis el Nombre del Señor Dios vuestro, que ha hecho a favor de vosotros cosas tan admirables; y nunca jamás será confundido mi pueblo.

27. Y conoceréis que yo resido en medio de Israel, y que yo soy el Señor Dios vuestro, y que no hay otro *sino yo;* y jamás por jamás volverá a ser confundido el pueblo mío.

28. Y después de esto sucederá que derra-

maré yo mi espíritu *divino* sobre toda clase de hombres; y profetizarán vuestros hijos y vuestras hijas; vuestros ancianos tendrán sueños *misteriosos,* y tendrán visiones vuestros jóvenes.

29. Y aun también sobre mis siervos y siervas derramaré en aquellos días mi espíritu.

30. Y haré aparecer prodigios en el cielo y sobre la tierra, sangre, y fuego, y torbellinos de humo.

31. El sol se convertirá en tinieblas, y la luna en sangre, antes de la llegada de aquel grande y espantoso día del Señor.

32. Y sucederá que cualquiera que invocare el Nombre del Señor, será salvo; porque en el monte de Sión y en Jerusalén hallarán la salvación, como ha dicho el Señor, los restos *del pueblo de Judá;* los cuales serán llamados por el Señor *a su Iglesia.*

# CAPITULO III

*Amenazas del Señor contra las naciones que afligen a su pueblo. Fuente de salud que manará de la Casa del Señor. La Judea será habitada para siempre.*

1. Porque en aquellos días y en aquel tiempo, cuando yo habré libertado a Judá, y a Jerusalén del cautiverio,

2. He aquí que reuniré todas las gentes y las conduciré al valle de Josafat, y allí disputaré con ellas a favor de mi pueblo, y a favor de Israel, heredad mía, que ellas dispersaron por estas y las otras regiones, habiéndose repartido entre sí mi tierra.

3. Y dividiéronse por suertes el pueblo mío, y pusieron a los muchachos en el lugar de la prostitución, y vendieron las doncellas por una porción de vino para beber.

4. Pero ¿qué es lo que yo he de hacer con vosotros, oh Tirios, y Sidonios, y Filisteos de todos los confines? ¿Por ventura queréis vengaros de mí ? Y si os vengáis de mí, luego muy en breve yo haré recaer la paga *o castigo* sobre vuestras cabezas.

5. Porque vosotros habéis robado mi plata y mi oro; y habéis transportado a vuestros templos mis cosas más bellas y apreciables.

---

6. Promesa de la duración perpetua de la Ig sia de Jesucristo.

28. Véase la aplicación que hizo S. Pedro de esta bellísima profecía *Act.* II, *v.* 17. — II *Cor.* XIV. — *Isai.* XLIV. *v.* 3.

---

CAP. III. — 2. S. Jerónimo, en el *cap.* XXXI, *v.* 38 de Jeremías, dice que este valle estaba entre Jerusalén y el monte de los Olivos.

**6.** Y habéis vendido a los hijos de los Griegos *o gentiles* los hijos de Judá y de Jerusalén, para tenerlos distantes de su patria.

**7.** Sabed que yo los sacaré del país en que los vendisteis; y haré que recaiga la paga sobre vuestra cabeza.

**8.** Y entregaré vuestros hijos y vuestras hijas en poder de los hijos de Judá, quienes los venderán a los Sabeos, nación remota: porque *así* lo ha dicho el Señor.

**9.** Bien podéis pregonar en alta voz entre las naciones: Aparejaos para la guerra, animad a los valientes; vengan, pónganse en marcha los guerreros todos;

**10.** Transformad vuestros arados en espadas, y en lanzas vuestros azadones; diga *aun* el débil: Fuerza tengo yo.

**11.** Salid fuera y venid, y congregaos ¡oh naciones todas cuantas seáis! allí derribará el Señor por el suelo a todos vuestros campeones.

**12.** Levántense las gentes y vengan al valle de Josafat; porque allí me sentaré yo a juzgar a todas las naciones puestas a la redonda.

**13.** Echad la hoz, porque están ya maduras las mieses: venid y bajad, porque el lagar está lleno: rebosan los lagares: *es decir,* ha llegado ya a su colmo la malicia de ellos.

**14.** Pueblos, pueblos *innumerables compareced* en el valle de la mortandad, porque cercano está el día del Señor, *venid* al valle de la matanza.

---

**9.** Todo esto lo dice por *ironía* contra los que pensasen oponerse al Hijo de Dios.

**13.** Jesucristo explicó este lugar. *Matth.* XIII, *v.* 39 y 41. — Véase *Apoc.* XIV, *v.* 15.

**15.** Oscurecerse han el sol y la luna, y las estrellas retirarán su resplandor.

**16.** Y el Señor rugirá desde Sión, y hará oir su voz desde Jerusalén, y se estremecerán los cielos y la tierra. Mas el Señor es la esperanza de su pueblo y la fortaleza de los hijos de Israel.

**17.** Y conoceréis que yo soy el Señor Dios vuestro, que habita en mi monte santo de Sión; y Jerusalén será *entonces* santa, y no pondrán más el pie dentro de ella los extraños *o profanos.*

**18.** En aquel día sucederá que los montes destilarán miel, y manarán leche los collados, y correrán llenos de aguas *saludables* todos los arroyos de Judá; y del templo del Señor brotará una fuente *maravillosa* que regará el valle de las espinas.

**19.** Egipto será abandonado a la desolación, y la Idumea será convertida en un hórrido desierto; porque trataron inicuamente a los hijos de Judá, y derramaron en sus regiones la sangre inocente.

**20.** Empero la Judea será habitada eternamente: para siempre será poblada Jerusalén.

**21.** Y vengaré la sangre de aquellos *justos,* de la cual no había yo tomado venganza; y el Señor habitará en Sión con ellos *eternamente.*

---

**16.** Como león de Judá. *Apoc.* V, *v.* 5. — *Jerem.* XXV, *v.* 30. — *Amos* I, *v.* 2.

**17.** *Hebr.* XII, v. 22. — *Apoc.* XXII, *v.* 15; XXI, *v.* 3, 27.

**18.** *Num.* XXV, *v.* 1. — *Josue* II, *v.* 1. — *Mich.* VI, *v.* 5. — *Apoc.* XXI, v. 45; XXI, *v.* 4, 5; XXII, *v.* 1.

# LA PROFECÍA DE AMÓS

# Introducción

Amós, natural de Tecua, al sur de Belén, era pastor. De esta condición salió para pronunciar sus juicios sobre Israel y Judá en el santuario de Betel. Amasías, sacerdote de aquel monasterio, le acusó de rebelde al rey; la Iglesia lo invoca como mártir. Su origen y la modesta educación que se le supone contrastan grandemente con la elocuencia de sus oráculos. Como dice san Agustín, en su pecho anidaba la sabiduría, que le hacía elocuente. Abundan en sus escritos las comparaciones relacionadas con el mundo pastoril.

## CAPITULO PRIMERO

*Amós intima los castigos del Señor a los asirios, filisteos, idumeos y ammonitas, principalmente por extorsiones cometidas contra su pueblo.*

1. Palabras de Amós, que fué un pastor de Tecue, y contienen la revelación que tuvo en orden a Israel, en tiempo de Ozías, rey de Judá, y en tiempo de Jeroboam, hijo de Joás, rey de Israel, dos años antes del terremoto.

2. Dijo, pues: El Señor rugirá desde Sión, y hará oír su voz desde Jerusalén, y se marchitarán los más hermosos pastos, *o praderías*, y se agostarán las cimas del Carmelo.

3. Esto dice el Señor: Después de tres, cuatro *y más* maldades que ha cometido Damasco, *ya* no la convertiré: pues ella con carros de trillar ha despedazado a *los Israelitas de Galaad.*

4. Yo entregaré, pues, a las llamas la casa de Azael, y serán abrasados los palacios de Benadad.

5. Y destruiré todo el poder de Damasco, y exterminaré los habitantes de las campiñas del ídolo, y al que empuña el cetro *lo arrojaré* de la casa de las delicias; y el pueblo de Siria será transportado a Cirene, dice el Señor.

6. Esto dice el Señor: Después de tres, cuatro *y más* maldades que ha cometido Gaza, *ya* no la convertiré: pues ella se ha llevado cautiva toda la gente *de Israel* para encerrarla en Idumea.

7. Yo enviaré fuego contra los muros de Gaza, el cual reducirá a cenizas sus edificios.

8. Y exterminaré a los moradores de Azoto y al que empuña el cetro de Ascalón; y descargaré mi mano sobre Acarón; y aniquilaré los restos de los Filisteos, dice el Señor Dios.

9. Esto dice el Señor: Después de tres, cuatro *y más* maldades de Tiro, *ya* no la convertiré: pues ha encerrado en cautiverio, en la Idumea, toda la gente *de mi pueblo,*

---

CAP. I.—1. Ciudad de Judá. Hacia el año 787 antes, de Jesucristo.

2. *Is.* XVI, *v.* 10; XXIX, *v.* 17.

3. No revocaré mi sentencia.

6. *Jerem.* XXV, XLVII. En tiempo de Sennaquerib los Filisteos entregaron varios Judíos que se habían refugiado entre ellos a los Idumeos los cuales les dieron una muerte cruel.

9. II *Reg.* V v. 11 III *Reg.* V, *v.* 1 y 9; IX, *v.* 13. — Véase *Jerem.* XXVII, *v.* 3; XLVII *v.* 4 y *Ezech. cap.* XXVI, XXVII, XXVIII y XXIX.

sin haberse acordado de la *antigua* fraternal alianza.

10. Yo enviaré fuego contra los muros de Tiro, el cual reducirá a cenizas sus edificios.

11. Esto dice el Señor: Después de tres, cuatro *y más* maldades de Edom, *ya* no la convertiré, *o perdonaré;* porque ha perseguido espada en mano a su hermano *Israel,* y le ha negado la compasión que le debía tener, conservando contra él hasta el fin su odio reconcentrado y su indignación.

12. Yo enviaré fuego contra Temán, que reducirá a pavesas los edificios de Bosra.

13. Esto dice el Señor: Después de tres, cuatro *y más* maldades de los Ammonitas, *ya* no los convertiré, *o perdonaré;* porque ellos para extender sus dominios abrieron los vientres de las preñadas de Galaad.

14. Yo enviaré el fuego a los muros de Rabba, el cual abrasará sus edificios, en medio de los alaridos del tiempo de la batalla y del tumulto en el día de la destrucción.

15. Y *el ídolo* Melcom irá al cautiverio, juntamente con sus príncipes, dice el Señor.

## CAPITULO II

*Dios castigará a Moab, y también a Judá y a Israel, como ingratos a sus beneficios y rebeldes a su santa ley.*

1. Esto dice el Señor: Después de tres, cuatro *y más* maldades de Moab, *ya* no la convertiré: porque *vengativo* quemó los huesos del rey de Idumea; reduciéndolos a cenizas.

2. Yo enviaré, pues, fuego contra Moab, que devorará los edificios de Cariot; y Moab perecerá en medio del estruendo y del sonido de las trompetas *de guerra.*

3. Y quitaré de en medio a su juez *o monarca,* y junto con él mataré a todos sus príncipes, dice el Señor.

4. Esto dice el Señor: Después de tres, cuatro *y más* maldades de Judá, *ya* no la convertiré: por cuanto ha desechado la ley del Señor, y no ha observado sus mandamientos; pues que le han seducido sus ídolos, en pos de los cuales anduvieron sus padres.

5. Yo enviaré fuego contra Judá, que devorará los edificios de Jerusalén.

6. Esto dice el Señor: Después de tres, cuatro *y más* maldades de Israel, *ya* no lo convertiré; por cuanto ha vendido por dinero al justo, y por un par de sandalias al pobre.

7. Abaten hasta el suelo las cabezas de los pobres, y se esquivan del trato con los humildes. El hijo y el padre durmieron con la misma joven, deshonrando mi santo Nombre.

8. Y recostábanse sobre *las ropas y* vestidos tomados en prenda *al pobre,* celebrando convites junto a cualquier altar, y en la casa de su Dios bebían el vino de aquellos que habían condenado.

9. Empero yo fuí el que exterminé delante de ellos a los Amorreos, los cuales eran altos como los cedros, y fuertes como la encina; yo destruí sus frutos que salen sobre la tierra, y hasta las raíces que están debajo de ella.

10. Yo soy aquel que os saqué de la tierra de Egipto, y os conduje por el Desierto cuarenta años, para poneros en posesión de la tierra de los Amorreos.

11. E hice salir profetas de entre vuestros hijos, y nazareos de entre vuestros .jóvenes. ¿No es esto así, oh hijos de Israel, dice el Señor?

12. Y vosotros hicisteis que los Nazareos bebiesen vino; y a los profetas les intimásteis y dijísteis: No tenéis que profetizar.

13. Y he aquí que os haré crugir, como hace un carro muy cargado de gavillas *en todo lugar por donde pasa.*

14. Ni el hombre más ligero podrá escapar, y en vano hará esfuerzos el fuerte, y no podrá el valiente salvarse.

15. No podrá resistir el que dispara el arco: no se salvará el ligero de pies, ni podrá el de a caballo ponerse en salvo.

16. El de corazón más valiente entre los cam-peones huirá desnudo en aquel día, dice el Señor.

## CAPITULO III

*Echa el Señor en cara a los israelitas sus grandes maldades, habiendo sido un pueblo tan amado de él y favorecido; y les intima que serán pocos los que se salvarán en las calamidades que han de sucederles.*

1. Escuchad ¡oh hijos de Israel! la palabra que ha pronunciado el Señor acerca de

---

11. *Gen.* XVII, *v.* 41. — *Deut.* XXIII, *v.* 7.
**CAP. II.** — 3. IV *Reg.* I, *v.* 1. — *Is.* XV. — *Jerem.* XLVIII.

7. Así lo entiende S. Jerónimo.
8. *Exod.* XXII, *v.* 26. — *Deut.* XXIV, *v.* 13.

vosotros, acerca de toda aquella nación que sacó él de la tierra de Egipto, diciendo:

**2.** De entre todos los linajes de la tierra, sois vosotros los únicos a quienes he reconocido: por lo mismo os he de castigar *más* por todas vuestras maldades.

**3.** ¿Pueden acaso dos caminar juntos, si no van acordes entre sí?

**4.** ¿Por ventura rugirá el león en el bosque, si no ve la presa? ¿Acaso el joven león alzará su rugido dentro de su cueva, sin que haya apresado algo?

**5.** ¿Caerá por ventura el pájaro en el lazo tendido sobre la tierra, si no hay quien lo arme? ¿Y el lazo lo quitarán acaso del suelo, antes de haber cogido algo?

**6.** ¿Sonará la trompeta *de guerra* en una ciudad, sin que la población se conmueva? ¿Descargará alguna calamidad sobre la ciudad, que no sea por disposición del Señor?

**7.** Mas el Señor Dios no hace estas cosas sin revelar sus secretos a los profetas siervos suyos.

**8.** Ruge el león *de Judá:* ¿quién no temerá? El Señor Dios ha hablado ¿quién se retraerá de profetizar?

**9.** Hacedlo saber a las familias *de los Filisteos* de Azoto y a las del país de Egipto, y decid: Reuníos sobre los montes de Samaria, y observad los muchos desórdenes que reinan en él, y las violencias que se cometen en su interior.

**10.** No han sabido lo que es hacer justicia, dice el Señor: han amontonado en sus casas tesoros de iniquidad y de rapiña.

**11.** Por tanto, esto dice el Señor Dios: Atribulada será la tierra *esta* por todas partes; y se te quitará *¡oh Samaria! toda* tu fuerza, y saqueadas serán tus casas.

**12.** Esto dice el Señor: Como si un pastor salvase de la boca del león *solamente* las dos patas y la ternilla de *una* oreja *de la res que devora,* así se librarán *de los Asirios* aquellos hijos de Israel que habitan en Samaria, *descansando* en un ángulo de cama, o en el lecho de Damasco.

**13.** Oíd y protestad *estas cosas* a la casa de Jacob, dice el Señor Dios de los ejércitos:

**14.** *Decidle,* que llegado que sea el día del castigo de las prevaricaciones de Israel, lo castigaré también a él; y *destruiré* los altares de Betel, y serán cortados y echados por tierra los ángulos del altar.

**15.** Y arrasaré las habitaciones *o palacios* de invierno junto con las de verano, y quedarán arruinadas las habitaciones de marfil y serán en gran número los edificios derribados, dice el Señor.

# CAPITULO IV

*Amenazas contra Samaria. Los israelitas que después de tantos castigos no se han enmendado, sufrirán otros mayores. Exhortación a la penitencia.*

**1.** Escuchad estas palabras vosotros, vacas gordas del monte de Samaria, vosotros que oprimís a los menesterosos, y holláis a los pobres; vosotros que decís a vuestros amos: Traed, y beberemos.

**2.** Juró el Señor Dios por su santo *Nombre,* que van a venir días para vosotros en que os ensartarán en picas, y pondrán a hervir en ollas los restos de vuestro cuerpo.

**3.** Y saldréis por las brechas *abiertas* por una y otra parte, y seréis arrojados a Armón, dice el Señor.

**4.** Id *enhorabuena* a Betel a continuar vuestras impiedades, id a Gálgala a aumentar las prèvaricaciones, y llevaos allí por la mañana vuestras víctimas *para los ídolos,* y vuestros diezmos en los tres días *solemnes.*

**5.** Y ofreced *a los ídolos* el sacrificio de alabanza, con pan fermentado, y pregonad y haced saber las ofrendas voluntarias, pues, que así os place a vosotros ¡oh hijos de Israel! dice el Señor Dios.

**6.** Por este motivo he hecho yo que estéis con los dientes afilados en todas vuestras ciudades, por falta de pan en todo vuestro país; y *con todo* vosotros no os habéis convertido a mí, dice el Señor.

**7.** Asimismo yo impedí que os viniese lluvia, cuando aún faltaban tres meses hasta la cosecha, e hice que lloviese en una ciudad, y que no lloviese en otra: a un paraje le di lluvia, y otro se secó por no habérsela dado.

**8.** Y acudieron dos, tres *y más* ciudades a otra ciudad a buscar agua para beber, y no pudieron saciarse; y no *por eso* os convertísteis a mí, dice el Señor.

**9.** Yo os afligí con viento abrasador y con añublo: la oruga devoró la multitud de vuestras huertas, y de vuestras viñas, y de vuestros olivares, y de vuestros higuerales; y *a pesar de eso* no os convertísteis a mí, dice el Señor.

---

CAP. IV. — 3. Tal vez Armón es la Armenia.

4. Puede aludir al sacrificio de la mañana. *Exod.* XXIII, *v.* 14- XXIX, *v.* 39. — *Deut.* XIV, *v.* 22.

---

5. Debía ser ázimo. *Lev.* II, *v.* 11: VII, *v.* 11. — *Num.* X, *v.* 10. — *Lev.* XX, *v.* 18.

10. Envié la mortandad contra vosotros en la jornada de Egipto; a vuestra juventud la hice morir al filo de la espada, y fueron cogidos hasta vuestros mismos caballos: el fetor de los cadáveres de vuestro campamento lo hice llegar a vuestras narices, y no *por eso* os convertísteis a mí, dice el Señor.

11. Yo os arrasé, como arrasó Dios a Sodoma, y a Gomorra, y quedásteis como un tizón que se arrebata de en medio de un incendio, y *con todo* no os convertísteis a mí, dice el Señor.

12. Estas cosas ejecutaré yo contra ti, oh Israel; mas después que así me habré portado contigo, prepárate ¡oh Israel! para salir al encuentro a tu Dios.

13. Pues he aquí *que viene* aquel que forma los montes y cría los vientos, el cual anuncia a los hombres su palabra o *Verbo eterno,* aquel que produce la niebla de la mañana, y el que pisa con sus pies las alturas de la tierra, aquel que tiene por nombre Señor Dios de los ejércitos.

## CAPITULO V

*El Profeta llora las calamidades que vendrán sobre Israel, y le exhorta a la penitencia para poder librarse de ellas. Declara el Señor que aborrece las solemnidades y sacrificios que el pueblo le ofrece.*

1. Escuchad estas palabras con que voy a formar una lamentación sobre vosotros: la casa de Israel cayó, y no volvera más a levantarse.

2. La virgen, *el florido reino,* de Israel ha sido arrojada por tierra, y no hay quien la levante.

3. Porque esto dice el Señor Dios: La ciudad *de Israel* de la cual salían mil hombres, quedará reducida a ciento, y aquella de la cual salían ciento, quedara reducida a diez: *esto sucederá* en la familia de Israel.

4. Pero el Señor dice a la casa de Israel: Bus-cadme y viviréis.

5. Y no os cuidéis de Betel, ni vayáis a Gálgala, ni paséis por Bersabee: porque Gálgala será llevada al cautiverio, y Betel quedará vacía.

6. Buscad al Señor y tendréis vida: no sea que por desgracia arda como el fuego la casa de José, *o Efraím,* y devore a Betel sin que haya quien le apague.

7. ¡*Oh* vosotros, que convertís el juicio en *amargura de* ajenjo, y echáis a rodar la justicia!

8. *Buscad* al que creó el Arturo y el Orión, al que cambia las tinieblas en la luz de la mañana, y muda el día en noche; al que llama las aguas del mar *hacia lo alto,* y las derrama *después* sobre la tierra, y cuyo nombre es el Señor.

9. A aquel que como por juguete derriba al suelo los valientes, y hace que sean entregados al saqueo los poderosos.

10. Aborrecieron *los de la casa de Israel* al que los amonestaba en los concursos públicos, y han abominado del que les hablaba *en mi Nombre* la verdad.

11. Por tanto, ya que vosotros despojábais al pobre, le quitábais lo mejor que tenía, edificaréis casas de piedra de sillería, mas no las habitaréis; y plantaréis viñas excelentes, pero no llegaréis a beber su vino.

12. Porque tengo sabidas vuestras muchas maldades y vuestros escandalosos delitos: enemigos sois de la justicia, codiciosos de recibir dones, opresores de los pobres en los tribunales.

13. Por este motivo el prudente callará en aquel tiempo, porque es tiempo aciago.

14. Buscad el bien, y no el mal, a fin de que tengáis vida; y así estará con vosotros el Señor Dios de los ejércitos, como decís *que está.*

15. Aborreced el mal, y amad el bien, y restableced la justicia en el foro; y el Señor Dios de los ejércitos tendrá tal vez misericordia de los restos *del linaje* de José.

16. Por tanto, esto dice el Señor Dios de los ejércitos, el dominador *del mundo:* En todas las plazas habrá lamentos, y en todos los lugares de fuera *de la ciudad* se oirán ayes; y serán convidados los labradores a llorar, y a hacer el duelo los que saben plañir.

17. Y en todas las viñas se oirán lamentos, porque yo pasaré por medio de vosotros, dice el Señor.

18. ¡Ay de aquellos que *por mofa* desean el día del Señor! ¿Por qué lo deseáis? Día de tinieblas será aquel para vosotros, y no de luz.

19. Os sucederá lo que a un hombre que huyendo de la vista de un león diere con un oso; o entrando en su casa, al apoyarse con su mano en la pared, fuese mordido de una culebra.

---

CAP. V. — 1. Véanse semejantes cantares en Isaías, *cap.* XIV. — *Ezech.* XXVI, *v.* 27.

5. Antes *cap.* IV, *v.* 4; VIII, *v.* 14.

---

15. *Tal vez* significa aquí *seguramente,* como en el Salmo LXXX.

**20.** ¿Por ventura aquel día del Señor no será el día de tinieblas, y no de luz; y no reinará en él una suma oscuridad, sin *rastro de* resplandor?

**21.** Yo aborrezco y desecho vuestras festividades, ni me es agradable el olor de *los sacrificios en* vuestras reuniones.

**22.** Y cuando vosotros me presentaréis vuestros holocaustos y dones, yo no los aceptaré: ni volveré mi vista hacia las gordas víctimas que me ofreceréis en voto.

**23.** Lejos de mí vuestros tumultuosos o estrepitosos himnos; yo no escucharé las canciones al son de vuestra lira;

**24.** Sino que la venganza *mía* se derramará como agua, y la justicia cual torrente impetuoso.

**25.** ¿Por ventura ¡oh casa de Israel! me ofrecísteis vosotros, durante los cuarenta años en el Desierto, *gran multitud de* hostias ni sacrificios?

**26.** Vosotros, empero, llevábais el tabernáculo de vuestro *dios* Moloc, y los simulacros de vuestros ídolos, la estrella de vuestro dios *Saturno,* hechuras de vuestras manos.

**27.** Yo haré, pues, que seáis transportados más allá de Damasco *a la Asiria,* dice el Señor, *el Señor* cuyo nombre es Dios de los ejércitos.

## CAPITULO VI

*Ayes terribles contra los soberbios y los que viven en delicias, y contra el pueblo de Israel lleno de arrogancia.*

**1.** ¡Ay de vosotros los que nadáis en la abundancia en medio de Sión, y los que vivís sin ningún recelo en el monte de Samaria! de vosotros ¡oh magnates principales de los pueblos, que entráis con fausto en las juntas de Israel!

**2.** Pasad a *la ciudad de* Calane, y considerad y desde allí id a Emat la grande, y bajad a Get de los Palestinos, y a los mejores reinos o *provincias dependientes* de éstos. ¿Tienen ellos más espacioso terreno que vosotros?

**3.** Empero vosotros estáis reservados para el día calamitoso, y os váis acercando al solio *o imperio* de la iniquidad.

**4.** Vosotros los que dormís en camas de marfil, y os solazáis en vuestros *mullidos* lechos; los que coméis los mejores corderos de la grey y los más escogidos becerros de la vacada.

**5.** Los que cantáis al son del salterio: y creéis imitar a David usando instrumentos músicos *para vuestro deleite.*

**6.** Los que bebéis vino en *anchas* copas, despidiendo preciosos olores, sin compadeceros de la aflicción de José.

**7.** Por lo mismo irán éstos los primeros a la cautividad, y será dispersada la gavilla de los lascivos.

**8.** El Señor Dios ha jurado por su vida; ha dicho el Señor Dios de los ejércitos: Yo detesto la soberbia de Jacob, y aborrezco sus palacios, y entregaré al dominio de otros la ciudad con sus habitantes.

**9.** Que si diez hombres quedaren *refugiados* en una casa, perecerán ellos también.

**10.** Y algún pariente suyo los tomará uno después de otro, y los quemará, y sacará los huesos fuera de la casa *para enterrarlos,* y dirá *después* al que está en el fondo de la casa: ¿Tienes todavía aquí dentro algún otro *cadáver?*

**11.** Y responderá *el de adentro:* No hay más. Y *aquel pariente* le dirá: Pues calla, y no tienes *ya* que hacer mención del Nombre del Señor.

**12.** Porque he aquí que el Señor lo ha decretado, y él castigará la casa grande con *la total* ruina, y la casa menor con grandes calamidades.

**13.** ¿Acaso pueden correr los caballos entre peñas, o se puede arar con *indómitos* búfalos? Vosotros habéis trocado en opresión el *justo* juicio, y en ajenjo el fruto de la justicia.

**14.** Vosotros fundáis sobre la nada vuestra alegría, y decís: Pues qué ¿no nos ha hecho poderosos nuestra fortaleza?

**15.** Mas he aquí ¡oh casa de Israel! que yo levantaré contra vosotros una nación, dice el Señor Dios de los ejércitos, la cual acabará con vosotros desde la entrada de Emat hasta el torrente del desierto.

---

**21.** *Is.* I, *v.* 11. — *Jer.* VI, 20. — *Malach.* I, *v.* 10.

**25.** Unicamente se lee que se ofrecieron en Sinaí al formarse la alianza. Éxod. XXIV. Después en la erección del Tabernáculo. *Num.* VII, *v.* 13.; y por la consagración de los sacerdotes. *Lev.* XVI, *v.* 1; XVIII. *v.* 21. — I *Par.* XXII. *v.* 1. — *Act.* VII, *v.* 42.

---

**CAP. VI.** — **14.** I. *Cor.* VIII, *v.* 4.

**15.** *Numer.* XXXIV; IV *Reg.* XIV, *v.* 25: — *Jos.* XV, *v.* 4.

## CAPITULO VII

*Refiere Amós tres visiones que tuvo sobre los castigos de Dios y sobre su sentencia final contra Israel. Implora la misericordia del Señor a favor de su pueblo. Amasías, sacerdote, acusa ante el rey a Amós, y éste le anuncia los juicios de Dios contra Israel y contra el mismo Amasías.*

1. Estas son las visiones que me ha enviado el Señor Dios: He aquí que criaba el Señor un ejército de langostas al principio cuando la lluvia tardía hace crecer la yerba, y ésta es la lluvia tardía que la hace brotar después de haber sido segada para el rey.

2. Y sucedió que al haber acabado la langosta de comerse esta yerba de los campos, dije yo: Ruégote, Señor Dios, que tengas misericordia: ¿quién restaurará a Jacob tan extenuado como está?

3. Apiadóse con esto el Señor, y dijo: No sucederá *lo que temes.*

4. Hízome el Señor Dios ver aún lo siguiente: Veía al Señor Dios que llamaba al fuego para que fuese *instrumento de* su justicia, el cual secó un grande abismo, *o copia de aguas,* y consumía al mismo tiempo una parte *del pueblo.*

5. Y dije yo: Ruégote, Señor Dios, que te aplaques: ¿quién restaurará a Jacob, que está tan extenuado?

6. Apiadóse con esto el Señor Dios, y dijo: Ni tampoco será esta vez *su ruina.*

7. Envióme el Señor esta *tercera* visión: Veía al Señor que estaba sobre un muro embarrado, y que tenía en su mano una llana de albañil.

8. Y díjome el Señor: ¿Qué es lo que ves, Amós? Y respondí yo: Una llana de albañil. *Pues* he aquí, dijo el Señor, que yo voy a arrojar la llana en medio de mi pueblo de Israel; ni jamás volverá a embarrar sus muros.

9. Serán demolidos los lugares excelsos del ídolo, y arrasados los santuarios de Israel, y echaré mano de la espada contra la casa de Jeroboam.

10. Con esto Amasías, sacerdote de *los idolos de* Betel, envió a decir a Jeroboam, rey de Israel, lo siguiente: Amós levanta una rebelión contra ti en medio del pueblo de Israel: la gente no puede sufrir todas las cosas que dice.

11. Porque de esta manera habla Amós: Je-

roboam morirá al filo de la espada; e Israel será llevado cautivo fuera de su país.

12. Y Amasías dijo a Amós: ¡Oh tú que tienes visiones! vete, huye del país de Judá, y come allí tu pan, y allí podrás profetizar:

13. Mas no vuelvas a profetizar en Betel; porque este es el santuario del rey y la corte del reino.

14. A esto respondió Amós a Amasías: Yo no soy profeta, ni hijo de profeta, sino que guardo unas vacas, y voy buscando sicómoros.

15. Pero el Señor me tomó mientras yo iba tras el ganado; y díjome el Señor: Ve a profetizar a mi pueblo de Israel.

16. Y ahora tu ¡oh *Amasías!* escucha la palabra del Señor: Tú me dices a mí: No profetices contra Israel, y no profieras oráculos contra la casa del ídolo.

17. Por tanto, esto dice el Señor: Tu esposa será deshonrada en la ciudad, y serán pasados a cuchillo tus hijos e hijas, y tu país será repartido con una cuerda de medir; y tú morirás en una tierra profana, *o idólatra,* e Israel saldrá cautivo fuera de su país.

## CAPITULO VIII

*Muestra el Señor a Amós en una visión la final y terrible ruina de Israel, el cual quedaría privado de toda luz y del consuelo de la palabra del Señor.*

1. Envióme el Señor Dios esta visión: Vi un gancho de coger fruta.

2. Y me dijo: ¿Qué es lo que ves, oh Amós? Un gancho, respondí yo, de coger fruta. Y díjome el Señor: Ha llegado el fin de mi pueblo de Israel: no le dejaré ya impune por más tiempo.

3. Y en aquel día darán un estallido los quicios del templo, dice el Señor Dios: serán muchos los que perecerán; y reinará por todas partes el silencio *de la muerte.*

4. Escuchad esto, vosotros los que oprimís al pobre, y estrujáis a los menesterosos del país,

5. Y decís: ¿Cuándo pasará el mes, y venderemos los géneros; y pasará el sábado, y sacaremos fuera los granos; achicaremos la medida, y aumentaremos el peso del siclo, sustituyendo balanzas falsas,

6. Para hacernos con el dinero dueños de los miserables, y con un par de sandalias comprar por esclavo al pobre, y vender *a buen precio hasta* las aechaduras del trigo?

---

4. Las aguas son símbolos del mucho gentío que se llevó cautivo Teglatfalasar. IV, *Reg.* XV.

**7.** Este juramento ha hecho el Señor contra la soberbia de *los hijos de* Jacob: Yo juro que no me olvidaré jamás de todo lo que han hecho.

**8.** Y después de tales cosas ¿no se estremecerá la tierra, y no prorrumpirán en llanto todos sus moradores? La inundará toda un río *de calamidades;* y quedará asolada, y desaparecerá como *las aguas del río* de Egipto *al llegar al mar:*

**9.** Y sucederá en aquel día, dice el Señor Dios, que el sol se pondrá al mediodía, y haré que la tierra se cubra de tinieblas en la *mayor* luz del día.

**10.** Y convertiré en llanto vuestras fiestas, y en lamentos todos vuestros cantares, y a todos vosotros os echaré el saco *de silicio* sobre las espaldas, y os haré raer la cabeza; y *a la hija de Israel* la pondré de duelo, cual suele ponerse la que ha perdido un hijo único, y haré que su fin sea un día de amargura.

**11.** He aquí que viene el tiempo, dice el Señor, en que yo enviaré hambre sobre la tierra; no hambre de pan ni sed de agua, sino de oír la palabra del Señor.

**12.** Y quedarán todos trastornados, desde un mar al otro, y desde el Norte hasta el Oriente. Discurrirán de una a otra partes deseosos de oír una palabra del Señor, y no lo conseguirán.

**13.** En aquel día desfallecerán de sed las hermosas doncellas y los *gallardos* jóvenes:

**14.** Aquellos que juran por el pecado o *ídolos* de Samaria, y dicen: ¡Viva, oh Dan, el dios tuyo; y viva la peregrinación de Bersabee! y caerán por tierra, y no volverán jamás a levantarse.

## CAPITULO IX

*Ruina y dispersión del pueblo de Israel. Restablecimiento de la casa de David. Los Israelitas serán libertados, y vivirán felices.*

**1.** Yo vi al Señor que estaba sobre el altar, y dijo: Hiere el quicio o *umbral,* y se conmoverán los dinteles. Porque no hay nadie que no esté dominado de la avaricia; y yo haré morir al filo de la espada hasta el último de ellos, sin que haya quien pueda

escapar: huirán, y ninguno de los que huyeren se salvará.

**2.** Cuando bajaren ellos hasta *lo más hondo de* el infierno, de allí los sacaré yo con mi mano; y si se subieren hasta el cielo, de allí los arrancaré.

**3.** Y si se escondieren en las cimas del Car-melo, allí iré a buscarlos, y de allí los sacaré; y si se escondieren de mis ojos, en lo más profundo del mar, allí por orden mía los morderá el dragón *marino.*

**4.** Y cuando serán llevados al cautiverio delante de sus enemigos, allí a mi orden los matará la espada; y fijaré mis ojos sobre ellos, pero para daño suyo, y no para su bien.

**5.** Y el Señor es el Dios de los ejércitos, aquel que con tocar la tierra la hace estremecer; prorrumpirán en llanto todos los moradores de ella; la sumergirá a modo de un caudaloso río, y ella desaparecerá como el río de Egipto *al llegar al mar.*

**6.** El se ha construido su solio en el cielo, y ha establecido sobre la tierra el conjunto *de tantas creaturas.* El llama así las aguas del mar, y las derrama sobre la superficie de la tierra: el Señor: éste es el nombre suyo.

**7.** Pues vosotros ¡oh hijos de Israel! dice el Señor, ¿no sois lo mismo para conmigo que los hijos de los Etíopes? ¿No hice yo salir a Israel de la tierra de Egipto, al modo que transporté de la Capadocia a los Palestinos, y de Cirene a los Si-rios?

**8.** Mas los ojos del Señor Dios están mirando a *ese* reino pecador; y yo lo quitaré de sobre la haz de la tierra: pero no obstante no destruiré del todo, dice el Señor, la casa o *reino* de Jacob.

**9.** Pues he aquí que por orden mía será agitada en medio de todas las naciones la casa de Israel, como se zarandea el trigo en un harnero, y no caerá por tierra un solo granito.

**10.** Pasados a cuchillo serán todos los pecadores de mi pueblo, los cuales están diciendo: No se acercará ni vendrá mal ninguno sobre nosotros.

**11.** En aquel tiempo restauraré el tabernáculo o *reino* de David, que está por tierra, y repararé los portillos de sus muros, y reedificaré lo destruído, y lo volveré a poner en el pie en que estaba en los tiempos antiguos.

**12.** A fin de que sean dueños de los restos de la Idumea y de todas las demás naciones; pues que en ellos será invocado mi Nombre, dice el Señor hacedor de tales maravillas.

---

CAP. VIII.—9. Véase *Jerem.* XV, *v* 9: — *Joel* III, *v.* 15. Algunos Padres entienden esto del eclipse sucedido en la muerte de Cristo.

14. El ídolo que se veneraba en Dan.

**13.** He aquí que vienen los tiempos, dice el Señor, en los cuales el que está aún arando verá ya detrás de sí al que siega; y aquel que pisa las uvas, verá tras de sí al que siembra. Los montes destilarán delicias, y serán cultivados todos los collados.

**14.** Y sacaré de la esclavitud al pueblo mío de Israel, y edificarán las ciudades abandonadas, y las habitarán, y plantarán viñas y beberán el vino de ellas, y formarán huertas y comerán su fruta.

**15.** Y yo los estableceré en su país, y nunca jamás volveré a arrancarlos de la tierra que yo les di, dice el Señor Dios tuyo.

—————

**15.** *Dan*. IX, últ. Esta profecía alude a la tierra de los verdaderos hijos de Dios que es la Iglesia triunfante.

# LA PROFECÍA DE ABDÍAS

# Introducción

Nada se sabe de este profeta. Su vaticinio, que es el escrito más corto del Antiguo Testamento, es una amenaza contra los idumeos por el mal causado a sus hermanos, los hijos de Judá. Al parecer fue contemporáneo de los tres profetas precedentes, Oseas, Joel y Amós.

## CAPITULO UNICO

*Predice la ruina de los idumeos por su crueldad contra los hijos de Israel. Libertados éstos del cautiverio dominarán sobre sus opresores, y se restablecerá el reino del Señor.*

**1.** Visión *profética* que tuvo Abdías. Esto dice el Señor Dios a Edom: Nosotros oímos ya del Señor que él envió su embajador, *o profeta*, a decir a las gentes: Venid y vamos a hacerle la guerra.

**2.** Tú ves, dice *Dios a Edom*, que yo te he hecho pequeñuelo entre las naciones, y que tú eres sumamente despreciable.

**3.** La soberbia de tu corazón te ha engreído, porque habitas en peñascos escarpados y sitios elevados; y dices en tu corazón: ¿Quién será el que me derribe en tierra?

**4.** Cuando tú, cual águila te remontares, y cuando pusieres tu nido *o habitación* entre las estrellas, de allí; dice el Señor te arrancaré yo.

**5.** Si los ladrones y asesinos hubiesen entrado de noche en tu casa, ¿no habrías tú callado *de miedo*? ¿No te habrían robado a su satisfacción? Y si hubiesen entrado en tu viña para vendimiarla, ¿no te habrían dejado a lo menos algún racimo *o rebusco*?

**6.** Pero ¡de qué manera han *tratado* éstos y escudriñado la casa de Esaú, y han ido registrando los parajes más escondidos!

**7.** Te han arrojado fuera de tu país: todos tus aliados se han burlado de ti, se han alzado contra ti los amigos tuyos, aquellos mismos que comían en tu mesa te han armado acechanzas. No hay en Edom cordura.

**8.** Qué ¿acaso en aquel día no le quitaré yo, dice el Señor, los sabios a Idumea, y los prudentes al monte, *o país*, de Esaú?

**9.** Quedarán amedrentados *esos* tus campeones que tienes a la parte del Mediodía, sin que quede *un solo* varón *fuerte* en el monte de Esaú.

**10.** Cubierto quedarás de confusión, y perecerás para siempre en castigo de la mortandad y de las injusticias cometidas contra tu hermano *el pueblo de* Jacob.

**11.** *Pues* en aquel día en que tomaste las armas contra él, cuando los extranjeros *o Caldeos* hacían prisionero su ejército, y entraban en sus ciudades, y echaban suerte sobre *los despojos* de Jerusalén. tú también eras como uno de ellos.

**12.** Mas no te burlarás *en adelante* de tu

---

CAP. UNICO. — 1. *Jer.* XLIX, *v.* 14; XXV, *v.* 27. — *Ezech* XXV y XXXV.

5. También puede traducirse: *no se habrían contentado con lo que les conviniese o* acomodase.

---

8. Esto es, los hombres de previsión y consejo. *Is.* XXIX, *v.* 14. — *Jerem.* XLIX, *v.* 7. — I *Cor.* I, *v.* 19.

10. *Gen.* XXVII, *v.* 42. — *Par.* XXVIII, *v.* 17. — Véase *v.* 18 y *Ezech.* XXV, *v.* 12.

11. *Jer.* XXXIX, *v.* 4

hermano en el día *de su aflicción* cuando será llevado cautivo. ni te regocijarás *de la desgracia* de los hijos de Judá en el día de su perdición, ni los insultarás con descaro en el día de su angustia.

**13.** Ni entrarás en las puertas *o ciudades* de mi pueblo *para coger despojos* en el día de su ruina, ni te burlarás tú tampoco de sus desastres en el día de su desolación, ni serás enviado a perseguir su ejército en el día de su derrota.

**14.** Ni estarás apostado en las salidas para matar a los fugitivos *Hebreos*, y no cortarás el paso a los restos de sus tropas en aquel día de tribulación.

**15.** Porque se acerca ya el día *del castigo* del Señor para todas las gentes: aquello que tú hiciste *contra mi pueblo*, eso se hará contigo; sobre tu propia cabeza hará Dios recaer tu castigo.

**16.** Porque al modo que vosotros *que moráis* en mi santo Monte bebisteis *el cáliz de mi ira; asi* lo beberán de continuo todas las gentes *idólatras*: lo beberán, y *lo* apurarán, y quedarán *enteramente* aniquiladas.

**17.** Mas sobre el Monte *santo* de Sión alli

---

17. Alude al Templo, que será reedificado en Jerusalén. — II *Macab.* X. — Véase *Josefo,* lib. XIII, *Antiq. cap.* 17. De Bello Jud. lib IV, *cap.* 6.

habrá *después* salvación, y allí habitará el Santo *de los santos*; y la casa de Jacob será señora de los que antes la habían dominado.

**18.** Será la casa de Jacob un fuego *devorador*; será una llama la casa de José, y será paja seca la casa de Esaú, la cual será abrasada y devorada de aquella, sin que quede resto alguno de la casa de Esaú: porque así lo ha dicho el Señor.

**19.** Y los que moran hacia el Mediodía se harán dueños del monte *o país* de Esaú, y los de la llanura se harán dueños de los Filisteos; y poseerán el territorio de Efraím, y el de Samaria: y Benjamín será dueño de Galaad.

**20.** Y el ejército de los hijos de Israel, *o las diez tribus*, que fué llevado al cautiverio, poseerá todos los lugares de los Cananeos, hasta Sarepta *de Sidón*; y los *hijos* de Jerusalén *o reino de Judá*; que fueron conducidos cautivos al Bósforo, poseerán las ciudades del Mediodía.

**21.** Y subirán salvadores al monte de Sión, los cuales juzgarán *y gobernarán* el monte *o país* de Esaú; y reinará el Señor.

---

**21.** *Mac.* V, *v.* 3.—I *Tim.* IV, *v.* 16. I. *Timot.* IV, *v.* 16. — *Ps.* CXLV, *v.* 10.

# LA PROFECÍA DE JONÁS

# Introducción

Del profeta Jonás sabemos por el *Libro de los Reyes* que anticipó las conquistas de Jeroboam II. En aquella época Nínive se debatía en guerras intestinas.

El relato pone de relieve la misericordia del Señor con los pecadores arrepentidos, incluyendo a los extraños al pueblo escogido. La opinión tradicional de la Iglesia, en contra de otros juicios que la consideran una parábola, se inclina a afirmar la historicidad de esta narración. El libro de Jonás es considerado canónico tanto por los judíos como por los cristianos.

## CAPITULO PRIMERO

*Jonás enviado por Dios a predicar a Nínive, huye por mar a Tarsis; y levantando el Señor una tempestad, es arrojado Jonas al mar como causa de ella, con lo que cesa la tormenta.*

1. El Señor habló a Jonás, hijo de Amati, y dijo:

2. Anda y ve *luego* a Nínive, ciudad grande y predica en ella: porque el clamor de sus maldades ha subido hasta mi presencia.

3. Jonás, empero, tomó el camino de Tarsis, huyendo *del servicio* del Señor; y así que llegó a Joppe halló una nave que se hacía a la vela para Tarsis; pagó su flete, y entró en ella con los demás para aportar a Tarsis, huyendo *del servicio* del Señor.

4. Mas el Señor envió un viento recio sobre el mar, con lo que se movió en ella una gran borrasca; de suerte que se hallaba la nave a riesgo de estrellarse.

5. Y temieron los marinos, y cada uno cla-

CAP. PRIMERO. — 2. *Gen.* X. *v.* 11. *Tob.* I *v.* 11. — *Nah.* III. *v.* 8. — *Sopli.* II, *v.* 13.

mó a su dios, y arrojaron al mar el cargamento de la nave, a fin de aligerarla. Jonás, empero, dormía profundamente en lo más hondo de la nave, a donde se había bajado.

6. Y llegóse a él el piloto, y le dijo: ¿Cómo te estás así durmiendo? Levántate e invoca a tu Dios, por si quiere acordarse de nosotros, y nos libra de la muerte.

7. En seguida dijéronse unos a otros: Venid, y echemos suertes para averiguar de dónde nos viene este infortunio. Y echaron suertes y cayó la suerte sobre Jonás.

8. Dijéronle pues: Decláranos los motivos de este desastre que nos sucede. ¿Qué oficio es el tuyo? ¿De dónde eres, y adónde vas? ¿De qué nación eres tú?

9. Respondióles Jonás: Yo soy hebreo, y temo *o adoro* al Señor, Dios del cielo, que hizo el mar y la tierra.

10. Y quedaron sumamente atemorizadas aquellas gentes, y dijéronle: ¿Cómo es que has hecho tú eso? (Es de saber que *de la relación que les hizo Jonás* comprendieron que huía desobedeciendo a Dios).

11. Entonces le dijeron: ¿Qué haremos de ti, a fin de que la mar se nos aplaque? Pues la mar iba embraveciéndose cada vez más.

**12.** Y respondióles Jonás: Tomadme y arrojadme al mar, y la mar se os aquietara; puesto que yo se bien que por mi causa os ha sobrevenido esta gran borrasca.

**13.** Entre tanto remaban los marineros para ver si podían ganar tierra *y salvarse;* mas no podían, porque iban levantándose más sobre ellos las olas del mar.

**14.** Y clamaron al Señor, diciendo: Rogámoste ¡oh Señor! que no nos hagas morir por haber dado muerte a este hombre, y no hagas recaer sobre nosotros la sangre inocente; pues que tú ¡oh Señor! has hecho *caer la suerte* así como has querido.

**15.** En seguida tomaron a Jonás, y lo echaron al mar, y al punto cesó el furor de las aguas.

**16.** Con lo cual concibieron aquellas gentes un gran temor *y respeto* al Señor, y ofreciéronle víctimas, y le hicieron votos.

## CAPITULO II

*Un pez enorme se traga a Jonás, el cual dentro del vientre del pez recurre al Señor, quien al cabo de tres días le salva milagrosamente.*

**1.** Y había el Señor preparado un grande pez, para que se tragara a Jonás; el cual estuvo tres días y tres noches en el vientre del pez.

**2.** E hizo Jonás oración al Señor Dios suyo desde el vientre del pez;

**3.** Y *después* dijo: Invocado he al Señor en medio de mi tribulación, y me ha escuchado benigno: he clamado desde el seno del sepulcro, y tú ¡oh Señor! has atendido mi voz.

**4.** Y arrojásteme a lo más profundo del mar, y me circundaron las aguas: sobre mí han pasado todos tus remolinos y todas tus olas.

**5.** Y dije: Arrojado he sido lejos de la *misericordiosa* vista de tus ojos: pero *no;* aún veré nuevamente tu santo templo.

**6.** Cercáromne las aguas hasta el punto de quitarme la vida; encerrado me he visto en un abismo: el *inmenso* piélago ha cubierto mi cabeza.

**7.** He descendido hasta las raíces de los montes; los cerrojos *o barreras* de la tierra me encerraron allí dentro para siempre: mas tú ¡oh Señor Dios mío! sacarás mi vida, *o alma,* del lugar de la corrupción.

**8.** En medio de las angustias que padecía mi alma, he recurrido *a ti* ¡oh Señor ! dirigiéndote mi oración al templo santo *de tu gloria.*

**9.** Aquellos que *tan* inútilmente se entregan a la vanidad *de los idolos,* abandonan su misericordia.

**10.** Mas yo te ofreceré en sacrificio cánticos de alabanza; cumpliré al Señor todos los votos que le he hecho por mi salud.

**11.** El Señor, *en fin,* dió la orden al pez, y éste vomitó a Jonás en la ribera.

## CAPITULO III

*El Señor manda de nuevo a Jonás que vaya a Ninive, e intime alli la ruina de la ciudad. Conviértense a la predicación de Jonás los Ninivitas, hacen penitencia, y revoca el Señor la sentencia.*

**1.** Y habló el Señor por segunda vez a Jonás, diciéndole:

**2.** Anda y ve *luego* a Nínive, ciudad grande, y predica en ella aquello que yo te digo.

**3.** Marchó, pues, Jonás, y se dirigió a Nínive, según la orden del Señor. Era Nínive una ciudad grandísima, que tenía tres días de camino *en circuito.*

**4.** Y comenzó Jonás a recorrer la ciudad, y anduvo por ella un día clamando y diciendo: De aquí a cuarenta días Nínive será destruída.

**5.** Y creyeron los Ninivitas en *la palabra de* Dios, y publicaron el ayuno, y vistiéronse todos chicos y grandes de sacos *o cilicios.*

**6.** Y llegó la noticia al rey de Nínive, y se levantó del trono, y despojándose de sus *regias* vestiduras, vistióse de saco, y sentóse sobre la ceniza.

---

**CAP. II. — 1.** Los Setenta tradujeron *ketei megaló,* y esta voz griega solamente denota uno de los más grandes peces o monstruos marinos. Los sabios naturalistas creen que sería la *lamia* o *perro marino* del cual se sabe que sale a la orilla y se traga a los hombres. Pero ¿cómo pudo vivir Jonás tres días, o un día, y parte de dos (dentro del) pez? Del mismo modo, dice S. Jerónimo. que pudieron vivir los tres jóvenes en medio del horno de fuego allá en Babilonia.Quiso Dios con este milagro dar esta figura de la resurrección de Jesucristo.

---

**CAP III. — 3.** Cuando se dice que Nínive tenía tres días de largo o de circuito, debe entenderse que se necesitaban para rodearla, con todos los arrabales y lugares dependientes de ella.

**7.** En seguida se publicó en Nínive una orden del rey y de sus principales magnates que decía: Ni hombres ni bestias nada coman; no salgan a pacer ni a beber los bueyes y ganados;

**8.** Hombres y bestias cúbranse con sacos *y arreos de luto,* y clamen aquéllos con todo ahinco al Señor, convirtiéndose cada uno de su mala vida e inicuo proceder:

**9.** ¿Quién sabe si así mudará el Señor su designio, y nos perdonará; y si se aplacará el furor de su ira, de suerte que no perezcamos?

**10.** Viendo, pues, Dios las obras *de penitencia* que hacian, y cómo se habían convertido de su mala vida, movióse a misericordia, y no les envió los males que había decretado.

## CAPITULO IV

*Jonas, afligido al ver que no se había verificado su profecia, se desea la muerte; pero el Señor le reprende, y le instruye y saca de su error.*

**1.** Empero Jonás se afligió mucho, y se incomodó.

**2.** E hizo oración al Señor, diciendo: Ruégote que me digas ¡oh Señor! ¿no es esto lo mismo que yo me recelaba, cuando aún estaba en mi país? No por otra razón me cautelaba, huyendo a Tarsis. Porque yo sé bien que tu eres un Dios clemente y misericordioso, sufrido y piadosisimo, y perdonador de los pecadores.

**3.** Ahora bien, Señor, ruégote que me quites la vida, porque para mí es *ya* mejor morir que vivir.

**4.** Y respondió el Señor: ¿Y te parece a ti que tienes razón para enojarte?

**5.** Y salióse Jonás de Nínive, e hizo alto al Oriente de la ciudad; y formándose allí una cabaña, vivia dentro de ella, esperando a ver lo que acontecería a la ciudad.

**6.** Había el Señor preparado una yedra, la cual creció hasta cubrir la cabeza de Jonás para hacerle sombra, y defenderlo *del calor.* Estaba Jonás muy fatigado, y recibió grandísimo placer de aquella yedra.

**7.** Y al otro día al rayar el alba envió Dios un gusanillo que royó *la raíz de* la yedra, la cual se secó.

**8.** Y nacido que hubo el sol, dispuso el Señor que soplase un viento solano que quemaba; heria el sol en la cabeza de Jonás, quien se abrasaba y se deseaba la muerte, diciendo: Mejor me es morir que vivir.

**9.** Pero el Señor dijo a Jonás: ¿Crees tú razonable el enojarte por causa de la yedra? Y respondió él: Razón tengo para encolerizarme hasta desear mi muerte.

**10.** Y dijo el Señor: Tú tienes pesar por *la pérdida de* una yedra, que ningún trabajo te ha costado, ni tú la has hecho crecer; pues ha crecido en una noche, y en una noche ha perecido.

**11.** ¿Y yo no tendré compasión de Nínive, ciudad *tan* grande, y en la cual hay más de ciento veinte mil personas, que no saben aún discernir la mano diestra de la izquierda, y un gran número de animales?

---

**CAP. IV.** — 1. Creyendo fallida su profecia. Pero S. Jerónimo cree quo Jonás se entristeció porque se persuadió que había ya llegado el tiempo de la amenaza que hizo Dios de abandonar a su pueblo de Israel. *Deut.* XXXI, *v.* 21. — *Rom.* X, *v.* 19.

# LA PROFECÍA DE MIQUEAS

# Introducción

Miqueas de Morasti (no confundir con Miqueas hijo de Jilma, que vivió un siglo antes) profetizó en los reinados de Joatán, Acaz y Ezequías, reyes de Judá. Así pues, es contemporáneo de Isaías y conoció las invasiones asirias de Judá y Samaria. Sus vaticinios, dedicados a estos dos reinos, atacan sobre todo los abusos de los poderosos y les amenazan con el castigo por medio de los asirios, tras cuya invasión llegaría la salvación mesiánica. La Iglesia celebra su memoria y le venera como mártir.

De estilo elevado, su prosa es no obstante de fácil comprensión. Entre sus profecías se cuenta la clara indicación del lugar en que nacería el Mesías. La prueba de que esta profecía era muy popular entre los judíos de tiempos de Jesucristo puede apreciarse en la respuesta que dieron a Herodes los doctores de la ley.

## CAPITULO PRIMERO

*Predice Miqueas la irrupción de los asirios, los cuales destruirían el reino de las diez tribus y el de Judá, llegando hasta Jerusalén.*

**1.** Palabra del Señor en orden a Samaria y a Jerusalén, revelada a Miqueas Morastite en los tiempos de Joatán, de Acaz y de Ezequías, reyes de Judá.

**2.** ¡Pueblos todos, escuchad! y esté atenta la tierra y cuanto en ella hay; y el Señor Dios sea testigo contra vosotros: *séalo* el Señor desde su santo templo.

**3.** Porque he aquí que el Señor va a salir de su morada, y descendiendo *de su trono*, hollará las grandezas de la tierra.

**4.** Y los montes se consumirán debajo de él, y los valles se derretirán como la cera delante del fuego, y *fluirán* como las aguas que corren por un despeñadero.

**5.** Todo esto por causa de la maldad de Jacob, y por los pecados de la casa de Israel. ¿Y cuál es la maldad de Jacob, sino *las idolatrías de* Samaria? ¿Y cuáles los lugares excelsos de Judá, sino los de Jerusalén?

**6.** Por tanto, pondré a Samaria como un montón de piedras en el campo cuando se planta una viña; y arrojaré sus piedras en el valle, y descubriré *hasta* sus cimientos.

**7.** Y serán destrozados todos sus simulacros, y arrojadas al fuego todas sus riquezas, y yo destruiré todos sus ídolos; porque todos sus bienes los ha juntado Samaria con el precio de la prostitución, y precio de meretriz volverán a ser.

---

CAP. PRIMERO. — 1. Hacia el año 750 antes de Jesucristo. *Jerem.* XXVI, *v.* 18.

3. Expresión metafórica para denotar que el Señor va a obrar alguna extraordinaria maravilla. *Is.* XXVI, *v.* 21. — Amos IV, *v.* 13.

---

5. Por Jacob se entiende el reino de Israel o las diez tribus.

8. Por este motivo yo suspiraré y prorrumpiré en alaridos; andaré despojado y desnudo, y aullaré como los dragones, y daré gritos lastimeros como los avestruces.

9. Porque la llaga *de la idolatría de Samaria* está desahuciada: se ha extendido hasta Judá; ha penetrado hasta las puertas del pueblo mío, hasta Jerusalén.

10. Procurad que no se sepa esto en Get: no lloréis tanto; echaos encima polvo o *ceniza* en la casa del polvo.

11. ¡Oh tú que habitas en el país hermoso! vete cubierta de oprobio: no ha partido la que habita en los confines; la casa vecina que se sostuvo por sí misma, hará duelo por vosotros.

12. Porque ha perdido las fuerzas para hacer bien la que habita en la amargura; puesto que el Señor ha enviado el azote hasta las puertas o *ciudad* de Jerusalén .

13. Al estruendo de los carros de guerra, quedará lleno de pavor el morador de Laquís: ésta fue el origen de pecado para la hija de Sión, pues en ella se hallaron *imitadas* las maldades de Israel.

14. Por lo que enviará ella mensajeros a la casa de Get, casa de mentira, para engaño de los reyes de Israel.

15. Aún te llevaré yo un nuevo amo ¡oh casa de Maresa! Hasta Odollam llegará la gloria de Israel.

16. Mésate tus cabellos y ráete la cabeza por causa de tus queridos hijos: pélate toda la cabeza, como águila *que está de muda;* porque los *habitantes* tuyos son llevados al cautiverio.

## CAPITULO II

*Anuncia el Profeta la maldición de Dios y una extrema desolación a los israelitas, cuyos restos serán al fin reunidos y salvados.*

1. ¡Ay de vosotros que no pensáis sino en cosas vanas, y maquináis *allá* en vuestros lechos perversos designios! Ejecútanlos al llegar la luz de la mañana; porque ellos se han declarado contra Dios.

2. Y codiciaron las heredades, y las usurparon con violencia, e invadieron las casas; y calumniaron a éste para apoderarse de su casa; y a aquél otro para alzarse con su hacienda.

3. Por tanto, esto dice el Señor: He aquí que yo estoy pensando en enviar calamidades sobre esta familia, de las cuales no podréis vosotros libraros; y no andaréis ya erguidos, porque será tiempo en extremo calamitoso.

4. En aquel día se compondrá sobre vosotros una parábola o *lamentación,* y se os cantará con tono lastimero esta canción: Nosotros hemos sido enteramente asolados; cambiado ha *de dueño* la herencia de mi pueblo; ¿cómo se retirará de mí el *castigo,* puesto que vuelve el *Asirio,* el cual se ha de repartir nuestros campos ?

5. Por esto ya no tendrás tú ¡oh Israel! quien reparta con la medida de cuerda las porciones *de tierra* en la congregación del Señor.

6. No gastéis ¡oh profetas! tantas palabras *con este pueblo;* porque no las recibirán éstos; ni les causarán confusión alguna.

7. Pues la casa de Jacob va diciendo: Qué, ¿por ventura se ha disminuido el espíritu *misericordioso* del Señor, o pueden ser tales sus designios? Pero ¿acaso no hablo yo, *responde Dios,* con benignidad a aquéllos que andan por el recto camino?

8. Mas el pueblo mío, por el contrario, ha alzado la bandera contra mí; vosotros ¡oh Israelitas! después de la túnica habéis robado la capa, y a aquéllos que pasaban o *vivían* quietamente, *les habéis* hecho la guerra.

9. Arrojasteis de sus casas las mujeres de mi pueblo, que vivían en ellas con sosiego; y a sus niños les cerrasteis la boca para que jamás me alabasen.

10. Levantaos, y marchad, porque no habéis ya de tener aquí descanso; pues *esta tierra de promisión* se ha hecho inmunda, y por eso está inficionada de una corrupción horrorosa.

11. ¡Ojalá fuera yo un hombre que no tuviese el espíritu *profético,* sino que fuera falso lo que digo! Yo derramaré sobre ti, *dice el Señor,* el vino y la embriaguez *del cáliz de mi indignación;* y este vino sobre este pueblo se derramará.

---

15. Josué XV, *v.* 35, 45. S. Jerónimo cree que la voz *gloria* indica aquí lo contrario, esto es, la *infamia* o *ignominia.* Así sucede a veces con la voz *benedicere.—* Realmente !a palabra hebrea *cubod* significa también *peso, gravedad, etc.*

16. El águila cuando muda está muy débil y tímida; y con facilidad es presa de los cazadores.

CAP. II. — 1. *Vano,* según el genio de la lengua hebrea, quiere decir aquí *perverso.* Para dar cierta energía, se pasa aquí desde la segunda a la tercera persona.

**12.** *Pero al fin,* yo te reuniré todo junto ¡oh Jacob! yo recogeré en uno los restos de Israel, los pondré todos juntos como rebaño en un aprisco, como las ovejas en la majada: grande será el ruido que haga la muchedumbre de sus gentes.

**13.** E irá delante de ellas aquel *buen Pastor* que les abrirá el camino; forzarán la puerta, pasarán por ella, y entrarán dentro: y su rey irá delante de ellas; y estará a su frente el Señor.

## CAPITULO III

*Por los pecados de los príncipes, jueces, falsos profetas y Sacerdotes castigará Dios terriblemente a Israel y destruirá a Jerusalén.*

**1.** Y dije yo: Escuchad ¡oh vosotros, príncipes de Jacob, y caudillos de la casa de Israel! ¿Acaso no os toca a vosotros el saber aquello que es justo?

**2.** Y no obstante eso, vosotros aborrecéis el bien y amáis el mal; desolláis al pueblo y le quitáis la carne de encima de sus huesos.

**3.** *Los caudillos* se comen la carne del pueblo mío, y le quitan la piel, y le machacan los huesos, y le hacen pedazos, como la carne que se mete en la caldera o en la olla.

**4.** Algún día clamarán al Señor, y él no los escuchará, y les ocultará entonces su rostro, por cuanto ellos han obrado perversamente, según sus antojos.

**5.** Esto dice le Señor contra los *falsos* profetas que seducen a mi pueblo, los cuales *le* despedazan con sus dientes, y predican paz; y al que no les pone alguna cosa en su boca, le mueven guerra a pretexto de santidad.

**6.** Por esto en lugar de visión, tendréis *oscura* noche, y tinieblas, en vez de revelaciones; se pondrá el sol para estos profetas, y el día se oscurecerá para ellos.

**7.** Y quedarán avergonzados éstos que tienen visiones, y serán confundidos estos adivinos, y todos ellos se cubrirán el rostro *avergonzados,* pues sus oráculos no son de Dios.

**8.** Mas yo he sido llenado del espíritu fuerte del Señor, de justicia, y de constancia; para decir *y reprender* a Jacob sus maldades, y a Israel su pecado.

**9.** Escuchad estas cosas ¡oh príncipes de la casa de Jacob! y vosotros ¡oh jueces de la raza de Israel!, vosotros que abomináis de la justicia, y trastornáis toda equidad.

**10.** Vosotros que edificáis *o adornáis* a Sión con sangre *de los pobres,* y a Jerusalén a fuerza de injusticias.

**11.** Sus príncipes *o jueces* se dejan cohechar en los juicios; y sus sacerdotes predican por interés, y por el dinero adivinan sus profetas; y *no obstante* se apoyan en el Señor, diciendo: Pues qué, ¿acaso no está el Señor en medio de nosotros? *No temáis,* ningún mal nos vendrá.

**12.** Por tanto, arada como un campo se verá Sión por culpa vuestra; y Jerusalén será reducida a un montón de piedras, y el monte *santo* del templo vendrá a ser como un elevado bosque.

## CAPITULO IV

*Anuncia Miqueas el restablecimiento de Sión y la conversión de las naciones. Felicidad de Sión libertada del cautiverio, y total exterminio de sus enemigos.*

**1.** Pero sucederá que en los últimos tiempos el monte *o reino* de la casa del Señor será fundado sobre la cima de los *demás* montes, y se levantará sobre los *altos* collados, y correrán allá *en gran número los* pueblos.

**2.** Y allá·irán a toda prisa muchas naciones, diciendo: Venid, y vamos al monte del Señor y a la casa del Dios de Jacob, y él nos enseñará sus caminos, y nosotros seguiremos sus veredas; puesto que la ley saldrá de Sión, y de Jerusalén *tendrá origen* la palabra del Señor.

**3.** Y juzgará *el Señor* muchos pueblos, y corregirá *o castigará* naciones poderosas, hasta las más remotas; las cuales convertirán sus espadas en rejas de arados y sus lanzas en azadones; una nación no empuñará la espada contra otra, ni estudiarán ya más el arte de guerrear.

**4.** Y descansará cada uno debajo de su parra y debajo de su higuera, sin tener temor de nadie: pues lo ha prometido por su boca el Señor de los ejércitos.

---

**12.** No puede entenderse esta profecía de los solos hijos ds Israel según la carne, que volvieron de Babilonia, porque fueron pocos los de las diez tribus que volvieron con Zorobabel. Habla, pues, el Profeta de la unión de todos en la Iglesia. — Véase *Jer.* XXXI, v. 10. — *Ezech.* XXXVII, v. 21. — *Rom.* XI, v. 25. Que entrarán en el místico rebaño de Jesucristo. *Ps.* LXXIX, *v.* 2.

**CAP. III.** — Profecía pronunciada durante el reinado de Ezequías. Véase *Jer.* XXVI, *v.* 18.

---

**CAP. IV.** — 1. *Por los últimos tiempos* puden entenderse en los libros del Antiguo Testamento tiempos del Mesías o de la *Ley nueva,* que fueron los últimos de la Sinagoga; así como en el Nuevo Testamento suelen significarse los últimos tiempos del mundo.

**3.** *Is.* II, *v.* 4. — *Joel* III, *v.* 10.

**5.** Porque todos los pueblos andarán cada uno en el nombre de su dios; mas nosotros andaremos en el nombre del Señor, Dios nuestro, por todos los siglos de los siglos.

**6.** En aquel día yo reuniré conmigo, dice el Señor, aquella *nación* que cojeaba *en mi servicio,* y volveré a recoger aquélla que yo había desechado y abatido;

**7.** Y salvaré los restos de la que cojeaba, y formaré un pueblo robusto de aquella *misma nación* que había sido afligida; y sobre *todos* ellos reinará el Señor en el monte de Sión desde ahora para siempre jamás.

**8.** Y tú ¡oh hija de Sión, torre nebulosa del rebaño! hasta ti vendrá *el Señor:* y tú tendrás el supremo imperio, el reino *gloriosísimo* ¡oh hija de Jerusalén!

**9.** Ahora pues ¿por qué te abandonas a la tristeza? ¿Acaso estás tú sin rey, o te ha faltado tu consejero, para que estés acongojada de dolor como una mujer que está de parto?

**10.** Pero duélete y aflígete ¡oh hija de Sión! como la mujer que está de parto, puesto que ahora saldrás de la ciudad y habitarás en otro país, y pasarás hasta Babilonia; *mas* allí serás puesta en libertad, y allí te rescatará el Señor de la mano de tus enemigos.

**11.** Pero al presente se han reunido contra ti muchas gentes, las cuales dicen: Muera apedreada; y vean nuestros ojos la ruina de Sión.

**12.** Empero estas gentes no conocen los designios del Señor, ni entienden sus consejos: porque el *Señor* las ha reunido *para ser desmenuzadas* como la paja en la era.

**13.** Levántate, pues, ¡oh hija de Sión! y trilla *a tus enemigos:* porque yo te daré a ti astas *o fortaleza* de hierro, y uñas de bronce; y desmenuzarás muchos pueblos, y ofrecerás al Señor todo cuanto han robado, y todas sus riquezas al Señor de toda la tierra.

## CAPITULO V

*Vaticina Miqueas la ruina de Jerusalén, pero consuela a sus moradores con la promesa del nacimiento del Mesías en Belén; y de que los restos de los Judíos serán glorificados, y destruida la idolatría.*

**1.** Tú ahora serás destruida ¡oh ciudad de ladrones! Los enemigos nos sitiarán; herirán con vara la mejilla del juez *o rey* de Israel.

**2.** Y tú ¡oh Betlehem *llamada* Efrata!, tú eres *una ciudad* pequeña respecto de las principales de Judá: *pero* de ti me vendrá el que ha de ser el dominador de Israel, el cual fué engendrado desde el principio, desde los días de la eternidad.

**3.** Por esto el Señor los dejará hasta aquel tiempo en que dará a luz la *virgen* que ha de dar a luz *al dominador;* y *entonces* las reliquias de sus hermanos se reunirán con los hijos de Israel.

**4.** Y él permanecerá firme, y apacentará la grey con la fortaleza del Señor en el Nombre del altísimo Señor, Dios suyo; y se convertirá *a él;* porque ahora será él glorificado hasta los últimos términos del mundo.

**5.** Y él será *nuestra paz; y* cuando viniere el Asirio a nuestra tierra, y asolare nuestras casas, nosotros enviaremos contra él siete pastores y ocho príncipes.

**6.** Y gobernará la tierra de Asur con la espada, y la tierra de Nemrod con sus lanzas; y él nos librará del Asirio cuando éste habrá venido a nuestra tierra y devastado nuestros términos.

**7.** Y los restos *del pueblo* de Jacob estarán sobre la muchedumbre de las naciones como el rocío enviado del Señor, y como la lluvia sobre la yerba, la cual no aguarda *que la cultiven* los hombres, ni espera nada de los hijos de los hombres.

**8.** Y los residuos de Jacob serán entre las naciones, en medio de muchos pueblos, como el león entre las bestias de las selvas, y como el joven entre los hatos de las ovejas; el cual pasa por el hato, lo pisotea, y hace su presa, sin que haya quien se la quite.

**9.** La mano tuya ¡oh *dominador de Israel!* prevalecerá sobre tus contrarios, y perecerán todos tus enemigos.

---

4. III *Reg.* IV, v. 25. *Mach.* XIV, v. 12. — *Jer.* XXX, v. 10. — *Zach.* III, v. 10.

CAP. V. — 2. *Belén y Efrata* es una misma cosa con dos nombres: para distinguir a esta Belén de Judá, de la otra de la tribu de Zabulón, de la que se habla en *Josué* XIX, v. 15. — *Gen.* XXXV, v. 19. Miqueas es el único profeta que predijo el lugar donde nacería el *Mesías.* Y por esta profecía lo sabían los escribas a quienes preguntó Herodes. *Matth.* II, v. 6. — *Joann.* VII, v. 42. Nacerá en Belén, como hombre; pero ya existía *ab eterno* como hijo de Dios, consustancial al eterno Padre que le engendró.

5. *Nuestra paz,* dice S. Pablo, explicando este texto. *Eph.* II, v. 14. — *Rom.* XV, v. 33. — *Colos.* III, v. 15. — *Is.* IX, v. 6.

7. *Levit.* XVIII, v. 1 — III *Reg.* XI, v. 5 — *Is.* I, v. 11 — *Jerem.* VI, v. 20; XIX, v. 5 — *Amos* V, v. 22 — *Job* XXXVIII, v. 26 — *Ps.* CIII, v. 13.

**10.** En aquel día yo quitaré, dice el Señor, de en medio de ti tus caballos, y destruiré tus carros de guerra.

**11.** Y arruinaré las ciudades de tu tierra, y destruiré todas tus fortalezas, y quitaré de tus manos las hechicerías, y no tendrás más adivinos.

**12.** Y haré perecer tus simulacros y tus ídolos de en medio de ti, y no adorarás más las obras de tus manos.

**13.** Y arrancaré de en medio de ti tus bosquetes *profanos*, y reduciré a polvo tus ciudades.

**14.** Y con furor e indignación ejerceré mi venganza en todas las gentes que no han escuchado *mi voz*.

## CAPITULO VI

*El Señor echa en cara a su pueblo la ingratitud, y le muestra el único camino para aplacar su indignación, que es la penitencia. Intima a los impíos y obstinados su última ruina.*

**1.** Escuchad lo que *me* dice el Señor: ¡Ea, pues, *oh Profeta!* Ventila en juicio mi causa contra los montes, y oigan los collados tu voz.

**2.** Oigan la defensa del Señor los montes y los fuertes cimientos de la tierra; porque entra el Señor en juicio con su *propio* pueblo, y tiene pleito con Israel.

**3.** ¿Qué es lo que yo te he hecho ¡oh pueblo mío!, o en qué cosa te he agraviado? Respóndeme.

**4.** ¿*Acaso* porque te saqué de tierra de Egipto, y te libré de la casa de la esclavitud, y envié delante de ti a Moisés, a Aarón y a María?

**5.** Pueblo mío, haz memoria, te pido, del designio que formó *contra ti* Balac, rey de Moab, y de la respuesta que le dió Balaam, hijo de Beor; *y de lo que pasó* desde Setim hasta Gálgala, a fin de que conocieses la justicia o *fidelidad* del Señor.

**6.** ¿Qué ofreceré, *pues*, al Señor que sea digno de él, *a fin de aplacarle?* ¿Doblaré la rodilla ante el Dios excelso? ¿Le ofreceré holocaustos y becerros de un año?

**7.** Pero ¿y acaso puede el Señor aplacarse por medio de millares de carneros *que se le sacrifiquen*, o con muchos millares de gordos

---

CAP VI. — 6. S. Jerónimo cree que *justicia* se toma aquí por *misericordia*.

machos cabríos? ¿Le sacrificaré acaso por mi delito al hijo mío primogénito, o a alguno de mis hijos por el pecado que he cometido?

**8.** ¡Oh hombre! *responde el profeta,* yo te mostraré lo que conviene hacer, y lo que el Señor pide de ti: que es, el que obres con justicia, y que ames la misericordia, y que andes solícito en el servicio de tu Dios.

**9.** Resuena la voz del Señor en la ciudad, y aquéllos que temen ¡oh Dios! tu *santo* Nombre, se salvarán. Escuchad vosotras ¡oh tribus! pero ¿y quién será el que obedezca?

**10.** Aún están en casa del impío, como fuego *devorador,* los tesoros inicuamente adquiridos; y llena está de la ira *del Señor* la medida corta *de que usaba.*

**11.** ¿Por ventura deberé yo tener por justa la balanza que es infiel, o por cabales los pesos falsos del saquillo?

**12.** Por medio de estas cosas los ricos *de Jerusalén* se han llenado de riquezas injustas, y sus habitantes están estafando, teniendo en su boca una lengua engañadora.

**13.** Por eso he empezado yo a castigarte y a asolarte por causa de tus pecados.

**14.** Comerás y no te saciarás; y en medio de ti estará *la causa de* tu calamidad. Tendrás fecundidad, mas no salvarás tus hijos; y si los salvares, yo los haré perecer al filo de la espada.

**15.** Sembrarás y no segarás; prensarás la aceituna, y no te ungirás con el óleo; y *pisarás* la uva, y no beberás el vino.

**16.** Porque tú has observado lo que te enseñó *tu impío rey* Amri y todos los usos de la casa de Acab, y has seguido todos sus antojos: para que yo te abandonase ¡oh Jerusalén! a la perdición, y al escarnio de tus moradores. Y vosotros ¡oh poderosos! llevaréis el *castigo del* oprobio *causado* al pueblo mío.

## CAPITULO VII

*Corto número de justos en la casa de Jacob. No se debe confiar en el hombre, sino solamente en Dios Salvador, que se apiadará de Sión, y restablecerá a Jerusalén, y a toda la casa de Jacob.*

**1.** ¡Ay de mí! que he llegado a ser como aquél que en otoño anda rebuscando lo que ha quedado de la vendimia: no hallo un racimo que comer; *en vano* mi alma ha deseado los higos tempranos.

**2.** No hay ya un santo sobre la tierra; no se halla un justo entre los hombres; cada uno pone asechanzas a la vida del otro; cada cual anda a caza de sus hermanos para quitarles la vida.

**3.** Al mal que ellos hacen le dan el nombre de bien. El príncipe demanda *contra el pobre,* y el juez está *siempre* dispuesto a satisfacerlo. El poderoso manifiesta *con descaro* lo que codicia su alma: tienen la tierra llena de desorden.

**4.** El mejor de ellos es como cambrón; el más justo es como espino de cercas. Llega el día de tus escudriñadores, y el *día* en que tú has de tomarles residencia: ahora van a ser ellos destruidos.

**5.** No confíes del amigo; ni os fiéis del que gobierna. No descubras los secretos de tu corazón a la que duerme contigo.

**6.** Pues el hijo ultraja al padre y se rebela contra su madre la hija, y contra su suegra la nuera; son enemigos del hombre los mismos de su casa *o familia.*

**7.** Mas yo volveré mis ojos hacia el Señor, pondré mi esperanza en Dios, Salvador mío, y mi Dios me atenderá.

**8.** No tienes que holgarte por mi ruina ¡oh tú, enemiga mía! que *todavía* yo volveré a levantarme; y cuando estuviere en las tinieblas *del cautiverio,* el Señor será mi luz *y consolación.*

**9.** Yo sufriré el castigo del Señor, pues que pequé contra él, hasta tanto que él juzgue mi causa, y se declare en favor mío. El me volverá a la luz *del día,* y yo veré su justicia.

**10.** Y esto lo presenciará la enemiga mía, y quedará cubierta de confusión la que me dice: ¿En dónde está *ahora* el Señor Dios tuyo? Yo fijaré mis ojos sobre ella: hollada será ella ahora como el lodo de las calles.

**CAP VII.** — **4.** Anunciado por tus *Profetas* o centinelas. Los Profetas son llamados centinelas, c. III, *v.* 17 de *Ezeq. Cap.* XXXIII, v. 17 del mismo; y en *Oseas* IX, *v.* 8.

**11.** El día en que serán restauradas tus ruinas, en aquel dia será alejada de ti la tiranía.

**12.** En aquel dia vendrán a ti *tus hijos* desde la Asiria, y vendrán hasta las ciudades fuertes, y desde las ciudades fuertes hasta el río *Eufrates,* y desde un mar hasta otro, y desde el uno hasta el otro monte.

**13.** Y aquella tierra *de los Caldeos* será asolada, a causa de sus moradores, y en pago de sus *perversos* pensamientos.

**14.** Apacienta ¡oh Dios mío! en medio del Carmelo con tu cayado al pueblo tuyo, la grey de tu heredad, la cual habita sola en el bosque: *algún día* se apacentará ella en Basán y en Galaad, como en los tiempos antiguos.

**15.** *Sí, dice el Señor:* Yo te haré ver prodigios, como cuando saliste de tierra de Egipto.

**16.** Lo verán las naciones, y quedarán confundidas con todo su poder: no osarán abrir la boca, y sus oídos quedarán sordos.

**17.** Lamerán el suelo como las serpientes, y como insectos de la tierra se aturdirán y se meterán dentro de sus casas: temerán al Señor Dios nuestro, y tendrán miedo de ti ¡oh Israel!

**18.** ¿Quién es, oh Dios, semejante a ti que perdonas la maldad y olvidas el pecado de las reliquias de *Israel* herencia tuya? No dará ya el Señor libre curso a su indignación, porque él es amante de la misericordia.

**19.** Se volverá hacia nosotros, y nos tendrá compasión. Sepultará *en el olvido* nuestras maldades, y arrojará a lo más profundo del mar todos nuestros pecados.

**20.** *Tú ¡oh Dios mío!* te mostrarás veraz a Jacob y misericordioso a Abraham; como lo juraste antiguamente a nuestros padres.

**6.** Los enemigos del hombre son sus domésticos. *Matth* X, *v.* 35.

# LA PROFECÍA DE NAHUM

## Introducción

Sólo sabemos de Nahum lo que de él nos dice su libro. Era natural de Elcesa, aldea situada, según San Jerónimo, en Galilea; y según otros, en Judea. Durante el reinado de Josías (638-608) vaticinó la ruina y el castigo de Nínive unos años antes de que esto acaeciera (612). Por su estilo literario este libro es uno de los más bellos del Antiguo Testamento.

### CAPITULO PRIMERO

*El Profeta, después de ensalzar el poder, la justicia y beniquidad del Señor, anuncia la ruina del imperio de los Asirios para consuelo del pueblo de Dios, tan oprimido por ellos.*

1. Duro anuncio contra Nínive. Libro de la visión o *revelación* que tuvo Nahum Elceseo.

2. El Señor es un Dios celoso y vengador. El Señor ejercerá su venganza, y se armará de furor: *sí*, ejercerá el Señor su venganza contra sus enemigos, y para ellos reserva su cólera.

3. El Señor es sufrido y de grande poder; ni *porque sufra*, tendrá *a nadie* por limpio e inocente. El Señor marcha entre tempestades y torbellinos, y debajo de sus pies *se levantan* nubes de polvo.

4. El amenaza al mar y lo deja seco, y a los ríos los convierte, *cuando quiere*, en tierra enjuta. Hace volver estériles *las fértiles montañas de* Basán y del Carmelo, y que se marchiten las flores del Líbano.

5. El hace estremecer los montes, y deja asolados los collados: ante él tiembla la tierra, y el orbe entero, y cuantos en él habitan.

6. ¿ Quién podrá sostenerse cuando se deje ver su indignación? ¿Ni quién será capaz de resistirle cuando esté airado y enfurecido? Derrámase cual fuego *voraz* su cólera, y hace derretir los peñascos.

7. Bueno es *al mismo tiempo* el Señor, y consolador es *de sus hijos* en tiempo de la tribulación; y conoce *y protege* a los que ponen en él su esperanza.

8. El destruirá como una avenida impetuosa la corte o *capital* de aquella *nación;* y de las tinieblas *de la calamidad* perseguirán a los enemigos del Señor.

9. ¿Qué andáis vosotros maquinando contra el Señor? El Señor acabará *con Nínive*, no habrá otra tribulación.

10. Porque estos *Asirios*, que se juntan a beber allá en sus comilonas, consumidos serán como *haces de espinos bien atados entre sí*, y como sequísimo heno.

11. De ti ¡oh Nínive! saldrá aquél que piensa mal o *impíamente* contra el Señor, y que revuelve en su ánimo pérfidos designios.

12. Esto dice el Señor: Aunque sean ellos tan fuertes y en tan gran número, con todo eso serán cortados, y pasarán *a ser nada*. Yo te he afligido ¡oh pueblo mío!, pero no te afligiré ya más *por medio de ellos*.

13. Y ahora romperé la vara de su tiranía *que descargaba* sobre tus espaldas, y quebraré tus cadenas.

14. Y el Señor pronunciará contra ti ¡oh Nínive! esta sentencia: No quedará más semilla de tu nombre: exterminaré de la casa de tu *falso* dios los simulacros y los ídolos de fundición; la haré sepulcro tuyo, y tu quedarás deshonrada.

CAP. PRIMERO. — 8. Con un grande ejército. *Is.* VIII, *v.* 7; XVII, *v.* 12; XVIII, *v.* 19. — *Jerem.* XLIII, *v.* 12; XLVI, *v.* 7.

15. Mira ya sobre los montes los pies del que viene a anunciar la buena nueva, del que anuncia la paz. Celebra ¡oh Judá! tus festividades, y cumple tus votos, que ya no volverá más a hacer por ti correrías aquel Belial: pereció del todo.

## CAPITULO II

*Destrucción de Nínive y cautiverio de sus moradores, en castigo de los males que han hecho al pueblo de Dios.*

1. Sale ya a campaña ¡oh Nínive! aquél que ante tus ojos devastará *tus campos*, y estrechará tu sitio: bien puedes observar sus movimientos, reforzar tus flancos, acrecentar tus fuerzas.

2. Porque el Señor va a tomar venganza de *tu* insolencia contra Jacob, como igualmente de *tu* soberbia contra Israel, pues que *tus ejércitos* destructores devastaron y talaron sus campiñas.

3. Resplandecen como una llama los escudos de sus valientes, sus guerreros vienen vestidos de púrpura; y centellean en el día de la reseña *para la batalla* sus carros de guerra, y están *furiosos* como borrachos sus conductores.

4. Se agolpan en los caminos; los carros se chocan unos con otros en las calles; sus ojos son como centellas de fuego, como relámpagos que pasan de una a otra parte.

5. Se acordará de sus valientes: marcharán de tropel por los caminos, escalarán con denuedo los muros, preparando antes medios para ponerse a cubierto *de los sitiadores*.

6. Se han abierto las puertas *en los muros por la avenida* de los ríos, y el templo ha sido arrasado.

7. Han sido llevados cautivos sus soldados, y las mujeres conducidas a la esclavitud, gimiendo como palomas, y lamentándose en sus corazones.

8. Y Nínive *inundada* con las aguas ha quedado hecha una laguna. Huyeron sus defensores, y por más que les gritaban: ¡Deteneos, deteneos!, ninguno volvió a mirar atrás.

---

CAP. II. — 2. La frase que usa la Vulgata: *reddidit Dominus superbiam Jacob*, se aclara con la versión griega de los Setenta; la cual da este sentido al original hebreo: *El Señor ha quitado el oprobio de Jacob.*

4. Todo esto es una enérgica pintura del poderoso y brillante ejército de la opulenta Nínive: el color de púrpura o encarnado era particularmente usado por los militares. Jenofonte Cyrop. lib. III. De los frenos de oro o dorados habla Virgilio en su Eneida, VII.

9. Robad ¡oh *Caldeos!* la plata, robad el oro: es inmensa la riqueza de sus preciosas alhajas.

10. Devastada ha quedado ella, y desgarrada, y despedazada; los corazones desmayados, vacilantes las rodillas, quebrantados los lomos; y las caras de todos ellos denegridas como hollín.

11. ¿Dónde está *la feroz Nínive*, esa guarida de leones, *ese bosque para* pasto de cachorros de leones, a donde iban a reposar el león y sus cachorros, sin que nadie los ahuyentase?

12. El león *rey de Asiria*, habiendo tomado lo bastante para sus cachorros, hizo una matanza para sus leonas, y llenó de caza sus cuevas, y de rapiñas su guarida.

13. Pues héme aquí contra ti, dice el Señor de los ejércitos. Yo reduciré a humo tus carros de guerra, y la espada devorará tus jóvenes *o vigorosos* leones, y arrancará de la tierra tus rapiñas, y no se oirá ya más la voz *blasfema* de tus embajadores.

## CAPITULO III

*Descripción de la toma y ruina de Nínive: de nada le servirán sus muros, su tropa, ni el valor de sus capitanes.*

1. ¡Ay de ti, ciudad sanguinaria, llena toda de fraudes y de extorsiones, y de continuas rapiñas!

2. *Oyese* estruendo de látigos, estruendo de impetuosas ruedas, y de relinchos de caballos, y de carros ardientes, y de caballería que avanza,

3. Y de relucientes espadas, y de relumbrantes lanzas, y de muchedumbre de heridos que mueren, y de grandísima derrota; son innumerables los cadáveres; los unos caen muertos encima de los otros.

4. *Todo esto* por causa de las muchas fornicaciones de la ramera bella y agraciada, la cual posee el arte de hechizar, ha hecho esclavos de sus fornicaciones a los pueblos, y de sus hechizos a las familias.

5. Aquí estoy yo contra ti, dice el Señor de los ejércitos, y descubriré tus infamias ante tu misma cara, y mostraré a las gentes la desnudez tuya, y a *todos* los reinos tu oprobio.

---

CAP. III — 4. *Nínive* significa también *hermosa*.

**6.** Y haré recaer sobre ti tus abominaciones, y te cubriré de afrentas, y te pondré de modo que sirvas de escarmiento.

**7.** Y entonces todos cuantos te vieren, retrocederán lejos de ti, *horrorizados,* diciendo: Nínive ha sido asolada. ¿Quién con un movimiento de cabeza mostrará compasión de ti? ¿De dónde buscaré yo quien te consuele?

**8.** ¿Eres tú por ventura mejor que la populosa Alejandría, que tiene su asiento entre ríos *o brazos del Nilo,* y está rodeada de aguas; cuyos tesoros son el mar, y las aguas sus murallas?

**9.** Su inmensa fortaleza eran Etiopía y Egipto, y tenía por auxiliares Africa y Libia.

**10.** Mas ella sin embargo, ha sido llevada cautiva a país extranjero: sus párvulos han sido estrellados en las esquinas de todas las calles; y se echaron suertes sobre sus nobles, y fueron metidos en cepos todos sus magnates.

**11.** Tú, pues ¡oh Nínive! beberás hasta embriagarte; y serás abatida, y pedirás socorro a tu *mismo* enemigo.

**12.** Caerán todas tus fortalezas, como a una sacudida caen las brevas *maduras* en la boca del que va a comérselas.

**13.** Mira que el pueblo que contienes se ha vuelto *débil* como si fuese un pueblo de mujeres. Las puertas de tu país se abrirán de par en par a tus enemigos; devorará el fuego los cerrojos *o barras* que les pongas.

**14.** Abastécete de agua para cuando te halles sitiada; repara tus fortificaciones; entra en el barro, y písalo, y amasándolo forma de él ladrillos.

**15.** Entonces mismo serás devorada por el fuego; perecerás al filo de la espada, la cual te devorará, como el pulgón *a la yerba,* aunque reúnas gente en tanto número como el pulgón y la langosta.

**16.** Tus negociantes eran en mayor número que las estrellas del cielo; mas *fueron como* el pulgón, *que* habiéndose engordado voló a otra parte.

**17.** Tus guardas *o capitanes* se parecen a las langostas, y tus pequeños *habitantes o soldados* a las tiernas langostas; las cuales hacen asiento en los vallados durante el frío *de la noche;* pero luego que el sol ha nacido, se levantan, y ya no queda rastro de ellas en el lugar en donde han parado.

**18.** Durmiéronse ¡oh rey de Asur! tus pastores, *o capitanes;* enterrados serán tus príncipes; escondióse tu gente por los montes, y no hay quien la reuna.

**19.** Notoria se ha hecho tu calamidad; tu llaga tiene muy mala cura; batieron las manos *en señal de alegría* todos cuantos han sabido lo que te ha acaecido: porque ¿a quién no dañó en todo tiempo tu malicia?

---

**6.** *Is.* XLVI, *v.* 3. — *Jer.* XIII, *v.* 22. — *Ezech.* XVI, *v.* 37.

**7.** *Job* XVI, *v.* 5. — *Jer.* XVIII, *v.* 16.

---

**8.** La destrucción de Alejandría fué en 663. Luego el ministerio del profeta tuvo lugar entre 650 y 620. La destrucción de Nínive fué en 612.

# LA PROFECÍA DE HABACUC

## Introducción

Exceptuando lo que nos dice su libro, nada sabemos de Habacuc; con todo, se cree que profetizó en tiempo de Manasés. En consecuencia, no ha de confundirse con otro Habacuc que figura en el *Libro de Daniel*.

El profeta presenta a los caldeos como instrumento de la cólera divina para el castigo de Judá; cuenta también que, llegado el momento, la ira del Señor caerá sobre los propios caldeos, por no haber sabido ver la voluntad de Dios y por atribuir a sus ídolos los triunfos alcanzados. El último capítulo de esta profecía es un cántico al Señor escrito en estilo sentencioso y elevado. Los dos anteriores contienen un diálogo entre Dios y su profeta.

### CAPITULO PRIMERO

*Se admira el Profeta de que el ímpio prospere y prevalezca contra el justo. El Señor enviará contra su pueblo los caldeos, los cuales atribuirán sus victorias, no a Dios, sino a sus ídolos.*

1. Duro anuncio revelado a Habacuc profeta.

2. ¿Hasta cuándo, Señor, estaré clamando, sin que tú me atiendas? *¿Hasta cuándo* daré voces a ti en la violencia que sufro, sin que tú me salves?

3. ¿Por qué me haces ver delante de mí *no más que* iniquidad y trabajos, rapiñas e injusticias? Prevalecen *por el cohecho* los pleitistas y pendencieros.

4. Por eso la ley se ve burlada, y no se hace justicia, por cuanto el impío puede más que el justo, por eso salen corrompidos los juicios.

5. Poned los ojos en las naciones y observad *lo que pasa:* admirados quedaréis y espantados; porque ha sucedido una cosa en vuestros días que nadie la querrá creer cuando será contada.

6. Pues he aquí que yo haré venir a los Caldeos, nación fiera y veloz, que recorre toda la tierra para alzarse con las posesiones ajenas.

7. Ella es horrible y espantosa: por sí misma sentenciará y castigará.

8. Sus caballos son más ligeros que leopardos, y corren más que los lobos por la noche. Extenderáse por todas partes su caballería; de lejos vendrán sus jinetes; volverán como águila que se arroja sobre la presa.

9. Todos vendrán al botín: su presencia será como un viento abrasador, y amontonarán cautivos como arena.

10. Y el *rey de Babilonia* triunfará de los *demás* reyes, y se mofará de los potentados: se reirá de todas las fortalezas, levantará baterías y las tomará.

11. En este estado se mudará o *trastornará* su espíritu, y se desvanecerá y caerá. Tal es el poder de aquél su dios *en quien confiaba.*

---

CAP. PRIMERO. — 3. Aquí la voz hebrea *rib, iudicium,* significa *pleito injusto.* En semejantes quejas prorrumpieron *Moisés Exod.* XXXII. *v.* 32. — *Job* III, *v.* 3, 11. — *Elías* III *Reg.* XIX, *v.* 4. — *David Salm.* XII, *v.* 1, etc.

4. *Job* XXI, *v.* 7. — *Jer.* XII, 1. — *Ps.* LXXII, *v.* 3.

---

5. *Act.* XIII, *v.* 41. — S. Pablo se valió del versículo 5 según lo tradujeron los *Setenta.*

8. Los lobos, dice S. Jerónimo, se enfurecen más al caer la noche, incitados por el hambre. Véase *Sofonías,* III, *v.* 3.

**12.** Mas qué ¿no existes tú desde el principio ¡oh Señor Dios mío! mi Santo, y el que nos librarás de la muerte? ¡Oh Señor!, tú has destinado a este *Nabucodonosor* para ejercer tu venganza, y le has dado tan grande poderío para castigarnos por medio de él.

**13.** Limpios son *siempre* tus ojos: no puedes tú ver el mal ni podrías sufrir delante de ti la iniquidad. ¿Por qué, *pues*, te estás contemplando aquéllos que obran mal, y callas cuando el impío está tragándose al que es más justo que él?

**14.** Y tú dejas que a los hombres les suceda lo que a los peces del mar, y lo que a los insectos, los cuales no tienen rey *que los defienda*.

**15.** Todo lo ha sacado fuera con el anzuelo, lo ha arrastrado con su red barredera, y recogido con sus redes. De todo esto se gozará y regocijará.

**16.** Por tanto, ofrecerá víctimas a su barredera, y sacrificios a sus redes; pues que por medio de éstas se ha engrosado su porción, y se ha provisto de exquisitos manjares.

**17.** Por esto tiene tendida su red barredera, y no cesa jamás de devastar a las naciones.

## CAPITULO II

*El Profeta declara cómo el Señor le respondió en su angustia, y le mandó escribir la visión y esperar con paciencia el suceso. Predice la destrucción del imperio de los Caldeos, cuyos ídolos no podrán defenderle.*

**1.** Yo estaré alerta *entre tanto*, haciendo mi centinela, y estaré firme sobre el muro, para ver lo que se me dirá; y qué deberé responder al que me reprenda.

**2.** Respondióme, pues, el Señor, y díjome: Escribe la visión, y nótala en las tablillas *de escribir*, para que se pueda leer corrientemente.

**3.** Porque la visión es de cosa todavía lejana, mas ella al fin se cumplirá, y no saldrá fallida. Si tardare, espérale: que el que ha de venir vendrá y no tardará.

**4.** Mira que el que es incrédulo no tiene dentro de sí una alma justa. El justo, pues, en su fe vivirá.

**5.** Mas así como el vino engaña al que lo bebe, así será del hombre soberbio, el cual quedará sin honor; del *soberbio*, que ensanchó

su garganta como el infierno, y es insaciable como la muerte, y quisiera reunir bajo su dominio todas las naciones y amontonar junto a sí todos los pueblos.

**6.** Qué ¿acaso no será él la fábula de todos éstos, y el objeto de sus *satíricos* proverbios? Y no se le dirá: ¡Ay de aquél que amontona lo que no es suyo! ¿Hasta cuándo recogerá él para daño suyo el denso lodo *de las riquezas*?

**7.** ¿Acaso no se levantarán de repente los que te han de morder, y no saldrán los que han de despedazarte, y de quienes vas a ser presa?

**8.** Por cuanto tú has despojado a muchas gentes *o naciones,* te despojarán a ti todos los que habrán quedado de ellas, en castigo de la sangre humana *que has derramado,* y de las injusticias cometidas contra la tierra, contra la ciudad y contra todos sus habitantes.

**9.** ¡Ay de aquél que allega frutos de avaricia, funesta para su propia casa, con el fin de hacer más alto su nido, y salvarse así de las garras del mal!

**10.** No parece sino que has ido trazando la ruina de tu casa; has asolado muchos pueblos, y tu alma delinquió.

**11.** Porque las piedras alzarán el grito desde las paredes, y clamarán *contra ti* los maderos que mantienen la trabazón del edificio.

**12.** ¡Ay de aquél que edifica una ciudad a fuerza de derramar sangre, y asienta sus cimientos sobre la injusticia!

**13.** ¿Acaso no están *predichas* estas cosas por el Señor de los ejércitos? Porque en vano, *dice el Señor,* se afanarán los pueblos, y las gentes *allegarán bienes* para *pábulo de* un gran fuego, y desfallecerán.

**14.** Pues la tierra será inundada *de enemigos,* al modo que la mar está cubierta de aguas; a fin de que sea conocida la gloria del Señor.

**15.** ¡Ay de aquél que da de beber a su amigo, mezclando hiel *en el vaso*, y lo embriaga para verlo desnudo!

**16.** En vez de gloria quedarás cubierto de afrenta; beberás también tú, y quedarás avergonzado; el cáliz de la diestra del Señor te embriagará, y *vendrá* un vómito de ignominia sobre tu gloria.

---

CAP. II. — 3. Según S. Jerónimo y otros Expositores, aquí se habla del *Mesías*, más bien que de *Ciro*. — Véase *Hebr*. X, *v*. 36. — *Matth*. XI, *v*. 3 — *Gen*. XLIX, *v*. 10.

4. La fe necesaria para la justificación. A este pasaje se refieren: *Joann*. III, *v*. 36; *Rom*. I, *v*. 17; *Gal*. III, *v*. 11; *Hebr*. III, *v*. 38.

9. Alude al *águila*, con la cual había comparado a aquel rey. Cap. I, *v*. 8. — Véase *Jerem*. XLVIII, *v*. 40. — *Ezech*. XVII, *v*. 3. — *Dan*. IV, *v*. 27.

**17.** Puesto que las maldades *cometidas por ti* sobre el Líbano recaerán contra ti; y el destrozo hecho por estas fieras los aterrará, para que no *derramen* la sangre de los hombres, y no *cometan* maldades contra la tierra, y contra la ciudad, y todos sus habitantes.

**18.** ¿De qué sirve el *vano* simulacro que formó un artífice, y la falsa estatua o imagen que fundió de bronce? Con todo, el artífice pone su esperanza en la hechura suya, en la imagen muda que forjó.

**19.** ¡Ay de aquél que dice a un madero: ¡Despiértate! y a una muda piedra: ¡Levántate, *y socórreme!* ¿Por ventura *la estatua* podrá instruirte *en lo que has de hacer?* Mira: cubierta está ella de oro y plata; pero dentro no hay espíritu ninguno.

**20.** Mas el Señor está en su templo santo *de la gloria.* Calle la tierra toda ante su acatamiento.

## CAPITULO III

*Oración de Habacuc, en la que recuerda las maravillas del Señor a favor de Israel; se aflige por la desolación de este pueblo; pero se consuela con la esperanza de que el Señor le socorrerá.*

**1.** Oración del Profeta Habacuc: por las ignorancias.

**2.** Oí ¡oh Señor! tu anuncio, y quedé lleno de *un respetuoso* temor. ¡Señor! Aquella *inefable* obra tuya, ejecútala en medio de los años. *Sí,* en medio de los años la harás patente, te acordarás de la misericordia *tuya,* cuando te habrás irritado.

**3.** Vendrá Dios *de la parte* del mediodía, y el Santo de *hacia* el monte Farán. Su gloria cubrió los cielos, y la tierra está llena de sus alabanzas.

**4.** El resplandecerá como la luz; en sus manos tendrá un poder *infinito:* allí está escondida su fortaleza.

**5.** Llevará delante de sí *como en triunfo* la muerte,

**6.** Y al diablo delante de sus pies. Paróse, y midió la tierra. Echó una mirada y acabó con las naciones, y quedaron reducidos a polvo

los altísimos montes. Encorváronse los collados del mundo al pasar el Eterno.

**7.** Yo vi *reunirse* a favor de la iniquidad *o idolatría* las tiendas de Etiopía; pero puestos fueron *luego* en derrota los pabellones de Madián.

**8.** ¿Acaso fué contra los ríos tu enojo, oh Señor? ¿Fué contra los ríos tu cólera, o contra el mar tu indignación? Tú que montas sobre tus caballos, y llevas en tu carroza la salvación,

**9.** Tú tomarás con denuedo tu arco, conforme a los juramentos que hiciste a las tribus *de Israel:* tú dividirás los ríos de la tierra.

**10.** Viéronte los montes, y se estremecieron, retiráronse los hinchados ríos. Los abismos alzaron su voz, y levantó sus manos el profundo *mar.*

**11.** El sol y la luna se mantuvieron en sus puestos; marcharán ellos al resplandor de tus saetas, al resplandor de tu relumbrante lanza.

**12.** Tú, irritado, hollarás la tierra, y con tu furor dejarás atónitas las naciones.

**13.** Saliste para salvar a tu pueblo, para salvarlo por medio de tu Cristo. Heriste la cabeza de la casa del impío: descubriste sus cimientos de arriba abajo.

**14.** Echaste la maldición sobre su cetro, sobre el caudillo de sus guerreros, los cuales venían como torbellino para destrozarme: era *ya* su regocijo como el de aquél que en un sitio retirado devora al pobre *pasajero.*

**15.** Abriste camino en el mar a tu caballería, por en medio del cieno de profundas aguas.

**16.** Oí *tu voz* y se conmovieron mis entrañas: a tal voz *tuya* temblaron mis labios. Penetre mis huesos la podredumbre, y broten dentro de mí *gusanos;* a fin de que yo consiga reposo en el día de la tribulación, y vaya a reunirme con el pueblo nuestro que está apercibido.

**17.** Porque la higuera no florecerá, ni las viñas brotarán; faltará el fruto de la oliva; los campos no darán alimento. Arrebatadas serán del aprisco las ovejas, y quedarán sin ganados los pesebres.

**18.** Yo, empero, me regocijaré en el Señor, y saltaré de gozo en Dios, Jesús mío.

**19.** El Señor Dios es mi fortaleza; y él me dará pies *ligeros* como de ciervo; y el vencedor *Jesús* me conducirá a las alturas *de mi morada,* cantando yo himnos *en su alabanza.*

---

**3.** Alude el Profeta a lo que decía Moisés. *Deut.* XXXIII. *v.* 2. El monte Sinaí donde se dió la Ley antigua, era figura de Jerusalén donde se había de dar la Ley nueva; y lo era el monte Farán, donde fueron elegidos los Jueces, a los cuales comunicó Dios su espíritu para gobernar a Israel, símbolo de los Apóstoles cuando recibieron al Espíritu Santo.

---

**19.** *Joann.* XVI, *v.* 33. — *Tob.* XIII, *v.* 22. Literalmente se habla de la vuelta de la cautividad de Babilonia; pero la libertad que dió Ciro a los Judíos era figura de la que nos trajo el Mesías; la cual se completará al colocarnos en la celestial Jerusalén.

# LA PROFECÍA DE SOFONÍAS

# Introducción

Según el inicio de su libro, parece que Sofonías era descendiente del rey Ezequías. Profetizó en tiempos de Josías, antes de la caída del imperio asirio (año 612). Anunciaba el juicio de Dios sobre Judá y las demás naciones y predecía que Nínive se convertiría en desierto, triste soledad y guarida de fieras. Para terminar, vaticina el final del cautiverio y la restauración mesiánica gracias a la venida llena de gloria y majestad de Jesucristo.

## CAPITULO PRIMERO

*Sofonías vaticina la próxima ruina de Jerusalén en castigo de sus idolatrías y de otros enormes pecados.*

**1.** Palabra del Señor, revelada a Sofonías, hijo de Cusi, hijo de Godolías, hijo de Amarías, hijo de Ezecías, en tiempo de Josías, hijo de Amón, rey de Judá.

**2.** Yo quitaré de la tierra todo lo que hay en ella; *la talaré toda,* dice el Señor.

**3.** Exterminaré de ella hombres y bestias; exterminaré las aves del cielo y los peces del mar; y perecerán los impíos; y exterminaré de la tierra a los hombres, dice el Señor.

**4.** Y extenderé mi brazo contra Judá y contra todos los habitantes de Jerusalén; y exterminaré de este lugar los restos *de la idolatría* de Baal y los nombres *o la memoria* de sus ministros y sacerdotes;

**5.** Y a aquéllos que adoran sobre los terrados la milicia *o astros* del cielo, y adoran y juran por el Señor y por Melcom,

**6.** Y a los que han dejado de seguir al Señor, y a los que al Señor no buscan, ni procuran encontrarle.

**7.** Permaneced con *un respetuoso* silencio ante el Señor Dios; porque el día *terrible* del Señor está cerca: preparada tiene el Señor la víctima *de su justicia,* y designados los convidados.

**8.** Y en aquel día de la víctima del Señor, yo castigaré, *dice Dios,* los príncipes y los hijos del rey *de Jerusalén,* y a cuantos visten *y viven como los* extranjeros.

**9.** Y castigaré entonces a todos aquéllos que entran llenos de orgullo *y arrogancia* por los umbrales *del templo,* llenando de injusticias y de fraudes la casa del Señor su Dios.

**10.** Habrá en aquel día, dice el Señor, muchos clamores, desde la puerta de los Peces, y *muchos* aullidos desde la Segunda, y grande aflicción sobre los collados.

**11.** Aullad ¡oh moradores de Pila! *o del mortero;* enmudecido está todo el pueblo de Canaán, y han perecido todos aquéllos que estaban nadando en la opulencia.

---

**7.** Los que han de ejercer su venganza. *Is.* XXIV, *v.* 6. — *Jer.* XLVI, *v.* 10. — *Ezech.* XXXIX, *v.* 17. — *Apoc.* XIX. *v.* 17.

**4-8.** Aún la renovación religiosa no había desterrado la idolatría durante el dominio asirio, o sea antes del 621.

**11.** *Pila* quiere decir *mortero:* y con esta metáfora denota que serán destruidos o desmenuzados como en un mortero. *Jer.* XXXI. El pueblo de Judá es llamado aquí con el odioso nombre de *Canaán. Dan.* XIII. *v.* 56. —*Oseas* XII, *v.* 7.

---

CAP. PRIMERO.—5. Querían muchos Hebreos unir el culto de Dios con el de los ídolos. *Lev.* XVIII, *v.* 21.— I *Paral.* XX, *v.* 2.— *Jer.* XLIX, *v.* 1. — *Amos* I, *v.* 15; V, v. 26. — IV *Reg* XXIII, *v.* 5.

**12.** Y entonces será cuando yo iré con una antorcha en la mano registrando a Jerusalén, e iré buscando a los hombres sumidos en sus inmundicias, los cuales están diciendo en su corazón: El Señor no hace bien, ni hace mal *a nadie.*

**13.** Y serán saqueadas sus riquezas, y reducidas a un desierto sus casas, y construirán habitaciones *excelentes,* mas no las habitarán; plantarán viñas, mas no beberán su vino.

**14.** Cerca está el día grande del Señor: está cerca, y va llegando con suma velocidad; amargas voces *serán las que se oigan* en el día del Señor; los poderosos se verán entonces en apreturas.

**15.** Día de ira aquél, día de tribulación y de congoja, día de calamidad y de miseria, día de tinieblas y de oscuridad, día de nublados y de tempestades,

**16.** Día del *terrible* sonido de la trompeta contra las ciudades fuertes y contra las altas torres.

**17.** Yo atribularé a los hombres, los cuales andarán como ciegos, porque han pecado contra el Señor: y su sangre será esparcida como el polvo, y arrojados sus cadáveres como la basura.

**18.** Y ni la plata, ni el oro podrán librarlos en aquel día de la ira del Señor, cuyo ardiente celo devorará toda la tierra; pues él a toda prisa exterminará a cuantos la habitan.

## CAPITULO II

*El Profeta exhorta al pueblo a que ore y haga penitencia antes que llegue el día del Señor. Destrucción de los Filisteos, Moabitas, Ammonitas, Etíopes y Asirios.*

**1.** Venid todos, reuníos ¡oh pueblos no amables!

**2.** Antes que el mandamiento *del Señor* produzca aquel día como torbellino que esparce polvo; antes que venga sobre vosotros la ira furibunda del Señor; primero que llegue el día de su indignación.

**3.** Buscad al Señor, todos vosotros, humildes de la tierra, vosotros que habéis guardado sus preceptos: id en busca de la justicia *o santidad,* buscad la mansedumbre, por si podéis poneros a cubierto en el día de la ira del Señor.

**4.** Porque destruida será Gaza, quedará yerma Ascalón, Azoto será asolada en medio del día, y arrasada quedará Accarón.

**5.** ¡Ay de vosotros que habitáis la cuerda, *o costa,* del mar, pueblo de perdición! Contra ti se dirige lo que dice el Señor ¡oh Canaán, tierra de Filisteos! Yo te asolaré de tal modo, que no quede morador ninguno.

**6.** Y la costa del mar será morada de pastores y aprisco de ganados.

**7.** Y la cuerda o *costa* será de aquéllos que quedaren de la casa de Judá: allí tendrán sus pastos, y descansarán por la noche en las casas de Ascalón; porque el Señor su Dios los visitará, y los hará volver del cautiverio.

**8.** Yo he oído los denuestos de Moab y las blasfemias que han vomitado contra el pueblo mío los hijos de Ammón, los cuales se han engrandecido invadiendo sus términos.

**9.** Por lo cual juro yo, dice el Señor Dios de los ejércitos, el Dios de Israel, que Moab será como Sodoma, y los hijos de Ammón como Gomorra; lugar de espinos secos, y montones de sal, y un desierto sempiterno: saqueáranlos las reliquias de mi pueblo, y se enseñorearán de ellos los restos de mi gente.

**10.** Esto les sucederá por causa de su soberbia; porque blasfemaron, y se engrieron contra el pueblo del Señor de los ejércitos.

**11.** Terrible *se mostrará* contra ellos el Señor, y aniquilará a todos los dioses *o ídolos* de la tierra; y lo adorarán *todos* los hombres, cada uno en su país, y todas las islas de las gentes.

**12.** Vosotros, empero, oh Etíopes, caeréis también bajo el filo de mi espada.

**13.** Pues *el Caldeo* extenderá su mano contra Aquilón, y exterminará a los Asirios, y convertirá la hermosa *ciudad de Nínive* en una soledad, y en un país despoblado y yermo.

---

**CAP. II.** — 5. Sobre la costa del Mediterráneo en donde estaba el territorio de los Filisteos. I *Reg.* XXX, *v.* 14, 16. — En el hebreo se lee: *pueblo de Ceretim,* que en Ezequiel, cap. XXV, *v.* 16, tradujo S. Jerónimo *pueblo de matadores.* El nombre de *Canaán* lo da a los Filisteos por desprecio.

**7.** Asi se verificó cuando los Macabeos se apoderaron de la Palestina, y la destinaron para pasto de ganados. I. *Mach.* V, *v.* 68; X, *v.* 84. — II *Mach.* II, *v.* 32. — *Abd. v.* 19.

**13.** En el hebreo, en el caldeo y en los *Setenta* está expresado el nombre de *Nínive,* que el autor de la Vulgata tradujo con la voz *speciosam, hermosa.* — Véase sobre esta destrucción de Nínive *Is.* X, *v.* 5. — *Nahum* I, II. — *Jon.* III, *v.* 4. — *Tob.* XIV, *v.* 6.

14. De suerte que sestearán en medio de ella los rebaños y todos los ganados de las gentes *vecinas*; y se guarecerán dentro de sus casas el onocrótalo y el erizo; oiráse el canto *de las aves campesinas* en sus ventanas, y los cuervos *anidarán* sobre sus dinteles *o arquitrabes*; pues yo acabaré con todo su poder.

15. Esta es aquella ciudad gloriosa que nada temía, y que decía en su corazón: Yo soy, y fuera de mí no hay otra ninguna. ¡Cómo ha venido a quedar hecha un desierto y una guarida de fieras! Todo el que transitará por ella, la silbará y *mofándose* batirá una mano contra otra.

## CAPITULO III

*Amenazas contra Jerusalén y los que la gobiernan. Consuela al resto de los fieles con la promesa de la libertad, santificación y demás bienes que traerá la nueva ley.*

1. ¡Ay de ti, ciudad que provocas la ira! y *eso que fuiste ya* rescatada ¡oh paloma *estúpida!*

2. Ella no ha querido escuchar a quien le hablaba y le amonestaba; no puso su confianza en el Señor; no se acercó a su Dios.

3. Sus príncipes están en medio de ella como leo-nes rugientes; como lobos nocturnos son sus jueces: no dejan nada para el día siguiente.

4. Sus profetas son hombres furiosos y sin fe; sus sacerdotes han profanado el Santuario, han hecho violencia a la ley.

5. El Señor, *que es* justo, y que está en medio de ella, no hará injusticia; sino que luego ejecutará su juicio, y no quedará éste escondido; pero el malvado no sabe lo que es vergüenza.

6. Yo he exterminado las naciones *enemigas*, y han quedado arrasadas sus fortalezas: he dejado desiertas sus calles, y no pasa alma por ellas; sus ciudades han quedado desoladas, hasta no haber quedado hombre, ni habitante alguno.

7. Y dije: Por fin ¡oh Israel! me temerás y recibirás mi amonestación, a fin de que tu casa no sea arruinada por causa de todas las culpas, por las cuales te castigué. Empero *tus hijos* pusieron su conato en pervertir todos sus afectos.

8. Por tanto, espérame, dice el Señor, en el día venidero de mi resurrección; porque mi voluntad es congregar las naciones y reunir los reinos; y *entonces* derramaré sobre ellos mi indignación, y toda la ira y furor mío; de modo que el fuego de mi celo devorará toda la tierra.

9. Porque entonces purificaré los labios de las naciones, a fin de que todas ellas invoquen el Nombre del Señor, y le sirvan debajo de un mismo yugo.

10. Desde más allá de los ríos de Etiopía, desde allí vendrán mis adoradores, los hijos del dispersado pueblo mío, a presentarme sus dones.

11. En aquel día ¡oh *Jerusalén!* no serás confundida por todas las obras tuyas, con que prevaricaste contra mí; pues entonces yo quitaré de en medio de ti aquellos *maestros* que alimentan tu orgullo; y no te engreirás más por *tener* mi santo monte *de Sión.*

12. Y dejaré en medio de ti un pueblo pobre y humilde, el cual pondrá su esperanza en el Nombre del Señor.

13. Los restos *del pueblo* de Israel no cometerán injusticia, ni hablarán mentira, ni tendrán en su boca una lengua falaz; pues tendrán pastos *excelentes*, y gozarán de descanso, ni habrá nadie que les cause miedo.

14. Entona himnos ¡oh hija de Sión! Canta alabanzas ¡oh Israel! Alégrate y regocíjate de todo corazón oh hija de Jerusalén!

15. El Señor ha borrado tu condenación, ha ahuyentado a tus enemigos. El Señor, rey de Israel, está en medio de ti: no tienes que temer jamás mal ninguno.

16. En aquel día se dirá a Jerusalén: No temas; y a Sión: No hay que desmayar.

17. Está en medio de ti el Señor, el Dios tuyo, el fuerte; él te salvará; en ti hallará él su gozo y su alegría: será constante en amarte, se regocijará, y celebrará tus alabanzas.

18. Yo reuniré aquellos hombres vanos que habían abandonado la ley, puesto que eran de los tuyos, a fin de que no padezcas más confusión a causa de ellos.

---

CAP. III. — 3. Véase *Habac.* I, 8 y nota.

5. Tiene Jerusalén cara de mujer abandonada. *Jer.* III, *v.* 3.

---

8. Bellísima y clara profecía de lo que había de suceder después de la venida del Mesías. Eusebio Demostr. lib. II, cap. 17, S. Agustín De Civ. Dei lib. XVIII, cap. 33, y los antiguos Rabinos, como dice S. Jerónimo, todos han visto siempre en este pasaje de Sofonías la Iglesia de Jesucristo.

11. Habla a la Iglesia de los primeros Judíos que se convirtieron en Jerusalén. — Véase I *Cor.* I, *v* 26, 27.

**19.** He aquí que yo quitaré la vida a todos cuantos en aquel tiempo te afligieron; y salvaré aquella *nación* que claudicaba, y volveré a llamar a la que fué repudiada, y les daré gloria y nombradía en toda aquella tierra en que padecieron ignominia.

**20.** En aquel tiempo, cuando yo os habré traido, y os habré reunido, haré que adquiráis nombradía y seáis alabados en todos los pueblos de la tierra; entonces sí que os veréis librados por mí de vuestro cautiverio, dice el Señor.

# La profecía de Ageo

# Introducción

De Ageo sólo sabemos que sufrió el cautiverio y colaboró en la reconstrucción del templo. Sus oráculos, fechados en el segundo año de Darío (520) y destinados a los habitantes de Jerusalén, que recién vueltos del cautiverio no habían podido todavía edificar el templo, los exhortan a iniciar la obra y anuncian la grandeza del segundo templo. Dice Ageo que éste, llegados los tiempos mesiánicos, en que las naciones irán a Jerusalén cargadas de ofrendas, será mayor que el primero. Anuncia también la llegada del Deseado de todos los pueblos. Los doctores de la ley autores del *Talmud* interpretaron siempre esta profecía como la venida del Mesías. La exégesis bíblica tradicional de la Iglesia entiende exactamente igual que la rabínica esta hermosa profecía. Ageo, uno de los últimos profetas junto con Zacarías, Daniel y Malaquías, profetizó con mayor claridad que sus antecesores; veía ya como inminente la llegada del Mesías.

## CAPITULO PRIMERO

*Reprende el Profeta el descuido de los Judíos en reedificar el Templo del Señor. Zorobabel, caudillo del pueblo, y Jesús, Sumo Sacerdote, a una con el pueblo, dan principio a la fábrica del Templo.*

**1.** En el año segundo del rey Darío, en el sexto mes, el día primero del mes, el Señor habló por medio de Ageo, profeta, a Zorobabel, hijo de Salatiel, príncipe *o gobernador* de Judá, y a Jesús, hijo de Josedec, sumo Sacerdote, diciendo:

**2.** Esto dice el Señor de los ejércitos: Dice este pueblo: No es llegado aún el tiempo de reedificar la casa del Señor.

**3.** Pero el Señor ha hablado a Ageo, profeta, diciendo:

**4.** ¿Con que es tiempo de que vosotros habitéis en casas de hermosos artesonados, y esta casa estará abandonada?

**5.** Ahora, pues, esto dice el Señor de los ejércitos: Poneos a considerar seriamente vuestros procederes.

**6.** Habéis sembrado mucho, y recogido poco; habéis comido y no os habéis saciado; habéis bebido, y no os habéis refocilado; os habéis cargado de ropa y no os habéis calentado; y aquél que ganaba salarios, los ha ido poniendo en saco roto.

**7.** Así habla el Señor de los ejércitos: Poneos a reflexionar atentamente sobre vuestros procederes.

**8.** Subid al monte, traed de allí maderos y reedificad mi casa: y yo me complaceré en ella y seré en ella glorificado, dice el Señor.

**9.** Vosotros esperábais lo más, y os ha venido lo menos: y *aun eso poco* lo metísteis dentro de *vuestras casas*, y yo con un soplo lo hice desaparecer. ¿Y por qué? dice el Señor de los ejércitos. Porque mi casa está abandonada, y cada uno de vosotros se ha dado gran prisa a reparar la suya propia.

CAP. PRIMERO. — 1. Esto es, el año XVI de haber vuelto los Judíos de la cautividad y el XIV de haberse interrumpido la reedificación del Templo. I. *Esdr.* IV, *v.* 5.

6. *Deut.* XXVIII, *v.* 38. — *Lev.* XXVI, *v.* 26. — *Mich.* VI. *v.* 15.

10. Por eso se prohibió a los cielos el daros el rocío o *la lluvia*, y se prohibió a la tierra el dar su fruto.

11. Y envié la sequía sobre la tierra y sobre los montes en perjuicio de los granos, y del vino, y del aceite, y de todos los productos de la tierra, y de los hombres, y de las bestias, y de toda labor de manos.

12. Y Zorobabel, hijo de Salatiel, y Jesús, hijo de Josedec, sumo Sacerdote, y todo el resto del pueblo oyeron la voz del Señor Dios suyo en las palabras del profeta Ageo, que les envió el Señor su Dios; y temió el pueblo al Señor.

13. Y Ageo, uno de los enviados del Señor, dijo al pueblo: El Señor ha dicho: Yo estoy con vosotros.

14. Y excitó el Señor el espíritu de Zorobabel, hijo de Salatiel, gobernador de Judá, y el espíritu de Jesús, hijo de Josedec, sumo Sacerdote, y el espíritu de todo el resto del pueblo: y emprendieron la fábrica del templo del Señor de los ejércitos, su Dios.

## CAPITULO II

*El Señor alienta a los Judíos que trabajaban en la fábrica del Templo, con la promesa de que el Mesías entraría en él, y lo llenaría de gloria. Comenzada la fábrica, los castigos de Dios se mudan en bendiciones.*

1. A veinticuatro días del mes sexto, año segundo del rey Darío.

2. En el mes séptimo, a veintiún días del mes, habló el Señor al Profeta Ageo, diciéndole:

3. Habla a Zorobabel, hijo de Salatiel, gobernador de Judá, y a Jesús, hijo de Josedec, sumo Sacerdote, y al resto del pueblo, y diles:

4. ¿Quién ha quedado de *todos* vosotros que haya visto este templo en su gloria primera? ¿Y qué tal os parece él ahora? ¿Por ventura no es como nada ante vuestros ojos?

5. Pues ahora ¡oh Zorobabel! ten buen ánimo, dice el Señor; buen ánimo también, ¡oh Jesús, hijo de Josedec, sumo Sacerdote; y buen ánimo tú, pueblo todo del país! dice el Señor de los ejércitos: y cumplid (pues yo estoy con vosotros, dice el Señor de los ejércitos)

6. El pacto que hice con vosotros cuando salíais de la tierra de Egipto; y mi espíritu estará en medio de vosotros: no temáis.

7. Porque esto dice el Señor de los ejércitos: Aún falta un poco *de tiempo*, y yo pondré en movimiento el cielo y la tierra, y el mar y todo el universo.

8. Y pondré en movimiento las gentes todas, porque vendrá el Deseado de todas las gentes; y henchiré de gloria este templo, dice el Señor de los ejércitos.

9. *Por lo demás* mía es la plata, dice el Señor de los ejércitos, y mío el oro.

10. La gloria de este último templo será grande, será mayor que la del primero, dice el Señor de los ejércitos; y en este lugar daré yo la paz o *felicidad*, dice el *mismo* Señor de los ejércitos.

11. A veinticuatro días del mes nono, en el año segundo del rey Darío, el Señor habló al profeta Ageo, y le dijo:

12. Esto dice el Señor de los ejércitos: Propón a los sacerdotes esta cuestión legal:

13. Si un hombre llevare carne santificada en una extremidad de su vestido, y tocare con la orla de él pan o vianda, o vino, o aceite, u otra cosa de comer, ¿quedará acaso santificada la tal cosa? Y respondieron los sacerdotes, y dijeron: No.

14. Y añadió Ageo: Si alguno que está inmundo por razón de *haber tocado* un muerto tocare alguna de todas estas cosas, ¿quedará por ventura inmunda la cosa que tocó? Y respondieron los sacerdotes diciendo: Inmunda quedará.

15. A lo que repuso Ageo, y dijo: Así es este pueblo, y así es esta gente delante de mí, dice el Señor, y así sucede con todas las obras de sus manos; pues todo cuanto han ofrecido en este lugar, todo es inmundo.

16. Reflexionad ahora vosotros lo sucedido desde este día atrás, antes que comenzáseis a construir el templo del Señor:

17. Cuando acercándoos a un montón *de mieses, que parecía* de veinte celemines, venía a quedar en diez; y yendo al lagar para sacar cincuenta cántaros, no sacábais más de veinte,

---

7. El Apóstol citando este lugar (*Hebr.* XII, *v.* 26), lo dijo según la versión griega de los Setenta, en la cual se lee: *Aún otra vez, y yo pondré en movimiento etc.*

10. Aquí por la *paz* se entiende al mismo Jesucristo, llamado *Príncipe de la paz.* — Véase *Is.* cap. II. *v.* 4; XI, *v.* 6. — *Dan.* IX, *v.* 24. — *Ephes.* II, *v.* 14. — Véase I *Cor.* III.

14. ¿*Acaso las carnes santificadas* (decía *Jeremías,* cap. XI, *v.* 15), *te quitarán de encima tus maldades?*

---

CAP. II. — 1. En este día comenzaron a preparar la obra. Este versículo primero va unido con el último del capítulo anterior.

**18.** Yo destruí con viento abrasador, y con añublo, y con pedrisco todas las labores de vuestras manos; y no hubo entre vosotros quien se convirtiese a mí, dice el Señor.

**19.** Pero fijad vuestra atención desde este día en adelante, desde el día veinticuatro del mes nono: desde el día en que se echaron los cimientos del templo del Señor, parad vuestra atención.

**20.** ¿No véis cómo aún no han nacido las simientes, y que las viñas, y las higueras, y los granados, y los olivos no están aún en flor? *Pues* yo desde este día les echaré mi bendición.

**21.** Y habló el Señor segunda vez a Ageo, a los veinticuatro días del mes y díjole:

**22.** Habla a Zorobabel, gobernador de Judá, y dile: Yo pondré en movimiento a un tiempo el cielo y la tierra,

**23.** Y trastornaré el trono de los reinos, y destruiré el poder del reino de las gentes, y volcaré los carros de guerra, y los que van sobre ellos y caerán *muertos* los caballos y los que los montan, cada una bajo el filo de la espada de su hermano.

**24.** En aquel tiempo, dice el Señor de los ejércitos, yo te ensalzaré ¡oh Zorobabel, hijo de Salatiel, siervo mío! dice el Señor, y te tendré como un anillo de sellar; pues a ti te he escogido, dice el Señor de los ejércitos.

---

**21.** Véase *Cant.* VIII, *v.* 6 y *Jer.* XXII, *v.* 24.

**24.** Que nunca lo dejará de su mano.

# LA PROFECÍA DE ZACARÍAS

# Introducción

Según San Jerónimo, Zacarías es el más oscuro de los doce profetas menores. Fue contemporáneo de Ageo y, como él, animó a los judíos a concluir la restauración del templo. El tema de ambos profetas es el mismo, si bien el estilo de Zacarías es más misterioso y elevado. Se conoce la fecha de su primer vaticinio, que corresponde al mes octavo del segundo año de Darío (año 520). Abunda este texto bíblico en profecías mesiánicas. La parte final de su obra, que es una amenaza contra Judá y las naciones, tiene en ciertos fragmentos carácter apocalíptico. Aunque San Jerónimo y otros exégetas lo niegan, se ha identificado en ocasiones a este Zacarías con aquel otro del mismo nombre de quien dijo Jesucristo que fue muerto entre el templo y el altar.

Sus profecías mesiánicas son tan rotundas que en ocasiones, más que un profeta, parece un evangelista.

## CAPITULO PRIMERO

*Zacarías exhorta a los Judíos a la penitencia, y a que no imiten a sus padres, que fueron castigados por haber despreciado los avisos de los Profetas. Predice la restauración de la Iglesia y la destrucción de sus enemigos.*

1. En el mes octavo del año segundo del rey Darío, el Señor habló a Zacarías, profeta, hijo de Baraquías, hijo de Addo, y le dijo:

2. El Señor estuvo altamente irritado contra vuestros padres.

3. Mas tú dirás a éstos *sus hijos*: Esto dice el Señor de los ejércitos: Convertíos a mí, dice el Señor de los ejércitos; y yo me volveré a vosotros, dice el Señor de los ejércitos.

4. No seáis como vuestros padres, a los cuales exhortaban los anteriores profetas, diciendo: Esto dice el Señor de los ejércitos: Convertíos de vuestros malos pasos y de vuestros malvados designios; ellos, empero, no me escucharon, ni hicieron caso, dice el Señor.

5. ¿Y dónde están ya vuestros padres? ¿Y acaso los profetas vivirán para siempre?

6. Pues las palabras mías y los decretos míos, intimados a mis siervos los profetas, ¿por ventura no alcanzaron a vuestros padres? Ellos se convirtieron y dijeron: El Señor de los ejércitos ha hecho con nosotros aquello mismo que pensó hacer en vista de nuestras obras y de nuestros procederes.

7. A veinticuatro días del mes undécimo *llamado* Sabat, el año segundo de Darío, el Señor habló de esta manera a Zacarías profeta, hijo de Baraquías, hijo de Addo:

---

CAP. PRIMERO. — 1. Comenzó, pues a profetizar unos dos meses dspues de Ageo. *Ag.* I, *v.* 1.

3. *Is.* XXI, *v.* 12; XXXI, *v.* 6. — *Jerem.* III, *v.* 12.— *Ezech.* XVIII, *v.* 30; XX, *v.* 7. — *Oseas.* XIV, *v.* 2. — *Joel* II, *v.* 12. "Y como sin que Dios nos ayude con su gracia, no podemos convertirnos a él, clamemos a él todo el día (dice S. Gregorio), con el Profeta: *No apartes de mí tu rostro. In Ps.* VII, Pœnit."

**8.** Tuve, pues, de noche esta visión: Vi a un hombre montado sobre un caballo rojo, que estaba parado entre unos mirtos que había en una hondonada; y de tras de él había caballos rojos, manchados y blancos.

**9.** Y dije yo: ¿Qué son éstos, Señor mío? Y el Angel que hablaba conmigo díjome: Yo te haré conocer lo que son estas cosas.

**10.** En esto, aquel hombre que estaba parado entre los mirtos, respondió y dijo: Estos son los *Angeles* que envió el Señor a recorrer la tierra.

**11.** Y respondieron aquéllos al Angel del Señor que estaba parado entre los mirtos, y dijeron: Hemos recorrido la tierra, y hemos visto que toda está poblada, y que goza de reposo.

**12.** A lo que replicó el Angel del Señor, y dijo: ¡Oh Señor de los ejércitos! ¿Hasta cuándo no te apiadarás de Jerusalén y de las ciudades de Judá, contra las cuales estás enojado? Este es ya el año septuagésimo.

**13.** Y respondió el Señor al Angel que hablaba conmigo palabras buenas, palabras de consuelo.

**14.** Y díjome el Angel que hablaba conmigo: Clama, y di: Esto dice el Señor de los ejércitos: Me hallo poseído de un grande celo por amor de Jerusalén y de Sión;

**15.** Y estoy altamente irritado contra aquellas naciones poderosas. Ya estaba yo un poco enojado; mas ellas han agravado el mal.

**16.** Por tanto, esto dice el Señor: Volveré mis ojos compasivos hacia Jerusalén, y en ella será edificado mi templo, dice el Señor de los ejércitos, y la plomada será tendida sobre Jerusalén.

**17.** Clama todavía, y di: Esto dice el Señor de los ejércitos: Mis ciudades aún han de rebosar en bienes, y aún consolará el Señor a Sión, y de nuevo escogerá a Jerusalén.

**18.** Y levanté mis ojos, y observé, y vi cuatro astas.

**19.** Y díjele al Angel que hablaba conmigo: ¿Qué significa esto? Y respondióme: Estas son las astas que han aventado a Judá, y a Israel, y a Jerusalén.

**20.** Y mostróme el Señor cuatro *Angeles en forma de* operarios.

**21.** Y dije: ¿Qué vienen a hacer éstos? Y él me respondió, diciendo: Aquéllas son las astas que aventaron a los varones de Judá uno por uno, sin que pudiese levantar cabeza ninguno de ellos; y éstos vinieron para aterrarlos, para abatir las astas *o el poder* de las naciones, las cuales levantaron sus fuerzas contra el país de Judá para exterminar sus habitantes.

## CAPITULO II

*Gloria de Jerusalén y muchedumbre de sus moradores. Dios será su muralla. Muchas naciones vendrán a Sión a servir al Señor, el cual las recibirá en su pueblo.*

**1.** Y levanté mis ojos, y estaba observando; y he aquí un varón que tenía en su mano una cuerda *como* de medidor.

**2.** Y dije yo: ¿Adónde vas? Voy a medir a Jerusalén, me respondió, para ver cuánta es su latitud y cuánta su longitud.

**3.** Y he aquí que salió fuera el Angel que hablaba conmigo, y otro Angel le salió al encuentro,

**4.** Y le dijo: Corre, habla a ese joven, y dile: Sin muros será habitada Jerusalén, a causa de la muchedumbre de personas y de animales que contendrá en su recinto.

**5.** Pero yo seré para ella, dice el Señor, como una muralla de fuego, que la circundará, y yo seré glorificado en medio de ella.

**6.** ¡Ah! ¡ah! huid, huid, *ahora* de la tierra del norte, dice el Señor; puesto que os dispersé yo por los cuatro vientos del cielo, dice el Señor.

**7.** Huye ¡oh Sión! tú que habitas en la ciudad de Babilonia.

**8.** Porque esto dice el Señor de los ejércitos; el cual, después de *restituida vuestra* gloria, me enviará a las naciones que os despojaron porque quien os tocare a vosotros, toca en las niñas de mis ojos.

**9.** He aquí que levanto yo mi mano contra ellas, y serán presa de aquéllos que fueron esclavos suyos: y conoceréis que el Señor de los ejércitos es el que me ha enviado.

---

**8.** Comúnmente se cree que era el arcángel S. Miguel, protector o custodio de la sinagoga. *Dan.* X, *v.* 21. Así opina S. Jerónimo. Sobre estos caballos se veían otros tantos personajes, que eran los ángeles protectores de otras naciones; y los diversos colores denotaban, dice S. Jerónimo,... los diferentes caracteres, etc.

**9.** Este ángel no era S. Miguel, sino el ángel custodio del profeta, dice S. Jerónimo. Teodoreto y otros creen que era S. Miguel.

**17.** Para morada suya. O también: *para esposa suya.* Jerusalén había sido como repudiada por Dios, a causa de sus idolatrías. *Mich.* IV, *v.* 6.

---

**CAP. II.** — 5. Todo esto manifiesta el amor y la continua protección que Dios dispensaba a su pueblo.

**10.** Canta himnos de alabanza, y alégrate, ¡oh hija de Sión! porque mira, yo vengo y moraré en medio de ti, dice el Señor.

**11.** Y en aquel día se allegarán al Señor muchas naciones, y serán *también* pueblo mío, y yo habitaré en medio de ti: y tú conocerás que el Señor de los ejércitos me ha enviado a ti.

**12.** Y poseerá a Judá como herencia suya en la tierra santa; y escogerá otra vez a Jerusalén.

**13.** Callen todos los mortales ante el acatamiento del Señor; porque él se ha levantado, y ha salido *ya* de su santa morada.

## CAPITULO III

*Zacarías con una visión que refiere al pueblo, le da un nuevo anuncio de que recobrará la gracia del Señor y juntamente una nueva promesa de la venida del Mesías para fundar la nueva Iglesia.*

**1.** E hízome ver el Señor al sumo Sacerdote Jesús, *o Josué,* que estaba en pie ante el Angel del Señor; y estaba Satán a su derecha para oponérsele.

**2.** Y dijo el Señor a Satán: Incrépete *o confúndate* el Señor ¡oh Satán! Incrépete, *repito,* el Señor, el cual ha escogido *para sí* a Jerusalén. ¿Por ventura no es éste un tizón sacado del fuego?

**3.** Y Jesús estaba vestido de ropas sucias, y permanecía en pie delante del Angel.

**4.** El cual respondió y dijo a los que estaban en su presencia: Quitadle las ropas sucias. Y a él le dijo: He aquí que te he quitado de encima tu maldad, y te he hecho vestir ropas de gala.

**5.** Y añadió: Ponte en la cabeza una tiara limpia; y pusiéronle en la cabeza una tiara limpia; y le mudaron de vestidos. Entre tanto el Angel del Señor estaba en pie.

---

**10.** Muchos Padres ven en estas palabras y siguientes una profecía de Jesucristo y una prueba de su Divinidad.

**12.** Para residencia suya. —Véase la predilección del Señor para con los Judíos. *Matth.* XV *v.* 24. De entre ellos escogió sus Apóstoles y de ellos formó al principio su Iglesia, o la nueva Jerusalén.

**CAP. III.** — 2. S. Jerónimo y otros Expositores opinan que de estos dos que se llaman *Señores,* el uno es el Señor o Dios Padre, y el otro el Señor o Dios Hijo. Según otros puede traducirse: *Y dijo el ángel del Señor, etc.* — Véase *Amós,* cap. IV, *v.* 11. Parece que aquí se significa por este tizón a Jesús Sumo Sacerdote y cabeza de toda la nación, librado por la misericordia del Señor de la ruina de la nación judaica.

**6.** E hizo el Angel del Señor esta protesta a Jesús, diciéndole:

**7.** Esto dice el Señor de los ejércitos: Si anduvieres por mis caminos, y guardares mis preceptos, tú también serás juez *o gobernador* de mi casa, y custodio de mi templo, y te daré algunos de estos Angeles que ahora están aquí presentes, para que vayan contigo.

**8.** Escucha tú ¡oh Jesús sumo Sacerdote!, tú y tus amigos que moran contigo, que son varones de portento. Atiende, pues, *lo que digo:* Yo haré venir a mi siervo del Oriente.

**9.** Porque he aquí la piedra que yo puse delante de Jesús, piedra única, y la cual tiene siete ojos: he aquí que yo la labraré con el cincel, dice el Señor de los ejércitos, y en un dia arrojaré yo de aquella tierra la iniquidad.

**10.** En aquel día, dice el Señor de los ejércitos, convidará cada uno a su amigo a la sombra de su parra y de su higuera.

## CAPITULO IV

*Muestra el Señor al Profeta un candelero de oro, con dos olivas que destilan aceite para mantener la luz de las siete lámparas del candelero. Las dos olivas figuran al sacerdote Jesús y Zorobabel.*

**1.** Y volvió el Angel que hablaba conmigo, y me despertó, como a un hombre a quien se le despierta de su sueño.

**2.** Y díjome: ¿Qué es lo que ves? Yo veo, respondí, aparecer un candelero todo de oro, que tiene encima una lámpara, y siete lamparillas *o luces,* y siete canales *o tubos* para dichas siete luces del candelero;

**3.** Y sobre *el tronco de* éste dos olivas, una a la derecha de la lámpara, otra a su izquierda.

**4.** Y en seguida dije al Angel que hablaba conmigo: ¡Oh Señor mío! ¿qué viene a ser esto?

**5.** A lo cual respondiendo el Angel que conmigo hablaba, me dijo: ¿Conque no sabes tú lo que significan estas cosas? No, mi Señor, dije yo.

---

**9.** De esta *piedra,* símbolo de Jesucristo, habló *Isaías,* cap. XXVIII, *v.* 16. — Véase *Ps.* CXVII. *v.* 22. Los *siete ojos* son siete ángeles puestos por el Señor para velar en el gobierno de Iglesia.— Véase después cap. IV, *v.* 10.— *Apoc.* V, *v.* 6. En esta primera y *única piedra* Jesucristo, fundamento de la Iglesia, imprimió el Eterno Padre sus perfecciones: fué trabajada durante la pasión y muerte de Jesús.

**6.** Entonces respondióme él, y díjome: Esta es la palabra que el Señor dice a Zorobabel: No ha de ser por medio de un ejército, ni con la fuerza, sino por *la virtud de* mi espíritu, dice el Señor de los ejércitos.

**7.** ¿Qué eres tú ¡oh monte grande! delante de Zorobabel? Serás reducido a una llanura. El pondrá la piedra principal, e igualará su gracia a la gracia *o gloria* de aquél.

**8.** Y hablóme el Señor, y díjome:

**9.** Las manos de Zorobabel han puesto los cimientos de este templo, y sus mismas manos lo acabarán: y conoceréis que el Señor de los ejércitos me ha enviado a vosotros.

**10.** Porque ¿quién es el que hacía poco caso de los cortos *progresos en los primeros* días? Pues éste tal se alegrará, y verá la piedra de plomo *o la plomada* en la mano de Zorobabel. Estos de *las siete luces,* son los siete ojos del Señor que recorren toda la tierra.

**11.** Y yo repuse, y dije: ¿Qué son estas dos olivas a la derecha e izquierda del candelero?

**12.** Y de nuevo le pregunté, y dije: ¿Qué son las dos ramas de olivas que están junto a los dos picos de oro, donde hay los tubos de oro?

**13.** Y contestó diciéndome: Pues qué ¿no sabes lo que es esto? No, mi Señor, dije.

**14.** Y respondió él: Estos son los dos ungidos, los cuales están ante el dominador de todo el orbe.

## CAPITULO V

*El Profeta ve un libro que vuela, por el cual serán juzgados los malos; ve a una mujer sentada sobre una vasija, sellada con una masa de plomo: ella es la impiedad; y ve a dos mujeres con alas que trasladan esta vasija al país de Sennaar.*

**1.** Y volvíme, y levanté los ojos, y vi un volumen que volaba.

**2.** Y díjome *el Angel:* ¿Qué es lo que ves? Yo veo, respondí, un volumen que vuela, y es de *unos* veinte codos de largo y diez de ancho.

**3.** A lo que repuso él: Esta es la maldición que se derrama sobre toda la superficie de la tierra; porque todos los ladrones, según lo que allí *en el volumen* está escrito, serán condenados; y condenados serán igualmente por él todos los perjuros.

**4.** Yo los sacaré fuera, dice el Señor de los ejércitos, y caerá encima de la casa del ladrón, y del que jura falsamente en mi nombre, y se pondrá en medio de sus casas, y las consumirá juntamente con sus maderos y piedras.

**5.** Y salió fuera el Angel que hablaba conmigo, y díjome: Levanta tus ojos, y mira qué es lo que aparece.

**6.** Y dije yo: ¿Qué viene a ser esto? El, respondió, una ánfora *o medida* que se te pone delante; y añadió: Eso es a lo que atienden ellos en toda la tierra *de Israel.*

**7.** Y vi después que traían un talento *o quintal* de plomo, y vi una mujer sentada en medio del ánfora.

**8.** Y dijo *el Angel:* Esto es la impiedad. Y la echó al fondo del ánfora, y puso la porción de plomo sobre la boca de aquella vasija.

**9.** Y levanté mis ojos, y miré, y he aquí que venían dos mujeres, cuyas alas movía el viento, las cuales eran como alas de milano, y alzaron el ánfora en el aire.

**10.** Y dije yo al Angel que hablaba conmigo: ¿Adónde llevan ellas el ánfora?

**11.** A la tierra de Sennaar, me respondió, para que allí se le edifique una casa *o habitación,* y quede allí colocada y sentada sobre su basa *la impiedad.*

## CAPITULO VI

*Visión de cuatro carrozas que salen de entre dos montañas hacia diversas partes del mundo. Coronas sobre la cabeza del Sumo Sacerdote Jesús, y del que se llama Oriente, el cual reedificará el templo del Señor.*

**1.** Y de nuevo levanté mis ojos y observé: y he aquí cuatro carrozas que salían de entre dos montes; y estos montes eran montes de bronce.

**2.** En la primera carroza había caballos rojos, y en la segunda caballos negros.

---

CAP. IV. — 7. El segundo Templo igualará y aun excederá al primero, no en la suntuosidad y riquezas, pero sí en la gloria de contener algún día en su recinto al Mesías,

10. Aquellos días en que se adelantaba poco en la fábrica del Templo.

CAP. V. — 7. El peso del plomo es aquí símbolo de la gravedad de los pecados y de su castigo. S. Jerónimo.

CAP. VI. — 1. Las cuatro carrozas son símbolo de las cuatro monarquías o imperios de los Caldeos, Persas, etc. — Véase *Dan.* II, *v.* 37.— *Ps.* XIX, *v.* 8. — *Nah.* III, *v.* 2. — *Ezech.* I. *Cant.* I, *v.* 8.

**3.** En la carroza tercera caballos blancos, y en la cuarta caballos manchados y vigorosos.

**4.** Y pregunté al Angel que hablaba conmigo: ¿Qué significan estas cosas, señor mío?

**5.** A lo que respondiendo el Angel, me dijo: Estos son los cuatro vientos del cielo, que salen para presentarse al dominador de toda la tierra.

**6.** La carroza que tenía los caballos negros se dirigía hacia la tierra del septentrión, e iban en pos de ella los caballos blancos; y los caballos manchados salieron hacia la tierra del mediodía.

**7.** Y éstos que eran los más vigorosos, así que salieron, anhelaban recorrer toda la tierra. Y el *Angel* les dijo: Id, recorred la tierra; y en efecto la anduvieron toda.

**8.** En seguida me llamó, y me habló de esta manera: Mira, aquellos que se dirigen hacia la tierra, han hecho que reposase el espíritu mío sobre la tierra del Aquilón.

**9.** Y el *Angel del* Señor me habló diciendo:

**10.** Toma las ofrendas de aquéllos que han venido del cautiverio, *a saber*, de Holdai, y de Tobías, y de Idaías; e irás tú en aquel día, y entrarás en la casa de Josías, hijo de Sofonías que llegó *también* de Babilonia:

**11.** Y tomarás el oro y la plata, y harás unas coronas, que pondrás sobre la cabeza del sumo Sacerdote Jesús, hijo de Josedec.

**.12.** Al cual hablarás de esta manera: Esto es lo que dice el Señor de los ejércitos: He aquí el varón cuyo nombre es Oriente: y él nacerá de sí mismo, y edificará un templo al Señor.

**13.** El construirá un templo al Señor, y quedará revestido de gloria, y se sentará y reinará sobre su solio, y estará el sacerdote sobre su trono, y habrá paz *y unión* entre ambos *tronos.*

**14.** Y serán las coronas como un monumento para Helem, y Tobías, e Idaías, y Hem, hijo de Sofonías, en el templo del Señor.

**15.** Y los que están en lugares remotos vendrán, y trabajarán en la fábrica del templo del Señor: y conoceréis que el Señor de los ejércitos me envió a vosotros. Mas esto será si vosotros escuchareis con docilidad la voz del Señor, Dios vuestro.

# CAPITULO VII

*Los ayunos de los Judíos durante la cautividad no fueron gratos al Señor, porque no dejaron su mala vida. Por sus maldades fueron hechos cautivos.*

**1.** El año cuarto del rey Darío habló el Señor a Zacarías el día cuarto del mes nono, que es el de Casléu,

**2.** Cuando Sarasar y Rogommelec y la gente que estaba con él enviaron a la casa de Dios a hacer oración en la presencia del Señor,

**3.** Y a preguntar a los sacerdotes de la casa del Señor de los ejércitos, y a los profetas, diciendo: ¿Debo yo llorar en el quinto mes, o debo purificarme, como ya lo hice en muchos años *que duró el cautiverio?*

**4.** Y el Señor de los ejércitos me habló y dijo:

**5.** Responde a todo el pueblo del país, y a los sacerdotes, y diles: Cuando ayunabais y plañíais en el quinto y séptimo mes durante estos setenta años ¿acaso ayunasteis por respeto mío?

**6.** Y cuando comíais y bebíais, ¿acaso no lo hacíais mirando por vosotros mismos?

**7.** ¿No son estas cosas las que dijo el Señor, por medio de los anteriores profetas, cuando estaba aún poblada Jerusalén y llena de riquezas, tanto ella como las ciudades vecinas, y poblada la parte del mediodía y sus campiñas?

**8.** Y el Señor habló a Zacarías, diciéndole:

**9.** Esto es lo que manda el Señor de los ejércitos: Juzgad según la verdad y la justicia, y haced cada uno de vosotros repetidas obras de misericordia para con vuestros hermanos.

**10.** Y guardaos de agraviar a la viuda, ni al huérfano, ni al extranjero, ni al pobre; y nadie piense mal en su corazón contra el prójimo.

**11.** Mas ellos no quisieron escuchar, y rebeldes volvieron la espalda, y se taparon los oídos para no oír.

---

**CAP. VII.**— **1.** De *Esdras* VI, 14-15 se puede conjeturar que Zacarías vió la dedicación del Templo.

**2.** Otros, según el hebreo, en lugar de *enviaron,* traducen *fueron enviados.*

**3.** Los Judíos ayunaban en aquellos meses que le había sucedido al pueblo de Israel una gran calamidad. — Véase después cap. VIII, *v.* 19. — *Is.* LVIII. *v.* 5. — IV *Reg.* XXV, *v.* 8, 25. — *Jer.* LII. *v.* 12; XXXIX, *v.* 1; XLI, *v.* 1.— *Exod.* XIX, *v.* 14. — I *Reg.* XXI, *v.* 5. Aquí *purificarse* significa imitar la abstinencia de los Nazareos.

**12.** Y endurecieron su corazón como un diamante; para no hacer caso de la ley, ni de las palabras que les había dirigido el Señor por medio de su espíritu, puesto en boca de los anteriores profetas. De donde provino la grande indignación del Señor de los ejércitos.

**13.** Y verificóse lo que el había predicho, sin que quisiesen ellos dar oídos *a sus palabras*. Así es que *también* ellos clamarán, dice el Señor de los ejércitos, y yo no los escucharé.

**14.** Y los dispersé por todos los reinos desconocidos de ellos, y quedó su país asolado, sin haber persona alguna que transitase por él. De esta manera convirtieron en un páramo lo que era tierra de delicias.

## CAPITULO VIII

*El Señor colmará a Sión de bendiciones, y trocará en fiestas la alegría los ayunos precedentes. Las naciones extranjeras se unirán a Judá para adorar al verdadero Dios.*

**1.** Y habló el Señor de los ejércitos, y dijo:

**2.** Esto dice el Señor de los ejércitos: Yo he tenido grandes celos de Sión, y mis celos por causa de ella me irritaron sobremanera.

**3.** *Mas* esto dice el Señor de los ejércitos: Yo he vuelto *ahora* a Sión, y moraré en medio de Jerusalén, y Jerusalén será llamada ciudad de la verdad, y el monte del Señor de los ejércitos, monte santo.

**4.** Esto dice el Señor de los ejércitos: Aún se verán ancianos y ancianas en las calles de Jerusalén, y *muchas* personas que por su edad avanzada irán con bastón en la mano;

**5.** Y llenas estarán las calles de la ciudad de niños y niñas, que irán a jugar en sus plazas.

**6.** Esto dice el Señor de los ejércitos: Si lo que anuncio para aquel tiempo parece difícil a los que han quedado de este pueblo, ¿acaso será difícil para mí? dice el Señor de los ejércitos.

**7.** Esto dice el Señor de los ejércitos: He aquí que yo sacaré salvo al pueblo mío de las regiones del oriente y de las regiones del occidente.

**8.** Y lo volveré a traer para que habite en medio de Jerusalén; y ellos serán mi pueblo, y yo seré su Dios en la verdad y en la justicia.

**9.** Esto dice el Señor de los ejércitos: Cobren, *pues,* vigor vuestros brazos ¡oh vosotros que en estos días oís tales palabras de boca de los profetas!, ahora que se han echado ya los cimientos de la casa del Señor de los ejércitos, y va levantarse la fábrica del templo.

**10.** Porque antes de estos días los hombres trabajaban sin utilidad, y sin utilidad trabajaban las bestias; ni los que entraban ni los que salían gozaban de paz, a causa de la tribulación en que se hallaban; habiendo dejado yo que se hiciesen la guerra unos a otros.

**11.** Mas ahora no haré yo, dice el Señor de los ejércitos, lo que antes con las reliquias de este pueblo;

**12.** Sino que serán una estirpe de gente muy feliz; la viña dará su fruto, y producirá la tierra su esquilmo, y los cielos enviarán su rocío, y haré que el resto de ese pueblo goce de todos estos bienes.

**13.** Y sucederá que así como vosotros los de la casa de Judá y los de la casa de Israel erais *un objeto o fórmula de* execración entre las naciones; así yo os salvaré, y seréis objeto de bendición: no temáis; cobrad aliento.

**14.** Pues esto dice el Señor de los ejércitos: Al modo que yo determiné castigaros, dice el Señor, por haber vuestros padres provocado mi indignación,

**15.** Y no usé de misericordia con vosotros; así al contrario, he resuelto en estos días favorecer a la casa de Judá y a Jerusalén: no tenéis que temer.

**16.** Esto es, pues, lo que habéis de hacer: Hable verdad con su prójimo cada uno de vosotros. Pronunciad en vuestros tribunales sentencias de verdad y juicios de paz.

**17.** Y ninguno maquine en su corazón injusticia contra su prójimo; y detestad el juramento falso; porque todas esas son cosas que yo aborrezco, dice el Señor.

**18.** Y hablóme el Señor de los ejércitos diciéndome:

**19.** Esto dice el Señor de los ejércitos: El ayuno del mes cuarto, y el ayuno del mes quinto, y el ayuno del mes séptimo, y el ayuno del mes décimo, se convertirán para la casa de Judá en *días de* gozo y *de* alegría, y en festividades solemnes; sólo con que vosotros améis la verdad y la paz.

**20.** Esto dice el Señor de los ejércitos: Vendrán aún los pueblos, y poblarán muchas ciudades;

---

CAP. VIII. — 8. Todo esto conviene a la Jerusalén espiritual, que es la Iglesia *columna de verdad.* I *Tim.* III, *v.* 15. — *Matth.* XVI, *v.* 18.

---

16. Véase *Ephes.* IV, *v.* 25.

**21.** Y los moradores de una irán a decir a los de la otra: Vamos a hacer oración en la presencia del Señor, y busquemos al Señor de los ejércitos. *Vamos, responderán:* iremos también nosotros.

**22.** Y vendrán a Jerusalén muchos pueblos y naciones poderosas a buscar al Señor de los ejércitos y a orar en su presencia.

**23.** Así dice el Señor de los ejércitos: Esto *será* cuando diez hombres de cada lengua y de cada nación tomarán a un Judío, asiéndole de la franja de su vestido, y le dirán: Iremos contigo porque hemos conocido que *verdaderamente* con vosotros está Dios.

## CAPITULO IX

*Profecía contra la Siria y Fenicia. El rey Cristo vendrá a Sión montado en una asna, y colmará a su pueblo de bendiciones y prosperidades*

**1.** Duro anuncio del Señor contra la tierra de Hadrac y contra *la ciudad de* Damasco, en la cual aquélla confía; porque el ojo o *providencia* del Señor mira a *todos* los hombres y a todas las tribus de Israel.

**2.** También *la ciudad de* Emat está comprendida dentro de los términos de este *duro anuncio,* e igualmente Tiro y Sidón: porque presumen mucho de su saber.

**3.** Tiro ha construido sus baluartes, y ha amontonado plata como si fuese tierra, y oro como si fuese lodo de las calles.

**4.** He aquí que el Señor se hará dueño de ella y sumergirá en el mar su fortaleza, y será pábulo del fuego.

**5.** Ascalón al ver esto quedará espantada; y será grande el dolor de Gaza, y también el de Accarón, porque queda burlada su esperanza: y Gaza perderá su rey, y Ascalón quedará despoblada.

**6.** Y Azoto será la morada del extranjero o *conquistador,* y yo abatiré la soberbia de los Filisteos.

**7.** Y quitaré de su boca la sangre, y de entre sus dientes las abominaciones *idolátricas;* y quedarán también ellos sujetos a nuestro Dios, y serán como *los vecinos de una ciudad* pricipal en Judá y *el habitante de* Accarón será como el Jebuseo.

**8.** Y para la defensa de mi casa pondré aquéllos que van y vienen militando en mi servicio, y no comparecerá más entre ellos el exactor; porque yo ahora los miro con mis *benignos* ojos.

**9.** ¡Oh hija de Sión! Regocíjate en gran manera; salta de júbilo ¡oh hija de Jerusalén! He aquí que a ti vendrá tu rey, el Justo, el Salvador: él vendrá pobre, y montado en una asna y su pollino.

**10.** Entonces destruiré los carros de guerra de Efraím y los caballos de Jerusalén, y serán hechos pedazos los arcos guerreros; y *aquel rey* anunciará la paz a las gentes, y dominará desde un mar a otro, y desde los ríos hasta los confines de la tierra.

**11.** Y tú mismo ¡oh Salvador! mediante la sangre de tu testamento has hecho salir a los tuyos, que se hallaban cautivos, del lago o *fosa* en que no hay agua.

**12.** Dirigid vuestros pasos hacia la ciudad fuerte ¡oh vosotros cautivos que tenéis esperanza! pues te anuncio, *oh pueblo mío,* que te daré doblados bienes.

**13.** Porque yo he hecho de Judá como un arco tendido para mi servicio, y como un arco tendido es *también para mí* Efraím; y a tus hijos ¡oh Sión! les daré yo valor sobre los hijos tuyos ¡oh Grecia! y te haré *irresistible* como la espada de los valientes.

**14.** Y aparecerá sobre ellos el Señor Dios; el cual lanzará sus dardos como rayos; y tocará el Señor Dios la trompeta y marchará entre torbellinos del mediodía.

**15.** El Señor de los ejércitos será su protector; y consumirán y abatirán *a sus enemigos* con las piedras de sus hondas, y bebiendo *su sangre* se embriagarán como de vino, y se llenarán *de ella* como *se llenan* las jarras, y como *se bañan* los ángulos del altar.

**16.** Y el Señor Dios suyo los salvará en aquel día como grey *selecta* de su pueblo; porque a manera de piedras santas serán erigidos en la tierra de él.

**17.** Mas ¿cuál será el bien *venido* de él, y lo hermóso *que* de él *nos vendrá,* sino el trigo de los escogidos, y el vino que engendra vírgenes o *de la castidad?*

---

**9.** El Profeta ve que se acerca el tiempo de la grande promesa hecha a Jerusalén, y convida a sus hermanos a que se alegren con la esperanza del *Mesías. Is.* LXII, *v.* 11. — *Matth.* XXI, *v.* 5.

**15.** Todas estas expresiones deben entenderse metafóricamente, especialmente la de beber la sangre, etc. *Lev.* XVII, *v.* 10; IV, *v.* 25; XVI, *v.* 18.

**17.** Admirable profecía del misterio de la Eucaristía. *Es la medicina que da vida eterna,* decía S. Ignacio, *antídoto contra la muerte, la que da vida por medio de Jesucristo, remedio que purga los vicios, y expele todo mal.* S. Ignacio, *Epíst. ad Ephes.*

## CAPITULO X

*Solamente Dios es el dador de todo lo bueno. El consolará a su pueblo; y si éste vive religiosamente le restituirá a su país, y humillará a sus enemigos.*

**1.** Pedid al Señor las lluvias tardías, y el Señor enviará también nieve, y os dará lluvias abundantes, y *abundante* yerba en el campo de cada uno de vosotros.

**2.** Porque *ya visteis que* los ídolos han dado respuestas inútiles, y que son visiones mentirosas las que tienen los adivinos, y que hablan sin fundamento los intérpretes de los sueños, dando vanos consuelos: por este motivo fueron *vuestros crédulos padres* conducidos al cautiverio como un rebaño, y afligidos; pues estaban sin pastor.

**3.** Contra los pastores se ha encendido mi indignación, y castigaré a los machos cabríos; porque el Señor de los ejércitos tendrá cuidado de su grey, *es decir,* de la casa de Judá, y la hará *briosa* como si fuese su caballo de regalo en la guerra.

**4.** De Judá saldrá el ángulo, de él la estaca, de él el arco guerrero, de él saldrán asimismo todos los exactores.

**5.** Y serán como campeones que hollarán en el combate *a los enemigos, como es hollado* el barro en las calles: y pelearán, teniendo a favor suyo al Señor; y quedarán confundidos los que van montados en *briosos* caballos.

**6.** Y yo haré fuerte la casa de Judá, y salvaré la casa de José; y los haré volver *de sus errores,* pues que me apiadaré de ellos; y serán como eran antes que yo los desechase; puesto que yo soy el Señor Dios suyo, y los oiré benigno.

**7.** Y serán como los valientes de Efraím, y estará alegre su corazón, como el de quien bebe vino, y al verlos sus hijos se regocijarán, y se alegrará en el Señor su corazón.

**8.** Yo los reuniré con un silbido, pues los he rescatado; y los multiplicaré del modo que antes se habían multiplicado.

**9.** Y los dispersaré entre las naciones; y aun en los más distantes países se acordarán de mí, y vivirán juntamente con sus hijos, y volverán.

**10.** Pues yo los traeré de la tierra de Egipto, y los recogeré de la Asiria, y los conduciré a la tierra de Galaad y del Líbano, y no se hallará *bastante* lugar para ellos.

**11.** Y pasarán el estrecho del mar, y *el Señor* herirá las olas del mar, y todas las honduras del río quedarán descubiertas, y será humillada la soberbia de Asur, y cesará la tiranía de Egipto.

**12.** Y los haré fuertes en el Señor, y en mi Nombre seguirán adelante, dice el Señor.

## CAPITULO XI

*Ultima desolación de Jerusalén y ruina de su Templo. El Pastor de Israel hace pedazos las dos varas. Tres pastores infieles muertos en un mes. Grey confiada a un pastor insensato.*

**1.** Abre ¡oh Líbano! tus puertas, y devore el fuego los cedros.

**2.** Aúlla ¡oh abeto! porque los cedros han caído, porque han sido derribados los *árboles más* encumbrados: aullad ¡oh encinas de Basán! porque ha sido cortado el bosque fuerte.

**3.** Retumban los aullidos de los pastores *o príncipes,* porque destruida ha sido su grandeza; resuenan los rugidos de los leones, porque ha sido disipada la hinchazón del Jordán.

**4.** Esto dice el Señor mi Dios: Apacienta estas ovejas del matadero,

**5.** A las cuales sus dueños enviaban a la muerte, sin compadecerse de ellas, y las vendían diciendo: Bendito sea el Señor, nosotros nos hemos hecho ricos. Y aquellos pastores suyos no tenían compasión de ellas.

**6.** Pues tampoco yo tendré ya más compasión de los moradores de esta tierra, dice el Señor: he aquí que yo abandonaré estos hombres cada uno en poder del vecino y en poder de su rey, y su país quedará asolado, y no los libraré de las manos de ellos.

**7.** Y por esto ¡oh pobres del rebaño! yo apacentaré estas reses del matadero. A este fin me labré dos cayados: al uno de los cuales le llamé hermosura, y al otro le llamé cuerda, *o lazo;* y apacenté la grey.

**8.** E hice morir a tres pastores en un mes, y por causa de ellos se angustió mi alma: porque tampoco el alma de ellos me fué a mi constante.

**9.** Y dije: Yo no quiero ser más vuestro pastor: lo que muriere, muérase; y lo que mataren, mátenlo; y los demás que se coman a bocados unos a otros.

---

CAP. XI. — 1. Por *Líbano* se entiende Jerusalén y su Templo. *Ezech.* XVII, *v.* 3. — *Jer.* XXII, *v.* 23. Llámase *Líbano* por estar en un sitio elevado y haberse fabricado con gran cantidad de madera de dicho monte.

10. Y tomé el cayado mío, llamado hermosura, y lo rompí, en señal de romper la alianza que había hecho con todos los pueblos.

11. Y quedó anulada en aquel día; y los pobres de mi grey, que me son fieles, han reconocido así que ésta es palabra del Señor.

12. Yo, empero, les dije a ellos: Si os parece justo, dadme mi salario, y si no, dejadlo estar. Y ellos me pasaron o *contaron* treinta siclos de plata por el salario mío.

13. Y díjome el Señor: Entrégasele al alfarero ese lindo precio en que me apreciaron. Tomé, pues, los treinta siclos de plata, y los eché en la casa del Señor, para que se diesen al alfarero.

14. Y quebré mi segundo cayado, llamado cuerda *o lazo*, en señal de romper la hermandad entre Judá e Israel.

15. Díjome después el Señor: Toma aun los aperos de un pastor insensato *y perverso*.

16. Porque he aquí que yo levantaré en la tierra un pastor que no visitará las ovejas abandonadas, ni buscará las descarriadas, no sanará las enfermas, ni alimentará las que están sanas, sino que se comerá las carnes de las gordas, y les romperá hasta las pezuñas.

17. ¡Oh pastor, más bien fantasma *de pastor*, que desamparas la grey! La espada de la *divina venganza* le herirá en el brazo y en su ojo derecho: su brazo se secará y quedará árido; y cubierto de tinieblas, su ojo derecho se oscurecerá.

# CAPITULO XII

*Profecía contra Judá y Jerusalén. Al fin el Señor hará volver a los Judíos a su patria, y destruirá a sus enemigos. Efusión del espíritu de la Divina gracia sobre los moradores de Jerusalén, los cuales plañirán la muerte de aquél a quien crucificaron.*

1. Duro anuncio del Señor contra Israel. Dice el Señor, el que extendió los cielos y puso los fundamentos de la tierra, y el que forma el espíritu que tiene dentro de sí el hombre:

2. He aquí que yo haré de Jerusalén un lugar de *banquetes o* embriaguez para todos los pueblos circunvecinos; y aun el mismo Judá acudirá al sitio contra Jerusalén.

3. Y yo haré en aquel día que sea Jerusalén como una piedra muy pesada para todos los pueblos; todos cuantos probaren el alzarla quedarán lisiados: contra ella se coaligarán todas las naciones de la tierra.

4. En aquel día, dice el Señor, dejaré como de piedra los caballos, y como exánimes los jinetes: y abriré mis *benignos* ojos sobre la casa de Judá, y cegaré los caballos de todas las naciones.

5. Y dirán los caudillos de Judá en su corazón: Pongan los moradores de Jerusalén su confianza en el Señor de los ejércitos, su Dios.

6. En aquel día haré que los caudillos de Judá sean como ascuas de fuego debajo de *leña seca,* y como llama encendida debajo del heno; a diestra y a siniestra abrasarán todos los pueblos circunvecinos, y Jerusalén será de nuevo habitada en el mismo sitio en que estuvo antes.

7. Y el Señor protegerá a los *demás* pabellones o *ciudades* de Judá, como al principio: para que no se gloríe altamente la casa de David, ni se engrían los moradores de Jerusalén contra Judá.

8. Protegerá el Señor en aquel día a los habitantes de Jerusalén, y los más débiles de entre ellos serán en aquel tiempo otros tantos Davides; y la casa de David será a la vista de ellos como casa de Dios, como un Angel del Señor.

9. Y yo en aquel día tiraré a abatir todas las gentes que vengan contra Jerusalén.

10. Y derramaré sobre la casa de David, y sobre los habitantes de Jerusalén, el espíritu de gracia o de oración; y pondrán sus ojos en mí, a quien traspasaron, y plañirán *al que han herido,* como suele plañirse un hijo único; y harán duelo por él, como se suele hacer en la muerte de un primogénito.

11. El llanto será grande en Jerusalén en aquel día; como el duelo de Adadremmon en la llanura de Mageddon.

12. Y se pondrá de luto la tierra; separadas unas de otras las familias, aparte las familias de la casa de David, y aparte sus mujeres;

13. Aparte las familias de la casa de Natán, y aparte sus mujeres; aparte las familias de la casa de Leví, y aparte sus mujeres; aparte las familias de Semeí, y aparte sus mujeres;

14. Aparte cada una de las demás familias, y aparte las mujeres de ellas.

---

12. *Matth* XXVII, v. 9. Alude esta profecía juntamente con lo que dice *Jeremías,* XXXII, v. 6-9.

## CAPITULO XIII

*Fuente que lava-los pecados de la casa de David. Los ídolos serán destruidos, y castigados los falsos profetas. Herido el Pastor se dispersarán las ovejas: dos partes irán dispersas por toda la tierra, y la tercera será probada con el fuego.*

1. En aquel día habrá una fuente abierta para la casa de David, y para los habitantes de Jerusalén: a fin de lavar las manchas del pecador y de la mujer inmunda.

2. Y en aquel día, dice el Señor de los ejércitos, yo exterminaré de la tierra *hasta* los nombres de los ídolos, y no quedará más memoria de ellos; y extirparé de ella los falsos profetas, y el espíritu inmundo.

3. Y si alguno de allí en adelante todavía profetizare, le dirán su padre y su madre, que lo engendraron: Tú morirás; porque esparces mentiras en nombre del Señor. Y cuando él profetizare, lo traspasarán *o herirán* su mismo padre y madre que lo engendraron.

4. Y quedarán confundidos en aquel día los profetas, cada cual por su propia visión cuando profetizare, y no se cubrirán *hipócritamente* con el manto de penitencia para mentir;

5. Sino que cada uno de ellos dirá: Yo no soy profeta; soy un labrador de la tierra; Adán ha sido mi modelo desde mi juventud.

6. Y le dirán: ¿Pues qué llagas o *cicatrices* son ésas en medio de tus manos? Y responderá: En la casa de aquéllos que me amaban me hicieron estas llagas.

7. ¡Oh espada!, desenváinate contra mi pastor y contra el varón unido conmigo, dice el Señor de los ejércitos; hiere al pastor, y serán dispersadas las ovejas; y extenderé mi mano sobre los párvulos.

8. Y sucederá que en toda la tierra, dice el Señor, dos partes de sus moradores serán dispersadas y perecerán, y la tercera parte quedará en ella.

9. Y a esta tercera parte la haré pasar por el fuego, y la purificaré como se purifica la plata, y la acrisolaré como es acrisolado el oro. Ellos invocarán mi Nombre, y yo los escucharé *propicio.* Yo diré: Pueblo mío eres tú; y él dirá: Tú eres mi Dios y Señor.

## CAPITULO XIV

*Después que Jerusalén habrá sufrido el cautiverio y otras tribulaciones, llegará el día conocido por el Señor en que saldrán de Jerusalén aguas vivas; volverán los hijos de Israel a vivir con toda seguridad; el Señor castigará a sus enemigos, y las reliquias de éstos irán a adorar a Dios en Jerusalén.*

1. He aquí que vienen los días del Señor, y se hará en medio de ti la repartición de tus despojos.

2. Y yo reuniré todas las naciones para que vayan a pelear contra Jerusalén, y la ciudad será tomada, y derribadas las casas, y violadas las mujeres; y la mitad de los ciudadanos será llevada al cautiverio, y el resto del pueblo permanecerá en la ciudad.

3. Y saldrá *después* el Señor, y peleará contra aquellas naciones, como peleó en el día de *aquella* batalla.

4. Pondrá él en aquel día sus pies sobre el monte de las Olivas, que está en frente de Jerusalén, al oriente; y se dividirá el monte de las Olivas por medio hacia levante y hacia poniente con una enorme abertura; y la mitad del monte se apartará hacia el norte, y la otra mitad hacia el mediodía.

5. Y vosotros huiréis al valle de aquellos montes, pues el valle de aquellos montes estará contiguo al monte vecino: y huiréis al modo que huisteis por miedo del terremoto en los tiempos de Ozías, rey de Judá. Y vendrá el Señor mi Dios; y con él todos los santos.

6. Y en aquel día no habrá luz, sino *únicamente* frío y hielo.

7. Y vendrá un día que *sólo* es conocido del Señor que no será ni día, ni noche; mas al fin de la tarde aparecerá la luz.

8. Y en aquel día brotarán aguas vivas en Jerusalén, la mitad de ellas hacia el mar oriental, y la otra mitad hacia el mar occidental: serán *perennes* en verano y en invierno.

9. Y el Señor será el rey de toda la tierra; en aquel tiempo el Señor será el único: ni habrá más Nombre *venerado* que el suyo.

---

**CAP. XIII.** — 6. Se ve que a los falsos profetas se les hacía una señal en el cuerpo para castigo suyo, y desengaño del pueblo. S. Jerónimo. Esto indica el versículo 3.
7. *Matth.* XXVI, *v.* 31, 56.

---

**CAP. XIV.** — 3. Contra Faraón y todo el Egipto. *Exod.* XIV.

**10.** Y la tierra *de Judá* volverá a ser habitada hasta el Desierto, desde el collado de Remmon hasta el mediodía de Jerusalén; y será ensalzada, y será habitada en su sitio, desde la puerta de Benjamín hasta el lugar de la puerta primera, y hasta la puerta de los ángulos; y desde la torre de Hananeel hasta los lagares del rey.

**11.** Y será habitada, ni será más entregada al anatema: sino que reposará Jerusalén tranquilamente.

**12.** La plaga con que el Señor herirá a todas las gentes que han peleado contra Jerusalén, será ésta: consumiránsele a cada uno sus carnes, estando en pie, y se le pudrirán los ojos en sus concavidades, y se le deshará en la boca su lengua.

**13.** En aquel día excitará el Señor gran alboroto entre ellos, y cada uno asirá de la mano al otro, y se agarrará de la mano de su hermano.

**14.** Y Judá misma combatirá contra Jerusalén; y serán recogidas las riquezas de todas las gentes circunvecinas, oro y plata, y ropas en grande abundancia.

**15.** Y los caballos, y mulos, y camellos, y asnos, y todas cuantas bestias se hallaren en aquel campamento, padecerán la misma ruina.

---

**12.** Varias veces ha castigado así Dios a los perseguidores de su Iglesia. *Act.* XII, *v.* 23. Domiciano, Maximiano y otros tiranos murieron de un castigo semejante.

**16.** Y todos aquéllos que quedaren de cuantas gentes vinieren contra Jerusalén, subirán todos los años a adorar al rey, Señor de los ejércitos, y a celebrar la fiesta de los Tabernáculos.

**17.** Y cualquiera que sea de las familias de la tierra *de Judá,* y no fuere a Jerusalén a adorar al rey, que es el Señor de los ejércitos, no vendrá lluvia para él.

**18.** Que si alguna familia de Egipto no se moviere y no viniere, tampoco lloverá sobre ella; antes bien el Señor castigará con *toda* ruina a todas las gentes que no fueren a celebrar la fiesta de los Tabernáculos.

**19.** Este será el *gran* pecado de Egipto, y éste el pecado de todas las gentes, el no ir a celebrar la solemnidad de los Tabernáculos.

**20.** En aquel día *todo* lo *precioso* que adorna el freno del caballo será consagrado al Señor, y las calderas de la casa del Señor serán *tantas* como las copas del altar.

**21.** Y todas las calderas de Jerusalén y de Judá serán consagradas al señor de los ejércitos, vendrán y las tomarán para cocer en ellas *las carnes;* y no habrá mercader *o traficante* ninguno en el templo del Señor de los ejércitos en aquel tiempo.

---

**19.** El *Hijo de Dios* vino a habitar o a fijar su mansión o *Tabernáculo* entre nosotros, como dice el texto griego (*Joann.* I, *v.* 14): y el grande pecado de los Judíos es el no haberle querido reconocer por Mesías, y haberle, al contrario, condenado a muerte. S. Jerónimo.

# LA PROFECÍA DE MALAQUÍAS

# Introducción

Malaquías es el último de los profetas, posterior ya a la cautividad de Babilonia. Profetizó en tiempos en que el templo ya había sido restaurado y los sacerdotes habían reanudado el culto divino; enfriado este primer fervor, ofrecieron al Señor víctimas indignas en los sacrificios. A este último hecho se refiere sobre todo la reprensión del profeta.

Esta profecía es particularmente breve, si bien su carácter mesiánico es admirable. Ya los antiguos rabinos reconocían al Mesías en el ángel de la alianza de que hablaba el profeta Malaquías.

Las últimas palabras de esta profecía anuncian la llegada de Elías para preparar el advenimiento del Mesías. En los *Evangelios* reconoce Jesucristo a San Juan Bautista como el hombre en quien se cumplía este oráculo.

## CAPITULO PRIMERO

*El Señor reprende a los hijos de Israel por su ingratitud: se lamenta de que los sacerdotes no le dan el culto que le deben; y anuncia que vendrá el día en que se le ofrecerá en todo lugar una oblación pura, y será venerado su Nombre.*

1. Duro anuncio del Señor contra Israel por medio de Malaquías.

2. Yo os amé, dice el Señor, y vosotros habéis dicho: ¿En qué nos amaste? Pues qué, dice el Señor, ¿no era Esaú hermano de Jacob, y yo amé *más* a Jacob,

3. Y aborrecí, *o amé menos*, a Esaú y reduje a soledad sus montañas, abandonando su heredad a los dragones del desierto?

4. Que si los Idumeos dijeren: Destruidos hemos sido, pero volveremos a restaurar nuestras ruinas, he aquí lo que dice el Señor de los ejércitos: Ellos edificarán, y yo destruiré; y serán llamados país impío, pueblo contra el cual está el Señor indignado para siempre.

5. Vosotros veréis esto con vuestros ojos, y diréis: Glorificado sea el Señor más allá de los confines de Israel.

6. Honra a su padre el hijo, y el siervo honra a su señor: pues si yo soy *vuestro* padre, ¿dónde está la honra que me corresponde? Y si yo soy *vuestro* Señor, ¿dónde está la reverencia que me es debida? dice el Señor de los ejércitos a vosotros, los sacerdotes que despreciáis mi Nombre, y decís: ¿En qué hemos despreciado tu Nombre?

7. Vosotros ofrecéis sobre mi altar un pan impuro; y *después* decís: ¿En qué te hemos ultrajado? En eso que decís: La mesa del Señor está envilecida.

---

CAP. PRIMERO. — 1. El Apóstol aplica estas palabras en sentido espiritual al grande misterio de la *predestinación. Rom.* IX, *v.* 12.

7. Todo este pasaje lo aplica S. Jerónimo a los prelados de la Iglesia, y a los sacerdotes y ministros, y a todos los fieles: *Mancillamos,* dice, *el pan, esto es, el cuerpo de Cristo, cuando nos acercamos indignamente al altar, y estando sucios bebemos aquella*

**8.** Si ofreciereis una res ciega para ser inmolada, ¿no será esto una cosa mal hecha? Y si ofreciereis una res coja y enferma, ¿no será esto una cosa mala? Preséntasela a tu caudillo, y verás si te será grata, y te recibirá benignamente, dice el Señor de los ejércitos.

**9.** Ahora, pues, orad en la presencia de Dios, para que se apiade de vosotros (porque tales han sido vuestros procederes): quizá él os acogerá benignamente, dice el Señor de los ejércitos.

**10.** ¿Quién hay entre vosotros que cierre de balde las puertas, y encienda el fuego de mi altar?

El afecto mío no es hacia vosotros, dice el Señor de los ejércitos, ni aceptaré de vuestra mano ofrenda ninguna.

**11.** Porque desde levante a poniente es grande mi Nombre entre las naciones, y en todo lugar se sacrifica y se ofrece al Nombre mío una ofrenda pura; pues grande es mi Nombre entre las naciones, dice el Señor de los ejércitos.

**12.** Pero vosotros lo habéis profanado, diciendo: La mesa del Señor está contaminada; y es cosa vil lo que se ofrece sobre ella, juntamente con el fuego que lo consume.

**13.** Y vosotros decís: He aquí el fruto de nuestro trabajo; y lo envilecéis, dice el Señor de los ejércitos, y ofrecéis la res coja y enferma, y me presentáis una ofrenda de lo que habéis robado. Pues qué, ¿he de aceptarla yo de vuestra mano? dice el Señor.

**14.** Maldito será el hombre fraudulento, el cual tiene en su rebaño una res sin defecto, y habiendo hecho un voto, inmola al Señor una res que es defectuosa; porque yo soy un rey grande, dice el Señor de los ejércitos, y terrible es mi Nombre entre las naciones.

---

sangre limpia, y decimos: *La mesa del Señor está envilecida. Es verdad que nadie se atreve a hablar así y a expresar con palabras tan impío pensamiento; mas las obras de los pecadores son un desprecio de la mesa del Señor; pues éste es vilipendiado y ultrajado, cuando lo son sus sacramentos.*

**10.** Todos recibís vuestro estipendio: pues os mantenéis con las oblaciones, las víctimas, las primicias, etc.

**11.** Estas palabras de Malaquías demuestran bien que en la nueva Ley se ofrece un *verdadero y propio sacrificio* sustituido por Dios a los sacrificios de la antigua Ley, y así sacrificio exterior, el cual (como en la antigua Ley) debe siempre ser acompañado del sacrificio interior del corazón. Nótese que la palabra hebrea, que la Vulgata traduce *oblatio*, significa la ofrenda de *pan*, la de harina, la de grano, y la de *vino*. *Hebr.* VII.

## CAPITULO II

*Amenazas del Señor contra los malos sacerdotes. No le serán gratos los sacrificios del pueblo, porque ha tomado éste mujeres extranjeras, y porque murmura de la divina Providencia.*

**1.** Y ahora a vosotros ¡oh sacerdotes! se dirige esta intimación:

**2.** Si no quisiereis escuchar, ni quisiereis asentar en vuestro corazón el dar gloria a mi Nombre, dice el Señor de los ejércitos, yo enviaré sobre vosotros la miseria, y maldeciré vuestras bendiciones, *o bienes*, y echaré sobre ellas la maldición; puesto que vosotros no habéis hecho caso de mí.

**3.** Mirad que yo os arrojaré *a la cara* la espaldilla *de la víctima*, y os tiraré al rostro el estiércol de vuestras solemnidades, y seréis hollados como él.

**4.** Y conoceréis que yo os hice aquella intimación, para que permaneciese *firme* mi alianza con Leví, dice el Señor de los ejércitos.

**5.** Mi alianza con él fué alianza de vida y de paz; y yo le di el *santo* temor *mío*, y él me temió, y temblaba *de respeto* al pronunciar el Nombre mío.

**6.** La ley de la verdad regía su boca, y no se halló mentira en sus labios; anduvo conmigo en paz y en equidad, y retrajo a muchos del pecado.

**7.** Porque en los labios del sacerdote ha de estar el depósito de la ciencia, y de su boca se ha de aprender la ley: puesto que él es el Angel del Señor de los ejércitos.

**8.** Pero vosotros os habéis desviado del camino, y habéis escandalizado a muchísimos, haciéndoles violar la ley; habéis hecho nula la alianza de Leví, dice el Señor de los ejércitos.

**9.** Por tanto, así como vosotros no habéis seguido mis caminos, y tratándose de la ley habéis hecho acepción de personas, también yo os he hecho despreciables y viles delante de todos los pueblos.

---

**CAP II.** — **2.** I *Reg.* XXV, *v.* 27. — IV *Reg* V. *v.* 27.—I *Cor.* X. *v.* 6. Según S. Jerónimo, se habla también aquí de aquellos sacerdotes que adulan a los pecadores porque son ricos o poderosos, y que disimulan sus vicios.

**6.** Es muy digno de leerse lo que sobre esta obligación de los sacerdotes dice S Ambrosio. *Ep.* XXVII, lib. II, ad Theod. y De Fide III, c. 7.

**7.** *La ciencia del sacerdote* (dice S. Ambrosio, De Fide, lib. III, c. 7) *es la de la Ley de Dios, o la inteligencia de las Santas Escrituras:* éstas son el *libro sacerdotal.* Desgraciados tiempos aquéllos en que el libro menos estudiado de los sacerdotes fuese este *libro sacerdotal.* — Véase *Eccli.* XLV. *v.* 11.

10. Pues qué, ¿no es uno mismo el padre de todos nosotros? ¿No es un mismo Dios el que nos ha criado? ¿Por qué, pues, desdeña cada uno de nosotros a su hermano, quebrantando la alianza de nuestros padres?

11. Prevaricó Judá, reinó la abominación en Israel y en Jerusalén; porque Judá contaminó la santidad del Señor *o su nación santa*, amada de él, y contrajo matrimonios con hijas de un dios extraño.

12. *Por eso* el Señor exterminará de los tabernáculos de Jacob al hombre que esto hiciere, al maestro y al discípulo *de esta abominación*, y aquél que ofrece dones al Señor de los ejércitos.

13. Y aún habéis hecho más: habeis cubierto de lágrimas, de lamentos y de gemidos el altar del Señor; por manera que yo no vuelvo ya mis ojos hacia ningún sacrificio, ni recibiré cosa alguna de vuestras manos, que pueda aplacarme.

14. Vosotros, empero, dijisteis: ¿Y por qué motivo? Porque el Señor, *responde Dios*, fué testigo entre ti y la mujer que tomaste en tu primera edad, a la cual despreciaste; siendo ella tu compañera y tu esposa, mediante el pacto hecho.

15. Pues qué, ¿no la hizo a ella aquel *Señor* que es uno? ¿Y no es ella una partícula de su espíritu? Y aquel uno ¿qué es lo que quiere, sino una prole *o linaje* de Dios? Guardad, pues, *custodiad* vuestro espíritu, y no despreciéis la mujer que tomasteis en vuestra juventud.

16. Cuando tú la llegues a mirar con odio, déjala, dice el Señor Dios de Israel: mas la iniquidad te cubrirá todo, *como te cubre* el vestido, dice el Señor de los ejércitos. Guardad *¡oh maridos!* vuestro espíritu, y no queráis desechar *vuestra mujer*.

17. Enfadosos habéis sido vosotros al Señor con vuestros discursos, *y con todo* decís: ¿En qué le hemos causado enfado? En eso que andáis diciendo: Cualquiera que obra mal, ése es bueno a los ojos del Señor, y ése le es acepto: y si no es así, ¿en dónde se halla el Dios que ejerce la justicia?

## CAPITULO III

*El Profeta anuncia la venida del Precursor de Jesucristo, y la venida de este mismo Señor, para juzgar y destruir los impíos, y purificar los fieles. Exhorta al pueblo a la penitencia, a pagar los diezmos y primicias al Templo, a que cese de blasfemar contra la Divina Providencia.*

1. He aquí que yo envío mi Angel, el cual preparará el camino delante de mí. Y luego vendrá a su templo el dominador a quien buscáis vosotros, y el Angel del Testamento de vosotros *tan* deseado. Vedle ahí que viene, dice el Señor de los ejércitos.

2. ¿Y quién podrá pensar en *lo que sucederá* el día de su venida? ¿Y quién podrá pararse a mirarle? Porque él será como un fuego que derrite, y como la yerba *jabonera* de los bataneros.

3. Y sentarse ha como para derretir y limpiar la plata; y *de este modo* purificará a los hijos de Leví y los acrisolará como al oro y la plata, y *así* ellos ofrecerán al Señor con justicia *o santidad* los sacrificios.

4. Y *entonces* será grato al Señor el sacrifico de Judá y de Jerusalén, como en los siglos primeros y tiempos antiguos.

5. Y me acercaré a vosotros para juzgaros; y yo seré pronto testigo contra los hechiceros, y adúlteros, y perjuros, y contra los que defraudan al jornalero su salario, y oprimen las viudas y pupilos, y los extranjeros, sin temor alguno de mí, dice el Señor de los ejércitos.

6. Porque yo soy el Señor, y soy inmutable; y *por eso* vosotros ¡oh hijos de Jacob! no habéis sido consumidos,

7. Aunque desde los tiempos de vuestros padres os apartasteis de mis leyes, y no las observasteis. Volveos *ya* a mí, y yo me volveré a vosotros, dice el Señor de los ejércitos.

Pero vosotros decís: ¿Qué es lo que haremos para convertirnos *a ti*?

8. ¿Debe un hombre ultrajar a su Dios? Mas vosotros me habéis ultrajado. Y decís: ¿Cómo te hemos ultrajado? En lo tocante a los diezmos y primicias.

---

14. Habla el Profeta con grande energía contra el abuso de repudiar las esposas tomadas en la flor de su edad; las cuales, enviadas a su casa paterna, llenaban de lágrimas el Templo. En los mejores tiempos de la nación hebrea eran muy raros los repudios, especialmente entre la gente honrada. *Gen.* II, *v.* 24. — *Prov.* II, *v.* 17. — *Matth* XIX, *v.* 4.

---

CAP. III. — 1. El ángel precursor es S. Juan Bautista. *Matth*. XI, *v.* 10.

3. Habla de los sacerdotes de la nueva Ley, las cuales han de ofrecer a Dios, no toros ni carneros, etc., sino aquella víctima Divina, que es la carne y sangre del mismo Jesucristo.

**9.** Y *por eso* tenéis la maldición de la carestía; y vosotros, la nación toda, me ultrajáis.

**10.** Traed todo el diezmo al granero, para que tengan qué comer los de mi casa *o templo;* y después de esto veréis, dice el Señor, si yo no os abriré las cataratas del cielo, y si no derramaré sobre vosotros bendiciones con abundancia.

**11.** Por vosotros ahuyentaré al gusano roedor, y no consumirá los frutos de vuestra tierra, ni habrá en las campiñas viña que sea estéril, dice el Señor de los ejércitos.

**12.** Y todas las naciones os llamarán bienaventurados: pues será el vuestro un país envidiable, dice el Señor de los ejércitos.

**13.** Tomaron cuerpo vuestros *blasfemos* discursos contra mí, dice el Señor.

**14.** Y vosotros decís: ¿Qué es lo que hemos hablado contra ti? Habéis dicho: En vano se sirve a Dios: ¿y qué provecho hemos sacado nosotros de haber guardado tus mandamientos, y haber seguido tristes *o penitentes* la senda del Señor de los ejércitos?

**15.** Por eso ahora llamamos bienaventurados a los soberbios: pues que viviendo impíamente hacen fortuna y provocan a Dios, y *con todo* quedan salvos.

**16.** Entonces aquéllos que temen a Dios estuvieron hablando unos contra otros. Y Dios estuvo atento, y escuchó: y fué escrito ante él un libro de memoria *a favor* de los que temen al Señor, y tienen en el corazón su *santo* Nombre.

**17.** Y ellos, dice el Señor de los ejércitos, en aquel día en que yo pondré en ejecución *mis designios,* serán el pueblo mío; y yo los atenderé benigno, como atiende el hombre a un hijo suyo que le sirve.

**18.** Y vosotros mudaréis *entonces* de parecer, y conoceréis la diferencia que hay entre el justo y el impío, y entre el que sirve a Dios y el que no le sirve.

## CAPITULO IV

*Día del Señor: en él saldrá el Sol de justicia para los buenos, y serán castigados los malos. Venida de Elías y conversión de los Judíos.*

**1.** Porque he aquí que llegará aquel día semejante a un horno encendido, y todos los soberbios y todos los impíos serán como estopa; y aquel día que debe venir los abrasará, dice el Señor de los ejércitos, sin dejar de ellos raíz ni renuevo alguno.

**2.** Mas para vosotros los que teméis mi *santo* Nombre nacerá el sol de justicia, debajo de cuyas alas *o rayos* está la salvación; y vosotros saldréis fuera, saltando *alegres* como novillos de la manada,

**3.** Y hollaréis a los impíos, hechos ya ceniza debajo las plantas de vuestros pies, en el día en que yo obraré, dice el Señor de los ejércitos.

**4.** Acordaos de la ley de Moisés, mi siervo, que le intimé en Horeb para todo Israel, *la cual contiene mis* preceptos y mandamientos.

**5.** He aquí que yo os enviaré el profeta Elías, antes que venga el día grande y tremendo del Señor.

**6.** Y él reunirá el corazón de los padres con el de los hijos, y el de los hijos con el de sus padres; a fin de que yo en viniendo no hiera la tierra con anatema.

---

**18.** La distancia entre el justo y el pecador se verá bien claramente en el último juicio. I *Cor.* III. *v.* 3.

**CAP. IV.** —2. Jesucristo, Sol de justicia, que será el consuelo y la alegría de los justos, antes tan atribulados. *Luc.* I, *v.* 78.

**6.** Viniendo a juzgar al mundo, no tenga que condenar a todos los hombres. Segun la tradición de los Padres, *Elías* no solamente convertirá a los Judíos (*Rom.* IX), sino que también hará reflorecer en la Iglesia su antigua piedad y nativo esplendor.

# Libros de los Macabeos

# Introducción

Judas Macabeo y sus hermanos guerrearon con los reyes sirios en defensa de la libertad de su patria y en pro de su religión. La familia de los Macabeos, hijos de Matatías, fue un grupo social de gran autoridad en los tiempos anteriores al reinado de Herodes *el Grande*. Pertenecían a la tribu de Leví y, por línea materna, a la de Judá.

El primer libro relata los inicios de la persecución religiosa de Antíoco y la sublevación de Matatías y de sus hijos. Narra luego el desarrollo de la guerra bajo la dirección sucesiva de Judas Macabeo, Jonatán y Simón. Durante los cuarenta años que abarca este libro el pueblo de Israel, dirigido por los Macabeos, se aprovechó de las contiendas internas del enemigo para alcanzar la independencia y fundar una nueva dinastía levítica. El libro fue escrito en hebreo por un judío palestino. San Jerónimo conoció el texto original. Orígenes, Tertuliano y otros Padres de la Iglesia sólo conocieron la versión griega. En cuanto a la versión latina, es anterior a san Jerónimo, que la incluyó en la *Vulgata* con algunas correcciones de su mano.

El libro segundo no es una mera continuación del anterior. Proviene de cinco libros que sobre Judas Macabeo escribió un tal Jasón de Cirene, del que nada sabemos. Estos libros fueron compendiados por un autor griego. No faltan en él recursos característicos de la retórica griega. El compilador añadió a los hechos históricos consideraciones destinadas a la formación de los lectores. Las dos cartas que figuran al final de este segundo libro las dirigen los judíos de Jerusalén a los de Egipto. Les recomiendan que reconozcan la santidad del templo de Jerusalén y se aparten del templo cismático de Leontópolis. Narra este libro los hechos acaecidos desde que los judíos fueron llevados cautivos a Persia hasta que se escribieron las cartas citadas.

La situación en que se vio Palestina a la muerte de Alejandro Magno supuso un largo período de guerras y zozobras. Fronterizos los judíos con la dinastía de los Ptolomeos y con el reino de los Seleúcidas, vieron su tierra convertida en campo de batalla. El paganismo griego empañó la pureza de las instituciones de Moisés; el fervor religioso se fue apagando y los reyes de Siria estimularon esta situación apoyando a los judíos que renunciaban a la ley mosaica. Esta situación política dio ocasión a las heroicas campañas bélicas de los hermanos Macabeos. Guerras que, por otra parte, fueron tanto civiles como por la independencia nacional.

# LIBRO I DE LOS MACABEOS

## CAPITULO PRIMERO

*Victorias de Alejandro el Grande: su muerte y partición de sus estados. Le sucede en la Grecia Antíoco Epífanes, el cual invade a Jerusalén y comete allí un sinnúmero de acciones impías e injustas.*

1. Sucedió que después que Alejandro, hijo de Filipo, *rey* de Macedonia, y el primero que reinó en Grecia, salió del país de Cetim *o Macedonia, y* hubo vencido a Darío, rey de los Persas y de los Medos,

2. Ganó muchas batallas, y se apoderó en todas partes de las ciudades fuertes, y mató a los reyes de la tierra,

3. Y penetró hasta los últimos términos del mundo, y se enriqueció con los despojos de muchas naciones: y enmudeció la tierra delante de él.

4. Y juntó un ejército poderoso y de extraordinario valor; y se engrió e hinchó de soberbia su corazón;

5. Y se apoderó de las provincias, de las naciones y de sus reyes; los cuales se le hicieron tributarios.

6. Después de *todo* esto cayó enfermo y conoció que iba a morirse.

7. Y llamó a los nobles *o principales* de su corte que se habian criado con él desde la tierna edad; y antes de morir dividió entre ellos su reino.

8. Reinó Alejandro doce años y murió.

9. En seguida aquellos se hicieron reyes, cada uno en sus respectivas provincias.

10. Y así que él murió, se coronaron todos, y después de ellos sus hijos por espacio de muchos años; y se multiplicaron los males sobre la tierra.

11. Y de entre ellos salió aquella raíz perversa, Antíoco Epífanes, hijo del rey Antíoco, que después de haber estado en rehenes en Roma, empezó a reinar el año ciento treinta y siete del imperio de los Griegos.

12. En aquel tiempo se dejaron ver unos inicuos Israelitas, que persuadieron a otros muchos diciéndoles: Vamos, y hagamos alianza con las naciones circunvecinas: porque después que nos separamos de ellas, no hemos experimentado sino desastres.

13. Parecióles bien este consejo.

14. Y algunos del pueblo se decidieron, y fueron a estar con el rey, el cual les dió facultad de vivir según las costumbres de los gentiles.

15. En seguida construyeron en Jerusalén un gimnasio, según el estilo de las naciones.

16. Y abolieron el uso o *señal* de la circuncisión, y abandonaron el Testamento, *o Alianza,* santo, y se coaligaron con las naciones, y se vendieron como esclavos a la maldad.

17. Y establecido Antíoco en su reino *de Siria,* concibió el designio de hacerse también rey de Egipto, a fin de dominar en ambos reinos.

18. Así, pues, entró en Egipto con un poderoso ejército, con carros de guerra, y elefantes, y caballería, y un gran número de naves.

19. Y haciendo la guerra a Tolomeo, rey de Egipto, temió éste su encuentro, y echó a huir, y fueron muchos los muertos y heridos.

20. Entonces se apoderó Antíoco de las ciudades fuertes de Egipto, y saqueó todo el país.

21. Y después de haber asolado Egipto, volvió Antíoco el año ciento cuarenta y tres, y se dirigió contra Israel.

22. Y habiendo llegado a Jerusalén con un poderoso ejército,

23. Entró lleno de soberbia en el Santuario, y tomó el altar de oro, y el candelero con todas sus lámparas, y todos sus vasos, y la mesa *de los panes* de proposición, y las palanganas, y las copas, y los incensarios de oro, y el velo, y las Coronas, y los adornos de oro que había en la fachada del templo, y todo lo hizo pedazos.

24. Tomó asimismo la plata y el oro, y los vasos preciosos, y los tesoros que encontró escondidos: y después de haberlo saqueado todo, se volvió a su tierra,

25. Habiendo hecho grande mortandad en las personas, y mostrado en sus palabras mucha soberbia.

26. Fué grande el llanto que hubo en Israel y en todo el país.

27. Gemian los principes y los ancianos: quedaban sin aliento las doncellas y los jóvenes: y desapareció la hermosura en las mujeres.

**28.** Entregáronse al llanto todos los esposos, y sentadas sobre el tálamo nupcial se deshacían en lágrimas las esposas.

**29.** Y estremecióse la tierra, como compadecida de sus habitantes; y toda la casa de Jacob quedó cubierta de oprobio.

**30.** Cumplidos que fueron dos años, envió el rey por las ciudades de Judá al superintendente de tributos, el cual llegó a Jerusalén con grande acompañamiento.

**31.** Y habló a la gente con una fingida dulzura, y le creyeron.

**32.** Pero de repente se arrojó sobre los ciudadanos, e hizo en ellos una gran carnicería, quitando la vida a muchísima gente del pueblo de Israel.

**33.** Y saqueó la ciudad, y entrególa a las llamas, y derribó sus casas y los muros que la cercaban.

**34.** Y lleváronse *los enemigos* cautivas las mujeres, y apoderáronse de sus hijos y de sus ganados.

**35.** Y fortificaron la *parte de Jerusalén llamada* ciudad de David, con una grande y firme muralla, y con fuertes torres, e hicieron de ella una fortaleza;

**36.** Y guarneciéronla de gente malvada, de hombres perversos, los cuales se hicieron allí fuertes, y metieron en ella armas y vituallas, y también los despojos de Jerusalén,

**37.** Teniéndolos allí como en custodia: y *de esta suerte* vinieron ellos a ser como un funesto lazo,

**38.** Estando como en emboscada contra *los que iban* al lugar santo, y siendo como unos enemigos mortales de Israel;

**39.** Pues derramaron la sangre inocente alrededor del Santuario, y profanaron el lugar santo.

**40.** Por causa de ellos huyeron los habitantes de Jerusalén, viniendo ésta a quedar morada de extranjeros, y como extraña para sus naturales; los cuales la abandonaron.

**41.** Su santuario quedó desolado como un yermo, convertidos en días de llanto sus días festivos, en oprobio sus sábados, y reducidos a nada sus honores.

**42.** En fin, la grandeza de su ignominia igualó a la de su *pasada* gloria, y su alta elevación se convirtió o *deshizo* en llantos.

**43.** En esto el rey Antíoco expidió cartas-*órdenes* por todo su reino, para que todos sus pueblos formasen uno solo, renunciando cada uno a su ley particular.

**44.** Conformáronse todas las gentes con este decreto del rey Antíoco;

**45.** Y muchos del pueblo de Israel se sometieron a esta servidumbre, y sacrificaron a los ídolos, y violaron el sábado.

**46.** Con efecto, el rey envió sus comisionados a Jerusalén y por todas las ciudades de Judá, con cartas o *edictos;* para que *todos* abrazasen las leyes de las naciones gentiles,

**47.** Y se prohibiese ofrecer en el templo de Dios holocaustos, sacrificios y oblaciones por los pecados,

**48.** Y se impidiese la celebración del sábado y de las solemnidades.

**49.** Mandó además que se profanasen los santos lugares y el pueblo santo de Israel.

**50.** Dispuso que se erigiesen altares y templos e ídolos, y que se sacrificasen carnes de cerdo y *otros* animales inmundos;

**51.** Que dejasen sin circuncidar a sus hijos, y que' manchasen sus almas con toda suerte de viandas impuras y de abominaciones, a fin de que ol-vidasen la ley de Dios, y traspasasen todos sus mandamientos;

**52.** Y *ordenó* que todos los que no obedeciesen las órdenes del rey Antíoco perdiesen la vida.

**53.** A este tenor escribió Antíoco a todo su reino: y nombró comisionados que obligasen al pueblo a hacer todo esto;

**54.** Los cuales mandaron a las ciudades de Judá que sacrificasen *a los ídolos.*

**55.** Y muchos del pueblo se unieron con aquellos que habían abandonado la ley del Señor, e hicieron mucho mal en el país;

**56.** Y obligaron al pueblo de Israel a huír a parajes extraviados, y a guarecerse en sitios *muy* ocultos.

**57.** El día quince del mes de Casleú, del año ciento cuarenta y cinco, colocó el rey Antíoco sobre el altar de Dios el abominable ídolo de la desolación, y por todas partes se erigieron altares *a los ídolos* en todas las ciudades de Judá:

**58.** Y quemaban inciensos y ofrecían sacrificios *hasta* delante de las puertas de las casas y en las plazas.

**59.** Y despedazando los libros de la ley de Dios, los arrojaban al fuego;

**60.** Y a todo hombre en cuyo poder hallaban los libros del Testamento del Señor, y a todos cuantos observaban la ley del Señor, los despedazaban *luego,* en cumplimiento del edicto del rey

**61.** Con esta violencia trataban cada mes al pueblo de Israel que habitaba en las ciudades.

**62.** Porque a los veinticinco días del mes ofre-cían ellos sacrificios sobre el altar, que estaba erigido en frente del altar *de Dios.*

**63.** Y las mujeres que circuncidaban a sus hijos eran despedazadas, conforme a lo mandado por el rey Antíoco,

**64.** Y a los niños los *ahorcaban* y dejaban colgados por el cuello en todas las casas donde los hallaban, y despedazaban a los que los habían circuncidado.

**65.** En medio de esto, muchos del pueblo de Israel resolvieron en su corazón no comer viandas impuras; y eligieron antes el morir, que contaminarse con manjares inmundos;

**66.** Y no queriendo quebrantar la ley santa de Dios, fueron despedazados.

**67.** Terrible fué sobremanera la ira *del Señor que descargó* sobre el pueblo *de Israel.*

## CAPITULO II

*Matatías resiste las órdenes de Antíoco y se retira con los de su familia a los montes, después de matar a un judío que estaba idolatrando. Muere Matatías, y deja por caudillo de los Judíos fieles a su hijo Judas.*

**1.** En aquellos días se levantó Matatías, hijo de Juan, hijo de Simeón, sacerdote de la familia de Joarib, y *huyendo* de Jerusalén se retiró al monte de Modín.

**2.** Tenía *Matatías* cinco hijos: Juan, llamado por sobrenombre Gaddis;

**3.** Y Simeón por sobrenombre Tasi;

**4.** Y Judas, que era apellidado Macabeo;

**5.** Y Eleázaro, denominado Abarón; y Jonatás, conocido con el sobrenombre te Apfus.

**6.** Y al ver éstos los estragos que se hacían en el pueblo de Judá y en Jerusalén,

**7.** Exclamó Matatías: ¡Infeliz de mí! ¿Por qué he venido yo al mundo para ver la ruina de mi patria y la destrucción de la ciudad santa, y para estarme sin hacer nada por ella al tiempo que es entregada en poder de sus enemigos?

**8.** Hállanse las cosas santas en manos de los extranjeros; y su templo es como un hombre que está infamado.

**9.** Sus vasos preciosos han sido saqueados y llevados fuera: despedazados por plazas sus ancianos, y muertos al filo de la espada enemiga sus jóvenes.

**10.** ¿Qué nación hay que no haya participado algo de este *infeliz* reino, o tenido parte en sus despojos?

**11.** Arrebatado le ha sido todo su esplendor; y la que antes era libre, es en el día esclava.

**12.** En fin, todo cuanto teníamos de santo, de ilustre y de glorioso, otro tanto ha sido asolado y profanado por las naciones.

**13.** ¿Para qué, pues, queremos ya la vida?

**14.** Y rasgaron sus vestidos Matatías y sus hijos y cubriéronse de cilicios; y lloraban amargamente.

**15.** A este tiempo llegaron allí los comisionados, que el rey Antíoco enviaba, para obligar a los que se habían refugiado en la ciudad de Modín a que ofreciesen sacrificios y quemasen inciensos a los ídolos y abandonasen la ley de Dios.

**16.** Con efecto, muchos del pueblo de Israel consintieron en ello, y se les unieron. Pero Matatías y sus hijos permanecieron firmes.

**17.** Y tomando la palabra los comisionados de Antíoco, dijeron a Matatías: Tu eres el principal, el más grande y el más esclarecido de esta ciudad, y glorioso con esa corona de hijos y de hermanos.

**18.** Ven, pues, tu el primero, y haz lo que el rey manda, como lo han hecho *ya* todas las gentes, y los varones de Judá, *y* los que han quedado en Jerusalén; y con esto tu y tus hijos seréis del número de los amigos del rey, el cual os llenará de oro y plata, y de grandes dones.

**19.** Respondió Matatías, y dijo en voz muy alta: Aunque todas las gentes obedezcan al rey Antíoco, y todos abandonen la observancia de la ley de sus padres, y se sometan a los mandatos del rey.

**20.** Yo, y mis hijos, y mis hermanos obedeceremos *siempre* la ley *santa* de nuestros padres.

**21.** Quiera Dios concedernos esta gracia. No nos es provechoso abandonar la ley y los preceptos de Dios.

**22.** No, *nunca* daremos oídos a las palabras del rey Antíoco, ni ofreceremos sacrificios a los *ídolos,* violando los mandamientos de nuestra ley por seguir otros caminos *o religión.*

**23.** Apenas había acabado de pronunciar estas palabras, cuando a vista de todos se presentó un cierto Judío para ofrecer sacrificio a los ídolos sobre el altar que se había erigido en la ciudad de Modín, conforme a la orden del rey.

**24.** Viólo Matatías, y se llenó de dolor: conmoviéronsele las entrañas; e inflamándose su furor o *celo*, conforme al espíritu de la ley, se arrojó sobre él, y lo despedazó sobre el mismo altar.

**25.** No contento con esto, mató al mismo tiempo al comisionado del rey Antíoco, que forzaba a la gente a sacrificar, y derribó el altar;

**26.** Mostrando *así* su celo por la ley, e imitando lo que hizo Finees con Zamri, hijo de Salomi.

**27.** Y, *hecho esto*, fué gritando Matatías a grandes voces por la ciudad, diciendo: Todo el que tenga celo por la ley, y quiera permanecer firme en la alianza *del Señor*, sígame.

**28.** E *inmediatamente* huyó con sus hijos a los montes, y abandonaron todo cuanto tenían en la ciudad.

**29.** Entonces muchos que amaban la ley y la justicia, se fueron al Desierto;

**30.** Y permanecieron allí con sus hijos, con sus mujeres y sus ganados: porque se veían inundados de males.

**31.** Dióse aviso a los oficiales del rey y a las tropas que había en Jerusalén, ciudad de David, de cómo ciertas gentes que habían hollado el mandato del rey, se habían retirado a los lugares ocultos del Desierto, y que les habían seguido otros muchos.

**32.** Por lo que marcharon al punto contra ellos, y se prepararon para atacarlos en día de sábado;

**33.** Pero antes les dijeron: ¿Queréis todavía resistiros? Salid, y obedeced el mandato del rey Antíoco, y quedaréis salvos.

**34.** De ningún modo saldremos, respondieron ellos, ni obedeceremos al rey ni violaremos el sábado.

**35.** Entonces *las tropas del rey* se arrojaron sobre ellos;

**36.** Pero tan lejos estuvieron *los Judíos* de resistirles, que ni tan siquiera les tiraron una piedra, ni aun cerraron las bocas de las cavernas;

**37.** Sino que dijeron: Muramos todos en nuestra sencillez *o inocencia, y* el cielo y la tierra nos serán testigos de que injustamente nos quitan la vida.

**38.** Con efecto, los enemigos los acometieron en día de sábado; y perecieron tanto ellos como sus mujeres, hijos y ganados, llegando a mil las personas que perdieron la vida.

**39.** Sabido eso por Matatías y sus amigos, hicieron por ellos un gran duelo,

**40.** Y se dijeron unos a otros: Si todos nosotros hiciéramos como han hecho nuestros hermanos, y no peleáramos para defender nuestras vidas y nuestra ley contra las naciones, en breve tiempo acabarán con nosotros.

**41.** Así, pues, tomaron aquel día esta resolución: Si alguno, dijeron, nos acomete en día de sábado, pelearemos contra él: y así no moriremos todos, como han muerto en las cavernas nuestros hermanos.

**42.** Entonces vino a reunirse con ellos la congregación de los Asideos, que eran hombres de los más valientes de Israel, y celosos todos de la ley;

**43.** Y también se les unieron todos los que huían acosados de las calamidades, y sirviéronles de refuerzo.

**44.** Formaron de todos un ejército, y arrojáronse furiosamente sobre los prevaricadores de la ley y sobre los hombres malvados, sin tener de ellos piedad alguna; y los que quedaron *con vida* huyeron a ponerse en salvo entre las naciones.

**45.** Matatías después con sus amigos recorrió todo el país, y destruyeron los altares;

**46.** Y circundaron a cuantos niños hallaron incircuncisos, y obraron con *gran* denuedo.

**47.** Persiguieron a sus orgullosos enemigos y salieron prósperamente en todas sus empresas.

**48.** Y vindicaron la ley contra el poder de los gentiles y el poder de los reyes; y no dejaron al malvado que abusase de su poder.

**49.** Acercáronse entre tanto los días de la muerte de Matatías: el cual *juntando* a sus hijos, les habló de esta manera: Ahora domina la soberbia, y es el tiempo del castigo y de la ruina, y del furor e indignación.

**50.** Por lo mismo ahora, oh hijos míos, sed celosos de la ley, y dad vuestras vidas en defensa del Testamento de vuestros padres.

**51.** Acordaos de las obras que hicieron en sus tiempos vuestros antepasados, y os adquiriréis una gloria grande y un nombre eterno.

**52.** Abraham por ventura, ¿no fué hallado fiel en la prueba que de él se hizo, y le fué imputado esto a justicia?

---

CAP. II. — **31.** En la fortaleza llamada *Ciudad de David.* — Véase antes *cap.* I, *v.* 35.

---

**41.** Véase S. Ambrosio. lib. I de Offic. c. 40. Luego que vieron que de la rigurosa observancia del sábado se aprovechaban los enemigos para destruir el reino y la Religión, conocieron que era voluntad de Dios que peleasen.

**53.** José en el tiempo de su aflicción observó los mandamientos *de Dios,* y vino a ser el Señor de Egipto.

**54.** Finees, nuestro padre, porque se abrasó en celo por la honra de Dios, recibió la promesa de un sacerdocio eterno.

**55.** Josué por su obediencia llegó a ser caudillo de Israel.

**56.** Caleb por el testimonio que dió en la congregación del pueblo, recibió una *rica* herencia.

**57.** David por su misericordia se adquirió para siempre el trono del reino *de Israel.*

**58.** Elías por su abrasado celo por la ley fué recibido en el cielo.

**59.** Ananías, Azarías y Misael fueron librados de las llamas por su *viva* fe.

**60.** Daniel por su sinceridad fué librado de la boca de los leones.

**61.** Y a este modo id discurriendo de generación en generación: todos aquellos que ponen en Dios su esperanza, no descaecen.

**62.** Y no os amedrenten los fieros del hombre pecador; porque su gloria no es más que basura y *pasto* de gusanos.

**63.** Hoy es ensalzado, y mañana desaparece; porque se convierte en el polvo de que fué formado, y se desvanecen *como humo* todos sus designios.

**64.** Sed, pues, constantes vosotros ¡oh hijos míos! y obrad vigorosamente en defensa de la ley; pues ella será la que os llenará de gloria.

**65.** Ahí tenéis a Simón, vuestro hermano; yo sé que es hombre de consejo: escuchadle siempre, y él hará con Vosotros las veces de padre.

**66.** Judas Macabeo ha sido esforzado y valiente desde su juventud: sea, *pues,* él el general de vuestro ejército, y el que conduzca el pueblo a la guerra.

**67.** Reunid a vosotros todos aquellos que observan la ley, y vengad a vuestro pueblo *de sus enemigos.*

**68.** Dad a las gentes su merecido, y sed solícitos en guardar los preceptos de la ley.

**69.** En seguida les echó su bendición, y fué a reunirse con sus padres.

**70.** Murió Matatías el año ciento cuarenta y seis, y sepultáronle sus hijos en Modín en el sepulcro de sus padres, y todo Israel le lloró amargamente.

## CAPITULO III

*Elogio de Judas Macabeo, y sus victorias: derrota y mata al general Apolonio. Vence después a Serón. Irritado Antíoco, envía otro poderoso ejército al mando de Lisias. Judas y los suyos se preparan con obras de piedad para el combate.*

**1.** Y sucedió *en el gobierno* su hijo Judas, que tenía el sobrenombre de Macabeo.

**2.** Ayudábanle todos sus hermanos y todos cuantos se habían unido con su padre, y pelearon con alegría por la defensa de Israel.

**3.** Y dió Judas nuevo lustre a la gloria de su pueblo; revistióse cual gigante o *campeón* la coraza, ciñóse sus armas para combatir, y protegía con su espada todo el campamento.

**4.** Parecía un león en sus acciones, y semejaba un cachorro cuando ruge sobre la presa.

**5.** Persiguió a los malvados, buscándolos por todas partes, y abrasó en las llamas a los que turbaban el reposo de su pueblo.

**6.** El temor que infundía su nombre hizo desaparecer a sus enemigos; todos los malvados se llenaron de turbación; y con su brazo obró la salud *del pueblo.*

**7.** Daba mucho en que entender a varios reyes; sus acciones eran la alegría de Jacob, y será eternamente bendita su memoria.

**8.** Y recorrió las ciudades de Judá, exterminando de ellas a los impíos, y apartó el azote de sobre Israel.

**9.** Su nombradía llegó hasta el cabo del mundo, y reunió alrededor de sí a los que estaban a punto de perecer.

**10.** Apolonio, *al saber eso,* juntó las naciones y sacó de Samaria un grande y poderoso ejército para pelear contra Israel.

**11.** Informado de ello Judas, le salió al encuentro, y lo derrotó, y quitó la vida; quedando en el campo de batalla un gran número de enemigos, y echando a huír los restantes.

**12.** Apoderóse en seguida de sus despojos, reservándose Judas para sí la espada de Apolonio; de la cual se servía siempre en los combates.

**13.** En esto llegó a noticia de Serón, general del ejército de la Siria, que Judas había congregado una *gran* muchedumbre, y reunido consigo *toda* la gente fiel;

**14.** Y dijo: Yo voy a ganarme gran reputación y gloria en todo el reino, derrotando a Judas y a los que le siguen; los cuales no hacen caso de las órdenes del rey.

**15.** Con esto se preparó *para acometer; y* uniósele un considerable refuerzo de tropas de impíos, para vengarse de los hijos de Israel.

**16.** Y avanzaron hasta Bethorón, y Judas les salió al encuentro con pocas tropas.

**17.** Así que éstas vieron al ejército que venía contra ellas, dijeron a Judas: ¿Cómo podremos nosotros pelear contra un ejército tan grande y valeroso, siendo como somos, tan pocos, y estando debilitados por el ayuno de hoy?

**18.** Respondió Judas: Fácil cosa es que muchos sean presa de pocos; pues cuando el Dios del cielo quiere dar la victoria, lo mismo tiene para él que haya poca, o que haya mucha gente;

**19.** Porque el triunfo no depende en los combates de la multitud de las tropas, sino del cielo, que es de donde dimana *toda* fortaleza.

**20.** Ellos vienen contra nosotros con una turba de gente insolente y orgullosa, con el fin de aniquilarnos a nosotros y a nuestras mujeres, y a nuestros hijos, y despojarnos *de todo;*

**21.** Mas nosotros vamos a combatir por nuestras vidas y por nuestra ley.

**22.** El Señor mismo los hará pedazos en nuestra presencia; y así no los temáis.

**23.** Luego que acabó de pronunciar estas palabras se arrojó de improviso sobre los enemigos, y derrotó a Serón con todo su ejército.

**24.** Y persiguióle desde la bajada de Bethorón hasta el llano, y habiendo quadado ochocientos hombres tendidos en el campo de batalla, huyeron los demás al país de los Filisteos.

**25.** Con esto Judas y sus hermanos eran el terror de todas las naciones circunvecinas;

**26.** Y su fama llegó hasta los oídos del rey, y en todas partes se hablaba de las batallas de Judas.

**27.** Luego que el rey Antíoco recibió estas noticias, se embraveció sobremanera, y mandó que se reunieran las tropas de todo su reino, y se formase un poderosísimo ejército.

**28.** Y abrió su erario, y habiendo dado a las tropas la paga de un año, les mandó que estuviesen apercibidas para todo.

**29.** Mas observó *luego* que se iba acabando el dinero de sus tesoros, y que sacaba pocos tributos de aquel país *de la Judea,* por causa de las disensiones y de la miseria, que él mismo había ocasionado, queriendo abolir los fueros qué allí regían desde tiempos antiguos;

**30.** Y temió que no podría ya gastar, ni dar como antes hacía, con larqueza y con una munificencia superior a la de todos los reyes sus predecesores.

**31.** Hallándose, pues, en gran consternación, resolvió pasar a Persia, con el fin de recoger los tributos de aquellos países, y juntar gran cantidad de dinero.

**32.** Y dejó a Lisias, príncipe de la sangre real, por lugarteniente del reino desde el Eufrates hasta el río de Egipto;

**33.** Y para que tuviese cuidado de la educación de su hijo Antíoco, hasta que él volviese.

**34.** Dejóle la mitad del ejército, y los elefantes, y comunicóle órdenes sobre todo aquello que él quería que se hiciese; y también por lo respectivo a los habitantes de la Judea y de Jerusalén,

**35.** Mandándole que enviase contra ellos un ejército para destruir y exterminar el poder de Israel y las reliquias que quedaban en Jerusalén, y borrar, de aquel país hasta la memoria de ellos;

**36.** Y que estableciese en aquella región habitantes de otras naciones, distribuyéndoles por suerte todas sus tierras.

**37.** Tomó, pues, el rey la otra mitad del ejército, y partiendo de Antioquía, capital de su reino, el año ciento cuarenta y siete, y pasando el río Eufrates, recorrió las provincias superiores.

**38.** En esto eligió Lisias a Tolomeo, hijo de Dorimino, a Nicanor y a Gorgias, que eran personas de gran valimiento entre los amigos del rey;

**39.** Y envió con ellos cuarenta mil hombres de a pie y siete mil de a caballo, para que pasasen a asolar la tierra de Judá, según lo había dejado dispuesto el rey.

**40.** Avanzaron, pues, con todas sus tropas, y vinieron a acampar en la llanura de Emmaús.

**41.** Y oyendo la noticia de su llegada los mercaderes de aquellas regiones *circunvecinas,* tomaron consigo gran cantidad de oro y plata; y con muchos criados vinieron a los reales con el fin de comprar por esclavos a los hijos de Israel: y uniéronse con ellos las tropas de la Siria y las de otras naciones.

**42.** Judas, empero, y sus hermanos, viendo que se aumentaban las calamidades, y que los ejércitos se iban acercando a sus confines, y habiendo sabido la orden que había dado el rey, de exterminar y acabar con el pueblo *de Israel,*

**43.** Dijéronse unos a otros: Reanimemos nuestro abatido pueblo, y peleemos en defensa de nuestra patria y de nuestra santa religión.

**44.** Reuniéronse, pues, en un cuerpo para estar prontos a la batalla, y para hacer oración e implorar *del Señor su* misericordia y gracia.

**45.** Hallábase a esta sazón Jerusalén sin habitantes; de modo que parecía un desierto: no se veían ya entrar ni salir los naturales de ella, era hollado el Santuario, los extranjeros eran dueños del alcázar, el cual servía de habitación a los gentiles: desterrada estaba *de la casa* de Jacob toda alegría, no se oía ya en ella flauta ni cítara.

**46.** Habiéndose, pues, reunido, se fueron a Masfa, que está en frente de Jerusalén; por haber sido Masfa en otro tiempo el lugar de la oración para Israel.

**47.** Ayunaron aquel día, y vistiéronse de cilicio, y se echaron ceniza sobre la cabeza, y rasgaron sus vestidos;

**48.** Abrieron los libros de la ley, en donde los gentiles buscaban semejanzas para sus *vanos* simulacros;

**49.** Y trajeron los ornamentos sacerdotales, y las primicias y diezmos; e hicieron venir a los nazareos que habían cumplido *ya* los días de su voto;

**50.** Y levantando su clamor hasta el cielo, dijeron: ¡Señor! ¿qué haremos de éstos, y a dónde los conduciremos?

**51.** Tu Santuario está hollado y profanado, y cubiertos de lágrimas y de abatimiento tus sacerdotes;

**52.** Y he aquí que las naciones se han coligado contra nosotros para destruirnos: tu sabes *bien* sus designios contra nosotros.

**53.** ¿Cómo, pues, podremos sostenernos delante de ellos, si tu, oh Dios, no nos ayudas?

**54.** En seguida hicieron resonar las trompetas con grande estruendo.

**55.** Nombró después Judas los caudillos del ejército, los tribunos, los centuriones, y los cabos de cincuenta hombres, y los de diez.

**56.** Y a aquellos que estaban construyendo casa, o acababan de casarse, o de plantar viñas, como también a los que tenían poco valor, les dijo que se volviesen cada uno a su casa, conforme a lo prevenido por la ley.

**57.** Levantaron luego los reales y fueron a acamparse al mediodía de Emmaús.

**58.** Y Judas les habló de esta manera: Tomad las armas, y tened buen ánimo; y estad prevenidos para la mañana, a fin de pelear contra estas naciones, que se han unido contra nosotros para aniquilarnos, y echar por tierra nuestra santa religión;

**59.** Porque nos vale más morir en el combate, que ver el exterminio de nuestra nación y del Santuario.

**60.** Y venga lo que cielo quiera.

## CAPITULO IV

*Acomete Judas separadamente a Nicanor y a Gorgias, y los derrota; vence después a Lisias: entra en Jerusalén y celebra la dedicación del Templo después de haberle purificado.*

**1.** Y tomó Gorgias consigo cinco mil hombres de a pie, y mil caballos escogidos; y de noche partieron

**2.** Para dar sobre el campamento de los Judíos, y atacarlos de improviso; sirviéndoles de guías los del país que estaban en el alcázar *de Jerusalén.*

**3.** Tuvo Judas aviso de este movimiento, y marchó con los más valientes de los suyos para acometer al grueso del ejército del rey, que estaba en Emmaús.

**4.** Y se hallaba entonces desparramado fuera de los atrincheramientos.

**5.** Y Gorgias, habiendo llegado aquella noche al campamento de Judas, no halló en él alma viviente; y se fué a buscarlos por los montes, diciendo: Estas gentes van huyendo de nosotros.

**6.** Mas así que se hizo de día, se dejó ver Judas en el llano acompañado tan solamente de tres mil hombres, que se hallaban faltos *aún* de espadas y broqueles;

**7.** Y reconocieron que el ejército de los gentiles era muy fuerte, y que estaba rodeado de coraceros y de caballería, toda gente aguerrida y diestra en el combate.

**8.** Entonces Judas habló a los suyos de esta manera: No os asuste su muchedumbre, ni temáis su encuentro.

CAP. III. — 46. *Jud.* XX . *v.* 1; XXI, *v.* 5, 8.— I *Reg.* VII, *v.* 5; X, *v.* 17.

**9.** Acordáos del modo con que fueron librados nuestros padres en el mar Rojo, cuando Faraón iba a su alcance con un numeroso ejército;

**10.** Y clamemos ahora al cielo, y el Señor se compadecerá de nosotros, y se acordará de la alianza hecha con nuestros padres, y destrozará hoy a nuestra vista *todo* ese ejército;

**11.** Con lo cual reconocerán todas las gentes que hay un Salvador y libertador de Israel.

**12.** En esto levantaron sus ojos los extranjeros, y percibieron que los Judíos venían marchando contra ellos,

**13.** Y salieron de los reales para acometerlos. Entonces los que seguían a Judas dieron señal con las trompetas,

**14.** Y habiéndose trabado combate, fueron desbaratadas las tropas de los gentiles; y echaron a huír por aquella campiña.

**15.** Mas todos los que se quedaron atrás, perecieron al filo de la espada. Y los vencedores fueron siguiéndoles al alcance hasta Gezerón, y hasta las campiñas de la Idumea, y de Azoto y de Jamnia; dejando tendidos en el suelo hasta tres mil muertos.

**16.** Volvióse después Judas con el ejército que le seguía,

**17.** Y dijo a sus tropas: No os dejéis llevar de la codicia del botín; porque aún tenemos enemigos que vencer,

**18.** Y Gorgias se halla con su ejército cerca de nosotros *ahí* en el monte; ahora, pues, manteneos firmes contra nuestros enemigos, y vencedlos, y luego después tomaréis los despojos con toda seguridad.

**19.** Con efecto, aún estaba hablando Judas, cuando se descubrió parte de las tropas *de Gorgias,* que estaban acechando desde el monte.

**20.** Y reconoció *entonces* Gorgias que los suyos habían sido puestos en fuga, y que habían sido entregados al fuego sus reales; pues la humareda que se veía le daba a entender lo sucedido.

**21.** Cuando ellos vieron esto, y al mismo tiempo a Judas y su ejército en el llano, preparados para la batalla, se intimidaron en gran manera,

**22.** Y echaron todos a huír a las tierras de las naciones extranjeras.

**23.** Con esto Judas se volvió a tomar los despojos del campo *enemigo,* donde juntaron mucho oro y plata, y *ropas preciosas de color de jacinto,* y púrpura marina, y grandes riquezas.

**24.** Y al volverse después, entonaban himnos, y bendecían a voces a Dios, *diciendo:* Porque *el Señor es bueno, y* eterna su misericordia.

**25.** Y con esta memorable victoria se salvó Israel en aquel día.

**26.** Todos aquellos extranjeros que escaparon, fueron a llevar la nueva a Lisias de cuanto había sucedido.

**27.** Y así que lo oyó, quedó consternado, y como fuera de sí, por no haber salido las cosas de Israel, según él se había prometido, y conforme el rey había mandado.

**28.** El año siguiente reunió Lisias sesenta mil hombres escogidos y cinco mil de a caballo, con el fin de exterminar a los Judíos.

**29.** Y entrando en Judea sentaron los reales en Bethorón, y salióles Judas al encuentro con diez mil hombres.

**30.** Conocieron éstos que era poderoso el ejército *enemigo:* y *Judas* oró, y dijo: Bendito seas, oh Salvador de Israel, tu que quebrantaste la fuerza de un gigante por medio de tu siervo David, y que entregaste el campamento de los extranjeros en poder de Jonatás, hijo de Saúl, y de su escudero:

**31.** Entrega *hoy del mismo modo* ese ejército en poder de Israel, pueblo tuyo, y queden confundidas sus huestes y su caballería.

**32.** Infúndeles miedo, y aniquila su osadía y coraje, y despedácense ellos mismos con sus propias fuerzas.

**33.** Derríbalos, *en fin,* tú con la espada de aquellos que te aman: para que todos los que conocen tu *santo* Nombre te canten himnos de alabanza.

**34.** Trabada luego la batalla, quedaron en ella muertos cinco mil hombres del ejército de Lisias.

**35.** Viendo éste la fuga de los suyos y el ardimiento de los Judíos, y que éstos estaban resueltos a vivir *con honor,* o a morir valerosamente, se fué a Antioquía, y levantó nuevas tropas escogidas para volver con mayores fuerzas a la Judea.

**36.** Entonces Judas y sus hermanos dijeron: Ya que quedan destruídos nuestros enemigos, vamos ahora a purificar y restaurar el templo.

---

CAP. IV. — 15. Gezerón parece la misma que Gazer. *Jos.* XVI, *v.* 3; XXI, *v.* 21. Esto es, tres mil en el combate y seis mil en la fuga; de manera que en el toda la acción y sus resultas perecieron 9.000 enemigos. II *Mach.* VIII, *v.* 24.

---

30-33. Oración con gran fe y resignación. Cf. I *Mac.* III, 60; *Matth.* XVII, 11 *Luc.* XVII, 16.

**37.** Y reunido todo el ejército, subieron al monte de Sión,

**38.** Donde vieron desierto el lugar santo, y profanado el altar, y quemadas las puertas, y que en los patios habían nacido arbustos como en los bosques y montes, y que estaban arruinadas todas las habitaciones de los ministros del Santuario.

**39.** Y al ver esto, rasgaron sus vestidos, y lloraron amargamente, y se echaron ceniza sobre la cabeza.

**40.** Y postráronse rostro por tierra, e hicieron resonar las trompetas con que se daban las señales, y levantaron sus clamores hasta el cielo.

**41.** Entonces Judas dispuso que fueran algunas tropas a combatir a los que estaban en el alcázar, mientras tanto que se iba purificando el Santuario.

**42.** Y escogió sacerdotes sin tacha, amantes de la ley de Dios,

**43.** Los cuales purificaron el Santuario, y llevaron a un sitio profano las piedras contaminadas.

**44.** Y estuvo pensando *Judas* qué debía hacerse del altar de los holocaustos, que había sido profanado.

**45.** Y tomaron el mejor partido, que fué el destruirlo, a fin de que no fuese para ellos motivo de oprobio, puesto que había sido contaminado por los gentiles; y así lo demolieron.

**46.** Y depositaron las piedras en un lugar a propósito del monte en que estaba el templo, hasta tanto que viniese un profeta, y decidiese qué era lo que de ellas había de hacerse.

**47.** Tomaron después piedras intactas *o sin labrar,* conforme *dispone* la ley, y construyeron un altar nuevo semejante a aquel que había habido antes.

**48.** Y reedificaron el Santuario, y aquéllo que estaba de la parte de adentro de la casa, *o templo,* y santificaron el templo y sus atrios.

**49.** E hicieron nuevos vasos sagrados, y colocaron en el templo el candelero, y el altar de los inciensos, y la mesa.

**50.** Y pusieron después incienso sobre el altar, y encendieron las lámparas que estaban sobre el candelero, y alumbraban en el templo.

**51.** Y pusieron los panes *de proposición* sobre la mesa, colgaron los velos, y completaron todas las obras que habían comenzado.

**52.** Y, *hecho ésto,* levantáronse antes de amanecer, el día veinticinco del noveno mes, llamado Casleu, del año ciento cuarenta y ocho.

**53.** Y ofrecieron el sacrificio, según la ley,

sobre el nuevo altar de los holocaustos que habían construído.

**54.** *Con lo cual se verificó que* en el mismo tiempo *o mes, y* en el mismo día que este altar había sido profanado por los gentiles, fué renovado *o erigido de nuevo* al son de cánticos, y de cítaras, y de liras, y de címbalos.

**55.** Y todo el pueblo se postró hasta juntar su rostro con la tierra, y adoraron a Dios, y levantando su voz hasta el cielo, bendijeron al *Señor* que les había concedido aquella felicidad.

**56.** Y celebraron la dedicación del altar por espacio de ocho días, y ofrecieron holocaustos con regocijo y sacrificios de acción de gracias y alabanza.

**57.** Adornaron también la fachada del templo con coronas de oro y con escudetes *de lo mismo,* y renovaron las puertas *del templo,* y las habitaciones de los ministros *a él unidas,* y les pusieron puertas.

**58.** Y fué extraordinaria la alegría del pueblo, y sacudieron de sí el oprobio de las naciones.

**59.** Entonces estableció Judas y sus hermanos, y toda la iglesia de Israel, que en lo sucesivo se celebrase cada año con grande gozo y regocijo este día de la dedicación del altar por espacio de ocho días seguidos, empezando el día veinticinco del mes de Casleu.

**60.** Y fortificaron entonces mismo el monte Sión, y lo circuyeron de altos murales y de fuertes torres, para que no viniesen los gentiles a profanarlo, como lo habían hecho antes.

**61.** Y puso allí Judas una guarnición para que lo custodiase, y lo fortificó *también* para seguridad de Beasura, a fin de que el pueblo tuviese esta fortaleza en la frontera de Idumea.

## CAPITULO V

*Victorias de Judas Macabeo sobre varias naciones comarcanas: su hermano Simón pasa a la Galilea. José y Azarías, que pelearon contra las órdenes de Judas, quedan vencidos. Otras expediciones de Judas, contra la Idumea, Samaria y Azoto.*

**1.** Así que las naciones circunvecinas oyeron que el altar y el Santuario habían sido re-

---

56-59. Cfr. *Joann.* X, 22.

61. Fortaleza que estaba cercana a Jerusalén. Otros traducen: *y fortificó a Betsura.* Cap. VI, *v.* 7, 26.

**CAP V. —** 1. Los Idumeos, Los Samaritanos, los Ammonitas, los Moabitas, los Filisteos, los Fenicios, etc.

edificados como antes, se irritaron sobremanera.

2. Y resolvieron exterminar a los de la estirpe de Jacob que vivían entre ellos, y *en efecto,* comenzaron a matar y perseguir a aquel pueblo.

3. Entre tanto batía Judas a los hijos de Esaú en la Idumea y a los que estaban en Acrabatane, porque tenían *como* sitiados a los Israelitas, e hizo en ellos un gran destrozo.

4. También se acordó de *castigar* la malicia de los hijos de Beán, los cuales eran para el pueblo un lazo y tropiezo, armándole emboscadas en el camino.

5. Y obligólos a encerrarse en unas torres, donde los tuvo cercados; y habiéndolos anatematizado, pegó fuego a las torres y quemólas con cuantos había dentro.

6. De allí pasó a *la tierra de* los hijos de Am-món, donde encontró un fuerte y numeroso ejército con Timoteo su caudillo.

7. Tuvo diferentes choques con ellos, y los derrotó e hizo en ellos gran carnicería.

8. Y tomó la ciudad de Gazer con los lugares dependientes de ella, y volvióse a Judea.

9. Pero los gentiles que habitaban en Galaad se reunieron para exterminar a los Israelitas que vivían en su país; mas éstos se refugiaron en la fortaleza de Datemán;

10. Y desde allí escribieron cartas a Judas y a sus hermanos, en las cuales decían: Se han congregado las naciones circunvecinas para perdernos;

11. Y se preparan para venir a tomar la fortaleza donde nos hemos refugiado, siendo Timoteo el caudillo de su ejército.

12. Ven, pues, luego, y líbranos de sus manos, porque han perecido ya muchos de los nuestros;

13. Y todos nuestros hermanos, que habitaban en los lugares *próximos* a Tubín, han sido muertos, habiéndose llevado cautivas a sus mujeres e hijos, y saqueádolo todo, y dado muerte allí mismo a cerca de mil hombres.

14. Aún no habían acabado de leer estas cartas, cuando he aquí que llegaron otros mensajeros que venían de Galilea, rasgados sus vestidos, trayendo otras nuevas semejantes;

15. Pues decían haberse coligado contra ellos los de Tolemaida, y los de Tiro, y de Sidón, y que todala Galilea estaba llena de extranjeros, con el fin, *decían,* de acabar con nosotros.

16. Luego que Judas y su gente oyeron tales noticias, tuvieron un gran consejo para deliberar qué era lo que harían a favor de aquellos hermanos suyos que se hallaban en la angustia, y eran estrechados por aquella gente.

17. Dijo, pues, Judas a su hermano Simón: Escoge un cuerpo de tropas, y ve a librar a tus hermanos que están en Galilea, y yo y mi hermano Jonatás iremos a Galaad.

18. Y dejó a José, hijo de Zacarías, y a Azarías por caudillos del pueblo, para guardar la Judea con el resto del ejército;

19. Y dióles esta orden: Cuidad de esta gente, les dijo; y no salgáis a pelear contra los gentiles, hasta que volvamos nosotros.

20. Diéronse, pues, a Simón tres mil hombres para ir a la Galilea, y Judas tomó ocho mil para pasar a Galaad.

21. Partió Simón para la Galilea; y tuvo muchos encuentros con aquellas naciones, las que derrotó y fué persiguiendo hasta las puertas de Tolemaida,

22. Dejando muertos cerca de tres mil gentiles, y apoderándose del botín.

23. Tomó después consigo a los *Judíos* que había en Galilea y en Arbates, como también a sus mujeres e hijos, y todo cuanto tenían, y condújolos a la Judea con grande regocijo.

24. Entre tanto Judas Macabeo con su hermano Jonatás pasaron el Jordán, y caminaron tres días por el desierto.

25. Y saliéronles al encuentro los Nabuteos, los cuales los recibieron pacíficamente, y les contaron lo que había acaecido a sus hermanos en Galaad;

26. Y cómo muchos de ellos se habían encerrado en Barasa, en Bosor, en Alimas, en Casfor, en Maget y Carnaím, todas ellas ciudades fuertes y grandes;

27. Y cómo quedaban también cercados los que habitaban en otras ciudades de Galaad, y *les añadieron que los enemigos* tenían determinado arrimar al día siguiente su ejército a aquellas ciudades, y tomarlos, y acabar con ellos en un solo día.

28. Con esto partió Judas inmediatamente con su ejército por el camino del desierto de Bosor, y apoderóse de la ciudad, y pasó a cuchillo todos los varones, y después de saqueada, la entregó a las llamas.

29. Por la noche salieron de allí, y se dirigieron a la fortaleza *de Datemán;*

---

5. O destinado a un entero exterminio. *Jos.* VI, v. 17.

**30.** Y al rayar el día, alzando los ojos vieron una tropa innumerable de gentes, que traían consigo escalas y máquinas para tomar la plaza, y destruir *o hacer prisioneros* a los que estaban dentro.

**31.** Luego que Judas vió que se había comenzado el ataque, y que el clamor de los combatientes subía hasta el cielo, como si fuera el sonido de una trompeta, y *que se oía* una grande gritería en la ciudad,

**32.** Dijo a sus tropas: Pelead en este día en defensa de vuestros hermanos.

**33.** Y *en seguida* marcharon en tres columnas por las espaldas de los enemigos; tocaron las trompetas, y clamaron orando *en alta voz*.

**34.** Y conocieron las tropas de Timoteo que era el Macabeo el que venía, y huyeron su encuentro; sufriendo un gran destrozo, y habiendo perecido en aquel día al pie de ocho mil hombres.

**35.** De allí torció Judas el camino hacia Masfa, y la batió y se apoderó de ella: pasó a cuchillo todos los varones, y después de haberla saqueado, la incendió.

**36.** Partiendo más adelante tomó a Casbón, a Maget, a Bosor y a las demás ciudades de Galaad.

**37.** Después de estos sucesos juntó Timoteo otro ejército, y se acampó frente a Rafón, a la otra parte del arroyo.

**38.** Judas envió luego a reconocer el enemigo, y los emisarios le dijeron: Todas las naciones que nos rodean se han reunido a Timoteo, es un ejército sumamente grande.

**39.** Han tomado también en su auxilio a los Arabes, y están acampados a la otra parte del arroyo, preparándose para venir a darte la batalla. Y *enterado* Judas *de todo* marchó contra ellos.

**40.** Y dijo Timoteo a los capitanes de su ejército: Si cuando Judas con sus tropas llegare al arroyo, pasa él primero hacia nosotros, no le podremos resistir, y nos vencerá infaliblemente.

**41.** Pero si él temiere pasar, y pusiere su campo en el otro lado del arroyo, pasémoslo y lograremos victoria.

**42.** En esto llegó Judas cerca del arroyo, y poniendo a los escribanos *o comisarios* del ejército a lo largo de la orilla del agua, les dió esta orden: No dejéis que se quede aquí nadie, sino que todos han de venir al combate.

**43.** Dicho esto pasó él el primero hacia los enemigos, y en pos de él toda la tropa, y así que llegaron, derrotaron a todos aquellos gentiles, los cuales arrojaron las armas, y huyeron al templo que había en Carnaím.

**44.** Judas tomó la ciudad, y pegó fuego al templo y lo abrasó con cuantos había dentro; y Carnaím fué asolada, sin que pudiesen resistir a Judas.

**45.** Entonces reunió Judas todos los Israelitas que se hallaban en el país de Galaad, desde el más chico hasta el más grande, con sus mujeres e hijos, formando de todos ellos un ejército numerosísimo *de gente* para que viniesen a la tierra de Judá.

**46.** Y llegaron a Efrón, ciudad grande situada en la embocadura del país, y muy fuerte; y no era posible dejarla a un lado, echando a la derecha o a la izquierda, sino que era preciso atravesar por medio de ella.

**47.** Mas sus habitantes se encerraron, y tapiaron las puertas *a cal y canto*. Envióles Judas un mensajero de paz,

**48.** Diciéndoles: *Tened a bien que* pasemos por vuestro país para ir a nuestras casas, y nadie os hará daño; no haremos más que pasar. Sin embargo ellos no quisieron abrir.

**49.** Entonces Judas hizo pregonar por todo el ejército, que cada uno la asaltase por el lado en que se hallaba.

**50.** Con efecto, atacáronla los hombres más valientes, y dióse el asalto que duró todo aquel día y aquella noche, cayendo al fin en sus manos la ciudad.

**51.** Y pasaron a cuchillo a todos los varones, y arrasaron la ciudad *hasta los cimientos,* después de haberla saqueado, y atravesaron *luego* par toda ella, caminando por encima de los cadáveres.

**52.** En seguida pasaron el Jordán en la gran llanura que hay en frente de Betsán.

**53.** E iba Judas en la retaguardia reuniendo a los rezagados, y alentando al pueblo por todo el camino, hasta que llegaron a tierra de Judá.

**54.** Y subieron al monte de Sión con alegría y regocijo, y ofrecieron allí holocaustos en acción de gracias por el feliz regreso, sin que hubiese perecido ninguno de ellos.

**55.** Pero mientras Judas y Jonatás estaban en el país de Galaad, y Simón, su hermano, en la Galilea delante de Tolomeida,

**56.** José, hijo de Zacarías, y Azarías, comandante de las tropas, tuvieron noticia de estos felices sucesos, y de las batallas que se habían dado.

---

**42.** Serían como los que ahora tienen a su cargo la policía del ejército, o una especie de gendarmes.

**57.** Y *José* dijo *a Azarías:* Hagamos también nosotros célebre nuestro nombre, y vamos a pelear contra las naciones circunvecinas.

**58.** Y dando la orden a las tropas de su ejército marcharon contra Jamnia.

**59.** Pero Gorgias salió con su gente fuera de la ciudad, para venir al encuentro de ellos y presentarles la batalla.

**60.** Y fueron batidos José y Azarías, los cuales echaron a huír hasta las fronteras de Judea; pereciendo en aquel día hasta dos mil hombres del pueblo de Israel, habiendo sufrido el pueblo esta gran derrota

**61.** Por no haber obedecido las órdenes de Judas y de sus hermanos, imaginándose que harían maravillas.

**62.** Mas ellos no eran de la estirpe de aquellos varones; por medio de los cuales había sido salvado Israel.

**63.** Por el contrario, las tropas de Judas se adquirieron gran reputación, tanto en todo Israel, como entre las naciones todas, a donde llegaba el eco de su fama.

**64.** Y la gente les salía al encuentro con aclamaciones de júbilo.

**65.** Marchó después Judas con sus hermanos al país de Mediodía a reducir a los hijos de Esaú, y se apoderó a la fuerza de Quebrón, y de sus aldeas, quemando los muros y las torres que tenía alrededor.

**66.** De allí partió y se dirigió al país de las naciones extranjeras, y recorrió la Samaria.

**67.** En aquel tiempo murieron peleando unos sacerdotes por querer hacer proezas, y haber entrado imprudentemente en el combate.

**68.** Judas torció después hacia Azoto, país de los extranjeros, y derribó sus altares, y quemó los simulacros de sus dioses, y saqueó las ciudades, y con sus despojos volvióse a tierra de Judá.

## CAPITULO VI

*Muere Antíoco, y confiesa que sus desastres eran efecto de la impiedad con que había tratado a los Judíos. Su hijo Eupator, que le sucede, va con un poderoso ejército contra Judas, y no puede vencerle. Teniendo cercada a Jerusalén, levanta el sitio llamado por Lisias: jura la paz, pero quebranta luego el juramento*

**1.** Yendo el rey Antíoco recorriendo las provincias superiores, oyó que había en Persia una ciudad, llamada Elimaida, muy célebre y abundante de plata y oro,

**2.** Con un templo riquísimo, donde había velos con mucho oro, y corazas, y escudos que había dejado allí Alejandro, hijo de Filipo, rey de Macedonia, el que reinó primero en *toda* la Grecia.

**3.** Y fué allá con el fin de apoderarse de la ciudad y saquearla; pero no pudo salir con su intento, porque llegando a entender su designio los habitantes,

**4.** Salieron a pelear contra él, y tuvo que huír, y se retiró con gran pesar, volviéndose a Babilonia.

**5.** Y estando en Persia, llególe la noticia de que había sido destrozado el ejército que se hallaba en el país de Judá,

**6.** Y que habiendo pasado allá Lisias con grandes fuerzas, fué derrotado por los Judíos, los cuales se hacían más poderosos con las armas, municiones y despojos tomados al ejército destruído;

**7.** Y de cómo habían igualmente ellos derrocado la abominación o *ídolo* erigido por él sobre el altar de Jerusalén, y cercado asimismo el Santuario con altos muros, según estaba antes, y también en Betsura, su ciudad.

**8.** Oído que hubo el rey tales noticias, quedó pasmado y lleno de turbación, y púsose en cama, y enfermó de melancolía, viendo que no le habían salido las cosas como él había imaginado.

**9.** Permaneció así en aquel lugar por muchos días; porque iba aumentándose su tristeza, de suerte que consintió en que se moría.

**10.** Con esto llamó a todos sus amigos, y les dijo: El sueño ha huído de mis ojos; mi corazón se ve abatido y oprimido de pesares,

**11.** Y digo allá dentro de mí: ¡A qué extrema aflicción me veo reducido, y en qué abismo de tristeza me hallo, yo que estaba antes tan contento y querido, gozando de mi regia dignidad!

**12.** Mas ahora se me presentan a la memoria los males que causé en Jerusalén, de donde me traje todos los despojos de oro y plata que allí tomé, y el que sin motivo alguno envié a exterminar los moradores de la Judea.

**13.** Yo reconozco ahora que por eso han llovido sobre mí tales desastres; ved aquí que muero de profunda melancolía en tierra extraña.

**14.** Llamó despues a Filipo, uno de sus confidentes, y lo nombró regente de todo su reino;

**15.** Y entrególe la diadema, y el manto real, y el anillo, a fin de que fuese a encargarse de su hijo Antíoco, y le educase para ocupar el trono.

**16.** Y murió allí el rey Antíoco, el año ciento cuarenta y nueve.

**17.** Al saber Lisias la muerte del rey, proclamó a Antíoco, su hijo a quien él había criado desde niño; y le puso el nombre de Eupator.

**18.** Entre tanto los que ocupaban el alcázar *de Jerusalén* tenían encerrado a Israel en los alrededores del Santuario; y procuraban siempre causarle daño y acrecentar el partido de los gentiles.

**19.** Resolvió, pues, Judas destruirlos, y convocó a todo el pueblo para ir a sitiarlos.

**20.** Reunida la gente comenzaron el sitio el año ciento y cincuenta, y construyeron ballestas *para arrojar piedras,* y otras máquinas *de guerra.*

**21.** Y salieron fuera algunos de los sitiados, a los que se agregaron varios otros de los impíos del pueblo de Israel.

**22.** Y se fueron al rey, y le dijeron: ¿Cuándo, finalmente, harás tú justicia, y vengarás a nuestros hermanos?

**23.** Nosotros nos resolvimos a servir a tu padre, y obedecerle, y observar sus leyes;

**24.** Y por esta causa nos tomaron aversión los de nuestro mismo pueblo, han dado muerte a todo el que han encontrado de nosotros, y han robado nuestros bienes;

**25.** Y no tan sólo han ejercido su violencia contra nosotros, sino también por todo nuestro país.

**26.** Y he aquí que ahora han puesto sitio al alcázar de Jerusalén para apoderarse de él, y han fortificado a Betsura.

**27.** Y si tú no obras con más actividad que ellos, harán aún cosas mayores que éstas, y no podrás tenerlos a raya.

**28.** Irritóse el rey al oír esto, e hizo llamar a todos sus amigos, y a los principales oficiales de su ejército, y a los comandantes de la caballería.

**29.** Llegáronle también tropas asalariadas de otros reinos, y de las islas *o países* de *ultra* mar.

**30.** De suerte que juntó un ejército de cien mil infantes con veinte mil hombres de caballería, y treinta y dos elefantes adiestrados para el combate.

**31.** Y entrando estas tropas por la Idumea, vinieron a poner sitio a Betsura, y la combatieron por espacio de muchos días, e hicieron varias máquinas *de guerra;* pero habiendo hecho una salida los sitiados, las quemaron, y pelearon valerosamente.

**32.** A este tiempo levantó Judas el sitio del alcázar *de Jerusalén, y* dirigió sus tropas hacia Betzacara, frente del campamento del rey.

**33.** Levantóse el rey antes de amanecer, e hizo marchar apresuradamente su ejército por el camino de Betzacara. Preparáronse para el combate ambos ejércitos, y dieron la señal con las trompetas;

**34.** Mostraron a los elefantes vino tinto y zumo de moras, a fin de incitarlos a la batalla;

**35.** Y distribuyeron estos animales por las legiones, poniendo alrededor de cada elefante mil hombres armados de cotas de mallas y morriones de bronce, *y además* quinientos hombres escogidos de caballería cerca de cada elefante.

**36.** Hallábanse estas tropas anticipadamente en donde quiera que había de estar el elefante, e iban donde él iba, sin apartarse de él nunca.

**37.** Sobre cada una de estas bestias había una fuerte torre de madera, que les servía de defensa, y sobre la torre máquinas *de guerra;* yendo en cada torre treinta y dos hombres esforzados, los cuales peleaban desde ella, y *además* un indú que gobernaba la bestia.

**38.** Y el resto de la caballería, dividido en dos trozos, le colocó en los flancos del ejército para excitarlo con el sonido de las trompetas, y tener así encerradas las filas de sus legiones.

**39.** Así que salió el sol e hirió con sus rayos los broqueles de oro y de bronce, reflejaron éstos la luz en los montes, resplandeciendo como antorchas encendidas.

**40.** Y la una parte del ejército del rey caminaba por lo alto de los montes, y la otra por los lugares bajos, e iban avanzando con precaución y en buen orden.

**41.** Y todos los moradores del país estaban asombrados a las voces de aquella muchedumbre, y al movimiento de tanta gente, y al estruendo de sus armas; pues era grandísimo y muy poderoso aquel ejército.

**42.** Y adelantóse Judas con sus tropas para dar la batalla, y murieron del ejército del rey seiscientos hombres.

---

CAP. VI. — 17. II *Mach.* X, *v.* 10. Eupator, voz griega compuesta de *Eu* bueno y *pater* padre: como si dijera: *hijo de buen padre.*

42. Judas atacó dos veces al ejército del rey. En la primera mató 4.000 hombres. II *Mach.* XIII, *v.* 15. El rey por la mañana renovó la pelea (*v.*33), y entonces perdió los 600 hombres que refiere este verso 42. — Véase Josefo, libro XII, c. 14.

*LA CRUCIFIXIÓN*, DE MASACCIO (TOMMASO DI GIOVANNI),
*témpera sobre tabla, Museo di Capodimonte, Nápoles*

*La Última Cena*, de Dieric Bouts,
témpera sobre madera, Sankt Peter, Lovaina, Bélgica

*La Virgen y el Niño*, de Giovanni Battista Cima da Conegliano, *óleo sobre madera, National Gallery, Londres*

*La Virgen y el Niño entronizados* (detalle), de Margarito D'Arezzo, *témpera sobre madera, National Gallery of Art, Washington D.C.*

**43.** Y Eleazar, hijo de Saura, observó un elefante que iba enjaezado con una regia cota de malla, y que era más alto que todos los demás; y juzgó que iría encima de él el rey.

**44.** E hizo el sacrificio de sí mismo por libertad a su pueblo y granjearse un nombre eterno.

**45.** Corrió, pues, animosamente hacia el elefante por en medio de la legión, matando a diestra y siniestra, y atropellando a cuantos se le ponían delante;

**46.** Y fué a meterse debajo del vientre del elefante, y lo mató; pero cayendo la bestia encima de él, lo dejó muerto.

**47.** Mas los Judíos viendo las fuerzas e impetuosidad del ejército del rey, hicieron una retirada.

**48.** Entonces las tropas del rey fueron contra ellos por el camino de Jerusalén, y llegando a la Judea acamparon junto al monte de Sión.

**49.** El rey hizo un tratado con los que estaban en Betsura; los cuales salieron de la ciudad, porque estando sitiados dentro de ella no tenían víveres *de repuesto*, por ser aquel año sabático, *o de descanso,* para los campos.

**50.** De esta suerte el rey se apoderó de Betsura, dejando en ella una guarnición para su custodia.

**51.** Asentó después sus reales cerca del lugar santo, donde permaneció muchos días, preparando allí ballestas y otros ingenios para lanzar fuegos, y máquinas para arrojar piedras y dardos, e instrumentos para tirar saetas, y además de eso hondas.

**52.** Los sitiados hicieron también máquinas contra las de los enemigos, y defendiéronse por muchos días.

**53.** Faltaban, empero, víveres en la ciudad, por ser el año séptimo, *o sabáti*co, y porque los gentiles que habían quedado en Judea habían consumido todos los repuestos.

**54.** Con eso quedó poca gente para *la defensa* de los lugares santos; porque los soldados se hallaron acosados del hambre, y se desparramaron, yéndose cada cual a su lugar.

**55.** En esto llegó a entender Lisias que Filipo (a quien el rey Antíoco, estando aún en vida, había encargado la educación de su hijo Antíoco, para que ocupase el trono)

**56.** Había vuelto de Persia y de la Media con el ejército que había ido con él, y que buscaba medios para apoderarse del gobierno del reino.

**57.** *Por tanto* fué inmediatamente, y dijo al rey y a los generales del ejército: Nos vamos consumiendo de día en día: tenemos pocos víveres: la plaza que tenemos sitiada está bien pertrechada; y lo que nos urge es arreglar los negocios del reino.

**58.** Ahora, pues, compongámonos con estas gentes, y hagamos la paz con ellas y con toda su nación;

**59.** Y dejémosles que vivan como antes según sus leyes, pues por amor de sus leyes, que hemos despreciado nosotros, se han encendido en cólera y hecho todas estas cosas.

**60.** Pareció bien al rey y a sus príncipes esta proposición; y envió a hacer la paz con los Judíos, los cuales la aceptaron.

**61.** Confirmáronla con juramento el rey y los príncipes; y salieron de la fortaleza los que la defendían.

**62.** Y entró el rey en el monte de Sión, y observó las fortificaciones que en él había; pero violó luego el juramento hecho, mandando derribar el muro que había alrededor.

**63.** Partió después de allí a toda prisa, y se volvió a Antioquía, donde halló que Filipo se habia hecho dueño de la ciudad; y habiendo peleado contra él, la recobró.

## CAPITULO VII

*Demetrio, hijo de Seleuco, llega a Siria; hace quitar la vida a Antíoco Eupator y a Lisias; y recobra el reino de sus padres. Envia a Báquides por comandante de la Judea, con orden de dar la posesión del sumo sacerdocio a Alcimo. Opónsele Judas Macabeo, y le obliga a volverse a Antioquía. Nicanor, enviado contra Judas, es vencido por éste y muerto. Institúyese una fiesta en memoria de esta victoria.*

**1.** El año ciento cincuenta y uno, Demetrio, hijo de Seleuco, salió de la ciudad de Roma, y llegó con poca comitiva a una ciudad marítima *Trípoli* y allí comenzó a reinar.

**2.** Y apenas entró en el reino de sus padres, cuando el ejército se apoderó de Antíoco y de Lisias, para presentárselos a él.

**3.** Mas así que lo supo, dijo: Haced que no vea yo su cara.

**4.** Con esto la misma tropa les quitó la vida, y Demetrio quedó sentado en el trono de su reino.

**5.** Y vinieron a presentársele algunos hombres malvados e impíos de Israel, cuyo caudillo era Alcimo, el cual pretendía ser *sumo* sacerdote.

**6.** Acusaron éstos a su nación delante del rey, diciendo: Judas y sus hermanos han hecho perecer a todos tus amigos, y a nosotros nos han arrojado de nuestra tierra.

**7.** Envía, pues, una persona de tu confianza, para que vaya y vea todos los estragos que aquél nos ha causado a nosotros y a las provincias del rey, y castigue a todos sus amigos y partidarios.

**8.** En efecto, el rey eligió de entre sus amigos a Báquides, que tenía el gobierno de la otra parte del río, magnate del reino y de la confianza del rey; y lo envió

**9.** A reconocer las vejaciones que había hecho Judas, confiriendo además el *sumo* pontificado al impío Alcimo, al cual dió orden de castigar a los hijos de Israel.

**10.** Pusiéronse, pues, en camino, y entraron con un grande ejército en el país de Judá; y enviaron mensajeros a Judas y a sus hermanos para engañarlos con buenas palabras.

**11.** Pero éstos no quisieron fiarse de ellos, viendo que habían venido con un poderoso ejército.

**12.** Sin embargo, el colegio de los escribas pasó a estar con Alcimo y con Báquides para hacerles algunas proposiciones justas *o razonables.*

**13.** Al frente de estos hijos de Israel iban los Asideos, los cuales les pedían la paz.

**14.** Porque decían: Un sacerdote de la estirpe de Aarón es el que viene a nosotros: no es de creer que nos engañe.

**15.** *Alcimo,* pues, les habló palabras de paz, y les juró diciendo: No os haremos daño alguno ni a vosotros ni a vuestros amigos.

**16.** Dieron ellos crédito a su palabra; pero él hizo prender a sesenta de los mismos, y en un día les hizo quitar la vida: conforme a lo que está escrito *en los Salmos:*

**17.** Alrededor de Jerusalén arrojaron los cuerpos de tus santos y su sangre; ni hubo quien les diese sepultura.

**18.** Con esto se apoderó de todo el pueblo un grande temor y espanto, y decíanse *unos a otros: No* se encuentra verdad ni justicia en estas gentes; pues han quebrantado el tratado y el juramento que hicieron.

**19.** Y levantó Báquides sus reales de Jerusalén, y fué a acamparse junto a Betzeca, desde donde envió a prender a muchos que habían abandonado su partido; haciendo degollar a varios del pueblo, y que los arrojaran en un profundo pozo.

**20.** Encargó después el gobierno del país a Alcimo, dejándole un cuerpo de tropas que le sostuviera: y volvióse Báquides a donde estaba el rey.

**21.** Hacía Alcimo todos sus esfuerzos para asegurarse en su pontificado;

**22.** Y habiéndose unido a él todos los revoltosos del pueblo se hicieron dueños de toda la tierra de Judá, y causaron grandes estragos en Israel.

**23.** Viendo, pues, Judas las extorsiones que Alcimo y los suyos habían hecho a los hijos de Israel, y que eran mucho peores que las causadas por los gentiles,

**24.** Salió a recorrer todo el territorio de la Judea, y castigó a estos desertores *de la causa de la patria;* de suerte que no volvieron a hacer más excursiones por el país.

**25.** Mas cuando Alcimo vió que Judas y sus gentes ya prevalecían, y que él no podía resistirles, se volvió a ver al rey, y lo acusó de muchos delitos.

**26.** Entonces el rey envió a Nicanor, uno de sus más ilustres magnates y enemigo declarado de Israel, con la orden de acabar con este pueblo.

**27.** Pasó, pues, Nicanor a Jerusalén con un grande ejército, y envió *luego* sus emisarios a Judas y a sus hermanos para engañarlos con palabras de paz,

**28.** Diciéndoles: No haya guerra entre mí y vosotros: yo pasaré con poca comitiva a veros y tratar de paz.

**29.** Con efecto, fué Nicanor a ver a Judas; y se saludaron mutuamente como amigos; pero los enemigos estaban prontos para apoderarse de Judas.

**30.** Y llegando Judas a entender que habían venido con mala intención, temió y no quiso volverlo a ver más.

**31.** Conoció entonces Nicanor que estaba descubierta su trama; y salió a pelear contra Judas junto a Cafarsalama,

**32.** Donde quedaron muertos como unos cinco mil hombres del ejército de Nicanor. *Judas,* empero, *y los suyos* se retiraron a la ciudad *o fortaleza* de David.

**33.** Después de esto subió Nicanor al monte de Sión; y *así que llegó,* salieron a saludarle pacíficamente algunos sacerdotes del pueblo, y a hacerle ver los holocaustos que se ofrecían por el rey.

---

CAP. VII. — 25. Y le ofreció dones. II *Mach* XIV, *v.* 4.

**34.** Mas él los recibió con desprecio y mofa, los trató como a *personas* profanas: y les habló con arrogancia,

**35.** Y lleno de cólera les juró diciendo: Si no entregáis en mis manos a Judas y a su ejército, inmediatamente que yo vuelva victorioso, abrasaré esta casa, *o templo.* Y marchóse sumamente enfurecido.

**36.** Entonces los sacerdotes entraron en el templo a presentarse ante el altar, y llorando dijeron:

**37.** Señor, tú elegiste esta casa a fin de que en ella fuese invocado tu *santo* Nombre, y fuese un lugar de oración y de plegarias para tu pueblo.

**38.** Haz que resplandezca la venganza sobre este hombre y su ejército, y perezcan al filo de la espada: ten presente sus blasfemias, y no permitas que subsistan *sobre la tierra.*

**39.** Habiendo, pues, partido Nicanor de Jerusalén, fué a acamparse cerca de Bethorón, y allí se le juntó el ejército de la Siria.

**40.** Judas acampó junto a Adarsa con tres mil hombres, e hizo oración a Dios en estos términos:

**41.** Señor, cuando los enviados del rey Sennaquerib blasfemaron contra ti, vino un Angel que les mató ciento ochenta y cinco mil hombres.

**42.** Extermina hoy del mismo modo a nuestra vista ese ejército: y sepan todos los demás que Nicanor ha hablado indignamente contra tu Santuario, y júzgalo conforme a su maldad.

**43.** Dióse, pues, la batalla el día trece del mes de Adar; y quedó derrotado el ejército de Nicanor, siendo él el primero que murió en el combate.

**44.** Viendo los soldados de Nicanor que éste había muerto, arrojaron las armas, y echaron a huir.

**45.** Siguiéronles los Judíos el alcance toda una jornada desde Adazer hasta Gázara, y al ir tras ellos tocaban las trompetas para avisar a todos *la huída del enemigo.*

**46.** Con esto salían gentes de todos los pueblos de la Judea situados en las cercanías, y cargando sobre ellos con denuedo, los hacían retroceder hacia los vencedores; de suerte que fueron todos pasados a cuchillo, sin que escapara ni siquiera uno.

**47.** Apoderáronse en seguida de sus despojos y cortaron la cabeza de Nicanor, y su mano derecha, la cual había levantado él insolentemente *contra el templo, y* las llevaron y colgaron a la vista de Jerusalén.

**48.** Alegróse sobremanera el pueblo *con la*

*victoria, y* pasaron aquel día en grande regocijo:

**49.** Y ordenó *Judas* que se celebrase todos los años esta fiesta a trece del mes de Adar.

**50.** Y la tierra de Judá quedó en reposo algún poco de tiempo.

## CAPITULO VIII

*Judas, oída la fama de los Romanos, les envía embajadores, y hace con ellos alianza para librar a los Judíos del yugo de los Griegos.*

**1.** Y oyó Judas la reputación de los Romanos, y que eran poderosos, y se prestaban a todo cuanto se les pedía, y que habían hecho amistad con todos los que se habían querido unir a ellos, y que era muy grande su poder.

**2.** También había oído hablar de sus guerras, y de las proezas que hicieron en la Galacia, de la cual se habían enseñoreado y héchola tributaria suya;

**3.** Y de las cosas grandes obradas en España, y cómo se habían hecho dueños de las minas de plata y de oro que hay allí, conquistando aquel país a esfuerzos de su prudencia y constancia;

**4.** Que asimismo habían sojuzgado regiones sumamente remotas, y destruído reyes, que en las extremidades del mundo se habían movido contra ellos, habiéndolos abatido enteramente, y que todos los demás les pagaban tributo cada año;

**5.** Como también habían vencido en batalla, y sujetado a Filipo y a Perseo, rey de los Ceteos, *o Macedonios,* y a los demás que habían tomado las armas contra ellos;

**6.** Que Antíoco el grande, rey de Asia, el cual los había acometido con un ejército sumamente poderoso, en donde iban ciento veinte elefantes, muchísima caballería y carros de guerra, fué asimismo enteramente derrotado;

**7.** Cómo además lo tomaron vivo, y lo obligaron tanto a él como a sus sucesores a pagarles un grande tributo, y a que diese rehenes, y lo demás que se había pactado:

**8.** *A saber,* el país de los Indos, el de los Medos y el de los Lidios, sus provincias más excelentes; y cómo después de haberlas recibido de ellos, las dieron al rey Eumenes.

**9.** *Supo también Judas* cómo habían querido los Griegos ir contra los Romanos para destruirlos;

**10.** Y que al saberlo éstos enviaron en contra uno de sus generales, y dándoles batalla les mataron mucha gente, y se llevaron cautivas a las mujeres con sus hijos, saquearon todo el país y se hicieron dueños de él: derribaron los muros de sus ciudades, y redujeron aquellas gentes a la servidumbre, como lo están hasta el día de hoy;

11. Y cómo habían asolado y sometido a su imperio los otros reinos e islas que habían tomado las armas contra ellos;

12. Pero que con sus amigos, y con los que se entregaban con confianza en sus manos, guardaban *buena* amistad; y que se habían enseñoreado de los reinos, ya fuesen vecinos, ya lejanos, porque cuantos oían su nombre los temían:

13. Que aquellos a quienes ellos querian dar auxilio para que reinasen, reinaban en efecto; y al contrario, quitaban el reino a quienes querían: y que *de esta suerte* se habían elevado a un sumo poder;

14. Que sin embargo de todo esto, ninguno de entre ellos ceñía su cabeza con corona, ni vestía púrpura para ensalzarse *sobre los demás;*

15. Y que habían formado un senado compuesto de trescientas veinte personas, y que cada día se trataban en este consejo los negocios públicos, a fin de que se hiciese lo conveniente;

16. *Y finalmente,* que se confiaba cada año la magistratura o *supremo gobierno* a un solo hombre, para que gobernase todo el Estado, y que *así* todos obedecían a uno sólo, sin que hubiese entre ellos envidia ni celos.

17. Judas, pues, *en vista de todo esto,* eligió a Eupólemo, hijo de Juan, que lo era de Jacob, a Jasón, hijo de Eleazaro, y los envió a Roma para establecer amistad y alianza con ellos,

18. A fin de que los libertasen del yugo de los Griegos; pues estaban viendo cómo tenían éstos reducido a esclavitud el reino de Israel.

19. En efecto, después de un viaje muy largo, llegaron aquéllos a Roma, y habiéndose presentado al senado, dijeron:

20. Judas Macabeo, y sus hermanos, y el Pueblo Judaico nos envían para establecer alianza y paz con vosotros, a fin de que nos contéis en el número de vuestros aliados y amigos.

21. Parecióles bien a los Romanos esta proposición.

22. Y éste es el rescripto que hicieron grabar en láminas de bronce, y enviaron a Jerusalén para que lo tuviesen allí los Judíos como un monumento de *esta* paz y alianza:

23. Dichosos sean por mar y por tierra eternamente los Romanos y la nación de los Judíos, y aléjense *siempre de* ellos la guerra y el enemigo.

24. Pero si sobreviniere alguna guerra a los Romanos, o a alguno de sus aliados en cualquiera parte de sus dominios,

25. Los auxiliará la nación de los Judíos de todo corazón, según se lo permitieren las circunstancias,

26. Sin que los Romanos tengan que dar y suministrar a las tropas que envíe, ni víveres ni armas, ni dinero, ni naves porque así ha parecido a los Romanos; y las tropas les obedecerán sin recibir de ellos la paga.

27. De la misma manera, si primero sobreviniese alguna guerra a los Judíos, los auxiliarán de corazón los Romanos, según la ocasión se lo permitiere;

28. Sin que los Judíos tengan que abastecer a las tropas auxiliares, ni de víveres, ni de armas, ni de dinero, ni de naves, porque así ha parecido a los Romanos; y las tropas aquellas les obedecerán sinceramente.

29. Este es el pacto que hicieron los Romanos con los Judíos.

30. Mas si en lo venidero los unos o los otros quisieren añadir o quitar alguna cosa de lo que va expresado, lo harán de común consentimiento, y todo cuanto *así* añadieren o quitaren permanecerá firme *y estable.*

31. Por lo que mira a las injurias que el rey Demetrio ha hecho a los Judíos, nosotros le hemos escrito, diciéndole: ¿Por qué has oprimido con yugo tan pesado a los Judíos, amigos que son y aliados nuestros?

32. Como vengan, pues, ellos de nuevo a quejarse a nosotros, les haremos justicia contra ti, y te haremos guerra por mar y tierra.

## CAPITULO IX

*Vuelven Báquides y Alcimo a Judea: háceles frente Judas, el cual muere en el combate, y le sucede su hermano Jonatás. Acomete éste a los hijos de Jambri, y mata mil hombres del ejército de Báquides. Muerte de Alcimo. Báquides al fin tiene que hacer la paz con Jonatás.*

1. Entre tanto, así que Demetrio supo que Nicanor con todas sus tropas habían perecido en el combate, envió de nuevo a Báquides y a Alcimo a la Judea, y con ellos el ala derecha o *lo mejor* de su ejército.

**2.** Dirigiéronse por el camino que va a Gálgala, y acamparon en Masalot, que está en Arbelas; la cual tomaron y mataron *allí* mucha gente.

**3.** En el primer mes del año ciento cincuenta y dos se acercaron con el ejército a Jerusalén;

**4.** De donde salieron y se fueron a Berea en número de veinte mil hombres y dos mil caballos.

**5.** Había Judas sentado su campo en Laisa, y tenía consigo tres mil hombres escogidos.

**6.** Mas cuando vieron la gran muchedumbre de tropas *enemigas*, se llenaron de grande temor, y desertaron muchos del campamento; de suerte que no quedaron más que ochocientos hombres.

**7.** Viendo Judas reducido a tan corto número su ejército, y que el enemigo le estrechaba de cerca, perdió el ánimo; pues no tenía tiempo para ir a reunir las tropas, y desmayó.

**8.** Con todo, dijo a los que le habían quedado: ¡Ea!, vamos contra nuestros enemigos, y veamos si podemos batirlos.

**9.** Mas ellos procuraban disuadirlo de eso, diciendo: De ningún modo podemos: pongámonos más bien en salvo, yéndonos a incorporar con nuestros hermanos, y después volveremos a pelear con ellos: ahora somos nosotros *muy* pocos.

**10.** Líbrenos Dios, respondió Judas, de huir de delante de ellos: si ha llegado nuestra hora, muramos valerosamente en defensa de nuestros hermanos, y no echemos un borrón a nuestra gloria.

**11.** A este tiempo salió de sus reales el ejército *enemigo, y* vino a su encuentro: la caballería iba dividida en dos cuerpos; los honderos y los flecheros ocupaban el frente del ejército, cuya vanguardia componían los soldados más valientes.

**12.** Báquides estaba en el ala derecha, y los batallones avanzaron en forma de media luna, tocando al mismo tiempo las trompetas.

**13.** Los soldados de Judas alzaron también el grito, de suerte que la tierra se estremeció con el estruendo de los ejércitos, y duró el combate desde la mañana hasta la caída de la tarde.

**14.** Habiendo conocido Judas que el ala derecha del ejército de Báquides era la más fuerte, tomó consigo los más valientes de su tropa,

**15.** Y derrotándola, persiguió a los que la componían hasta el monte de Azoto.

**16.** Mas los que estaban en el ala izquierda al ver desbaratada la derecha, fueron por la espalda en seguimiento de Judas y de su gente;

**17.** Y encendiéndose con más vigor la pelea, perdieron muchos la vida de una y otra parte.

**18.** Pero habiendo caído muerto Judas, huyó el resto de su gente.

**19.** Recogieron después Jonatás y Simón el cuerpo de su hermano Judas, y lo enterraron en el sepulcro de sus padres en la ciudad de Modín.

**20.** Y todo el pueblo de Israel manifestó un gran sentimiento, y lo lloró por espacio de muchos días.

**21.** ¡Cómo es, decían, que ha perecido el cam-peón que salvaba al pueblo de Israel!

**22.** Las otras guerras, empero, de Judas, y las grandes hazañas que hizo, y la magnanimidad de su corazón no se han descrito, por ser excesivamente grande su número.

**23.** Y sucedió que muerto Judas, se manifestaron en Israel por todas partes los hombres perversos, y se dejaron ver todos los que obraban la maldad.

**24.** Por este tiempo sobrevino una grandísima hambre, y todo el país con sus habitantes se sujetó a Báquides;

**25.** El cual escogió hombres perversos, y púsolos por comandantes del país.

**26.** Y andaban éstos buscando, y en pesquisa de los amigos de Judas, y los llevaban a Báquides, quien se vengaba de ellos, y les hacía mil oprobios.

**27.** Fué, pues, grande la tribulación de Israel, y tal que no se había experimentado semejante desde el tiempo en que dejó de verse profeta en Israel.

**28.** En esto se juntaron todos los amigos de Judas, y dijeron a Jonatás:

**29.** Después que murió tu hermano Judas, no hay ninguno como él que salga contra nuestros enemigos, que son Báquides y los enemigos de nuestra nación.

**30.** Por tanto te elegimos hoy en su lugar, para que sea nuestro príncipe, y el caudillo en nuestras guerras.

**31.** Y aceptó entonces Jonatás el mando, y ocupó el lugar de su hermano Judas.

**32.** Sabedor de esto Báquides, buscaba medios para quitarle la vida;

**33.** Pero habiéndolo llegado a entender

---

**CAP. IX.** — Véase lo que dice S. Ambrosio alabando esta heroica fortaleza de Judas (Offic. Lib. I c. 41). La Iglesia nos propone este elogio de Judas en la tercera Dominica de Octubre.

---

**33.** Tecua estaba en la tribu de Judá, cerca de Belén.

Jonatás, y Simón su hermano, con todos los que le acompañaban, se huyeron al desierto de Tecua, e hicieron alto junto al lago de Asfar.

**34.** Súpolo Báquides, y marchó él mismo con todo su ejército, en día de sábado, al otro lado del Jordán.

**35.** Entonces Jonatás envió a su hermano, caudillo del pueblo, a rogar a los Nabuteos, sus amigos, que les prestasen su equipaje de guerra, que era grande.

**36.** Pero saliendo de Madaba los hijos de Jambri, tomaron a Juan y cuanto conducía, y se fueron con todo.

**37.** De allí a poco dieron noticia a Jonatás y a su hermano Simón, de que los hijos de Jambri celebraban unas grandes bodas, y que llevaban desde Madaba con mucha pompa la novia, la cual era hija de uno de los grandes príncipes de Canaán.

**38.** Acordáronse entonces de la sangre derramada de Juan su hermano, y fueron, y se escondieron en las espesuras de un monte.

**39.** En este estado, levantando sus ojos, vieron a cierta distancia una multitud de gentes, y un magnífico aparato; pues había salido el novio con sus amigos y parientes a recibir a la novia, al son de tambores e instrumentos músicos, con mucha gente armada.

**40.** Entonces saliendo *súbitamente* de su emboscada, se echaron sobre ellos, y mataron e hirieron a muchos, huyendo los demás a los montes; con lo cual se apoderaron de todos sus despojos:

**41.** De suerte que las bodas se convirtieron en duelo, y sus conciertos de música en lamentos.

**42.** Y vengaron de este modo la sangre de su hermano, y volviéronse hacia la ribera del Jordán.

**43.** Luego que lo supo Báquides, vino con un poderoso ejército en un día de sábado a la orilla del Jordán.

**44.** Entonces Jonatás dijo a los suyos: ¡Ea! vamos a pelear contra nuestros enemigos; pues no nos hallamos nosotros en la situación de ayer y demás días anteriores.

**45.** Vosotros veis que tenemos de frente a los enemigos; *a la espalda,* hacia derecha e izquierda, las aguas del Jordán, con sus riberas y pantanos, y bosques, sin que nos quede medio para escapar.

**46.** Ahora, pues, clamad al cielo, para que seáis librados de vuestros enemigos. Y trabose luego el combate;

**47.** En el cual levantó Jonatás su brazo para matar a Báquides; pero evitó éste el golpe, retirando su cuerpo hacia atrás.

**48.** En fin, Jonatás y los suyos se arrojaron al Jordán, y lo pasaron a nado, a la vista de sus enemigos.

**49.** Y habiendo perecido en aquel día mil hombres del ejército de Báquides, se volvió éste con sus tropas a Jerusalén.

**50.** Y en seguida reedificaron las plazas fuertes de Judea, y fortificaron con altos muros, con puertas y barras de hierro las ciudades de Jericó, de Ammaum, de Bethorón, de Betel, de Tamnata, de Fara y de Topo.

**51.** En ellas puso *Báquides* guarniciones, para que hicieran correrías contra Israel.

**52.** Fortificó también la ciudad de Betsura, y la de Gázara, y el alcázar *de Jerusalén,* poniendo en todas partes guarnición y víveres.

**53.** Tomó después en rehenes los hijos de las principales familias del país, y los tuvo custodiados en el alcázar de Jerusalén.

**54.** En el segundo mes del año ciento cincuenta y tres mandó Alcimo derribar las murallas de la parte interior del templo, y que se destruyesen las obras de los profetas *Ageo y Zacarias.* Comenzó con efecto la demolición;

**55.** *Pero* hiriólo el Señor entonces, y no pudo acabar lo que había comenzado; perdió el habla, quedó baldado de parálisis, sin poder pronunciar una palabra más, ni dar disposición alguna en los asuntos de su casa.

**56.** Y murió Alcimo de allí a poco, atormentado de grandes dolores.

**57.** Viendo Báquides que había muerto Alcimo, se volvió a donde estaba el rey, y quedó el país en reposo por dos años.

**58.** Pero al cabo los malvados todos formaron el siguiente designio: Jonatás, dijeron, y los que con él están, viven en sosiego y descuidados; ahora es tiempo de hacer venir a Báquides y de que los sorprenda todos en una noche.

**59.** Fueron, pues, a verse con él, y le propusieron este designio.

**60.** Báquides se puso luego en camino con un poderoso ejército, y envió secretamente sus cartas a los que seguían su par-

---

37. Esto es, de un príncipe árabe o gentil.

tido en la Judea, a fin de que pusiesen presos a Jonatás y a los que le acompañaban; mas no pudieron hacer nada, porque éstos fueron advertidos de su designio.

**61.** Entonces *Jonatás* prendió a cincuenta personas del país, que eran los principales jefes de aquella conspiración, y les quitó la vida.

**62.** En seguida se retiró con *su hermano* Simón y los de su partido a Betbesén, que está en el desierto; repararon sus ruinas, y la pusieron en estado de defensa.

**63.** Tuvo noticia de esto Báquides, y juntando todas sus tropas, y avisando a los *partidarios* que tenía en la Judea,

**64.** Vino a acamparse sobre Betbesén, a la cual tuvo sitiada por mucho tiempo, haciendo construir máquinas *de guerra.*

**65.** Pero Jonatás, dejando en la ciudad a su hermano Simón, fué a recorrer el país, y volviendo con un buen cuerpo de tropa,

**66.** Derrotó a Odarén, y a sus hermanos, y a los hijos de Faserón en sus propias tiendas, y comenzó a hacer destrozo *en los enemigos* y a dar grandes muestras de su valor.

**67.** Simón, empero, y Sus tropas, salieron de la ciudad, y quemaron las máquinas *de guerra;*

**68.** Atacaron a Báquides y lo derrotaron, causándole grandísimo pesar por ver frustrados sus designios y tentativas;

**69.** Y así lleno de cólera contra aquellos hombres perversos que le habían aconsejado venir a su país, hizo matar a muchos de ellos, y resolvió volverse a su tierra con el resto de sus tropas.

**70.** Sabedor de esto Jonatás, le envió embajadores para ajustar la paz con él, y canjear los prisioneros.

**71.** Recibiólos Báquides gustosamente, y consintiendo en lo que proponía Jonatás, juró que en todos los días de su vida no volvería a hacerle mal ninguno.

**72.** Entrególe asimismo los prisioneros que había hecho antes en el país de Judá: después de lo cual partió para su tierra, y no quiso volver más a la Judea.

**73.** Con esto cesó la guerra en Israel, y Jonatás fijó su residencia en Macmas, donde comenzó a gobernar la nación, y exterminó de Israel a los impíos.

## CAPITULO X

*Alejandro, hijo de Antíoco Epifanes, se levanta contra Demetrio; ambos solicitan la* *amistad de Jonatás, el cual se declara a favor de Alejandro, y éste le colma de honras. Vence Jonatás a Apolonio, general de Demetrio, incendia a Azoto y el templo de Dagón, y es nuevamente honrado de Alejandro, que le da la ciudad de Accarón y la condecoración de la hebilla o broche de oro.*

**1.** El año ciento y sesenta, Alejandro, hijo de Antíoco el Ilustre, subió a ocupar a Tolemaida, y fué bien recibido, y empezó allí a reinar.

**2.** Así que lo supo el rey Demetrio, levantó un poderoso ejército, y marchó a pelear contra él.

**3.** Envió también una carta a Jonatás, llena de expresiones afectuosas y de grandes elogios de su persona.

**4.** Porque dijo él *a los suyos:* Anticipémonos a hacer con él la paz, antes que la haga con Alejandro en daño nuestro;

**5.** Pues él se acordará *sin duda* de los males que le hemos hecho tanto a él como a su hermano y a su nación.

**6.** Dióle, pues, facultad para levantar un ejército y fabricar armas: declarolo su aliado, y mandó que se le entregasen los que estaban en rehenes en el alcazar *de Jerusalén.*

**7.** Entonces Jonatás pasó a Jerusalén, y leyó las cartas *de Demetrio* delante de todo el pueblo y de los que estaban en el alcázar.

**8.** E intimidáronse éstos en gran manera al oír que el rey le daba facultad de levantar un ejército.

**9.** Entregáronse luego a Jonatás los rehenes, el cual los volvió a sus padres.

**10.** Fijó Jonatás su residencia en Jerusalén, y comenzó a reedificar y restaurar la ciudad:

**11.** Y mandó a los arquitectos que levantasen una muralla de piedras cuadradas alrededor del monte de Sión, para que quedase bien fortificado; y así lo hicieron.

**12.** Entonces los extranjeros que estaban en las fortalezas construídas por Báquides se huyeron;

**13.** Y abandonando sus puestos se fué cada cual a su país.

---

CAP. X. — 1. Del imperio de los Griegos, o de la *era de los Seleucidas:* el 3851 del mundo y 153 antes de Jesucristo.

**14.** Sólo en Betsura quedaron algunos de aquellos que habían abandonado la ley y los preceptos de Dios; porque esta fortaleza era su refugio.

**15.** Entre tanto llegaron a oídos de Alejandro las promesas que Demetrio había hecho a Jonatás, y le contaron las batallas y acciones gloriosas de Jonatás y de sus hermanos, y los trabajos que ha-bían padecido.

**16.** Y dijo: ¿Podrá haber acaso otro varón como éste? Pensemos, pues, en hacerle nuestro amigo y aliado.

**17.** Con esta mira le escribió, enviándole una carta concebida en los términos siguientes:

**18.** El rey Alejandro, a su hermano Jonatás, salud:

**19.** Hemos sabido que eres un hombre de valor y digno de ser nuestro amigo.

**20.** Por lo tanto te constituímos hoy Sumo Sacerdote de tu nación, y queremos además que tengas el título de amigo del rey, y que tus intereses estén unidos a los nuestros, y que conserves amistad con nosotros. (Y al propio tiempo le envió la vestidura de púrpura y la corona de oro).

**21.** En efecto, en el séptimo mes del año ciento y sesenta, Jonatás se vistió la estola santa, en el día solemne de los Tabernáculos, y levantó un ejército, e hizo fabricar gran multitud de armas.

**22.** Así que supo Demetrio estas cosas, se contristó sobremanera, y dijo:

**23.** ¿Cómo hemos dado lugar a que Alejandro se nos haya adelantado en conciliarse la amistad de los Judíos para fortalecer su partido?

**24.** Voy yo también a escribirles cortésmente, ofreciéndoles dignidades y dádivas, para empeñarlos a unirse conmigo en mi auxilio.

**25.** Y les escribió en estos términos: El rey Demetrio a la nación de los Judíos, salud:

**26.** Hemos sabido con mucho placer que habéis mantenido la alianza que teníais hecha con nosotros: y que sois constantes en nuestra amistad, sin haberos coligado con nuestros enemigos.

**27.** Perseverad, pues, como hasta aquí, guardándonos la misma fidelidad, y os recompensaremos ampliamente lo que habéis hecho por nosotros.

**28.** Os perdonaremos además muchos impuestos, y os haremos muchas gracias.

**29.** Y desde ahora, a vosotros y a todos los Judíos os eximo de tributos, y os condono los impuestos sobre la sal, las coronas, la tercera parte de la simiente:

**30.** Y la mitad de los frutos de los árboles, que me corresponde, os la cedo a vosotros desde hoy en adelante; por lo cual no se exigirá más de la tierra de Judá, ni tampoco de las tres ciudades de Samaria y de Galilea que se le han agregado, y así será desde hoy para siempre.

**31.** Quiero también que Jerusalén sea santa, *o privilegiada,* y que quede libre con todo su territorio, y que los diezmos y tributos sean para ella.

**32.** Os entrego también el alcázar de Jerusalén, y se lo doy al Sumo Sacerdote para que ponga en él la gente que él mismo escogiere para su defensa.

**33.** Concedo además gratuitamente la libertad a todos los Judíos, que se trajeron cautivos de la tierra de Judá, en cualquier parte de mi reino que se hallen, eximiéndolos de pagar contribuciones por sí, y también por sus ganados.

**34.** Y todos los días solemnes, y los sábados, y las neomenias, y los días establecidos, y los tres días antes y después de la fiesta solemne sean días de inmunidad y de libertad para todos los Judíos que hay en mi reino;

**35.** De modo que *en estos días* nadie podrá proceder contra ellos, ni llamarlos a juicio por ningún motivo.

**36.** También *ordeno* que sean admitidos en el ejército del rey hasta treinta mil Judíos, los cuales serán mantenidos del mismo modo que todas las tropas reales, y se echará mano de ellos para ponerlos en guarnición en las fortalezas del gran rey.

**37.** Igualmente se escogerán de éstos algunas personas, a las cuales se encarguen los negocios del reino que exigen gran confianza; sus jefes serán elegidos de entre ellos mismos, y vivirán conforme a sus leyes, según el rey ha ordenado para el país de Judá.

**38.** Repútense asimismo en un todo, como la misma Judea, las tres ciudades de la provincia de Samaria incorporadas a la Judea, de suerte que no dependan más que de un jefe, ni reconozcan otra potestad que la del Sumo Sacerdote.

**39.** Hago donación de Tolemaida con su territorio al templo de Jerusalén para los gastos necesarios del Santuario;

---

**18.** Es antigua costumbre la de llamarse hermanos los reyes unos a otros. III *Reg*. IX, *v*. 13; XXV, *v*. 33. Y a veces también los gobernadores de las provincias. *Mach*. X, *v*. 21.

**29.** Después cap. I, *v*. 35. Tributo que se pagaba en coronas de oro llamado por eso *oro coronario.* Josefo. *Lib*. XII, c. 3. Ant.

**40.** Y le consigno todos los años quince mil siclos de plata de los derechos reales que me pertenecen.

**41.** Y todo aquello que ha quedado atrasado, y han dejado de pagar mis administradores en los años precedentes, se entregará desde ahora para la reparación del templo *del Señor;*

**42.** Y por lo que hace a los cinco mil siclos de plata que aquéllos recaudaban cada año por cuenta de las rentas del Santuario, también pertenecerán éstos a los sacerdotes que están ejerciendo las funciones de su ministerio.

**43.** Asimismo, todos aquellos que siendo responsables al rey, por cualquier motivo que sea, se refugiaren al Templo de Jerusalén, o a cualquier parte de su recinto, quedarán inmunes, y gozarán libremente de todos los bienes que posean en mi reino.

**44.** Y *finalmente*, el gasto de lo que se edifique o repare en el Santuario, correrá de cuenta del rey;

**45.** Como también lo que se gaste para restaurar los muros de Jerusalén y fortificarlos por todo el rededor, y para las murallas que deben levantarse en la Judea.

**46.** Habiendo, pues, oído Jonatás y el pueblo estas proposiciones *de Demetrio,* no las creyeron sinceras, ni las quisieran aceptar: porque se acordaban de los grandes males que había hecho en Israel, y cuán duramente los había oprimido.

**47.** Y así se inclinaron más bien a complacer a Alejandro, pues había sido el primero que les había hablado de paz, y con efecto, le auxiliaron constantemente.

**48.** En esto juntó el rey Alejandro un grande ejército, y marchó con sus tropas contra Demetrio.

**49.** Y diéronse la batalla ambos reyes, y habiendo sido puestas en fuga las tropas de Demetrio, las fué siguiendo Alejandro, y cargó *furiosamente* sobre ellas.

**50.** Fué muy recio el combate, *el cual duró* hasta ponerse el sol; y murió en él Demetrio.

**51.** Después de esto, Alejandro envió sus embajadores a Tolomeo, rey de Egipto, para que le dijesen en su nombre:

**52.** Puesto que he vuelto a mi reino, y me hallo sentado en el trono de mis padres, y he recobrado mis estados, y entrado en posesión de mis dominios con la derrota de Demetrio,

**53.** A quien deshice en batalla campal, por el cual motivo ocupo el trono del reino que él poseía;

**54.** Establezcamos ahora entre nosotros una mutua amistad; y *para ello* concédeme por esposa a tu hija, con lo cual seré yo tu yerno, y te presentaré tanto a ti como a ella regalos dignos de tu persona.

**55.** A lo que el rey Tolomeo respondió, diciendo: ¡Bendito sea el día en que has vuelto a entrar en la tierra de tus padres, y te has sentado en el trono de su reino!

**56.** Yo estoy pronto a concederte lo que me has escrito: mas ven hasta Tolemaida, para que nos veamos allí ambos, y te entregue yo mi hija por esposa, conforme me pides.

**57.** Partió, pues, Tolomeo de Egipto con su hija Cleopatra, y vino a Tolemaida el año ciento sesenta y dos.

**58.** Y fué Alejandro a encontrarlo allí; y Tolomeo le dió su hija Cleopatra para esposa, celebrándose sus bodas en dicha ciudad de Tolemaida con una magnificencia verdaderamente real.

**59.** El rey Alejandro escribió también a Jonatás que viniese a verlo;

**60.** Y en efecto, habiendo pasado a Tolemaida con grande pompa, visitó a los dos reyes, les presentó mucha plata y oro, y *otros* regalos, y ellos le recibieron con mucho agrado.

**61.** Entonces algunos hombres corrompidos y malvados de Israel se conjuraron para presentar una acusación contra él; mas el rey no quiso darles oídos;

**62.** Antes bien mandó que a Jonatás le quitasen sus vestidos, y lo revistiesen de púrpura. Y así se ejecutó. Después de lo cual el rey le mandó sentar a su lado.

**63.** Luego dijo a sus magnates: Id con él por medio de la ciudad, y haced publicar que nadie por ningún título ose formar acusación contra él, ni le moleste, sea por el asunto que fuere.

**64.** Así que los acusadores vieron la honra que se hacía a Jonatás, y lo que se había pregonado, y cómo iba revestido de púrpura, echaron a huir todos.

**65.** Elevólo el rey a grandes honores, y lo contó entre sus principales amigos; hízolo general, y le dió parte en el gobierno.

**66.** Después de lo cual se volvió Jonatás a Jerusalén en paz, y lleno de gozo.

**67.** El año ciento sesenta y cinco, Demetrio *el joven*, hijo de Demetrio, vino desde Creta a la tierra de sus padres;

**68.** Y habiéndolo sabido el rey Alejandro, tuvo de ello gran pena, y se volvió a Antioquía.

**69.** El rey Demetrio hizo general de sus tropas a Apolonio, que era gobernador de la Celesiria, el cual juntó un grande ejército, y se acercó a Jamnia, y envió a decir a Jonatás, Sumo Sacerdote,

**70.** Estas palabras: Tu eres el único que nos haces resistencia; y yo he llegado a ser un objeto de escarnio y oprobio, a causa de que tú te haces fuerte en los montes, *y triunfas* contra nosotros.

**71.** Ahora bien, si tu tienes confianza en tus tropas, desciende a la llanura, y mediremos allí nuestras fuerzas; pues el valor militar en mí reside.

**72.** Infórmate si no, y sabrás quién soy yo, y quiénes son los que vienen en mi ayuda: los cuales dicen *confiadamente* que vosotros no podréis sosteneros en nuestra presencia; porque *ya* dos veces fueron tus mayores puestos en fuga en su propio país.

**73.** ¿Cómo, pues, ahora podrás tú resistir el ímpetu de la caballería y de un ejército tan poderoso en una llanura, donde no hay piedras, ni peñas, ni arbitrio para huir?

**74.** Así que Jonatás oyó estas palabras de Apolonio, se alteró su ánimo; y escogiendo diez mil hombres, partió de Jerusalén, saliendo a incorporarse con él su hermano Simón para ayudarle.

**75.** Fueron a acamparse junto a la ciudad de Joppe; la cual le cerró las puertas (porque Joppe tenía guarnición de Apolonio), y así hubo de ponerla sitio.

**76.** Pero atemorizados los que estaban dentro, le abrieron las puertas, y Jonatás se apoderó de ella.

**77.** Habiéndolo sabido Apolonio, se acercó con tres mil caballos y un ejército numeroso;

**78.** Y marchando como para ir a Azoto, bajó sin perder tiempo a la llanura; pues tenía mucha caballería, en la cual llevaba puesta su confianza. Jonatás se dirigió también hacia Azoto, y allí se dió la batalla.

**79.** Había dejado Apolonio en el campo, a las espaldas de los enemigos, mil caballos en emboscada.

**80.** Y supo Jonatás esta emboscada que los enemigos habían dejado a sus espaldas; los cuales le cercaron en su campo, y estuvieron arrojando dardos sobre sus gentes desde la mañana hasta la tarde.

**81.** Empero, los de Jonatás se mantuvieron inmobles, conforme él había ordenado; *y entre tanto* se fatigó mucho la caballería enemiga.

**82.** Entonces Simón hizo avanzar su gente, y acometió a la infantería *la cual se vió sola*, pues la caballería estaba ya cansada; y la derrotó, y puso en fuga.

**83.** Los que se dispersaron por el campo, se refugiaron en Azoto, y se metieron en la casa o *templo* de su ídolo Dagón para salvarse allí.

**84.** Pero Jonatás puso fuego a Azoto y a las ciudades circunvecinas, después de haberlas saqueado; y abrasó el templo de Dagón con cuantos en él se habían refugiado;

**85.** Y entre pasados a cuchillo y quemados, perecieron cerca de ocho mil hombres.

**86.** Levantó luego Jonatás el campo, y se aproximó a Ascalón, cuyos ciudadanos salieron a recibirlos con grandes agasajos;

**87.** Y regresó después a Jerusalén con sus tropas cargadas de *ricos* despojos.

**88.** Así que el rey Alejandro supo todos estos sucesos, concedió nuevamente mayores honores a Jonatás,

**89.** Y le envió la hebilla o *broche* de oro, que se acostumbraba dar a los parientes del rey; y dióle el dominio de Accarón y de su territorio.

## CAPITULO XI

*Usurpa Tolomeo el reino de Alejandro, y mueren ambos. Sube al trono Demetrio Nicanor y los Judíos le sostienen contra Antíoco, pero él falta a la alianza hecha con Jonatás, con el cual la hace después Antíoco, luego que vence a Demetrio, y ocupa el trono. Victorias de Jonatás contra las naciones extranjeras.*

**1.** Después de esto el rey de Egipto juntó un ejército innumerable como las arenas de la orilla de mar, y gran número de naves; y trataba con perfidia de apoderarse del reino de Alejandro y unirlo a su corona.

**2.** Entró, pues, en la Siria aparentando amistad, y las ciudades le abrían las puertas, y salíanle a recibir sus moradores; pues así lo había mandado Alejandro, por cuanto era su suegro.

**3.** Mas Tolomeo, así que entraba en una ciudad, ponía en ella guarnición militar.

**4.** Cuando llegó a Azoto, le mostraron el templo de Dagón que había sido abrasado, y las ruinas de esta ciudad y de sus arrabales, muchos cadáveres tendidos en tierra y los túmulos que habían hecho a lo, largo del camino de los muertos en la batalla.

**5.** Y dijeron al rey que todo aquello lo había hecho Jonatás: con lo cual intentaban hacerle odiosa su persona; mas el rey no se dió por entendido.

**6.** Y salió Jonatás a recibir al rey con toda pompa en Joppe, y saludáronse mutuamente, y pasaron allí la noche.

**7.** Fué Jonatás acompañando al rey hasta un río llamado Eleutero, desde donde regresó a Jerusalén.

**8.** Pero el rey Tolomeo se apoderó de todas las ciudades que hay hasta Seleucia, situada en la costa del mar, y maquinaba traiciones contra Alejandro.

**9.** Y despachó embajadores a Demetrio para que le dijeran: Ven, haremos alianza entre los dos, y yo te daré mi hija desposada con Alejandro, y tu recobrarás *así* el reino de tu padre;

**10.** Pues estoy arrepentido de haberle dado mi hija; porque ha conspirado contra mi vida.

**11.** Así lo infamaba; porque codiciaba alzarse con su reino.

**12.** Al fin habiéndole quitado la hija, se la dió a Demetrio, y *entonces* se extrañó de Alejandro, e hizo patente su malvada intención.

**13.** Entró después Tolomeo en Antioquía, y ciñó su cabeza con dos diademas, la de Egipto y la de Asia.

**14.** Hallábase a esta sazón el rey Alejandro en Cilicia, por habérsele rebelado la gente de aquellas provincias.

**15.** Pero así que supo lo ocurrido con el rey Tolomeo, marchó contra él. Ordenó también éste sus tropas, y salió a su encuentro con grandes fuerzas y le derrotó.

**16.** Huyó Alejandro a Arabia, para ponerse allí a cubierto; y se aumentó así el poder de Tolomeo.

**17.** Y Zabdiel, *príncipe* de la Arabia, cortó la cabeza a Alejandro, y se la envió a Tolomeo.

**18.** De allí a tres días murió también el rey Tolomeo; y las tropas que estaban en las fortalezas, perdieron la vida a manos de las que estaban en el campamento.

**19.** Y entró Demetrio en posesión del reino el año ciento sesenta y siete.

**20.** Por aquellos días reunió Jonatás las milicias de la Judea para apoderarse del alcázar de Jerusalén; a este fin levantaron contra él muchas máquinas *de guerra.*

**21.** Mas algunos hombres malvados, enemigos de su propia nación, fueron al rey Demetrio y le dieron parte de que Jonatás tenía sitiado el alcázar.

**22.** Irritado al oír esto, pasó al instante a Tolemaida, y escribió a Jonatás que levantase el sitió del alcázar, y viniese al punto a verse con él.

**23.** Recibido que hubo Jonatás esta carta, mandó que se continuase el sitio; y escogiendo algunos de los ancianos o *senadores* de Israel, y de los sacerdotes, *fué con ellos y* se expuso al peligro.

**24.** Llevó consigo *mucho* oro y plata, ropas y varios otros regalos, y partió a presentarse al rey en Tolemaida, y se ganó su amistad.

**25.** Sin embargo, algunos hombres perversos de su nación formaron *nuevamente* acusación contra Jonatás.

**26.** Mas el rey lo trató como lo habían tratado sus predecesores; y le honró en presencia de todos sus amigos *o cortesanos,*

**27.** Y confirmóle en el Sumo Sacerdocio y en todos los demás honores que de antemano tenía, y tratóle como al primero de sus amigos.

**28.** Entonces Jonatás suplicó al rey que concediese franquicia de tributos a la Judea, a las tres Toparquías y a Samaria con todo su territorio; prometiendo *darle, como en homenaje,* trescientos talentos.

**29.** Otorgó el rey la petición, e hizo expedir el diploma para Jonatás, en estos términos:

**30.** El rey Demetrio a su hermano Jonatás y a la nación judaica, salud:

**31.** Os enviamos para conocimiento vuestro copia de la carta que acerca de vosotros hemos escrito a Lástenes, nuestro padre. *Dice asi:*

**32.** El rey Demetrio a Lástenes, su padre, salud:

**33.** Hemos resuelto hacer mercedes a la nación de los Judíos, los cuales son nuestros amigos, y se portan fielmente con nosotros, a causa de la buena voluntad que nos tienen.

**34.** Decretamos, pues, que toda la Judea y las tres ciudades *Aférema*, Lida y Ramata, de la provincia de Samaria, agregadas a la Judea, y todos sus territorios queden destinados para todos los sacerdotes de Jerusalén, en cambio de lo que el rey percibía antes de ellos todos los años por los frutos de la tierra y de los árboles.

**35.** Asimismo les perdonamos desde ahora lo demás que nos pertenecía de diezmos y

---

CAP. XI. — 28. Toparquía es palabra griega que significa cabeza de partido. Tales eran las tres ciudades de que se ha hablado en el cap. X, *v.* 30, cuyos nombres se expresan cap. V, *v.* 36.

tributos, y los productos de las lagunas de la sal y las coronas *de oro* que se nos ofrecían.

**36.** Todo lo referido se lo concedemos, y todo irrevocablemente, desde ahora en adelante y para siempre.

**37.** Ahora, pues, cuidad de que se saque una copia de este decreto, y entregádsela a Jonatás, para que se coloque en el monte santo *de Sión* en un paraje público.

**38.** Viendo después el rey Demetrio que toda la tierra estaba tranquila, y lo respetaba, sin que le quedase competidor ninguno, licenció todo su ejército, enviando a cada cual a su casa, salvo las tropas extranjeras que había asalariado de las islas de las naciones; con lo cual se atrajo el odio de todas las tropas que habían servido a sus padres.

**39.** Había entonces un cierto Trifón, que había sido antes del partido de Alejandro; y viendo que todo el ejército murmuraba de Demetrio, fué a verse con Emalcuel, árabe: el cual educaba a Antíoco, hijo de Alejandro.

**40.** Y le hizo muchas y grandes instancias para que se le entregase, a fin de hacer que ocupase el trono de su padre; contóle todo lo que Demetrio había hecho, y cómo le aborrecía todo el ejército, y detúvose allí muchos días.

**41.** Entre tanto Jonatás envió a pedir al rey Demetrio que mandase quitar la guarnición que había *aún* en el alcázar de Jerusalén y en las otras fortalezas, porque causaban daño a Israel.

**42.** Y Demetrio respondió a Jonatás: No sólo haré por ti y por tu nación lo que me pides, sino que también te elevaré a mayor gloria a ti y a tu pueblo, luego que el tiempo me lo permita.

**43.** Mas ahora me harás favor de enviar tropas a mi socorro; porque todo mi ejército me ha abandonado.

**44.** Entonces Jonatás le envió a Antioquía tres mil hombres de los más valientes, por cuya llegada recibió el rey grande contento.

**45.** Pero los moradores de la ciudad, en número de ciento y veinte mil hombres, se conjuraron y querían matar al rey.

**46.** Encerróse éste en su palacio, y apoderándose los de la ciudad de las calles *o avenidas,* comenzaron a combatirle.

**47.** Entonces el rey hizo venir en su socorro a los Judíos, los cuales se reunieron todos junto a él: y acometiendo por varias partes a la ciudad,

**48.** Mataron en aquel día cien mil hombres, y después de saqueada le pegaron fuego: y libertaron *así* al rey.

**49.** Al ver los *sediciosos* de la ciudad que los Judíos se habían hecho dueños absolutos de ella, se aturdieron, y a gritos pidieron al rey misericordia, haciéndole esta súplica:

**50.** Concédenos la paz, y cesen los Judíos de maltratarnos a nosotros y a la ciudad.

**51.** Y rindieron las armas, e hicieron la paz. Con esto los Judíos adquirieron grande gloria para con el rey y todo su reino; y habiéndose hecho en él muy célebres, se volvieron a Jerusalén cargados de *ricos* despojos.

**52.** Quedó con esto Demetrio asegurado en el trono de su reino: y sosegado todo el país era respetado de todos.

**53.** Mas, sin embargo, faltó a todo lo que había prometido; se extrañó de Jonatás, y bien lejos de manifestarse reconocido a los servicios recibidos, le hacía todo el mal que podía.

**54.** Después de estas cosas, volvió Trifón trayendo consigo a Antíoco, que era aún niño; el cual fué reconocido por rey, y ciñose la diadema.

**55.** Y acudieron a presentársele todas las tropas que Demetrio había licenciado; y pelearon contra Demetrio, el cual volvió las espaldas, y se puso en fuga.

**56.** Apoderóse en seguida Trifón de los elefantes, y se hizo dueño de Antioquía.

**57.** Y el jovencito Antíoco escribió a Jonatás en estos términos: Te confirmo en el *Sumo* sacerdocio y en el dominio de las cuatro ciudades, y quiero que seas uno de los amigos del rey.

**58.** Envióle también varias alhajas de oro para su servicio, y concedióle facultad de poder beber en copa de oro, vestirse de púrpura y de llevar la hebilla *o broche de oro.*

**59.** Al mismo tiempo nombró a su hermano Simón por gobernador *de todo el país,* desde los confines de Tiro hasta las fronteras de Egipto.

**60.** Salió luego Jonatás, y recorrió las ciudades de la otra parte del río *Jordán; y* todo el ejército de la Siria acudió a su auxilio, con lo que se encaminó hacia Ascalón, cuyos moradores salieron a recibirlo con grandes festejos.

**61.** Desde allí pasó a Gaza, y sus habitantes le cerraron las puertas; por lo que le puso sitio, y quemó todos los alrededores de la ciudad, después de haberlo todo saqueado.

**62.** Entonces los de Gaza pidieron capitulación a Jonatás, el cual se la concedió; y tomando en rehenes a sus hijos, los envió a Jerusalén, y recorrió en seguida todo el país hasta Damasco.

63. A esta sazón supo Jonatás que los generales de Demetrio habían ido con un poderoso ejército a *la ciudad de* Cades, situada en la Galilea, para sublevarla, con el fin de impedirle que se mezclase en adelante en los negocios del reino *de Antíoco.*

64. Y marchó contra ellos, dejando en la provincia a su hermano Simón.

65. Entre tanto éste aproximándose a Beasura, la tuvo sitiada muchos días, teniendo encerrados a sus habitantes;

66. Los cuales pidieron al fin la paz, y se la concedió; y habiéndoles hecho desocupar la plaza, tomó posesión de ella y la guarneció.

67. Jonatás, empero, se acercó con su ejército al lago de Genesar, y antes de amanecer llegaron a la llanura de Asor.

68. Y he aquí que se encontró delante del campamento de los extranjeros; quienes le habían puesto una emboscada en el monte. Jonatás fué a embestirlos de frente;

69. Pero entonces los que estaban emboscados salieron de sus puestos y cargaron sobre él.

70. Con esto los de Jonatás echaron todos a huír, sin que quedase uno siquiera *de los capitanes,* excepto Matatías, hijo de Absalomi, y Judas, hijo de Calfi, comandante de su ejército.

71. Entonces Jonatás rasgó sus vestidos, se echó polvo sobre su cabeza, e hizo oración.

72. En seguida volvió Jonatás sobre los enemigos, y peleó contra ellos y los puso en fuga.

73. Viendo esto las tropas que le habían abandonado, volvieron a unirse con él, y todos juntos persiguieron a los enemigos hasta Cades, donde tenían éstos sus reales, al pie de los cuales llegaron.

74. Murieron en aquel día tres mil hombres del ejército de los extranjeros; y Jonatás se volvió a Jerusalén.

## CAPITULO XII

*Jonatás renueva la alianza con los Romanos y con los Lacedemonios. Vence a los generales de Demetrio que le acometieron; y derrotados los Arabes, manda construir plazas de armas en la Judea y un muro en frente del alcázar de Jerusalén. Pero Trifón, fingiéndosele amigo, le prende en Tolemaida, y hace matar a todos los que le acompañaban.*

1. Viendo Jonatás que el tiempo *o circunstancias* le eran favorables, eligió diputados y los envió a Roma, para confirmar y renovar la amistad con los Romanos:

2. E igualmente envió a los Lacedemonios y a otros pueblos cartas en todo semejantes.

3. Partieron, pues, aquellos para Roma, y habiéndose presentado al senado, dijeron: Jonatás, Sumo Sacerdote, y la nación de los Judíos nos han enviado a renovar la amistad y alianza, según se hizo en tiempos pasados.

4. Y los Romanos les dieron *después* cartas para *los gobernadores de* las plazas a fin de que viajasen con seguridad hasta la Judea.

5. El tenor de la carta que Jonatás escribió a los Lacedemonios, es el siguiente:

6. Jonatás, Sumo Sacerdote, y los ancianos de la nación, y los sacerdotes, y todo el pueblo de los Judíos, a los Lacedemonios sus hermanos, salud:

7. Ya hace tiempo que Ario, vuestro rey, escribió una carta a Onías, Sumo Sacerdote, en la cual se leía que vosotros sois nuestros hermanos, como se ve por la copia que más abajo se pone.

8. Y Onías recibió con grande honor al enviado *del rey y también* sus cartas, en las cuales se hablaba de hacer amistad y alianza.

9. Y aunque nosotros no teníamos necesidad de nada de eso, teniendo como tenemos en nuestras manos para consuelo nuestro los libros santos,

10. Con todo hemos querido enviar a renovar con vosotros esta amistad y unión fraternal: no sea que os parezca que nos hemos extrañado de vosotros; porque ha transcurrido ya mucho tiempo desde que nos enviasteis aquella embajada.

11. Nosotros, empero, en todo este intermedio, jamás hemos dejado de hacer conmemoración de vosotros en los sacrificios que ofrecemos *a Dios,* en los días solemnes, y en los demás que corresponde, y en todas nuestras oraciones, pues es justo y debido acordarse de los hermanos.

12. Nos regocijamos, pues, de la gloria que disfrutáis.

13. Mas por lo que hace a nosotros, hemos sufrido grandes aflicciones y muchas guerras, habiéndonos acometido *varias veces* los reyes circunvecinos.

14. Sin embargo, en estas guerras no hemos querido cansaros ni a vosotros, ni a ninguno de los demás aliados y amigos;

**15.** Pues hemos recibido el socorro del cielo, con el cual hemos sido librados nosotros y humillados nuestros enemigos.

**16.** Por tanto, habiendo *ahora* elegido a Numenio, hijo de Antíoco, y Antípatro, hijo de Jasón, para enviarlos a los Romanos, a fin de renovar con ellos la antigua amistad y alianza;

**17.** Les hemos dado también la orden de pasar a veros y a saludaros de nuestra parte, y llevaros esta nuestra carta, cuyo objeto es el renovar nuestra unión fraternal .

**18.** Y así nos haréis un favor respondiéndonos sobre su contenido.

**19.** Este es el traslado de la carta que *Ario* escribió a Onías:

**20.** Ario, rey de los Lacedemonios, a Onías, Sumo Sacerdote, salud:

**21.** *Aquí* se ha encontrado en cierta escritura que los Lacedemonios y los Judíos somos hermanos, y que son todos del linaje de Abraham.

**22.** Por tanto, ahora que hemos descubierto esta noticia, nos haréis el gusto de escribirnos si gozáis de paz.

**23.** Pues nosotros desde luego os respondemos: Nuestros ganados y nuestros bienes vuestros son, y nuestros los vuestros; y esto es lo que les encargamos que os digan.

**24.** Entre tanto supo Jonatás que los generales de Demetrio habían vuelto contra él con un ejército mucho mayor que antes.

**25.** Con esto partió de Jerusalén, y fué a salirles al encuentro en el país de Amat, *o Emat,* para no darles tiempo de entrar en su tierra *de Judea;*

**26.** Y enviando espías a reconocer su campo, volvieron éstos con la noticia de que los enemigos habían resuelto sorprenderle aquella noche.

**27.** Con esto Jonatás, puesto que fué el sol, mandó a su gente que estuviese alerta toda la noche, y sobre las armas, prontos para la batalla, y puso centinelas alrededor del campamento.

**28.** Pero cuando los enemigos supieron que Jonatás estaba preparado con sus tropas para la batalla, temieron y huyeron despavoridos, dejando encendidos fuegos, *u hogueras,* en su campamento.

**29.** Mas Jonatás y su tropa, por lo mismo que veían los fuegos encendidos, no lo conocieron hasta la mañana.

**30.** Y fué después en su seguimiento; pero no los pudo alcanzar, pues habían pasado ya el río Eléutero.

**31.** Entonces convirtió sus armas contra los Arabes llamados Zabadeos, a quienes derrotó y tomó sus despojos;

**32.** Y reunida su gente fué a Damasco, y anduvo haciendo varias correrías por todo aquel país.

**33.** Entre tanto Simón marchó y llegó hasta la ciudad de Ascalón y las fortalezas vecinas; y dirigiéndose a Joppe se apoderó de ella.

**34.** (Pues había sabido que los de aquella ciudad querían entregar la plaza a los partidarios de Demetrio); y le puso guarnición para que la custodiase.

**35.** Habiendo vuelto Jonatás de su expedición, convocó a los ancianos del pueblo, y de acuerdo con ellos resolvió construir fortalezas en la Judea,

**36.** Reedificar los muros de Jerusalén, y levantar una muralla de grande altura entre el alcázar y la ciudad para separar aquél de ésta, de modo que el alcázar quedase aislado, y los de dentro no pudiesen comprar ni vender ninguna cosa.

**37.** Reunióse, pues la gente para reedificar la ciudad, y hallándose caída la muralla que estaba sobre el torrente *Cedrón* hacia el Oriente, la levantó Jonatás, la cual se llama Cafeteta

**38.** Simón también construyó a Adiada ˙en Sefela, y la fortificó, y aseguró con puertas y barras *de hierro.*

**39.** Por este tiempo proyectó Trifón hacerse rey de Asia, y ceñirse la corona, y quitar la vida al rey Antíoco.

**40.** Mas temiendo que Jonatás le sería contrario y le declararía la guerra, andaba buscando medios para apoderarse de él y quitarle la vida. Fuése, pues *con este intento* a Betsán.

**41.** Pero Jonatás le salió al encuentro con cuarenta mil hombres de tropa escogida, avanzando también hasta dicha ciudad.

**42.** Mas cuando Trifón vió que Jonatás había ido contra él con tan poderoso ejército, entró en miedo:

**43.** Y así lo recibió con agasajo, y le recomendó a todos sus amigos; hízole varios regalos, y mandó a todo su ejército que le obedeciese como a su propia persona.

**44.** Dijo luego a Jonatás: ¿Por qué has cansado a toda esa tu gente, no habiendo guerra entre nosotros?

**45.** Ahora bien, despáchalos a sus casas, y escoge solamente algunos pocos de entre ellos que te acompañen, y vente conmigo a Tolemaida, y yo te haré dueño de ella, y de todos los encargados del gobierno; ejecutado lo cual me volveré, pues para eso he venido acá.

---

CAP. XII — 33. O la volvió a ocupar. — Véase cap. X, *v.* 76.

**46.** Dióle crédito Jonatás, y haciendo lo que le dijo, licenció sus tropas, que se volvieron a la tierra de Judá,

**47.** Reteniendo consigo tres mil hombres; de los cuales envió *aún* dos mil a la Galilea, y mil le acompañaron.

**48.** Mas apenas Jonatás hubo entrado en Tolemaida, cerraron sus habitantes las puertas de la ciudad, y lo prendieron; y pasaron a cuchillo a todos los que le habían acompañado.

**49.** Y Trifón envió su infantería y caballería a la Galilea y a su gran llanura para acabar con todos los soldados que habían acompañado a Jonatás.

**50.** Empero éstos, oyendo decir que habían preso a Jonatás, y que había sido muerto con cuantos le acompañaban, se animaron los unos a los otros, y se presentaron con denuedo para pelear.

**51.** Mas viendo los que les iban persiguiendo, que estaban resueltos a vender muy caras sus vidas, se volvieron.

**52.** De esta suerte siguieron su camino, regresando todos felizmente a Judea, donde hicieron gran duelo por Jonatás y por los que le habían acompañado; y lloróle *todo* el pueblo amargamente.

**53.** Entonces todas las naciones circunvecinas intentaron *nuevamente* abatirlos. Porque dijeron:

**54.** No tienen caudillo, ni quién los socorra; ahora es tiempo de echarnos sobre ellos y borrar su memoria de entre los hombres.

## CAPITULO XIII

*Sucede Simón a Jonatás en el gobierno del pueblo. Envía a Trifón el dinero y los hijos de Jonatás, que pidió por el rescate de éste. Pero Trifón recibe el dinero y mata a Jonatás y a sus hijos. Trifón mata a Antíoco, y se apodera de su trono. Simón alcanzando de Demetrio alianza y exención de tributos, toma a Gaza, y se apodera del alcázar o ciudadela de Jerusalén.*

**1.** Tuvo Simón aviso de que había juntado Trifón un grande ejército para venir a asolar la tierra de Judá.

**2.** Y observando que la gente estaba intimidada y temblando, subió a Jerusalén y convocó al pueblo;

**3.** Y para animarlos a todos, les habló de esta manera: Ya sabéis cuánto hemos trabajado así yo como mis hermanos, y la casa de mi padre por *defender nuestra* ley y por el Santuario, y en qué angustias nos hemos visto.

**4.** Por amor de estas cosas han perdido la vida todos mis hermanos, para salvar a Israel, siendo yo el único de ellos que he quedado.

**5.** Mas no permita Dios que tenga ningún miramiento mi vida, mientras estemos en la aflicción; pues no soy yo de más valer que mis hermanos.

**6.** Defenderé, pues, a mi nación y al Santuario, y a nuestros hijos y a nuestras esposas; porque todas las naciones *gentiles,* por el odio que nos tienen, se han coligado para destruirnos.

**7.** Inflamóse el espíritu del pueblo así que oyó estas palabras,

**8.** Y todos en alta voz respondieron: Tú eres nuestro caudillo en lugar de Judas y Jonatás tus hermanos:

**9.** Dirige nuestra guerra, que nosotros haremos todo cuanto nos mandares.

**10.** Con esto Simón hizo juntar todos los hombres de guerra, y se dió prisa a reedificar las murallas de Jerusalén, y fortalecióla por todos lados:

**11.** Y envió a Jonatás, hijo de Absalomi, con un nuevo ejército contra Joppe, y habiendo éste arrojado a los de dentro de la ciudad, se quedó en ella *con sus tropas.*

**12.** Entre tanto Trifón partió de Tolemaida con un numeroso ejército para entrar en tierra de Judá, trayendo consigo prisionero a Jonatás.

**13.** Simón se acampó cerca de Addús, en frente de la llanura.

**14.** Pero Trifón, así que supo que Simón había entrado en lugar de su hermano Jonatás, y que se disponía para salir a darle batalla, le envió mensajeros,

**15.** Para que le dijesen de su parte: Hemos detenido hasta ahora a tu hermano Jonatás, porque debía dinero al rey con motivo de los negocios que estuvieron a su cuidado.

**16.** Ahora, pues, envíame cien talentos de plata, y por rehenes a sus dos hijos, para seguridad de que luego que esté libre no se vuelva contra nosotros, y le dejaremos ir.

**17.** Bien conoció Simón que le hablaba con doblez; pero con todo mandó que se le entregase el dinero y los niños, por no atraer sobre sí el odio del pueblo de Israel; el cual hubiera dicho:

**18.** Por no haberse enviado el dinero y los niños, por eso ha perecido *Jonatás.*

**19.** Así, pues, envió los niños y los cien talentos; pero Trifón faltó a la palabra y no puso en libertad a Jonatás.

**20.** Y entró después Trifón en el país *de Judá* para devastarlo, y dió la vuelta por el camino que va a Ador; Simón, empero, con sus tropas les seguía siempre los pasos a doquiera que fuesen.

**21.** A este tiempo los que estaban en el alcázar *de Jerusalén* enviaron a decir a Trifón que se apresurase a venir por el camino del desierto *de Idumea,* y les enviase víveres.

**22.** En vista de lo cual dispuso Trifón toda su caballería para partir aquella misma noche *a socorrerlos;* mas por haber gran copia de nieve, no se verificó su ida al territorio de Galaad.

**23.** Y al llegar cerca de Bascamán, hizo matar allí a Jonatás y a sus hijos.

**24.** Luego volvió Trifón atrás, y regresó a su país.

**25.** Entonces Simón envió a buscar los huesos de su hermano Jonatás, y los sepultó en Modín, patria de sus padres.

**26.** Y todo Israel hizo gran duelo en su muerte, y le lloró por espacio de muchos días.

**27.** Mandó después Simón levantar sobre los sepulcros de su padre y hermanos un elevado monumento, que se descubría desde lejos, de piedras labradas por uno y otro lado,

**28.** Y allí levantó siete pirámides una en frente de otra, a su padre, y a su madre, y a sus cuatro hermanos.

**29.** Al rededor de ellas colocó grandes columnas, y sobre las columnas armas para eterna memoria, y junto a las armas unos navíos de escultura, los cuales se viesen de cuantos navegasen por aquel mar.

**30.** Tal es el sepulcro que levantó Simón en Modín, el cual subsiste hasta el dia de hoy.

**31.** Pero Trifón yendo de camino con el jovencito rey Antíoco, hizo quitar a éste la vida a traición;

**32.** Y reinó en su lugar, ciñendo su cabeza con la diadema de Asia; e hizo grandes extorsiones en todo el país.

**33.** Entre tanto Simón reparó las plazas de armas de la Judea, reforzándolas con altas torres, elevados muros, puertas y cerrojos, y surtiéndolas de víveres.

**34.** Envió también Simón comisionados al rey Demetrio para suplicarle que concediera la exención *de tributos* al país; porque todo cuanto había hecho Trifón, no había sido más que un puro latrocinio.

**35.** Contestó el rey Demetrio a esta solicitud, y le escribió la siguiente carta:

**36.** El rey Demetrio a Simón, sumo sacerdote y amigo de los reyes, y a los ancianos y al pueblo de los Judíos, salud:

**37.** Hemos recibido la corona de oro y el ramo *o palma* que nos habéis enviado; y estamos dispuestos a hacer con vosotros una paz sólida, y a escribir a nuestros intendentes que os perdonen los tributos de que os hemos hecho gracia:

**38.** En la inteligencia de que debe permanecer firme todo cuanto hemos dispuesto a favor vuestro. Las plazas que habéis fortificado quedarán por vosotros:

**39.** Os perdonamos también todas las faltas y yerros que hayáis podido cometer hasta el día de hoy, como igualmente la corona *de oro* de que erais deudores, y queremos que si se pagaba algún otro pecho en Jerusalén, no se pague ya más en adelante.

**40.** Finalmente, si se hallan entre vosotros algunos que sean a propósito para ser alistados entre los nuestros, alístense, y reine la paz entre nosotros.

**41.** Con esto, en el año ciento sesenta, quedó libre Israel del yugo de los gentiles;

**42.** *Y entonces* comenzó el pueblo de Israel a datar sus monumentos y registros públicos desde el año primero de Simón, sumo sacerdote, gran caudillo y príncipe de los Judíos.

**43.** Por aquellos días pasó Simón a poner sitio a Gaza; y cercándola con su ejército, levantó máquinas *de guerra,* las arrimó a sus muros, y batió una torre, y se apoderó de ella.

**44.** Y los soldados que estaban en una de estas máquinas entraron de golpe en la ciudad, excitando con esto un grande alboroto en ella.

**45.** Entonces los ciudadanos subieron a la muralla con sus mujeres e hijos, rasgados sus vestidos, y a gritos clamaban a Simón, pidiendo que les concediese la paz,

**46.** Y diciéndole: No nos trates como merece nuestra maldad, sino según tu grande clemencia.

**47.** En efecto, movido Simón a compasión, no los trato con el rigor de la guerra; pero los echó de la ciudad, y purificó los edificios en que había habido ídolos, y luego entró en ella, entonando himnos en alabanza del Señor.

**48.** Arrojadas después de la ciudad todas las inmundicias *idolátricas,* la hizo habitar por gente que observase la ley *del Señor,* y la fortificó, e hizo en ella para sí una casa.

**49.** A esa sazón los que ocupaban el alcázar de Jerusalén, no pudiendo entrar ni salir por el país, ni comprar, ni vender, se vieron

---

CAP. XIII. — 30. Se veía aún en tiempo de S. Jerónimo y de Eusebio.

41. Del imperio de los Griegos.

reducidos a una grande escasez, de suerte que perecían muchos de hambre.

**50.** Entonces clamaron a Simón, pidiéndole capitulación, y se la otorgó: y los arrojó de allí, y purificó el alcázar de las inmundicias *gentílicas.*

**51.** Entraron, pues, *los Judíos* dentro el día veintitrés del segundo mes, del año ciento setenta y uno, llevando ramos de palma, y cantando alabanzas *a Dios,* al son de arpas, de címbalos y de liras, y entonando himnos y cánticos, por haber exterminado de Israel un grande enemigo.

**52.** Y Simón ordenó que todos los años se solemnizasen aquellos días con regocijos.

**53.** Asimismo fortificó el monte del templo, que está junto al alcázar, y habitó allí con sus gentes.

**54.** Finalmente, viendo Simón que su hijo Juan era un guerrero muy valiente, le hizo general de todas las tropas; el cual tenía fija en Gázara su residencia.

## CAPITULO XIV

*Vencido Demetrio y hecho prisionero por Arsaces, Simón y su pueblo gozan de una grande paz: recibe cartas de renovación de la alianza con los Lacedemonios y Romanos. Los Judíos le confirman solemnemente en la soberana autoridad.*

**1.** En el año ciento setenta y dos juntó el rey Demetrio su ejército, y pasó a la Media para recoger allí socorros, a fin de hacer la guerra a Trifón.

**2.** Mas luego que Arsaces, rey de la Persia y de la Media, tuvo noticia de que Demetrio había invadido sus estados, envió a uno de sus generales para que lo prendiese y se lo trajese vivo.

**3.** Marchó, pues, este general, y derrotando el ejército de Demetrio, tomó a éste y le condujo a Arsaces, quien lo hizo poner en una prisión.

**4.** Todo el país de Judá estuvo en reposo durante los días de Simón: no cuidaba éste de otra cosa que de hacer bien a su pueblo; el cual miró siempre con placer su gobierno y la gloria de que gozaba.

**5.** A más de otros muchos hechos gloriosos, habiendo tomado a Joppe, hizo de ella un puerto que sirviese de escala para los países marítimos.

**6.** Extendió los límites de su nación, y se hizo dueño del país.

**7.** Reunió también un gran número de cautivos, tomó a Gázara, a Betsura y el alcázar *de Jerusalén,* y quitó de allí las inmundicias *idolátricas, y* no había nadie que le contrarrestase.

**8.** Cada uno cultivaba entonces pacíficamente su tierra; y el país de Judá daba sus cosechas *abundantes* y frutos *copiosos* los árboles de los campos.

**9.** Sentados todos los ancianos en las plazas *o consejos* trataban de lo que era útil y ventajoso al país, y engalanábase la juventud con ricos vestidos y ropas *tomadas* en la *pasada* guerra.

**10.** Distribuía Simón víveres por las ciudades, y las ponía en estado de que fuesen otras tantas fortalezas, de manera que la fama de su glorioso nombre se extendió hasta el cabo del mundo.

**11.** Estableció la paz en toda la extensión de su país, con lo cual se vió Israel colmado de gozo.

**12.** De suerte que podía cada uno estarse sentado a la sombra de su parra y de su higuera, sin que nadie le infundiese el menor temor.

**13.** Desaparecieron de la tierra sus enemigos; y los reyes *vecinos* en aquellos días estaban abatidos.

**14.** Fué Simón el protector de los pobres de su pueblo, grande celador de la observancia de la ley, y el que exterminó a todos los inicuos y malvados.

**15.** El restauró la gloria del Santuario, y aumentó el número de los vasos sagrados.

**16.** Habiéndose sabido en Roma y hasta en Lacedemonia la muerte de Jonatás, tuvieron de ella un gran sentimiento.

**17.** Mas luego que entendieron que su hermano Simón había sido elegido sumo sacerdote en su lugar, y que gobernaba el país, y todas sus ciudades,

**18.** Lo escribieron en láminas de bronce, para renovar la amistad y alianza que habían hecho con Judas y con Jonatás sus hermanos.

**19.** Estas cartas fueron leídas en Jerusalén delante de todo el pueblo. El contenido de la que enviaron los Lacedemonios es como sigue:

**20.** Los príncipes y ciudades de los Lacedemonios, a Simón, sumo sacerdote, a los ancianos, *o senadores,* a los sacerdotes y a todo el pueblo de los Judíos, sus hermanos, salud:

**21.** Los embajadores que enviasteis a nuestro pueblo nos han informado de la gloria, y felicidad, y contentamiento que gozáis, y nos hemos alegrado mucho con su llegada;

---

CAP. XIV. — 2. Llamado también Mitrídates.
5. Véase antes c. XIII, *v.* 11.

**22.** Y hemos hecho escribir *en los registros públicos* lo que ellos nos han dicho *de parte vuestra* en la asamblea del pueblo, en esta forma: Numenio, hijo de Antíoco, y Antípatro, hijo de Jasón, embajadores de los Judíos, han venido a nosotros para renovar nuestra antigua amistad;

**23.** Y pareció bien al pueblo recibir estos embajadores honoríficamente, y depositar copia de sus palabras en los registros públicos, para que en lo sucesivo sirva de recuerdo al pueblo de los Lacedemonios. Y de esta acta hemos remitido un traslado al sumo sacerdote Simón.

**24.** Después de esto Simón envió a Roma a Numenio con un grande escudo de oro, que pesaba mil minas con el fin de renovar con ellos la alianza. Y luego que lo supo el pueblo romano,

**25.** Dijo: ¿De qué manera manifestaremos nosotros nuestro reconocimiento a Simón y a sus hijos?

**26.** Porque él ha vengado a sus hermanos, y ha exterminado de Israel a los enemigos. En vista de esto le concedieron la libertad, *o inmunidad,* cuyo decreto fué grabado en láminas de bronce, y colocado entre los monumentos del monte de Sión.

**27.** Y he aquí lo que en ella se escribió: A los dieciocho días del mes de Elul, el año ciento setenta y dos, el tercero del sumo pontificado de Simón, fué hecha la siguiente declaración en Asaramel,

**28.** En la grande asamblea de los sacerdotes y del pueblo, y de los príncipes de la nación, y de los ancianos del país: Que habiendo habido en nuestra tierra continuas guerras,

**29.** Simón, hijo de Matatías, de la estirpe de Jarib, y asimismo sus hermanos se expusieron a los peligros e hicieron frente a los enemigos de su nación en defensa de su Santuario y de la ley, acrecentando mucho la gloria de su pueblo.

**30.** Jonatás levantó a los de su nación, fué su sumo sacerdote, y se halla ya reunido a los *difuntos* de su pueblo.

**31.** Quisieron luego los enemigos atropellar *a los Judíos,* asolar su país y profanar su Santuario.

**32.** Resistióles entonces Simón, y combatió en defensa de su pueblo, y expendió mucho dinero, armando a los hombres más valientes de su nación, y suministrándoles la paga.

**33.** Fortificó también las ciudades de la Judea y a Betsura, situada en sus fronteras, la cual antes era plaza de armas de los enemigos, y puso allí una guarnición de Judíos.

**34.** Asimismo fortificó a Joppe en la costa del mar, y a Gázara, situada en los confines de Azoto, ocupada antes por los enemigos; en los cuales puso guarnición de soldados Judíos, proveyéndolas de todo lo necesario para su defensa.

**35.** Viendo el pueblo las cosas qué había ejecutado Simón, y cuanto hacía para acrecentar la gloria de su nación, lo declaró caudillo suyo y príncipe de los sacerdotes, por haber hecho todo lo referido, y por su justificación, y por la fidelidad que guardó para con su pueblo, y por haber procurado por todos los medios el ensalzar a su nación.

**36.** En tiempo de su gobierno todo prosperó en sus manos; de manera que las naciones extranjeras fueron arrojadas del país, y echados también los que estaban en Jerusalén en la ciudad de David, en el alcázar, desde el cual hacían sus salidas, profanando todos los contornos del Santuario, y haciendo grandes ultrajes a la santidad del mismo.

**37.** Y para seguridad del país y de la ciudad puso allí soldados Judíos, e hizo levantar los muros de Jerusalén.

**38.** El rey Demetrio le confirmó en el sumo sacerdocio;

**39.** E hízole en seguida su amigo, y ensalzóle con grandes honores.

**40.** Pues oyó que los Judíos habían sido declarados amigos, y aliados, y hermanos de los Romanos; y que éstos habían recibido con grande honor a los embajadores de Simón;

**41.** Que asimismo los Judíos y sacerdotes le habían creado, de común consentimiento, su caudillo y sumo sacerdote para siempre, hasta la venida del profeta fiel, *o escogido;*

**42.** Y también habían querido que fuese su capitán, y que cuidase de las cosas santas, y estableciese inspectores sobre las obras públicas y sobre el país, y sobre las cosas de la guerra, y sobre las fortalezas;

**43.** Que estuviese a su cargo el Santuario, y que fuese de todos obedecido, y que todos los instrumentos públicos del país se autorizasen con su nombre, y que vistiese púrpura y oro.

**44.** Y por último, que no fuese permitido a nadie, ni del pueblo, ni de los sacerdotes, violar ninguna de estas órdenes ni contradecir a lo que él mandase, ni convocar en la provincia sin su autoridad a ninguna junta, ni vestir púrpura, ni llevar la hebilla *o broche* de oro.

**45.** Y que todo aquel que no cumpliese estas órdenes, o violase alguna, fuese reputado como reo.

**46.** Y plugo a todo el pueblo el dar tal potestad a Simón, y que se ejecutase todo lo dicho.

**47.** Y Simón aceptó con gratitud el grado del sumo sacerdocio; y el ser caudillo y príncipe del pueblo de los Judíos y de los sacerdotes, y el tener la suprema autoridad.

**48.** Y acordaron que esta acta se escribiese en láminas de bronce, las cuales fueron colocadas en el pórtico o *galería* del templo, en un lugar distinguido;

**49.** Archivándose además una copia de todo en el tesoro del templo, a disposición de Simón y de sus hijos.

## CAPITULO XV

*Antíoco, hijo de Demetrio, escribe a Simón cartas amistosas. Los Romanos escriben a todas las naciones recomendando a los Judíos sus confederados. Desazónase Antíoco con Simón y envía contra él al general Cendebeo con un poderoso ejército.*

**1.** Desde las islas del mar escribió el rey Antíoco, hijo de Demetrio *el viejo*, una carta a Simón, sumo sacerdote y príncipe del pueblo de los Judíos, y a toda la nación;

**2.** Cuyo tenor es el que sigue: El rey Antíoco a Simón, sumo sacerdote, y a la nación de los Judíos, salud:

**3.** Habiéndose hecho dueños del reino de nuestros padres algunos hombres malvados tengo resuelto libertarlo y restablecerlo en el estado que antes tenía para el cual fin he levantado un ejército numeroso y escogido, y he hecho construir naves de guerra.

**4.** Quiero, pues, entrar en esas regiones, para castigar a los que han destruído mis provincias y asolado muchas ciudades de mi reino.

**5.** Empero a ti desde ahora te confirmo todas las exenciones de tributos que te concedieron todos los reyes que me han precedido, y todas las demás donaciones que te hicieron.

**6.** Te doy permiso para que puedas acuñar moneda propia de tu país.

**7.** Quiero que Jerusalén sea ciudad santa y libre, y que todas las armas que has fabricado, como también las plazas fuertes que has construído, y están en tu poder queden para ti.

**8.** Te perdono desde ahora todas las deudas y regalías debidas al rey y a la real hacienda, tanto por lo pasado como por lo venidero.

**9.** Y luego que entremos en la posesión de

*todo* nuestro reino, te colmaremos de tanta gloria a ti, y a tu pueblo, y al templo, que resplandecerá por todo el orbe.

**10.** *En efecto*, el año ciento setenta y cuatro entró Antíoco en el país de sus padres, y al punto acudieron a presentársele todas las tropas, de suerte que quedaron poquísimos con Trifón.

**11.** Persiguióle luego el rey Antíoco; pero huyendo Trifón por la costa del mar, llegó a Dora

**12.** Pues veía los desastres que sobre él iban a llover, habiéndole abandonado el ejército.

**13.** Entonces Antíoco fué contra Dora con ciento veinte mil hombres aguerridos, y ocho mil caballos:

**14.** Y puso sitio a la ciudad, haciendo que los navíos la bloqueasen por la parte del mar; con lo que estrechaba la ciudad por mar y por tierra, sin permitir que nadie entrase ni saliese.

**15.** A esta sazón llegaron de la ciudad de Roma Numenio y sus compañeros, con cartas escritas a los reyes y a las naciones, del tenor siguiente:

**16.** Lucio, Cónsul de los Romanos, al rey Tolomeo, salud:

**17.** Han venido a nosotros embajadores de los Judíos, nuestros amigos, enviados por Simón, príncipe de los sacerdotes y por el pueblo judaico, con el fin de renovar la antigua amistad y alianza;

**18.** Y nos han traído al mismo tiempo un escudo de oro de mil minas.

**19.** A consecuencia de esto hemos tenido a bien escribir a los reyes y a los pueblos que no les causen ningún daño, ni les muevan guerra a ellos, ni a sus ciudades y territorios, ni auxilien tampoco a los que se la hagan.

**20.** Y nos ha parecido *que debíamos* aceptar el escudo que nos han traído.

**21.** Por tanto, si hay algunos hombres malvados que, fugitivos de su propio país, se hayan refugiado entre vosotros, entregádselos a Simón, príncipe de los sacerdotes, para que los castigue según su ley.

**22.** Esto mismo escribieron al rey Demetrio, y a Atalo, y a Ariarates, y a Arsaces;

**23.** Como también a todos los pueblos *aliados suyos*, a saber, a los de Lampsaco, y a los de Lacedemonia, y a los de Delos, y de Mindos, y de Sición, y a los de la Caria, y de Samos, y de la Pamfilia, a los de Licia, y de Alicarnaso, de Coo, y de Sidén, y de Aradón, y de Rodas, y de Fasélides, y de Gortina, y de Gnido, y de Chipre, y de Cirene.

24. Y de estas cartas enviaron los Romanos una copia a Simón, príncipe de los sacerdotes, y al pueblo de los Judíos.

25. A este tiempo el rey Antíoco puso por segunda vez sitio a Dora, combatiéndola sin cesar, y levantando máquinas *de guerra* contra ella; y encerró dentro a Trifón, de tal suerte que no podía escapar.

26. Simón envió para auxiliarle dos mil hombres escogidos, y plata, y oro, y muchas alhajas.

27. Mas *Antíoco* no quiso aceptar nada; antes bien rompió todos los tratados hechos con él anteriormente, y se le mostró contrario.

28. Y envió a Atenobio, uno de sus amigos, para tratar con Simón, y decirle de su parte: Vosotros estáis apoderados de Joppe; y de Gázara, y del alcázar de Jerusalén, que son ciudades pertenecientes a mi reino.

29. Habéis asolado sus términos, y causado grandes daños al país, y os habéis alzado con el dominio de muchos lugares de mi reino.

30. Así que, o entregadme las ciudades que ocupasteis, y los tributos exigidos en los lugares de que os hicisteis dueños fuera de los límites de la Judea;

31. O si no, pagad quinientos talentos de plata por aquellas ciudades, y otros quinientos por los estragos que habéis hecho, y por los tributos *sacados* de ellas; pues de lo contrario iremos y os haremos guerra.

32. Llegó, pues, Atenobio, amigo del rey, a Jerusalén, y viendo la magnificencia de Simón, y el oro y plata que brillaba por todas partes, y el grande aparato de su casa, se sorprendió sobremanera. Díjole luego las palabras que el rey le había mandado.

33. Y Simón respondió en estos términos: Nosotros ni hemos usurpado el territorio ajeno, ni retenemos nada que no sea nuestro: sólo hemos tomado lo que es herencia de nuestros padres, y que nuestros enemigos poseyeron injustamente por algún tiempo.

34. Y habiéndonos aprovechado de la ocasión, nos hemos vuelto a poner en posesión de la herencia de nuestros padres.

35. Por lo que mira a las quejas que nos das tocante a Joppe y Gázara, *sepas que* los de estas ciudades causaban grandes daños al pueblo y a todo nuestro país; *mas con todo,* estamos prontos a dar por ellas cien talentos. A lo que Atenobio no respondió palabra.

36. Pero volviéndose irritado a su rey, le dió parte de esta respuesta, y de la magnificencia de Simón, y de todo cuanto había visto; e indignóse el rey sobremanera.

37. En este intermedio Trifón se escapó en una nave a Ortosíada.

38. Y el rey dió el gobierno de la costa marítima a Cendebeo; y entregándole un ejército compuesto de infantería y caballería,

39. Mandóle marchar contra Gedor, y reforzase las puertas de la ciudad, y que domase el pueblo *de los Judíos.* Entre tanto el rey perseguía a Trifón.

40. Con efecto, Cendebeo llegó a Jamnia, y comenzó a vejar al pueblo, a talar la Judea, a prender y matar gente, y a fortificar a Gedor,

41. En la cual puso caballería e infantería para que hiciese desde allí correrías por la Judea, según se lo mandó el rey.

## CAPITULO XVI

*Guerra de Cendebeo contra los Judíos: Destrúyenle los hijos de Simón: éste es muerto a traición, junto con dos de sus hijos, por su yerno Tolomeo. Pero los emisarios despachados para matar al otro hijo Juan, fueron muertos por éste, el cual sucede a su padre en el sumo sacerdocio.*

1. Habiendo Juan subido de Gázara y enterado a su padre Simón de los daños que causaba Cendebeo en el pueblo;

2. Llamó Simón a sus dos hijos mayores, Judas y Juan, y les dijo: Yo, y mis hermanos, y la casa de mi padre hemos vencido a los enemigos de Israel desde nuestra juventud hasta este día, y hemos tenido la dicha de libertar muchas veces al pueblo.

3. Mas yo ahora ya soy viejo; y así entrad vosotros en mi lugar y en el de mis hermanos, y salid a pelear por nuestra nación; y el auxilio del cielo sea con vosotros.

4. En seguida escogió de *todo* el país veinte mil hombres aguerridos de tropa de infantería y caballería, los cuales marcharon contra Cendebeo, y durmieron en Modín,

5. De donde partieron al rayar el día, y avanzando por la llanura, descubrieron un numeroso ejército de infantería y de caballería, que venía contra ellos, mediando un impetuoso torrente entre ambos ejércitos.

**6.** Entonces Juan hizo avanzar sus tropas para acometer; mas viendo que éstas temían pasar el torrente, pasó él el primero, y a su ejemplo lo pasaron todos en seguida.

**7.** Hecho esto, dividió en dos trozos su infantería, colocando en medio de ella la caballería, por ser muy numerosa la de los enemigos.

**8.** E hicieron resonar las trompetas sagradas, y echó a huir Cendebeo con todas sus tropas; muchas de éstas perecieron al filo de la espada, y las que escaparon con vida se refugiaron en la fortaleza *de Gedor.*

**9.** En esta acción quedó herido Judas, hermano de Juan; pero Juan les fué persiguiendo hasta Cedrón o *Gedor,* reedificada *por Cendebeo.*

**10.** Muchos llegaron hasta los castillos que había en las llanuras de Azoto; pero Juan les puso fuego, dejando muertos allí dos mil hombres, y regresó felizmente a la Judea.

**11.** A este tiempo Tolomeo, hijo de Abobo, se encontraba de gobernador del llano de Jericó, y tenía mucho oro y plata;

**12.** Pues era yerno del sumo sacerdote.

**13.** Hinchósele de soberbia el corazón, y quería hacerse dueño del país; a este fin maquinaba cómo quitar la vida a Simón y a sus hijos.

**14.** Hallábase éste a la sazón recorriendo las ciudades de la Judea, tomando providencias para su mayor bien, y bajó a Jericó con sus hijos Matatías y Judas en el undécimo mes, llamado Sabat, del año ciento setenta y siete.

**15.** Salióles a recibir el hijo de Abobo con mal designio, en un pequeño castillo llamado Doc, que había él construído, donde les dió un gran convite, y poniendo gente en asechanza.

**16.** Y cuando Simón y sus hijos se hubieron regocijado, levantáse Tolomeo con los suyos, y tomando sus armas entraron en la sala del banquete, y asesinaron a Simón, y a sus dos hijos, y a algunos de sus criados,

**17.** Cometiendo una gran traición en Israel, y volviendo *así* mal por bien *a su bienhechor.*

**18.** En seguida Tolomeo escribió todo esto al rey, rogándole que le enviase tropas en su socorro, prometiéndole entregar en su poder el país con todas sus ciudades y los tributos.

**19.** Despachó asimismo otros *emisarios* a Gázara para que matasen a Juan; y escribió a los oficiales del ejército para que se viniesen a él, que les daría plata, y oro, y *muchos* dones.

**20.** Envió otros para que se apoderasen de Jerusalén y del monte *santo* donde estaba el templo.

**21.** Pero se adelantó corriendo un hombre, el cual llegó a Gázara y contó a Juan cómo habían perecido su padre y sus hermanos, y cómo Tolomeo había enviado gentes para quitarle a él también la vida.

**22.** Al oír tales cosas turbóse en gran manera Juan; pero luego se apoderó de los que venían para matarlo; y les hizo quitar la vida, puesto que supo que maquinaban contra la suya.

**23.** El resto, empero, de las acciones de Juan, y sus guerras, y las gloriosas empresas que llevó a cabo con singular valor, y la reedificación de los muros *de Jerusalén* hecha por él, y lo demás que ejecutó,

**24.** Todo se halla descrito en el Diario de su pontificado desde el tiempo que fué hecho príncipe de los sacerdotes después de su padre Simón.

---

CAP. XVI. — 8. Como disponía la Ley. *Num.* X, *v.* 9. — II *Paralip.* XXIX, *v.* 26.

# LIBRO II DE LOS MACABEOS

## CAPITULO PRIMERO

*Carta de los Judíos de Jerusalén a los Judíos que vivían en Egipto, participándoles la muerte de Antíoco, y exhortándolos a celebrar la fiesta de la Scenopegia y la del hallazgo del fuego sagrado, con cuyo motivo se refiere la historia y oración de Nehemías.*

1. A los hermanos Judíos que moran en Egipto: los Judíos sus hermanos de Jerusalén y de la Judea, salud y completa felicidad.

2. Concédaos Dios sus bienes, y acuérdese *siempre* de la alianza hecha con Abraham, con Isaac y con Jacob, fieles siervos suyos;

3. Y os dé a todos un *mismo* corazón para adorarlo y cumplir su voluntad con grande espíritu y con un ánimo fervoroso.

4. Abra vuestro corazón, para que entendáis la ley, y *observéis* sus preceptos, y concédaos la paz.

5. Oiga benigno vuestras oraciones, y apláquese con vosotros, y no os desampare en la tribulación;

6. Pues aquí no cesamos de rogar por vosotros.

7. Reinando Demetrio en el año ciento sesenta y nueve os escribimos nosotros los Judíos en medio de la aflicción y quebranto que nos sobrevino en aquellos años, después que Jasón se retiró de la tierra santa y del reino.

8. *Os dijimos que* fueron quemadas las puertas *del templo*, y derramada la sangre inocente; pero *que* habiendo dirigido nuestras súplicas al Señor fuimos atendidos, y ofrecimos el sacrificio *acostumbrado y* las oblaciones de flor de harina, y encendimos las lámparas, y pusimos en su presencia los panes *de proposición.*

9. Así, pues, celebrad *también* vosotros la fiesta de los Tabernáculos del mes de Casleu.

10. En el año ciento ochenta y ocho el pueblo de Jerusalén, y de la Judea, y el Senado, y Judas; a Aritóbulo, preceptor del rey Tolomeo, del linaje de los sacerdotes ungidos, y a los Judíos que habitan en Egipto, salud y prosperidad.

11. Por habernos librado Dios de grandes peligros, le tributamos solemnes acciones de gracias; habiendo tenido que pelear contra tal rey,

12. Que es el que hizo salir de la Persia aquella muchedumbre de gentes, que combatieron contra nosotros y contra la ciudad santa;

13. Y aquel mismo caudillo que, hallándose en Persia al frente de un ejército innumerable pereció en el templo de Nanea, engañado por el consejo *fraudulento* de los sacerdotes de dicha diosa.

14. Pues habiendo ido el mismo Antíoco con sus amigos a aquel lugar *o templo*, como para desposarse con ella, y recibir grande suma de dinero a título de dote,

15. Y habiéndoselo presentado los sacerdotes de Nanea; así que hubo él entrado, con algunas pocas personas, en la parte interior del templo, cerraron las puertas

16. Después que estaba ya Antíoco dentro, y abriendo entonces una puerta secreta del templo, mataron a pedradas al caudillo y a los compañeros, y los hicieron pedazos, y cortándoles las cabezas, los arrojaron fuera *del templo.*

17. Sea Dios bendito por todo, pues él fué el que destruyó *de esta suerte* los impíos.

18. Debiendo, pues, nosotros celebrar la purificación del templo el día veinticinco del mes de Casléu, hemos juzgado necesario hacéroslo saber; a fin de que celebréis también vosotros el día de los Tabernáculos, y la solemnidad *del descubrimiento* del fuego *sagrado*, que se nos concedió cuando Nehemías, restaurado que hubo el templo y el altar, ofreció allí sacrificios.

19. Porque cuando nuestros padres fueron llevados *cautivos* a Persia, los sacerdotes que a la sazón eran temerosos de Dios, tomando secretamente el fuego que había sobre el altar, lo escondieron en un valle donde había

---

CAP. PRIMERO. — 7. Después cap. IV, *v.* 7. — I *Mach.* cap. I, *v.* 12.

9. Llaman fiesta de los *Tabernáculos* esta fiesta de la *renovación* o purificación *del Templo*, hecha por Judas Macabeo, que se celebraba a 25 de Casleu, casi con las mismas ceremonias que la gran fiesta de los *Tabernáculos* que se hacía en el mes de Tizri. Después cap. X, *v.* 6 y I *Mach.* cap. IV, *v.* 52.

13. Véase el cap. IX, donde se refiere la muerte de Antíoco Epifanes el impío.

un pozo profundo y seco, y lo dejaron allí guardado, sin que nadie supiese dicho lugar.

**20.** Mas pasados muchos años, cuando Dios fué servido que el rey de Persia enviase a Nehemías *a la Judea,* los nietos de aquellos sacerdotes que lo habían escondido, fueron enviados a buscar dicho fuego; pero según ellos nos contaron, no hallaron fuego, sino solamente una agua crasa.

**21.** Entonces el sacerdote Nehemías les mandó que sacasen *de* aquella agua, y se la trajesen; ordenó asimismo que hiciesen con ella aspersiones sobre los sacrificios preparados, *esto es,* sobre la leña y sobre lo puesto encima de ella.

**22.** Luego que esto se hizo, y que empezó a descubrirse el sol, escondido antes detrás de una nube, encendióse un grande fuego, que llenó a todos de admiración.

**23.** Y todos los sacerdotes hacían oración *a Dios,* mientras se consumaba el sacrificio, entonando Jonatás, y respondiendo los otros.

**24.** Y la oración de Nehemías fué en los siguientes términos: ¡Oh Señor Dios, Creador de todas las cosas, terrible y fuerte, justo y misericordioso; tú que eres el solo rey bueno,

**25.** El solo excelente, el solo justo, omnipotente y eterno; tú que libras a Israel de todo mal; tú que escogiste a nuestros padres y los santificaste!

**26.** Recibe este sacrificio por todo tu pueblo de Israel, y guarda *los que son* tu herencia, y santifícalos.

**27.** Vuelve a reunir todos nuestros hermanos que se hallan dispersos, libra a aquellos que son esclavos de las naciones, y echa una mirada favorable sobre los que han llegado a ser un objeto de desprecio e ignominia; para que así conozcan las naciones que tú eres nuestro Dios.

**28.** Humilla a los que, llenos de soberbia, nos oprimen y ultrajan.

**29.** Establece *otra vez* a tu pueblo en tu santo lugar *de Jerusalén,* según lo predijo Moisés.

**30.** Los sacerdotes entre tanto cantaban himnos, hasta que fué consumido el sacrificio.

**31.** Acabado el cual, Nehemías mandó que el agua que había quedado se derramase sobre las piedras mayores *de la base del altar;*

**32.** Y no bien se hubo efectuado, cuando se levantó de ellas una gran llama, la cual fué absorbida por la lumbre, *o luz* que resplandeció sobre el altar.

**33.** Luego que se divulgó este suceso, contaron al rey de Persia cómo en el mismo lugar en que los sacerdotes, al ser trasladados al cautiverio, habían escondido el fuego *sagrado,* se había encontrado una agua, con la cual Nehemías y los que con él estaban habían purificado *y consumido* los sacrificios.

**34.** Considerando, pues, el rey este suceso, y examinada atentamente la verdad del hecho: mandó construir allí un templo en prueba de lo acaecido.

**35.** Y habiéndose asegurado de este prodigio, dió muchos bienes a los sacerdotes, y les hizo muchos y diferentes regalos, que les distribuyó por su propia mano.

**36.** Y Nehemías dió a este sitio el nombre de Neftar, que significa purificación; pero hay muchos que le llaman Nefi.

## CAPITULO II

*Continuación de la carta de los Judíos de Jerusalén a los de Egipto. Se compendian en este libro los hechos de Judas Macabeo y de sus hermanos. Prefacio del compilador de Jasón, autor de esta historia.*

**1.** Léese en los escritos del profeta Jeremías, cómo mandó él a los que eran conducidos al cautiverio *de Babilonia* que tomasen el fuego *sagrado* del modo que queda referido, y cómo prescribió varias cosas a aquellos que eran llevados cautivos.

**2.** Dióles asímismo la ley, para que no se olvidasen de los mandamientos del Señor, y no se pervirtiesen sus corazones con la vista de los ídolos de oro y plata y de toda su pompa,

**3.** Y añadiéndoles otros varios avisos, los exhortó a que jamás apartasen de su corazón la ley *de Dios.*

**4.** También se leía en aquella escritura que este profeta, por una orden expresa que recibió de Dios, mandó llevar consigo el Tabernáculo y el Arca, hasta que llegó a aquel monte, al cual subió Moisés, y desde donde vió la herencia *de Dios;*

**5.** Y que habiendo llegado allí Jeremías, halló una cueva, donde metió el Tabernáculo, y el Arca, y el Altar del incienso, tapando la entrada:

**6.** Que algunos de aquéllos que le seguían se acercaron para dejar notado este lugar; pero que no pudieron hallarlo:

**7.** Lo que sabido por Jeremías, los reprendió, y les dijo: Este lugar permanecerá ignorado hasta tanto que Dios congregue *otra vez* todo el pueblo, y use con él de misericordia.

**8.** Y entonces el Señor manifestará estas cosas, y aparecerá *de nuevo* la majestad del Señor, y se verá la nube que veía Moisés, y cual se dejó ver cuando Salomón pidió que fuese santificado el templo para el gran Dios.

**9.** Porque *este rey* dió grandes muestras de su sabiduría; y estando lleno de ella, ofreció el sacrificio de la dedicación y santificación del templo.

**10.** Y así como Moisés hizo oración al Señor, y bajó fuego del cielo, y consumió el holocausto; así también oró Salomón, y bajó fuego del cielo, y consumió el holocausto.

**11.** Entonces dijo Moisés: Por no haber sido comida la hostia ofrecida por el pecado, ha sido consumida *por el fuego*.

**12.** Celebró igualmente Salomón por espacio de ocho días la dedicación *del templo*.

**13.** Estas mismas noticias se encontraban también anotadas en los escritos y comentarios de Nehemías, donde se lee que él formó una biblioteca, habiendo recogido de todas partes los libros de los profetas, los de David, y las cartas o *concesiones* de los reyes, y *las memorias* de sus donativos *al templo*.

**14.** A este modo recogió también Judas todo cuanto se había perdido durante la guerra que sufrimos; todo lo cual se conserva en nuestro poder.

**15.** Si vosotros, pues, deseáis tener estos escritos, enviad personas que puedan llevároslos.

**16.** Y estando ahora para celebrar la fiesta de la purificación *del templo*, os hemos dado aviso de ella; y así haréis bien si celebrareis, *como nosotros, la fiesta* de estos días.

**17.** Entre tanto esperamos que Dios que ha libertado a su pueblo, que ha vuelto a todos su herencia, que ha restablecido el reino, y el sacerdocio, y el Santuario,

**18.** Conforme lo había prometido en la ley, se apiadará bien presto de nosotros, y nos reunirá de todas las partes del mundo en el lugar santo;

**19.** Puesto que nos ha sacado de grandes peligros, y ha purificado el templo.

**20.** Por lo que mira a *los hechos de* Judas Macabeo y de sus hermanos, y a la purificación del grande templo, y a la dedicación del altar;

**21.** Así como lo que toca a las guerras que hubo en tiempo de Antíoco el Ilustre, y en el de su hijo Eupátor,

**22.** Y a las señales que aparecieron en el aire a favor de los que combatían valerosamente por la nación judaica, de tal suerte que, siendo en corto número, defendieron todo el país, y pusieron en fuga la muchedumbre de bárbaros,

**23.** Recobrando el templo más célebre que hay en el mundo, y librando la ciudad de la esclavitud, y restableciendo la observancia de las leyes, las cuales se hallaban abolidas, habiéndoles favorecido el Señor con toda suerte de prosperidades:

**24.** Estas cosas que escribió en cinco libros Jasón de Cirene, hemos procurado nosotros compendiarlas en un solo volumen;

**25.** Pues considerando la multitud de libros, y la dificultad que acarrea la multiplicidad de noticias a los que desean internarse en las narraciones históricas,

**26.** Hemos procurado *escribir ésta* de un modo que agrade a los que quieran leerla; y que los aplicados puedan más fácilmente retenerla en su memoria, y sea generalmente útil a todos los que la leyeren.

**27.** Y a la verdad, habiéndonos empeñado en hacer este compendio, no hemos emprendido una obra de poca dificultad, sino un trabajo que pide grande aplicación, y mucha fatiga y diligencia.

**28.** *Sin embargo*, emprendemos de buena gana esta tarea por la utilidad que de ella resultará a muchos; a semejanza de aquellos que teniendo a su cargo el preparar un convite, se dedican del todo a satisfacer el gusto de los convidados.

**29.** La verdad de los hechos que se refieren ya sobre la fe de los autores que los escribieron; pues por lo que hace a nosotros, trabajaremos solamente en compendiarlos conforme al designio que nos hemos propuesto.

**30.** Y a la manera que un arquitecto que emprende edificar una casa nueva, debe cuidar de toda la fábrica y aquel que la pinta *solamente* ha de buscar las cosas que son a propósito para su ornato, del mismo modo se debe juzgar de nosotros.

**31.** En efecto, al autor de una historia atañe el recoger los materiales y ordenar la narración, inquiriendo cuidadosamente las circunstancias particulares de lo que cuenta;

---

CAP. II. — 8. III *Reg*. VIII, *v*. 2. II *Paral*. V, *v*. 14.

---

**13.** Escritos que se han perdido.

**14.** En la persecución del tiempo de Antíoco *Epífanes*, cuando los enemigos del pueblo de Dios quemaban los *Libros Sagrados*. I *Mach*. I, *v*. 59.

**32.** Mas al que compendia se le debe permitir que use un estilo conciso, y que evite el extenderse en largos discursos.

**33.** Basta ya de exordio, empecemos nuestra narración; porque no sería cordura prolongar el discurso preliminar a la historia, y abreviar después el cuerpo de ella.

## CAPITULO III

*Felicidad de los Judíos en el pontificado de Onías III. Simón, prefecto del Templo, da noticia a Apolonio de los tesoros que había en él: viene por ellos Heliodoro; el cual es castigado milagrosamente por Dios, y cuenta después al rey y publica los prodigios sucedidos.*

**1.** En el tiempo, pues, que la ciudad santa gozaba de una plena paz, y que las leyes se observaban muy exactamente por la piedad del pontífice Onías, y el odio que *todos* tenían a la maldad;

**2.** Nacía de esto que aun los mismos reyes y los príncipes honraban sumamente aquel lugar *sagrado,* y enriquecían el templo con grandes dones.

**3.** Por manera que Seleuco, rey de Asia, costeaba de sus rentas todos los gastos que se hacían en los sacrificios.

**4.** En medio de esto, Simón, de la tribu de Benjamín, y creado prefecto del templo, maquinaba con ansia de hacer algún mal en esta ciudad; pero se le oponía el sumo sacerdote.

**5.** Viendo, pues, que no podía vencer a Onías, pasó a verse con Apolonio, hijo de Tarseas, que en aquella sazón era gobernador de la Celesiria y de la Fenicia,

**6.** Y le contó que el erario de Jerusalén estaba lleno de inmensas sumas de dinero y de riquezas del común, las cuales no servían para los gastos de los sacrificios; y que se podría hallar medio para que todo entrase en poder del rey.

**7.** Habiendo, pues, Apolonio dado cuenta al rey de lo que a él se le había dicho, concerniente a estas riquezas, llamó el rey a Heliodoro, su ministro de hacienda, y envióle con orden de transportar todo el dinero referido.

**8.** Heliodoro púsose luego en camino con el pretexto de ir a recorrer las ciudades de Celesiria y Fenicia; mas en la realidad para poner en ejecución el designio del rey.

**9.** Y habiendo llegado a Jerusalén, y sido bien recibido en la ciudad por el sumo sacerdote, le declaró a éste la denuncia que le había sido hecha de aquellas riquezas; y le manifestó que éste era el motivo de su viaje; preguntándole en seguida si verdaderamente era la cosa como se le había dicho.

**10.** Entonces el sumo sacerdote le representó que aquellos eran unos depósitos y alimentos de viudas y de huérfanos;

**11.** Y que entre lo que había denunciado el impío Simón había una parte que era de Hircano Tobías, varón muy eminente, y que en todo eran cuatrocientos talentos de planta y doscientos de oro;

**12.** Que por otra parte de ningún modo se podía defraudar a aquellos que habían depositado sus caudales en un lugar y templo honrado y venerado como sagrado por todo el universo.

**13.** Mas Heliodoro insistiendo en las órdenes que llevaba del rey, repuso que de todos modos se había de llevar al rey aquel tesoro.

**14.** Con efecto, en el día señalado entró Heliodoro *en el templo* para ejecutar su designio; con lo cual se llenó de consternación toda la ciudad.

**15.** Pero los sacerdotes, revestidos con las vestiduras sacerdotales, se postraron por tierra ante el altar, e invocaban al *Señor* que está en el cielo, y que puso la ley acerca de los depósitos, suplicándole que los conservase salvos para los deponentes.

**16.** Mas ninguno podía mirar el rostro del sumo sacerdote sin que su corazón quedase traspasado de aflicción; porque su semblante y color demudado manifestaban el interno dolor de su ánimo.

**17.** Una cierta tristeza esparcida por todo su rostro, y un temblor que se había apoderado de todo su cuerpo mostraba bien a los que le miraban, la pena de su corazón.

**18.** Salían al mismo tiempo muchos a tropel de sus casas, pidiendo *a Dios* con públicas rogativas que no permitiese que aquel lugar *santo* quedase expuesto al desprecio.

**19.** Las mujeres, ceñidas hasta el pecho de cilicios, andaban en tropas por las calles; y hasta las doncellas mismas, que antes estaban encerradas en sus casas, corrían unas a donde estaba Onías, otras hacia las murallas, y algunas otras estaban mirando desde las ventanas;

---

CAP. III. — 4. El empleo de *prefecto* del Templo no era sino para la policía exterior, cuidado de los caudales, reparación de la fábrica, etc. Pero muchas veces se daba esta prefectura a alguno de los Levitas. IV *Reg.* XXII. — I *Paral.* XXVI, *v.* 29, etc.

**20.** Pero todas levantando al cielo sus manos dirigían allí sus plegarias.

**21.** A la verdad que era un espectáculo digno de compasión el ver aquella confusa multitud de gente, y al sumo sacerdote puesto en tan grande conflicto.

**22.** Mientras éstos por su parte invocaban al Dios todopoderoso para que conservase intacto el depósito de aquellos que se lo habían confiado.

**23.** Heliodoro no pensaba en otra cosa que en ejecutar su designio; y para ello se había presentado ya él mismo con sus guardias a la puerta del erario.

**24.** Pero el espíritu del Dios todopoderoso se hizo allí manifiesto con señales bien patentes, en tal conformidad, que derribados en tierra por una virtud divina cuantos habían osado obedecer a Heliodoro, quedaron como yertos y despavoridos.

**25.** Porque se les apareció montado en un caballo un personaje de fulminante aspecto y magníficamente vestido, cuyas armas parecían de oro, el cual acometiendo con ímpetu a Heliodoro lo pateó con los pies delanteros del caballo.

**26.** Apareciéronse también otros dos gallardos y robustos jóvenes llenos de majestad, y ricamente vestidos, los cuales poniéndose uno a cada lado de Heliodoro, empezaron a azotarlo cada uno por su parte, descargando sobre él continuos golpes

**27.** Con esto Heliodoro cayó luego por tierra envuelto en oscuridad y tinieblas; y habiéndole cogido y puesto en una silla de manos, le sacaron de allí.

**28.** De esta suerte aquel que había entrado en el erario con tanto aparato de guardias y ministros, era llevado sin que nadie pudiese valerle; habiéndose manifestado visiblemente la virtud *o justicia* de Dios:

**29.** Por un efecto de la cual Heliodoro yacía sin habla y sin ninguna esperanza de vida.

**30.** Por el contrario, los otros bendecían al Señor, porque había ensalzado con esto la gloria de su *santo* lugar, y el templo que poco antes estaba lleno de confusión y temor, se llenó de alegría y regocijo luego que hizo ver el Señor su omnipotencia.

**31.** Entonces algunos amigos de Heliodoro rogaron con mucha eficacia a Onías que invocase al Altísimo, a fin de que concediese la vida a Heliodoro, reducido ya a los últimos alientos.

**32.** Y el sumo sacerdote, considerando que quizá el rey podría sospechar que los Judíos habían urdido alguna trama contra Heliodoro, ofreció una víctima de salud por su curación;

**33.** Y al tiempo que el sumo sacerdote estaba haciendo la súplica, aquellos mismos jóvenes, con las mismas vestiduras, poniéndose junto a Heliodoro, le dijeron: Dale las gracias al sacerdote Onías, pues por amor de él te concede el Señor la vida.

**34.** Y habiendo tú sido castigado por Dios *de esta suerte,* anuncia a todo el mundo sus maravillas y su poder; dicho esto, desaparecieron.

**35.** En efecto, Heliodoro, habiendo ofrecido un sacrificio a Dios, y hecho grandes votos a aquel *Señor* que le había concedido la vida, y dadas las gracias a Onías, recogiendo su gente se volvió para el rey.

**36.** Y atestiguaba a todo el mundo las obras *maravillosas* del gran Dios, que había visto él con sus propios ojos.

**37.** Y como el rey preguntase a Heliodoro quién sería bueno para ir de nuevo a Jerusalén, le contestó:

**38.** Si tú tienes algún enemigo, o que atente contra tu reino, envíalo allá, y lo verás volver desgarrado a azotes, si es que escapare con vida; porque no se puede dudar que reside en aquel lugar una cierta virtud divina.

**39.** Pues aquel mismo que tiene su morada en los cielos, está presente y protege aquel lugar, y castiga y hace perecer a los que van a hacer allí algún mal.

**40.** Esto es en suma lo que pasó a Heliodoro, y el modo con que se conservó el tesoro *del templo.*

## CAPITULO IV

*Calumnia de Simón contra Onías. Jasón, hermano de éste, ambiciona el pontificado: ofrece al rey una gran suma de dinero; y hecho Pontífice destruye el culto de Dios. Menelao suplanta después a su hermano Jasón. Muere violentamente Onías, y es castigado su asesino. Menelao, acusado al rey, logra a fuerza de dádivas ser absuelto.*

**1.** Mas el mencionado Simón, que en daño de la patria había denunciado aquel tesoro, hablaba mal de Onías, como si éste hubiese instigado a Heliodoro a hacer tales cosas, y sido el autor de aquellos males:

---

**39.** Así hizo el Señor patente su poder en defensa del Templo, no obstante que había ya predicho por Daniel que le abandonaría a la profanación de Antíoco: predicción hecha trescientos años antes. *Dan.* VII, VIII y IX.

**2.** Y al protector de la ciudad, al defensor de su nación, al celador de la ley de Dios, tenía el atrevimiento de llamarlo traidor del reino.

**3.** Mas como estas enemistades pasasen a tal extremo, que se cometían hasta asesinatos por algunos amigos de Simón;

**4.** Considerando Onías los peligros de la discordia, y que Apolonio, gobernador de la Celesiria y de la Fenicia, atizaba con su furor *o imprudencia* la malignidad de Simón, se fué a presentar al rey,

**5.** Y no para acusar a sus conciudadanos, sino únicamente con el fin de atender a la común utilidad de todo su pueblo, que es lo que él se proponía;

**6.** Pues estaba viendo que era imposible el pacificar los ánimos, ni el contener la locura de Simón, sin una providencia del rey.

**7.** Mas después de la muerte de Seleuco, habiéndole sucedido en el reino *su hermano* Antíoco, llamado el Ilustre, Jasón, hermano de Onías, aspiraba con ansia al pontificado.

**8.** Pasó *a dicho fin* a presentarse al rey, y le prometió trescientos y sesenta talentos de plata, y otros ochenta talentos por otros títulos;

**9.** Con más otros ciento y cincuenta que ofrecía dar, si se le concedía facultad de establecer un gimnasio, y una efebia *para los jóvenes, y* el que los moradores de Jerusalén gozasen del derecho de que gozaban los ciudadanos de Antioquía.

**10.** Habiéndole, pues, otorgado el rey lo que pedía, y obtenido el principado, comenzó al instante a hacer tomar a sus paisanos los usos y costumbres de los gentiles.

**11.** Y desterrando la manera de vivir *según la ley,* que los reyes por un efecto de su bondad a favor de los Judíos habían aprobado, mediante los *buenos* oficios de Juan, padre de Eupólemo (el que fué enviado de embajador a los Romanos para renovar la amistad y alianza), establecía Jasón leyes perversas, trastornando los derechos legítimos de los ciudadanos.

**12.** Pues tuvo el atrevimiento de establecer bajo del alcázar de Jerusalén un gimnasio, y de exponer en lugares infames la flor de la juventud:

**13.** Siendo esto no un principio, sino un progreso y consumación de la vida pagana y extranjera, introducida con detestable e inaudita maldad por el no sacerdote, sino *intruso e impío* Jasón.

**14.** Llegó la cosa a tal estado, que los sacerdotes no se aplicaban ya al ministerio del altar, sino que despreciado el templo y olvidando los sacrificios, corrían *como los demás,* a la palestra, y a los premios indignos, y a ejercitarse en el *juego del* disco.

**15.** Reputando en nada los honores patrios, apreciaban más las glorias *que venían* de la Grecia;

**16.** Por cuya adquisición se excitaba entre ellos una peligrosa emulación; de suerte que hacían alarde de imitar los usos de los Griegos, y de parecer semejantes a aquellos mismos que *poco antes* habían sido sus mortales enemigos.

**17.** Pero el obrar impíamente contra las leyes de Dios no queda sin castigo, como se verá en los tiempos siguientes.

**18.** Como se celebrasen, pues, en Tiro los juegos *olímpicos* de cada cinco años, y el rey estuviese presente,

**19.** Envió el malvado Jasón desde Jerusalén unos hombres perversos a llevar trescientas didragmas de plata para el sacrificio de Hércules; *pero* los mismos que las llevaron, pidieron que no se expendiesen en los sacrificios, por no ser conveniente tal aplicación, sino que se empleasen en otros objetos.

**20.** Y así, aunque el donador de estas didragmas las había ofrecido para el sacrificio de Hércules, las emplearon, a instancias de los conductores, en la construcción de galeras.

**21.** Mas Antíoco, habiendo enviado a Egipto a Apolonio, hijo de Menesteo a tratar con los grandes de la corte del rey Tolomeo Filométor, luego que vió que le excluía del manejo de los negocios de aquel reino, atendiendo sólo a sus propios intereses, partió de allí y se vino a Joppe: desde donde pasó a Jerusalén,

**22.** Y recibido con toda pompa por Jasón y por *toda* la ciudad, hizo su entrada en ella en medio de luminarias y aclamaciones públicas: y desde allí volvió a Fenicia con su ejército.

**23.** Tres años después envió Jasón a Menelao, hermano del mencionado Simón, a llevar dinero al rey, y a recibir órdenes de éste sobre negocios de importancia.

**24.** Mas habiéndose granjeado Menelao la voluntad del rey, porque supo lisonjearlo ensalzando la grandeza de su poder, se alzó con el sumo sacerdocio, dando trescientos talentos de plata más de lo que daba Jasón.

---

CAP. VI. — 2. Los Samaritanos en aquella ocasión alegaron que no eran Judíos, sino gentiles oriundos de Sidonia. Josefo, *Antiq.* lib. XII, c. 7.

**25.** Y recibidas las órdenes del rey, se volvió. Y en verdad que nada se veía en su persona digno del sacerdocio; pues tenía el corazón de un cruel tirano, y la rabia de una bestia feroz.

**26.** De esta suerte Jasón, que había vendido a su propio hermano *Onías,* engañado ahora él mismo, se huyó como desterrado al país de los Am-monitas.

**27.** Menelao, empero, así que obtuvo el principado, no se cuidó de enviar al rey el dinero que le había prometido, no obstante que Sóstrato, comandante del alcázar, lo estrechaba al pago,

**28.** Pues estaba al cargo de éste la cobranza de los tributos. Por esta causa fueron citados ambos a comparecer ante el rey.

**29.** Y Menelao fué depuesto del pontificado, sucediéndole su hermano Lisímaco; y a Sóstrato le dieron el gobierno de Chipre.

**30.** Mientras que sucedían estas cosas, los de Tarso y de Malo excitaron una sedición porque habían sido donados a Antióquide, concubina del rey.

**31.** Con este motivo pasó el rey allá apresuradamente a fin de apaciguarlos, dejando por su lugarteniente a Andrónico, uno de sus amigos.

**32.** Menelao entonces creyendo que la ocasión era oportuna, hurtando del templo algunos vasos de oro, dió una parte de ellos a Andrónico, y vendió la otra en Tiro y en las ciudades comarcanas.

**33.** Lo que sabido con certeza por Onías, le reprendía por esta acción desde un sitio de Antioquía cercano *al templo* de Dafne, donde se hallaba refugiado.

**34.** Por esta causa pasó Menelao a ver a Andrónico, y le rogó que hiciese matar a Onías; Andrónico fué a visitar a Onías; y habiéndole alargado su mano derecha, y jurádole *que no le haría daño,* le persuadió (a pesar de que *Onías* no se fiaba enteramente de él) a que saliese del asilo; mas al punto que salió, le quitó la vida, sin tener ningún miramiento a la justicia.

**35.** Con este motivo, no solamente los Judíos, sino también las demás naciones se irritaron, y llevaron muy a mal la injusta muerte de un tan grande varón.

**36.** Y así habiendo el rey vuelto de Cilicia, se le presentaron en Antioquía los Judíos y los mismos Griegos a querellarse de la inicua muerte de Onías.

**37.** Y Antíoco, afligido en su corazón y enternecido por la muerte de Onías, prorrumpió en llanto, acordándose de la sobriedad y modestia del difunto;

**38.** Y encendiéndose en cólera, mandó que Andrónico, despojado de la púrpura, fuese paseado por toda la ciudad; y que en el mismo lugar en que este sacrílego había cometido tal impiedad contra Onías, allí mismo se le quitase la vida. Así le dió el Señor el merecido castigo.

**39.** Por lo que hace a Lisímaco, habiendo cometido muchos sacrilegios en el templo, a instigación de Menelao, y esparcídose la fama del mucho oro que de allí había sacado, se sublevó el pueblo contra él.

**40.** Y amotinándose las gentes, y encendidos en cólera los ánimos, Lisímaco, armado como unos tres mil hombres, capitaneados por un cierto tirano, *Aurano,* tan consumado en malicia como avanzado en edad, empezó a cometer violencias.

**41.** Mas luego que fueron conocidos los intentos o *disposiciones* de Lisímaco, unos se armaron de piedras, otros de gruesos garrotes, y otros arrojaban sobre él ceniza,

**42.** De cuyas resultas muchos quedaron heridos, algunos fueron muertos, y todos los restantes fueron puestos en fuga, perdiendo también la vida junto al erario, el mismo sacrílego *Lisímaco.*

**43.** De todos estos desórdenes comenzóse a acusar a Menelao;

**44.** Y habiendo llegado el rey a Tiro, pasaron a darle quejas sobre estos sucesos tres diputados enviados por los ancianos.

**45.** Pero Menelao, conociendo que iba a ser vencido, prometió a Tolomeo una grande suma de dinero, con tal que inclinase al rey en su favor.

**46.** En efecto, Tolomeo entró a ver al rey, que estaba tomando el fresco en una galería, y le hizo mudar de parecer;

**47.** De tal suerte, que Menelao, reo de toda maldad, fué *plenamente* absuelto de sus delitos; y a aquellos infelices que en un tribunal, aunque fuese de *bárbaros* Escitas, hubieran sido declarados inocentes, los condenó a muerte.

**48.** Fueron, pues, castigados inmediatamente, contra toda justicia, aquellos que habían sostenido la causa o *intereses* del pueblo y de la ciudad, y la veneración de los vasos sagrados.

**49.** Pero los mismos vecinos de Tiro, indignados de semejante acción, se mostraron sumamente generosos en la honrosa sepultura que les dieron.

**50.** Entre tanto Menelao conservaba la autoridad, por medio de la avaricia de aquellos que tenían el poder *del rey, y* crecía en malicia para daño de sus conciudadanos.

## CAPITULO V

*Prodigios que se ven en Jerusalén. Jasón, apoderándose de la ciudad, hace en ella un grande estrago, y muere. Violencias de Antíoco contra Jerusalén. Judas Macabeo con los suyos se retira a un lugar desierto.*

1. Hallábase Antíoco por este mismo tiempo haciendo los preparativos para la segunda expedición contra Egipto.

2. Y sucedió entonces que por espacio de cuarenta días se vieron en toda la ciudad de Jerusalén correr de parte a parte por el aire hombres a caballo, vestidos de telas de oro, y armados de lanzas, como si fuesen escuadrones de caballería.

3. *Viéronse* caballos, ordenados en filas, que corriendo se atacaban unos a otros, y movimientos de broqueles, y una multitud de gentes armadas con morriones y espadas desnudas, y tiros de dardos, y el resplandor de armas doradas y de todo género de corazas.

4. Por tanto, rogaban todos *a Dios* que tales prodigios tornasen en bien *del pueblo*.

5. Mas habiéndose esparcido el falso rumor de que Antíoco había muerto, tomando Jasón consigo mil hombres, acometió de improviso a la ciudad, y aunque los ciudadanos acudieron al instante a las murallas, al fin se apoderó de ella, y Menelao se huyó al alcázar.

6. Pero Jasón, como si creyese ganar un triunfo sobre sus enemigos y no sobre sus conciudadanos, hizo una horrible carnicería en la ciudad: no parando la consideración en que es un gravísimo mal ser feliz en la guerra que se hace a los de su propia sangre.

7. Esto no obstante, no pudo conseguir ponerse en posesión del principado; antes bien todo el fruto que sacó de sus traiciones fué la propia ignominia; y viéndose precisado nuevamente a huir, se retiró al país de los Ammonitas.

8. Finalmente fué puesto en prisión por Aretas, rey de los Arabes, que quería acabar con él; y habiéndose pódido escapar, andaba de ciudad en ciudad, aborrecido de todo el mundo: y como prevaricador de las leyes, y como un hombre execrable, y enemigo de la patria y de los ciudadanos, fué arrojado a Egipto.

9. Y de esta suerte, aquel que había arrojado a muchos fuera de su patria, murió desterrado de ella, habiéndose ido a Lacedemonia, creyendo que allí encontraría algún refugio a título de parentesco.

10. Y el que había mandado arrojar los cadáveres de muchas personas sin darles sepultura, fué arrojado insepulto, y sin ser llorado de nadie; no habiendo podido hallar sepulcro ni en su tierra propia, ni en la extraña.

11. Pasadas así estas cosas, entró el rey en sospecha de que los Judíos iban a abandonar la alianza que tenían con él; y así partiendo de Egipto lleno de furor, se apoderó de la ciudad a mano armada,

12. Y mandó a los soldados que matasen indistintamente a cuantos encontrasen sin perdonar a nadie, y que entrando también por las casas pasasen a cuchillo toda la gente;

13. De manera que se hizo una carnicería general de jóvenes y de ancianos, y de mujeres con sus hijos, y de doncellas y de niños;

14. Tanto, que en el espacio de aquellos tres días, fueron ochenta mil los muertos, cuarenta mil los cautivos, y otros tantos los vendidos *por esclavos*.

15. Mas ni aún con esto quedó satisfecho Antíoco; sino que además cometió el arrojo de entrar en el templo, lugar el más santo de toda la tierra, conducido por Menelao, traidor a la patria y las leyes;

16. Y tomando con sus sacrílegas manos los vasos sagrados, que otros reyes y ciudades habían puesto allí para ornamento y gloria de aquel lugar *sagrado*, los manoseaba de una manera indigna, y los profanaba.

17. Así Antíoco, perdida toda la luz de su entendimiento, no veía que si Dios mostraba por un poco de tiempo su indignación contra los habitantes de la ciudad, erà por causa de los pecados de ellos; y que por lo mismo había experimentado semejante profanación aquel lugar *santo:*

18. Porque de otra suerte, si no hubieran estado envueltos en muchos delitos, este príncipe, como le sucedió a Heliodoro enviado del rey Seleuco para saquear el tesoro *del templo*, hubiera sido azotado luego que llegó, y precisado a desistir de su temeraria empresa.

19. Pero Dios no escogió al pueblo por amor del lugar *o templo*, sino a éste por amor del pueblo.

20. Por este motivo este lugar mismo ha participado de los males que han acaecido al pueblo, así como tendrá también parte en los bienes que aquél reciba; y el que ahora se ve abandonado por efecto de la indignación del Dios todopoderoso, será nuevamen-

te ensalzado a la mayor gloria, aplacado que esté aquél grande Señor.

**21.** Habiendo, pues, Antíoco sacado del templo mil ochocientos talentos, se volvió apresuradamente a Antioquía, dominado en tal manera de la soberbia y presunción de ánimo, que se imaginaba poder llegar a navegar sobre la tierra, y caminar sobre el mar a pie *enjuto.*

**22.** Pero *a su partida* dejó allí gobernadores para que vejasen la nación: a saber, en Jerusalén a Filipo, originario de Frigia, aún más cruel que su amo;

**23.** Y en Garizim a Andrónico y a Menelao, más encarnizados aún que los otros contra los ciudadanos.

**24.** Y siguiendo *Antíoco muy* enconado contra los Judíos, *les* envió por comandante al detestable Apolonio con un ejército de veintidós mil hombres, con orden de degollar a todos los adultos, y de vender las mujeres y niños.

**25.** Llegado, pues, este general a Jerusalén, aparentando paz, se estuvo quieto hasta el santo día del sábado, mas en este día en que los Judíos observaban el descanso, mandó a sus tropas que tomasen las armas,

**26.** Y mató a todos los que se habían reunido para ver aquel espectáculo; y discurriendo después por toda la ciudad con sus soldados, quitó la vida a una gran multitud de gentes.

**27.** Empero Judas Macabeo, que era uno de los diez que se habían retirado a un lugar desierto, pasaba la vida con los suyos en los montes, entre las fieras, alimentándose de yerbas, a fin de no tener parte en las profanaciones.

## CAPITULO VI

*El gobernador, enviado a la Judea, prohibe la observancia de la ley de Dios. Es profanado el Templo, y forzados los Judíos a sacrificar a los ídolos. Castigo de dos mujeres que habían circuncidado a sus hijos, y de otros que celebraban el sábado. Designio del Señor en permitir estos males. Martirio del anciano Eleazar.*

**1.** De allí a poco tiempo envió el rey un anciano a Antioquía, para que compeliese a los Judíos a abandonar las leyes de su Dios y de sus padres,

**2.** Y para profanar el templo de Jerusalén, y consagrarlo a Júpiter Olímpico, como también el de Garizim *en Samaria* a Júpiter extranjero, *u hospedador,* por ser extranjeros los habitantes de aquel lugar.

**3.** Así que vióse caer entonces de un golpe sobre todo el pueblo un diluvio terrible de males;

**4.** Porque el templo estaba lleno de lascivias y de glotonerías propias de los gentiles, y de hombres disolutos mezclados con rameras, y de mujeres que entraban con descaro en los lugares sagrados, llevando allí cosas que no era lícito llevar.

**5.** El mismo altar se veía lleno de cosas ilícitas y prohibidas por las leyes.

**6.** No se guardaban ya los sábados, ni se celebraban las fiestas solemnes del país, y nadie se atrevía a confesar sencillamente que era Judío.

**7.** El día del cumpleaños del rey los hacían ir a dura y viva fuerza a los sacrificios *profanos: y* cuando se celebraba la fiesta de Baco, los precisaban a ir por las calles coronados de yedra en honor de dicho ídolo.

**8.** A sugestión de los de Tolemaida se publicó en las ciudades de los gentiles, vecinas *a Judea,* un edicto por el cual se les daba facultad para obligar en aquellos lugares a los Judíos a que sacrificasen;

**9.** Y para quitar la vida a todos aquellos que no quisiesen acomodarse a las costumbres de los gentiles. Así, pues, no se veía otra cosa más que miserias.

**10.** En prueba de ello, habiendo sido acusadas dos mujeres de haber circuncidado a sus hijos, las pasearon públicamente por la ciudad, con los hijos colgados a sus pechos, y después las precipitaron desde lo alto de la muralla.

**11.** Asimismo algunos otros que se juntaban en las cuevas vecinas para celebrar allí secretamente el día del sábado, habiendo sido denunciados a Filipo, fueron quemados vivos: porque tuvieron escrúpulo de defenderse por respeto a la religión y a la santidad de *aquel día.*

**12.** Ruego ahora a los que lean este libro, que no se escandalicen a la vista de tan desgraciados sucesos; sino que consideren que estas cosas acaecieron, no para exterminar, sino para corregir a nuestra nación.

**13.** Porque señal es de gran misericordia hacia los pecadores el no dejarlos vivir largo tiempo a su antojo, sino aplicarles prontamente el azote *para que se enmienden.*

**14.** En efecto, el Señor no se porta con nosotros como con las demás naciones, a las cuales sufre *ahora* con paciencia para castigarlas en el día del juicio, colmada que sea la medida de sus pecados:

**15.** No así con nosotros, sino que nos castiga sin esperar a que lleguen a su colmo nuestros pecados.

**16.** Y así nunca retira de nosotros su misericordia, y cuando aflige a su pueblo con adversidades, no le desampara.

**17.** Pero baste esto poco que hemos dicho, para que estén advertidos los lectores; y volvamos ya a tomar el hilo de la historia.

**18.** Eleazar, pues, uno de los primeros doctores de la ley, varón de edad provecta, y de venerable presencia, fué estrechado a comer carne de cerdo, y se le quería obligar a ello abriéndole por fuerza la boca.

**19.** Mas él, prefiriendo una muerte llena de gloria a una vida aborrecible, caminaba voluntariamente por su pie al suplicio.

**20.** Y considerando cómo debía portarse en este lance, sufriendo con paciencia, resolvió no hacer por amor a la vida ninguna cosa contra la ley.

**21.** Pero *algunos de* los que se hallaban presentes, movidos de una cruel compasión, y en atención a la antigua amistad que con él tenían, tomándolo aparte, le rogaban que les permitiese traer carnes de las que le era lícito comer, para poder así aparentar que había cumplido la orden del rey, de comer carnes sacrificadas *a los ídolos:*

**22.** A fin de que de esta manera se libertase de la muerte. De esta especie de humanidad usaban con él por un efecto de la antigua amistad que le profesaban.

**23.** Pero Eleazar, dominado de otros sentimientos dignos de su edad y de sus venerables canas, como asimismo de su antigua nativa nobleza, y de la buena conducta que había observado desde niño, respondió súbitamente, conforme a los preceptos de la ley santa establecida por Dios, y dijo que más bien quería morir;

**24.** Porque no es decoroso a nuestra edad, les añadió, usar de esta ficción: la cual sería causa que muchos jóvenes, creyendo que Eleazar en la edad de noventa años se había pasado a la vida *o religión* de los gentiles,

**25.** Cayesen en error a causa de esta ficción mía, por conservar un pequeño resto de esta vida corruptible: además de que echaría sobre mi ancianidad la infamia y execración.

**26.** Fuera de esto, aun cuando pudiese librarme al presente de los suplicios de los hombres, no podría yo, ni vivo ni muerto, escapar de las manos del Todopoderoso.

**27.** Por lo cual muriendo valerosamente, me mostraré digno de la ancianidad a que he llegado;

**28.** Y dejaré a los jóvenes un ejemplo de fortaleza si sufriere con ánimo pronto y constante una muerte honrosa en defensa de una ley la más santa y venerable. Luego que acabó de decir esto, fué conducido al suplicio.

**29.** Y aquellos que le llevaban, y que poco antes se le habían mostrado muy humanos, pasaron a un extremo de furor por las palabras que había dicho; las cuales creían efecto de arrogancia.

**30.** Estando ya para morir a fuerza de los golpes que descargaban sobre él, arrojó un suspiro, y dijo: Señor, tú que tienes la ciencia santa, tú sabes bien que habiendo yo podido librarme de la muerte, sufro en mi cuerpo atroces dolores; pero mi alma los padece de buena gana por tu *santo* temor.

**31.** De esta manera, pues, murió Eleazar, dejando no solamente a los jóvenes, sino también a toda su nación en la memoria de su muerte un dechado de virtud y de fortaleza.

---

**19.** Según el texto griego, al *tímpano:* suplicio que consistía en dar de palos al reo en las plantas de los pies, hasta que muriese. — Véase *Hebr*. XI, *v*. 35. Los santos Padres llaman a Eleazar: *Padre de los mártires y Protomártir del Antiguo Testamento.* S. Greg. Naz. Orat., in Mach. S. Cipriano de sing. Cleric. S. Ambrosio, etc.

**23.** Antes que consentir en lo que se le proponía. Aquí *infierno* significa *el seno de Abraham.* Es doctrina indudable, fundada en las Sagradas Escrituras y expresa en los catecismos que usan todas las Iglesias católicas, que antes de la resurrección de Jesucristo quedaban las almas de los justos esperando la venida del Mesías en un lugar llamado por algunos *infierno superior,* por otros *limbo,* y por otros, en fin, *seno de Abraham.* Allí aguardaban en reposo que Jesucristo entrara por medio de su sangre en el Santuario del cielo y les abriera las puertas que había cerrado el pecado. — Véase S. Gregorio Magno, sobre *Job,* lib. XII, c. II: y XIII, c. 44. S. Agustín *Salm.* LXXXV, núm. 18. S. Jerónimo, *Epist.* XXXV al. III, a Eliodoro, y *Epist.* XXII al XXV, a Sta. Paula.

## CAPITULO VII

*Martirio de los siete hermanos Macabeos y de su admirable madre.*

**1.** A más de lo referido aconteció que fueron presos siete hermanos juntamente con su madre; y quiso el rey, a fuerza de azotes y tormentos con nervios de toro obligarlos a comer carne de cerdo, contra lo prohibido por la ley.

**2.** Mas el uno de ellos, que era el primogénito, dijo: ¿Qué es lo que tú pretendes, o quieres saber de nosotros? Aparejados estamos a morir antes que quebrantar las leyes patrias que Dios nos ha dado.

**3.** Encendióse el rey en cólera, y mandó que se pusiesen sobre el fuego sartenes y calderas de bronce, así que estuvieron hechas ascuas.

**4.** Ordenó que se cortase la lengua al que había hablado el primero, que se le arrancase la piel de la cabeza, y que se le cortasen las extremidades de las manos y pies, *todo* a presencia de sus hermanos y de su madre.

**5.** Y estando ya así del todo inutilizado, mandó traer fuego, y que lo tostasen en la sartén hasta que expirase. Mientras que sufría en ella este largo tormento, los demás hermanos con la madre se alentaban mutuamente a morir con valor,

**6.** Diciendo: El Señor Dios verá la verdad, y se apiadará de nosotros, como lo declaró Moisés cuando protestó en su cántico, *diciendo*: Será misericordioso con sus siervos.

**7.** Muerto que fué de este modo el primero, conducían al segundo para atormentarle con escarnio; y habiéndole arrancado la piel de la cabeza con todos los cabellos, le preguntaban si comería antes que ser atormentado en cada miembro de su cuerpo.

**8.** Pero él, respondiendo en la lengua de su patria, dijo: No haré tal. Así, pues sufrió también éste los mismos tormentos que el primero;

**9.** Y cuando estaba ya para expirar, dijo: Tú ¡oh perversísimo *príncipe!* nos quitas la vida presente; pero el rey del universo nos resucitará algún día para la vida eterna, por haber muerto en defensa de sus leyes.

**10.** Después de éste, vino al tormento el tercero; el cual así que le pidieron la lengua, la sacó al instante, y extendió sus manos con valor,

**11.** Diciendo con *grande* confianza: Del cielo he recibido estos miembros del cuerpo: mas ahora los desprecio por amor de las leyes de Dios; y espero que los he de volver a recibir de su misma mano.

**12.** *Dijo esto* de modo que así el rey, como su comitiva, quedaron maravillados del espíritu de este joven que ningún caso hacía de los tormentos.

**13.** Muerto también éste, atormentaron de la misma manera al cuarto;

**14.** El cual, estando ya para morir, habló del modo siguiente: Es gran ventaja para nosotros perder la vida a manos de los hombres, por la firme esperanza que tenemos en Dios de que nos la volverá, haciéndonos resucitar; pero tu resurrección ¡oh Antíoco! no será para la vida.

**15.** Habiendo tomado al quinto, lo martirizaban *igualmente;* pero él, clavando sus ojos en el rey, le dijo:

**16.** Teniendo, como tienes, poder entre los hombres, aunque eres mortal como ellos, haces tú lo que quieres; mas no imagines *por eso* que Dios ha desamparado a nuestra nación.

**17.** Aguarda tan solamente un poco, y verás la grandeza de su poder, y cómo te atormentará a ti y a tu linaje.

**18.** Después de éste, fué conducido *al suplicio* el sexto; y estando ya para expirar, dijo: No quieras engañarte vanamente; pues si nosotros padecemos estos tormentos, es porque los hemos merecido, habiendo pecado contra nuestro Dios; y por esto experimentamos cosas tan terribles.

**19.** Mas no pienses tú quedar impune después de haber osado combatir contra Dios.

**20.** Entre tanto la madre, sobremanera admirable, y digna de *vivir eternamente* en la memoria de los buenos, viendo perecer en un solo día a sus siete hijos, lo sobrellevaba con ánimo constante por la esperanza que tenía en Dios.

**21.** Llena de sabiduría, exhortaba con valor, en su lengua nativa, a cada uno de ellos en particular; y juntando un ánimo varonil a la ternura de mujer,

**22.** Les decía: Yo no sé cómo fuisteis formados en mi seno; porque ni yo os dí el alma, el espíritu y la vida, ni fuí tampoco la que coordiné los miembros de cada uno de vosotros;

---

**CAP. VII.** — 1. Estos siete hermanos son llamados los *santos Macabeos,* tal vez porque su martirio fué durante la persecución, en la cual Judas *Macabeo* y sus hermanos combatieron tan gloriosamente por la causa de Dios. — Véase S. Agustín. Serm. I, Mach.

23. Sino el Creador del universo, que es el que formó al hombre en su origen, y el que dió principio a todas las cosas; y él mismo os volverá por su misericordia el espíritu y la vida, puesto que ahora por amor de sus leyes no hacéis aprecio de vosotros mismos.

24. Antíoco, pues, considerándose humillado y creyendo que aquellas voces *de los mártires* eran un insulto a él, como quedase todavía el más pequeño de todos, comenzó no sólo a persuadirle con palabras, sino asegurarle también con juramento, que lo haría rico y feliz si abandonaba las leyes de sus padres, y que le tendría por uno de sus amigos, y le daría cuanto necesitase.

25. Pero como ninguna mella hiciesen en el joven semejantes promesas. Llamó el rey a la madre, y le aconsejaba que mirase por la vida y por la felicidad de su hijo.

26. Y después de haberla exhortado con muchas razones, ella le prometió que en efecto persuadiría a su hijo *lo que le convenía:*

27. A cuyo fin, habiéndose inclinado a él *para hablarle,* burlando *los deseos* del cruel tirano, le dijo en lengua patria: Hijo mío, ten piedad de mí, que te llevé nueve meses en mis entrañas, que te alimenté por espacio de tres años con la leche de mis pechos, y te he criado y conducido hasta la edad en que te hallas.

28. Ruégote, hijo mío, que mires al cielo y a la tierra y a todas las cosas que en ellos se contienen: y que entiendas bien que Dios las ha creado todas de la nada, como igualmente al linaje humano.

29. De este modo no temerás a este verdugo; antes bien haciéndote digno de participar de la suerte de tus hermanos, abrazarás *gustoso* la muerte, para que así en el tiempo de la misericordia te recobre yo *en el cielo,* junto con tus hermanos.

30. Aún no había acabado de hablar esto, cuando el joven dijo: ¿Qué es lo que esperáis? Yo no obedezco al mandato del rey, sino al precepto de la ley que nos fué dada por Moisés.

31. Mas tú, que eres el autor de todos los males de los Hebreos, *ten entendido que* no evitarás el castigo de Dios.

32. Porque nosotros padecemos esto por nuestros pecados;

33. Y si el Señor nuestro Dios se ha irritado por un breve tiempo contra nosotros, a fin de corregirnos y enmendarnos, él, empero, volverá a reconciliarse otra vez con sus siervos.

34. Pero tú ¡oh malvado y el más abominable de todos los hombres! no te lisonjees inútilmente con vanas esperanzas, inflamado en cólera contra los siervos de Dios;

35. Pues aún no has escapado del juicio de Dios todopoderoso, que lo está viendo todo.

36. Mis hermanos por haber padecido ahora un dolor pasajero, se hallan ya gozando de la alianza de la vida eterna; mas tú por justo juicio de Dios sufrirás los castigos debidos a tu soberbia.

37. Por lo que a mí toca, hago como mis hermanos el sacrificio de mi cuerpo y de mi vida en defensa de las leyes de mis padres, rogando a Dios que cuanto antes se muestre propicio a nuestra nación, y que te obligue a ti a fuerza de tormentos y de castigos a confesar que él es el solo Dios.

38. Mas la ira del Todopoderoso, que justamente descarga sobre nuestra nación, tendrá fin en la muerte mía y de mis hermanos.

39. Entonces el rey, ardiendo en cólera, descargó su furor sobre éste con más crueldad que sobre todos los otros, sintiendo a par de muerte verse burlado.

40. Murió, pues, también este joven, sin contaminarse, *y* con una entera confianza en el Señor.

41. Finalmente, después de los hijos fué también muerta la madre.

42. Pero bastante se ha hablado ya de los sacrificios *profanos* y de las horribles crueldades *de Antíoco.*

## CAPITULO VIII

*Victorias de Judas Macabeo contra Nicanor, Báquides y Timoteo. Nicanor, huyendo solo a la Siria, declara que los Judíos, tienen a Dios por protector.*

1. Entre tanto Judas Macabeo y los que le seguían entraban secretamente en las poblaciones, y convocando a sus parientes y amigos, y tomando consigo a los que le habían permanecido firmes en la religión judaica, juntaron hasta seis mil hombres.

2. Al mismo tiempo invocaban al Señor para que mirase propicio a su pueblo, hollado de todos; y que tuviese compasión de su templo, el cual se veía profanado por los impíos;

3. Y que se apiadase igualmente de la ruina de la ciudad, que iba a ser destruída y luego después, arrasada, y escuchase la voz de la sangre derramada, que le estaba pidiendo venganza;

**4.** Que tuviese también presente las inicuas muertes de los inocentes niños, y las blasfemias proferidas contra su *santo* Nombre, y tomase de ello *justísima* venganza.

**5.** El Macabeo, pues, habiendo juntado mucha gente, se hacía formidable a los gentiles: porque la indignación del Señor *contra su pueblo* se había *ya* convertido en misericordia.

**6.** Arrojábase repentinamente sobre los lugares y ciudades, y los incendiaba: y ocupando los sitios más ventajosos hacía no pequeño estrago en los enemigos,

**7.** Ejecutando estas correrías principalmente por la noche; y la fama de su valor se esparcía por todas partes.

**8.** Viendo, pues, Filipo que este caudillo iba poco a poco *engrosándose y* haciendo progresos, y que las más veces le salían bien sus empresas escribió a Tolomeo, gobernador de la Celesiria y de la Fenicia, a fin de que le enviara socorros para sostener el partido del rey.

**9.** En efecto, Tolomeo le envió al punto a Nicanor, amigo suyo, *hijo* de Patroclo, y uno de los principales magnates, dándole hasta veinte mil hombres armados, de diversas naciones, para que exterminase todo el linaje de los Judíos; y junto con él envió también a Gorgias que era gran soldado. y hombre de larga experiencia en las cosas de la guerra.

**10.** Nicanor formó el designio de pagar el tributo de los dos mil talentos que el rey debía dar a los Romanos, sacándolos de la venta de los cautivos que haría de los Judíos.

**11.** Con esta idea envió inmediatamente a las ciudades marítimas a convidar a la compra de Judíos esclavos, prometiendo. dar noventa de ellos por un talento; sin reflexionar el castigo que el Todopoderoso había de ejecutar en él.

**12.** Luego que Judas supo la venida de Nicanor, la participó a los Judíos que tenía consigo;

**13.** Algunos de los cuales, por falta de confianza en la justicia divina, llenos de miedo, echaron a huir.

**14.** Pero otros vendían cuanto les había quedado, y a una rogaban al Señor que los librase del impío Nicanor, que aun antes de haberse acercado a ellos los tenía ya vendidos;

**15.** Y que se dignase hacerlo, ya que no por amor de ellos, siquiera por la alianza que había hecho con sus padres, y por el honor que tenían de llamarse con el nombre santo y glorioso de pueblo de Dios

**16.** Habiendo, pues, convocado el Macabeo los *seis o* siete mil hombres que le seguían, los conjuró que no entrasen en componendas con los enemigos, y que no temiesen aquella muchedumbre que venía a atacarlos injustamente, sino que peleasen con esfuerzo,

**17.** Teniendo siempre presente el ultraje que aquellos indignos habían cometido contra el lugar santo, y las injurias e insultos hechos a la ciudad y además la abolición de las *santas* instituciones de sus mayores.

**18.** Estas gentes, añadió, confían sólo en sus armas y en su audacia: mas nosotros tenemos puesta nuestra confianza en el Señor todopoderoso, que con una mirada puede trastornar, no sólo a los que vienen contra nosotros, sino también al mundo entero.

**19.** Trájoles asimismo a la memoria los socorros que había dado Dios *en otras ocasiones* a sus padres y los ciento ochenta y cinco mil que perecieron del ejército de Sennaquerib;

**20.** Como también la batalla que ellos habían dado a los Gálatas en Babilonia, en la cual, no habiendo osado entrar en la acción sus aliados los Macedonios, ellos, que sólo eran seis mil, mataron ciento veinte mil, mediante el auxilio que les dió el cielo; y consiguieron en recompensa grandes bienes.

**21.** Este razonamiento *del Macabeo* los llenó de valor, de suerte que se hallaron dispuestos a morir por las leyes y por la patria.

**22.** En seguida dió el mando de una porción de tropas a sus hermanos Simón, José y Jonatás, poniendo a las órdenes de cada uno mil quinientos hombres.

**23.** Además de eso leyóles Esdras, el libro santo; y habiéndoles dado *Judas* por señal o *reseña* Socorro de Dios, se puso él mismo a la cabeza del ejército, y marchó contra Nicanor.

**24.** En efecto, declarándose el Todopoderoso a favor de ellos, mataron más de nueve mil hombre, y pusieron en fuga al ejército de Nicanor, que había quedado muy disminuído por razón de los muchos heridos.

**25.** Con esto tomaron el dinero de aquellos que habían acudido para comprarlos *como esclavos; y* fueron persiguiendo largo trecho al enemigo.

---

CAP. VIII. — 19. IV *Reg.* XIX, *v.* 35. — *Tob.* I, *v.* 21. — *Eccli.* XLVIII, *v.* 24. — *Is.* XXXVII, *v.* 36.

**26.** Pero estrechados del tiempo volvieron atrás, pues era la víspera del sábado; lo cual les impidió que continuaran persiguiéndole.

**27.** Recogidas, pues, las armas y despojos de los enemigos, celebraron el sábado, bendiciendo al Señor, que los había librado en aquel día, derramando sobre ellos como las primeras gotas del rocío de su misericordia.

**28.** Pasada *la festividad del sábado,* dieron parte de los despojos a los enfermos, a los huérfanos y a las viudas, quedándose con el resto para sí y para sus familias.

**29.** Ejecutadas estas cosas, hicieron todos juntos oración, rogando al Señor misericordioso que se *dignara* aplacarse *ya* para siempre con sus siervos.

**30.** *Más adelante,* habiendo sido acometidos del ejército de Timoteo y de Báquides, mataron de él a más de veinte mil hombres, se apoderaron de varias plazas fuertes, y recogieron un botín muy grande; del cual dieron igual porción a los enfermos, a los huérfanos y a las viudas, y también a los viejos.

**31.** Recogidas luego con diligencia todas las armas de los enemigos, las depositaron en lugares convenientes, llevando a Jerusalén los otros despojos.

**32.** Asimismo quitaron la vida a Filarco, hombre perverso, uno de los que acompañaban a Timoteo, y que había causado muchos males a los Judíos.

**33.** Y cuando estaban en Jerusalén dando gracias *a Dios* por esta victoria, al saber que aquel Calístenes, que había incendiado las puertas sagradas, se había refugiado en cierta casa, lo abrasaron en ella, dándole así el justo pago de sus impiedades

**34.** Entre tanto el perversísimo Nicanor, aquel que había hecho venir a mil negociantes para vender a los Judíos *por esclavos,*

**35.** Humillado con la ayuda del Señor por aquellos mismos a quienes él había reputado por nada, dejando su brillante vestido *de generalísimo,* y huyendo por el mar Mediterráneo, llegó solo a Antioquía, y reducido al colmo de la infelicidad por la pérdida de su ejército;

**36.** Y aquél mismo que antes había prometido pagar el tributo a los Romanos con *el producto de* los cautivos de Jerusalén, iba publicando ahora que los Judíos tenían por protector a Dios, y que eran invulnerables, porque seguían las leyes que el mismo Señor les había dado.

## CAPITULO IX

*Antíoco Epífanes, echado de Persépolis al tiempo que estaba meditando el total exterminio de los Judíos, es castigado por Dios con dolores acerbísimos que le obligan a confesar sus delitos. Muere miserablemente, después de haber encomendado por cartas a los Judíos que fuesen fieles a su hijo.*

**1.** A este tiempo volvía Antíoco ignominiosamente de la Persia;

**2.** Pues habiendo entrado en la ciudad de Persépolis, *llamada Elimaida,* e intentado saquear el templo y oprimir la ciudad, corrió todo el pueblo a tomar las armas, y lo puso en fuga con todas sus tropas, por lo cual volvió atrás vergonzosamente.

**3.** Y llegado que hubo cerca de Ecbátana, recibió la noticia de lo que había sucedido a Nicanor y a Timoteo.

**4.** Con lo que montando en cólera, pensó en desfogarla en los Judíos, y vengarse así del ultraje que le habían hecho los que le obligaron a huir. Por tanto mandó que anduviese más aprisa su carroza, caminando sin pararse, impelido para ello del juicio *o venganza* del cielo por la insolencia con que había dicho que él iría a Jerusalén, y que la convertiría en un cementerio de cadáveres hacinados de Judíos.

**5.** Mas el Señor Dios de Israel, que ve todas las cosas, lo hirió con una llaga interior e incurable: pues apenas había acabado de pronunciar dichas palabras, le acometió un acerbo dolor de entrañas y un terrible cólico.

**6.** Y a la verdad que bien lo merecía, puesto que él había desgarrado las entrañas de otros con muchas y nuevas maneras de tormentos. Mas no por eso desistía de sus malvados designios.

**7.** De esta suerte, lleno de soberbia, respirando su corazón llamas contra los Judíos, y mandando *siempre* acelerar el viaje, sucedió que, corriendo furiosamente, cayó de la carroza, y con el grande golpe que recibió, se le quebrantaron *gravemente* los miembros del cuerpo.

**8.** Y aquel que lleno de soberbia quería levantarse sobre la esfera del hombre, y se lisonjeaba de poder mandar aun a las olas del mar, y de pesar en una balanza los montes más elevados, humillado ahora hasta el suelo, era conducido en una silla de manos, presentando en su misma persona un manifiesto testimonio del poder de Dios;

9. Pues hervía de gusanos el cuerpo de este impío, y aun viviendo se le caían a pedazos las carnes en medio de los dolores, y ni sus tropas podían sufrir el mal olor y fetidez que de sí despedía.

10. Así el que poco antes se imaginaba que podría coger con la mano las estrellas del cielo, se había hecho insoportable a todos, por lo intolerable del hedor que despedía.

11. Derribado, pues, de este modo de su extremada soberbia, comenzó a entrar en conocimiento de si mismo, estimulado del azote de Dios, pues crecían por momentos sus dolores.

12. Y como ni él mismo pudiese ya sufrir su hedor, dijo así: Justo es que el hombre se sujete a Dios, y que un mortal no pretenda apostárselas a Dios.

13. Mas este malvado rogaba al Señor, del cual no había de alcanzar misericordia.

14. Y siendo así que antes se apresuraba a ir a la ciudad *de Jerusalén* para arrasarla, y hacer de ella un cementerio de cadáveres amontonados, ahora deseaba hacerla libre;

15. Prometiendo asimismo igualar con los Atenienses a estos mismos Judíos a quienes poco antes había juzgado indignos de sepultura, y les había dicho que los arrojaría a las aves de rapiña y a las fieras, para que los despedazasen, y que acabaría hasta con los niños más pequeños.

16. Ofrecía también adornar con preciosos dones aquel templo santo que antes había despojado, y aumentar el número de los vasos sagrados, y costear de sus rentas los gastos necesarios para los sacrificios;

17. Y además, de esto, hacerse él Judío, e ir por todo el mundo ensalzando el poder de Dios.

18. Mas como no cesasen sus dolores (porque al fin había caído sobre él la justa venganza de Dios), perdida toda esperanza, escribió a los Judíos una carta, en forma de súplica, del tenor siguiente:

19. A los Judíos, excelentes ciudadanos, *desea* mucha salud y bienestar, y toda prosperidad el rey y príncipe Antíoco.

20. Si gozáis de salud, tanto vosotros como vuestros hijos, y si os sucede todo según lo deseáis, nosotros damos por ello *a Dios* muchas gracias.

21. Hallándome yo al presente enfermo, y acordándome benignamente de vosotros, he juzgado necesario, en esta grave enfermedad que me ha acometido a mi regreso de Persia, atender al bien común, dando algunas disposiciones;

22. No porque desespere de mi salud, antes confío mucho que saldré de esta enfermedad;

23. Mas considerando que también mi padre, al tiempo que iba con su ejército por las provincias altas, declaró quién debía reinar después de su muerte.

24. Con el fin de que si sobreviniese alguna desgracia, o corriese alguna mala noticia, no se turbasen los habitantes de las provincias, sabiendo ya quién era el sucesor en el mando;

25. Y considerando además que cada uno de los confinantes y poderosos vecinos está asechando ocasión favorable, y aguardando coyuntura *para sus planes,* he designado por rey a mi hijo Antíoco, el mismo a quien yo muchas veces, al pasar a las provincias altas de mis reinos, recomendé a muchos de vosotros, y al cual he escrito lo que más abajo veréis.

26. Por tanto, os ruego y pido que acordándoos de los beneficios que habéis recibido de mí en común y en particular, me guardéis todos fidelidad a mí y a mi hijo;

27. Pues confío que él se portará con moderación y dulzura, y que siguiendo mis intenciones será vuestro favorecedor.

28. En fin, herido mortalmente *de Dios* este homicida y blasfemo, *tratado* del mismo modo que él había tratado a otros, acabó su vida en los montes, lejos de su patria, con una muerte infeliz.

29. Filipo, su hermano de leche, hizo trasladar su cuerpo, y temiéndose del hijo de Antíoco, se fué para Egipto a Tolomeo Filométor.

## CAPITULO X

*Purificación del Templo hecho por Judas Macabeo. Lisias regenta el reino de Antíoco Eupátor, el cual hace tomar veneno a Tolomeo; y da el mando de la Judea a Gorgias. Victorias de los Judíos contra éste y contra Timoteo.*

1. Entre tanto el Macabeo y los que le seguían, protegidos del Señor, recobraron el templo y la ciudad,

2. Y demolieron los altares que los gentiles habían erigido en las plazas y asimismo los templos de los ídolos.

---

CAP. I. — 13. Pues que era falso su arrepentimiento, no duraba sino como el de Faraón, esto es, mientras, tenía sobre sí el azote. *Prov.* I, 26. — *Hebr.* XII, *v.* 17.

**3.** Y habiendo purificado el templo, construyeron un nuevo altar, y sacando fuego por medio de unos pedernales, ofrecieron sacrificios, *a los dos* años después *que entró a mandar Judas,* y pusieron el *altar del* incienso, las lámparas o *candelero,* y los panes de proposición.

**4.** Ejecutado esto, postrados por tierra, rogaban al Señor que nunca más los dejase caer en semejantes desgracias; y, caso que llegasen a pecar, los castigase con más benignidad, y no los entregase en poder de hombres bárbaros y blasfemos *de su santo Nombre.*

**5.** *Y es digno de notar que* el templo fué purificado en aquel mismo día en que había sido profanado por los extranjeros, es decir, el día veinticinco del mes de Casleu.

**6.** En efecto, celebraron esta fiesta con regocijo por espacio de ocho días, a manera de la de los Tabernáculos, acordándose que poco tiempo antes habían pasado esta solemnidad de los Tabernáculos en los montes y cuevas a manera de fieras.

**7.** Por este motivo llevaban *en las manos* tallos y ramos verdes, y palmas en honor de aquel *Señor* que les había concedido la dicha de purificar su *santo* templo.

**8.** Y de común consejo y acuerdo decretaron que toda la nación judaica celebrase esta fiesta todos los años en aquellos *mismos* días.

**9.** Por lo que toca a la muerte de Antíoco, llamado Epífanes, fué del modo que hemos dicho.

**10.** Mas ahora referiremos los hechos de Eupátor, hijo del impío Antíoco, recopilando los males que ocasionaron sus guerras.

**11.** Habiendo, pues, entrado éste a reinar, nombró, para la dirección de los negocios del reino a un tal Lisias, gobernador militar de la Fenicia y de la Siria.

**12.** Porque Tolomeo, llamado Macer, o *Macrón,* había resuelto observar inviolablemente la justicia respecto de los Judíos, y portarse pacíficamente con ellos, sobre todo a vista de las injusticias que se les habían hecho sufrir.

**13.** Pero acusado por esto mismo ante Eupátor por los amigos, que a cada paso lo trataban de traidor por haber abandonado a Chipre, cuyo gobierno le había confiado *el rey* Filométor, y porque después de haberse pasado al partido de Antíoco Epífanes, o *el Ilustre,* había desertado también de él, acabó su vida con el veneno.

**14.** A este tiempo Gorgias, que tenía el gobierno de aquellas tierras *de la Palestina,* asalariando tropas extranjeras, molestaba frecuentemente a los Judíos.

**15.** Y los Judíos que ocupaban plazas fuertes en lugares ventajosos acogían en ellas a los que huían de Jerusalén, y buscaban ocasiones de hacer guerras *contra Judas.*

**16.** Pero aquellos que seguían al Macabeo, hecha oración al Señor para implorar su auxilio, asaltaron con valor las fortalezas de los Idumeos;

**17.** Y después de un crudo y porfiado combate, se apoderaron de ellas, mataron a cuantos se les pusieron delante, no siendo los pasados a cuchillo menos de veinte mil personas.

**18.** Mas como algunos se hubiesen refugiado en dos castillos sumamente fuertes y abastecidos de todo lo necesario para defenderse,

**19.** Dejó el Macabeo para expugnarlos a Simón, y a José, y también a Zaqueo, con bastantes tropas que tenían bajo su mando, y él marchó con las suyas a donde las necesidades más urgentes de la guerra le llamaban.

**20.** Pero las tropas de Simón, llevadas de la avaricia, se dejaron sobornar con dinero por algunos de los que estaban en los castillos; y habiendo recibido hasta setenta mil didracmas, dejaron escapar a varios de ellos.

**21.** Así que fué informado de esto el Macabeo, congregados los príncipes o *cabezas* del pueblo, acusó a aquellos de haber vendido por dinero a sus hermanos, dejando escapar a sus enemigos.

**22.** Por lo cual hizo quitar la vida a dichos traidores: y al instante se apoderó de los dos castillos.

**23.** Y saliendo todo tan felizmente como correspondía al valor de sus armas, mató en las dos fortalezas más de veinte mil hombres.

**24.** Timoteo, empero, que antes había sido vencido por los Judíos, habiendo levantado *de nuevo* un ejército de tropas extranjeras, y reunido la caballería de Asia, vino a la Judea como para apoderarse de ella a fuerza de armas.

**25.** Mas al mismo tiempo que se iba acercando Timoteo, el Macabeo y su gente oraban al Señor, cubiertas de polvo o *ceniza* sus cabezas, ceñidos con el cilicio sus lomos,

**26.** Y postrados al pie del altar, a fin de que les fuese propicio, y se mostrase enemigo de sus enemigos, y contrario de sus contrarios como dice la ley.

**27.** Y de este modo, acabada la oración, habiendo tomado las armas, y saliendo a una distancia considerable de la ciudad *de Jerusalén*, cercanos ya a los enemigos, hicieron alto.

**28.** Apenas empezó a salir el sol, principió la batalla entre los dos ejércitos; teniendo los unos, además de su valor, al Señor *mismo* por fiador de la victoria y del éxito feliz de sus armas, cuando los otros solamente contaban con su esfuerzo en el combate.

**29.** Mas mientras se estaba en lo más recio de la batalla, vieron los enemigos aparecer del cielo cinco varones montados en caballos adornados con frenos de oro, que servían de capitanes a los Judíos;

**30.** Dos de dichos varones, tomando en medio al Macabeo, lo cubrían con sus armas, guardándole de recibir daño; y lanzaban dardos y rayos contra los enemigos, quienes envueltos en oscuridad y confusión, y llenos de espanto, iban cayendo por tierra,

**31.** Habiendo sido muertos veinte mil quinientos de a pie, y seiscientos de caballería.

**32.** Timoteo, empero, se refugió en Gázara, plaza fuerte, cuyo gobernador era Quereas.

**33.** Mas llenos de gozo el Macabeo y sus tropas, tuvieron sitiada la plaza cuatro días.

**34.** Entre tanto los sitiados confiados en la fortaleza de la plaza, insultaban *a los Judíos* de mil maneras, y vomitaban expresiones abominables.

**35.** Pero así que amaneció el quinto día *del sitio*, veinte jóvenes de los que estaban con el Macabeo, irritados por tales blasfemias, se acercaron valerosamente al muro, y con ánimo denodado subieron sobre él;

**36.** Y haciendo lo mismo otros, empezaron a pegar fuego a las torres y a las puertas, y quemaron vivos a aquellos blasfemos.

**37.** Dos días continuos estuvieron devastando la fortaleza; y habiendo encontrado a Timoteo, que se había escondido en cierto lugar lo mataron, así como también a Quereas su hermano, y a Apolófanes.

**38.** Ejecutadas estas cosas, bendijeron con himnos y cánticos al Señor, que había hecho *tan* grandes cosas en Israel, y les había concedido la victoria.

## CAPITULO XI

*Derrota Judas Macabeo, con la asistencia de un ángel de Dios, al ejército numerosísimo de Lisias: por lo que hace éste la paz con los Judíos. Cartas de Lisias, de Antíoco y de los Romanos dirigidas a los Judíos, la de Antíoco a Lisias a favor de los mismos.*

**1.** Pero poco tiempo después Lisias, ayo del rey y su pariente, que tenía el manejo de los negocios *del reino*, sintiendo mucho pesar por lo que había acaecido,

**2.** Juntó, ochenta mil hombres de a pie, y toda la caballería, y se dirigió contra los Judíos con el designio de tomar la ciudad *de Jerusalén, y* de darla a los gentiles para que la poblasen,

**3.** Y de sacar del templo grandes sumas de dinero, *como* hacía de los otros templos de los paganos, y vender anualmente el sumo sacerdocio,

**4.** Sin reflexionar en el poder de Dios, sino confiando neciamente en su numerosa infantería, en los miles de caballos y en ochenta elefantes.

**5.** Y habiendo entrado en Judea, y acercándose a Betsura, situada en una garganta a cinco estadios de Jerusalén, atacó esta plaza.

**6.** Pero luego que el Macabeo y su gente supieron que los enemigos habían comenzado a sitiar las fortalezas, rogaban al Señor con lágrimas y suspiros, a una con todo el pueblo, que enviase un ángel bueno para que salvase a Israel.

**7.** Y el mismo Macabeo, tomando las armas el primero de todos, exhortó a los demás exponerse como él a los peligros, a fin de socorrer a sus hermanos.

**8.** Mientras, pues, que iban marchando todos con ánimo denodado, se les apareció, al salir de Jerusalén, un personaje a caballo, que iba vestido de blanco, con armas de oro, y blandiendo la lanza.

**9.** Entonces todos a una bendijeron al Señor misericordioso, y cobraron nuevo aliento, hallándose dispuestos a pelear, no sólo contra los hombres, sino hasta contra las bestias más feroces, y a penetrar muros de hierro.

**10.** Caminaban con esto llenos de ardimiento, teniendo en su ayuda al Señor, que desde el cielo hacía resplandecer sobre ellos su misericordia.

11. Así que, arrojándose impetuosamente como leones sobre el enemigo, mataron once mil de a pie, y mil seiscientos de a caballo;

12. Y pusieron en fuga a todos los demás, la mayor parte de los cuales escaparon heridos y despojados *de sus armas*, salvándose el mismo Lisias por medio de una vergonzosa fuga.

13. Y como no le faltaba talento, meditando para consigo la pérdida que había tenido, y conociendo que los Hebreos eran invencibles cuando se apoyaban en el socorro del Dios Todopoderoso, les envió comisionados;

14. Y les prometió condescender en todo aquello que fuese justo, y que persuadiría al rey a que hiciese *alianza* y amistad con ellos.

15. Asintió el Macabeo a la demanda de Lisias, atendiendo en todo a la utilidad pública; y con efecto, concedió el rey todo lo que había pedido Judas a favor de los Judíos en la carta que escribió a Lisias.

16. La carta que Lisias escribió a los Judíos era del tenor siguiente: Lisias al pueblo de los Judíos, salud:

17. Juan y Abesalom, vuestros enviados, al entregarme vuestro escrito me pidieron que hiciese lo que ellos proponían.

18. Por tanto, expuse al rey todo lo que podía representárseles y ha otorgado cuanto le ha permitido el estado de los negocios.

19. Y si vosotros guardáis fidelidad en lo tratado, yo también procuraré en lo sucesivo proporcionaros el bien que pudiere.

20. Por lo que hace a los demás asuntos, ha encargado a vuestros enviados, y a los que yo envío, que a boca traten de cada uno de ellos con vosotros

21. Pasadlo bien. A veinticuatro del mes de Dióseoro del año ciento cuarenta y ocho.

22. La carta del rey decía así: El rey Antíoco a Lisias su hermano, salud.

23. Después que el rey, nuestro padre, fué trasladado entre los dioses, nós, deseando que nuestros súbditos vivan en paz, y puedan atender a sus negocios;

24. Y habiendo sabido que los Judíos no *pudieron* condescender a los deseos que tenía mi padre de que abrazasen los ritos de los Griegos, sino que han querido conservar sus costumbres, y por esta razón nos piden que les concedamos vivir según sus leyes:

25. Por tanto, queriendo nós que esta nación goce también de paz, *como las otras*, hemos ordenado y decretado que se les restituya el *libre uso del* templo, a fin de que vivan según las costumbres de sus mayores.

26. En esta conformidad harás bien en enviarles comisionados para hacer con ellos la paz, a fin de que enterados de nuestra voluntad cobren buen ánimo, y se apliquen a sus intereses particulares.

27. La carta del rey a los Judíos era del tenor siguiente: El Rey Antíoco al senado de los Judíos y a todos los demás Judíos, salud.

28. Si estáis buenos, esto es lo que os deseamos: por lo que hace a nós, la pasamos bien.

29. Menelao ha venido a nós para hacernos presente que deseáis venir a tratar con los de vuestra nación que están *acá* con nosotros.

30. Por tanto, damos salvoconducto a aquellos que vengan hasta el día treinta del mes Xántico *o luna de abril.*

31. Y permitimos a los Judíos que usen de sus viandas *como quieran* y vivan según sus leyes como antes; sin que ninguno pueda ser molestado por razón de las cosas *o faltas* hechas por ignorancia.

32. Y finalmente, os hemos enviado a Me-nelao para que lo trate con vosotros.

33. Pasadlo bien. A quince del mes de Xántico del año ciento cuarenta y ocho.

34. Asimismo los Romanos enviaron también una carta en estos términos: Quinto Memmio y Tito Manilio, legados de los Romanos, al pueblo de los Judíos, salud.

35. Las cosas que os ha concedido Lisias, pariente del rey, os las concedemos igualmente nosotros;

36. Y por lo que hace a las otras, sobre las cuales juzgó Lisias deber consultar al rey, enviad cuanto antes alguno, después que hayáis conferenciado entre vosotros, a fin de que resolvamos lo que os sea más ventajoso; pues estamos para marchar hacia Antioquía.

37. Daos, pues, prisa a responder, para que sepamos de este modo lo que deseáis.

38. Pasadlo bien. A quince del mes de Xántico, del año ciento cuarenta y ocho.

## CAPITULO XII

*Victorias que con la protección de Dios alcanzan Judas y sus capitanes. Habiendo muerto algunos Judíos que habían tomado despojos de cosas ofrecidas a los ídolos, Judas hace ofrecer sacrificios por sus pecados*

1. Concluídos estos tratados, se volvió Lisias para el rey, y los Judíos se dedicaron a cultivar sus tierras.

2. Pero los *oficiales del rey,* que residían en el país, *a saber,* Timoteo y Apolonio, hijo de Genneo, y también Jerónimo y Demofonte, y además de éstos, Nicanor, gobernador de Chipre, no los dejaban vivir en paz ni sosiego.

3. Los habitantes, empero, de Joppe cometieron el siguiente atentado: Convidaron a los Judíos que habitaban en aquella ciudad a entrar con sus mujeres e hijos en unos barcos que habían prevenido, como que no existía ninguna enemistad entre unos y otros.

4. Y habiendo condescendido en ello, sin tener la menor sospecha, pues vivían en paz, y la ciudad tenía un público acuerdo a favor de ellos, así que se hallaron en alta mar fueron arrojados al agua unos doscientos de ellos.

5. Luego que Judas tuvo noticia de esta crueldad contra los de su nación, mandó *tomar las armas* a su gente, y después de invocar a Dios justo juez,

6. Marchó contra aquellos asesinos de sus hermanos, y de noche pegó fuego al puerto, quemó sus barcos, e hizo pasar a cuchillo a todos los que se habían escapado de las llamas.

7. Hecho esto, partió de allí con ánimo de volver de nuevo para exterminar enteramente todos los vecinos de Joppe.

8. Pero habiendo entendido que también los de Jamnia meditaban hacer otro tanto con los Judíos que moraban entre ellos,

9. Los sorprendió igualmente de noche, y quemó el puerto con sus naves; de suerte que el resplandor de las llamas se veía desde Jerusalén, que dista de allí doscientos y cuarenta estadios.

10. Y cuando, partido que hubo de Jamnia, había ya andado nueve estadios, avanzando contra Timoteo, lo atacaron los Arabes en número de cinco mil infantes y de quinientos caballos;

11. Y trabándose un crudo combate, que con la protección de Dios le salió felizmente, el resto del ejército de los Arabes vencido pidió la paz a Judas, prometiendo cederle *varios* pastos, y a asistirle en todo lo demás.

12. Y Judas, creyendo que verdaderamente podían serle útiles en muchas cosas, les concedió la paz; y hecho el tratado se volvieron los Arabes a sus tiendas.

13. Después de esto atacó a una ciudad fuerte, llamada Casfín, *o Casbón,* rodeada de muros y de puentes *levadizos* en la cual habitaba una turba de diferentes naciones.

14. Pero confiados los de dentro en la firmeza de sus muros, y en que tenían provisión de víveres, se defendían con flojedad, y provocaban a Judas con dichos picantes, blasfemias y expresiones detestables.

15. Mas el Macabeo, habiendo invocado al Gran Rey del Universo que en tiempo de Josué derribó de un golpe, sin arietes, ni máquinas *de guerra, los muros de* Jericó, subió con gran denuedo sobre la muralla;

16. Y tomada por voluntad del Señor la ciudad, hizo en ella una horrorosa carnicería: de tal suerte que un estanque vecino, de dos estadios de anchura, apareció teñido de sangre de los muertos.

17. Partieron de allí. y después de andados setecientos y cincuenta estadios, llegaron a Caraca, donde habitaban los Judíos llamados Tubianeos.

18. Mas tampoco pudieron venir allí a las manos con Timoteo, quien se había vuelto sin poder hacer nada, dejando en cierto lugar una guarnición muy fuerte.

19. Pero Dositeo y Sosípatro, que mandaban las tropas en compañía del Macabeo, pasaron a cuchillo a diez mil hombres que Timoteo había dejado en aquella plaza.

20. Entre tanto el Macabeo, tomando consigo seis mil hombres, y distribuyéndolos en batallones, marchó contra Timoteo que traía ciento y veinte mil hombres de a pie, y dos mil y quinientos de a caballo.

21. Luego que éste supo la llegada de Judas, envió delante las mujeres, los niños y el resto del bagaje a una fortaleza llamada Carnión, que era inexpugnable y de difícil entrada, a causa de los desfiladeros que era necesario pasar.

22. Mas al dejarse ver el primer batallón de Judas, se apoderó el terror de los enemigos, a causa de la presencia de Dios, que todo lo ve, y se pusieron en fuga uno tras de otro: de manera que el mayor daño lo recibían de su propia gente, y quedaban heridos por sus propias espadas.

**23.** Judas, empero, los cargaba de recio, castigando a aquellos profanos; habiendo dejados tendidos a treinta mil de ellos.

**24.** El mismo Timoteo cayó en poder de los batallones de Dositeo y Sosípatro, a los cuales pidió con grande instancia que le salvasen la vida, porque tenía *prisioneros* muchos padres y hermanos de los Judíos; los cuales, muerto él, quedarían sin esperanza *de salvar la suya.*

**25.** Y habiéndoles dado palabra de restituirles los prisioneros, según lo estipulado, lo dejaron ir sin hacerle mal, con la mira de salvar así a sus hermanos

**26.** Hecho esto, volvió Judas contra Carnión, en donde pasó a cuchillo veinticinco mil hombres.

**27.** Después de la derrota y mortandad de los enemigos, dirigió *Judas* su ejército contra Efrón, ciudad fuerte, habitada por una multitud de gentes de diversas naciones; cuyas murallas estaban coronadas de robustos jóvenes que las defendían con valor, y además había dentro de ella muchas máquinas *de guerra* y acopio de dardos.

**28.** Pero *los Judíos,* invocando el *auxilio del* Todopoderoso, que con su poder quebranta las fuerzas de los enemigos, tomaron la ciudad, y dejaron tendidos por el suelo a veinticinco mil hombres de los que en ella había.

**29.** Desde allí fueron a la ciudad de los Escitas, distante seiscientos estadios de Jerusalén;

**30.** Pero asegurando los Judíos que habitaban allí entre los Escitopolitanos, que estas gentes los trataban bien, y que aun en el tiempo de sus desgracias se habían portado con ellos con *toda* humanidad,

**31.** Les dió Judas las gracias; y habiéndolos exhortado a que en lo venidero mostrasen igual benevolencia a los de su nación, se volvió con los suyos a Jerusalén, por estar muy cercano el día solemne de Pentecostés.

**32.** Y pasada esta festividad marcharon contra Gorgias, gobernador de la Idumea.

**33.** Salió, pues, Judas con tres mil infantes y cuatrocientos caballos;

**34.** Y habiéndose trabado el combate, quedaron tendidos algunos pocos Judíos en el campo de batalla.

**35.** Mas un cierto Dositeo, soldado de caballería de los de Bacenon, hombre valiente, asió a Gorgias, y quería cogerlo vivo; pero se arrojó sobre él un soldado de a caballo de los de Tracia, y le cortó un hombro, lo cual dió lugar a que Gorgias se huyese a Maresa.

**36.** Fatigados ya los soldados que mandaba Esdrín con tan larga pelea, invocó Judas al Señor para que protegiese y dirigiese el combate;

**37.** Y habiendo comenzado a cantar en alta voz himnos en su lengua nativa, puso en fuga a los soldados de Gorgia

**38.** Reuniendo después Judas su ejército, pasó a la ciudad de Odolam, y llegado el día séptimo, se purificaron según el rito, y celebraron allí el sábado.

**39.** Al día siguiente fué Judas con su gente para traer los cadáveres de los que habían muerto *en el combate, y* enterrarlos con sus parientes en las sepulturas de sus familiares

**40.** Y encontraron debajo de la ropa de los que habían sido muertos algunas ofrendas de las consagradas a los ídolos que había en Jamnia, cosas prohibidas por la ley a los Judíos; con lo cual conocieron todos evidentemente que esto había sido la causa de su muerte.

**41.** Por tanto, bendijeron a una los justos juicios del Señor, que había manifestado el *mal* que se quiso encubrir;

**42.** Y en seguido poniéndose en oración, rogaron *a Dios* que echase en olvido el delito que se había cometido. Al mismo tiempo el esforzadísimo Judas exhortaba al pueblo a que se conservase sin pecado viendo delante de sus mismos ojos lo sucedido por causa de las culpas de los que habían sido muertos.

**43.** Y habiendo recogido en una colecta que mandó hacer, doce mil dracmas de plata, las envió a Jerusalén, a fin de que se ofreciese un sacrificio por los pecados de estos difuntos, teniendo, como tenía, buenos y religiosos sentimientos acerca de la resurrección.

**44.** (Pues si no esperara que los que habían muerto habían de resucitar, habría tenido por cosa superflua e inútil el rogar por los difuntos):

**45.** Y porque consideraba que a los que habían muerto después de una vida piadosa, les estaba reservada una grande misericordia.

**46.** Es, pues, un pensamiento santo y saludable el rogar por los difuntos, a fin de que sean libres *de las penas* de sus pecados.

## CAPITULO XIII

*Menelao, Judío apóstata, muere por orden de Antíoco. Marcha éste con un poderoso ejército contra los Judíos: y vencido una y otra vez, con pérdida de muchos millares de hombres, y habiéndosele rebelado Filipo, pide por gracia la paz a los Judíos, que se la otorgan, y ofrece después sacrificios en el templo, y nombra a Judas por príncipe de Tolemaida.*

**1.** El año ciento cuarenta y nueve supo Judas que Antíoco Eupátor venía con un grande ejército contra la Judea,

**2.** Acompañado de Lisias, tutor y regente del reino; y que traía consigo ciento y diez mil hombres de a pie, y cinco mil de a caballo, y veintidós elefantes y trescientos carros armados de hoces.

**3.** Agregóse también a ellos Menelao; y con grande y falaz artificio procuraba aplacar a Antíoco, no porque amase el bien de la patria, sino esperando ser puesto en posesión del principado.

**4.** Mas el Rey de los reyes movió el corazón de Antíoco contra aquel malvado; y habiendo dicho Lisias que él era la causa de todos los males, mandó prenderlo, y que le quitasen la vida en aquel mismo lugar, según el uso de ellos.

**5.** Había, pues, en aquel sitio una torre de cincuenta codos de alto, rodeada por todas partes de un gran montón de cenizas: desde allí no se veía más que un precipicio.

**6.** Y mandó que desde la torre fuese arrojado en la ceniza aquel sacrílego, llevándolo todos a empellones a la muerte.

**7.** De este modo, pues, debió morir Menelao, prevaricador de la ley, sin que a su cuerpo se le diese sepultura.

**8.** Y a la verdad con mucha justicia; porque habiendo él cometido tantos delitos contra el altar de Dios, cuyo fuego y ceniza son cosas santas, *justamente* fué condenado a morir *sofocado* por la ceniza.

**9.** El rey, empero, continuaba furibundo su marcha, con ánimo de mostrarse con los Judíos más cruel que su padre.

---

CAP. XIII. —2. La diferencia que se observa en el número de tropas y elefantes que leemos I *Mach.* VI, *v.* 30, puede provenir de que variaría casi cada día, atendida la calidad de aquel ejército compuesto de muchísimas naciones, y tropas auxiliares que llegaban de varios países, unas un día, y otras otro: o también de que alguna parte del ejército estaría a veces separada, o como formando distinto cuerpo.

**10.** Teniendo, pues, Judas noticia de ello, mandó al pueblo que invocase al Señor día y noche, a fin de que les asistiese en aquella ocasión, como lo había hecho siempre;

**11.** Pues temían el verse privados de su ley, de su patria y de su santo templo; y para que no permitiese que su pueblo *escogido*, que poco antes había empezado a respirar algún tanto, se viese nuevamente subyugado por las naciones, que blasfeman *su santo Nombre.*

**12.** En efecto, haciendo todos a una lo mandado por Judas, implorando la misericordia del Señor con lágrimas y ayunos, postrados en tierra por espacio de tres días continuos, los exhortó Judas a que estuviesen apercibidos.

**13.** El luego, con el consejo de los ancianos, resolvió salir a campaña antes que el rey *Antíoco* entrase con su ejército en la Judea y se apoderase de la ciudad, y encomendar al Señor el éxito de la empresa.

**14.** Entregándose, pues, enteramente a las disposiciones de Dios, creador del universo, y habiendo exhortado a sus tropas a pelear varonilmente y hasta perder la vida en defensa de sus leyes, de su templo y de su ciudad, de su patria y de sus conciudadanos, hizo acampar el ejército en las cercanías de Modín.

**15.** Dió después a los suyos por señal la victoria de Dios; y tomando consigo los jóvenes más valientes de sus tropas, asaltó de noche el cuartel del rey, y mató en su campamento cuatro mil hombres y al mayor de los elefantes, con toda la gente que llevaba encima.

**16.** Y llenando con esto de un grande terror y confusión el campo de los enemigos, concluída tan felizmente la empresa, se retiraron.

**17.** Ejecutóse todo esto al rayar el día, asistiendo el Señor al Macabeo con su protección.

**18.** Mas el rey, visto este ensayo de la audacia de los Judíos, intentó apoderarse con arte de los lugares más fortificados.

**19.** Y acercóse con su ejército a Betsura, una de las plazas de los Judíos más bien fortificadas; pero era rechazado, hallaba mil tropiezos, y perdía gente.

**20.** Entretanto Judas enviaba a los sitiados cuanto necesitaban.

**21.** En esto un tal Rodoco hacía de espía de los enemigos en el ejército de los Judíos; pero siendo reconocido, fué preso y puesto en un encierro.

**22.** *Entonces* el rey parlamentó nuevamente con los habitantes de Betsura, les concedió la paz, aprobó la capitulación de los sitiados, y se marchó.

**23.** *Pero antes* había peleado con Judas, y quedado vencido. A esta sazón, teniendo aviso de que en Antioquía se le había rebelado Filipo, el cual había quedado con el gobierno de los negocios, consternado *en gran manera* su ánimo, suplicando y humillándose a los Judíos, juró guardarles todo lo que pareció justo; y después de esta reconciliación ofreció un sacrificio, tributó honor al templo, e hízole varios donativos;

**24.** Y abrazó al Macabeo, declarándolo gobernador y príncipe de *todo el país* desde Tolemaida hasta los Gerrenos *o Gerasenos.*

**25.** Luego que Antíoco llegó a Tolemaida, dieron a conocer sus habitantes el grave disgusto que les había causado aquel tratado y amistad hecha con los Judíos, temiendo que indignados no rompiesen la alianza.

**26.** Pero subiendo Lisias a la tribuna, expuso las razones *que habían mediado para esta alianza,* apaciguó al pueblo, y volvióse después a Antioquía. Tal fué la expedición del rey y el fin que tuvo.

## CAPITULO XIV

*Demetrio, rey de la Siria, envía por sugestión de Alcimo un grande ejército contra la Judea. Nicanor, su general, hace la paz con el Macabeo: rómpese después por orden del rey, que quiere prender a Judas. Retírase este caudillo; y sucede la extraordinaria muerte del respetable y valeroso anciano Racías.*

**1.** Pero de allí a tres años Judas y su gente entendieron que Demetrio, hijo de Seleuco, habiendo llegado con muchas naves y un numeroso ejército al puerto de Trípoli, se había apoderado de los puestos más ventajosos,

**2.** Y ocupado varios territorios, a despecho de Antíoco y de su general Lisias

**3.** Entre tanto un cierto Alcimo, que había sido sumo sacerdote, y que voluntariamente se había contaminado en los tiempos de la mezcla *de los ritos judaicos y gentiles:* considerando que no había ningún remedio para él, y que jamás podría acercarse al altar.

**4.** Pasó a ver al rey Demetrio, en el año de ciento y cincuenta, presentándole una corona de oro y una palma *de lo mismo,* y además unos ramos que pare-cían ser del templo; y por entonces no le dijo nada.

**5.** Pero habiendo logrado una buena coyuntura para ejecutar su loco designio, por haberlo llamado Demetrio a su consejo, y preguntódole cuál era el sistema y máximas con que se regían los Judíos;

**6.** Respondió *en esta forma:* Aquellos Judíos que se llaman Asideos, cuyo caudillo es Judas Macabeo, son los que fomentan la guerra, y mueven las sediciones, y no dejan estar en quietud el reino.

**7.** Y yo mismo, despojado de la dignidad hereditaria de mi familia, quiero decir, del sumo sacerdocio, me vine acá;

**8.** Primeramente por ser fiel a la causa del rey, y lo segundo para mirar por el bien de mis conciudadanos; pues toda nuestra nación padece grandes vejaciones por causa de la perversidad de aquellos hombres.

**9.** Así que, te suplico ¡oh rey! que informándote por menor de todas estas cosas, mires por nuestra tierra y nación, conforme a tu bondad a todos notoria.

**10.** Porque en tanto que viva Judas, es imposible que haya allí paz.

**11.** Habiéndose él explicado de esta suerte, todos sus amigos inflamaron también a Demetrio contra Judas, del cual eran enemigos declarados.

**12.** Así es que al punto envió el rey a la Judea por general a Nicanor, comandante de los elefantes,

**13.** Con orden de que cogiese vivo a Judas, dispersase sus tropas, y pusiese a Alcimo en posesión del sumo sacerdocio del gran templo.

**14.** Entonces los gentiles que habían huído de la Judea por temor a Judas, vinieron a bandadas a juntarse con Nicanor mirando como prosperidad propia, las miserias y calamidades de los Judíos.

**15.** Luego que éstos supieron la llegada de Nicanor y la reunión de los gentiles con él, esparciendo polvo sobre sus cabezas, dirigieron sus plegarias a aquel *Señor* que se había formado un pueblo suyo para conservarlo eternamente, y que con evidentes milagros había protegido a esta su herencia.

**16.** E inmediatamente por orden del comandante partieron de allí, y fueron a acamparse junto al castillo de Desau.

_____

CAP. XIV. —1. Tres años después de la purificación o *dedicación* del Templo. I *Mach.* IV, *v.* 52. VII, *v.* 1.

**17.** Había ya Simón, hermano de Judas, venido a las manos con Nicanor; pero se llenó de sobresalto con la repentina llegada de *otros* enemigos.

**18.** Sin embargo, enterado Nicanor del denuedo de las tropas de Judas y de la grandeza de ánimo con que combatían por su patria, temió fiar su suerte a la decisión de una batalla.

**19.** Y así envió delante a Posidonio, a Teodocio y a Matías para presentar y admitir proposiciones de paz.

**20.** Y habiendo durado largo tiempo las conferencias sobre el asunto, y dando el mismo general parte de ellas al pueblo, todos unánimemente fueron de parecer que se aceptara la paz.

**21.** En virtud de lo cual *los dos generales* emplazaron un día para conferenciar entre sí secretamente; a este fin se llevó y puso una silla para cada uno de ellos.

**22.** Esto no obstante, mandó Judas apostar algunos soldados en lugares oportunos, no fuera que los enemigos intentasen de repente hacer alguna tropelía. Pero la conferencia se celebró como debía.

**23.** Por esto Nicanor fijó después su residencia en Jerusalén, sin hacer ninguna vejación a nadie, y despidió aquella multitud de tropas que se le habían juntado.

**24.** Amaba constantemente a Judas con un amor sincero, mostrando una particular inclinación a su persona.

**25.** Rogóle que se casase, y pensase en tener hijos. Con efecto, se casó, vivía tranquilo, y los dos se trataban familiarmente.

**26.** Mas viendo Alcimo la amistad y buena armonía que reinaba entre ellos, fué a ver a Demetrio, y le dijo que Nicanor favorecía los intereses ajenos *o de los enemigos, y* que tenía destinado por sucesor suyo a Judas, que aspiraba al trono.

**27.** Exasperado e irritado el rey sobremanera con las atroces calumnias de este *malvado*, escribió a Nicanor diciéndole, que llevaba muy a mal la amistad que había contraído con el Macabeo, y que le mandaba que luego al punto se lo enviase atado a Antioquía.

**28.** Enterado de esto Nicanor, quedó lleno de consternación, y sentía sobremanera tener que violar los tratados hechos con aquel varón, sin haber recibido de él ofensa alguna.

**29.** Mas no pudiendo desobedecer al rey, andaba buscando oportunidad para poner en ejecución la orden recibida.

**30.** Entre tanto el Macabeo, observando que Nicanor lo trataba con aspereza, y que en las visitas acostumbradas se le mostraba con cierto aire duro e imponente, consideró que aquella aspereza no podía hacer de nada bueno, y reuniendo algunos pocos de los suyos, se ocultó de Nicanor.

**31.** Luego que éste reconoció que Judas había tenido la destreza de prevenirlo, fué al augusto y santísimo templo, hallándose los sacerdotes ofreciendo los sacrificios acostumbrados, y les mandó que le entregasen al Macabeo.

**32.** Mas como ellos le asegurasen con juramento que no sabían dónde estaba el que él buscaba, Nicanor levantó la mano contra el templo.

**33.** Y juró diciendo: Si no me entregáis atado a Judas, arrasaré este templo de Dios, derribaré este altar, y consagraré aquí un templo *al dios* y padre Baco;

**34.** Y dicho esto, se marchó.

Los sacerdotes, entonces, levantando sus manos al cielo, invocaban a aquel *Señor* que había sido siempre el defensor de su nación, y oraban de este modo:

**35.** Señor de todo el universo; tú que de nada necesitas, quisiste tener entre nosotros un templo para tu morada.

**36.** Conserva, pues, ¡oh Santo de los santos *y* Señor de todas las cosas! conserva ahora, y para siempre libre de profanación esta casa, que hace poco tiempo ha sido purificada.

**37.** En este tiempo fué acusado a Nicanor uno de los ancianos de Jerusalén, llamado Racías, varón amante de la patria, y de *gran* reputación, al cual se le daba el nombre de padre de los Judíos por el afecto *con que los miraba a todos.*

**38.** Éste, pues, ya de muchos tiempos antes, llevaba *constantemente* una vida muy exacta en el judaísmo, pronto a dar su *misma* vida antes que faltar a su observancia.

**39.** Mas queriendo Nicanor manifestar el odio que tenía a los Judíos, envió quinientos soldados para que lo prendiesen:

**40.** Pues juzgaba que si lograba seducir a este hombre, haría un daño gravísimo a los Judíos.

**41.** Pero al tiempo que los soldados hacían sus esfuerzos para entrar en la casa, rompiendo la puerta, y poniéndole fuego, así que estaban ya para prenderle, se hirió con su espada,

**42.** Prefiriendo morir noblemente a verse esclavo de los idólatras, y a sufrir ultrajes indignos de su nacimiento.

**43.** Mas como por la precipitación con que se hirió no fué mortal la herida, y entrasen ya de tropel los soldados en la casa corrió animosamente al muro, y se precipitó denodadamente encima de las gentes;

**44.** Las cuales retirándose al momento para que no les cayese encima, vino a dar de cabeza contra el suelo.

**45.** Pero como aún respirase, hizo un nuevo esfuerzo y volvióse a poner en pie y aunque la sangre se le salía a borbollones por sus heridas mortales, pasó corriendo por medio de la gente,

**46.** Y subiéndose sobre una roca escarpada, desangrado ya como estaba, agarró con ambas manos sus propias entrañas, y las arrojó sobre las gentes, invocando al Señor *y dueño* del alma y de la vida, a fin de que se las volviese a dar algún día; y de esta manera acabó de vivir.

## CAPITULO XV

*Victoria de Judas contra Nicanor: la cabeza y manos de este general son colgadas enfrente del Templo; y su lengua dividida en pedazos es arrojada a las aves. Acción de gracias por esta victoria: y fiesta instituída en memoria suya.*

**1.** Luego que Nicanor tuvo noticia que Judas estaba en tierra de Samaria, resolvió acometerlo con todas sus fuerzas en un día de sábado,

**2.** Y como los Judíos que por necesidad lo seguían, le dijesen: No quieras hacer una ac-

ción tan feroz y bárbara como ésa; mas honra la santidad de este día, y respeta a aquel *Señor* que ve todas las cosas:

**3.** Preguntóles aquel infeliz si había en el cielo algún *Dios* poderoso que hubiese mandado celebrar el sábado.

**4.** Y contestándole ellos: Sí, el Señor *Dios* vivo y poderoso que hay en el cielo, es el que mandó guardar el día séptimo.

**5.** Pues yo, les replicó él, soy poderoso sobre la tierra, y mando que se tomen las armas, y que se ejecuten las órdenes del rey. Mas a pesar de eso, no pudo Nicanor efectuar sus designios,

**6.** Siendo así que había ideado ya, en el delirio de su soberbia, erigir un trofeo *en memoria de la derrota* de Judas y de su gente.

**7.** En medio de esto, el Macabeo esperaba siempre con firme confianza que Dios le asistiría con su socorro;

**8.** Y al mismo tiempo exhortaba a los suyos a que no temiesen el encuentro de las naciones, sino que antes bien trajesen a la memoria la asistencia que otras veces había recibido del cielo, y que al presente esperasen *también* que el Todopoderoso les concedería la victoria.

**9.** Y dándoles igualmente instrucciones sacadas de la ley y de los profetas, y acordándoles los combates que antes habían ellos sostenido, les infundió nuevo aliento.

**10.** Inflamados de esta manera sus ánimos, les ponía igualmente a la vista la perfidia de las naciones, y la violación de los juramentos.

**11.** Y armó a cada uno de ellos, no tanto con darle escudo y lanza, como con admirables discursos y exhortaciones, y con la narración de una visión *muy* fidedigna que había tenido en sueños, la cual llenó a todos de alegría.

**12.** Esta fué la visión que tuvo: Se le representó que estaba viendo a Onías, sumo sacerdote, que había sido hombre lleno de bondad y de dulzura, de aspecto venerado, modesto en sus costumbres y de gracia en sus discursos, y que desde niño se había ejercitado en la virtud; el cual, levantadas las manos, oraba por todo el pueblo de los Judíos;

**13.** Que después se le había aparecido otro varón, respetable por su ancianidad, lleno de gloria y rodeado por todos lados de magnificencia;

**14.** Y que Onías, dirigiéndole la palabra, le había dicho: Este es el *verdadero* amante de sus hermanos y del pueblo de Israel; este el Jeremías, profeta de Dios, que ruega incesantemente por el pueblo y por toda la ciudad santa;

---

**42.** Se disputa mucho si pecó o no *Racias* en esta resolución. Atengámonos a lo que dice S. Agustín (lib. II contra duas epist. Gaud. cap. 23). "De cualquier modo que se entiendan las alabanzas dadas a la vida de *Racias*; la muerte suya no fué alabada por la Divina Sabiduría: porque dicha muerte no se unió con la paciencia que deben tener los hijos de Dios". Estas palabras de S. Agustín son enteramente conformes a las máximas del Evangelio. Siguió a S. Agustín Santo Tomás. Y si algunos objetan la acción de *Sansón* o de algunas vírgenes cristianas que por conservar la virginidad se arrojaron a las llamas, diremos que en tales lances debe suponerse una inspiración clara del Espíritu de Dios; y no vemos indicio de ésta en el hecho de Racías, como lo vieron muchos Santos Padres en la muerte que se ocasionó Sansón. La verdadera piedad consiste en sufrir por Dios con suma paciencia los ultrajes que nos hacen los enemigos.

**15.** Que luego Jeremías extendió su derecha y entregó a Judas una espada de oro, diciéndole:

**16.** Toma esta santa espada, *como* don de Dios, con la cual derribarás a los enemigos de mi pueblo de Israel.

**17.** Animados, pues, todos con estas palabras de Judas, las más eficaces para avivar el valor, e infundir nuevo aliento en la juventud, resolvieron atacar y combatir vigorosamente a los enemigos, de modo que su esfuerzo decidiese la causa: pues así el templo como la ciudad santa estaban en peligro.

**18.** Y a la verdad menos cuidado pasaban por sus mujeres, por sus hijos, por sus hermanos y por sus parientes, que por la santidad del templo, que era lo que les causaba el mayor y principal temor.

**19.** Asimismo los que se hallaban dentro de la ciudad, estaban en gran sobresalto por la suerte de aquellos que iban a entrar en batalla.

**20.** Y cuando ya todos estaban aguardando la decisión del combate, estando ya a la vista los enemigos, el ejército formado en batalla, y los elefantes y caballería colocados en los lugares oportunos;

**21.** Considerando el Macabeo la multitud de hombres que venía a dejarse caer sobre ellos, y el vario aparato de armas, y la ferocidad de los elefantes, levantó las manos al cielo, invocando a aquel Señor que obra los prodigios; a aquel que, no según la fuerza de los ejércitos, sino según su voluntad, concede la victoria a los que la merecen.

**22.** E invocóle de esta manera: ¡Oh Señor! Tú, que en el reino de Ezequías, rey de Judá, enviaste uno de tus Angeles, y quitaste la vida a ciento ochenta y cinco mil hombres del ejército de Sennaquerib,

**23.** Envía también ahora, ¡oh Dominador de los cielos! a tu Angel bueno que vaya delante de nosotros, y haga conocer la fuerza de tu terrible y tremendo brazo;

**24.** A fin de que queden llenos de espanto los que, blasfemando *del Nombre tuyo*, vienen contra tu santo pueblo. Así terminó su oración.

**25.** Entre tanto venía Nicanor marchando con su ejército al son de trompetas y de canciones.

**26.** Mas Judas y su gente, habiendo invocado a Dios por medio de sus oraciones, acometieron al enemigo;

**27.** Y orando al Señor en el interior de sus corazones, al mismo tiempo que, espada en mano, cargaban sobre sus enemigos, mataron no menos de treinta y cinco mil, sintiéndose sumamente llenos de gozo y de vigor con la presencia de Dios.

**28.** Concluído el combate, al tiempo que alegres se volvían ya, supieron que Nicanor con sus armas yacía tendido en el suelo.

**29.** Por lo que alzándose al instante una *grande* gritería y estrépito, bendecían al Señor todopoderoso en su nativo idioma.

**30.** Judas, empero, que estaba siempre pronto a morir o a dar su cuerpo y vida por sus conciudadanos, mandó que se cortase la cabeza y el brazo, junto con el hombro a Nicanor, y que se llevasen a Jerusalén.

**31.** Así que llegó él a esta ciudad, convocó cerca del altar a sus conciudadanos y a los sacerdotes, e hizo llamar también a los del alcázar;

**32.** Y habiéndoles mostrado la cabeza de Nicanor, y aquella su execrable mano, que con tanto orgullo e insolencia había levantado contra la morada santa de Dios todopoderoso,

**33.** Mandó luego que la lengua de este impío fuese cortada en menudos trozos, y arrojada después para pasto de las aves: y que se colgara en frente del templo la mano de aquel insensato.

**34.** Con esto bendijeron todos al Señor del cielo, diciendo: Bendito sea el que ha conservado exento de la profanación su *santo* templo.

**35.** Asimismo hizo colgar la cabeza de Nicanor en lo más alto del alcázar, para que fuese una señal visible y patente de la asistencia de Dios.

**36.** Finalmente, todos unánimes resolvieron que de ningún modo se debía pasar este día sin hacer en él una fiesta particular;

**37.** Y se dispuso que se celebrase esta solemnidad el día trece del mes *llamado en lengua siríaca* Adar, día anterior al día *festivo* de Mardoqueo.

**38.** Ejecutadas, pues, estas cosas acerca de Nicanor, y hechos dueños los Hebreos desde entonces de la ciudad, acabaré yo también con esto mi narración.

---

CAP. XV. Véase *Esther* IX, *v.* 21.

**39.** Si ella ha salido bien, y cual conviene a una historia es ciertamente lo que yo deseaba; pero si, por el contrario, es menos digno del asunto que lo que debiera, se me debe disimular la falta.

**40.** Pues así como es cosa dañosa el beber siempre vino, o siempre agua, al paso que es grato el usar ora de uno, ora de otra: así también un discurso gustaría poco a los lectores, si el estilo fuese siempre *muy peinado y* uniforme. Y con esto doy fin.

---

**39.** Estas expresiones de modestia y humildad aluden al estilo que es obra del escritor, no a la sustancia de la historia. De un modo semejante se excusaba el Apóstol, de que su estilo era tosco. II *Cor.* XI, *v.* 6.

# NUEVO
# TESTAMENTO

❧◦❧

# INTRODUCCIÓN AL
# EVANGELIO SEGÚN SAN MATEO

El Evangelio de San Mateo consta de tres partes perfectamente articuladas. En la primera, *Historia de la infancia de Jesucristo*, el autor deja bien patente su soltura y habilidad para componer; a continuación sigue el relato titulado *Vida pública de Jesucristo* y, por último, la *Vida dolorosa y vida gloriosa*.

Del Evangelio de San Mateo, la Iglesia Católica ha extraído la mayoría de sus dogmas y los fundamentos de la vida cristiana por la fe; tal es el caso de la fórmula trinitaria del bautismo, el sermón de la montaña, la oración del Padre Nuestro, la promesa del primado de San Pedro y la indefectibilidad de la misma Iglesia.

Es necesario incluir en esta introducción algunos elementos clarificadores sobre la denominada «cuestión sinóptica». Ésta hace referencia a la manifiesta igualdad de los tres primeros Evangelios al narrar los pasajes sobre la vida pública de Jesús. Una mirada más atenta revelará las manifiestas diferencias sobre la manera de abordar el tema, que dan a cada Evangelio y a sus respectivos autores su propia fisonomía. Sin embargo sería interesante hacer algunas precisiones sobre el origen de los Evangelios y sus conexiones íntimas.

Al Evangelio escrito le precedió durante bastantes años el predicado, es decir, el conocimiento de la vida de Jesús no gozó, hasta pasado un buen número de años, de documentos escritos y confirmados que dieran testimonio de la vida y la obra del Salvador. Esta tradición oral y popular es recogida por los evangelistas, y constituirá la materia prima sobre la que basará la gran obra evangélica. Parece muy justificado, por consiguiente, suponer que las fuentes inspiradoras catequistas fueran similares; ahora bien la personalidad de cada evangelista, así como su mensaje único y personal, quedan bien manifiestos en cada una de sus obras.

Basándose en esta tradición oral, Mateo compuso su Evangelio en arameo. Llevado a Roma por Pedro para su difusión sería posteriormente traducido al griego. San Marcos se hace también eco de la tradición oral para dar a la luz su obra evangelizadora, aunque el vehículo utilizado será ya la lengua griega. Hacia el año 60-61, San Lucas debió tener noticia de aquel Evangelio escrito en griego, y lo utilizó para componer su más extenso y elaborado Evangelio, fruto de un importante trabajo individual de búsqueda e indagación.

Las conexiones entre los evangelistas, sobre todo entre Mateo, Marcos y Lucas, cuando narran la vida pública de Jesús, quedan esclarecidas a la luz de las influencias recíprocas de los tres Evangelios.

Sin embargo, la obra de Mateo, primer evangelista, siempre presentará la frescura y sencillez de toda obra primigenia.

# EVANGELIO SEGÚN SAN MATEO

## CAPITULO PRIMERO

*Genealogía de Jesucristo, su concepción por obra del Espíritu Santo y nacimiento*

**1.** Genealogía de Jesucristo, hijo de David, hijo de Abraham.

**2.** Abraham engendró a Isaac. Isaac engendró a Jacob. Jacob engendró a Judas y a sus hermanos.

**3.** Judas engendró a Farés y a Zará de Tamar. Farés engendró a Esrón. Esrón engendró a Aram.

**4.** Aram engendró a Aminadab. Aminadab engendró a Naasón. Naasón engendró a Salmón.

**5.** Salmón engendró a Booz de Raab. Booz engendró a Obed de Rut. Obed engendró a Jesé. Jesé engendró al rey David.

**6.** El rey David engendró a Salomón, de la que fué *mujer* de Urías.

**7.** Salomón engendró a Roboam. Roboam engendró a Abías. Abías engendró a Asa.

**8.** Asa engendró a Josafat. Josafat engendró a Joram. Joram engendró a Ozías.

**9.** Ozías engendró a Joatam. Joatam engendró a Acaz. Acaz engendró a Ezequías.

**10.** Ezequías engendró a Manasés. Manasés engendró a Amón. Amón engendró a Josías.

**11.** Josías engendró a Jeconías y a sus hermanos cerca del tiempo de la transportación *de los Judíos* a Babilonia.

**12.** Y después que fueron transportados a Babilonia, Jeconías engendró a Salatiel. Salatiel engendró a Zorobabel.

**13.** Zorobabel engendró a Abiud. Abiud engendró a Eliacim. Eliacim engendró a Azor.

**14.** Azor engendró a Sadoc. Sadoc engendró a Aquim. Aquim engendró a Eliud.

**15.** Eliud engendró a Eleazar. Eleazar engendró a Matán. Matán engendró a Jacob.

**16.** Y Jacob engendro a José, el esposo de María, de la cual nació Jesús, por sobrenombre Cristo.

**17.** Así son catorce todas las generaciones desde Abraham hasta David; y las de David hasta la transportación *de los Judíos* a Babilonia catorce generaciones; y también catorce las generaciones desde la transportación a Babilonia hasta Cristo.

**18.** Pero el nacimiento de Cristo fué de esta manera: Estando desposada su madre María con José, se halló que había concebido en su seno *por obra* del Espíritu Santo, *sin que antes hubiesen estado juntos.*

**19.** Mas José, su esposo, siendo como era justo, y no queriendo infamarla deliberó dejarla secretamente.

**20.** Estando él en este pensamiento, he aquí que un ángel del Señor le apareció en sueños diciendo: José, hijo de David, no tengas recelo en recibir a María tu esposa *en tu casa,* porque lo que se ha engendrado en su vientre es obra del Espíritu Santo.

**21.** Así que dará a luz un hijo a quien pondrás por nombre Jesús; pues él es el que ha de salvar a su pueblo, *o librarle,* de sus pecados.

**22.** Todo lo cual se hizo en cumplimiento de lo que pronunció el Señor por el profeta, que dice:

**23.** Sabed que una virgen concebirá y dará a luz un hijo, a quien pondrán por nombre Emmanuel, que traducido significa Dios con nosotros.

**24.** Con esto José, al despertarse. hizo lo que le mandó el ángel del Señor, y recibió a su esposa.

**25.** Y sin haberla conocido *o tocado,* dió a luz su hijo primogénito, y le puso el nombre de Jesús

## CAPITULO II

*Adoración de los magos; huida de Jesús a Egipto; cruel muerte de los inocentes; Jesús, María y José vuelven de Egipto.*

**1.** Habiendo, pues, nacido Jesús en Belén de Judá, reinando Herodes, he aquí que unos Magos vinieron del Oriente a Jerusalén,

**2.** Preguntando: ¿Dónde está el nacido rey de los Judíos? Porque nosotros vimos en Oriente su estrella, y hemos venido con el fin de adorarle.

**3.** Oyendo esto el rey Herodes, turbóse, y con él toda Jerusalén.

**4.** Y convocando a todos los príncipes de los sacerdotes y a los escribas del pueblo, les preguntaba en dónde había de nacer el Cristo, *o Mesías.*

**5.** A lo cual ellos respondieron: En Belén de Judá; que así está escrito en el Profeta:

**6.** Y tú, Belén, tierra de Judá, no eres ciertamente la menor entre las principales ciudades de Judá, porque de ti es de donde ha de salir el caudillo que rija mi pueblo de Israel.

**7.** Entonces Herodes, llamando en secreto, *o a solas,* a los Magos, averiguó cuidadosamente de ellos el tiempo en que la estrella les apareció.

**8.** Y encaminándoles a Belén, les dijo: Id e informaos puntualmente de lo que hay de ese niño; y en habiéndole hallado, dadme aviso, para ir yo también a adorarle.

**9.** Luego que oyeron esto al rey, partieron. Y he aquí que la estrella que habían visto en Oriente iba delante de ellos, hasta que, llegando sobre el sitio en que estaba el niño, se paró.

**10.** A la vista de la estrella se regocijaron por extremo;

**11.** Y entrando en la casa hallaron al niño con María, su madre, y postrándose le adoraron; y abiertos sus cofres le ofrecieron presentes de oro, incienso y mirra.

**12.** Y habiendo recibido en sueños un aviso *del cielo* para que no volviesen a Herodes, regresaron a su país por otro camino.

**13.** Después que ellos partieron, un ángel del Señor apareció en sueños a José, diciéndole: Levántate, toma al niño y a su madre, y huye a Egipto, y estate allí hasta que yo te avise; porque Herodes ha de buscar al niño para matarle.

**14.** Levantándose José, tomó al niño y a su madre de noche y se retiró a Egipto,

**15.** Donde se mantuvo hasta la muerte de Herodes; de suerte que se cumplió lo que dijo el Señor por boca del profeta: Yo llamé de Egipto a mi hijo.

**16.** Entre tanto Herodes, viéndose burlado de los Magos, se irritó sobremanera, y mandó matar a todos los niños que había en Belén y en toda su comarca, de dos años abajo, conforme al tiempo *de la aparición de la estrella,* que había averiguado de los Magos.

**17.** Vióse cumplido entonces lo que predijo el profeta Jeremías, diciendo:

**18.** *Hasta* en Ramá se oyeron las voces, muchos lloros y alaridos: *Es* Raquel que llora sus hijos, sin querer consolarse porque ya no existen.

CAP I.—19. O también puede traducirse: *y no queriendo exponerla a la infamia,* etc. Y según otros expositores: *y no queriendo delatarla.* En esta última traducción se alude a la obligación que los maridos tenían de delatar a sus mujeres adúlteras.

**19.** Luego después de la muerte de Herodes, un ángel del Señor apareció en sueños a José en Egipto, diciéndole:

**20.** Levántate y toma al niño y a su madre, y vete a la tierra de Israel, porque ya han muerto los que atentaban a la vida del niño.

**21.** José levantándose, tomó al niño y a su madre y vino a tierra de Israel.

**22.** Mas oyendo que Arquelao reinaba en Judea, en lugar de su padre Herodes, temió ir allá y avisado entre sueños, retiróse a tierra de Galilea.

**23.** Y vino a morar en una ciudad llamada Nazaret; cumpliéndose de este modo el dicho de los profetas: Será llamado Nazareno.

## CAPITULO III

*El precursor Juan predica penitencia y bautiza. Jesús quiso ser bautizado por Juan y entonces es dado a conocer por Hijo unigénito de Dios.*

**1.** En aquella temporada se dejó ver Juan Bautista predicando en el desierto de Judea,

**2.** Y diciendo: Haced penitencia, porque está cerca el reino de los cielos.

**3.** Este es aquél de quien se dijo por el profeta Isaías: *Es* la voz del que clama en el desierto, *diciendo:* Preparad el camino del Señor: haced derechas sus sendas.

**4.** Traía Juan un vestido de pelos de camello y una correa de cuero a la cintura, y su comida eran langostas y miel silvestre.

**5.** Iban, pues, a encontrarle las gentes de Jerusalén y de toda la Judea, y de toda la ribera del Jordán;

**6.** Y recibían de él el bautismo en el Jordán, confesando sus pecados.

**7.** Pero como viese venir a su bautismo muchos de los fariseos y saduceos, díjoles: ¡Oh raza de víboras! ¿quién os ha enseñado *que con solas exterioridades podéis* huir de la ira que os amenaza ?

**8.** Haced, pues, frutos dignos de penitencia;

**9.** Y dejaos de decir interiormente: Tenemos por padre a Abraham; porque yo os digo que poderoso es Dios para hacer que nazcan de estas mismas piedras hijos de Abraham.

**10.** Mirad que ya la segur está aplicada a la raíz de los árboles; y todo árbol que no produce buen fruto, será cortado y echado al fuego.

**11.** Yo a la verdad os bautizo con agua para *moveros* a la penitencia; pero el que ha de venir después de mí es más poderoso que yo, y no soy yo digno *siquiera* de llevarle las sandalias; él es quien ha de bautizaros en el Espíritu Santo y en el fuego.

**12.** El tiene en sus manos el bieldo, y limpiará perfectamente su era; y su trigo lo meterá en el granero; mas las pajas quemarálas en un fuego inextinguible.

**13.** Por este tiempo vino Jesús de Galilea al Jordán en busca de Juan para ser de él bautizado.

**14.** Juan, empero, se resistía, diciendo: ¡Yo debo ser bautizado de ti, y tú vienes a mí!

**15.** A lo cual respondió Jesús diciendo: Déjame hacer ahora, que así es como conviene que nosotros cumplamos toda justicia. Juan entonces condescendió con él.

**16.** Bautizado, pues, Jesús, al instante que salió del agua se le abrieron los cielos, y vió bajar al Espíritu de Dios en forma de paloma y posar sobre él.

**17.** Y oyóse una voz del cielo que decía: Este es mi querido Hijo, en quien tengo puesta toda mi complacencia.

## CAPITULO IV

*Ayuno y tentación de Jesucristo; vuelve a Galilea, y establece su residencia en Cafarnaúm: empieza su predicación y a juntar discípulos, y es seguido de mucha gente.*

**1.** En aquella sazón, Jesús fué conducido del Espíritu *Santo* al desierto, para que fuese tentado *allí* por el diablo.

**2** Y después de haber ayunado cuarenta días con cuarenta noches, tuvo hambre.

**3.** Entonces, acercándose el tentador le dijo: Si eres el hijo de Dios, di que esas piedras se conviertan en panes.

**4.** Mas Jesús le respondió: Escrito está: No sólo de pan vive el hombre, sino de toda palabra *o disposición* que sale de la boca de Dios.

---

CAP. III.—4. El sabio y juicioso Bochard demuestra con testimonios evidentes que entre los partos griegos y entre los mismos hebreos usaba de esta comida la gente pobre.

CAP. IV. — 3. Así como Cristo superó con su muerte nuestra muerte, así con sus tentaciones venció las nuestras. S. Gregorio Magno, hom. 16 in Evangelium.

**5.** Después de esto le transportó el diablo a la santa ciudad de *Jerusalén,* y le puso sobre lo alto del templo;

**6.** Y le dijo: Si eres el Hijo de Dios, échate de aquí abajo; pues está escrito: Que te ha encomendado a sus ángeles, los cuales te tomarán en *las palmas de* sus manos para que tu pie no tropiece contra alguna piedra.

**7.** Replicóle Jesús: También está escrito: No tentarás al Señor tu Dios.

**8.** Todavía le subió al diablo a un monte muy encumbrado, y mostróle todos los reinos del mundo y la gloria de ellos.

**9.** Y le dijo: Todas estas cosas te daré si, postrándote delante de mí, me adorares.

**10.** Respondióle entonces Jesús: Apártate de ahí, Satanás; porque está escrito: Adorarás al Señor Dios tuyo, y a él sólo servirás.

**11.** Con esto le dejó el diablo; y he aquí que se acercaron los ángeles y le servían.

**12.** Oyendo después Jesús que Juan había sido encarcelado, retiróse a Galilea.

**13.** Y dejando la ciudad de Nazaret, fué a morar a Cafarnaúm, ciudad marítima en los confines de Zabulón y Neftalí;

**14.** Con que vino a cumplirse lo que dijo el profeta Isaías:

**15.** El país de Zabulón y el país de Neftalí, por donde se va al mar de *Tiberiades* a la otra parte del Jordán, la Galilea de los gentiles,

**16.** Este pueblo que yacía en las tinieblas, ha visto una luz grande: luz que ha venido a iluminar a los que habitan en la región de las sombras de la muerte.

**17.** Desde entonces empezó Jesús a predicar y decir: Haced penitencia, porque está cerca el reino de los cielos.

**18.** Caminando *un día* Jesús por la ribera del mar de Galilea vió a dos hermanos, Simón, *después* llamado Pedro, y Andrés su hermano, echando la red en el mar, pues eran pescadores;

**19.** Y les dijo: Seguidme a mí, y yo haré que vengáis a ser pescadores de hombres.

**20.** Al instante los dos, dejadas las redes, le siguieron.

**21.** Pasando más adelante, vió a otros dos hermanos, Santiago hijo de Zebedeo, y Juan su hermano, remendando sus redes en la barca con Zebedeo su padre, y los llamó;

**22.** Ellos también al punto, dejadas las redes y su padre, le siguieron.

**23.** E iba Jesús recorriendo toda la Galilea, enseñando en sus sinagogas y predicando el Evangelio, *o buena nueva,* del reino *celestial,* y sanando toda dolencia y toda enfermedad en los del pueblo;

**24.** Con lo que corrió su fama por toda la Siria, y presentábanle todos los que estaban enfermos y acosados de varios males y dolores *agudos,* los endemoniados, los lunáticos, los paralíticos; y los curaba.

**25.** E íbale siguiendo una gran muchedumbre de gentes de Galilea, y Decápolis, y Jerusalén, y Judea, y de la otra parte del Jordán.

## CAPITULO V

*Sermón de Jesucristo en el monte: comienza con las ocho bienaventuranzas. Los Apóstoles son la sal y la luz de la tierra. Dice que no vino a destruir la ley sino a cumplirla. Sobre las palabras injuriosas, la reconciliación, adulterio del corazón, escándalos, indisolubilidad del matrimonio, juramento, paciencia, amor de los enemigos, perfección cristiana.*

**1.** Mas viendo Jesús a todo este gentío se subió a un monte, donde habiéndose sentado, se le acercaron sus discípulos;

**2.** Y abriendo su *divina* boca, los adoctrinaba, diciendo:

**3.** Bienaventurados los pobres de espíritu, porque de ellos es el reino de los cielos.

**4.** Bienaventurados los mansos *y humildes,* porque ellos poseerán la tierra.

**5.** Bienaventurados los que lloran, porque ellos serán consolados.

**6.** Bienaventurados los que tienen hambre y sed de la justicia, *o de ser justos y santos,* porque ellos serán saciados.

**7.** Bienaventurados los misericordiosos, porque ellos alcanzarán misericordia.

**8.** Bienaventurados los que tienen puro su corazón, porque ellos verán a Dios.

**9.** Bienaventurados los pacíficos, porque ellos serán llamados hijos de Dios.

**10.** Bienaventurados los que padecen persecución por la justicia, *o por ser justos,* porque de ellos es el reino de los cielos.

---

**CAP. V.** — 2. Pudiera haberse traducido: *Y abriendo su boca los adoctrinaba, diciendo.*

**11.** Dichosos seréis cuando los hombres por mi causa os maldijeren, y os persiguieren, y dijeren con mentira toda suerte de mal contra vosotros.

**12.** Alegraos *entonces* y regocijaos, porque es muy grande la recompensa que os aguarda en los cielos. Del mismo modo persiguieron a los profetas que ha habido antes de vosotros.

**13.** Vosotros sois la sal de la tierra. Y si la sal se hace insípida, ¿con qué se le volverá el sabor? Para nada sirve ya, sino para ser arrojada y pisada de las gentes.

**14.** Vosotros sois la luz del mundo. No se puede encubrir una ciudad edificada sobre un monte;

**15.** Ni se enciende la luz para ponerla debajo de un celemín, sino sobre un candelero, a fin de que alumbre a todos los de la casa:

**16.** Brille así vuestra luz ante los hombres, de manera que vean vuestras buenas obras y glorifiquen a vuestro Padre que está en los cielos.

**17.** No penséis que yo he venido a destruir *la doctrina de* la ley ni *de* los profetas: no he venido a destruirla, sino a darle su cumplimiento.

**18.** Que con toda verdad os digo que antes faltarán el cielo y la tierra, que deje de cumplirse perfectamente cuanto contiene la ley, hasta una sola jota ó ápice de ella.

**19.** Y así, el que violare uno de estos mandamientos, por mínimos que parezcan, y enseñare a los hombres a hacer lo mismo, será tenido por el más pequeño, *esto es, por nulo,* en el reino de los cielos; pero el que los guardare y enseñare, ese será tenido por grande en el reino de los cielos.

**20.** Porque yo os digo que si vuestra justicia no es más llena y más perfecta que la de los escribas y fariseos, no entraréis en el reino de los cielos.

**21.** Habéis oído que se dijo a vuestros mayores: No matarás; y que quien matare será condenado *a muerte* en juicio.

**22.** Yo os digo más: quien quiera que tome ojeriza con su hermano, merecerá que el juez le condene. Y el que le llamare raca, merecerá que le condene el concilio. Mas quien le llamare fatuo, será reo del fuego del infierno.

**23.** Por tanto, si al tiempo de presentar tu ofrenda en el altar, allí te acuerdas que tu hermano tiene alguna queja contra ti,

**24.** Deja allí mismo tu ofrenda delante del altar, y ve primero a reconciliarte con tu hermano, y después volverás a presentar tu ofrenda.

**25.** Componte luego con tu contrario, mientras estás con él todavía en el camino; no sea que te ponga en manos del juez, y el juez te entregue en las del alguacil, y te metan en la cárcel.

**26.** Asegúrote que cierto que de allí no saldrás hasta que pagues el último maravedí.

**27.** Habéis oído que se dijo a vuestros mayores: No cometerás adulterio:

**28.** Yo os digo más; cualquiera que mirare a una mujer con mal deseo hacia ella, ya adulteró en su corazón.

**29.** Que si tu ojo derecho es para ti una ocasión de pecar, sácale y arrójale fuera de ti; pues mejor te está el perder uno de tus miembros, que no que todo tu cuerpo sea arrojado al infierno.

**30.** Y si es tu mano derecha la que te sirve de escándalo *o incita a pecar*, córtala y tírala lejos de ti; pues mejor te está que perezca uno de tus miembros, que no el que vaya todo tu cuerpo al infierno.

**31.** Hase dicho: Cualquiera que despidiere a su mujer, déle libelo de repudio;

**32.** Pero yo os digo, que cualquiera que despidiere a su mujer, si no es por causa de adulterio, la expone a ser adúltera; y el que se casare con la repudiada, es asimismo adúltero.

**33.** También habéis oído que se dijo a vuestros mayores: No jurarás en falso, antes bien cumplirás los juramentos hechos al Señor:

**34.** Yo os digo más: que de ningún modo juréis, *sin justo motivo*, ni por el cielo, pues es el trono de Dios,

**35.** Ni por la tierra, pues es la peana de sus pies; ni por Jerusalén, porque es la ciudad *o corte* del gran rey.

**36.** Ni tampoco juraréis por vuestra cabeza, pues no está en vuestra mano el hacer blanco o negro un solo cabello.

**37.** Sea, pues, vuestro modo de hablar, sí, sí; no, no: que lo que pasa de esto, de mal principio proviene.

**38.** Habéis oído que se dijo: Ojo por ojo y diente por diente.

---

**37.** Proviene o de la desconfianza de aquel que exige el juramento o de la malicia de aquel a quien se exige, o de la ligereza o irreverencia de alguno o de ambos.

**39.** Yo, empero, os digo, que no hagáis resistencia al agravio; antes si alguno te hiriere en la mejilla derecha, vuelve también la otra;

**40.** Y al que quiere armarte pleito para quitarte la túnica, alárgale también la capa;

**41.** Y a quien te forzare a ir cargado mil pasos, ve con él otros dos *mil.*

**42.** Al que te pide, dale: y no le tuerzas el rostro al que pretenda de ti algún préstamo.

**43.** Habéis oído que fué dicho: Amarás a tu prójimo y *(han añadido malamente),* tendrás odio a tu enemigo.

**44.** Yo os digo más: Amad a vuestros enemigos, haced bien a los que os aborrecen, y orad por los que os persiguen y calumnian:

**45.** Para que seáis hijos *imitadores* de vuestro Padre celestial, el cual hace nacer su sol sobre los buenos y malos, y llover sobre los justos y pecadores.

**46.** Que si no amáis sino a los que os aman, ¿qué premio habéis de tener? ¿No lo hacen así aun los publicanos?

**47.** Y si no saludáis a otros que a vuestros hermanos, ¿qué tiene eso de particular? Por ventura ¿no hacen también esto los paganos?

**48.** Sed, pues, vosotros, perfectos, así como vuestro Padre celestial es perfecto; *imitándole en cuanto podáis.*

## CAPITULO VI

*Prosigue Jesús enseñando; y trata de la limosna, de la oración, del ayuno: dice que no debemos atesorar para este mundo sino para el cielo: que nuestra intención debe ser recta: que no se puede servir a Dios y al mundo; hace ver la confianza que debemos tener en la providencia divina.*

**1.** Guardaos bien de hacer vuestras obras buenas en presencia de los hombres con el fin de que os vean: de otra manera no recibiréis su galardón de vuestro Padre que está en los cielos.

**2.** Y así cuando das limosna no quieras publicarla a son de trompeta, como hacen los hipócritas en las sinagogas y en las calles, *o plazas,* a fin de ser honrados de los hombres. En verdad os digo, que ya recibieron su recompensa.

**3.** Mas tú cuando des limosna, haz que tu mano izquierda no perciba lo que hace tu derecha,

**4.** Para que tu limosna quede oculta; y tu Padre, que ve lo *más* oculto, te recompensará.

**5.** Asimismo cuando oráis no habéis de hacer como hacen los hipócritas, que de propósito se ponen a orar de pie en las sinagogas y en las esquinas de las calles para ser vistos de los hombres. En verdad os digo que ya recibieron su recompensa.

**6.** Tú, al contrario, cuando hubieres de orar, entra en tu aposento, y cerrada la puerta, ora en secreto a tu Padre, y tu Padre, que ve lo *más* secreto, te premiará.

**7.** En la oración no afectéis hablar mucho, como hacen los gentiles, que se imaginan haber de ser oídos a fuerza de palabras.

**8.** No queráis, pues, imitarlos; que bien sabe vuestro Padre lo que habéis menester antes de pedírselo.

**9.** Ved, pues, cómo habéis de orar: Padre nuestro que estás en los cielos: santificado sea el tu nombre;

**10.** Venga el tu reino; hágase tu voluntad, como en el cielo, así también en la tierra.

**11.** El pan nuestro de cada día dánosle hoy;

**12.** Y perdónanos nuestras deudas así como nosotros perdonamos a nuestros deudores;

**13.** Y no nos dejes caer en la tentación; mas líbranos de mal. Amén.

**14.** Porque si perdonáis a los hombres las ofensas que cometen *contra vosotros,* también vuestro Padre celestial os perdonará vuestras pecados.

**15.** Pero si vosotros no perdonáis a los hombres, tampoco vuestro Padre os perdonará los Pecados.

**16.** Cuando ayunéis no os pongáis caritristes como los hipócritas, que desfiguran sus rostros para mostrar a los hombres que ayunan. En verdad os digo que ya recibieron su galardón.

**17.** Tú, al contrario, cuando ayunes, perfuma tu cabeza y lava *bien* tu cara.

**18.** Para que no conozcan los hombres que ayunas, sino únicamente tu Padre que está presente a todo, *aun* a lo que hay de más secreto; y tu Padre que ve *lo que pasa* en secreto te dará por ello la recompensa.

---

CAP. VI. — 11. El Arzobispo Martini traduce: *per sostentamento.* En *S. Luc.* XI, *v.* 2, en lugar de *supersubstantialem,* usó el traductor de la palabra *quotidianum.* Ambos sentidos están admitidos por la Iglesia.

**19.** No queráis amontonar tesoros para vosotros en la tierra, donde el orín y la polilla los consumen, y donde los ladrones los desentierran y roban.

**20.** Atesorad más bien para vosotros tesoros en el cielo, donde no hay ni orín ni polilla que los consuman, ni tampoco ladrones que los desentierren y roben.

**21.** Porque donde está tu tesoro, allí está también tu corazón.

**22.** Antorcha de tu cuerpo son tus ojos: si tu ojo fuere sencillo, *o estuviere limpio,* todo tu cuerpo estará iluminado.

**23.** Mas si tienes malicioso *o malo* tu ojo, todo tu cuerpo estará obscurecido. Que si lo que debe ser luz en ti es tinieblas, ¡las mismas tinieblas cuán grandes serán!

**24.** Ninguno puede servir a dos señores; porque o tendrá aversión al uno y amor al otro, o si se sujeta al primero, mirará con desdén al segundo. No podéis servir a Dios y a las riquezas.

**25.** En razón de esto os digo: no os acongojéis por el cuidado de hallar qué comer para sustentar vuestra vida, o de dónde sacaréis vestidos para cubrir vuestro cuerpo. Qué ¿no vale más la vida, *o el alma,* que el alimento, y el cuerpo que el vestido?

**26.** Mirad las aves del cielo cómo no siembran, ni siegan, ni tienen graneros, y vuestro Padre celestial las alimenta. ¿Pues no valéis vosotros mucho más sin comparación que ellas?

**27.** Y ¿quién de vosotros a fuerza de discursos puede añadir un codo a su estatura?

**28.** Y acerca del vestido ¿a qué propósito inquietaros? Contemplad los lirios del campo cómo crecen *y florecen.* Ellos no labran, ni tampoco hilan:

**29.** Sin embargo, yo os digo que ni Salomón, en medio de toda su gloria, se vistió con *tanto primor* como uno de estos lirios.

**30.** Pues si una hierba del campo que hoy es, *o florece, y* mañana se echa en el horno, Dios así la viste, ¿cuánto más a vosotros, hombres de poca fe?

**31.** Así que no vayáis diciendo acongojados: ¿Dónde hallaremos qué comer y beber? ¿Dónde hallaremos con qué vestirnos ?

**32.** Como hacen los paganos, los cuales andan *ansiosos* tras de todas estas cosas; que bien sabe vuestro Padre la necesidad que de ellas tenéis.

**33.** En fin, buscad primero el reino de Dios y su justicia, y todas las demás cosas se os darán por añadidura.

**34.** No andéis, pues, acongojados por el día de mañana; que el día de mañana harto cuidado traerá por sí; bástale ya a cada día su propio afán o *tarea.*

## CAPITULO VII

*Concluye Jesús su sermón admirable: advierte que no se debe juzgar mal del prójimo; y que no deben darse a los indignos las cosas santas: habla de la oración y perseverancia en ella: de la caridad: de cuán estrecho es el camino del cielo: de los falsos profetas: de que por los frutos se conoce el árbol; y del edificio fundado sobre peña, o sobre arena.*

**1.** No juzguéis a los demás, si no queréis ser juzgados;

**2.** Porque con el mismo juicio que juzgáreis habéis de ser juzgados; y con la misma medida que mediereis seréis medidos vosotros.

**3.** Mas tú, ¿con qué cara te pones a mirar lo mota en el ojo de tu hermano; y no reparas en la viga que está dentro del tuyo?

**4.** O ¿cómo dices a tu hermano: Deja que yo saque esa pajita de tu ojo; mientras tú mismo tienes una viga en el tuyo?

**5.** Hipócrita, saca primero la viga de tu ojo, y entonces verás cómo has de sacar la mota del ojo de tu hermano.

**6.** No déis a los perros las cosas santas, ni echéis vuestras perlas a los cerdos; no sea que las huellen con sus pies, y se vuelvan contra vosotros y os despedacen.

**7.** Pedid, y se os dará: buscad, y hallaréis: llamad, y os abrirán.

**8.** Porque todo aquel que pide, recibe; y el que busca, halla; y al que llama, se le abrirá.

**9.** ¿Hay por ventura alguno entre vosotros que, pidiéndole pan un hijo suyo, le dé una piedra?

**10.** ¿O que si le pide un pez, le dé una culebra?

**11.** Pues si vosotros siendo malos, *o de mala ralea,* sabéis dar buenas cosas a vuestros hijos, ¿cuánto más vuestro Padre celestial dará cosas buenas a los que se las pidan?

CAP. VII. — 1. Juzguemos, dice S. Agustín, de lo que es manifiesto, dejando a Dios el juicio de las cosas ocultas. No reprendamos aquello que no sabemos con qué espíritu se hace, ni tampoco reprendamos las cosas manifiestas como si no hubiera esperanza de enmienda.

12. Y así, haced vosotros con los demás hombres todo lo deseáis que hagan ellos con vosotros; porque esta es *la suma de* la ley y *de* los profetas.

13. Entrad por la puerta angosta, porque la puerta ancha y el camino espacioso son los que conducen a la perdición, y son muchos los que entran por él.

14. ¡Oh, qué angosta es la puerta y cuán estrecha la senda que conduce a la vida *eterna*! ¡Y qué pocos son los que atinan con ellas!

15. Guardaos de los falsos profetas que vienen a vosotros disfrazados con pieles de ovejas, mas por dentro son lobos voraces.

16. Por sus frutos *u obras* los conoceréis. ¿Acaso se cogen uvas de los espinos, o higos de las zarzas?

17. Así es que todo árbol bueno produce buenos frutos, y todo árbol malo da frutos malos.

18. Un árbol bueno no puede dar frutos malos, ni un árbol malo darlos buenos.

19. Todo árbol que no da buen fruto, será cortado y echado al fuego.

20. Por sus frutos, pues, los podréis conocer.

21. No todo aquel que me dice: ¡Oh, Señor, Señor!, entrará *por eso* en el reino de los cielos; sino el que hace la voluntad de mi Padre celestial, ése es el que entrará en el reino de los cielos.

22. Muchos me dirán en aquel día *del juicio*: ¡Señor, Señor! ¿pues no hemos nosotros profetizado en tu nombre, y lanzado en tu nombre los demonios, y hecho muchos milagros en tu nombre?

23. Mas entonces yo les protestaré: Jamás os he conocido *por míos*: apartaos de mí, operarios de la maldad.

24. Por tanto, cualquiera que escucha éstas mis instrucciones y las practica, será semejante a un hombre cuerdo que fundó su casa sobre piedra:

25. Y cayeron las lluvias, y los ríos salieron de madre, y soplaron los vientos y dieron con ímpetu contra la tal casa; mas no fué destruída, porque estaba fundada sobre piedra.

26. Pero cualquiera que oye estas instrucciones que doy y no las pone por obra, será semejante a un hombre loco que fabricó su casa sobre arena:

27. Y cayeron las lluvias y vinieron avenidas de ríos, y soplaron los vientos y dieron con ímpetu contra aquella casa, la cual se desplomó, y su ruina fué grande.

28. Al fin, habiendo Jesús concluído este razonamiento, los pueblos que le oían no acababan de admirar su doctrina;

29. Porque su modo de instruirlos era con cierta autoridad *soberana, y* no a la manera de sus escribas y fariseos.

## CAPITULO VIII

*Jesús cura a un leproso, al criado del Centurión y a la suegra de S. Pedro; sosiega al mar alborotado y sana endemoniados.*

1. Habiendo bajado Jesús del monte, le fué siguiendo una gran muchedumbre de gentes.

2. En esto, viniendo a él un leproso le adoraba, diciendo: Señor, si tú quieres, puedes limpiarme.

3. Y Jesús, extendiendo la mano le tocó diciendo: Quiero: queda limpio; y al instante quedó curado de su lepra.

4. Y Jesús le dijo: Mira que no lo digas a nadie; pero ve a presentarte al sacerdote, y ofrece el don que Moisés ordenó, para que les sirva de testimonio.

5. Y al entrar en Cafarnaúm le salió al encuentro un centurión, y le rogaba, diciendo:

6. Señor, un criado mío está postrado en mi casa, paralítico, y padece muchísimo.

7. Dícele Jesús: Yo iré y le curaré.

8. Y le replicó el centurión. Señor, no soy yo digno de que tú entres en mi casa; pero mándalo con tu palabra, y quedará curado mi criado.

9. Pues aun yo, que no soy más que un hombre sujeto a otros, como tengo soldados a mi mando, digo al uno: marcha, y él marcha, y a otro ven: y viene; y a mi criado: haz esto: y lo hace.

10. Al oír esto Jesús, mostró grande admiración, y dijo a los que le seguían: En verdad os digo que ni aun en medio de Israel he hallado fe tan grande.

---

CAP. VIII. —2. Frecuentemente se daba entre el pueblo judío esta enfermedad (*Deut.* 24, 8); se la deseaba a los más terribles enemigos (2 *Reg.* 3, 29) y se la tenía como un terrible castigo divino (*Num.* 12, 9 s.; 2 *Par.* 26,19).

**11.** Así os declaro que vendrán muchos *gentiles* del Oriente y del Occidente, y estarán en la mesa con Abraham, Isaac y Jacob en el reino de los cielos.

**12.** Mientras que los hijos del reino *(los judíos)* serán echados fuera, a las tinieblas: allí será el llanto y el crujir de dientes.

**13.** Después dijo Jesús al centurión: Vete, y sucédate conforme has creído; y en aquella hora misma quedó sano el criado.

**14.** Habiendo después Jesús ido a casa de Pedro, vió a la suegra de éste en cama con calentura;

**15.** Y tocándole la mano, se le quitó la calentura; con eso se levantó luego de la cama, y se puso a servirles.

**16.** Venida la tarde, le trajeron muchos endemoniados y con su palabra echaba los espíritus *malignos*, y curó a todos los dolientes:

**17.** Verificándose con eso lo que predijo el profeta Isaías, diciendo: El mismo ha cargado con nuestras dolencias, y ha tomado sobre sí nuestras enfermedades.

**18.** Viéndose Jesús *un día* cercado de mucha gente, dispuso pasar a la ribera opuesta del lago de *Genezaret;*

**19.** Y arrimándose cierto escriba, le dijo: Maestro, yo te seguiré a donde quiera que fueres.

**20.** Y Jesús le respondió: Las zorras tienen madrigueras, y las aves del cielo nidos; mas el Hijo del hombre no tiene sobre qué reclinar la cabeza.

**21.** Otro de sus discípulos le dijo: Señor, permíteme que antes *de seguirte* vaya a dar sepultura a mi padre;

**22.** Mas Jesús le respondió: Sígueme tú, y deja que los muertos, *o gentes que no tienen la vida de la fe,* entierren a sus muertos.

**23.** Entró, pues, en una barca, acompañado de sus discípulos;

**24.** Y hé aquí que se levantó una tempestad tan recia en el mar, que las ondas cubrían la barca; mas Jesús estaba durmiendo;

**25.** Y acercándose a él sus discípulos le despertaron, diciendo: Señor, sálvanos, que perecemos.

**26.** Díceles Jesús: ¿De qué teméis? ¡oh hombres de poca fe! Entonces, puesto en pie, mandó a los vientos y al mar que *se apaciguaran, y* siguióse una gran bonanza.

**27.** De lo cual asombrados todos los que estaban allí, se decían: ¿Quién es éste a quien los vientos y el mar obedecen?

**28.** Desembarcado en la otra ribera del lago, en el país de los gerasenos, fueron al encuentro de él, saliendo de los sepulcros *en que habitaban* dos endemoniados tan furiosos, que nadie osaba transitar por aquel camino.

**29.** Y luego empezaron a gritar, diciendo: ¿Qué tenemos nosotros que ver contigo, oh Jesús, hijo de Dios? ¿Has venido acá con el fin de atormentarnos antes de tiempo?

**30.** Estaba no lejos de allí una gran piara de cerdos paciendo.

**31.** Y los demonios le rogaban de esta manera: Si nos echas de aquí, envíanos a esa piara de cerdos.

**32.** Y él les dijo: Id. Y habiendo ellos salido, entraron en los cerdos; y hé aquí que toda la piara corrió impetuosamente a despeñarse por un derrumbadero en el mar, y quedaron ahogados en las aguas.

**33.** Los porqueros echaron a huir, y llegados a la ciudad lo contaron todo, y en particular de los endemoniados.

**34.** Al punto toda la ciudad salió en busca de Jesús, y al verle le suplicaron que se retirase de su país.

## CAPITULO IX

*Confirma Jesús su doctrina con nuevos milagros: curación de un paralítico: Vocación de San Mateo: libra de un flujo de sangre a una mujer: resucita a la hija de Jairo: cura a dos ciegos y a un endemoniado mudo. Blasfemias de los fariseos: parábola de la mies y de los trabajadores.*

**1.** Y subiendo en la barca, repasó el lago y vino a la ciudad de su residencia *o a Cafarnaúm.*

**2.** Cuando hé aquí que le presentaron un paralítico postrado en un lecho. Y al ver Jesús su fe, dijo al tullido: Ten confianza, hijo *mío,* que perdonados te son tus pecados.

**3.** A lo que ciertos escribas dijeron luego para sí: Este blasfema.

**4.** Mas Jesús, viendo sus pensamientos dijo: ¿Por qué pensáis mal en vuestros corazones?

**5.** ¿Qué cosa es más fácil el decir: se te perdonan tus pecados, o el decir: levántate y anda?

**6.** Pues para que sepáis que el Hijo del hombre tiene en la tierra potestad de perdonar pecados, levántate (dijo al mismo tiempo al paralítico), toma tu lecho y vete a tu casa.

**7.** Y levantóse y fuése a su casa.

**8.** Lo cual viendo las gentes, quedaron poseídas de un *santo* temor, y dieron gloria a Dios por haber dado tal potestad a los hombres.

**9.** Partido de aquí Jesús, vió a un hombre sentado al banco *o mesa de las alcabalas,* llamado Mateo, y le dijo: Sígueme; y él, levantándose *luego,* le siguió.

**10.** Y sucedió que estando Jesús a la mesa en la casa *de Mateo,* vinieron muchos publicanos y gentes de mala vida que se pusieron a la mesa a comer con él y sus discípulos.

**11.** Y al verlo los fariseos decían a sus discípulos: ¿Cómo es que vuestro maestro come con publicanos y pecadores?

**12.** Mas Jesús, oyéndolos, les dijo: No son los que están sanos, sino los enfermos los que necesitan de médico.

**13.** Id, pues, a aprender lo que significa: Más estimo la misericordia, que el sacrificio; porque los pecadores son, y no los justos, a quienes he venido yo a llamar a *penitencia.*

**14.** Entonces se presentaron a Jesús los discípulos de Juan, y le dijeron: ¿Cuál es el motivo porque, ayunando frecuentemente nosotros y los fariseos, tus discípulos no ayunan?

**15.** Respondióles Jesús: ¿Acaso los amigos del esposo pueden andar afligidos *o llorosos* mientras el esposo está con ellos? Ya vendrá el tiempo en que les será arrebatado el esposo, y entonces ayunarán.

**16.** Nadie echa un remiendo de paño nuevo a un vestido viejo; de otra suerte, rasga lo nuevo parte de lo viejo, y se hace mayor la rotura.

**17.** Ni tampoco echan el vino nuevo en pellejos viejos; porque si esto se hace, revienta el pellejo, y el vino se derrama y piérdense los cueros. Pero el vino nuevo échanlo en pellejos nuevos, y así se conserva lo uno y lo otro.

**18.** En esta conversación estaba, cuando llegó un hombre principal *o jefe de sinagoga,* y adorándole, le dijo: Señor una hija mia

se acaba de morir; pero ven, impón tu mano sobre ella y vivirá.

**19.** Levantándose Jesús, le iba siguiendo con los discípulos;

**20.** Cuando hé ahí que una mujer que hacía ya doce años que padecía un flujo de sangre, vino por detrás y tocó el ruedo de su vestido.

**21.** Porque decía ella entre Sí: con que pueda solamente tocar su vestido, me veré curada.

**22.** Mas volviéndose Jesús y mirándola, dijo: Hija, ten confianza: tu fe te ha curado. En efecto, desde aquel punto quedó curada la mujer.

**23.** Venido Jesús a la casa de aquel hombre principal, y viendo a los tañedores de flautas, *o música fúnebre, y* el alboroto de la gente, decía:

**24.** Retiraos, pues no está muerta la niña, sino dormida. Y hacían burla de él.

**25.** Mas echada fuera la gente, entró la tomó de la mano, y la niña se levantó.

**26.** Y divulgóse el suceso por todo aquel país.

**27.** Partiendo Jesús de aquel lugar, le siguieron dos ciegos gritando y diciendo: Hijo de David, ten compasión de nosotros.

**28.** Luego que llegó a casa, se le presentaron los ciegos y Jesús les dijo: ¿Creéis que yo puedo hacer eso que me pedís ? Dícenle: Si, Señor.

**29.** Entonces les tocó los ojos, diciendo: Según vuestra fe, así os sea hecho.

**30.** Y se les abrieron los ojos. Mas Jesús les conminó diciendo: Mirad, que nadie lo sepa.

**31.** Ellos, sin embargo, al salir de alli lo publicaron por toda la comarca.

**32.** Salidos éstos le presentaron un mudo endemoniado.

**33.** Y arrojado el demonio, habló el mudo, y las gentes se llenaron de admiración, y decían: Jamás se ha visto cosa semejante en Israel.

**34.** Los fariseos, al contrario, decían: Por arte del príncipe de los demonios, expele los demonios.

**35.** Y Jesús iba recorriendo todas las ciudades y villas, enseñando en sus sinagogas, y predicando el evangelio del reino *de Dios y* curando toda dolencia y toda enfermedad.

**36.** Y al ver aquellas gentes, se compadecía entrañablemente de ellas porque estaban mal paradas y tendidas *aquí y allá* como ovejas sin pastor.

CAP. IX. — 9. Ese brillo y majestad de la Divinidad oculta que lucía en su rostro humano, podía atraer hacia sí a los que le miraban por vez primera. Si el imán atrae al hierro, cuanto más "el Señor de todas las criaturas" podría atraer a sí a todos los que quería: S. Jerónimo. *Epist.* 65 ad Princip. n. 8.

**37.** Sobre lo cual dijo a sus discípulos: La miés es verdaderamente mucha; mas los obreros pocos.

**38.** Rogad, pues, al dueño de la miés, que envíe a su miés operarios.

## CAPITULO X

*Misión de los doce apóstoles; potestad de hacer milagros, y las instrucciones que les dió Jesús.*

**1.** Después de ésto, habiendo convocado sus doce discípulos, les dió potestad para lanzar los espíritus inmundos y curar toda especie de dolencias y enfermedades.

**2.** Los nombres de los doce Apóstoles son estos: El primero Simón, por sobrenombre Pedro; y Andrés su hermano.

**3.** Santiago, hijo de Zebedeo, y Juan su hermano; Felipe y Bartolomé; Tomás y Mateo, el publicano; Santiago, hijo de Alfeo, y Tadeo.

**4.** Simón el cananeo, y Judas Iscariote, el mismo que le vendió.

**5.** A estos doce envió Jesús, dándoles las siguientes instrucciones: No vayáis ahora a tierra de gentiles, ni tampoco entréis en poblaciones de samaritanos.

**6.** Mas id en busca de las ovejas perdidas de la casa de Israel.

**7.** Id y predicad, diciendo que se acerca el reino de los cielos.

**8.** *Y en prueba de vuestra doctrina,* curad enfermos, resucitad muertos, limpiad leprosos, lanzad demonios. Dad graciosamente lo que graciosamente habéis recibido.

**9.** No llevéis oro, ni plata, ni dinero alguno en vuestros bolsillos.

**10.** Ni alforja para el viaje, ni más de una túnica y un calzado, ni tampoco bastón *u otra arma para defenderos;* porque el que trabaja merece que le sustenten.

**11.** En cualquier ciudad o aldea en que entrareis, informaos quién hay en ella *hombre de bien,* o que sea digno de alojaros, y permaneced en su casa hasta vuestra partida.

**12.** Al entrar en la casa, la salutación ha de ser: La paz sea en esta casa.

**13.** Que si la casa la merece, vendrá vuestra paz a ella; mas si no la merece, vuestra paz se volverá con vosotros.

**14.** Caso que no quieran recibiros, ni escuchar vuestras palabras, saliendo fuera de la tal casa o ciudad, sacudid el polvo de vuestros pies.

**15.** En verdad os digo que Sodoma y Gomorra serán tratadas con menos rigor en el día del juicio, que no la tal ciudad.

**16.** Mirad que yo os envío como ovejas en medio de lobos; por tanto, habéis de ser prudentes como serpientes, y sencillos como palomas.

**17.** Recataos, empero, de los *tales* hombres; pues os delatarán a los tribunales, y os azotarán en sus sinagogas.

**18.** Y por mi causa seréis conducidos ante los gobernadores y los reyes para dar testimonio de mí a ellos y a las naciones.

**19.** Si bien cuando os hicieren comparecer, no os de cuidado el cómo o lo que habéis de hablar, porque os será dado en aquella misma hora lo que hayáis de decir:

**20.** Puesto que no sois vosotros quien habla entonces, sino el Espíritu de vuestro Padre, el cual habla por vosotros.

**21.** Entonces un hermano entregará a su hermano a la muerte, y el padre su hijo; y los hijos se levantarán contra los padres, y los harán morir;

**22.** Y vosotros vendréis a ser odiados de todos por causa de mi nombre; pero quien perseverare hasta el fin, éste se salvará.

**23.** Entre tanto, cuando en una ciudad os persigan, huid a otra. En verdad os digo que no acabaréis *de convertir* las ciudades de Israel antes que venga el Hijo del hombre.

**24.** No es el discípulo más que su maestro, ni el siervo más que su amo.

**25.** Baste al discípulo el ser *tratado* como su maestro, y al criado como su amo. Si al padre de familia le han llamado Beelzebuh, ¿cuánto más a sus domésticos?

**26.** Pero por eso no le tengáis miedo: porque nada está encubierto que no se haya de descubrir, ni oculto que no se haya de saber.

**27.** Lo que os digo de noche, decidlo a la luz del día; y lo que os digo al oído, predicadlo desde los terrados.

**28.** Nada temáis a los que matan el cuerpo y no pueden matar el alma: temed antes al que puede arrojar alma y cuerpo en el infierno.

**29.** ¿No es así que dos pájaros se venden por un cuarto, y, no obstante, ni uno de ellos caerá en tierra sin que lo disponga vuestro Padre?

**30.** Hasta los cabellos de vuestras cabezas están todos contados.

---

CAP. IX. — 36. El verbo griego tiene más energía que el latino, porque denota una compasión salida de lo más íntimo del corazón.

**31.** No tenéis, pues, que temer: valéis vosotros más que muchos pájaros.

**32.** En suma: a todo aquel que me reconociere *y confesare por Mesías* delante de los hombres, yo también le reconoceré y *me declararé por él* delante de mi Padre que está en los cielos.

**33.** Mas a quien me negare delante de los hombres, yo también le negaré delante de mi Padre que está en los cielos.

**34.** No tenéis que pensar que yo haya venido a traer la paz a la tierra: no he venido a traer la paz, sino la guerra:

**35.** Pues he venido a separar al hijo de su padre, y a la hija de su madre, y a la nuera de su suegra;

**36.** Y los enemigos del hombre serán las personas de su misma casa.

**37.** Quien ama al padre o a la madre más que a mí, no merece ser mío; y quien ama al hijo o a la hija más que a mí, tampoco merece ser mío.

**38.** Y quien no carga con su cruz y me sigue, no es digno de mí.

**39.** *Quien* a costa *de su alma* conserva su vida, la perderá; y quien perdiere su vida por amor mío, la volverá a hallar.

**40.** Quien a vosotros recibe, a mí me recibe; y quien a mí me recibe, recibe a aquel que me ha enviado a mí.

**41.** El que hospeda a un profeta en atención a que es profeta, recibirá premio de profeta; y el que hospeda a un justo en atención a que es justo, tendrá galardón de justo.

**42.** Y cualquiera que diere de beber a uno de estos pequeñuelos un vaso de agua fresca solamente por razón de ser discípulo mío, os doy mi palabra que no perderá su recompensa.

## CAPITULO XI

*Juan Bautista envía dos de sus discípulos a Jesús: lo que con esta ocasión dijo Jesús sobre Juan a sus oyentes: ciudades incrédulas: el yugo del Señor es suave.*

**1.** Como hubiese Jesús acabado de dar estas instrucciones a sus doce discípulos, partió de allí para enseñar y predicar en las ciudades de ellos.

**2.** Pero Juan, habiendo en la prisión oído las obras *maravillosas* de Cristo, envió dos de sus discípulos a preguntarle:

**3.** ¿Eres tú el *Mesías* que ha de venir, o debemos esperar a otro?

**4.** A lo que Jesús les respondió: Id y contad a Juan lo que habéis oído y visto:

**5.** Los ciegos ven, los cojos andan, los leprosos quedan limpios, los sordos oyen, los muertos resucitan, se anuncia el Evangelio a los pobres:

**6.** Y bienaventurado aquel que no tomare de mí ocasión de escándalo.

**7.** Luego que se fueron éstos, empezó Jesús a hablar de Juan, y dijo al pueblo: ¿Qué es lo que salisteis a ver en el desierto? ¿Alguna caña que a todo viento se mueve?

**8.** Decidme si no, ¿qué salisteis a ver? ¿A un hombre vestido con lujo y afeminación? Ya sabéis que los que visten así, en palacios de reyes están.

**9.** En fin, ¿qué salisteis a ver? ¿Algún profeta? Eso sí, yo os lo aseguro, y aún mucho más que profeta.

**10.** Pues él es de quien está escrito: Mira que yo envío mi Angel ante tu presencia, el cual irá delante de ti disponiéndote el camino.

**11.** En verdad os digo que no ha salido a la luz entre los hijos de mujeres alguno mayor que Juan Bautista; si bien el que es menor en el reino de los cielos, es superior a él.

**12.** Y desde el tiempo de Juan Bautista hasta el presente el reino de los cielos se alcanza a viva fuerza, y los que la hacen *a sí mismo*, son los que lo arrebatan.

**13.** Porque todos los profetas y la léy hasta Juan pronunciaron lo porvenir.

**14.** Y si quereis entenderlo, él mismo es aquel Elías que debía venir.

**15.** El que tiene oídos para entender, entiéndalo.

**16.** Mas ¿a quién compararé yo esta raza de hombres? Es semejante a los muchachos sentados en la plaza, que, dando voces a otros de sus compañeros, les dicen:

**17.** Os hemos entonado cantares alegres, y no habéis bailado; cantares lúgubres, y no habéis llorado.

**18.** Así es que vino Juan que *casi* no come ni bebe, y dicen: está poseído del demonio.

**19.** Ha venido el Hijo del hombre, que come y bebe, y dicen: hé aquí un glotón y un bebedor, amigo de publicanos y gentes de mala vida. Pero queda la *divina* sabiduría justificada para con sus hijos.

_____

CAP. XI. — 11. Hay que interpretar este versículo, según el Cardenal Toledo, no de la santidad de las personas, sino del oficio desempeñado; por tanto el que en la Iglesia es de inferior dignidad es más grande que Juan Bautista, el mayor de los profetas del Antiguo Testamento.

**20.** Entonces comenzó a reconvenir a las ciudades donde se habían hecho muchísimos de sus milagros, porque no habían hecho penitencia.

**21.** ¡Ay de ti, Corozaín! ¡Ay de ti, Betsaida! Que si en Tiro y en Sidón se hubiesen hecho los milagros que se han obrado en vosotras, tiempo ha que habrían hecho penitencia, cubiertas de ceniza y de cilicio.

**22.** Por tanto, os digo que Tiro y Sidón serán menos rigurosamente tratadas en el día del juicio que vosotras.

**23.** Y tú, Cafarnaúm, ¿piensas, acaso, levantarte hasta el cielo? Serás, sí, abatida hasta el infierno; porque si en Sodoma se hubiesen hecho los milagros que en tí, Sodoma quizá subsistiera aún hoy día.

**24.** Por eso te digo que el país de Sodoma en el día del juicio será con menos rigor que tú castigado.

**25.** Por aquel tiempo exclamó Jesús, diciendo: Yo te glorifico, Padre *mío*, Señor de cielo y tierra, porque has tenido encubiertas estas cosas a los sabios y prudentes *del siglo*, y las has revelado a los pequeñuelos.

**26.** Sí: Padre *mío*, *alabado seas* por haber sido de tu agrado que fuese así.

**27.** Todas las cosas las ha puesto mi Padre en mis manos. Pero nadie conoce al Hijo sino el Pa-dre; ni conoce ninguno al Padre sino el Hijo, y aquel a quien el Hijo habrá querido revelarlo.

**28.** Venid a mí todos los que andáis agobiados con trabajos y cargas, que yo os aliviaré.

**29.** Tomad mi yugo sobre vosotros, y aprended de mí, que soy manso y humilde de corazón; y hallaréis el reposo para vuestras almas:

**30.** Porque suave es mi yugo y ligero el peso mío.

## CAPITULO XII

*Defiende Jesucristo a sus discípulos de la murmuración de los fariseos con motivo de la observancia del sábado, cura a uno que tenía seca la mano, y a un endemoniado mudo y ciego. Habla del pecado contra el Espíritu Santo. Milagro de Jonás. Ninivitas. Reina del mediodía.*

**1.** Por aquel tiempo, pasando Jesús en día de sábado por *junto* a unos sembrados, sus discípulos, teniendo hambre, empezaron a coger espigas y comer los granos.

**2.** Y viéndolos los fariseos, le dijeron: Mira que tus discípulos hacen lo que no es lícito hacer en sábado.

**3.** Pero él les respondió: ¿No habéis leído lo que hizo David cuando él y los que le acompañaban se vieron acosados por el hambre?

**4.** ¿Cómo entró en la casa de Dios y comió los panes de la proposición, que no era lícito comer ni a él ni a los suyos, sino a solos los sacerdotes?

**5.** ¿O no habéis leído en la ley cómo los sacerdotes en el templo trabajan en el sábado, y con todo esto no pecan?

**6.** Pues yo os digo que aquí está uno que es mayor que el templo.

**7.** Que si vosotros supieseis bien lo que significa: Más quiero la misericordia que no el sacrificio, jamás hubierais condenado a los inocentes.

**8.** Porque el Hijo del hombre es dueño aún del sábado.

**9.** Habiendo partido de allí, entró en la sinagoga de ellos,

**10.** Donde se hallaba un hombre que tenía seca una mano; y preguntaron a Jesús para *hallar motivo de* acusarle, si era lícito curar en día de sábado.

**11.** Mas él les dijo: ¿Qué hombre habrá entre vosotros que tenga una oveja, y si ésta cae en una fosa en día de sábado, no la levante y saque afuera?

**12.** ¿Pues cuánto más vale un hombre que una oveja? Luego es lícito el hacer el bien en día de sábado.

**13.** Entonces dijo al hombre: Extiende esa mano. Estiróla, y quedó tan sana como la otra.

**14.** Mas los fariseos en saliendo se juntaron para urdir tramas contra él y perderle.

**15.** Pero Jesús, entendiendo esto, se retiró, y muchos *enfermos* le siguieron, y a todos ellos los curó.

**16.** Previniéndoles fuertemente que no le descubriesen;

**17.** Con lo cual se cumplió la profecía de Isaías, que dice:

**18.** Ved ahí el siervo mío, a quien yo tengo elegido, el amado mío, en quien mi alma se ha complacido plenamente. Pondré sobre él mi Espíritu, y anunciará la justicia a las naciones.

**19.** No contenderá con nadie, no voceará, ni oirá ninguno su voz *o gritar* en las plazas;

**20.** No quebrará la caña cascada, ni acabará de apagar la mecha que aún humea, hasta que haga triunfar la justicia *de su causa;*

**21.** Y en su nombre pondrán las naciones su esperanza.

**22.** Fuéle a la sazón traído un endemoniado, ciego y mudo, y lo curó, de modo que *desde luego* comenzó a hablar y ver.

**23.** Con lo que todo el pueblo quedó asombrado, y decía: ¿Es éste tal vez el Hijo de David, *el Mesías?*

**24.** Pero los fariseos, oyéndolo, decían: Este no lanza los demonios sino por obra de Beelzebub, príncipe de los demonios.

**25.** Entonces Jesús, penetrando sus pensamientos, díjoles: Todo reino dividido en facciones contrarias será desolado; y cualquiera ciudad o casa dividida en bandos no subsistirá.

**26.** Y si Satanás echa fuera a Satanás, es contrario a sí mismo; ¿cómo, pues, ha de subsistir su reino?

**27.** Que si yo lanzo los demonios en nombre de Beelzebub, ¿vuestros hijos, en qué nombre los echan? Por tanto, esos mismos serán vuestros jueces.

**28.** Mas si yo echo los demonios en virtud del Espíritu de Dios, síguese por cierto que ya el reino de Dios, o *el Mesías*, ha llegado a vosotros.

**29.** 0 si no, decidme: ¿cómo es posible que uno entre en casa de algún hombre valiente y le robe sus bienes, si primero no ata bien al valiente? Entonces podrá saquearle la casa.

**30.** El que no está por mí, contra mí está; y el que conmigo no recoge, desparrama.

**31.** Por lo cual os declaro que cualquier pecado y cualquier blasfemia se perdonará a los hombres; pero la blasfemia contra el Espíritu *de Dios* no se perdonará *tan fácilmente.*

**32.** Asímismo a cualquiera que hablare contra el Hijo del hombre se le perdonará; pero quien hablare contra el Espíritu Santo, *despreciando su gracia*, no se le perdonará ni en esta vida ni en la otra.

**33.** 0 bien decid que el árbol es bueno, y bueno su fruto; o si tenéis el árbol por malo, tened también por malo su fruto, ya que por el fruto se conoce *la calidad* del árbol.

**34.** *¡Oh raza de víboras!* ¿Cómo es posible que vosotros habléis cosa buena, siendo, como sois, malos? Puesto que de la abundancia del corazón habla la boca.

**35.** El hombre de bien, del buen fondo *de su corazón* saca buenas cosas, y el hombre malo, de su mal fondo saca cosas malas.

**36.** Yo os digo que *hasta* de cualquiera palabra ociosa que hablaren los hombres han de dar cuenta en el día del juicio.

**37.** Porque por tus palabras habrás de ser justificado, y por tus palabras condenado.

**38.** Entonces algunos de los escribas y fariseos le hablaron, diciendo: Maestro, quisiéramos verte hacer algún milagro.

**39.** Mas él les respondió: Esta raza mala y adúltera pide un prodigio; pero no se le dará *el que pide,* sino el prodigio de Jonás profeta:

**40.** Porque así como Jonás estuvo en el vientre de la ballena tres días y tres noches, así el Hijo del hombre estará tres días y tres noches en el seno de la tierra

**41.** Los naturales de Nínive se levantarán en el día del juicio contra esta raza de hombres, y la condenarán: por cuanto ellos hicieron penitencia a la predicación de Jonás. Y con todo, el que está aquí es más que Jonás.

**42.** La reina del Mediodía hará de acusadora en el día del juicio contra esta raza de hombres y la condenará; por cuanto vino de los extremos de la tierra para escuchar la sabiduría de Salomón. Y con todo, aquí tenéis quien es más que Salomón.

**43.** Cuando el espíritu inmundo ha salido de algún hombre, anda vagueando por lugares áridos, buscando dónde hacer asiento, sin que lo consiga.

**44.** Entonces dice: Tornaréme a mi casa, de donde he salido. Y volviendo a ella la encuentra desocupada, bien barrida y alhajada.

**45.** Con esto va y toma consigo otros siete espíritus peores que él, y entrando habitan allí: con que viene a ser el postrer estado de aquel hombre más lastimoso que el primero. Así ha de acontecer a esta raza de hombres perversísima.

**46.** Todavía estaba él platicando al pueblo, y hé aquí que su madre y sus hermanos, *o parientes*, estaban fuera y le querían hablar.

**47.** Por lo que uno le dijo: Mira que tu madre y tus hermanos están allí fuera preguntando por ti.

---

CAP. XII. — 32. Porque en esta blasfemia tiene mucha parte la ignorancia. A no ser por un gran milagro de Dios; pues él mismo rechaza de sí la gracia del Espíritu Santo.

*La visión de San Bernardo* (detalle), de Filippino Lippi,
*témpera sobre madera, Badia Fiorentina, Florencia*

*La Crucifixión* (detalle), de Mathis Grünewald
*óleo sobre madera, Unterlinden Museum, Colmar*

*Los santos Mateo, Catalina de Alejandría y Juan Evangelista* (DETALLE),
DE STEFAN LOCHNER,
*óleo sobre madera, National Gallery, Londres*

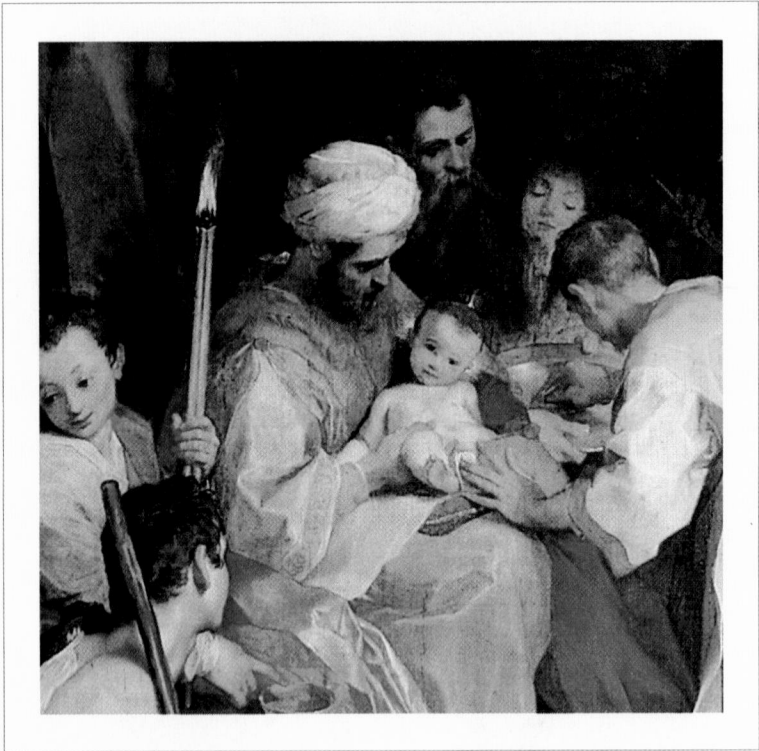

*LA CIRCUNCISIÓN* (DETALLE), DE FEDERICO BAROCCI,
*óleo sobre tela, Musée du Louvre, París*

**48.** Pero él, respondiendo al que se lo decía, replicó: ¿quién es mi madre y quiénes son mis hermanos?

**49.** Y mostrando con la mano a sus discípulos: Estos, dijo, son mi madre y mis hermanos.

**50.** Porque cualquiera que hiciere la voluntad de mi Padre, que está en los cielos, ése es mi hermano y mi hermana, y mi madre.

## CAPITULO XIII

*Predica Jesús en parábolas, y descífraselas a los Apóstoles: parábola del sembrador, del grano de mostaza, de la levadura, del tesoro escondido, de la perla preciosa, de la red llena de peces. El profeta sin honor en su patria.*

**1.** En aquel día, saliendo Jesús de casa, estaba sentado a la orilla del mar.

**2.** Y se sentó alrededor de El un concurso tan grande de gentes, que le fué preciso entrar en una barca y tomar asiento en ella; y todo el pueblo estaba en la ribera;

**3.** Al cual habló de muchas cosas por medio de parábolas, diciendo: Salió una vez cierto sembrador a sembrar;

**4.** Y al esparcir los granos, algunos cayeron cerca del camino; y vinieron las aves del cielo y se los comieron.

**5.** Otros cayeron en pedregales, donde había poca tierra, y luego brotaron, por estar muy someros en la tierra;

**6.** Mas nacido el sol se quemaron y se secaron, porque casi no tenían raíces.

**7.** Otros grano s cayeron entre espinas, y crecieron las espinas y los sofocaron.

**8.** Otros, en fin, cayeron en buena tierra, y dieron fruto, dónde ciento por uno, dónde sesenta, y dónde treinta.

**9.** Quien tenga oídos para entender, entienda.

**10.** Acercándose después sus discípulos, le preguntaban: ¿Por qué causa les hablas por parábolas?

**11.** El cual les respondió: Porque a vosotros se os ha dado el *privilegio* de conocer los misterios del reino de los cielos; mas a ellos no se les ha dado;

**12.** Siendo cierto que al que tiene lo *que debe tener*, dársele ha *aún más, y* estará sobrado; mas al que no tiene lo *que debe tener*, le quitarán aun lo que tiene.

**13.** Por eso les hablo con parábolas porque ellos viendo no miran, *no consideran; y* oyendo no escuchan ni entienden;

**14.** Con que viene a cumplirse en ellos la profecía de Isaías, que dice: Oiréis con vuestros oídos, y no entenderéis; y por más que miréis con vuestros ojos, no veréis.

**15.** Porque ha endurecido este pueblo su corazón, y ha cerrado sus oídos, y tapado sus ojos a fin de no ver con ellos, ni oir con los oídos, ni comprender con el corazón, por miedo de que convirtiéndose, yo le dé la salud.

**16.** Dichosos vuestros ojos porque ven, y dichosos vuestros oídos porque oyen.

**17.** Pues en verdad os digo que muchos profetas y justos ansiaron ver lo que vosotros estáis viendo, y no lo vieron, y oir lo que oís, y no lo oyeron.

**18.** Escuchad ahora la parábola del sembrador.

**19.** Cualquiera que oye la palabra del reino *de Dios o del Evangelio,* y no para en ella su atención, viene el mal espíritu y le arrebata aquello que se había sembrado en su corazón: éste es el sembrado junto al camino.

**20.** El sembrado en tierra pedregosa es aquel que oye la palabra *de Dios* y por el pronto la recibe con gozo;

**21.** Mas no tiene interiormente raíz, sino que dura poco; y en sobreviniendo la tribulación y persecución por causa de la palabra o *del Evangelio,* luego le sirve ésta de escándalo.

**22.** El sembrado entre espinas es el que oye la palabra *de Dios,* mas los cuidados de este siglo y el embeleso de las riquezas la sofocan y queda infructuosa.

**23.** Al contrario, el sembrado en buena tierra es el que oye la palabra *de Dios* y la medita, y produce fruto, parte ciento por uno, parte sesenta, y parte treinta.

**24.** Otra parábola les propuso, diciendo: El reino de los cielos es semejante a un hombre que sembró buena simiente en su campo.

**25.** Pero al tiempo de dormir los hombres, vino cierto enemigo suyo y sembró cizaña en medio del trigo, y se fué.

**26.** Estando ya el trigo en hierba y apuntando la espiga, descubrióse asimismo la cizaña.

**27.** Entonces los criados del padre de familia acudieron a él, y le dijeron: Señor, ¿no sembraste buena simiente en tu campo? pues ¿cómo tiene cizaña?

**28.** Respondióles: algún enemigo la habrá sembrado.

**29.** Replicaron los criados: ¿Quieres que vayamos a cogerla? A lo que respondió: no, porque no suceda que, arrancando la cizaña juntamente arranquéis con ella el trigo.

30. Dejad crecer una y otro hasta la siega, que al tiempo de la siega yo diré a los segadores: coged primero la cizaña, y haced gavillas de ella para el fuego, y meted después el trigo en mi granero.

31. Propúsoles otra parábola diciendo: El reino de los cielos es semejante al grano de mostaza que tomó en su mano un hombre, y lo sembró en su campo.

32. El cual es a la vista menudísimo entre todas las semillas; mas en creciendo viene a ser mayor que todas las legumbres, y hácese árbol; de forma que las aves del cielo bajan y posan en sus ramas.

33. Y añadió esta otra parábola: El reino de los cielos es semejante a la levadura, que tomó una mujer y mezclóla con tres satos *o celemines* de harina, hasta que la masa toda quedo fermentada.

34. Todas estas cosas dijo Jesús al pueblo por parábolas, sin las cuales no *solía* predicarles;

35. Cumpliéndose lo que había dicho el profeta: Abriré mi boca para hablar con parábolas: publicaré cosas *misteriosas* que han estado ocultas desde la creación del mundo.

36. Entonces Jesús, despedido el auditorio, volvió a casa, y rodeándole sus discípulos le dijeron: Explícanos la parábola de la cizaña sembrada en el campo.

37. El cual respondió: El que siembra la buena simiente es el Hijo del hombre;

38. El campo es el mundo; la buena simiente son los hijos del reino; la cizaña son los hijos del maligno *espíritu*.

39. El enemigo que la sembró es el diablo; la siega es el fin del mundo; los segadores son los ángeles.

40. Y así como se recoge la cizaña y se quema en el fuego, así sucederá al fin del mundo:

41. Enviará el Hijo del hombre a sus ángeles, y quitarán de su reino a todos los escandalosos y a cuantos obran la maldad;

42. Y los arrojarán en el horno del fuego: allí será el llanto y el crujir de dientes.

43. Al mismo tiempo los justos resplandecerán como el sol en el reino de su Padre. El que tiene oídos para entenderlo, entiéndola.

44. Es también semejante el reino de los cielos a un tesoro escondido en el campo, que si lo halla un hombre lo encubre *de nuevo, y* gozoso del hallazgo va

y vende todo cuanto tiene y compra aquel campo.

45. El reino de los cielos es asimismo semejante a un mercader que trata en perlas finas.

46. Y viniéndole a las manos una de gran valor, va y vende todo cuanto tiene, y la compra.

47. También es semejante el reino de los cielos a una red barredera, que echada en el mar allega todo género de peces;

48. La cual en estando llena, sácanla los pescadores, y sentados a la orilla van escogiendo los buenos y los meten en sus cestos, y arrojan los de mala calidad.

49. Así sucederá al fin del siglo: saldrán los ángeles y separarán los malos de entre los justos;

50. Y arrojarlos han en el horno del fuego. Allí será el llanto y el crujir de dientes.

51. ¿Habéis entendido bien todas estas cosas? Sí, Señor, le respondieron.

52. Y él añadió. Por eso, todo doctor *bien* instruído en lo que mira al reino de los cielos es semejante a un padre de familias que va sacando de su repuesto cosas nuevas y cosas antiguas, *según conviene.*

53. Concluído que hubo Jesús estas parábolas, partió de allí.

54. Y pasando a su patria, se puso a enseñar en las sinagogas de sus naturales; de tal manera que no cesaban de maravillarse, y se decían: ¿De dónde le ha venido a éste tal sabiduría y tales milagros?

55. Por ventura, ¿no es el hijo del artesano, *o carpintero*? ¿Su madre no es la que se llama María? ¿No son sus *primos* hermanos Santiago, José, Simón y Judas?

56. Y sus *primas* hermanas, ¿no viven todas entre nosotros? Pues ¿de dónde le vendrán a éste todas esas cosas?

57. Y estaban *como* escandalizados de él. Jesús, empero, les dijo: No hay profeta sin honra, sino en su patria y en la propia casa.

58. En consecuencia, hizo aquí muy pocos milagros a causa de su incredulidad.

---

CAP. XIII. — 53. Esto es, de Cafarnaum a Nazaret, dónde se crió.

56. Las sobrinas de San José, creído padre de Jesucristo, como notó San Agustín.

## CAPITULO XIV

*Muerte de Juan Bautista. Milagro de los cinco panes. Jesús camina y hace caminar a San Pedro sobre las olas del mar, y sana a todos los enfermos que se presentan o tocan su vestido.*

1. *Por* aquel tiempo Herodes, el tetrarca, oyó lo que la fama publicaba de Jesús, y dijo a sus cortesanos:

2. Este es el Juan Bautista que ha resucitado de entre los muertos; y por eso resplandece tanto en él la virtud de hacer milagros.

3. Es de saber que Herodes prendió a Juan, y atado *con cadenas* lo metió en la cárcel por causa de Herodías, mujer de su hermano.

4. Porque Juan decía: no te es lícito tenerla por mujer.

5. Y Herodes bien quería hacerle morir; pero no se atrevía por temor del pueblo; porque todos tenían a Juan por profeta.

6. Mas en la celebridad del cumpleaños de Herodes, salió a bailar la hija de Herodías en medio *de la corte;*

7. Y gustó tanto a Herodes, que la prometió con juramento darle cualquiera cosa que le pidiese.

8. Con eso ella, prevenida antes por su madre: Dame aquí, dijo, en una fuente, *o plato,* la cabeza de Juan Bautista.

9. Contristóse el rey. Sin embargo, en atención al juramento y a los convidados, mandó dársela.

10. Y así envió a degollar a Juan en la cárcel.

11. En seguida fué traída su cabeza en una fuente, y dada a la muchacha, que se la presentó a su madre.

12. Acudieron después sus discípulos a recoger el cuerpo, y lo enterraron, y fueron a dar la noticia a Jesús.

13. Jesús, pues, habiendo oído *aquello que Herodes decía de él,* retiróse de allí por mar a un lugar desierto, fuera de poblado. Mas entendiéndolo las gentes, salieron de sus ciudades, siguiéndole a pie *por tierra.*

14. Y Jesús al salir *del barco,* viendo tan gran gentío, se movió a lástima, y curó sus enfermos.

15. Al caer de la tarde, sus discípulos se llegaron a él diciendo: El lugar es desierto, y la hora es ya pasada: despacha esas gentes para que vayan a las poblaciones a comprar que comer.

16. Pero Jesús les dijo: No tienen necesidad de irse, dadles vosotros de comer.

17. A lo que respondieron: no tenemos aquí más de cinco panes y dos peces.

18. Díjoles él: Traédmelos acá.

19. Y habiendo mandado sentar a todos sobre la hierba, tomó los cinco panes y los dos peces, y levantando los ojos al cielo, los bendijo y partió; y dió los panes a los discípulos, y los discípulos los dieron a la gente.

20. Y todos comieron y se saciaron, y de lo que sobró, recogieron doce canastos llenos de pedazos.

21. El número de los que comieron fué de cinco mil hombres, sin contar mujeres y niños.

22. Inmediatamente después Jesús obligó a sus discípulos a embarcarse e ir a esperarle al otro lado del lago, mientras que despedía los pueblos.

23. Y despedidos éstos se subió solo a orar en un monte, y entrada la noche se mantuvo allí solo.

24. Entre tanto la barca estaba en medio del mar, batida reciamente de las olas, por tener el viento contrario.

25. Cuando ya era la cuarta vela de la noche, vino Jesús hacia ellos caminando sobre el mar.

26. Y viéndole los discípulos caminar sobre el mar, se conturbaron y dijeron: es un fantasma; y llenos de miedo comenzaron a gritar.

27. Al instante Jesús les habló diciendo: soy yo: no tengáis miedo.

28. Y Pedro respondió: Señor, si eres tú, mándame ir hacia ti sobre las aguas.

29. Y él le dijo: Ven. Y Pedro, bajando de la barca, iba caminando sobre el agua, para llegar a Jesús.

30. Pero viendo la fuerza del viento, se atemorizó; y empezando *luego* a hundirse, dió voces diciendo: Señor, sálvame.

31. Al punto Jesús, extendiendo la mano le cogió *del brazo, y* le dijo: hombre de poca fe, ¿por qué has titubeado?

32. Y luego que subieron a la barca, calmó el viento.

33. Mas los que dentro estaban, se acercaron a él y le adoraron, diciendo: Verdaderamente eres tú el Hijo de Dios.

34. Atravesado luego el lago, arribaron a tierra de Genezaret.

35. Y habiéndole conocido los moradores de ella, luego enviaron aviso por todo aquel

---

CAP. XIV. — 30. La humana fragilidad, dice S. Jerónimo, hunde a Pedro. Lo deja Cristo caer en la tentación para que se le aumente su fe y entienda que el todo no está en pedir sino en confiar en el poder de Dios.

territorio, y le trajeron todos los enfermos. Y le pedían por gracia el tocar solamente la orla de su vestido.

**36.** Y todos cuantos la tocaron, quedaron sanos.

# CAPITULO XV

*Condena Jesús las tradiciones humanas opuestas a los preceptos divinos. Cura a la hija de la Cananea que da muestras de grande fe, y da de comer en el desierto a una gran muchedumbre de gente con siete panes y algunos peces.*

**1.** En esta sazón, ciertos escribas y fariseos que habían llegado de Jerusalén, le dijeron:

**2.** ¿Por qué motivo tus discipulos traspasan la tradición de los antiguos, no lavándose las manos cuando comen pan?

**3.** Y él les respondió: ¿Y por qué vosotros mismos traspasáis el mandamiento de Dios por seguir vuestra tradición? Pues que Dios tiene dicho:

**4.** Honra al padre y a la madre; y también: Quien maldijere al padre o a la madre, sea condenado a muerte;

**5.** Mas vosotros decís: cualquiera que dijere al padre o a la madre: la ofrenda que yo por mi parte ofreciere redundará en bien tuyo, ya no tiene obligación de honrar, *o asistir* a su padre o a su madre.

**6.** Con lo que habéis echado por tierra el mandamiento de Dios por vuestra tradición.

**7.** ¡Hipócritas! con razón profetizó de vosotros Isaias, diciendo:

**8.** Este pueblo me honra con los labios; pero su corazón está lejos de mí.

**9.** En vano me honran enseñando doctrinas y mandamientos de hombres.

**10.** Y habiendo llamado a sí al pueblo, les dijo: Escuchadme, y atended *bien a esto:*

**11.** No lo que entra por la boca es lo que mancha al hombre, sino lo que sale de la boca, eso es lo que le mancha.

**12.** Entonces, arrimándose *más* sus discípulos, le dijeron: ¿No sabes que los fariseos se han escandalizado de esto que acaban de oír?

**13.** Mas Jesús respondió: Toda planta que mi Padre celestial no ha plantado, arrancada será de raíz.

**14.** Dejadlos: ellos son unos ciegos que guían a otros ciegos; y si un ciego se mete a guiar a otro ciego, entrambos caen en la hoya.

**15.** Aqui Pedro, tomando la palabra le dijo: Explícanos esa parábola.

**16.** A lo que Jesús respondió: ¿Cómo? ¿También vosotros estáis aún con tan poco conocimiento?

**17.** ¿Pues no conocéis que todo cuanto entra en la boca pasa de allí al vientre y se echa en lugares secretos?

**18.** Mas lo que sale de la boca, del corazón sale; y eso es lo que mancha al hombre.

**19.** Porque del corazón es de donde salen los malos pensamientos, los homicidios, los adulterios, fornicaciones, hurtos, falsos testimonios, blasfemias.

**20.** Estas cosas si que manchan al hombre; mas el comer sin lavarse las manos, eso no le mancha.

**21.** Partido de aqui Jesús, retiróse hacia el país de Tiro y de Sidón.

**22.** Cuando he aquí que una mujer cananea, venida del territorio, empezó a dar voces diciendo: Señor, Hijo de David, ten lástima de mí: mi hija es cruelmente atormentada del demonio.

**23.** Jesús no le respondió palabra; y sus discípulos, acercándose, intercedían diciéndole: Concédele lo que pide, a fin de que se vaya porque viene gritando tras nosotros.

**24.** A lo que Jesús respondiendo dijo: Yo no soy enviado sino a las ovejas perdidas de la casa de Israel.

**25.** No obstante, ella se llegó y le adoró diciendo: Señor, socórreme.

**26.** El cual le dió por respuesta: No es justo tomar el pan de los hijos y echarlo a los perros.

**27.** Mas ella le dijo: es verdad, Señor; pero los perritos comen *a lo menos* de las migajas que caen de la mesa de sus amos.

**28.** Entonces Jesús respondiendo le dice: ¡Oh mujer! grande es tu fe; hágase conforme lo que tú deseas. Y en la hora misma su hija quedó curada.

**29.** De ahí pasó Jesús a la ribera del mar de Galilea; y subiendo a un monte, sentóse en él.

**30.** Y se llegaron a él muchas gentes trayendo consigo mudos, ciegos, cojos, baldados y otros *muchos dolientes*, y los pusieron a sus pies, y curólos.

**31.** Por manera que las gentes estaban asombradas viendo hablar a los mudos, andar los cojos, ver los ciegos; y glorificaban al Dios de Israel.

**32.** Mas Jesús, convocados sus discípulos, dijo: Me causan compasión estos pueblos, porque

---

CAP. XV. — 26. Habla el Señor según el modo con que los judios despreciaban a los gentiles y esta respuesta de la mujer descubrió más su viva fe y humildad.

tres días hace ya que perseveran en mi compañía y no tienen qué comer; y no quiero despedirlos en ayunas, no sea que desfallezcan en el camino.

**33.** Pero sus discípulos le respondieron: ¿Cómo podremos hallar en este lugar desierto bastantes panes para saciar tanta gente?

**34.** Jesús les dijo: ¿Cuántos panes tenéis? Respondieron: Siete, con algunos pececillos.

**35.** Entonces mandó a la gente que se sentase en tierra.

**36.** Y él, cogiendo los siete panes y los peces, dadas las gracias, *o hecha oración*, los partió y dió a sus discípulos, y los discípulos los repartieron al pueblo.

**37.** Y comieron todos, y quedaron satisfechos; y de los pedazos que sobraron llevaron siete espuertas.

**38.** Los que comieron eran cuatro mil hombres, sin contar los niños y mujeres.

**39.** Con èso, despidiéndose de ellos, entró en la barca y pasó al territorio de Magedán.

## CAPITULO XVI

*Fariseos y Saduceos confundidos; corrupción de su doctrina. Confesión y primacía de San Pedro que poco después es justamente reprendido.*

**1.** Aquí vinieron a encontrarle los fariseos y saduceos; y, para tentarle, le pidieron que les hiciese ver algún prodigio del cielo.

**2.** Mas él les respondió: Cuando va llegando la noche, decís *a veces:* Hará buen tiempo, porque está el cielo arrebolado.

**3.** Y por la mañana: Tempestad habrá hoy; el cielo está cubierto y encendido.

**4.** ¿Conque sabéis adivinar por el aspecto del cielo, y no podéis conocer las señales *claras* de estos tiempos *de la venida del Mesías?* Esta *raza* o generación mala y adúltera pide un prodigio; mas no se le dará *ese que pide,* sino el prodigio del profeta Jonas.

**5.** Y dejándolos, se fué. Sus discípulos, habiendo venido de la otra parte del lago, se olvidaron de tomar pan.

**6.** Y Jesús les dijo: Estad alerta y guardaos de la levadura de los fariseos y saduceos.

**7.** Mas ellos, pensativos decían para consigo: *esto lo dice* porque no hemos traído pan.

**8.** Lo que conociendo Jesús, dijo: Hombres de poca fe, ¿qué andáis discurriendo dentro de vosotros, porque no tenéis pan?

**9.** ¿Todavía estáis sin conocimiento ni os acordáis de los cinco panes repartidos entre los cinco mil hombres, y cuántos cestos *de pedazos* os quedaron?

**10.** ¿Ni de los siete panes para cuatro mil hombres, y cuántas espuertas recogisteis *de lo que sobró?*

**11.** ¿Cómo no conocéis que no por el pan os he dicho: guardaos de los fariseos y saduceos?

**12.** Entonces entendieron que no quiso decir que se guardasen de la levadura que se pone en el pan, sino de la doctrina de los fariseos y saduceos.

**13.** Viniendo después Jesús al territorio de Cesarea de Filipo, preguntó a sus discípulos: ¿Quién dicen los hombres que es el Hijo del hombre?

**14.** Respondieron ellos: Unos dicen que Juan el Bautista, otros Elías, otros, *en fin,* Jeremías o alguno de los profetas.

**15.** Díceles Jesús: Y vosotros, ¿quién decís que soy yo?

**16.** Tomando la palabra Simón Pedro, dijo: Tú eres el Cristo, *o Mesías,* el Hijo de Dios vivo.

**17.** Y Jesús, respondiendo, le dijo: Bienaventurado eres, Simón Bar-Jona, porque no te ha revelado eso la carne y sangre u *hombre alguno,* sino mi Padre que está en los cielos.

**18.** Y yo te digo que tú eres Pedro, y que sobre esta piedra edificaré mi Iglesia; y las puertas *o poder* del infierno no prevalecerán contra ella.

**19.** Y a ti te daré las llaves del reino de los cielos; y todo lo que atares sobre la tierra, será también atado en los cielos; y todo lo que desatares sobre la tierra, será también desatado en los cielos.

**20.** Entonces mandó a sus discípulos que a nadie dijesen que él era Jesús, el Cristo, o *Mesías.*

**21.** Y desde luego comenzó a manifestar a sus discípulos que convenía que fuese él a Jerusalén, y que allí padeciese mucho de parte de los ancianos, y de los escribas, y de los príncipes de los sacerdotes, y que fuese muerto, y que resucitase al tercer día.

**22.** Tomándolo aparte Pedro, trataba de disuadírselo, diciendo: ¡Ah, Señor! de ningún modo: no, no ha de verificarse eso en ti.

**23.** Pero Jesús, vuelto a él, le dijo: Quítateme de delante, Satanás: que me escandalizas; porque no tienes *conocimiento ni*

---

CAP. XVI. — 28. Según muchos Santos Padres habla aquí de la Transfiguración: según otros de la Resurrección, Ascensión o venida del Espíritu Santo.

gusto de las cosas que son de Dios, sino de las de los hombres.

**24.** Entonces dijo Jesús a sus discípulos: Si alguno quiere venir en pos de mí, niéguese a sí mismo, y cargue con su cruz, y sígame.

**25.** Pues quien quisiere salvar su vida *obrando contra mí,* la perderá; mas quien perdiere su vida por amor de mí, la encontrará.

**26.** Porque ¿de qué le sirve al hombre el ganar todo el mundo, si pierde su alma? ¿O con qué cambio podrá el hombre rescatarla *una vez perdida?*

**27.** Ello es que el Hijo del hombre ha de venir revestido de la gloria de su Padres, acompañado de sus ángeles, *a juzgar a los hombres; y* entonces dará el pago a cada cual conforme a sus obras.

**28.** En verdad os digo que hay aquí algunos que no han de morir antes que vean al Hijo del hombre aparecer en *el esplendor* de su reino.

## CAPITULO XVII

*Transfiguración de Jesús. Curación de un lunático endemoniado. Jesús paga el tributo por sí y por Pedro con una moneda milagrosamente hallada.*

**1.** Seis días después tomó Jesús consigo a Pedro y a Santiago y a Juan su hermano: y subiendo con ellos solos a un alto monte,

**2.** Se transfiguró en su presencia; de modo que su rostro se puso resplandeciente como el sol, y sus vestidos blancos como la nieve.

**3.** Y al mismo tiempo les aparecieron Moisés y Elías conversando con él *de lo que debía padecer en Jerusalén.*

**4.** Entonces Pedro, tomando la palabra, dijo a Jesús: Señor, bueno es estarnos aquí: si te parece, formemos aquí tres pabellones, uno para ti, otro para Moisés, y otro para Elías.

**5.** Todavía estaba Pedro hablando, cuando una nube resplandeciente vino a cubrirlos; y al mismo instante resonó desde la nube una voz que decía: Este es mi querido Hijo en quien tengo todas mis complacencias. A él habéis de escuchar.

**6.** A esta voz los discípulos cayeron sobre su rostro en tierra. y quedaron poseídos de un grande espanto.

**7.** Mas Jesús se llegó a ellos, los tocó y les dijo: Levantaos, y no tengáis miedo.

**8.** Y alzando los ojos, no vieron a nadie, sino solo a Jesús.

**9.** Y al bajar del monte, les puso Jesús precepto, diciendo: No digáis a nadie lo que habéis visto. hasta tanto que el Hijo del Hombre haya resucitado de entre los muertos.

**10.** Sobre lo cual le preguntaron los discípulos: ¿Pues cómo dicen los escribas que debe venir primero Elías?

**11.** A esto Jesús les contestó: En efecto, Elías ha de venir *antes de mi segunda venida, y* entonces restablecerá todas las cosas.

**12.** Pero yo os declaro que Elías ya vino, y no le conocieron, sino que hicieron con él todo cuanto quisieron: así también harán ellos padecer al Hijo del hombre.

**13.** Entonces entendieron los discípulos que les había hablado de Juan Bautista.

**14.** Llegado al lugar donde le aguardaban las gentes, vino un hombre, e hincadas las rodillas delante de él, le dijo: Señor, ten compasión de mi hijo, porque es lunático y padece mucho; pues muy a menudo cae en el fuego, y frecuentemente en el agua;

**15.** Y lo he presentado a tus discípulos, y no han podido curarle

**16.** Jesús, en respuesta, dijo: ¡oh raza incrédula y perversa! ¡Hasta cuándo he de vivir con vosotros! ¡Hasta cuándo habré de sufriros! Traédmelo acá.

**17.** Y Jesús amenazó al demonio, y salió del muchacho, el cual quedó curado desde aquel momento.

**18.** Entonces los discípulos hablaron aparte a Jesús, y le dijeron: ¿Por qué causa no hemos podido nosotros echarle?

**19.** Respondióles Jesús: Porque tenéis poca fe. Pues ciertamente os aseguro que si tuviereis fe *tan grande* como un granito de mostaza, podréis decir a ese monte: trasládate de aquí allá: y se trasladará; y nada os será imposible.

**20.** Y además, que esta casta *de demonios* no se lanza sino mediante la oración y el ayuno.

**21.** Mientras estaban ellos en Galilea, díjoles *nuevamente* Jesús: El Hijo del hombre ha de ser entregado en manos de los hombres;

**22.** Y le matarán y resucitará al tercer día. Con lo cual los discípulos se afligieron sobremanera.

**23.** Habiendo llegado a Cafarnáum, se acercaron a Pedro los recaudadores del tributo de las dos dracmas, y le dijeron: Qué, ¿no paga vuestro Maestro las dos dracmas?

**24.** Sí, por cierto, respondió. Y habiendo entrado en casa, se le anticipó Jesús diciendo:

¿Qué te parece, Simón? Los reyes de la tierra, ¿de quién cobran tributo o censo? ¿De sus *mismos* hijos, o de los extraños?

**25.** De los extraños, dijo él. Replicó Jesús: Luego, los hijos están exentos.

**26.** Con todo eso, por no escandalizarlos, ve al mar y tira el anzuelo, y toma el primer pez que saliere, y abriéndole la boca hallarás una estatera de cuatro dracmas: tómala y dásela por mí y por ti.

## CAPITULO XVIII

*Doctrina de Jesús sobre la humildad, sobre el pecado de escándalo y sobre la corrección fraterna. Parábola del buen pastor. Sobre la potestad de perdonar pecados, compasión con los pecadores, y perdón de los enemigos. Parábola de los diez mil talentos.*

**1.** En esta misma ocasión se acercaron los discípulos a Jesús, y le hicieron esta pregunta: ¿Quién será el mayor en el reino de los cielos?

**2.** Y Jesús, llamando a sí a un niño, le colocó en medio de ellos.

**3.** Y dijo: En verdad os digo que si no os volvéis y hacéis semejantes a los niños *en la sencillez e inocencia,* no entraréis en el reino de los cielos.

**4.** Cualquiera, pues, que se humillare como este niño, ése será el mayor en el reino de los cielos.

**5.** Y el que acogiere a un niño tal *cual acabo de decir,* en nombre mío, a mí me acoge.

**6.** Mas quien escandalizare a uno de estos parvulillos que creen en mí, mejor le sería que le colgasen del cuello una de esas piedras de molino que mueve un asno, y así fuese sumergido en el profundo del mar.

**7.** ¡Ay del mundo por razón de los escándalos! porque si bien es forzoso, *atendida la malicia de los hombres,* que haya escándalos, sin embargo ¡ay de aquel hombre que causa el escándalo!

**8.** Que si tu mano o tu pie te es ocasión de escándalo arrójalos lejos de ti: pues más te vale entrar en la vida *eterna* mancó o cojo, que con dos manos o dos pies ser precipitado al fuego eterno.

**9.** Y si tu ojo es para ti ocasión de escándalo, sácalo y tíralo lejos de ti: mejor te es entrar en la vida *eterna* con un solo ojo, que tener dos ojos y ser arrojado al fuego del infierno.

**10.** Mirad que no despreciéis alguno de estos pequeñitos; porque os hago saber que sus ángeles *de guarda* en los cielos están siempre viendo la cara de mi Padre celestial.

**11.** Y *además* el Hijo del hombre ha venido a salvar lo que se le había perdido.

**12.** Si un hombre tiene cien ovejas, y una de ellas se hubiese descarriado, ¿qué os parece que hará entonces? ¿No dejará las noventa y nueve en los montes y se irá en busca de la que se le ha descarriado?

**13.** Y si por dicha la encuentra, en verdad os digo que ella sola le causa mayor complacencia que las noventa y nueve que no se le han perdido.

**14.** Así que no es la voluntad de vuestro Padre que está en los cielos, el que perezca uno solo de estos pequeñitos.

**15.** Que si tu hermano pecare contra ti, *o cayere en alguna culpa,* ve y corrígele estando a solas con él. Si te escucha, habrás ganado a tu hermano.

**16.** Si no hiciese caso de ti, todavía válete de una o dos personas, a fin de que todo sea confirmado con la autoridad de dos o tres testigos.

**17.** Y si no los escuchare, díselo a la Iglesia; pero si ni a la *misma* Iglesia oyere, tenlo como por gentil y publicano.

**18.** Os empeño mi palabra, que todo lo que atareis sobre la tierra, será eso mismo atado en el cielo: y todo lo que desatareis sobre la tierra, será eso mismo desatado en el cielo.

**19.** Os digo más: que si dos de vosotros se unieren entre sí sobre la tierra para pedir algo, sea lo que fuere, les será otorgado por mi Padre que está en los cielos.

**20.** Porque donde dos o tres se hallan congregados en mi nombre, allí me hallo yo en medio de ellos.

**21.** En esta sazón, arrimándosele Pedro, le dijo: Señor, ¿cuántas veces deberé perdonar a mi hermano cuando pecare contra mí? ¿hasta siete veces?

**22.** Respondióle Jesús: no te digo yo hasta siete veces, sino hasta setenta veces siete, *o cuantas te ofendiere.*

**23.** Por esto el reino de los cielos viene a ser semejante a un rey que quiso tomar cuentas a sus criados.

**24.** Y habiendo empezado a tomarlas, le fué presentado uno que le debía diez mil talentos.

CAP. XVIII. —15. Este precepto de la corrección obliga siempre que, habida razón de la persona, lugar y tiempo, se espere que servirá de provecho al prójimo. Es menester consultar tambien, para el modo de corregir, el decoro y fama del pecador en cuanto sea posible.

**25.** Y como éste no tuviera con qué pagar, mandó su Señor que fuesen vendidos él y su mujer y sus hijos con toda su hacienda, y se pagase así la deuda.

**26.** Entonces el criado, arrojándose a sus pies, le rogaba diciendo: ten un poquito de paciencia, que yo te lo pagaré todo.

**27.** Movido el Señor a compasión de aquel criado, le dió por libre, y aun le perdonó la deuda.

**28.** Mas apenas salió este criado de su presencia, encontró a uno de sus compañeros que le debía cien denarios, y agarrándole por el pescuezo le ahogaba, diciéndole: Paga lo que me debes.

**29.** El compañero, arrojándose a sus pies, le rogaba diciendo: Ten un poco de paciencia conmigo, que yo te lo pagaré todo.

**30.** El, empero, no quiso escucharle, sino que fué y le hizo meter en la cárcel hasta que le pagase lo que le debía.

**31.** Al ver los otros criados sus compañeros lo que pasaba, se contristaron por extremo, y fueron a contar a su señor todo lo sucedido.

**32.** Entonces le llamó su señor y le dijo: ¡Oh criado inicuo! yo te perdoné toda la deuda porque me lo suplicaste.

**33.** ¿No era, pues, justo, que tú también tuvieses compasión de tu compañero, como yo la tuve de ti?

**34.** E irritado el señor, le entregó en manos de los verdugos, *para ser atormentado* hasta tanto que satisfaciera la deuda toda por entero.

**35.** Así de esta manera se portará mi Padre celestial con vosotros, si cada uno no perdonare de corazón a su hermano.

## CAPITULO XIX

*Enseña Jesús que el matrimonio es indisoluble, y aconseja la virginidad; habla de la dificultad de salvarse los ricos, y del premio de los que renuncian por amor de él a todas las cosas.*

**1.** Habiendo concluído Jesús estos discursos, partió de Galilea, y vino a los términos de Judea, del otro lado del Jordán,

**2.** Adonde le siguieron gran muchedumbre de gentes, y curó allí sus enfermos.

**3.** Y se llegaron a él los fariseos para tentarle, y le dijeron: ¿Es lícito a un hombre repudiar a su mujer por cualquier motivo?

**4.** Jesús, en respuesta, les dijo: ¿No habéis leído que aquel que al principio crió al linaje humano, crió un *solo* hombre y una *sola* mujer, y *que se* dijo:

**5.** Por tanto, dejará el hombre a su padre y a su madre, y unirse ha con su mujer, y serán dos en una sola carne?

**6.** Así que ya no son dos, sino una sola carne. Lo que Dios, pues, ha unido, no lo desuna el hombre.

**7.** Pero, ¿por qué, replicaron ellos, mandó Moisés dar libelo de repudio y despedirla?

**8.** Díjoles Jesús: A causa de la dureza de vuestro corazón os permitió Moisés repudiar a vuestras mujeres; mas desde el principio no fué así.

**9.** Así, pues, os declaro que cualquiera que despidiese a su mujer, sino en caso de adulterio, y *aun en este caso* se casare con otra, este tal comete adulterio; y que quien se casare con la divorciada, también lo comete.

**10.** Dícenle sus discípulos: Si tal es la condición del hombre con respecto a su mujer no tiene cuenta el casarse.

**11.** Jesús les respondió: No todos son capaces de esta resolución, sino aquellos a quienes se les ha concedido *de lo alto.*

**12.** Porque hay unos eunucos que nacieron tales del vientre de sus madres; y hay eunucos que fueron castrados por los hombres; y eunucos hay que se castraron *en cierta manera* a sí mismos por amor del reino de los cielos *con el voto de castidad.* Aquel que puede ser capaz de eso, séalo.

**13.** En esta sazón le presentaron unos niños para que pusiese sobre ellos las manos y orase. Mas los discípulos, *creyendo que le importunaban,* los reñían.

**14.** Jesús, por el contrario, les dijo: Dejad en paz a los niños, y no les estorbéis de venir a mí; porque de los que son como ellos es el reino de los cielos.

**15.** Y habiéndoles impuesto las manos, *o dado la bendición,* partió de allí.

**16.** Acercóse entonces un hombre *joven* que le dijo: Maestro bueno, ¿qué obras buenas debo hacer para conseguir la vida eterna?

**17.** El cual le respondió: ¿Por qué me llamas bueno? Dios sólo es bueno. Por lo demás, si quieres entrar en la vida *eterna,* guarda los mandamientos.

**18.** Díjole él: ¿qué mandamientos? Respondió Jesús: No matarás; no cometerás adulterio; no hurtarás; no levantarás falsos testimonios;

**19.** Honra a tu padre y a tu madre; y ama a tu prójimo como a ti mismo.

**20.** Dícele el joven: Todos esos los he guardado desde mi juventud; ¿qué más me falta?

**21.** Respondióle Jesús: Si quieres ser perfecto, anda y vende cuanto tienes, y dáselo a los pobres, y tendrás un tesoro en el cielo: ven después, y sígueme:

**22.** Habiéndo oído el joven estas palabras, se retiró entristecido; y era que tenía muchas posesiones.

**23.** Jesús dijo entonces a sus discípulos: En verdad os digo que difícilmente un rico entrará en el reino de los cielos.

**24.** Y aun os digo más: es más fácil el pasar un camello por el ojo de una aguja que entrar un rico en el reino de los cielos.

**25.** Oídas estas proposiciones, los discípulos estaban muy maravillados, diciendo *entre sí:* Según esto, ¿quién podrá salvarse?

**26.** Pero Jesús mirándolos *blandamente,* les dijo: Para los hombres es esto imposible; mas para Dios todas las cosas son posibles.

**27.** Tomando entonces Pedro la palabra, díjole: Bien ves que nosotros hemos abandonado todas las cosas y te hemos seguido: ¿cuál será, pues, nuestra recompensa?

**28.** Mas Jesús le respondió: En verdad os digo, que vosotros que me habéis seguido, en el día de la resurrección *universal,* cuando el Hijo del hombre se sentará en el solio de su majestad, vosotros también os sentaréis sobre doce sillas y juzgaréis las doce tribus de Israel

**29.** Y cualquiera que habrá dejado casa o hermanos, o hermanas, o padre, o esposa, o hijos, o heredades por causa de mi nombre, recibirá cien veces más *en* bienes más sólidos, y poseerá *después* la vida eterna.

**30.** Y muchos *que eran* los primeros *en este mundo,* serán los últimos, y muchos *que eran* los últimos, serán los primeros.

## CAPITULO XX

*Parábola de los obreros llamados a trabajar en la viña. Jesús predice su muerte y su resurrección. Responde a la pretensión de la madre de los hijos de Zebedeo. Da vista a dos ciegos.*

**1.** Porque el reino de los cielos se parece a un padre de familias, que al romper el día salió a alquilar jornaleros para su viña,

**2.** Y ajustándose con ellos en un denario por día, enviólos a su viña.

CAP. XIX. — 26. Con la gracia de Dios pueden los hombres no usar mal las riquezas, y ganar con ellas el cielo.

**3.** Saliendo después, cerca de la hora de tercia, se encontró con otros que estaban mano sobre mano en la plaza, y díjoles:

**4.** Andad también vosotros a mi viña, y os daré lo que sea justo.

**5.** Y ellos fueron. Otras dos veces salió a eso de la hora de sexta, y de la hora de nona, e hizo lo mismo.

**6.** Finalmente, salió cerca de la hora undécima, y vió a otros que estaban todavía sin hacer nada, y les dijo: ¿Cómo os estáis aquí ociosos todo el día?

**7.** Respondiéronle: Es que nadie nos ha alquilado. Díjoles: Pues id también vosotros a mi viña.

**8.** Puesto el sol, dijo el dueño de la viña a su mayordomo: Llama a los trabajadores y págales el jornal, empezando desde los postreros y acabando en los primeros.

**9.** Venidos, pues, los que habían ido cerca de la hora undécima, recibieron un denario cada uno.

**10.** Cuando al fin llegaron los primeros, se imaginaron que les darían más. Pero no obstante, éstos recibieron igualmente cada uno un denario.

**11.** Y al recibirlo murmuraban contra el padre de las familias,

**12.** Diciendo; Estos últimos no han trabajado más que una hora, y los has igualado con nosotros, que hemos soportado el peso del día y del calor.

**13.** Mas él, por respuesta, dijo a uno de ellos: Amigo, yo no te hago agravio. ¿No te ajustaste conmigo en un denario?

**14.** Toma, pues, lo que es tuyo, y vete: yo quiero dar a éste, *bien que sea el* último, tanto como a ti.

**15.** ¿Acaso no puedo yo hacer *de lo mío* lo que quiero? ¿o ha de ser tu ojo malo *o envidioso,* porque yo soy bueno?

**16.** De esta suerte, los postreros *en este mundo* serán primeros *en el reino de los cielos;* y los primeros, postreros. Muchos, empero, son los llamados; mas pocos los escogidos.

**17.** Poniéndose Jesús en camino para Jerusalén, tomó aparte a sus doce discípulos y les dijo:

**18.** Mirad que vamos a Jerusalén, donde el Hijo del hombre ha de ser entregado a los príncipes de los sacerdotes y a los escribas, y le condenarán a muerte;

**19.** Y le entregarán a los gentiles para que sea escarnecido y azotado y crucificado; mas él resucitará al tercer día *para entrar en su gloria.*

**20.** Entonces, la madre de los hijos de Zebedeo, se le acerca con sus *dos* hijos, *y le adora*, *mani*festando querer pedirle una gracia.

21. Jesús dijo: ¿Qué quieres? Y ella le respondió: Dispón que estos dos hijos míos tengan *su* asiento en tu reino, uno a tu derecha y otro a tu izquierda.

22. Mas Jesús le dió por respuesta: No sabéis lo que os pedís. ¿Podéis beber el cáliz *de la pasión* que yo tengo de beber? Dícenle: Bien podemos.

23. Replicóles: Mi cáliz sí que lo beberéis; pero el asiento a mi diestra o siniestra no me toca concederle a vosotros, sino que será para aquellos a quienes ha destinado mi Padre.

24. Entendiendo esto los otros diez *apóstoles*, se indignaron contra los dos hermanos.

25. Mas Jesús los convocó a sí, y les dijo: No ignoráis que los príncipes de las naciones avasallan a sus pueblos, y que sus magnates los dominan con imperio.

26. No ha de ser así entre vosotros, sino que quien aspirare a ser mayor entre vosotros, debe ser vuestro criado.

27. Y el que quiera ser entre vosotros el primero, ha de ser vuestro siervo.

28. Al modo que el Hijo del hombre no ha venido a ser servido, sino a servir, y a dar su vida para redención de muchos.

29. Al salir de Jericó, le fué siguiendo gran multitud de gentes;

30. Y he aquí que dos ciegos, sentados a la orilla del camino, habiendo oído decir que pasaba Jesús, comenzaron a gritar, diciendo: ¡Señor! ¡Hijo de David! ¡ten lástima de nosotros!

31. Mas las gentes los reñían para que callasen. Ellos, no obstante, alzaban más el grito, diciendo: ¡Señor! ¡Hijo de David! ¡apiádate de nosotros!

32. Paróse a esto Jesús, y llamándoles, les dijo: ¿Qué queréis que os haga?

33. Señor, le respondieron ellos, que se abran nuestros ojos.

34. Movido Jesús a compasión, tocó sus ojos, y en el mismo instante vieron; y se fueron en pos de él.

## CAPITULO XXI

*Jesús entra en Jerusalén aclamado por Mesías, echa del templo a los que estaban allí vendiendo, maldice a una higuera y confunde a sus émulos con parábolas y razones.*

1. Acercándose a Jerusalén, luego que llegaron a *la vista de* Betfage, al *pie del* monte de los Olivos, despachó Jesús a dos discípulos, diciéndoles:

2. Id a esa aldea que se ve enfrente de vosotros, y sin más diligencia encontraréis una asna atada, y su pollino con ella: desatadlos, y traédmelos.

3. Que si alguno os dijera algo, respondedle que los ha menester el Señor; y al punto os los dejará llevar.

4. Todo esto sucedió en cumplimiento de lo que dijo el Profeta:

5. Decid a la hija de Sión: Mira que viene a ti tu rey lleno de mansedumbre, sentado sobre una asna y su pollino, hijo de la que está acostumbrada al yugo.

6. Idos los discípulos, hicieron lo que Jesús les mandó;

7. Y trajeron el asna y el pollino, y los aparejaron con sus vestidos, y le hicieron sentar encima.

8. Y una gran muchedumbre de gentes tendían por el camino sus vestidos; otros cortaban ramos u *hojas* de los árboles, y los ponían por donde había de pasar.

9. Y tanto las gentes que iban delante, como las que venían detrás, clamaban, diciendo: ¡Hosanna, *salud y gloria* al Hijo de David! ¡Bendito sea el que viene en nombre del Señor! Hosanna en lo más alto de los cielos!

10. Entrado que hubo así en Jerusalén, se conmovió toda la ciudad, diciendo *muchos:* ¿Quién es éste?

11. A lo que respondían las gentes: Este es Jesús, el profeta de Nazaret de Galilea.

12. Habiendo entrado Jesús en el templo de Dios, echó fuera de él a todos los que vendían allí y compraban, y derribó las mesas de los banqueros o cambiantes, y las sillas de los que vendían las palomas *para los sacrificios.*

13. Y les dijo: Escrito está: Mi casa será llamada casa de oración; mas vosotros la tenéis hecha una cueva de ladrones.

14. Al mismo tiempo se llegaron a él en el templo varios ciegos y cojos, y los curó.

15. Pero los príncipes de los sacerdotes y los escribas, al ver las maravillas que hacía, y a los niños que le aclamaban en el templo, diciendo: ¡Hosanna al Hijo de David! se indignaron.

16. Y le dijeron: ¿Tú oyes lo que dicen éstos? Jesús les respondió: sí, por cierto; ¿pues qué, no habéis leído jamás *la profecía:* De la boca de los infantes y niños de pecho es de donde sacaste la más perfecta alabanza?

17. Y dejándolos, se salió fuera de la ciudad a Betania, y se quedó allí.

18. La mañana siguiente, volviendo a la ciudad, tuvo hambre.

**19.** Y viendo una higuera junto al camino, se acercó a ella; en la cual, no hallando sino solamente hojas, le dijo: Nunca jamás nazca de ti fruto; y la higuera quedó luego seca.

**20.** Lo que viendo los discípulos, se maravillaron y decían: ¿Cómo se ha secado en un instante?

**21.** Y respondiendo Jesús, les dijo: En verdad os digo que si tenéis fe y no andáis vacilando, no solamente haréis esto de la higuera, sino que aun cuando digáis a ese monte: arráncate y arrójate al mar, así lo hará;

**22.** Y todo cuanto pidiéreis en la oración, como tengáis fe, lo alcanzaréis.

**23.** Llegado al templo, se acercaron a él, cuando estaba *ya enseñando,* los príncipes de los sacerdotes y los ancianos o *senadores* del pueblo, y le preguntaron: ¿Con qué autoridad haces estas cosas, y quién te ha dado tal potestad?

**24.** Respondióles Jesús: Yo también quiero haceros una pregunta, y si me respondéis a ella, os diré luego con qué autoridad hago estas cosas.

**25.** El bautismo de Juan, ¿de dónde era? ¿del cielo o de los hombres? Mas ellos discurrían para consigo, diciendo:

**26.** Si respondemos del cielo nos dirá: ¿pues por qué no habéis creído en él? Si respondemos de los hombres, tenemos que temer al pueblo, (porque todos miraban a Juan como un profeta).

**27.** Por tanto, contestaron a Jesús, diciendo: No lo sabemos: Replicóles él en seguida: Pues ni yo tampoco os diré a vosotros con qué autoridad hago estas cosas.

**28.** ¿Y qué os parece *de lo que voy a decir?* Un hombre tenía dos hijos, y llamando al primero, le dijo: hijo, ve hoy a trabajar en mi viña;

**29.** Y él respondió: No quiero. Pero después, arrepentido, fué.

**30.** Llamando al segundo le dijo lo mismo: voy, Señor; mas no fué.

**31.** ¿Cuál de los dos hizo la voluntad del padre? El primero, dijeron ellos. Y Jesús preguntó: En verdad os digo que los publicanos y las rameras os precederán *y entrarán* en el reino de Dios:

**32.** Por cuanto vino Juan a vosotros, por las sendas de la justicia, y no le creísteis; al mismo tiempo que los publicanos y las rameras le creyeron. Mas vosotros ni con ver esto os movisteis después a penitencia para creer en él.

---

CAP. XXI.— 41. Frase griega elegantísima por la cual se une el adjetivo con el adverbio nacido de él.

**33.** Escuchad otra parábola. Erase un padre de familias que plantó una viña y la cercó de vallado; y cavando hizo en ella un lagar y edificó una torre, arrendóla después a ciertos labradores, y se ausentó a un país lejano.

**34.** Venida ya la sazón de los frutos, envió sus criados a los renteros para que percibiesen el fruto de ella.

**35.** Mas los renteros, acometieron a los criados, apalearon al uno, mataron al otro, y al otro le apedrearon.

**36.** Segunda vez envió nuevos criados en mayor número que los primeros, y los trataron de la misma manera.

**37.** Por último les envió a su hijo, diciendo para consigo: A mi hijo, por lo menos, le respetarán.

**38.** Pero los renteros, al ver al hijo, dijeron entre sí: Este es el heredero; venid, matémosle, y nos alzaremos con su herencia.

**39.** Y agarrándole le echaron fuera de la viña, y le mataron.

**40.** Ahora bien; en volviendo el dueño de la viña, ¿qué hará a aquellos labradores?

**41.** Hará, dijeron ellos, que esta gente tan mala perezca miserablemente, y arrendará su viña a otros labradores que le paguen los frutos a sus tiempos.

**42.** ¿Pues no habéis jamás leído en las Escrituras, les añadió Jesús: La piedra que desecharon los fabricantes, esa misma vino a ser la clave del ángulo: el Señor es el que ha hecho esto *en nuestros días,* y es una cosa admirable a nuestros ojos?

**43.** Por lo cual os digo que os será quitado a vosotros el reino de Dios, y dado a gentes que rinden frutos *de buenas obras.*

**44.** Ello es, que quien *se escandalizare o* cayere sobre esta piedra, se hará pedazos; y ella hará añicos a aquel sobre quien cayere *en el día del juicio.*

**45.** Oídas estas parábolas de Jesús, los príncipes de los sacerdotes y fariseos entendieron que hablaba por ellos;

**46.** Y queriendo prenderle, tuvieron miedo al pueblo; porque era mirado como un profeta.

## CAPITULO XXII

*Parábola del rey que convidó a las bodas de su hijo. Si debe pagarse el tributo al César. Doctrina sobre la resurrección. Amor de Dios y del prójimo. Cristo hijo y Señor de David.*

**1.** Entre tanto Jesús, prosiguiendo la plática, les habló de nuevo por parábolas:

**2.** En el reino de los cielos acontece lo que a cierto rey que celebró las bodas de su hijo.

**3.** Y envió sus criados a llamar los convidados a las bodas, mas éstos no quisieron venir.

**4.** Segunda vez despachó nuevos criados con orden de decir de su parte a los convidados: Tengo dispuesto el banquete; he hecho matar mis terneros y demás animales cebados, todo está a punto; venid, pues, a las bodas.

**5.** Mas ellos no hicieron caso; antes bien se marcharon, quien a su granja, y quién a su tráfico *ordinario.*

**6.** Los demás tomaron a los criados, y después de haberlos llenado de ultrajes los mataron.

**7.** Lo cual oído por el rey, montó en cólera, y enviando sus tropas acabó con aquellos homicidas, y abrasó su ciudad.

**8.** Entonces dijo a sus criados: Las prevenciones para las bodas están hechas, mas los convidados no eran dignos de asistir a ellas.

**9.** Id, pues, a las salidas de los caminos, y a todos cuantos encontréis convidadlos a las bodas.

**10.** Al punto los criados, saliendo a los caminos, reunieron a cuantos hallaron, buenos y malos; de suerte que la sala de las bodas se llenó de gentes, que se pusieron a la mesa.

**11.** Entrando después el rey a ver a los convidados, reparó allí en un hombre que no iba con vestido de boda.

**12.** Y díjole: Amigo. ¿cómo has entrado tú aquí sin vestido de boda? Pero él enmudeció.

**13.** Entonces dijo el rey a sus ministros *de justicia:* Atado de pies y manos, arrojadle fuera a las tinieblas; donde no habrá sino llanto y crujir de dientes.

**14.** Tan cierto es que muchos son los llamados y pocos los escogidos.

**15.** Entonces los fariseos se retiraron a tratar entre sí cómo podrían sorprenderle en lo que hablase.

**16.** Y *para esto* le enviaron sus discípulos con algunos herodianos, que le dijeron: Maestro, sabemos que eres veraz, y que enseñas el camino *o la ley* de Dios conforme a la pura verdad, sin respeto a nadie, porque no miras a la calidad de las personas.

**17.** Esto supuesto, dínos qué te parece de esto: ¿Es o no es lícito *a los judíos, pueblo de Dios,* pagar tributo a César?

**18.** A lo cual Jesús, conociendo su *refinada* malicia, respondió: ¿Por qué me tentáis, hipócritas?

**19.** Enseñadme la moneda con que se paga el tributo. Y ellos le mostraron un denario.

**20.** Y Jesús les dijo: ¿De quién es esta imagen y esta inscripción?

**21.** Respóndenle: Del César. Entonces les replicó: Pues dad al César lo que es del César y a Dios lo que es de Dios.

**22.** Con esta respuesta quedaron admirados, y dejándole, se fueron.

**23.** Aquel mismo día vinieron los saduceos, que niegan la resurrección, a proponerle este caso:

**24.** Maestro, Moisés ordenó que si alguno muere sin hijos, el hermano se case con su mujer para dar sucesión a su hermano.

**25.** Es el caso que había entre nosotros siete hermanos. Casado el primero, vino a morir: y no teniendo sucesión, dejó su mujer a su hermano.

**26.** Lo mismo acaeció al segundo, y al tercero, hasta el séptimo.

**27.** Y después de todos ellos murió la mujer.

**28.** Ahora, pues, así que llegue la resurrección, ¿de cuál de los siete ha de ser mujer, supuesto que lo fué de todos?

**29.** A lo que Jesús les respondió: Muy errados andáis por no entender las Escrituras ni el poder de Dios.

**30.** Porque después de la resurrección, ni los hombres tomarán mujeres, ni las mujeres tomarán maridos, sino que serán como los ángeles de Dios en el cielo.

**31.** Mas tocando a la resurrección de los muertos. ¿no habéis leído las palabras que Dios os tiene dichas:

**32.** Yo soy el Dios de Abraham, el Dios de Isaac y el Dios de Jacob? Ahora, pues, Dios no es Dios de muertos, sino de vivos.

**33.** Lo que habiendo oído el pueblo, estaba asombrado de su doctrina.

**34.** Pero los fariseos, informados de que había tapado la boca a los saduceos, se mancomunaron;

**35.** Y uno de ellos, doctor de la ley, le preguntó para tentarle:

**36.** Maestro. ¿cuál es el mandamiento principal de la ley?

**37.** Respondióle Jesús: Amarás al Señor Dios tuyo de todo tu corazón. y con toda tu alma, y con toda tu mente:

**38.** Este es el máximo y primer mandamiento;

**39.** El segundo es semejante a éste, *y es:* Amarás a tu prójimo como a ti mismo.

**40.** En estos dos mandamientos está cifrada toda la ley y los profetas.

**41.** Estando aquí juntos los fariseos, Jesús les hizo esta pregunta:

**42.** ¿Qué os parece a vosotros del Cristo, o *Mesías?* ¿De quién es hijo? Dícenle: de David.

**43.** Replicóles: ¿Pues cómo David en espíritu *profético* le llama su Señor, cuando dice:

**44.** Dijo el Señor a mi Señor: Siéntate a mi diestra, mientras tanto que yo pongo tus enemigos por peana a tus pies?

**45.** Pues si David le llama su Señor: ¿cómo cabe que sea hijo suyo?

**46.** A lo cual nadie pudo responderle una palabra; ni hubo *ya* quien desde aquel día osase hacerle más preguntas.

## CAPITULO XXIII

*Condena Jesús el rigor extremado de los fariseos en la doctrina que enseñan al pueblo, habla de su hipocresía y soberbia, de las falsas explicaciones que dan a la ley: de la muerte violenta de los profetas, y de la ruina de Jerusalén.*

**1.** Entonces, dirigiendo Jesús su palabra al pueblo y a sus discípulos,

**2.** Les dijo: Los escribas, *o doctores de la ley,* y los fariseos, están sentados en la cátedra de Moisés:

**3.** Practicad, pues, y haced todo lo que os dijeren; pero no arregléis vuestra conducta por la suya, porque ellos dicen *lo que se debe hacer,* y no *lo* hacen.

**4.** El hecho es que van liando cargas pesadas e insoportables, y las ponen sobre los hombros de los demás, cuando ellos ni quieren aplicar *la punta de* el dedo para moverlas.

**5.** Todas sus obras las hacen con el fin de ser vistos de los hombres; por lo mismo llevan las *palabras de la ley en* filacterias más anchas, y más largas las franjas *u orlas de su vestido.*

**6.** Aman también los primeros asientos en los banquetes, y las primeras sillas en las sinagogas,

**7.** Y el ser saludados en la plaza, y que los hombres les den el título de Maestros *o Doctores.*

**8.** Vosotros, por el contrario, no habéis de querer ser saludados Maestros, porque uno solo es vuestro Maestro, y todos vosotros sois hermanos.

**9.** Tampoco habéis de *aficionaros* a llamar a nadie sobre la tierra Padre *vuestro;* pues uno solo es vuestro *verdadero* Padre el cual está en los cielos.

**10.** Ni debéis *preciaros* de ser llamados Maestros, porque el Cristo es vuestro único Maestro.

**11.** *En fin,* el mayor entre vosotros ha de ser ministro o *criado* vuestro.

**12.** Que quien se ensalzare será humillado, y quien se humillare será ensalzado.

**13.** Pero ¡ay de vosotros, escribas y fariseos hipócritas, que cerráis el reino de los cielos a los hombres; porque ni vosotros entráis ni dejáis entrar a los que entrarían, *impidiéndoles que crean en mí!*

**14.** ¡Ay de vosotros, escribas y fariseos hipócritas, que devoráis las casas de las viudas, con el pretexto de hacer largas oraciones; por eso recibiréis sentencia mucho más rigurosa!

**15.** ¡Ay de vosotros, escribas y fariseos hipócritas, porque andáis girando por mar y tierra a trueque de convertir un gentil; y después de convertirlo, le hacéis *con vuestro ejemplo y doctrina* digno del infierno, dos veces más que vosotros !

**16.** ¡Ay de vosotros, guías o *conduct*ores ciegos, que decís: el jurar uno por el templo no es nada, *no obliga;* mas quien jura por el oro del templo está obligado!

**17.** ¡Necios y ciegos! ¿Que vale más, el oro, o el templo que santifica al oro?

**18.** Y si alguno *(decís)* jura por el altar, no importa; mas quien jurare por la ofrenda puesta sobre él, se hace deudor.

**19.** ¡Ciegos! ¿Qué vale más, la ofrenda. o el altar que santifica la ofrenda?

**20.** Cualquiera, pues, que jura por el altar, jura por él y por todas las cosas que se ponen sobre él.

**21.** Y quien jura por el templo, jura por él, y por aquel *Señor* que le habita.

**22.** Y el que jura por el cielo, jura por el trono de Dios, y por aquel que está en él sentado.

**23.** ¡Ay de vosotros, escribas y fariseos hipócritas, que pagáis diezmo *hasta* de la hierbabuena y del eneldo y del comino y habéis abandonado las cosas más esenciales de la ley: la justicia, la misericordia y la *buena* fe! Estas debierais observar, sin omitir aquéllas.

**24.** ¡Oh guías ciegos, que coláis *cuanto bebéis por si hay* un mosquito, y os tragáis un camello!

**25.** ¡Ay de vosotros, escribas y fariseos hipócritas, que limpiáis por defuera la copa y el pla-

---

CAP. XXIII. — 9. Los judíos solían llamar *padre* al rabino o doctor principal de la sinagoga.

CAP. XXIII.—13 Ver la explicación de estos 8 "ay" de Jesucristo en S. Thom. 1. c., p. 303 ss.

to, y por dentro, *en el corazón,* estáis llenos de rapacidad e inmundicia!

**26.** ¡Fariseo ciego, limpia primero por dentro la copa y el plato, si quieres que lo de afuera sea limpio!

**27.** ¡Ay de vosotros, escribas y fariseos hipócritas, porque sois semejantes a los sepulcros blanqueados, los cuales por afuera parecen hermosos a los hombres, mas por dentro están llenos de huesos de muertos, y de todo género de podredumbre!

**28.** Así también vosotros en el exterior os mostráis justos a los hombres; mas en el interior estáis llenos de hipocresía y de iniquidad.

**29.** ¡Ay de vosotros, escribas y fariseos hipócritas, que fabricáis los sepulcros de los profetas, y adornáis los monumentos de los justos!

**30.** Y decís: si hubiéramos vivido en tiempo de nuestros padres, no hubiéramos sido sus cómplices en la muerte de los profetas:

**31.** Con lo que dais testimonio contra vosotros mismos de que sois hijos de los que mataron a los profetas.

**32.** Acabad, pues, de llenar la medida de vuestros padres, *haciendo morir al Mesías.*

**33.** ¡Serpientes, raza de víboras! ¿Cómo será posible que evitéis el ser condenados al fuego del infierno

**34.** Porque he aquí que yo voy a enviaros profetas, y sabios, y escribas, y de ellos degollaréis a unos, crucificaréis a otros, a otros azotaréis en vuestras sinagogas, y los andaréis persiguiendo de ciudad en ciudad.

**35.** Para que recaiga sobre vosotros toda la sangre inocente derramada sobre la tierra, desde la sangre del justo Abel hasta la sangre de Zacarías, hijo de Baraquías, a quien matasteis entre el templo y el altar.

**36.** En verdad os digo, que todas estas cosas vendrán a caer sobre la generación presente.

**37.** ¡Jerusalén! ¡Jerusalén! que matas a los profetas y apedreas a los que a ti son enviados, ¿cuántas veces quise recoger tus hijos, como la gallina recoge sus pollitos bajo las alas, y tú no los has querido?

**38.** He aquí que vuestra casa va a quedar desierta.

**39.** Y así os digo: *en breve* ya no me veréis más basta que, *reconociéndome por Mesías,* digáis: Bendito sea el que viene en nombre del Señor.

## CAPITULO XXIV

*Predice Jesús la ruina de Jerusalén y del templo, y anuncia a sus discípulos lo que sucedería durante la promulgación del Evangelio, y en su segunda venida. Les encarga que estén siempre en vela, para que la segunda venida no los tome desprevenidos.*

**1.** Salido Jesús del templo iba ya andando cuando se llegaron a él sus discípulos, a fin de hacerle reparar en la fábrica del templo.

**2.** Pero él les dijo: ¿Veis toda esa *gran* fábrica? Pues yo os digo de cierto que no quedará de ella piedra sobre piedra.

**3.** Y estando *después* sèntado en el monte de los Olivos, se llegaron *algunos de* los discípulos y le preguntaron en secreto: Dinos ¿cuándo sucederá eso? ¿Y cuál será la señal de tu venida y del fin del mundo?

**4.** A lo que Jesús les respondió: Mirad que nadie os engañe:

**5.** Porque muchos han de venir en mi nombre, diciendo: Yo soy el Cristo, o *Mesías;* y seducirán a mucha gente.

**6.** Oiréis asimismo noticias de batallas y rumores de guerras; no hay que turbaros por eso, que si bien han de preceder estas cosas, no es *todavía* èsto el término.

**7.** Es verdad que se armará nación contra nación, y un reino contra otro reino; y habrá pestes, y hambres, y terremotos en varios lugares.

**8.** Empero todo esto aún no es más que el principio de los males.

**9.** En aquel tiempo seréis entregados *a los magistrados* para ser puestos en los tormentos y os darán muerte, y seréis aborrecidos de todas las gentes por causa de mi nombre, *por ser discípulos míos;*

**10.** Con lo que muchos padecerán entonces escándalo y se harán traición unos a otros, y se odiarán recíprocamente;

**11.** Y aparecera un gran número de falsos profetas que pervertirán a mucha gente.

**12.** Y por la inundación de los vicios, se resfriará la caridad de muchos.

CAP XXIV.—5. Los judíos creían que el Mesías o enviado de Dios había de librarlos del yugo o dominación extranjera; así es que llamaban libertadores de Israel a todos los que creían enviados de Dios.

**13.** Mas el que perseverare hasta el fin, ése se salvará.

**14.** Entre tanto se predicará este evangelio del reino *de Dios* en todo el mundo, en testimonio para todas las naciones, y entonces vendrá el fin.

**15.** Según esto, cuando veréis que está establecida en el lugar santo la abominación desoladora que predijo el profeta Daniel (quien lea esto, nótelo bien):

**16.** En aquel trance los que moran en Judea huyan a los montes.

**17.** Y el que está en el terrado no baje *o entre* a sacar ҫosa de su casa;

**18.** Y el que se halle en el campo, no vuelva a tomar su túnica *o ropa.*

**19.** Pero ¡ay de las que estén en cinta o criando, *y no puedan huír a prisa* en aquellos días!

**20.** Rogad, pues, *a Dios* que vuestra huída no sea en invierno o en sábado, *en que se puede caminar poco.*

**21.** Porque será tan terrible la tribulación entonces, que no la hubo semejante desde el principio del mundo hasta ahora, ni la habrá jamás.

**22.** Y a no acortarse aquellos días, ninguno se salvaría; mas abreviarse han por amor de los escogidos.

**23.** En tal tiempo, si alguno os dice: el Cristo o *Mesías* está aquí o allí, no le creáis.

**24.** Porque aparecerán falsos Cristos y falsos profetas, y harán *alarde de* grandes maravillas y prodigios; por manera que aun los escogidos, si posible fuera, caerían en error:

**25.** Ya veis que os lo he predicho.

**26.** Así, aunque os digan: He aquí *al Mesías* que está en el desierto, no vayáis allá; o bien: Mirad que está en la parte más interior de la casa, no lo creáis

**27.** Porque como el relámpago sale del Oriente y se deja ver *en un instante* hasta el Occidente, así será el advenimiento del Hijo del hombre.

**28.** Y donde quiera que se hallare el cuerpo, allí se juntarán las águilas.

**29.** Pero luego después de la tribulación de aquellos días, el sol se oscureceҫrá, la luna no alumbrará, y las estrellas caerán del cielo, y las virtudes *o los ángeles* de los cielos temblarán.

**30.** Entonces aparecerá en el cielo la señal del Hijo del hombre, a cuya vista todos los pueblos de la tierra prorrumpirán en llantos; y verán venir al Hijo del hombre sobre las nubes *resplandecientes* del cielo con gran poder y majestad;

**31.** El cual enviará sus ángeles, que a voz de trompeta sonora congregarán a sus escogidos de las cuatro partes del mundo, desde un horizonte del cielo hasta el otro.

**32.** Tomad esta comparación sacada del árbol de la higuera: cuando sus ramas están ya tiernas, y brotan las hojas, conocéis que el verano está cerca.

**33.** Pues así también, cuando vosotros viereis todas estas cosas, tened por cierto que ya *el Hijo del hombre* está para llegar; que está *ya* a la puerta.

**34.** Lo que os aseguro es que no se acabará esta generación hasta que se cumpla todo esto.

**35.** El cielo y la tierra pasarán; pero mis palabras no fallarán.

**36.** Mas en orden al día y a la hora, nadie lo sabe, ni aun los ángeles del cielo, sino mi Padre.

**37.** Lo que sucedió en los días de Noé, eso mismo sucederá en la venida del Hijo del hombre

**38.** Porque así como en los días anteriores al diluvio proseguían los hombres comiendo y bebiendo, casándose y casando a sus hijos, hasta el día mismo de la entrada de Noé en el arca;

**39.** Y no pensaron jamás en el diluvio hasta que le vieron comenzado, y los arrebató a todos: así sucederá en la venida del Hijo del hombre.

**40.** Entonces, de dos hombres que se hallarán juntos en el campo, uno será tomado *o libertado,* y el otro dejado o *abandonado.*

**41.** *Estarán* dos mujeres moliendo en un molino, y la una será tomada *o se salvará, y* la otra dejada, *y perecerá.*

**42.** Velad, pues, vosotros, ya que no sabéis a qué hora ha de venir vuestro Señor.

**43.** Estad ciertos que si un padre de familia supiera a qué hora le había de asaltar el ladrón, estaría seguramente en vela y no dejaría minar su casa.

**44.** Pues *asimismo* estad vosotros *igualmente* apercibidos, porque a la hora que menos penséis ha de venir el Hijo del hombre.

**45.** ¿Quién pensáis que es el siervo fiel y prudente constituído por su Señor *mayordomo* sobre su familia para repartir a cada uno el alimento a su tiempo ?

**46.** Bienaventurado el tal siervo, a quien cuando venga su Señor le hallare cumpliendo así *con su obligación*

**47.** En verdad os digo que le encomendará el gobierno de toda su hacienda.

**48.** Pero si este siervo fuere malo, y dijere en su corazón: Mi amo no viene tan presto;

**49.** Y *con esto* empezare a maltratar a sus consiervos, y a comer y a beber con los borrachos:

**50.** Vendrá el amo de tal siervo en el día que no espera, y a la hora que menos piensa,

**51.** Y le echará en hora mala, y le dará la pena que a los hipócritas o *siervos infieles;* allí será el llorar y el crujir de dientes.

## CAPITULO XXV

*Parábolas de las diez vírgenes y de los talentos, en las que Jesus mandó estar en vela y ejercitar las buenas obras, para que no seamos condenados en su segunda venida y último juicio.*

**1.** Entonces el reino de los cielos será semejante a diez vírgenes que tomando sus lámparas salieron a recibir al esposo y a la esposa;

**2.** De las cuales cinco eran necias y cinco prudentes.

**3.** Pero las cinco necias, al tomar sus lámparas, no se proveyeron de aceite;

**4.** Al contrario, las prudentes junto con las lámparas llevaron aceite en sus vasijas.

**5.** Como el esposo tardase en venir, se adormecieron todas, y *al fin* se quedaron dormidas.

**6.** Mas llegada la media noche, se oyó una voz que gritaba: Mirad que viene el esposo, salidle al encuentro.

**7.** Al punto se levantaron todas aquellas vírgenes, y aderezaron sus lámparas.

**8.** Entonces las necias dijeron a las prudentes: Dadnos de vuestro aceite, porque nuestras lámparas se apagan.

**9.** Respondieron las prudentes, diciendo: No sea que éste que tenemos no baste para nosotras y para vosotras, mejor es que vayáis a los que lo venden y compréis lo que os falta.

**10.** Mientras iban éstas a comprarlo, vino el esposo; y las que estaban preparadas entraron con él a las bodas, y se cerró la puerta.

**11.** Al cabo vinieron también las otras vírgenes, diciendo: ¡Señor, señor, ábrenos!

**12.** Pero él respondió y dijo: En verdad os digo que yo no os conozco.

**13.** Así que velad vosotros, ya que no sabéis ni el día ni la hora.

**14.** Porque el *Señor obrara* como un hombre que, yéndose a lejanas tierras, convocó a sus criados y les entregó sus bienes.

**15.** Dando al uno cinco talentos, a otro dos, y uno solo al otro, a cada uno según su capacidad, y marchó inmediatamente.

**16.** El que recibió cinco talentos fué, y negociando con ellos, sacó de ganancia otros cinco.

**17.** De la misma suerte aquel que había recibido dos, ganó otros dos.

**18.** Mas el que recibió uno, fué e hizo un hoyo en la tierra, y escondió el dinero de su señor.

**19.** Pasado mucho tiempo, volvió el amo de dichos criados, y llamólos a cuentas.

**20.** Llegado el que había recibido cinco talentos, presentóle otros cinco, diciendo: Señor, cinco talentos me has entregado ¡he aquí otros cinco más que he ganado con ellos.

**21.** Respondióle su amo: ¡Muy bien, siervo bueno, *siervo diligente* y leal! ya que has sido fiel en lo poco, yo te confiaré lo mucho: ven a tomar parte en el gozo de tu señor.

**22.** Llegóse después el que había recibido dos talentos, y dijo: Señor, dos talentos me diste; aquí traigo otros dos que he granjeado con ellos.

**23.** Dijole su amo: ¡Muy bien, siervo bueno y fiel! pues has sido fiel en pocas cosas, yo te confiaré muchas más: ven a partipar del gozo de tu señor.

**24.** Por último, llegando el que había recibido un talento, dijo: Señor, yo sé que eres un hombre de recia condición, que siegas donde no has sembrado, y recoges donde no has esparcido:

**25.** Y así, temeroso *de perderle*, me fuí y escondí tu talento en tierra: aquí tienes lo que es tuyo.

**26.** Pero su amo, *tomándole la palabra*, le replicó y dijo: ¡Oh siervo malo y perezoso! Tú sabías que siego donde no siembro, y recojo donde nada he esparcido.

**27.** Pues por eso mismo debías haber dado a los banqueros mi dinero, para que yo a la vuelta recobrase mi caudal con los intereses.

**28.** ¡Ea pues! quitadle aquel talento, y dádselo al que tiene diez talentos.

**29.** Porque a quien tiene, dársele ha, y esta-

---

CAP. XXV. — 3. Tienen aceite, dice S. Jerónimo, las vírgenes que con obras manifiestan su fe; no lo tienen los que descuidan el ejercicio de las virtudes. Ver también S. Agustín, serm. 93, P.L. 38, 573-580.

rá abundante *o sobrado;* mas a quien no tiene, quitarásele aun aquello que parece que tiene.

**30.** Ahora bien; a ese siervo inútil arrojadlo a las tinieblas de afuera: allí será el llorar y el crujir de dientes.

**31.** Cuando venga, pues, el Hijo del hombre con toda su majestad, y acompañado de todos sus ángeles, sentarse ha entonces en el trono de su gloria;

**32.** Y hará comparecer delante de él todas las naciones; y separará los unos de los otros, como el pastor separa las ovejas de los cabritos.

**33.** Poniendo las ovejas a su derecha y los cabritos a la izquierda.

**34.** Entonces el rey dirá a los que estarán a su derecha: Venid, benditos de mi Padre, a tomar posesión del reino *celestial,* que os está preparado desde el principio del mundo:

**35.** Porque yo tuve hambre y me disteis de comer; tuve sed y me disteis de beber; era peregrino y me hospedasteis;

**36.** Estando desnudo me cubristeis, enfermo me visitasteis, encarcelado vinisteis a verme *y consolarme.*

**37.** A lo cual los justos le responderán, diciendo: Señor, ¿cuándo te vimos nosotros hambriento y te dimos de comer, sediento y te dimos de beber?

**38.** Cuándo te hallamos de peregrino y te hospedamos, desnudo y te vestimos?

**39.** ¿O cuándo te vimos enfermo o en la cárcel, y fuimos a visitarte?

**40.** Y el rey, en respuesta, les dirá: En verdad os digo: siempre que lo hicisteis con alguno de estos mis más pequeños hermanos, conmigo lo hicisteis.

**41.** Al mismo tiempo dirá a los que estarán en la izquierda: Apartaos de mí, malditos: *id* al fuego eterno, que fué destinado para el diablo y sus ángeles, *o ministros.*

**42.** Porque tuve hambre y no me disteis de comer; sed, y no me disteis de beber;

**43.** Era peregrino y no me recogisteis; enfermo o encarcelado y no me visitasteis.

**44.** A lo que replicarán también los malos: ¡Señor! ¿cuándo te vimos hambriento, o sediento, o peregrino, o desnudo, o enfermo, o encarcelado y dejamos de asistirte?

**45.** Entonces les responderá: Os digo en verdad: siempre que dejasteis de hacerlo con alguno de estos *mis* pequeños *hermanos,* dejasteis de hacerlo conmigo.

**46.** Y en consecuencia. irán éstos al eterno suplicio, y los justos a la vida eterna.

## CAPITULO XXVI

*Cena de Jesús en Betania, donde una mujer derrama sobre él bálsamo. Cena del cordero pascual en Jerusalén, en la cual habla de la traición de Judas. Institución de la Eucaristía. Prisión de Jesús y sentencia contra él del Sanedrín. Negaciones y penitencia de San Pedro.*

**1.** Y sucedió que después de haber concluido Jesús todos sus razonamientos, dijo a sus discípulos:

**2.** Bien sabéis que de aquí a dos días debe celebrarse la Pascua, y que el Hijo del hombre será entregado a muerte de cruz.

**3.** Al mismo tiempo se juntaron los príncipes de los sacerdotes y los magistrados del pueblo en el palacio del Sumo Pontífice, que se llamaba Caifás;

**4.** Y tuvieron consejo para hallar medio cómo apoderarse con maña de Jesús, y hacerle morir.

**5.** Y de miedo de que se alborotara el pueblo, de-cían: No conviene que se haga esto durante la fiesta.

**6.** Estando Jesús en Betania, en casa de Simón el leproso,

**7.** Se llegó a él una mujer con un vaso de alabastro, lleno de *perfume o* unguento de gran precio, y derramólo sobre la cabeza de Jesús, el cual estaba a la mesa.

**8.** *Algunos de* los discípulos, al ver esto, lo llevaron muy a mal, diciendo: ¿A qué fin ese desperdicio,

**9.** Cuando se pudo vender esto en mucho precio, y darse a los pobres?

**10.** Lo cual entendiendo Jesús, les dijo: ¿Por qué molestáis a esta mujer, y *reprobáis lo que hace,* siendo buena, como es, la obra que ha hecho conmigo?

**11.** Pues a los pobres los tenéis siempre a mano; mas a mí no me tenéis siempre.

**12.** Y derramando ella sobre mi cuerpo este bálsamo lo ha hecho *como* .para disponer *de antemano mi sepultura.*

**13.** En verdad os digo que doquiera que se predique este Evangelio, *que lo será* en todo el mundo, se celebrará también en memoria suya lo que acaba de hacer.

**14.** Entonces Judas Iscariote, uno de los doce, fué a verse con los príncipes de los sacerdotes, y les dijo:

---

CAP. XXVI.—15. Treinta siclos era el precio de un esclavo. *Exod.* XXI, *v.* 32.

**15.** ¿Qué queréis darme, y yo le pondré en vuestras manos? Y se convinieron con él en treinta monedas de plata.

**16.** Y desde entonces andaba buscando conyuntura favorable para hacer la traición.

**17.** Llegado ya el primer día de los ázimos, acudieron los discípulos a Jesús y le preguntaron: Dónde quieres que te dispongamos la cena de la Pascua?

**18.** Jesús les respondió: Id a la ciudad en casa de tal persona, y dadle este recado: El Maestro dice: Mi tiempo se acerca: voy a celebrar en tu casa la Pascua con mis discípulos.

**19.** Hicieron, *pues,* los discípulos lo que Jesús les ordenó, y prepararon *lo necesario* para la Pascua.

**20.** Al caer de la tarde. púsose a la mesa con sus doce discípulos.

**21.** Y estando *ya* comiendo. dijo: En verdad os digo que uno de vosotros me hará traición.

**22.** Y ellos, afligidos sobremanera, empezaron cada uno de por si a preguntar: ¡Señor! ¿soy acaso yo?

**23.** Y él en respuesta dijo: El que mete conmigo su mano en el plato *para mojar el pan,* ése es el traidor.

**24.** En cuanto al Hijo del hombre, él se marcha, conforme está escrito de él; pero ¡ay de aquel hombre por quien el Hijo del hombre será entregado! ¡mejor le fuera al tal si no hubiese jamás nacido!

**25.** Y tomando la palabra Judas. que era el que le entregaba, dijo: ¿Soy quizá yo, Maestro? y respondióle *Jesús:* Tú lo has dicho: *tú eres.*

**26.** Mientras estaban cenando, tomó Jesús el pan y lo bendijo y partió y dióselo a sus discípulos, diciendo: Tomad y comed; este es mi cuerpo.

**27.** Y tomando el cáliz dió gracias, *le bendijo,* y dióselo, diciendo: Bebed todos de él:

**28.** Porque esta es mi sangre. *que será el sello* del Nuevo Testamento, la cual será derramada por muchos para remisión de los pecados.

**29.** Y os declaro que no beberé ya más desde ahora de este fruto de la vid, hasta el día en que beba con vosotros *del* nuevo *cáliz de delicias* en el reino de mi Padre.

**30.** Y dicho el himno *de acción de gracias,* salieron hacia el monte de los Olivos.

**31.** Entonces díceles Jesús: Todos vosotros padeceréis escándalo por ocasión de mí esta noche, *y me abandonaréis.* Por cuanto está escrito: Heriré al Pastor y se descarriarán las ovejas del rebaño.

**32.** Mas en resucitando, yo iré delante de vosotros en Galilea, *donde volveré a reuniros.*

**33.** Pedro, respondiendo, le dijo: Aun cuando todos se escandalizaren por tu causa, nunca jamás me escandalizaré yo, *ni te abandonaré.*

**34.** Replicóle Jesús: Pues yo te aseguro con toda verdad, que esta misma noche, antes que cante el gallo, has de renegar de mí tres veces.

**35.** A lo que dijo Pedro: Aunque me sea forzoso el morir contigo, yo no te negaré. Eso mismo protestaron todos los discípulos.

**36.** Entre tanto llegó Jesús con ellos a una granja llamada Getsemaní, y les dijo: Sentaos aquí, mientras yo voy más allá y hago oración.

**37.** Y llevándose consigo a Pedro y a los dos hijos del Zebedeo. *Santiago y Juan,* empezó a entristecerse y angustiarse;

**38.** Y les dijo entonces: Mi alma siente angustias mortales; aguardad aquí y velad conmigo.

**39.** Y adelantándose algunos pasos, se postró en tierra, caído sobre su rostro, orando y diciendo: Padre mío, si es posible, no me hagas beber este cáliz; pero, no obstante, no se haga lo que yo quiero sino lo que tú.

**40.** Volvió después a sus discípulos. y los halló durmiendo, y dijo a Pedro: ¿Es posible que no hayáis podido velar una hora conmigo?

**41.** Velad y orad para no caer en la tentación. Que si bien el espíritu está pronto, mas la carne es flaca.

**42.** Volvióse de nuevo por segunda vez y oró diciendo: Padre mío. si no puede pasar este cáliz sin que yo le beba, hágase tu voluntad.

**43.** Dió después otra vuelta. y encontrólos dormidos, porque sus ojos estaban cargados *de sueño.*

**44.** Y dejándolos, se retiró aún a orar por tercera vez, repitiendo las mismas palabras.

**45.** En seguida volvió a sus discípulos y les dijo: Dormid ahora y descansad; he aquí que llegó ya la hora, y el Hijo del hombre va luego a ser entregado en manos de los pecadores.

---

CAP. XXVI.— 15. Treinta siclos eran el precio de un esclavo. *Exod. XXI, v.* 32.

25. Tal vez sin que lo oyeran los demás.

**46.** ¡*Ea!* levantaos, vamos *de aquí:* ya llega aquel que me ha de entregar.

**47.** Aún no había acabado de decir esto, cuando llegó Judas, uno de los doce, seguido de gran multitud de gentes armadas con espadas y con palos, que venían enviadas por los príncipes de los sacerdotes y ancianos *o senadores* del pueblo

**48.** El traidor les había dado esta seña: Aquel a quien yo besaré, ése es; aseguradle.

**49.** Arrimándose, pues, luego a Jesús, dijo: ¡Dios te guarde, Maestro! y le besó:

**50.** Díjole Jesús: ¡Oh. amigo! ¿a qué has venido aquí? Llegáronse entonces los demás y echaron mano a Jesús, y le prendieron.

**51.** Y he aquí que uno de los que estaban con Jesús, tirando de la espada hirió a un criado del príncipe de los sacerdotes, cortándole una oreja.

**52.** Entonces Jesús le dijo: Vuelve tu espada a la vaina, porque todos los que se sirvieren de la espada *de su propia autoridad,* a espada morirán.

**53.** ¿Piensas que no puedo acudir a mi Padre, y pondrá en el momento a mi disposición más de doce legiones de ángeles?

**54.** Mas ¿cómo se cumplirán las Escrituras, según las cuales conviene que suceda así?

**55.** En aquella hora dijo Jesús a aquel tropel de gentes: Como contra un ladrón *o asesino* habéis salido con espadas y con palos a prenderme: cada día estaba sentado entre vosotros enseñando en el templo, y nunca me prendisteis;

**56.** Verdad es que todo esto ha sucedido para que se cumplan las Escrituras de los profetas. Entonces todos los discípulos, abandonándole, huyeron.

**57.** Y los que prendieron a Jesús le condujeron a casa de Caifás, que era Sumo Pontífice *en aquel año,* donde los escribas y los ancianos estaban congregados.

**58.** Y Pedro le iba siguiendo de lejos hasta llegar al palacio del Sumo Pontífice. Y habiendo entrado, se estaba sentado con los sirvientes para ver el paradero *de todo esto.*

**59.** Los príncipes, pues, de los sacerdotes, y todo el concilio andaban buscando algún falso testimonio contra Jesús para condenarle a muerte.

**60.** Y no le hallaron *suficiente para esto* como quiera que muchos falsos testimonios se hubiesen presentado. Por último aparecieron dos falsos testigos,

**61.** Y dijeron: Este dijo: Yo puedo destruir el templo de Dios y reedificarlo en tres días.

**62.** Entonces, poniéndose en pie el Sumo Sacerdote, le dijo: ¿No respondes nada a lo que deponen éstos contra ti?

**63.** Pero Jesús permanecía en silencio. Y díjole el Sumo Sacerdote: Yo te conjuro de parte de Dios vivo que nos digas si tú eres el Cristo *o Mesías,* el Hijo de Dios.

**64.** Respondióle Jesús: Tú lo has dicho: *yo soy.* Y aun os declaro, que veréis después a este Hijo del hombre, *que tenéis delante,* sentado a la diestra de la majestad de Dios, venir sobre las nubes del cielo.

**65.** A tal respuesta el Sumo Sacerdote rasgó sus vestiduras, diciendo: Blasfemado ha: ¿qué necesidad tenemos ya de testigos? Vosotros mismos acabáis de oír la blasfemia *con que se hace Hijo de Dios:*

**66.** ¿Qué os parece? A lo que respondieron ellos, diciendo: Reo es de muerte.

**67.** Luego empezaron a escupirle en la cara y a maltratarle a puñadas; y otros, *después de haberle vendado los ojos,* le daban bofetadas,

**68.** Diciendo: Cristo, profetízanos, *adivina* ¿quién es el que te ha herido?

**69.** Mientras tanto Pedro estaba sentado fuera en el atrio: y arrimándose a él una criada, le dijo: También tú andabas con Jesús el galileo.

**70.** Pero él lo negó en presencia de todos, diciendo: Yo no sé de qué hablas.

**71.** Y saliendo él al pórtico, le miró otra criada, y dijo a los que allí estaban: Este también se hallaba con Jesús Nazareno.

**72.** Y negó segunda vez, afirmando con juramento: No conozca a tal hombre.

**73.** Poco después se acercaron los circunstantes, y dijeron a Pedro. Seguramente eres tú también de ellos, porque tu misma habla *de galileo* te descubre.

**74.** Entonces empezó a echarse sobre sí imprecaciones y a jurar que no había conocido a tal hombre. Y al momento cantó el gallo.

**75.** Con lo que se acordó Pedro de la proposición que Jesús le había dicho: Antes de cantar el gallo renegarás de mí tres veces. Y saliéndose fuera lloró amargamente.

# CAPITULO XXVII

*Judas se ahorca. Jesús es azotado, escarnecido, crucificado y blasfemado. Prodigios que sucedieron en su muerte: es sepultado, y su sepulcro sellado y custodiado.*

**1.** Venida la mañana, todos los príncipes de los sacerdotes y los ancianos del pueblo tuvieron consejo contra Jesús para hacerle morir.

**2.** Y *declarándole reo de muerte,* le condujeron atado y entregaron al presidente *o gobernador,* Poncio Pilato.

**3.** Entonçes Judas, el que le había entregado, viendo a Jesús sentenciado, arrepentido de lo hecho, restituyó las treinta monedas de plata a los príncipes de los sacerdotes y a los ancianos,

**4.** Diciendo: Yo he pecado, pues he vendido la sangre inocente. A lo que dijeron ellos: A nosotros ¿qué nos importa? Allá te las hayas.

**5.** Mas él, arrojando el dinero en el templo, se fué; y echándose un lazo, *desesperado,* se ahorcó.

**6.** Pero los príncipes de los sacerdotes, recogidas las monedas, dijeron: No es lícito meterlas en el tesoro *del templo* siendo como son precio de sangre.

**7.** Y habiendo tratado en consejo, compraron con ellas el campo de un alfarero para sepultura de los extranjeros;

**8.** Por lo cual se llamó dicho campo Hacéldama, esto es, Campo de sangre, y así se llama hoy día;

**9.** Con lo que vino a cumplirse lo que predijo el profeta Jeremías, que dice: Recibido han las treinta monedas de plata, precio del puesto en venta, según fué valuado por los hijos de Israel;

**10.** Y empleáronlas en la compra del campo de un alfarero, como me lo ordenó el Señor.

**11.** Fué, pues, Jesús presentado ante el presidente, y el presidente le interrogó. diciendo: ¿Eres tú el rey de los judíos? Respondióle Jesús: Tú lo dices: *lo soy.*

**12.** Y por más que le acusaban los príncipes de los sacerdotes y los ancianos, nada respondió.

**13.** Por lo que Pilato le dijo: ¿No oyes de cuántas cosas te acusan?

**14.** Pero él a nada contestó de cuanto le dijo; por manera que el presidente quedó en extremo maravillado.

**15.** Acostumbraba el presidente conceder por razón de la fiesta *de la Pascua,* la libertad de un reo, a elección del pueblo.

**16.** Y teniendo a la sazón en la cárcel a uno muy famoso, llamado Barrabás,

**17.** Preguntó Pilato a los que habían concurrido: ¿A quién queréis que os suelte, a Barrabás, o a Jesús, que es llamado el Cristo, *o Mesías?*

**18.** (Porque sabía bien que se lo habían entregado *los príncipes de los sacerdotes* por envidia).

**19.** Y estando él sentado en su tribunal, le envió a decir su mujer: No te mezcles en las cosas de ese justo, porque son muchas las congojas que hoy he padecido en sueños por su causa.

**20.** Entre tanto, los príncipes de los sacerdotes y los ancianos indujeron al pueblo a que pidiese la libertad de Barrabás y la muerte de Jesús.

**21.** Así es que preguntándoles el presidente *otra vez,* y diciendo: ¿A quién de los dos queréis que os suelte ? Respondieron ellos: a Barrabás.

**22.** Replicóles Pilato: ¿Pues qué he de hacer de Jesús, llamado el Cristo?

**23.** Dicen todos: ¡Sea crucificado! Y el presidente: Pero ¿qué mal ha hecho? Mas ellos comenzaron a gritar más, diciendo: ¡Sea crucificado!

**24.** Con lo que viendo Pilato que nada adelantaba, antes bien, que cada vez crecía el tumulto, mandando traer agua, se lavó las manos a vista del pueblo, diciendo: Inocente soy yo de la sangre de este justo, allá os lo veáis vosotros.

**25.** A lo cual respondiendo todo el pueblo, dijo: Recaiga su sangre sobre nosotros y sobre nuestros hijos.

**26.** Entonces les soltó a Barrabás; y a Jesús, después de haberlo hecho azotar, lo entregó en sus manos para que fuese crucificado.

**27.** En seguida los soldados del presidente, tomando a Jesús y poniéndolo en el *pórtico del* pretorio *o palacio de Pilato,* juntaron aleddor de él la cohorte, *o compañía,* toda entera.

**28.** Y desnudándole, le cubrieron con un manto de grana.

**29.** Y entretejiendo una corona de espinas, se la pusieron sobre la cabeza, y una caña *por cetro* en su mano derecha; y con la rodilla hincada en tierra le escarnecían diciendo: Dios te salve, Rey de los Judíos.

---

CAP. XXVII. 25. Es frase hebrea muy usada en el A.T.: *Levit.* 20, 9; 12, 16; *Josué* 2, 19; 2 *Reg.* 1, 16; *Ezequiel,* 33,4; *Oseas,* 12, 14.

**30.** Y escupiéndole, tomaban la caña y le herían en la cabeza.

**31.** Y después que *así* se mofaron de él, le quitaron el manto, y habiéndole puesto otra vez sus propios vestidos, le sacaron a crucificar.

**32.** Al salir *de la ciudad* encontraron a un hombre natural de Cirene, llamado Simón, al cual obligaron a que cargase con la cruz de Jesús.

**33.** Y llegados al lugar que se llama Gólgota, esto es, lugar del Calvario, *o de las calaveras,*

**34.** Allí le dieron a beber vino mezclado con hiel; mas él, habiéndolo probado, no quiso beberlo.

**35.** Después que le hubieron crucificado, repartieron entre sí sus vestidos, echando suertes. Con esto se cumplió la profecía que dice: Repartieron entre sí mis vestidos, y sortearon mi túnica.

**36.** Y sentándose *junto a él,* le guardaban.

**37.** Pusiéronle *también* sobre la cabeza *estas palabras, que denotaban* la causa de su condenación: Este es Jesús el Rey de los Judíos

**38.** Al mismo tiempo fueron crucificados con él dos ladrones, uno a la diestra y otro a la siniestra.

**39.** Y los que pasaban por allí le blasfemaban *y escarnecían,* meneando la cabeza y diciendo:

**40.** ¡Hola ! tú que derribas el templo de Dios y en tres días lo reedificas, salvate a ti mismo; si eres el Hijo de Dios, desciende de la cruz.

**41.** De la misma manera también los príncipes de los sacerdotes, a una con los escribas y los ancianos, insultándole, decían:

**42.** A otros ha salvado, y no puede salvarse a sí mismo; si es el rey de Israel, baje ahora de la cruz y creeremos en él;

**43.** El pone su confianza en Dios; pues si Dios le ama *tanto,* líbrele ahora, ya que él mismo decía: Yo soy el Hijo de Dios.

**44.** Y eso mismo le echaban en cara aun los ladrones que estaban crucificados en su compañía.

**45.** Mas desde la hora sexta hasta la hora de nona quedó toda la tierra cubierta de tinieblas.

**46.** Y cerca de la hora de nona exclamó Jesús con una gran voz, diciendo: Elí, Elí, lamma sabacthani? Esto es: Dios mío, Dios mío, ¿por qué me has desamparado?

**47.** Lo que oyendo algunos de los circunstantes, decían: A Elías llama éste.

**48.** Y luego, corriendo uno de ellos, tomó una esponja, empapóla en vinagre, y puesta en la punta de una caña, dábasela a chupar.

**49.** Los otros decían: Dejad, veamos si viene Elías a librarle.

**50.** Entonces Jesús, clamando de nuevo con una voz grande *y sonora,* entregó su espíritu.

**51.** Y al momento el velo del templo se rasgó en dos partes, de alto a bajo, y la tierra tembló, y se partieron las piedras;

**52.** Y los sepulcros se abrieron, y los cuerpos de muchos santos que habían muerto resucitaron,

**53.** Y saliendo de los sepulcros después de la resurrección de Jesús, vinieron a la ciudad santa, y se aparecieron a muchos.

**54.** Entretanto el centurión y los que con él estaban guardando a Jesús, visto el terremoto y las cosas que sucedían, se llenaron de grande temor, y decían: Verdaderamente que este hombre era Hijo de Dios.

**55.** Estaban también allí a lo lejos, muchas mujeres, que habían seguido a Jesús desde Galilea para cuidar de su asistencia.

**56.** De las cuales eran María Magdalena, y María Madre de Santiago y de José, y la madre de los hijos de Zebedeo.

**57.** Siendo ya tarde, compareció un hombre rico, natural de Arimatea, llamado José, el cual era también discípulo de Jesús.

**58.** Este se presentó a Pilato y le pidió el cuerpo de Jesús, el cual mandó Pilato que se le entregase.

**59.** José, pues, tomando el cuerpo *de Jesús,* envolviólo en una sábana limpia.

**60.** Y lo colocó en un sepulcro suyo que había hecho abrir en una peña, y no había servido todavía; y arrimando una gran piedra, cerró la boca del sepulcro, y fuése.

**61.** Estaban allí María Magdalena y la otra María, sentadas enfrente del sepulcro.

**62.** Al día siguiente, que era el de después de la Paresceve *del sábado, o el sábado mismo,* acudieron junto a Pilato los príncipes de los sacerdotes y los fariseos,

**63.** Diciendo: Señor, nos hemos acordado que aquel impostor, estando todavía en vida, dijo: Después de tres días resucitaré.

**64.** Manda, pues, que se guarde el sepulcro hasta el tercer día; porque no vayan quizás *de noche* sus discípulos y lo hurten, y digan a la plebe: Ha resucitado de entre los muertos; y sea el postrer engaño más pernicioso que el primero.

**65.** Respondióles Pilato: Ahí tenéis la guardia: Id y ponedla como os parezca.

**66.** Con eso, yendo allá, aseguraron bien el sepulcro, sellando la piedra y poniendo guardas *de vista.*

# CAPITULO XXVIII

*Resurrección de Jesús: su aparición a las santas mujeres. Aparécese también a los Apóstoles y les promete su protección.*

**1.** Avanzada ya la noche del sábado, al amanecer el primer día de la semana *o domingo,* vino María Magdalena con la otra María a visitar el sepulcro.

**2.** A este tiempo se sintió un gran terremoto; porque bajó del cielo un ángel del Señor, y llegándose *al sepulcro* removió la piedra, y sentóse encima.

**3.** Su semblante *brillaba* como el relámpago, y era su vestidura *blanca* como la nieve.

**4.** De lo cual quedaron los guardas tan aterrados, que estaban como muertos.

**5.** Mas el ángel, dirigiéndose a las mujeres, les dijo: Vosotras no tenéis que temer; que bien sé que venís en busca de Jesús, que fué crucificado:

**6.** Ya no está aquí, porque ha resucitado, según predijo. Venid y mirad el lugar donde estaba sepultado el Señor.

**7.** Y ahora, id sin deteneros a decir a sus discípulos que ha resucitado; y he aquí que irá delante de vosotros a Galilea: allí le veréis. Ya os lo prevengo de antemano.

**8.** Ellas salieron al instante del sepulcro con miedo y con gozo grande, y fueron corriendo a dar la nueva a los discípulos.

**9.** Cuando he aquí que Jesús les sale al encuentro, diciendo: Dios os guarde; y acercándose ellas, *postradas en tierra* abrazaron sus pies y le adoraron.

**10.** Entonces Jesús les dice: No temáis: id, avisad a mis hermanos para que vayan a Galilea, que allí me verán.

**11.** Mientras ellas iban, algunos de los guardas vinieron a la ciudad, y contaron a los príncipes de los sacerdotes todo lo que había pasado.

**12.** Y congregados éstos con los ancianos, teniendo su consejo, dieron una gran cantidad de dinero a los soldados,

**13.** Con esta instrucción: Habéis de decir: Estando nosotros durmiendo, vinieron de noche sus discípulos y le hurtaron.

**14.** Que si eso llegare a oídos del presidente, nosotros le aplacaremos, y os sacaremos a paz y a salvo.

**15.** Ellos, recibido el dinero, hicieron según estaban instruidos; y esta voz ha corrido entre los judíos hasta el día de hoy.

**16.** Mas los once discípulos partieron para Galilea, al monte que Jesús les había señalado.

**17.** Y allí al verle le adoraron; si bien algunos tuvieron sus dudas *sobre la realidad del cuerpo.*

**18.** Entonces Jesús, acercándose, les habló en estos términos: A mí se me ha dado toda potestad en el cielo y en la tierra.

**19.** Id, pues, e instruíd a todas las naciones *en el camino de la salud,* bautizándolas en el nombre del Padre, y del Hijo, y del Espíritu Santo;

**20.** Enseñándolas a observar todas las cosas que yo os he mandado. Y estad ciertos que yo *mismo* estaré siempre con vosotros, hasta la consumación de los siglos.

# Evangelio según San Marcos

# Introducción

A pesar de las investigaciones realizadas en este sentido, se desconoce la identidad de este evangelista. La única certidumbre que se tiene sobre su personalidad, es que no se trata en manera alguna de Marcos, primo de san Bernabé, a quien se menciona en varios pasajes de los Hechos de los Apóstoles.

Dicho esto, conviene añadir que, con toda seguridad, se trata de aquel a quien san Pedro llama hijo suyo, sin duda por haber sido él quien le convirtió a la fe y le hizo discípulo suyo; tal vez fue perteneciente a una rica familia de Jerusalén.

Marcos escribió en Roma el Evangelio, según apunta la tradición, y, dato curioso, éste se dirigio no a los judíos, sino a los cristianos romanos convertidos por la presión de la cultura, al paganismo. Marcos se ve impulsado a escribir su Evangelio bajo el estímulo de muchos cristianos que se lo piden directamente, impresionados por las prédicas de Pedro. Su mensaje evangélico se concretó, sobre todo, en la demostración de la naturaleza divina de Jesús. Tradicionalmente, se considera a Marcos el evangelizador de Egipto y fundador de la iglesia de Alejandría.

## CAPITULO PRIMERO

*Predicación y bautismo de San Juan. Jesús después de bautizado en el Jordán, y tentado en el desierto, comienza predicar el evangelio en Galilea. Vocación de San Pedro y de otros discípulos. Jesucristo obra varios milagros.*

1. Principio del Evangelio de Jesucristo Hijo de Dios.

2. Conforme a lo que se halla escrito en el profeta Isaías: He aquí que despacho yo mi ángel *o enviado* ante tu presencia, el cual irá delante de ti preparándote el camino:

3. Esta es la voz del que clama en el desierto: Preparad el camino del Señor, hacedle rectas las sendas.

4. Estaba Juan en el desierto *de la Judea* bautizando y predicando el bautismo de penitencia para la remisión de los pecados;

5. Y acudía a él todo el país de Judea y todas las gentes de Jerusalén; y confesando sus pecados, recibían de su mano el bautismo en el río Jordán.

6. Andaba Juan vestido con *un saco de pe*los de camello. y traía un ceñidor de cuero a la cintura, sustentándose de langostas y miel silvestre. Y predicaba diciendo:

7. En pos de mí viene uno que es más poderoso que yo, ante el cual no soy digno ni de postrarme para desatar la correa de sus zapatos.

8. Yo os he bautizado con agua: mas él os bautizará con el Espíritu Santo.

9. Por estos días fué cuando vino Jesús desde Nazaret, *ciudad* de Galilea, y Juan le bautizó en el Jordán.

**10.** Y luego al salir del agua, vió abrirse los cielos, y al Espíritu *Santo* descender en forma de paloma y posar sobre él mismo.

**11.** Y se oyó esta voz del cielo: Tú eres el Hijo mío querido: en ti es en quien me estoy complaciendo.

**12.** Luego después el *mismo* Espíritu le arrebató al desierto.

**13.** Donde se mantuvo cuarenta días y cuarenta noches. Allí fué tentado de Satanás; y moraba entre las fieras, y los ángeles le servían.

**14.** Pero después que Juan fué puesto en la cárcel, vino Jesús a *la alta* Galilea predicando el Evangelio del reino de Dios.

**15.** Y diciendo: Se ha cumplido ya el tiempo, y el reino de Dios está cerca: haced penitencia, y creed al Evangelio.

**16.** En esto, pasando por la ribera del mar de Galilea, vió a Simón y a su hermano Andrés, echando las redes al mar (pues eran pescadores);

**17.** Y díjoles Jesús: Seguidme, y yo haré que vengáis a ser pescadores de hombres.

**18.** Y ellos prontamente, abandonadas las redes, le siguieron.

**19.** Habiendo pasado un poco más adelante, vió a Santiago, hijo de Zebedeo, y a Juan su hermano, ambos asímismo en la barca componiendo las redes.

**20.** Llamólos luego; y ellos dejando a su padre Zebedeo en la barca con los jornales, se fueron en pos de él.

**21.** Entraron después en Cafarnaúm, y Jesús comenzó luego en los sábados a enseñar al pueblo en la sinagoga.

**22.** Y los oyentes estaban asombrados de su doctrina; porque su modo de enseñar era como de persona que tiene autoridad y no como los escribas.

**23.** Había en la sinagoga un hombre poseído del espíritu inmundo, el cual exclamo,

**24.** Diciendo: ¿Qué tenemos nosotros que ver contigo, oh Jesús Nazareno? ¿has venido a perdernos? Ya sé quién eres: *eres* el Santo de Dios.

**25.** Mas Jesús le conminó diciendo: Enmudece, y sal de ese hombre.

**26.** Entonces el espíritu inmundo agitándole con violentas convulsiones, y dando grandes alaridos, salió de él,

**27.** Y quedaron todos atónitos, tanto que se preguntaban unos a otros: ¿Qué es esto? ¿Qué nueva doctrina es ésta? El manda con imperio aun a los espíritus inmundos, y le obedecen.

**28.** Con esto creció luego su fama por toda la Galilea.

**29.** Así que salieron de la sinagoga, fueron con Santiago y Juan a casa de Simón y de Andrés.

**30.** Hallábase la suegra de Simón en cama con calentura, habláronle luego de ella;

**31.** Y acercándose, la tomó por la mano y la levantó; y al instante la dejó la calentura y se puso a servirles.

**32.** Por la tarde, puesto ya el sol, le traían todos los enfermos y endemoniados.

**33.** Y toda la ciudad se había juntado delante de la puerta.

**34.** Y curó a muchas personas afligidas de varias dolencias, y lanzó a muchos demonios, sin permitirles decir que sabían quién era.

**35.** Por la mañana muy de madrugada salió fuera a un lugar solitario, y hacía allí oración.

**36.** Pero Simón y los que estaban con él fueron en su seguimiento.

**37.** Y habiéndole hallado, le dijeron: todos te andan buscando.

**38.** A lo cual respondió: Vamos a las aldeas y ciudades vecinas para predicar yo también en ellas *el Evangelio,* porque para eso he venido.

**39.** Iba, pues, Jesús predicando en sus sinagogas y por toda la Galilea, y expelía a los demonios.

**40.** Vino también a él un leproso a pedirle favor; e hincándose de rodillas, le dijo: Si tú quieres, puedes curarme.

**41.** Jesús. compadeciéndose de él, extendió la mano, y tocándole, le dice: Quiero: sé curado.

**42.** Y acabando de decir esto al instante desapareció de él la lepra, y quedó curado;

**43.** Y Jesús le despachó luego conminándole,

**44.** Y diciéndole: Mira que no lo digas a nadie; pero ve y preséntate al príncipe de los sacerdotes, y ofrece por tu curación lo que tiene Moisés ordenado, para que esto les sirva de testimonio.

**45.** Mas aquel hombre, así que se fué, comenzó a hablar de su curación, y a publicarla por todas partes; de modo que ya no podía *Jesús* entrar manifiestamente en la ciudad, sino que andaba fuera por lugares solitarios, y acudían a él de todas partes.

---

CAP. PRIMERO. — **25.** Que no quería que el padre de la mentira publicara esta verdad, solo conocida del demonio por conjeturas.

**26.** La palabra griega *sparagmós*, de la cual viene *espasmos,* significa CONVULSIÓN.

---

**44.** De mi poder, y de mi observancia de la ley. *Ley* XIV. *v.* 2.

## CAPITULO II

*Cura Jesús a un paralítico en prueba de su potestad de perdonar pecados. Llama al apostolado a Leví o Mateo, cobrador de tributos; y reprime con su doctrina el orgullo e hipocresía de los fariseos.*

1. Al cabo de algunos días volvió a entrar en Cafarnaúm.

2. Y corriendo la voz de que estaba en la casa, acudieron muchos en tanto número, que no cabían *ni dentro*, ni aun *fuera* delante de la puerta; y él les anunciaba la palabra *de Dios.*

3. Entonces llegaron unos conduciendo a cierto paralítico que llevaban entre cuatro;

4. Y no pudiendo presentárselo por causa del gentío que estaba alrededor, descubrieron el techo por la parte bajo la cual estaba *Jesús,* y por su abertura, descolgaron la camilla en que yacía el paralítico.

5. Viendo Jesús la fe de aquellos hombres, dijo al. paralítico: Hijo, tus pecados te son perdonados.

6. Estaban allí sentados algunos de los escribas, y decían en su interior:

7. ¿Qué es lo que éste habla? Este *hombre* blasfema: ¿quién puede perdonar pecados, si no solo Dios?

8. Mas como Jesús penetrase al momento con su espíritu esto mismo que interiormente pensaban, díceles: ¿Que andáis revolviendo esos pensamientos en vuestros corazones?

9. ¿Qué es más fácil, decir al paralítico: Tus pecados te son perdonados: o decir: Levántate, toma tu camilla y camina ?

10. Pues para que sepáis que el que *se llama* Hijo del hombre tiene potestad en la tierra de perdonar pecados: Levántate (dijo al paralítico):

11. Yo te lo digo; coge tu camilla y vete a tu casa.

12. Y al instante se puso en pie, y cargando con su camilla, se marchó a vista de todo el mundo; de forma que todos estaban pasmados, y dando gloria a Dios decían: Jamás habíamos visto cosa semejante.

13. Otra vez salió hacia el mar, y todas las gentes se iban en pos de él, y las adoctrinaba.

14. Al paso vió a Leví, hijo de Alfeo, sentado al banco o *mesa* de los tributos, y díjole: Sígueme; y levantándose *al instante*, le siguió.

15. Aconteció después estando a la mesa en casa de éste, que muchos publicanos y gentes de mala vida se pusieron a ella con Jesús y sus discípulos; porque *aun entre aquéllos* eran no pocos los que le seguían.

16. Mas los escribas y fariseos, al ver que comía con publicanos y pecadores, decían a sus discípulos: ¿ Cómo es que vuestro maestro come y bebe con publicanos y pecadores?

17. Habiéndolo oído Jesús, les dijo: Los que están buenos no necesitan de médico, sino los que están enfermos; así, yo no he venido a llamar, *o convertir*, a los justos, sino a los pecadores.

18. Siendo también los discípulos de Juan y los fariseos muy dados al ayuno, vinieron a preguntarle: ¿No nos dirás por qué razón, ayunando los discípulos de Juan y los de los fariseos, no ayunan tus discípulos?

19. Respondióles: ¿Cómo es posible que los compañeros del esposo *en las bodas* ayunen, ínterin que el esposo está en su compañía? Mientras que tienen consigo al esposo no pueden ellos ayunar.

20. Tiempo vendrá en que les quitarán al esposo; y entonces será cuando ayunarán.

21. Nadie cose un retazo de paño nuevo *o recio* en un vestido viejo; de otra suerte, el remiendo nuevo rasga lo viejo, y se hace mayor la rotura.

22. Tampoco echa nadie vino nuevo en cueros viejos, y se derramará el vino, y los cueros se perderán. Por tanto, el vino nuevo en pellejos nuevos debe meterse.

23. En otra ocasión, caminando el Señor por junto a unos sembrados un día de sábado, sus discípulos se adelantaron y empezaron a coger espigas, *y a comer el grano.*

24. Sobre lo cual le decían los fariseos: ¿Cómo es que hacen lo que no es lícito en sábado?

25. Y él les respondió: ¿no habéis vosotros jamás leído lo que hizo David en la necesidad en que se vió, cuando se halló acosado del hambre, así él como los que le acompañaban?

---

CAP. II. — 10. *Hijo del Hombre,* expresión que se encuentra *catorce* veces en San Marcos, *ochenta y dos* en los Evangelios.

---

CAP. II. —24. Aquí se ve el que tiene un celo que no es según *ciencia,* pensando defender la ley la combate, y por seguir la letra de ella contraria su espíritu. El orgullo nos mueve a hacernos jueces de todo, y nos hace propensos a condenar siempre las acciones del prójimo.

**26.** ¿Cómo entró en la casa de Dios en tiempo de Abiatar, príncipe de los sacerdotes, y comió los panes de la proposición, de que no era lícito comer sino a los sacerdotes, y dió de ellos a los que le acompañaban?

**27.** Y añadióles: El sábado se hizo para *el bien de* el hombre, y no el hombre para el sábado.

**28.** En fin, el Hijo del hombre aun del sábado es dueño.

## CAPITULO III

*Jesús cura a un hombre que tenía la mano seca, es seguido de muchos pueblos, elige a los doce Apóstoles, y responde con admirable mansedumbre a los diteríos y blasfemias de los escribas.*

**1.** Otra vez *en sábado* entró Jesús en la sinagoga; y hallábase en ella un hombre que tenía seca una mano.

**2.** Y le estaban acechando si curaría en día sábado, para acusarle.

**3.** Y dijo al hombre que tenía seca la mano: Ponte en medio.

**4.** Y a ellos les dice: ¿Es lícito en sábado el hacer bien, o mal? ¿salvar la vida *a una persona,* o quitársela? Mas ellos callaban.

**5.** Entonces *Jesús* clavando en ellos sus ojos llenos de indignación, y deplorando la ceguedad de su corazón, dice al hombre: Extiende la mano: extendióla, y quedóle, *perfectamente* sana.

**6.** Pero los fariseos, saliendo de allí, se juntaron luego en consejo contra él con los herodianos, sobre la manera de perderle.

**7.** Y Jesús con sus discípulos se retiró a la ribera del mar *de Tiberíades,* y le fué siguiendo mucha gente de Galilea y de Judea,

**8.** Y de Jerusalén, y de la Idumea, y del otro lado del Jordán. También los comarcanos de Tiro y de Sidón, en gran multitud, vinieron a verle, oyendo las cosas que hacía.

**9.** Y así dijo a sus discípulos que le tuviesen dispuesta una barquilla, para que el tropel de la gente no le oprimiese.

**10.** Pues curando, como curaba, a muchos, echábanse a porfía encima de él, a fin de tocarle todos los que tenían males;

**11.** Y *hasta los poseídos de* espíritus inmundos, al verle se le arrodillaban y gritaban, diciendo:

**12.** Tú eres el Hijo de Dios. Mas él los apercibía con graves amenazas para que no le descubriesen.

**13.** Subiendo después Jesús a un monte, llamó a sí a aquellos *de sus discípulos* que le plugo:

**14.** Y llegados que fueron, escogió doce para tenerlos consigo, y enviarlos a predicar,

**15.** Dándoles potestad de curar enfermos y expeler demonios;

**16.** *A saber:* Simón, a quien puso el nombre de Pedro;

**17.** Santiago, hijo de Zebedeo, y Juan, hermano de Santiago, a quienes apellidó Boanerges, esto es, hijos del trueno, *o rayos;*

**18.** Andrés, Felipe, Bartolomé, Mateo, Tomás, Santiago, hijo de Alfeo, Tadeo, Simón el Cananeo

**19.** Y Judas Iscariote, el mismo que le vendió.

**20.** De aquí vinieron a la casa, y concurrió de nuevo tal tropel de gente, que ni siquiera podían tomar alimento.

**21.** Entre tanto, *algunos de* sus deudos *que no creían en él,* con estas noticias salieron para recogerle; porque decían que había perdido el juicio.

**22.** Al mismo tiempo los escribas que habían bajado de Jerusalén, no dudaban decir: Está poseído de Beelzebub; y así, por arte del príncipe de los demonios es como lanza los demonios.

**23.** Mas *Jesús,* habiéndolos convocado, les decía *o refutaba* con estos símiles: ¿Cómo puede Satanás expeler a Satanás?

**24.** Pues si un reino se divide en partidos contrarios, es imposible que subsista el tal reino.

**25.** Y si una casa está desunida en contrarios partidos, la tal casa no puede quedar en pie.

**26.** Con que si Satanás se levanta contra sí mismo, está *su reino* en discordia, y no puede durar; antes está cerca su fin.

**27.** Ninguno puede entrar en la casa del valiente para robarle sus alhajas, si primero no ata bien al valiente; después sí que podrá saquear la casa.

**28.** En verdad os digo, *añadió,* que todos los pecados se perdonarán *fácilmente* a los hijos de los hombres, y aun las blasfemias que dijeren;

**29.** Pero el que blasfemare contra el Espíritu Santo, no tendrá jamás perdón, sino que será reo de eterno juicio *o condenación.*

---

CAP. III. — **29.** Esto es, será sumamente difícil su arrepentimiento.

**30.** *Les decía esto* porque le acusaban de que estaba poseído del espíritu inmundo.

**31.** Entre tanto, llegan su madre y hermanos, *o parientes; y* quedándose fuera *a la puerta,* enviaron a llamarle.

**32.** Estaba mucha gente sentada alrededor de él, cuando le dicen: Mira que tu madre y tus hermanos ahí fuera te buscan.

**33.** A lo que respondió diciendo: ¿Quién es mi madre y mis hermanos?

**34.** Y dando una mirada a los que estaban sentados alrededor de sí, dijo: Veis aquí a mi madre y a mis hermanos;

**35.** Porque cualquiera que hiciere la voluntad de Dios, ése es mi hermano, y mi hermana, y mi madre.

## CAPITULO IV

*Parábolas del sembrador y su explicación. La luz sobre el candelero. Semilla que nace y crece durmiendo el que la sembró. Otra parábola del grano de mostaza. Tempestad en el mar apaciguada de repente.*

**1.** Otra vez se puso a enseñar cerca del mar; y acudió tanta gente que le fué preciso subir en una barca, y sentarse en ella dentro del mar, estando todo el auditorio en tierra a la orilla.

**2.** Y les enseñaba muchas cosas, usando de parábolas, y decíales así, conforme a su manera de enseñar:

**3.** Escuchad: haced cuenta que salió un sembrador a sembrar;

**4.** Y al esparcir el grano, parte cayó junto al camino, y vinieron las aves del cielo y lo comieron.

**5.** Parte cayó sobre pedregales, donde había poca tierra, y luego nació por no poder profundizar en ella;

**6.** Mas calentando el sol, se agostó; y como no tenía raíces, secóse.

**7.** Otra parte cayó entre espinas, y las espinas crecieron y lo ahogaron, y así no dió fruto.

**8.** Finalmente, parte cayó en buena tierra, y dió fruto erguido y abultado, cuál a treinta por uno, cuál a sesenta, y cuál a ciento.

**9.** Y decíales: Quien tiene oídos para oír, escuche *y reflexione.*

**10.** Estando después a solas, le preguntaron los doce que estaban con él *la significación de* la parábola.

**11.** Y él les decía: A vosotros se *os* ha concedido el saber *o conocer* el misterio del reino de Dios; pero a los que son extraños *o incrédulos,* todo se les anuncia en parábolas.

**12.** De modo que viendo, vean y no reparen; y oyendo, oigan y no entiendan, por miedo de llegar a convertirse, y de que se les perdonen los pecados.

**13.** Después les dijo: ¿Con que vosotros no entendéis esta parábola? ¿Pues cómo entenderéis todas las demás?

**14.** Escuchad: El sembrador es el que siembra la palabra *de Dios.*

**15.** Los sembrados junto al camino, son aquellos *hombres* en que se siembra la palabra, y luego que la han oído, viene Satanás y se lleva la palabra sembrada en sus corazones.

**16.** A ese modo los sembrados en pedregales, son aquellos que, oída la palabra *evangélica,* desde luego la reciben con gozo;

---

CAP. III. — 32. No hubo jamás madre más Santa que la del Hijo de Dios; ni hijo tampoco, que amase más a su madre, que Jesucristo. Mas después que comenzó a ejercitar su misión entre los hombres, rara vez se lee que se hallase esta santa Madre con su Hijo, Y aun parece que la tratara siempre con no poca indiferencia, cuando se le presentaba la ocasión. Con esto quiso dejar un modelo de la conducta que deben guardar los pastores y prelados, aun con aquellos que tienen el primer lugar entre sus parientes. Un digno ministro de Jesucristo no conoce a los que le tocan según la carne, cuando se trata del exacto cumplimiento y desempeño de su ministerio. Con esta distinción de persona pública y de persona particular, se pueden interpretar benignamente las expresiones con que S. Juan Crisóstomo comenta y glosa la aparente sequedad con que el Hijo de Dios y de la Virgen contestó a este aviso.

33. MS. El recudióles.

34. Cató contra los que estaban en derredor. *He mi madre, e mios hermanos.*

---

CAP. IV. — 11. En pena de su voluntaria ceguedad y del desprecio que hacen de mi doctrina. Los judíos llamaban extraño o de fuera a todo el que no era de la Judea: y este modo de hablar se usó después para denotar que no eran cristianos. *Cor.* V, *v.* 12. *Colos.* IV, *v.* 5. *Thessal.* IV, *v.* 12.

17. Mas no echa raíces en ellos, y así dura muy poco, y luego que viene alguna tribulación o persecución por causa de la palabra *de Dios*, al instante se rinden.

18. Los otros sembrados entre espinas son los que oyen la palabra;

19. Pero los afanes del siglo, y la ilusión de las riquezas, y los demás apetitos desordenados a que dan entrada, ahogan la palabra *divina, y* viene a quedar infructuosa.

20. Los sembrados, en fin, en buena tierra, son los que oyen la palabra y la reciben *y conservan en su seno,* y dan fruto, quién a treinta por uno, quién a sesenta, y quién a ciento.

21. Decíales también: ¿Por ventura se trae *o enciende* una luz para ponerla debajo de algún celemín o debajo de la cama? ¿No es para ponerla sobre un candelero?

22. Nada, pues, hay *aquí* secreto que no se deba manifestar, ni cosa alguna que se haga para estar encubierta, sino para publicarse.

23. Quien tiene buenos oídos, entiéndalo.

24. Decíales igualmente: Atended *bien* a lo que vais a oír: La misma medida que hicieres servir para los demás, servirá para vosotros; y aun se os dará con creces.

25. Porque al que *ya* tiene, se le dará *aún más; y* el que no tiene será privado aun de aquello que *parece* que tiene.

26. Decía asimismo: El reino de Dios viene a ser a manera de un hombre que siembra su heredad.

27. Y ya duerma o vele noche y día, el grano va brotando y creciendo sin que el homhre lo advierta.

28. Porque la tierra de suyo próduce primero el trigo en hierba, luego la espiga, y por último, el grano lleno en la espiga.

29. Y despúes que está el fruto maduro, inmediatamente se le echa la hoz, porque llegó ya el tiempo de la siega.

30. Y proseguía diciendo: ¿A qué cosa compararemos *aún* el reino de Dios? ¿o con qué parábola le representaremos?

31. Es como el granito de mostaza, que cuando se siembra en la tierra es la más pequeña entre las simientes que hay en ella.

32. Mas después de sembrado, sube y se hace mayor que todas las legumbres, y echa ramas tan grandes, que las aves del cielo pueden reposar debajo de su sombra.

33. Con muchas parábolas semejantes a ésta les predicaba la palabra *de Dios,* conforme a la capacidad de los oyentes;

34. Y no les habla sin parábolas: bien es verdad que aparte se lo descifraba todo a sus discípulos.

35. En aquel mismo día, siendo ya tarde, les dijo: Pasemos a la ribera de enfrente.

36. Y despidiendo al pueblo, estando *Jesús* como estaba en la barca, se hicieron con él a la vela; y le iban acompañando otros *varios* barcos.

37. Levantóse entonces una gran tempestad de viento, que arrojaba las olas en la barca; de manera que ya ésta se llenaba de agua.

38. Entre tanto él estaba durmiendo en la popa sobre un cabezal. Despiértanle, pues, y le dicen: Maestro, ¿no se te da nada que perezcamos?

39. Y él, levantándose, amenazó al viento, y dijo a la mar: Calla tú, sosiégate; *y al instante* calmó el viento y sobrevino una gran bonanza.

40. Entonces les dijo: ¿De qué teméis? ¿Cómo no tenéis fe todavía? Y quedaron sobrecogidos de grande espanto, diciéndose unos a otros: ¿Quién es éste a quien aun el viento y la mar prestan obediencia?

## CAPITULO V

*Jesús expele los demonios de un hombre y les permite entrar en una piara de cerdos. Sana a una mujer de un envejecido flujo de sangre: y resucita a la hija de Jaíro.*

1. Pasaron después al otro lado del lago, al territorio de los gerasenos.

2. Apenas desembarcado, le salió al encuentro un energúmeno salido de los sepulcros *o cuevas sepulcrales.*

3. El cual tenía su morada en ellos, y no había hombre que pudiese refrenarlo, ni aun con cadenas.

4. Pues muchas veces, aherrojado con grillos y con cadenas, había roto las cadenas y despedazado los grillos, sin que nadie pudiese domarle.

5. Y andaba siempre día y noche por los sepulcros y por los montes, gritando y sajándose con *agudas* piedras.

6. *Este*, pues, viendo de lejos a Jesús, corrió a él y le adoró.

7. Y clamando en alta voz dijo: ¿Qué tengo yo que ver contigo, Jesús, Hijo del Altísimo Dios? En nombre del mismo Dios te conjuro que no me atormentes.

---

CAP. V. — 1. País de la tribu de Manases; otros leen gadarenos.

**8.** Y es que Jesús le decía: Sal, espíritu inmundo, *sal* de ese hombre.

**9.** Y preguntóle Jesús: ¿Cuál es tu nombre? Y él respondió: Mi nombre es legión, porque somos muchos.

**10.** Y suplicábale con ahinco que no le echase de aquel país.

**11.** Estaba paciendo en la falda del monte vecino una gran piara de cerdos;

**12.** Y los espíritus *infernales* le rogaban diciendo: Envíanos a los cerdos para que vayamos y estemos dentro de ellos;

**13.** Y Jesús se lo permitió al instante; y saliendo los espíritus inmundos, entraron en los cerdos; y con gran furia toda la piara, corrió a despeñarse en el mar, en donde se anegaron *todos*.

**14.** Los que los guardaban se huyeron, y trajeron las nuevas a la ciudad y a las alquerías; las gentes salieron a ver lo acontecido.

**15.** Y llegando adonde estaba Jesús, ven al que antes era atormentado del demonio, sentado, vestido y en su sano juicio, y quedaron espantados.

**16.** Los que se habían hallado presentes les contaron lo que había sucedido al endemoniado, y el azar de los cerdos.

**17.** Y *temiendo nuevas pérdidas*, comenzaron a rogarle que se retirase de sus términos.

**18.** Y al ir Jesús a embarcarse, se puso a suplicarle el que había sido atormentado del demonio que le admitiese en su compañía.

**19.** Mas Jesús no le admitió, sino que le dijo: Vete a tu casa y con tus parientes, y anuncia a los tuyos la gran merced que te ha hecho el Señor, y la misericordia que ha usado contigo.

**20.** Fuése aquel hombre, y empezó a publicar por *el distrito de* Decápolis cuántos beneficios había recibido de Jesús, y todos quedaban pasmados.

**21.** Habiendo pasado Jesús otra vez con el barco a la opuesta orilla, concurrió gran muchedumbre de gente a su encuentro; y estando todavía en la ribera del mar,

**22.** Vino en busca de él uno de los arquisinagogos, llamado Jairo, el cual luego que le vió se arrojó a sus pies.

**23.** Y con muchas instancias le hacía esta súplica: Mi hija está a los últimos; ven y pon sobre ella tu mano para que sane y viva.

**24.** Fuése Jesús con él, y en su seguimiento mucho tropel de gente que le apretaba.

**25.** En esto una mujer que padecía flujo de sangre doce años hacía,

**26.** Y había sufrido mucho en mano de varios médicos, y gastado toda su hacienda sin el menor alivio, antes lo pasaba peor;

**27.** Oída la fama de Jesús, se llegó por detrás entre la muchadumbre de gente, y tocó su ropa,

**28.** Diciendo para consigo: Como llegue a tocar su vestido, sanaré.

**29.** *En efecto*, de repente aquel manantial de sangre se le secó, y percibió en su cuerpo que estaba ya curada de su enfermedad.

**30.** Al mismo tiempo Jesús, conociendo la virtud que había salido de sí, vuelto a los circunstantes, decía: ¿Quién ha tocado mi vestido?

**31.** A lo que respondían los discípulos: ¿Estáis viendo la gente que te comprime por todos lados, y dices: quién me ha tocado?

**32.** Mas Jesús proseguía mirando a todos lados para distinguir la *persona* que había hecho esto.

**33.** Entonces la mujer, sabiendo lo que había experimentado en sí misma, medrosa, y temblando se descubrió, y postrándose a sus pies, le confesó toda la verdad.

**34.** El entonces le dijo: Hija, tu fe te ha curado; vete en paz, y queda libre de tu mal.

**35.** Estando aún hablando, llegaron de casa del jefe de la sinagoga a decirle a éste: Murió ya tu hija, ¿para qué cansar *en vano* al Maestro?

**36.** Mas Jesús, oyendo lo que decían, dijo al jefe de la sinagoga: No temas, ten fe solamente.

**37.** Y no permitió que le siguiese ninguno fuera de Pedro, y Santiago, y Juan el hermano de Santiago.

**38.** Llegados que fueron a casa del jefe de la sinagoga, ve la confusión y los grandes lloros y alaridos de aquella gente;

**39.** Y entrando dentro, les dice: ¿De qué os afligís tanto y lloráis? La muchacha no está muerta, sino dormida.

**40.** Y se burlaban de él, *sabiendo bien lo contrario*. Pero Jesús, haciéndoles salir a todos fuera, tomó consigo al padre y a la madre de la muchacha, y a los *tres discípulos* que estaban con él, y entró adonde la muchacha estaba echada.

**41.** Y tomándola de la mano, le dice: Talitha, cumi; es decir: Muchacha, levántate (yo te lo mando).

**42.** Inmediatamente se puso en pie la muchacha y echó a andar, pues tenía ya doce años, con lo que quedaron poseídos del mayor asombro.

**43.** Pero Jesús les mandó muy estrechamente *que procuraran* que nadie lo supiera; y dijo que diesen de comer a la muchacha.

## CAPITULO VI

*Jesús obra pocos milagros en su patria castigando así su incredulidad. Misión de los Apóstoles. Prisión y muerte de Juan Bautista. Milagro de los cinco panes y dos peces. Jesús anda sobre las aguas, y cura a muchos enfermos.*

**1.** Partido de aquí, se fué a su patria; y le se-guían sus discípulos.

**2.** Llegado el sábado, comenzó a enseñar en la sinagoga; y muchos de los oyentes, admirados de su sabiduría decían: ¿De dónde saca éste todas estas cosas *que dice?* ¿y qué sabiduría es esta que se le ha dado? ¿y de dónde tantas maravillas como obra?

**3.** ¿No es éste aquel artesano, hijo de María *primo* hermano de Santiago, y de José, y de Judas y de Simón? ¿Y sus *primas* hermanas no moran aquí entre nosotros? Y estaban escandalizados de él *por la humildad de su nacimiento.*

**4.** Mas Jesús les decía: Cierto que ningún profeta está sin honor, *o estimación,* sino en su patria, en su casa y en su parentela.

**5.** Por lo cual no podía obrar allí milagro alguno *grande.* Curó solamente algunos pocos enfermos imponiéndoles las manos.

**6.** Y admirábase de la incredulidad de aquellas gentes, y andaba predicando por todas las aldeas del contorno.

**7.** Y habiendo convocado a los doce, comenzó a enviarlos de dos en dos *a predicar,* dándoles potestad sobre los espíritus inmundos.

**8.** Y les mandó que nada se llevasen para el camino, sino el solo báculo *o bordón;* no alforja, no pan, ni dinero en el cinto, *o faja;*

**9.** Con *sólo* un calzado de sandalias, y sin muda de dos túnicas.

**10.** Advertíales asimismo: Donde quiera que tomareis posada, estaos allí hasta salir del lugar.

**11.** Y donde quiera que os desecharen, ni quisieren escucharos, retirandoos de allí, sacudid el polvo de vuestros pies, en testimonio contra ellos.

**12.** De esta suerte salieron a predicar, *exhortando* a todos a que hiciesen penitencia;

**13.** Y lanzaban muchos demonios, y ungían a muchos enfermos con óleo y los sanaban.

**14.** Oyendo estas cosas el rey Herodes (pues se había hecho *ya* célebre el nombre de Jesús), decía: Sin duda que Juan Bautista ha resucitado de entre los muertos; y por eso tiene la virtud de hacer milagros.

**15.** Otros decían: No es, sino Elías. Otros, empero: Este es un profeta igual a los *principales* profetas.

**16.** Mas Herodes, habiendo oído esto dijo: Este es aquel Juan a quien yo mandé cortar la cabeza, el cual ha resucitado de entre los muertos.

**17.** Porque *es de saber que* el dicho Herodes había enviado a prender a Juan, y le aherrojó en la cárcel por amor de Herodías, mujer de su hermano Filipo, con la cual se había casado.

**18.** Porque Juan decía a Herodes: No te es lícito tener por mujer a la que lo es de tu hermano.

**19.** Por eso Herodías le armaba acechanzas y deseaba quitarle la vida; pero no podía conseguirlo,

**20.** Porque Herodes, sabiendo que Juan era un varón justo y santo, le temía y miraba con respeto, y hacía muchas cosas por su consejo, y le oía con gusto.

**21.** Mas, en fin, llegó un día favorable *el designio de Herodías,* en que por la fiesta del nacimiento de Herodes convidó éste a cenar a los grandes de su corte, y a los primeros capitanes de sus tropas y a la gente principal de Galilea;

**22.** Entró la hija de Herodías, bailó, y agradó tanto a Herodes y a los convidados, que dijo el rey a la muchacha: Pídeme cuanto quisieres, que te lo daré;

**23.** Y le añadió con juramemto: Sí, te daré todo lo que me pidas, aunque sea la mitad de mi reino.

**24.** Y habiendo ella salido, dijo a su madre: ¿Qué pediré? Respondióle: la cabeza de Juan Bautista

**25.** Y volviendo al instante a toda prisa adonde estaba el rey, le hizo esta demanda: Quiero que me des luego en una fuente la cabeza de Juan Bautista.

---

**CAP. VI** — 5. Esto es, *no quería,* por causa de la dureza de corazón de sus paisanos.— *Matth* XIII. *v.* 58. Podría traducirse *no convenía.* Es una frase común a muchos idiomas el decir *no puedo* en lugar de *no quiero.* Y esta significación tiene el verbo *possum,* en varios lugares de la Escritura *Act.* IV, *v.* 20. — *Joann* VII, *v.* 7 — II *Cor* XIII, *v.* 8.

---

**15.** Puede traducirse según indica el texto griego *éste es el Profeta:* como quien dice el profeta prometido por Dios (*Deut.* XVIII): o a lo menos uno de los grandes profetas.

**26.** El rey se puso triste: mas en atención al *impío* juramento, y a los que estaban con él a la mesa, no quiso disgustarla,

**27.** Sino que enviando un alabardero, mandó traer la cabeza de Juan en una fuente. El alabardero, pues, le cortó la cabeza en la cárcel:

**28.** Y trájola en una fuente, y se la entregó a la muchacha, que se la dió a su madre.

**29.** Lo cual sabido, vinieron sus discípulos y cogieron su cuerpo y le dieron sepultura.

**30.** Los apóstoles, pues, *de vuelta de su misión*, reuniéndose con Jesús, le dieron cuenta de todo lo que habían hecho y enseñado.

**31.** Y él les dijo: Venid a retiraros conmigo en un lugar solitario y reposareis un poquito; porque eran tantos los yentes y vinientes, que ni aun tiempo de comer les dejaban.

**32.** Embarcándose, pues, fueron a buscar un lugar desierto para estar allí solos.

**33.** Mas como al irse los vieron y observaron muchos, de todas las ciudades *vecinas* acudieron por tierra a aquel sitio, y llegaron antes que ellos.

**34.** En desembarcando, vio Jesús la mucha gente *que le aguardaba,* y enterneciéronsele con tal vista las entrañas; porque andaban como ovejas sin pastor; y asi se puso a instruirlos en muchas cosas.

**35.** Pero haciéndose ya muy tarde, se llegaron a él sus discípulos, y le dijeron: Este es un lugar desierto, y ya es tarde;

**36.** Despáchalos, a fin de que vayan a las alquerías y aldeas cercanas a comprar qué comer.

**37.** Mas él les respondió: Dadles vosotros de comer. Y ellos le replicaron: Vamos, pues, y *bien es menester que* gastemos doscientos denarios para comprar panes si les habemos de dar *algo* de comer.

**38.** Díjoles Jesús: ¿Cuántos panes tenéis? Id y miradlo. Habiéndolo visto, le dicen: cinco, y dos peces.

**39.** Entonces les mandó que hiciesen sentar a todos sobre la hierba verde, divididos en cuadrillas.

**40.** Así se sentaron repartidos en cuadrillas, de ciento en ciento, y de cincuenta en cincuenta.

**41.** Después, tomados los cinco panes y los dos peces, levantando los ojos al cielo los bendijo; y partió los panes y diólos a sus discípulos para que se los distribuyesen; igualmente repartió los dos peces entre todos;

**42.** Y todos comieron y se saciaron.

**43.** Y de lo que sobró recogieron *los discípulos* doce canastos llenos de pedazos de pan, y de los peces:

**44.** Y *eso que* los que comieron fueron cinco mil hombres.

**45.** Inmediatamente obligó a sus discípulos a subir en la barca para que pasasen antes que él al otro lado del lago, hacia Betsaida, mientras él despedía al pueblo.

**46.** Así que le despidió, retiróse a orar en el monte.

**47.** Venida la noche, la barca estaba en medio del mar, y él solo en tierra,

**48.** Desde donde viéndolos remar con gran fatiga (por cuanto el viento les era contrario), a eso de la cuarta vela de la noche vino hacia ellos caminando sobre el mar, e hizo ademán de pasar adelante.

**49.** Mas ellos, como le vieron caminar sobre el mar, pensaron que era algún fantasma, y levantaron el grito;

**50.** Porque todos le vieron y se asustaron. Pero Jesús les habló luego, y dijo: ¡Buen ánimo! soy yo, no tenéis que temer.

**51.** Y se metió con ellos en la barca, y cesó *al instante* el viento: con lo cual quedaron mucho más asombrados.

**52.** Y es que no habían hecho reflexión sobre el milagro de los panes; porque su corazon estaba *aún* ofuscado.

**53.** Atravesado, pues, el lago, arribaron a tierra de Genezaret, y abordaron allí.

**54.** Apenas desembarcaron, cuando luego fué conocido.

**55.** Y recorriendo toda la comarca entera, empezaron *las gentes* a sacar en andas a todos los enfermos, llevándolos adonde oían que paraba.

**56.** Y doquiera que llegaba, fuesen aldeas, o alquerías, o ciudades, ponían los enfermos en las calles, suplicándole que les dejase tocar siquiera el ruedo de su vestido; y todos cuantos le tocaban quedaban sanos.

## CAPITULO VII

*Jesús reprende la hipocresía y supersticiones de los fariseos. Fe grande de la Cananea, por la cual libra del demonio a su hija. Cura a un hombre sordo y mudo.*

**1.** Acercáronse a Jesús los fariseos y algunos de los escribas venidos de Jerusalen.

2. Y habiendo observado que algunos de sus discípulos comían con manos inmundas, esto es, sin habérselas lavado, se lo vituperaron.

3. Porque los fariseos, como todos los judíos, nunca comen sin lavarse a menudo las manos, siguiendo la tradición de sus mayores;

4. Y si han estado en la plaza, no se ponen a comer sin lavarse primero; y observan *muy escrupulosamente* otras muchas ceremonias que han recibido por tradición, como las purificaciones *o lavatorios* de los vasos, de las jarras, de los utensilios de metal, y de los lechos.

5. Preguntábanle, pues, los escribas y fariseos: ¿Por qué razón tus discípulos no se conforman con la tradición de los antiguos, sino que comen sin lavarse las manos?

6. Mas Jesús les dió esta respuesta: ¡Oh, hipócritas! bien profetizó de vosotros Isaías en lo que dejó escrito: Este pueblo se honra con los labios, pero su corazón está *bien* lejos de mí.

7. En vano, pues, me honran enseñando doctrinas y ordenanzas de hombres.

8. Porque vosotros, dejando el mandamiento de Dios, observáis con escrupulosidad la tradición de los hombres en lavatorios de jarros y de vasos, y en otras muchas cosas semejantes que hacéis.

9. Y añadíales: Bellamente destruís el precepto de Dios para observar vuestra tradición.

10. Porque Moisés dijo: Honra a tu padre y a tu madre, *asistiéndoles en todo;* y quien maldijere al padre o a la madre, muera sin remedio.

11. Vosotros, al contrario, decís: Si uno dice a su padre o a su madre: cualquier corbán (esto es, el don) que yo ofrezca a Dios por mí, cederá en tu provecho,

12. Queda con esto desobligado de hacer más a favor de su padre o de su madre;

13. Aboliendo así la palabra de Dios por una tradición inventada por vosotros mismos, y a este tenor hacéis muchas otras cosas.

14. Entonces, llamando de nuevo *la atención del* pueblo, les decía: Escuchadme todos, y entendedlo bien:

15. Nada de afuera que entra en el hombre, puede hacerle inmundo; mas las cosas que proceden *o salen* del hombre, ésas son las que dejan mácula en el hombre.

16. Si hay quien tenga oídos para oír esto, óigalo y *entiéndalo.*

17. Después que se hubo retirado de la gente y entró en casa, sus discípulos le preguntaban la significación de esta parábola.

18. Y él les dijo: ¡Qué! ¿también vosotros tenéis tan poca inteligencia? ¿Pues no comprendéis que todo lo que de afuera entra en el hombre no es capaz de contaminarle,

19. Supuesto que nada de esto entra en su corazón, sino que va a parar en el vientre, de donde sale con todas las heces de la comida y se echa en lugares secretos?

20. Mas las cosas, decía, que salen *del corazón* del hombre, esas son las que manchan al hombre:

21. Porque del interior del corazón del hombre es de donde proceden los malos pensamientos, los adulterios, las fornicaciones, los homicidios,

22. Los hurtos, las avaricias, las malicias, los fraudes, las deshonestidades, la envidia y *mala intención,* la blasfemia *o maledicencia,* la soberbia, la estupidez *o la sinrazón.*

23. Todos estos vicios proceden del interior, y ésos son los que manchan al hombre.

24. Partiendo de aquí, se dirigió hacia los confines de Tiro y de Sidón, y habiendo entrado en una casa, deseaba que nadie supiese que estaba allí; mas no pudo encubrirse;

25. Porque luego que lo supo una mujer, cuya hija estaba poseída del espíritu inmundo, entró dentro, y se arrojó a sus pies.

26. Era esta mujer gentil, y sirofenicia de nación; y le suplicaba que lanzase de su hija al demonio.

27. Díjola Jesús: Aguarda que primero se sacien los hijos; que no parece bien hecho el tomar el pan de los hijos para echarlo a los perros.

28. A lo que replicó ella, y dijo: Es verdad Señor; pero a lo menos los cachorrillos comen debajo de la mesa las migajas que dejan caer los hijos.

29. Díjola entonces Jesús: Por eso que has dicho, anda, ve, que ya el demonio salió de tu hija.

30. Y habiendo vuelto a su casa, halló a la muchacha reposando sobre la cama, y libre ya del demonio.

---

CAP VII — 6. *Is.* XXIX, *v.* 13. Es evidente que no culpaba Jesucristo a los fariseos por la costumbre de lavarse las manos, sino por el uso supersticioso que hacían de esto, descuidando la observancia de los mandamientos de Dios.

**31.** Dejando Jesús otra vez los confines de Tiro, se fué por *los de* Sidón hacia el mar de Galilea, atravesando el territorio de Decápolis;

**32.** Y presentáronle un hombre sordo y mudo, suplicándole que pusiese sobre él su mano *para curarle.*

**33.** Y apartándole Jesús *del bullicio* de la gente, le metió los dedos en las orejas, y con la saliva le tocó la lengua.

**34.** Y alzando los ojos al cielo, arrojó un suspiro y díjole: Effeta, que quiere decir: abríos.

**35.** Y al momento se le abrieron los oídos, y se le soltó el impedimento de la lengua, y hablaba claramente.

**36.** Y mandóles que no lo dijeran a nadie. Pero cuanto más se lo mandaba, con tanto mayor empeño lo publicaban;

**37.** Y tanto más crecía su admiración, y decían: Todo lo ha hecho bien: él ha hecho oír a los sordos y hablar a los mudos.

## CAPITULO VIII

*Milagro de los siete panes. Jesús instruye a sus discípulos. Da vista a un ciego. Pedro le confiesa por Mesías. Les revela su pasión y muerte, reprende a Pedro, y los anima a llevar la cruz.*

**1.** Por aquellos días habiéndose juntado otra vez un gran concurso de gentes *alrededor de Jesús*, y no teniendo qué comer, convocados sus discípulos, les dijo:

**2.** Me da compasión esta multitud de gentes, porque hace ya tres días que están conmigo, y no tienen qué comer.

**3.** Y si los envío a sus casas en ayunas, desfallecerán en el camino; pues algunos de ellos han venido de lejos.

**4.** Respondiéronle sus discípulos: Y ¿cómo podrá nadie en esta soledad procurarles pan en abundancia?

**5.** El les preguntó: ¿Cuántos panes tenéis? Res-pondieron: Siete.

**6.** Entonces mandó Jesús a la gente que se sentara en tierra; y tomando los siete panes, dando gracias, los partió; y dábaselos a sus discípulos para que los distribuyesen entre las gentes; y se los repartieron.

**7.** Tenían además algunos pececillos; bendíjolos también, y mandó distribuírselos.

**8.** Y comieron hasta saciarse; y de las sobras recogieron siete espuertas,

**9.** Siendo al pie de cuatro mil los que habían comido. En seguida Jesús los despidió.

**10.** E inmediatamente, embarcándose con sus discípulos, pasó al territorio de Dalmanuta,

**11.** De donde salieron los fariseos, y empezaron a disputar con él, pidiéndole, con el fin de tentarle, *les* hiciese *ver* algún prodigio del cielo.

**12.** Mas Jesús, arrojando un suspiro de lo íntimo del corazón, dijo: ¿Por qué pedirá esta raza de hombres un prodigio? En verdad os digo, que a esa gente no se le dará el prodigio *que pretende.*

**13.** Y dejándolos, se embarcó otra vez pasando a la ribera opuesta.

**14.** Habíanse olvidado los discípulos de hacer provisión de pan, ni tenían más que un solo pan consigo en la barca.

**15.** Y Jesús los amonestaba diciendo: Estad alerta y guardaos de la levadura de los fariseos y de la levadura de Herodes.

**16.** Mas ellos, discurriendo entre sí, se decían uno al otro: En verdad que no hemos tomado pan.

**17.** Lo cual, habiéndolo conocido Jesús, les dijo: ¿Qué andáis discurriendo sobre que no tenéis pan? ¡Todavía estáis sin conocimiento ni inteligencia! ¡aún está oscurecido vuestro corazón!

**18.** ¿Tendréis siempre los ojos sin ver, y los oídos sin percibir? ¿No os acordáis ya,

**19.** De cuando repartí cinco panes entre cinco mil hombres, cuántos cestos llenos de las sobras recogísteis entonces? Dícenle: Doce.

**20.** Pues cuando yo dividí siete panes entre cuatro mil, ¿cuántas espuertas sacásteis de los fragmentos *que sobraron?* Dícenle: Siete.

**21.** ¿Y cómo es, *pues*, les añadió, que todavía no entendéis lo que os decía?

**22.** Habiendo llegado a Betsaida, presentáronle un ciego, suplicándole que lo tocase.

**23.** Y él, tomándole por la mano, le sacó fuera de la aldea, y echándole saliva en los ojos, puestas sobre él las manos, le preguntó si veía algo;

**24.** El ciego, abriendo los ojos, dijo: Veo andar a unos hombres, que me parecen como árboles.

**25.** Púsole segunda vez las manos sobre los ojos, y empezó a ver *mejor*; y, finalmente, recobró la vista, de suerte que veía claramente todos los objetos.

**26.** Con lo que le remitió a su casa, diciendo: Vete a tu casa, y si entras en el lugar, no lo digas a nadie.

**27.** Desde allí partió Jesús con sus discípulos por las aldeas *comarcanas* de Cesarea de Filipo; y en el camino les hizo esta pregunta: ¿Quién dicen los hombres que soy yo?

**28.** Respondiéronle: Quién dice que Juan Bautista; quién Elías; y otros, en fin, que eres como uno de los *antiguos* profetas.

**29.** Díceles entonces: ¿Y vosotros, quién decís que soy yo? Pedro, respondiendo por todos, le dice: Tú eres el Cristo o *Mesías*.

**30.** Y les prohibió rigurosamente el decir esto de él a ninguno, *hasta que fuese la ocasión de publicarlo.*

**31.** Y comenzó a declararles cómo convenía que el Hijo del hombre padeciese mucho, y fuese desechado por los príncipes de los sacerdotes, y por los escribas, y que fuese muerto, y que resucitase a los tres días.

**32.** Y hablaba de esto muy claramente. Pedro entonces, tomándole aparte, comenzó a reprenderle *respetuosamente.*

**33.** Pero Jesús vuelto contra él y mirando a sus discípulos *para que atendiesen bien a la corrección,* reprendió asperamente a Pedro, diciendo: Quítateme de delante, Satanás, porque no te saboreas en las cosas de Dios, sino en las de los hombres.

**34.** Después, convocando al pueblo con sus discípulos, les dijo *a todos:* Si alguno quiere venir en pos de mí, niéguese a sí mismo, y cargue con su cruz, y sígame.

**35.** Pues quien quisiere salvar su vida *a costa de su fe,* la perderá *para siempre;* mas quien perdiere su vida por amor de mí y del Evangelio, la pondrá en salvo eternamente.

**37.** Y una vez perdida, ¿por qué cambio podrá rescatarla?

**38.** Ello es que quien se avergonzare de mí y de mi doctrina en medio de esta nación adúltera y pecadora, igualmente se avergonzará de él el Hijo del hombre cuando venga en la gloria de su Padre, acompañado de los santos ángeles.

**39.** Y les añadió: En verdad os digo, que algunos de los que aquí están no han de morir sin que vean la llegada del reino de Dios, *o al Hijo del hombre,* en su majestad.

## CAPITULO IX

*Transfiguración de Jesús, quien cura después a un endemoniado mudo. Poder de la fe, de la oración y del ayuno. Instruye a sus discípulos en la humildad y en los daños que acarrea el pecado de escándalo.*

**1.** Seis días después tomó Jesús consigo a Pedro, y a Santiago y a Juan; y condújolos solos a un elevado monte, en lugar apartado, y se transfiguró en presencia de ellos;

**2.** De forma que sus vestidos aparecieron resplandecientes, y de un candor extremado como la nieve, tan blancos que no hay lavandero en el mundo que así pudiese blanquearlos.

**3.** Al mismo tiempo se les aparecieron Elías y Moisés, que estaban conversando con Jesús.

**4.** Y Pedro, *absorto con lo que veía,* tomando la palabra, dijo a Jesús: ¡Oh Maestro! bueno será quedarnos aquí: hagamos tres pabellones, uno para tí, otro para Moisés, y otro para Elías.

**5.** Porque él no sabía lo que se decía; por estar *todos* sobrecogidos de pasmo.

**6.** En esto se formó una nube que los cubrió, y salió de esta nube una voz *del eterno Padre,* que decía: Este es mi Hijo carísimo: escuchadle a él.

**7.** Y mirando luego a todas partes, no vieron consigo a nadie más, sino solo a Jesús.

**8.** El cual, así que bajaban del monte, les ordenó que a ninguno contasen lo que habían visto, sino cuando el Hijo del hombre hubiese resucitado de entre los muertos.

**9.** En efecto, guardaron en su pecho el secreto; bien que andaban discurriendo entre sí qué quería decir con aquellas palabras: cuando hubiese resucitado de entre los muertos.

**10.** Y le preguntaron: ¿Pues cómo dicen los fariseos y los escribas que ha de venir primero Elías?

---

CAP. IX. — 2. MS. *Ningún tintor.* Otros: *lavador de paños.*

9. Porque no comprendían aun que Jesús, siendo Dios, había de morir y resucitar.

10. Elías al final del mundo ejercerá el ministerio de Apóstol y hará que los Judíos que hubiesen quedado, reconozcan y adoren a Jesucristo como al verdadero Mesías, que esperaban después de tantos siglos.

**11.** Y él les respondió: Elías *realmente* ha de venir *antes de mi segunda venida* y restablecerá entonces todas las cosas; y como está escrito del Hijo del hombre, ha de padecer mucho y ser vilipendiado.

**12.** Si bien os digo que Elías ha venido ya *en la persona del Bautista* (y han hecho con él todo lo que les plugo), según estaba *ya* escrito.

**13.** Al llegar adonde estaban sus *demás* discípulos, viólos rodeados de gente, y a los escribas disputando con ellos.

**14.** Y todo el pueblo, luego que vió a Jesús, se llenó de asombro y de pavor; acudieron *todos* corriendo a saludarle.

**15.** Y él les preguntó: ¿Sobre qué altercabais entre vosotros?

**16.** A lo que respondiendo uno de ellos, dijo: Maestro, yo he traído a ti un hijo mío, poseído de cierto espíritu *maligno, que le hace quedar* mudo;

**17.** El cual, donde quiera que le toma, le tira contra el suelo, y le hace echar espuma por la boca, y crujir los dientes, y que se vaya secando; pedí a tus discípulos que le lanzasen, y no han podido.

**18.** Jesús, dirigiendo *a todos* la palabra, les dijo: ¡Oh gente incrédula! ¿hasta cuándo habré de estar entre vosotros? ¿hasta cuándo habré yo de sufriros? Traédmele a mí.

**19.** Trajéronselo. Y apenas vió a Jesús, cuando el espíritu empezó a agitarle con violencia; y tirándose contra el suelo, se revolcaba, echando espumarajos.

**20.** Jesús preguntó a su padre: ¿Cuánto tiempo hace que le sucede esto? Desde la niñez, respondió;

**21.** Y muchas veces le ha precipitado *el demonio* en el fuego y en el agua, a fin de acabar con él; pero si puedes algo, socórrenos, compadecido de nosotros.

**22.** A lo que Jesús le dijo: Si tú puedes creer, todo es posible para el que cree.

**23.** Y luego el padre del muchacho, bañado en lágrimas, exclamó diciendo: ¡Oh Señor! yo creo; ayuda tú mi incredulidad, *fortalece mi confianza.*

**24.** Viendo Jesús el tropel de gente que iba acudiendo, amenazó al espíritu inmundo, diciéndole: ¡Oh espíritu sordo y mudo, yo te lo mando, sal de este mozo, y no vuelvas más a entrar en él!

**25.** Y echando un gran grito, y atormentando horriblemente al joven, salió de él, de-

jándole como muerto; de suerte que muchos decían: Está muerto.

**26.** Pero Jesús, tomándole de la mano, le ayudó a alzarse, y se levantó.

**27.** Entrado que hubo *el Señor* en la casa *donde moraba,* sus discípulos le preguntaban a solas: ¿Por qué motivo nosotros no le hemos podido lanzar?

**28.** Respondióles: Esta raza *de demonios* por ningún medio puede salir, sino *a fuerza* de oración y de ayuno.

**29.** Y habiendo marchado de allí, atravesaron la Galilea; y no quería darse a conocer a nadie.

**30.** Entre tanto iba instruyendo a sus discípulos, y les decía: El hijo del hombre será entregado en manos de los hombres, y le darán la muerte y después de muerto resucitará al tercer día.

**31.** Ellos, empero, no comprendían *cómo podía ser* esto que les decía, ni se atrevían a preguntárselo.

**32.** En esto llegaron a Cafarnaúm; y estando ya en casa, les preguntó: ¿De qué ibais tratando en el camino?

**33.** Mas ellos callaban; y es que habían tenido en el camino una disputa entre sí, sobre quién de ellos era el mayor de todos.

**34.** Entonces Jesús, sentándose, llamó a los doce, y les dijo: Si alguno pretende ser el primero, hágase el último de todos y el siervo de todos.

**35.** Y tomando a un niño le puso en medio de ellos, y después de abrazarle, díjoles:

**36.** Cualquiera que acogiere a uno de estos niños por amor mío, a mí me acoge; y cualquiera que me acoge, no tanto me acoge, a mí, como al que a mí me ha enviado.

**37.** Tomando *después* Juan la palabra, le dijo: Maestro, hemos visto a uno que andaba lanzando los demonios en tu nombre, que no es de nuestra compañía, y se lo prohibimos.

**38.** No hay para qué prohibírselo, respondió Jesús, puesto que ninguno que haga milagros en mi nombre, podrá luego hablar mal de mí.

**39.** Que quien no es contrario vuestro, de vuestro partido es.

**40.** Y cualquiera que os diere un vaso de agua en mi nombre, atento a que sois *discípulos* de Cristo, en verdad os digo que no será defraudado de su recompensa.

---

CAP. IX. — **11.** Reuniendo a judíos y gentiles en una misma fe.

**33.** Aquí se ve el relativo *eorum* sin antecedente expreso, el cual habría de ser *damnatorum, o illuc projectorum,* idiotismo muy frecuente en la lengua griega.

**41.** Y *al contrario,* al que escandalizare a alguno de estos pequeñitos que creen en mí, mucho mejor le fuera que le ataran al cuello una de esas ruedas de molino que mueve un asno, y le echaran al mar.

**42.** Que si tu mano te es ocasión de escándalo, córtala: más te vale el entrar manco en la vida *eterna,* que tener dos manos e ir al infierno, al fuego inextinguible,

**43.** En donde el gusano que les roe, *o remuerde su conciencia,* nunca muere, y el fuego *que les quema* nunca se apaga.

**44.** Y si tu pie te es ocasión de pecado, córtale: más te vale entrar cojo en la vida eterna, que tener dos pies y ser arrojado al infierno, al fuego inextinguible,

**45.** Donde el gusano que les roe nunca muere, y el fuego nunca se apaga.

**46.** Y si tu ojo te sirve de escándalo *o tropiezo,* arráncale: más te vale entrar tuerto en el reino de Dios, que tener dos ojos y ser arrojado al fuego del infierno,

**47.** Donde el gusano que les roe, nunca muere, ni el fuego jamás se apaga.

**48.** Porque la sal con que todos ellos, *víctimas de la divina justicia,* serán salados, es el fuego; así como todas las víctimas deben, *según la ley,* ser de sal rociadas.

**49.** La sal *de suyo* es buena; mas si la sal perdiere su sabor, ¿con qué la sazonaréis? Tened *siempre* en vosotros sal *de sabiduría y prudencia,* y guardad *así* la paz entre vosotros.

## CAPITULO X

*Enseña Jesús la indisolubilidad del matrimonio, los peligros de las riquezas, y el premio de los que dejan todas las cosas por seguirle. Responde a la petición de los hijos de Cebedeo, e inculca otra vez la humildad. Da la vida al ciego Bartimeo.*

**1.** Y partiendo de allí llegó a los confines de Judea, *pasando por el país que está* al otro lado del Jordán, donde concurrieron de nuevo alrededor de él los pueblos *vecinos,* y se puso otra vez a enseñarlos, como tenía de costumbre.

**2.** Vinieron entonces a él unos fariseos, y le preguntaban por tentarle: Si es lícito al marido repudiar a su mujer.

**3.** Pero él, en respuesta, les dijo: ¿Qué os mandó Moisés?

**4.** Ellos dijeron: Moisés permitió repudiarla, precediendo escritura legal del repudio.

**5.** A los cuales replicó Jesús: En vista de la dureza de vuestro corazón os dejó mandado eso.

**6.** Pero al principio, cuando los crió Dios, formó un *solo* hombre y una *sola* mujer;

**7.** Por esta razón, dejará el hombre a su padre y a su madre, y juntarse ha con su mujer;

**8.** Y los dos no compondrán sino una sola carne: de manera que ya no son dos, sino una sola carne.

**9.** No separe, pues, el hombre lo que Dios ha juntado.

**10.** Después en casa, le tocaron otra vez sus discípulos el mismo punto.

**11.** Y él les inculcó: Cualquiera que desechare a su mujer y tomare otra, comete adulterio contra ella.

**12.** Y si la mujer se aparta de su marido y se casa con otro, es adúltera.

**13.** Como le presentasen unos niños para que los tocase y *bendijese,* los discípulos reñían a los que venían a presentárselos.

**14.** Lo que advirtiendo Jesús, lo llevó muy a mal y les dijo: Dejad que vengan a mí los niños, y no se lo estorbéis; porque de los que se asemejan a ellos es el reino de Dios.

**15.** En verdad os digo, que quien no recibiere, como *niño inocente,* el reino de Dios, no entrará en él.

**16.** Y estrechándolos entre sus brazos, y poniendo sobre ellos las manos, los bendecía.

**17.** Así que salió para ponerse en camino, vino corriendo uno, y, arrodillado a sus pies, le preguntó: ¡Oh buen Maestro! ¿qué debo yo hacer para conseguir la vida eterna?

**18.** Jesús le dijo: ¿Por qué me llamas bueno? nadie es bueno sino sólo Dios.

**19.** Ya sabes los mandamientos *que conducen a la vida:* no cometer adulterio, no matar, no hurtar, no decir falso testimonio, no hacer mal a nadie, honrar padre y madre.

**20.** A esto respondió él, y le dijo: Maestro, todas esas cosas las he observado desde mi mocedad.

---

**CAP. X.** — **5.** El mandato de Moisés no fué que repudiasen a sus mujeres, sino que, en caso de hacerlo, precediese la formalidad de hacer una escritura, etc. No había ninguna ley que obligase a nadie a divorciarse: había solamente una tolerancia, y ésta para que no atentase el marido contra la vida de su mujer.

**21.** Y Jesús, mirándole de hito en hito, mostró quedar prendado de él, y le dijo: Una cosa te falta aún para la perfección evangélica: anda, vende cuanto tienes, y dalo a los pobres, que así tendrás un tesoro en el cielo; y ven después y sígueme.

**22.** A esta respuesta, entristecido el joven, fuése muy afligido, pues tenía muchos bienes.

**23.** Y echando Jesús una ojeada alrededor de sí, dijo a sus discípulos: ¡Oh, cuán difícilmente los acaudalados entrarán en el reino de Dios!

**24.** Los discípulos quedaron pasmados al oír tales palabras. Pero Jesús, volviendo a hablar, les añadió: ¡Ay, hijitos míos, cuán difícil cosa es que los que ponen su confianza en las riquezas entren en el reino de Dios!

**25.** Más fácil es el pasar un camello por el ojo de una aguja, que no el entrar un rico *semejante* en el reino de Dios.

**26.** Con esto subía de punto su asombro, y se decían unos a otros: ¿Quién podrá, pues, salvarse?

**27.** Pero Jesús, fijando en ellos la vista, les dijo: A los hombres es esto imposible, mas no a Dios; pues para Dios todas las cosas son posibles.

**28.** Aquí Pedro, tomando la palabra, le dijo: Por lo que hace a nosotros, bien ves que hemos renunciado todas las cosas y seguídote.

**29.** A lo que Jesús, respondiendo, dijo: Pues yo os aseguro que nadie hay que haya dejado casa, o hermanos, o hermanas, o padre, o madre, o hijos, o heredades por amor de mí y del Evangelio,

**30.** Que ahora mismo en este siglo, y *aun* en medio de las persecuciones, no reciba el cien doblado por equivalente de casas, y hermanos, y hermanas, de madres, de hijos y heredades; y en el siglo venidero, la vida eterna.

**31.** Pero muchos de los que *en la tierra* habrán sido los primeros, serán *allí* los últimos; y muchos de los que habrán sido los últimos, serán los primeros.

**32.** Continuaban su viaje subiendo a Jerusalén, y Jesús se les adelantaba; y estaban sus discípulos como atónitos, y le seguían llenos de temor. Y tomando aparte de nuevo a los doce, comenzó a repetirles lo que había de sucederle.

**33.** Nosotros, *les dijo,* vamos, como veis, a Jerusalén, donde el Hijo del hombre será entregado a los príncipes de los sacerdotes, y a los escribas y ancianos, que le condenarán a muerte, y le entregarán a los gentiles:

**34.** Y le escarnecerán, y le escupirán, y le azotarán, y le quitarán la vida, y al tercer día resucitará.

**35.** Entonces, *oyéndole hablar de la resurrección,* se arriman a él Santiago y Juan, hijos de Cebedeo, y *por medio de su madre,* le hacen esta petición: Maestro, quisiéramos que nos concedieses todo cuanto te pidamos.

**36.** Díjoles él: ¿Qué cosas deseáis que os conceda?

**37.** Concédenos, respondieron, que en tu gloria, *o glorioso reinado,* nos sentemos el uno a tu diestra y el otro a tu siniestra.

**38.** Mas Jesús les replicó: No sabéis lo que pedís. ¿Podéis beber el cáliz *de la pasión* que yo voy a beber? ¿o ser bautizados con el baustismo *de sangre* con que yo voy a ser bautizado?

**39.** Respondiéronle: Sí que podemos. Pues tened por cierto, les dijo Jesús, que beberéis el cáliz que yo bebo y seréis bautizados con el bautismo con que yo soy bautizado;

**40.** Pero eso de sentarse a mi diestra o a mi siniestra no está en mi arbitrio, *como hombre,* el darlo a vosotros, sino a quienes se ha destinado *por mi Padre celestial.*

**41.** Entendiendo los *otros* diez dicha demanda, dieron muestras de indignación contra Santiago y Juan.

**42.** Mas Jesús, llamándolos todos a sí, les dijo: Bien sabéis que los que tienen autoridad de mandar a las naciones, las tratan con imperio; y que sus príncipes ejercen sobre ellos un poder *absoluto:*

**43.** No debe ser lo mismo entre vosotros; sino que quien quisiere hacerse mayor ha de ser vuestro criado;

**44.** Y quien quisiera ser entre vosotros el primero, debe hacerse siervo de todos.

**45.** Porque aun el Hijo del hombre no vino a que le sirviesen, sino a servir y a dar su vida por la redención de muchos.

**46.** Después de esto llegaron a Jericó; y al partir de Jericó con sus discípulos, seguidos de muchísima gente, Bartimeo el ciego, hijo de Timeo, estaba sentado junto al camino, pidiendo limosna.

**47.** Habiendo oído, pues, que era Jesús Nazareno *el que venía,* comenzó a dar voces, diciendo: ¡Jesús, hijo de David, ten misericordia de mí!

**48.** Y reñíanle muchos para que callara; sin embargo, él alzaba mucho más el grito: ¡Hijo de David ten compasión de mí!

**49.** Parándose entonces Jesús, le mandó llamar. Y le llamaron, diciéndole: ¡Ea, buen ánimo! levántate, que te llama.

**50.** El cual, arrojando su capa, al instante se puso en pie y vino a él.

**51.** Y Jesús le dijo: ¿Qué quieres que te haga? El ciego le respondió: Maestro *mío*, haz que yo vea.

**52.** Y Jesús: Anda, que tu fe te ha curado. Y de repente vió, y le iba siguiendo por el camino.

## CAPITULO XI

*Entrada triunfante de Jesús en Jerusalén. Maldición de la higuera. Los negociantes echados del templo. Poder de la fe. Perdón de los enemigos. Los enemigos. Los príncipes de los sacerdotes confundidos.*

**1.** Cuando iban acercándose a Jerusalén, al llegar junto a Betania, al pie del monte de las Olivas, despacha dos de sus discípulos,

**2.** Y les dice: Id a ese lugar, que tenéis enfrente, y luego, al entrar en él hallaréis atado un jumentillo, en el cual nadie ha montado hasta ahora: desatadlo, y traedlo.

**3.** Y si alguien os dijere: ¿Qué hacéis? responded que el Señor lo ha menester; y al instante os le dejará traer acá.

**4.** Luego que fueron, hallaron el pollino atado fuera, delante de una puerta, a la entrada de dos caminos *o en una encrucijada:* y lo desataron.

**5.** Y algunos de los que estaban allí, les dijeron: ¿Qué hacéis? ¿por qué desatáis ese pollino?

**6.** Los discípulos respondieron conforme a lo que Jesús les había mandado, y se lo dejaron *llevar.*

**7.** Y trajeron el pollino a Jesús: y habiéndolo aparejado con los vestidos de ellos, montó *Jesús* en él.

**8.** Muchos en seguida tendieron sus vestidos en el camino; y otros cortaban ramas *u hojas* de los árboles, y las esparcían por donde había de pasar *Jesús.*

---

CAP. XI.—4. Como la palabra griega *amfódos* la latina *bivio* de que usa la Vulgata, pueden significar el ángulo que forman al principio dos caminos que salen de un mismo punto para ir a los parajes, o también el punto en que se cruzan los caminos que vienen de diferentes lugares; por eso se ha añadido de letra cursiva *encrucijada.* En el manuscrito del padre Petisco se traduce *entre dos sendas.*

**9.** Y tanto los que iban delante, como los que le seguían detrás, *le* aclamaban diciendo: ¡Hosanna, *salud y gloria!*

**10.** ¡Bendito sea el que viene en nombre del Señor! ¡Bendito sea el reino de nuestro padre David que vemos llegar *ahora en la persona de su hijo!* ¡Hosanna en lo más alto de los cielos!

**11.** Así entró Jesús en Jerusalén *y se fué* al templo, donde después de haber observado por una y otra parte todas las cosas, siendo ya tarde, se salió a Betania con los doce.

**12.** Al otro día así que salieron de Betania, tuvo hambre.

**13.** Y como viese a lo lejos una higuera con hojas, encaminóse allá por ver si encontraba en ella alguna cosa: y llegando, nada encontró sino follaje; porque no era *aún* tiempo de higos;

**14.** Y hablando *a la higuera* le dijo: Nunca jamás coma ya nadie fruto de ti. Lo cual oyeron sus discípulos.

**15.** Llegan, pues, a Jerusalén. Y habiendo *Jesús* entrado en el templo, comenzó a echar fuera a los que vendían y compraban en él, y derribó las mesas de los cambistas, y los asientos de los que vendían palomas *para los sacrificios;*

**16.** Y no permitía que nadie transportase mueble *o cosa* alguna por el templo;

**17.** Y los instruía, diciendo: ¿Por ventura no está escrito: Mi casa será llamada de todas las gentes casa de oración? Pero vosotros habéis hecho de ella una guarida de ladrones.

**18.** Sabido esto por los príncipes de los sacerdotes y los escribas, andaban trazando el modo de quitarle la vida *secretamente;* porque le temían, viendo que todo el pueblo estaba maravillado de su doctrina.

**19.** Así que se hizo tarde, se salió de la ciudad.

**20.** La mañana siguiente repararon *los discípulos* al pasar, que la higuera se había secado de raíz;

**21.** Con lo cual acordándose Pedro *de lo sucedido,* le dijo: Maestro, mira cómo la higuera que maldijiste se ha secado.

**22.** Y Jesús tomando la palabra, les dijo. Tened confianza en Dios *y obraréis también estas maravillas:*

**23.** En verdad os digo, que cualquiera que dijere a este monte: Quítate de ahí, y échate al mar, no vacilando en su corazón, sino creyendo que cuanto dijere se ha de hacer, así se hará.

**24.** Por tanto, os aseguro, que todas cuantas cosas pidiereis en la oración, tened viva fe de conseguirlas, y se os concederán *sin falta.*

**25.** Mas al poneros a orar, si tenéis algo contra alguno, perdonadle *el agravio,* a fin de que vuestro Padre que está en los cielos, también os perdone vuestros pecados.

**26.** Que si no perdonáis vosotros, tampoco vuestro Padre celestial os perdonará vuestras culpas *ni oirá vuestras oraciones.*

**27.** Volvieron, pues, otra vez a Jerusalén. Y paseándose Jesús por *el atrio exterior del* templo *instruyendo al pueblo,* lléganse a él los príncipes de los sacerdotes, y los escribas, y los ancianos;

**28.** Y le dicen: ¿Con qué autoridad haces estas cosas? ¿y quién te ha dado a ti potestad de hacer lo que haces ?

**29.** Y respondiendo Jesús, les dijo: Yo también os haré una pregunta: respondedme *a ella primero,* y despues os diré con qué autoridad hago estas cosas.

**30.** El bautismo de Juan, ¿era del cielo, o de los hombres? Respondedme *a esto.*

**31.** Ellos discurrían para consigo, diciendo entre sí: Si decimos que del cielo, dirá: pues ¿por qué no le creisteis?

**32.** Si decimos que de los hombres, debemos temer al pueblo (pues todos creían que Juan había sido verdadero profeta):

**33.** Y así respondieron a Jesús, diciendo: No lo sabemos. Entonces Jesús les replicó: Pues ni yo tampoco os diré con qué autoridad hago estas cosas.

## CAPITULO XII

*Parábola de la viña plantada y arrendada. Convence Jesús a los fariseos y saduceos, redarguyéndolos sobre el pagar el tributo al César, y sobre la resurrección de los muertos. Cristo, Señor de David. Soberbia de los escribas. Ofrenda tenue de la viuda, preferida a todas las grandes oblaciones de los ricos.*

**1.** En seguida comenzó a hablarles por parábolas: Un hombre *(dijo)* plantó una viña, y la ciñó con cercado, y cavando, hizo en ella un lagar, y fabricó una torre, y arrendóla a ciertos labradores, y marchóse lejos de su tierra.

**2.** A su tiempo despachó un criado a los renteros para cobrar *lo que debían darle del* fruto de la viña;

**3.** Mas ellos agarrándole le apalearon, y le despacharon con las manos vacías.

**4.** Segunda vez les envió otro criado, y a éste también le descalabraron, cargándole de oprobios.

**5.** Tercera vez envió a otro, al cual mataron; tras éste otros muchos, y de ellos a unos los hirieron, y a otros les quitaron la vida.

**6.** En fin, a un hijo único que tenía y a quien amaba tiernamente, se lo envió también el último, diciendo: Respetarán *a lo menos* a mi hijo.

**7.** Pero los viñadores *al verle venir* se dijeron unos a otros: Este es el heredero; venid, matémosle, y será nuestra la heredad.

**8.** Y asiendo de él, le mataron, arrojándolo *antes* fuera de la viña.

**9.** ¿Que hará, pues, el dueño de la viña? Vendrá y perderá a aquellos renteros, y arrendará la viña a otros.

**10.** ¿No habéis leído este lugar de la Escritura: La piedra que desecharon los que edificaron, vino a ser la principal piedra del ángulo;

**11.** El Señor es el que hizo eso, y estamos viendo con nuestros ojos tal maravilla ?

**12.** En la hora maquinaban cómo prenderle; porque bien conocieron que a ellos había enderezado la parábola; mas temieron al pueblo, y *así* dejándolo se marcharon.

**13.** Pero enviáronle algunos fariseos y herodianos, para sorprenderle en alguna expresión;

**14.** Los cuales vinieron y dijéronle: Maestro, nosotros sabemos que eres hombre veraz, y que no atiendes a respetos humanos: porque no miras la calidad de las personas, sino que enseñas el camino de Dios con lisura *y según él es: ¿nos es lícito a nosotros, pueblo escogido de Dios,* el pagar tributo a César, o podremos no pagarlo?

**15.** Jesús penetrando su malicia, díjoles: ¿Para qué venís a tentarme? dadme a ver un denario, *o la moneda corriente.*

**16.** Presentáronselo, y él les dice: ¿De quién es esta imagen, y esta inscripción? Respondieron: De César.

**17.** Entonces replicó Jesús, y díjoles. Pagad, pues, a César lo que es de César; y a Dios lo que es de Dios. Con esta respuesta los dejó maravillados.

**18.** Vinieron después a encontrarle los saduceos que niegan la resurrección, y le propusieron esta cuestión:

**19.** Maestro, Moisés nos dejó *ordenado* por escrito, que si el hermano de uno muere, dejando a su mujer sin hijos, este se case con la viuda, para que no falte a su hermano descendencia.

**20.** Esto supuesto, eran siete hermanos: el mayor se casó, y vino a morir sin hijos.

**21.** Con eso el segundo se casó con la viuda; pero murió también sin dejar sucesión. Del mismo modo el tercero.

**22.** En suma, los siete sucesivamente se casaron con ella, y ninguno tuvo hijos. Al cabo murió la mujer la última de todos.

**23.** Ahora, pues, en el día de la resurrección, cuando resuciten, ¿de cuál de éstos será mujer? porque ella lo fué de todos siete.

**24.** Jesús en respuesta les dijo: ¿No veis que habéis caído en error, por no entender las Escrituras, ni el poder de Dios?

**25.** Porque cuando habrán resucitado de entre los muertos, ni los hombres tomarán mujeres, ni las mujeres maridos, sino que serán como los ángeles *que están* en los cielos.

**26.** Ahora sobre que los muertos hayan de resucitar, ¿no habéis leído en el libro de Moisés, cómo Dios hablando con él en la zarza, le dijo: Yo soy el Dios de Abraham, y el Dios de Isaac, y el Dios de Jacob?

**27.** Y *en verdad que Dios* no es Dios de muertos, sino de vivos. Luego estáis vosotros en un grande error.

**28.** Uno de los escribas, que había oído esta disputa, viendo lo bien que les había respondido, se arrimó, y le preguntó cuál era el primero de todos los mandamientos.

**29.** Y Jesús le respondió: El primero de todos los mandamientos es éste: Escucha ¡Oh Israel! el Señor Dios tuyo, es el solo Dios:

**30.** Y *así* amarás al Señor Dios tuyo con todo tu corazón, y con toda tu alma, y con toda tu mente, y con todas tus fuerzas: este es el mandamiento primero;

**31.** El segundo, semejante al primero, es: Amarás a tu prójimo como a ti mismo. No hay otro mandamiento *que sea* mayor que éstos.

**32.** Y el escriba le dijo: Maestro, has dicho bien y con *toda* verdad, que Dios es uno solo, y no hay otro fuera de él;

**33.** Y que amarle de todo corazón, y con todo el espíritu, y con toda el alma, y con todas las fuerzas, y al prójimo como así mismo, vale más que todos los holocaustos y sacrificios.

**34.** Viendo Jesús que *el letrado* había respondido sabiamente, díjole: No estás lejos del reino de Dios. Y ya nadie osaba hacerle *más* preguntas

**35.** Y enseñando y razonando *después* Jesús en el templo, decía: ¿Cómo dicen los escribas que el Cristo *o Mesías* es hijo de David?

**36.** Siendo así que el mismo David, inspirado del Espíritu Santo, dice *hablando del Mesías:* Dijo el Señor a mi Señor, siéntate a mi diestra hasta tanto que yo haya puesto a tus enemigos por tarima de tus pies:

**37.** Pues si David le llama Señor, ¿por dónde *o cómo* es su hijo? Y el numeroso auditorio le oía con gusto.

**38.** Y decíales en sus instrucciones: Guardaos de los escribas que hacen gala de pasearse con vestidos rozagantes, y de ser saludados en la plaza,

**39.** Y de ocupar las primeras sillas en las sinagogas y los primeros asientos en los convites;

**40.** Que devoran las casas de las viudas con el pretexto de *que hacen por ellas* largas oraciones: éstos serán castigados con más rigor.

**41.** Estando Jesús *una vez* sentado frente al arca de las ofrendas, estaba mirando cómo la gente echaba dinero en ella; y muchos ricos echaban grandes cantidades.

**42.** Vino también una viuda pobre, la cual metió dos blancas, *o pequeñas monedas,* que hacen un maravedí;

**43.** Y entonces convocando a sus discípulos, les dijo: En verdad os digo que esta pobre viuda ha echado más en el arca, que todos los otros.

**44.** Por cuanto los demás han echado algo de lo que les sobraba; pero ésta ha dado de su misma pobreza todo lo que tenía, todo su sustento.

## CAPITULO XIII

*Profecías de la destrucción de Jerusalén y de la segunda venida de Jesús, con las señales que precederán.*

**1.** Al salir del templo, díjole uno de sus discípulos: Maestro, mira qué piedras y qué fábrica *tan asombrosa.*

---

CAP. XII. — 19. *Deut.* XXV, *v.* 5.

CAP. **XIII.**—1. Josefo, *Lib.* XV, antiquit, cap. XIV, dice: Componíase la fábrica del templo de piedras blancas de veinticinco codos de largo, ocho de alto y doce de ancho. — Véase también *De bello judaíco, lib.* VI, cap. 14.

2. Jesús le dió por respuesta: ¿Ves todos esos magníficos edificios? Pues serán de tal modo destruídos, que no quedará piedra sobre piedra.

3. Y estando sentado en el monte del Olivar de cara al templo, le preguntaron aparte Pedro y Santiago, y Juan, y Andrés:

4. Dinos, ¿cuándo sucederá eso? y ¿qué señal habrá de que todas estas cosas están a punto de cumplirse?

5. Jesús tomando la palabra, les habló de esta manera: Mirad que nadie os engañe;

6. Porque muchos vendrán arrogándose mi nombre, y diciendo: yo soy *el Mesías; y con falsos prodigios* seducirán a muchos.

7. Cuando sintiereis alarma y rumores de guerras, no os turbéis por eso; porque *si bien* han de suceder estas cosas; mas no ha llegado aún *con ellas* el fin;

8. Puesto que *antes* se armará nación contra nación, y reino contra reino, y habrá terremotos en varias partes, y hambres. Y esto *no* será *sino* el principio de los dolores.

9. Entre tanto vosotros estad sobre aviso en orden a vuestras mismas personas. Por cuanto habéis de ser llevados a los concilios o *tribunales,* y azotados en las sinagogas, y presentados por causa de mí ante los gobernadores y reyes, para que déis delante de ellos testimonio *de mí y de mi doctrina.*

10. Mas primero debe ser predicado el evangelio a todas las naciones.

11. Cuando, pues, llegare el caso de que os lleven para entregaros en sus manos, no discurráis de antemano lo que habéis de hablar; sino hablad lo que os será inspirado en aquel trance; porque no sois *entonces* vosotros los que habláis, sino el Espíritu santo.

12. Entonces el hermano entregará a la muerte al hermano, y el padre al hijo; y se levantarán los hijos contra los padres, y les quitarán la vida.

13. Y vosotros seréis aborrecidos de todo el mundo por causa de mi nombre. Mas quien estuviere firme o *perseverante en la fe* hasta el fin, éste será salvo.

14. Cuando empero viereis la abominación de la desolación, establecida donde menos debiera (el que lea esto, haga reflexión *sobre ello),* entonces los que moren en Judea, huyan a los montes;

15. Y el que se encuentre en el terrado, no baje a casa, ni entre a sacar de ella cosa alguna;

16. Y el que esté en el campo, no torne atrás a tomar su vestido.

17. Mas ¡ay de las que estarán en cinta, y de las que criarán en aquellos días!

18. Por eso rogad *a Dios* que no sucedan estas cosas durante el invierno.

19. Porque serán tales las tribulaciones de aquellos días, cuales no se han visto desde que Dios creó el mundo, hasta el presente, ni se verán.

20. Y si el Señor no hubiese abreviado aquellos días, no se salvaría hombre alguno; mas en gracia de los escogidos, que él se elige, los ha abreviado.

21. Entonces si alguno os dijere: Ve aquí el Cristo, o vele allí, no lo creáis;

22. Porque se levantarán falsos cristos y falsos profetas, los cuales harán *alarde de* milagros y prodigios para seducir, si ser pudiese, a los mismos escogidos.

23. Por tanto, vosotros estad sobre aviso: ya veis que os lo he predicho todo *a fin de que no seáis sorprendidos.*

24. Y pasados aquellos días de tribulación, el sol se oscurecerá, y la luna no alumbrará;

25. Y las estrellas del cielo caerán o *amenazarán ruina,* y las potestades que hay en los cielos, bambolearán.

26. Entonces se verá venir al Hijo del hombre sobre las nubes con gran poder y gloria;

27. El cual enviará luego sus ángeles, y congregarán a sus escogidos de las cuatro partes del mundo, desde el último cabo de la tierra, hasta la extremidad del cielo.

28. Aprended ahora *sobre esto* una comparación *tomada* de la higuera: cuando ya sus ramos retoñecen, y brotan las hojas, conocéis que está cerca el verano.

29. Pues así también, cuando vosotros veáis que acontecen estas cosas, sabed que *el Hijo del hombre* está cerca, *está ya* a la puerta.

30. En verdad os digo, que no pasará esta generación, que no se hayan cumplido todas estas cosas.

31. El cielo y la tierra faltarán; pero no faltarán mis palabras.

32. Mas en cuanto al día o la hora nadie sabe nada, ni los ángeles en el cielo, ni el Hijo *para revelároslo;* sino el Padre.

33. Estad, pues, alerta, velad y orad, ya que no sabéis cuándo será el tiempo.

**34.** A la manera de un hombre que saliendo a un viaje largo dejó su casa, y señaló a cada uno de sus criados lo que debía hacer, y mandó al portero que velase;

**35.** Velad, pues, *también vosotros* (porque no sabéis cuándo vendrá el dueño de la casa: si a la tarde, a la media noche, o al canto del gallo, o al amanecer),

**36.** No sea que viniendo de repente, os encuentre dormidos.

**37.** En fin, lo que a vosotros os digo, a todos lo digo: Velad.

## CAPITULO XIV

*Principio de la pasión de Jesús. Ultima cena e institución de la Eucaristía. Oración en el huerto. El Señor es presentado a Caifás. Negación de San Pedro.*

**1.** Dos días después era la Pascua, cuando comienzan los ázimos: y los príncipes de los sacerdotes y los escribas andaban trazando cómo prender a Jesús con engaño y quitarle la vida.

**2.** Mas no ha de ser, decían, en la fiesta, porque no se amotine el pueblo.

**3.** Hallándose Jesús en Betania en casa de Simón el leproso, estando a la mesa, entró una mujer con un *vaso de* alabastro lleno de ungüento o *perfume* hecho de la espiga del nardo, de mucho precio, y quebrando el vaso, derramó el bálsamo sobre la cabeza de Jesús.

**4.** Algunos de los presentes irritados interiormente, decían: ¿A qué fin desperdiciar ese perfume?,

**5.** Siendo así que se podía vender en más de trescientos denarios, y dar el dinero a los pobres? Con ese motivo bramaban contra ella.

**6.** Mas Jesús les dijo: Dejadla *en paz,* ¿por qué la molestáis? La obra que ha hecho conmigo es buena y *loable:*

**7.** Pues que a los pobres los tenéis siempre con vosotros, y podéis hacerles bien cuando quisiereis; mas a mí no me tendréis siempre.

**8.** Ella ha hecho cuanto estaba en su mano; se ha anticipado a embalsamar mi cuerpo para la sepultura *y hacerme en vida este honor.*

---

CAP. XIV. —3. Es necesario en castellano añadir *vaso,* porque la elipsis o supresión de esta voz, que era usual en el lenguaje oriental, en el nuestro dejaría obscura la expresión; pues por alabastro, no entendemos un *vaso,* sino únicamente la piedra de que se hacen varias cosas.

**9.** En verdad os digo que doquiera que se predicare este evangelio por todo el mundo se contará también en memoria o *alabanza* de esta mujer lo que acaba de hacer.

**10.** Entonces Judas Iscariote, uno de los doce, salió a verse con los sumos sacerdotes, para entregarles a Jesús.

**11.** Los cuales cuando le oyeron, se holgaron mucho, y prometieron darle dinero. Y él *ya no* buscaba *sino* ocasión oportuna para entregarle.

**12.** El primer día, pues, de los ázimos en que sacrificaban el cordero pascual, dícenle los discípulos: ¿A dónde quieres que vayamos a prepararte la cena de la Pascua?

**13.** Y Jesús envió *a Jerusalén* a dos de ellos, diciéndoles: Id a la ciudad, y encontraréis a un hombre que lleva un cántaro de agua: seguidle.

**14.** Y en donde quiera que entrare, decid al amo de la casa, que el Maestro os envía a decir: ¿Dónde está la sala en que he de celebrar la cena de la Pascua con mis discípulos?

**15.** Y él os mostrará una pieza de comer grande, bien amueblada: preparadnos allí *lo necesario.*

**16.** Fueron, pues, los discípulos, y llegando a la ciudad, hallaron todo lo que les había dicho, y dispusieron *las cosas para* la Pascua.

**17.** Puesto ya el sol, fué *Jesús allá* con los doce.

**18.** Y estando a la mesa, y comiendo, dijo Jesús: En verdad os digo, que uno de vosotros, que come conmigo, me hará traición.

**19.** Comenzaron entonces ellos a contristarse y a decirle uno después de otro: ¿Seré yo acaso, *Señor?*

**20.** El les respondió: Es uno de los doce, uno que mete conmigo la mano o *moja* en un mismo plato.

**21.** Verdad es que el Hijo del hombre se va, *o camina a su fin,* como está escrito de él; pero ¡ay de aquel hombre, por quien el Hijo del hombre será entregado *a la muerte!* Mejor sería para el tal hombre el no haber nacido.

**22.** Durante la cena, tomó Jesús pan, y bendiciéndolo lo partió, y dióselo, y les dijo: Tomad, este es mi cuerpo.

**23.** Y tomando el cáliz, dando gracias se lo alargó; y bebieron todos de él.

---

14. Parece que estaría mejor: *¿dónde mi comedor, tinelo o triceinio;* o quizá *refectorio que* correspondería bien a *refectio mea?* Pero aunque en algunos escritores buenos del siglo XVII se ven usadas algunas de dichas voces, y en el manuscrito del Padre Petisco se traduce *¿donde está mi refitorio, en que he de celebrar la Pascua?* etc.: con todo no parece conveniente usar en este lugar de ninguna de las referidas voces.

**24.** Y *al dárselo,* díjoles: Esta es la sangre mía *el sello* del Nuevo Testamento, la cual será derramada por muchos.

**25.** En verdad os digo, que de hoy más no beberé de este fruto de la vid, hasta el día en que lo beba nuevo en el reino de Dios.

**26.** Y dicho el himno *de acción de gracias,* salieron hacia el monte del Olivar.

**27.** *Antes de partir* díjoles aún Jesús: Todos os escandalizareis por ocasión de mí esta noche, según está escrito: Heriré al pastor, y se descarriarán las ovejas.

**28.** Pero en resucitando me pondré a vuestro frente en Galilea *en donde os reuniré otra vez.*

**29.** Pedro le dijo entonces: Aun cuando fueres para todos los demás un objeto de escándalo, no lo serás para mí.

**30.** Jesús le replicó: En verdad te digo, que tú, hoy mismo en esta noche, antes de la segunda vez que cante el gallo, tres veces me has de negar.

**31.** El no obstante se afirmaba más y más en lo dicho, añadiendo: Aunque me sea forzoso el morir contigo, yo no te negaré. Y lo mismo decían todos los demás.

**32.** En esto llegan a la granja llamada Getsemaní. Y dice a sus discípulos: Sentaos aquí mientras que yo hago oración.

**33.** Y llevándose consigo a Pedro, y a Santiago, y a Juan, comenzó a atemorizarse y angustiarse.

**34.** Y díjoles: Mi alma siente angustias de muerte; aguardad aquí y estad en vela.

**35.** Y apartándose un poco adelante, se postró en tierra; y suplicaba que, si se pudiese, se alejase de él aquella hora:

**36.** Oh Padre, Padre *mío* decía, todas las cosas te son posibles, aparta de mí este cáliz: mas no sea lo que yo quiero, sino lo que tú.

**37.** Viene después *a los tres,* y hallólos dormidos. Y dice a Pedro: ¿Simón, tú duermes? ¿aun no has podido velar una hora?

**38.** Velad, y orad para que no caigáis en la tentación. El espíritu a la verdad está pronto, *es esforzado,* pero la carne es flaca.

**39.** Fuése otra vez a orar, repitiendo las mismas palabras.

**40.** Y habiendo vuelto, los encontró de nuevo dormidos (porque sus ojos estaban cargados *de sueño)* y no sabían qué responderle.

**41.** Al fin vino tercera vez, y les dijo: Ea, dormid y reposad... *Pero* basta ya: la hora es llegada: *y* ved aquí que el Hijo del hombre va a ser entregado en manos de los pecadores.

**42.** Levantaos de aquí, y vamos, que ya el traidor está cerca.

**43.** Estando todavía hablando, llega Judas Iscariote, uno de los doce acompañado de mucha gente, *armada* con espadas y con garrotes, enviada por los príncipes de los sacerdotes, por los escribas y por los ancianos.

**44.** El traidor les había dado una seña, diciendo: A quien yo besare, él es, prendedle y conducidle con cautela.

**45.** Así al punto que llegó, arrimándose a Jesús, le dijo: Maestro *mío,* Dios te guarde; y besóle.

**46.** Ellos entonces le echaron las manos, y le aseguraron.

**47.** Entre tanto uno de los circunstantes *(Pedro)* desenvainando la espada, hirió a un criado del Sumo Sacerdote, y le cortó una oreja.

**48.** Jesús empero, tomando la palabra, les dijo: Como si yo fuese *algún ladrón,* habéis salido a prenderme con espadas y con garrotes.

**49.** Todos los días estaba entre vosotros enseñando en el templo, y no me prendisteis. Pero es necesario que se cumplan las Escrituras.

**50.** Entonces sus discípulos, abandonándole, huyeron todos.

**51.** Pero cierto mancebo le iba siguiendo envuelto solamente con una sábana *o lienzo* sobre sus carnes, *y los soldados* le tomaron.

**52.** Mas él soltando la sábana, desnudo escapó de ellos.

**53.** Jesús fué conducido a casa del sumo sacerdote, donde se juntaron todos *los principales* sacerdotes, y los escribas, y los ancianos.

**54.** Pedro como quiera le fué siguiendo a lo lejos, hasta dentro del palacio del sumo sacerdote, donde se sentó al fuego con los criados, y estaba calentándose.

---

**36.** Algunos creen que *Abba,* voz siriaca que significa padre, designa aquí dignidad y honor, y *Pater* la naturaleza de hijo. Otros opinan que Jesús solamente dijo *Abba,* y que S. Marcos añadió la traducción latina. Pero es más probable que hizo la repetición de una misma palabra para expresar más efecto.

**37.** Nótese que no le llama aquí *Pedro,* nombre que denota firmeza, sino *Simón.*

**55.** Mientras tanto los príncipes de los sacerdotes, con todo el concilio, andaban buscando contra Jesús algún testimonio, para condenarle a muerte, y no le hallaban.

**56.** Porque dado que muchos atestiguaban falsamente contra él, los *tales* testimonios no estaban acordes, *ni eran suficientes para condenarle a muerte.*

**57.** Comparecieron, *en fin,* algunos que alegaban contra él este falso testimonio:

**58.** Nosotros le oímos decir: Yo destruiré este templo hecho de manos de los hombres, y en tres días fabricaré otro sin obra de mano alguna.

**59.** Pero tampoco en este testimonio estaban acordes.

**60.** Entonces el sumo sacerdote levantándose en medio *del congreso,* interrogó a Jesús, diciéndole: ¿No respondes nada a los cargos que te hacen éstos?

**61.** Jesús, empero, callaba, y nada respondió. Interrogóle el sumo sacerdote nuevamente, y le dijo: ¿eres tú el Cristo, *o Mesías,* el Hijo de Dios bendito?

**62.** A esto le respondió Jesús: Yo soy; y *algún día* veréis al Hijo del hombre sentado a la diestra de la majestad de Dios, y venir sobre las nubes del cielo.

**63.** Al punto, el sumo sacerdote, rasgando sus vestiduras, dice: ¿Qué necesidad tenemos ya de testigos?

**64.** *Vosotros mismos* habéis oido la blasfemia: ¿qué os parece? Y todos ellos le condenaron por reo de muerte.

**65.** Y luego empezaron algunos a escupirle, y tapándole la cara, dábanle golpes, diciendo: Profetiza, *o adivina quién te ha dado;* y los ministriles le daban de bofetadas.

**66.** Entre tanto, hallándose Pedro abajo en el patio, vino una de las criadas del sumo sacerdote:

**67.** Y viendo a Pedro que se estaba calentando, clavados en él los ojos, le dice: Tú también andabas con Jesús Nazareno.

**68.** Mas él lo. negó, diciendo: Ni le conozco, ni sé lo que te dices. Y saliéndose fuera del zaguán, cantó el gallo.

**69.** Reparando de nuevo en él la criada, empezó a decir a los circunstantes: Sin duda éste es de aquéllos.

**70.** Mas él lo negó segunda vez. Un poquito después, los que estaban allí decían nuevamente a Pedro: Seguramente tú eres de ellos, pues eres también galileo.

**71.** Aquí comenzó a echarse maldiciones, y asegurar con juramento: Yo no conozco a ese hombre de que habláis.

**72.** Y al instante cantó el gallo la segunda vez. Con lo que se acordó Pedro de la palabra que Jesús le había dicho: Antes de cantar el gallo por segunda vez, tres veces me habrás ya negado. Y comenzó a llorar *amargamente.*

## CAPITULO XV

*Jesús es presentado a Pilato, azotado, coronado de espinas y crucificado entre dos ladrones. Prodigios que suceden en su muerte; y cómo fué sepultado.*

**1.** Y luego que amaneció, habiéndose juntado para deliberar los príncipes de los sacerdotes, con los ancianos y los escribas, y todo el consejo *o sanedrín,* ataron a Jesús, y le condujeron y entregaron a Pilato.

**2.** Pilato le preguntó: ¿Eres tú el rey de los judíos? A que Jesús respondiendo, le dijo: Tú lo dices, *lo soy.*

**3.** Y como los príncipes de los sacerdotes le acusaban en muchos puntos,

**4.** Pilato volvió nuevamente a interrogarle, diciendo: ¿No respondes nada? mira de cuántas cosas te acusan.

**5.** Jesús, empero, nada más contestó, de modo que Pilato estaba todo maravillado.

**6.** Solía él por razón de la fiesta *de Pascua,* concederles la libertad de uno de los presos, cualquiera que el pueblo pidiese.

**7.** Entre éstos había uno llamado Barrabás, el cual estaba preso con otros sediciosos, por haber en cierto motín cometido un homicidio.

**8.** Pues como el pueblo acudiese a esta sazón a pedirle el indulto que siempre les otorgaba,

**9.** Pilato les respondió, diciendo: ¿Queréis que os suelte al rey de los judíos?

**10.** Porque sabía que los príncipes de los sacerdotes se lo habían entregado por envidia.

**11.** Mas los pontífices instigaron al pueblo a que pidiese más bien la libertad de Barrabás.

**12.** Pilato de nuevo les habló, y les dijo: ¿pues qué queréis que haga del rey de los judíos?

**13.** Y ellos volvieron a gritar: ¡Crucifícale!

**14.** Y les decía: ¿Pues qué mal *es el que* ha hecho? Mas ellos gritaban a mayor fuerza: ¡Crucifícale!

**15.** Al fin Pilato, deseando contentar al pueblo, les soltó a Barrabás; y a Jesús, después de haberle hecho azotar, se le entregó para que fuese crucificado.

**16.** Los soldados le llevaron entonces al patio del pretorio, y reuniéndose allí toda la cohorte,

**17.** Vístenle *un manto* de grana *a manera de púrpura,* y le ponen una corona de espinas entretejidas.

**18.** Comenzaron en seguida a saludarle, *diciendo:* ¡Salve, oh rey de los judíos!

**19.** Al mismo tiempo herían su cabeza con una caña, y escupíanle, e hincando las rodillas le adoraban.

**20.** Después de haberse así mofado de él, le desnudaron de la púrpura, y volviéndole a poner sus vestidos, le condujeron afuera para crucificarle.

**21.** Al paso alquilaron a un hombre que venía de una granja, llamado Simón Cireneo, padre de Alejandro y de Rufino, obligándole a que llevase la cruz de Jesús.

**22.** Y *de esta suerte* le conducen al lugar llamado Gólgota, que quiere decir calvario, *u osario.*

**23.** Allí le daban a beber vino mezclado con mirra; mas él no quiso beberlo.

**24.** Y después de haberle crucificado, repartieron sus ropas, echando suertes sobre la parte que había de llevar cada uno.

**25.** Era ya *cumplida* la hora de tercia, cuando le crucificaron.

**26.** Y estaba escrita la causa de su sentencia en este letrero: El rey de los judíos.

**27.** Crucificaron también con él a dos ladrones, uno a su derecha y otro a la izquierda:

**28.** Con lo que se cumplió la Escritura, que dice: Y fué puesto en la clase de los malhechores.

**29.** Los que iban y venían blasfemaban de él, meneando sus cabezas, y diciendo: ¡Hola! tú que destruyes el templo de Dios, y que lo reedificas en tres días,

**30.** Sálvate a ti mismo bajando de la cruz.

**31.** De la misma manera, mofándose de él los príncipes de los sacerdotes, con los escribas, se decían el uno al otro: A otros ha salvado, y no puede salvarse así mismo.

**32.** El Cristo, el rey de Israel, descienda ahora de la cruz, para que seamos testigos de vista, y le creamos. También los que estaban crucificados con él, le ultrajaban.

**33.** Y a la hora de sexta se cubrió toda la tierra de tinieblas hasta la hora de nona.

**34.** Y a la hora de nona exclamó Jesús diciendo en voz grande *y extraordinaria:* ¿Eloi, Eloi, lamma sabasthani? (que significa: Dios mío, Dios mío, ¿por qué me has desamparado?).

**35.** Oyéndolo algunos de los circunstantes, decían: Ved cómo llama a Elias.

**36.** Y corriendo uno de ellos, empapó una esponja en vinagre, y revolviéndola en la punta de una caña, dábale a beber, diciendo: Dejad *que cobre así algún aliento,* y veremos a ver si viene Elias a descolgarle *de la cruz.*

**37.** Mas Jesús, dando un gran grito expiró.

**38.** Y *al mismo tiempo* el velo del templo se rasgó en dos partes, de arriba abajo.

**39.** Y el centurión que estaba allí presente, viendo que había expirado con clamor, dijo: Verdaderamente que este hombre era Hijo de Dios.

**40.** Había también allí varias mujeres que estaban mirando de lejos, entre las cuales estaba María Magdalena, y Maria madre de Santiago el menor y de José y Salomé *mujer de Zebedeo,*

**41.** Que cuando estaba en Galilea, le seguían y le asistían *con sus bienes;* y también otras muchas, que juntamente con él habían subido a Jerusalén.

**42.** Al caer el sol (por ser aquel día la parasceve, *o día de preparación,* que precede al sábado)

**43.** Fué José de Arimatea, *persona* ilustre y senador, el cual esperaba también el reino de Dios, y entró denodadamente a Pilato, y pidió el cuerpo de Jesús.

**44.** Pilato, admirándose de que tan pronto hubiese muerto, hizo llamar al centurión, y le preguntó si efectivamente era muerto.

---

CAP. XV. — **23.** Se cree que era costumbre el dar esta bebida para disminuir el tormento del ajusticiado. *Matth.* XXVII, *v.* 34.

**25.** Jesús fué crucificado al fin de la hora *tercia,* y cerca de la hora *sexta. Hora de tercia,* y *no hora tercia* quiere el uso que se diga, tal vez contra la gramática, porque puede más que ella, en todas las lenguas vivas.

---

**31.** Se sobreentiende una interrogación, y la expresión es a modo de sarcasmo.

**39.** La frase que el centurión formula en el Calvario, es característica de San Marcos y como un resumen del segundo evangelio.

**45.** Y habiéndose asegurado que sí el centurión, dió el cuerpo a José.

**46.** José, comprada una sábana, bajó a Jesús de la cruz, y le envolvió en la sábana, y le puso en un sepulcro abierto en una peña, y arrimando una *gran* piedra, dejó así con ella cerrada la entrada.

**47.** Entre tanto María Magdalena y María, *madre* de José, estaban observando dónde le ponían.

## CAPITULO XVI

*Resurrección de Jesús: aparécese a la Magdalena, y a los discípulos y a los Apóstoles y envía a éstos a bautizar a predicar el evangelio. Su ascensión a los cielos.*

**1.** Y pasada *la fiesta* del sábado, María Magdalena, y María *madre* de Santiago, y Salomé, compraron aromas para ir a embalsamar a Jesús.

**2.** Y partiendo muy de madrugada el *domingo* o primer día de la semana, llegaron al sepulcro, salido ya el sol.

**3.** Y se decían una a otra: ¿Quién nos quitará la piedra de la entrada del sepulcro?

**4.** La cual realmente era muy grande, mas echando la vista, repararon que la piedra estaba apartada.

**5.** Y entrando en el sepulcro o *cueva sepulcral* se hallaron con un joven sentado al lado derecho, vestido de un blanco ropaje, y se quedaron pasmadas.

**6.** Pero él les dijo: No tenéis que asustaros; vosotras venís a buscar a Jesús Nazareno, que fué crucificado: ya resucitó, no está aquí: mirad el lugar donde le pusieron.

**7.** Pero id, y decid a sus discípulos, y *especialmente* a Pedro que *él* irá delante de vosotros a Galilea, donde le veréis, según *que* os tiene dicho.

**8.** Ellas, saliendo del sepulcro, echaron a huír, como sobrecogidas que estaban de pavor y espanto, y a nadie dijeron nada *en el camino:* tal era su pasmo.

**9.** Jesús habiendo resucitado de mañana, el *domingo* o primer día de la semana, se apareció primeramente a María Magdalena, de la cual había lanzado siete demonios.

**10.** Y Magdalena fué *luego* a dar las nuevas a los que habían andado con él, que no cesaban de gemir y llorar.

**11.** Los cuales al oírla decir que vivía, y que ella le había visto, no la creyeron.

**12.** Después de esto se apareció bajo otro aspecto a dos de ellos, que iban de camino a una casa de campo.

**13.** Los que viniendo luego, trajeron a los demás la nueva; pero ni tampoco los creyeron.

**14.** En fin, apareció a los once *Apóstoles* cuando estaban a la mesa; y les dió en rostro con su incredulidad y dureza de corazón; porque no habían creído a los que le habían visto resucitado.

**15.** Por último, les dijo: Id por todo el mundo; predicad el evangelio a todas las criaturas:

**16.** El que creyere y se bautizare se salvará; pero el que no creyere será condenado.

**17.** A los que creyeron, acompañarán estos milagros: en mi nombre lanzarán los demonios, hablarán nuevas lenguas,

**18.** Manosearán las serpientes; y si algún *licor* venenoso bebieren, no les hará daño; pondrán las manos sobre los enfermos, y quedarán éstos curados

**19.** Así el Señor Jesús, después de haberles hablado *varias veces,* fué elevado al cielo *por su propia virtud, y* está *allí* sentado a la diestra de Dios.

**20.** Y sus Apóstoles fueron, y predicaron en todas partes, cooperando el Señor, y confirmando su doctrina con los milagros que la acompañaban.

# EVANGELIO SEGÚN SAN LUCAS

## Introducción

El Evangelio de San Lucas es, desde un punto de vista cronológico y por el lugar que ocupa en el conjunto de la obra evangelizadora, el tercero de los Evangelios canónicos, según apuntan todas las indagaciones. Sobre la vida de este hombre y su persona, las pocas noticias encontradas fiables se hallan en el libro de los Hechos de los Apóstoles, en el que él mismo participó.

Nacido en Antioquía, y perteneciente a una acomodada familia pagana, Lucas tuvo acceso a una sólida cultura, en la que se incluía el perfecto dominio del griego y San Pablo nos lo presenta además ejerciendo como médico. El inicio de los contactos con la religión de Jesucristo parece provenir de los primeros predicadores del Evangelio, aunque San Pablo, según apuntan sus propios testimonios, no estuvo vinculado a los comienzos de Lucas en el cristianismo. El primer encuentro con San Pablo, decisivo para el evangelista, se produjo alrededor del año 50, cuando aquél se encontraba en Grecia de camino hacia Asia. A partir de este momento, la vida de ambos hombres transcurre paralela, hasta el punto de hacer exclamar a Pablo, cuando se hallaba preso por segunda vez en Roma: «Solamente Lucas está conmigo».

Tras la muerte de Pablo, el rastro de la vida y lugares de permanencia del evangelista se difuminan; según alguna tradición murió en Bitinia, y sus restos fueron llevados posteriormente a Constantinopla, para descansar definitivamente en la iglesia de Santa Justina de Padua.

El Evangelio de Lucas recibe de Pablo su impulso creador; ahora bien la personalidad del evangelista recorre la obra de principio a final por su delicadeza y afecto extraordinarios así como su gracia expresiva.

### CAPITULO PRIMERO

*El ángel Gabriel anuncia el nacimiento de San Juan el Precursor, y de Jesús el Hijo de Dios. Visita nuestra Señora a Santa Isabel. Cántico de la Virgen. Nacimiento de San Juan. Cántico de Zacarías. Los prodigios que antes y después sucedieron.*

1. Ya que muchos han emprendido ordenar la narración de los sucesos que se han cumplido entre nosotros,

2. Conforme nos los tienen referidos aquellos mismos que desde su principio han sido testigos de vista y ministros de la palabra *evangélica,*

3. Parecióme también a mí, después de haberme informado de todos exactamente desde su origen, escribírtelos por su orden ¡oh dignísimo Teófilo!

4. A fin de que conozcas la verdad de lo que se te ha enseñado.

5. Siendo Herodes rey de Judea, hubo un sacerdote llamado Zacarías, de la familia-

*sacerdotal* de Abía, *una de aquellas que servían por turno en el templo,* cuya mujer, llamada Isabel, era *igualmente* del linaje de Aarón.

6. Ambos eran justos a los ojos de Dios,
guardando, *como guardaban,* todos los mandamientos y leyes del Señor irreprensiblemente,

7. Y no tenían hijos, porque Isabel era estéril, y ambos de avanzada edad.

8. Sucedió, pues, que sirviendo él las funciones del sacerdocio *en orden al culto divino,* por su turno, *que era el de Abía,* le cupo
en suerte,

9. Según el estilo que había entre los sacerdotes, entrar en el templo del Señor, *o lugar
llamado santo,*

10. A ofrecer el incienso; y todo el concurso del pueblo estaba orando de parte de afuera *en el atrio,* durante *la oblación* del incienso.

11. Entonces se le apareció a Zacarías un
ángel del Señor, puesto en pie a la derecha del
altar del incienso,

12. Con cuya vista se estremeció Zacarías,
y quedó sobrecogido de espanto.

13. Mas el ángel le dijo: No temas, Zacarías, pues tu oración ha sido bien despacha-
da: *tú verás al Mesías;* y tu mujer Isabel te pa-
rirá un hijo, *que será su precursor,* a quien
pondrás por nombre Juan;

14. El cual será para ti objeto de gozo y de
júbilo; y muchos se regocijarán en su nacimiento,

15. Porque ha de ser grande en la presencia
del Señor. No beberá vino ni cosa que pueda
embriagar, y será lleno del Espíritu santo ya
desde el seno de su madre,

16. Y convertirá a muchos de los hijos de
Israel al Señor Dios suyo,

17. Delante del cual irá él, revestido del espíritu y de la virtud *o celo* de Elías, para reunir los corazones de los *padres o patriarcas*
con los de los hijos y *conducir* los incrédulos
a la prudencia *y fe* de los *antiguos* justos, a fin
de preparar al Señor un pueblo perfecto.

18. Pero Zacarías respondió al ángel: ¿Por
dónde podré yo certificarme de eso? Porque
*ya* soy yo viejo, y mi mujer de edad muy
avanzada.

19. El ángel replicándole dijo: Yo soy
Gabriel, que asisto al trono de Dios, de quien
he sido enviado a hablarte y a traerte esta feliz nueva.

20. Y desde ahora quedarás mudo, y no
podrás hablar, hasta el día en que sucedan estas cosas, por cuanto no has creído a mis palabras, las cuales se cumplirán a su tiempo.

21. Entre tanto estaba el pueblo esperando
a Zacarías, y maravillándose de que se detuviese tanto en el templo.

22. Salido, en fin, no podía hablarles palabra, de donde conocieron que había tenido en
el templo alguna visión. El procuraba explicarse por señas, y permaneció mudo *y sordo.*

23. Cumplidos los días de su ministerio,
volvió a su casa.

24. *Poco* después Isabel, su esposa, concibió, y estuvo cinco meses ocultando *el preñado,* diciendo *para consigo:*

25. Esto ha hecho el Señor conmigo, ahora
que ha tenido a bien borrar mi oprobio de
delante de los hombres.

26. Estando ya Isabel en su sexto mes, envió Dios al ángel Gabriel a Nazaret, ciudad
de Galilea,

27. A una virgen desposada con cierto varón de la casa de David, llamado José; y el
nombre de la virgen era María.

28. Y habiendo entrado el ángel a donde
ella estaba, le dijo: Dios te salve ¡oh llena de
gracia! el Señor es contigo; bendita tú eres
entre *todas* las mujeres.

29. Al oír tales palabras *la Virgen* se turbó,
y púsose a considerar qué significaría una tal
salutación.

30. Mas el ángel le dijo: ¡Oh María! no temas, porque has hallado gracia en los ojos de
Dios.

31. Sábete que has de concebir en tu seno,
y parirás un hijo, a quien pondrás por nombre Jesús.

32. Este será grande, y será llamado Hijo
del Altísimo, al cual el Señor Dios dará el
trono de su padre David, y reinará en la casa
de Jacob eternamente,

33. Y su reino no tendrá fin.

34. Pero María dijo al ángel: ¿Cómo ha de
ser eso, pues yo no conozco *ni jamás conoceré* varón alguno?

CAP. PRIMERO. 25. La esterilidad. entre los
hebreos, solía mirarse como pena de algún pecado
oculto.— Véase *Gen.* XXIX, *v.* 31. El ser ejercitado con trabajos es muchas veces un particular beneficio o gracia de Dios; así como lo es en otras de
ser librado de ellos: cada una de estas gracias tiene
su tiempo. Hay bienes en este segundo que provienen de la injusticia o ligereza de los juicios humanos, al modo que hay también males o afliccones
que parecen castigos a los que ignoran las sendas
siempre justas y sabias de la divina Providencia, y
sólo estiman los bienes del siglo presente. A nosotros no nos toca sino esperar siempre con confianza en la bondad de Dios, que es nuestro amoroso
padre, el cual salva a unos de un modo, y a otros de
otro. *S. Agust. in Luc.*

**35.** El ángel en respuesta le dijo: El Espíritu santo descenderá sobre ti, y la virtud del Altísimo te cubrirá con su sombra, *o fecundará:* por esta causa el *fruto* santo que de ti nacerá, será llamado Hijos de Dios.

**36.** Y ahí tienes a tu parienta Isabel, que en su vejez ha concebido también un hijo; y la que se llamaba estéril, hoy cuenta ya el sexto mes:

**37.** Porque para Dios nada es imposible.

**38.** Entonces dijo María: He aquí la esclava del Señor, hágase en mí según tu palabra. Y en seguida el ángel *desapareciendo* se retiró de su presencia.

**39.** Por aquellos días *partió* María, y se fué apresuradamente a las montañas *de Judea* a una ciudad de *la tribu de* Judá;

**40.** Y habiendo entrado en la casa de Zacarías, saludó a Isabel.

**41.** Lo mismo fué oír Isabel la salutación de María, que la criatura, *o el niño Juan,* dió saltos de placer en su vientre, e Isabel se sintió llena del Espíritu santo,

**42.** Y exclamando en alta voz, dijo *a María:* ¡Bendita tú eres entre *todas* las mujeres, y bendito es el fruto de tu vientre!

**43.** Y ¿de dónde a mí tanto bien que venga la madre de mi Señor a visitarme?

**44.** Pues lo mismo fué penetrar la voz de tu salutación en mis oídos, que dar saltos de júbilo la criatura en mi vientre.

**45.** ¡Oh bienaventurada tú que has creído! porque se cumplirán *sin falta* las cosas que se te han dicho de parte del Señor.

**46.** Entonces María dijo: Mi alma glorifica al Señor,

**47.** Y mi espíritu está transportado de gozo en el Dios salvador mío:

**48.** Porque ha puesto los ojos en la bajeza de su esclava, por tanto ya desde ahora me llamarán bienaventurada todas las generaciones.

**49.** Porque ha hecho en mí cosas grandes aquel que es *todo* poderoso, cuyo nombre es Santo,

**50.** Y cuya misericordia *se derrama* de generación en generación sobre los que le temen.

**51.** Hizo alarde del poder de su brazo; deshizo las miras del corazón de los soberbios.

**52.** Derribó del solio a los poderosos, y ensalzó a los humildes.

**53.** Colmó de bienes a los hambrientos, y a los ricos los despidió sin nada.

**54.** Acordándose de su misericordia, acogió a Israel su siervo,

**55.** Según la promesa que hizo a nuestros padres, a Abraham y a su descendencia por los siglos *de los siglos.*

**56.** Y detúvose María con Isabel cosa de tres meses, y *después* se volvió a su casa.

**57.** Entre tanto le llegó a Isabel el tiempo de su alumbramiento, y dió a luz un hijo.

**58.** Supieron sus vecinos y parientes la gran misericordia que Dios le había hecho, y se congratulaban con ella.

**59.** El día octavo vinieron a la circuncisión del niño, y llamábanle Zacarías, del nombre de su padre.

**60.** Pero su madre, oponiéndose, dijo: No por cierto, sino que se ha de llamar Juan.

**61.** Dijéronle: ¿No ves que nadie hay en su familia que tenga ese nombre?

**62.** Al mismo tiempo preguntaban por señas al padre del niño cómo quería que se le llamase:

**63.** Y él pidiendo la tablilla, *o recado de escribir, escribió así:* Juan es su nombre. Lo que llenó a todos de admiración.

**64.** Y al mismo punto recobró el habla y uso de la lengua, y empezó a bendecir a Dios.

**65.** Con lo que un *santo* temor se apoderó de todas las gentes comarcanas, y divulgáronse todos estos sucesos por todo *el país* de las montañas de Judea.

**66.** Y cuantos los oían, meditaban en su corazón, diciendo *unos a otros:* ¿Quién pensáis ha de ser este niño? Porque *verdaderamente* la mano del Señor estaba con él.

**67.** Además de que Zacarías, su padre, quedó lleno del Espíritu santo, y profetizó, diciendo:

**68.** Bendito sea el Señor Dios de Israel, porque ha visitado y redimido a su pueblo;

**69.** Y nos ha suscitado un poderoso salvador en la casa de David su siervo,

**70.** Según lo tenía anunciado por boca de sus santos profetas, que han florecido en todos los siglos pasados,

**71.** Para librarnos de nuestros enemigos y de las manos de todos aquellos que nos aborrecen,

**72.** Ejerciendo su misericordia con nuestros padres, y teniendo presente su alianza santa,

**73.** Conforme al juramento con que juró a nuestro padre Abraham que nos otorgaría *la gracia*

**74.** *De que,* libertados de las manos de nuestros enemigos, le sirvamos sin temor;

**75.** Con *verdadera* santidad y justicia, ante su acatamiento, todos los días de nuestra vida.

**76.** Y tú ¡oh niño!, tú serás llamado el profeta del Altísimo; porqué irás delante del Señor a preparar sus caminos,

**77.** Enseñando la ciencia de la salvación de su pueblo, para *que obtenga* el perdón de sus pecados,

**78.** Por las entrañas misericordiosas de nuestro Dios, que ha hecho que ese Sol naciente ha venido a visitarnos de lo alto *del cielo.*

**79.** Para alumbrar a los que yacen en las tinieblas y en la sombra de la muerte, para enderezar nuestros pasos por el camino de la paz.

**80.** Mientras tanto el niño iba creciendo, y se fortalecía en el espíritu, y habitó en los desiertos hasta el tiempo en que debía darse a conocer a Israel.

## CAPITULO II

*Jesús nace en Belén, es manifestado por los ángeles a los pastores, y circuncidado al octavo día. Cántico y profecía de Simeón. Jesús a los doce años disputa en el templo con los doctores de la ley. Vive en Nazaret, sujeto a sus padres.*

**1.** Por aquellos días se promulgó un edicto de César Augusto, mandando empadronar a todo el mundo.

**2.** Este fué el primer empadronamiento hecho por Cirino, *que después fué* gobernador de la Siria.

**3.** Y todos iban a empadronarse, cada cual a la ciudad de su estirpe.

**4.** José, pues, como era de la casa y familia de David, vino desde Nazaret, ciudad de Galilea, a la ciudad de David llamada Betlehem, en Judea,

**5.** Para empadronarse con María su esposa, la cual estaba encinta.

**6.** Y sucedió que hallándose allí, le llegó la hora del parto.

**7.** Y parió a su hijo primogénito, y envolvióle en pañales, y recostóle en un pesebre, porque no hubo lugar para ellos en el mesón.

**8.** Estaban velando en aquellos contornos unos pastores, y haciendo centinela de noche sobre su grey,

**9.** Cuando de improviso un ángel del señor apareció junto a ellos, y cercólos con su resplandor una luz divina, lo cual les llenó de sumo temor.

**10.** Díjoles entonces el ángel: No tenéis que temer; pues vengo a daros una nueva de grandísimo gozo para todo el pueblo,

**11.** Y es, que hoy os ha nacido en la ciudad de David el salvador, que es el Cristo *o Mesías*, el Señor *nuestro.*

**12.** Y sírvaos de seña, que hallaréis al niño envuelto en pañales, y reclinado en un pesebre.

**13.** Al punto mismo se dejó ver con el ángel un ejército numeroso de la milicia celestial, alabando a Dios, y diciendo:

**14.** Gloria a Dios en lo más alto de cielos, y paz en la tierra a los hombres de buena voluntad.

**15.** Luego que los ángeles se apartaron de ellos *y volaron* al cielo, los pastores se decían unos a otros: Vamos hasta Betlehem, y veamos este suceso *prodigioso* que acaba de suceder, y que el Señor nos ha manifestado.

**16.** Vinieron, pues, a toda prisa, y hallaron a María y a José y al niño reclinado en el pesebre.

**17.** Y viéndole, se certificaron de cuanto se les había dicho de este niño.

**18.** Y todos los que supieron el suceso se maravillaron, igualmente, de lo que los pastores les habían contado.

**19.** María, empero, conservaba todas estas cosas dentro de sí, ponderándolas en su corazón.

**20.** En fin, los pastores se volvieron, no cesando de alabar y glorificar a Dios por todas las cosa que habían oído y visto, según se les había anunciado *por el ángel.*

**21.** Llegando el día octavo en que debía ser circuncidado el niño, le fue puesto por nombre Jesús, nombre que le puso el ángel antes que fuese concebido.

**22.** Cumplido asimismo el tiempo de la purificación de la madre, según la ley de Moisés, llevaron el niño a Jerusalén, para presentarle al Señor.

**23.** Como está escrito en la ley del Señor: Todo varón que nazca el primero, será consagrado al Señor;

**24.** Y para presentar la ofrenda de un par de tórtolas, o dos palominos, como está *también* ordenado en la ley del Señor.

**25.** Había a la sazón en Jerusalén un hombre justo y temeroso de Dios, llamado Simeón, el cual esperaba *de día en día* la consolación de Israel *o la venida del Mesías*, y el espíritu santo moraba en él.

**26.** El *mismo* Espíritu santo le había revelado que no había de morir antes de ver al Cristo o *Ungido* del Señor.

**27.** Así, vino inspirado de él al templo. Y al entrar con el niño Jesús sus padres para practicar con él lo prescrito por la ley,

**28.** Tomándole Simeón en sus brazos, bendijo a Dios, diciendo:

**29.** Ahora, Señor, *ahora sí que* sacas en paz de este mundo a tu siervo, según tu promesa.

**30.** Porque ya mis ojos han visto al Salvador que nos has dado,

**31.** Al cual tienes destinado para que, *expuesto* a la vista de todos los pueblos,

**32.** Sea luz *brillante* que ilumine a los gentiles y la gloria de tu pueblo de Israel.

**33.** Su padre y su madre escuchaban con admiración las cosas que de él se decían.

**34.** Simeón bendijo a entrambos, y dijo a María su madre: Mira, este *niño que ves* está destinado para ruina y para resurrección de muchos en Israel, y para ser el blanco de la contradicción *de los hombres;*

**35.** *Lo que será para ti misma* una espada *que* traspasará tu alma; a fin de que sean descubiertos los pensamientos *ocultos* en los corazones de muchos.

**36.** Vivía entonces una profetisa llamada Ana, hija de Fanuel, de la tribu de Aser que era ya de edad muy avanzada; y la cual, *casada* desde la flor de ella, vivió con su marido siete años.

**37.** Y habíase mantenido viuda hasta los ochenta y cuatro *de su edad,* no saliendo del templo, y sirviendo *en él a Dios* día y noche con ayunos y oraciones.

**38.** Esta, pues, sobreviniendo a la misma hora, alababa *igualmente* al Señor, y hablaba de él a todos los que esperaban la redención de Israel.

**39.** *Y María y José con el niño Jesús,* cumplidas todas las cosas ordenadas en la ley del Señor, regresaron a Galilea, a su ciudad de Nazaret.

**40.** Entre tanto el niño iba creciendo, y fortaleciéndose, lleno de sabiduría: y la gracia de Dios estaba con él.

**41.** Iban sus padres todos los años a Jerusalén por la fiesta solemne de la Pascua.

**42.** Y siendo el niño ya de doce años cumplidos, habiendo subido a Jerusalén, según solían en aquella solemnidad,

**43.** Acabados aquellos días, cuando ya se volvían, se quedó el niño Jesús en Jerusalén, sin que sus padres lo advirtiesen;

**44.** Antes bien persuadidos de que venía con algunos de los de su comitiva, anduvieron la jornada entera buscándole entre los parientes y conocidos.

**45.** Mas como no le hallasen, retornaron a Jerusalén, en busca suya.

**46.** Y al cabo de tres días *de haberle perdido,* le hallaron en el templo, sentado en medio de los doctores, que ora les escuchaba, ora les preguntaba.

**47.** Y cuantos le oían quedaban pasmados de su sabiduría y de sus respuestas.

**48.** Al verle, pues, *sus padres* quedaron maravillados. Y su madre le dijo: Hijo, ¿por qué te has portado así con nosotros? Mira cómo tu padre y yo llenos de aflicción te hemos andado buscando.

**49.** Y él les respondió: ¿Cómo es que me buscabais? ¿No sabíais que yo debo emplearme en las cosas que miran al servicio de mi Padre?

**50.** Mas ellos *por entonces* no comprendieron *el sentido de* su respuesta.

**51.** En seguida se fué con ellos, y vino a Nazaret, y les estaba sujeto. Y su madre conservaba todas estas cosas en su corazón.

**52.** Jesús entre tanto crecía en sabiduría, en edad y en gracia delante de Dios y de los hombres.

## CAPITULO III

*Predicación y bautismo de San Juan. Va Jesús a ser bautizado, y prodigios que suceden. Genealogía de Jesús.*

**1.** El año décimo quinto del imperio de Tiberio César, gobernando Poncio Pilato la Judea, siendo Herodes tetrarca de la Galilea, y su hermano Filipo tetrarca de Iturea y de la provincia de Traconite y Lisanias tetrarca de Abilina;

**2.** Hallándose sumos sacerdotes Anás y Caifás; el Señor hizo entender su palabra a Juan, hijo de Zacarías, en el desierto;

---

**39.** Muchos expositores entienden este versículo de la vuelta de Egipto a Nazaret.

---

**52.** La voz griega *elikia* significa también la estatura, el vigor, etc.; lo cual confirma la tradición de la Iglesia de Oriente sobre la majestuosa presencia o estatura del Señor. Esto es, al paso que crecía en edad, manifestaba más su sabiduria y gracia.

**46.** Puede traducirse *al tercer día.* Semejante hebraismo se ve en *Matth.* XXVI, *v.* 63.— *Marc.* VIII, *v.* 31.

**CAP III.** — **1.** Algunos creen que *Traconite* es otro nombre que tenía *Iturea,* y que así el *et* de la Vulgata equivale a *id est.*

**3.** El cual, *obedeciendo al instante,* vino por toda la ribera del Jordán, predicando un bautismo de penitencia para la remisión de los pecados,

**4.** Como está escrito en el libro de las palabras, *o vaticinios,* del profeta Isaías: *Se oirá* la voz de uno que clama en el desierto: Preparad el camino del Señor, enderezad sus sendas;

**5.** Todo valle será terraplenado, todo monte y cerro allanado; y *así* los caminos torcidos serán enderezados, y los escabrosos igualados;

**6.** Y verán todos los hombres al Salvador *enviado* de Dios.

**7.** Y decía Juan a las gentes que venían a recibir su bautismo: ¡Oh raza de víboras! ¿Quién os ha enseñado *que así podréis* huir de la ira *de Dios* que os amenaza?

**8.** Haced dignos frutos de penitencia, y no andéis diciendo: Tenemos a Abraham por padre. Porque yo os digo, que de estas piedras puede hacer Dios nacer hijos a Abraham.

**9.** La segur está ya puesta a la raíz de los árboles. Así que, todo árbol que no da buen fruto, será cortado y arrojado al fuego.

**10.** Y preguntándole las gentes: ¿Qué es lo que debemos, pues, hacer?

**11.** Les respondía, diciendo: El que tiene dos vestidos, dé al que no tiene *ninguno*; y haga otro tanto el que tiene que comer.

**12.** Vinieron asimismo publicanos a ser bautizados, y le dijeron: Maestro, *¿y* nosotros qué debemos hacer *para salvarnos?*

**13.** Respondióles: No exijáis más de lo que está ordenado.

**14.** Preguntábanle también los soldados: ¿Y nosotros qué haremos? A éstos dijo: No hagáis extorsiones a nadie, ni calumnias; y contentaos con vuestras pagas.

**15.** Mas opinando el pueblo que quizá Juan era Cristo, *o Mesías,* y prevaleciendo esta opinión en los corazones de todos,

**16.** Juan la rebatió, diciendo públicamente: Yo en verdad os bautizo con agua, *a fin de excitaros a la penitencia;* pero está para venir otro más poderoso que yo, al cual no soy yo digno de desatar la correa de sus zapatos: él os bautizará con el Espíritu santo, y con el fuego *de la caridad.*

**17.** Tomará en su mano el bieldo, y limpiará su era metiendo después el trigo en su granero y quemando la paja *o broza* en un fuego inextinguible.

**18.** Muchas otras cosas además *de éstas*

anunciaba al pueblo en las exhortaciones *que le hacía.*

**19.** Y como reprendiese al tetrarca Herodes por razón de Herodías, mujer de su hermano *Filipo,* y con motivo de todos los males que había hecho,

**20.** Añadió *después* Herodes a todos ellos el de poner a Juan en la cárcel.

**21.** En el tiempo en que concurría todo el pueblo a recibir el bautismo, habiendo sido también Jesús bautizado, y estando en oración, sucedió el abrirse el cielo,

**22.** Y bajar sobre él el Espíritu santo en forma corporal como de una paloma, y se oyó del cielo esta voz: Tú eres mi Hijo amado, en ti tengo puestas todas mis delicias.

**23.** Tenía Jesús al comenzar *su ministerio* cerca de treinta años, hijo, como se creía, de José, el cual fué *hijo* de Helí, que lo fué de Matat.

**24.** Este fué *hijo* de Leví, que lo fué de Melqui, que lo fué de Janne, que lo fué de José.

**25.** José fué *hijo* de Matatías, que lo fué de Amós, que lo fué de Nahum, que lo fué de Hesli, que lo fué de Nagge.

**26.** Este fué *hijo* de Mahat, que lo fué de Matatías, que lo fué de Semeí, que lo fué de José, que lo fué de Judas.

**27.** Judas fué *hijo* de Joanna, que lo fué de Resa, que lo fué de Zorobabel, que lo fué de Salatiel, que lo fué de Nerí.

**28.** Nerí fué *hijo* de Melqui, que lo fué de Addí, que lo fué de Cosán, que lo fué de Elmadán, que lo fué de Her.

**29.** Este fué *hijo* de Jesús, que lo fué de Eliezer, que lo fué de Jorim, que lo fué de Matat, que lo fué de Leví.

**30.** Leví fué *hijo* de Simeón, que lo fué de Judas, que lo fué de José, que lo fué de Jonás, que lo fué de Eliaquín.

**31.** Este lo fué de Melea, que lo fué de Menna, que lo fué de Matata, que lo fué de Natán, que lo fué de David.

**32.** David fué *hijo* de Jesé, que lo fué de Obed, que lo fué de Booz, que lo fué de Salmón, que lo fué de Naasón.

**33.** Naasón fué *hijo* de Aminadab, que lo fué de Aram, que lo fué de Esrom, que lo fué de Farés, que lo fué de Judas.

**34.** Judas fué *hijo* de Jacob, que lo fué de Isaac, que lo fué de Abraham, que lo fué de Tare, que lo fué de Nacor.

**35.** Nacor fué *hijo* de Sarug, que lo fué de Ragau, que lo fué de Faleg, que lo fué de Heber, que lo fué de Salé.

**36.** Salé fué *hijo* de Cainán, que lo fué de Arfaxad, que lo fué de Seb, que lo fué de Noé, que lo fué de Lamec.

**37.** Lamec fué *hijo* de Matusalé, que lo fué de Henoc, que lo fué de Jared, que lo fué de Malaleel, que lo fué de Cainán.

**38.** Cainán fué *hijo* de Henós, que lo fué de Set, que lo fué de Adán, el cual fué *criado* por Dios.

## CAPITULO IV

*Ayuno y tentación de Jesucristo en el desierto. Predica en Nazaret. Va a Cafarnaúm donde libra a una energúmena, cura a la suegra de San Pedro, y hace otros milagros.*

**1.** Jesús, pues, lleno del Espíritu santo, partió del Jordán, y fué conducido por el *mismo Espíritu* al desierto,

**2.** *Donde estuvo* cuarenta días, *y allí* era tentado del diablo. En esos días no comió nada, y al cabo de ellos tuvo hambre.

**3.** Por lo que le dijo el diablo: Si tú eres el Hijo de Dios, di a esta piedra que se convierta en pan.

**4.** Respondióle Jesús: Escrito está: No vive de sólo pan el hombre, sino de todo lo que Dios dice.

**5.** Entonces el diablo le condujo a un elevado monte, y le puso a la vista en un instante todos los reinos de la redondez de la tierra,

**6.** Y díjole: Yo te daré todo este poder y la gloria de estos reinos; porque se me han dado a mí, y los doy a quien quiero.

**7.** Si tú quieres, pues, adorarme, serán todos tuyos.

**8.** Jesús en respuesta le dijo: Escrito está: Adorarás al Señor Dios tuyo, y a él solo servirás.

**9.** Y llevóle *aún* a Jerusalén, y púsole sobre el pináculo del templo, y díjole: Si tú eres el Hijo de Dios, échate de aquí abajo.

**10.** Porque está escrito que mandó a sus ángeles que te guarden,

**11.** Y que te lleven en *las palmas de* sus manos, para que no tropiece tu pie contra alguna piedra.

**12.** Jesús le replicó: Dicho está *también:* No has de tentar al Señor Dios tuyo.

**13.** Acabadas todas estas tentaciones, el diablo se retiró de él, hasta otro tiempo.

**14.** Entonces Jesús por impulso del Espíritu *santo* retornó a Galilea, y corrió luego su fama por toda la comarca.

**15.** El enseñaba en sus sinagogas, y era *estimado y* honrado de todos.

**16.** Habiendo ido a Nazaret donde se había criado, entró, según su costumbre, el día de sábado en la sinagoga, y se levantó para *encargarse de* la leyenda *e interpretación.*

**17.** Fuéle dado el libro del profeta Isaías. Y abriéndolo, halló el lugar donde estaba escrito:

**18.** El Espíritu del Señor *reposó* sobre mí: por lo cual me ha consagrado con su unción *divina,* y me ha enviado a evangelizar *o dar buenas nuevas* a los pobres; a curar a los que tienen el corazón contrito;

**19.** A anunciar la libertad a los cautivos, y a los ciegos vista; a soltar a los que están oprimidos; a promulgar el año de las misericordias del Señor, *o del jubileo,* y el día de la retribución.

**20.** Y arrollado, *o cerrado,* el libro entregóselo al ministro, y sentóse. Todos en la sinagoga tenían fijos en él los ojos.

**21.** *Su discurso* lo comenzó diciendo: La escritura que acabáis de oír hoy se ha cumplido.

**22.** Y todos le daban elogios y estaban pasmados de las palabras *tan llenas* de gracia que salían de sus labios, y decían: ¿No es éste el hijo de José *el carpintero?*

**23.** Díjoles él: Sin duda que me aplicaréis aquel refrán: Médico, cúrate a ti mismo; todas las grandes cosas que hemos oído que has hecho en Cafarnaúm, hazlas también aquí en tu patria.

**24.** Mas añadió *luego:* En verdad os digo, que ningún profeta es bien recibido en su patria.

**25.** Por cierto os digo, que muchas viudas había en Israel en tiempo de Elías, cuando el cielo estuvo sin llover tres años y seis meses, siendo grande el hambre por toda la tierra;

**26.** Y a ninguna de ellas fué enviado Elías, sino que lo fué a una mujer viuda de Sarepta, *ciudad gentil del territorio* de Sidón.

---

**CAP IV.** — 13. Toleró Jesús los insultos del diablo, porque quería vencerle, para nuestra instrucción, no con su divino poder, como Dios, sino con la humildad, como hombre, y hacernos ver que la meditación de las santas Escrituras o de la divina palabra y el ayuno son las mejores armas contra las tentaciones.

**27.** Había asimismo muchos leprosos en Israel en tiempo del profeta Eliseo; y ninguno de ellos fué curado *por este profeta,* sino *que lo fué* Naamán, *natural* de Siria.

**28.** Al oír estas cosas todos en la sinagoga montaron en cólera.

**29.** Y levantándose *alborotados* le arrojaron fuera de la ciudad, y condujéronle hasta la cima del monte, sobre el cual estaba su ciudad edificada, con ánimo de despeñarle.

**30.** Pero Jesús, pasando por medio de ellos, iba *su camino, o se iba retirando.*

**31.** Y bajó a Cafarnaúm, ciudad de Galilea, donde enseñaba al pueblo en los días de sábado.

**32.** Y estaban asombrados de su doctrina, porque su modo de predicar era de *gran* autoridad *y poderío.*

**33.** Hallábase en la sinagoga cierto hombre poseído de un demonio inmundo, el cual gritó con grande voz,

**34.** Diciendo: Déjanos en paz, ¿qué tenemos nosotros que ver contigo, oh Jesús Nazareno? ¿Has venido a exterminarnos? Yo sé quién eres, *eres* el Santo de Dios.

**35.** Mas Jesús, increpándole, dijo: Enmudece, y sal de ese hombre. Y el demonio, habiéndole arrojado al suelo en medio *de todos,* salió de él, sin hacerle daño alguno;

**36.** Con lo que todos se atemorizaron, y conversando unos con otros decían: ¿Qué es esto? El manda con autoridad y poderío a los espíritus inmundos, y *luego* van fuera.

**37.** Con esto se iba esparciendo la fama de su nombre por todo aquel país.

**38.** Y saliendo Jesús de la sinagoga, entró en casa de Simón. Hallábase la suegra de Simón con una fuerte calentura, y suplicáronle por su alivio.

**39.** Y él arrimándose a la enferma, mandó a la calentura *que la dejase;* y la dejó libre. Y levantándose entonces mismo *de la cama,* se puso a servirles.

**40.** Puesto el sol, todos los que tenían enfermos de varias dolencias, se los traían. Y él los curaba con poner sobre cada uno las manos.

**41.** De muchos salían los demonios gritando y diciendo: Tú eres *el Mesías,* el Hijo de Dios; y con amenazas les prohibía decir que sabían que él era el Cristo.

**42.** Y partiendo luego que fué de día, se iba a un lugar desierto, y las gentes le anduvieron buscando, y no pararon hasta encontrarle; y hacían por detenerle, no queriendo que se apartase de ellos.

**43.** Mas él les dijo: Es necesario que yo predique también a otras ciudades el evangelio del reino de Dios; pues para eso he sido enviado.

**44.** Y así andaba predicando en las sinagogas de Galilea.

## CAPITULO V

*Predica Jesús desde la barca de San Pedro: pesca milagrosa de éste. Curación de un leproso y de un paralítico. Vocación de San Mateo. Por qué no ayunaban los discípulos de Jesús.*

**1.** Sucedió *un día* que, hallándose Jesús junto al lago de Genezaret, las gentes se agolpaban alrededor de él, ansiosas de oír la palabra de Dios.

**2.** En esto vió dos barcas a la orilla del lago, cuyos pescadores habían bajado y estaban lavando las redes.

**3.** Subiendo, pues, en una de ellas, la cual era de Simón, pidióle que la desviase un poco de tierra. Y sentándose *dentro,* predicaba desde la barca al *numeroso* concurso.

**4.** Acabada la plática, dijo a Simón: Guía mar adentro, y echad vuestras redes para pescar.

**5.** Replicóle Simón: Maestro, toda la noche hemos estado fatigándonos y nada hemos cogido; no obstante sobre tu palabra echaré la red.

**6.** Y habiéndolo hecho, recogieron tan grande cantidad de peces, que la red se rompía.

**7.** Por lo que hicieron señas a los compañeros de la otra barca, que viniesen y les ayudasen. Vinieron luego, y llenaron tanto de peces las dos barcas, que faltó poco para que se hundiesen.

**8.** Lo que viendo Simón Pedro, se arrojó a los pies de Jesús, diciendo: Apártate de mí, Señor, que soy un hombre pecador.

**9.** Y es que el asombro se había apoderado así de él como de todos los demás que con él estaban a la vista de la pesca que acaban de hacer.

**10.** Lo mismo que sucedía a Santiago y a Juan, hijos de Zebedeo, compañeros de Simón. Entonces Jesús dijo a Simón: No tienes que temer: de hoy en adelante serán hombres los que has de pescar, *para darles la vida.*

**11.** Y ellos, sacando las barcas a tierra, dejadas todas las cosas le siguieron.

---

CAP. V. — 1. O mar de Galilea, como le llama *Matth Cap.* IV, *v.* 18.

**12.** Estando en una de aquellas ciudades *de Galilea,* he aquí un hombre todo cubierto de lepra, el cual así que vió a Jesús, postróse rostro por tierra, y le rogaba diciendo: Señor, si tú quieres, puedes curarme.

**13.** Y *Jesús,* extendiendo la mano, le tocó diciendo: Quiero: sé curado. Y de repente desapareció de él la lepra.

**14.** Y le mandó que a nadie lo contase; pero, anda, *le dijo,* preséntate al sacerdote, y lleva la ofrenda por tu curación, según lo ordenado por Moisés, a fin de que le sirva de testimonio.

**15.** Sin embargo, su fama se extendía cada día más; *por manera que* los pueblos acudían en tropel a oírle, y a ser curados de sus enfermedades.

**16.** Mas no por eso dejaba él de retirarse a la soledad, y de hacer *allí* oración.

**17.** Estaba Jesús un día sentado enseñando, y estaban asimismo sentados allí varios fariseos y doctores de la ley, que habían venido de todos los lugares de Galilea y de Judea, y de *la ciudad de* Jerusalén *para espiarle;* y la virtud del Señor se manifestaba en sanar a los enfermos.

**18.** Cuando he aquí que llegan unos hombres que traían tendido en una camilla a un paralítico, y hacían diligencias por meterle dentro *de la casa en que estaba Jesús,* y ponérsele delante.

**19.** Y no hallando por dónde introducirle a causa del gentío, subieron sobre el terrado y abierto el techo le descolgaron con la camilla al medio delante de Jesús.

**20.** El cual viendo su fe, dijo: ¡Oh hombre! Tus pecados te son perdonados.

**21.** Entonces los escribas y fariseos empezaron a pensar *mal,* diciendo para consigo: ¿Quién es éste, que así blasfema? ¿Quién puede perdonar pecados, sino sólo Dios?

**22.** Mas Jesús, que conoció sus pensamientos, respondiendo, les dijo: ¿Qué es lo que andáis revolviendo en vuestros corazones?

**23.** ¿Qué es más fácil decir: Tus pecados te son perdonados; o decir: Levántate, y anda?

**24.** Pues para que sepáis que el Hijo del hombre tiene potestad en la tierra de perdonar pecados, levántate (dijo al parálítico), yo te lo mando, carga con tu camilla, y vete a tu casa.

**25.** Y levantándose al punto a vista de todos, cargó con la camilla en que yacía, y marchó a su casa dando gloria a Dios.

**26.** Con lo cual todos quedaron pasmados, y glorificaban a Dios. Y penetrados de *un santo* temor, decían: Hoy sí que hemos visto cosas maravillosas.

**27.** Después de esto, saliendo afuera *hacia el lago de Genezaret,* vió a un publicano llamado Leví, sentado al banco o *mesa* de los tributos, y díjole: Sígueme.

**28.** Y *Leví* abandonándolo todo, se levantó y le siguió.

**29.** Dióle Leví después un gran convite en su casa, al cual asistió un grandísimo número de publicanos y de otros que los acompañaban a la mesa.

**30.** De lo cual murmuraban los fariseos y los escribas de los judíos, diciendo a los discípulos de Jesús: ¿Cómo es que coméis y bebéis con publicanos, y con gentes de mala vida?

**31.** Pero Jesús, tomando la palabra, les dijo: Los sanos no necesitan de médico, sino los enfermos.

**32.** No son los justos, sino los pecadores a los que he venido yo a llamar a penitencia.

**33.** Todavía le preguntaron ellos: ¿Y de qué proviene que los discípulos de Juan ayunan a menudo, y oran, como también los de los fariseos, al paso que los tuyos comen y beben?

**34.** A lo que les respondió él: ¿Por ventura podréis vosotros recabar de los compañeros del esposo el que ayunen *en los días de la boda,* mientras está con ellos el esposo?

**35.** Pero tiempo vendrá en que les será quitado el esposo, y entonces será cuando ayunarán.

**36.** Poníales también esta comparación: Nadie a un vestido viejo le echa un remiendo de paño nuevo; porque, fuera de que el *retazo* nuevo rasga lo viejo, no cabe bien el remiendo nuevo en el *vestido* viejo.

**37.** Tampoco echa nadie vino nuevo en cueros viejos; de otra suerte el vino nuevo hará reventar los cueros, y se derramará el vino, y echaránse a perder los cueros;

---

**19.** Por la escalera exterior de la casa, que subía hasta el terrado.

**30.** La envidia y la hipocresía son casi siempre el origen de la propensión que tienen muchos a murmurar y censurar hasta las acciones más buenas y caritativas, como eran las de Jesucristo. Bajo la capa de un falso celo por la perfección cristiana, se esconde a veces un refinado orgullo que todo lo critica, de todo se escandaliza, de todo se queja, y al fin se propasa hasta a en disponer a los inferiores contra los superiores. S. Greg. Magno.

**38.** Sino que el vino nuevo se debe echar en cueros nuevos, y así entrambas cosas se conservan.

**39.** Del mismo modo, ninguno acostumbrado a beber vino añejo, quiere inmediatamente del nuevo, porque dice: Mejor es el añejo.

## CAPITULO VI

*Jesús defiende a sus discípulos, y redarguyè a los escribas y fariseos sobre la observancia del sábado; nombra los doce apóstoles; cura enfermos, y predica aquel admirable sermón en que declara los fundamentos de la ley nueva.*

**1.** Aconteció también en el sábado *llamado* segundo primero, que pasando Jesús por *junto* a unos sembrados, sus discípulos arrancaban espigas, y estregándolas entre las manos, comían los granos.

**2.** Algunos de los fariseos les decían: ¿Por qué hacéis lo que no es lícito en sábado?

**3.** Y Jesús, tomando la palabra, les respondió: ¿Pues qué, no habéis leído vosotros lo que hizo David, cuando él y los que le acompañaban padecieron hambre?

**4.** ¿Cómo entró en la casa de Dios, y tomó los panes de la proposición, y comió, y dió de ellos a sus compañeros, siendo así que nadie se permite el comerlos sino a sólo los sacerdotes?

**5.** Y les decía: El Hijo del hombre es señor también del sábado.

**6.** Sucedió que entró otro sábado en la sinagoga, y púsose a enseñar. Hallábase allí un hombre que tenía seca la mano derecha.

**7.** Y los escribas y fariseos le estaban acechando, a ver si curaría en sábado, para tener de qué acusarle.

**8.** Pero Jesús, que calaba sus pensamientos, dijo al que tenía seca la mano: Levántate, y ponte en medio. Levantóse y se puso en medio.

**9.** Díjoles entonces Jesús: Tengo que haceros una pregunta: ¿Es lícito en los días de sábado hacer bien, o mal? ¿Salvar a un hombre la vida, o quitársela?

**10.** Y dando una mirada a todos alrededor dijo al hombre: Extiende tu mano. Extendióla, y la mano quedó sana.

**11.** Mas ellos llenos de furor, conferenciaban entre sí qué podrían hacer contra Jesús.

**12.** Por este tiempo se retiró a orar en un monte, y pasó toda la noche haciendo oración a Dios.

**13.** Así que fué de día, llamó a sus discípulos, y escogió doce entre ellos (a los cuales dió el nombre de apóstoles), *a saber:*

**14.** Simón, a quien puso el sobrenombre de Pedro, y. Andrés su hermano; Santiago y Juan; Felipe y Bartolomé;

**15.** Mateo y Tomás; Santiago, hijo de Alfeo, y Simón, llamado el Celador;

**16.** Judas, *hermano* de Santiago, y Judas Iscariote, que fué el traidor.

**17.** Y al bajar con ellos, se paró en un llano, juntamente con la compañía de sus discípulos, y de un grande gentío de toda la Judea, y *en especial* de Jerusalén, y del país marítimo de Tiro y de Sidón,

**18.** Que habían venido a oírle y a ser curados de sus dolencias. Asimismo los molestados de los espíritus inmundos eran *también* curados.

**19.** Y todo el mundo procuraba tocarle; porque salía de él una virtud que daba la salud a todos.

**20.** Entonces levantando los ojos hacia sus discípulos, decía: ¡Bienaventurados *vosotros* los pobres, porque vuestro es el reino de Dios!

**21.** Bienaventurados los que ahora tenéis hambre, porque seréis saciados. Bienaventurados los que ahora lloráis, porque reiréis.

**22.** Bienaventurados seréis cuando los hombres os aborrezcan y os separen *de sus sinagogas,* y os afrenten, y abominen de vuestro nombre como maldito, en odio del Hijo del hombre:

**23.** Alegraos en aquel día, y saltad de gozo; porque os está reservada en el cielo una grande recompensa: tal era el trato que daban sus padres a los profetas.

**24.** Mas ¡ay de vosotros los ricos! porque ya tenéis vuestro consuelo *en este mundo.*

**25.** ¡Ay de vosotros los que andáis hartos! porque sufriréis hambre. ¡Ay de vosotros los que ahora reís! porque *día vendrá en que os* lamentaréis y lloraréis.

**26.** ¡Ay de vosotros cuando los hombres *mundanos* os aplaudieren! que así lo hacían sus padres con los falsos profetas.

**27.** Ahora bien, a vosotros que *me* escucháis, digo yo: Amad a vuestros enemigos: haced bien a los que os aborrecen.

---

CAP. VI — 27. Amad no sus errores, no sus faltas, no su mala conducta: pero sí a sus personas, deseando vivamente su bien. *Benefacite:* haced bien a los enemigos, no un bien que los haga peores, que pueda contribuir a aumentar sus extravíos, sino un bien que sirva directamente o indirectamente pa-

**28.** Bendecid a los que os maldicen, y orad por los que os calumnian.

**29.** A quien te hiriere en una mejilla, preséntale asimismo la otra; y a quien te quitare la capa, no le impidas que se te lleve aun la túnica.

**30.** A todo el que te pida, dale; y al que te roba tus cosas, no se las demandes.

**31.** Tratad a los hombres de la misma manera que quisierais que ellos os tratasen a vosotros.

**32.** Que si *no* amáis *sino* a los que os aman, ¿qué mérito es el vuestro? Porque también los pecadores aman a quien los ama a ellos.

**33.** Y si hacéis bien a los que bien os hacen: ¿qué mérito es el vuestro? Puesto que aun los pecadores hacen lo mismo.

**34.** Y si prestáis a aquellos de quienes esperáis recibir *recompensa,* ¿qué mérito tenéis? Pues también los malos prestan a los malos, a trueque de recibir de ellos otro tanto.

**35.** Empero, vosotros amad a vuestros enemigos; haced bien y prestad, sin esperanza de recibir nada por ello; y será grande vuestra recompensa, y seréis hijos del Altísimo, porque él es bueno y *benéfico, aun* para con los *mismos* ingratos y malos.

**36.** Sed, pues, misericordiosos, así como también vuestro padre es misericordioso.

**37.** No juzguéis, y no seréis juzgados; no condenéis, y no seréis condenados. Perdonad, y seréis perdonados.

**38.** Dad, y se os dará; *dad abundantemente* y se os echará en el seno una buena medida, apretada y bien colmada hasta que se derrame. Porque con la misma medida con que midiereis a los demás, se os medirá a vosotros.

**39.** Proponíales asimismo esta semejanza: ¿Por ventura puede un ciego guiar a otro ciego? ¿No cae-rán ambos en el precipicio?

**40.** No es el discípulo superior al maestro: pero todo discípulo será perfecto, como sea semejante a su maestro.

**41.** Mas tú, ¿por qué miras la mota en el ojo de tu hermano, no reparando en la viga que tienes en el tuyo?

**42.** O ¿con qué cara dices a tu hermano: Hermano, deja que te quite esa mota del ojo, cuando tú mismo no echas de ver la viga en el tuyo? Hipócrita, saca primero la viga de tu ojo; y después podrás ver cómo has de sacar la mota del ojo de tu hermano.

**43.** Porque no es árbol bueno el que da malos frutos; ni árbol malo, el que da frutos buenos.

**44.** Pues cada árbol por su fruto se conoce. Que no se cogen higos de los espinos, ni de las zarzas racimos de uvas.

**45.** El hombre bueno, del buen tesoro de su corazón saca cosas buenas; así como el mal hombre las saca malas del mal tesoro *de su corazón.* Porque de la abundancia del corazón habla la boca.

**46.** ¿Por qué, pues, me estáis llamando, Señor, Señor, siendo así que no hacéis lo que yo digo?

**47.** Quiero mostraros a quién es semejante cualquiera que viene a mí, y escucha mis palabras y las practica:

**48.** Es semejante a un hombre que fabricando una casa, cavó *muy* hondo, y puso los cimientos sobre peña *viva;* Venida después una inundación, el río descargó todo el golpe contra la casa, y no pudo derribarla, porque estaba fundada sobre peña.

**49.** Pero aquel que escucha *mis palabras,* y no *las* practica, es semejante a un hombre que fabricó su casa sobre tierra *fofa* sin poner cimiento, contra la cual descargó su ímpetu el río; y luego cayó, y fué grande la ruina de aquella casa.

## CAPITULO VII

*Sana Jesús al criado del Centurión. Resucita al hijo de la viuda de Naím. Responde a los mensajeros de Juan Bautista. Increpa a los judíos, y los compara a unos niños que juegan. Una mujer le unge los pies. Parábola de los dos deudores.*

**1.** Concluida toda su plática al pueblo que le escuchaba, entró en Cafarnaúm.

**2.** Hallábase allí a la sazón un centurión que tenía enfermo y a la muerte un criado, a quien estimaba mucho.

**3.** Habiendo oído hablar de Jesús, envióle algunos de los ancianos *o senadores* de los judíos, a suplicarle que viniese a curar a su criado.

---

ra su conversión. *Benedicite:* bendecidlos, no hablándoles con blandura lisonjera, tímida, o que los haga atrevidos, sino de un modo que vuestras expresiones o palabras no respiren acrimonía ni venganza. Hasta en el tono de la voz con que los reprendáis han de conocer vuestra buena intención. *Orad por ellos* para que Dios convierta y conceda lo necesario para esta vida y para la otra. Tal es la pura celestial doctrina de Jesucristo en esta materia; no la que de este pasaje de S. Lucas saca un escrito impío y de mala fe.

**4.** Ellos en consecuencia llegados que fueron a Jesús, le rogaban con grande empeño que condescendiese: Es un sujeto, le decían, que merece le hagas este favor,

**5.** Porque es afecto a nuestra nación, y *aun* nos ha fabricado una sinagoga.

**6.** Iba, pues, Jesús con ellos. Y estando ya cerca de la casa, el centurión le envió a decir por sus amigos: Señor, no te tomes esa molestia, que no merezco yo que tú entres dentro de mi morada.

**7.** Por esta razón tampoco me tuve por digno de salir en persona a buscarte; pero di tan sólo una palabra, y sanará mi criado.

**8.** Pues aun yo que soy un oficial subalterno, como tengo saldados a mis órdenes, digo a éste: ve, y va; y al otro: ven, y viene; y a mi criado: haz esto, y lo hace.

**9.** Así que Jesús oyó esto, quedó *como* admirado, y vuelto a las muchas gentes que le seguían, dijo: En verdad os digo, que ni aun en Israel he hallado fe tan grande.

**10.** Vueltos a casa los enviados, hallaron sano al criado que había estado enfermo.

**11.** Sucedió después que iba Jesús camino de la ciudad llamada Naím, y con él iban sus discípulos y mucho gentío.

**12.** Y cuando estaba cerca de la puerta de la ciudad, he aquí que sacaban a enterrar a un difunto, hijo único de su madre, la cual era viuda; e iba con ella grande acompañamiento de personas de la ciudad.

**13.** Así que la vió el Señor, movido a compasión, le dijo: No llores.

**14.** Y arrimóse y tocó el féretro. (Y los que lo llevaban, se pararon). Dijo entonces: Mancebo, yo te lo mando, levántate.

**15.** Y luego se incorporó el difunto, y comenzó a hablar. Y *Jesús* le entregó a su madre.

**16.** Con esto quedaron todos penetrados de *un santo* temor, y glorificaban a Dios, diciendo: Un gran profeta ha aparecido entre nosotros, y Dios ha visitado a su pueblo.

**17.** Y esparcióse la fama de este milagro por toda la Judea y por todas las regiones circunvecinas.

**18.** De todas estas cosas informaron a Juan sus discípulos.

**19.** Y Juan, llamando a dos de ellos, enviólos a Jesús para que le hiciesen esta pregunta: ¿Eres tú aquel que ha de venir *a salvar al mundo*, o debemos esperar a otro?

**20.** Llegados a él los tales, le dijeron: Juan el Bautista nos ha enviado a ti para preguntarte: ¿Eres tú aquel que ha de ve-

nir, o debemos esperar a otro?

**21.** En la misma hora curó *Jesús* a muchos de sus enfermedades y llagas, y de espíritus malignos, y dió vista a muchos ciegos.

**22.** Respondióles, pues, diciendo: Id y contad a Juan las cosas que habéis oído y visto: cómo los ciegos ven, los cojos andan, los leprosos quedan limpios, los sordos oyen, los muertos resucitan, a los pobres se les anuncia el Evangelio:

**23.** Y bienaventurado aquel que no se escandalizare de mi proceder.

**24.** Así que hubieron partido los enviados de Juan, Jesús se dirigió al numeroso auditorio, y hablóles de Juan en esta forma: ¿Qué salisteis a ver en el desierto? ¿Alguna caña sacudida del viento?

**25.** ¿O qué es lo que salisteis a ver? ¿Algún hombre vestido de ropas delicadas? Ya sabéis que los que visten preciosas ropas y viven en delicias, en palacios de reyes están.

**26.** En fin, ¿qué salisteis a ver? ¿Un profeta? Sí, ciertamente; yo os lo aseguro, y aún más que profeta.

**27.** *Pues* él es de quien está escrito: Mira que yo envío delante de ti mi ángel, el cual vaya preparándote el camino.

**28.** Por lo que os digo: Entre los nacidos de mujeres, ningún profeta es mayor que Juan Bautista; si bien aquel que es el más pequeño en el reino de Dios, es mayor que él.

**29.** Todo el pueblo y los publicanos, habiéndole oído, entraron en los designios de Dios, recibiendo el bautismo de Juan.

**30.** Pero los fariseos y doctores de la ley despreciaron en daño de sí mismos el designio de Dios *sobre ellos*, no habiendo recibido dicho bautismo.

**31.** Ahora bien, concluyó el Señor: ¿A quién diré que es semejante esta raza de hombres? y ¿a quién se parecen?

**32.** Parécense a los muchachos sentados en la plaza y que *por vía de juego* parlan con los de enfrente, y les dicen: Os cantamos al son de la flauta, y no habéis danzado; entonamos lamentaciones, y no habéis llorado.

**33.** Vino Juan Bautista, que ni comía pan, ni bebía vino, y habéis dicho: Está endemoniado.

**34.** Ha venido el Hijo del hombre, que come y bebe *como los demás*, y decís: He aquí un hombre voraz y bebedor, amigo de publicanos y de gente de mala vida.

**35.** Mas la sabiduría *de Dios* ha sido justificada por todos sus hijos.

**36.** Rogóle uno de los fariseos que fuera a comer con él. Y habiendo entrado en çasa del fariseo, se puso a la mesa,

**37.** Cuando he aquí que una mujer de la ciudad, que era, *o había sido,* de mala conducta, luego que supo que se había puesto a la mesa en casa del fariseo, trajo un vaso de alabastro lleno de bálsamo *o perfume;*

**38.** Y arrimándose por detrás a sus pies, comenzó a bañárselos con sus lágrimas, y los limpiaba con los cabellos de su cabeza y los besaba, y derramaba sobre ellos el perfume.

**39.** Lo que viendo el fariseo que le había convidado, decía para consigo: Si este hombre fuera profeta, bien conocería quién, y qué tal es la mujer que le está tocando, *o* que es una mujer de mala vida.

**40.** Jesús respondiendo *a su pensamiento,* dícele: Simón, una cosa tengo que decirte. Di, maestro, respondió él.

**41.** Cierto acreedor (*prosiguió Jesús*) tenía dos deudores: uno le debía quinientos denarios, y el otro cincuenta.

**42.** No teniendo ellos con qué pagar, perdonó a entrambos la deuda. ¿Cuál de ellos *a tu parecer* le amará más?

**43.** Respondió Simón: Hago juicio que aquel a quien se perdonó más. Y díjole Jesús: Has juzgado rectamente.

**44.** Y volviéndose hacia la mujer, dijo a Simón: ¿Ves a esta mujer? Yo entré en tu casa, y no me has dado agua con que se lavaran mis pies; mas ésta ha bañado mis pies con sus lágrimas, y los ha enjugado con sus cabellos.

**45.** Tú no me has dado el ósculo *de paz;* pero ésta desde que llegó no ha cesado de besar mis pies.

**46.** Tú no has ungido con óleo *o perfume* mi cabeza; y ésta ha derramado sobre mis pies *sus* perfumes.

**47.** Por todo lo cual te digo que le son perdonados muchos pecados, porque ha amado mucho. Que ama menos aquel a quien menos se le perdona.

**48.** En seguida dijo a la mujer: Perdonados te son tus pecados.

**49.** Y luego los convidados empezaron a decir interiormente: ¿Quién es éste que también perdona pecados?

**50.** Mas él dijo a la mujer: Tu fe te ha salvado: vete en paz.

# CAPITULO VIII

*Parábola del sembrador. Luz sobre el candelero. Ejerce Jesús su imperio sobre el mar, sobre los demonios, sobre una enfermedad incurable, y sobre la muerte, resucitando a la hija de Jairo.*

**1.** Algún tiempo después andaba Jesús por las ciudades y aldeas predicando, y anunciando el reino de Dios, acompañado de los doce,

**2.** Y de algunas mujeres que habían sido libradas de los espíritus malignos y *curadas* de *varias* enfermedades, de María, por sobrenombre Magdalena, de la cual había echado siete demonios,

**3.** Y de Juana, mujer de Cusa, mayordomo *del rey* Herodes, y de Susana, y de otras muchas, que le asistían con sus bienes.

**4.** En ocasión de un grandísimo concurso *de gentes,* que de las ciudades acudían presurosas a él, dijo esta parábola:

**5.** Salió un sembrador a sembrar su simiente; y al esparcirla, parte cayó a lo largo del camino, donde fué pisoteada, y la comieron las aves del cielo.

**6.** Parte cayó sobre un pedregal, y luego que nació, secóse por falta de humedad.

**7.** Parte cayó entre espinas, y creciendo al mismo tiempo las espinas con ella, sofocáronla.

**8.** Parte *finalmente* cayó en buena tierra; y habiendo nacido dió fruto a ciento por uno. Dicho esto exclamó en alta voz: El que tenga oídos para escuchar, atienda *bien a lo que digo.*

**9.** Preguntábanle sus discípulos, cuál era el sentido de esta parábola.

**.10.** A los cuales respondió así: A vosotros se os ha concedido el entender el misterio del reino de Dios, mientras a los demás *en castigo de su malicia, se les habla* en parábolas, de modo que viendo no echen de ver, y oyendo no entiendan.

**11.** Ahora bien, el sentido de la parábola es éste: la semilla es la palabra de Dios;

**12.** Los *granos* sembrados a lo largo del camino, significan aquellos que la escuchan, sí; pero viene luego el diablo, y se la saca del corazón, para que no crean y se salven;

**13.** Los sembrados en un pedregal, son aquellos que, oída la palabra, recíbenla, sí, con gozo: pero no echa raíces en ellos; y *así* creen por una temporada, y al tiempo de la tentación vuelven atrás;

**14.** La semilla caída entre espinas, son los que la escucharon, pero con los cuidados, y las riquezas y delicias de la vida, al cabo la sofocan, y nunca llega a dar fruto.

**15.** En fin, la que cae en buena tierra, denota aquellos que con un corazón bueno y muy sano oyen la palabra de Dios, y la conservan *con cuidado,* y mediante la paciencia dan fruto sazonado.

**16.** Y *añadió:* Ninguno después de encender una antorcha la tapa con una vasija, ni la mete debajo de la cama; sino que la pone sobre un candelero, para que dé luz a los que entran.

**17.** Porque nada hay oculto que no deba ser descubierto; ni escondido, que no haya de ser conocido y publicado.

**18.** Por tanto, mirad de qué manera oís *mis instrucciones.* Pues a quien tiene, dársele ha; y al que no tiene, aun aquello mismo que cree tener, se le quitará.

**19.** Entre tanto vinieron a encontrarle su madre y *primos* hermanos, y no pudiendo acercarse a él a causa del gentío,

**20.** Se lo avisaron, diciéndole: Tu madre y tus hermanos están allá afuera, que te quieren ver.

**21.** Pero él dióles esta respuesta: Mi madre y mis hermanos son aquellos que escuchan la palabra de Dios y la practican.

**22.** Un día sucedió que habiéndose embarcado con sus discípulos, les dijo: Pasemos al otro lado del lago. Partieron, pues;

**23.** Y mientras ellos iban navegando, se durmió Jesús, al tiempo que un viento recio alborotó las olas, de manera que llenándose de agua *la barca,* corrían riesgo.

**24.** Con esto llegándose a él le despertaron, diciendo: ¡Maestro, que perecemos! Y puesto él en pie, amenazó al viento y a la tormenta, que cesaron luego, y siguióse la calma.

**25.** Entonces les dijo: ¿Dónde está vuestra fe? Mas ellos llenos de temor se decían con asombro unos a otros: ¿Quién diremos que es éste, que así da órdenes a los vientos y al mar, y le obedecen?

**26.** Arribaron, en fin, al país de los gerasenos, que está en la ribera opuesta a la Galilea.

**27.** Luego que saltó a tierra, le salió al encuentro un hombre, ya de muchos tiempos atrás endemoniado, que ni sufría ropa encima, ni moraba en casa, sino en las cuevas sepulcrales.

**28.** Este, pues, así que vió a Jesús, se arrojó a sus pies, y le dijo a grandes gritos: ¿Qué tengo yo que ver contigo, Jesús, Hijo del Dios altísimo? Ruégote que no me atormentes.

**29.** Y es que Jesús mandaba al espíritu inmundo que saliese de aquel hombre; porque hacía mucho tiempo que estaba de él apoderado; y por más que le ataban con cadenas y ponían grillos, rompía las prisiones, y acosado del demonio huía a los desiertos.

**30.** Jesús le preguntó: ¿Cuál es tu nombre? Y él respondió: Legión; porque eran muchos los demonios entrados en él.

**31.** Y le suplicaban éstos que no les mandase ir al abismo.

**32.** Andaba por allí una gran piara de cerdos paciendo en el monte: con esta ocasión le pedían que les permitiera entrar en ellos. Y se lo permitió.

**33.** Salieron, pues, del hombre los demonios, y entraron en los cerdos; y de repente toda la piara corrió a arrojarse por un precipicio al lago, y se anegó.

**34.** Viendo esto los que los guardaban, echaron a huir, y fuéronse a llevar la nueva a la ciudad y por los cortijos,

**35.** De donde salieron las gentes a ver lo que había sucedido; y viniendo a Jesús, hallaron al hombre, de quien habían salido los demonios, sentado a sus pies, vestido, y en su sano juicio, y quedaron espantados.

**36.** Contáronles asimismo los que habían estado presentes, de qué manera había sido librado de la legión *de demonios.*

**37.** Entonces todos los gerasenos a una le suplicaron que se retirase de su país; por hallarse sobrecogidos de grande espanto. Subiendo, pues, Jesús en la barca, se volvió.

**38.** Pedíale aquel hombre de quien habían salido los demonios, que le llevase en su compañía. Pero Jesús le despidió, diciendo:

**39.** Vuélvete a tu casa, y cuenta las maravillas que Dios ha obrado a favor tuyo. Y fuése por toda la ciudad, publicando los grandes beneficios que Jesús le había hecho.

**40.** Habiendo regresado Jesús *a Galilea,* salió el pueblo a recibirle; porque todos estaban esperándole *con ansia.*

**41.** Entonces se le presentó un jefe de la sinagoga llamado Jairo, el cual se postró a sus pies suplicándole que viniese a su casa,

**42.** Porque tenía una hija única de cerca de doce años de edad, que se estaba muriendo. Al ir, pues, allá, y hallándose apretado del tropel de las gentes *que le seguían,*

**43.** Sucedió que cierta mujer enferma después de doce años de un flujo de sangre, la cual había gastado èn médicos toda su hacienda, sin que ninguno hubiese podido curarla,

**44.** Se arrimó por detrás, y *llena de confianza* le tocó la orla de su vestido, y al instante mismo paró el flujo de sangre.

**45.** Y dijo Jesús: ¿Quién es el que me ha tocado? Excusándose todos, dijo Pedro con sus compañeros: Maestro, un tropèl de gentes te comprime, y sofoca, y preguntas: ¿Quién me ha tocado?

**46.** Pero Jesús replicó: Alguno me ha tocado *de propósito,* pues yo he sentido salir de mí cierta virtud.

**47.** En fin, viéndose la mujer descubierta, llegóse temblando, y echándose a sus pies, declaró en presencia de todo el pueblo la causa por qué le había tocado, y cómo al momento había quedado sana.

**48.** Y Jesús le dijo: Hija, tu fe te ha curado: vete en paz.

**49.** Aún estaba hablando cuando vino uno a decir al jefe de la sinagoga: Tu hija ha muerto, no tienes que cansar ya al Maestro.

**50.** Pero Jesús, así que lo oyó, dijo al padre de la niña: No temas, basta que creas, y ella vivirá.

**51.** Llegado a la casa, no permitió entrar consigo a nadie, sino a Pedro, y a Santiago y a Juan, y al padre y madre de la niña.

**52.** Entre tanto lloraban todos, y plañían la niña, *golpeándose el pecho.* Mas él dijo: No lloréis, pues la niña no está muerta, sino dormida.

**53.** Y se burlaban de él, sabiendo *bien* que estaba muerta.

**54.** Jesús, pues, la tomó de la mano, y dijo en alta voz: ¡Niña, levántate!

**55.** Y *de repente* volvió su alma al cuerpo, y se levantó al instante. Y *Jesús* mandó que le diesen de comer.

**56.** Y quedaron sus padres llenos de asombro, a los cuales mandó que a nadie dijesen lo que había sucedido.

## CAPITULO IX

*Misión y poder de los apóstoles. Multiplicación de los panes y peces. Confesión de Pedro. Transfiguración de Jesús. Lunático curado. Pasión predicha. Disputa de los Apóstoles sobre la primacía. Celo indiscreto de los hijos de Zebedeo. Hombre que quiere seguir a Jesucristo.*

**1.** *Algún tiempo después* habiendo convocado a los doce Apóstoles, les dió poder y autoridad sobre todos los demonios, y virtud de curar enfermedades.

**2.** Y envióles a predicar el reino de Dios, y a dar la salud a los enfermos.

**3.** Y díjoles: No llevéis nada para el viaje, ni palo *para defenderos,* ni alforja *para provisiones,* ni pan, ni dinero, ni mudas de ropa.

**4.** En cualquiera casa que entrareis, permaneced allí, y no la dejéis *hasta la partida.*

**5.** Y donde nadie os recibiere, al salir de la ciudad, sacudid aun el polvo de vuestros pies, en testimonio contra sus moradores.

**6.** Habiendo, pues, partido, iban de lugar en lugar, anunciando el evangelio y curando *enfermos* por todas partes.

**7.** Entre tanto oyó Herodes el tetrarca todo lo que hacía Jesús, y no sabía a qué atenerse,

**8.** Porque unos decían: Sin duda que Juan ha resucitado; algunos: No, sino que ha aparecido Elías; otros, en fin, que uno de los profetas antiguos había resucitado.

**9.** Y decía Herodes: A Juan yo le corté la cabeza. ¿Quién será, pues, éste de quien tales cosas oigo? Y buscaba cómo verle.

**10.** Los Apóstoles a la vuelta *de su misión* contaron a Jesús todo cuanto habían hecho; y él tomándolos consigo aparte se retiró a un lugar desierto, del territorio de Betsaida.

**11.** Lo que sabido por los pueblos se fueron tras él; y recibiólos Jesús *con amor,* y les hablaba del reino de Dios, y daba salud a los que carecían de ella.

**12.** Empezaba a caer el día. Por lo que acercándose los doce *Apóstoles* le dijeron: Despacha ya a estas gentes, para que vayan a buscar alojamiento, y hallen qué comer en las villas y aldeas del contorno; pues aquí estamos en un desierto.

**13.** Respondióles *Jesús*: Dadles vosotros de comer. Pero ellos replicaron: No tenemos más de cinco panes y dos peces: a no ser que *quieras que* vayamos nosotros *con nuestro poco dinero* a comprar víveres para toda esta gente.

**14.** Es de notar que eran como unos cinco mil hombres. Entonces dijo a sus discípulos: Hacedlos sentar por cuadrillas de cincuenta en cincuenta.

**15.** Así lo ejecutaron, y los hicieron sentar a todos.

**16.** Y habiendo él tomado los cinco panes y los dos peces, levantando los ojos al cielo, los bendijo, los partió y los distribuyó a los discípulos, para que los sirviesen a la gente

**17.** Y comieron todos, y se saciaron; y de lo que les sobró, se sacaron doce cestos de pedazos.

**18.** Sucedió un día que habiéndose retirado a hacer oración, teniendo consigo a sus discípulos, preguntóles: ¿Quién dicen las gentes soy yo?

**19.** Ellos le respondieron, y dijeron: *Muchos que* Juan el Bautista, otros que Elías, otros, en fin, uno de los antiguos profetas que ha resucitado.

**20.** Y vosotros, replicó Jesús, ¿quién decís que soy yo? Respondió Simón Pedro: El Cristo, *o Ungido* de Dios.

**21.** Pero él los apercibió con amenazas, que a nadie dijesen eso.

**22.** Y añadió: Porque conviene que el Hijo del hombre padezca muchos tormentos y sea condenado por los ancianos y los príncipes de los sacerdotes. y los escribas, y sea muerto, y resucite *después* al tercer día.

**23.** Asimismo decía a todos: Si alguno quiere venir en pos de mí *y tener parte en mi gloria,* renúnciese a sí mismo, y lleve su cruz cada día, y sígame.

**24.** Pues quien quiere salvar su vida *abandonándome a mí,* la perderá; cuando al contrario, el que perdiere su vida por amor de mí, la pondrá en salvo.

**25.** ¿Y qué adelanta el hombre con ganar todo el mundo, si es a costa suya, y perdiéndose a sí mismo?

**26.** Porque quien se avergonzare de mí y de mis palabras, de ese tal se avergonzará el Hijo del hombre, cuando venga en *el esplendor de* su majestad, y en la de su Padre, y de los santos ángeles.

**27.** Os aseguro con verdad, que algunos hay aquí presentes que no morirán sin que hayan visto *un bosquejo de la gloria del* reino de Dios.

**28.** Sucedió, pues, que cerca de ocho días después de dichas estas palabras, tomó consigo a Pedro y a Santiago, y a Juan, y subió a un monte a orar.

**29.** Y mientras estaba orando, apareció diversa la figura de su semblante, y su vestido se volvió blanco y refulgente.

**30.** Y viéronse de repente dos personajes que conversaban con él, los cuales eran Moisés y Elías,

**31.** Que aparecieron en forma gloriosa: y hablaban de su salida *del mundo,* la cual estaba para verificar en Jerusalén.

**32.** Mas Pedro y sus compañeros se hallaban cargados de sueño. Y despertando vieron la gloria de Jesús y a los dos personajes que le acompañaban.

**33.** Y así que éstos iban a despedirse de él, díjole Pedro: Maestro, bien estamos aquí: hagamos tres tiendas *o pabellones,* una para ti, otra para Moisés, y otra para Elías, no sabiendo lo que se decía.

**34.** Mas en tanto que esto hablaba, formóse una nube que los cubrió; y viéndole entrar en esta nube, quedaron aterrados.

**35.** Y salió de la nube una voz que decía: Este es el Hijo mío querido: escuchadle.

**36.** Al oírse esta voz, se halló Jesús solo. Y ellos guardaron silencio, y a nadie dijeron por entonces nada de lo que habían visto.

**37.** Al día siguiente, cuando bajaban del monte, les salió al camino gran multitud de gente;

**38.** Y en medio de ella un hombre clamó, diciendo: Maestro, mira, te ruego, *con ojos de piedad* a mi hijo, que es el único que tengo;

**39.** Y un espíritu *maligno* le toma, y de repente le hace dar alaridos, y le tira contra el suelo, y le agita *con violentas convulsiones* hasta hacerle arrojar espuma, y con dificultad se aparta de él, después de desgarrarle *sus carnes.*

**40.** He rogado a tus discípulos que le echen, mas no han podido.

**41.** Jesús entonces, tomando la palabra, dijo: ¡Oh generación incrédula y perversa! ¿Hasta cuándo he de estar con vosotros, y sufrirlos? Trae aquí a tu hijo.

**42.** Al acercarse, le tiró el demonio contra el suelo, y le maltrataba.

**43.** Pero Jesús, habiendo increpado al espíritu inmundo, curó al mozo, y volvióle a su padre.

---

**CAP. IX.** — 23. *Cada día, quotidie,* expresión enfática, que es lo mismo que decir *siempre que se ofrezca ocasión.*

**34.** El pronombre griego *autoús* denota bastante que los que entraron en la nube fueron *Jesús, Moisés y Elías.*

**44.** Con lo que todos quedaban pasmados del gran poder de Dios *que brillaba en Jesús;* y mientras que todo el mundo no cesaba de admirar las cosas que hacía, él dijo a sus discípulos: Grabad en vuestro corazón lo que voy a deciros: El Hijo del hombre está para ser entregado en manos de los hombres.

**45.** Pero ellos no entendieron este lenguaje, y les era tan oscuro el sentido de estas palabras, que nada comprendieron, ni tuvieron valor para preguntarle sobre lo dicho.

**46.** Y, *lo que es más de admirar,* les vino al pensamiento cuál de ellos sería el mayor;

**47.** Pero Jesús, leyendo los afectos de su corazón, tomó de la mano a un niño, *símbolo de humildad,* y le puso junto a sí,

**48.** Y les dijo: Cualquiera que acogiere a este niño por amor mío, a mí me acoge; y cualquiera que me acogiere a mí, acoge al que me ha enviado. Y así, aquel que es *o se tiene* por el menor entre vosotros, ése es el mayor *en el reino de los cielos.*

**49.** Entonces Juan, tomando la palabra, dijo: Maestro, hemos visto a uno lanzar los demonios en tu nombre, pero se lo hemos vedado; porque no anda con nosotros en tu seguimiento.

**50.** Díjoles Jesús: No se lo prohibáis; porque quien no está contra vosotros, por vosotros está.

**51.** Y cuando estaba para cumplirse el tiempo en que Jesús había de salir *del mundo,* se puso en camino, mostrando un semblante decidido para ir a Jerusalén *a consumar su sacrificio.*

**52.** Y despachó a algunos delante de sí para anunciar *su venida;* los cuales habiendo partido entraron en una ciudad de samaritanos a prepararle hospedaje.

**53.** Mas no quisieron recibirle, porque daba a conocer que iba a Jerusalén.

**54.** Viendo esto sus discípulos Santiago y Juan, dijeron: ¿Quieres que mandemos que llueva fuego del cielo y los devore?

**55.** Pero Jesús vuelto a ellos los reprendió, diciendo: No sabéis a qué espíritu pertenecéis.

**56.** El Hijo del hombre no ha venido para perder a los hombres, sino para salvarlos. Y *con esto* se fueron a otra aldea.

**57.** Mientras iban andando su camino, hubo un hombre que le dijo: *Señor,* yo te seguiré a donde quiera que fueres.

**58.** Pero Jesús le respondió: Las raposas tienen guaridas, y las aves del cielo nidos; mas *entiende que* el Hijo del hombre no tiene dónde reclinar su cabeza.

**59.** A otro, empero, le dijo Jesús: Sígueme; mas éste respondió: Señor permíteme que vaya antes, y dé sepultura a mi padre.

**60.** Replicóle Jesús: Deja tú a los muertos, *o a los que no tienen fe,* el cuidado de sepultura a sus muertos; pero tú, *que eres llamado de lo alto, ve,* y anuncia el reino de Dios.

**61.** Y el otro le dijo: Yo te seguiré, Señor; pero primero déjame ir a despedirme de mi casa.

**62.** Respondióle Jesús: Ninguno que después de haber puesto su mano en el arado vuelve los ojos atrás, es apto para el reino de Dios.

## CAPITULO X

*Misión e instrucción de los setenta y dos discípulos. Ciudades impenitentes. Parábola del Samaritano. Marta y María hospedan a Jesús.*

**1.** Después de esto eligió el Señor otros setenta y dos *discípulos,* a los cuales envió delante de él, de dos en dos, por todas las ciudades y lugares adonde había de venir él mismo.

**2.** Y les decía: La mies a la verdad es mucha, mas los trabajadores pocos; rogad, pues, al dueño de la mies que envíe obreros a su mies.

**3.** Id vosotros: he aquí que yo os envío *a predicar* como corderos entre lobos.

**4.** No llevéis bolsillo, ni alforja, ni zapatos, ni os paréis a saludar a nadie por el camino.

**5.** Al entrar en cualquiera casa, decid ante todas cosas: La paz sea en esta casa;

**6.** Que si en ella hubiere algún hijo de la paz, descansará vuestra paz sobre él; donde no, volveráse a vosotros.

---

**54.** Como hizo Elías contra los falsos profetas. IV *Reg.* I.

**56.** Cuyo ejemplo y espíritu debéis imitar.

---

**CAP. X.** — 4. La salutación entre los orientales solía ir acompañada, mucho más que entre nosotros, de inclinación del cuerpo, de besos, abrazos, y varias preguntas sobre la salud de los amigos; y así esta frase es una locución proverbial hiperbólica para denotar que no se detengan por el camino, o que no pierdan tiempo. — Véase IV *Reg.* IV, *v.* 29.

**7.** Y perseverad en aquella misma casa, comiendo y bebiendo de lo que tengan; pues el que trabaja, merece su recompensa. No andéis pasando de casa en casa.

**8.** En cualquiera ciudad que entráreis, y os hospedaren, comed lo que os pusieren delante,

**9.** Y curad a los enfermos que en ella hubiere, y decidles: El reino de Dios está cerca de vosotros.

**10.** Pero si en la ciudad donde hubiereis entrado, no quisiesen recibiros, saliendo a las plazas, decid:

**11.** Hasta el polvo que se nos ha pegado de vuestra ciudad, lo sacudimos contra vosotros; *mas* sin embargo sabed que el reino de Dios está cerca.

**12.** Yo os aseguro, que Sodoma será tratada en el día aquel, *del juicio,* con menos rigor que la tal ciudad.

**13.** ¡Ay de ti Corozaín! ¡Ay de ti Besaida! porque si en Tiro y en Sidón se hubiesen hecho los milagros que se han hecho en vosotras, tiempo ha que hubieran hecho penitencia cubiertas de cilicio, y yaciendo sobre la ceniza.

**14.** Por eso Tiro y Sidón serán juzgadas con más clemencia que vosotras.

**15.** Y tú ¡oh Cafarnaúm! que *orgullosa* te has levantado hasta el cielo, serás abatida hasta el *profundo del* infierno.

**16.** El que os escucha a vosotros, me escucha a mí; y el que os desprecia a vosotros, a mí me desprecia. Y quien a mí me desprecia, desprecia a aquel que me ha enviado.

**17.** Regresaron *después* los setenta y dos *discípulos* llenos de gozo, diciendo: Señor, hasta los demonios mismos se sujetan a nosotros por la virtud de tu nombre.

**18.** A lo que les respondió: Yo estaba viendo *desde el principio del mundo* a Satanás caer del cielo a manera de relámpago.

**19.** Vosotros veis que os he dado potestad de hollar serpientes, y escorpiones, y todo el poder del enemigo, de suerte que nada podrá haceros daño.

---

CAP. X. — 17. Parece que este gozo que mostraban los discípulos iba acompañado de alguna imperfección y afecto humano; porque no tanto daban muestras de su contento por la fe y aprovechamiento que habían visto en los pueblos, como por ver que se les sujetaban los demonios: *subjiciuntur nobis.*

18. Varios expositores creen que Jesucristo alude en estas palabras a la rápida propagación del Evangelio, y por consiguiente a la destrucción del imperio de Satanás.

**20.** Con todo eso, no tanto habéis de gozaros, porque se os rinden los espíritus *inmundos,* cuanto porque vuestros nombres están escritos en los cielos.

**21.** En aquel mismo punto Jesús manifestó un extraordinario gozo, al impulso del Espíritu santo, y dijo: Yo te alabo, Padre *mío,* Señor del cielo y de la tierra, porque has encubierto estas cosas *grandes* a los sabios y prudentes *del siglo* y descubiértolas a los *humildes y* pequeñuelos. Así es ¡oh Padre! porque así fué tu *soberano* beneplácito.

**22.** El Padre ha puesto en mi mano todas las cosas. Y nadie conoce quién es el Hijo, sino el Padre, ni quién es el Padre, sino el Hijo, y aquel a quien el Hijo quisiere revelarlo.

**23.** Y vuelto a sus discípulos, dijo: Bienaventurados los ojos que ven lo que vosotros veis;

**24.** Pues os aseguro que muchos profetas y reyes desearon ver lo que vosotros veis, y no lo vieron; como también oír las cosas que vosotros oís, y no las oyeron.

**25.** Levantóse entonces un doctor de la ley, y díjole con el fin de tentarle: Maestro, ¿qué debo yo hacer para conseguir la vida eterna?

**26.** Díjole Jesús: ¿Qué es lo que se ha escrito en la ley? ¿Qué es lo que en ella lees?

**27.** Respondió él: Amarás al Señor Dios tuyo de todo tu corazón, y con toda tu alma, y con todas tus fuerzas, y con toda tu mente, y al prójimo como a ti mismo.

**28.** Replicóle Jesús: Bien has respondido: haz eso y vivirás.

**29.** Mas él, queriendo dar a entender que era justo, preguntó a Jesús: ¿Y quién es mi prójimo?

**30.** Entonces Jesús tomando la palabra, dijo: Bajaba un hombre de Jerusalén a Jericó, y cayó en manos de ladrones, que le despojaron de todo, y le cubrieron de heridas, y se fueron, dejándole medio muerto.

**31.** Bajaba casualmente por el mismo camino un sacerdote, y aunque le vió, pasóse de largo.

**32.** Igualmente un levita, a pesar de que se halló vecino al sitio, y le miró, tiró adelante.

**33.** Pero un pasajero de nación samaritano, llegóse adonde estaba, y viéndole movióse a compasión;

**34.** Y arrimándose, vendó sus heridas, bañándolas con aceite y vino; y subiéndole en su cabalgadura, le condujo al mesón, cuidó de él *en un todo.*

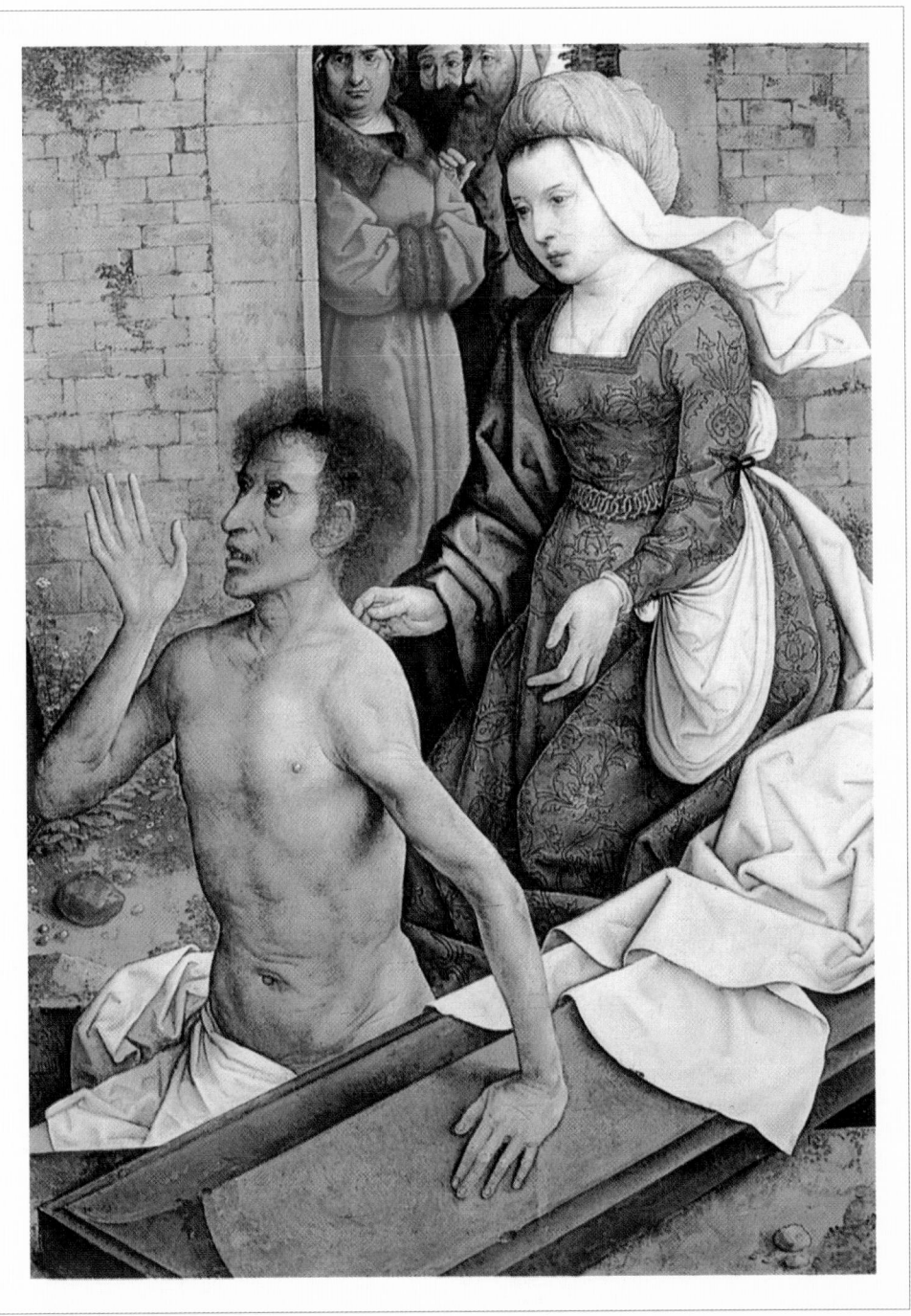

*La resurrección de Lázaro* (detalle), de Juan de Flandes,
*óleo sobre madera, Museo del Prado, Madrid*

*Retrato de Cristo*, Libro de Kells,
témpera sobre pergamino, Trinity College, Dublín

*SAN JUAN EL BAUTISTA EN EL DESIERTO*, DE GEERTGEN TOT SINT JANS,
*óleo sobre madera, Staatliche Museen, Berlín*

*La Virgen en el acto de la Anunciación*, de Antonello da Messina,
óleo sobre madera, Galleria Nazionale, Palermo

*LA VIRGEN DE LAS ARPÍAS*, DE ANDREA DEL SARTO,
*óleo sobre madera, Galleria degli Uffizi, Florencia*

*LA VIRGEN Y EL NIÑO*, DE GIULIO ROMANO,
*óleo sobre madera, Galleria degli Uffizi, Florencia*

*LA VIRGEN Y EL NIÑO*, DE ALESSO BALDOVINETTI,
*témpera y óleo sobre madera, Musée du Louvre, París*

*ABRAHAM Y LOS TRES ÁNGELES* (DETALLE), DE GIOVANNI TIÉPOLO,
*óleo sobre tela, Museo del Prado, Madrid*

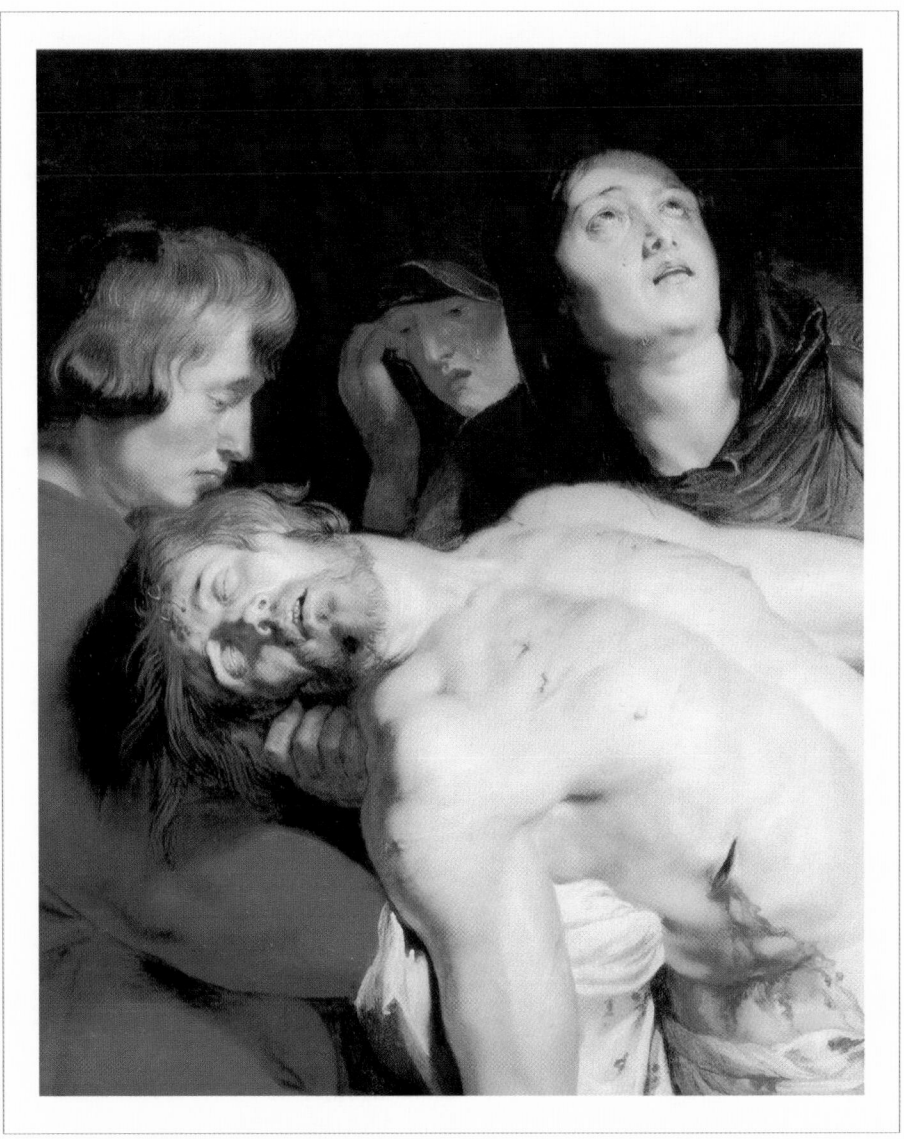

*La sepultura de Cristo* (detalle), de Peter Paul Rubens, óleo sobre tela, Jean Paul Getty Museum, Los Ángeles, California

*LA TRINIDAD*, DE ANDREI RUBLEV,
*témpera sobre madera, Galería Tretyakov, Moscú*

*María Magdalena*, DE PIETRO PERUGINO,
*óleo sobre madera, Palazzo Pitti, Florencia*

*LA VIRGEN DEL ROSARIO*, DE BARTOLOMÉ MURILLO,
*óleo sobre tela, Museo del Prado, Madrid*

*San Jerónimo*, del Maestro Theoderic,
*témpera sobre madera, Národní Galerie, Praga*

*SAN GREGORIO*, DEL MAESTRO THEODERIC,
*témpera sobre madera, Národní Galerie, Praga*

*PILATOS SE LAVA LAS MANOS*, DE MATTHIAS STOMER,
*óleo sobre tela, Musée du Louvre, París*

*ADÁN Y EVA*, DE JAN VAN SCOREL,
*óleo sobre madera, colección privada*

**35.** Al día siguiente sacó dos denarios *de plata,* y dióselos al mesonero, diciéndole: Cuídame este hombre; y todo lo que gastares de más, yo te lo abonaré a mi vuelta.

**36.** ¿Quién de estos tres te parece haber sido prójimo del que cayó en manos de los ladrones?

**37.** Aquel, respondió el doctor, que usó con él de misericordia. Pues anda, díjole Jesús, y haz tú otro tanto.

**38.** Prosiguiendo Jesús su viaje *a Jerusalén,* entró en cierta aldea, donde una mujer, por nombre Marta, le hospedó en su casa.

**39.** Tenía ésta una hermana llamada María, la cual sentada también a los pies del Señor estaba escuchando su *divina palabra.*

**40.** Mientras tanto Marta andaba muy afanada en disponer todo lo que era menester, por lo cual se presentó *a Jesús* y dijo: Señor, ¿no reparas que mi hermana me ha dejado sola en las faenas de la casa? Dile, pues, que me ayude.

**41.** Marta, tú te afanas y acongojas, *distraída* en muchas cosas;

**42.** Y a la verdad que una sola cosa es necesaria *(que es la salvación eterna).* María ha escogido la mejor suerte, de que jamás será privada.

## CAPITULO XI

*De la oración dominical. Perseverancia en orar. Demonio mudo. Blasfemias de los judíos. Parábola del valiente armado. Reprende Jesús a los fariseos y doctores de la ley.*

**1.** Un día estando Jesús orando en cierto lugar, acabada la oración, díjole uno de sus discípulos: Señor, enséñanos a orar, como enseñó también Juan a sus discípulos.

**2.** Y Jesús les respondió: Cuando os pongáis a orar, habéis de decir: Padre, sea santificado tu nombre. Venga a nos tu reino.

**3.** El pan nuestro de cada día dánosle hoy.

**4.** Y perdónanos nuestros pecados, puesto que nosotros perdonamos a nuestros deudores. Y no nos dejes caer en la tentación.

**5.** Díjoles también: Si alguno de vosotros tuviere un amigo y fuese a *estar con* él a media noche, y a decirle: Amigo, préstame tres panes,

**6.** Porque otro amigo mío acaba de llegar de viaje a mi casa, y no tengo nada que darle;

**7.** Aunque aquél desde adentro le responda: No me molestes, la puerta está ya cerrada, y mis criados están como yo acostados, no puedo levantarme a dártelos:

**8.** Si el otro porfía en llamar *y más llamar,* yo os aseguro que cuando no se levantare a dárselos por razón de su amistad, a lo menos por librarse de su impertinencia se levantará *al fin,* y le dará cuantos hubiere menester.

**9.** Así os digo yo *añadió Jesús:* Pedid, y se os dará; buscad y hallaréis; llamad, y se os abrirá:

**10.** Porque todo aquel que pide, recibe; y quien busca, halla; y al que llama, se le abrirá.

**11.** Que si entre vosotros un hijo pide pan a su padre, ¿acaso le dará una piedra? O *si pide* un pez, ¿le dará en lugar de un pez una sierpe?

**12.** O si pide un huevo, ¿por ventura le dará un escorpión, *o alacrán?*

**13.** Pues si vosotros, siendo malos *como sois,* sabéis dar buenas cosas a vuestros hijos, ¿cuánto más vuestro Padre que está en los cielos dará el espíritu bueno a los que se le piden?

**14.** *Otro día* estaba Jesús lanzando un demonio, el cual era mudo. Y así que hubo echado al demonio, habló el mudo, y *todas* las gentes quedaron *muy* admiradas.

**15.** Mas no faltaron allí algunos que dijeron: Por arte de Beelzebub, príncipe de los demonios, echa él los demonios.

**16.** Y otros, por tentarle, le pedían que les hiciese ver algún prodigio en el cielo.

**17.** Pero Jesús penetrando sus pensamientos, les dijo: Todo reino dividido en partidos contrarios quedará destruido; y una casa dividida *en fracciones,* camina a su ruina.

**18.** Si, pues, Satanás está también dividido contra sí mismo, ¿cómo ha de subsistir su reino? ya que decís vosotros que yo lanzo los demonios por arte de Beelzebub.

**19.** Y si yo lanzo los demonios por virtud de Beelzebub, ¿por virtud de quién los lanzan vuestros hijos? Por tanto ellos mismos serán vuestros jueces.

---

**42.** Marta, sirviendo al Señor, entre muchas ocupaciones temporales, es imagen de la vida activa; y María lo es de la contemplativa.

El Señor quiso dar a Marta un excelente documento para que aprendiese de su hermana María a no afanarse tanto por lo que no lo merecía.

**20.** Pero si yo lanzo los demonios con el dedo *o virtud* de Dios, es evidente que ha llegado ya el reino de Dios a vosotros.

**21.** Cuando un hombre valiente *bien armado,* guarda la entrada de su casa, todas las cosas están seguras.

**22.** Pero si otro más valiente que él asaltándole le vence, le desarmará de todos sus arneses, en que *tanto* confiaba, y repartirá sus despojos.

**23.** Quien no está por mí, está contra mí; y quien no recoge conmigo, desparrama.

**24.** Cuando un espíritu inmundo ha salido de un hombre, se va por lugares áridos, buscando *lugar donde* reposar, y no hallándolo dice: Me volveré a mi casa de donde salí.

**25.** Y viniendo a ella, la halla barrida y bien adornada.

**26.** Entonces, va, y toma consigo a otros siete espíritus peores que él, y entrando en esta casa fijan en ella su morada. Con lo que el último estado de aquel hombre viene a ser peor que el primero.

**27.** Estando diciendo estas cosas, he aquí que una mujer, levantando la voz de en medio del pueblo, exclamó: ¡Bienaventurado el vientre que te llevó, y los pechos que te alimentaron!

**28.** Pero Jesús respondió: ¡Bienaventurados más bien los que escuchan la palabra de Dios, y la ponen en práctica!

**29.** Como concurriesen las turbas *a oírle,* comenzó a decir: Esta raza *de hombres* es una raza perversa; ellos piden un prodigio, y no se les dará otro prodigio que el del profeta Jonás;

**30.** Pues a la manera que Jonás fué un prodigio, para los ninivitas, así el Hijo del hombre lo será para los de esta nación *infiel e incrédula.*

**31.** La reina del Mediodía se levantará en el día del juicio contra los hombres de esta nación, y los condenará; por cuanto ella vino del cabo del mundo a escuchar la sabiduría de Salomón; y veis aquí uno, superior a Salomón, *a quien no se quiere escuchar.*

**32.** Los habitantes de Nínive comparecerán también en el día del juicio contra esta nación y la condenarán; por cuanto ellos hicieron penitencia a la predicación de Jonás; y veis aquí uno *cuyas palabras se desprecian,* que es superior a Jonás.

**33.** Nadie enciende una candela, para ponerla en un lugar escondido, ni debajo de un celemín; sino sobre un candelero, para que los que entran vean la luz.

**34.** Antorcha de tu cuerpo son tus ojos. Si tu ojo estuviere puro *y sano,* todo tu cuerpo será alumbrado: mas si estuviere dañado, también tu cuerpo estará lleno de tinieblas.

**35.** Cuida, pues, de que la luz que hay en ti, no sea *o no se convierta* en tinieblas;

**36.** Porque si tu cuerpo estuviere todo iluminado, sin tener parte alguna oscura, todo lo demás será luminoso, y como antorcha luciente te alumbrará.

**37.** Así que acabó de hablar, un fariseo le convidó a comer en su casa; y entrando Jesús en ella, púsose a la mesa.

**38.** Entonces el fariseo, discurriendo consigo mismo, comenzó a decir: ¿Por qué no se ha lavado antes de comer?

**39.** Mas el Señor le dijo: Vosotros ¡oh fariseos! tenéis *gran* cuidado en limpiar el exterior de las copas y de los platos; pero el interior de vuestro corazón está lleno de rapiña y de maldad.

**40.** ¡Oh necios! ¿no sabéis que quien hizo lo de fuera, hizo asimismo lo de adentro?

**41.** Sobre todo, dad limosna de lo vuestro que os sobra, y con eso *alcanzaréis de Dios que* todas las cosas estarán limpias en orden a vosotros.

**42.** Mas ¡ay de vosotros, fariseos, que pagáis el diezmo de la yerba buena, y de la ruda, y de toda suerte de legumbres, y no hacéis caso de la justicia y de la caridad, *o amor de Dios!* Estas son las cosas que debéis practicar, sin omitir aquéllas.

**43.** ¡Ay de vosotros, fariseos, que amáis tener los primeros asientos en las sinagogas, y ser saludados en público!

**44.** ¡Ay de vosotros, que sois como los sepulcros que están encubiertos, y que son desconocidos de los hombres que pasan por encima de ellos!

**45.** Entonces uno de los doctores de la ley le dijo: Maestro, hablando así, también nos afrentas a nosotros.

**46.** Mas él respondió: ¡Ay de vosotros igualmente, doctores de la ley! porque echáis a los hombres cargas que no pueden soportar, y vosotros ni con *la punta del dedo,* las tocáis.

**47.** ¡Ay de vosotros que fabricáis mausoleos a los profetas, después que vuestros mismos padres los mataron!

**48.** En verdad que dais a conocer que aprobáis los atentados de vuestros padres; porque si ellos los mataron, vosotros edificáis sus sepulcros.

**49.** Por eso dijo también la sabiduría de Dios: Yo les enviaré profetas y apóstoles, y matarán a unos y perseguirán a otros;

**50.** Para que a esta nación se le pida cuenta de la sangre de todos los profetas, que ha sido derramada desde la creación del mundo acá,

**51.** De la sangre de Abel hasta la sangre de Zacarías, muerto entre el altar y el templo. Sí; yo os digo: A ésta raza *de hombre* se le pedirá *de ello cuenta rigurosa.*

**52.** ¡Ay de vosotros, doctores de la ley, que os habéis reservado la llave de la ciencia *de la salud!* Vosotros mismos no habéis entrado, y *aun* a los que iban a entrar se lo habéis impedido.

**53.** Diciéndoles todas estas cosas, *irritados* los fariseos y doctores de la ley empezaron a contradecirle fuertemente, y a pretender taparle la boca de muchas maneras,

**54.** Armándole asechanzas, y tirando a sonsacarle alguna palabra de que poder acusarle.

## CAPITULO XII

*Levadura de los fariseos. No tener sino a Dios. Rico del siglo. No inquietarse sobre comida y vestido. Tesoro y corazón en el cielo. Administrador fiel y prudente. Siervo violento e infiel. Jesús vino a poner fuego sobre la tierra.*

**1.** Entre tanto, habiéndose juntado alrededor de Jesús tanto concurso *de gentes* que se atropellaban unos a otros, empezó a decir a sus discípulos: Guardaos de la levadura de los fariseos, que es la hipocresía.

**2.** Mas nada es *tan* oculto que no se haya de manifestar; ni *tan* secreto que al fin no se sepa.

**3.** Así es que lo que dijisteis a oscuras, se dirá en la luz del día; y lo que hablasteis al oído en las alcobas, se pregonará sobre los terrados.

**4.** A vosotros, empero, *que sois* mis amigos, os digo yo *ahora:* No tengáis miedo de los que matan el cuerpo, y esto hecho ya no pueden hacer más.

**5.** Yo quiero mostraros a quién habéis de temer: temed al que, después de quitar la vida, puede arrojar al infierno: a éste es, os repito, a quien habéis de temer.

**6.** ¿No es verdad que cinco pajarillos se venden por dos cuartos, y con todo ni uno de ellos es olvidado por Dios?

**7.** Hasta los cabellos de vuestra cabeza están contados. Por tanto no tenéis que temer *que Dios os olvide:* más valéis vosotros que muchos pajarillos.

**8.** Os digo, pues, que cualquiera que me confesare delante de los hombres, también el Hijo del hombre le confesará, *o reconocerá por suyo,* delante de los ángeles de Dios.

**9.** Al contrario, quien me negare ante los hombres, será negado ante los ángeles de Dios.

**10.** Si alguno habla contra el Hijo del hombre *no conociendo su divinidad,* este pecado se le perdonará; pero no habrá perdón para quien blasfemare contra el Espíritu santo.

**11.** Cuando os conduzcan a las sinagogas, y a los magistrados y potestades *de la tierra,* no paséis cuidado de lo qué, o cómo habéis de responder o alegar.

**12.** Porque el Espíritu Santo os enseñará en aquel trance lo qué debéis decir.

**13.** Entonces le dijo uno del auditorio: Maestro, dile a mi hermano que me dé la parte que me toca de la herencia.

**14.** Pero Jesús le respondió: ¡Oh hombre! ¿Quién me ha constituido a mí juez, o repartidor entre vosotros?

**15.** *Con esta ocasión* les dijo: Estad alerta, y guardaos de toda avaricia: que no depende la vida del hombre de la abundancia de los bienes que él posee.

**16.** Y en seguida les propuso esta parábola: Un hombre rico tuvo una extraordinaria cosecha de frutos en su heredad;

**17.** Y discurría para consigo, diciendo: ¿Qué haré, que no tengo sitio capaz para encerrar mis granos?

**18.** Al fin dijo: Haré esto: derribaré mis graneros, y construiré otros mayores, donde almacenaré todos mis productos y mis bienes.

**19.** Con lo que diré a mi alma: ¡Oh alma mía! ya tienes muchos bienes de repuesto para muchísimos años: descansa, come, bebe, y date buena vida.

**20.** Pero *al punto* le dijo Dios: ¡Insensato! Esta misma noche han de exigir *de ti la entrega de* tu alma: ¿de quién será cuanto has almacenado?

---

CAP. XII. — 10. Esto es, para él que atribuyere a Beelzebub los milagros que hago; por ser esta una ceguedad voluntaria, y de la cual nadie cura sin un grande milagro de la gracia: toda conversión es un milagro; pero más grande la del blasfemo contra el Espíritu Santo.

14. Léase lo que S. Ambrosio dice sobre estas palabras. ¡Importante lección para los eclesiásticos que se mezclan en asuntos que no deben!

**21.** Esto es lo que sucede, *concluyó Jesús,* al que atesora para sí, y no es rico a los ojos de Dios.

**22.** Y después dijo a sus discípulos: Por eso os digo a vosotros: No andéis inquietos en orden a vuestra vida, sobre lo qué comeréis y en orden a vuestro cuerpo sobre qué vestiréis

**23.** Mas importa la vida que la comida, y el cuerpo que el vestido.

**24.** Reparad en los cuervos: ellos no siembran, ni siegan, no tienen despensa, ni granero; sin embargo, Dios los alimenta. Ahora bien, ¿cuánto más valéis vosotros que ellos?

**25.** Y *por otra parte,* ¿quién de vosotros, por mucho que discurra, puede acrecentar a su estatura un *solo* codo?

**26.** Pues si ni aun para las cosas más pequeñas tenéis poder, ¿a qué fin inquietaros por las demás?

**27.** Contemplad las azucenas cómo crecen *y florecen:* no trabajan, ni tampoco hilan; no obstante os digo, que ni Salomón con toda su magnificencia estuvo jamás vestido como una de estas flores.

**28.** Pues si a una yerba que hoy está en el campo, y mañana se echa al horno, Dios así la viste, ¿cuánto más a vosotros, hombres de poquísima fe?

**29.** Así que, no estéis acongojados cuando buscáis de comer o de beber; ni tengáis suspenso e inquieto vuestro ánimo;

**30.** *Los paganos y* las gentes del mundo son los que van afanados sobre estas cosas: bien sabe vuestro Padre que de ellas necesitáis.

**31.** Por tanto, buscad primero el reino de Dios y su justicia; que todo lo demás se os dará por añadidura.

**32.** No tenéis vosotros qué temer, *mi pequeñito rebaño,* porque ha sido del agrado de vuestro Padre *celestial* daros el reino *eterno.*

**33.** Vended, *si es necesario,* lo que poseéis, y dad limosna. Haceos unas bolsas que no se echen a perder; un tesoro en el cielo que jamás se agota, a donde no llegan los ladrones, ni roe la polilla.

**34.** Porque donde está vuestro tesoro, allí también está vuestro corazón.

**35.** Estad con vuestras ropas ceñidas a la cintura, y tened en vuestras manos las luces ya encendidas, *prontos a servir a vuestro Señor.*

**36.** Sed semejantes a los criados que aguar-

dan a su amo cuando vuelve de las bodas, a fin de abrirle prontamente, luego que llegue, y llame a la puerta.

**37.** Dichosos aquellos siervos a los cuales el amo al venir encuentra así velando: en verdad os digo, que arregazándose él su vestido, los hará sentar a la mesa, y se pondrá a servirles.

**38.** Y si viene a la segunda vela, o viene a la tercera, y los halla así prontos, dichosos serán tales criados.

**39.** Tened esto por cierto, que si el padre de familia supiera a qué hora había de venir el ladrón, estaría ciertamente velando, y no dejaría que le horadasen *y forzasen* su casa.

**40.** Así vosotros estad siempre prevenidos; porque a la hora que menos pensáis, vendrá el Hijo del hombre.

**41.** Preguntóle entonces Pedro: Señor, ¿dices por nosotros esta parábola, o por todos igualmente?

**42.** Respondió el Señor: ¿Quién piensas que es *sino un criado vigilante* aquel administrador fiel y prudente, a quien su amo constituyó mayordomo de su familia, para distribuir a cada uno a su tiempo la medida de trigo o *el alimento correspondiente?*

**43.** Dichoso el tal siervo, si su amo a la vuelta le halla ejecutando así *su deber.*

**44.** En verdad os digo, que le dará la superintendencia de todos sus bienes.

**45.** Mas si dicho criado dijere en su corazón: Mi amo no piensa en venir tan presto, y empezare a maltratar a los criados y a las criadas, y a comer, y a beber, y a embriagarse,

**46.** Vendrá el amo de tal siervo en el día que menos le espera, y en la hora que él lo sabe, y le echará *de su casa,* y darle ha el pago debido a los *criados* infieles.

**47.** Así es que aquel siervo que, habiendo conocido la voluntad de su amo, no obstante ni puso en orden las cosas, ni se portó conforme quería *su señor,* recibirá muchos azotes;

**48.** Mas el que sin conocerla, hizo cosas que de suyo merecen castigó, recibirá menos. Porque se pedirá cuenta de mucho a aquel a quien se le entregó; y a quien se han confiado muchas cosas, más cuenta le pedirán.

**49.** Yo he venido a poner fuego en la tierra: ¿y qué he de querer yo sino que arda?

**50.** Con un bautismo *de sangre* tengo de ser yo bautizado: ¡oh y cómo traigo en prensa el corazón, mientras que no lo veo cumplido!

---

**33.** No temáis que os falte lo necesario.

**51.** ¿Pensáis que he venido a poner paz en la tierra? No, sino desunión: así os lo declaro.

**52.** De suerte que desde ahora en adelante habrá en una misma casa cinco entre sí desunidos, tres contra dos, y dos contra tres.

**53.** El padre estará contra el hijo, y el hijo contra el padre; la madre contra la hija, y la hija contra la madre; la suegra contra la nuera, y la nuera contra la suegra.

**54.** Decía también al pueblo: En viendo una nube que se levanta del ocaso, al instante decís: Tempestad tenemos; y así sucede.

**55.** Y cuando veis que sopla el aire de mediodía, decís: hará calor; y lo hace.

**56.** Hipócritas, si sabéis pronosticar por los varios aspectos del cielo y de la tierra. ¿cómo no conocéis este tiempo *del Mesías?*

**57.** O ¿cómo por lo que pasa en vosotros mismos, no discernís lo que es justo *que hagáis ahora?*

**58.** Cuando vas junto con tu contrario *a querellarte* ante el magistrado, haz en el camino todo lo posible por librarte de él, no sea que *por fuerza* te lleve al juez, y el juez te entregue al alguacil, y el alguacil te meta en la cárcel.

**59.** Porque yo te aseguro que de ella no saldrás, hasta que hayas pagado el último maravedí.

## CAPITULO XIII

*Del castigo que amenaza a los que no hacen penitencia. Higuera estéril. Curación de la mujer encor-vada. Parábolas del grano de mostaza, y de la levadura. Corto número de los que se salvan. Pasión predicha. Jerusalén homicida de los profetas.*

**1.** En este mismo tiempo vinieron algunos y contaron a Jesús lo que había sucedido a unos galileos, cuya sangre mezcló Pilato con la de los sacrificios que ellos ofrecían.

**2.** Sobre lo cual les respondió Jesús: ¿Pensáis que aquellos galileos eran entre todos los demás de Galilea los mayores pecadores, porque fueron castigados de esta suerte?

**3.** Os aseguro que no; y *entendéd que* si vosotros no hiciereis penitencia, todos pereceréis igualmente.

**4.** Como también aquellos dieciocho hombres, sobre los cuales cayó la torre de Siloé, y los mató, ¿pensáis que fuesen los más culpados de todos los moradores de Jerusalén?

**5.** Os digo que no; mas si vosotros no hiciereis penitencia, todos pereceréis igualmente.

**6.** Y añadióles esta parábola: Un hombre tenía plantada una higuera en su viña, y vino a ella en busca de fruto, y no lo halló;

**7.** Por lo que dijo al viñador: Ya ves que hace tres años seguidos que vengo a buscar fruto de esta higuera, y no lo hallo; córtala, pues; ¿para qué ha de ocupar terreno en balde?

**8.** Pero él respondió: Señor, déjala todavía este año, y cavaré al rededor de ella, y le echaré estiércol,

**9.** A ver si así dará fruto; cuando no, entonces la harás cortar.

**10.** Enseñando Jesús en día de sábado en la sinagoga,

**11.** He aquí que vino allí una mujer, que por espacio de diez y ocho años padecía una enfermedad causada de un *maligno* espíritu; y andaba encorvada, sin poder mirar poco ni mucho hacia arriba.

**12.** Como la viese Jesús, llamóla a sí, y le dijo: Mujer, libre quedas de tu achaque.

**13.** Puso sobre ella las manos, y enderezóse al momento, y daba gracias y alabanzas a Dios.

**14.** El jefe de la sinagoga, indignado de que Jesús hiciera esta cura en sábado, dijo al pueblo: Seis días hay destinados al trabajo; en esos días podéis venir a curaros, y no en el día de sábado.

**15.** Mas el Señor, dirigiéndole a él la palabra, dijo: ¡Hipócritas! ¿cada uno de vosotros no suelta su buey o su asno del pesebre, aunque sea sábado, y los lleva a abrevar?

**16.** Y a esta hija de Abraham, a quien, como veis, ha tenido atada Satanás por espacio de dieciocho años. ¿no será permitido desatarla de estos lazos en día de sábado?

**17.** Y a estas palabras quedaron avergonzados todos sus contrarios: y todo el pueblo se complacía en sus gloriosas acciones.

**18.** Decía también *Jesús:* ¿A qué cosa es semejante el reino de Dios, o con qué podré compararlo?

**19.** Es semejante a un grano de mostaza que tomó un hombre y lo sembró en su huerta; el cual fué creciendo hasta que las aves del cielo posaban en sus ramas.

---

**51.** A encender el fuego de la caridad, a destruir la falsa paz que da el mundo; a eso he venido. El Evangelio contradecido por las pasiones, será ocasión de muchas tribulaciones.

**20.** Y volvió a repetir. ¿A qué cosa diré que se asemeja el reino de Dios?

**21.** Es semejante a la levadura que tomó una mujer y la revolvió en tres medidas de harina, hasta que hubo fermentado toda la masa.

**22.** E iba así enseñando por las ciudades y al-deas, de camino para Jerusalén.

**23.** Y uno le preguntó: Señor, ¿es verdad que son pocos los que se salvan? El en respuesta dijo a los oyentes:

**24.** Esforzaos a entrar por la puerta angosta; porque os aseguro que muchos buscarán cómo entrar, y no podrán.

**25.** Y después que el padre de familias hubiere entrado y cerrado la puerta, empezaréis, estando fuera, a llamar a la puerta diciendo: ¡Señor, *Señor,* ábrenos! y él os responderá: No *os conozco, ni* sé de dónde sois.

**26.** Entonces alegaré en favor vuestro: Nosotros hemos comido y bebido contigo, y tú predicaste en nuestras plazas.

**27.** Y él os repetirá: No *os conozco, ni* sé de dónde sois. Apartaos *lejos* de mí todos vosotros, artífices de la maldad.

**28.** Allí será el llanto y el rechinar de dientes, cuando veréis a Abraham, y a Isaac, y a Jacob, y a todos los profetas en el reino de Dios, mientras vosotros sois arrojados fuera.

**29.** Y vendrán también gentes de Oriente y del Occidente, del Norte y del Mediodía, y se pondrán a la mesa en el *convite del* reino de Dios.

**30.** Y ved aquí que *los que* son *ahora* los últimos serán *entonces los* primeros, y los que son primeros serán *entonces* los últimos.

**31.** En el mismo día vinieron algunos fariseos a decirle: Sal de aquí, y retírate a otra parte, porque Herodes quiere matarte.

**32.** Y les respondió: Andad, y decid de mi parte a ese *falso y* raposo: Sábete que aún he de lanzar demonios y sanar enfermos el día de hoy, y el de mañana, pero *dentro de poco tiempo,* al tercer día acabaré.

**33.** No obstante, así hoy como mañana, y pasado mañana, conviene que yo siga mi camino *hasta llegar a la ciudad;* por que no cabe que un profeta pierda la vida fuera de Jerusalén.

**34.** ¡Oh Jerusalén, Jerusalén, que matas a los profetas, y apedreas a los que a ti son enviados! ¿cuántas veces quise recoger a tus hijos, a la manera que el ave *cubre* su nidada debajo de sus alas, y tú no has querido?

**35.** ¡*Pueblo ingrato!* he aquí que vuestra morada va a quedar desierta. Y os declaro que ya no me veréis más, hasta que llegue *el día en* que digáis: ¡Bendito sea el que viene en el nombre del Señor!

## CAPITULO XIV

*Hidrópico curado en sábado. Parábola de la gran cena. El que quiere seguir a Jesús debe llevar su cruz. Sal hecha insípida.*

**1.** Y sucedió que habiendo entrado Jesús en casa de uno de los princinales fariseos a comer en un día de sábado, le estaban éstos asechando.

**2.** Y he aquí que se puso delante de él un hombre hidrópico.

**3.** Y Jesús, vuelto a los doctores de la ley y a los fariseos, les preguntó: ¿Es lícito curar en día de sábado?

**4.** Mas ellos callaron. Y Jesús, habiento tomado al hidrópico, *con sólo tocarle* le curó, y despachóle.

**5.** Dirigiéndose después a ellos, les dijo: ¿Quién de vosotros, si su asno o su buey cae en algún pozo *o pantano,* no le sacará luego, aunque sea día de sábado?

**6.** Y no sabían qué responder a esto.

**7.** Notando entonces que los convidados iban escogiendo los primeros puestos en la mesa, les propuso esta parábola, y dijo:

**8.** Cuando fueres convidado a bodas, no te pongas en el primer puesto, porque no haya quizá otro convidado de más distinción que tú;

**9.** Y sobreviniendo el que a ti y a él os convidó, te diga: Haz lugar a éste; y entonces con sonrojo te veas precisado a ponerte el último.

**10.** Antes bien, cuando fueres convidado, vete a poner en el último lugar; para que cuando venga el que te convidó, te diga: Amigo, sube más arriba: lo que te acarreará honor a vista de los demás convidados.

**11.** Así es que cualquiera que se ensalza, será humillado; y quien se humilla, sera ensalzado.

**12.** Decía también al que le había convidado: Tú cuando das comida o cena, no convides a tus amigos, ni a tus hermanos, ni a los parientes, o vecinos ricos; no sea que también ellos te conviden a ti, y te sirva esto de recompensa;

**13.** Sino que cuando haces un convite has de convidar a los pobres, y a los tullidos, y a los cojos, y a los ciegos;

14. Y serás afortunado, porque no pueden pagártelo: pues *así* serás recompensado en la resurrección de los justos.

15. Habiendo oído esto uno de los convidados, le dijo: ¡Oh, bienaventurado aquel que tendrá parte en el convite del reino de Dios!

16. Mas Jesús le respondió: Un hombre dispuso una gran cena, y convidó a mucha gente.

17. A la hora de cenar envió un criado a decir a los convidados que viniesen, pues ya todo estaba dispuesto.

18. Y empezaron todos como de concierto a excusarse. El primero le dijo: He comprado una granja, y necesito salir a verla: ruégote que me des por excusado.

19. El segundo dijo: He comprado cinco yuntas de bueyes, y voy a probarlas: dame, te ruego, por excusado.

20. Otro dijo: Acabo de casarme, y así no puedo ir allá.

21. Habiendo vuelto el criado, refirió todo esto a su amo. Irritado entonces el padre de familias, dijo a su criado: Sal luego a las plazas y barrios de la ciudad; y tráeme acá cuantos pobres, y lisiados, y ciegos, y cojos, hallares.

22. Dijo después el criado: Señor, se ha hecho lo que mandaste, y aún sobra lugar.

23. Respondió el amo: Sal a los caminos y cercados; e impele a los que halles a que vengan, para que se llene mi casa.

24. Pues os protesto que ninguno de los que antes fueron convidados ha de probar mi cena.

25. *Sucedió que* yendo con Jesús gran multitud de gentes, vuelto a ellas les dijo:

26. Si alguno de los que me siguen no aborrece *o no ama menos que a mí* a su padre y madre, y a la mujer, y a los hijos, y a los hermanos y hermanas, y aun a su vida misma, no puede ser mi discípulo.

27. Y el que no carga con su cruz, y no me sigue, tampoco puede ser mi discípulo.

28. Porque, ¿quién de vosotros queriendo edificar una torre, no echa primero despacio sus cuentas, para ver si tiene el caudal necesario con que acabarla;

29. No le suceda que, después de haber echado los cimientos, y no pudiendo concluirla, todos los que lo vean, comiencen a burlarse de él,

30. Diciendo: Ved ahí a un hombre que comenzó a edificar, y no pudo rematar?

31. O ¿cuál es el rey que habiendo de hacer guerra contra otro rey, no considera primero despacio si podrá con diez mil hombres hacer frente al que con veinte mil viene contra él?

32. Que si no puede, despachando una embajada, cuando está el otro todavía lejos, le ruega con la paz.

33. Así, pues, cualquiera de vosotros que no renuncia todo lo que posee, no puede ser mi discípulo.

34. La sal es buena; pero si la sal se desvirtúa, ¿con qué será sazonada?

35. Nada vale, ni para la tierra, ni para servir de estiércol; así *es que* se arroja fuera *como inútil.* Quien tiene oídos para escuchar, atienda *bien a esto.*

## CAPITULO XV

*Parábolas de la oveja descarriada, de la dracma perdida y del hijo pródigo para confusión de los fariseos presuntuosos, y aliento de los pecadores arrepentidos.*

1. Solían los publicanos y pecadores acercarse a Jesús para oírle.

2. Y los fariseos y escribas murmuraban de esto diciendo: Mirad cómo se familiariza con los pecadores, y come con ellos.

3. Entonces les propuso esta parábola:

4. ¿Quién hay de vosotros que, teniendo cien ovejas, y habiendo perdido una de ellas, no deje las noventa y nueve en la dehesa, y no vaya en busca de la que se perdió, hasta encontrarla?

5. En hallándola se la pone sobre los hombros muy gozoso;

6. Y llegado a casa, convoca a sus amigos y vecinos, diciéndoles: Regocijaos conmigo, porque he hallado la oveja mía, que se me había perdido.

7. Os digo que a este modo habrá más fiesta en el cielo por un pecador que se arrepiente, que por noventa y nueve justos, que no tienen necesidad de penitencia.

8. O ¿qué mujer, teniendo diez dracmas *o reales de plata,* si pierde una, no enciende luz, y barre bien la casa, y lo registra todo, hasta dar con ella?

9. Y en hallándola, convoca a sus amigas y vecinas, diciendo: Alegraos conmigo, que ya he hallado la dracma que había perdido.

---

CAP. XV.— 7. Sin que impidan esta justicia aquellos defectos cotidianos y veniales a que están sujetos los mismos justos. En otro sentido puede también entenderse de aquellos que se tienen por justos y no se cuidan de hacer penitencia de sus defectos porque, o no los conocen, o no los quieren conocer.

**10.** Así os digo yo, que harán fiesta los ángeles de Dios por un pecador que haga penitencia.

**11.** Añadió también: un hombre tenía dos hijos,

**12.** De los cuales el más mozo dijo a su padre: Padre, dame la parte de la herencia que me toca. Y el padre repartió entre los dos la hacienda.

**13.** No se pasaron muchos días que aquel hijo más mozo, recogidas todas sus cosas, se marchó a un país muy remoto, y allí malbarató todo su caudal, viviendo disolutamente.

**14.** Después que lo gastó todo, sobrevino una grande hambre en aquel país, y comenzó a padecer necesidad.

**15.** De resultas púsose a servir a un morador de aquella tierra, el cual le envió a su granja a guardar cerdos.

**16.** Allí deseaba con ansia henchir su vientre con las algarrobas *y mondaduras* que comían los cerdos; y nadie se las daba.

**17.** Y volviendo en sí, dijo: ¡Ay, cuántos jornaleros en casa de mi padre tienen pan en abundancia, mientras que yo estoy aquí pereciendo de hambre!

**18.** No: yo iré a mi padre y le diré: Padre *mío*, pequé contra el cielo, y contra ti:

**19.** Ya no soy digno de ser llamado hijo tuyo; trátame como uno de tus jornaleros.

**20.** Con esta resolución se puso en camino para la casa de su padre. Estando todavía lejos avistóle su padre, y enterneciéronsele las entrañas, y\corriendo a su encuentro, le echó los brazos al cuello, y le dió mil besos.

**21.** Díjole el hijo: Padre *mío*, yo he pecado contra el cielo y contra ti: ya no soy digno de ser llamado hijo tuyo.

**22.** Mas el padre, *por respuesta* dijo a sus criados: Presto traed aquí luego el vestido más precioso *que hay en casa*, y ponédselo, ponedle un anillo en el dedo, y calzadle las sandalias;

**23.** Y traed un ternero cebado, matadlo, y comamos, y celebremos un banquete;

**24.** Pues que este hijo mío estaba muerto, y ha resucitado; habíase perdido, y ha sido hallado. Y con eso dieron principio al banquete.

---

CAP. XV. — 16. En la versión siríaca se lee *kerubæ*, esto es, garrobas o algarrobas. La partícula *al* se añadiría por los árabes.

22. *Estola* palabra griega *stolé* significa un vestido talar que se ponía sobre los demás, y era propio de gente decente, la cual no salía de casa sin llevarla: no la usaban los criados ni los esclavos.

**25.** Hallábase a la sazón el hijo mayor en el campo; y a la vuelta, estando ya cerca de su casa, oyó el concierto de música y el baile;

**26.** Y llamó a uno de sus criados, y preguntóle qué venía a ser aquello.

**27.** El cual le respondió: Ha vuelto tu hermano, y tu padre ha mandado matar un becerro cebado, por haberle recobrado en buena salud.

**28.** Al oír esto, indignóse, y no quería entrar. Salió, pues, su padre afuera y empezó a instarle con ruegos.

**29.** Pero él replicó diciendo: Es bueno que tantos años ha que te sirvo, sin haberte jamás desobedecido en cosa alguna que me hayas mandado, y nunca me has dado un cabrito para merendar con mis amigos;

**30.** Y ahora que ha venido este hijo tuyo, el cual ha consumido su hacienda con meretrices, *luego* has hecho matar para él un becerro cebado.

**31.** Hijo mío, respondió su padre, tú siempre estás conmigo, y todos los bienes míos son tuyos;

**32.** Mas *ya ves* que era muy justo el tener un banquete, y regocijarnos, por cuanto este tu hermano había muerto, y ha resucitado; estaba perdido, y se ha hallado.

## CAPITULO XVI

*Parábola del mayordomo tramposo. Nadie puede servir a Dios y a las riquezas. Indisolubilidad del matrimonio. Del rico avariento y del pobre Lázaro.*

**1.** Decía también Jesús a sus discípulos: Erase un hombre rico, que tenía un mayordomo, del cual por la voz común vino a entender que le había disipado sus bienes.

**2.** Llamóle, pues, y díjole: ¿Qué es esto que oigo de ti? dame cuenta de tu administración, porque no quiero que en adelante cuides de mi hacienda.

**3.** Entonces el mayordomo dijo entre sí: ¿Qué haré, pues mi amo me quita la administración de sus bienes? Yo no soy bueno para cavar, y para mendigar no tengo cara.

**4.** Pero ya sé lo qué debo hacer, para que, cuando sea removido de mi mayordomía, halle yo personas que me reciban en su casa.

**5.** Llamando, pues, a los deudores de su amo a cada uno de por sí, dijo al primero: ¿Cuánto debes a mi amo?

**6.** Respondió: Cien barriles de aceite. Díjole: Toma tu obligación, siéntate y haz al instante otra de cincuenta.

**7.** Después dijo a otro: ¿Y tú cuánto me debes? Respondió: Cien coros, *o cargas* de trigo. Díjole: Toma tu obligación, escribe *otra* de ochenta.

**8.** *Habiéndolo sabido* el amo, alabó a este mayordomo infiel, *no por su infidelidad, sino* de que hubiese sabido portarse sagazmente, porque los hijos de este siglo, *o amadores del mundo,* son en sus negocios más sagaces que los hijos de la luz, *o del evangelio, en el negocio de su eterna salud.*

**9.** Así os digo yo a vosotros: Granjeaos amigos con las riquezas, *manantial* de iniquidad, para que, cuando falleciereis, seáis recibidos en las moradas eternas.

**10.** Quien es fiel en lo poco, también lo es en lo mucho; y quien es injusto en lo poco, también lo será en lo mucho.

**11.** Si en las falsas riquezas no habéis sido fieles, ¿quién os fiará las verdaderas *o las de la gracia?*

**12.** Y si en lo ajeno no fuisteis fieles, ¿quién pondrá en vuestras manos lo propio vuestro?

**13.** Ningún criado puede servir a dos amos; porque o aborrecerá al uno, y amará al otro; o se aficionará al primero, y no hará caso del segundo: no podéis servir a Dios y a las riquezas.

**14.** Estaban oyendo todo esto los fariseos, que eran avarientos; y se burlaban de él.

**15.** Mas Jesús les dijo: Vosotros os vendéis por justos delante de los hombres; pero Dios conoce *el fondo de* vuestros corazones; porque *sucede a menudo que* lo que parece sublime a los ojos humanos, a los de Dios es abominable.

**16.** La ley y los profetas *han durado* hasta Juan; después acá *ya* el reino de Dios es anunciado *claramente,* y todos entran en él a viva fuerza, *o mortificando sus pasiones.*

**17.** Más fácil es que perezcan el cielo y la tierra, que el que deje de cumplirse un sólo ápice de la ley.

**18.** Cualquiera que repudia a su mujer, y se casa con otra, comete adulterio; y comételo también el que se casa con la repudiada por su marido.

**19.** Hubo cierto hombre *muy rico* que se vestía de púrpura y de lino finísimo: y tenía cada día espléndidos banquetes.

**20.** Al mismo tiempo vivía un mendigo llamado Lázaro, el cual, cubierto de llagas, yacía a la puerta de éste,

**21.** Deseando saciarse con las migajas que caían de la mesa del rico; mas nadie se las daba: pero los perros venían y lamíanle las llagas.

**22.** Sucedió, pues, que murió dicho mendigo, y fué llevado por los ángeles al seno de Abraham. Murió también el rico, y fué sepultado en el infierno.

**23.** Y cuando estaba en los tormentos, levantando los ojos vió a lo lejos a Abraham y a Lázaro en su seno:

**24.** Y exclamó diciendo: ¡Padre *mío* Abraham! compadécete de mí y envíame a Lázaro, para que mojando la punta de su dedo en agua, me refresque la lengua, pues me abraso en estas llamas

**25.** Respondióle Abraham: Hijo, acuérdate que recibiste bienes durante tu vida, y Lázaro al contrario males; y así éste ahora es consolado, y tú atormentado:

**26.** Fuera de que, entre nosotros y vosotros, está de por medio un abismo insondable: de suerte que los que de aquí quisieran pasar a vosotros, no podrían, ni tampoco de ahí pasar acá.

**27.** Ruégote, pues, ¡oh padre! replicó *el rico,* que lo envíes a casa de mi padre,

**28.** Donde tengo cinco hermanos, a fin de que los aperciba, y no les suceda a ellos, *por seguir mi mal ejemplo,* el venir también a este lugar de tormentos.

**29.** Replicóle Abraham: Tienen a Moisés y a los profetas: escúchenlos.

**30.** *No basta esto,* dijo él, ¡oh padre Abraham! pero si alguno de los muertos fuere a ellos, harán penitencia.

**31.** Respondióle *Abraham:* Si a Moisés y a los profetas no los escuchan, aun cuando uno de los muertos resucite, tampoco le darán crédito.

## CAPITULO XVII

*Enseña Jesús a sus discípulos cuán malo es el escándalo; que se deben perdonar las injurias; que todos somos siervos inútiles. Cura a diez leprosos; y trata de su segunda venida.*

**1.** Dijo también *un día* a sus discípulos: Imposible es que no sucedan escándalos; pero ¡ay de aquel que los causa!

---

**CAP XVI. — 22.** El que estaba sentado al lado del que presidía el convite, tenía su cabeza junto al pecho de éste. Así se dice que S. Juan en la noche de la cena estaba recostado sobre el pecho del Señor,

**31.** Si no escuchan a Moisés y a los Profetas, que creen inspirados por Dios, ¿cómo harían caso de un muerto que resucitase? Dirían que todo era una ficción

**2.** Menos mal sería para él que le echasen al cuello una rueda de molino, y le arrojasen al mar, que no que él escandalizara a uno de estos pequeñitos.

**3.** Id, *pues,* con cuidado. Si tu hermano peca contra ti, repréndele *con dulzu*ra; y si se arrepiente, perdónale.

**4.** Que si siete veces al día, *esto es, muchas veces,* te ofendiere, y siete veces al día volviere a ti diciendo: Pésame *de lo hecho,* perdónale *siempre.*

**5.** Entonces los Apóstoles dijeron al Señor: Auméntanos la fe.

**6.** Y el Señor les dijo: Si tuviereis fe tan grande como un granito de mostaza, diréis a ese moral: Arráncate de raíz, y trasplántate en el mar, y os obedecerá.

**7.** ¿ Quién hay entre vosotros que teniendo un criado de labranza, o pastor, luego que vuelve del campo, le diga: Ven, ponte a la mesa;

**8.** Y que al contrario no le diga: Dispónme la cena, cíñete, y sírveme, mientras yo como y bebo, que después comerás tú y beberás ?

**9.** ¿Por ventura el amo se tendrá por obligado al tal criado, de que hizo lo que le mandó?

**10.** No por cierto. Así también vosotros, después que hubiereis hecho todas las cosas que se os ha mandado, habéis de decir: Somos siervos inútiles: *no* hemos hecho *más que* lo que *ya* teníamos obligación de hacer.

**11.** Caminando Jesús hacia Jerusalén, atravesaba *las provincias* de Samaria y *de* Galilea.

**12.** Y estando para entrar en una población, le salieron al encuentro diez leprosos, los cuales se pararon a !o lejos,

**13.** Y levantaron la voz, diciendo: Jesús *nuestro* maestro, ten lástima de nosotros.

**14.** Luego que Jesús los vió, les dijo: Id, mostraos a los sacerdotes. Y cuando iban, quedaron curados.

**15.** Uno de ellos, apenas echó de ver que estaba limpio, volvió atrás, glorificando a Dios a grandes voces,

**16.** Y postróse a los pies de Jesús, pecho por tierra, dándole gracias; y éste era un samaritano.

**17.** Jesús dijo entonces: ¿Pues qué, no son diez los curados? ¿y los nueve dónde están?

**18.** No ha habido quién volviese a dar a Dios la gloria, sino este extranjero.

**19.** Después le dijo: Levántate, vete que tu fe te ha salvado.

**20.** Preguntado por los fariseos: ¿Cuándo vendrá el reino de Dios?, les dió por respuesta: El reino de Dios no ha de venir con muestras de aparato;

**21.** Ni se dirá: véle aquí, o véle allí. Antes tened por cierto que ya el reino de Dios, *o el Mesías,* está en medio de vosotros.

**22.** Con esta ocasión dijo a sus discípulos: Tiempo habrá en que desearéis ver uno de los días del Hijo del hombre, y no le veréis.

**23.** Entonces os dirán: Mírale aquí, mírale allí. No vayáis *tras ellos,* ni *los* sigáis.

**24.** Porque como el relámpago brilla y se deja ver de un cabo del cielo al otro, iluminando la atmósfera; así se dejará ver el Hijo del hombre en el día suyo.

**25.** Mas es menester que primero padezca muchos tormentos, y sea desechado de esta generación.

**26.** Lo que acaeció en el tiempo de Noé, igualmente acaecerá en el día del Hijo del hombre:

**27.** Comían y bebían, casábanse y celebraban bodas, hasta el día en que Noé entró en el arca; y sobrevino entonces el diluvio que acabó con todos.

**28.** Como también lo que sucedió en los días de Lot: *los de Sodoma y Gomorra* comían y bebían; compraban y vendían; hacían plantíos y edificaban casas;

**29.** Mas el día que salió Lot de Sodoma llovió del cielo fuego y azufre, que los abrasó a todos.

**30.** De esta manera será el día en que se manifestará el Hijo del hombre.

**31.** En aquella hora, quien se hallare en el terrado, y tiene también sus muebles dentro de casa, no entre a tomarlos; ni *tampoco* quien *está* en el campo, *no* vuelva atrás: *no piense sino en salvar su vida.*

**32.** Acordaos de la mujer de Lot.

**33.** Todo aquel que quisiere salvar su vida *abandonando la fe,* la perderá *eternamente; y* quien la perdiera *por defenderla,* la conservará.

**34.** Una cosa os digo: En aquella noche dos estarán en un mismo lecho; el uno será libertado, y el otro abandonado:

---

y apariencia, y lo atribuirían a magia. Tal vez el Señor aludió con estas palabras a lo que sucedió en su resurrección, en la de Lázaro, etc.
CAP. XVII. — 2. En San Mateo se habla de la piedra o rueda de molino que mueve un asno; y por lo mismo se llama *asinaria.* Lo que movía una esclava era más pequeña. También en este lugar se lee *mola asinaria,* en el texto griego de San Lucas .
6. Es un modo proverbial para denotar la poca cantidad de una cosa.

**35.** Estarán dos mujeres moliendo juntas; la una será libertada, y la otra abandonada: dos *hombres* en el mismo campo; el uno será libertado, y el otro abandonado.

**36.** ¿Dónde, Señor, replicaron ellos, *dónde* será esto?

**37.** Jesús les respondió: Doquiera que esté el cuerpo o *cadáver*, allá volarán las águilas.

## CAPITULO XVIII

*Parábola de la viuda, y del mal juez, y del fariseo, y del publicano. Jesús recibe amorosamente a los niños. Da consejos de perfección. Muestra el peligro de las riquezas, y cura al ciego de Jericó.*

**1.** Propúsoles también esta parábola, *para hacer ver* que conviene orar perseverantemente y no desfallecer,

**2.** Diciendo: En cierta ciudad había un juez, que ni tenía temor de Dios, ni respeto a hombre alguno.

**3.** Vivía en la misma ciudad una viuda, la cual solía ir a él, diciendo: Hazme justicia de mi contrario

**4.** Mas *el juez* en mucho tiempo no quiso hacérsela. Pero después dijo para consigo: Aunque yo no temo a Dios, ni respeto a hombre *alguno,*

**5.** Con todo, para que me deje en paz esta viuda, le haré justicia, a fin de que no venga de continuo a romperme la cabeza.

**6.** Ved, añadió el Señor, lo que dijo ese juez inicuo.

**7.** Y *¿creeréis que* Dios dejará de hacer justicia a sus escogidos que claman a él día y noche, y que ha de sufrir *siempre* que se les oprima?

**8.** Os aseguro que no tardará en vengarlos *de los agravios*. Pero cuando viniere el Hijo del hombre, ¿os parece que hallará fe sobre la tierra?

**9.** Dijo asimismo a ciertos hombres que presumían de justos, y despreciaban a los demás, esta parábola:

**10.** Dos hombres subieron al templo a orar: el uno era fariseo, y el otro publicano, o *alcabalero.*

**11.** El fariseo, puesto en pie, oraba en su interior *de esta manera:* ¡Oh Dios! yo te doy gracias de que no soy como los demás hombres, que son ladrones, injustos, adúlteros; ni tampoco como este publicano;

**12.** Ayuno dos veces a la semana; pago los diezmos de todo lo que poseo.

**13.** El publicano, al contrario, puesto allá lejos, ni aun los ojos osaba levantar al cielo; sino que se daba golpes de pecho, diciendo: Dios mío, ten misericordia de mí, *que soy un* pecador.

**14.** Os declaro, pues, que éste volvió a su casa justificado, mas no el otro; porque todo aquel que se ensalza, será humillado; y el que se humilla, será ensalzado.

**15.** Y traíanle también algunos niños para que los tocase, *o les impusiese las manos*. Lo cual viendo los discípulos, lo impedían con ásperas palabras

**16.** Mas Jesús, llamando a sí los niños, dijo *a sus discípulos:* Dejad venir a mí los niños, y no se lo vedéis; porque de tales *como éstos* es el reino de Dios.

**17.** En verdad os digo, que quien no recibiere el reino de Dios como un niño *o con la sencillez suya*, no entrará en él.

**18.** Un *joven*, sujeto de distinción, le hizo esta pregunta: Buen Maestro, ¿qué podré hacer yo a fin de alcanzar la vida eterna?

**19.** Respondióle Jesús: ¿Por qué me llamas bueno, *teniéndome por puro hombre?* nadie es bueno sino solo Dios.

**20.** Ya sabes los mandamientos: No matarás. No fornicarás. No hurtarás. No dirás falso testimonio. Honra a tu padre y madre.

**21.** Dijo él: Todos esos mandamientos los he guardado desde mi mocedad.

**22.** Lo cual oyendo Jesús, le dijo: Todavía te falta una cosa *para ser perfecto*: vende todos tus haberes, y dalos a los pobres, y tendrás un tesoro en el cielo; y *después* ven, y sígueme.

**23.** Al oír esto, entristecióse *el joven;* porque era sumamente rico.

**24.** Y Jesús, viéndole sobrecogido de tristeza, dijo: ¡Oh cuán dificultosamente los adinerados entrarán en el reino de Dios!

**25.** Porque más fácil es a un camello el pasar por el ojo de una aguja, que a un rico entrar en el reino de Dios.

**26.** Y dijeron los que le escuchaban: ¿Pues quién podrá salvarse?

**27.** Respondióles Jesús: Lo que es imposible a los hombres, a Dios es posible.

**28.** Entonces dijo Pedro: Bien ves que nosotros hemos dejado todas las cosas, y seguídote.

---

CAP. XVIII. — 11. Esta acción de gracias va acompañada de una muy refinada soberbia; porque mirando a todos los otros como pecadores, parece que se tiene a sí mismo por el solo justo que hubiere entre todos los hombres. S. Agustín.

---

CAP. XVIII.—27. El cual puede dar el espíritu de pobreza a un rico.

29. Díjoles Jesús: En verdad os digo, ninguno hay que haya dejado casa, o padres, o hermanos, o esposa, o hijos, por amor del reino de Dios,

30. El cual no reciba mucho más en este siglo *en bienes sólidos y celestiales,* y en el venidero la vida eterna.

31. Después, tomando Jesús aparte a los doce *Apóstoles,* les dijo: Ya veis que subimos a Jerusalén, donde se cumplirán todas las cosas que fueron escritas por los profetas acerca del Hijo del hombre;

32. Porque será entregado en manos de los gentiles, y escarnecido, y azotado, y escupido;

33. Y después que le hubieren azotado, le darán muerte; y al tercer día resucitará.

34. Pero ellos ninguna de estas cosas comprendieron; antes era este un lenguaje desconocido para ellos, ni entendían la significación de las palabras dichas.

35. Y al acercarse a Jericó, estaba un ciego sentado en la orilla del camino, pidiendo limosna.

36. Y sintiendo el tropel de la gente que pasaba, preguntó que novedad era aquella.

37. Dijéronle que Jesús Nazareno pasaba por allí de camino.

38. *Y al punto* se puso a gritar: ¡Jesús, hijo de David, ten piedad de mí!

39. Los que iban delante, le reprendían para que callase. Pero él levantaba mucho más el grito: ¡Hijo de David, ten piedad de mí!

40. Paróse entonces Jesús, y mandó traerle a su presencia; y cuando le tuvo ya cerca, preguntóle.

41. Diciendo: ¿Qué quieres que te haga? Señor, respondió él, que yo tenga vista.

42. Díjole Jesús: Tenla; *y sábete que* tu fe te ha salvado.

43. Y al instante vió, y le seguía celebrando las grandezas de Dios. Y todo el pueblo, cuando vió esto, alabó a Dios.

## CAPITULO XIX

*Conversión de Zaqueo. Parábola del hombre noble. Jesús, entrando en Jerusalén como en triunfo, predice y llora su ruina, en medio de los aplausos del pueblo. Negociantes echados del templo.*

1. Habiendo *Jesús* entrado en Jericó, atravesaba *por la ciudad.*

2. Y he aquí que un hombre *muy* rico, llamado Zaqueo, principal *o jefe* entre los publicanos,

3. Hacía diligencias para conocer a Jesús de vista; y no pudiendo a causa del gentío, por ser de muy pequeña estatura,

4. Se adelantó corriendo, y subióse sobre un cabrahigo o *higuera silvestre* para verle; porque había de pasar por allí.

5. Llegado que hubo Jesús a aquel lugar, alzando los ojos le vió, y díjole: Zaqueo, baja luego; porque conviene que yo me hospede hoy en tu casa.

6. El bajó a toda prisa, y le recibió gozoso.

7. Todo el mundo al ver esto, murmuraba diciendo que se había ido a hospedar en casa de un hombre de mala vida.

8. Mas Zaqueo, puesto en presencia del Señor, le dijo: Señor, *desde ahora* doy yo la mitad de mis bienes a los pobres; y si he defraudado en algo a alguno, le voy a restituir cuatro veces más.

9. Jesús le respondió: Ciertamente que el día de hoy ha sido día de salvación para esta casa; pues que también éste es hijo *de la fe* de Abraham.

10. Porque el Hijo del hombre ha venido a buscar y a salvar lo que había perecido.

11. Mientras escuchaban estas cosas los circunstantes, añadió una parábola, atento a que se hallaba vecino a Jerusalén, y las gentes creían que luego se había de manifestar el reino de Dios.

12. Dijo, pues: Un hombre de ilustre nacimiento marchóse a una región remota para recibir *la investidura* del reino, y volver con ella.

13. Con este motivo, convocados diez de sus criados, dióles diez minas o *marcos* de plata, diciéndoles: Negociad con ellas hasta mi vuelta.

14. Es de saber que sus naturales le aborrecían; y así despacharon tras de él embajadores, diciendo: No queremos a ese por nuestro rey.

15. Pero habiendo vuelto, recibida *la investidura* del reino, mandó luego llamar a los criados, a quienes había dado su dinero, para informarse de lo que había negociado cada uno.

16. Vino, pues, el primero, y dijo: Señor, tu marco ha rendido diez marcos.

---

CAP. XIX. — 5. Llamóle Jesucristo por su nombre; con lo cual le manifestó que era el Mesías pues que penetraba su interior devoción y afecto.

12. Los judíos tenían sus reyes dependientes de los romanos; quienes los concedían como en feudo.

**17.** Respondióle: Bien está, buen criado, ya que en esto poco has sido fiel, tendrás mando sobre diez ciudades.

**18.** Llegó el segundo, y dijo: Señor, tu marco ha dado de ganancia cinco marcos.

**19.** Dijo asimismo a éste: Tú tendrás también el gobierno de cinco ciudades.

**20.** Vino otro, y dijo: Señor, aquí tienes tu marco de plata, el cual he guardado envuelto en un pañuelo;

**21.** Porque tuve miedo de ti, por cuanto eres hombre de un natural austero: tomas lo que no has depositado, y siegas lo que no has sembrado.

**22.** Dícele el amo: ¡Oh mal siervo! por tu propia boca te condeno: sabías que yo soy un hombre *duro y* austero, que me llevo lo que no deposité, y siego lo que no he sembrado.

**23.** ¿Pues cómo no pusiste mi dinero en el banco, para que yo en volviendo lo recobrase con los intereses?

**24.** Por lo que dijo a los asistentes: Quitadle el marco, y dádselo al que tiene diez marcos.

**25.** Replicáronle: Señor, que tiene ya diez marcos.

**26.** Yo os declaro, *respondió entonces,* que a todo aquel que tiene, dársele ha, y se hará rico; pero el que no tiene, aun lo que *parece que* tiene se le ha de quitar.

**27.** Pero en orden a aquellos enemigos míos, que no me han querido por rey, conducidlos acá, y quitadles la vida en mi presencia.

**28.** Después de haber dicho *Jesús* estas cosas, prosiguió su viaje a Jerusalén, e iba él delante *de todos.*

**29.** Y estando cerca de Betfage y de Betania, junto al monte llamado de los Olivos, despachó a dos de sus discípulos,

**30.** Diciéndoles: Id a esa aldea de enfrente, donde al entrar hallaréis un pollino atado, en que ningún hombre ha montado jamás; desatadlo, y traedlo.

**31.** Que si alguno os preguntare: ¿Por qué lo desatáis?, le diréis así: Porque el Señor lo ha menester.

**32.** Fueron, pues, los enviados; y hallaron el pollino de la misma manera que les había dicho.

**33.** En el acto de desatarlo, les dijeron los dueños de él: ¿Por qué desatáis ese pollino?

**34.** A lo que respondieron ellos: Porque lo ha menester el Señor.

**35.** Condujéronlo, pues, a Jesús. Y echando las ropas de ellos sobre el pollino, le hicieron montar encima.

**36.** Mientras iba Jesús *pasando, acudían*

*las gentes y* tendían sus vestidos por el camino.

**37.** Pero estando ya cercano a la bajada del monte de los Olivos, todos los discípulos en gran número, transportados de gozo, comenzaron a alabar a Dios en alta voz por todos los prodigios que habían visto,

**38.** Diciendo: ¡Bendito sea el rey que viene en nombre del Señor; paz en el cielo, y gloria en lo más alto de los cielos !

**39.** Con esto algunos de los fariseos, que iban entre la gente, le dijeron: Maestro, reprende a tus discípulos.

**40.** Respondióles él: En verdad os digo, que si éstos callan, las mismas piedras darán voces.

**41.** Al llegar cerca de Jerusalén, poniéndose a mirar esta ciudad, derramó lágrimas sobre ella, diciendo:

**42.** ¡Ah! si conocieses también tú, por lo menos en este día que se te ha dado, lo que puede atraerte la paz o *felicidad;* mas ahora está todo ello oculto a tus ojos.

**43.** *La lástima es* que vendrán unos días sobre ti, en que tus enemigos te circunvalarán, y te rodearán *de contramuro,* y te estrecharán por todas partes,

**44.** Y te arrasarán, con los hijos tuyos, que tendrás encerrados dentro de ti, y no dejarán en ti piedra sobre piedra; por cuanto has desconocido el tiempo en que *Dios* te ha visitado.

**45.** Y habiendo entrado en el templo, comenzó a echar fuera a los que vendían y compraban en él,

**46.** Diciéndoles: Escrito está: Mi casa es casa de oración; mas vosotros la tenéis hecha una cueva de ladrones.

**47.** Y enseñaba todos los días en el templo. Pero los príncipes de los sacerdotes, y los escribas, y los principales del pueblo buscaban cómo quitarle del mundo.

**48.** Y no hallaban medio de obrar contra él; porque todo el pueblo estaba con la boca abierta, escuchándole.

## CAPITULO XX

*Jesús confunde a los sacerdotes y escribas. Parábola de los viñadores. Piedra angular. Tributo al César. Resurrección de los muertos. Jesucristo hijo y señor de David. Soberbia y avaricia de los escribas.*

**1.** En uno de estos días, estando él en el templo instruyendo al pueblo, y anunciándole el evangelio, vinieron de mancomún los príncipes de los sacerdotes y los escribas con los ancianos,

2. Y le hicieron esta pregunta: Dínos, ¿con qué autoridad haces estas cosas? o ¿quién es el que te ha dado esa potestad?

3. Pero Jesús, por respuesta, les dijo a ellos: También yo quiero haceros una pregunta. Res-pondedme:

4. El bautismo de Juan ¿era *cosa* del cielo o de los hombres?

5. Mas ellos discurrían entre sí, diciendo: Si respondemos que del cielo, nos dirá: Pues ¿por qué no habéis creído en él?

6. Y si decimos, de los hombres, el pueblo todo nos apedreará, teniendo por cierto, *como tiene*, que Juan era un profeta.

7. Y así contestaron no saber de dónde fuese.

8. Entonces Jesús les dijo: Tampoco yo quiero deciros con qué autoridad hago estas cosas.

9. Luego comenzó a decir al pueblo esta parábola: Un hombre plantó una viña, y arrendóla a ciertos viñadores; y él se ausentó *lejos de allí* por una larga temporada.

10. A su tiempo envió un criado a los renteros, para que le diesen *su parte de* los frutos de la viña; mas ellos, después de haberle maltratado, le despacharon con las manos vacías.

11. Envió de nuevo a otro criado; pero a éste también, después de herirle y llenarle de baldones, le remitieron sin nada.

12. Envióles todavía otro; y a éste también le hirieron y echaron fuera.

13. Dijo entonces el dueño de la viña: ¿Qué haré ya? Enviaré a mi hijo querido; quizá, cuando le vean, le tendrán más respeto.

14. Mas luego que los colonos le avistaron, discurrieron entre sí, diciendo: Este es el heredero, matémosle, a fin de que la heredad quede por nuestra.

15. Y habiéndole arrojado fuera de la viña, le mataron. ¿Qué hará, pues, con ellos el dueño de la viña?

16. Vendrá *en persona*, y perderá a estos colonos, y dará su viña a otros. Lo que oído *por los príncipes de los sacerdotes*, dijeron: No lo permita Dios.

17. Pero Jesús, clavando los ojos en ellos, dijo: ¿Pues qué quiere decir lo que está escrito: La piedra que desecharon los arquitectos, esa misma vino a ser la principal piedra del ángulo?

18. De suerte que quien cayere sobre la dicha piedra, se estrellará; y aquel sobre quien ella cayere, quedará hecho añicos.

19. Entonces los príncipes de los sacerdotes y los escribas desearon prenderle en aquella *misma* hora; porque bien conocieron que contra ellos se dirigía la parábola propuesta; mas temieron al pueblo.

20. Entre tanto, como andaban asechándole, enviaron espías, que hiciesen de los virtuosos, para tomarle en alguna palabra, a fin de *tener ocasión de* entregarle a la jurisdicción y potestad del gobernador.

21. Así le propusieron una cuestión en estos términos: Maestro, bien sabemos que tú hablas, y enseñas lo que es justo, y que no andas con respetos humanos, sino que enseñas el camino de Dios según la *pura* verdad.

22. ¿Nos es lícito a nosotros, *pueblo escogido de Dios,* el pagar tributo a César, o no?

23. Mas Jesús, conociendo su malicia, les dijo: ¿Para qué venís a tentarme?

24. Mostradme un denario: ¿de quién es la imagen e inscripción que tiene? Respóndenle: De César.

25. Díjoles entonces: Pagad, pues, a César lo que es de César; y a Dios lo que es de Dios.

26. Y no pudieron reprender su respuesta delante del pueblo; antes bien, admirados de ella, *y no sabiendo qué replicar,* callaron.

---

**CAP. XX.** — 25. Los buenos necesitan de mucha cautela y prudencia para precaverse de los artificios y asechanzas de los hipócritas. La caridad nos prohibe pensar mal del prójimo sin grave fundamento, y la prudencia quiere que no nos fiemos de apariencias. Así es que la prudencia guía a la caridad para que no la sorprendan; y la sencillez se junta con la prudencia para que no sea sobrado recelosa. No nos paremos mucho en la intención de los que nos dicen alguna verdad, ni en el mal uso que de ella hacen; atendamos sólo a la verdad misma, y a la cuenta que nos pedirá Dios de su conocimiento. ¡Cuántas veces una verdad que nos dice, o un desengaño que nos da un hombre malo o enemigo nuestro, es como antorcha que nos hace ver los precipicios del camino, sin que obste a la utilidad que reportamos el que sea un bandido el que la lleva!

26. Uno de los medios más propios para conservar la paz con el prójimo sin perjuicio de la verdad, es quitar a los enemigos todo pretexto de hacernos daño, no irritarlo, corresponder a sus artificios de un modo noble, de suerte que ellos mismos se admiren de la grandeza de nuestra alma. En la respuesta que da Jesucristo se nos enseña que el modo de concluir pronto semejantes conversaciones es contestar con pocas palabras, y éstas muy comedidas y moderadas. Esta circunspección ha de ser muy grande en materias delicadas, como son las de estado, en que debe tenerse siempre la balanza igual o justa entre Dios y el César.

**27.** Llegaron después algunos de los saduceos, los cuales niegan la resurrección, y le propusieron este caso, *con el cual pensaban enredarle:*

**28.** Maestro, Moisés nos dejó escrito que si el hermano de alguno, estando casado, viene a morir sin hijos, el hermano de éste se case con su mujer, y dé sucesión a su hermano.

**29.** Eran, pues, siete hermanos: el primero tomó mujer, y murió sin hijos;

**30.** El segundo se casó con la viuda, y murió también sin dejar hijos;

**31.** Con lo que se desposó con ella el tercero; eso mismo hicieron todos los demás, y sin tener sucesión fallecieron;

**32.** En fin, la última de todos murió la mujer.

**33.** Esto supuesto, en la resurrección ¿de cuál de los siete ha de ser su mujer, ya que todos siete tuvieron por mujer a la misma?

**34.** Respondióles Jesús: Los hijos de este siglo contraen matrimonios recíprocamente;

**35.** Pero entre los que serán juzgados dignos del otro siglo y de la *dichosa* resurrección de entre los muertos, ni *los hombres* tomarán mujeres, ni *las mujeres* maridos.

**36.** Porque ya no podrán morir otra vez, siendo iguales a los ángeles e hijos de Dios, por el estado de la resurrección *a que han llegado.*

**37.** Por lo demás, que los muertos hayan de resucitar, Moisés lo declaró cuando, estando junto a la zarza, le dijo el Señor: *Yo soy* el Dios de Abraham, y el Dios de Isaac, y el Dios de Jacob.

**38.** Claro está que Dios no es *Dios* de muertos, sino de vivos; porque para él todos viven.

**39.** Entonces algunos de los escribas, tomando la palabra, le dijeron: Maestro, bien has respondido.

**40.** Y de allí adelante ya no se atrevieron a preguntarle nada.

**41.** El, empero, les replicó: ¿Cómo dicen que el Cristo es hijo de David,

**42.** Siendo así que David mismo en el libro de los Salmos, *hablando de Mesías, dice:* Dijo el Señor a mi señor, siéntate a mi diestra,

**43.** Hasta tanto que yo ponga a tus enemigos por tarima de tus pies?

**44.** Pues si David le llama su Señor, ¿cómo puede ser hijo suyo?

**45.** Después, oyéndolo todo el pueblo, dijo a sus discípulos:

**46.** Guardaos de los escribas, que hacen pompa de pasearse con vestidos rozagantes, y gustan de ser saludados en las plazas; y de ocupar las primeras sillas en las sinagogas y los primeros puesto en los convites;

**47.** Que devoran las casas de las viudas, so color de hacer larga oración: éstos serán condenados con mayor rigor.

## CAPITULO XXI

*De la ofrenda que hizo una pobre viuda. Predicción de la ruina del templo. Señales que precederán a la destrucción de Jerusalén y a la segunda venida de Jesús.*

**1.** Estando *un día Jesús* mirando hacia el gazofilacio o *cepo del templo,* vió a varios ricos que iban echando en él sus ofrendas.

**2.** Y vió asimismo a una pobrecita viuda, la cual echaba dos *blancos* o pequeñas monedas.

**3.** Y dijo *a sus discípulos:* En verdad os digo, que esta pobre viuda ha echado más que todos.

**4.** Por cuanto todos éstos han ofrecido a Dios *parte* de lo que les sobra; pero ésta de su misma pobreza ha dado lo que tenía *y necesitaba* para su sustento.

**5.** Como algunos *de sus discípulos* dijesen del templo que estaba fabricado de hermosas piedras, y adornado de *ricos* dones, replicó:

**6.** Días vendrán en que todo esto que veis *será destruido de tal suerte que* no quedará piedra sobre piedra, que no sea demolida.

**7.** Preguntáronle ellos: Maestro, ¿cuándo será eso, y qué señal habrá de que *tales cosas* están próximas a suceder ?

**8.** Jesús les respondió: Mirad que no os dejéis engañar; porque muchos vendrán en mi nombre, diciendo: Yo soy *el Mesías* y ya ha llegado el tiempo: guardaos, pues, de seguirlos.

**9.** Antes cuando sintiereis rumor de guerras y sediciones, no queráis alarmaros; es verdad que primero han de acaecer estas cosas, mas no por eso será luego el fin.

**10.** Entonces añadió él: Se levantará un pueblo contra otro pueblo, y un reino contra otro reino.

**11.** Y habrá grandes terremotos en varias partes, y pestilencias, y hambres, y aparecerán en el cielo cosas espantosas y prodigios extraordinarios.

**12.** Pero antes que sucedan todas estas cosas se apoderarán de vosotros, y os perseguirán, y os entregarán a las sinagogas, y meterán en las cárceles, y os llevarán por fuerza *al tribunal de* los reyes y gobernadores, por causa de mi nombre,

**13.** Lo cual os servirá de ocasión para dar testimonio *de mí.*

**14.** Por consiguiente, imprimid en vuestros corazones *la máxima de* que no debéis discurrir de antemano cómo habéis de responder.

**15.** Pues yo pondré las palabras en vuestra boca, y una sabiduría a que no podrán resistir, ni contradecir todos vuestros enemigos.

**16.** Y *lo que es más,* seréis entregados *a los magistrados* por vuestros mismos padres, y hermanos, y parientes, y amigos, y harán morir *a muchos* de vosotros;

**17.** De suerte que seréis odiados de todo el mundo por amor de mí:

**18.** No obstante, ni un cabello de vuestra cabeza se perderá.

**19.** Mediante vuestra paciencia salvaréis vuestras almas.

**20.** Mas *por lo que toca a la ruina de este pueblo,* cuando viereis a Jerusalén estar cercada por un ejército, entonces tened por cierto que su desolación está cerca.

**21.** En aquella hora los que se hallan en Judea, huyan a las montañas; los que habitan en medio de la ciudad, retírense; y los que están en los contornos, no entren.

**22.** Porque días de venganza son éstos, en que se han de cumplir todas las cosas como están escritas.

**23.** Pero ¡ay de las que estén encinta, o criando en aquellos días! pues este país se hallará en grandes angustias, y la ira *de Dios descargará* sobre este pueblo.

**24.** Parte morirán a filo de espada; parte serán llevados cautivos a todas las naciones; y Jerusalén será hollada por los gentiles hasta tanto que los tiempos de las naciones acaben de cumplirse.

**25.** Veránse, empero, antes fenómenos prodigiosos en el sol, la luna y las estrellas, y en la tierra estarán consternadas y atónitas las gentes por el estruendo del mar y de las olas,

**26.** Secándose los hombres de temor y de sobresalto, por las cosas que han de sobrevenir a todo el universo; porque las virtudes de los cielos *o esferas celestes* estarán bamboleando.

**27.** Y entonces será cuando verán al Hijo del hombre venir sobre una nube con grande poder y majestad.

**28.** Como quiera, vosotros, *fieles discípulos míos,* al ver que comienzan a suceder estas cosas, abrid los ojos, y alzad la cabeza, *estad de buen ánimo,* porque vuestra redención se acerca.

**29.** Y propúsoles esta comparación: Reparad en la higuera y en los demás árboles.

**30.** Cuando ya empiezan a brotar de sí el fruto, conocéis que está cerca el verano.

**31.** Así también vosotros, en viendo la ejecución de estas cosas, entended que el reino de Dios está cerca.

**32.** Os empeño mi palabra, que no se acabará esta generación, hasta que todo lo dicho se cumpla.

**33.** El cielo y la tierra se mudarán, pero mis palabras no faltarán.

**34.** Velad, pues, sobre vosotros mismos, no suceda que se ofusquen vuestros corazones *o entendimientos* con la glotonería, y embriaguez, y los cuidados de esta vida, y os sobrecoja de repente aquel día,

**35.** Que será como un lazo que sorprenderá a todos los que moran sobre la superficie de toda la tierra.

**36.** Velad, pues, orando en todo tiempo, a fin de merecer el evitar todos estos males venideros, y comparecer *con confianza* ante el Hijo del hombre.

**37.** Estaba Jesús entre día enseñando en el templo, y saliendo *de la ciudad* a la noche, la pasaba en el monte llamado de los Olivos.

**38.** Y todo el pueblo acudía muy de madrugada al templo para oírle.

## CAPITULO XXII

*Traición de Judas. Cena pascual e institución de la Eucaristía. Disputa de la primacía entre los Apóstoles. Predice Jesús la negación de San Pedro. Oración y agonía de Jesús en el huerto. Su prendimiento y ultrajes en casa del Pontífice.*

**1.** Acercábase ya la fiesta de los ázimos, que es la que se llama Pascua,

**2.** Y los príncipes de los sacerdotes y los escribas andaban trazando el modo de dar la muerte a Jesús; mas temían al pueblo.

**3.** Entre tanto Satanás se apoderó de Judas, por sobrenombre Iscariote, uno de los doce *Apóstoles:*

**4.** El cual se fué a tratar con los príncipes de los sacerdotes y con los prefectos *de las guardias del templo,* de la manera de ponerle en sus manos.

**5.** Ellos se holgaron, y concertáronse con él en *cierta suma de* dinero.

**6.** Obligóse *Judas;* y buscaba oportunidad para entregarle sin tumulto.

**7.** Llegó entre tanto el día de los ázimos, en el cual era necesario sacrificar el cordero pascual.

**8.** *Jesús,* pues, envió a Pedro y a Juan, diciéndoles: Id a prepararnos lo necesario para celebrar la Pascua.

**9.** Dijeron ellos: ¿Dónde quieres que lo dispongamos?

**10.** Respondióles: Así que entraréis en la ciudad, encontraréis un hombre que lleva un cántaro de agua; seguidle hasta la casa en que entre.

**11.** Y diréis al padre de familia de ella: El Maestro te envía a decir: ¿Dónde está la pieza en que yo he de comer el cordero pascual con mis discípulos?

**12.** Y él os enseñará, *en lo alto de la casa,* una sala grande *bien* aderezada; preparad allí lo necesario.

**13.** Idos que fueron, lo hallaron todo como les había dicho, y dispusieron la Pascua.

**14.** Llegada la hora *de la cena,* púsose a la mesa con los doce Apóstoles.

**15.** Y les dijo: Ardientemente he deseado comer este cordero pascual *o celebrar esta Pascua* con vosotros, antes de mi pasión.

**16.** Porque yo os digo, que ya no lo comeré otra vez, hasta que *la Pascua* tenga su cumplimiento en el reino de Dios.

**17.** Y tomando el cáliz dió gracias *a Dios,* y dijo: Tomad, y distribuidlo entre vosotros;

**18.** Porque os aseguro que yo no beberé del zumo de la vid, hasta que llegue el reino de Dios.

**19.** Después *de acabada la cena* tomó el pan, dió *de nuevo* gracias, lo partió, y dióselo, diciendo: Este es mi cuerpo, el cual se da por vosotros: haced esto en memoria mía.

**20.** Del mismo modo tomó el cáliz después que hubo cenado, diciendo: Este cáliz es la nueva alianza *sellada* con mi sangre, que se derramará por vosotros.

**21.** Con todo, he aquí que la mano del que me hace traición está conmigo en la mesa.

**22.** Verdad es que el Hijo del hombre, según está decretado, va su camino; pero ¡ay de aquel hombre que le ha de hacer traición!

**23.** Inmediatamente comenzaron a preguntarse unos a otros quién de ellos podía ser el que tal hiciese.

**24.** Suscitóse además entre los mismos una contienda sobre quién de ellos sería reputado el mayor, *al establecerse el reino del Mesías.*

**25.** Mas Jesús les dijo: Los reyes de las naciones las tratan con imperio; y los que tienen autoridad sobre ellas, son llamados bienhechores.

**26.** No habéis de ser así vosotros; antes bien el mayor de entre vosotros, pórtese como el menor; y el que tiene la precedencia, como sirviente.

**27.** Porque, ¿quién es mayor, el que está *comiendo* a la mesa, o el que sirve? ¿No es *claro que* quien está a la mesa? No obstante, yo estoy en medio de vosotros como un sirviente.

**28.** Vosotros sois los que constantemente habéis perseverado conmigo en mis tribulaciones.

**29.** Por eso yo os preparo el reino *celestial* como mi padre me lo preparó a mí;

**30.** Para que comáis y bebáis a mi mesa en mi reino, y os sentéis sobre tronos, para juzgar a las doce tribus de Israel.

**31.** Dijo también el Señor: Simón, Simón, mira que Satanás va tras de vosotros para zarandearos, como el trigo *cuando se criba:*

**32.** Mas yo he rogado por ti a fin de que tu fe no perezca; y tú, cuando te conviertas *y arrepientes,* confirma *en ella* a tus hermanos.

**33.** Señor, respondió él, yo estoy pronto a ir contigo a la cárcel y aun a la muerte *misma.*

**34.** Pero Jesús le replicó: Yo te digo ¡oh Pedro! que no cantará hoy el gallo, antes que tú niegues tres veces haberme conocido.

Díjoles después:

**35.** En aquel tiempo en que os envié sin bolsillo, sin alforja y sin zapatos, ¿por ventura os faltó alguna cosa?

---

**CAP. XXII.** — **16.** Esta es la última Pascua que celebraré con vosotros. Me voy al cielo a prepararos otra Pascua o banquete, que será el entero cumplimiento de esta Pascua figurativa. Voy a ser la víctima para la nueva y eterna Pascua de un pueblo nuevo. I *Cor.* I, *v.* 7.

**31.** Otros creen que aquí se usa de una locución análoga a lo que se refiere en *Job* I. *v.* 12. y así traducen: *Mira que Satanás ha solicitado tomaros por su cuenta para, etc.* El verbo griego *exetésato* que en la Vulgata se traduce *expetivit* admite ambas versiones.

**36.** Nada, respondieron ellos. Pues ahora, prosiguió Jesús, el que tiene bolsillo, llévelo, y también alforja; y el que no tiene espada, venda su túnica, y cómprela.

**37.** Porque yo os digo, que es necesario que se cumpla en mí todavía esto que está escrito: El ha sido contado *y sentenciado* entre los malhechores. *Lo cual sucederá luego;* pues las cosas que de mí fueron pronunciadas, están a punto de cumplirse.

**38.** Ellos salieron con decir: Señor, he aquí dos espadas. Pero Jesús *cortando la conversación,* les respondió: Basta.

**39.** Salió, pues, *Jesús acabada la cena,* y se fué según costumbre hacia el monte de los Olivos *para orar.* Siguiéronle asimismo sus discípulos.

**40.** Y llegado que fué allí, les dijo: Orad para que no caigáis en tentación.

**41.** Y apartándose de ellos como la distancia de un tiro de piedra, hincadas las rodillas hacía oración,

**42.** Diciendo: Padre *mío,* si es de tu agrado, aleja de mí este cáliz. No obstante, no se haga mi voluntad, sino la tuya.

**43.** En esto se le apareció un ángel del cielo, confortándole. Y entrando en agonía, oraba con mayor intensión.

**44.** Y vínole un sudor como de gotas de sangre, que chorreaba hasta el suelo.

**45.** Y levantándose de la oración y viniendo a sus discípulos, hallólos dormidos por causa de la tristeza.

**46.** Y díjoles: ¿Por qué dormís? Levantaos, y orad, para no caer en tentación.

**47.** Estando todavía con la palabra en la boca, sobrevino un tropel de gente, delante de la cual iba uno de los doce, llamado Judas, que se arrimó a Jesús para besarle.

**48.** Y Jesús le dijo: ¡Oh Judas! ¿Con un beso entregas al Hijo del hombre?

**49.** Viendo los que acompañaban a Jesús lo que iba a suceder, le dijeron: Señor, ¿heriremos con la espada?

**50.** Y uno de ellos hirió a un criado del príncipe de los sacerdotes, y le cortó la oreja derecha.

**51.** Pero Jesús, tomando la palabra, dijo *luego:* Dejadlo, no paséis adelante. Y habiendo tocado la oreja del herido, le curó.

**52.** Dijo después Jesús a los príncipes de los sacerdotes, y a los prefectos del templo, y a los ancianos que venían contra él: ¿Habéis salido *armados* con espadas y garrotes como contra un ladrón?

**53.** Aunque cada día estaba con vosotros en el templo, nunca me habéis echado la mano; mas ésta es la hora vuestra y el poder de las tinieblas.

**54.** En seguida, prendiendo a Jesús, le condujeron a casa del sumo sacerdote; y Pedro le iba siguiendo a lo lejos.

**55.** Encendido fuego en medio del atrio, y sentándose todos a la redonda, estaba también Pedro entre ellos.

**56.** Al cual, como una criada le viese sentado a la lumbre, fijando en él los ojos, dijo: También éste andaba con aquel *hombre.*

**57.** Mas Pedro lo negó, diciendo: Mujer, no le conozco.

**58.** De allí a poco mirándole otro, dijo: Sí, tú también eres de aquéllos. Mas Pedro le respondió: ¡Oh hombre!, no lo soy.

**59.** Pasada como una hora, otro distinto aseguraba *lo mismo,* diciendo: No hay duda, éste estaba también con él, porque *se ve que* es igualmente de Galilea.

**60.** A lo que Pedro respondió: Hombre, yo no entiendo lo que dices. E inmediatamente, estando todavía él hablando, cantó el gallo.

**61.** Y volviéndose el Señor, dió una mirada a Pedro. Y Pedro se acordó *luego* de la palabra que el Señor le había dicho: Antes que cante el gallo, tres veces me negarás.

**62.** Y habiéndose salido afuera, lloró amargamente.

**63.** Mientras tanto, los que tenían *atado* a Jesús, se mofaban de él, y le golpeaban.

**64.** Y habiéndole vendado los ojos, le daban bofetones, y le preguntaban, diciendo: Adivina, ¿quién es el que te ha herido?

**65.** Y repetían otros muchos dicterios blasfemando contra él.

---

**36.** Locución metafórica para avisarles que deben armarse con el escudo de la fe y la espada de la palabra de Dios; porque van a entrar en grandes tribulaciones.

**38.** Viendo cuán materialmente entendían sus palabras.

**42.** No lo que dicta mi natural voluntad o apetito, sino lo que quiere también mi voluntad humana, enteramente conforme a la tuya.

**43.** Aunque no tenía necesidad de este socorro: con todo quiso ser consolado y confortado por un ángel, para enseñarnos a vencer nuestras repugnancias, y a esperar de Dios el socorro en las penas.

---

**60.** Cantó el gallo por tercera vez.

**66.** Luego que fué de día, se congregaron los ancianos del pueblo, y los príncipes de los sacerdotes, y los escribas, y haciéndole comparecer en su concilio, le dijeron: Si tú eres el Cristo, *o Mesías,* dínoslo.

**67.** Respondióles: Si os lo dijere, no me creeréis.

**68.** Y si yo os hiciese alguna pregunta, no me responderéis, ni me dejaréis ir.

**69.** Pero después de *lo que véis* ahora, el Hijo del hombre estará sentado a la diestra del Poder de Dios.

**70.** Dijeron entonces todos: ¿Luego tú eres el Hijo de Dios? Respondióles él: *Así es,* que yo soy, *como* vosotros decís.

**71.** Y replicaron ellos: ¿Qué necesitamos ya buscar otros testigos, cuando nosotros mismos lo hemos oído de su propia boca?

## CAPITULO XXIII

*Jesucristo es acusado delante de Pilato, enviado a Herodes, pospuesto a Barrabás, entregado a los judíos, crucificado e insultado. Título de la cruz: Del buen ladrón. Tinieblas. Muerte del Señor. Confesión del Centurión, y sepultura de Jesús.*

**1.** Y levantándose *luego* todo aquel congreso, le llevaron a Pilato.

**2.** Y comenzaron a acusarle, diciendo: A éste le hemos hallado pervirtiendo a nuestra nación, y vedando pagar los tributos a César, y diciendo que él es el Cristo *o el ungido rey de Israel.*

**3.** Pilato, pues, le interrogó, diciendo: ¿Eres tú el rey de los judíos? A lo cual respondió Jesús: *Así es como* tú dices.

**4.** Pilato dijo a los príncipes de los sacerdotes y al pueblo: Yo no hallo delito alguno en este hombre.

**5.** Pero ellos insistían más y más, diciendo: Tiene alborotado al pueblo con la doctrina *que va sembrando* por toda la Judea, desde la Galilea, donde comenzó, hasta aquí.

**6.** Pilato oyendo Galilea, preguntó si aquel hombre era galileo.

**7.** Y cuando entendió que era de la jurisdicción de Herodes, remitióle al mismo Herodes, que en aquellos días se hallaba también en Jerusalén.

**8.** Herodes holgóse sobremanera de ver a Jesús; porque hacía mucho tiempo que deseaba verle, por las muchas cosas que había oído de él, y *con esta ocasión* esperaba verle hacer algún milagro.

**9.** Hízole, pues, muchas preguntas, pero él no le respondió palabra.

**10.** Entre tanto los príncipes de los sacerdotes y los escribas persistían *obstinadamente* en acusarle.

**11.** Mas Herodes con todos los de su séquito le despreció; y para burlarse de él, le hizo vestir de ropa blanca, y le volvió a enviar a Pilato.

**12.** Con lo cual se hicieron amigos aquel mismo día Herodes y Pilato, que antes estaban entre sí enemistados.

**13.** Habiendo, pues, Pilato convocado a los príncipes de los sacerdotes, y a los magistrados, juntamente con el pueblo,

**14.** Les dijo: Vosotros me habéis presentado este hombre como alborotador del pueblo, y he aquí que habiéndole yo interrogado en presencia vuestra, ningún delito he hallado en él, de los que le acusáis.

**15.** Pero ni tampoco Herodes; puesto que os remití a él, y por el hecho se ve que no le juzgó digno de muerte.

**16.** Por tanto, después de castigado, le dejaré libre.

**17.** Tenía Pilato que dar libertad a un reo, cuando llegaba la *celebridad de la* fiesta *de la Pascua.*

**18.** Y todo el pueblo a una voz clamó, diciendo: Quítale a éste la vida, y suéltanos a Barrabás;

**19.** El cual por una sedición levantada en la ciudad y por un homicidio, había sido puesto en la cárcel.

**20.** Hablóles nuevamente Pilato, con deseo de libertar a Jesús.

**21.** Pero ellos se pusieron a gritar, diciendo: ¡Crucifícale, crucifícale!

**22.** El, no obstante, por tercera vez les dijo: ¿Pues qué mal ha hecho éste? Yo no hallo en él delito ninguno de muerte; así que, después de castigarle, le daré por libre.

**23.** Mas ellos insistían con grandes clamores pidiendo que fuese crucificado, y se aumentaba la gritería.

**24.** Al fin Pilato se resolvió a otorgar su demanda.

---

**66.** La misma pregunta le hizo el sumo Sacerdote. *Marc.* XIV, *v.* 61.

**CAP. XXIII. — 2.** Es verdad que Jesús había dicho que él era el Cristo o Rey; pero los senadores o ancianos de los judíos callaron maliciosamente que Jesús hablaba de un reino espiritual, no del reino terreno que tenían allí los romanos.

**24.** ¡Cuántas veces los gritos del pueblo iluso o seducido hacen callar las razones de la prudencia y de la justicia! La buena intención de Pilato no tuvo tanta constancia para salvar la vida de Jesucristo, como tuvo la envidia y maldad de los escribas y fariseos para hacer gritar al pueblo que Jesús fuése crucificado. *S. Joan. Chrysost.*

**25.** En consecuencia dió libertad, como ellos pedían, al que por causa de homicidio y sedición había sido encarcelado; y a Jesús le abandonó al arbitrio de ellos.

**26.** Al conducirle *al suplicio* echaron mano de un tal Simón, natural de Cirene, que venía de una granja, y le cargaron la cruz para que la llevara en pos de Jesús.

**27.** Seguíale gran muchedumbre de pueblo, y de mujeres, las cuales se deshacían en llantos, y le plañían.

**28.** Pero Jesús vuelto a ellas, les dijo: Hijas de Jerusalén, no lloréis por mí; llorad por vosotras mismas y por vuestros hijos.

**29.** Porque *presto* vendrán días en que se diga: Dichosas las estériles, y dichosos los vientres que no concibieron, y los pechos que no dieron de mamar.

**30.** Entonces comenzarán a decir a los montes: Caed sobre nosotros; y a los collados: Sepultadnos.

**31.** Pues si al árbol verde le tratan de esta manera, ¿en el seco qué se hará?

**32.** Eran también conducidos con Jesús a la muerte otros dos, que eran facinerosos.

**33.** Llegados que fueron al lugar llamado Calvario, allí le crucificaron; y *con él* a los ladrones, uno a la diestra y otro a la izquierda.

**34.** Entre tanto Jesús decía: Padre *mío*, perdónales, porque no saben lo que hacen. Y ellos poniéndose a repartir entre sí sus vestidos, los sortearon.

**35.** El pueblo lo estaba mirando *todo*, y a una con él los principales hacían befa de Jesús, diciendo: A otros ha salvado: sálvese, pues, a sí mismo, si él es Cristo, *o Mesías*, el escogido de Dios.

**36.** Insultábanle no menos los soldados, los cuales se arrimaban a él, y presentándole vinagre,

---

**26.** Simón iba detrás de Jesús sosteniendo el extremo de la cruz. Así lo entienden muchos expositores. *Matth.* XXVII. *v.* 32.

**31.** Proverbio hebreo con que se denota que si tales tormentos padece el Justo y el Santo por esencia, ¿qué no deben temer los impíos y pecadores? Los hebreos comparaban al justo a un árbol verde y frondoso, y solían comparar al hombre malo a un tronco árido y seco.

**36.** El vinagre mezclado con agua era una bebida común entre los soldados romanos. La otra bebida de vino mezclado con mirra se la ofrecían los judíos a Jesús, según la costumbre que tenían de darla a los sentenciados. Algunos expositores añaden que le ofrecían otra tercera bebida diferente de estas dos, que fué la de vino con hiel. *Matth.* XXVII, *v.* 34. *Marc.* XV, *v.* 36.

**37.** Le decían: Si tú eres el rey de los judíos, ponte en salvo.

**38.** Estaba colocado sobre *la cabeza de* Jesús un letrero escrito en griego, en latín y en hebreo, que decía: Este es el rey de los judíos.

**39.** Y uno de los ladrones que estaban crucificados, blasfemaba contra Jesús, diciendo: Si tú eres el Cristo, *o Mesías*, sálvate a ti mismo y a nosotros.

**40.** Mas el otro le reprendía, diciendo: ¿Cómo, ni aun tú temes a Dios, estando *como estás* en el mismo suplicio?

**41.** Y nosotros a la verdad *estamos en él* justamente, pues pagamos la pena merecida por nuestros delitos; pero éste ningún mal ha hecho.

**42.** Decía después a Jesús: Señor, acuérdate de mí, cuando hayas llegado a tu reino.

**43.** Y Jesús le dijo: En verdad te digo, que hoy estarás conmigo en el paraíso.

**44.** Era ya casi la hora sexta *o el mediodía,* y las tinieblas cubrieron toda la tierra hasta la hora de nona.

**45.** El sol se oscureció; y el velo del templo se rasgó por medio.

**46.** Entonces Jesús clamando con una voz muy grande, dijo: Padre *mío*, en tus manos encomiendo mi espíritu. Y diciendo esto, expiró.

**47.** Así que vió el centurión lo que acababa de suceder, glorificó a Dios diciendo: Verdaderamente era éste un hombre justo.

**48.** Y todo aquel concurso de los que se hallaban presentes a este espectáculo, considerando lo que había pasado, se volvían dándose golpes de pecho.

**49.** Estaban al mismo tiempo todos los conocidos de Jesús y las mujeres que le habían seguido desde Galilea, observando de lejos estas cosas.

**50.** Entonces se dejó ver uno del consejo llamado José, varón virtuoso y justo, oriundo de Arimatea, ciudad de la Judea,

**51.** El cual no había consentido en el designio de los otros ni en lo que habían ejecutado; antes bien era de aquellos que esperaban también el reino de Dios.

**52.** Este, pues, se presentó a Pilato, y le pidió el cuerpo de Jesús.

**53.** Y habiéndole descolgado *de la cruz,* le envolvió en una sábana, y le colocó en un sepulcro abierto en peña viva, en donde ninguno hasta entonces había sido sepultado.

**54.** Era aquel el día *que llamaban* parasceve, *o preparación,* e iba ya a entrar el sábado.

**55.** Las mujeres que habían seguido a Jesús desde Galilea, *yendo en pos de José*, observaron el sepulcro, y la manera con que había sido depositado el cuerpo de Jesús.

**56.** Y al volverse, hicieron prevención de aromas y bálsamos; bien que durante el sábado se mantuvieron quietas según el mandamiento *de la ley*.

## CAPITULO XXIV

*Jesús resucita. Van al sepulcro las santas mujeres. Incredulidad de los Apóstoles. Discípulos que van a Emmaús. Aparecese a los Apóstoles, les promete el Espíritu Santo, y sube a los cielos.*

**1.** Mas el primer día de la semana, muy de mañana, fueron *estas mujeres* al sepulcro, llevando los aromas que tenían preparados.

**2.** Y encontraron apartada la piedra del sepulcro.

**3.** Pero habiendo entrado *dentro*, no hallaron el cuerpo del Señor Jesús.

**4.** Y quedando muy consternadas con este motivo, he aquí que se aparecieron de repente junto a ellas dos personajes con vestiduras resplandecientes.

**5.** Y quedando llenas de espanto, y teniendo inclinado el rostro hacia la tierra, *los ángeles* les dijeron: ¿Para qué andáis buscando entre los muertos al que está vivo?

**6.** *Jesús* no está aquí, sino que resucitó; acor-daos de lo que os previno, cuando estaba todavía en Galilea,

**7.** Diciendo: Conviene que el Hijo del hombre sea entregado en manos de hombres pecadores, y crucificado, y que al tercer día resucite.

**8.** Ellas, en efecto, se acordaron de las palabras de Jesús.

**9.** Y volviéndose del sepulcro, anunciaron todas estas cosas a los once y a todos los demás.

**10.** Las que refirieron esto a los Apóstoles eran María Magdalena, y Juana, y María madre de Santiago, y las otras sus compañeras;

**11.** Si bien estas nuevas las miraron ellos como un desvarío; y *así* no las creyeron.

**12.** Pedro, no obstante, fué corriendo al sepulcro, y asomándose a él, vió la mortaja sola allí *en el suelo*, y se volvió admirando para consigo el suceso.

**13.** En ese mismo día dos de ellos iban a una aldea llamada Emmaús, distante de Jerusalén el espacio de sesenta estadios;

**14.** Y conversaban entre sí de todas las cosas que habían acontecido.

**15.** Mientras así discurrían y conferenciaban recíprocamente, el mismo Jesús juntándose con ellos caminaba en su compañía;

**16.** Mas sus ojos estaban como deslumbrados para que no le reconociesen.

**17.** Díjoles, pues: ¿Qué conversación es ésta que, caminando lleváis entre los dos, y *por qué* estáis *tan* tristes?

**18.** Uno de ellos, llamado Cleofás, respondiendo, le dijo: ¿Tú solo eres *tan* extranjero en Jerusalén, que no sabes lo que ha pasado en ella estos días?

**19.** Replicó él: ¿Qué? Lo de Jesús Nazareno, respondieron, el cual fué un profeta, poderoso en obras y en palabras, a los ojos de Dios y de todo el pueblo;

**20.** Y cómo los príncipes de los sacerdotes y nuestros jefes le entregaron *a Pilato* para que fuese condenado a muerte y le han crucificado.

**21.** Mas nosotros esperábamos que él era el que había de redimir a Israel; y no obstante, después de todo esto, he aquí que estamos ya en el tercer día después que acaecieron dichas cosas.

**22.** Bien es verdad que algunas mujeres de entre nosotros nos han sobresaltado, porque antes de ser de día fueron al sepulcro,

**23.** Y, no habiendo hallado su cuerpo, volvieron, diciendo habérseles aparecido unos ángeles, los cuales les han asegurado que está vivo.

**24.** Con eso algunos de los nuestros han ido al sepulcro, y hallado ser cierto lo que las mujeres dijeron; pero a Jesús no le han encontrado.

**25.** Entonces les dijo él: ¡Oh necios, y tardos de corazón para creer todo lo que anunciaron *ya* los profetas!

**26.** Pues qué, ¿por ventura no era conveniente que el Cristo padeciese todas estas cosas, y entrase así en su gloria?

**27.** Y empezando por Moïsés, y discurriendo por todos los profetas, les interpretaba en todas las Escrituras los lugares que hablaban de él.

**28.** En eso llegaron cerca de la aldea a donde iban; y él hizo además de pasar adelante.

---

**21.** Creían que el Mesías había de librar a Israel de toda dominación extranjera, y que su reino era material.

**29.** Mas le detuvieron por fuerza, diciendo: Quédate con nosotros, porque ya es tarde, y va ya el día de caída. Entró, pues, con ellos.

**30.** Y estando juntos a la mesa, tomó el pan, y lo bendijo, y habiéndolo partido, se lo dió.

**31.** Con lo cual se les abrieron los ojos, y le conocieron: mas él *de repente* desapareció de su vista.

**32.** Entonces se dijeron uno a otro: ¿No es verdad que sentíamos abrasarse nuestro corazón, mientras nos hablaba por el camino y nos explicaba las Escrituras?

**33.** Y levantándose al punto regresaron a Jerusalén, donde hallaron congregados a los once *Apóstoles* y a otros de su séquito,

**34.** Que decían: El Señor ha resucitado realmente, y se ha aparecido a Simón.

**35.** Ellos por su parte contaban lo que les había sucedido en el camino, y cómo le habían conocido al partir el pan.

**36.** Mientras estaban hablando de estas cosas, se presentó Jesús *de repente* en medio de ellos, y les dijo: La paz sea con vosotros: soy yo, no temáis.

**37.** Ellos, empero, atónitos, y atemorizados, se imaginaban ver a algún espíritu.

**38.** Y Jesús les dijo: ¿De qué os asustáis, y por qué dais lugar en vuestro corazón *a tales* pensamientos?

**39.** Mirad mis manos y mis pies, yo mismo soy: palpad, y considerad que un espíritu no tiene carne, ni huesos, como vosotros veis que yo tengo.

**40.** Dicho esto, mostróles las manos y los pies.

**41.** Mas como ellos aún no le acabasen de creer, estando *como estaban* fuera de sí de gozo y de admiración, les dijo: ¿Tenéis aquí algo de comer?

**42.** Ellos le presentaron un pedazo de pez asado y un panel de miel.

**43.** Comido que hubo delante de ellos, tomando las sobras se las dió.

**44.** Díjoles en seguida: Ved ahí lo que os decía, cuando estaba aún con vosotros, que era necesario que se cumpliese todo cuanto está escrito de mí en la ley de Moisés, y en los profetas, y en los salmos.

**45.** Entonces les abrió el entendimiento para que entendiesen las Escrituras.

**46.** Y les dijo: Así estaba ya escrito, y así era necesario que el Cristo padeciese, y que resucitase de entre los muertos al tercer día,

**47.** Y que en nombre suyo se predicase la penitencia y el perdón de los pecados a todas las naciones, empezando por Jerusalén.

**48.** Vosotros sois testigos de estas cosas.

**49.** Y yo voy a enviaros *el Espíritu divino* que mi Padre os ha prometido *por mi boca:* entre tanto permaneced en la ciudad, hasta que seáis revestidos de la fortaleza de lo alto.

**50.** Después los sacó a fuera camino de Betania; y levantando las manos, les echó su bendición.

**51.** Y mientras los bendecía, se fué separando de ellos, y elevándose al cielo.

**52.** Y habiéndole adorado, regresaron a Jerusalén con gran júbilo.

**53.** Y estaban de continuo en el templo, alabando y bendiciendo a Dios. Amén.

# EVANGELIO SEGÚN SAN JUAN

# Introducción

El Evangelio de San Juan o cuarto Evangelio se aparta bastante de los otros tres denominados «sinópticos». Su objetivo principal, como indica su propio autor, está dirigido a resaltar la naturaleza divina de Jesucristo. El carácter trascendente que imprime Juan a su obra, le valió el nombre o calificativo de *Teólogo* por parte de los griegos.

Los Padres de la Iglesia llamaron al cuarto Evangelio «espiritual», en contraposición a los otros tres restantes que versaban sobre la vida y la obra de Jesucristo, es decir, fundamentalmente sobre su faceta más humana. Sin embargo, la fama de San Juan como evangelista teólogo, no es del todo merecida, la imagen de Jesucristo ofrecida por Juan, no se aleja de la del resto de los Evangelios, ya que el aspecto humano del Mesías no es descuidado: el Cristo de San Juan coincide plenamente con el de los «sinópticos». En la obra de Juan encontramos la misma doctrina, con las mismas verdades y los mismos preceptos, si bien más elaborada y sublime, hecho que le otorga una personalidad propia y seductora.

Existen además otras circunstancias que pueden ayudar a comprender las diferencias de la obra de San Juan con respecto a la del resto de los evangelistas. El Evangelio de San Juan, escrito a finales del siglo I, es el último en la serie de Evangelios canónicos. Escrito en Éfeso, la lectura de Juan da por sentado que sus lectores conocen ya la vida de Jesús por sus antecesores; por esta razón su esfuerzo se dirige a llenar vacíos dejados hasta entonces.

Otro aspecto importante que hay que tener en cuenta para entender y valorar la obra de Juan, es la situación del cristianismo en aquel momento. El clima religioso cristiano estaba cambiando mucho, debido en parte a su enorme difusión que había alcanzado a los confines del imperio romano. De resultas de todo ello, en Asia Menor las teorías provenientes del gnosticismo, amenazaban con introducirse en las comunidades cristianas. El aspecto más sobresaliente de esta doctrina herética era la negación de la divinidad de Jesucristo. Acicateado por este temor, Juan escribió su Evangelio para combatir estas posturas que podían poner en peligro la incipiente vida del cristianismo.

Juan se enfrentó con éxito a los errores heréticos del gnosticismo y asentó sobre bases inconmovibles la dignidad divina de Jesucristo. Para conseguir su objetivo eligió citas de la vida del Maestro en las que hace alusión a su naturaleza divina, así como a la narración de algunos de sus milagros, en los que su excelsa divinidad queda manifiesta.

Ciertas posiciones descalificadoras en cuanto al contenido histórico y objetivo de la obra de San Juan no han prosperado. Más bien al contrario, cada día en mayor medida se reivindica la obra del evangelista por su pleno historicismo y fidelidad. La obra de San Juan es un perfecto complemento de los evangelios «sinópticos».

## CAPITULO PRIMERO

*Generación eterna del Verbo. Su encarnación. Testimonio de Juan Bautista. Primera vocación de los primeros discípulos.*

**1.** En el principio era *ya* el Verbo, y el Verbo estaba en Dios, y el Verbo era Dios.

**2.** El estaba en el principio en Dios.

**3.** Por él fueron hechas todas las cosas: y sin él no se ha hecho cosa alguna de cuantas han sido hechas.

**4.** En él estaba la vida, y la vida era la luz de los hombres.

**5.** Y esta luz resplandece en *medio de* las tinieblas, y las tinieblas no la han recibido.

**6.** Hubo un hombre enviado de Dios, que se llamaba Juan.

**7.** Este vino como testigo, para dar testimonio de la luz, a fin de que por medio de él todos creyesen.

**8.** No era él la luz, sino enviado para dar testimonio de *aquel que era* la luz.

**9.** *El Verbo* era la luz verdadera, que *cuanto es de sí* alumbra a todo hombre que viene a este mundo.

**10.** En el mundo estaba, y el mundo fué por él hecho, y *con todo* el mundo no le conoció.

**11.** Vino a su propia casa, y los suyos no le recibieron.

**12.** Pero a todos los que le recibieron, que son los que creen en su nombre, dióles poder de llegar a ser hijos de Dios.

**13.** Los cuales no nacen de la sangre, ni de la voluntad de la carne, ni de querer de hombre, sino que nacen de Dios *por la gracia.*

**14.** *Y para eso* el Verbo se hizo carne; y habitó en medio de nosotros: Y nosotros hemos visto su gloria, gloria cual el Unigénito *debía recibir* del Padre, lleno de gracia y de verdad.

**15.** De él da testimonio Juan y clama diciendo. He aquí aquel de quien yo os decía: El que ha de venir después de mí, ha sido preferido a mí; por cuanto era antes que yo.

**16.** De la plenitud de éste hemos participado todos nosotros, y *recibido* una gracia por otra gracia.

**17.** Porque la ley fué dada por Moisés; mas la gracia y la verdad fué traída por Jesucristo.

---

**CAP. PRIMERO.** — **1.** El Verbo, esto es, la palabra interior de Dios, su sabiduría, la imagen perfecta que conociéndose a sí forma de sí mismo: este Verbo era ante todo tiempos: estaba con Dios de toda eternidad, como en su principio, siendo Dios él mismo, e igual en todo a aquel de quien procede. Y así la palabra *era* denota la Eternidad del Verbo. S. Agustín.

**2.** Este Verbo en el principio era con Dios. En esta proposición *el Verbo era Dios*, explica claramente la unidad de la esencia Divina.

**4.** Y el principio de la vida, es espiritual, como material, de todas las criaturas. En el texto griego se lee *nec una res, cosa ninguna:* es una expresión ática que suele ponerse al fin del período para denotar que ni se ha hecho ni puede hacerse una cosa. *Rom.* III, *v.* 20. Así entendieron este verso San Ignacio mártir, San Juan Crisóstomo, y otros Padres, y también las antiguas versiones arábigas y siriacas. En algunos códices se lee: *Et sine ipso factum est mihil: Quod factum est in ipso, vita erat, etc.* Pero ya casi nadie sigue esta puntuación.

**5.** Con que el pecado ha cubierto toda la tierra. Los hombres mundanos no la han abrasado.

**9.** Puede traducirse según el griego: *Luz verdadera que venía al mando para iluminar a todos los hombres.* Aunque muchos por su culpa no la reciban.

**11.** Al mundo hecho por él, a la Judea, pueblo especialmente escogido.

**13.** No se adquiere esta filiación por la generación natural, sino por la espiritual regeneración, que obra en nosotros el don de la fe.

**14.** Esto es, unió a sí la naturaleza humana. Ha habitado entre nosotros, lleno de *gracia* en sus obras admirables, y de *verdad* en la sabiduría de sus palabras.

**16.** Jesucristo, lleno de gracia y de verdad, es el principio y fuente de todas las gracias que son dadas a los hombres. En vez de la ley antigua, que era un beneficio de Dios, y una gracia, aunque estéril por sí misma para la salud, hemos recibido la abundante y fecunda de la ley nueva.

**18.** A Dios nadie le ha visto jamás: El Hijo unigénito, existente *ab eterno* en el seno del Padre, él mismo *en persona es quien* le ha hecho conocer *a los hombres.*

**19.** Y he aquí el testimonio que dió Juan *a favor de Jesús,* cuando los judíos le enviaron de Jerusalén sacerdotes y levitas para preguntarle: ¿Tú quién eres?

**20.** El confesó *la verdad,* y no la negó; antes protestó *claramente:* Yo no soy el Cristo.

**21.** ¿Pues quién eres? le dijeron: ¿Eres tú Elías? Y dijo: No lo soy. ¿Eres tú el Profeta? Respondió: No.

**22.** ¿Pues quién eres tú? le dijeron, para que podamos dar alguna respuesta a los que nos han enviado? ¿Qué dices de ti mismo?

**23.** Yo soy, dijo entonces, la voz del que clama en el desierto: Enderezad el camino del Señor: como lo tiene dicho el profeta Isaías

**24.** *Es de saber que* los enviados eran de la secta de los fariseos.

**25.** Y le preguntaron de nuevo, diciendo: ¿Pues cómo bautizas, si tú no eres el Cristo, ni Elías, ni el Profeta?

**26.** Respondiéndoles Juan, diciendo: Yo bautizo con agua; pero en medio de vosotros está uno, a quien no conocéis.

**27.** El es el que ha de venir después de mí, el cual ha sido preferido a mí, y a quien yo no soy digno de desatar la correa de su zapato.

**28.** Todo esto sucedió en Betania, *la que esta a* la otra parte del Jordán, donde Juan estaba bautizando.

**29.** Al día siguiente vió Juan a Jesús que venía a encontrarle, y dijo: He aquí el cordero de Dios, ved aquí el que quita los pecados del mundo.

**30.** Este es aquel de quien yo dije: En pos de mí viene un varón, el cual ha sido preferido a mí; por cuanto era *ya* antes que yo.

**31.** Yo no le conocía *personalmente;* pero yo he venido a bautizar con agua, para que él sea reconocido *por Mesías* en Israel

**32.** Y dió *entonces* Juan este testimonio *de Jesús,* diciendo: Yo he visto al Espíritu *Santo* descender del cielo en forma de paloma, y reposar sobre él.

**33.** Yo antes no le conocía mas el que me envió a bautizar con agua, me dijo: Aquel sobre quien vieres que baja el Espíritu *Santo,* y reposa sobre él, ése es el que bautiza con el Espíritu Santo.

**34.** Yo le he visto; y por eso doy testimonio de que él es el Hijo de Dios.

**35.** Al día siguiente otra vez estaba Juan allí con dos de sus discípulos.

**36.** Y viendo a Jesús que pasaba, dijo: He aquí el cordero de Dios.

**37.** Los dos discípulos al oírle hablar así, se fueron en pos de Jesús.

**38.** Y volviéndose Jesús, y viendo que le seguían, díjoles: ¿Qué buscáis? Respondieron ellos: Rabbi (que quiere decir Maestro), ¿dónde habitas?

**39.** Díceles: Venid y lo veréis. Fueron, pues, y vieron dónde habitaba, y se quedaron con él aquel día: era entonces como la hora de las diez.

**40.** Uno de los dos, que oído lo que dijo Juan, siguieron a Jesús, era Andrés, hermano de Simón Pedro.

**41.** El primero a quien éste halló fué Simón, su hermano, y le dijo: Hemos hallado al Mesías (que quiere decir el Cristo).

**42.** Y le llevó a Jesús. Y Jesús, fijos los ojos en él, dijo: Tú eres Simón, hijo de Joná *o Juan:* Tú serás llamado Cefas: que quiere decir Pedro, *o piedra.*

**43.** Al día siguiente determinó Jesús encaminarse a Galilea, y *en el camino* encontró a Felipe, y díjole: Sígueme.

**44.** Era Felipe de Betsaida, patria de Andrés y de Pedro.

**45.** Felipe halló a Natanael, y le dijo: Hemos encontrado a aquel de quien escribió Moisés en la ley, y *prenunciaron* los profetas, a Jesús de Nazaret, el hijo de José.

**46.** Respondióle Natanael: ¿Acaso de Nazaret puede salir cosa buena? Dícele Felipe: Ven, y lo verás.

**47.** Vió Jesús venir hacia sí a Natanael, y dijo de él: He aquí un verdadero israelita, en quién no hay doblez *ni engaño.*

**48.** Dícele Natanael: ¿De dónde me conoces? Respondióle Jesús: Antes que Felipe te llamara, yo te vi cuando estabas debajo de la higuera.

**49.** Al oír esto Natanael, le dijo: ¡oh Maestro mío! tú eres el Hijo de Dios, tú eres el rey de Israel.

**50.** Replicóle Jesús: Por haberte dicho que te vi debajo de la higuera, crees: mayores cosas que éstas verás *todavía.*

**51.** Y le añadió: En verdad, en verdad os digo, que *algún día* veréis abierto el cielo, y a los ángeles de Dios subir y bajar, *sirviendo* al Hijo del hombre.

---

**26.** El cual os bautizará con el fuego de la caridad, que os purifique de todo pecado.

**42.** Este fué el primer llamamiento. Véase el segundo *matt.* IV, *v.* 18.

## CAPITULO II

*Bodas de Caná, donde Jesús convierte el agua en vino. Arroja con un azote a los negociantes del templo. Anuncia su resurrección. Obra varios milagros.*

1. Tres días después se celebraron unas bodas en Caná de Galilea, donde se hallaba la madre de Jesús.

2. Fué también convidado a las bodas Jesús con sus discípulos.

3. Y como viniese a faltar vino, dijo a Jesús su madre: No tienen vino.

4. Respondióle Jesús: Mujer, ¿qué nos va a mí y a ti? aún no es llegada mi hora.

5. Dijo entonces su madre a los sirvientes: Haced lo que él os dirá.

6. Estaban allí seis hidrias de piedra, destinadas para las purificaciones de los judíos; en cada una de las cuales cabían dos o tres cántaras.

7. Díjoles Jesús: Llenad de agua aquellas hidrias. Y llenáronlas hasta arriba.

8. Díceles después Jesús: Sacad ahora en *algún vaso, y* llevadle al maestresala. Hiciéronlo así.

9. Apenas probó el maestresala el agua convertida en vino, como él no sabía de dónde era, bien que lo sabían los sirvientes que lo habían sacado, llamó al esposo,

10. Y le dijo: Todos sirven al principio el vino mejor; y cuando los convidados han bebido ya a satisfacción, sacan el más flojo: tú al contrario has reservado el buen vino para lo último.

11. Así en Caná de Galilea hizo Jesús el primero de sus milagros, con que manifestó su gloria, y sus discípulos creyeron *más* en él.

12. Después de esto pasó a Cafarnaúm con su madre, sus hermanos *o parientes*, y sus discípulos, en donde se detuvieron pocos días.

13. Estaba ya cerca la Pascua de los judíos, y Jesús subió a Jerusalén.

14. Y encontrando en el templo gentes que vendían bueyes, y ovejas, y palomas, y cambistas sentados en sus mesas,

15. Habiendo formado de cuerdas como un azote, los echó a todos del templo, juntamente con las ovejas y bueyes, y derramó por el suelo el dinero de los cambistas, derribando las mesas.

16. *Y hasta* a los que vendían palomas, les dijo: Quitad eso de aquí, y no queráis hacer de la casa de mi Padre una casa de tráfico.

17. Entonces se acordaron sus discípulos que está escrito: El celo de tu casa me tiene consumido.

18. Pero los judíos se dirigieron a él, y le preguntaron: ¿Qué señal nos das *de tu autoridad* para hacer estas cosas?

19. Respondióles Jesús: Destruíd este templo, y yo en tres días lo reedificaré.

20. Los judíos le dijeron: Cuarenta y seis años se han gastado en la reedificación de este templo, ¿y tú lo has de levantar en tres días?

21. Mas él les hablaba del templo de su cuerpo.

22. Así, cuando hubo resucitado de entre los muertos, sus discípulos hicieron memoria de que lo dijo por esto, y creyeron, *con más viva fe,* a la Escritura y a las palabras de Jesús.

23. En el tiempo, pues, que estuvo en Jerusalén con motivo de la fiesta de la Pascua, creyeron muchos en su nombre, viendo los milagros que hacía.

24. Verdad es que Jesús no se fiaba de ellos, porque los conocía *bien* a todos

25. Y no necesitaba que nadie le diera testimonio *o le informase* acerca de hombre alguno: porque sabía él mismo lo que hay dentro de cada hombre.

## CAPITULO III

*Instruye Jesús a Nicodemo. Juan Bautista desengaña a sus discípulos del concepto errado que formaban sobre su bautismo, y sobre el bautismo y la persona de Jesús. Declara que Jesucristo es el esposo, y él su amigo.*

1. Había un hombre en la secta de los fariseos, llamado Nicodemo, varón principal entre los judíos.

2. El cual fué de noche a Jesús, y le dijo: Maestro, nosotros conocemos que eres un maestro enviado de Dios *para instruirnos;* porque ninguno puede hacer los milagros que tú haces, a no tener a Dios consigo.

3. Respondió Jesús: Pues en verdad, en verdad te digo, que quien no naciere de nuevo, no puede ver el reino de Dios *o tener parte en él.*

4. Díceles Nicodemo: ¿Cómo puede nacer un hombre, siendo viejo? ¿puede acaso volver otra vez al seno de su madre para renacer?

---

CAP. II — 21. San Pablo llama templos de Dios a los cuerpos de los cristianos: ¿Con cuánta más razón pudo llamar así Jesucristo su cuerpo sagrado, a que estaba unida tan íntimamente la Divinidad?

**5.** En verdad, en verdad te digo, respondió Jesús: que quien no renaciere *por el bautismo* del agua, *y la gracia* del Espíritu Santo, no puede entrar en el reino de Dios.

**6.** Lo que ha nacido de la carne, carne es; mas lo que ha nacido del espíritu, es espíritu, *o espiritual.*

**7.** Por tanto no extrañes que te haya dicho: Os es preciso nacer otra vez.

**8.** Pues el espíritu, *o el aire,* sopla donde quiere; y tú oyes su sonido, mas no sabes de dónde sale, o a dónde va: eso mismo sucede al que nace del espíritu.

**9.** Preguntóle Nicodemo: ¿Cómo puede hacerse esto?

**10.** Respondióle Jesús: ¿Y tú eres maestro en Israel, y no entiendes estas cosas?

**11.** En verdad, en verdad te digo, que nosotros no hablamos sino lo que sabemos bien, y no atestiguamos, sino lo que hemos visto, y vosotros *con todo* no admitís nuestro testimonio.

**12.** Si os he hablado de cosas de la tierra, y no me creéis, ¿cómo me creeréis si os hablo de cosas del cielo?

**13.** *Ello es así que* nadie subió al cielo, sino aquel que ha descendido del cielo, *a saber,* el Hijo del hombre, que está en el cielo.

**14.** Al modo que Moisés en el desierto levantó *en alto* la serpiente de bronce; así *también* es menester que el Hijo del hombre sea levantado *en alto;*

**15.** Para que todo aquel que crea en él, no perezca, sino que logre la vida eterna.

**16.** Que amó tanto Dios al mundo, que no paró hasta dar a su Hijo unigénito; a fin de que todos los que creen en él, no perezcan, sino que vivan vida eterna.

**17.** Pues no envió Dios su Hijo al mundo para condenar al mundo, sino para que por su medio el mundo se salve.

**18.** Quien cree en él, no es condenado: pero quien no cree, ya tiene hecha la condena; por lo mismo que no cree en el nombre del Hijo unigénito de Dios.

**19.** Este juicio *de condenación* consiste en que la luz vino al mundo, y los hombres amaron más las tinieblas que la luz, por cuanto sus obras eran malas.

**20.** Pues quien obra mal, aborrece la luz, y no se arrima a ella, para que no sean reprendidas sus obras.

**21.** Al contrario, quien obra según la verdad *le inspira,* se arrima a la luz, a fin de que sus obras se vean, como que han sido hechas según Dios.

**22.** Después de esto se fué Jesús con sus discípulos a la Judea: y allí moraba con ellos, y bautizaba *por medio de los mismos.*

**23.** Juan asímismo proseguía bautizando en Ennón, junto a Salim: porque allí había mucha abundancia de aguas, y concurrían las gentes, y eran bautizadas,

**24.** Que todavía Juan no había sido puesto en la cárcel.

**25.** Con esta ocasión se suscitó una disputa entre los discípulos de Juan y *algunos* judíos acerca del bautismo.

**26.** Y acudieron a Juan *sus discípulos,* y le dijeron: Maestro, aquel que estaba contigo a la otra parte del Jordán, de quien diste *un* testimonio *tan honorífico,* he aquí que se ha puesto a bautizar, y todos se van a él.

**27.** Pero Juan les respondió, y dijo: No puede el hombre atribuirse nada, si no le es dado del cielo.

**28.** Vosotros mismos me sois testigos de que he dicho: Yo no soy el Cristo, sino que he sido enviado de él, *como precursor suyo.*

**29.** El esposo es aquel que tiene esposa; mas el amigo del esposo, que está para asistirle y atender *a lo que dispone,* se llena de gozo con oír la voz del esposo. Mi gozo, pues, es *ahora* completo.

**30.** Conviene que él crezca, y que yo mengüe.

**31.** El que ha venido de lo alto, es superior a todos. Quien trae su origen de la tierra, a la tierra pertenece, y de la tierra habla. El que *nos* ha venido del cielo, es superior a todos,

**32.** Y atestigua cosas que ha visto, y oído; y *con todo casi* nadie presta fe a su testimonio.

**33.** Mas quien se ha adherido a lo que él atestigua, testifica *con su fe* que Dios es verídico.

**34.** Porque éste a quien Dios ha enviado, habla las mismas palabras que Dios; pues Dios no le ha dado su Espíritu con medida.

**35.** El Padre ama al Hijo, y ha puesto todas las cosas en su mano.

---

CAP. III. —10. Como si dijera: tú, siendo doctor y maestro, no sabes lo que dice David. *Ps.* L. — *Jerem.* XXXI, *v.* 31 et 33. — *Ezech.* XI, *v.* 19; XXXVI, *v.* 25, y *Zachar.* XII, *v.* 10, sobre el *corazón nuevo* que pedían a Dios que crease en ellos.

---

13. Aun despues de haber bajado a la tierra.

14. *Núm.* XXI, *v.* 9.

29. Yo sólo soy un amigo o ministro suyo destinado para avisar a su esposa que se prepare a recibirle. — En esto mismo que decía que todos van en su seguimiento.

**36.** Aquel que cree en el Hijo *de Dios,* tiene vida eterna; pero quien no da crédito al Hijo, no verá la vida, sino que *al contrario,* la ira de Dios permanece *siempre* sobre su cabeza.

# CAPITULO IV

*Conversión de la Samaritana y de muchos samaritanos. Instrucción que con este motivo da el Señor a sus discípulos. Cura milagrosamente al hijo de un señor principal.*

**1.** Luego que entendió Jesús que los fariseos habían sabido que él juntaba más discípulos, y bautizaba más que Juan

**2.** (Si bien Jesús no bautizaba por sí mismo, sino *por* sus discípulos),

**3.** Dejó la Judea, y partióse otra vez a Galilea.

**4.** Debía por tanto pasar por *la providencia de* Samaría.

**5.** Llegó, pues, a la ciudad de Samaría, llamada Sicar, *o Siquem,* vecina a la heredad que Jacob dió a su hijo José.

**6.** Aquí estaba *el pozo llamado* la fuente de Jacob. Jesús, pues, cansado del camino, sentóse *a descansar* así sobre el brocal de este pozo. Era ya cerca de la hora de sexta.

**7.** Vino *entonces* una mujer samaritana a sacar agua. Díjole Jesús: Dame de beber.

**8.** Es de advertir que sus discípulos habían ido a la ciudad a comprar de comer.

**9.** Pero la mujer samaritana le respondió: ¿Cómo tú, siendo judío, me pides de beber a mí, que soy samaritana? Porque los judíos no se *avienen* o comunican con los samaritanos.

**10.** Díjole Jesús en respuesta: Si tú conocieras el don de Dios, y quién es el que te dice: Dame de beber, puede ser que tú le hubieras pedido a él, y él te hubiera dado agua viva.

**11.** Dícele la mujer: Señor, tú no tienes con qué sacarla, y el pozo es profundo: ¿dónde tienes, pues, esa agua viva?

---

CAP. IV. — 6. Entre los hebreos se llama *fuente* a todo manantial de agua. Siquen o Sicar pueblo de Samaria. El nombre griego *pólis* que la Vulgata traduce *civitas* significa una población, y no precisamente lo que ahora entendemos por *ciudad.* La partícula *sic* puede denotar *por lo mismo,* o por estar cansado y acosado de la sed; y también que estaba *allí* sencillamente, como suele sentarse alguna vez el caminante

20. *Deuter. XII, v.* 5.

22. *IV Reg. XVII, v.* 41.

**12.** ¿Eres tú por ventura mayor que nuestro padre Jacob, que nos dió este pozo, del cual bebió él mismo, y sus hijos, y sus ganados?

**13.** Respondióle Jesús: Cualquiera que bebe de esta agua, tendrá otra vez sed; pero quien bebiere del agua que yo le daré, nunca jamás volverá a tener sed.

**14.** Antes el agua que yo le daré, vendrá a ser dentro de él un manantial de agua que manará *sin cesar* hasta la vida eterna.

**15.** La mujer le dijo: Señor, dame de esa agua, para que no tenga yo *más* sed, ni haya de venir aquí a sacarla.

**16.** Pero Jesús le dijo: Anda, llama a tu marido, y vuelve *con él* acá.

**17.** Respondió la mujer, y dijo: Yo no tengo marido. Dícele Jesús: Tienes razón en decir que no tienes marido;

**18.** Porque cinco maridos has tenido; y el que ahora tienes, no es marido tuyo: en eso verdad has dicho.

**19.** Díjole la mujer: Señor, yo veo que tú eres un profeta.

**20.** Nuestros padres adoraron *a Dios* en este monte, y vosotros *los judíos* decís que en Jerusalén está el lugar donde se debe adorar.

**21.** Respóndele Jesús: Mujer, créeme a mí, ya llega el tiempo en que ni *precisamente* en este monte, ni en Jerusalén adoraréis al Padre, *sino en cualquier lugar.*

**22.** Vosotros adoráis lo que no conocéis, *pues sabéis poco de Dios;* pero nosotros adoramos lo que conocemos, porque la salud *o el Salvador* procede de los judíos.

**23.** Pero llega el tiempo, y ya estamos en él, cuando los verdaderos adoradores adorarán al Padre en espíritu y en verdad. Porque tales son los adoradores que el Padre busca.

**24.** Dios es espíritu *y la misma verdad;* y *por lo mismo* los que le adoran, en espíritu y verdad deben adorarle.

**25.** Dícele la mujer: Sé que está para venir el Mesías (esto es, el Cristo); cuando venga, pues, él nos lo declarará todo.

**26.** Y Jesús le responde: Ese soy yo, que hablo contigo.

**27.** En esto llegaron sus discípulos; y extrañaban que hablase con *aquella* mujer. No obstante nadie le dijo: ¿Qué le preguntas, o por qué hablas con ella?

---

23. No con un culto falso y engañoso como los gentiles ni carnal y ceremonioso como muchos de los judíos.

**28.** Entre tanto la mujer, dejando allí su cántaro, se fué a la ciudad, y dijo a las gentes:

**29.** Venid y veréis un hombre que me ha dicho todo cuanto yo he hecho. ¿Será quizá éste el Cristo?

**30.** Con eso salieron de la ciudad, y vinieron a encontrarle.

**31.** Entre tanto instábanle los discípulos diciendo: Maestro, come.

**32.** Díceles él: Yo tengo para alimentarme un manjar que vosotros no sabéis.

**33.** Decíanse, pues, los discípulos unos a otros: ¿Si le habrá traído alguno de comer?

**34.** *Pero* Jesús les dijo: Mi comida es hacer la voluntad del que me ha enviado, y dar cumplimiento a su obra.

**35.** ¿No decís vosotros: ¡*Ea!* dentro de cuatro meses estaremos *ya* en la siega? Pues ahora os digo yo: Alzad vuestros ojos, tended la vista por los campos, y ved *ya* las mieses blancas *y* a punto de segarse.

**36.** *En esta cosecha evangélica,* aquel que siega recibe su jornal, y recoge frutos para la vida eterna, a fin de que igualmente se gocen así el que siembra como el que siega.

**37.** Y en esta ocasión se verifica aquel refrán: Uno es el que siembra, y otro el que siega.

**38.** Yo os he enviado a vosotros a segar lo que no labrasteis: otros hicieron la labranza, y vosotros habéis entrado en sus labores.

**39.** El hecho fué que muchos samaritanos de aquella ciudad creyeron en él, por las palabras de la mujer, que aseguraba: Me ha dicho todo cuanto yo hice.

**40.** Y venidos a él los samaritanos, le rogaron que se quedase allí. En efecto, se detuvo dos días en aquella ciudad;

**41.** Con lo que *fueron* muchos más *los que* creyeron en él por haber oído sus discursos;

**42.** Y decían a la mujer: Ya no creemos por lo que tú has dicho; pues nosotros mismos le hemos oído, y hemos conocido que éste es verdaderamente el Salvador del mundo.

**43.** Pasados, pues, dos días, salió de allí, y prosiguió su viaje a Galilea.

**44.** Porque el mismo Jesús había atestiguado que un profeta *por lo regular* no es mirado con veneración en su patria.

**45.** Así que llegó a Galilea, fué *bien* recibido de los galileos, porque habían visto todas las cosas que había hecho en Jerusalén durante la fiesta; pues también ellos habían concurrido a celebrarla.

**46.** Y fué Jesús nuevamente a Caná de Galilea, donde había convertido el agua en vino.

Había en Cafarnaúm un señor de la corte que tenía un hijo enfermo.

**47.** Este *señor* habiendo oído decir que Jesús venía de Judea a Galilea, fué a encontrarle, suplicándole que bajase *desde Caná a Cafarnaúm* a curar a su hijo, que estaba muriéndose.

**48.** Pero Jesús le respondió: Vosotros, si no véis milagros y prodigios, no creéis.

**49.** Instábale el de la corte: Ven, Señor, antes que muera mi hijo.

**50.** Dícele Jesús: anda, que tu hijo está bueno. Creyó aquel hombre a la palabra que Jesús le dijo, y se puso en camino.

**51.** Yendo ya hacia su casa, le salieron al encuentro los criados, con la nueva de que su hijo estaba ya bueno.

**52.** Preguntóles a qué hora había sentido la mejoría. Y le respondieron: Ayer a las siete, *o la una de la tarde,* le dejó la calentura.

**53.** Reflexionó el padre que aquella era la hora misma en que Jesús le dijo: Tu hijo está bueno; y así creyó él, y toda su familia.

**54.** Este fué el segundo milagro que hizo Jesús, después de haber vuelto de Judea a Galilea.

## CAPITULO V

*Jesús cura al paralítico de la piscina. Los judíos le calumnian por este milagro; y el Señor alega contra ellos a su favor testimonios irrefragables.*

**1.** Después de esto, siendo la fiesta de los judíos, partió Jesús a Jerusalén.

**2.** Hay en Jerusalén una piscina, *o estanque,* dicha de las ovejas, llamada en hebreo Betsaida, la cual tiene cinco pórticos.

---

**28.** Ocupado todo su pensamiento con el gran bien que había hallado y olvidada de aquello mismo que la había llevado a la fuente solamente pensó en atraer a Jesucristo todos los habitantes de su ciudad.

**37.** Sembraron los patriarcas y profetas, disponiendo los hombres a recibir al Mesías, y vosotros recogeréis la cosecha.

---

**CAP. V.** — **2.** O *Bethesda,* esto es, *casa de misericordia,* por la que allí usaba Dios con los enfermos; o también *casa de efusión,* por recogerse allí las aguas pluviales de muchas calles y casas inmediatas.

3. En ellos, pues, yacía una gran muchedumbre de enfermos, ciegos, cojos, paralíticos, aguardando el movimiento de las aguas;

4. Pues un ángel del Señor, descendía de tiempo en tiempo a la piscina, y se agitaba el agua. Y el primero que después de movida el agua entraba en la piscina, quedaba sano de cualquiera enfermedad que tuviese.

5. Allí estaba un hombre que treinta y ocho años hacía que se hallaba enfermo.

6. Como Jesús le viese tendido, y conociese ser de edad avanzada, dícele: ¿Quieres ser curado?

7. Señor, respondió el doliente, no tengo una persona que me meta en la piscina, así que el agua está agitada; por lo cual mientras yo voy, ya otro ha bajado antes.

8. Dícele Jesús: Levántate, toma tu camilla, y anda.

9. De repente se halló sano este hombre; y tomó su camilla, e iba caminando. Era aquel un día de sábado;

10. Por lo que decían los judíos al que había sido curado: Hoy es sábado, no te es lícito llevar la camilla.

11. Respondióles: El que me ha curado, ese mismo me ha dicho: Toma tu camilla, y anda.

12. Preguntáronle entonces: ¿Quién es ese hombre que te ha dicho: Toma tu camilla y anda?

13. Mas el que había sido curado, no sabía quién era. Porque Jesús se había retirado del tropel de gentes que allí había.

14. Hallóle después Jesús en el templo, y le dijo: Bien ves cómo has quedado curado: no peques, pues, en adelante, para que no te suceda alguna cosa peor.

15. *Gozoso* aquel hombre fué y declaró a los judíos, que Jesús era quien le había curado.

16. Pero éstos por lo mismo perseguían a Jesús, por cuanto hacía tales cosas en sábado.

17. Entonces Jesús les dijo: Mi Padre hoy como siempre está obrando *incesantemente,* y yo ni más ni menos.

18. Mas por esto mismo, con mayor empeño andaban tramando los judíos el quitarle la vida; porque no solamente violaba el sábado, sino que decía que Dios era Padre *propio* suyo, haciéndose igual a Dios. Por lo cual tomando la palabra, les dijo:

19. En verdad, en verdad os digo, que no puede hacer el Hijo por sí cosa alguna, fuera de lo que viere hacer al Padre; porque todo lo que éste hace, lo hace igualmente el Hijo.

20. Y es que como el Padre ama al Hijo, le comunica todas las cosas que hace; y *aun* le manifestará, *y hará en él y por él* obras mayores que éstas, de suerte que quedéis asombrados.

21. Pues así como el Padre resucita a los muertos, y les da vida: del mismo modo el Hijo da vida a los que quiere.

22. Ni el Padre juzga *visiblemente* a nadie; sino que todo el poder de juzgar lo dió al Hijo,

23. Con el fin de que todos honren al Hijo, de la manera que honran al Padre: *que* quien al Hijo no honra, tampoco honra al Padre que le ha enviado.

24. En verdad, en verdad os digo, que quien escucha mi palabra, y cree a aquel que me ha enviado, tiene la vida eterna, y no incurre en sentencia *de condenación,* sino que ha pasado *ya* de muerte a vida.

25. En verdad, en verdad os digo, que viene tiempo, y estamos ya en él, en que los muertos oirán la voz *o la palabra* del Hijo de Dios; y aquellos que la escucharen revivirán;

26. Porque así como el Padre tiene en sí mismo la vida; así también ha dado al Hijo el tener la vida en sí mismo,

27. Y le ha dado potestad de juzgar en cuanto es Hijo del hombre.

28. No tenéis que admiraros de esto, pues vendrá tiempo en que todos los que están en los sepulcros oirán la voz del Hijo de Dios;

29. Y saldrán los que hicieron buenas obras a resucitar para la vida *eterna;* pero los que las hicieron malas, resucitarán para ser condenados.

30. No puedo yo de mí mismo hacer cosa alguna. Yo sentencio según oigo *de mi Padre, y* mi sentencia es justa; porque no pretendo *hacer* mi voluntad, sino la de aquel que me ha enviado.

---

6. Esta parece la traducción más literal; y tiene el apoyo de las versiones antiguas arábiga y siríaca. El evangelista quiso expresar dos circunstancias que hicieron más milagrosa la curación; y son la que el mal estaba ya arraigado, y las pocas fuerzas del enfermo por ser ya anciano.

17. Siendo con él un mismo principio de todos los efectos de la naturaleza y de la gracia.

---

25. Según San Agustín y otros santos Padres aquí se habla de la resurrección espiritual de los pecadores.

**31.** *Vosotros estáis pensando que* si yo doy testimonio de mí mismo, mi testimonio no es idóneo.

**32.** *Mas* otro hay que da testimonio de mí; y sé que es testimonio idóneo el que da de mí, *y que vosotros no podéis desecharlo.*

**33.** Vosotros enviásteis a *preguntar* a Juan: y él dió testimonio de la verdad.

**34.** Bien que yo no he menester testimonio de hombre; sino que digo esto para vuestra salvación.

**35.** Juan era una antorcha que ardía y brillaba. Y vosotros por un breve tiempo quisisteis mostrar regocijo a vista de su luz.

**36.** Pero yo tengo a mi favor un testimonio superior al testimonio de Juan. Porque las obras que el Padre me puso en las manos para que las ejecutase, estas mismas obras *maravillosas* que yo hago, dan testimonio en mi favor de que me ha enviado el Padre.

**37.** Y el Padre que me ha enviado, él mismo ha dado testimonio de mí; vosotros, *empero*, no habéis oído jamás su voz, ni visto su semblante.

**38.** Ni tenéis impresa su palabra dentro de vosotros, pues no creéis a quien él ha enviado.

**39.** Registrad las Escrituras, pues que creéis hallar en ellas la vida eterna; ellas son las que están dando testimonio de mí;

**40.** Y con todo no queréis venir a mí para alcanzar la vida.

**41.** Yo no me pago de la fama de los hombres.

**42.** Pero yo os conozco: *yo* sé que el amor de Dios no habita en vosotros.

**43.** *Pues* yo vine en nombre de mi Padre, y no me recibís: si otro viniere de su propia autoridad, a aquel le recibiréis.

**44.** Y ¿cómo es posible que me *recibáis y creáis* vosotros que andáis mendigando alabanzas unos de otros y no procuráis aquella gloria que de solo Dios procede?

**45.** No penséis que yo os he de acusar ante el Padre; vuestro acusador es Moisés *mismo,* en quien vosotros confiáis.

**46.** Porque si creyeseis a Moisés, acaso me creerías también a mí; pues de mí escribió él.

**47.** Pero si no creéis lo que él escribió: ¿cómo habéis de creer lo que yo os digo?

# CAPITULO VI

*Multiplica Jesús los panes. Huye de los que le querían hacer rey. Camina sobre las olas del mar. Enseña el misterio de la Eucaristía. Predice la traición de Judas.*

**1.** Después de esto pasó Jesús al otro lado del mar de Galilea, que es *el lago* de Tiberíades.

**2.** Y como le siguiese una gran muchedumbre de gentes, porque veían los milagros que hacía con los enfermos,

**3.** Subióse a un monte, y sentóse allí con sus discípulos.

**4.** Acercábase ya la Pascua, que es la *gran* fiesta de los judíos.

**5.** Habiendo, pues, Jesús levantado los ojos, y viendo venir hacia sí un grandísimo gentío, dijo a Felipe: ¿Dónde compraremos panes para *dar de* comer *a* toda esa gente?

**6.** Mas esto lo decía para probarle, pues bien sabía él mismo lo que había de hacer.

**7.** Respondióle Felipe: Doscientos denarios de pan no bastan para que cada uno de ellos tome un bocado.

**8.** Dícele uno de sus discípulos, Andrés, hermano de Simón Pedro:

**9.** Aquí está un muchacho, que tiene cinco panes de cebada y dos peces: mas ¿qué es esto para tanta gente?

**10.** Pero Jesús dijo: haced sentar a esas gentes. El sitio estaba cubierto de hierba. Sentáronse, pues, al pie de cinco mil hombres.

**11.** Jesús entonces tomó los panes: y después de haber dado gracias *a su eterno Padre,* repartiólos *por medio de sus discípulos* entre los que estaban sentados, y lo mismo hizo con los peces, dando a todos cuanto querían.

**12.** Después que quedaron saciados, dijo a sus discípulos: Recoged los pedazos que han sobrado, para que no se pierdan.

**13.** Hiciéronlo así, y llenaron doce cestos de los pedazos que habían sobrado de los cinco panes de cebada, después que todos hubieron comido.

**14.** Visto el milagro que Jesús había hecho, decían aquellos hombres: Este sin duda es el *gran* Profeta que ha de venir al mundo.

---

CAP. VI. — 14. Para reinar en Israel y librarles del poder de sus enemigos

**31.** *Exod. XVI, v. 14. Núm. XI, v. 7. Psalm. LXXVII, v. 24. Sap. XVI, v. 20.*

**32.** Os dió una figura de él.

**15.** Por lo cual, conociendo Jesús que habían de venir para llevársele por fuerza, y levantarle por rey, huyóse él solo otra vez al monte.

**16.** Siendo ya tarde, sus discípulos bajaron a la orilla del mar.

**17.** Y habiendo entrado en un barco, iban atravesando el mar hacia Cafarnaúm; era ya noche cerrada, y Jesús no se había juntado *todavía* con ellos.

**18.** Entre tanto el mar, soplando un viento muy recio, se hinchaba.

**19.** Después de haber remado como unos veinticinco o treinta estadios, ven venir a Jesús andando sobre las olas y arrimarse a la nave; y, *creyéndole un fantasma*, se asustaron.

**20.** Mas él les dijo *luego*: Soy yo, no tenéis que temer.

**21.** Quisieron, pues, recibirle consigo a bordo; y la barca tocó luego en el sitio a donde se dirigían.

**22.** Al día siguiente, aquel gentío que se había quedado en la otra parte del mar, advirtió *entonces* que allí no había más de una barca, y que Jesús no se había metido en ella con sus discípulos, sino que éstos habían marchado solos.

**23.** Arribaron a la sazón otras barcas de Tiberíades, cerca del lugar en que el Señor, después de haber dado gracias *o echado su bendición*, les dió de comer *con los cinco* panes.

**24.** Pues como viese la gente que Jesús no estaba allí, ni tampoco sus discípulos, entraron en dichos barcos, y dirigiéronse a Cafarnaúm en busca de Jesús.

**25.** Y habiéndole hallado a la otra parte del lago, le preguntaron: Maestro, ¿cuándo viniste acá?

**26.** Jesús les respondió, y dijo: En verdad, en verdad os digo, que vosotros me buscáis no por mi *doctrina atestiguada por* los milagros que habéis visto, sino porque os he dado de comer con aquellos panes, hasta saciaros.

**27.** Trabajad para tener no *tanto* el manjar que se consume, sino el que dura hasta la vida eterna, el cual os lo dará el Hijo del hombre, pues en éste imprimió su sello *o imagen* el Padre, *que es* Dios.

**28.** Preguntáronle luego ellos: ¿Qué es lo que haremos, para ejercitarnos en obras del agrado de Dios?

**29.** Respondióles Jesús: La obra *agradable* a Dios, es que creáis en aquel que él *os* ha enviado.

**30.** Dijéronle: ¿Pues qué milagro haces tú para que nosotros veamos y creamos? ¿Qué cosas haces *extraordinarias*?

**31.** Nuestros padres comieron el maná en el desierto, según está escrito: Dióles a comer pan del cielo.

**32.** Respondióles Jesús: En verdad, en verdad os digo: Moisés no os dió pan del cielo: mi Padre es quien os da a vosotros el verdadero pan del cielo.

**33.** Porque pan de Dios es aquel que ha descendido del cielo, y que da la vida al mundo.

**34.** Dijéronle ellos: Señor, danos siempre ese pan.

**35.** A lo que Jesús respondió: Yo soy el pan de vida: el que viene a mí, no tendrá hambre; y el que cree en mí, no tendrá sed jamás.

**36.** Pero ya os lo he dicho, que vosotros me habéis visto *obrar milagros, y con todo* no creéis *en mí*.

**37.** Todos los que me da el Padre vendrán a mí: y al que viniere a mí *por la fe*, no le desecharé.

**38.** Pues he descendido del cielo, no para hacer mi voluntad, sino la voluntad de aquel que me ha enviado.

**39.** Y la voluntad de mi Padre, que me ha enviado, es que yo no pierda ninguno de los que me ha dado, sino que los resucite a todos en el último día.

**40.** Por tanto la voluntad de mi Padre, que me ha enviado, es que todo aquel que ve, *o conoce*, al Hijo, y cree en él, tenga vida eterna, y yo le resucitaré en el último día.

**41.** Los judíos entonces comenzaron a murmurar de él, porque había dicho: Yo soy el pan vivo, que he descendido del cielo.

**42.** Y decían: ¿No es éste aquel Jesús, hijo de José, cuyo padre, y cuya madre nosotros conocemos? ¿pues cómo dice él: Yo he bajado del cielo?

**43.** Mas Jesús les respondió, y dijo: No andéis murmurando entre vosotros.

**44.** Nadie puede venir a mí, si el Padre que me envió no le atrae; y al tal le resucitaré yo en el último día.

**45.** Escrito está en los profetas: Todos serán enseñados de Dios. Cualquiera, pues, que ha escuchado al Padre, y aprendió *su doctrina* viene a mí.

**46.** No porque algún hombre haya visto al Padre, excepto el que es *hijo natural* de Dios: éste sí que ha visto al Padre.

**47.** En verdad, en verdad os digo, que quien cree en mí, tiene la vida eterna.

----

**CAP. VI.** — **44.** Con la eficacia y suavidad de su gracia. Admirable suavidad con que habla Jesucristo a sus enemigos y detractores. Procuremos imitarla, no acalorándonos contra los que contradicen a la verdad, murmuran de nosotros, o nos disputan nuestros derechos o preminencias.

**48.** Yo soy el pan de vida.

**49.** Vuestros padres comieron el maná en el desierto, y murieron.

**50.** *Mas* éste es el pan que desciende del cielo, a fin de que quien comiere de él no muera.

**51.** Yo soy el pan vivo, que he descendido del cielo.

**52.** Quien comiere de este pan, vivirá eternamente; y el pan que yo daré, es mi *misma* carne, *la cual daré yo* para la vida *o salvación* del mundo.

**53.** Comenzaron entonces los judíos a altercar unos con otros, diciendo: ¿Cómo puede éste darnos a comer su carne?

**54.** Jesús, empero, les dijo: En verdad, en verdad os digo, que si no comiéreis la carne del Hijo del hombre, y no bebiereis su sangre, no tendréis vida en vosotros.

**55.** Quien come mi carne y bebe mi sangre, tiene vida eterna; y yo le resucitaré en el último día.

**56.** Porque mi carne verdaderamente es comida, y mi sangre es verdaderamente bebida.

**57.** Quien come mi carne, y bebe mi sangre, en mí mora, y yo en él.

**58.** Así como el Padre que me ha enviado vive, y yo vivo por el Padre; así quien me come, también él vivirá por mí, *y de mi propia vida.*

**59.** Este es el pan que ha bajado del cielo. No *sucederá* como a vuestros padres, que comieron el maná, y no obstante murieron. Quien come este pan, vivirá eternamente.

**60.** Estas cosas las dijo Jesús, enseñando en *la sinagoga* de Cafarnaúm.

**61.** Y muchos de sus discípulos habiéndolas oído, dijeron: Dura es esta doctrina: ¿y quién *es el que* puede escucharla?

**62.** Mas Jesús sabiendo por sí mismo que sus discípulos murmuraban de esto, díjoles: ¿Esto os escandaliza?

**63.** ¿Pues qué será si viereis al Hijo del hombre subir a donde antes estaba?

**64.** El espíritu es quien da la vida; la carne *o el sentido carnal* de nada sirve *para entender este misterio;* las palabras que yo os he dicho, espíritu y vida son.

**65.** Pero entre vosotros hay algunos que no creen. Que bien sabía Jesús desde el principio, cuáles eran los que no creían, y quién le había de entregar.

**66.** Así decía: Por esta causa os he dicho que nadie puede venir a mí, si mi Padre no se lo concediere.

**67.** Desde entonces muchos de sus discípulos dejaron de seguirle, y ya no andaban con él.

**68.** Por lo que dijo Jesús a los doce *Apóstoles:* ¿Y vosotros queréis también retiraros?

**69.** Respondióle Simón Pedro: Señor, ¿a quién iremos? tú tienes palabras de vida eterna.

**70.** Y nosotros hemos creído y conocido que tú eres el Cristo, el Hijo de Dios.

**71.** Replicóles Jesús: Pues *qué,* ¿no *soy yo el que* os escogí a todos doce, y con todo, uno de vosotros es un diablo?

**72.** Decía esto por Judas Iscariote, hijo de Simón, que, no obstante de ser uno de los doce, le había de vender.

## CAPITULO VII

*Va Jesús a Jerusalén por la fiesta de los Tabernáculos enseña en el templo, prueba eficacísimamente la verdad de su misión y doctrina, y muda el corazón de los que venían a prenderlo. Nicodemo le defiende.*

**1.** Después de esto andaba Jesús por Galilea, porque no quería ir a Judea, visto que los judíos procuraban su muerte.

**2.** Mas estando próxima la fiesta de los judíos, llamada de los Tabernáculos,

**3.** Sus hermanos *o parientes* le dijeron: Sal de aquí y vete a Judea, para que también aquellos discípulos tuyos vean las obras *maravillosas* que haces.

**4.** Puesto que nadie hace las cosas en secreto, el quiere ser conocido; ya que haces tales cosas, date a conocer al mundo.

**5.** Porque aun *muchos* de sus hermanos no creían en él.

**6.** Jesús, pues, les dijo: Mi tiempo no ha llegado todavía; el vuestro siempre está a punto.

**7.** A vosotros no puede el mundo aborreceros; a mí sí que me aborrece, porque yo demuestro que sus obras son malas.

**8.** Vosotros id a esa fiesta, yo no voy *todavía* a ella; porque mi tiempo aún no se ha cumplido.

**9.** Dicho esto, él se quedó en Galilea.

---

**52.** Al modo que el alimento queda en el que lo toma, y se convierte en su substancia: así Cristo se hace espiritualmente casi una misma cosa con el que le recibe.

**10.** Pero *algunos días* después que marcharon sus hermanos o *parientes*, él también se puso en camino para ir a la fiesta, no con publicidad, sino como en secreto.

**11.** En efecto, los judíos en el día de la fiesta le buscaban *por Jerusalén, y* decían: ¿En dónde está aquél?

**12.** Y era mucho lo que se susurraba de él entre el pueblo. Porque unos decían: Sin duda es hombre de bien. Otros al contrario: No, sino que trae embaucado al pueblo.

**13.** Pero nadie osaba declararse públicamente a favor suyo, por temor de los judíos *principales.*

**14.** Como quiera, hacia la mitad de la fiesta, subio Jesús al templo, y púsose a enseñar.

**15.** Y maravillábanse los judíos, y decían: ¿Cómo sabe éste las letras *sagradas,* sin haber estudiado?

**16.** Respondióles Jesús: Mi doctrina no es mía sino de aquél que me ha enviado.

**17.** Quien quisiere hacer la voluntad de éste, conocerá si mi doctrina es de Dios, o si yo hablo de mí mismo.

**18.** Quien habla de su propio movimiento, busca su propia gloria; mas el que *únicamente* busca la gloria del que le envió, ése es veraz, y no hay en él injusticia o *fraude.*

**19.** ¿Por ventura no os dió Moisés la ley, y con todo eso ninguno de vosotros observa la ley?

**20.** ¿Pues, por qué intentáis matarme? Respondió la gente, y dijo: Estás endemoniado: ¿quién es el que trata de matarte?

**21.** Jesús prosiguió, diciéndoles: Yo hice una sola obra *milagrosa en día de sábado,* y todos lo habéis extrañado.

**22.** Mientras que, habiéndoos dado Moisés *la ley de* la circuncisión (no que traiga de él su origen, sino de los patriarcas), no dejáis de circuncidar al hombre aun en día de sábado.

**23.** Pues si un hombre es circuncidado en sábado, para no quebrantar la ley de Moisés, ¿os habéis de indignar contra mí, porque he curado a un hombre *en* todo *su cuerpo* en día de sábado?

**24.** No queráis juzgar por las apariencias, sino juzgad por un juicio recto.

**25.** Comenzaron entonces a decir algunos en Jerusalén: ¿No es éste a quien buscan para darle la muerte?

**26.** Y con todo vedle que habla públicamente, y no le dicen nada. ¿Si será que nuestros príncipes *de los sacerdotes y los senadores* han conocido de cierto ser éste el Cristo?

**27.** Pero *de* éste sabemos de dónde es; mas cuando venga el Cristo nadie sabrá su origen.

**28.** Entre tanto, prosiguiendo Jesús en instruirlos, decía en alta voz en el templo: Vosotros *pensáis* que me conocéis, y sabéis de dónde soy; pero yo no he venido de mí mismo, sino que quien me ha enviado es veraz, al cual vosotros no conocéis.

**29.** Yo sí que le conozco, porque de él tengo el ser; y él me ha enviado.

**30.** Al oír esto buscaban cómo prenderle; mas nadie puso en él las manos, porque aún no era llegada su hora.

**31.** Entre tanto muchos del pueblo creyeron en él, y decían: Cuando venga el Cristo, ¿hará por ventura más milagros que los que hace éste?

**32.** Oyeron los fariseos estas conversaciones que el pueblo tenía acerca de él: y así ellos, como los príncipes *de los sacerdotes,* despacharon ministros para prenderle.

**33.** Pero Jesús les dijo: Todavía estaré con vosotros un poco de tiempo *y después* me voy a aquel que me ha enviado.

**34.** Vosotros me buscaréis y no me hallaréis; y adonde yo voy a estar, vosotros no podéis venir.

**35.** Sobre lo cual dijeron los judíos entre sí: ¿A dónde irá éste, que no le hayamos de hallar? ¿Iráse quizá por entre las naciones esparcidas por el mundo a predicar a los gentiles?

**36.** ¿Qué es lo que ha querido decir con estas palabras: Me buscaréis, y no me hallaréis; y a donde yo voy a estar, no podéis venir vosotros?

**37.** En el último día de la fiesta, que es el más solemne, Jesús se puso en pie, y en alta voz decía: Si alguno tiene sed, venga a mí, y beba.

**38.** Del seno de aquel que cree en mí, manarán, como dice la Escritura, ríos de agua viva.

**39.** Esto lo dijo por el Espíritu *Santo,* que habían de recibir los que creyesen en él; pues aún no se había comunicado el Espíritu *Santo,* porque Jesús todavía no estaba en su gloria.

**40.** Muchas de aquellas gentes, habiendo oído estos discursos de Jerusalén, decían: Este ciertamente es un profeta;

**41.** Este es el Cristo, o *Mesías,* decían otros. Mas algunos replicaban: ¿Por ventura el Cristo ha de venir de Galilea?

**42.** ¿No está claro en la Escritura que del linaje de David, y del lugar de Betlehem donde David moraba, debe venir el Cristo?

**43.** Con esto se suscitaron disputas entre las gentes del pueblo sobre su persona.

**44.** Había entre la muchedumbre algunos que querían prenderle; pero nadie se atrevió a echar la mano sobre él.

**45.** Y así los ministros o *alguaciles* volvieron a los pontífices y fariseos. Y éstos les dijeron: ¿Cómo no le habéis traído?

**46.** Respondieron los ministros: Jamás hombre alguno ha hablado *tan divinamente* como este hombre.

**47.** Dijéronle los fariseos: ¿Qué, también vosotros habéis sido embaucados?

**48.** ¿Acaso alguno de los príncipes o de los fariseos ha creído en él?

**49.** Sólo ese populacho, que no entiende la ley, es el maldito.

**50.** Entonces Nicodemo, aquel mismo que de noche vino a Jesús, y era uno de ellos, les dijo:

**51.** ¿Por ventura nuestra ley condena a nadie sin haberle oído primero, y examinado su proceder?

**52.** Respondiéronle: ¿Eres acaso tú, como él, galileo? Examina *bien* las Escrituras, y verás cómo no hay profeta originario de Galilea.

**53.** En seguida se retiraron cada uno a su casa.

## CAPITULO VIII

*Libra Jesús de la muerte a una mujer adúltera, confundiendo a sus acusadores. Declara de varias maneras ser el Hijo de Dios y el Mesías prometido, y responde con admirable mansedumbre a las blasfemias de los judíos.*

**1.** Jesús se retiró al monte de los Olivos:

**2.** Y al romper el día volvió *según costumbre* al templo; y como todo el pueblo concurrió a él, sentándose se puso a enseñarlos.

**3.** Cuando *he aquí que los* escribas y fariseos traen a una mujer sorprendida en adulterio y, poniéndola en medio,

**4.** Dijeron a Jesús, Maestro, esta mujer acaba de ser sorprendida en adulterio.

**5.** Moisés en la ley nos tiene mandado apedrear a las tales. Tú ¿qué dices a esto?

**6.** Lo cual preguntaban para tentarle y poder acusarle. Pero Jesús, *como desentendiéndose,* inclinóse hacia el suelo, y con el dedo escribía en la tierra.

**7.** Mas como porfiasen ellos en preguntarle, se enderezó, y les dijo: El que de vosotros se halla sin pecado, tire contra ella el primero la piedra.

**8.** Y volviendo a inclinarse otra vez, continuaba escribiendo en el suelo.

**9.** Mas, oída la respuesta, se iban descabullendo uno tras otro, comenzando por los más viejos, hasta que dejaron solo a Jesús y a la mujer que estaba en medio.

**10.** Entonces Jesús, enderezándose, le dijo: Mujer, ¿dónde están tus acusadores? ¿Nadie te ha condenado?

**11.** Ella respondió: Ninguno, Señor. Y Jesús *compadecido* le dijo: Pues tampoco yo te condenaré: Anda y no peques más *en adelante.*

**12.** Y volviendo Jesús a hablar al pueblo, dijo: Yo soy la luz del mundo: El que me sigue, no camina a oscuras, sino que tendrá la luz de la vida.

**13.** Replicáronle los fariseos: Tú das testimonio de ti mismo; *y así* tu testimonio no· es idóneo.

**14.** Respondióles Jesús: Aunque yo doy testimonio de mí mismo, mi testimonio es digno de fe. Porque yo sé de dónde soy venido, y a dónde voy; pero vosotros no sabéis de dónde vengo, ni a dónde voy.

---

**CAP. VIII.** — **9.** El falso celo de la justicia suele callar y desvanecerse como el humo, luego que se teme que ha de ocasionar algún daño propio. Para curarnos del prurito de condenar lo que hacen los otros, no hay cosa mejor que fijar la consideración en los defectos y pecados propios. S. Greg. Moral. I.

**10.** La prudencia y la caridad nos dictan que cuando vemos a algunos que se han metido en un empeño arrastrados de alguna pasión, procuremos darles algún medio de salir de él sin confusión y disimuladamente. El exasperarlos y confundirlos en público suele obstinarlos más en su empeño. Jesús triunfa aquí con el silencio y la dulzura. Hay algunas ocasiones en que uno y otra acompañados de la humanidad y de las súplicas, son más eficaces que todo lo demás

**11.** Los impíos no pueden servirse de las fuerzas y proporción que tienen para perder a los buenos, sino según el orden o disposición de la Providencia divina que lo permite para bien de sus escogidos. Y así es que vive muy tranquilo quien estriba o se apoya en esta Providencia divina. De ahí viene la santa libertad de un ministro del evangelio que no *pasa cuidado sino de su obligación,* y no teme otro mal que el de no ser fiel y exacto en cumplirla. S. Joan Chrys. in Ps.

---

**CAP. VII.** — **51.** Regla importante de la equidad natural y también de la ley escrita: no debemos condenar a nadie ni en la conversación, ni en nuestro pensamiento, en donde solemos hacernos tantas veces jueces del prójimo, sin que antes tomemos conocimiento de la causa. No imitemos a aquellos falsos celadores de la ley que son los primeros en violarla con sus continuos juicios temerarios. *Deut.* XVII, *v.* 8; XIX, *v.* 15.

**15.** Vosotros juzgáis *de mí* según la carne; pero yo no juzgo *así* de nadie;

**16.** Y cuando yo juzgo, mi juicio es idóneo; porque no soy yo solo *el que da el testimonio;* sino yo y el Padre que me ha enviado.

**17.** En vuestra ley está escrito que el testimonio de dos personas es idóneo.

**18.** Yo soy el que doy testimonio de mí mismo; y *además* el Padre, que me ha enviado, da también testimonio de mí.

**19.** Decíanle a esto: ¿En dónde está tu padre? Respondió Jesús: Ni me conocéis a mí, ni a mi Padre: si me conocierais a mí no dejaríais de conocer a mi Padre.

**20.** Estas cosas las dijo Jesús enseñando en el templo, en el *atrio del* tesoro; y nadie le prendió, porque aún no era llegada su hora.

**21.** Díjoles Jesús en otra ocasión: Yo me voy, y vosotros me buscaréis, y vendréis a morir en vuestro pecado. Adonde yo voy, no podéis venir vosotros.

**22.** A esto decían los judíos: ¿Si querrá matarse a sí mismo, y por eso dice: adonde yo voy, no podéis venir vosotros?

**23.** Y Jesús proseguía diciéndoles: Vosotros sois de acá abajo, yo soy de arriba: Vosotros sois de este mundo, yo no soy de este mundo.

**24.** Con razón os he dicho que moriréis en vuestros pecados: porque si no creyéreis *ser yo* lo que soy, moriréis en vuestro pecado.

**25.** Replicábanle: ¿Pues quién eres tú? Respondióles Jesús: Yo soy el principio *de todas las cosas,* el mismo que os estoy hablando.

**26.** Muchas cosas tengo que decir y condenar en cuanto a vosotros: como quiera, el que me ha enviado, es veraz; y yo solo hablo en el mundo las cosas que oí a él.

**27.** Ellos no echaron de ver que decía que Dios era su Padre.

**28.** Por tanto Jesús les dijo: Cuando habréis levantado *en alto o crucificado* al Hijo del hombre, entonces conoceréis quién soy yo, y que nada hago de mí mismo, sino que hablo lo que mi Padre me ha enseñado.

**29.** Y el que me ha enviado, está *siempre* conmigo, y no me ha dejado solo; porque yo hago siempre lo que es de su agrado.

**30.** Cuando Jesús dijo estas cosas, muchos creyeron en él.

**31.** Decía, pues, a los judíos, que creían en él: Si perseveráreis en mi doctrina, seréis verdaderamente discípulos míos.

**32.** Y conoceréis la verdad, y la verdad os hará libres.

**33.** Respondiéronle ellos: Nosotros somos descendientes de Abraham, y jamás hemos sido esclavos de nadie, ¿cómo, pues, dices tú que vendremos a ser libres?

**34.** Replicóles Jesús: En verdad, en verdad os digo, que todo aquel que comete pecado, es esclavo del pecado.

**35.** Es así que el esclavo no mora para siempre en la casa; el hijo sí que permanece siempre en ella.

**36.** Luego si el hijo os da libertad, seréis verdaderamente libres.

**37.** Yo sé que sois hijos de Abraham; pero *también sé que* tratáis de matarme, porque mi palabra *o doctrina* no halla cabida en vosotros.

**38.** Yo hablo lo que he visto en mi Padre: vosotros hacéis lo que habéis visto en vuestro padre.

**39.** Respondiéronle diciendo: Nuestro padre es Abraham. Si sois hijos de Abraham, les replicó Jesús, obrad como Abraham.

**40.** Mas ahora pretendéis quitarme la vida, siendo yo un hombre que os he dicho la verdad que oí de Dios: no hizo eso Abraham.

**41.** Vosotros hacéis lo que hizo vuestro padre. Ellos le replicaron: Nosotros no somos de raza de fornicadores, *o idólatras:* un solo padre tenemos, que es, Dios.

**42.** A lo cual les dijo Jesús: Si Dios fuera vuestro padre, ciertamente me amaríais a mí; pues yo nací de Dios, y he venido de *parte de Dios;* que no he venido de mí mismo, sino que él me ha enviado.

**43.** ¿Por qué, pues, no entendéis mi lenguaje? Es porque no podéis sufrir mi doctrina.

---

**23.** Jesucristo según su carne era de acá abajo; mas como Hijo Unigénito del Eterno Padre, *era de lo alto:* esto es, engendrado Dios de Dios ante todo tiempo. Los judíos eran de acá abajo; porque asidos a los pensamientos bajos de sus genealogías, y a la corrupción del siglo, no creían en aquel que había venido a llevar consigo al cielo a los que por seguirle renunciasen a las cosas de la tierra. Un verdadero discípulo de Jesucristo debe estar en este mundo, como si no estuviera en él, y usar de sus bienes como si no usara.

---

**40.** La envidia o el odio son la causa de que contradigamos a los que nos dicen la verdad; y muchas veces cerramos los ojos a la luz solamente porque nos la presenta una persona a la cual aborrecemos o envidiamos. Sanct. Ag. in Ps.

**44.** Vosotros sois hijos del diablo; y *así* queréis satisfacer los deseos de vuestro padre: él fué homicida desde el principio; y, *criado justo*, no permaneció en la verdad; y así no hay verdad en él cuando dice mentira, habla como quien es, por ser de suyo mentiroso y padre de la mentira.

**45.** A mí, empero, no me creéis, porque os digo la verdad.

**46.** ¿Quién de vosotros me convencerá de pecado? *Pues* si os digo la verdad, por qué no me creéis?

**47.** Quien es de Dios, escucha las palabras de Dios. Por eso vosotros no las escucháis, porque no sois de Dios.

**48.** A esto respondieron los judíos diciéndole: ¿No decimos bien nosotros que tú eres un samaritano, y que estás endemoniado?

**49.** Jesús les respondió: Yo no estoy poseído del demonio, sino que honro a mi Padre, y vosotros me habéis deshonrado a mí.

**50.** Pero yo no busco mi gloria; otro hay que la promueve, y él me vindicará.

**51.** En verdad, en verdad os digo, que quien observare mi doctrina, no morirá para siempre.

**52.** Dijeron los judíos: Ahora acabamos de conocer que estás poseído de *algún* demonio. Abraham murió, y murieron también los profetas, y tú dices: Quien observare mi doctrina, no morirá eternamente.

**53.** ¿Acaso eres tú mayor que nuestro padre Abraham, el cual murió; y *que* los profetas, *que asimismo murieron?* Tú ¿por quién te tienes?

**54.** Respondió Jesús: Si yo me glorifico a mí mismo, mi gloria, *diréis*, no vale nada; *pero* es mi Padre el que me glorifica, aquél que decís vosotros que es vuestro Dios.

**55.** Vosotros, empero, no le habéis conocido; yo sí que le conozco: y si dijere que no le conozco, sería como vosotros un mentiroso. Pero le conozco *bien*, y observo sus palabras.

**56.** Abraham, vuestro padre, ardió en deseos de ver este día mío: viólo, y se llenó de gozo.

**57.** Los judíos le dijeron: Aún no tienes cincuenta años, ¿y viste a Abraham?

**58.** Respondióles Jesús: En verdad, en verdad os digo, que antes que Abraham fuera criado, yo existo.

**59.** Al oír esto, cogieron piedras para tirárselas. Mas Jesús se escondió *milagrosamente*, y salió del templo.

## CAPITULO IX

*Da vista Jesús a un ciego de nacimiento. Murmuran los fariseos de este milagro, y excomulgan al ciego, que instruído por Jesús, cree en él, y le adora.*

**1.** Al pasar vió Jesús a un hombre ciego de nacimiento.

**2.** Y sus discípulos le preguntaron: Maestro, ¿qué pecados son la causa de que éste haya nacido ciego, los suyos, o los de sus padres?

**3.** Respondió Jesús: No es por culpa de éste, ni de sus padres; sino para que las obras *del poder de* Dios resplandezcan en él.

**4.** Conviene que yo haga las obras de aquél que me ha enviado, mientras dura el día: viene la noche *de la muerte*, cuando nadie puede trabajar.

**5.** Mientras estoy en el mundo, yo soy la luz del mundo.

**6.** Así que hubo dicho esto, escupió en tierra, y formó lodo con la saliva, y aplicólo sobre los ojos del ciego,

**7.** Y díjole: Anda, y lávate en la piscina de Siloé (palabra que significa el Enviado). Fuése pues, y lavóse allí, y volvió con vista.

**8.** Por lo cual los vecinos y los que antes le habían visto pedir limosna, decían: ¿No es éste aquél que sentado *allá*, pedía limosna? Este es, respondían algunos.

**9.** Y otros decían: No es él, sino alguno que se le parece. Pero él decía: Sí, *que* soy yo.

**10.** Le preguntaban, pues: ¿Cómo se te han abierto los ojos?

**11.** Respondió: Aquel hombre que se llama Jesús, hizo *un poquito de* lodo, y lo aplicó a mis ojos, y me dijo: Ve a la piscina de Siloé, y lávate *allí*. Yo fuí, me lavé, y veo.

**12.** Preguntáronle: ¿Dónde está éste? Respondió: no lo sé.

**13.** Llevaron, pues, a los fariseos al que antes estaba ciego.

**14.** Es de advertir que cuando Jesús formó el lodo y le abrió los ojos, era día de sábado.

**15.** Nuevamente, pues, los fariseos le preguntaban *también*, cómo había logrado la vista. El les respondió: Puso lodo sobre mis ojos, me lavé, y veo.

---

**56.** O el tiempo de mi venida. Y le vió con los ojos de la fe. *Hebr*. XI, *v.* 13.

**16.** Sobre lo que decían algunos de los fariseos: No es *enviado* de Dios este hombre, pues no guarda el sábado. Otros, empero, decían: ¿Cómo un hombre pecador puede hacer tales milagros? Y había disensión entre ellos.

**17.** Dicen, pues, otra vez al ciego: Y tú ¿qué dices del que te ha abierto los ojos? Respondió: Que es un profeta.

**18.** Pero por lo mismo no creyeron los judíos que hubiese sido ciego, y recibido la vista, hasta que llamaron a sus padres;

**19.** Y les preguntaron: ¿Es éste vuestro hijo, de quien vosotros decís que nació ciego? Pues ¿cómo ve ahora?

**20.** Sus padres les respondieron, diciendo: Sa-bemos que éste es hijo nuestro, y que nació ciego;

**21.** Pero cómo ahora ve, no lo sabemos; ni tampoco sabemos quién le ha abierto los ojos; preguntádselo a él: edad tiene, él dará razón de sí.

**22.** Esto dijeron sus padres por temor de los judíos; porque ya éstos habían decretado echar de la sinagoga, *o excomulgar*, a cualquiera que reconociese a Jesús por el Cristo, *o Mesías*.

**23.** Por esto sus padres dijeron: Edad tiene, preguntádselo a él.

**24.** Llamaron, pues, otra vez al hombre que había sido ciego, y dijéronle: Da gloria a Dios: nosotros sabemos que ese hombre es un pecador.

**25.** Mas él les respondió: Si es pecador, yo no lo sé; sólo sé que yo antes era ciego, y ahora veo.

**26.** Replicáronle: ¿Qué hizo él contigo? ¿cómo te abrió los ojos?

**27.** Respondióles: Os lo he dicho ya, y lo habéis oído: ¿a qué fín queréis oírlo de nuevo? ¿Si será que también vosotros queréis haceros discípulos suyos?

**28.** Entonces le llenaron de maldiciones, y *por fin* le dijeron: Tú seas su discípulo, que nosotros somos discípulos de Moisés.

**29.** Nosotros sabemos que a Moisés le habló Dios; mas éste no sabemos de dónde es.

**30.** Respondió aquel hombre, y les dijo: Aquí está la maravilla, que vosotros no sabéis de dónde es éste, y con todo ha abierto mis ojos.

CAP IX — 19. ¡Cuántas veces la injusticia de los hombres hace brillar más los designios de Dios! Con examinar tanto los fariseos el milagro lo hacen más patente.

21. La respuesta de los padres del ciego es como la de tantos que siempre hallan excusas para echar sobre otros la obligación de decir la verdad o defender la causa de Dios.

**31.** Lo que sabemos es que Dios no oye a los pecadores; sino que aquel que honra a Dios y hace su voluntad, éste es a quien Dios oye.

**32.** Desde que el mundo es mundo no se ha oído jamás que alguno haya abierto los ojos de un ciego de nacimiento.

**33.** Si este hombre no fuese *enviado* de Dios, no podría hacer nada *de lo que hace.*

**34.** Dijéronle en respuesta: Saliste del vientre de tu madre envuelto en pecados, ¿y tú nos das lecciones? Y le arrojaron fuera.

**35.** Oyó Jesús que le habían echado fuera; y haciéndose encontradizo con él, le dijo: ¿Crees tú en el Hijo de Dios?

**36.** Respondió él y dijo: ¿Quién es, Señor, para que yo crea en él?

**37.** Díjole Jesús: Le viste ya, y es el mismo que está hablando contigo.

**38.** Entonces dijo él: Creo, Señor. Y postrándose a sus pies, le adoró.

**39.** Y añadió Jesús: Yo vine a este mundo a ejercer un justo juicio, para que los que no ven, vean; y los que ven, *o soberbios presumen ver,* queden ciegos.

**40.** Oyeron esto algunos de los fariseos, que estaban con él, y le dijeron: Pues qué, ¿nosotros somos también ciegos?

**41.** Respondióles Jesús: Si fuerais ciegos, no tendríais pecado: pero por lo mismo que decís: Nosotros vemos, *y os juzgáis muy instruidos,* por eso vuestro pecado persevera en vosotros.

# CAPITULO X

*Parábola del buen pastor, y sus propiedades. Va Jesús al templo el día de la dedicación, y declara ser el Mesías. Los judíos cogen piedras para tirárselas como a blasfemo, y se quedan con ellas en las manos a una razón suya.*

**1.** En verdad, en verdad os digo, *prosiguió Jesús,* que quien no entra por la puerta en el aprisco de las ovejas, sino que sube por otra parte, el tal es un ladrón y salteador.

**2.** Mas el que entra por la puerta, pastor es de las ovejas.

**3.** A éste el portero le abre, y las ovejas escuchan su voz, y él llama por su nombre a las ovejas propias, y las saca fuera *al pasto.*

31. De suerte que hagan milagros en prueba de su falsa doctrina.

4. Y cuando ha hecho salir sus propias ovejas, en viendo venir al lobo, las ovejas le siguen, porque conocen su voz.

5. Mas a un extraño no le siguen, sino que huyen de él; porque no conocen la voz de los extraños.

6. Este símil les puso Jesús; pero no entendieron lo que les decía.

7. Por eso Jesús les dijo segunda vez *por lo claro:* En verdad, en verdad os digo, que yo soy la puerta de las ovejas.

8. Todos los que hasta ahora han venido, *o entrado por otra parte,* son ladrones y salteadores, y *así* las ovejas no los han escuchado.

9. Yo soy la puerta. El que por mí entrare, se salvará; y entrará, y saldrá *sin tropiezo, y* hallará pastos.

10. El ladrón no viene sino para robar, y matar, y hacer estrago. Mas yo he venido para que *las ovejas* tengan vida, y la tengan en más abundancia.

11. Yo soy el buen pastor. El buen pastor sacrifica su vida por sus ovejas.

12. Pero el mercenario, y el que no es el *propio* pastor, de quien no son propias las ovejas, en viendo venir al lobo, desampara las ovejas, y huye; y el lobo las arrebata, y dispersa el rebaño.

13. El mercenario huye, por la razón de que es asalariado, y no tiene interés alguno en las ovejas.

14. Yo soy el buen pastor: y conozco mis ovejas, y las *ovejas* mías me conocen a mí.

15. Así como el Padre me conoce a mí, así yo conozco al Padre; y doy mi vida por mis ovejas.

16. Tengo también otras ovejas, que no son de este aprisco, las cuales debo yo recoger, y oirán mi voz; y *de todas* se hará un solo rebaño, y un solo pastor.

17. Por eso mi Padre me ama, porque doy mi vida *por mis ovejas, bien que* para tomarla otra vez.

18. Nadie me la arranca, sino que yo la doy de mi propia voluntad, y soy dueño de darla, y dueño de recobrarla: éste es el mandamiento que recibí de mi Padre.

19. Excitó este discurso una nueva división entre los judíos.

20. Decían muchos de ellos: Está poseído del demonio, y ha perdido el juicio; ¿por qué le escucháis?

21. Otros decían: No son palabras éstas de quien está endemoniado: ¿por ventura puede el demonio abrir los ojos de los ciegos?

22. Celebrábase en Jerusalén la fiesta de la Dedicación, *fiesta que* era *en* invierno.

23. Y Jesús se paseaba en el templo, por el pórtico de Salomón.

24. Rodeáronle, pues, los judíos, y le dijeron: ¿Hasta cuándo has de traer suspensa nuestra alma? Si tú eres Cristo, dínoslo abiertamente.

25. Respondióles Jesús: Os lo estoy diciendo, y no lo creéis: las obras que yo hago en nombre de mi Padre, ésas están dando testimonio de mí.

26. Mas vosotros no creéis, porque no sois de mis ovejas.

27. Mis ovejas oyen la voz mía; y yo las conozco, y ellas me siguen.

28. Y yo les doy la vida eterna; y no se perderán jamás, y ninguno las arrebatará de mis manos.

29. Pues lo que mi Padre me ha dado, todo lo sobrepuja; y nadie puede arrebatarlo de mano de mi Padre *o de la mía.*

30. Mi Padre y yo somos una misma cosa.

31. Al oír esto los judíos, tomaron piedras para apedrearle.

32. Díjoles Jesús: Muchas buenas obras he hecho delante de vosotros por la virtud de mi Padre, ¿por cuál de ellas me apedreáis?

33. Respondiéronle los judíos: No te apedreamos por ninguna obra buena, sino por la blasfemia; y porque siendo tú, como eres hombre, te haces Dios.

34. Replicóles Jesús: ¿No está escrito en vuestra ley: Yo dije, dioses sois?

35. Pues si llamó dioses a aquellos a quienes habló Dios, y no puede faltar la Escritura,

36. ¿Cómo de mí, a quien ha santificado el Padre, y ha enviado al mundo, decís vosotros que blasfemo, porque he dicho: Soy Hijo de Dios?

37. Si no hago las obras de mi Padre, no me creáis.

38. Pero si las hago, cuando no queráis darme crédito a mí, dádselo a mis obras, a fin de que conozcáis, y creáis que el Padre está en mí, y yo en el Padre.

39. Quisieron entonces prenderle; mas él se escapó de entre sus manos;

40. Y se fué de nuevo a la otra parte del Jordán, a aquel lugar en que Juan había comenzado a bautizar; y permaneció allí.

---

CAP. X. — 13. Nunca se conoce mejor quien sea pastor *mercenario,* que en tiempo de persecución, de miseria, de peste u otras calamidades.

18. Jesucristo habla aquí como hombre sometido perfectamente a la voluntad de su Padre, cuya voluntad era la misma que la suya. — *Isal.* LIV. *v. 7.*

**41.** Y acudieron muchos a él, y decían: Es cierto que Juan no hizo milagro alguno.

**42.** Mas todas cuantas cosas dijo Juan de éste, habían salido verdaderas. Y muchos creyeron en él.

# CAPITULO XI

*Resurrección de Lázaro. Consejo de los pontífices y fariseos, en que se resuelve la muerte de Jesús, y que debe morir un hombre por todos. Retírase Jesucristo a Efrem, ciudad de Galilea.*

**1.** Estaba enfermo *por este tiempo* un *hombre llamado* Lázaro, *vecino* de Betania, patria de María y de Marta sus hermanas.

**2.** Esta María es aquella *misma* que derramó sobre el Señor el perfume; y limpió los pies con sus cabellos; de la cual era hermano el Lázaro que estaba enfermo.

**3.** Las hermanas, pues, enviaron a decirle: Señor, mira que aquel a quien amas está enfermo.

**4.** Oyendo Jesús el recado, díjoles: Esta enfermedad no es mortal, sino que está ordenada para gloria de Dios, con la mira de que por ella el Hijo de Dios sea glorificado.

**5.** Jesús tenía *particular* afecto a Marta y a su hermana María y a Lázaro.

**6.** Cuando oyó que éste estaba enfermo, quedóse aún dos días *más* en el mismo lugar.

**7.** Después de pasados éstos, dijo a sus discípulos: Vamos otra vez a la Judea.

**8.** Dícenle sus discípulos: Maestro, hace poco que los judíos, querían apedrearte, y ¿quieres volver allá?

**9.** Jesús les respondió: Pues qué, ¿no son doce las horas del día? El que anda de día no tropieza, porque ve la luz de este mundo;

**10.** Al contrario, quien anda de noche, tropieza, porque no tiene luz.

**11.** Así dijo, y añadióles después: Nuestro amigo Lázaro duerme; mas yo voy a despertarle del sueño.

**12.** A lo que dijeron los discípulos: Señor, si duerme, sanará.

**13.** Mas Jesús había hablado *del sueño* de la muerte; y ellos pensaban que hablaba del sueño natural.

**14.** Entonces les dijo Jesús claramente: Lázaro ha muerto;

**15.** Y me alegro por vosotros de no haberme hallado allí, a fin de que creáis. Pero vamos a él.

**16.** Entonces Tomás, por otro nombre Dídimo, dijo a sus condiscípulos: Vamos también nosotros, y muramos con él.

**17.** Llegó, pues, Jesús, y halló que hacía ya cuatro días que Lázaro estaba sepultado.

**18.** Distaba Betania de Jerusalén como unos quince estadios;

**19.** Y habían ido muchos de los judíos a consolar a Marta y a María de la muerte de su hermano.

**20.** Marta, luego que oyó que Jesús venía, le salió a recibir; y María se quedó en casa.

**21.** Dijo, pues, Marta a Jesús: Señor, si hubieses estado aquí, no hubiera muerto mi hermano.

**22.** Bien que estoy persuadida de que ahora mismo te concederá Dios cualquiera cosa que le pidieres.

**23.** Dícele Jesús: Tu hermano resucitará.

**24.** Respóndele Marta: *Bien* sé que resucitará en la resurrección *universal, que será* en el último día.

**25.** Díjole Jesús: Yo soy la resurrección y la vida: quien cree en mí, aunque hubiere muerto, vivirá;

**26.** Y todo aquel que vive y cree en mí no morirá para siempre: ¿crees tú esto?

**27.** Respondióle: ¡Oh Señor! sí que lo creo, y que tú eres Cristo, el Hijo de Dios vivo, que has venido a este mundo.

**28.** Dicho esto, fuése, y llamó secretamente a María, su hermana, diciéndole: Está aquí el Maestro y te llama.

**29.** Apenas ella oyó esto, se levantó apresuradamente, y fué a encontrarle.

**30.** Porque Jesús no había entrado todavía en la aldea, sino que aún estaba en aquel mismo sitio en que Marta le había salido a recibir.

**31.** Por eso los judíos que estaban con María, en la casa, y la consolaban, viéndola levantarse de repente, y salir fuera, la siguieron diciendo: Esta va *sin duda* al sepulcro para llorar allí.

---

CAP. XI. — 16. O *Gemelo,* viendo que no podía disuadir a Jesús de ir a Jerusalén, en donde los judíos habían de matarle.

20. *Sedebat in domo:* el verbo *sedebat* tal vez denota la manera con que estaba María llorando o haciendo el duelo, durante el cual estaban todos sentados en el suelo *Ezeq.* VIII, *v. 14. Mat.* XXVII, *v.* 61.

**32.** María, pues, habiendo llegado a donde estaba Jesús, viéndole, postróse a sus pies, y díjole: Señor, si hubieses estado aquí, no habría muerto mi hermano.

**33.** Jesús al verla llorar, y llorar también los judíos que habían venido con ella estremecióse en su alma y conturbóse a sí mismo,

**34.** Y dijo: ¿Dónde le pusisteis? Ven, Señor, le dijeron, y lo verás.

**35.** Entonces a Jesús se le arrasaron los ojos en lágrimas.

**36.** En vista de lo cual dijeron los judíos: Mirad cómo le amaba.

**37.** Mas algunos de ellos dijeron: Pues éste, que abrió los ojos de un ciego de nacimiento, ¿no podía hacer que Lázaro no muriese?

**38.** Finalmente, prorrumpiendo Jesús en nuevos sollozos, que le salían del corazón, vino al sepulcro, que era una gruta cerrada con una *gran* piedra.

**39.** Dijo Jesús: Quitad la piedra. Marta, hermana del difunto, le respondió: Señor, *mira que ya* hiede, pues hace ya cuatro días que está ahí.

**40.** Díjole Jesús: ¿No te he dicho que si creyeres, verás la gloria de Dios?

**41.** Quitaron, pues, la piedra; y Jesús levantando los ojos al cielo, dijo: ¡Oh Padre! gracias te doy porque me has oído:

**42.** Bien es verdad que yo ya sabía que siempre me oyes; mas lo he dicho por razón de este pueblo que está alrededor de mí, con el fin de que crean que tu *eres el que* me has enviado.

**43.** Dicho esto, gritó con voz muy alta *o sonora:* Lázaro, sal afuera.

**44.** Y al instante el que había muerto salió fuera, ligado de pies y manos con fajas, y tapado el rostro con un sudario. Díjoles Jesús: Desatadle, y dejadle ir.

**45.** Con esto muchos de los judíos que habían venido *a visitar* a María y a Marta, y vieron lo que Jesús hizo, creyeron en él.

**46.** Mas algunos de ellos se fueron a los fariseos, y les contaron las cosas que Jesús había hecho.

**47.** Entonces los pontífices y fariseos, juntaron consejo, y dijeron: ¿Qué hacemos? Este hombre hace muchos milagros.

**48.** Si le dejamos así, todos creerán en él; y vendrán los romanos, y arruinarán nuestra ciudad y la nación.

**49.** En esto uno de ellos llamado Caifás, que era el *sumo* pontífice de aquel año, les dijo: Vosotros no entendéis nada *en esto.*

**50.** No reflexionáis que os conviene el que muera un solo hombre por el *bien del* pueblo, y no perezca toda la nación.

**51.** Mas ésto no lo dijo de propio movimiento; sino que, como era el *sumo* pontífice en aquel año, *sirvió de instrumento a Dios y* profetizó que Jesús había de morir por la nación.

**52.** Y no solamente por la nación *judaica,* sino también para congregar en un cuerpo a los hijos de Dios, que estaban dispersos.

**53.** Y así desde aquel día *no* pensaban *sino* en *hallar medio de* hacerle morir.

**54.** Por lo que Jesús ya no se dejaba ver en público entre los judíos, antes bien se retiró a un territorio vecino al desierto, en la ciudad llamada Efrem, donde moraba con sus discípulos.

**55.** Y como estaba próxima la Pascua de los judíos, muchos de aquel distrito subieron a Jerusalén antes de la Pascua, para purificarse.

**56.** Los cuales iban en busca de Jesús y se de-cían en el templo unos a otros: ¿Qué será que *aún* no ha venido a la fiesta? Pero los pontífices y fariseos tenían ya dada orden de que, si alguno supiese dónde Jesús estaba, le denunciase para hacerle prender.

## CAPITULO XII

*Dan a Jesús en Betania una cena, en medio de la cual, María, hermana de Lázaro, derrama sobre los pies del Señor un bálsamo precioso. Maquinan los judíos matar a Lázaro. Entrada triunfante de Jesús en Jerusalén. Algunos gentiles quieren hablar con él, y con esta ocasión declara Jesús que hasta después de muerto no hará fruto entre ellos. Creen muchos de los principales judíos, pero no se atreven a manifestarlo por miedo de la sinagoga*

**1.** Seis días antes de la Pascua volvió Jesús a Betania, donde Lázaro había muerto, a quien Jesús resucitó.

**2.** Aquí le dispusieron una cena. Marta servía, y Lázaro era uno de los que estaban a la mesa con él.

**3.** Y María tomó una libra de ungüento *o perfume* de nardo puro, y de gran precio, y derramólo sobre los pies de Jesús, y los enjugó con sus cabellos; y se llenó la casa de la fragancia del perfume.

**4.** Por lo cual Judas Iscariote, uno de sus discípulos, aquel que le había de entregar dijo:

**5.** ¿Por qué no se ha vendido este perfume por trescientos denarios, para limosna de los pobres?

**6.** Esto dijo, no porque él pasase algún cuidado por los pobres, sino porque era ladrón *ratero, y* teniendo la bolsa, llevaba *o defraudaba* el dinero que se echaba en ella.

**7.** Pero Jesús respondió: Dejadla que lo emplee para *honrar de antemano* el día de mi sepultura.

**8.** Pues en cuanto a los pobres, los tenéis siempre con vosotros; pero a mí no me tenéis siem-pre.

**9.** Entre tanto una gran multitud de judíos, luego que supieron que Jesús estaba allí, vinieron, no sólo por Jesús, sino también por ver a Lázaro, a quien había resucitado de entre los muertos.

**10.** Por eso los príncipes de los sacerdotes deliberaron quitar también la vida a Lázaro,

**11.** Visto que muchos judíos por su causa se apartaban *de ellos, y* creían en Jesús.

**12.** Al día siguiente, una gran muchedumbre de gentes, que habían venido a la fiesta, habiendo oído que Jesús estaba para llegar a Jerusalén;

**13.** Cogieron ramos de palmas y salieron a recibirle, gritando: ¡Hosanna! bendito sea el que viene en nombre del Señor, el rey de Israel!

**14.** Halló Jesús un jumentillo, y montó en él, según estaba escrito:

**15.** No tienes que temer, hija de Sión: mira a tu rey que viene sentado sobre un asnillo.

**16.** Los discípulos por entonces no reflexionaron sobre esto; mas cuando Jesús hubo entrado en su gloria, se acordaron que tales cosas estaban escritas de él, y que *ellos mismos* las cumplieron.

**17.** Y la multitud de gentes, que estaban con Jesús, cuando llamó a Lázaro del sepulcro, y le resucitó de entre los muertos, daba testimonio de él.

**18.** Por esta causa salió *tanta* gente a recibirle, por haber oído que había hecho este milagro.

**19.** En vista de lo cual dijéronse unos a otros los fariseos: ¿Véis cómo no adelantamos nada? He aquí que todo el mundo se va en pos de él.

**20.** Al mismo tiempo ciertos gentiles de los que habían venido para adorar a Dios en la fiesta,

**21.** Se llegaron a Felipe, natural de Betsaida en Galilea, y le hicieran esta súplica: Señor, deseamos ver a Jesús.

**22.** Felipe fué y lo dijo a Andrés; y Andrés y Felipe juntos, se lo dijeron a Jesús.

**23.** Jesús les respondió diciendo: Venida es la hora en que debe ser glorificado el Hijo del hombre.

**24.** En verdad, en verdad os digo, que si el grano de trigo, después de echado en la tierra, no muere, queda infecundo; pero si muere, produce mucho fruto.

**25.** *Así* el que ama *desordenadamente* su alma, la perderá; mas el que aborrece *o mortifica* su alma en este mundo, la conservará para la vida eterna.

**26.** El que me sirve, sígame; que donde yo estoy, allí estará también el que me sirve; y a quien me sirviere, le honrará mi Padre.

**27.** Pero ahora mi alma se ha conturbado. Y ¿qué diré? ¡Oh Padre! líbrame de esta hora. Mas *no, que* para esa misma hora he venido *al mundo.*

**28.** ¡Oh Padre! glorifica tu *santo* nombre. Al momento se oyó en el cielo esta voz: Le he glorificado *ya* y le glorificaré todavía *más.*

**29.** La gente que allí estaba, y oyó *el sonido de esta voz*, decía que aquello había sido un trueno. Otros decían: Un ángel le ha hablado.

**30.** Jesús les respondió, y dijo: Esta voz no ha venido por mí, sino por vosotros.

**31.** Ahora *mismo* va a ser juzgado el mundo; ahora el príncipe de este mundo va a ser lanzado fuera.

**32.** Y cuando yo seré levantado *en alto* en la tierra, todo lo atraeré a mí.

**33.** Esto lo decía para significar de qué muerte había de morir.

**34.** Replicó la gente: Nosotros sabemos por la ley, que el Cristo debe vivir eternamente: pues ¿cómo dices que debe ser levantado *en alto o crucificado* el Hijo del hombre? ¿Quién es ese Hijo del hombre?

**35.** Respondióles Jesús: La luz aún está entre vosotros por un poco de tiempo. Caminad, pues, mientras tenéis luz, para que las tinieblas no os sorprendan; que quien anda entre tinieblas, no sabe adónde va.

---

CAP. XII.— 23. El Hijo entrará en toda su gloria por el mérito de su muerte, la que seguida su resurrección, hará que todas las naciones le reconozcan por su Salvador y le glorifiquen.

24. Esto es, queda infecundo, no lleva fruto.

26. Mis ministros, que son los que han de ser las bases de mi reino, deben seguirme por el camino de la cruz, y demás preceptos: los que así me siguieren, estarán también conmigo en la eterna bienaventuranza.

**36.** Mientras tenéis luz, creed en la luz, para que seáis hijos de la luz. Estas cosas les dijo Jesús; y fué, y se escondió de ellos.

**37.** El caso es que con haber hecho Jesús delante de ellos tantos milagros, no creían en él.

**38.** De suerte que vinieron a cumplirse las palabras que dijo el profeta Isaías: ¡Oh Señor! ¿quién ha creído a lo que oyó de nosotros? ¿y de quién ha sido conocido el brazo del Señor?

**39.** Por eso no podían creer, pues ya Isaías, *previendo su depravada voluntad*, dijo también:

**40.** Cegó sus ojos y endureció su corazón, para que con los ojos no vean, y no perciban en su corazón, por temor de convertirse, y de que yo los cure.

**41.** Esto dijo Isaías cuando vió la gloria de él, *del Mesías*, y habló de su persona.

**42.** No obstante, hubo aun de los magnates muchos que creyeron en él; mas por temor de los fariseos no lo confesaban, para que no los echasen de la sinagoga.

**43.** Y es que amaron más la gloria *o estimación* de los hombres, que la gloria de Dios.

**44.** Jesús, pues, alzó la voz, y dijo: Quien cree en mí, no cree *solamente* en mí, sino en aquel que me ha enviado.

**45.** Y al que a mí me ve, ve al que me envió.

**46.** Yo, *que soy la* luz *eterna*, he venido al mundo, para que quien cree en mí, no permanezca entre las tinieblas.

**47.** Que si alguno oye mis palabras, y no las observa, yo no le doy la sentencia: pues no he venido *ahora* a juzgar al mundo, sino a salvarle.

**48.** Quien me menosprecia, y no recibe mis palabras, ya tiene el juez que le juzgue: la palabra *evangélica*, que yo he predicado, esa será la que le juzgue en el último día;

**49.** Puesto que yo no he hablado de mí mismo, sino que el Padre que me envió, él mismo me ordenó lo que debo decir, y cómo he de hablar.

**50.** Y yo sé que lo que él *me* ha mandado *enseñar*, es *lo que conduce a* la vida eterna. Las cosas, pues, que yo hablo, las digo como el Padre me las ha dicho.

## CAPITULO XIII

*Ultima cena del Señor. Lava los pies a sus discípulos. Descubre al discípulo amado quién es el traidor, y empieza la última plática que hizo a los Apóstoles la noche de su prisión, recomendándoles particularmente, entre otras cosas, la caridad, y prediciendo la negación de Pedro.*

**1.** Víspera del día solemne de la Pascua, sabiendo Jesús que era llegada la hora de su tránsito de este mundo al Padre, como hubiese amado a los suyos, que vivían en el mundo, los amó hasta el fin.

**2.** Y *así* acabada la cena, cuando ya el diablo había sugerido en el corazón de Judas, hijo de Simón Iscariote, el designio de entregarle,

**3.** *Jesús*, que sabía que el Padre le había puesto todas las cosas en sus manos, y que como era venido de Dios, a Dios volvía,

**4.** Levántase de la mesa, y quítase sus vestidos, y habiendo tomado una toalla, se la ciñe.

**5.** Echa después agua en un lebrillo, y pónese a lavar los pies de los discípulos, y a limpiarlos con la toalla que se había ceñido.

**6.** Viene a Simón Pedro, y Pedro le dice: ¡Señor! ¿tú lavarme a mí los pies?

**7.** Respondióle Jesús, y le dijo: Lo que yo hago, tú no lo entiendes ahora; lo entenderás después.

**8.** Dícele Pedro: Jamás por jamás no me lavarás tú a mí los pies. Respondióle Jesús: Si yo no te lavare, no tendrás parte conmigo.

**9.** Dícele Simón Pedro: Señor, no solamente mis pies, sino las manos también, y la cabeza.

**10.** Jesús les dice: El que acaba de lavarse, no necesita lavarse más que los pies, estando como está limpio todo *lo demás*. Y en cuanto a vosotros, limpios estáis, bien que no todos.

**11.** Que como sabía quién era el que le había de hacer traición, por eso dijo: No todos estáis limpios.

**12.** Después, en fin, que les hubo lavado los pies y tomó otra vez su vestido, puesto de

---

**39.** *Isaí.* VI, *v.* 9. — *Act.* XXVIII, *v.* 26. — *Rom.* XI, *v.* 8. — Es muy frecuente en las Escrituras, cuando un verbo activo se halla sin persona activa, el tomarse como pasivo o impersonal. — Véase XV, *v.* 16; *Luc.* XVI, *v.* 9

---

**CAP. XIII.** — **9.** Hay acciones de respeto que nacen de nuestra ignorancia. Luego que Pedro conoce la voluntad del Señor, se somete a ella. ¡Cuántos hay que quieren ser humildes según su capricho! ¡Y cuántas apariencias de humildad que encubren una soberbia refinada!

nuevo a la mesa, díjoles: ¿Comprendéis lo que acabo de hacer con vosotros?

13. Vosotros me llamáis Maestro y Señor, y decís bien, porque lo soy.

14. Pues si yo, que soy le Maestro y el Señor, os he lavado los pies, debéis también vosotros lavaros los pies uno al otro.

15. Porque ejemplo os he dado, para que *pensando* lo que yo he hecho con vosotros, así lo hagáis vosotros también.

16. En verdad, en verdad os digo, que no es el siervo más que su amo, ni *tampoco* el enviado o *embajador* mayor que aquel que le envió.

17. Y añadió: Si comprendéis estas cosas, seréis bienaventurados, como las practiquéis.

18. No lo digo por todos vosotros: yo conozco a los que tengo escogidos; mas ha de cumplirse la Escritura: Uno que come el pan conmigo, levantará contra mí su calcañar.

19. Os lo digo desde ahora, antes que suceda; para que cuando sucediere, me reconozcáis por lo que soy, *esto es, por el Mesías.*

20. En verdad, en verdad os digo, que quien recibe al que yo enviare, a mí me recibe; y quien a mí me recibe, recibe a aquel que me ha enviado.

21. Habiendo dicho Jesús estas cosas se turbó en su corazón, y *abiertamente* declaró y dijo: En verdad, en verdad os digo, que uno de vosotros me hará traición.

22. Al oír esto los discípulos *horrorizados,* mirábanse unos a otros, dudando de quién hablaría.

23. Estaba uno de ellos, al cual Jesús amaba, recostado a la mesa, *con la cabeza casi* sobre el seno de Jesús.

24. A este discípulo, pues, Simón Pedro le hizo una seña, diciéndole: ¿Quién es ése de quien habla?

25. El entonces, recostándose *más* sobre el pecho de Jesús, le dijo: Señor, ¿quién es?

26. Jesús le respondió: Es aquel a quien yo *ahora* daré pan mojado. Y habiendo mojado *un pedazo de* pan, se lo dió a Judas, hijo de Simón Iscariote.

27. Y después que tomó éste el bocado, se apoderó de él Satanás *plenamente.* Y Jesús, *con majestuoso desdén,* le dijo: Lo que piensas hacer, hazlo cuanto antes.

28. Pero ninguno de los que estaban a la mesa entendió a qué fin se lo dijo.

29. Porque, como Judas tenía la bolsa, pensaban algunos que Jesús le hubiese dicho: compra lo que necesitemos para la fiesta; o que diese algo a los pobres.

30. El, luego que tomó el bocado, se salió; y era ya de noche.

31. Salido que hubo *Judas,* dijo Jesús: Ahora es glorificado el Hijo del hombre, y Dios es glorificado en él.

32. Y si Dios queda glorificado en él, Dios igualmente le glorificará a él en sí mismo, y le glorificará muy presto.

33. Hijitos *míos,* por un poco de tiempo aún estoy con vosotros. Vosotros me buscaréis; y así como dije a los judíos: A donde yo voy no podéis venir vosotros, eso mismo digo a vosotros ahora.

34. *Entre tanto* un nuevo mandamiento os doy, *y es:* Que os améis unos a otros; y que del modo que yo os he amado a vosotros, así también os améis recíprocamente.

35. Por aquí conocerán todos que sois mis discípulos, si os tenéis *un tal* amor unos a otros.

36. Dícele Simón Pedro: Señor, ¿a dónde te vas? Respondió Jesús: A donde yo voy, tú no puedes seguirme ahora; *me* seguirás, sí, después.

37. Pedro le dice: ¿Por qué no puedo seguirte al presente? Yo daré por ti mi vida.

38. Respondióle Jesús: ¿Tú darás la vida por mí? En verdad, en verdad te digo: No cantará el gallo sin que me hayas negado tres veces.

---

16. Lavados, pues, los Apóstoles por Jesucristo hasta de las más ligeras faltas, dióles el mismo Señor a comer su cuerpo y sangre, instituyendo entonces la Eucaristía; como refieren los otros evangelistas.

17. La felicidad de esta vida no consiste en tener mucho talento y muchas luces o conocimiento, sino en hacer buen uso de la luz que nos da la viva fe en Jesucristo crucificado, y del amor que nos inspira esta fe. Cuanto más se conoce a Jesucristo, y se penetra uno de que abrazó las humillaciones y vivió pobre y perseguido, y esto no por falta de poder, sino por amor; tanto más claro se ve que el amor de la exaltación y del lujo, y de una vida sensual es abominable a los ojos de Dios, muy ajena de un discípulo de Jesucristo.

34. No del modo que los escribas, y fariseos enseñan que se ha de amar al prójimo, sino de un modo más perfecto y nuevo en el mundo.

38. En el Evangelio de S. Mateo y de S. Lucas se habla también del canto del gallo por tercera vez, que es al amanecer. Pedro confiaba demasiado en sus propias fuerzas, y Jesucristo le hace ver que son imaginarias, y que no las tenía verdaderas para dar la vida por su Maestro. Así el celo aparente nos hace creer que haríamos grandes cosas por la causa de Dios si nos hallásemos en otras circunstancias; y entre tanto no hacemos muchas cosas fáciles que actualmente Dios exige de nosotros. Ilusión muy funesta que causa gran daño en los que se dedican a la vida espiritual.

## CAPITULO XIV

*Prosigue la plática de Jesús interrumpida poco antes por la pregunta de Simón Pedro. Consuela a sus Apóstoles; díceles que él es el camino, la verdad y la vida, y que está en el Padre, y el Padre en él. Promete enviarles el Espíritu Santo y darles la paz y les asegura la utilidad de su partida.*

**1.** No se turbe vuestro corazón. Pues creéis en Dios, creed también en mí.

**2.** En la casa de mi Padre hay muchas habitaciones; que si no fuese así, os lo hubiera yo dicho. Yo voy a preparar lugar para vosotros.

**3.** Y cuando habré ido, y os habré preparado lugar, vendré otra vez, y os llevaré conmigo, para que donde yo estoy, estéis también vosotros.

**4.** Que ya sabéis adónde voy, y sabéis asimismo el camino.

**5.** Dícele Tomás: Señor, no sabemos adónde vas; pues ¿cómo podemos saber el camino?

**6.** Respóndele Jesús: Yo soy el camino, y la verdad, y la vida: nadie viene al Padre, sino por mí.

**7.** Si me hubieseis conocido a mí, hubierais sin duda conocido también a mi Padre; pero le conoceréis luego, y ya le habéis visto *en cierto modo.*

**8.** Dícele Felipe: Señor, muéstranos al Padre, y eso nos basta.

**9.** Jesús le responde: Tanto tiempo ha que estoy con vosotros, ¿y aún no me habéis conocido? Felipe, quien me ve a mí, ve también al Padre. ¿Pues cómo dices tú: Muéstranos al Padre?

**10.** ¿No creéis que yo estoy en el Padre y que el Padre está en mí? Las palabras que yo os hablo, no las hablo de mí mismo. El Padre que está en mí, él mismo hace *conmigo* las obras que *yo hago.*

**11.** ¿Cómo no creéis que estoy en el Padre, y que el Padre está en mí?

**12.** Creedlo a lo menos por las obras que yo hago. En verdad, en verdad os digo, que quien cree en mí, ése hará también las obras que yo hago, y las hará todavía mayores; por cuanto yo me voy al Padre.

**13.** Y cuanto pidiereis al Padre en mi nombre, yo lo haré, a fin de que el Padre sea glorificado en el Hijo.

**14.** Si algo pidiereis en mi nombre, yo lo haré.

**15.** Si me amáis, observad mis mandamientos.

**16.** Y yo rogaré al Padre, y os daré otro consolador *y abogado,* para que esté con vosotros eternamente,

**17.** *A saber,* el Espíritu de verdad, a quien el mundo, *o el hombre mundano,* no puede recibir, porque no le ve, ni le conoce; pero vosotros le conoceréis, porque morará con vosotros, y estará dentro de vosotros.

**18.** No os dejaré huérfanos: yo volveré a vosotros.

**19.** Aún resta un poco de tiempo; después del cual el mundo ya no me verá. Pero vosotros me veréis, porque yo vivo, y vosotros viviréis.

**20.** Entonces conoceréis vosotros que yo estoy en mi Padre, y que vosotros *estáis* en mí, y yo en vosotros.

**21.** Quien ha recibido mis mandamientos, y los observa, ése es el que me ama. Y el que me ama, será amado de mi Padre; y yo le amaré, y yo mismo me manifestaré a él.

**22.** Dícele Judas, no el Iscariote: Señor, ¿qué causa hay para que te hayas de manifestar *claramente* a nosotros, y no al mundo?

**23.** Jesús le respondió así: Cualquiera que me ama, observará mi doctrina, y mi Padre le amará, y vendremos a él, y haremos mansión dentro de él.

**24.** *Pero* el que no me ama, no practica mi doctrina. Y la doctrina que habéis oido, no es *solamente* mía, sino del Padre, que me ha enviado.

**25.** Estas cosas os he dicho, conversando con vosotros.

**26.** Mas el Consolador, el Espíritu Santo, que mi Padre enviará en mi nombre, os lo enseñará todo, Y os recordará cuantas cosas os tengo dichas.

**27.** La paz os dejo, la paz mía os doy; no os la doy yo, como la da el mundo. No se turbe vuestro corazón, ni se acobarde.

---

CAP. XIV. — 6. Soy el camino, con mi ejemplo; la verdad, con mi doctrina; la vida, con mi gracia.

12. Y os concederé el poder de hacer grandes milagros para extender la fe, y con ella la gloria de mi Padre. — *Matth.* VII, *v.* 7; XXI, *v.* 22. — *Marc.* XI, *v.* 24; XVI, *v.* 28.

---

27. La paz del mundo está en alegría y deleites profanos: paz falsa y fementida que jamás hace feliz al hombre. La paz de Jesucristo consiste en la sumisión a la voluntad de nuestro Padre celestial, en el júbilo de la caridad y alegría pura de la buena conciencia, y en la firme y dulce esperanza de los bienes eternos.

**28.** Oído habéis que os he dicho: Me voy, y vuelvo a vosotros. Si me amaseis, os alegraríais sin duda de que voy al Padre; porque el Padre es mayor que yo.

**29.** Yo os lo digo ahora antes que suceda, a fin de que cuando sucediere, os confirméis en la fe.

**30.** Ya no hablaré mucho con vosotros, porque viene el príncipe de este mundo, aunque no hay en mí cosa que le pertenezca.

**31.** Mas para que conozca el mundo que yo amo al Padre, y que cumplo con lo que me ha mandado, levantaos, y vamos de aquí.

## CAPITULO XV

*Prosigue la plática de Jesús. Dice que él es la vid, y los fieles los sarmientos. Recomienda y manda otra vez el amor. Escoge a sus discípulos para que den fruto, y los conforta contra las persecuciones del mundo. Hacer ver que los judíos son inexcusables de su pecado.*

**1.** Yo soy la verdadera vid, y mi Padre es el labrador.

**2.** Todo sarmiento que en mí *que soy la vid* no lleva fruto, lo cortará; y a todo aquel que diere fruto, lo podará para que dé más fruto.

**3.** Ya vosotros estáis limpios, en virtud de la doctrina que os he predicado.

**4.** Permaneced en mí, que yo permaneceré en vosotros. Al modo que el sarmiento no puede de suyo producir fruto, sino está unido con la vid; así tampoco vosotros si no estáis unidos conmigo.

**5.** Yo soy la vid, vosotros los sarmientos: quien está unido, *pues*, conmigo, y yo con él, ése da mucho fruto; porque sin mí nada podéis hacer.

**6.** El que no permanece en mí, será echado fuera como el sarmiento *inútil*, y se secará, y le tomarán, y arrojarán al fuego y arderá.

**7.** *Al contrario*, si permanecéis en mí, y mis palabras permanecen en vosotros, pediréis lo que quisiereis, y se os otorgará.

**8.** Mi Padre queda glorificado en que vosotros llevéis mucho fruto, y seáis *verdaderos* discípulos míos.

**9.** Al modo que mi Padre me amó, así os he amado yo. Perseverad en mi amor.

**10.** Si observareis mis preceptos, perseveraréis en mi amor; así como yo también he guardado los preceptos de mi Padre, y persevero en su amor.

**11.** Estas cosas os he dicho, a fin de que *observándolas* fielmente os gocéis con el gozo mío, y vuestro gozo sea completo.

**12.** El precepto mío es, que os améis unos a otros, como yo os he amado a vosotros.

**13.** Que nadie tiene amor más grande, que el que da su vida por sus amigos.

**14.** Vosotros sois mis amigos, si hacéis lo que yo os mando.

**15.** Ya no os llamaré siervos; pues el siervo no es sabedor de lo que hace su amo. Mas a vosotros os he llamado amigos; porque os he hecho *y haré* saber cuantas cosas oí de mi Padre.

**16.** No me elegisteis vosotros a mí, sino que yo soy el que os he elegido a vosotros, y destinado para que vayáis *por todo el mundo y hagáis* fruto, y vuestro fruto sea duradero, a fin de que cualquiera cosa que pidiereis al Padre en mi nombre, os la conceda.

**17.** Lo que os mando es, que os améis unos a otros.

**18.** Si el mundo os aborrece, sabed que primero que a vosotros me aborreció a mí.

**19.** Si fuerais del mundo, el mundo os amaría como cosa suya; pero como no sois del mundo, sino que os entresaqué yo del mundo, por eso el mundo os aborrece.

**20.** Acordaos de aquella sentencia mía, que *ya* os dije: No es el siervo mayor que su amo. Si me han perseguido a mí, también os han de perseguir a vosotros; como han practicado mi doctrina, del mismo modo practicarán la vuestra.

**21.** Pero todo esto lo ejecutarán con vosotros por causa *y odio* de mi nombre; porque no conocen al que me ha enviado.

**22.** Si yo no hubiera venido, y no les hubiera predicado, no tuvieran culpa *de no haber creído en mí*; mas ahora no tienen excusa de su pecado.

**23.** El que me aborrece a mí, aborrece también a mi Padre.

**24.** Si yo no hubiera hecho entre ellos obras tales, cuales ningún otro ha hecho, no tendrían culpa; *y con todo*, las han visto, y me han aborrecido a mí, *no solo a mí sino también* a mi Padre.

---

**28.** En cuanto soy hombre; y como tal, voy a recibir el premio de mi obediencia hasta la muerte.

**30.** Se acerca el diablo, por medio de sus ministros para darme la muerte, aunque ningún derecho tiene él sobre mí.

25. Por donde se viene a cumplir la sentencia escrita en su ley: Me han aborrecido sin causa alguna.

26. Mas cuando viniere el Consolador, el Espíritu de verdad que procede del Padre, y que yo os enviaré de parte de mi Padre, él dará testimonio de mí.

27. Y *también* vosotros daréis testimonio, puesto que desde el principio estáis en mi compañía.

## CAPITULO XVI

*Concluye Jesús la plática a sus Apóstoles, previniéndolos contra las persecuciones que habían de padecer; les promete enviar el Espíritu Santo, que convencerá al mundo, y les enseñará a ellos todas las verdades, y que el Padre les concederá cuanto le pidan en su nombre. Predice finalmente que todos ellos huirán, y le abandonarán aquella noche.*

1. Estas cosas os las he dicho, para que no os escandalicéis, *ni os turbéis.*

2. Os echarán de las sinagogas; y aun va a venir tiempo en que quien os matare, se persuada hacer un obsequio a Dios.

3. Y os tratarán de esta suerte, porque no conocen al Padre, ni a mí.

4. Pero yo os he advertido estas cosas con el fin de que cuando llegue la hora, os acordéis de que ya os las había anunciado.

5. Y no os las dije al principio, porque entonces yo estaba con vosotros. Mas ahora me voy a aquel que me envió; y ninguno de vosotros me pregunta: ¿Adónde vas?

6. Porque os he dicho estas cosas, vuestro corazón se ha llenado de tristeza.

7. Mas yo os digo la verdad: os conviene que yo me vaya; porque si yo no me voy, el Consolador *o abogado* no vendrá a vosotros; pero si me voy, os le enviaré.

8. Y cuando él venga, convencerá al mundo en orden al pecado, en orden a la justicia y en orden al juicio:

9. En orden al pecado, por cuanto no han creído en mí;

10. Respecto a la justicia *de mi causa,* porque yo me voy al Padre, y ya no me veréis;

11. Y tocante al juicio, porque el príncipe de este mundo ha sido ya juzgado.

12. Aún tengo otras muchas cosas que deciros; mas ahora no podéis comprenderlas.

13. Cuando, empero, venga el Espíritu de verdad, él os enseñará todas las verdades *necesarias para la salvación;* pues no hablará de suyo, sino que dirá todas las cosas que habrá oído, y os prenunciará las venideras.

14. El me glorificará: porque recibirá de lo mío, y os lo anunciará.

15. Todo lo que tiene el Padre, es mío. Por eso he dicho que recibirá de lo mío, y os lo anunciará.

16. Dentro de poco ya no me veréis; mas poco después, *en resucitando,* me volveréis a ver: porque me voy al Padre.

17. Al oír esto algunos de los discípulos, se decían unos a otros: ¿Qué nos querrá decir con esto: Dentro de poco no me veréis; mas poco después me volveréis a ver, porque me voy al Padre?

18. Decían, pues: ¿Qué poquito de tiempo es éste de que habla? No entendemos lo que quiere decirnos.

---

CAP. XVI. — 1. La palabra de Dios es el verdadero consuelo de los cristianos en las aflicciones, y un poderoso preservativo contra los escándalos. Al que está dispuesto para sufrir cualquier trabajo por Dios, ninguno le sorprende. Se engañan lastimosamente los que se lisonjean de hallar al mundo favorable a las verdades evangélicas, y de poder halagarle con las máximas de Jesucristo. La única presunción saludable respecto del mundo es no esperar de él sino contradicciones, y no apoyarse sino en las fuerzas y en la bondad que inspira el Espíritu consolador que Jesús nos promete. La divisa del hombre carnal es vencer para no sufrir: la del cristianismo es sufrir para vencer, o morir para vivir.

6. ¡Cuán pocos son los que ven venir la cruz sin entristecerse! Más ocupa nuestro corazón el temor de perder un bien sensible y terreno, que la espe-

ranza de los bienes celestiales que la fe nos propone. La tristeza cristiana nunca debe ocupar del todo nuestro corazón: siempre debe tener en él mayor influjo, o dominar más la esperanza que inspira la fe, y que llena de alegría al justo en medio de los mayores tormentos. El modo de mantener tranquilo nuestro ánimo es temerlo todo por parte de los hombres y esperarlo todo de la gracia de Jesucristo.

11. Esto es, el Espíritu Santo con interiores ilustraciones, y con vuestra predicación y milagros convencerá al mundo del *pecado* de su incredulidad; de la *justicia* y santidad de mis obras y doctrina; y del *juicio* o sentencia dada por mí contra el príncipe de este mundo. — Véase antes c. XII, v. 21.

15. Porque procediendo de mí y de mi padre recibe de mí con la naturaleza divina todas las luces y conocimientos que os comunicará a vosotros.

19. Conoció Jesús que deseaban preguntarle, y díjoles: Vosotros estáis tratando y preguntándoos unos a otros por qué habré dicho: Dentro de poco ya no me veréis; mas poco después me volveréis a ver:

20. En verdad, en verdad os digo, que vosotros lloraréis, y plañiréis mientras el mundo se regocijará; os contristaréis, pero vuestra tristeza se convertirá en gozo.

21. La mujer en los dolores del parto está poseída de tristeza, porque le vino su hora; mas una vez ha dado a luz un infante, ya no se acuerda de su angustia, con el gozo *que tiene* de haber dado un hombre al mundo.

22. Así vosotros al presente a la verdad padecéis tristeza; pero yo volveré a visitaros, y vuestro corazón se bañará en gozo, y nadie os quitará vuestro gozo.

23. Entonces no habréis de preguntarme cosa alguna. En verdad, en verdad os digo, que cuanto pidiéreis al Padre en mi nombre, os lo concederá.

24. Hasta ahora nada le habéis pedido en mi nombre: Pedidle, y recibiréis, para que vuestro gozo sea completo.

25. Estas cosas os he dicho usando de parábolas. Va llegando el tiempo en que ya no os hablaré con parábolas, sino que abiertamente os anunciaré las cosas del Padre.

26. Entonces le pediréis en mi nombre; y no os digo que yo intercederé con mi Padre por vosotros,

27. Siendo cierto que el mismo Padre *él propio* os ama, porque vosotros me habéis amado, y creído que yo he salido de Dios.

28. Salí del Padre, y vine al mundo; ahora dejo el mundo, y otra vez voy al Padre.

29. Dícenle sus discípulos: Ahora sí que hablas claro, y no en proverbios:

30. Ahora conocemos que tú lo sabes todo, y no has menester que nadie te haga preguntas; por donde creemos que has salido de Dios.

31. Respondióles Jesús: ¿Y qué, vosotros ahora creéis?

32. Pues sabed que viene el tiempo, y ya llegó, en que seréis esparcidos, *y* cada uno de vosotros *se irá* por su lado, y me dejaréis solo; si bien que no estoy solo, porque el Padre está *siempre* conmigo.

33. Estas cosas os he dicho con el fin de que halléis en mí la paz. En el mundo tendréis grandes tribulaciones: pero tened confianza: yo he vencido al mundo.

# CAPITULO XVII

*Afectuosa oración de Jesús a su Eterno Padre.*

1. Estas cosas habló Jesús; y levantando los ojos al cielo, dijo: Padre *mío*, la hora es llegada, glorifica a tu Hijo, para que tu Hijo te glorifique a ti;

2. Pues que le has dado poder sobre todo el linaje humano, para que dé la vida eterna a todos los que le has señalado.

3. Y la vida eterna consiste en conocerte a ti, solo Dios verdadero, y a Jesucristo, a quien tú enviaste.

4. Yo *por mí* te he glorificado en la tierra: tengo acabada la obra, cuya ejecución me encomendaste.

5. Ahora glorifícame tú ¡oh Padre! en ti mismo, con aquella gloria que *como Dios* tuve yo en ti antes que el mundo fuese.

6. Yo he manifestado tu nombre a los hombres que me has dado *entresacados* del mundo. Tuyos eran, y me los diste, y ellos han puesto por obra tu palabra.

7. Ahora han conocido que todo lo que me diste, viene de ti.

8. Porque yo les di las palabras, *o doctrina,* que tú me diste; y ellos las han recibido, y han reconocido verdaderamente que yo salí de ti, y han creído *que tú eres el* que me has enviado.

9. Por ellos ruego yo ahora. No ruego por el mundo, sino por éstos que me diste, porque tuyos son:

10. Y todas mis cosas son tuyas, como las tuyas son mías; y en ellos he sido glorificado.

11. Yo ya no estoy *más* en el mundo, pero éstos quedan en el mundo; yo estoy de partida para ti. ¡Oh Padre santo! guarda en tu nombre a éstos que tú me has dado, a fin de que sean una misma cosa *por la caridad,* así como nosotros lo somos *en la naturaleza.*

12. Mientras estaba yo con ellos, yo los defendía en tu nombre. Guardado he los que tú me diste y ninguno de ellos se ha perdido sino el hijo de la perdición (*Judas*), cumpliéndose así la Escritura.

---

33. Con la muerte que voy a padecer; y con el mérito de ella la venceréis, también vosotros.

**13.** Mas ahora vengo a ti; y digo esto *estando todavía* en el mundo, a fin de que ellos tengan en sí mismos el gozo cumplido que tengo yo.

**14.** Yo les he comunicado tu doctrina, y el mundo los ha aborrecido, porque no son del mundo, así como yo tampoco soy del mundo.

**15.** No te pido que los saques del mundo, sino que los preserves del mal.

**16.** Ellos *ya* no son del mundo, como ni yo tampoco soy del mundo.

**17.** Santifícalos en la verdad. La palabra tuya es la verdad *misma*.

**18.** Así como tú me has enviado al mundo, así yo los he enviado también a ellos al mundo.

**19.** Y yo por amor de ellos me santifico, *me ofrezco por víctima*, a mí mismo; con el fin de que ellos sean santificados en la verdad.

**20.** Pero no ruego solamente por estos, sino también por aquellos que han de creer en mí por medio de su predicación;

**21.** *Ruego* que todos sean una misma cosa; y que como tú ¡oh Padre! *estás* en mí, y yo en ti *por identidad de naturaleza*, así sean ellos una misma cosa en nosotros *por unión de amor*, para que crea el mundo que tú me has enviado.

**22.** Yo les he dado *ya parte de* la gloria que tú me diste, *alimentándolos con mi misma sustancia*, para que *en cierta manera* sean una misma cosa, como lo somos nosotros.

**23.** Yo *estoy* en ellos, y tú *estás siempre* en mí, a fin de que sean consumados en la unidad, y conozca el mundo que tú me has enviado, y amádolos a ellos, como a mí me amaste.

**24.** ¡Oh Padre! yo deseo *ardientemente* que aquellos que tú me has dado estén conmigo allí mismo donde yo estoy, para que contemplen mi gloria, cual tú me la has dado; porque tú me amaste desde antes de la creación del mundo.

**25.** ¡Oh Padre justo! el mundo no te ha conocido; yo sí que te he conocido; y éstos han conocido que tú me enviaste.

**26.** Yo por mi parte les he dado y daré a conocer tu nombre, para que el amor con que me amaste, en ellos esté, y yo *mismo esté* en ellos.

## CAPITULO XVIII

*Prisión de Jesús. Malco es herido por Pedro. Huyen los Apóstoles. Le niega Pedro. Interrogatorio que le hacen el Sumo Pontífice y el presidente Pilato.*

**1.** Dicho esto marchó Jesús con sus discípulos a la otra parte del torrente de Cedrón, donde había un huerto, en el cual entró él con sus discípulos.

**2.** Judas que le entregaba, estaba bien informado del sitio; porque Jesús solía retirarse muchas veces a él con sus discípulos.

**3.** Judas, pues, habiendo tomado una cohorte o *compañía de soldados y varios* ministros que le dieron los pontífices y fariseos, fué allá con linternas, y hachas, y con armas.

**4.** Y Jesús, que sabía todas las cosas que le habían de sobrevenir, salió a su encuentro, y les dijo: ¿A quién buscáis?

**5.** Respondiéronle: A Jesús Nazareno. Díceles Jesús: Yo soy. Estaba también entre ellos Judas el que le entregaba.

**6.** Apenas, pues, les dijo: Yo soy, retrocedieron *todos*, y cayeron en tierra.

**7.** *Levantados que fueron*, les preguntó Jesús segunda vez: ¿A quién buscáis? Y ellos respondieron: A Jesús Nazareno.

**8.** Replicó Jesús: Ya os he dicho que yo soy; ahora bien, si me buscáis a mí, dejad ir a éstos.

**9.** Para que se cumpliese la palabra que había dicho: ¡Oh Padre! ninguno he perdido de los que tú me diste.

**10.** Entre tanto Simón Pedro que tenía una espada, la desenvainó, y dando un golpe a un criado del pontífice, le cortó la oreja derecha. Este criado llamábase Malco.

**11.** Pero Jesús dijo a Pedro: Mete tu espada en la vaina: el cáliz que me ha dado mi Padre, ¿he de dejar de beberlo?

**12.** En fin, la cohorte de soldados, el tribuno o *comandante*, y los ministros de los judíos prendieron a Jesús y le ataron.

---

CAP. XVII. — **13.** Para que gocen interiormente del consuelo que da una buena conciencia, una fe viva y una fe con la que vivan seguros de que el brazo del Señor los sostendría contra los ataques de sus enemigos, y contra todos los esfuerzos del siglo.

**14.** Yo les he confiado la verdad de vuestra palabra, y porque han seguido esta verdad han sido aborrecidos de los mundanos. No han visto en ellos sentimientos de la carne y de la tierra, y los han aborrecido, porque condenan su espíritu y sus máximas, como yo también los condeno.

**22.** Dándoles a comer mi cuerpo, unido con la divinidad.

**23.** O estén perfectamente unidos con el Padre y el Hijo, y entre sí mismos.

**24.** Como a Dios en la generación eterna, y la gloria a que tú me has predestinado como a hombre.

**13.** De allí le condujeron primeramente a casa de Anás, porque era suegro de Caifás, que era *Sumo* pontífice aquel año.

**14.** Caifás era el que había dado a los judíos el consejo, que convenía que un hombre muriese por el pueblo.

**15.** Iba siguiendo a Jesús Simón Pedro y otro discípulo, el cual era conocido del pontífice, y así entró con Jesús en el atrio del pontífice,

**16.** Quedándose Pedro fuera en la puerta. Por eso el otro discípulo, conocido del pontífice, salió a la puerta y habló de la portera, y franqueó a Pedro la entrada.

**17.** Entonces la criada portera dice a Pedro: ¿No eres tú también de los discípulos de este hombre? El le respondió: No lo soy.

**18.** Los criados y ministros, *que habían ido a prender a Jesús,* estaban a la lumbre, porque hacía frío, y se calentaban. Pedro asimismo estaba con ellos, calentándose.

**19.** Entre tanto el pontífice se puso a interrogar a Jesús sobre sus discípulos y doctrina.

**20.** A lo que respondió Jesús: Yo he predicado públicamente delante de todo el mundo; siempre he enseñado en la sinagoga, y en el templo, a donde concurren todos los judíos, y nada he hablado en secreto.

**21.** ¿Qué me preguntas a mí? Pregunta a los que han oído lo que yo les he enseñado; pues éstos saben cuáles cosas haya dicho yo.

**22.** A esta respuesta, uno de los ministros asistentes dió una bofetada a Jesús, diciendo: ¿Así respondes tú al pontífice?

**23.** Díjole a él Jesús: Si yo he hablado mal, manifiesta lo malo que he dicho; pero si bien, ¿por qué me hieres?

**24.** Habíale enviado Anás atado al pontífice Caifás.

**25.** Y estaba allí en pie Simón Pedro, calentándose. Dijéronle, pues: ¿No eres tú también de sus discípulos? El lo negó, diciendo: No lo soy.

**26.** Dícele uno de los criados del pontífice, pariente de aquel cuya oreja había cortado Pedro: Pues qué, ¿no te vi yo en el huerto con él?

**27.** Negó Pedro otra vez, y al punto cantó el gallo,

**28.** Llevaron después a Jesús desde casa de Caifás al pretorio. Era *muy* de mañana: y ellos no entraron en el pretorio, por no contaminarse, a fin de poder comer *de las víctimas* de la Pascua.

**29.** Por eso Pilato salió afuera, y les dijo: ¿Qué acusación traéis contra este hombre?

**30.** Respondieron, y dijéronle: Si éste no fuera malhechor, no le hubiéramos puesto en tus manos.

**31.** Replicóles Pilato: Pues tomadle vosotros, y juzgadle según vuestra ley. Los judíos le dijeron: A nosotros no nos es permitido matar a nadie; *esa potestad es tuya:*

**32.** Con lo que vino a cumplirse lo que Jesús dijo, indicando el género de muerte de que había de morir.

**33.** Oído esto, Pilato entró de nuevo en el pretorio, y llamó a Jesús, y le preguntó: ¿Eres tú el rey de los judíos?

**34.** Respondió Jesús: ¿Dices tú eso de ti mismo, o te lo han dicho de mí otros?

**35.** Replicó Pilato: ¿Qué, acaso soy yo judío? Tu nación y los pontífices te han entregado a mí: ¿qué has hecho tú?

**36.** Respondió Jesús: Mi reino no es de este mundo. Si de este mundo fuera mi reino, claro está que mis gentes me habrían defendido para que no cayese en manos de los judíos; mas mi reino no es de acá.

---

**28.** O palacio del gobernador o presidente para pedirle que hiciese morir a Jesús, a quien ellos según la ley habían condenado a muerte.

**32.** Cuando pronunció que sería entregado a los gentiles, y sería crucificado, suplicio que no usaban los judíos.

**36.** Algunos aficionados a la idea del reino temporal de Jesucristo en la tierra, hallarán poco exacta la versión de estas palabras, por haberse omitido la partícula *ahora,* y acaso habrán deseado ver traducido este texto: *pero mi reino ahora no es de acá,* que es como lo entienden algunos modernos deslumbrados con el sistema del reino temporal de Jesucristo. Realmente el que tan solo mire a la expresión latina de la Vulgata y la considere aislada, sin atender a las palabras que preceden en el mismo v. 36 traducirá: *ahora pues, mi reino no es de aquí.* Mas nunca podrá traducirse *pero ahora* ni *pues ahora,* lo cual ya tiene otro sentido. Para conocer bien la significación de la partícula *nunc, obsérvese* que la griega de que usó San Juan significa también *así es, a la verdad, empero,* etc., y que muchas veces es partícula adversativa, y otras de mero adorno, como se ve no solamente en los diccionarios, sino en el mismo evangelio de S Juan antes cap. VIII, *v.* 40; y asimismo I Cor. VII *v.* 14; donde se traduce *en vez de que.* A lo dicho se allega la autoridad de casi todos los traductores, así españoles como franceses e italianos, los cuales dan al *nunc* de este texto la significación de una partícula adversativa y no adverbio de tiempo. En las versiones de Calmet, Carriéres, etc., y en la impresa en Paris en 1816 por la Sociedad católica, para contrarrestar las impresiones hechas por otras sociedades bíblicas, se lee traducido dicho texto *mais*

**37.** Replicóle a esto Pilato: ¿Con que tú eres rey? Respondió Jesús: Así es como dices: yo soy rey. Yo para esto nací, y para esto vine al mundo, para dar testimonio de la verdad: todo aquel que pertenece a la verdad, escucha mi voz.

**38.** Dícele Pilato: ¿Qué es la verdad? *¿de qué verdad hablas?* Y dicho esto, salió segunda vez a los judíos, y les dijo: Yo ningún delito hallo en este hombre;

**39.** Mas ya que tenéis la costumbre de que os suelte un reo por la Pascua, ¿queréis que os ponga en libertad al rey de los judíos?

**40.** Entonces todos ellos volvieron a gritar: No a éste, sino a Barrabás. Es de saber que este Barrabás era un ladrón *y homicida.*

## CAPITULO XIX

*Pasión, muerte y sepultura de Jesús.*

**1.** Tomó entonces Pilato a Jesús, y mandó azotarle.

**2.** Y los soldados formaron una corona de espinás entretejidas, y se la pusieron sobre la cabeza; y le vistieron una ropa o *manto* de púrpura;

**3.** Y se arrimaban a él, y decían: Salve, ¡oh rey de los judíos! y dábanle de bofetadas.

**4.** *Ejecutado esto,* salió Pilato de nuevo afuera, y díjoles: He aquí que os le saco fuera, para que conozcais que yo no hallo en él delito ninguno.

**5.** (Salió, pues, Jesús, llevando la corona de espinas y revestido del manto o *capa* de púrpura). Y les dijo Pilato: ¡Ved aquí al hombre!

**6.** Luego que los pontífices y ministros le vieron, alzaron el grito, diciendo: ¡Crucifícale, crucifícale! Díceles Pilato: Tomadle allá vosotros y crucificadle, que yo no hallo en él crimen.

**7.** Respondiéronle los judíos: Nosotros tenemos una ley, y según esta ley debe morir, porque se ha hecho hijo de Dios.

**8.** Cuando Pilato oyó esta acusación, se llenó más de temor.

**9.** Y volviendo a entrar en el pretorio, dijo a Jesús: ¿De dónde eres tú? Mas Jesús no le respondió palabra.

**10.** Por lo que Pilato le dice: ¿A mí no me hablas? pues ¿no sabes que está en mi mano el crucificarte, y en mi mano está el soltarte?

**11.** Respondió Jesús: No tendrías poder alguno sobre mí, si no te fuera dado de arriba. Por tanto quien a ti me ha entregado, es reo de pecado más grave.

**12.** Desde aquel punto Pilato, *aun con más ansia* buscaba cómo libertarle. Pero los judíos daban voces diciendo: Si sueltas a ése, no eres amigo de César; pues que cualquiera que se hace rey, se declara contra César.

**13.** Pilato oyendo estas palabras, sacó a Jesús *consigo* afuera: Y sentóse en su tribunal, en el lugar dicho *en ğriego* Litóstrotos, y en hebreo Gábbata;

**14.** Era entonces *el dia de* la preparación, o *el viernes,* de Pascua, cerca de la hora de sexta, y dijo a los judíos: ¡Aquí tenéis a vuestro rey!

**15.** Ellos, empero, gritaban: ¡Quita, quítale *de en medio,* crucifícale! Díceles Pilato: ¿A vuestro rey tengo yo de crucificar? Respondieron los pontífices: No tenemos rey, sino a César.

---

*mon royaume n'est point de ici.* El mismo sentido tiene la expresión italiana que se lee en la versión del Ilustrísimo señor Martini y otras antiguas: *ora po il regno mio non è di qua.* En italiano, *ora,* es muchas veces lo mismo que *però, adunque,* en latín *igitur, idcirco, ergo.* Y a veces es partícula impletiva de adorno, como lo es en castellano *ahora pues;* modo o frase con que comenzamos o acabamos una proposición o explicación de alguna cosa importante. Y cualquiera que lea la respuesta que dio Jesús a Pilato, verá claramente que el mismo sentido tiene, *ahora pues, mi reino no es de acá,* que *mas mi reino no es acá;* con la sola diferencia que esta última traducción es más clara, o explica mejor la respuesta de Jesucristo a Pilato. Pues no negó el Señor ser el Rey de los judíos, esto es, el Cristo, el Mesías y Rey deseado de todas las naciones, sino que quiso declarar que su reino espiritual y eterno, que en nada se oponía a los derechos de César sobre la Judea. En la apreciable versión de los Evangelios por el Padre Petite, se traduce: *pero mi reino no es de aquí.* En el manuscrito llamado del Padre Petisco se traduce: *el hecho es que mi reino no es de acá.*

**CAP. XIX.** — 12. El crimen de lesa majestad era considerado el más grave y por lo mismo el que recibía más severo castigo. Cfer. *Tac.,* Annal. III, 38

15. *No tenemos rey, sino a César.* Esta traducción da la idea de que ellos confesaban que había ya faltado el cetro de Judá. Los judíos miraban con horror el dominio del César, y rehusaban pagarle tributo, dudando si esto les era lícito; y ahora dicen que no tienen otro rey que a César. ¡Terrible ejemplo de lo que pueden el odio y la envidia! Cuando estas dos pasiones se apoderan del corazón, no se conoce otro bien que el de vengarse, ni otro mal que el de tener a la vista el objeto de nuestro odio o envidia. La piedad ilustrada es la que descubre fácilmente la concordia entre el reino de Jesucristo y del César. Cuanto más reine Jesucristo en nuestros corazones, tanto más fieles y sumisos seremos a los soberanos temporales que la divina Providencia ponga sobre nosotrós. *S. Aug. in Joan.*

**16.** Entonces se le entregó para que le crucificasen. Apoderáronse, pues, de Jesús, y le sacaron fuera.

**17.** Y llevando él mismo a cuestas su cruz, fué caminando hacia el sitio llamado el Calvario, *u Osario*, y en hebreo Gólgota,

**18.** Donde le crucificaron, y con él a otros dos, uno a cada lado, quedando Jesús en medio.

**19.** Escribió asimismo Pilato un letrero, y púsole sobre la cruz. En él estaba escrito: Jesús Nazareno, rey de los Judíos.

**20.** Este rótulo lo leyeron muchos de los Judíos, porque el lugar en que fué Jesús crucificado estaba contiguo a la ciudad, y *el título* estaba en hebreo, en griego y en latín.

**21.** Con esto los pontífices de los Judíos representaban a Pilato: No has de escribir: Rey de los Judíos; sino que él ha dicho: Yo soy el rey de los judíos.

**22.** Respondió Pilato: Lo escrito, escrito.

**23.** Entre tanto los soldados habiendo crucificado a Jesús, tomaron sus vestidos (de que hicieron cuatro partes, una para cada soldado) y la túnica. La cual era sin costura, y de un solo tejido de arriba abajo.

**24.** Por lo que dijeron entre sí: No la dividamos, mas echemos suertes para ver de quién será. Con lo que se cumplió la Escritura, que dice: Partieron entre sí mis vestidos, y sortearon mi túnica. Y esto *es lo que* hicieron los soldados.

**25.** Estaban al mismo tiempo junto a la cruz de Jesús su madre, y la hermana, *o parienta* de su madre, María, *mujer de* Cleofás, y María Magdalena.

**26.** Habiendo mirado, pues, Jesús a su madre y al discípulo que él amaba, el cual estaba allí, dice a su madre: Mujer, ahí tienes a tu hijo.

**27.** Después dice al discípulo: Ahí tienes a tu madre. Y desde aquel punto encargóse de ella el discípulo, *y la tuvo consigo en su casa.*

**28.** Después de esto, sabiendo Jesús que todas las cosas estaban *a punto de ser cumplidas,* para que se cumpliese la Escritura, dijo: Tengo sed.

**29.** Estaba puesto allí un vaso lleno de vinagre. Los soldados, pues, empapando en vinagre una esponja, y envolviéndola a *una caña de* hisopo, aplicáronsela a la boca.

**30.** Jesús luego que gustó el vinagre, dijo: Todo está cumplido. E inclinando la cabeza, entregó su espíritu.

**31.** Como era día de preparación, *o vier-* nes, para que los cuerpos no quedasen en la cruz el sábado (que *cabalmente* era aquel un sábado muy solemne), suplicaron los Judíos a Pilato que se les quebrasen las piernas a los crucificados, y los quitasen *de allí.*

**32.** Vinieron, pues, los soldados, y rompieron las piernas del primero y del otro que había sido crucificado con él.

**33.** Mas al llegar a Jesús, como le vieron ya muerto, no le quebraron las piernas;

**34.** Sino que uno de los soldados con la lanza le abrió el costado, y al instante salió sangre y agua.

**35.** Y quien lo vió, es el que lo asegura, y su testimonio es verdadero. Y él sabe que dice la verdad, *y la atestigua* para que vosotros también creáis;

**36.** Pues estas cosas sucedieron, en cumplimiento de la Escritura: No le quebraréis ni un hueso,

**37.** Y del otro lugar de la Escritura que dice: Dirigirán sus ojos hacia aquel a quien traspasaron.

**38.** Después de esto José, natural de Arimatea (que era discípulo de Jesús, bien que oculto por miedo de los Judíos) pidió licencia a Pilato para recoger el cuerpo de Jesús, y Pilato se lo permitió. Con eso vino, y se llevó el cuerpo de Jesús.

**39.** Vino también Nicodemo, *aquel mismo* que en otra ocasión había ido de noche *a encontrar* a Jesús, trayendo consigo una confección de mirra, y de áloe, cosa de cien libras.

**40.** Tomaron, pues, el cuerpo de Jesús, y *bañado* en las especies aromáticas, lo amortajaron con lienzos, según la costumbre de sepultar de los Judíos.

**41.** Había en el lugar, donde fué crucificado, un huerto; y en el huerto un sepulcro nuevo, donde hasta entonces ninguno había sido sepultado.

**42.** Como era la víspera del sábado de los Judíos, y este sepulcro estaba cerca, pusieron allí a Jesús.

## CAPITULO XX

*Resurrección de Jesús, y alguna de sus apariciones.*

**1.** El primer día de la semana, al amanecer, cuando todavía estaba oscuro, fué María Magdalena al sepulcro, y vió quitada de él la piedra;

**2.** Y *sorprendida* echó a correr, y fué a *estar con* Simón Pedro y *con* aquel otro discípulo amado de Jesús, y les dijo: Se han llevado del sepulcro al Señor, y no sabemos dónde le han puesto.

**3.** Con esta nueva salió Pedro y el dicho discípulo, y encamináronse al sepulcro.

**4.** Corrían ambos a la par, mas este otro discípulo corrió mas a prisa que Pedro, y llegó primero al sepulcro;

**5.** Y habiéndose inclinado, vió los lienzos en el suelo, pero no entró.

**6.** Llegó tras él Simón Pedro, y entró en el sepulcro, y vió los lienzos en el suelo,

**7.** Y el sudario o *pañuelo* que habían puesto sobre la cabeza de Jesús, no junto con los *demás* lienzos, sino separado y doblado en otro lugar.

**8.** Entonces el otro discípulo, que había llegado primero al sepulcro, entró también, y vió, y creyó;

**9.** Porque aún no habían entendido la Escritura, que Jesús debía resucitar de entre los muertos.

**10.** Con esto los discípulos se volvieron otra vez a casa.

**11.** Entre tanto María *Magdalena* estaba fuera llorando, cerca del sepulcro. Con las lágrimas, pues, en los ojos se inclinó a mirar el sepulcro.

**12.** Y vió a dos ángeles, vestidos de blanco, sentados, uno a la cabecera, y otro a los pies, donde estuvo colocado el cuerpo de Jesús.

**13.** Dijéronle ellos: Mujer ¿por qué lloras? Respondióles: Porque se han llevado de aquí a mi Señor; y no sé dónde le han puesto.

**14.** Dicho esto volviéndose hacia atrás, vió a Jesús en pie; mas no conocía que fuese Jesús.

**15.** Dícele Jesús: Mujer ¿por qué lloras? ¿a quién buscas? Ella suponiendo que sería el hortelano, le dice: Señor, si tú le has quitado, dime dónde le pusiste; y yo me le llevaré.

**16.** Dícele Jesús: María. Volvióse ella *al instante*, y le dijo: Rabboni (que quiere decir, Maestro *mío*).

**17.** Dícele Jesús: No me toques, porque no he subido todavía a mi Padre; mas *anda*, ve a mis hermanos, y diles *de mi parte*: Subo a mi Padre y vuestro Padre; a mi Dios y vuestro Dios.

**18.** Fué, pues, María Magdalena a dar parte a los discípulos, *diciendo*: He visto al Señor, y me ha dicho esto *y esto*.

**19.** Aquel mismo día *primero de la semana*, siendo ya *muy* tarde, y estando cerradas las puertas *de la casa*, donde se hallaban reunidos los discípulos por miedo de los judíos: vino Jesús, y apareciéndose en medio de ellos, les dijo: La paz sea con vosotros.

**20.** Dicho esto, mostróles las manos y el costado. Llenáronse de gozo los discípulos con la vista del Señor.

**21.** El cual les repitió: La paz sea con vosotros. Como mi Padre me envió, así os envío a vosotros.

**22.** Dichas estas palabras, alentó, *o dirigió el aliento*, hacia ellos; y les dijo: Recibir el Espíritu Santo:

**23.** Quedan perdonados los pecados a aquellos a quienes los perdonareis; y quedan retenidos a los que se los retuviereis.

**24.** Tomás, empero, uno de los doce, llamado Dídimo, no estaba con ellos cuando vino Jesús.

**25.** Dijéronle después los otros discípulos: Hemos visto al Señor. Mas él les respondió: Si yo no veo en sus manos la hendidura de los clavos, y no meto mi dedo en el agujero *que en ellas* hicieron, y mi mano en *la llaga de* su costado no lo creeré.

**26.** Ocho días después, estando otra vez los discípulos en el mismo lugar, y Tomás con ellos, vino Jesús estando *también* cerradas las puertas, y púsoseles en medio, y dijo: La paz sea con vosotros.

**27.** Después dice a Tomás: Mete aquí tu dedo, y registra mis manos, y trae tu mano y métela en mi costado, y no seas incrédulo, sino fiel.

**28.** Respondió Tomás, y le dijo: ¡Señor mío, y Dios mío!

**29.** Díjole Jesús: Tú has creido ¡oh Tomás! porque me has visto: bienaventurados aquellos que sin haberme visto han creído.

**30.** Muchos otros milagros hizo también Jesús en presencia de sus discípulos, que no están escritos en este libro.

**31.** Pero éstos se han escrito con el fin de que creáis que Jesús es el Cristo, el Hijo de Dios; y para que, créyendo, tengáis vida *eterna en virtud* de su nombre.

## CAPITULO XXI

*Aparécese Jesús a sus discípulos, estando ellos pescando. Constituye a Pedro vicario suyo en la tierra; le predice su martirio; y mortifica su curiosidad acerca de Juan.*

**1.** Después de esto Jesús se apareció otra vez a sus discípulos a la orilla del mar de Tiberíades; y fué de esta manera:

**2.** Hallábanse juntos Simón Pedro, y Tomás, llamado Dídimo, y Natanel, el cual era de Caná de Galilea, y los hijos de Zebedeo, y otros dos de sus discípulos.

**3.** Díceles Simón Pedro: Voy a pescar. Respóndenle ellos: Vamos también nosotros contigo. Fueron, pues, y entraron en la barca, y aquella noche no pescaron nada.

**4.** Venida la mañana, se apareció Jesús en la ribera; pero los discípulos no conocieron que fuese él.

**5.** Y Jesús les dijo: Muchachos, ¿tenéis algo que comer? Respondiéronle: No.

**6.** Díceles él: Echad la red a la derecha del barco; y encontraréis. Echáronla, pues; y ya no podían sacarla por la multitud de peces *que había.*

**7.** Entonces el discípulo aquel que Jesús amaba, dijo al Pedro: Es el Señor. Simón Pedro apenas oyó: Es el Señor, vistióse la túnica (pues estaba desnudo, *o en paños menores) y* se echó al mar.

**8.** Los demás discípulos vinieron en la barca, tirando la red llena de peces, pues no estaba lejos de tierra, sino como unos doscientos codos.

**9.** Al saltar en tierra, vieron preparadas brasas encendidas, y un pez puesto encima, y pan.

**10.** Jesús les dijo: Traed acá de los peces que acabáis de pescar.

**11.** Subió *al barco* Simón Pedro, y sacó a tierra la red, llena de ciento cincuenta y tres peces grandes. Y en medio de ser tantos, no se rompió la red.

**12.** Díceles Jesús: Vamos, almorzad. Y ninguno de los que estaban comiendo osaba preguntarle: ¿Quién eres tú? sabiendo *bien* que era el Señor.

**13.** Acércase, pues, Jesús, y toma el pan, y se lo distribuye, y lo mismo hace del pez.

**14.** Esta fué la tercera vez que Jesús apareció a sus discípulos, después que resucitó de entre los muertos.

**15.** Acabada la comida, dice Jesús a Simón Pedro: Simón, hijo de Juan, ¿me amas tú más que éstos? Dícele: Sí, Señor, tú sabes que te amo. Dícele: Apacienta mis corderos.

**16.** Segunda vez le dice: Simón, hijo de Juan, ¿me amas? Respóndele: Si, Señor, tú sabes que te amo. Dícele: Apacienta mis corderos.

**17.** Dícele tercera vez: Simón, hijo de Juan, ¿me amas? Pedro se contristó de que por tercera vez le preguntase si le amaba; y así respondió: Señor, tú lo sabes todo; tú conoces *bien* que yo te amo. Díjole *Jesús:* Apacienta mis ovejas.

**18.** En verdad, en verdad te digo, que cuando eras más mozo, tú mismo te ceñías el vestido, e ibas a donde querías; mas en siendo viejo, extenderás tus manos *en una cruz,* y otro te ceñirá, y te conducirá a donde tú no gustes.

**19.** Esto lo dijo para indicar con qué *género de* muerte había Pedro de glorificar a Dios. Y después de esto, añadió: Sígueme.

**20.** Volviéndose Pedro a mirar, vió venir detrás al discípulo amado de Jesús, aquel que en la cena se reclinara sobre su pecho, y había preguntado: Señor, ¿quién es el que hará traición?

**21.** Pedro, pues, habiéndole visto, dijo a Jesús: Señor, ¿qué será de éste?

**22.** Respondióle Jesús: *Si* yo quiero que así se quede hasta mi venida, ¿a ti qué te importa? tú sígueme a mí.

**23.** Y de aquí se originó la voz que corrió entre los hermanos, de que este discípulo no moriría. Mas no le dijo Jesús: No morirá; sino: *Si* yo quiero que así se quede hasta mi venida, ¿a ti que te importa?

**24.** Este es aquel discípulo que da testimonio de estas cosas, y las ha escrito; y estamos ciertos de que su testimonio es verdadero.

**25.** Muchas otras cosas hay que hizo Jesús, que si se escribieran una por una, me parece que no cabrían en el mundo los libros que se habrían de escribir.

# LOS HECHOS DE LOS APÓSTOLES

# Introducción

El libro de los Hechos es de trascendental importancia para conocer la historia del cristianismo más primitivo, así como el de sus orígenes. La autoría del libro ha sido atribuida a San Lucas, que compuso los Hechos —en los que él mismo interviene cuando habla de «nosotros»— en los últimos años de prisión de San Pablo en Roma, es decir, entre los años 61-63.

Las fuentes de las que se sirve Lucas para la creación de los Hechos, son de primerísima mano; él mismo ha sido protagonista de muchos de los acontecimientos narrados. Por otro lado, inserta en el libro documentos directos como es el caso del «decreto apostólico» o la carta de Lisias. La veracidad o exactitud del contenido del libro de los Hechos ha sido confirmada en nuestro siglo. A este respecto un arqueólogo protestante ha escrito: «Podéis escudriñar las palabras de Lucas más de cuanto suele hacerse con cualquier otro historiador, y ellas permanecerán firmes ante el más rígido examen y las mayores exigencias, siempre por supuesto que el crítico esté bien versado en el asunto y no traspase los límites de la ciencia y de la justicia».

En cuanto al mensaje o contenido de la obra aparece manifestado en el mismo enunciado del libro, y concretado en las propias palabras de Jesús «Seréis mis testigos... hasta el último confín de la tierra». San Lucas narra las glorias y avatares de la primera iglesia en un tono sencillo y claro, huyendo siempre de una excesiva magnificencia de los hechos. El largo camino que hubo de recorrer la Iglesia, poblado de persecuciones y vejaciones, y jalonado de mártires, hasta llegar a conquistar la capitalidad del imperio romano, es recorrido a través de la obra colosal de los portadores del mensaje evangélico, Pedro y Pablo y su cada vez mayor número de fieles seguidores, prontos a ofrecer sus vidas en aras de su nueva y vigorosa fe.

En cuanto al texto en su aspecto más estrictamente formal, existe una controversia que parece haber sido dirimida ya de forma definitiva. El problema es el siguiente: a partir del siglo II empezó a circular un texto, más amplio y con mayores atractivos formales que la versión más tradicional, conservada en la mayor parte de manuscritos y de las versiones antiguas. Lo que se ha dado en llamar «texto occidental», presentaba con respecto al texto primigenio o «texto oriental», una serie de añadidos que no representaban en sí mismos innovación importante en profundidad. Este texto se encontraba salpicado de atractivos comentarios de escritores occidentales como Ireneo, Cipriano y Lucífero. La polémica duró decenios hasta concluir, con unanimidad, en la naturaleza espúrea de los «textos occidentales» y la genuinidad de los llamados orientales.

Conviene insistir nuevamente sobre un aspecto importante del libro y es el siguiente: a pesar de que el libro sugiere, por su mismo enunciado, un relato sobre la obra de los apóstoles, no es este su contenido ni finalidad. San Lucas enfatiza especialmente sobre los hechos acaecidos tras la ascensión del Señor y la formación de la Iglesia; la figura central es, pues, el apóstol San Pablo del que Lucas fue discípulo aunque las referencias a Pedro, fundador de la Iglesia, son también frecuentes.

## CAPITULO PRIMERO

*Promesa del Espíritu Santo. Ascensión del Señor. Elección de Matías para el apostolado.*

**1.** He hablado en mi primer libro ¡oh Teófilo! de todo lo *más notable* que hizo y enseñó Jesús, desde su principio,

**2.** Hasta el día en que fué recibido en el cielo, después de haber instruído por el Espíritu Santo a los Apóstoles, que él había escogido.

**3.** A los cuales se había manifestado también después de su pasión, dándoles muchas pruebas de que vivía, apareciéndoseles en el espacio de cuarenta días, y hablándole de *las cosas tocantes al* reino de Dios.

**4.** Y *por último,* comiendo con ellos, les mandó que no partiesen de Jerusalén, sino que esperasen *el cumplimiento de* la promesa del Padre, la cual (dijo) oísteis de mi boca:

**5.** Y es, que Juan bautizó con el agua, mas vosotros habéis de ser bautizados, *o bañados,* en el Espíritu Santo dentro de pocos días.

**6.** Entonces los que se hallaban presentes, le hicieron esta pregunta: Señor, ¿si será éste el tiempo en que has de restituir el reino a Israel?

─────────

CAP. I.— 3. Instruyéndolos en todo lo que habían de hacer para el establecimiento y gobierno de las Iglesias. Este es el origen de las tradiciones apostólicas. Todo lo que ha sido creído y observado en todos los tiempos y por todas las Iglesias y que no está distintamente declarado en las Escrituras, viene de los Apóstoles y por consiguiente de Jesucristo, porque los Apóstoles no enseñaron sino lo que habían aprendido y oído de su divino Maestro.

**7.** A lo cual respondió *Jesús:* No os corresponde a vosotros el saber los tiempos y momentos que tiene el Padre reservados a su poder *soberano:*

**8.** Recibiréis, sí, la virtud del Espíritu Santo, que descenderá sobre vosotros, y me serviréis de testigos en Jerusalén, y en toda la Judea, y Samaria, y hasta el cabo del mundo.

**9.** Dicho esto, se fué elevando a vista de ellos *por los aires,* hasta que una nube le encubrió a sus ojos.

**10.** Y estando atentos a mirar cómo iba subiéndose al cielo, he aquí que aparecieron cerca de ellos dos personajes con vestiduras blancas.

**11.** Los cuales les dijeron: Varones de Galilea, ¿por qué estáis *ahí parados* mirando al cielo? Este Jesús, que *separándose* de vosotros se ha subido al cielo, vendrá de la misma suerte que le acabáis de ver subir allá.

**12.** Después de esto se volvieron *los discípulos* a Jerusalén, desde el monte llamado de los Olivos, que dista de Jerusalén el *espacio de* camino que puede andarse en sábado.

**13.** Entrados *en la ciudad,* subiéronse a una habitación alta, donde tenían su morada, Pedro y Juan, Santiago y Andrés, Felipe y Tomás, Bartolomé y Mateo, Santiago *hijo de* Alfeo, y Si-món *llamado* el Celador, y Judas *hermano* de Santiago.

**14.** Todos los cuales, animados de un mismo espíritu, perseveraban juntos en oración con la mujeres *piadosas, y* con María la madre de Jesús, y con los hermanos, *o parientes, de este Señor.*

**15.** Por aquellos días levantándose Pedro en medio de los hermanos (cuya junta era como de unas ciento y veinte personas) *les* dijo:

**16.** Hermanos *míos*, es preciso que se cumpla lo que tiene profetizado el Espíritu Santo por boca de David, acerca de Judas, que se hizo adalid de los que prendieron a Jesús,

**17.** Y el cual fué de nuestro número, y había sido llamado a las funciones de nuestro ministerio.

**18.** Este adquirió un campo con el precio de su maldad, y habiéndose ahorcado reventó por medio; quedando esparcidas por tierra todas sus entrañas;

**19.** Cosa que es notoria a todos los habitantes de Jerusalén, por manera que aquel campo ha sido llamado en su lengua Hacéldama, esto es, Campo de sangre.

**20.** Así es que está escrito en el libro de los Salmos: Quede su morada desierta, ni haya quien habite en ella, y ocupe otro su lugar en el episcopado.

**21.** Es necesario, pues, que de estos sujetos que han estado en nuestra compañía, todo el tiempo que Jesús Señor nuestro conversó entre nosotros;

**22.** Empezando desde el bautismo de Juan, hasta el día en que *apartándose* de nosotros, se subió *al cielo, se elija* uno *que* sea, como nosotros, testigo de su resurrección.

**23.** Con esto propusieron a dos: José llamado Barsabas, y por sobrenombre el Justo, y a Matías.

**24.** Y haciendo oración, dijeron: ¡Oh Señor! tú que ves los corazones de todos, muéstranos cuál de estos dos has destinado

**25.** A ocupar el puesto de este ministerio y apostolado, del cual cayó Judas por su prevaricación, para irse a su lugar.

**26.** Y echando suertes, cayó la suerte a Matías, con lo que fué agregado a los once Apóstoles.

## CAPITULO II

*Venida del Espíritu Santo. Primer sermón de San Pedro, y su fruto. Vida de los primeros fieles.*

**1.** Al cumplirse, pues, los días de Pentecostés, estaban todos juntos en un mismo lugar,

**2.** Cuando de repente sobrevino del cielo un ruido, como de viento impetuoso que soplaba, y llenó toda la casa donde estaban.

**3.** Al mismo tiempo vieron aparecer unas como lenguas de fuego, que se repartieron y se asentaron sobre cada uno de ellos.

**4.** Entonces fueron llenados todos del Espíritu Santo, y comenzaron a hablar en diversas lenguas las palabras que el Espíritu Santo ponía en su boca.

**5.** Había a la sazón en Jerusalén judíos piadosos, *y temerosos de Dios*, de todas las naciones del mundo.

**6.** Divulgado, pues, este suceso, acudió una gran multitud de ellos, y quedaron atónitos, al ver que cada uno oía hablar a los Apóstoles en su propia lengua.

**7.** Así pasmados todos, y maravillados, se decían unos a otros: ¿Por ventura estos que hablan, no son todos galileos, *rudos e ignorantes*?

**8.** Pues ¿cómo es que los oímos cada uno de nosotros hablar nuestra lengua nativa?

**9.** Partos, Medos y Elamitas, los moradores de Mesopotamia, de Judea, y de Capadocia, del Ponto y del Asia,

**10.** Los de Frigia, de Panfilia y de Egipto, los de la Libia cofinante con Cirene, y los que han venido de Roma,

**11.** Tanto Judíos, como Prosélitos, los Cretenses y los Arabes, los oímos hablar en nuestras *propias* lenguas las maravillas de Dios.

**12.** Estando, pues, todos llenos de admiración, y no sabiendo qué discurrir, se decían unos a otros: ¿Qué novedad es ésta?

**13.** Pero hubo algunos que se mofaban de ellos, diciendo: Estos sin duda están *borrachos*, o llenos de mosto.

**14.** Entonces Pedro presentándose con los once Apóstoles, levantó su voz y les habló de esta suerte: ¡Oh vosotros Judíos, y todos los demás que moráis en Jerusalén! estad atentos a lo que voy a deciros, y escuchad bien mis palabras.

**15.** No están éstos embriagados, como sospecháis vosotros, pues no es más que la hora de tercia del día;

**16.** Sino que se verifica lo que dijo el profeta Joel:

CAP. I.— 21. Es una expresión hebrea: quiere decir *vivió y conversó con nosotros*.

25. Al infierno, que es la morada eterna de los malos. El traidor alevoso de un Dios encarnado no podía ser admitido en el cielo, ni pudo sostenerle la tierra; y así su propio lugar, o el lugar que le convenía, era el infierno. S. Bernard.

CAP. II. — 6. Y luego pasó este sonido o estruendo, que a manera de trueno se oyó sin duda por toda la ciudad. Otros: Luego pues que se extendió la fama de este suceso.

15. Los judíos en días de fiesta no comían sino después de haber hecho las oraciones de la mañana, que acababan cerca de las doce.

**17.** Sucederá en los postreros días, dice el Señor, que yo derramaré mi espíritu sobre todos los hombres: y profetizarán vuestros hijos y vuestras hijas; y vuestros jóvenes tendrán visiones, y vuestros ancianos revelaciones en sueños.

**18.** Sí, por cierto: yo derramaré mi espíritu sobre mis siervos, y sobre mis siervas en aquellos días, y profetizarán.

**19.** Yo haré que se vean prodigios arriba en el cielo, y portentos abajo en tierra: sangre y fuego, y torbellinos de humo.

**20.** El sol se convertirá en tinieblas, y la luna en sangre, antes que llegue el día grande y patente del Señor.

**21.** Entonces, todos los que hayan invocado el nombre del Señor, serán salvos.

**22.** ¡Oh hijos de Israel! escuchadme ahora: A Jesús de Nazaret, hombre autorizado por Dios a vuestros ojos, con los milagros, maravillas y prodigios que por medio de él ha hecho entre vosotros, como todos sabéis,

**23.** A este Jesús, dejado a vuestro arbitrio por una orden expresa de la voluntad de Dios y derecho de su presciencia, vosotros le habéis hecho morir, clavándole en la cruz por mano de los impíos.

**24.** Pero Dios le ha resucitado, librándole de los dolores o *ataduras* de la muerte, siendo como era imposible quedar él preso o *detenido* por ella *en tal lugar.*

**25.** Porque *ya* David en persona de él decía: Tenía siempre presente al Señor ante mis ojos; pues está siempre a mi diestra, para que no experimente ningún trastorno.

**26.** Por tanto se llenó de alegría mi corazón, y resonó mi lengua en *voces de* júbilo, y mi carne reposará en la esperanza:

**27.** Que no dejarás mi alma en el sepulcro, ni permitirás que *el cuerpo de* tu Santo experimente la corrupción.

**28.** Me harás entrar otra vez en las sendas de la vida, y colmarme has de gozo con tu presencia.

**29.** Hermanos míos, permitidme que os diga con toda libertad, *y sin el menor recelo:* el patriarca David muerto está, y fué sepultado, y su sepulcro se conserva entre nosotros hasta el día de hoy;

**30.** Pero como era profeta, y sabía que Dios le había prometido con juramento que uno de su descendencia se había de sentar sobre su trono,

**31.** Previendo la resurrección de Cristo, dijo, que ni fué detenido en el sepulcro, ni su carne padeció corrupción.

**32.** Este Jesús es a quien Dios ha resucitado, de lo que todos nosotros somos testigos.

**33.** Elevado; pues, *al cielo, sentado allí* a la diestra de Dios, y habiendo recibido de su Padre la promesa *o potestad* de *enviar al* Espíritu Santo, le ha derramado *hoy sobre nosotros* del modo que estáis viendo y oyendo.

**34.** Porque no es David el que subió al cielo; antes bien él mismo dejó escrito: Dijo el Señor a mi Señor: Siéntate a mi diestra,

**35.** Mientras a tus enemigos los pongo yo por tarima de tus pies.

**36.** Persuádase, pues, certísimamente toda la casa de Israel, que Dios ha constituído Señor, y Cristo, a este mismo Jesús, al cual vosotros habéis crucificado.

**37.** Oído este discurso, se compungieron de corazón, y dijeron a Pedro y a los demás Apóstoles: Pues, hermanos, ¿qué es lo que debemos hacer?

**38.** A lo que Pedro les respondió: Haced penitencia, y sea bautizado cada uno de vosotros en el nombre de Jesucristo para remisión de vuestros pecados; y recibiréis el don del Espíritu Santo;

**39.** Porque la promesa *de este don* es para vosotros, y para vuestros hijos, y para todos los que *ahora* están lejos *de la salud,* para cuantos llamare a sí el Señor Dios nuestro.

**40.** Otras muchísimas razones alegó, y los amonestaba, diciendo: Poneos en salvo de entre esta generación perversa.

**41.** Aquellos, pues, que recibieron su doctrina, fueron bautizados; y se añadieron aquel día *a la Iglesia* cerca de tres mil personas.

**42.** Y perseveraban todos en *oír* las instrucciones de los Apóstoles, y en la comunicación de la fracción del pan, o *Eucaristía,* y en la oración.

**43.** Y toda la gente estaba sobrecogida de un *respetuoso* temor; *porque* eran muchos los prodigios y milagros que hacían los Apóstoles en Jerusalén, de suerte que todos universalmente estaban llenos de espanto.

---

**20.** Esto es, aparecerá de color sangriento.

**27.** Esto es, en poder de la muerte, o en el limbo según otros intérpretes.
**34.** *Psalm. CIX, v.* 1.

**44.** Los creyentes por su parte vivían unidos entre sí, y nada tenían que no fuese común para todos ellos.

**45.** Vendían sus posesiones y demás bienes y los repartían entre todos, según la necesidad de cada uno.

**46.** Asistiendo así mismo cada día largos ratos al templo, unidos con un mismo espíritu, y partiendo el pan por las casas *de los fieles,* tomaban el alimento con alegría y sencillez de corazón,

**47.** Alabando a Dios, y haciéndose amar de todo el pueblo. Y el Señor aumentaba cada día el número de los que abrazaban el mismo género de vida para salvarse.

## CAPITULO III

*Un cojo de nacimiento curado con la invocación del nombre de Jesús. Segundo sermón de San Pedro, en que demuestra ser Jesús el Mesías prometido en la ley.*

**1.** Subían un día Pedro y Juan al templo, a la oración de la hora de nona.

**2.** Y había un hombre, cojo desde el vientre de su madre, a quien traían a cuestas, y ponían todos los días a la puerta del templo, llamada la Hermosa, para pedir limosna a los que entraban en el.

**3.** Pues como éste viese a Pedro y a Juan que iban a entrar en el templo, les rogaba que le diesen limosna.

**4.** Pedro entonces, fijando con Juan la vista en este pobre, le dijo: Atiende hacia nosotros.

**5.** El los miraba de hito en hito, esperando que le diesen algo.

**6.** Mas Pedro le dijo: Plata ni oro, yo no tengo; pero te doy lo que tengo: en el nombre de Jesucristo Nazareno, levántate, y camina.

**7.** Y cogiéndole de la mano derecha, le levantó, y al instante se le consolidaron las piernas y las plantas.

**8.** Y dando un salto de *gozo* se puso en pie, y echó a andar; y entró con ellos en el templo, andando *por sus propios pies,* y saltando, y loando a Dios.

**9.** Todo el pueblo le vió cómo iba andando y alabando a Dios.

**10.** Y como le conocían por aquel mismo que solía estar sentado a la limosna, en la puerta Hermosa del templo, quedaron espantados y fuera de sí con tal suceso.

**11.** Teniendo, pues, él de la mano a Pedro y a Juan, todo el pueblo asombrado vino corriendo hacia ellos, al lugar llamado pórtico o *galería* de Salomón.

**12.** Lo que viendo Pedro, habló a la gente de esta manera: ¡Oh hijos de Israel! ¿por qué os ma-ravilláis de esto, y por qué nos estáis mirando a nosotros, como si por virtud o potestad nuestra hubiésemos hecho andar a este hombre?

**13.** El Dios de Abraham, el Dios de Isaac, y el Dios de Jacob, el Dios de nuestros padres ha glorificado *con este prodigio* a su Hijo Jesús, a quien vosotros habéis entregado y negado en el tribunal de Pilato, juzgando éste que debía ser puesto en libertad.

**14.** Mas vosotros renegasteis del Santo y del Justo, y pedisteis que se os hiciese gracia *de la vida* de un homicida.

**15.** Disteis la muerte al autor de la vida, pero Dios le ha resucitado de entre los muertos, y nosotros somos testigos de su resurrección.

**16.** Su poder es el que, mediante la fe en su Nombre, ha consolidado *los pies* a éste que vosotros vísteis y conocísteis *tullido,* de modo que la fe, que de él proviene, *y en él tenemos,* es la que ha causado esta perfecta curación delante de todos vosotros.

**17.** Ahora, hermanos, yo bien sé que hicisteis por ignorancia lo que hicisteis, como también vuestros jefes.

**18.** Si bien Dios ha cumplido de esta suerte lo prenunciado por la boca de todos los profetas, en orden a la pasión de su Cristo.

**19.** Haced, pues, penitencia, y convertíos, a fin de que se borren vuestros pecados,

**20.** Para cuando vengan por disposición del Señor los tiempos de consolación, y envíe al mismo Jesucristo que os ha sido anunciado.

**21.** El cual es debido por cierto que se mantenga en el cielo, hasta los tiempos de la restauración de todas las cosas, de que antiguamente Dios habló por boca de sus santos profetas.

**22.** Porque Moisés dijo *a nuestros padres:* El Señor Dios vuestro os suscitará de entre vuestros hermanos un Profeta, como *me ha suscitado a mí,* a él habéis de obedecer en todo cuanto os diga;

---

**46.** Significa esto o el convite de caridad llamado *ágape, o amor,* que hacían en común, o la comunión del pan eucarístico, o más bien lo uno y lo otro; pues entonces a la comunión ordinariamente seguía la comida, que se hacía en común.

**47.** De los que debían salvarse en esta común unión y género de vida, o en la unidad de la Iglesia.

**23.** De lo contrario, cualquiera que desobedeciere a aquel Profeta será exterminado o *borrado* del pueblo *de Dios.*

**24.** Y todos los profetas que desde Samuel en adelante han vaticinado, anunciaron lo que pasa en estos días.

**25.** Vosotros ¡oh israelitas! sois hijos de los profetas, y los herederos de la alianza que hizo Dios con nuestros padres, diciendo a Abraham: En *uno de* tu descendencia serán benditas todas las naciones de la tierra.

**26.** Para vosotros en primer lugar *es para quienes* ha resucitado Dios a su Hijo, y le ha enviado a llenaros de bendiciones, a fin de que cada uno se convierta de su mala vida.

## CAPITULO IV

*Los Apóstoles presos, y examinados sobre la curación del tullido, confiesan la fe de Jesucristo. Se les manda que no prediquen. Crecen los fieles en número, y viven con perfecta unión.*

**1.** Mientras ellos estaban hablando al pueblo, sobrevinieron los sacerdotes con el magistrado o *comandante* del templo y los saduceos,

**2.** No pudiendo sufrir que enseñasen al pueblo, y predicasen en la persona de Jesús la resurrección de los muertos.

**3.** Y habiéndose apoderado de ellos, los metieron en la cárcel hasta el día siguiente: porque ya era tarde.

**4.** Entre tanto muchos de los que habían oído la predicación *de Pedro,* creyeron, cuyo número llegó a cinco mil hombres.

**5.** Al día siguiente se congregaron en Jerusalén los jefes o *magistrados,* y los ancianos, y los escribas,

**6.** Con el pontífice Anás y Caifás, y Juan, y Alejandro, y todos los que eran del linaje sacerdotal;

**7.** Y haciendo comparecer en medio a los Apóstoles, les preguntaron: ¿Con qué potestad, o en nombre de quién habéis hecho esa acción?

**8.** Entonces Pedro, lleno del Espíritu Santo, les respondió: Príncipes del pueblo, y vosotros ancianos *de Israel,* escuchad:

**9.** Ya que en este día se nos pide razón del bien que hemos hecho a un hombre tullido, *y*

*que se quiere saber* por virtud de quién ha sido curado,

**10.** Declaramos a todos vosotros y a todo el pueblo de Israel, que *la curación se ha hecho* en nombre de nuestro Señor Jesucristo Nazareno, a quien vosotros crucificasteis y Dios ha resucitado. En virtud de tal Nombre se presenta sano ese *hombre* a vuestros ojos.

**11.** Este *Jesús* es aquella piedra que vosotros desechasteis al edificar, la cual ha venido a ser la principal piedra del ángulo.

**12.** Fuera de él no hay que buscar la salvación en ningún otro. Pues no se ha dado a los hombres otro Nombre debajo del cielo, por el cual debamos salvarnos.

**13.** Viendo ellos la firmeza de Pedro y de Juan, constándoles por otra parte que eran hombres sin letras y del vulgo, estaban llenos de admiración, conociendo que eran de los que habían sido discípulos de Jesús.

**14.** Por otra parte, al ver al hombre que había sido curado estar con ellos en pie, nada podían replicar en contrario.

**15.** Mandáronles, pues, salir fuera de la junta, y comenzaron a deliberar entre sí,

**16.** Diciendo: ¿Qué haremos con estos hombres? El milagro hecho por ellos es notorio a todos los habitantes de Jerusalén; es tan evidente, que no podemos negarlo.

**17.** Pero a fin de que no se divulgue más en el pueblo, apercibámosles que de aquí en adelante no *tomen en boca este Nombre,* ni hablen de él a persona viviente.

**18.** Por tanto llamándolos, les intimaron que por ningún caso hablasen ni enseñasen en el Nombre de Jesús.

**19.** Mas Pedro y Juan respondieron a esto, diciéndoles: Juzgad vosotros si en la presencia de Dios, es justo el obedecer a vosotros antes que a Dios;

**20.** Porque nosotros no podemos menos de hablar lo que hemos visto y oído.

**21.** Pero ellos *con todo* amenazándolos los despacharon, no hallando arbitrio para castigarlos, por temor del pueblo, porque todos celebraban este glorioso hecho;

---

**CAP. IV.** — **13.** Cúmplese aquí la promesa del Señor formulada por *San Mateo,* X, 19-20: "No os dé cuidado el cómo o lo que habéis de hablar, porque os será dado en aquella hora lo que habréis de decir. Puesto que no sois vosotros quien habla entonces, sino el Espíritu de Vuestro Padre, el cual habla en vosotros".
**18.** ¡Cuán funestas son las consecuencias de entrar en un empeño a impulsos del odio, de la envidia o de un amor desordenado!

---

**CAP. III.** — **23.** Que perfeccionará la ley que os entrego ahora.
**24.** No solamente Moisés habló así de Jesús.

**22.** Pues el hombre en quien se había obrado esta cura milagrosa, pasaba de cuarenta años.

**23.** Puestos ya en libertad, volvieron a los suyos; y les contaron cuantas cosas les habían dicho los príncipes de los sacerdotes, y los ancianos.

**24.** Ellos al oírlo, levantaron todos unánimes la voz a Dios, y dijeron: ¡Señor! tú eres el que hiciste el cielo y la tierra, el mar y todo cuanto en ellos se contiene;

**25.** El que, hablando el Espíritu Santo por boca de David nuestro padre y siervo tuyo, dijiste: ¿Por qué se han alborotado las naciones, y los pueblos han forjado empresas vanas?

**26.** Armáronse los reyes de la tierra, y los príncipes se coligaron contra el Señor y contra su Cristo.

**27.** Porque verdaderamente se mancomunaron en esta ciudad contra tu santo Hijo Jesús, a quien ungiste, Herodes y Poncio Pilato, con los gentiles y las tribus de Israel,

**28.** Para ejecutar lo que tu poder y providencia determinaron que se hiciese.

**29.** Ahora, pues, Señor, mira sus *vanas* amenazas, y da a tus siervos el predicar con toda confianza tu palabra,

**30.** Extendiendo tu *poderosa* mano para hacer curaciones, prodigios y portentos en el Nombre de Jesús tu santo Hijo.

**31.** Acabada esta oración, tembló el lugar en que estaban congregados; y todos se sintieron llenos del Espíritu Santo, y anunciaban con firmeza la palabra de Dios.

**32.** Toda la multitud de los fieles tenía un mismo corazón y una misma alma; ni había entre ellos quien considerase como suyo lo que poseía, sino que tenían todas las cosas en común.

**33.** Los Apóstoles con gran valor daban testimonio de la resurrección de Jesucristo Señor nuestro; y en todos los fieles resplandecía la gracia con abundancia.

**34.** Así es que no había entre ellos persona necesitada; pues todos los que tenían posesiones o casas, vendiéndolas, traían el precio de ellas,

---

**28.** Los príncipes, por grande que sea su poder, no son más que ejecutores de los designios de Dios. El Señor hace servir para la salvación del género humano y santificación de las almas, las voluntades corrompidas y criminales de Pilato, Herodes, etc.

**30.** Que sean pruebas de su divinidad y señales de que tú nos envías.

**35.** Y lo ponían a los pies de los Apóstoles, el cual después se distribuía según la necesidad de cada uno.

**36.** De esta manera José, a quien los Apóstoles pusieron el sobrenombre de Bernabé, (esto es, Hijo de consolación, *o Consolador*) *que era* levita y natural *de la isla* de Chipre,

**37.** Vendió una heredad que tenía, y trajo el precio y lo puso a los pies de los Apóstoles.

## CAPITULO V

*Castigo de Ananías y Safira. Los Apóstoles y en especial San Pedro, son de nuevo perseguidos y presos; y por consejo de Gamaliel son puestos en libertad, después de ser azotados.*

**1.** Un hombre llamado Ananías, con su mujer Safira, vendió *también* un campo.

**2.** Y, de acuerdo con ella, retuvo parte del precio; y trayendo el resto, púsolo a los pies de los Apóstoles.

**3.** Mas Pedro le dijo: Ananías, ¿cómo ha tentado Satanás tu corazón, para que mintieses al Espíritu Santo, reteniendo parte del precio de ese campo?

**4.** ¿Quién te quitaba el conservarlo? *Y aunque lo hubieses* vendido, ¿no estaba *su precio* a tu disposición? ¿Pues a qué fin has urdido en tu corazón esta trampa? No mentiste a hombres, sino a Dios.

**5.** Al oír Ananías estas palabras, cayó *en tierra y* expiró. Con lo cual todos los que tal suceso supieron, quedaron en gran manera atemorizados.

**6.** *En la hora misma* vinieron unos mozos, y le sacaron y llevaron a enterrar.

**7.** No bien se pasaron tres horas, cuando su mujer entró ignorante de lo acaecido.

**8.** Díjole Pedro: Dime, mujer, ¿es así que vendisteis el campo por tanto? Sí, respondió ella, por ese precio *lo vendimos.*

**9.** Entonces Pedro le dijo: ¿Por qué os habéis concertado para tentar al Espíritu del Señor? He aquí a la puerta los que enterraron a tu marido; y ellos *mismos* te llevarán *a enterrar.*

**10.** Al momento cayó a sus pies, y expiró. Entrando luego los mozos, encontráronla muerta, y sacándola, la enterraron al lado de su marido.

**11.** Lo que causó gran temor en toda la Iglesia y en todos los que tal suceso oyeron.

**12.** Entre tanto los Apóstoles hacían muchos milagros y prodigios entre el pueblo. Y todos *los fieles unidos* en un mismo espíritu se juntaban en el pórtico de Salomón.

**13.** De los otros nadie osaba juntarse *o hermanarse con ellos;* pero el pueblo hacía de ellos grandes elogios.

**14.** Con esto se aumentaba más y más el número de los que creían en el Señor, así de hombres como de mujeres,

**15.** De suerte que sacaban a las calles a los enfermos, poniéndolos en camillas y lechos *o carretones,* para que pasando Pedro, su sombra tocase por lo menos en alguno de ellos y quedasen libres de sus dolencias.

**16.** Concurría también a Jerusalén mucha gente de las ciudades vecinas, trayendo enfermos y endemoniados, los cuales eran curados todos.

**17.** Alarmado con esto el príncipe de los sacerdotes y los de su partido, que era la secta de los saduceos, se mostraron llenos de celo;

**18.** Y prendiendo a los Apóstoles, los metieron en la cárcel pública.

**19.** Mas el ángel del Señor, abriendo por la noche las puertas de la cárcel, y sacándoles fuera les dijo:

**20.** Id al templo, y puestos allí, predicad al pueblo la doctrina de esta *ciencia de* vida.

**21.** Ellos, oído esto, entraron al despuntar el alba en el templo, y se pusieron a enseñar. Entre tanto vino el pontífice con los de su partido, y convocaron el concilio y a todos los ancianos del pueblo de Israel, y enviaron por los presos a la cárcel.

**22.** Llegados los ministros y abierta la cárcel, como no los hallasen, volvieron con la noticia,

**23.** Diciendo: La cárcel la hemos hallado muy bien cerrada, y a los guardas en centinela delante de las puertas; mas habiéndolas abierto, a nadie hemos hallado dentro.

---

**CAP. V.** — 11. En vista de la severidad con que castigaba Dios la hipocresía y mentira. Quiso Dios desde el principio de la Iglesia hacer ver cuán contrarias son a la moral evangélica la mentira e hipocresía que encierra el hecho de estos dos consortes, y cuán opuestas a una religión fundada en *espíritu y verdad.* Casi todos los Santos Padres convienen en que sólo perdieron la vida corporal, pero no la eterna.

**24.** Los grandes males que ocasionan los que entran en empresas o injustas o imprudentes, provienen siempre de no querer reconocer su error. Se tiene vergüenza de mudar de opinión; no se quiere confesar que se duda; se pasa la vida deliberando, y entre tanto los males crecen y la muerte viene. *S. Joann. Chrysost. in Evang.*

**24.** Oídas tales nuevas, tanto el comandante del templo, como los príncipes de los sacerdotes, no podían atinar qué se habría hecho de ellos.

**25.** A este tiempo llegó uno y les dijo: Sabed que aquellos hombres que metisteis en la cárcel, están en el templo enseñando al pueblo.

**26.** Entonces el comandante fué allá con su gente y los condujo sin hacerles violencia; porque temían ser apedreados por el pueblo.

**27.** Conducidos que fueron, presentáronlos al concilio; y el sumo sacerdote los interrogó,

**28.** Diciendo: Nosotros os teníamos prohibido con mandato formal que enseñáseis en ese Nombre; y en vez de obedecer, habéis llenado a Jerusalén de vuestra doctrina, y queréis hacernos responsables a nosotros de la sangre de ese hombre.

**29.** A lo cual respondiendo Pedro y los Apóstoles, dijeron: Es necesario obedecer a Dios, antes que a los hombres.

**30.** El Dios de nuestros padres ha resucitado a Jesús, a quien vosotros habéis hecho morir, colgándole en un madero.

**31.** A éste ensalzó Dios con su diestra por príncipe y salvador, para dar a Israel el arrepentimiento y la remisión de los pecados:

**32.** Nosotros somos testigos de estas verdades, y lo es también el Espíritu Santo, que Dios ha dado a todos los que le obedecen.

**33.** Oídas estas razones, se desatinaban *sus enemigos,* y enfurecidos trataban de matarlos.

**34.** Pero levantándose en el concilio un fariseo llamado Gamaliel, doctor de la ley, hombre respetado de todo el pueblo, mandó que se retirasen afuera por un breve rato aquellos hombres.

**35.** Y entonces dijo a los del concilio: ¡Oh israelitas! considerad bien lo que vais a hacer con esos hombres.

**36.** Sabéis que poco ha se levantó un tal Teodas, que se vendía por persona de mucha importancia, al cual se asociaron cerca de cuatrocientos hombres: él fué muerto, y todos los que le creían se dispersaron y redujeron a nada.

---

**26.** Por el grande respeto y amor que tenía a unas personas de quienes recibía continuos beneficios; y por esta causa no se atrevieron a llevarlos atados.

**31.** No cómo un príncipe temporal que les adquiriese bienes terrenos, sino como un Salvador que les comunicase un verdadero espíritu de penitencia.

**37.** Después de éste alzó bandera Judas Galileo en tiempo del empadronamiento, y arrastró tras sí al pueblo: éste pereció del mismo modo, y todos sus secuaces quedaron disipados.

**38.** Ahora, pues, os aconsejo que no os metáis con esos hombres, y que los dejéis; porque si este designio o *empresa* es obra de hombres, ella misma se desvanecerá;

**39.** Pero si es cosa de Dios no podréis destruirla, y os expondríais a ir contra Dios. Todos se adhirieron a este parecer.

**40.** Y llamando a los Apóstoles, después de haberlos hecho azotar, les intimaron que no hablasen más *ni poco ni mucho* en el Nombre de Jesús; y los dejaron ir.

**41.** Entonces los Apóstoles se retiraron de la presencia del concilio muy gozosos, porque habían sido hallados dignos de sufrir aquel ultraje por el nombre de Jesús.

**42.** Y no cesaban todos los días, en el templo, y por las casas, de anunciar y de predicar a Jesucristo.

## CAPITULO VI

*Elección de los siete diáconos. Esteban se señala entre todos, hace grandes milagros, y se levantan contra él muchos judíos.*

**1.** Por aquellos días, creciendo el número de los discípulos, se suscitó una queja de los *Judíos* griegos contra los *Judíos* hebreos, o *nacidos en el país*, porque no se hacía caso de sus viudas en el servicio o *distribución del sustento* diario.

**2.** En atención a esto, los doce *Apóstoles*, convocando a todos los discípulos, les dijeron: No es justo que nosotros descuidemos *la predicación de* la palabra de Dios, por tener cuidado de las mesas:

**3.** Por tanto, hermanos, nombrad de entre vosotros siete sujetos de buena fama, llenos del Espíritu Santo y de inteligencia, a los cuales encarguemos este ministerio.

**4.** Y con esto podremos nosotros emplearnos enteramente en la oración y en la predicación de la palabra *divina*.

**5.** Pareció bien esta propuesta a toda la asamblea; y así nombraron a Esteban, varón lleno de fe y del Espíritu Santo, y a Felipe y a Procoro, a Nicanor y a Timón, a Pármenas y a Nicolás prosélito antioqueno.

**6.** Presentáronlos a los Apóstoles los cuales, haciendo oración, les impusieron las manos, o *consagraron.*

**7.** Entre tanto la palabra de Dios iba fructificando, y multiplicándose sobremanera el número de los discípulos en Jerusalén; y sujetándose también a la fe muchos de los sacerdotes.

**8.** Mas Esteban, lleno de gracia y de fortaleza, obraba grandes prodigios y milagros entre el pueblo.

**9.** Levantáronse, pues, algunos de la sinagoga llamada de los libertinos, *o libertos*, y *de las sinagogas* de los cireneos, de los alejandrinos, de los cilicianos y de los asiáticos, y trabaron disputas con Esteban;

**10.** Pero no podían contrarrestar a la sabiduría y al Espíritu que hablaba *en él.*

**11.** Entonces sobornaron a algunos, que dijesen haberlo oído proferir blasfemias contra Moisés y contra Dios.

**12.** Con esto alborotaron a la plebe, y a los ancianos, y a los escribas, y echándose sobre él, le arrebataron y trajeron al concilio,

**13.** Y presentaron testigos falsos que afirmasen: Este hombre no cesa de proferir palabras contra este lugar santo y contra la ley;

**14.** Pues nosotros le hemos oído decir que aquel Jesús Nazareno ha de destruir este lugar y mudar las tradiciones *u observancias* que nos dejó ordenadas Moisés.

**15.** Entonces fijando en él los ojos todos los del concilio, vieron su rostro como el rostro de un ángel.

## CAPITULO VII

*Razonamiento de San Esteban en el concilio de los judíos, y su martirio.*

**1.** Dijo entonces el príncipe de los sacerdotes: ¿Es esto así?

**2.** Respondió él: Hermanos míos y padres, escuchadme. El Dios de la gloria apareció a nuestro padre Abraham cuando estaba en Mesopotamia, primero que habitase en Carán,

**3.** Y le dijo: Sal de tu patria y de tu parentela, y ven al país que yo te mostraré.

---

CAP VI. — 6. Para ordenarles de diáconos. Los fieles escogían aquellos que eran de una virtud conocida y que tenían la aprobación y testimonio de todo el pueblo: los presentaban a los Apóstoles como a los primeros obispos, y éstos hallándolos dignos, los ordenaban por la oración con las palabras correspondientes, y por la imposición de las manos.

**4.** Entonces salió de la Caldea, y vino a habitar en Carán. De allí, muerto su padre, le hizo pasar *Dios* a esta tierra, en donde ahora moráis vosotros.

**5.** Y no le dió de ella en propiedad ni un palmo tan solamente; prometióle, sí, darle la posesión de dicha tierra, y que después de él la poseerían sus descendientes; y eso que a *la sazón Abraham* no tenía hijos.

**6.** Predíjole también Dios que sus descendientes morarían en tierra extraña, y serían esclavizados, y muy maltratados por espacio de cuatrocientos años;

**7.** Si bien, dijo el Señor, yo tomaré venganza de la nación a la cual servirán *como esclavos;* y al cabo saldrán libres *de aquel país y* me servirán a mí en este lugar.

**8.** Hizo después con él la alianza *sellada* con la circuncisión; y así *Abraham* habiendo engendrado a Isaac, le circuncidó a los ocho días; Isaac *tuvo* a Jacob; y Jacob a los doce patriarcas.

**9.** Los patriarcas movidos de envidia, vendieron a José para ser llevado a Egipto, donde Dios estaba con él;

**10.** Y le libró de todas sus tribulaciones; y habiéndole llenado de sabiduría, le hizo grato a Faraón, rey de *Egipto*, el cual le constituyó gobernador de Egipto y de todo su palacio.

**11.** Vino después el hambre general en todo el Egipto y en la tierra de Canaán, y la miseria fué extrema; de suerte que nuestros padres no hallaban de qué alimentarse.

**12.** Pero habiendo sabido Jacob que en Egipto había trigo, envió allá a nuestros padres por la primera vez.

**13.** Y en la segunda *que fueron* José se dió a conocer a sus hermanos, y fué descubierto su linaje a Faraón.

**14.** Entonces José envió por su padre Jacob y por toda su parentela, que era de setenta y cinco personas

**15.** Bajó, pues, Jacob a Egipto, donde vino a morir él, y también nuestros padres.

**16.** Y *sus huesos* fueron después trasladados a Siquem, y colocados en el sepulcro que Abraham compró de los hijos de Hemor, hijo de Siquem, por cierta suma de dinero.

---

**16.** Algunos intérpretes creen que el padre de Efrón se llamaba *Siquem*, y también *sehar*. Pero es más verosímil que S. Esteban dijo compendiosamente que Jacob fué trasladado a Hebrón y enterrado en la sepultura comprada antes por Abraham a Efrón, y José y sus hermanos en Siquem, en la parte del campo que Jacob compró a los hijos de Hemor. — Véase *Genes.* XXXIII, *v.* 18-19.

**17.** Pero acercándose ya el tiempo de cumplirse la promesa, que con juramento había hecho Dios a Abraham, el pueblo de Israel fué creciendo y multiplicándose en Egipto,

**18.** Hasta que reinó allí otro soberano, que no sabía nada de José.

**19.** Este príncipe, usando de una artificiosa malicia contra nuestra nación, persiguió a nuestros padres, hasta obligarlos a abandonar sus niños *recién nacidos* a fin de que no se propagasen.

**20.** Por este mismo tiempo nació Moisés, que fué grato a Dios, y el cual por tres meses fué criado *ocultamente* en casa de su padre.

**21.** Al fin, habiendo sido abandonado *sobre las aguas del Nilo*, le recogió la hija de Faraón, y le crió como hijo suyo.

**22.** Se le instruyó en todas las ciencias de los egipcios, y llegó a ser varón poderoso, tanto en palabras como en obras.

**23.** Llegado a la edad de cuarenta años, le vino el deseo de ir a visitar a sus hermanos los hijos de Israel.

**24.** Y habiendo visto que uno de ellos era injuriado, se puso de su parte, y le vengó, matando al egipcio que le injuriaba.

**25.** El estaba persuadido de que sus hermanos *los israelitas* conocerían que por su medio les había de dar Dios libertad; mas ellos no lo entendieron.

**26.** Al día siguiente se metió entre unos que reñían: y exhortábalos a la paz, diciendo: Hombres, vosotros sois hermanos; ¿pues por qué os maltratáis uno al otro?

**27.** Mas aquel que hacía el agravio a su prójimo, le rempujó, diciendo: ¿Quién te ha puesto a ti por príncipe y juez sobre nosotros?

**28.** ¿Quieres tú por ventura matarme a mí, como mataste ayer al egipcio?

**29.** Al oír esto Moisés se ausentó, y retiróse a vivir como extranjero en el país de Madián, donde tuvo dos hijos.

**30.** Cuarenta años después se le apareció un ángel *del Señor* en el desierto del monte Sinaí, entre las llamas de una zarza que ardía *sin consumirse.*

**31.** Maravillóse Moisés al ver aquel espectáculo; y acercándose a contemplarlo, oyó la voz del Señor, que le decía:

**32.** Yo soy el Dios de tus padres, el Dios de Abraham, el Dios de Isaac, y el Dios de Jacob. Despavorido entonces Moisés, no osaba mirar *lo que aquello era.*

**33.** Pero el Señor le dijo: Quítate de los pies el calzado; porque el lugar en que estás, es una tierra santa.

**34.** Yo he visto y considerado la aflicción del pueblo mío, que habita en Egipto, y he oído sus gemidos, y he descendido a librarle. Ahora, pues, ven tú, y te enviaré a Egipto.

**35.** Así que a este Moisés, a quien desecharon, diciendo: ¿Quién te ha constituído *nuestro* príncipe y juez? a este mismo envió Dios para ser el caudillo y libertador de ellos, bajo la dirección del ángel, que se le apareció en la zarza.

**36.** Este mismo los libertó, haciendo prodigios y milagros en la tierra de Egipto, y en el Mar Rojo, y en el desierto por espacio de cuarenta años

**37.** Este es aquel Moisés que dijo a los hijos de Israel: Dios os suscitará de entre vuestros hermanos un Profeta *legislador,* como *me ha suscitado* a mí: a éste debéis obedecer.

**38.** Moisés es quien, mientras el pueblo estaba congregado en el desierto, estuvo tratando con el ángel, que le hablaba en el monte Sinaí; es aquel que estuvo con nuestros padres; el que recibió *de Dios* las palabras de vida para comunicárnoslas;

**39.** A quien no quisieron obedecer nuestros padres; antes bien le desecharon, y con su corazón *y afecto* se volvieron a Egipto,

**40.** Diciendo a Aarón: Haznos dioses que nos guíen, ya que no sabemos qué se ha hecho de ese Moisés, que nos sacó de la tierra de Egipto.

**41.** Y fabricaron después un becerro, y ofrecieron sacrificio a este ídolo, y hacían regocijo ante la hechura de sus manos.

**42.** Entonces Dios les volvió las espaldas, y los abandonó a la idolatría de *los astros o* la milicia del cielo, según se halla escrito en el libro de los profetas: ¡Oh casa de Israel! ¿por ventura me has ofrecido víctimas y sacrificios los cuarenta años del desierto?

**43.** Al contrario, habéis conducido el tabernáculo de Moloc y el astro de vuestro dios Remfam figuras que fabricasteis para adorarlas. Pues yo os transportaré a Babilonia, y más allá.

**44.** Tuvieron nuestros padres en el desierto el tabernáculo del testimonio, según se lo ordenó Dios a Moisés, diciéndole que lo fabricase según el modelo que había visto.

**45.** Y habiéndolo recibido nuestros padres, lo condujeron bajo la dirección de Josué a *el país que era* la posesión de las naciones, que fué Dios expeliendo delante de ellos, *y duró el tabernáculo* hasta el tiempo de David.

**46.** Este fué acepto a los ojos de Dios, y pidió poder fabricar un templo al Dios de Jacob.

**47.** Pero el templo *quien* lo edificó fué Salomón.

**48.** Si bien el Altísimo no habita *precisamente* en moradas hechas de mano de hombres, como dice el profeta:

**49.** El cielo es mi trono, y la tierra el estrado de mis pies. ¿Qué especies de casas me habéis de edificar vosotros? dice el Señor; o ¿cuál podrá ser *digno* lugar de mi descanso?

**50.** ¿Por ventura no hizo mi mano todas estas cosas?

**51.** ¡Hombres de dura cerviz, y de corazón y oído incircuncisos! vosotros resistís siempre al Espíritu Santo: como fueron vuestros padres, así sois vosotros

**52.** ¿A qué profeta no persiguieron vuestros padres? Ellos son los que mataron a los que preanunciaban la venida del Justo, que vosotros acabáis de entregar, y del cual habéis sido homicidas;

**53.** Vosotros que recibísteis la ley por ministerio de ángeles, y no la habéis guardado.

**54.** Al oir tales cosas, ardían en cólera sus corazones, y crujían los dientes contra él.

**55.** Mas Esteban, estando lleno del Espíritu Santo, y fijando los ojos en el cielo vió la gloria de Dios, y a Jesús que estaba a la diestra de Dios. Y dijo: Estoy viendo ahora los cielos abiertos, y al Hijo del Hombre *sentado* a la diestra de Dios.

**56.** Entonces clamando ellos con gran gritería se taparon los oídos, y *después* todos a una arremetieron contra él.

**57.** Y arrojándole fuera de la ciudad le apedrearon; y los testigos depositaron sus vestidos a los pies de un mancebo, que se llamaba Saulo.

**58.** Y apedrearon a Esteban, el cual estaba orando, y diciendo: ¡Señor Jesús, recibe mi espíritu!

**59.** Y poniéndose de rodillas, clamó en alta voz: ¡Señor, no les hagas cargo de este pecado! Y dicho esto, durmió en el Señor. Saulo, empero, había consentido *como los otros* a la muerte de Esteban.

---

**57.** Que según la ley debían tirar las primeras piedras *Deut.* XVII, *v.* 7.

## CAPITULO VIII

*Saulo persigue la Iglesia. Felipe el diácono ha-*
*ce mucho fruto en Samaria, a donde son*
*enviados Pedro y Juan. Pecado cometido*
*por Simón Mago, que dió el nombre a la si-*
*monía. Felipe bautiza al eunuco de la reina*
*Candace.*

**1.** Por aquellos días se levantó una gran
persecución contra la Iglesia de Jerusalén, y
todos *los discípulos,* menos los Apóstoles, se
desparramaron por varios distritos de Judea y
Samaria.

**2.** Mas algunos hombres timoratos cuida-
ron de dar sepultura a Esteban, en cuyas exequias hicieron gran duelo.

**3.** Entre tanto Saulo iba desolando la Iglesia, y entrándose por las casas, sacaba con
violencia a hombres y mujeres, y los hacía
meter en la cárcel.

**4.** Pero los que se habían dispersado andaban de un lugar a otro, predicando la palabra
de Dios.

**5.** Entre ellos Felipe, habiendo llegado a la
ciudad de Samaria, les predicaba a *Jesu*-Cris-
to.

**6.** Y era grande la atención con que todo el
pueblo escuchaba los discursos de Felipe,
oyéndole todos con el mismo fervor, y viendo los milagros que obraba.

**7.** Porque muchos espíritus inmundos salían de los poseídos, dando grandes gritos,

**8.** Y muchos paralíticos y cojos fueron curados.

**9.** Por lo que se llenó de grande alegría
aquella ciudad.

En ella había ejercitado antes la magia un
hombre llamado Simón, engañando a los samaritanos, y persuadiéndoles que él era un
gran personaje.

**10.** Todos, grandes y pequeños, le escuchaban *con veneración,* y decían: Este, es la virtud grande de Dios.

**11.** La causa de su adhesión a él, era porque ya hacía mucho tiempo que los traía in-
fautados con su arte mágica.

**12.** Pero luego que hubieron creído la palabra del reino de Dios, que Felipe les anunciaba, hombres y mujeres se hacían bautizar
en nombre de Jesucristo.

**13.** Entonces creyó también el mismo
Simón, y habiendo sido bautizado, seguía y
acompañaba a Felipe. Y al ver los milagros y
portentos grandísimos que se hacían, estaba
atónito y lleno de asombro.

**14.** Sabiendo, pues, los Apóstoles, que estaban en Jerusalén, que los samaritanos habían recibido la palabra de Dios, les enviaron a
Pedro y a Juan.

**15.** Estos en llegando, hicieron oración por
ellos a fin de que recibiesen al Espíritu Santo.

**16.** Porque aún no había descendido sobre
ninguno de ellos, sino que solamente estaban
bautizados en nombre del Señor Jesús.

**17.** Entonces les imponían las manos, *y*
*luego* recibían al Espíritu Santo, *de un modo*
*sensible.*

**18.** Habiendo visto, pues, Simón, que por
la imposición de las manos de los Apóstoles
se daba el Espíritu Santo, les ofreció dinero,

**19.** Diciendo: Dadme también a mí esa potestad, para que cualquiera a quien imponga
yo las manos, reciba al Espíritu Santo. Mas
Pedro le respondió:

**20.** Perezca tu dinero contigo; pues has
juzgado que se alcanzaba por dinero el don
de Dios.

**21.** No puedes tú tener parte, ni cabida en
este ministerio; porque tu corazon no es recto a los ojos de Dios.

**22.** Por tanto haz penitencia de esta perversidad tuya, y ruega de tal suerte a Dios,
que te sea perdonado ese desvarío de tu corazón.

**23.** Pues yo te veo lleno de amarguísima
hiel, y arrastrando la cadena de la iniquidad.

**24.** Respondió Simón, y dijo: Rogad por
mi vosotros al Señor, para que no venga sobre mí nada de lo que acabáis de decir.

**25.** Ellos en fin, habiendo predicado y dado testimonio de la palabra del Señor, regresaron a Jerusalén, anunciando el Evangelio en
muchos distritos de los samaritanos.

**26.** Mas un ángel del Señor habló a Felipe,
diciendo: Parte, y ve hacia el Mediodía, por la
vía que lleva de Jerusalén a Gaza: la cual está
desierta.

**27.** Partió luego *Felipe, y* se fué *hacia allá.*
Y he aquí *que encuentra* a un etíope, eunuco,
gran valido de Candace, reina de los etíopes,
y superintendente de todos sus tesoros, el
cual había venido a Jerusalén a adorar a Dios;

**28.** Y *a la sazón* se volvía, sentado en su
carruaje, y leyendo al profeta Isaías.

**29.** Entonces dijo el Espíritu a Felipe: Date
prisa y arrímate a ese carruaje.

---

CAP VIII. — 27. Observa E. Jacquier que en el
N. T. por Etiopía se designa la región situada al Sur
de Egipto, desde Assuan hasta Khartham, actualmente la Nubia y el Sudán. De la reina Candace
habla Plinio (*Hist. Nat.* VI, 35).

**30.** Acercándose, pues, Felipe, a toda prisa, oyó que iba leyendo en el profeta Isaías, y le dijo: ¿Te parece a ti que entiendes lo que vas leyendo?

**31.** ¿Cómo lo he de entender, respondió él, si alguno no me lo explica? Rogó, pues, a Felipe que subiese, y tomase asiento a su lado.

**32.** El pasaje de la Escritura que iba leyendo, era este: Como oveja fué conducido al matadero: y como cordero que está sin balar en manos del que le trasquila, así él no abrió su boca;

**33.** Después de sus humillaciones ha sido libertado del poder de la muerte a la cual fué condenado. Su generación ¿quién podrá declararla? pues que su vida será cortada de la tierra.

**34.** A esto preguntó el eunuco a Felipe: Dime, te ruego, ¿de quién dice esto el profeta? ¿de sí mismo, o de algún otro?

**35.** Entonces Felipe tomando la palabra, y comenzando por este texto de la Escritura, le evangelizó a Jesús.

**36.** Siguiendo su camino, llegaron a un paraje en que había agua; y dijo el eunuco: Aquí hay agua: ¿qué impedimento hay para que yo sea bautizado?

**37.** Ninguno, respondió Felipe, si crees de todo corazón. A lo que dijo *el eunuco:* Yo creo que Jesucristo es el Hijo de Dios.

**38.** Y mandando parar el carruaje, bajaron ambos, Felipe y el eunuco, al agua, y Felipe le bautizó.

**39.** Así que salieron del agua, el Espíritu del Señor arrebató a Felipe, y no le vió más el eunuco; el cual prosiguió su viaje rebozando de gozo.

**40.** Felipe *de repente* se halló en Azoto, y fué anunciando el evangelio a todas las ciudades por donde pasaba, hasta que llegó a Cesarea.

## CAPITULO IX

*Conversión portentosa de Saulo. Prende luego en Damasco. Va a Jerusalén, y Bernabé le presenta a los Apóstoles que le envían a Tarso. San Pedro cura a un paralítico, y resucita en Jope a Tabita.*

**1.** Mas Saulo, que todavía *no* respiraba *sino* amenazas y muerte contra los discípulos del Señor, se presentó al príncipe de los sacerdotes,

**2.** Y le pidió cartas para Damasco, dirigidas a las sinagogas, para traer presos a Jerusalén a cuantos hombres y mujeres hallase de esta profesión o *escuela de Jesús.*

**3.** Caminando, pues, a Damasco, ya se acercaba a esta ciudad, cuando de repente le cercó de resplandor una luz del cielo.

**4.** Y cayendo en tierra *asombrado* oyó una voz que le decía: ¡Saulo, Saulo! ¿por qué me persigues?

**5.** Y él respondió: ¿Quién eres tú, Señor? Y el Señor le dijo: Yo soy Jesús, a quien tú persigues: dura cosa es para ti el dar coces contra el aguijón.

**6.** El entonces, temblando y despavorido, dijo: Señor, ¿qué quieres que haga?

**7.** Y el Señor le respondió: Levántate y entra en la ciudad, donde se te dirá lo que debes hacer. Los que venían acompañándole estaban asombrados, oyendo, sí, *sonidos de* voz, pero sin ver a nadie.

**8.** Levantóse Saulo de la tierra, y aunque tenía abiertos los ojos, nada veía. Por lo cual llevándole de la mano le metieron en Damasco

**9.** Aquí se mantuvo tres días privado de la vista, y sin comer ni beber.

**10.** Estaba a la sazón en Damasco un discípulo llamado Ananías, al cual dijo el Señor en una visión: ¡Ananías! Y él respondió: Aquí me tenéis, Señor.

**11.** Levántate, le dijo el Señor, y ve a la calle llamada Recta; y busca en casa de Judas a un hombre de Tarso llamado Saulo, que ahora está en oración.

**12.** *(Y en este mismo tiempo,* veía *Saulo en una visión* a un hombre llamado Ananías, que entraba y le imponía las manos para que recobrase la vista).

**13.** Respondió, empero, Ananías: Señor, he oído decir a muchos que este hombre ha hecho grandes daños a tus santos en Jerusalén.

**14.** *Y aun aquí* está con poderes de los príncipes de los sacerdotes para prender a todos los que invocan tu Nombre.

**15.** Ve a encontrarle, le dijo el Señor, que ése mismo es *ya* un instrumento elegido por mí para llevar mi Nombre *y anunciarlo* delante de todas las naciones, y de los reyes, y de los hijos de Israel.

**16.** Y yo le haré ver cuántos trabajos tendrá que padecer por mi Nombre.

**17.** Marchó, pues, Ananías, y entró en la casa, e imponiéndole las manos, le dijo: ¡Saulo, hermano *mío!* el Señor Jesús que se te apareció en el camino que traías, me ha enviado para que recobres la vista, y quedes lleno del Espíritu Santo.

**18.** Al momento cayeron de sus ojos unas como escamas, y recobró la vista; y levantándose fué bautizado.

**19.** Y habiendo tomado después alimento, recobró sus fuerzas. Estuvo algunos días con los discípulos que habitaban en Damasco;

**20.** Y desde luego empezó a predicar en las sinagogas a Jesús, *afirmando* que éste era el Hijo de Dios.

**21.** Todos los que *le* oían estaban pasmados, y decían: ¿Pues no es éste aquel mismo que *con tanto furor* perseguía en Jerusalén a los que invocaban este Nombre, y que vino acá de propósito para conducirlos presos a los príncipes de los sacerdotes?

**22.** Saulo, empero, cobraba cada día nuevo vigor y esfuerzo, y confundía a los Judíos que habitaban en Damasco, demostrándoles que Jesús era el Cristo.

**23.** Mucho tiempo después, los Judíos se conjuraron de mancomún para quitarle la vida.

**24.** Fué advertido Saulo de sus asechanzas; y ellos a fin de *salir con el intento de* matarle, tenían puestos centinelas día y noche a las puertas

**25.** En vista de lo cual los discípulos, tomándole una noche, le descolgaron por el muro metido en un serón.

**26.** Así que llegó a Jerusalén, procuraba unirse con los discípulos, mas todos se temían de él, no creyendo que fuese discípulo;

**27.** Hasta tanto que Bernabé, tomándole consigo, le llevó a los Apóstoles, y les contó cómo el Señor se le había aparecido en el camino, y las palabras que le había dicho, y con cuánta firmeza había procedido en Damasco, predicando *con libertad* en el Nombre de Jesús.

**28.** Con eso andaba y vivía con ellos en Jerusalén, y predicaba con grande ánimo *y libertad* en el nombre del Señor.

**29.** Conversaba también con los de otras naciones, y disputaba con los *judíos* griegos; pero éstos, *confundidos*, buscaban medio para matarle.

**30.** Lo que sabido por los hermanos le condujeron a Cesarea, y de allí le enviaron a Tarso.

**31.** La Iglesia entre tanto gozaba de paz por toda la Judea, y Galilea, y Samaria, e iba estableciéndose o *perfeccionándose*, procediendo en el temor del Señor, y llena de los consuelos del Espíritu Santo.

**32.** Sucedió por entonces, que visitando Pedro a todos *los discípulos*, vino asimismo a los santos *o fieles* que moraban en Lidda.

**33.** Aquí halló a un hombre llamado Eneas, que hacia ocho años que estaba postrado en una cama, por estar paralítico.

**34.** Díjole Pedro: Eneas, el Señor Jesucristo te cura: levántate, y hazte tú mismo la cama. Y al momento se levantó.

**35.** Todos los que habitaban en Lidda y en Sarona le vieron; y se convirtieron al Señor.

**36.** Había también en Jope entre los discípulos una mujer llamada Tabita, que traducido *al griego* es lo mismo que Dorcas. Estaba ésta enriquecida de buenas obras y de las limosnas que hacía.

**37.** Mas acaeció en aquellos días que cayendo enferma, murió. Y lavado su cadáver, la pusieron *de cuerpo presente* en un aposento alto.

**38.** Como Lidda está cerca de Jope, oyendo los discípulos que Pedro estaba allí, le enviaron dos mensajeros, suplicándole que sin detención pasase a verlos.

**39.** Púsose luego Pedro en camino con ellos. Llegado que fué, condujéronle al aposento alto, y se halló rodeado de todas las viudas, que llorando le mostraban las túnicas y los vestidos que Dorcas les hacía.

**40.** Entonces Pedro, habiendo hecho salir a toda la gente, poniéndose de rodillas, hizo oración, y vuelto al cadáver, dijo: Tabita, levántate. *Al instante* abrió ella los ojos, y viendo a Pedro se incorporó.

**41.** El cual, dándole la mano, la puso en pie. Y llamando a los santos, *o fieles*, y a las viudas, se la entregó viva.

**42.** Lo que fué notorio en toda la ciudad de Jope; por el cual motivo muchos creyeron en el Señor.

**43.** Con eso Pedro se hubo de detener muchos días en Jope, hospedado en casa de cierto Simón curtidor.

## CAPITULO X

*Bautiza Pedro a Cornelio el centurión, y a varios otros gentiles parientes y amigos de éste.*

**1.** Había en Cesarea un varón llamado Cornelio, el cual era centurión en una cohorte *de la legión* llamada Itálica,

**CAP. IX.** — 23. Pablo habiéndose ido a la Arabia volvió pasados tres años a Damasco, y continuó predicando la fe de Jesucristo. *Galat.* I, *v.* 17

**CAP X.** — 1. Fué el primer gentil convertido a la fe cristiana.
Según San Jerónimo, Cornelio fundó en Cesárea una iglesia de gentiles.

**2.** Hombre religioso, y temeroso de Dios, con toda su familia, y que daba muchas limosnas al pueblo, y hacía continua oración a Dios.

**3.** Este, pues, a eso de la hora de nona, en una visión vió claramente a un ángel del Señor entrar en su aposento, y decirle: ¡Cornelio!

**4.** Y él, mirándole sobrecogido de temor, dijo: ¿Qué queréis *de mí*, Señor? Respondióle: Tus oraciones y tus limosnas han subido hasta arriba en el acatamiento de Dios, haciendo memoria de ti.

**5.** Ahora, pues, envía a alguno a Jope en busca de un tal Simón, por sobrenombre Pedro,

**6.** El cual está hospedado en casa de *otro* Simón curtidor, cuya casa está cerca del mar: éste te dirá lo que te conviene hacer.

**7.** Luego que se retiró el ángel que le hablaba, llamó a dos de sus domésticos y a un soldado de los que estaban a sus órdenes, temeroso de Dios;

**8.** A los cuales, después de habérselo confiado todo, los envió a Jope.

**9.** El día siguiente, mientras estaban ellos haciendo su viaje, y acercándose a la ciudad, subió Pedro a la alto de la casa, cerca de la hora de sexta, a hacer oración.

**10.** Sintiendo hambre, quiso tomar alimento. Pero mientras se lo aderezaban, le sobrevino un éxtasis *o arrobamiento;*

**11.** Y en él vió el cielo abierto, y bajar cierta cosa como un mantel grande, que pendiente de sus cuatro puntas se descolgaba del cielo a la tierra,

**12.** En el cual había todo género de *animales* cuadrúpedos, y reptiles de la tierra, y aves del cielo.

**13.** Y oyó una voz que le decía: Pedro, levántate, mata, y come.

**14.** Dijo Pedro: No haré tal, Señor, pues jamás he comido cosa profana e inmunda.

**15.** Replicóle la misma voz: Lo que Dios ha purificado, no lo llames tú profano

**16.** Esto se repitió por tres veces; y luego el mantel volvió a subirse al cielo.

**17.** Mientras estaba Pedro discurriendo entre sí qué significaría la visión que acababa de tener, he aquí que los hombres que enviara Cornelio, preguntando por la casa de Simón, llegaron a la puerta.

**18.** Y habiendo llamado, preguntaron si estaba hospedado allí Simón, por sobrenombre Pedro.

**19.** Y mientras éste estaba ocupado en discurrir sobre la visión, le dijo el Espíritu: Mira, ahí están tres hombres que te buscan.

**20.** Levántate luego, baja, y vete con ellos sin el menor reparo: porque yo soy el que los he enviado.

**21.** Habiendo, pues, Pedro bajado, e ido al *encuentro de* los mensajeros, les dijo: Vedme aquí: yo soy aquel a quien buscáis: ¿cuál es el motivo de vuestro viaje?

**22.** Ellos le respondieron: El centurión Cornelio, varón justo y temeroso de Dios, estimado y tenido por tal de toda la nación de los Judíos, recibió aviso de un santo ángel, para que te enviara a llamara a su casa, y escuchase lo que tú le digas.

**23.** Pedro entonces, haciéndolos entrar, los hospedó consigo. Al día siguiente partió con ellos, acompañándole también algunos de los hermanos de Jope.

**24.** El día después entró en Cesarea. Cornelio por su parte, convocados sus parientes y amigos más íntimos, los estaba esperando.

**25.** Estando Pedro para entrar, le salió Cornelio a recibir, y postrándose a sus pies, le adoró.

**26.** Mas Pedro le levantó, diciendo: Alzate, que yo no soy más que un hombre *como tú.*

**27.** Y conversando con él entró en casa, donde halló reunidas muchas personas.

**28.** Y les dijo: No ignoráis qué cosa tan abominable sea para un judío el trabar amistad o familiarizarse con un extranjero pero Dios me ha enseñado a no tener a ningun hombre por impuro o manchado.

**29.** Por lo cual, luego que he sido llamado he venido sin dificultad. Ahora os pregunto: ¿por qué motivo me habéis llamado?

**30.** A lo que respondió Cornelio: Cuatro días hace hoy, que yo estaba orando en mi casa a la hora de nona, cuando he aquí que se me puso delante un personaje vestido de blanco, y me dijo:

**31.** Cornelio, tu oración ha sido oída *benignamente*, y se ha hecho mención de tus limosnas en la presencia de Dios.

---

**13.** Come de lo que gustes, sin hacer distinción de lo que es puro o impuro; porque esta ley está ya abrogada. Trata con todos, judíos o gentiles; porque Dios, que a ninguno excluye de su mesa, purifica sus corazones por la fe para salvarlos por el mérito de la sangre de su Hijo

**32.** Envía, pues, a Jope, y haz venir a Simón, por sobrenombre Pedro, el cual está hospedado en casa de Simón el curtidor, cerca del mar.

**33.** Al punto, pues, envié por ti, y tú me has hecho la gracia de venir. Ahora, pues, todos nosotros estamos aquí en tu presencia, para escuchar cuanto el Señor te haya mandado decirnos.

**34.** Entonces Pedro, dando principio a su discurso, habló de esta manera: Verdaderamente acabé de conocer que Dios no hace acepción de personas;

**35.** Sino que en cualquiera nación, el que le teme, y obra bien, merece su agrado.

**36.** Lo cual ha hecho entender Dios a los hijos de Israel, anunciándoles la paz por Jesucristo, el cual es el Señor de todos.

**37.** Vosotros sabéis lo que ha ocurrido en toda la Judea, habiendo principiado en Galilea, después que predicó Juan el bautismo:

**38.** La manera con que Dios ungió con el Espíritu Santo y su virtud a Jesús de Nazaret; el cual ha ido haciendo beneficios *por todas partes* por donde ha pasado y ha curado a todos los que estaban bajo la opresión del demonio, porque Dios estaba con él.

**39.** Y nosotros somos testigos de todas las cosas que hizo en el país de Judea y en Jerusalén, al cual, *no obstante,* quitaron la vida colgándole en una cruz.

**40.** Pero Dios le resucitó al tercer día, y dispuso que se dejase ver,

**41.** No de todo el pueblo, sino de los predestinados de Dios para testigos, de nosotros, que hemos comido y bebido con él, después que resucitó de entre los muertos.

**42.** Y nos mandó que predicásemos y testificásemos al pueblo, que él es el que está por Dios constituído juez de vivos y de muertos.

**43.** Del mismo testifican todos los profetas, que cualquiera que cree en él recibe en virtud de su nombre la remisión de los pecados.

**44.** Estando aún Pedro diciendo estas palabras, descendió el Espíritu Santo sobre todos los que oían la plática.

**45.** Y los fieles circuncidados, *o Judíos,* que habían venido con Pedro, quedaron pasmados, al ver que la gracia del Espíritu Santo se derramaba también sobre los gentiles, *o incircuncisos.*

**46.** Pues los oían hablar varias lenguas y publicar las grandezas de Dios.

**47.** Entonces dijo Pedro: ¿Quién puede negar el agua del bautismo a los que, como nosotros, han recibido también al Espíritu Santo?

**48.** Así, que mandó bautizarlos en Nombre *y con el bautismo* de Nuestro Señor Jesucristo: y le suplicaron que se detuviese con ellos algunos días, *como lo hizo.*

## CAPITULO XI

*Disgústanse los hermanos de que Pedro haya tratado con los gentiles, y él les satisface contándoles el suceso. Propagación del evangelio en varias partes, sobre todo en Antioquía, a donde es enviado Bernabé, que conduce allí a Saulo.*

**1.** Supieron los Apóstoles y los hemanos *o fieles* de Judea, que también los gentiles habían recibido la palabra de Dios.

**2.** Vuelto, pues. Pedro a Jerusalén, le hacían por eso cargo los fieles circuncidados,

**3.** Diciendo: ¿Cómo has entrado en casa de personas incircuncisas, y has comido con ellas?

**4.** Pedro entonces empezó a exponerles toda la serie del suceso, en estos términos:

**5.** Estaba yo en la ciudad de Jope en oración, y vi en éxtasis una visión de cierta cosa que iba descendiendo, a manera de un gran lienzo descolgado del cielo por las cuatro puntas, que llegó junto a mí.

**6.** Mirando con atención, me puse a contemplarle, y le vi lleno de *animales* cuadrúpedos terrestres, de fieras, de reptiles y volátiles del cielo.

**7.** Al mismo tiempo oí una voz que me decía: Pedro, levántate, mata, y come.

**8.** Yo respondí: De ningún modo, Señor, porque hasta ahora no ha entrado jamás en mi boca cosa profana o inmunda.

**9.** Mas la voz del cielo, hablándome segunda vez, me replicó: Lo que Dios ha purificado, no lo llames tú impuro.

**10.** Esto sucedió por tres veces: y luego todo aquel aparato fué recibido otra vez en el cielo.

**11.** Pero en aquel mismo punto llegaron a la casa en que estaba yo hospedado tres hombres, que eran enviados a mí de Cesarea.

**12.** Y me dijo el Espíritu, que fuese con ellos sin escrúpulo alguno. Vinieron asimismo estos seis hermanos *que me acompañan* y entramos en casa de aquel hombre *que me envió a buscar.*

13. El cual nos contó cómo había visto en su casa a un ángel, que se le presentó y le dijo: Envía a Jope, y haz venir a Simón, por sobrenombre Pedro,

14. Quien te dirá las cosas necesarias para tu salvación y la de toda tu familia.

15. Habiendo yo, pues, empezado a hablar, descendió el Espíritu Santo sobre ellos, como descendió al principio sobre nosotros.

16. Entonces me acordé de lo que decía el Señor: Juan a la verdad ha bautizado con agua, mas vosotros seréis bautizados con el Espíritu Santo.

17. Pues si Dios les dió a ellos la misma gracia, y del mismo modo que a nosotros, que hemos creído en Nuestro Señor Jesucristo, ¿quién era yo para oponerme a *el designio de Dios?*

18. Oídas estas cosas, se aquietaron, y glorificaron a Dios, diciendo: Luego también a los gentiles les ha concedido Dios la penitencia para *alcanzar* la vida.

19. Entre tanto los *discípulos* que se habían esparcido por la persecución suscitada con motivo de Esteban, llegaron hasta Fenicia, y Chipre, y Antioquía, predicando el évangelio únicamente a los Judíos.

20. Entre ellos había algunos nacidos en Chipre y en Cirene, los cuales, habiendo entrado en An-tioquía, conversaban asimismo con los griegos, anunciándoles *la fe de* el Señor Jesús.

21. Y la mano de Dios los ayudaba, por manera que un gran número de personas creyó y se convirtió al Señor.

22. Llegaron estas noticias a oídos de la Iglesia de Jèrusalén; y enviaron a Bernabé a Antioquía.

23. Llegado allá, y al ver *los prodigios de* la gracia de Dios, se llenó de júbilo; y exhortaba a todos a permanecer en el *servicio del* Señor con un corazón firme *y constante.*

24. Porque era Bernabé varón perfecto, y lleno del Espíritu Santo y de fe. Y así *fueron* muchos *los que* se agregaron al Señor.

25. De aquí partió Bernabé a Tarso, en busca de Saulo; y habiéndole hallado, le llevó consigo a Antioquía,

26. En cuya Iglesia estuvieron empleados todo un año; e instruyeron a tanta multitud de gentes, que aquí en Antioquía *fué donde* los discípulos empezaron a llamarse cristianos.

27. Por estos días vinieron de Jerusalén ciertos profetas a Antioquía;

28. Uno de los cuales por nombre Agabo, inspirado *de Dios,* anunciaba que había de haber una grande hambre por toda la tierra, como *en efecto* la hubo en tiempo de *el emperador* Claudio;

29. Por esta causa los discípulos determinaron contribuir cada uno, según sus facultades, con alguna limosna para socorrer a los hermanos habitantes en Judea.

30. Lo que hicieron efectivamente, remitiendo las limosnas a los ancianos o *sacerdotes de Jerusalén* por mano de Bernabé y de Saulo.

## CAPITULO XII

*Martirio de Santiago. Prisión de San Pedro, y cómo fué puesto milagrosamente en libertad. Muerte desgraciada del rey Herodes.*

1. Por este mismo tiempo el rey Herodes se puso a perseguir a algunos de la Iglesia.

2. Primeramente hizo degollar a Santiago, hermano de Juan;

3. Después viendo que esto complacía a los Judíos determinó también prender a Pedro. Eran entonces los días de los ázimos.

4. Habiendo, pues, logrado prenderle, le metió en la cárcel, entregándole a la custodia de cuatro piquetes de soldados, de a cuatro hombres cada piquete, con el designio de presentarle al pueblo *y ajusticiarle* después de la Pascua.

5. Mientras que Pedro estaba así custodiado en la cárcel, la Iglesia incesantemente hacía oración a Dios por él.

6. Mas cuando iba ya Herodes a presentarle al público, aquella misma noche estaba durmiendo Pedro en medio de dos soldados, atado *a ellos* con dos cadenas, y las guardias ante la puerta de la cárcel haciendo centinela.

7. Cuando de repente apareció un ángel del Señor, cuya luz llenó de resplandor *toda* la pieza, y tocando a Pedro en el lado, le despertó, diciendo: Levántate presto. Y *al punto* se le cayeron las cadenas de las manos

---

CAP. XI. — 20. Esto es, los gentiles, o quizá los judíos nacidos allí.

---

CAP. XII. — 1. O también comenzó, o dió principio. O asimismo empleó su poder, enviando tropa para maltratar, etc. Este fué Herodes, padre de otro Agripa: Agripa, hijo de Aristóbulo y nieto de Herodes el Grande, que reinaba cuando nació Jesucristo. Reinó siete años, y en el último persiguió a la Iglesia.

**8.** Díjole asimismo el ángel: Ponte el ceñidor, y cálzate tus sandalias. Hízolo así. Díjole más: Toma tu capa, y sígueme.

**9.** Salió, pues, y le iba siguiendo, bien que no creía ser realidad lo que hacía el ángel; antes se imaginaba que era un sueño lo que veía.

**10.** Pasada la primera y la segunda guardia, llegaron a la puerta de hierro que sale a la ciudad, la cual se les abrió por sí misma. Salidos por ella caminaron hasta lo último de la calle, y súbitamente desapareció de su vista el ángel.

**11.** Entonces Pedro vuelto en sí, dijo: Ahora sí que conozco que el Señor verdaderamente ha enviado a su ángel y librádome de las manos de Herodes y de la expectación de todo el pueblo judaico.

**12.** Y habiendo pensado *lo que haría*, se encaminó a casa de María, madre de Juan, por sobrenombre Marcos, donde muchos estaban congregados en oración.

**13.** Habiendo, pues, llamado al postigo de la puerta, una doncella llamada Rode salió a observar quién era.

**14.** Y conocida la voz de Pedro, fué tanto su gozo, que, en lugar de abrir, corrió adentro con la nueva de que Pedro estaba a la puerta.

**15.** Dijéronle: Tú estás loca. Mas ella afirmaba que era cierto lo que decía. Ellos dijeron entonces: Sin duda será su angel.

**16.** Pedro entre tanto proseguía llamando a la puerta. Abriendo por último, le vieron, y quedaron asombrados.

**17.** Mas Pedro haciéndoles señas con la mano para que callasen, contóles cómo el Señor le había sacado de la cárcel, y añadió: Haced saber esto a Santiago y a los hermanos. Y partiendo de allí, se retiró a otra parte.

**18.** Luego que fué de día, era grande la confusión entre los soldados, sobre qué se habría hecho de Pedro.

**19.** Herodes, haciendo pesquisas de él, y no hallándole, hecha la sumaria a los de la guardia, mandóles llevar *al suplicio*; y después se marchó de Judea a Cesarea, en donde se quedó.

**20.** Estaba Herodes irritado contra los Tirios y Sidonios. Pero éstos de común acuerdo vinieron a presentársele, y ganado *el favor de* Blasto, camarero mayor del rey, le pidieron la paz, pues aquel país necesitaba *de los socorros del territorio* de Herodes para su subsistencia.

**21.** El día señalado para la audiencia, Herodes vestido de traje real, se sentó en su trono, y les arengaba.

**22.** Todo el auditorio prorrumpía en aclamaciones, *diciendo: Esta es la* voz de un Dios, y no de un hombre.

**23.** Mas en aquel mismo instante le hirió un ángel del Señor, por no haber dado a Dios la gloria; y roído de gusanos, expiro.

**24.** Entre tanto la palabra de Dios hacía *grandes* progresos, y se propagaba *más y más cada día.*

**25.** Bernabé y Saulo, acabada su comisión *de entregar las limosnas,* volvieron de Jerusalén *a Antioquía,* habiéndose llevado consigo a Juan, por sobrenombre Marcos

## CAPITULO XIII

*Saulo y Benabé enviados por el Espíritu Santo a predicar a los gentiles. Conversión del procónsul Sergio Paulo. San Pablo predica en Antioquía de Pisidia, convierte a muchos gentiles, y abandona a los judíos incrédulos.*

**1.** Había en la Iglesia de Antioquía varios profetas y doctores, de cuyo número eran Bernabé, y Simón, llamado el Negro, y Lucio de Cirene, y Manahén, hermano de leche del tetrarca Herodes, y Saulo.

**2.** Mientras estaban *un día* ejerciendo las funciones de su ministerio delante del Señor, y ayunando, díjoles el Espíritu Santo: Separadme a Saulo y a Bernabé para la obra a que los tengo destinados.

**3.** Y después de *haberse dispuesto con* ayunos y oraciones, les impusieron las manos y los despidieron.

**4.** Ellos, pues, enviados así por el Espíritu San-to fueron a Seleucia; desde donde navegaron a Chipre.

**5.** Y llegados a Salamina, predicaban la palabra de Dios en las sinagogas de los judíos, teniendo consigo a Juan, que les ayudaba, *como diácono.*

**6.** Recorrida toda la isla hasta Pafo, encontraron a cierto judío, mago y falso profeta, llamado Barjesús,

**7.** El cual estaba en compañía del proscónsul Sergio Paulo, hombre de *mucha* prudencia. Este procónsul habiendo hecho llamar *a sí* a Bernabé y a Saulo, deseaba oír la palabra de Dios.

**8.** Pero Elimas, *o* el mago (que eso significa el nombre *Elimas)* se les oponía, procurando apartar al procónsul de abrazar la fe.

**9.** Mas Saulo, que también se llama Pablo, lleno del Espíritu Santo, clavando en él sus ojos,

**10.** Le dijo: ¡Oh hombre lleno de toda suerte de fraudes y embustes, hijo del diablo, enemigo de toda justicia! ¿No cesarás *nunca de procurar* trastornar o *torcer* los caminos rectos del Señor?

**11.** Pues mira: Desde ahora la mano del Señor descarga sobre ti, y quedarás ciego sin ver la luz del día, hasta cierto tiempo. Y al momento densas tinieblas cayeron sobre sus ojos, y andaba buscando a tientas quién le diese la mano.

**12.** En la hora el procónsul, visto lo sucedido, abrazó la fe, maravillándose de la doctrina del Señor.

**13.** Pablo y sus compañeros, habiéndose hecho a la vela desde Pafo, aportaron a Perge de Panfilia. Aquí, Juan, apartándose de ellos, se volvió a Jerusalén.

**14.** Pablo, empero, y los demás, sin detenerse en Perge, llegaron a Antioquía de Pisidia; y entrando el sábado en la sinagoga, tomaron asiento

**15.** Después que se acabó la lectura de la ley y de los profetas, los presidentes de la sinagoga los *convidaron*, enviándoles a decir: Hermanos, si tenéis alguna cosa de edificación que decir al pueblo, hablad.

**16.** Entonces Pablo, puesto en pie, y haciendo con la mano una señal pidiendo atención, dijo: ¡Oh israelitas, y vosotros los que teméis al Señor, escuchad!

**17.** El Dios del pueblo de Israel eligió a nuestros padres, y engrandeció a este pueblo, mientras habitaban como extranjeros en Egipto, de donde los sacó con el poder soberano de su brazo;

**18.** Y sufrió después sus *perversas* costumbres por espacio de cuarenta años en el desierto.

**19.** Y destruídas siete naciones en la tierra de Canaán, les distribuyó por suerte las tierras de éstas,

**20.** Unos cuatrocientos cincuenta Años después; luego les dió jueces, o *gobernadores*, hasta el profeta Samuel,

**21.** En cuyo tiempo pidieron rey; y dióles Dios a Saúl, hijo de Cis, de la tribu de Benjamín, por espacio de cuarenta años.

**22.** Y removido éste, les dió por rey a David, a quien abonó diciendo: He hallado a David, hijo de Jesé, hombre conforme a mi corazón, que cumplirá todos mis preceptos.

**23.** Del linaje de éste ha hecho nacer Dios, según su promesa, a Jesús para ser el salvador de Israel,

**24.** Habiendo predicado Juan, antes de manifestarse su venida, el bautismo de penitencia a todo el pueblo de Israel.

**25.** El mismo Juan al terminar su carrera, decía: Yo no soy el que vosotros imagináis; pero mirad, después de mí viene uno a quien no soy yo digno de desatar el calzado de sus pies.

**26.** Ahora, *pues*, hermanos míos, hijos de la prosapia de Abraham, a vosotros es, y a cualquiera que entre vosotros teme a Dios, a quienes es enviado este anuncio de salvación.

**27.** Porque los habitantes de Jerusalén y sus jefes, desconociendo a este Señor, y las profecías que se leen todos los sábados, con haberle condenado las cumplieron,

**28.** Cuando no hallando en él ninguna causa de muerte, *no obstante* pidieron a Pilato que se le quitase la vida.

**29.** Y después de haber ejecutado todas las cosas que de él estaban escritas, descolgándole de la cruz, le pusieron en el sepulcro.

**30.** Mas Dios le resucitó de entre los muertos al tercer día; y se apareció durante muchos días a aquellos

**31.** Que con él habían venido de Galilea a Jerusalén, los cuales hasta el día de hoy están dando testimonio de él al pueblo.

**32.** Nosotros, pues, os anunciamos el cumplimiento de la promesa hecha a nuestros padres,

**33.** *El efecto de la* cual nos ha hecho Dios ver a nosotros sus hijos, resucitando a Jesús, en conformidad de lo que se halla escrito en el salmo segundo: Tu eres Hijo mío, yo te di hoy el sér.

**34.** Y para manifestar que·le ha resucitado de entre los muertos para nunca más morir, dijo así: Yo cumpliré fielmente las promesas juradas a David.

**35.** Y por eso mismo dice en otra parte: No permitirás que tu Santo *Hijo* experimente la corrupción.

**36.** Pues por lo que hace a David, sabemos que después de haber servido en su tiempo a los designios de Dios, cerró los ojos; y fué sepultado como sus padres, y padeció la corrupción *como los demás.*

---

CAP. XIII. — 9. Tal vez del nombre del procónsul que convirtió; o para latinizar su apellido.

16. Esto es, los prosélitos y los gentiles que adoraban al verdadero Dios.

**37.** Pero aquel a quien Dios ha resucitado de entre los muertos, no ha experimentado *ninguna* corrupción.

**38.** Ahora, pues, hermanos míos, tened entendido que por medio de éste se os ofrece la remisión de los pecados y de todas las manchas de que no habéis podido ser justificados en virtud de la ley mosaica.

**39.** Todo aquel que cree en él es justificado.

**40.** Por tanto mirad no recaiga sobre vosotros lo que se halla dicho en los profetas:

**41.** Reparad, burladores *de mi palabra*, llenaos de pavor, y quedad desolados; porque yo voy a ejecutar una obra en vuestros días, obra que no acabaréis de creerla por más que os la cuenten *y aseguren.*

**42.** Al tiempo de salir, les suplicaban que el sábado siguiente les hablasen también del mismo asunto.

**43.** Despedido el auditorio, muchos de los Judíos y de los prosélitos temerosos de Dios. siguieron a Pablo y a Bernabé, los cuales los exhortaban a perseverar en la gracia de Dios

**44.** El sábado siguiente casi toda la ciudad concurrió a oír la palabra de Dios.

**45.** Pero los Judíos, viendo tanto concurso, se llenaron de envidia, y contradecían con blasfemias a todo lo que Pablo predicaba.

**46.** Entonces Pablo y Bernabé con gran entereza les dijeron: A vosotros debía ser primeramente anunciada la palabra de Dios; mas ya que la rechazáis, y os juzgáis vosotros mismos indignos de la vida eterna, de hoy en adelante nos vamos *a predicar* a los gentiles:

**47.** Que así nos lo tiene ordenado el Señor *diciendo:* Yo te puse por lumbrera de las naciones, para que seas la salvación *de todas* hasta el cabo del mundo.

**48.** Oído esto por los gentiles se regocijaban, y glorificaban la palabra de Dios; y creyeron todos los que estaban preordinados para la vida eterna.

**49.** Así la Palabra del Señor se esparcía por todo aquel país.

**50.** Los Judíos, empero, instigaron a varias mujeres devotas y de distinción, y a los hombres principales de la ciudad, y levantaron una persecución contra Pablo y Bernabé, y los echaron de su territorio.

**51.** Pero éstos, sacudiendo contra ellos el polvo de sus pies, se fueron a Iconio.

**52.** Y los discípulos estaban llenos de gozo y del Espíritu Santo.

## CAPITULO XIV

*Lo que hicieron y padecieron Pablo y Bernabé en Iconio y otras ciudades de Licaonia, y visitando las Iglesias al volverse a Antioquía de Siria.*

**1.** Estando ya en Iconio, entraron juntos en la sinagoga de los Judíos, y hablaron en tales términos, que se convirtió una gran multitud de Judíos y de Griegos.

**2.** Pero los Judíos que se mantuvieron incrédulos, conmovieron y provocaron a ira los ánimos de los gentiles contra los hermanos.

**3.** Sin embargo se detuvieron allí mucho tiempo, trabajando llenos de confianza en el Señor, que confirmaba la palabra de su gracia con los prodigios y milagros que hacía por sus manos.

**4.** De suerte que la ciudad estaba dividida en dos bandos: unos estaban por los Judíos, y otros por los Apóstoles.

**5.** Pero habiéndose amotinado los gentiles y Judíos con sus jefes, para ultrajar a los Apóstoles y apedrearles,

**6.** Ellos, sabido esto, se marcharon a Listra y Derbe, ciudades *también* de Licaonia, recorriendo toda la comarca, y predicando el Evangelio.

**7.** Había en Listra un hombre cojo desde su nacimiento, que por la debilidad de las piernas estaba sentado, y no había andado en su vida.

**8.** Este oyó predicar a Pablo; el cual fijando en él los ojos, y viendo que tenía fe de que sería curado,

**9.** Le dijo en alta voz: Levántate y mantente derecho sobre tus pies. Y al instante saltó *en pie*, y echó a andar.

**10.** Las gentes viendo lo que Pablo acababa de hacer, levantaron el grito, diciendo en su idioma licaónico: Dioses *son éstos que* han bajado a nosotros en figura de hombres.

**11.** Y daban a Bernabé el nombre de Júpiter, y a Pablo el de Mercurio: por cuanto era el que llevaba la palabra.

---

**38.** Y cualquiera que cree en él, es justificado por él de todas las cosas de que habéis podido ser justificados por la Ley de Moisés.

---

**CAP. XIV.** — **11.** Tal vez por ser de alta estatura, respecto de S. Pablo, que era bajo y de poca presencia, llamado por el Crisóstome *hombre de tres codos que sobrepuja los cielos.*

12. Además de eso el sacerdote de Júpiter, cuyo *templo* estaba al entrar en la ciudad, trayendo toros adornados con guirnaldas delante de la puerta, intentaba, seguido del pueblo, *ofrecerles* sacrificios.

13. Lo cual apenas entendieron los Apóstoles Bernabé y Pablo, rasgando sus vestidos, rompieron por medio del gentío, clamando,

14. Y diciendo: Hombres, ¿qué es lo que hacéis? también somos nosotros, de la misma manera que vosotros, hombres mortales que venimos a predicaros que, dejadas esas vanas deidades, os convirtáis al Dios vivo, que ha criado el cielo y la tierra, el mar y todo cuanto en ellos se contiene.

15. Que si bien en los tiempos pasados permitió que las naciones echasen cada cual por su camino,

16. No dejó con todo de dar testimonio de quién era, *o de su divinidad,* haciendo beneficios desde el cielo, enviando lluvias, y los buenos temporales para los frutos, dándonos abundancia de manjares, y llenando de alegría nuestros corazones.

17. Aun diciendo tales cosas, con dificultad pudieron recabar del pueblo que no les ofreciese sacrificio.

18. Después sobrevinieron de Antioquía y de Iconio ciertos Judíos; y habiendo ganado al populacho, apedrearon a Pablo, y le sacaron arrastrando fuera de la ciudad, dándole por muerto.

19. Mas amontonándose alrededor de él los discípulos, levantóse *curado milagrosamente, y* entró en la ciudad, y al día siguiente marchó con Bernabé a Derbe.

20. Y habiendo predicado en esta ciudad el Evangelio e instruido a muchos, volvieron a Listra, y a Iconio, y a Antioquía *de Pisidia,*

21. Para corroborar los ánimos de los discípulos, y exhortarlos a perseverar en la fe, haciéndoles entender que es preciso pasar por medio de muchas tribulaciones para entrar en el reino de Dios.

22. En seguida, habiendo ordenado sacerdotes en cada una de las iglesias, después de oraciones y ayunos, los encomendaron al Señor, en quien ha-bían creído.

23. Y atravesando la Pisidia, vinieron a la Panfilia,

24. Y anunciada la palabra divina en Perge, bajaron a Atalia;

25. Y desde aquí se embarcaron para Antioquía *de Siria* de donde los habían *enviado,* y encomendado a la gracia de Dios

para la obra *o ministerio* que acababan de cumplir.

26. Luego de llegados, congregaron la Iglesia, y refirieron cuán grandes cosas había hecho Dios con ellos, y cómo había abierto la puerta de la fe a los gentiles.

27. Y después se detuvieron bastante tiempo *aquí* con los discípulos.

## CAPITULO XV

*Concilio de Jerusalén, en que los gentiles convertidos son declarados exentos de la ley mosaica. Pablo se separa de Bernabé por razón del discípulo Marcos.*

1. *Por aquellos días* algunos venidos de Judea andaban enseñando a los hermanos: Que si no se circuncidaban según el rito de Moisés, no podían salvarse.

2. Originóse de ahí una conmoción, y oponiéndose fuertemente Pablo y Bernabé, acordóse que Pablo y Bernabé, y algunos del otro partido fuesen a Jerusalén a *consultar a* los Apóstoles y presbíteros sobre la dicha cuestión.

3. Ellos, pues, siendo despachados *honoríficamente* por la Iglesia, iban atravesando por la Fenicia y la Samaria, contando la conversión de los gentiles, con lo que llenaban de grande gozo a todos los hermanos.

4. Llegados a Jerusalén, fueron bien recibidos de la Iglesia, y de los Apóstoles, y de los presbíteros, y allí refirieron cuán grandes cosas había Dios obrado por medio de ellos.

5. Pero *(añadieron)* algunos de la secta de los fariseos, que han abrazado la fe, se han levantado diciendo, ser necesario circuncidar a los gentiles, y mandarles observar la ley de Moisés.

6. Entonces los Apóstoles y los presbíteros se juntaron a examinar este punto.

7. Y después de un maduro examen, Pedro se levantó, y les dijo: Hermanos míos, bien sabéis que mucho tiempo hace fuí yo escogido por Dios entre nosotros, para que los gentiles oyesen de mi boca la palabra evangélica y creyesen.

8. Y Dios que penetra los corazones, dió testimonio de esto, dándoles el Espíritu Santo, del mismo modo que a nosotros.

9. Ni ha hecho diferencia entre ellos y nosotros, habiendo purificado con la fe sus corazones.

**10.** Pues ¿por qué, ahora *queréis* tentar a Dios, con imponer sobre la cerviz de los discípulos un yugo, que ni nuestros padres ni nosotros hemos podido soportar?

**11.** Pues nosotros creemos salvarnos *únicamente* por la gracia de nuestro Señor Jesucristo, así como ellos.

**12.** Calló a esto toda la multitud, y se pusieron a escuchar a Bernabé y a Pablo que contaban cuantas maravillas y prodigios por su medio había obrado Dios entre los gentiles.

**13.** Después que hubieron acabado, tomó Santiago la palabra y dijo: Hermanos míos, escuchadme.

**14.** Simón os ha manifestado de qué manera ha comenzado Dios desde el principio a mirar favorablemente a los gentiles, escogiendo entre ellos un pueblo *consagrado* a su Nombre.

**15.** Con él están conformes las palabras de los profetas, según está escrito:

**16.** Después de estas cosas yo volveré, y reedificaré el tabernáculo *o reino* de David, que fué arruinado, y restauraré sus ruinas y lo levantaré,

**17.** Para que busquen al Señor los demás hombres y todas las naciones que han invocado mi Nombre, dice el Señor que hace estas cosas.

**18.** Desde la eternidad tiene conocida el Señor su obra.

**19.** Por lo cual yo juzgo que no se inquiete a los gentiles que se convierten a Dios,

**20.** Sino que se les escriba que se abstengan de las inmundicias de los ídolos *o manjares a ellos sacrificados,* y de la fornicación, y de animales sofocados, y de la sangre.

**21.** Porque en cuanto a Moisés, ya de tiempos antiguos tiene en cada ciudad quien predica su doctrina en las sinagogas, donde se lee todos los sábados.

**22.** Oído esto, acordaron los Apóstoles y presbíteros con toda la Iglesia elegir algunas personas de ellos, y enviarlas con Pablo y Bernabé a *la Iglesia de* Antioquía; y *así nombraron* a Judas, por sobrenombre Barsabás, y a Silas, sujetos principales entre los hermanos,

**23.** Remitiendo por sus manos esta carta: Los Apóstoles y los presbíteros hermanos, a nuestros hermanos *convertidos* de la gentilidad, que están en Antioquía, Siria y Cilicia, salud.

**24.** Por cuanto hemos sabido que algunos que de nosotros fueron ahí sin ninguna comisión nuestra, os han alarmado con sus discursos, desasosegando vuestras conciencias,

**25.** Habiéndonos congregado, hemos resuelto, de común acuerdo, escoger *algunas* personas, y enviároslas con nuestros carísimos Bernabé y Pablo,

**26.** Que son sujetos que han expuesto sus vidas por el Nombre de Nuestro Señor Jesucristo.

**27.** Os enviamos, pues, a Judas y a Silas, los cuales de palabra os dirán también lo mismo:

**28.** Y es que ha parecido al Espíritu Santo, y a nosotros, *inspirados por él,* no imponeros otra carga, fuera de estas que son precisas, *es a saber:*

**29.** Que os abstengáis de manjares inmolados a los ídolos, y de sangre, y de animal sofocado, y de la fornicación; de las cuales cosas haréis bien en guardaros. Dios os guarde.

**30.** Despachados, pues, de esta suerte los enviados, llegaron a Antioquía, y congregada la Iglesia, entregaron la carta,

**31.** Que fué leída con gran consuelo y alegría.

**32.** Judas y Silas por su parte, siendo como eran también profetas, consolaron y confortaron con muchísimas reflexiones a los hermanos;

**33.** Y habiéndose detenido allí por algún tiempo, fueron remitidos en paz por los hermanos a los que los habían enviado.

**34.** Verdad es que a Silas le pareció conveniente quedarse allí; y así Judas, se volvió sólo a Jerusalén.

**35.** Pablo y Bernabé se mantenían en Antioquía, enseñando y predicando con otros muchos la palabra del Señor.

**36.** Mas pasados algunos días, dijo Pablo a Bernabé: Demos una vuelta visitando a los hermanos por todas las ciudades, en que hemos predicado la palabra del Señor, para ver el estado en que se hallan.

**37.** Bernabé para esto quería llevar también consigo a Juan, por sobrenombre Marcos.

**38.** Pablo, al contrario, le representaba que no debía llevarle, pues les había dejado desde Panfilia, y no les había acompañado en aquella misión.

**39.** La disensión entre los dos vino a parar en que se apartaron uno de otro. Bernabé, tomando consigo a Marcos, se embarcó para Chipre.

---

**22.** Algunos creen que éste era hermano de José Barsabás, que fué propuesto con San Matías para llenar el puesto de Judas el traidor. Silas es llamado también Silvano en la primera y segunda a los Tesalonicenses.

**40.** Pablo, eligiendo por su compañero a Silas, emprendió su viaje, *después de haber sido* encomendado por sus hermanos a la gracia *o favor* de Dios.

**41.** Discurrió, pues, *de esta suerte* por la Siria y Cilicia, confirmando *y animando* las Iglesias; y mandando que observasen los preceptos de los Apóstoles y de los presbíteros.

## CAPITULO XVI

*Pablo en Listria tóma consigo a Timoteo; y Lucas, el autor de este libro, se les junta en Tróade, o se manifiesta por primera vez estar en su compañía. Van a Macedonia; y en Filipos, donde se detuvieron antes, obran varios prodigios. Son azotados, y puestos en la cárcel. Conviértese el carcelero, los magistrados les suplican que se vayan de la ciudad.*

**1.** Llegó *Pablo* a Derbe, y *luego* a Listra; donde se hallaba un discípulo llamado Timoteo, hijo de madre judía, convertida a la fe, y de padre gentil.

**2.** Los hermanos que estaban en Listra y en Iconio hablaban con mucho elogio de este discípulo

**3.** Pablo, pues, determinó llevarle en su compañía; y habiéndole tomado *consigo*, le circuncidó, por causa de los Judíos que había en aquellos lugares; porque todos sabían que su padre era gentil.

**4.** Conforme iban visitando las ciudades, recomendaban a los fieles la observancia de los decretos acordados por los Apóstoles y los presbíteros, que residían en Jerusalén.

**5.** Así las Iglesias se confirmaban en la fe, y se aumentaba cada día el número *de los fieles.*

**6.** Cuando hubieron atravesado la Frigia y el país de Galacia, les prohibió el Espíritu Santo predicar la palabra de Dios en el Asia, *o Jonia.*

**7.** Y habiendo ido a la Misia, intentaban pasar a Bitinia; pero tampoco se lo permitió el Espíritu de Jesús.

**8.** Con eso, atravesada la Misia, bajaron a Tróade,

**9.** Donde Pablo tuvo por la noche esta visión: Un hombre de Macedonia, poniéndosele delante, le suplicaba, y decía: Ven a Macedonia, y socórrenos.

**10.** Luego que tuvo esta visión, al punto dispusimos marchar a Macedonia, cerciorados de que Dios nos llamaba a predicar el evangelio a aquellas gentes.

**11.** Así, embarcándonos en Tróade, fuimos en derechura a Samotracia, y al día siguiente a Néapolis.

**12.** Y de aquí a Filipos, que es una colonia *romana* y la primera ciudad de aquella parte de Macedonia. En esta ciudad nos detuvimos algunos días conferenciando.

**13.** Un día de sábado salimos fuera de la ciudad hacia la ribera del río, donde parecía estar el lugar *o casa* para tener oración *los Judíos*, y habiéndonos sentado *allí* trabamos conversación con varias mujeres, que habían concurrido *a dicho fin.*

**14.** Y una mujer llamada Lidia, que comerciaba en púrpura *o grana*, natural de Tiatira, temerosa de Dios, estaba escuchando; y el Señor le abrió el corazón para recibir bien las cosas que Pablo decía.

**15.** Habiendo, pues, sido bautizada ella y su familia, nos hizo esta súplica: Si es que me tenéis por fiel al Señor, venid, y hospedaos en mi casa. Y nos obligó a ello.

**16.** Sucedió que yendo nosotros a la oración, nos salió al encuentro una *esclava* moza, que estaba obsesa, *o poseída,* del espíritu pitón, la cual acarreaba una gran ganancia a sus amos haciendo de adivina.

**17.** Esta, siguiendo detrás de Pablo y de nosotros, gritaba diciendo: Estos hombres son siervos del Dios altísimo, que os anuncian el camino de la salvación.

**18.** Lo que continuó haciendo muchos días. Al fin Pablo, no pudiendo ya sufrirlo, vuelto a ella, dijo al espíritu: Yo te mando en nombre de Jesucristo que salgas de esta *muchacha.* Y al punto salió.

**19.** Mas sus amos, viendo desvanecida la esperanza de la granjería que hacían con ella, prendiendo a Pablo y Silas, los condujeron al juzgado ante los jefes *de la ciudad,*

**20.** Y presentándolos a los magistrados, dijeron: Estos hombres alborotan nuestra ciudad, son judíos,

**21.** Y quieren introducir una manera *de vida*, que no nos es lícito abrazar ni practicar, siendo *como somos* romanos.

**22.** Al mismo tiempo la plebe *conmovida* acudió de tropel contra ellos; y los magistrados mandaron que, rasgándoles las túnicas, los azotasen con varas.

**23.** Y después de haberles dado muchos azotes, los metieron en la cárcel, apercibiendo al carcelero para que los asegurase bien.

**24.** El cual, recibida esta orden, los metió en un profundo calabozo, con los pies en el cepo.

**25.** Mas a eso de media noche, puestos Pablo y Silas en oración, cantaban alabanzas a Dios, y los demás presos los estaban escuchando,

**26.** Cuando de repente se sintió un gran terremoto, tal que se meneaban los cimientos de la cárcel. Y al instante se abrieron de par en par todas las puertas, y se les soltaron a todos las prisiones.

**27.** En esto, despertando el carcelero, y viendo abiertas las puertas de la cárcel, desenvainando una espada iba a matarse, creyendo que se habían escapado los presos.

**28..** Entonces Pablo le gritó con grande voz, diciendo: No te hagas ningún daño, que todos sin faltar uno estamos aquí.

**29.** *El carcelero* entonces habiendo pedido luz, entró dentro, y estremecido se arrojó a los pies de Pablo y de Silas,

**30.** Y sacándolos afuera, les dijo: Señores, ¿qué debo hacer para salvarme?

**31.** Ellos le respondieron: Cree en el Señor Jesús, y te salvarás tú, y tu familia.

**32.** Y enseñáronle la doctrina del Señor a él y a todos los de su casa.

**33.** *El carcelero* aquella misma hora de la noche, llevándolos consigo, les lavó las llagas: y recibió luego el bautismo, así él como toda su familia.

**34.** Y conduciéndolos a su habitación, les sirvió la cena, regocijándose con toda su familia de haber creído en Dios.

**35.** Luego que amaneció, los magistrados enviaron los alguaciles, con orden *al carcelero* para que pusiese en libertad a aquellos hombres.

**36.** El carcelero dió esta noticia a Pablo, diciendo: Los magistrados han ordenado que se os ponga en libertad: por tanto saliéndoos ahora, idos en paz.

**37.** Mas Pablo les dijo *a los alguaciles:* ¡Cómo! Después de habernos azotado públicamente, sin oírnos en juicio, siendo ciudadanos romanos nos metieron en la cárcel, ¿y ahora salen con soltarnos en secreto? No ha de ser así, sino que han de venir *los magistrados,*

**38.** Y soltarnos ellos mismos. Los alguaciles refirieron a los magistrados esta respuesta; los cuales al oír que eran romanos comenzaron a temer.

**39.** Y así viniendo procuraron excusarse con ellos, y sacándolos *de la cárcel* les suplicaron que se fuesen de la ciudad.

**40.** Salidos, pues, de la cárcel, entraron en casa de Lidia; y habiendo visto a los hermanos, los consolaron, y *después* partieron.

# CAPITULO XVII

*Pablo predica con mucho fruto en Tesalónica, y los judíos le persiguen. Lo mismo sucede después en Berea. Disputa con ellos en Atenas, y con los filósofos, y se convierte entre otros Dionisio Areopagita, o senador del Areopago.*

**1.** Y habiendo pasado por Anfípolis y Apolonia, llegaron a Tesalónica, donde había una sinagoga de Judíos.

**2.** Pablo según su costumbre entró en ella, y por tres sábados *continuos* disputaba con ellos sobre las Escrituras,

**3.** Demostrando y haciéndoles ver que había sido necesario que el Cristo padeciese y resucitase de entre los muertos; y éste *(les decía)* es Jesucristo, a quien yo os anuncio.

**4.** Algunos de ellos creyeron, y se unieron a Pablo y a Silas, y también gran multitud de prosélitos, y de gentiles, y muchas matronas de distinción.

**5.** Pero los Judíos *incrédulos,* llevados de *su falso* celo, se valieron de algunos malos hombres de la *ínfima* plebe, y reuniendo gente, amotinaron la ciudad, y echáronse sobre la casa de Jasón *en busca de Pablo y de Silas,* para presentarlos a la vista del pueblo.

**6.** Mas como no los hubiesen encontrado, trajeron por fuerza a Jasón y a algunos hermanos ante los magistrados de la ciudad, gritando: Ved ahí unas gentes que meten la confusión por todas partes; han venido acá,

**7.** Y Jasón los ha hospedado en su casa. Todos éstos son rebeldes a los edictos de César, diciendo que hay otro rey, el cual es Jesús.

**8.** La plebe y los magistrados de la ciudad, oyendo esto, se alborotaron.

**9.** Pero Jasón y los otros, habiendo dado fianzas, fueron puestos en libertad.

**10.** Como quiera, los hermanos, sin perder tiempo aquella noche, hicieron partir a Pablo y a Silas para Berea. Los cuales luego que llegaron, entraron en la sinagoga de los judíos.

**11.** Eran éstos de mejor índole que los de Tesalónica, y *así* recibieron la palabra *de Dios* con grande ansia *y ardor,* examinando atentamente todo el día las Escrituras, para ver si era cierto lo que se les decía.

**12.** De suerte que muchos de ellos creyeron, como también muchas señoras gentiles de distinción, y no pocos hombres.

**13.** Mas como los Judíos de Tesalónica hubiesen sabido que también en Berea predicaba Pablo el evangelio, acudieron *luego* allá alborotando y amotinando al pueblo.

**14.** Entonces los hermanos dispusieron inmediatamente que Pablo se retirase hacia el mar, quedando Silas y Timoteo en Berea.

**15.** Los que acompañaban a Pablo, lo condujeron hasta la ciudad de Atenas, y recibido el encargo de decir a Silas y a Timoteo que viniesen a él cuanto antes, se despidieron.

**16.** Mientras que Pablo los estaba aguardando en Atenas, se consumía interiormente su espíritu, considerando aquella ciudad entregada *toda* a la idolatría.

**17.** Por tanto disputaba en la sinagoga con los Judíos y prosélitos, y todos los días en la plaza, con los que *allí* se le ponían delante.

**18.** También algunos filósofos de los epicúreos y de los estoicos armaban con él disputas; y unos decían: ¿Qué quiere decir este charlatán? Y otros: Este parece que viene a anunciarnos nuevos dioses; *lo cual decían* porque les hablaba de Jesús y de la resurrección.

**19.** Al fin, tomándole *en medio,* le llevaron al Areópago, diciendo: ¿Podremos saber qué doctrina nueva es ésta que predicas?

**20.** Porque te hemos oído decir cosas que nunca habíamos oído. Y así deseamos saber a qué se reduce eso.

**21.** Es de advertir que todos los atenienses, y los forasteros que allí vivían, en ninguna otra cosa se ocupaban, sino en decir o en oír algo de nuevo.

**22.** Puesto, pues, Pablo en medio del Areópago, dijo: Ciudadanos atenienses, echo de ver que vosotros sois casi nimios en todas las cosas de religión.

**23.** Porque al pasar, mirando yo las estatuas de vuestros dioses, he encontrado también un altar, con esta inscripción: Al Dios no conocido. Pues ese Dios que vosotros adoráis sin conocerle, es el que yo vengo a anunciaros.

**24.** El Dios que crió al mundo y todas las cosas contenidas en él, siendo como es el Señor del cielo y tierra, no está *encerrado* en templos fabricados por hombres,

**25.** Ni necesita del servicio de las manos de los hombres, como si estuviese menesteroso de alguna cosa; antes bien él mismo está dando a todos la vida, y el aliento, y todas las cosas.

**26.** El es el que de uno solo ha hecho nacer todo el linaje de los hombres, para que habitase la vasta extensión de la tierra, fijando el orden de los tiempos *o estaciones,* y los límites de la habitación de cada pueblo,

**27.** *Queriendo con esto* que buscasen a Dios, *por si rastreando y como palpando,* pudiesen por fortuna hallarle; como quiera que no está lejos de cada uno de nosotros:

**28.** Porque dentro de él vivimos, nos movemos, y existimos; y como algunos de vuestros poetas dijeron: Somos del linaje, *o descendencia,* del mismo Dios.

**29.** Siendo, pues, nosotros del linaje de Dios, no debemos imaginar que el ser divino sea semejante al oro, a la plata, o al mármol, de cuya materia ha hecho las figuras el arte e industria humana.

**30.** Pero Dios, habiendo disimulado o *cerrado los ojos* sobre los tiempos de esta *tan grosera* ignorancia, intima a los hombres que todos en todas partes hagan penitencia,

**31.** Por cuanto tiene determinado el día en que ha de juzgar al mundo con rectitud, por medio de aquel varón constituído por él, dando *de esto* a todos una prueba cierta, con haberle resucitado de entre los muertos.

**32.** Al oír mentar la resurrección de los muertos, algunos se burlaron de él, y otros le dijeron: Te volveremos a oír otra vez sobre esto.

**33.** De esta suerte Pablo salió de en medio de aquellas gentes.

**34.** Sin embargo, algunos se le juntaron y creyeron, entre los cuales fué Dionisio el Areapagita, y cierta mujer llamada Dámaris, con algunos otros.

## CAPITULO XVIII

*El fruto que hizo San Pablo en Corinto, animado del Señor. Es acusado al procónsul. Parte a Efeso, y vuelve a Jerusalén. Apolo en su ausencia predica con gran fervor y fruto a los judíos.*

**1.** Después de esto Pablo, marchándose de Atenas, pasó a Corinto.

**2.** Y encontrando allí a un judío, llamado Aquila, natural de Ponto, que poco antes había llegado de Italia, con su mujer Priscila (porque *el emperador* Claudio había expelido de Roma a todos los Judíos), se juntó con ellos.

**3.** Y como era del mismo oficio, se hospedó en su casa, y trabajaba *en su compañía:* el oficio de ellos era hacer tiendas *de campaña.*

**4.** Y todos los sábados disputaba en la sinagoga, haciendo entrar *siempre* en sus discursos el nombre del Señor Jesús, y procurando convencer a los Judíos y a los Griegos.

**5.** Mas cuando Silas y Timoteo hubieron llegado a Macedonia, Pablo se aplicaba aún con más ardor a la predicación, testificando a los Judíos que Jesús era el Cristo.

**6.** Pero como éstos le contradijesen, y prorrumpiesen en blasfemias, sacudiendo sus vestidos, les dijo: Recaiga vuestra sangre sobre vuestra cabeza; yo no tengo la culpa. Desde ahora me voy *a predicar* a los gentiles.

**7.** En efecto, saliendo de allí, entró *a hospedarse* en casa de uno llamado Tito Justo, temeroso de Dios, cuya casa estaba contigua a la sinagoga.

**8.** Con todo Crispo, jefe de la sinagoga, creyó en el Señor con toda su familia, como también muchos *ciudadanos* de Corinto, oyendo *a Pablo* creyeron, y fueron bautizados.

**9.** Entonces el Señor, apareciéndose una noche a Pablo, le dijo: No tienes que temer, prosigue predicando, y no dejes de hablar;

**10.** Pues que yo estoy contigo, y nadie llegará a maltratarte; porque ha de ser mía mucha gente en esta ciudad.

**11.** Con esto se detuvo aquí año y medio, predicando la palabra de Dios.

**12.** Pero siendo procónsul de Acaya Galión, los Judíos se levantaron de mancomún contra Pablo, y le llevaron a su tribunal,

**13.** Diciendo: Este persuade a la gente que dé a Dios un culto contrario a la ley.

**14.** Mas cuando Pablo iba a hablar en su defensa, dijo Galión a los Judíos: Si se trata-

se verdaderamente de alguna injusticia *o delito,* o de algún enorme crimen, sería razón, ¡oh Judíos! que yo admitiese vuestra delación;

**15.** Mas si éstas son cuestiones de palabras, y de nombres, y cosas de vuestra ley, allá os las hayáis, que yo no quiero meterme a juez de esas cosas.

**16.** E hízolos salir de su tribunal.

**17.** Entonces, acometiendo todos a Sóstenes, jefe de la sinagoga, le maltrataban a golpes delante del tribunal, sin que Galión hiciese caso de nada de esto.

**18.** Y Pablo habiéndose aún detenido allí mucho tiempo, se despidió de los hermanos, y se embarcó para la Siria (en compañía de Priscila y de Aquila), habiéndose hecho *antes* cortar el cabello en Cencres, a causa de *haber concluído ya* el voto que había hecho.

**19.** Arribó a Efeso, y dejó allí a sus compañeros. Y entrando él en la sinagoga, disputaba con los Judíos.

**20.** Y aunque éstos le rogaron que se detuviese más tiempo en su compañía, no condescendió,

**21.** Sino que, despidiéndose de ellos, y diciéndoles: Otra vez volveré a veros, si Dios quiere, partió de Efeso.

**22.** Y desembarcando en Cesarea, subió a saludar a la Iglesia, y en seguida tomó el camino de Antioquía;

**23.** Donde habiéndose detenido algún tiempo, partió después, y recorrió por su orden *los pueblos del* país de la Galacia y de la Frigia, confortando a todos los discípulos.

**24.** En este tiempo vino a Efeso un judío, llamado Apolo, natural de Alejandría, varón elocuente, y muy versado en las Escrituras.

**25.** Estaba éste instruido en el camino del Señor, y predicaba con fervoroso espíritu, y enseñaba exactamente todo lo perteneciente a Jesús, aunque no conocía más que el bautismo de Juan.

---

**CAP. XVIII.** — 2. En Aquila y Priscila encontramos un matrimonio que trabajó con verdadero entusiasmo por la causa de Jesucristo. Son acabados modelos de los primeros colaboradores laicos. Su mejor elogio lo hizo el mismo S. Pablo en la Carta a los Romanos.

12. Parece que era éste el hermano de Séneca.

---

**22.** *Cesarea,* sin adición, se entiende en la Escritura una ciudad de la Palestina; así como *Antioquía* de la Siria. Aunque a primera vista parece que se habla de la Iglesia de Cesarea; con todo, es muy fundada la opinión de algunos que creen que aquí se designa por antonomasia la Iglesia de Jerusalén. En efecto, el verbo *ascendere,* sin añadir más palabra, significa *subir* o ir a Jerusalén; (véase *Joann.* VII, *v.* 8, 10; XII, 20) así como *descendere,* bajar o venir de dicha ciudad. (*Act.* XXIV, 1).

**23.** Hizo este viaje por tierra.

**25.** Este era sin duda catecúmeno, y del número de aquellos de quienes se habla en el principio del capítulo siguiente.

**26.** Apolo, pues, comenzó a predicar con toda libertad en la sinagoga; y habiéndole oído Priscila y Aquila, se lo llevaron consigo, e instruyéronle más a fondo en la doctrina del Señor.

**27.** Mostrando después el deseo de ir a *la provincia de* Acaya, habiéndole animado *a ello* los hermanos, escribieron a los discípulos para que le diesen *buena* acogida. El cual llegado *a aquel país,* sirvió de mucho provecho a los que habían creído.

**28.** Porque con gran fervor redargüía a los Judíos en público, demostrando por las Escrituras, que Jesús era el Cristo.

## CAPITULO XIX

*Vuelve Pablo a Efeso, y manda que se bauticen varios discípulos que solamente habían recibido el bautismo de Juan, hace bajar sobre ellos el Espíritu Santo, y obra muchos milagros. Quémanse los malos libros; y Demetrio el platero mueve una sedición contra el Apóstol.*

**1.** Mientras Apolo estaba en Corinto, Pablo, recorridas las provincias superiores *del Asia,* pasó a Efeso, y encontró algunos discípulos,

**2.** Y preguntóles: ¿Habéis recibido al Espíritu Santo, después que abrazasteis la fe? Mas ellos le respondieron: Ni siquiera hemos oído si hay Espíritu Santo.

**3.** ¿Pues con qué bautismo, les replicó, fuisteis bautizados? Y ellos le respondieron: Con el bautismo de Juan.

**4.** Dijo entonces Pablo: Juan bautizó al pueblo con bautismo de penitencia, advirtiendo que creyesen en aquel que había de venir después de él, esto es, en Jesús.

**5.** Oído esto, se bautizaron en nombre del Señor Jesús.

**6.** Y habiéndoles Pablo impuesto las manos, descendió sobre ellos el Espíritu Santo, y hablaban *varias* lenguas, y profetizaban.

**7.** Eran en todos como unos doce hombres.

**8.** *Pablo,* entrando después en la sinagoga, predicó libremente por espacio de tres meses, disputando *con los Judíos,* y procurando convencerlos en lo tocante al reino de Dios.

**9.** Mas como algunos de ellos endurecidos no creyesen antes blasfemasen de la doctrina del Señor delante de los oyentes, apartándose de ellos, separó a los discípulos, y platicaba *o enseñaba* todos los días en la escuela de un tal Tirano.

**10.** Lo que practicó por espacio de dos años,

de manera que todos los que habitaban en Asia, oyeron la palabra del Señor, así Judíos, como gentiles.

**11.** Y obraba Dios milagros extraordinarios por medio de Pablo.

**12.** Tanto que en aplicando solamente los pañuelos y ceñidores que habían tocado a su cuerpo, a los enfermos, al momento las dolencias se les quitaban, y los espíritus malignos salían fuera.

**13.** Tentaron asimismo ciertos judíos exorcistas que andaban girando de una parte a otra, el invocar sobre los endemoniados el nombre del Señor Jesús, diciendo: Os conjuro por aquel Jesús, a quien Pablo predica.

**14.** Los que hacían esto, eran siete hijos de un judío llamado Esceva, príncipe de los sacerdotes.

**15.** Pero el maligno espíritu respondiendo, les dijo: Conozco a Jesús, y sé quién es Pablo; mas vosotros ¿quién sóis?

**16.** Y al instante el hombre, que estaba poseído de un pésimo demonio, se echó sobre ellos y apoderóse de dos, y los maltrató de tal suerte que los hizo huir de aquella casa desnudos y heridos.

**17.** Cosa que fué notoria a todos los Judíos y gentiles que habitaban en Efeso; y todos ellos quedaron llenos de temor, y era engrandecido el nombre del Señor Jesús.

**18.** Y muchos de los creyentes, *o fieles,* venían a confesar y a declarar todo lo *malo* que habían hecho.

**19.** Muchos asimismo de los que se habían dado al ejercicio de vanas curiosidades *o ciencia mágica,* hicieron un montón de sus libros, y los quemaron a vista de todos: y valuados, se halló que montaban a cincuenta mil denarios, *o siclos de plata.*

**20.** Así se iba propagando más y más y prevaleciendo la palabra de Dios.

**21.** Concluídas estas cosas, resolvió Pablo por inspiración *divina* ir a Jerusalén, bajando por la Macedonia y Acaya, y decía: Después de háber estado allí, es necesario que yo vaya también a Roma.

**22.** Y habiendo enviado a Macedonia a dos de los que le ayudaban *en su ministerio,* Timoteo y Erasto, él se quedó por algún tiempo en Asia.

**23.** Durante este tiempo fué cuando acaeció un no pequeño alboroto con ocasión del camino del Señor, *o del evangelio.*

**24.** El caso fué que cierto Demetrio, platero de oficio, fabricando de plata templitos de Diana, daba no poco que ganar a los demás de este oficio:

**25.** A los cuales, como a otros que vivían de semejantes labores, habiéndolos convocado, les dijo: Amigos, bien sabéis que nuestra ganancia depende de esta industria;

**26.** Y veis también y oís cómo ese Pablo, no sólo en Efeso, sino casi en toda el Asia, con sus persuasiones ha hecho mudar *de creencia* a mucha gente, diciendo que no son dioses los que se hacen con las manos.

**27.** Por donde, no sólo esta profesión nuestra correrá peligro de ser desacreditada, sino, *lo que es más,* el templo de la gran *diosa* Diana perderá toda su estimación, y la majestad de aquella, a quien toda el Asia y el mundo *entero* adora, caerá por tierra.

**28.** Oído esto, se enfurecieron, y exclamaron diciendo: ¡*Viva la* gran Diana de los Efesios!

**29.** Llenóse luego la ciudad de confusión, y corrieron todos impetuosamente al teatro, arrebatando *consigo* a Gayo y a Aristarco Macedonios, compañeros de Pablo.

**30.** Quería éste salir a presentarse en medio del pueblo, mas los discípulos no se lo permitieron.

**31.** Algunos también de los *señores* principales del Asia, que eran amigos suyos, enviaron a rogarle que no compareciese en el teatro.

**32.** Por lo demás *unos* gritaban *una cosa y* otros otra; porque todo el concurso era un tumulto, y la mayor parte de ellos no sabían a qué se habían juntado.

**33.** Entre tanto *un tal* Alejandro, habiendo podido salir de entre el tropel, ayudado de los Judíos, pidiendo con la mano que tuviesen silencio, quería informar al pueblo.

**34.** Mas luego que conocieron ser judío, todos a una voz se pusieron a gritar por espacio de casi dos horas: ¡*Viva* la gran Diana de los Efesios!

**35.** Al fin el secretario, *o síndico,* habiendo sosegado el tumulto, les dijo: Varones efesinos, ¿quién hay entre los hombres que ignore que la ciudad de Efeso está dedicada *toda* al culto de la gran Diana, hija de Júpiter?

**36.** Siendo, pues, esto tan cierto que nadie lo puede contradecir, es preciso que os soseguéis, y no procedáis inconsideradamente.

**37.** Estos hombres que habéis traído aquí, ni son sacrílegos, ni blasfemadores de vuestra diosa.

**38.** Mas si Demetrio y los artífices que le acompañan, tienen queja contra alguno, audiencia pública hay, y procónsules: acúsenle, *y demanden contra él.*

**39.** Y si tenéis alguna otra pretensión, podrá ésta decidirse en legítimo ayuntamiento.

**40.** De lo contrario estamos a riesgo de que se nos acuse de sediciosos por lo de este día, no pudiendo alegar ninguna causa para justificar esta reunión. Dicho esto, hizo retirar a todo el concurso.

## CAPITULO XX

*Pablo, habiendo recorrido varios distritos de la Macedonia y Grecia, predica en Tróade, donde resucita a Eutico. En Mileto convoca a los presbíteros de Efeso, y les da saludables consejos y advertencias.*

**1.** Después que cesó el tumulto, convocando Pablo a los discípulos y haciéndoles una exhortación, se despidió, y puso en camino para Macedonia.

**2.** Recorridas aquellas tierras, y habiendo exhortado a los fieles con muchas pláticas, pasó a Grecia,

**3.** Donde permaneció tres meses, y estando para navegar a Siria, le armaron los judíos una emboscada; por lo cual tomó la resolución de volverse por Macedonia.

**4.** Acompañáronle Sópatro, hijo de Pirro, natural de Berea, y los tesalonicenses Aristarco y Segundo, con Gayo de Derbe y Timoteo, y asimismo Tíquico y Trófimo asiáticos.

**5.** Los cuales habiéndose adelantado, nos esperaron en Tróade.

**6.** Nosotros después de los días de los ázimos, *o Pascua,* nos hicimos a la vela desde Filipos, y en cinco días nos juntamos con ellos en Tróade, donde nos detuvimos siete días.

**7.** Mas como el primer día de la semana nos hubiésemos congregado para partir, *y comer* el pan *eucarístico,* Pablo, que había de marchar al día siguiente, conferenciaba con los oyentes, y alargó la plática hasta media noche.

**8.** Es de advertir que en el cenáculo *o sala* donde estábamos congregados, había gran copia de luces.

---

CAP. XIX. — 27. Hacer servir la religión a las pasiones o intereses particulares, es un abuso contrario al buen orden y a la religión misma; pero por desgracia es abuso de todos tiempos.

---

CAP. XX. — 1. La prudencia cristiana y el interés del Evangelio exigen a veces que se ceda a la tempestad.

**9.** Y sucedió que a un mancebo llamado Eutico, estando sentado sobre una ventana, le sobrecogió un sueño muy pesado, mientras proseguía Pablo su largo discurso, y vencido al fin del sueño, cayó desde el tercer piso de la casa abajo, y le levantaron muerto.

**10.** Pero habiendo bajado Pablo, echóse sobre él, y abrazándole, dijo: No os asustéis, pues está vivo.

**11.** Y subiendo luego otra vez, partió *o distribuyó* el pan, y habiendo comido y platicado todavía con ellos hasta el amanecer, después se marchó.

**12.** Al jovencito le presentaron vivo *a la vista de todos,* con lo cual se consolaron en extremo.

**13.** Nosotros, empero, embarcándonos, navegamos *al puerto de* Asón, donde debíamos recibir a Pablo, que así lo había dispuesto él mismo, queriendo andar aquel *trecho* de camino por tierra.

**14.** Habiéndonos, pues, alcanzado en Asón, tomándole *en nuestra nave,* vinimos a Mitilene.

**15.** Desde allí, haciéndonos a la vela, llegamos al día siguiente delante de Quío, al otro día aportamos a Samos, y en el día siguiente desembarcamos en Mileto.

**16.** Porque Pablo se había propuesto no tocar a Efeso, para que no le detuviesen *poco o mucho* en Asia, por cuanto se daba prisa con el fin de celebrar, si le fuese posible, el día de Pentecostés en Jerusalén.

**17.** Desde Mileto envió a Efeso a llamar a los ancianos, *o prelados,* de la Iglesia.

**18.** Venidos que fueron, y estando todos juntos, les dijo: Vosotros sabéis de qué manera me he portado todo el tiempo que he estado con vosotros, desde el primer día que entré en el Asia,

**19.** Sirviendo al Señor con toda humildad y entre lágrimas, en medio de las adversidades que me han sobrevenido por la conspiración de los Judíos *contra mí;*

**20.** Cómo nada de cuanto os era provechoso, he omitido de anunciároslo y enseñároslo en público y por las casas,

**21.** Y en particular exhortando a los Judíos y gentiles a convertirse a Dios y a creer *sinceramente* en nuestro Señor Jesucristo.

**22.** Al presente constreñido del Espíritu *Santo* yo voy a Jerusalén, sin saber las cosas que me han de acontecer allí;

**23.** Solamente puedo deciros que el Espíritu Santo en todas las ciudades me asegura y avisa que en Jerusalén me aguardan cadenas y tribulaciones.

**24.** Pero yo ninguna de estas cosas temo, ni aprecio más mi vida que a mí mismo, *o a mi alma,* siempre que *de esta suerte* concluya *felizmente* mi carrera y cumpla el ministerio que he recibido del Señor Jesús para predicar el evangelio de la gracia de Dios.

**25.** Ahora bien, yo sé que ninguno de todos vosotros, por cuyas tierras he discurrido predicando el reino de Dios, me volverá a ver.

**26.** Por tanto os protesto en este día, de que no tengo la culpa de la perdición de ninguno.

**27.** Pues que no he dejado de intimaros todos los designios de Dios.

**28.** Velad sobre vosotros y sobre toda la grey, en la cual el Espíritu Santo os ha instituído obispos, para apacentar *o gobernar* la Iglesia de Dios, que ha ganado él con su propia sangre.

**29.** Porque sé que después de mi partida os han de asaltar lobos voraces, que destrocen el rebaño.

**30.** Y de entre vosotros mismos se levantarán hombres que sembrarán doctrinas perversas con el fin de atraerse *a sí* discípulos.

**31.** Por tanto estad alerta, teniendo en la memoria que por espacio de tres años no he cesado ni de día ni de noche de amonestar con lágrimas a cada uno de vosotros.

**32.** Y ahora, por último, os encomiendo a Dios, y a la palabra *o promesa* de su gracia, a aquel que puede acabar el edificio *de vuestra salud, y* haceros participar de *su* herencia con todos los santos.

**33.** Yo no he codiciado *ni recibido* de nadie plata, ni oro, ni vestido, como

**34.** Vosotros mismos lo sabéis: porque cuanto ha sido menester para mí y para mis compañeros, todo me lo han suministrado estas manos, *con su trabajo.*

**35.** Yo os he hecho ver en toda mi conducta, que trabajando de esta suerte, es como se debe sobrellevar a los flacos, y tener presente las palabras del Señor Jesús, cuando dijo: Mucho mayor dicha es el dar, que el recibir.

**36.** Concluído este razonamiento, se puso de rodillas e hizo oración con todos ellos.

**37.** Y aquí conmenzaron todos a deshacerse en lágrimas; y arrojándose al cuello de Pablo no cesaban de besarle.

**38.** Afligidos sobre todo por aquella palabra que había dicho, que ya no verían más su rostro. Y de esta manera le fueron acompañando hasta la nave.

---

**35.** A fin de que no sospechen que se les predica por interés.

# CAPITULO XXI

*Viaje de San Pablo a Jerusalén. El profeta Agabo le predice los trabajos que le han de suceder. Allí se purifica en el templo, y maltratado por los judíos, le libra de sus manos el tribuno Lisias.*

1. Al fin nos hicimos a la vela después de habernos separado de ellos, y navegamos derechamente a *la isla de* Coos, y al día siguiente a *la de* Rodas y de allí a Pátara,

2. En donde habiendo hallado una nave que pasaba a Fenicia, nos embarcamos en ella y marchamos.

3. Y habiendo avistado a Chipre, dejándola a la izquierda, continuamos nuestro rumbo hacia la Siria, y arribamos a Tiro, en donde había de dejar la nave su cargamento.

4. Habiendo encontrado *aquí* discípulos, nos detuvimos siete días; estos discípulos, decían a Pablo, como inspirados, que no subiese a Jerusalén.

5. Pero cumplidos aquellos días, pusímonos en camino, acompañándonos todos con sus mujeres y niños hasta fuera de la ciudad, y puestos de rodillas en la ribera, hicimos oración.

6. Despidiéndonos unos de otros entramos en la nave; y ellos se volvieron a sus casas.

7. Y concluyendo nuestra navegación, llegamos de Tiro a Ptolemaida, donde abrazamos a los hermanos, y nos detuvimos un día con ellos.

8. Partiendo al siguiente, llegamos a Cesarea. Y entrando en casa de Felipe el evangelista, que era uno de los siete *diáconos,* nos hospedamos en ella.

9. Tenía éste cuatro hijas vírgenes profetisas.

10. Deteniéndonos aquí algunos días, sobrevino de la Judea cierto profeta, llamado Agabo.

11. El cual, viniendo a visitarnos, tomó el ceñidor de Pablo, y atándose con él los pies y las manos, dijo: Esto dice el Espíritu Santo: Así atarán los Judíos en Jerusalén al hombre, cuyo es este ceñidor, y entregarle han en manos de los gentiles.

12. Lo que oído, rogábamos a Pablo, así nosotros como los de aquel pueblo, que no pasase a Jerusalén.

13. A lo que respondió, y dijo: ¿Qué hacéis con llorar y afligir mi corazón? Porque yo estoy pronto, no sólo a ser aprisionado, sino también a morir en Jerusalén por el Nombre del Señor Jesús.

14. Y viendo que no podíamos persuadírselo, dejamos de instarle más, y dijimos: Hágase la voluntad del Señor.

15. Pasados estos días nos dispusimos *para el viaje, y* nos encaminamos hacia Jerusalén.

16. Vinieron también con nosotros algunos de los discípulos de Cesarea, trayendo consigo un antiguo discípulo llamado Mnasón, oriundo de Chipre, en cuya casa habíamos de hospedarnos.

17. Llegados a Jerusalén, nos recibieron los hermanos con *mucho* gozo.

18. Al día siguiente fuimos con Pablo a visitar a Santiago, a cuya casa cuncurrieron todos los ancianos, o *presbíteros.*

19. Y habiéndolos saludado, les contaba una por una las cosas que Dios había hecho por su ministerio entre los gentiles.

20. Ellos, oído esto, glorificaban a Dios, y *después* le dijeron: Ya ves, hermano, cuántos millares de Judíos hay, que han creido, y que todos son celosos *de la observancia* de la ley.

21. Ahora, pues, éstos han oído decir que tú enseñas a los Judíos que viven entre los gentiles, a abandonar a Moisés, diciéndoles que no deben circuncidar a sus hijos, ni seguir las *antiguas* costumbres.

22. ¿Qué es, pues, lo que se ha de hacer? Sin duda se reunirá toda esa multitud de gente, porque luego han de saber que has venido.

23. Por tanto haz esto que vamos a proponerte: aquí tenemos cuatro hombres con obligación de cumplir un voto.

24. Unido a éstos, purifícate con ellos y hazles el gasto en la ceremonia, a fin de que se hagan la rasura de la cabeza: con esto sabrán todos, que lo que han oído de ti es falso, antes bien, que aun tú mismo continúas en observar la ley.

25. Por lo que hace a los gentiles que han creído, ya les hemos escrito, que habíamos decidido que se abstuviesen de manjares ofrecidos a los ídolos, y de sangre, y de animales sofocados, y de la fornicación.

---

9. S. Jerónimo con otros Padres, dicen que el Señor concedió a estas doncellas el don de profecía como premio de su virginidad, virtud muy rara entre los hebreos. Otros lo entienden del don de interpretar las Sagradas Escrituras, y otros del de cantar acompañando el canto con algún instrumento. Puede ser que se reuniesen en ellas todas estas gracias.

**26.** Pablo, pues, tomando consigo aquellos hombres, se purificó al día siguiente con ellos y entró en el templo, haciendo saber cuándo se cumplían los días de su purificación, y cuándo debía presentarse la ofrenda por cada uno de ellos.

**27.** Estando para cumplirse los siete días; los Judíos venidos de Asia, habiendo visto a Pablo en el templo, amotinaron todo el pueblo y le prendieron, gritando:

**28.** ¡Favor, Israelitas! éste es aquél hombre que, sobre andar enseñando a todos, en todas partes, contra la nación, contra la ley, y contra este *santo* lugar, ha introducido también a los gentiles en el templo, y profanado este lugar santo.

**29.** Y era que habían visto andar con él por la ciudad a Trófimo de Efeso, al cual se imaginaron que Pablo le había llevado consigo al templo.

**30.** Con esto se conmovió toda la ciudad, y se amotinó el pueblo. Y tomando a Pablo, le llevaron arrastrando fuera del templo, cuyas puertas fueron cerradas inmediatamente.

**31.** Mientras estaban tratando de matarle, fué avisado el tribuno de la cohorte *de* que toda Jerusalén estaba alborotada.

**32.** Al punto marchó con los soldados y centuriones, y corrió a donde estaban. Ellos al ver al tribuno y la tropa, cesaron de maltratar a Pablo.

**33.** Entonces llegando el tribuno le prendió, y mandóle asegurar con dos cadenas, y preguntaba quién era, y qué había hecho.

**34.** Mas en aquel tropel de gente quién gritaba una cosa, y quién otra. Y no pudiendo averiguar lo cierto a causa del alboroto, mandó que le condujesen a una fortaleza.

**35.** Al llegar a las gradas, fué preciso que los soldados le llevasen en peso a causa de la violencia del pueblo.

**36.** Porque le seguía el gentío gritando: ¡Que muera!

**37.** Estando ya Pablo para entrar en la fortaleza, dijo al tribuno: ¿No podré hablarte dos palabras? *A lo cual* respondió el *tribuno: ¿Qué,* sabes tú *hablar en* griego?

**38.** ¿Pués no eres tú el egipcio que los días pasados excitó una sedición, y llevó al desierto cuatro mil salteadores?

**39.** Díjole Pablo: Yo soy ciertamente judío, *ciudadano* de Tarso en Cilicia, ciudad bien conocida. Suplícote, pues, que me permitas hablar al pueblo.

**40.** Y concediéndoselo el *tribuno,* Pablo poniéndose en pie sobre las gradas, hizo señal con la mano al pueblo, y siguiéndose a esto gran silencio, le habló así en lengua hebrea:

## CAPITULO XXII

*Apología de San Pablo. Furor contra él de los judíos obstinados. Se declara ciudadano romano, queriendo el tribuno azotarle.*

**1.** ¡Hermanos y padres *míos*! oíd la razón que voy a daros ahora de mi *persona.*

**2.** Al ver que les hablaba en lengua hebrea redoblaron el silencio.

**3.** Dijo, pues: Yo soy judío, nacido en Tarso de Cilicia, pero educado en esta ciudad, en la escuela de Gamaliel, e instruído por él conforme a la verdad de la ley de nuestros padres, y muy celoso de la misma ley, así como al presente lo sois todos vosotros.

**4.** Yo perseguí de muerte a los de esta *nueva* doctrina, aprisionando y metiendo en la cárcel a hombres y a mujeres,

**5.** Como me son testigos el sumo sacerdote y todos los ancianos, de los cuales tomé asímismo cartas para los hermanos de Damasco, e iba *allá* para traer presos a Jerusalén a los *de esta secta* que allí hubiera, a fin de que fuesen castigados.

**6.** Mas sucedió que, yendo de camino, y estando ya cerca de Damasco a hora de mediodía, de repente una luz copiosa del cielo me cercó con sus rayos.

**7.** Y cayendo en tierra, oí una voz que me decía: ¡Saulo, Saulo! ¿por qué me persigues?

**8.** Yo respondí: ¿quién eres tú, Señor? Y me dijo: Yo soy Jesús Nazareno, a quien tú persigues.

**9.** Los que me acompañaban, aunque vieron la luz, no entendieron *bien* la voz del que hablaba conmigo.

---

**26.** S. Pablo conocía bien que las ceremonias de la ley ya no eran necesarias: con todo su humildad le hace seguir el consejo de los eclesiásticos de Jerusalén, y su caridad le hace condescender con las inclinaciones de los judíos.

**30.** Para que no pudiese refugiarse en aquel asilo inviolable. Pero como S. Pablo, según ellos, era blasemo, creyeron que no debía gozar de él.

---

**38.** Llamados en latín *sicarios,* porque llevaban un puñal *(sica)* debajo del vestido.

**CAP. XXII.** — **1.** Esto lo decía por respeto a los senadores, sacerdotes y otros que había entre aquella multitud y confusión de gente.

**10.** Yo dije: ¿Qué haré Señor? Y el Señor me respondió: Levántate, y ve a Damasco, donde se te dirá todo lo que debes hacer.

**11.** Y como el resplandor de aquella luz me hizo quedar ciego, los compañeros me condujeron por la mano hasta Damasco.

**12.** Aquí un cierto Ananías, varón justo según la ley, que tiene a su favor el testimonio de todos los Judíos, sus conciudadanos,

**13.** Viniendo a mí, y poniéndoseme delante me dijo: Saulo, hermano *mío*, recibe la vista. Y al instante le vi *claramente.*

**14.** Dijo él entonces: El Dios de nuestros padres te ha predestinado para que conocieses su voluntad, y vieses al Justo, y oyeses la voz de su boca;

**15.** Porque has de ser testigo suyo delante de todos los hombres, de las cosas que has visto y oído.

**16.** Ahora, pues, ¿qué te detienes? Levántate, bautízate, y lava tus pecados, invocando su Nombre.

**17.** Sucedió después que, volviendo yo a Jerusalén, y estando orando en el templo, fuí arrebatado en éxtasis,

**18.** Y le vi que me decía: Date prisa, y sal luego de Jerusalén; porque éstos no recibirán el testimonio que les dieres de mí.

**19.** Señor, respondí yo, ellos saben que yo era el que andaba por las sinagogas, metiendo en la cárcel y maltratando a los que creían en ti;

**20.** Y mientras se derramaba la sangre de tu testigo, *o mártir,* Esteban, yo me hallaba presente, consintiendo *en su muerte* y guardando la ropa de los que le mataban.

**21.** Pero el *Señor* me dijo: Anda, que yo te quiero enviar lejos de aquí hacia los gentiles.

**22.** Hasta esta palabra le estuvieron escuchando; mas aquí levantaron el grito diciendo: ¡Quita del mundo a un tal hombre, que no es justo que viva!

**23.** Prosiguiendo ellos en sus alaridos, y echando de sí *enfurecidos* sus vestidos, y arrojando *puñados de* polvo al aire,

**24.** Ordenó el tribuno que le metiesen en la fortaleza, y que azotándole le atormentasen, para descubrir por qué causa gritaban tanto contra él.

**25.** Ya que le hubieron atado con las correas,

dijo Pablo al centurión que estaba presente: ¿Os es lícito a vosotros azotar a un ciudadano romano, y eso sin formarle causa?

**26.** El centurión, oído esto, fué al tribuno, y le dijo: Mira lo que haces; pues este hombre es ciudadano romano.

**27.** Llegándose entonces el tribuno a él, preguntóle: Dime, ¿eres tú romano? Respondió él: Sí *que lo soy.*

**28.** A lo que replicó el tribuno: A mí me costó una grande suma de dinero este privilegio. Y Pablo dijo: Pues yo lo soy de nacimiento.

**29.** Al punto se apartaron de él los que iban a darle el tormento. Y el mismo tribuno entró en temor después que supo que era ciudadano romano, y que le había hecho atar.

**30.** Al día siguiente queriendo cerciorarse del motivo por qué le acusaban los Judíos, le quitó las prisiones, y mandó juntar a los sacerdotes, con todo el sinedrio, *o consistorio, y* sacando a Pablo le presentó en medio de ellos.

## CAPITULO XXIII

*Pablo con sus palabras ocasiona una disputa con que se dividen los fariseos de los saduceos. El tribuno Lisias le remite con escolta militar a Cesarea, a Félix, gobernador romano, para librarle de una horrible conjuración.*

**1.** Pablo entonces fijos los ojos en el sinedrio les dijo: Hermanos míos, yo hasta el día presente he observado tal conducta, que en la presencia de Dios nada me remuerde la conciencia.

**2.** En esto el príncipe de los sacerdotes Ananías mandó a sus ministros que le hiriesen en la boca.

**3.** Entonces le dijo Pablo: Herirte ha Dios a ti, pared blanqueada. ¿Tú estás sentado para juzgarme según la ley, y contra la ley mandas herirme?

**4.** Los circunstantes le dijeron. ¿*Cómo* maldices tú al Sumo Sacerdote de Dios?

**5.** A esto respondió Pablo: Hermanos, no sabía que fuese el príncipe de los sacerdotes. Porque *realmente* escrito está: No maldecirás al príncipe de tu pueblo.

**6.** Sabiendo, empero, Pablo que parte *de los que asistían* eran saduceos y parte fariseos, exclamó en medio del sinedrio: Hermanos míos, yo soy fariseo, hijo de fariseos, y por causa de mi esperanza de la resurrección de los muertos *es por lo que* voy a ser condenado.

---

**14.** Al Justo por excelencia; esto es, a Cristo.

**17.** Muchos son de parecer que este viaje de S. Pablo a Jerusalén fué el primero y que aconteció en el año tercero después de su conversión. S. Juan Crisóstomo.

**7.** Desde que hubo proferido estas palabras, se suscitó discordia entre los fariseos y saduceos, y se dividió la asamblea en dos partidos.

**8.** Porque los saduceos dicen que no hay resurrección, ni ángel ni espíritu; *cuando* al contrario los fariseos confiesan ambas cosas.

**9.** Así que, fué grande la gritería *que se levantó.* Y puestos en pie algunos fariseos, porfiaban, diciendo: Nada de malo hallamos en este hombre; ¿quién sabe si le habló algún espíritu o ángel?

**10.** Y enardeciéndose más la discordia, temeroso el tribuno que despedazasen a Pablo, mandó bajar a los soldados, para que le quitasen de en medio de ellos, y le condujesen a la fortaleza.

**11.** A la noche siguiente se le apareció el Señor, y le dijo: ¡*Pablo,* buen ánimo! así como has dado testimonio de mí en Jerusalén, así conviene también que lo des en Roma.

**12.** Venido el día se juntaron algunos judíos, e hicieron voto con juramento e imprecación, de no comer ni beber hasta haber matado a Pablo.

**13.** Eran más de cuarenta hombres los que se habían así conjurado;

**14.** Los cuales se presentaron a los príncipes de los sacerdotes y a los ancianos, y dijeron: Nosotros nos hemos obligado con voto y grandes imprecaciones, a no probar bocado hasta que matemos a Pablo.

**15.** Ahora, pues, no tenéis más que avisar al tribuno de parte del sinedrio, pidiéndole que haga conducir *mañana* a Pablo delante de vosotros, como que tenéis que averiguar de él alguna cosa con más certeza. Nosotros *de nuestra parte* estaremos prevenidos para matarle antes que llegue.

**16.** Mas como un hijo de la hermana de Pablo entendiese la trama, fué, y entró en la fortaleza, y dió aviso a Pablo.

**17.** Pablo llamando a uno de los centuriones, dijo: Lleva este mozo al tribuno, porque tiene que participarle cierta cosa.

**18.** El centurión tomándole consigo le condujo al tribuno, y dijo: Pablo el preso me ha pedido que traiga a tu presencia a este joven, que tiene que comunicarte alguna cosa.

**19.** El tribuno cogiendo de la mano al mancebo, se retiró con él a solas, y le preguntó: ¿Qué es lo que tienes que comunicarme?

**20.** El respondió: Los Judíos han acordado el suplicarte que mañana conduzcas a Pablo al concilio, con pretexto de querer examinarle más individualmente de algún punto.

**21.** Pero tú no lo creas, porque de ellos le tienen armadas acechanzas más de cuarenta hombres, los cuales con grandes juramentos han hecho voto de no comer ni beber hasta que le maten: y ya están alerta, esperando que tú les concedas lo que piden.

**22.** El tribuno despidió al muchacho, mandándole que a nadie dijera que había hecho aquella delación.

**23.** Y llamando a dos centuriones, les dijo: Tened prevenidos para las nueve de la noche doscientos soldados de infantería, para que vayan a Cesarea, y setenta de caballería, y doscientos alarbaderos, *o lanceros:*

**24.** Y preparad bagajes para que lleven a Pablo, y le conduzcan sin peligro de su vida al gobernador Félix.

**25.** Porque temió *el tribuno* que los judíos le arrebatasen, y matasen, y después él mismo padeciese la calumnia de haberlo permitido, sobornado con dinero. Y al mismo tiempo escribió una carta *al gobernador Félix,* en los términos siguientes:

**26.** Claudio Lisias al óptimo gobernador Félix, salud.

**27.** A ese hombre preso por los Judíos, y a punto de ser muerto por ellos, acudiendo con la tropa le libré, noticioso de que era ciudadano romano;

**28.** Y queriendo informarme del delito de que le acusaban, condújele a su sinedrio, *o consistorio.*

**29.** Allí averigüé que es acusado sobre cuestiones de su ley de ellos; pero que no ha cometido ningún delito digno de muerte o de prisión.

**30.** Y avisado después de que los Judíos le tenían urdidas acechanzas, te lo envío a ti, previniendo también a sus acusadores que recurran a tu tribunal. Tened salud.

**31.** Los soldados, pues, según la orden que se les había dado, encargándose de Pablo, le condujeron de noche a la ciudad de Antipátrida.

**32.** Al día siguiente dejando a los de a caballo para que le acompañasen, volviéronse los demás a la fortaleza.

**33.** Llegados que fueron a Cesarea, y entregada la carta al gobernador, le presentaron así mismo a Pablo.

**34.** Luego que leyó la carta, le preguntó de que provincia era, y oído que de Cilicia, dijo:

**35.** Te daré audiencia en viniendo tus acusadores. Entre tanto mandó que le custodiasen en el pretorio *llamado* de Herodes.

## CAPITULO XXIV

*Respuesta convincente de Pablo a las acusaciones falsas de los judíos. El gobernador Félix oye también a Pablo sobre la fe de Cristo; y viendo que no le ofrecía dinero, le reserva preso para su sucesor Porcio Festo.*

**1.** Al cabo de cinco días llegó *a* Cesarea el sumo sacerdote Ananías con algunos ancianos y con un tal Tértulo orador, *o abogado,* los cuales comparecieron ante el gobernador contra Pablo.

**2.** Citado Pablo, empezó su acusación Tértulo, diciendo: Como es por medio de ti, óptimo Félix, que gozamos de una paz profunda, y con tu previsión remedias muchos desórdenes,

**3.** Nosotros lo reconocemos en todas ocasiones y en todos lugares, y te tributamos toda suerte de acciones de gracias.

**4.** Mas por no molestarte demasiado, suplícote nos oigas por breves momentos con tu *acostumbrada* humanidad.

**5.** Tenemos averiguado ser éste un hombre pestilencial, que anda por todo el mundo metiendo en confusión y desorden a todos los Judíos, y es caudillo de la sediciosa secta de los Nazarenos.

**6.** El cual además intentó profanar el templo, y por esto habiéndole preso, quisimos juzgarle según nuestra ley.

**7.** Pero sobreviniendo el tribuno Lisias, le arrancó a viva fuerza de nuestras manos,

**8.** Mandando que los acusadores recurriesen a ti: tú mismo, examinándole como juez, podrás reconocer la verdad de todas estas cosas de que le acusamos.

**9.** Los judíos confirmaron por su parte lo dicho, atestiguando ser todo verdad.

**10.** Pablo, empero, habiéndole hecho señal el gobernador para que hablase, lo hizo en estos términos: Sabiendo yo que ya hace muchos años que tú gobiernas esta nación, emprendo con mucha confianza el justificarme.

**11.** Bien fácilmente puedes certificarte, de que no ha más de doce días que llegué a Jerusalén, a fin de adorar *a Dios.*

**12.** Y nunca me han visto disputar con nadie en el templo, ni amotinando la gente en las sinagogas;

**13.** O en la ciudad; ni pueden alegarte prueba de cuantas cosas me acusan ahora.

**14.** Es *verdad, y* lo confieso delante de ti, que siguiendo una doctrina, que ellos tratan de herejía, yo sirvo al Padre y Dios mío, creyendo todas las cosas, que se hallan escritas en la ley y en los profetas,

**15.** Teniendo *firme* esperanza en Dios, como ellos también la tienen, que ha de verificarse la resurrección de los justos y de los pecadores.

**16.** Por lo cual procuro yo siempre conservar mi conciencia sin culpa delante de Dios y delante de los hombres.

**17.** Ahora, después de muchos años, vine a repartir limosnas a los de mi nación, y a cumplir *a Dios* mis ofrendas y votos.

**18.** Y estando en esto, *es cuando* algunos judíos de Asia me han hallado purificado en el templo; mas no con reunión de pueblo, ni con tumulto.

**19.** *Estos* Judíos *son los que* habían de comparecer delante de ti, y ser mis acusadores si algo tenían que alegar contra mí:

**20.** Pero *ahora* digan estos mismos *que me acusan,* si, congregados en el sinedrio, han hallado en mí algún delito,

**21.** A no ser *que lo sea* una expresión con que exclamé en medio de ellos, *diciendo:* Veo que por *defender yo* la resurrección de los muertos me formáis hoy vosotros causa.

**22.** Félix, pues, que estaba bien informado de esta doctrina, difirió para otra ocasión *el asunto,* diciendo: Cuando viniere *de Jerusalén* el tribuno Lisias, os daré audiencia *otra vez.*

**23.** Entre tanto mandó a un centurión que custodiara a Pablo, teniéndole con menos estrechez, y sin prohibir que los suyos entrasen a asistirle.

**24.** Algunos días después viniendo Félix *(a su tribunal o a la prisión en que estaba Pablo),* y *trayendo a* su mujer Drusila, la cual era judía, llamó a Pablo, y le oyó explicar la fe de Jesucristo.

**25.** Pero inculcando Pablo la doctrina de la justicia, de la castidad y del juicio venidero, despavorido Félix le dijo: *Basta* por ahora, retírate, que a su tiempo yo te llamaré.

**26.** Y como esperaba que Pablo le daría dinero *para conseguir la libertad,* por eso llamándole a menudo, conversaba con él.

**27.** Pasados *sus* dos años, Félix recibió por sucesor a Porcio Festo; y queriendo congraciarse con los Judíos, dejó preso a Pablo.

---

CAP. XXIV. — 1. Después de haber llegado a Cesárea. Tértulo era abogado romano, y entendía las fórmulas del foro más bien que los Judíos.

## CAPITULO XXV

*Lo que sucedió al Apóstol con el gobernador Festo, ante quien apela al César. Festo le presenta al rey Agripa y a Berenice su hermana.*

**1.** Llegado Festo a la provincia, tres días después subió a Jerusalén desde Cesarea.

**2.** Presentáronsele luego los príncipes de los sacerdotes y los más distinguidos entre los Judíos, para acusar a Pablo, con una petición

**3.** En que le suplicaban por gracia que le mandase conducir a Jerusalén, tramando ellos una emboscada para asesinarle en el camino.

**4.** Mas Festo respondió, que Pablo estaba *bien* custodiado en Cesarea, *para donde* iba a partir él cuanto antes.

**5.** Por tanto, los principales (dijo) de entre vosotros, vengan también *a Cesarea,* y acúsenle, si es reo de algún crimen.

**6.** En efecto, no habiéndose detenido en Jerusalén más que ocho o diez días, marchó a Cesa-rea, y al día siguiente, sentándose en el tribunal, mandó comparecer a Pablo.

**7.** Luego que fué presentado, le rodearon los Judíos venidos de Jerusalén, acusándole de muchos y graves delitos, que no podían probar,

**8.** Y de los cuales se defendía Pablo, diciendo: En nada he pecado ni contra la ley de los Judíos, ni contra el templo, ni contra César.

**9.** Mas Festo queriendo congraciarse con los Judíos, respondiendo a Pablo, le dijo: ¿Quieres subir a Jerusalén, y ser allí juzgado ante mí?

**10.** Respondió Pablo: Yo estoy ante el tribunal de César, que es donde debo ser juzgado; tú sabes muy bien que yo no he hecho *el menor* agravio a los Judíos;

**11.** Que si *en algo* les he ofendido, o he hecho alguna cosa por la que sea reo de muerte, no rehuso morir; pero si no hay nada de cuanto éstos me imputan, ninguno tiene derecho para entregarme a ellos. Apelo a César.

**12.** Entonces Festo, habiéndolo tratado con los de *su* consejo, respondió: ¿A César has apelado? pues a César irás.

**13.** Pasados algunos días, bajaron a Cesarea el rey Agripa y Berenice a visitar a Festo.

**14.** Y habiéndose detenido allí muchos días, Festo habló al rey de la causa de Pablo, diciendo: Aquí dejó Félix preso a un hombre,

**15.** Sobre el cual estando yo en Jerusalén, recurrieron a mí los príncipes de los sacerdotes y los ancianos de los Judíos, pidiendo que fuese condenado *a muerte.*

**16.** Yo les respondí que los romanos no acostumbran condenar a ningún hombre, antes que el acusado tenga presentes a sus acusadores y lugar de defenderse para justificarse de los cargos.

**17.** Habiendo, pues, ellos concurrido acá sin dilación alguna, al día siguiente, sentado yo en el tribunal, mandé traer *ante mí al* dicho hombre.

**18.** Compareciendo los acusadores, *vi que* no le imputaban ningún crimen de los que yo sospechaba fuese culpado.

**19.** Solamente tenían con él no sé qué disputa tocante a su superstición *judaica, y* sobre un cierto Jesús difunto, que Pablo afirmaba estar vivo.

**20.** Perplejo yo en una causa de esta naturaleza, le dije si quería ir a Jerusalén, y ser allí juzgado de estas cosas.

**21.** Mas interponiendo Pablo apelación para que *su causa* se reservase al juicio de *César* Augusto, di orden para que se le mantuviese en custodia, hasta remitirle a César.

**22.** Entonces dijo Agripa a Festo: Desearía yo también oír a ese hombre. Mañana, respondió *Festo,* le oirás.

**23.** Con eso al día siguiente, habiendo venido Agripa y Berenice, con mucha pompa, y entrando en la sala de la audiencia con los tribunos y personas principales de la ciudad, fué Pablo traído por orden de Festo.

**24.** El cual dijo: Rey Agripa, y todos vosotros que os halláis aquí presentes, ya veis a este hombre, contra quien todo el pueblo de los Judíos ha acudido a mí en Jerusalén, representándome con grandes instancias y clamores que no debe vivir más.

**25.** Mas yo he averiguado que nada ha hecho que mereciese la muerte. Pero habiendo él mismo apelado a Augusto he determinado remitírsele.

---

CAP. XXV. — 12. Festo sirve, sin conocerlo, a una orden superior de la divina Providencia, cuando manda que Pablo sea llevado a Roma. Vemos los sucesos humanos; pero no vemos los resortes con que la Providencia los dirige al cumplimiento de sus adorables designios. Justo es que adoremos siempre los designios de Dios escondidos en las empresas de los hombres.

16. Los paganos con la sola luz de la razón conocieron y practicaron este axioma de justicia. ¡Y habrá cristiano que juzgue y condene al prójimo, sin oir antes o examinar lo que puede alegar en su defensa! Juzgar mal de otro sin oírle, o sin prueba muy fundada, es ser su verdugo y no su juez.

**26.** Bien que como no tengo cosa cierta que escribir al señor acerca de él, por esto le he hecho venir a vuestra presencia, mayormente ante ti, ¡oh rey Agripa!, para que examinándole tenga yo *algo* que escribir.

**27.** Pues me parece cosa fuera de razón el remitir a un hombre preso, sin exponer *los delitos* de que se le acusa.

## CAPITULO XXVI

*Pablo se justifica delante de Agripa, y cuenta por menor su conversión.*

**1.** Entonces Agripa dijo a Pablo: Se te da licencia para hablar en tu defensa. Y luego Pablo accionando con la mano, empezó así su apología.

**2.** Tengo a *gran* dicha mía ¡oh rey Agripa! el poder justificarme ante ti *en el día de* hoy, de todos *los cargos* de que me acusan los Judíos.

**3.** Mayormente sabiendo tú todas las costumbres de los Judíos y las cuestiones *que se agitan entre ellos;* por lo cual te suplico que me oigas con paciencia.

**4.** Y en primer lugar, por lo que hace al tenor de vida, que observé en Jerusalén, desde mi juventud entre los de mi nación, es bien notorio a todos los Judíos.

**5.** Sabedores son de antemano (si quieren confesar la verdad) que yo, siguiendo desde mis primeros años la secta *o profesión* más segura de nuestra religión, viví cual fariseo.

**6.** Y ahora soy acusado en juicio por la esperanza que tengo de la promesa echa por Dios a nuestros padres,

**7.** Promesa cuyo cumplimiento esperan nuestras doce tribus, sirviendo a Dios noche y día. Por esta esperanza ¡oh rey! soy acusado yo de los Judíos.

**8.** Pues qué, ¿juzgáis acaso increíble el que Dios resucite a los muertos?

**9.** Yo por mí estaba persuadido de que debía proceder hostilmente contra el Nombre de Jesús Nazareno,

**10.** Como ya lo hice en Jerusalén, donde *no sólo* metí a muchos de los santos, *o fieles,* en las cárceles, con poderes que para ello recibí de los príncipes de los sacerdotes, sino que siendo condenados a muerte yo di también mi consentimiento.

---

**11.** Y andando con frecuencia por todas las sinagogas, los obligaba a fuerza de castigos a blasfemar *del Nombre de Jesús,* y enfurecido más cada día contra ellos, los iba persiguiendo hasta en las ciudades extranjeras.

**12.** En este estado, yendo un día a Damasco con poderes y comisión de los príncipes de los sacerdotes,

**13.** Siendo el mediodía, vi ¡oh rey! en el camino una luz del cielo más resplandeciente que el sol, la cual con sus rayos me rodeó a mí y a los que iban juntamente conmigo.

**14.** Y habiendo todos nosotros caído en tierra, oí una voz que me decía en lengua hebrea: ¡Saulo, Saulo! ¿por qué me persigues? duro empeño es para ti el dar coces contra el aguijón.

**15.** Yo entonces respondí: ¿Quién eres tú, Señor? Y el Señor me dijo: Yo soy Jesús, a quien tú persigues.

**16.** Pero levántate, y ponte en pie; pues para esto te he aparecido, a fin de constituirte ministro y testigo de las cosas que has visto y de otras que te mostraré apareciéndome a ti de nuevo,

**17.** Y yo te libraré *de las manos* de este pueblo y de los gentiles, a los cuales ahora te envío,

**18.** A abrirles los ojos, para que se conviertan de las tinieblas a la luz, y del poder de Satanás a Dios, y con esto reciban la remisión de sus pecados, y tengan parte en la herencia de los santos, mediante la fe en mí.

**19.** Así que, ¡oh rey Agripa!, no fuí rebelde a la visión celestial;

**20.** Antes bien empecé a predicar primeramente a los *Judíos* que estaban en Damasco, y en Jerusalén, y por todo el país de Judea, y después a los gentiles, que hiciesen penitencia, y se convirtiesen a Dios, haciendo dignas obras de penitencia.

**21.** Por esta causa los Judíos me prendieron, estando yo en el templo, e intentaban matarme.

**22.** Pero ayudado del auxilio de Dios, he perseverado hasta el día de hoy, testificando *la verdad* a grandes y a pequeños, no predicando otra cosa más que lo que Moisés y los profetas predijeron que había de suceder,

**23.** *Es a saber,* que Cristo había de padecer *la muerte, y* que sería el primero que resucitaría de entre los muertos, y había de mostrar la luz *del evangelio* a este pueblo y a los gentiles.

**24.** Diciendo él esto en su defensa, exclamó Festo: Pablo, tú estás loco: las muchas letras te han trastornado el juicio.

**25.** Y Pablo le respondió: No deliro, óptimo Festo, sino que hablo palabras de verdad y de cordura.

**26.** Que bien sabidas son del rey estas cosas, y *por lo mismo* hablo delante de él con tanta confianza, *bien* persuadido de que nada de esto ignora, puesto que ninguna de las cosas mencionadas se ha ejecutado en algún rincón oculto.

**27.** ¡Oh rey Agripa! ¿Crees tú en los profetas? Yo sé que crees en ellos.

**28.** A esto Agripa *sonriéndose*, respondió a Pablo: Poco falta para que me persuadas a hacerme cristiano.

**29.** A lo que contestó Pablo: Plugiera a Dios, como deseo, que no solamente faltara poco, sino que no faltara nada, para que tú y todos cuantos me oyen llegáseis a ser hoy tales cual soy yo, salvo estas cadenas.

**30.** Aquí se levantaron el rey, y el gobernador, y Berenice, y los que les hacían la corte.

**31.** Y habiéndose retirado aparte, hablaban entre sí, y decían: En efecto, este hombre no ha hecho cosa digna de muerte, ni de prisión.

**32.** Y Agripa dijo a Festo: Si no hubiese *ya* apelado a César, bien se le pudiera poner en libertad.

## CAPITULO XXVII

*Pablo navega para Roma conducido por el centurión Julio: la nave naufraga junto a una isla, pero todos se salvan.*

**1.** Luego, pues, que se determinó que Pablo navegase a Italia, y que fuese entregado con los demás presos a un centurión de la cohorte *o legión* augusta llamado Julio,

**2.** Embarcándonos en una nao de Adrumeto, nos hicimos a la vela, empezando a costear las tierras de Asia, acompañándonos siempre Aristarco, macedonio de Tesalónica.

**3.** El día siguiente arribamos a Sidón; y Julio, tratando a Pablo con humanidad, le permitió salir *a visitar* a los amigos y proveerse de lo necesario.

**4.** Partidos de allí, fuimos bogando por debajo de Chipre, por ser contrarios los vientos.

**5.** Y habiendo atravesado el mar de Cilicia y de Panfilia, aportamos a Listra, *o Mira*, de la Licia,

**6.** Donde el centurión, encontrando una nave de Alejandría que pasaba a Italia, nos trasladó a ella.

**7.** Y navegando por muchos días lentamente, y arribando con trabajo en frente de Gnido, por estorbárnoslo el viento, costeamos a Creta, por *el cabo* Salmón.

**8.** Y doblado éste con gran dificultad, arribamos a un lugar llamado Buenos Puertos, que está cercano a la ciudad de Talasa.

**9.** Pero habiendo gastado mucho tiempo, y no siendo desde entonces segura la navegación, por haber pasado ya el *tiempo del* ayuno, Pablo los amonestaba,

**10.** Diciéndoles: Yo conozco, amigos, que la navegación comienza a ser muy peligrosa y de mucho perjuicio, no sólo para la nave y cargamento, sino también para nuestras vidas.

**11.** Pero el centurión daba más crédito al piloto y al patrón del barco, que a cuanto decía Pablo.

**12.** Mas como aquel puerto no fuese a propósito para invernar, la mayor parte fueron de parecer que nos hiciésemos a la vela para ir a tomar invernadero, por poco que se pudiese, en Fenice, puerto de Creta, opuesto al ábrego y al poniente.

**13.** Así, pues, soplando el austro, figurándose salir *ya* con su intento, levantando anclas en Asón, iban costeando por la isla de Creta.

**14.** Pero a poco tiempo dió contra la nave un viento tempestuoso, llamado nordeste.

**15.** Arrebatada la nave, y no pudiendo resistir el torbellino, éramos llevados a merced de los vientos.

**16.** Arrojados *con ímpetu* hacia una isleta, llamada Cauda, pudimos con gran dificultad recoger el esquife.

**17.** El cual metido dentro, maniobraban los marineros cuanto podían, *asegurando y* liando la nave, temerosos de dar en algún banco de arena. De esta suerte arriadas las velas *y el mástil,* se dejaba llevar *de las olas.*

---

**28.** Es siempre cosa ingrata predicar el evangelio a espíritus materialistas. Ya Festo llamó a Pablo con el término de "loco", y ahora Agripa recurre a una observación llena de ironía.

**CAP. XXVII.** — 1. S. Pablo sabe que ha de llegar a Roma; con todo eso obra como si no lo supiese. Conocía el Apóstol que el orden sobrenatural de los designios de Dios no muda regularmente el orden natural y ordinario de las cosas humanas: porque sabe bien el Señor como ha de hacer que éste sirva a aquél.

---

**13.** Así se llama una ciudad de la isla de Creta, o Candia delante de cuyo territorio anclaría la nave. Otros, según el texto griego, creen que *ason* es un adverbio que significa *cerca, contiguo, inmediato, etc.*

**18.** Al día siguiente, como nos hallábamos furiosamente combatidos por la tempestad, echaron al mar el cargamento.

**19.** Y tres días después arrojaron con sus propias manos las municiones y pertrechos de la nave.

**20.** Entre tanto, había muchos días que no se dejaba ver ni el sol, ni las estrellas, y la borrasca era continuamente tan furiosa, que ya habíamos perdido todas las esperanzas de salvarnos.

**21.** Entonces Pablo, como había ya mucho tiempo que nadie había tomado alimento, puesto en medio de ellos, dijo: En verdad, compañeros, que hubiera sido mejor, creyéndome a mí, no haber salido de Creta, y excusar este desastre y pérdida.

**22.** Mas ahora os exhorto a tener buen ánimo, pues ninguno de vosotros se perderá, lo único que se perderá será la nave.

**23.** Porque esta noche se me ha aparecido un ángel del Dios de quien soy yo, y a quien sirvo,

**24.** Diciéndome: No temas, Pablo, tú sin falta has de comparecer ante César; y he ahí que Dios te ha concedido la vida de todos los que navegan contigo.

**25.** Por tanto, compañeros, tened buen ánimo, pues yo creo en Dios, que así será, como se me ha prometido.

**26.** Al fin hemos de venir a dar en cierta isla.

**27.** Mas llegada la noche del día catorce, navegando nosotros por el mar Adriático, los marineros a eso de la medianoche barruntaban hallarse a vista de tierra.

**28.** Por lo que tiraron la sonda, y hallaron veinte brazas de agua; y poco más adelante sólo hallaron *ya* quince.

**29.** Entonces temiendo cayésemos en algún escollo, echaron por la popa cuatro áncoras, aguardando con impaciencia el día.

**30.** Pero como los marineros, intentando escaparse de la nave, echasen al mar el esquife, con el pretexto de ir a tirar las áncoras un poco más lejos por la parte de proa,

**31.** Dijo Pablo al centurión y a los soldados: Si estos hombres no permanecen en el navío, vosotros no podéis salvaros.

**32.** En la hora los soldados cortaron las amarras del esquife, y lo dejaron perder.

**33.** Y al empezar a ser de día, rogaba Pablo a todos que tomasen alimento, diciendo: Hace hoy catorce días que aguardando *el fin de la tormenta* estáis sin comer, ni probar casi nada.

**34.** Por lo cual os ruego que toméis algún alimento para vuestra conservación, *seguros de* que no ha de perderse ni un cabello de vuestra cabeza.

**35.** Dicho esto, tomando pan, dió gracias a Dios en presencia de todos; y partiéndolo empezó a comer.

**36.** Con eso animados todos, comieron también ellos.

**37.** Eramos los navegantes por todos doscientas setenta y seis personas.

**38.** Estando ya satisfechos, aligeraban la nave, arrojando al mar el trigo.

**39.** Siendo ya día claro, no reconocían qué tierra *era la que descubrían;* echaban sí de ver cierta ensenada que tenía playa, donde pensaban arrimar la nave, si pudiesen.

**40.** Alzadas, pues, las áncoras, se abandonaban a la *corriente del* mar, aflojando al mismo tiempo las cuerdas *de las dos planchadas* del timón; y alzada la vela del artimón, *o de la popa,* para tomar el viento *preciso,* se dirigían hacia la playa.

**41.** Mas tropezando en una lengua de tierra que tenía el mar por ambos lados, encalló la nave, quedando inmoble la proa, fija, *o encallada,* en el fondo, mientras la popa iba abriéndose por la violencia de las olas.

**42.** Los soldados entonces deliberaron matar a los presos, temerosos de que alguno se escapase a nado.

**43.** Pero el centurión, deseoso de salvar a Pablo, estorbó que lo hiciesen; y mandó que los que supiesen nadar, saltasen los primeros al agua, y saliesen a tierra.

**44.** A los demás, parte los llevaron en tablas, y algunos sobre los deshechos que restaban del navío. Y así se verificó, que todas las personas salieron salvas a tierra.

---

**22.** Un verdadero cristiano no insulta jamás a los que se han hecho infelices por haber despreciado los sabios consejos que les había dado: antes bien procura consolarlos y animarlos.

**28.** El *paso* de los latinos corresponde a una *braza,* o al espacio que hay entre las extremidades de los brazos extendidos.

---

**34.** Dios había prometido a S. Pablo la vida de todos los que navegaban con él. — (Véase el *v.* 24). Mas el santo no por eso espera el milagro; lo que espera es que Dios bendecirá los conatos y esfuerzos que hagan los marineros para evitar el naufragio.

## CAPITULO XXVIII

*Prosigue Pablo su viaje desde Malta a Roma, en donde luego de llegado, convocando a los principales judíos les da razón de su apelación, y les predica a Jesucristo; lo cual sigue haciendo después, por espacio de dos años, a cuantos iban a él.*

**1.** Salvados del naufragio, conocimos entonces que aquella isla se llamaba Malta. Los bárbaros por su parte nos trataron con mucha humanidad.

**2.** Porque *luego* encendida una hoguera nos refocilaban a todos contra la lluvia que descargaba, y el frío.

**3.** Y habiendo recogido Pablo una porción de sarmientos, y echándolos al fuego, saltó una víbora huyendo del calor, y le trabó la mano.

**4.** Cuando los bárbaros vieron la víbora colgando de su mano, se decían unos a otros: Este hombre, sin duda es algún homicida, pues la venganza *divina* no quiere que viva.

**5.** El, empero, sacudiendo la víbora en el fuego, no padeció daño alguno.

**6.** Los bárbaros, al contrario, se persuadían a que se hincharía, y de repente caería muerto. Mas después de aguardar largo rato, reparando que ningún mal le acontecía, mudando de opinión, decían que era un dios.

**7.** En aquellas cercanías tenía unas posesiones el príncipe de la isla, llamado Publio, el cual, acogiéndonos benignamente, nos hospedó por tres días con mucha humanidad.

**8.** Y sucedió que, hallándose el padre de Publio muy acosado de fiebres y disentería, entró Pablo a verle, y haciendo oración, e imponiendo sobre él las manos, le curó.

**9.** Después de este suceso todos los que tenían enfermedades en aquella isla acudían *a él,* y eran curados;

**10.** Por este motivo nos hicieron muchas honras, y cuando nos embarcamos nos proveyeron de todo lo necesario.

**11.** Al cabo de tres meses, nos hicimos a la vela en una nave alejandrina, que había inver-

nado en aquella isla, y tenía la divisa de Cástor y Pólux.

**12.** Y habiendo llegado a Siracusa, nos detuvimos allí tres días.

**13.** Desde aquí costeando *las tierras de Sicilia* vinimos a Regio; y al día siguiente soplando el sur, en dos días nos pusimos en Puzol,

**14.** Donde habiendo encontrado hermanos *en Cristo,* nos instaron a que nos detuviésemos con ellos siete días, después *de los cuales* nos dirigimos a Roma.

**15.** Sabiendo nuestra venida los hermanos de esta ciudad, salieron a recibirnos hasta el *pueblo llamado* Foro Apio, *y otros* a Tres Tabernas. A los cuales habiendo visto Pablo, dió gracias a Dios, y cobró grande ánimo.

**16.** Llegados a Roma, se le permitió a Pablo el estar de por sí *en una casa* con un soldado de guardia.

**17.** Pasados tres días pidió a los principales entre los Judíos que fuesen a verle. Luego que se juntaron, les dijo: Yo, hermanos míos, sin haber hecho nada contra el pueblo, ni contra las tradiciones de nuestros padres, fuí preso en Jerusalén y entregado en manos de los Romanos,

**18.** Los cuales después que me hicieron los interrogatorios, quisieron ponerme en libertad, visto que no hallaban en mí causa de muerte.

**19.** Más oponiéndose los Judíos, me vi obligado a apelar a César, pero no con el fin de acusar en cosa alguna a los de mi nación.

**20.** Por este motivo, pues, he procurado veros y hablaros para que sepáis que por la esperanza de Israel me veo atado en esta cadena.

**21.** A lo que respondieron ellos: Nosotros ni hemos recibido cartas de Judea acerca de ti, ni hermano alguno venido de allá ha contado o dicho mal de ti.

**22.** Mas deseamos saber cuáles son tus sentimientos; porque tenemos noticia que ésa *tu* secta halla contradicción en todas partes.

**23.** Y habiéndole señalado día para oírle, vinieron en gran número a su alojamiento, a los cuales predicaba el reino de Dios desde la mañana hasta la noche, confirmando con autoridades *las proposiciones que sentaba,* y probándoles lo perteneciente a Jesús con la ley de Moisés y con los Profetas.

---

**CAP. XXVIII. —** 1. Algunos modernos creen que *Melita* no es la isla de *Malta,* sino *Meleda,* que se llama *Melita* como aquélla, y de la cual habla Plinio. Suponen que en Malta nunca ha habido víboras, pero sí en Meldea. Así lo manifiesta la relación que hace el sabio Sr. Luc. Desde que los romanos conquistaron a Malta del poder de los cartagineses, no se sabe que haya habido allí príncipe alguno.

---

**16.** Que solía estar atado por medio de una larga cadena con el prisionero a quien guardaba.

**20.** Por haber predicado la resurrección de los muertos en la persona del Mesías, que es la esperanza de Israel. Antes cap. XII, *v.* 6; XXIII, *v.* 6; XXIV, *v.* 15 y XXIV, *v.* 6.

**24.** Unos creían las cosas que decía, otros no las creían.

**25.** Y no estando acordes entre sí, se iban saliendo, sobre lo cual decía Pablo: ¡Oh, con cuánta razón habló el Espíritu Santo a nuestros padres por el profeta Isaías,

**26.** Diciendo: Ve a ese pueblo, y diles: Oiréis con *vuestros* oídos, y no entenderéis; y por más que veréis con *vuestros* ojos, no miraréis!

**27.** Por que embotando este pueblo su corazón, ha tapado sus oídos, y apretando *las pestañas de* sus ojos, de miedo que con ellos vean y oigan con sus oídos, y entiendan con

su corazón, y *así* se conviertan, y yo les dé la salud.

**28.** Por tanto tened entendido todos vosotros, que a los gentiles es enviada esta salud de Dios, y ellos la recibirán.

**29.** Dicho esto, se apartaron de él los judíos, teniendo grandes debates entre sí.

**30.** Y Pablo permaneció por espacio de dos años enteros en la casa que había alquilado, en donde recibía a cuantos iban a verle,

**31.** Predicando el reino de Dios, y enseñando con toda libertad, sin que nadie se lo prohibiese, lo tocante a Nuestro Señor Jesucristo.

# EPÍSTOLA DE SAN PABLO A LOS ROMANOS

## Introducción

Aunque esta carta no fue la primera que escribió el Apóstol, ocupa, sin embargo, el primer lugar por su importancia en toda la actividad epistolar de Pablo. A este respecto, comentaristas y estudiosos del Evangelio muestran por unanimidad su acuerdo.

La comunidad de Roma estaba compuesta principalmente por cristianos procedentes de la gentilidad. Buen número de entre ellos eran de mísera condición (esclavos o libertos), aunque una pequeña minoría estaba constituida por familias ricas y acomodadas las cuales gozaban de un importante prestigio social.

El objetivo o la misión fundamental de esta epístola era cortar de raíz los enfrentamientos faccionales protagonizados entre cristianos convertidos procedentes del judaísmo, por un lado, y los nuevos fieles gentiles por el otro. Los judíos, orgullosos de su pasado y ceremonias, se vanagloriaban de su Ley y del hecho de que el Mesías sólo había predicado para ellos. Los gentiles, por su parte, se envanecían de la obra de sus filósofos y despreciaban a los judíos por haber rechazado a Jesucristo. El apóstol procura restablecer el equilibrio entre ambas facciones: confunde a los gentiles haciéndoles ver la ceguedad de sus filósofos; y humilla a los judíos acusándoles de caer en los mismos vicios que los paganos. Pablo despoja a unos y otros de sus mutuos reproches y reúne a ambos pueblos en torno a la figura de Jesucristo, piedra angular de su actividad evangelizadora.

Desde tiempo atrás, Pablo sentía una gran necesidad por visitar y conocer personalmente la iglesia de Roma, cuya fe era comentada en todo el mundo, especialmente en el mundo de influencia cristiana. En sus inquietos planes de llevar a los pueblos la luz de la fe, había decidido dirigirse a España pasando por Roma. De esta manera tendría ocasión de saludar a los cristianos romanos a los que llevaría un mensaje de confirmación en su nueva religión, en el que también les hablaría de la mutua necesidad de convivir pacíficamente «y consolarse juntamente con la fe los unos a los otros». Dictó la carta a su secretario Tercio, confiado plenamente en que ésta le abriría y allanaría el camino para su próximo viaje a Roma, en el que había despositado mucha ilusión y confianza.

La carta a los romanos fue escrita desde Corinto, ciudad en la que el apóstol se encontraba, procedente de Macedonia, después del levantamiento de los orfebres efesinos contra él. Se encontraba preparado para iniciar su viaje a Jerusalén en donde repartiría entre los pobres de esta ciudad las limosnas procedentes de Acaya y Macedonia. En cuanto al momento de su publicación, coincide hacia el final del tercer viaje apostólico de Pablo, es decir, alrededor del año 57, antes de la Pascua.

Algunos críticos han puesto en duda la autenticidad de esta carta; estas dudas no dejan de ser especulaciones de algunos elementos hipercríticos. La autenticidad de la carta es manifiesta, tanto por lo que concierne a su contenido como a la forma en que éste se presenta. Ambos evidencian el más puro estilo paulino.

## CAPITULO PRIMERO

*La fe es necesaria para salvarse, porque sin ella nadie se justifica; y de la razón se abusa tanto, que los preciados de sabios vienen a ser los más viciosos.*

**1.** Pablo, siervo de Jesucristo, apóstol por vocación *divina,* escogido para *predicar* el evangelio de Dios.

**2.** *Evangelio* que *el mismo Dios* había prometido anteriormente por sus Profetas en las santas Escrituras,

**3.** Acerca de su Hijo Jesucristo *Nuestro Señor*, que le nació según la carne del linaje de David,

**4.** Y que fué predestinado *para ser* Hijo de Dios con *soberano* poder, según el espíritu de santificación por su resurrección de entre los muertos,

**5.** Por el cual nosotros hemos recibido la gracia y el apostolado para someter a la fe por la virtud de su nombre a todas las naciones,

**6.** Entre las cuales sois también *contados* vosotros, llamados a *ella* por Jesucristo:

---

**CAP. PRIMERO. —** 1. Llamado al Apostolado por el mismo Jesucristo de una manera tan extraordinaria, que de ningún modo se puede dudar de su vocación; y después separado y escogido para predicar el Evangelio a los Gentiles por expreso mandamiento del mismo Espíritu Divino. *Actos,* XIII. 2.

2. Este Evangelio, o dichosa nueva del misterio de nuestra Redención, no es una invención humana como algunos piensan, sino que fué prometido y anunciado en todas las escrituras y por todos los profetas de los siglos precedentes, los cuales todos no tuvieron otra mira que llevar a los hombres al Cristo y a su Evangelio; porque el fin de la ley de Cristo.

3. Según su naturaleza humana por la operación del Espíritu Santo, de una manera extraordinaria, sobrenatural y no según el orden regular. El pronombre *le* que añade la Vulgata, denota que era inferior a Dios según la naturaleza humana, y que no se había hecho *Hombre,* ni venido al mundo, sino para cumplir en todo su voluntad.

---

4. Lo que supone, que lo era antes de esta declaración, y que esta cualidad le era propia y natural aunque estuviese oculta y como cubierta con el velo de su Santa Humanidad, la cual estaba sujeta a las mismas enfermedades e incomodidades que los otros, a excepción del pecado y sus reliquias.

El mismo, que era ab æterno Hijo de Dios, fué predestinado para ser en tiempo Hijo de María Virgen.

Esta *virtud o poder* se vió en un crecidísimo número de milagros que obró durante la carrera de su vida mortal.

El hizo ver su divina filiación por la plenitud del Espíritu Santo que residía en él, y que derramó sobre su Iglesia para santificarla, y señaladamente sobre sus Apóstoles el día de Pentecostés, y sobre los otros fieles que creían en él.

5. Se reciban las verdades de la fe con una entera sumisión y obediencia: y esto por el poder y virtud del nombre y de la gracia de Jesucristo. Por *Gentes* se entienden los Gentiles.

**7.** A todos aquellos que estáis en Roma, *que sois* amados de Dios, y santos por vuestra vocación, gracia y paz de parte de Dios nuestro Padre y del Señor Jesucristo.

**8.** Primeramente yo doy gracias a mi Dios por *medio de* Jesucristo acerca de todos vosotros, de que vuestra fe es celebrada por todo el mundo.

**9.** Dios, a quien sirvo con *todo* mi espíritu en *la predicación* del evangelio de su Hijo, me es testigo de que continuamente hago memoria de vosotros,

**10.** Pidiéndole siempre en mis oraciones que, si es de su voluntad, me abra finalmente algún camino favorable para ir a veros.

**11.** Porque tengo muchos deseos de ello, a fin de comunicaros alguna gracia espiritual con la que seáis fortalecidos.

**12.** Quiero decir, para que *hallándome* entre vosotros, podamos consolarnos mutuamente los unos a los otros, por medio de la fe, que es común a vosotros y a mí.

**13.** Mas no quiero, hermanos, que dejéis de saber, que muchas veces he propuesto hacer este viaje, para lograr también entre vosotros algún fruto, así como entre las demás naciones; pero hasta ahora no me ha sido posible.

**14.** Deudor soy igualmente a griegos y a bárbaros, a sabios y a ignorantes.

**15.** Así (por lo que a mi toca) pronto estoy a predicar el evangelio, también a los que vivís en Roma:

**16.** Que no me avergüenzo yo del evangelio, siendo él como es, la virtud de Dios para salvar a todos los que creen, a los judíos primeramente, *y después* a los gentiles.

**17.** Y en el evangelio es en donde se nos ha revelado la justicia *que viene* de Dios *la cual nace* de la fe, *y se perfecciona* en la fe según *aquello que* está escrito: El justo vive por la fe.

---

**8.** Porque vuestra fe es tal, que su reputación se ha extendido por todo el mundo. O porque la nueva de vuestra conversión a la fe ha llegado a noticia de los fieles de otras provincias, que llenos de júbilo dan gracias a Dios por ver establecida la religión cristiana en la capital del mundo.

**11.** Algunas de las gracias y luces celestiales, que el Señor me ha dado para beneficio de otros.

**14.** Por *Griegos* entienden los pueblos cultos, entre los cuales ocupaban el primer lugar los Romanos; por *Bárbaros*, los pueblos groseros y sin cultivo.

**16.** En cuanto a conseguir la salud mediante la predicación del Evangelio, no hay distinción entre Judío y Gentil; mas en cuanto al orden con que debe hacerse, son convidados principalmente los Judíos, como los primeros a quienes fueron prometido el Evangelio y el Mesías.

**18.** Se descubre también *en él* la ira de Dios *que descargará* del cielo sobre toda la impiedad e injusticia de aquellos hombres, que tienen aprisionada injustamente la verdad de Dios;

**19.** Puesto que ellos han conocido claramente lo que se puede conocer de Dios, porque Dios se lo ha manifestado.

**20.** En efecto, las perfecciones invisibles de Dios, aun su eterno poder y su divinidad, se han hecho visibles después de la creación del mundo, por el conocimiento que de ellas nos dan sus criaturas; y así tales hombres no tienen disculpa;

**21.** Porque habiendo conocido a Dios, no le glorificaron como a Dios, ni le dieron gracias; sino que *ensoberbecidos* devanearon en sus discursos, y quedó su insensato corazón lleno de tinieblas.

**22.** Mientras que se jactaban de sabios, pararon en ser unos necios,

**23.** Hasta llegar a transferir a un simulacro en imagen de hombre corruptible, y *a figuras* de aves, y de *bestias* cuadrúpedas, y de serpientes, el honor debido solamente a Dios incorruptible o *inmortal.*

**24.** Por lo cual Dios los abandonó a los deseos de su *depravado* corazón, a los vicios de la impureza, en tanto grado que deshonraron ellos mismos sus propios cuerpos;

**25.** Ellos que habían colocado la mentira en el lugar de la verdad de Dios, dando culto y sirviendo a las criaturas en lugar de adorar al Criador, *solamente* el cual es *digno de ser* bendito por todos los siglos. Amén.

**26.** Por eso les entregó Dios a pasiones infames. Pues sus mismas mujeres invirtieron el uso natural, en el que es contrario a la naturaleza.

**27.** Del mismo modo también los varones, desechado el uso natural de la hembra, se abrasaron en amores brutales de unos con otros, cometiendo torpezas nefandas varones con varones, y recibiendo en sí mismos la paga merecida de su obcecación.

**28.** Pues como no quisieron reconocer a Dios, Dios los entregó a un réprobo sentido, de suerte que han hecho acciones indignas *del hombre,*

**29.** *Quedando* atestados de toda suerte de iniquidad de malicia, de fornicación, de avaricia, de perversidad; llenos de envidia, homicidas, pendencieros, fraudulentos malignos, chismosos,

**30.** Infamadores enemigos de Dios, ultrajadores, soberbios, altaneros, inventores de vicios, desobedientes a sus padres,

---

**28.** En pena de no haber hecho uso del conocimiento *natural* que tenían de Dios.

**31.** Irracionales, desgarrados, desamorados, desleales, despiadados:

**32.** Los cuales en medio de haber conocido la justicia de Dios, no echaron de ver que los que hacen tales cosas, son dignos de muerte *eterna*, y no sólo los que las hacen, sino también los que aprueban a los que las hacen.

## CAPITULO II

*Demuéstrase que los judíos son tanto o más culpables por sus malas obras que los gentiles. La verdadera circuncisión es la del espíritu o la del entendimiento y de la voluntad.*

**1.** Por donde tú eres inexcusable, ¡oh hombre, quien quiera que seas!, que te metes a condenar a los demás. Pues en lo que condenas a otro te condenas a ti mismo, *haciendo como haces tú, ¡oh judío!,* aquellas mismas cosas que condenas.

**2.** Sabemos que Dios condena, según su verdad, a los que cometen tales acciones.

**3.** Tú, pues, ¡oh hombre!, que condenas a los que tales cosas hacen, y *no obstante* las haces, ¿piensas *acaso* que podrás huir del juicio de Dios?

**4.** ¿O desprecias tal vez las riquezas de su bondad, y de su paciencia, y largo sufrimiento? ¿No reparas que la bondad de Dios te está llamando a la penitencia?

**5.** Tú, al contrario, con tu dureza y corazón impenitente vas atesorándote ira y más ira para el día de la venganza y de la manifestación del justo juicio de Dios,

**6.** El cual ha de pagar a cada uno según sus obras,

**7.** Dando la vida eterna a los que, por medio de la perseverancia en las buenas obras, aspiran a la gloria, al honor y a la inmortalidad.

**8.** Y derramando su cólera y su indignación sobre los espíritus porfiados, que no se rinden a la verdad, sino que abrazan la injusticia.

**9.** Así que tribulación y angustias *aguardan sin remedio* al alma de todo hombre que obra mal, del judío primeramente, y *después* del griego;

**10.** Mas la gloria, el honor y la paz serán *la porción hereditaria* de todo aquel que obra bien, del judío primeramente, y *después* del griego;

**11.** Porque para con Dios no hay acepción de personas.

**12.** Y así todos los que pecaron sin *tener* ley *escrita,* perecerán sin *ser juzgados por* ella; mas todos los que pecaron teniéndola, por ella serán juzgados.

**13.** Que no son justos delante de Dios los que oyen la ley, sino los que la cumplen; ésos *son los que* serán justificados.

**14.** En efecto, cuando los gentiles, que no tienen ley *escrita,* hacen por razón natural lo que manda la ley, éstos tales no teniendo ley, son para sí mismo ley *viva;*

**15.** Y ellos hacen ver *que* lo que la ley ordena *está* escrito en sus corazones, como se lo atestigua su propia conciencia, y las diferentes reflexiones que allá en su interior ya los acusan, ya los defienden,

**16.** *Como se verá* en aquel día, en que Dios juzgará los secretos de los hombres, por medio de Jesucristo, según *la doctrina de* mi evangelio.

**17.** Mas tú que te precias del renombre de judío, y tienes puesta tu confianza en la ley, y te glorías de *adorar a* Dios,

**18.** Y conoces su voluntad y, amaestrado por la ley, disciernes lo que es mejor,

**19.** Tú te jactas de ser guía de ciegos, luz de los que están a oscuras,

**20.** Preceptor de gente ruda, maestro de niños, *o recién convertidos,* como quien tiene en la ley *de Moisés* la pauta de la ciencia y de la verdad;

**21.** Y no obstante, tú que instruyes al otro, no te instruyes a ti mismo; tú que predicas que no es lícito hurtar, hurtas;

**22.** Tú que dices que no se ha de cometer adulterio, lo cometes; tú que abominas de los ídolos, eres sacrílego adorador suyo;

**23.** Tú, *en fin,* que te glorías en la ley, con la violación de la misma ley deshonras a Dios.

**24.** Vosotros *los judíos* sois la causa, como dice la Escritura, de que sea blasfemado el nombre de Dios entre los gentiles.

**25.** Por lo demás, la circuncisión sirve si observas la ley; pero si eres prevaricador de la ley, *por más que estés* circuncidado, vienes a ser *delante de Dios* como un hombre incircunciso.

**26.** Al contrario, si un incircunciso guarda los preceptos de la ley, por ventura, sin estar circuncidado, ¿no será reputado por circunciso?

**27.** Y el que por naturaleza es incircunciso *o gentil,* y guarda exactamente la ley, ¿no te condenará a ti, que teniendo la letra *de la ley* y la circuncisión, eres prevaricador de la ley?

---

CAP. II. — 2. Esto es, los enormes delitos de qué he hablado.

24. Quienes al ver vuestras costumbres, tiene en bajo concepto la ley que os gobierna.

**28.** Porque no está en lo exterior el ser judío, ni es la *verdadera* circuncisión la que se hace en la carne;

**29.** Sino que el *verdadero* judío es aquel que lo es en su interior, así como la *verdadera* circuncisión es la del corazón *que se hace* según el espíritu, y no según la letra *de la ley;* y este *verdadero* judío recibe su alabanza, no de los hombres, sino de Dios.

## CAPITULO III

*En qué tienen la preferencia los judíos sobre los gentiles. Unos y otros están sujetos al yugo del pecado. No es la ley, sino la fe de Jesucristo la que los libra de él. Pero la fe no destruye la ley, sino que la perfecciona.*

**1.** ¿Cuál es, pues, *(me diréis),* la ventaja de los judíos *sobre los gentiles?,* o ¿qué utilidad *se saca en* ser *del pueblo* circuncidado?

**2.** *La ventaja de los judíos* es grande de todos modos. Y principalmente porque a ellos les fueron confiados los oráculos de Dios.

**3.** Porque, en fin, si algunos de ellos no han creí-do, ¿su infidelidd frustará por ventura la fidelidad de Dios? Sin duda que no,

**4.** Siendo Dios, como es, veraz, y mentiroso todo hombre, según aquello que *David* dijo *a Dios:* A fin de que tú seas reconocido fiel en tus palabras, y salgas vencedor en los juicios *que de ti se hacen.*

**5.** Mas si nuestra injusticia *o iniquidad* hace resaltar la justicia de Dios, ¿qué diremos? ¿No será Dios (hablo a lo humano) injusto en castigarnos?

**6.** Nada menos. *Porque* si así fuese, ¿cómo sería Dios el juez del mundo?

**7.** Pero si la fidelidad *o verdad* de Dios (añadirá alguno) con ocasión de mi infidelidad *o malicia,* se ha manifestado más gloriosa, ¿por qué razón todavía soy yo condenado como pecador?

**8.** ¿Y por qué (como con una insigne calumnia esparcen algunos que nosotros decimos) no hemos de hacer nosotros un mal, a fin de que de él resulte un bien? Los que dicen esto son justamente condenados.

**9.** ¿Diremos, pues, que somos *los judíos* más dignos que los gentiles? No por cierto. Pues ya hemos demostrado que así judíos como gentiles todos están sujetos al pecado,

**10.** Según aquello que dice la Escritura: No hay uno que sea justo;

**11.** No hay quien sea cuerdo, no hay quien busque a Dios:

**12.** Todos se descarriaron, todos se inutilizaron; no hay quien obre bien, no hay siquiera uno;

**13.** Su garganta es un sepulcro abierto, se han servido de sus lenguas para urdir enredos; dentro de sus labios tienen veneno de áspides;

**14.** Su boca está llena de maldición y de amargura;

**15.** Son sus pies ligeros para *ir* a derramar sangre;

**16.** Todos sus pasos se dirigen a oprimir y a hacer infelices *a los demás;*

**17.** Porque la senda de la paz nunca la conocieron,

**18.** Ni tienen el temor de Dios ante sus ojos.

**19.** Empero sabemos que cuantas cosas dice la ley, todas las dirige a los que profesan la ley a fin de que toda boca enmudezca, y todo el mundo, *así judíos como gentiles,* se reconozca reo delante de Dios;

**20.** Supuesto que delante de él ningún hombre será justificado por *solas* las obras de la ley. Porque por la ley se nos ha dado el conocimiento del pecado.

**21.** Cuando ahora la justicia que da Dios sin la ley se nos ha hecho patente, *según está* atestiguada por la ley y los profetas.

**22.** Y esta justicia que da Dios por la fe en Jesucristo, es para todos y sobre todos los que creen en él, pues no hay distinción alguna *entre judío y gentil;*

**23.** Porque todos pecaron, y tienen necesidad de la gloria *o gracia* de Dios,

**24.** Siendo justificados gratuitamente por la gracia del mismo, en virtud de la redención que *todos* tienen en Jesucristo,

**25.** A quien Dios propuso para *ser la víctima de* propiciación en virtud de su sangre por medio de la fe, a fin de demostrar la justicia que da él mismo perdonando los pecados pasados,

**26.** Soportados por Dios con tanta paciencia, con el fin, *digo,* de manifestar su justicia en el tiempo presente; por donde se vea cómo él es justo en sí mismó, y que justifica al que tiene la fe de Jesucristo.

---

CAP. III. — 2. O las Escrituras divinas; y a ellos se hicieron las promesas del Mesías y de su reino eterno.

4. No faltará Dios a su palabra, aunque hayan faltado los judíos.

5. Por nuestros pecados, puesto que ellos manifiestan sus perfecciones.

---

9. Esto es, la dicha de estar justificado graciosamente por Dios.

**27.** Ahora, pues, ¿dónde está ¡oh judío! el motivo de gloriarte? Queda excluido. ¿Por qué ley? ¿Por la de las obras? No, sino por la ley de la fe.

**28.** Así que, concluimos ser justificado el hombre por la fe *viva* sin las obras de la ley.

**29.** *Porque en fin* ¿es acaso Dios de los judíos solamente? ¿No es también *Dios* de los gentiles? Sí por cierto, de los gentiles también.

**30.** Porque uno es realmente el Dios que justifica por medio de la fe a los circuncidados, y que con la *misma* fe justifica a los no circuncidados.

**31.** ¿Luego nosotros, *dirá alguno,* destruimos la ley *de Moisés* por la fe *en Jesucristo?* No hay tal, antes bien confirmamos la ley.

## CAPITULO IV

*Con el ejemplo de Abraham prueba el Apóstol que Dios justifica el pecado, no en fuerza de obras o virtudes humanas, sino de pura gracia por la fe que le infunde.*

**1.** ¿Qué *ventaja,* pues, diremos haber logrado Abraham, padre nuestro según la carne?

**2.** Ciertamente que si Abraham fué justificado por las obras *exteriores,* él tiene de qué gloriarse, mas no para con Dios.

**3.** Porque ¿qué es lo que dice la Escritura?: Creyó Abraham a Dios, lo cual le fué imputado a justicia.

**4.** Pues al que trabaja, el salario no se le cuenta como una gracia, sino como una deuda.

**5.** Al contrario, cuando a alguno, sin hacer las obras *exteriores, o de la ley,* con creer en aquel que justifica al impío, se le reputa su fe por justicia, *es éste un don gratuito* según el beneplácito de la gracia de Dios.

**6.** En este sentido David llama bienaventurado al hombre a quien Dios imputa la justicia sin *mérito de* las obras, *diciendo:*

**7.** Bienaventurados aquellos cuyas maldades son perdonadas y cuyos pecados están borrados;

**8.** Dichoso el hombre a quien Dios no imputó culpa.

**9.** ¿Y esta dicha es sólo para los circuncisos? ¿No es también para los incircuncisos? Acabamos de decir que la fe se reputó a Abraham por su justicia.

**10.** ¿Y cuándo se le reputó? ¿Después que fué circuncidado, o antes de serlo? Claro está que no cuando fué circuncidado, sino antes.

**11.** Y así él recibió la marca o *divisa* de la circuncisión, como un sello, *o señal,* de la justicia *que había adquirido* por la fe, cuando era aún incircunciso; para que fuese padre de todos los que creen sin estar circuncidados, a quienes se les reputase también *la fe* por justicia;

**12.** Como asimismo padre de los circuncidados; de aquellos, *digo,* que no solamente han recibido la circuncisión, sino que siguen también las huellas de la fe que tenía nuestro padre Abraham, siendo aún incircunciso.

**13.** Y así no fué en virtud de la ley, sino en virtud de la justicia de la fe, la promesa hecha a Abraham, o a su posteridad, de tener al mundo por herencia suya.

**14.** Porque si *sólo* los que pertenecen a la ley *de Moisés* son los herederos, inútil fué la fe, y queda sin efecto la promesa *de Dios.*

**15.** Porque la ley produce o *manifiesta* la cólera *de Dios contra sus transgresores;* en lugar de que *allá* donde no hay ley, no hay *tampoco* violación *de la ley.*

**16.** La fe, pues, es por la cual *nosotros somos herederos,* a fin de que *lo seamos* por gracia, *y* permanezca firme la promesa para todos los hijos *de Abraham,* no solamente para los que han recibido la ley, sino también para aquellos que siguen la fe de Abraham, que es el padre de todos,

**17.** (Según lo que está escrito: Téngote constituido padre de muchas gentes), *y que lo es* delante de Dios, a quien ha creído, el cual

---

**31.** Poniendo S. Pablo la fe por fundamento de la justicia, lejos de destruir la ley, asegura su cumplimiento, puesto que por sola la fe se puede llevar al cumplimiento y fin de la ley.

**CAP. IV.** — **2.** Si Abraham en este estado hubiera debido su justificación a sus obras, hubiera sido el autor de ella, sin que la gracia de Dios hubiera hecho nada; o si hubiera tenido parte, hubiera sido con dependencia de la voluntad de Abraham, que en esta hipótesis debía considerarse como el primer principio, y por decirlo así la causa determinante. S. Tomás.

---

**11.** Como una confirmación auténtica del don que Dios le había hecho de la verdadera justicia. Los príncipes cuando conceden una gracia, confirman y aseguran la donación con el sello de sus armas.

**12.** Y que sea padre según el espíritu de los Judíos fieles, que no están solamente circuncidados exteriormente, sino que siguen las pisadas de Abraham y el ejemplo de su fe, creyendo como él en Jesucristo y recibiendo por esta fe la perfecta justicia, que es la verdadera circuncisión del corazón.

da vida a los muertos, y llama *o da ser,* a las cosas que no son, del mismo modo que a las que son.

**18.** Así habiendo esperado contra *toda* esperanza, él creyó que vendría a ser padre de muchas naciones, según se le había dicho: Innumerable será tu descendencia.

**19.** Y no desfalleció en la fe, ni atendió a su propio cuerpo ya desvirtuado, siendo ya de casi cien años, ni a que estaba extinguida en Sara la virtud de concebir.

**20.** No dudó él ni tuvo la menor desconfianza de la promesa de Dios; antes se fortaleció en la fe, dando a Dios la gloria,

**21.** Plenamente persuadido de que todo cuanto Dios tiene prometido, es poderoso también para cumplirlo.

**22.** Por eso *el creer* le fué reputado por justicia.

**23.** Pero el habérsele reputado por justicia, no está escrito sólo para él.

**24.** Sino también para nosotros, a quienes se ha de reputar *igualmente* a justicia, el creer en aquel que resucitó de entre los muertos a Jesucristo Señor nuestro,

**25.** El cual fué entregado *a la muerte* por nuestros pecados, y resucitó para nuestra justificación.

## CAPITULO V

*Excelencia de la justificación por la fe de Jesucristo, cuya gracia sobreabundante, no como quiera quita los males del pecado, sino que nos colma de bienes inmensos.*

**1.** Justificados, pues, por la fe, mantengamos la paz con Dios mediante nuestro Señor Jesucristo,

**2.** Por el cual asimismo, en virtud de la fe, tenemos cabida en esta gracia, en la cual permanecemos firmes, y nos gloriamos esperando la gloria de los hijos de Dios.

**3.** Ni nos gloriamos solamente en esto, sino también en las tribulaciones, sabiendo que la tribulación ejercita la paciencia,

---

**25.** Jesucristo murió para merecernos el perdón de nuestros pecados y el don de la Justicia. Resucitó para que esta justicia nos fuese dada por la fe de su resurrección, y siendo este misterio el que estableció en Jesucristo la cualidad de Hijos de Dios, de Salvador y Mediador, recogemos por la fe de la resurrección el fruto de los otros misterios; porque ésta es la fe que propiamente hace al cristiano verdadero discípulo de Cristo y le distingue del judío y de los otros infieles.

**4.** La paciencia *sirve a la* prueba *de nuestra fe,* y la prueba *produce* la esperanza,

**5.** Esperanza que no burla; porque la caridad de Dios ha sido derramada en nuestros corazones por medio del Espíritu Santo, que se nos ha dado.

**6.** Porque ¿de dónde nace que Cristo estando nosotros todavía enfermos *del pecado,* al tiempo señalado murió por los impíos?

**7.** A la verdad apenas hay quien quisiese morir por un justo; tal vez *se hallaría* quien tuviese valor de dar su vida por un bienhechor;

**8.** Pero lo que hace brillar más la caridad de Dios hacia nosotros, es que *entonces mismo* cuando éramos aún pecadores *o enemigos suyos, fué cuando* al tiempo señalado,

**9.** Murió Cristo por nosotros; luego *es claro que* ahora mucho más estando justificados por su sangre, nos salvaremos por él de la ira *de Dios.*

**10.** Que si cuando éramos enemigos de Dios, fuimos reconciliados con él por la muerte de su Hijo, mucho más estando ya reconciliados, nos salvará por él mismo *resucitado y* vivo.

**11.** Y no tan sólo eso, sino que también nos gloriamos en Dios por nuestro Señor Jesucristo, por cuyo medio hemos obtenido ahora la reconciliación.

**12.** Por tanto, así como por un solo hombre entró el pecado en este mundo, y por el pecado la muerte, así también la muerte se fué propagando en todos los hombres, por aquel *solo Adán* en quien todos pecaron.

**13.** Así que el pecado ha estado *siempre* en el mundo hasta *el tiempo de* la ley; mas como *entonces* no había ley *escrita,* el pecado no se imputaba *como transgresión de ella.*

---

**CAP. V.** — **1.** Conservemos esta gracia: no pequemos más, ni volvamos a los desórdenes antiguos.

**6.** En este descaecimiento espiritual, y en esta corrupción del pecado en que nacen todos los hombres incapaces de hacer cosa alguna que pueda ser agradable a Dios, ni merecer la menor gracia de su bondad. Enfermos, pecadores, enemigos de Dios.

**13.** El pecado no era imputado a los hombres como una transgresión y un desprecio formal de la voluntad de Dios, que les hubiese sido declarada por la imposición de pena determinada: pero era castigado con pena eterna, como efecto de la voluntad corrompida. Los judíos a quienes Dios había declarado su voluntad, habiéndoles dada una ley escrita y penal, eran además prevaricadores y transgresores cuando desobedecían a esta ley.

**14.** Con todo eso, la muerte reinó desde Adán hasta Moisés aun sobre aquellos que no pecaron con una transgresión *de la ley de Dios* semejante a la de Adán, el cual es figura del *segundo Adán* que había de venir.

**15.** Pero no ha sucedido en la gracia, así como en el pecado; porque si por el pecado de uno sólo murieron muchos, mucho más copiosamente se ha derramado sobre muchos la misericordia y el don de Dios por la gracia de un solo hombre, que es Jesucristo.

**16.** Ni pasa lo mismo en este don *de la gracia,* que lo que vemos en el pecado. Porque nosotros hemos sido condenados en el juicio *de Dios* por un solo pecado, en lugar de que somos justificados por la gracia después de muchos pecados.

**17.** Con que, si por el pecado de uno solo ha reinado la muerte por un solo hombre *que es Adán,* mucho más los que reciben la abundancia de la gracia, y de los dones, y de la justicia, reinarán en la vida por solo *un hombre que es* Jesucristo.

**18.** En conclusión, así como el delito de uno solo atrajo la condenación *de muerte* a todos los hombres, así también la justicia de uno solo ha merecido a todos los hombres la justificación que da vida *al alma.*

**19.** Pues a la manera que por la desobediencia de un solo hombre fueron muchos constituidos pecadores, así también por la obediencia de uno solo, serán muchos constituidos justos.

**20.** Es verdad que sobrevino la ley, y con ella se aumentó el pecado *por haber sido desobedecida.* Pero cuanto más abundó el pecado, tanto más ha sobreabundado la gracia,

**21.** A fin de que al modo que reinó el pecado para dar la muerte, así también reine la gracia en virtud de la justicia para dar la vida eterna, por Jesucristo nuestro Señor.

## CAPITULO VI

*Cómo deben los fieles perseverar en la gracia una vez recibida en el bautismo, haciendo nueva vida, y entregándose del todo a Dios.*

**1.** ¿Qué diremos, pues? ¿Habremos de permanecer en el pecado para *dar motivo a* que la gracia sea copiosa?

**2.** No lo permita Dios. Porque estando ya muertos al pecado, ¿cómo hemos de vivir aún de él?

**3.** ¿No sabéis que cuantos hemos sido bautizados en Jesucristo, lo hemos sido con *la representación y en virtud de* su muerte?

**4.** En efecto, en el bautismo hemos quedado sepultados con él muriendo *al pecado,* a fin de que así como Cristo resucitó de muerte *a vida* para gloria del Padre, así también procedamos nosotros con nuevo tenor de vida.

**5.** Que si hemos sido injertados con él por medio de la representación de su muerte, igualmente lo hemos de ser representando su resurrección,

**6.** Haciéndonos cargo que nuestro hombre viejo fué sacrificado juntamente con él, para que sea destruido *en nosostros* el cuerpo del pecado, y ya no sirvamos más al pecado.

**7.** Pues quien ha muerto *de esta manera,* queda ya justificado del pecado.

**8.** Y si nosotros hemos muerto con *Jesucristo,* creemos *firmemente* que viviremos también juntamente con Cristo,

**9.** Sabiendo que Cristo resucitado de entre los muertos no muere ya otra vez; y que la muerte no tendrá ya dominio sobre él.

**10.** Porque en cuanto al haber muerto, *como fué* por *destruir* el pecado, murió una sola vez; mas en cuanto al vivir, vive para Dios, *y es inmortal.*

**11.** Así *ni más ni menos* vosotros considerad también que realmente estáis muertos al pecado *por el bautismo,* y que vivís ya para Dios en Jesucristo Señor nuestro.

**12.** No reine, pues, el pecado en vuestro cuerpo mortal, de modo que obedezcáis a sus concupiscencias.

**13.** Ni tampoco abandonéis más vuestros miembros al pecado para servir de instrumentos a la iniquidad; sino antes bien entregados *todos* a Dios, como resucitados de muerte *a vida,* y ofreced a Dios vuestros miembros para servir de instrumentos a la justicia *o virtud.*

**14.** Porque el pecado no se enseñoreará *ya* de vosotros, *si no queréis;* pues no estáis bajo *el dominio de* la ley; sino de la gracia.

**15.** ¿Mas qué? ¿Pecaremos, ya que no estamos sujetos a la ley, sino a la gracia? No lo permita Dios.

---

14. Esto es, contra una ley o mandato expreso de Dios, como pecó nuestro primer padre.

**16.** ¿No sabéis que si os ofrecéis por esclavo de alguno para obedecer *a su imperio, por el mismo hecho* quedáis esclavos de aquél a quien obedecéis, bien sea del pecado para *recibir* la muerte, bien sea de la obediencia *a la fe,* para *recibir* la justicia *o vida del alma?*

**17.** Pero, gracias a Dios, vosotros, aunque fuisteis siervos del pecado, habéis obedecido de corazón a la doctrina *del evangelio,* según cuyo modelo habéis sido formados *de nuevo.*

**18.** Con lo que, libertados *de la esclavitud* del pecado, habéis venido a ser siervos de la justicia *o santidad.*

**19.** Voy a decir una cosa, hablando a lo humano, en atención a la flaqueza de vuestra carne; *y es, que* así como habéis empleado los miembros de vuestro cuerpo en servir a la impureza y a la injusticia para cometer la iniquidad, así ahora los empleéis en servir a la justicia para santificaros.

**20.** Porque cuando erais esclavos del pecado, estuvisteis *como* exentos del *imperio* de la justicia.

**21.** Mas ¿y qué frutos sacasteis entonces de aquellos *desórdenes* de que al presente os avergonzáis? En verdad que la muerte es el fin a que conducen.

**22.** Por el contrario, ahora habiendo quedado libres del pecado, y hechos siervos de Dios, cogéis por fruto vuestro la santificación, y por fin la vida eterna.

**23.** Porque el estipendio *y paga* del pecado es la muerte. Empero la vida eterna es una gracia de Dios por Jesucristo nuestro Señor.

## CAPITULO VII

*Ventaja grandísima del hombre en el estado de la ley de gracia, comparado con el que tenía por razón del pecado en la ley antigua. Combate la carne contra el espíritu.*

**1.** ¿Ignoráis acaso, hermanos, (ya que hablo con los que están instruidos en la ley) que la ley *no* domina sobre el hombre, *sino* mientras éste vive?

**2.** Así es que una mujer casada está ligada por la ley *del matrimonio* al marido mientras éste vive; mas en muriendo su marido, queda libre de la ley que la ligaba al marido.

**3.** Por esta razón será tenida por adúltera si, viviendo su marido, se junta con otro hombre; pero si el marido muere, queda libre del vínculo, y puede casarse con otro sin ser adúltera.

**4.** Así, también vosotros, hermanos míos, quedasteis muertos a la ley en virtud de la *muerte del* cuerpo de Cristo, para ser de otro, *esto es, del* que resucitó de entre los muertos, a fin de que nosotros produzcamos frutos para Dios.

**5.** Pues cuando vivíamos según la carne, las pasiones de los pecados, *excitadas* por ocasión de la ley, mostraban su eficacia en nuestros miembros, en *hacerles* producir frutos para la muerte;

**6.** Pero ahora estamos exento de esta ley *ocasión* de muerte, que nos tenía ligados, para que sirvamos a *Dios* según el nuevo espíritu, y no según la letra *o ley* antigua.

**7.** Esto supuesto, ¿qué diremos? ¿Es la ley *la causa del* pecado? No digo tal. Pero sí que no acabé de conocer el pecado, sino por *medio de* la ley: de suerte que yo no hubiera advertido la concupiscencia *mía,* si la ley no dijera: No codiciarás.

**8.** Mas el pecado, *o el deseo de éste,* estimulado con ocasión del mandamiento *que lo prohibe,* produjo en mí toda suerte de malos deseos. Porque sin la ley, el pecado *de la codicia* estaba *como* muerto.

**9.** Yo también vivía en algún tiempo sin ley, *dirá otro:* mas así que sobrevino el mandamiento, revivió el pecado,

**10.** Y yo quedé muerto; con lo que aquel mandamiento, que debía servir para darme la vida, ha servido para darme la muerte.

**11.** Porque el pecado, tomando ocasión del mandamiento, me sedujo, y *así por la violación del* mismo *mandamiento* me ha dado la muerte.

**12.** De manera que la ley es santa, y el mandamiento *que prohibe el pecado,* sano, justo y bueno.

**13.** ¿Pero qué, lo que es *en sí* bueno, me ha causado a mí la muerte? Nada menos. Sino que el pecado, *o la concupiscencia, es el que,*

---

CAP. VII. — **4.** Con el cual fuisteis crucificados y cuyos miembros sois; y así estáis desobligados y libres de ella.

**5.** Martini traduce: de las afecciones pecaminosas. O con la misma prohibición.

**7.** O que fuesen pecado los malos deseos. La voz griega que usó el Apóstol, y en la Vulgata se traduce *concupisces,* la expresamos con el verbo codiciarás, el cual por su generalidad corresponde exactamente a los dos verbos griego y latino, aun-

que es verdad que vulgarmente *codiciar* o *codicioso* se aplica más al que desea el dinero, frutos, etc., que los placeres de la carne. San Pablo habla de todo género de ilícitos deseos.

**8.** Y nadie hacía escrúpulo de cometerle.

**11.** O avivándose con la misma prohibición.

habiéndome causado la muerte por medio de una cosa buena, *cual es la ley,* ha manifestado lo *venenoso* que él es; de manera que por *ocasión* del mismo mandamiento, se ha hecho el pecado sobremanera maligno.

**14.** Porque bien sabemos que la ley es espiritual; pero yo por mí soy carnal, vendido para ser esclavo del pecado.

**15.** Por lo que, yo mismo no apruebo lo que hago; pues no hago el bien que amo, sino antes el mal que aborrezco, ése lo hago.

**16.** Mas por lo mismo que hago lo que no amo, reconozco la ley como buena.

**17.** Y en este lance no tanto soy yo el que obra aquello, cuanto el pecado o *la concupiscencia* que habita en mi.

**18.** Que bien conozco que nada de bueno hay en mí, quiero decir en mi carne. Pues aunque hallo en mí la voluntd para hacer el bien, no hallo cómo cumplirla.

**19.** Por cuanto no hago el bien que quiero; antes bien el mal que no quiero.

**20.** Mas si hago lo que no quiero, ya no lo ejecuto yo, sino el pecado que habita en mí.

**21.** Y así es que, cuando yo quiera hacer el bien, *me* encuentro con una ley *o inclinación contraria,* porque el mal está pegado a mí.

**22.** De aquí es que me complazco en la ley de Dios según el hombre interior;

**23.** Mas *al mismo tiempo* echo de ver otra ley en mis miembros, la cual resiste a la ley de mi espíritu, y me sojuzga a la ley del pecado, que está en los miembros de mi cuerpo.

**24.** ¡Oh qué hombre tan infeliz soy yo! ¿Quién me libertará de este cuerpo de muerte, *o mortífera concupiscencia?*

**25.** *Solamente* la gracia de Dios por *los méritos* de Jesucristo, Señor nuestro. Entretanto yo mismo vivo sometido por el espíritu a la ley de Dios, y por la carne a la ley del pecado.

## CAPITULO VIII

*Confirma lo dicho el Apóstol mucho más copiosamente. Felicidad de los justos. Su alegría y esperanza; y cómo de todo sacan provecho, sin que nada les pueda separar del amor de Jesucristo.*

**1.** De consiguiente nada hay ahora digno de condenación en aquellos que están *reengendrados* en Cristo Jesús, y que no siguen la carne.

**2.** Porque la ley del espíritu de vida, que está en Cristo Jesús, me ha libertado de la ley del pecado y de la muerte.

**3.** Pues lo que era imposible que la ley hiciese, estando *como estaba* debilitada por la carne hízolo Dios, habiendo enviado a su Hijo *revestido* de una carne semejante a las del pecado, *y héchole víctima* por el pecado, mató así el pecado en la carne,

**4.** A fin de que la justificación de la ley tuviese su cumplimiento en nosotros, que no vivimos conforme a la carne, sino conforme al espíritu.

**5.** Porque los que viven según la carne, se saborean con las cosas que son de la carne; cuando los que viven según el espíritu, gustan de las que son del espíritu.

**6.** La sabiduría o *prudencia* de la carne es una muerte, en lugar de que la sabiduría *de las cosas* del espíritu, es vida y paz:

**7.** Por cuanto la sabiduría de la carne es enemiga de Dios; como que no está sumisa a la ley de Dios, ni es posible que lo esté *siendo contraria a ella.*

**8.** Por donde los que viven según la carne, no pueden agradar a Dios.

**9.** Pero vosotros no vivís según la carne, sino según el espíritu, si es que el espíritu de Dios habita en vosotros. Que si alguno no tiene el Espíritu de Cristo, éste tal no es de Jesucristo.

**10.** Mas si Cristo está en vosotros, aunque el cuerpo esté muerto, *o sujeto a muerte,* por razón del pecado *de Adán,* el espíritu vive en virtud de la justificación.

**11.** Y si el Espíritu de aquel *Dios,* que resucitó a Jesús de la muerte, habita en vosotros, *el mismo* que ha resucitado a Jesucristo de la muerte, dará vida también a vuestros cuerpos mortales, en virtud de su espíritu que habita en vosotros.

**12.** Así que, hermanos *míos,* somos deudores no a la carne, para vivir según la carne, *sino al Espíritu de Dios:*

**13.** Porque si viviereis según la carne, moriréis; mas si con el espíritu hacéis morir las obras o *pasiones* de la carne, viviréis,

**14.** Siendo cierto que los que se rigen por el Espíritu de Dios, ésos son hijos de Dios.

---

CAP. VIII. — 1. O de la gracia que derrama en vosotros Jesucristo.

16. Con la confianza y amor que nos inspira.

23. De las miserias de esta vida, por medio de su resurrección.

26. En que la gracia hace prorrumpir a nuestro corazón. S. Juan Cris.

28. A los que Dios *ha predestinado ab æterno,* y después ha llamado *a* la fe y finalmente ha *santificado* con su gracia.

**15.** Porque no habéis recibido *ahora* el espíritu de servidumbre para obrar todavía *solamente* por temor *como esclavos,* sino que habéis recibido el espíritu de adopción de hijos en virtud del cual clamamos *con toda confianza:* Abba, *esto es, ¡*oh Padre mío!

**16.** Y *con razón;* porque el mismo Espíritu *de Dios* está dando testimonio a nuestro espíritu, de que somos hijos de Dios.

**17.** Y siendo hijos, somos también herederos: herederos de Dios, y coherederos con Cristo, con tal, no obstante, que padezcamos con él a fin de que seamos con él glorificados.

**18.** A la verdad yo estoy *firmemente* persuadido de que los sufrimientos *o penas* de la vida presente no son de comparar con aquella gloria venidera, que se ha de manifestar en nosotros.

**19.** Así las criaturas todas están aguardando con grande ansia la manifestación de los hijos de Dios.

**20.** Porque se ven sujetas a la vanidad, *o mudanza,* no de grado, sino por causa de aquel que les puso tal sujeción, con la esperanza

**21.** De que serán también ellas mismas libertadas de esas servidumbre a la corrupción, para *participar de* la libertad y gloria de los hijos de Dios.

**22.** Porque sabemos que hasta ahora todas las criaturas están suspirando *por dicho día,* y como en dolores de parto.

**23.** Y no solamente ellas, sino también nosotros mismos, que tenemos ya las primicias del Espíritu *Santo,* nosotros, con todo eso, suspiramos de lo íntimo del corazón, aguardando *el efecto* de la adopción de los hijos de Dios, *esto es,* la redención de nuestro cuerpo.

**24.** Porque *hasta ahora no* somos salvos, *sino* en esperanza. Y no *se dice* que alguno tenga esperanza de aquello que ya ve *y posee;* pues lo que uno ya ve *o tiene,* ¿cómo lo podrá esperar?

**25.** Si esperamos, pues, lo que no vemos *todavía, claro está que lo* aguardamos por *medio de* la paciencia.

**26.** Y además el Espíritu *divino* ayuda a nuestra flaqueza; pues no sabiendo *siquiera* qué hemos de pedir en nuestras oraciones, ni cómo conviene *hacerlo,* el mismo Espíritu, hace, *o produce en nuestro interior,* nuestras peticiones *a Dios* con gemidos que son inexplicables.

**27.** Pero aquel que penetra a fondo los corazones, conoce *bien qué es lo* que desea el Es-píritu, el cual *no* pide *nada* por los santos, *que no sea* según Dios.

**28.** Sabemos también nosotros que todas las cosas contribuyen al bien de los que aman a Dios, de aquellos, digo, que él ha llamado según su decreto para ser santos.

**29.** Pues a los que él tiene *especialmente* previstos, también los predestinó para que se hiciesen conformes a la imagen de su Hijo *Jesucristo,* por manera que sea el mismo *Hijo* el primogénito entre muchos hermanos.

**30.** Y a éstos que ha predestinado, también los ha llamado; y a quienes ha llamado, también los ha justificado; y a los que ha justificado, también los ha glorificado.

**31.** Después de esto, ¿qué diremos *ahora?* Si Dios está por nosotros, ¿quién contra nosotros?

**32.** El que ni a su propio Hijo perdonó, sino que le entregó *a la muerte* por todos nosotros, ¿cómo después de habérnosle dado a él, dejará de darnos cualquiera otra cosa?

**33.** Y ¿quién puede acusar a los escogidos de Dios? *Dios mismo* es el que *los* justifica.

**34.** ¿Quién osará condenarlos? *Después* que Jesucristo no solamente murió *por nosotros,* sino también resucitó, y está sentado a la diestra de Dios, en donde asimismo intercede por nosotros.

**35.** ¿Quién pues, podrá separarnos del amor de Cristo? ¿*Será* la tribulación? ¿O la angustia? ¿O el hambre? ¿O la desnudez? ¿O el riesgo? ¿O la persecución? ¿O el cuchillo?

**36.** (Según está escrito: Por ti ¡oh Señor! somos entregados cada día en manos de la muerte: somos tratados como ovejas destinadas al matadero):

**37.** Pero en medio de todas estas cosas triunfamos por virtud de aquel que nos amó.

**38.** Por lo cual estoy seguro de que ni la muerte, ni la vida, ni ángeles, ni principados, ni virtudes, ni lo presente, ni lo venidero, ni la fuerza, *o violencia,*

**39.** Ni *todo* lo que hay *de más alto,* ni *de más* profundo, ni otra ninguna criatura podrá jamás separarnos del amor de Dios, que se funda en Jesucristo Nuestro Señor.

# CAPITULO IX

*Que los verdaderos israelitas y los hijos ver-
daderos de Abraham son los que, llamados
de Dios gratuita y misericordiosamente, se
rinden a la fe de Jesucristo.*

**1.** *Jesucristo* me es testigo de que *os* digo la
verdad; y mi conciencia da testimonio, en
presencia del Espíritu Santo, de que no miento,

**2.** *Al aseguraros* que estoy poseído de
una profunda tristeza y de continuo dolor
en mi corazón,

**3.** Hasta desear yo mismo el ser apartado
de Cristo por *la salud de* mis hermanos, que
son mis deudos según la carne,

**4.** Los cuales son los israelitas, de quienes
es la adopción de hijos *de Dios,* y la gloria y
la alianza, y la legislación, y el culto, y las
promesas,

**5.** Cuyos padres son los *patriarcas, y* de
quienes desciende *el mismo Jesu*cristo según
la carne, el cual es Dios, bendito sobre todas
las cosas por siempre jamás. Amén.

**6.** Pero no por eso la palabra de Dios deja
de tener su efecto. Porque no todos los descendientes de Israel son *verdaderos* israelitas;

**7.** Ni todos los que son *del* linaje de Abraham, son por eso hijos *suyos y herederos;*
pues por Isaac (*y no por Ismael*) le dijo Dios:
Se contará tu descendencia.

**8.** Es decir, no los que son hijos de la carne, éstos son hijos de Dios; sino los que son
hijos de la promesa, ésos se cuentan por descendientes *de Abraham.*

**9.** Porque las palabras de la promesa son
éstas: Por este *mismo* tiempo *dentro de un
año* vendré; y Sara tendrá un hijo.

**10.** Mas no solamente *se vió esto en* Sara,
sino también *en* Rebeca, que concebió de una
vez *dos hijos* de Isaac, nuestro padre.

**11.** Pues antes que *los niños* naciesen, ni
hubiesen hecho bien, ni mal alguno (a fin de
que se cumpliese el designio de Dios en la
elección),

**12.** No en vista de sus obras, sino por el
llamamiento *y elección de Dios,* se le dijo:

**13.** El mayor ha de servir al menor, como
*en efecto* está escrito: He amado *más* a Jacob,
y he aborrecido, *o pospuesto,* a Esaú.

**14.** ¿Pues que diremos a esto? ¿Por ventura cabe en Dios injusticia? Nada menos.

**15.** Pues *Dios* dice a Moisés: Usaré de misericordia con quien me pluguiere usarla y
tendré compasión de quien querré tenerla.

**16.** Así que no es *obra* del que quiere, ni
del que corre, sino de Dios que usa de misericordia.

**17.** Dice también a Faraón *en* la Escritura:
A este fin te levanté, para mostrar en ti mi
poder, y para que mi nombre sea celebrado
por toda la tierra.

**18.** De donde se sigue que con quien quiere usa de misericordia, y endurece *o abandona en su pecado,* al que quiere.

**19.** Pero tú me dirás: ¿Pues cómo es que se
queja *Dios, o se enoja?* Porque, ¿quién puede
resistir a su voluntad?

**20.** Mas, ¿quién eres tú ¡oh hombre! para
reconvenir a Dios? Un vaso de barro dice acaso al que le labró: ¿Por qué me has hecho así?

**21.** ¿Pues qué, no tiene dificultad el alfarero, para hacer de la misma masa *de barro,* un
vaso para usos honrosos, y otro *al contrario*
para usos viles?

**22.** *Nadie puede quejarse* si Dios, queriendo mostrar *en unos su justo* enojo, y hacer
patente su poder, sufre con mucha paciencia
a los *que son* vasos de ira, dispuestos para la
perdición,

**23.** A fin de manifestar las riquezas de su
gloria en los *que son* vasos de misericordia,
que él preparó *o destinó* para la gloria;

---

**15.** *Exod.* XXXIII. 19. Después que los Israelitas
cayeron en una idolatría tan abominable, cuando
adoraron el becerro de oro, y cuando no había ni
uno solo que no mereciese el castigo de Dios por tal
abominación, dice el Señor a Moisés: *Haré misericordia, etc.* De la misma manera siendo todos los hombres reos de eterna condenación por el pecado de
Adán, aquellos que Dios libre los libra por solo su
misericordia, al paso que ejerce su justicia con los
que no libra: y esto depende enteramente de su voluntad sin que ninguno pueda argüirle de injusticia.
En esta misteriosa diferencia de tiempos, *miserebor cujus misereor,* se entienden dos actos diferentes,
que a nuestro modo concebimos en la voluntad de
Dios: el uno, con que desde la eternidad quiso Dios
por pura bondad perdonar al pecador, y como la
eternidad es indivisible, se denota por el tiempo presente *misereor;* el otro, con que en tiempo había de
verificarse el perdón del pecador, y se denota con el
tiempo futuro *miserebor:* y este nace únicamente de
aquél, sin mérito alguno, que pueda alegar como suyo el pecador.

---

**CAP. IX.** — 7. La generación de Isaac fué figura
de la regeneración y adopción gratuita, tanto de los
Gentiles, como del mismo Israel; y el haber desechado a Ismael, lo fué de la reprobación de los
Hebreos carnales.

**24.** Y ha llamado *a ella, como* a nosotros, no solamente de entre los judíos, sino también de entre los gentiles,

**25.** Conforme a lo que dice por Oseas: Llamaré pueblo mío, al que no era mi pueblo; y amado, al que no era amado; y objeto de misericordia, al que no había conseguido misericordia.

**26.** Y sucederá que en el mismo lugar en que se les dijo: Vosotros no sois mi pueblo, allí serán llamados hijos de Dios vivo.

**27.** Por otra parte Isaías exclama con respecto a Israel: Aun cuando el número de los hijos de Israel fuese igual al de las arenas del mar, *sólo* un *pequeño* residuo de ellos se salvará.

**28.** Porque *Dios* en su justicia reducirá *su* pueblo a un corto número: el Señor hará una *gran* rebaja sobre la tierra.

**29.** Y antes había dicho el mismo Isaías: Si el Señor de los ejércitos no hubiese conservado a *algunos de* nuestro linaje, hubiéramos venido a quedar semejantes a Sodoma y Gomorra.

**30.** Esto supuesto, ¿qué diremos sino que los gentiles, que no seguían la justicia, han abrazado la justicia, aquella justicia que viene de la fe;

**31.** Y que, *al contrario,* los israelitas que se guían *con esmero* la ley de la justicia, *o la ley mosaica,* nó han llegado a la ley de la justicia, *o a la justicia de la ley?*

**32.** ¿Y por qué causa? Porque no *la buscaron* por la fe, sino por las *solas* obras *de la ley;* y tropezaron *en Jesús como* en piedra de escándalo.

**33.** Según aquello que está escrito: Mirad que yo voy a poner en Sión una piedra de tropiezo, y piedra de escándalo *para los incrédulos:* pero cuantos creerán en él, no quedarán confundidos.

## CAPITULO X

*Sin la fe de Jesucristo nadie puede salvarse; con ella, y no con las obras de la ley, se consigue la justificación. Por eso es predicada en todo el mundo. Los gentiles la abrazan, mientras que los judíos permanecen en su incredulidad.*

---

25. *Os.* II, *v.* 24. I. *Pet.* II, *v.* 10.
26. *Os.* I, *v.* 10.
27. *Isai.* X, *v.* 22.
29. *Isai.* I, *v.* 9.
33. *Isai.* VIII, *v.* 14. XXVIII, *v.* 16. I. *Pet.* II, *v.* 7. Ni engañados en su esperanza.

**1.** Es cierto, hermanos *míos,* que siento en mi corazón un singular afecto a Israel, y pido *muy de veras* a Dios su salvación.

**2.** Yo les confieso y me consta que tienen celo de las cosas de Dios, pero no es un celo según la ciencia.

**3.** Porque no conociendo la justicia *que viene* de Dios, y esforzándose a establecer la suya propia, no se han sujetado a Dios para *recibir de él* esta justicia.

**4.** Siendo así que el fin de la ley es Cristo, para justificar a todos los que creen *en él.*

**5.** Porque Moisés dejó escrito, que el hombre que cumpliere la justicia ordenada por la ley *o sus mandamientos,* hallará en ella la vida.

**6.** Pero de la justicia que procede de la fe, dice así: No digas en tu corazón: ¿Quién podrá subir al cielo? Esto es, para hacer que Cristo descienda;

**7.** ¿O quién ha de bajar al abismo? Esto es, para sacar *a vida* de entre los muertos a Cristo.

**8.** Mas *¿qué es lo que* dice la Escritura? Cerca está *de ti* la palabra *que da la justificación,* en tu boca *está* y en tu corazón; esta *palabra* es la palabra de la fe que predicamos.

**9.** Pues si confesares con tu boca al Señor Jesús, y creyeres en tu corazón que Dios le ha resucitado de entre los muertos, será salvo.

**10.** Porque es necesario creer de corazón para justificarse, y confesar *la fe* con las palabras *u obras* para salvarse.

**11.** Por esto dice la Escritura: Cuantos creen en él, no serán confundidos.

**12.** Puesto que no hay distinción de judío y de gentil; por cuando uno mismo es el Señor de todos, rico para con todos aquellos que le invocan.

**13.** Porque todo aquel que invocare *de veras* el nombre del Señor, será salvo.

**14.** ¿Mas cómo le han de invocar, si no creen en él? o ¿cómo creerán en él, si de él nada han oído hablar? Y ¿cómo oirán hablar de él, si no se les predica?

**15.** Y ¿cómo habrá predicadores, si nadie los envía? Según *aquello que* está escrito: ¡Qué feliz es la llegada de los que anuncian el evangelio de la paz, de los que anuncian *verdaderos* bienes!

---

**CAP. X.** — 4. Al cual se ordenaban todos los sacrificios y figuras del antiguo Testamento.
6. Véase las palabras de Moisés en el Deuteronomio: *Deut.* 30, 11-14.
7. Porque no se te pide que hagas cosas tan difíciles para alcanzar la justificación; ni la has de buscar.lejos de ti.

**16.** Verdad es que no todos obedecen al evangelio. Y por eso dijo Isaías: ¡Oh Señor! ¿Quién ha creído lo que nos ha oído *predicar?*

**17.** Así que la fe proviene de oír, y el oír *depende de la predicación* de la palabra de Cristo.

**18.** Pero pregunto: ¿Pues qué, no *la* han oído *ya? Sí,* ciertamente: su voz ha resonado por toda la tierra, y *hanse oído* sus palabras hasta las extremidades del mundo.

**19.** Mas digo yo: ¿Será que Israel no lo ha entendido? *No por cierto.* Moisés es el primero a decir *en nombre de Dios:* Yo he de provocaros a celos por un *pueblo* que no es pueblo *mío;* y haré que una nación insensata *o ignorante* venga a ser el objeto de vuestra indignación *y envidia.*

**20.** Isaías, *en persona de Cristo,* levanta la voz, y dice: Halláronme los que no me buscaban; descubríme claramente a los que no preguntaban por mí, *esto es, a los gentiles.*

**21.** Y, al contrario, dice a Israel: Todo el día tuve mis manos extendidas a ese pueblo incrédulo y rebelde *a mis palabras.*

## CAPITULO XI

*Con el escarmiento de los judíos incrédulos amonesta el Apóstol a los gentiles que no presuman de sí; y profetiza la general conversión de aquéllos.*

**1.** Pues, *según esto,* digo yo *ahora:* ¿Por ventura ha desechado Dios a su pueblo? No por cierto. Porque yo mismo soy israelita del linaje de Abraham y de la tribu de Benjamín:

**2.** No ha desechado Dios al pueblo suyo, al cual conoció en su presencia. ¿No sabéis vosotros lo que de Elías refiere a la Escritura, de qué manera dirige él a Dios sus quejas contra Israel, *diciendo:*

---

**21.** Y lejos de convertirse a mí, me dió la muerte.
**CAP. XI.** — 1. Confirma San Pablo lo que antes afirmó, *Rom.* 9, 28: no todo Israel ha sido condenado; usando de una profunda imagen — la oliva— probará que hay continuidad en la elección de Dios y que el verdadero Israel, nacido y figurado de la fe de Abraham, vive aún; sólo se ha mudado la economía de la salud.

Los que confiando más en la carne que en el espíritu se adhieren a Ley, fueron cortados como bastardos; enceguecidos, volverán a la luz 11-36.

**3.** ¡Oh Señor! a tus profetas los han muerto, demolieron tus altares, y he quedado yo sólo, y atentan a mi vida?

**4.** Mas ¿qué le responde el oráculo divino? Heme reservado siete mil hombres, que no han doblado la rodilla delante *del ídolo* Baal.

**5.** De la misma suerte, pues, se han salvado en este tiempo algunos *pocos* que han sido reservados *por Dios* según la elección de su gracia.

**6.** Y si por gracia, claro está que no por obras; de otra suerte la gracia no fuera gracia.

**7.** ¿De aquí, qué *se infiere?* Que Israel que buscaba la justicia, *mas no por la fe,* no la ha hallado; pero la han hallado aquellos que han sido escogidos *por Dios,* habiéndose cegado todos los demás;

**8.** Según está escrito: Les ha dado Dios *hasta hoy día, en castigo de su rebeldía,* un espíritu de estupidez *y contumacia;* ojos para no ver, y oídos para no oír.

**9.** David dice también: Venga a ser para ellos su mesa un lazo donde queden tomados, y *una piedra de* escándalo, y *eso en justo* castigo *suyo.*

**10.** Obscurézcanse sus ojos de tal modo que no vean; y *haz que* sus espaldas estén cada vez más encorvadas *hacia la tierra.*

**11.** Mas *esto supuesto,* pregunto: ¿*Los judíos* están caídos para no levantarse jamás? No por cierto. Pero su caída ha venido a ser *una ocasión de* salud para los gentiles, a fin de que *el ejemplo de los gentiles* les excite *la emulación para imitar su fe.*

**12.** Que si su delito ha venido a ser la riqueza del mundo, y el menoscabo de ellos el tesoro *o riqueza* de las naciones, ¿cuánto más lo será su plenitud, *o futura restauración?*

**13.** Con vosotros hablo ¡oh gentiles! Ya que soy el apóstol de las gentes, he de honrar mi ministerio,

**14.** Para ver *también* si de algún modo puedo provocar a *una santa* emulación a los de mi linaje, y logro la salvación de algunos de ellos.

**15.** Porque si el haber sido *los más de* ellos desechados ha sido *ocasión de* la reconciliación del mundo: ¿qué será su restablecimiento *o conversión,* sino resurrección de muerte a vida?

---

**12.** ¿Cuánto más aun todavía enriquecerá al mundo su plenitud, esto es, su conversión a la fe al fin de los tiempos?

**16.** Porque si las primicias *de los judíos* son santas, *esto es, los patriarcas,* lo es también la masa o *el cuerpo de la nación;* y si es santa la raíz, también las ramas.

**17.** Que si algunas de las ramas han sido cortadas, y si tú *¡oh pueblo gentil!* que *no* eres *más que un* acebuche, has sido injertado en *lugar de* ellas, y *hecho* participante de la savia o *jugo que sube* de la raíz del olivo,

**18.** No tienes de qué gloriarte contra las ramas *naturales.* Y si te glorías, sábete que no sustentas tú a la raíz, sino la raíz a tí.

**19.** Pero las ramas, dirás tú, han sido cortadas para ser yo ingerido *en su lugar.*

**20.** Bien *está:* por su incredulidad fueron cortadas. Tú, empero, estás, *ahora* firme *en el árbol,* por *medio de la fe; mas* no te engrías, antes bien vive con temor.

**21.** Porque si Dios no perdonó a las ramas naturales, *o a los judíos,* debes temer que ni a ti *tampoco te perdonará.*

**22.** Considera, pues, la bondad y la severidad de Dios: la severidad para con aquellos que cayeron, y la bondad de Dios para contigo, si perseverase en el estado *en que su bondad te ha puesto;* de lo contrario, tú también serás cortado.

**23.** Y todavía ellos mismos si no permanecieren en la incredulidad, serán otra vez unidos a su tronco; pues poderoso es Dios para ingerirlos de nuevo.

**24.** Porque si tú fuiste cortado del acebuche, *que es un tronco* natural, e injerto contra natura en la oliva castiza, ¿con cuánta mayor razón serán injertas en su propio tronco las ramas naturales del mismo olivo?

**25.** Por tanto, no quiero, hermanos, que ignoréis este misterio (a fin de que no tengáis sentimientos presuntuosos de vosotros mismos) *y es,* que una parte de Israel ha caído en la obcecación, hasta tanto que la plenitud de las naciones haya entrado *en la Iglesia.*

**26.** Entonces salvarse ha todo Israel, según está escrito: Saldrá de Sión el libertador o *Salvador,* que desterrará de Jacob la impiedad;

**27.** Y *entonces* tendrá efecto la alianza que he hecho con ellos, en habiendo yo borrado sus pecados.

**28.** Es verdad que en orden al evangelio, son enemigos *de Dios* por ocasión de vosotros; mas con respecto a la elección *de Dios,* son muy amados por causa de sus padres *los patriarcas.*

**29.** Pues los dones y vocación de Dios son inmutables.

**30.** Pues así como en otro tiempo vosotros no creíais en Dios, y al presente habéis alcanzado misericordia por *ocasión de* la incredulidad de los judíos,

**31.** Así también los judíos están al presente *sumergidos* en la incredulidad *para dar lugar* a la misericordia que vosotros habéis alcanzado, a fin de que *a su tiempo* consigan también ellos misericordia.

**32.** *El hecho es que* Dios permitió que todas las gentes quedasen envueltas en la incredulidad para ejercitar su misericordia con todos.

**33.** ¡Oh profundidad de los tesoros de la sabiduría y de la ciencia de Dios! ¡Cuán incomprensibles son sus juicios, cuán inapeables sus caminos!

**34.** Porque ¿quién es el que le dió a él primero *alguna cosa,* para *que pretenda ser* por ello recompensado?

**36.** Todas las cosas son de él, y *todas son* para él, y *todas existen* en él: a él sea la gloria por siempre jamás. Amén.

## CAPITULO XII

*Da el Apóstol reglas de perfección a los fieles, conforme al estado de cada uno y a los dones recibidos de Dios con la fe de Jesucristo; y dice que siendo todos miembros de un mismo cuerpo, todos debemos trabajar en favor de toda la Iglesia y amarnos mutuamente.*

**1.** Ahora, pues, hermanos *míos,* os ruego encarecidamente por la misericordia de Dios, que le ofrezcáis vuestros cuerpos como una hostia o *víctima* viva, santa y agradable a sus ojos, que es el culto racional que debéis ofrecerle.

**2.** Y no queráis conformaros con este siglo, antes bien transformaos con la renovación de vuestro espíritu; a fin de acertar qué es lo bueno, y lo más agradable, y lo perfecto que Dios quiere *de vosotros.*

**3.** Por lo que os exhorto a todos vosotros, en virtud del ministerio que por gracia se me ha dado, a que en vuestro saber *o pensar,* no os levantéis más alto de lo que debéis, sino

---

CAP. XII. — 1. Esto es, el espiritual sacrificio de vosotros mismos.

3. Sin aspirar a ministerios más altos y brillantes que a los que Dios ha hecho ver que os llamaba; ni querer escudriñar los misterios de la fe.

que os contengáis dentro *de los límites de* la moderación, según la medida de fe que Dios ha repartido a cada cual.

**4.** Porque así como en un solo cuerpo tenemos muchos miembros, mas no todos los miembros tienen un mismo oficio,

**5.** Así nosotros, *aunque seamos* muchos, formados en Cristo un solo cuerpo, siendo todos *recíprocamente* miembros los unos de los otros,

**6.** Tenemos por tanto dones diferentes, según la gracia que nos es concedida; *por lo cual el que ha recibido el don de* profecía, *úsele siempre* según la regla de la fe;

**7.** El *que ha sido llamado al* ministerio *de la Iglesia, dedíquese* a su ministerio; el que *ha recibido el don de* enseñar, aplíquese a enseñar,

**8.** El que *ha recibido de el don de* exhortar, exhorte; el que reparte *limosna, déla* con sencillez; el que preside *o gobierna, sea* con vigilancia; el que hace obras de misericordia, *hágalas* con apacibilidad *y alegría.*

**9.** El amor sea sin fingimiento. Tened horror al mal, y aplicaos *perennemente* al bien,

**10.** Amándoos recíprocamente con ternura y caridad fraternal, *procurando* anticiparos unos a otros en las señales de honor y de deferencia.

**11.** No *seáis* flojos en cumplir *vuestro deber;* sed fervorosos de espíritu, *acordándoos que* el Señor *es a quien* servís.

**12.** Alegraos con la esperanza *del premio; sed* sufridos en la tribulación; en la oración continuos;

**13.** Caritativos para aliviar las necesidades de los santos, *o fieles; prontos a* ejercer la hospitalidad.

**14.** Bendecid a los que os persiguen; bendecidlos, y no los maldigáis.

**15.** Alegraos con los que alegran, y llorad con los que lloran.

**16.** Estad *siempre* unidos en unos mismos sentimientos y deseos, no blasonando de cosas altas, sino acomodándoos a lo *que sea más* humilde. No queráis teneros dentro de vosotros mismos por sabios *o prudentes.*

**17.** A nadie volváis mal por mal, procurando obrar bien no sólo delante de Dios, sino también delante de *todos* los hombres.

**18.** Vivid en paz, si ser puede, y cuanto esté de vuestra parte, con todos los hombres.

**19.** No os venguéis vosotros mismos, queridos míos, sino dad lugar a *que se pase* la cólera; pues está escrito: A mí toca la venganza; yo haré justicia, dice el Señor.

**20.** Antes bien si tu enemigo tuviere hambre, dale de comer; si tiene sed, dale de beber; que con hacer eso, amontonarás ascuas *encendidas* sobre su cabeza.

**21.** No te dejes vencer del mal, *o del deseo de vengnza,* mas procura vencer al mal con el bien, *o a fuerza de beneficios.*

## CAPITULO XIII

*Recomienda la sumisión a los superiores y a las potestades civiles. El amor del prójimo es el compendio de la ley. Imitación de Jesucristo.*

**1.** Toda persona esté sujeta a las potestades superiores: Porque no hay potestad que no provenga de Dios; y Dios *es el que* ha establecido las que hay *en el mundo.*

**2.** Por lo cual quien desobedece a las potestades, a la ordenación *o voluntad* de Dios desobedece. De consiguiente los que tal hacen, ellos mismos se acarrean la condenación.

**3.** Mas los príncipes *o magistrados* no son de temer por las buenas obras que se hagan, sino por las malas. ¿Quieres tú no *tener que* temer *nada* de aquel que tiene el poder? Pues obra bien; y merecerás de él alabanza:

**4.** Porque *el príncipe* es un ministro de Dios *puesto* para tu bien. Pero si obras mal, tiembla; porque no en vano se ciñe la espada, siendo como es ministro de Dios, para ejercer su justicia castigando al que obra mal.

**5.** Por tanto, es necesario que le estéis sujetos, no sólo por temor del castigo, sino también por *obligación de* conciencia.

**6.** Por esta misma razón *les* pagáis los tributos, porque son ministros de Dios, a quien en esto mismo sirven.

**7.** Pagad, pues, a todos lo que se les debe: al que *se debe* tributo, *el* tributo; al que impuesto, *el* impuesto; al que temor, temor; al que honra, honra.

---

**19.** Para que jamás os excedáis en la necesaria defensa: Dios os vengará a su tiempo. *Eccli* XXVIII, *v.* 1, 2. — *Matth.* V, *v.* 39.

**20.** Que le encenderán en amor tuyo, o le llenarán de confusión y rubor.

**CAP. XIII.** — 1. Obedezca sus preceptos, como no sean contra los de Dios.

**8.** No tengáis otra deuda con nadie, que la del amor *que os debéis siempre* unos a otros; puesto que quien ama al prójimo, tiene cumplida la ley.

**9.** En efecto, estos mandamientos *de Dios:* No cometerás adulterio, no matarás, no robarás, no levantarás falso testimonio, no codiciarás *nada de los bienes de tu prójimo,* y cualquier otro que haya, están recopilados en esta expresión: Amarás a tu prójimo como a ti mismo.

**10.** El amor *que se tiene* al prójimo no sufre *que se le haga* daño alguno. Y así el amor es el cumplimiento de la ley.

**11.** *Cumplamos, pues con él, y tanto más* que sabemos que el tiempo insta, *y* que ya es hora de despertarnos de nuestro letargo. Pues estamos más cerca de nuestra salud, que cuando recibimos la fe.

**12.** La noche está ya muy avanzada, y va llegar el día *de la eternidad.* Dejemos, pues, las obras de las tinieblas, y revistámonos de las armas de la luz.

**13.** Andemos con decencia *y honestidad* como *se suele andar* durante el día; no en comilonas y borracheras, no en deshonestidades y disoluciones, no en contiendas y envidias;

**14.** Mas revestíos de nuestro Señor Jesucristo, y no busquéis cómo contentar los antojos de vuestra sensualidad.

## CAPITULO XIV

*Los fuertes en la fe deben soportar a los flacos y unos a otros deben edificar mutuamente, evitando el escandalizarse, y considerando que Dios es el juez de todos.*

**1.** Tratad con caridad al que todavía es flaco en la fe *o poco instruido en ella,* sin andar *con él* en disputas de opiniones.

**2.** Porque tal hay que tiene por lícito el comer de todo, mientras el flaco no comerá sino legumbres, *o verduras.*

**3.** El que *de todo* come, no desprecie *ni condene* al que no se atreve a comer *de todo;* y el que no come *de todo,* no se meta en juzgar al que come; pues que Dios le ha recibido por suyo *o en su Iglesia.*

**4.** ¿Quién eres tú, para juzgar al que es siervo de otro? Si cae, o si se mantiene firme, esto pertenece a su amo; pero firme se mantendrá, pues poderoso es Dios para sostenerle.

**5.** Del mismo modo también uno hace diferencia entre día y día, al paso que otro tiene todos los días por iguales: cada uno obre según le dicte su *recta* conciencia.

**6.** El que hace distinción de días, la hace para *agradar al* Señor. Y el que come *de todo,* para *agradar al* Señor come, pues da gracias a Dios. Y el que se abstiene *de ciertas viandas,* por respeto al Señor lo hace; y *así es que* da gracias a Dios.

**7.** Como quiera que ninguno de nosotros vive para sí, y ninguno de nosotros muere para sí,

**8.** Que *como somos de Dios,* si vivimos para el Señor vivimos, y si morimos para el Señor morimos. Ora, pues, vivamos, ora muramos, del Señor somos.

**9.** Porque a este fin murió Cristo, y resucitó: para *redimirnos y* adquirir *un soberano* dominio sobre vivos y muertos.

**10.** Ahora bien, ¿por qué tú *que sigues todavía la ley* condenas a tu hermano? o ¿por qué tu *que no la sigues* desprecias a tu hermano, *que aún la guarda? No le juzgues,* porque todos hemos de comparecer ante el tribunal de Cristo.

**11.** Pues escrito está: Yo juro por mí mismo, dice el Señor, que ante mí se doblará toda rodilla, y que toda lengua *o nación* ha de confesar *que soy* Dios.

**12.** Así que cada uno de nosotros ha de dar cuenta a Dios de sí mismo.

**13.** No nos juzguemos, pues, ya más unos a otros; pensad, sí, *y poned cuidado* en no causar tropiezo o escándalo al hermano.

**14.** Yo bien sé, y estoy seguro según *la doctrina del* Señor Jesús, que ninguna cosa es de suyo inmunda, sino que viene a ser inmunda para aquel que por tal la tiene.

**15.** Mas si por lo que comes, tu hermano se contrista *y escandaliza,* ya tu proceder no es conforme a caridad. No quieras por tu manjar perder a aquél por quien Cristo murió.

---

**12.** Pasó ya ¡oh romanos! la noche del *gentilismo,* y ha llegado el día, *o la luz del evangelio.* Arrojemos, pues, las obras de tinieblas, *las que hacíamos en nuestra ignorancia,* y vistámonos las armas de luz, *escudémonos con las obras de la fe.*

**CAP. XIV.** — 1. Sobre si deben o no observarse algunos preceptos de la ley de Moisés.

---

**5.** Observando escrupulosamente las fiestas legales.

**6.** Haciendo ver ambos con estas acciones de gracias que todos tienen el fin de agradar a Dios.

**16.** No se *dé*, pues, *ocasión a que se* blasfeme de nuestro bien.

**17.** Que no consiste el reino de Dios en el comer, no en el beber *esto o aquello,* sino en la justicia, en la paz y en el gozo del Espíritu Santo.

**18.** Pues el que así sirve a Cristo, agrada a Dios, y tiene la aprobación de los hombres.

**19.** En suma, procuremos las cosas que contribuyen a la paz, y observemos las que pueden servir a nuestra mutua edificación.

**20.** No quieras por un manjar destruir la obra de Dios, *escandalizando al prójimo.* Es verdad que todas las viandas son limpias; pero hace mal el hombre en comer de ellas con escándalo *de los otros.*

**21.** Y *al contrario,* hace bien en no comer carne, y en no beber vino, ni en tomar otra cosa por la cual su hermano se ofende, o se escandaliza, o se debilita *en la fe.*

**22.** ¿Tienes tú *una* fe *ilustrada?* Tenla para contigo delante de Dios *y obra según ella.* Dichoso aquel que no es condenado por su misma conciencia en lo que resuelve.

**23.** Pero aquel que hace distinción *de viandas,* si come *contra su conciencia,* es condenado *por ella misma,* porque no obra de *buena fe.* Y todo lo que no es según la fe *o dictamen de la conciencia,* pecado es.

## CAPITULO XV

*Concluye San Pablo su exhortación con muestras de grande aprecio y afecto a los Romanos y del vehemente deseo que tiene de ir a verlos de camino para España.*

**1.** Y así nosotros como más fuertes *en la fe,* debemos soportar las flaquezas de los menos firmes y no dejarnos llevar de una *vana* complacencia por nosotros mismos.

**2.** *Al contrario,* cada uno de vosotros procure dar gusto a su prójimo en lo que es bueno y pueda edificarle.

**3.** *Considere* que Cristo no buscó su propia satisfacción, antes bien, como está escrito, *decía a su Padre:* Los oprobios de los que te ultrajaban vinieron a descargar sobre mí.

**4.** Porque todas las cosas que han sido escritas *en los libros santos,* para nuestra enseñanza se han escrito, a fin de que mediante la paciencia y el consuelo *que se saca* de las Escrituras, mantengamos *firme* la esperanza.

**5.** Quiera el Dios de la paciencia y de la consolación haceros la gracia de estar siempre unidos mutuamente en sentimientos y afectos según *el espíritu de* Jesucristo,

**6.** A fin de que no teniendo sino un mismo corazón y una misma boca, glorifiquéis *unánimes* a Dios, el Padre de Nuestro Señor Jesucristo.

**7.** Por tanto, soportaos recíprocamente, así como Cristo os ha soportado *y acogido con amor* a vosotros para gloria de Dios.

**8.** Digo, pues, que Jesucristo fué ministro, *o predicador del evangelio,* para con los de la circuncisión, a fin de que fuese reconocida la veracidad de Dios, en el cumplimiento de las promesas *que él habia hecho* a los padres *o patriarcas.*

**9.** Mas los gentiles deben alabar a Dios por su misericordia, según está escrito. Por eso publicaré ¡oh Señor! entre las naciones tus alabanzas, y cantaré *salmos a la gloria de* tu Nombre.

**10.** Y en otro lugar: Alegraos, naciones, en compañía de *los judíos que son* su pueblo.

**11.** Y en otra parte: Alabad todas las gentes al Señor, y ensalzadle los pueblos todos.

**12.** Asimismo dice Isaías: De la estirpe de José nacerá aquel que ha de gobernar las naciones, y las naciones esperarán en él.

**13.** El Dios de la esperanza *nuestra* os colme de toda suerte de gozo y de paz en vuestra creencia, para que crezca nuestra esperanza siempre más y más, por la virtud del Espíritu Santo.

**14.** Por lo que hace a mí estoy bien persuadido, hermanos míos, de que estáis llenos de caridad, y de que tenéis todas las luces *necesarias* para instruiros los unos a los otros.

---

**16.** Esto es, de nuestra fe en Jesucristo, o de la libertad de la ley de que gozamos.

**17.** Cuando no media causa o precepto que obligue.

**22.** ¿De qué ya no obligan las observancias de la ley antigua?

---

**CAP. XV.** — **5.** Que todo respira dulzura y caridad. Dios es el manantial y criador de la paciencia. Jesucristo es la regla y modelo de ella, y el Espíritu Santo su vínculo y santificación.

**12.** *Isai.* XI, *v.* 10. —Puede también traducirse: *Florecerá la raíz de Jesé, y saldrá un renuevo que se levantará para regir las naciones; y las naciones esperarán en él.*

**15.** Con todo os he escrito esto ¡oh hermanos! *y quizá* con alguna más libertad, sólo para recordaros lo mismo que ya sabéis, según la gracia que me ha hecho Dios,

**16.** De ser ministro de Jesucristo entre las naciones, para ejercer el sacerdocio del evangelio de Dios, a fin de que la oblación de los gentiles le sea grata, *estando* santificada por el Espíritu Santo.

**17.** Con razón, pues, me puedo gloriar en Jesucristo *del suceso que ha tenido la obra* de Dios.

**18.** Porque no me atreveré a tomar en boca, sino lo que Jesucristo ha hecho por medio de mí para reducir a su obediencia a los gentiles, con la palabra y con las obras,

**19.** Con la eficacia de los milagros y prodigios, y con la virtud del Espíritu Santo; de manera que desde Jerusalén, girando a todas partes hasta el Ilírico, lo he llenado todo del evangelio de Cristo.

**20.** Por lo demás, *al cumplir con mi ministerio,* he tenido cuidado de no predicar el evangelio en los lugares en que era ya conocido el nombre de Cristo, por no edificar sobre fundamento de otro, *verificando de esta manera* lo que dice la Escritura:

**21.** Aquellos que no tuvieron nuevas de él, le verán; y los que no le han oído, le entenderán, *o conocerán.*

**22.** Esta es la causa que me ha impedido muchas veces ir a visitaros, y que hasta aquí me ha detenido.

**23.** Pero ahora no teniendo ya motivo para detenerme más en estos países, y deseando, muchos años hace, ir a veros,

**24.** Cuando emprenda mi viaje para España, espero al pasar visitaros, y ser encaminado por vosotros a aquella tierra, después de haber gozado algún tanto de vuestra compañía.

**25.** Ahora estoy de partida para Jerusalén, en servicio de los santos.

**26.** Porque la Macedonia y la Acaya han tenido a bien hacer una colecta para socorrer a los pobres de entre los santos *o fieles* de Jerusalén.

**27.** Así les ha parecido, *y a la verdad* obligación les tienen. Porque si los gentiles han sido hechos participantes de los bienes espirituales de los Judíos, deben también aquéllos hacer participar a éstos de sus bienes temporales.

**28.** Cumplido, pues, este encargo, y en habiéndoles entregado este fruto *de la caridad,* dirigiré por ahí mi camino a España.

**29.** Y sé de cierto que en llegando a vosotros, mi llegada será acompañada de una abundante bendición *y dones* del evangelio de Cristo.

**30.** Entre tanto, hermanos, os suplico por nuestro Señor Jesucristo y por la caridad del Espíritu Santo, que me ayudéis con las oraciones que hagáis a Dios por mí,

**31.** Para que sea librado de los *Judíos* incrédulos, que hay en Judea, y la ofrenda de mi ministerio, *o la limosna que llevo,* sea bien recibida de los santos en Jerusalén.

**32.** A fin de que de esta manera pueda ir con alegría a veros, si es la voluntad de Dios, *y descansar,* y recrearme con vosotros.

**33.** Entre tanto el Dios de la paz sea con vosotros. Amén.

## CAPITULO XVI

*Encomiendas y memorias, y último aviso de San Pablo a los fieles residentes en Roma.*

**1.** Os recomiendo nuestra hermana Febe, la cual está dedicada al servicio de la iglesia de Cencrea,

**2.** Para que la recibáis por amor del Señor, como deben *recibirse* los santos *o fieles,* y les déis favor en cualquier negocio que necesitare de vosotros; pues ella lo ha hecho así con muchos, y *en particular* conmigo.

**3.** Saludad *de mi parte* a Prisca y a Aquila, que trabajaron conmigo en *servicio de* Jesucristo,

**4.** (Y los cuales por salvar mi vida expusieron sus cabezas: por lo que no solamente yo me reconozco agradecido sino también las Iglesias todas de los gentiles);

**5.** Y saludad con ellos a la Iglesia de su casa. Saludad a mi querido Epéneto, primicia, *o primer fruto,* de Cristo en Asia.

**6.** Y saludad a María, la cual ha trabajado mucho entre vosotros.

**7.** Saludad a Andrónico y a Junia, mis parientes y comprisioneros, que son ilustres entre los apóstoles, *o ministros del evangelio,* y los cuales creyeron en Cristo antes que yo.

**8.** Saludad a Ampliato, a quien amo entrañablemente en el Señor.

---

20. O por no ser allí tan necesario mi trabajo.

24. Véase lo que sobre esta venida del Apóstol a España dicen las historias eclesiásticas. *Amat.* Lib. III. c. 2, n. 178.

**9.** Saludad a Urbano, coadjutor nuestro en Cristo Jesús, y a mi amado Estaquis.

**10.** Saludada a Apeles, probado *y fiel* servidor de Jesucristo.

**11.** Saludad a los de la familia de Aristóbulo. Saludad a Herodión, mi pariente. Saludad a los de casa de Narciso, que creen en el Señor.

**12.** Saludad a Trifena y a Trifosa, las cuales trabajan para el *servicio del* Señor. Saludad a nuestra carísima Pérsida, la cual *asimismo* ha trabajado mucho por el Señor.

**13.** Saludad a Rufo, escogido del Señor, y a su madre, que *también lo* es mía *en el amor.*

**14.** Saludad a Asíncrito, a Flegonte, a Hermas, a Patrobas, a Hermas y a los hermanos que viven con ellos.

**15.** Saludad a Filólogo, y a Julia, a Nereo y su hermana, y a Olimpíade, y a todos los santos, *o fieles,* que están con ellos.

**16.** Saludaos unos a otros con el ósculo santo *de la caridad.* A vosotros os saludan todas las Iglesias de Cristo.

**17.** Y os ruego, hermanos, que os recatéis de aquellos que causan entre vosotros disensiones y escándalos, *enseñando* contra la doctrina que vosotros habéis aprendido; y evitad su compañía;

**18.** Pues los tales no sirven a Cristo Señor

---

**CAP. XVI.** — **14.** Se cree que este Hermas es el autor de la obrita *El Pastor.*

nuestro, sino a su propia sensualidad, y con palabras melosas y con adulaciones seducen los corazones de los sencillos.

**19.** Vuestra obediencia *a la fe* se ha hecho célebre por todas partes, de lo cual me congratulo con vosotros. Pero deseo que seáis sabios, *o sagaces,* en orden al bien, y sencillos *como niños* en cuanto al mal.

**20.** El Dios de la paz quebrante *y abata* presto a Satanás debajo de vuestros pies. La gracia de nuestro Señor Jesucristo sea con vosotros.

**21.** Os saluda Timoteo, mi coadjutor; y Lucio y Jasón y Sosípatro, mis parientes.

**22.** Os saluda en el Señor yo, Tercio, que he sido el amanuense de esta carta.

**23.** Salúdaos Cayo, mi huésped, y la Iglesia toda. Salúdaos Erasto, el tesorero de la ciudad, y *nuestro* hermano Cuarto.

**24.** La gracia de nuestro Señor Jesucristo sea con todos vosotros. Amén.

**25.** Gloria a aquel que es poderoso para fortaleceros en mi evangelio y en la doctrina de Jesucristo que yo predico, según la revelación del misterio *de la redención (misterio que después de haber permanecido* oculto en todos los siglos pasados,

**26.** Acaba de ser descubierto por los oráculos de los profetas, conforme al decreto de Dios eterno, y ha venido a noticia de todos los pueblos, para que obedezcan a la fe):

**27.** A Dios, *digo,* que es el solo sabio, a él la honra y la gloria por Jesucristo en los siglos de los siglos. Amén.

# EPÍSTOLA PRIMERA DE SAN PABLO A LOS CORINTIOS

## Introducción

Corinto, capital de la provincia romana de Acaya, era un centro de capital importancia en donde se daban cita gente de todos los países, de todas las razas y condición social. Su riqueza, basada principalmente en el comercio procedente de Italia y Asia, había convertido a la ciudad en un imperio económico que atraía sobre sí la visita de aventureros y negociantes de todo tipo.

Teniendo en cuenta la inmejorable situación estratégica de la ciudad, el apóstol Pablo se dirigió a ella, iniciando su segundo viaje apostólico, procedente de Atenas, en donde su labor evangelizadora había obtenido magros resultados, debido principalmente a la naturaleza refractaria de una sociedad muy engreída y orgullosa de su pasado.

En medio de aquella variopinta población, en la que todavía eran mayoría los esclavos y el bajo pueblo, inició Pablo su misión evangelizadora. Sus primeros pasos los dirigió hacia los judíos, cuya sinagoga utilizó para sus prédicas. Desengañado por el escaso éxito obtenido, encaminó su acción hacia los gentiles. Las conversiones no tardaron en producirse, especialmente entre los paganos, aunque también se produjeron adhesiones entre la comunidad judía, de lo que da testimonio la conversión del arquisinagogo Crispo con toda su familia, personaje de gran peso moral y económico.

Abandonó Pablo la ciudad dejando tras de sí una comunidad cristiana importante desarrollada en sólo el transcurso de tres años. Para continuar su misión pastoral se trasladó a Éfeso, desde donde enseguida le llegarían noticias sobre los conflictos y divisiones internas de los cristianos de Corinto.

Efectivamente, los partidarios mutuos de cada evangelizador pugnaban enfrentamientos estériles; la debilidad de la fe de muchos de los neófitos hicieron que alguno se abandonara a sus antiguos dioses y moralidad; uno de los antiguos gentiles convertidos vivía en incesto público con su madrasta y los tribunales paganos eran consultados con normalidad para dirimir cualquier conflicto jurídico.

Este conjunto de desgraciadas circunstancias son las que propiciaron la primera carta de San Pablo a los Corintios. En ella, el apóstol esgrime diversos argumentos para combatir la herejía y la promiscuidad. La primera parte de la epístola está dirigida a corregir los abusos, respondiendo después, en la segunda, a todas las cuestiones que se le proponen. En la última parte, el tono se vuelve trascendente y generalizador, en un intento por aunar los fundamentos mismos de la religión. Esta carta fue escrita en Éfeso, alrededor del año 56-57.

## CAPITULO PRIMERO

*Exhórtalos a la unión y concordia; les hace ver cómo confunde Dios la sabiduría y soberbia humana, y que la cruz de Cristo, que es una necedad y escándalo para los mundanos, es para los fieles sabiduría y salud.*

1. Pablo, apóstol de Jesucristo por la vocación y voluntad de Dios, y *nuestro* hermano Sóstenes,

2. A la Iglesia de Dios, que está en Corinto, a los *fieles* santificados por Jesucristo, llamados santos *por su profesión,* y a todos los que en cualquier lugar *que sea,* invocan el nombre de Nuestro Señor Jesucristo, *Señor* de ellos y de nosotros:

3. Gracia y paz de parte de Dios Padre nuestro, y de Jesucristo nuestro Señor.

4. Continuamente estoy dando gracias a Dios por vosotros por la gracia de Dios, que se os ha dado en Jesucristo;

5. Porque en él habéis sido enriquecidos *con toda suerte de bienes espirituales,* con todo *lo que pertenece a los dones de la* palabra y *de la* ciencia,

6. Habiéndose así verificado en vosotros el testimonio de Cristo;

7. De manera que nada os falte de gracia ninguna, *a vosotros que estáis* esperando la manifestación de Jesucristo Nuestro Señor,

8. El cual os confortará todavía hasta el fin, *para que seáis hallados* irreprensibles en el día del advenimiento de Jesucristo Señor Nuestro.

9. *Porque* Dios, por el cual habéis sido llamados a la compañía de su Hijo Jesucristo Nuestro Señor, es fiel *en sus promesas.*

10. Mas or ruego *encarecidamente,* hermanos *míos,* por el nombre de Nuestro Señor Jesucristo, que todos tengáis un mismo lenguaje, y que no haya entre vosotros cismas *ni partidos;* antes bien viváis perfectamente unidos en un mismo pensar y en un mismo sentir;

11. Porque he llegado a entender, hermanos míos, por los *de la familia* de Cloé, que hay entre vosotros contiendas.

12. Quiero decir, que cada uno de vosotros *toma partido,* diciendo: Yo soy de Pablo, yo de Apolo, yo de Cefas, yo de Cristo.

13. Pues qué ¿Cristo *acaso* se ha dividido? ¿y por ventura Pablo ha sido crucificado por vosotros? ¿o habéis sido bautizados en el nombre de Pablo?

14. *Ahora que sé esto* doy gracias a Dios, de que a ninguno de vosotros he bautizado *por mí mismo,* sino a Crispo y a Cayo,

15. Para que no pueda decir nadie que habéis sido bautizados en mi nombre.

16. Verdad es que bauticé también a la familia de Estéfanas: por lo demás, no me acuerdo haber bautizado a otro alguno.

17. Porque no me envió Cristo a bautizar, sino a predicar el evangelio; *y a predicarlo,* sin *valerme para eso de* la elocuencia de palabras, *o discursos de sabiduría humana,* para que no se haga inútil la cruz de Jesucristo.

18. A la verdad que la predicación de la cruz *o de un Dios crucificado, parece una* necedad a los ojos de los que se pierden; mas para los que se salvan, esto es, para nosotros, es la virtud *y poder* de Dios.

19. Así está escrito: Destruiré la sabiduría de los sabios, y desecharé la prudencia de los prudentes.

20. ¿En dónde están los sabios? ¿En dónde los escribas, *o doctores de la ley?* ¿En dónde esos espíritus curiosos *de las ciencias* de este mundo? ¿No es verdad que Dios ha convencido de fatua la sabiduría de este mundo?

---

**CAP. I.** — 12. *Actos* VIII, *v.* 24. II *Joan* I, *v.* 42.
17. Y a fin de impedir que se atribuyese a la fuerza de la elocuencia la conversión del mundo, que es obra de la cruz.
18. O el medio eficacísimo de que se vale para justificarnos.

**21.** Porque ya que el mundo, a vista de *las obras de* la sabiduría divina, no conoció a Dios por medio de la ciencia *humana,* plugo a Dios salvar a los que creyesen en él por medio de la locura *o simplicidad* de la predicación *de un Dios crucificado.*

**22.** Así es que los judíos por su parte piden milagros y los griegos *o gentiles* por la suya, quieren ciencia;

**23.** Mas nosotros predicamos *sencillamente* a Cristo crucificado, lo cual para los judíos es *motivo de* escándalo, y *parece una* locura a los gentiles;

**24.** Si bien para los que han sido llamados *a la fe,* tanto judíos como griegos, es Cristo la virtud de Dios y la sabiduría de Dios.

**25.** Porque lo que parece una locura en *los misterios de* Dios, es mayor sabiduría que la de *todos* los hombres; y lo que parece debilidad en Dios, es más fuerte que *toda la fortaleza de* los hombres.

**26.** Considerad si no, hermanos, quiénes son los que han sido llamados *a la fe* de entre vosotros, cómo no sois muchos los sabios, según la carne, ni muchos los poderosos, ni muchos los nobles;

**27.** Sino que Dios ha escogido a los necios según el mundo, para confundir a los sabios; y Dios ha escogido a los flacos del mundo, para confundir a los fuertes;

**28.** Y a las cosas viles y despreciables del mundo, y a aquellas que eran nada, para destruir las que son *al parecer más grandes,*

**29.** A fin de que ningún mortal se jacte ante su acatamiento.

**30.** Y por esta *conducta del* mismo *Dios* subsistís vosotros *o estáis incorporados* en Cristo Jesús, el cual fué constituido por Dios para nosotros *por fuente* de sabiduría, y *por* justicia, y *por* santificación, y redención *nuestra,*

**31.** A fin de que como está escrito: El que se gloría, gloríese en el Señor.

---

**22.** Y milagros que se dirijan a la conquista temporal del mundo.

**23.** San Pablo insiste en que la fe no es un racionicio, ni una ciencia al modo de las ciencias humanas. Objetivamente se resume en un hecho: *Cristo,* Hijo de Dios muerto en la cruz. Subjetivamente es un don gratuito de Dios.

## CAPITULO II

*Demuestra el Apóstol que su predicación en Co-rinto no había sido con pompa de palabras, ni aparato de ciencia humana; sino con la sabiduría aprendida en la escuela de Cristo crucificado, la cual solamente puede entenderse por medio del espíritu de Dios.*

**1.** Yo, pues, hermanos *míos,* cuando fuí a vosotros a predicaros el testimonio *o evangelio* de Cristo, no fuí con sublimes discursos, ni sabiduría *humana.*

**2.** Puesto que no me he preciado de saber otra cosa entre vosotros, sino a Jesucristo, y éste crucificado.

**3.** Y mientras estuve *ahí* entre vosotros, estuve siempre con mucha pusilanimidad, *o humillación,* mucho temor, y en continuo susto;

**4.** Y mi modo de hablar, y mi predicación, no fué con palabras persuasivas de humano saber, pero sí con los efectos sensibles del espíritu y de la virtud *de Dios;*

**5.** Para que vuestra fe no estribe en saber de hombres, sino en el poder de Dios.

**6.** Esto no obstante, enseñamos sabiduría entre los perfectos, *o verdaderos cristianos;* mas una sabiduría, no de este siglo, ni de los príncipes de este siglo, los cuales son destruidos *con la cruz;*

**7.** Sino que predicamos la sabiduría de Dios en *el* misterio *de la encarnación,* sabiduría recóndita, la cual predestinó *y preparó* Dios ante de los siglos para gloria nuestra,

**8.** *Sabiduría* que ninguno de los príncipes de este siglo ha entendido; que si la hubiesen entendido, nunca hubieran crucificado al Señor de la gloria;

**9.** Y de la cual está escrito: Ni ojo *alguno* vió, ni oreja oyó, ni pasó a hombre por pensamiento cuáles cosas tiene Dios preparadas para aquellos que le aman.

**10.** A nosotros, empero, nos lo ha revelado Dios por medio de su Espíritu; pues el Espíritu *de Dios* todas las cosas penetra, aun las más íntimas de Dios.

**11.** Porque ¿quién de los hombres sabe las cosas del hombre, sino solamente el espíritu del hombre, que está dentro de él? Así es que las cosas de Dios nadie las ha conocido, sino el Espíritu de Dios.

---

**CAP. II.** — **2.** Alusión a las grandes dificultades que tuvo que vencer en Corinto durante su predicación. *Act.* 18, 1-12.

**12.** Nosotros, pues, no hemos recibido el espíritu de este mundo, sino el Espíritu que es de Dios, a fin de que conozcamos las cosas que Dios nos ha comunicado.

**13.** Las cuales por eso tratamos, no con palabras estudiadas de humana ciencia, sino conforme nos enseña el Espíritu *de Dios* acomodando lo espiritual a lo espiritual.

**14.** Porque el hombre animal no puede hacerse capaz de las cosas que son del Espíritu de Dios; pues para él todas son una necedad, y no puede entenderlas, puesto que se han de discernir con una luz espiritual *que no tiene.*

**15.** El hombre espiritual discierne *o juzga* de todo, y nadie *que no tenga esta luz* puede a él discernirle.

**16.** Porque ¿quién conoce la mente *o designios* del Señor, para darle instrucciones? Mas nosotros tenemos el Espíritu de Cristo.

## CAPITULO III

*Reprende a los que se apasionan por los predicadores del evangelio, sin mirar al Señor, cuyos ministros son, y cuya gracia es la que produce el fruto en las almas; y exhorta a que despreciando la vana sabiduría del mundo, se abracen con la sabia ignorancia del evangelio.*

**1.** Y así es, hermanos, que yo no he podido hablaros como a *hombres* espirituales, sino como a *personas aún* carnales. Y *por eso*, como a niños en Cristo,

**2.** Os he alimentado con leche, y no con manjares *sólidos;* porque no érais todavía capaces *de ellos;* y ni ahora lo sois, pues sois todavía carnales.

**3.** En efecto, habiendo entre vosotros celos y discordias, ¿no *es claro que* sois carnales y procedéis como hombres?

**4.** Porque diciendo uno: Yo soy de Pablo; y el otro: Yo de Apolo, ¿no estáis mostrando ser aún hombres *carnales?*

Ahora bien, ¿qué es Apolo? ¿o qué es Pablo?

**5.** Unos ministros, *y no más*, de aquel en quien habéis creído; y *eso* según *el don* que a cada uno ha concedido el Señor.

**6.** Yo planté *entre vosotros el evangelio*, regó Apolo; pero Dios *es quien* ha dado el crecer *y hacer fruto.*

**7.** Y así ni el que planta es algo, ni el que riega; sino Dios, que es el que hace crecer *y fructificar.*

**8.** Tanto el que planta, como el que riega, vienen a ser una misma cosa. Pero cada uno recibirá su propio salario a medida de su trabajo.

**9.** Porque nosotros somos unos coadjutores de Dios; vosotros sois el campo que Dios cultiva, sois el edificio que Dios fabrica *por nuestras manos.*

**10.** Yo, según la gracia que Dios me ha dado, eché *en vosotros*, cual perito arquitecto, el cimiento *del espiritual edificio:* otro edifica sobre él. Pero mire *bien* cada uno como alza la fábrica, *o qué doctrina enseña:*

**11.** Pues nadie puede poner otro fundamento que el que ya ha sido puesto, el cual es Jesucristo.

**12.** Que si sobre tal fundamento pone alguno por materiales oro, plata, piedras preciosas, *o* maderas, heno, hojarasca,

**13.** Sepa que la obra de cada uno ha de manifestarse. Por cuanto el día del Señor la descubrirá, como quiera que se ha de manifestar por medio del fuego; y el fuego mostrará cual sea la obra de cada uno.

**14.** Si la obra de uno sobrepuesta subsistiere *sin quemarse*, recibirá la paga.

**15.** Si la obra de otro se quemare, será suyo el daño; no obstante, él no dejará de salvarse, si bien como *quien pasa por el fuego.*

**16.** ¿No sabéis vosotros que sois templo de Dios, y que el Espíritu de Dios mora en vosotros?

**17.** Pues si alguno profanare el templo de Dios, perderle ha Dios a él. Porque el templo de Dios, que sois vosotros, santo es.

**18.** Nadie se engañe a sí mismo: si alguno de vosotros se tiene por sabio según el mundo, hágase necio *a los ojos de los mundanos,* a fin de ser sabio *a los de Dios.*

---

CAP. II. — **13.** Esto es, exponiendo nuestra doctrina de la manera y con las palabras que nos sugiere el espíritu de Dios.

CAP. III. — **2.** Solamente os he propuesto las verdades más sencillas de la religión; porque no erais capaces de cosas más elevadas.

**3.** O con miras humanas; y según el movimiento de la naturaleza corrompida.

**8.** Esto es, un mero instrumento de Dios.

**10.** Predicándoos la fe pura de Jesucristo.

**12.** Esto es, la pura y sublime doctrina. Esto es, cosas inútiles y superfluas, como las observancias y ceremonias legales.

---

**13.** San Pablo compara el juicio de Dios a un fuego.

**17.** O enseñando al prójimo doctrinas falsas, o contaminándose a sí mismo.

**19.** Porque la sabiduría de este mundo es necedad delante de Dios. Pues está escrito: Yo prenderé a los sabios en su propia astucia.

**20.** Y en otra parte: El Señor penetra las ideas de los sabios, y conoce la vanidad de ellas.

**21.** Por tanto nadie se gloríe en los hombres.

**22.** Porque todas las cosas son vuestras, bien sea Pablo, bien Apolo, bien Cefas; el mundo, la vida, la muerte, lo presente, lo futuro: todo es vuestro, *o hecho para vuestro bien;*

**23.** Vosotros, empero, sois de Cristo; y Cristo es de Dios *su Padre.*

## CAPITULO IV

*Oficio del verdadero apóstol, y estima que se merece. Sigue reprendiendo con singular energía y mansedumbre a los Corintios.*

**1.** A nosotros, pues, nos ha de considerar el hombre como unos ministros de Cristo y dispensadores de los misterios de Dios.

**2.** Esto supuesto, entre los dispensadores *lo que se requiere es,* que sean hallados fieles *en su ministerio.*

**3.** Por lo que a mí toca, muy poco se me da el ser juzgado por vosotros, o en cualquier juicio humano; pues ni aun yo me atrevo a juzgar de mí mismo.

**4.** Porque si bien no me remuerde la conciencia de cosa alguna, no por eso me tengo por justificado; pues el que me juzga es el Señor.

**5.** Por tanto. no queráis sentencias antes de tiempo, *suspended el juicio* hasta tanto que venga el Señor, el cual sacará a plena luz *lo que está en* los escondrijos de las tinieblas, y descubrirá *en aquel día* las intenciones de los corazones; y entonces cada cual será de Dios alabado *según merezca.*

**6.** Por lo demás, hermanos *míos,* todo esto *que acabo de decir,* lo he presentado en persona mía y en la de Apolo por amor vuestro, a fin de que, *sin nombrar a nadie,* aprendáis por medio de nosotros, a no entonaros uno contra otro a favor de un tercero, más allá de lo que va escrito.

**7.** Porque ¿quién *es el que* te da la ventaja sobre otros? O ¿qué cosa tienes tú que no la hayas recibido *de Dios?* Y si *todo lo que tienes* lo has recibido *de él,* ¿de qué te jactas como si no lo hubieses recibido?

**8.** He aquí que vosotros estáis ya satisfechos, heos aquí hechos ya ricos: sin nosotros estáis reinando; y plegue a Dios que *en efecto* reinéis, para que así nosotros reinemos también con vosotros.

**9.** Pues yo para mí tengo que Dios a nosotros los apóstoles nos trata como a los últimos o *más viles* hombres, como a los condenados a muerte, haciéndonos servir de espectáculo al mundo, a los ángeles y a los hombres.

**10.** Nosotros somos *reputados como* unos necios por amor de Cristo; mas vosotros, *vosotros* sois los prudentes en Cristo; nosotros flacos, vosotros fuertes; vosotros *sois* honrados, nosotros viles *y despreciados.*

**11.** Hasta la hora presente andamos sufriendo el hambre, la sed, la desnudez, los malos tratamientos, y no tenemos dónde fijar nuestro domicilio,

**12.** Y nos afanamos trabajando con nuestras propias manos: nos maldicen y bendecimos; padecemos persecución, y la sufrimos con paciencia;

**13.** Nos ultrajan, y retornamos súplicas; somos en fin tratados, hasta el presente, como la basura *y las heces* del mundo, como la escoria de todos.

**14.** No os escribo estas cosas porque quiera sonrojaros, sino que os amonesto como a hijos míos muy queridos.

**15.** Porque aun cuando tengáis millares de ayos *o maestros* en Jesucristo, no tenéis muchos padres. Pues yo *soy el que* os he engendrado en Jesucristo por medio del evangelio.

**16.** Por tanto, os ruego que seáis imitadores míos, así como yo lo soy de Cristo.

**17.** Con este fin he enviado a vosotros a Timoteo, el cual es hijo mío, carísimo y fiel en el Señor; para que os informe de mi proceder *o manera de vivir* en Jesucristo, conforme a lo que yo enseño por todas partes en todas las Iglesias.

---

**21.** Ni de su discípulo de este Apóstol ni del otro.

**22-23.** Uno de los grandes textos cristológicos: Cristo centro del mundo, lazo de unión entre el hombre y Dios. Véase *Rom.* 8, 38; I *Cor.* 1, 23.

CAP. IV. — 4. Que es quien solamente conoce a fondo el mérito o demérito de las obras.

**6.** Sobre vuestros predicadores y partidos que forman.

**6.** Acabo de deciros cap. III, *v.* 4, 5, que Pablo, Apolo y demás predicadores no somos más que unos instrumentos de que se vale Dios.

---

**7.** O te hace sobresalir entre tus hermanos.

**8.** Llenos, a vuestro parecer, de sabiduría y de luces.

**18.** Algunos *sé que* están tan engreídos, como si yo *nunca* hubiese de volver a vosotros.

**19.** Mas bien pronto pasaré a veros, si Dios quiere; y examinaré no la labia de los que andan así hinchados, sino su virtud.

**20.** Que no consiste el reino de Dios *o nuestra religión* en palabras, sino en la virtud, *o en buenas obras.*

**21.** ¿Qué estimáis más? ¿Que vaya a vosotros con la vara *o castigo,* o con amor y espíritu de mansedumbre?

## CAPITULO V

*Excomulga el Apóstol a un incestuoso, y exhorta a los de Corintio a que eviten el trato con los pecadores públicos.*

**1.** Es`ya una voz pública de que entre vosotros se cometen deshonestidades, y tales, cuales no se oyen ni aun entre gentiles, hasta llegar alguno a abusar de la mujer de su propio padre.

**2.** Y *con todo* vosotros estáis hinchados de orgullo, y no os habéis *al contrario* entregado al llanto, para que fuese quitado de entre vosotros el que ha cometido tal maldad.

**3.** Por lo que a mí toca, aunque ausente de ahí con el cuerpo, mas presente en espíritu, ya he pronunciado, como presente, esta sentencia contra aquel que así pecó.

**4.** En nombre de Nuestro Señor Jesucristo, uniéndose con vosotros mi espíritu, con el poder que he recibido de Nuestro Señor Jesús,

**5.** Sea ése que tal hizo entregado a Satanás, *o excomulgado,* para castigo de su cuerpo, a trueque de que su alma sea salva en el día de Nuestro Señor Jesucristo.

**6.** No tenéis, pues, motivo para gloriaros. ¿No sabéis *acaso* que un poco de levadura aceda toda la masa?

**7.** Echad fuera la levadura añeja, para que seáis una masa *enteramente* nueva, como que sois panes *puros y* sin levadura. Porque Jesu-

cristo, *que es* nuestro Cordero pascual, ha sido inmolado *por nosotros.*

**8.** Por tanto, celebremos la fiesta, *o el convite pascual ,* no con levadura añeja, ni con levadura de malicia y de corrupción, sino con los panes ázimos de la sinceridad y de la verdad.

**9.** Os tengo escrito en una carta: No tratéis con los deshonestos.

**10.** Claro está que no entiendo decir con los deshonestos de este mundo, o con los avarientos o con los que viven de rapiña, o con los idólatras; de otra suerte era menester que os salieseis de este mundo.

**11.** Cuando os escribí que no trataseis con tales sujetos, *quise decir* que si aquel que es *del número* de vuestros hermanos, es deshonesto o avariento, o idólatra, o maldiciente, o borracho, o vive de rapiña, con este tal, ni tomar bocado.

**12.** Pues, ¿cómo podría yo meterme en juzgar a los que están fuera *de la Iglesia?* ¿No son los que están dentro de ella a quienes tenéis derecho a juzgar?

**13.** A los de afuera Dios los juzgará. Vosotros, *empero,* apartad a ese mal hombre de vuestra compañía.

## CAPITULO VI

*Contra los desórdenes de los pleitistas y de los deshonestos.*

**1.** ¿Cómo *es posible que se halle* uno siquiera ente vosotros que teniendo alguna diferencia con su hermano, se atreva a llamarle a juicio ante *los jueces* inicuos *o infieles* y no delante de los santos *o cristianos?*

**2.** ¿No sabéis que los santos han de juzgar *algún día* a este mundo? Pues si el mundo ha de ser juzgado por vosotros, ¿no seréis dignos de juzgar de estas menudencias?

**3.** ¿No sabéis que hemos de ser jueces hasta de los ángeles *malos?* ¿Cuánto más de las cosas mundanas?

**4.** Si tuviereis, pues, pleitos sobre negocios de este mundo, tomad por jueces, *antes que a infieles,* a los más ínfimos de la Iglesia.

**5.** Dígolo para confusión vuestra. ¿Es posible que no ha de haber entre vosotros algún

---

**18.** Y reprimir a los orgullosos que perturban esa Iglesia.

**21.** Si queréis esto último, corregid esos desórdenes que hay entre vosotros, y que debería yo castigar con penas y censuras.

CAP. V. — **6.** ¿Y que así ese solo incestuoso puede echar a perder toda esa Iglesia?

**7.** O libres de toda corrupción, por la gracia del bautismo.

**8.** Con un corazón puro y libre de toda corrupción.

---

**9.** Esto es, no converséis familiarmente con ellos.

CAP. VI. — **1.** Tomando éstos por árbitros de vuestras diferencias.

**5.** Que tanto presumís de sabios.

hombre inteligente, que pueda ser juez *o árbitro* entre los hermanos;

**6.** Sino que ha de verse que litiga hermano con hermano, y eso en el tribunal de los infieles?

**7.** Ya por cierto es una falta en vosotros el andar en pleitos unos contra otros. ¿Por qué no toleráis antes el agravio? ¿Por qué antes no sufrís el fraude?

**8.** Mas *algunos de* vosotros sois los que agraviáis y defraudáis: y eso a vuestros propios hermanos.

**9.** ¿No sabéis que los injustos no poseerán el reino de Dios? No queráis cegaros, *hermanos míos:* ni los fornicarios, ni los idólatras, ni los adúlteros,

**10.** Ni los afeminados, ni los sodomitas, ni los ladrones, ni los avarientos, ni los borrachos, ni los maldicientes, ni los que viven de rapiña, han de poseer el reino de Dios.

**11.** Tales habéis sido algunos de vosotros *en otro tiempo;* pero fuisteis lavados, fuisteis santificados, fuisteis justificados, en el nombre de Nuestro Señor Jesucristo, y por el Espíritu de nuestro Dios.

**12.** Si todo me es lícito, no todo me es conveniente. No porque todo me es lícito, me haré yo esclavo de ninguna cosa.

**13.** Las viandas son para el vientre, y el vientre para las viandas; mas Dios destruirá a aquél y a éstas: el cuerpo, empero, no es para la fornicación, sino para *gloria del* Señor, como el Señor para el cuerpo.

**14.** *Pues* así como Dios resucitó al Señor, nos resucitará también a nosotros por su virtud.

**15.** ¿No sabéis que vuestros cuerpos son miembros de Cristo *nuestra cabeza?* ¿He de abusar yo de los miembros de Cristo, para hacerlos miembros de una prostituta? No lo permita Dios.

**16.** ¿O no sabéis que quien se junta con una prostituta, se hace un cuerpo con ella? Porque serán los dos (dice *la Escritura)* una carne.

**17.** Al contrario, quien está unido con el Señor, es con él un mismo espíritu.

**18.** Huid la fornicación. Cualquier otro pecado que cometa el hombre, está fuera del cuerpo; pero el que fornica, contra su cuerpo peca.

**19.** ¿Por ventura no sabéis que vuestros cuerpos son templos del Espíritu Santo, que habita en vosotros, el cual habéis recibido de Dios, y que ya no sois de vosotros,

**20.** Puesto que fuisteis comprados a gran precio? Glorificad, *pues,* a Dios, y llevadle *siempre* en vuestro cuerpo.

## CAPITULO VII

*De las cargas del matrimonio, y de las ventajas de la virginidad. Aviso a las viudas.*

**1.** En orden a las cosas sobre que me habéis escrito *respondo:* Loable cosa es en el hombre no tocar mujer;

**2.** Mas por evitar fornicación, viva cada uno con su mujer, y cada una con su marido.

**3.** El marido pague a la mujer el débito, y de la misma suerte la mujer al marido.

**4.** Porque la mujer *casada* no es dueña de su cuerpo, sino que lo es el marido. Y asimismo el marido no es dueño de su cuerpo, sino que lo es la mujer.

**5.** No queráis, *pues,* defraudaros el derecho recíproco, a no ser por algún tiempo de común acuerdo, para dedicaros a la oración; y después volved a cohabitar, no sea que os tiente Satanás por vuestra incontinencia.

**6.** Esto lo digo por condescendencia, que no lo mando.

**7.** A la verdad me alegra que fueseis todos tales como yo mismo, *esto es, célibes;* mas cada uno tiene de Dios su propio don: quién de una manera, quién de otra.

**8.** Pero sí que digo a las personas no casadas y viudas: bueno les es si así permanecen, como también permanezco yo.

**9.** Mas si no tienen don de continencia, cásense. Pues más vale casarse, que abrasarse.

**10.** Pero a las personas casadas, mando, no yo, sino el Señor, que la mujer no se separe del marido;

**11.** Que si se separa *por justa causa,* no pase a otras nupcias, o bien reconcíliese con su marido. Ni tampoco el marido repudie a su mujer.

_____

**7.** Y origen de muchos pecados.

**7.** Ya que os creéis tan aventajados en la virtud — *Matth.* V, *v.* 39. — *Luc.* VI, *v.* 29. — *Rom.* XII, *v.* 17. — I *Thes.* IV, *v.* 6.

**13.** Al cual comunicará algún dia la inmortalidad.

**15.** Esto es, de mi cuerpo santificado por Cristo, que es nuestra cabeza.

_____

**20.** No menos que con el de la sangre de Jesucristo.

**CAP. VII.** — 2. El que no tenga el don de continencia para quedarse célibe, cásese antes que entregarse a la impureza.

**9.** En el fuego de la torpeza. Y si han hecho voto de castidad, tienen el remedio en la mortificación de la carne y en la oración.

**11.** Y en el caso de separarse justamente de ella, no pase a casarse con otra.

**12.** Pero a los demás digo yo *mi dictamen,* no *que* el Señor *lo mande:* si algún hermano tiene por mujer a una infiel *o idólatra,* y ésta consiente en habitar con él, no la repudie.

**13.** Y si alguna mujer fiel *o cristiana* tiene por marido a un infiel, y éste consiente en habitar con ella, no abandone a su marido.

**14.** Porque un marido infiel es santificado por la mujer fiel, y la mujer infiel santificada por el marido fiel; de lo contrario, vuestros hijos serían amancillados, en vez de que ahora son santos..

**15.** Pero si el infiel se separa, sepárese *enhorabuena;* porque en tal caso ni *nuestro* hermano, ni *nuestra* hermana deben sujetarse a servidumbre: pues Dios nos ha llamado a *un estado de paz y tranquilidad.*

**16.** Porque ¿sabes tú, mujer, si salvarás o *convertirás* al marido? ¿Y tú, marido, sabes si salvarás a la mujer?

**17.** Pero proceda cada cual conforme *al don que* Dios le ha repartido, y según *el estado en que se hallaba cuando* Dios le llamó *a la fe;* y así es como lo enseñó en todas las Iglesias.

**18.** ¿Fué uno llamado siendo circunciso? No afecte parecer incircunciso. ¿Fué otro llamado estando incircunciso? No se haga circuncidar.

**19.** Nada importa *ahora* el ser circuncidado, y nada importa el no serlo; lo que importa *a judíos y a gentiles* es la observancia de los mandamientos de Dios.

**20.** Manténgase, pues, cada uno en el estado que tenía cuando Dios le llamó.

**21.** ¿Fuiste llamado siendo siervo? No te impacientes *viéndote en tal condición;* antes bien saca provecho *de eso mismo,* aun cuando pudieses ser libre.

**22.** Pues aquel que siendo esclavo es llamado al servicio del Señor, se hace liberto del Señor; y de la misma manera aquel que es llamado siendo libre, se hace esclavo de Cristo.

**23.** Rescatados habéis sido a *gran* costa, no queráis haceros esclavos de los hombres.

---

**12.** Salvo el honor de la religión del marido.

**14.** Y así es santificado el matrimonio por la santidad de uno de los consortes. Serían ilegítimos los hijos, y no podrían ser tan fácilmente bautizados.

**15.** O perder la libertad de seguir pacíficamente la fe de Jesucristo. Y así quedan libres, ya sea de la cohabitación sola, ya sea también del vínculo.

**17.** La religión cristiana no exige el mudar de condición sino de costrumbres, arreglándolas al evangelio; ni destruye nunca en el mundo el orden civil, sino solamente el pecado y las ocasiones del pecado. *S. Crisost.*

**21.** Aprovéchate de tu humilde condición para bien de tu alma.

**24.** Cada uno, hermanos *míos,* permanezca para con Dios en el *estado civil* en que fué llamado.

**25.** En orden a las vírgenes, precepto del Señor yo no lo tengo; doy, sí, consejo, como quien ha conseguido del Señor la misericordia de ser fiel *ministro suyo.*

**26.** Juzgo, pues, que este *estado* es ventajoso a causa de las miserias de la vida presente; que es, *digo,* ventajoso al hombre el no casarse.

**27.** ¿Estás ligado a una mujer? No busques quedar desligado. ¿Estás sin tener mujer? No busques el casarte.

**28.** Si te casares, no por eso pecas. Y si una doncella se casa, tampoco peca; pero estos tales sufrirán en su carne aflicciones y trabajos *inseparables del matrimonio.* Mas yo os perdono, *déjolo a vuestra consideración.*

**29.** Y lo que digo, hermanos *míos,* es, que el tiempo es corto; *y que así* lo que importa es que los que tienen mujer, vivan como si no la tuviesen;

**30.** Y los que lloran, como si no llorasen; y los que se huelgan como si no se holgasen; y los que hacen compras, como si nada poseyesen;

**31.** Y los que gozan del mundo, como si no gozasen de él; porque la escena *o apariencia* de este mundo pasa *en un momento.*

**32.** Ahora bien; yo deseo que viváis sin *cuidados ni* inquietudes. El que no tiene mujer, anda *únicamente* solícito de las cosas del Señor, y en lo que ha *de hacer para* agradar a Dios.

**33.** Al contrario, el que tiene mujer anda afanado en las cosas del mundo, y en cómo *ha de* agradar a la mujer, y *así* se halla dividido.

**34.** De la misma manera la mujer no casada, o una virgen, piensa en las cosas de Dios, para ser santa en cuerpo y alma. Mas la casada piensa en las del mundo, y en cómo ha de agradar al marido.

**35.** Por lo demás yo digo esto para provecho vuestro; no para echaros un lazo *y obligaros a la continencia,* sino solamente para

---

**23.** O servirles en perjuicio de vuestro amo Jesucristo, o de lo que él manda.

**24.** Salva la fe y obediencia debida a Dios.

**26.** Es digno de leerse el comentario de Tertuliano a estas palabras del Apóstol. Véase en el cap. III del tratado «Ad Martyres».

**28.** No quiero hablar más de las incomodidades del matrimonio, por no retraer de él a los que no tienen virtud para guardar continencia, y deben casarse. Podría traducirse: *Mas yo me compadezco de vosotros. S. Aug. De stat. virg. c. VI.*

exhortaros a lo más loable, y a lo que habilita para servir a Dios sin *ningún* embarazo.

**36.** Mas si a alguno le parece que es un deshonor que su hija pase la flor de la edad *sin contraer matrimonio*, y juzga debe *casarla*, haga lo que quisiere: no peca, si *ella* se casa.

**37.** Aunque *por otra parte*, quien ha hecho en su interior la firme resolución de conservar virgen a su *hija* no teniendo necesidad de *obrar de otro modo*, sino pudiendo disponer *en esto* de su voluntad, y así lo ha determinado en su corazón, *este tal* obra bien.

**38.** En suma, el que da su hija en matrimonio obra bien; mas el que no la da, obra mejor.

**39.** La mujer está ligada a la ley *del matrimonio* mientras que vive su marido; pero si su marido fallece, queda libre: cásese con quien quiera, con tal que sea según el Señor.

**40.** Pero mucho más dichosa será si permanece *viuda*, según mi consejo; y estoy persuadido de que también *en esto* me anima el espíritu de Dios.

## CAPITULO VIII

*Nadie ha de probar cosas ofrecidas a ídolos, si con eso causa escándalo: pues el que escandaliza a los flacos, peca contra Jesucristo.*

**1.** Acerca de las cosas o *viandas* sacrificadas a los ídolos, ya sabemos que todos *nosotros* tenemos *bastante* ciencia o *conocimiento sobre* eso. Mas la ciencia *por sí sola* hincha; la caridad *es la que* edifica.

**2.** Que si alguno se imagina saber algo, *y no sabe esto*, todavía no ha entendido de qué manera le convenga saber.

**3.** Pero el que ama a Dios, ése es conocido o *amado* de él.

**4.** En orden, pues, a los manjares inmolados a los ídolos, sabemos que el ídolo es nada en el mundo, y que no hay más que un solo Dios.

**5.** Pues aunque haya algunos que se llamen dioses, ya en el cielo, ya en la tierra (y que así se cuenten muchos dioses y muchos señores),

**6.** Sin embargo, para nosotros no hay más que un solo Dios, que es el Padre, del cual tienen el ser todas las cosas, y que nos ha hecho *a nosotros* para él; y *no hay sino* un solo Señor, *que es* Jesucristo, por quien han sido hechas todas las cosas, y somos nosotros por él *cuanto somos*.

**7.** Mas no en todos se halla esta ilustración: sino que *hay* algunos *que* creyendo todavía *que* el ídolo *es alguna cosa*, comen bajo este concepto viandas que se le han ofrecido; y *así* la conciencia de éstos, por ser débil, viene a quedar contaminada.

**8.** Lo cierto es que el comer *de tales viandas* no *es lo que* nos hace recomendables a Dios. Pues ni porque comamos tendremos *delante de él* ventaja alguna; ni porque no comamos, desmereceremos en nada.

**9.** Pero cuidad de que esta libertad que tenéis no sirva de tropiezo a los flacos.

**10.** Porque si uno de éstos ve a otro, de los que están *más* instruidos, puesto a la mesa en un lugar dedicado a los ídolos, ¿no es claro que el que tiene su conciencia flaca, se alentará a comer también de aquellas viandas sacrificada *que cree impuras*?

**11.** ¿*Y es posible que* haya de perecer por *el uso indiscreto de* tu ciencia ese hermano enfermo, por amor del cual murió Cristo?

**12.** Así sucede que, pecando contra los hermanos, y llagando su conciencia poco firme, venís a pecar contra Cristo.

**13.** Por lo cual si lo que yo como escandaliza a mi hermano, no comeré en mi vida carne *alguna, sólo* por no escandalizar a mi hermano.

## CAPITULO IX

*Cómo el Apóstol se privaba de hacer lo que podía lícitamente, por no desedificar a nadie, haciéndose todo para todos, y padeciendo mil trabajos por ganar a Dios a todo el mundo.*

**1.** ¿No tengo yo libertad? ¿No soy yo apóstol? ¿No he visto yo a Jesucristo, Señor nuestro? ¿No sois vosotros obra mía en el Señor?

**2.** *Lo cierto es* que aun cuando para los otros no fuera apóstol, a lo menos lo sería para vosotros, siendo como sois el sello o *la patente*, de mi apostolado en el Señor.

**3.** Ved ahí mi respuesta a aquellos que se meten a examinar *y sindicar* mi conducta.

**4.** ¿Acaso no tenemos derecho de ser alimentados *a expensas vuestras*?

---

CAP. VIII. — 8. El comer o no comer de dichas viandas, es una cosa en sí indiferente y que no nos da ningún mérito delante de Dios: mas lo que no es indiferente, es comer de ellas dando con ello ocasión de escándalo a nuestros hermanos menos instruidos, porque se peca contra caridad. S. Tomás.

CAP. IX. — 2. Porque vuestra admirable conversión y los dones que habéis recibido del Espíritu Santo prueban auténticamente mi apostolado.

**5.** ¿Por ventura no tenemos también facultad de llevar en los viajes alguna mujer hermana *en Jesucristo, para que nos asista,* como hacen los demás apóstoles, y los hermanos *o parientes* del Señor, y *el mismo* Cefas, *o Pedro?*

**6.** ¿O sólo yo y Bernabé no podemos hacer esto?

**7.** ¿Quién milita jamás a sus expensas? ¿Quién planta una viña, y no come de su fruto? ¿Quién apacienta un rebaño, y no se alimenta de la leche del ganado?

**8.** Y por ventura esto que digo *¿es solamente un raciocinio* humano? ¿O no dice la ley esto *mismo?*

**9.** Pues en la ley de Moisés está escrito: No pongas bozal al buey que trilla. ¿Será que Dios se preocupa de los bueyes?

**10.** ¿Acaso no dice esto *principalmente* por nosotros? Sí, *ciertamente* por nosotros se han escrito estas cosas; porque la esperanza hace arar al que ara; y el que trilla lo hace con la esperanza de percibir el fruto.

**11.** Si nosotros, *pues,* hemos sembrado entre vosotros bienes espirituales, ¿será gran cosa que recojamos *un poco* de vuestros bienes temporales?

**12.** Si otros participan de este derecho a lo vuestro, ¿por qué no más bien nosotros? Pero *con todo* no hemos hecho uso de esa facultad, antes bien todo lo sufrimos *y padecemos* por no poner estorbo alguno al evangelio de Cristo.

**13.** ¿No sabéis que los que sirven en el templo, se mantienen de lo que es del templo, y que los que sirven al altar, participan de las ofrendas?

**14.** Así también dejó el Señor ordenado que los que predican el evangelio, vivan del evangelio.

**15.** Mas yo de ninguna de estas cosas me he valido. Ni ahora escribo esto para que así se haga conmigo; porque tengo por mejor el morir, que el que alguno me haga perder esta gloria.

**16.** Como quiera que por predicar el evangelio no tengo gloria, pues estoy por necesidad obligado a ello; y desventurado de mí, si no lo predicare.

**17.** Por lo cual si lo hago de buena voluntad, premio aguardo; pero si por fuerza, *entonces* no hago más que cumplir con el cargo que tengo.

**18.** Según esto, pues, ¿dónde está mi galardón? Está en predicar gratuitamente el evangelio, sin ocasionar ningún gasto, para no abusar del derecho que tengo *por la predicación* del evangelio.

**19.** En verdad que estando libre, *o independiente,* de todos, de todos me he hecho siervo, para ganar más almas.

**20.** Y así con los judíos he vivido como judío, para ganar, *o convertir,* a los judíos;

**21.** Con los sujetos a la ley, *o prosélitos, he vivido* como si yo estuviere sujeto a la ley (con no estar yo sujeto a ella) *sólo* por ganar a los que a la ley vivían sujetos, así como con los que no estaban sujetos a la ley *de Moisés, he vivido* como si yo tampoco lo estuviese (aunque tenía yo una ley con respecto a Dios, teniendo la de Jesucristo) a trueque de ganar a los que vivían sin ley.

**22.** Híceme flaco con los flacos, por ganar a los flacos. Híceme todo para todos, para salvarlos a todos.

**23.** Todo lo cual hago por amor del evangelio, a fin de participar de sus promesas.

**24.** ¿No sabéis que los que corren en el estadio, si bien todos corren, uno solo se lleva el premio? Corred, pues, *hermanos míos,* de tal manera que lo ganéis.

**25.** Ello es que todos los que han de luchar en la palestra, guardan en todo *una exacta* continencia; y no es sino para alcanzar una corona perecedera; al paso que nosótros la esperamos eterna.

**26.** Así que yo voy corriendo, no como quien corre a la aventura; peleo, no como quien tira golpes al aire, *sin tocar a su enemigo;*

**27.** Sino que castigo mi cuerpo *rebelde* y lo esclavizo, no sea que habiendo predicado a los otros, venga yo a ser reprobado.

## CAPITULO X

*Propuestos los beneficios y los castigos de los hebreos por sus ingratitudes, amonesta el Apóstol a los Corintios que se guarden de sus vicios, especialmente en todo resabio de idolatría, de la vana confianza y de ofender al prójimo.*

**1.** Porque no debéis de ignorar, hermanos *míos,* que nuestros padres estuvieron todos a la sombra de aquella *misteriosa* nube; que todos pasaron el mar;

---

**6.** ¿Sino que hemos de ganar el alimento con nuestras manos y cuidar nosotros mismos de nuestra asistencia?

**21.** Por cuya razón circuncidé a Timoteo, y llevaba ofrendas al templo.

**26.** Sino para alcanzar la corona de gloria que tengo siempre a la vista.

**CAP. X.** — **1.** Figura que era del Espíritu Santo que nos alumbra y recrea con su gracia.

**2.** Y que todos bajo *la dirección de* Moisés fueron *en cierto modo* bautizados en la nube y en el mar;

**3.** Que todos comieron el mismo manjar espiritual,

**4.** Y todos bebieron la misma bebida espiritual (porque ellos bebían agua que salía de la misteriosa piedra, y los iba siguiendo, la cual piedra era *figura de* Cristo);

**5.** Pero *a pesar de eso* la mayor parte de ellos desagradaron a Dios; y así quedaron muertos en el desierto.

**6.** Estos sucesos eran figura de lo que atañe a nosotros, a fin de que no nos abandonemos a malos deseos, como ellos se abandonaron.

**7.** No seáis adoradores de los ídolos, como algunos de ellos, según está escrito: Sentóse el pueblo a comer y a beber, y levantáronse *todos* a retozar.

**8.** Ni forniquemos, como algunos de ellos fornicaron, y murieron en un día *como* veintitrés mil.

**9.** Ni tentemos a Cristo, como hicieron algunos de ellos, los cuales perecieron mordidos de las serpientes.

**10.** Ni tampoco murmuréis, como algunos de ellos murmuraron, y fueron muertos por el *ángel* exterminador.

**11.** Todas estas cosas que les sucedían eran unas figuras: y están escritas para escarmiento de nosotros, que nos hallamos al fin de los siglos.

**12.** Mire, pues, no caiga, el que piensa estar firme *en la fe.*

**13.** Hasta ahora no habéis tenido sino tentaciones humanas, *u ordinarias;* pero fiel es Dios, que no permitirá seáis tentados sobre vuestras fuerzas, sino que de la misma tentación os hará sacar provecho para que podáis sosteneros.

**14.** En razón de esto, carísimos míos, huid del culto de los ídolos.

**15.** *Puesto que* hablo con personas inteligentes, juzgad vosotros mismos de lo que voy a decir.

**16.** El cáliz de bendición que bendecimos, o *consagramos,* ¿no es la comunión de la sangre de Cristo? Y el pan que partimos ¿no es la participación del cuerpo del Señor?

**17.** Porque todos los que participamos del mismo pan, bien que muchos, venimos a ser un solo pan, un solo cuerpo.

**18.** Considerad a los israelitas según la carne: los que entre ellos comen de las víctimas, *¿no es así que* tienen parte en el altar o *sacrificios?*

**19.** ¿Mas qué? ¿Digo yo que lo sacrificado a los ídolos haya contraído alguna virtud? ¿O que el ídolo sea algo?

**20.** *No,* sino que las cosas que sacrifican los gentiles, las sacrifican a los demonios, y no a Dios. Y no quiero que tengáis ninguna sociedad, *ni por sombra,* con los demonios. No podéis beber el cáliz del Señor y el cáliz de los demonios.

**21.** No podéis tener parte en la mesa del Señor y en la mesa de los demonios.

**22.** *¿Por ventura* queremos irritar con celos al Señor? ¿Somos acaso más fuertes que él?

Todo me es lícito, *sí,* pero no todo es conveniente.

**23.** *Está bien* que todo me sea lícito, mas no todo es edificación.

**24.** *Dicta la caridad que* nadie busque su propia satisfacción o *conveniencia,* sino el bien del prójimo.

**25.** *Por lo demás,* todo lo que se venda en la plaza, o *carnicería,* comedlo, sin andar en preguntas por *escrúpulo de* conciencia.

**26.** Porque el Señor es la tierra y todo lo que hay en ella.

**27.** Si algún infiel os convida, y queréis ir, comed *sin escrúpulo* de todo lo que os ponen delante, sin hacer preguntas por escrúpulo de conciencia.

---

**2.** Símbolo de nuestro bautismo. *Ex.* XIV. *v.* 22.

**3.** Cual era el maná, figura de la Eucaristía. — *Exod.* XVI, *v.* 15. — *Joann.* VI, *v.* 32.

**4.** Aquella agua milagrosa que el golpe de la vara de Moisés hizo manar de una peña. — *Exod.* XVII, *v.* 6. — *Ps.* LXXVII, *v.* 25. — *Num.* XX, *v.* 11. — Herido en la cruz después de muerto, y brotando agua y sangre por su costado.

**7.** Bailando en torno del becerro de oro. *Exod.* XXXII, *v.* 6.

**9.** Dudando de las promesas de Dios, y pidiendo a Moisés milagros. — *Num.* XXI, *v.* 5, 6.

**11.** O en la última edad del mundo, en que las figuras se cumplen.

**17.** Comiendo el pan y bebiendo el vino eucarístico, participamos del cuerpo, de la sangre y del sacrificio de Jesucristo: y este divino alimento hace de todos nosotros como un solo pan místico y un solo cuerpo en Jesucristo, uniéndonos con él. Pues a esta semejanza el que come con los infieles viandas sacrificadas a los ídolos, hace con ellos y con el ídolo un cierto cuerpo y una cierta sociedad que lo separa del cuerpo místico de Jesucristo.

**17.** Cuya cabeza es Cristo.

**18.** Pues véis ahí cómo se podrá sospechar mal de vosotros, cuando coméis de las viandas sacrificadas a los ídolos.

**20.** Y que los que participan de dichos sacrificios, comunican en alguna manera con los demonios.

**28.** Mas si alguno dijere: Esto ha sido sacrificado a los ídolos, no lo comáis, en atención al que os ha avisado y a la conciencia:

**29.** A la conciencia, digo, no la tuya, sino la del otro. Pues ¿por qué *me he de exponer,* diréis, a que sea condenada por la conciencia de otro esta libertad que tengo *de comer de todo?*

**30.** Si yo recibo con acción de gracias *lo que como,* ¿por qué *he de dar motivo a otro de* hablar mal de mi por una cosa de que yo ofrezco *a Dios* acción de gracias?

**31.** Pero en fin, ora comáis, ora bebáis, o hagáis cualquiera otra cosa, hacedle todo a gloria de Dios.

**32.** No déis *motivo de* ofensión *o escándalo* ni a los judíos, ni a los gentiles, ni a la Iglesia de Dios;

**33.** Al modo que yo también en todo procuro complacer a todos, no buscando ni utilidad particular, sino la de los demás, a fin de que se salven.

## CAPITULO XI

*Ordena que los hombres estén con la cabeza descubierta en la iglesia, y las mujeres cubiertas. Trata de la institución de la sagrada Eucaristía, y reprende los desórdenes que se cometían al tiempo de la sagrada comunión.*

**1.** Sed, pues, imitadores míos, así como yo lo soy de Cristo.

**2.** Yo por mi parte os alabo, hermanos *míos,* de que en todas cosas os acordéis de mí, y de que guardéis mis instrucciones, conforme os lo tengo enseñado.

**3.** Mas quiero *también* que sepáis que Cristo es *el jefe y* la cabeza de todo hombre, como el hombre es cabeza de la mujer, y Dios lo es de Cristo.

**4.** Todo hombre que ora o que profetiza teniendo la cabeza cubierta, deshonra su cabeza.

**5.** Al contrario, mujer que ora o profetiza con la cabeza descubierta deshonra su cabeza, siendo lo mismo que si se rapase.

**6.** Por donde si una mujer no se cubre con un velo la cabeza, que se la rape *también.* Que si es cosa fea a una mujer cortarse el pelo, o raparse, cubra *por lo mismo* su cabeza,

**7.** Lo cierto es que no debe el varón cubrir su cabeza, pues él es la imagen y gloria de Dios; mas la mujer es la gloria del varón.

**8.** Que no fué el hombre formado de la hembra, sino *al contrario* la hembra del hombre.

**9.** Como ni tampoco fué el hombre criado para la hembra, sino la hembra para el hombre.

**10.** Por tanto debe la mujer traer sobre la cabeza *la divisa de* la sujeción, *y también* por respeto a los ángeles.

**11.** Bien es verdad que ni el varón *por ley* del Señor existe sin la mujer, ni la mujer sin el varón.

**12.** Pues así como la mujer *al principio* fué formada del varón, así también *ahora* el varón nace de la mujer; y todo *por disposición* de Dios.

**13.** Sed jueces vosotros mismos ¿es decente a la mujer hacer *en público* oración a Dios sin velo?

**14.** ¿No es así que la naturaleza misma, *o la común opinión,* os dicta que no es decente al hombre el dejar crecer *siempre* su cabellera;

**15.** Al contrario, para la mujer es gloria el dejarse crecer el pelo, porque los cabellos le son dados a manera de velo para cubrirse?

**16.** Pero si no obstante *estas razones,* alguno se muestra terco, *le diremos que* nosotros no tenemos esa costumbre, ni la Iglesia de Dios.

**17.** Por lo que toca a vuestras asambleas, yo os declaro que no puedo alabaros, pues ellas en lugar de seros útiles, os sirven de daño.

**18.** Primeramente oigo que al juntaros en la iglesia hay entre vosotros parcialidades *o desuniones,* y en parte lo creo.

---

**30.** La caridad y amor al prójimo nos obligan a no escandalizarle, y a privarnos alguna vez aun de lo que nos es lícito.

**CAP. XI.** — **4.** Pues es el velo una señal de aquella sujeción que es indigna del hombre, aunque propia de la mujer.

**5.** Había entonces mujeres que tenían el don de profecía, como las cuatro hijas del diácono Felipe. *Act.* XXI. *v.* 9, y había ya habido muchas en el antiguo Testamento, como María, hermana de Moisés, Débora, Ana, madre de Samuel, etc.

**7.** Dios le dió al hombre el principado sobre las criaturas de la tierra.

**10.** Las mujeres que asisten al sacrificio; y por no ofender con su inmodestia a los sacerdotes que lo ofrecen.

**12.** A fin de que ni abuse el hombre de su superioridad, ni la mujer se alce a mayores.

**16.** Esto es, de que las mujeres comparezcan descubiertas en el templo.

**19.** Siendo, como es, forzoso que aun herejías haya, para que se descubran entre vosotros los que son de una virtud probada.

**20.** Ahora, pues, cuando vosotros.os juntáis, *para los ágapes,* ya no es para celebrar la cena del Señor.

**21.** Porque cada uno come allí lo que ha llevado para cenar *sin atender a los demás.* Y *así sucede que* los unos no tienen nada que comer, mientras los otros comen en exceso.

**22.** ¿No tenéis *vuestras* casas para comer *allí* y beber? ¿O venís a profanar la Iglesia de Dios, y avergonzar a los *pobres,* que no tienen *nada*? ¿Qué os diré *sobre esto*? ¿Os alabaré? En eso no puedo alabaros.

**23.** Porque yo aprendí del Señor lo que también os tengo *ya* enseñado, y es que el Señor Jesús la noche misma en que había de ser *traidoramente* entregado, tomó el pan,

**24.** Y dando gracias, lo partió, y dijo *a sus discípulos:* Tomad, y comed: éste es mi cuerpo, que por vosotros será entregado *a la muerte;* haced esto en memoria mía.

**25.** Y de la misma manera el cáliz, después de haber cenado, diciendo: Este cáliz es el nuevo Testamento en mi sangre: hacer esto cuantas veces lo bebiereis, en memoria mía.

**26.** Pues todas las veces que comiereis este pan y bebiereis este cáliz, anunciaréis *o representaréis* la muerte del Señor hasta que venga.

**27.** De manera que cualquiera que comiere este pan, o bebiere el cáliz del Señor indignamente, reo será del cuerpo y de la sangre del Señor.

**28.** Por tanto, examínese a sí mismo el hombre; y de esta suerte coma de aquel pan, y beba de *aquel* cáliz.

**29.** Porque quien lo come y bebe indignamente, se traga y bebe su propia condenación, no haciendo *el debido* discernimiento del cuerpo del Señor.

**30.** De aquí es que hay entre vosotros muchos enfermos y sin fuerzas, y muchos que mueren.

**31.** Que si nosotros entrásemos en cuentas con nosotros mismos, ciertamente no seríamos *así* juzgados *por Dios.*

**32.** Si bien cuando lo somos, el Señor nos castiga *como a hijos* con el fin de que no seamos condenados *juntamente* con este mundo.

**33.** Por lo cual, hermanos míos, cuando os reunís para esas comidas *de caridad,* esperaos unos a otros.

**34.** Si alguno tiene hambre, coma en casa, a fin de que el juntaros no sea para condenación vuestra. Las demás cosas, yendo yo ahí, las arreglaré.

## CAPITULO XII

*De la variedad de dones que el Espíritu Santo distribuye entre los fieles para utilidad de la Iglesia. Es ésta un solo cuerpo místico, cuyos miembros deben ayudarse mutuamente.*

**1.** Mas en orden a los dones espirituales no quiero, hermanos *míos,* que estéis ignorantes.

**2.** Bien sabéis vosotros que cuando ídolos mudos, según erais conducidos.

**3.** Ahora, pues, yo os declaro, *que ningún verdadero profeta,* ningún hombre que habla inspirado de Dios, dice anatema a Jesús. Ni nadie puede confesar que Jesús es el Señor, sino por el Espíritu Santo.

**4.** Hay, sí, diversidad de dones espirituales, mas el Espíritu es uno mismo.

**5.** Hay también diversidad de ministerios, mas el Señor es uno mismo.

**6.** Hay asimismo diversidad de operaciones *sobrenaturales,* mas el mismo Dios es el que obra todas las cosas en todos.

**7.** Pero los dones visibles del Espíritu *Santo,* se dan a cada uno para la utilidad.

**8.** Así el uno recibe del Espíritu *Santo el don de* hablar con *profunda* sabiduría; otro recibe del mismo Espíritu *el don de* hablar con *mucha* ciencia;

**9.** A éste le da el mismo Espíritu *una* fe *o confianza extraordinaria;* al otro la gracia de curar *enfermedades* por el mismo Espíritu;

**10.** A quién *el don de* hacer milagros, a quien *el don de* profecía, a quién discreción de espíritu, a quién *don de* hablar varios idiomas, a quién *el de* interpretar las palabras, *o razonamientos.*

**11.** Mas todas estas cosas las causa el mismo indivisible Espíritu, repartiéndolas a cada uno según quiere.

---

**34.** O no le basta la cena frugal que hacen los demás, o no puede por motivo justo esperar tanto.

**CAP. XII.** — **2.** Por el espíritu de la mentira; mas ahora sois dirigidos por el Espíritu Santo.

**3.** Con afecto sobrenatural, o con fe viva o animada de la caridad.

**7.** O bien común de la Iglesia, y según las necesidades de ésta.

---

**20.** O la memoria del convite eucarístico, que celebró con los apóstoles la víspera de su pasión.

**30.** En castigo de recibir indignamente el cuerpo del Señor.

**12.** Porque así como el cuerpo *humano* es uno, y tiene muchos miembros, y todos los miembros, con ser muchos, son un solo cuerpo, así también *el cuerpo místico de* Cristo.

**13.** A este fin todos nosotros somos bautizados en un mismo Espíritu para componer un solo cuerpo, ya *seamos* judíos, ya gentiles, ya esclavos, ya libres; y todos hemos bebido un mismo Espíritu.

**14.** Que ni tampoco el cuerpo es un solo miembro, sino el *conjunto de* muchos.

**15.** Si dijere el pie: Pues que no soy mano, no soy del cuerpo, ¿dejará por eso de ser del cuerpo?

**16.** Y si dijere la oreja: Pues que no soy ojo, no soy del cuerpo, ¿dejará por eso de ser del cuerpo?

**17.** Si todo el cuerpo *fuese* ojo, ¿dónde *estaría* el oído? Si todo *fuese* oído, ¿donde *estaría* el olfato?

**18.** Mas ahora ha puesto Dios en el cuerpo *muchos* miembros, y los ha colocado en él como le plugo.

**19.** Que si todos fuesen un solo miembro, ¿donde *estaría* el cuerpo?

**20.** Por eso ahora, aunque los miembros *sean* muchos, el cuerpo *es* uno.

**21.** Ni puede decir el ojo a la mano: No he menester tu ayuda; ni la cabeza a los pies: No me sois necesarios.

**22.** Antes bien aquellos miembros que parecen los más débiles del cuerpo, son los más necesarios.

**23.** Y a los miembros del cuerpo que juzgamos más viles, a éstos ceñimos de mayor adorno; y cubrimos con más *cuidado* y honestidad aquellos que son menos honestos.

**24.** Al contrario, nuestras partes o *miembros* honestos, *como la cara, manos, ojos, etc.* no han de menester nada *de eso;* pero Dios ha puesto *tal* orden en *todo* el cuerpo, que se honra más lo que de suyo es menos digno de honor.

**25.** A fin de que no haya cisma o *división* en el cuerpo; antes tengan los miembros la misma solicitud unos de otros.

**26.** Por donde si un miembro padece, todos los miembros se compadecen, y si un miembro es honrado, todos los miembros se gozan de él.

**27.** Vosotros, pues, sois el cuerpo *místico* de Cristo, y miembros *unidos* a otros miembros.

**28.** Así es que ha puesto Dios *varios miembros* en la Iglesia, unos en primer lugar apóstoles, en segundo *lugar* profetas, en *el* tercero doctores, luego a los que tienen el *don* de hacer milagros, después *a los que tienen* gracia de curar, de socorrer *al prójimo, don de* gobierno, *de hablar* todo género de lenguas, *de* interpretar las palabras.

**29.** ¿Por ventura son todos apóstoles? ¿O todos profetas? ¿O todos doctores?

**30.** ¿Hacen todos milagros? ¿Tienen todos la gracia de curar? ¿Hablan todos lenguas? ¿Interpretan todos?

**31.** Vosotros, empero, entre esos dones aspirad a los mejores. Yo voy, pues, a mostraros un camino o *don* todavía más excelente.

## CAPITULO XIII

*Descripción de la caridad y de sus propiedades.*

**1.** Cuando yo hablara todas las lenguas de los hombres y el lenguaje de los ángeles *mismos,* si no tuviere caridad, vengo a ser como un metal que suena, o campana que retiñe.

**2.** Y cuando tuviera el don de profecía, y penetrase todos los misterios, y *poseyese* todas las ciencias; cuando tuviera toda la fe *posible,* de manera que trasladase *de una a otra parte* los montes, no teniendo caridad, soy una nada.

**3.** Cuando yo distribuyese todos mis bienes para sustento de los pobres, y cuando entregara mi cuerpo a las llamas, si la caridad me falta, *todo lo dicho* no me sirve de nada.

**4.** La caridad es sufrida, es *dulce y* bienhechora; la caridad no tiene envidia, no obra precipitadamente *ni temerariamente,* no se ensoberbece,

**5.** No es ambiciosa, no busca sus intereses, no se irrita, no piensa mal.

**6.** No se huelga de la injusticia, complácese, sí, en la verdad;

**7.** A todo se acomoda, cree todo *el bien del prójimo,* todo lo espera, y lo soporta todo.

**8.** La caridad nunca fenece; en lugar de que las profecías se terminarán, y cesarán las lenguas, y se acabará la ciencia.

**9.** Porque ahora nuestro conocimiento es imperfecto, e imperfecta la profecía.

**10.** Mas llegado que sea lo perfecto, desaparecerá lo imperfecto.

---

**13.** Participando de la Eucaristía, que es el Sacramento de nuestra unidad.

---

**CAP. XIII.** — 7. A fin de ganar para Jesucristo a todos los hombres: tres veces insiste aquí San Pablo en que la caridad inspira y exige la paciencia: *patiens est, omnia suffert, omnia sustinet.*

**11.** Así cuando yo era niño, hablaba como niño, juzgaba como niño, discurría como niño. Pero cuando fuí ya hombre hecho, di de mano a las cosas de niño.

**12.** Al presente *no* vemos *a Dios sino* como en un espejo, y bajo imágenes oscuras; pero entonces le veremos cara a cara. Yo *no le* conozco ahora *sino* imperfectamente; mas entonces *le* conoceré *con una visión clara,* a la manera que soy yo conocido.

**13.** Ahora permanecen estas tres *virtudes:* la fe, la esperanza y la caridad; pero *de las tres* la caridad es la más excelente de todas.

## CAPITULO XIV

*El don de profecía se debe anteponer al don de lenguas. Del modo de usar bien de todos los dones. Dios es un Dios de paz, y no de discordia. Las mujeres deben callar en la iglesia.*

**1.** Corred *con ardor* para alcanzar la caridad y codiciad *después* dones espirituales: mayormente el de profecía.

**2.** Pues quien habla lenguas *sin tener dicho don,* no habla para los hombres, porque nadie le entiende, sino para Dios: habla, sí, en espíritu cosas misteriosas.

**3.** Al paso que el que hace *oficio* de profeta, habla con los hombres para edificación *de ellos,* y para exhortarlos y consolarlos.

**4.** Quien habla lenguas, se edifica a sí mismo; más el que profetiza, edifica a la Iglesia de Dios.

**5.** Yo, sí, deseo que todos vosotros tengáis el don de lenguas; pero mucho más que tengáis el de profecía. Porque aquel que profetiza es preferible al que habla lenguas *desconocidas;* a no ser que también *las* interprete *o profetice,* a fin de que la Iglesia reciba utilidad.

**6.** En efecto, hermanos, si yo fuere a vosotros hablando lenguas, ¿qué os aprovecharé, si no os hablo *instruyéndoos* o con la revelación, o con la ciencia, o con la profecía, o con la doctrina?

**7.** ¿No vemos aun en las cosas inanimadas que producen sonidos, como la flauta y el arpa, que si no forman tonos diferentes, no se puede saber lo que se toca con la flauta o con el arpa?

**8.** Y si la trompeta no da un sonido determinado *sino confuso,* ¿quién *es el que* se prepara para el combate?

**9.** Si la lengua que habláis no es inteligible, ¿cómo se sabrá lo que decís? No hablaréis sino al aire.

**10.** En efecto, hay en el mundo muchas diferentes lenguas, y no hay *pueblo* que no tenga la suya.

**11.** Si yo, pues, ignoro lo que significan las palabras, seré bárbaro, *o extranjero* para aquel a quien hablo; y el que me hable, será bárbaro para mí.

**12.** Por eso vosotros, ya que sois codiciosos de estos dones espirituales, desead ser enriquecidos con ellos para edificación de la Iglesia.

**13.** Por lo mismo, el que habla una lengua, pida la gracia de interpretarla, *o explicar lo que dice.*

**14.** Que si yo hago oración *o predico* en una lengua *desconocida,* mi espíritu ora *o predica,* pero mi concepto queda sin fruto.

**15.** Pues ¿qué haré? Oraré con el espíritu, y oraré también *hablando* inteligiblemente; cantaré salmos con el espíritu, pero los cantaré también inteligiblemente.

**16.** Por lo demás, si tú alabas a Dios solamente con el espíritu, el que está en la clase del sencillo pueblo, ¿cómo ha de decir: Amén, *esto es, Así sea,* al fin de tu acción de gracias puesto que no entiende lo que tú dices?

**17.** *No es que no sea buena* tu acción de gracias, sino que no quedan *por ella* edificados los otros.

**18.** Yo doy gracias a mi Dios de que hablo las lenguas de todos vosostros.

**19.** Pero en la iglesia más bien quiero hablar cinco palabras de modo que sea entendido, e instruya también a los otros, que diez mil palabras en lengua *extraña.*

------

**12.** En imágenes que aún no llegan a representarle como él es en sí mismo. No será alguna imagen de Dios la que veré en el cielo; sino que le veré cara a cara, aunque no llegaré a comprender sus infinitas perfecciones.

**CAP. XIV.** — 6. De cosas ocultas y misteriosas. De las verdades de nuestra religión. O explicación de las Escrituras. De la moral evangélica.

------

**17.** No se sigue de estos principios que los divinos oficios deben celebrarse precisamente en una lengua que entiendan todos los particulares; lo que hoy día, atendida la muchedumbre de lenguas y las frecuentes variaciones que en ellas se introducen, tendría muchos inconvenientes. Pero a lo menos prueban que no debe omitirse ninguna diligencia para poner a los fieles en estado de tomar parte en las oraciones públicas, ya sea explicándoselas de viva voz, ya sea poniendo en sus manos versiones fieles y exactas, que ilustren su entendimiento, y sostengan o fomenten su atención. — Véase *Conc. Trid. Ses.* XXII, c. 8.

**20.** Hermanos, no sois *como* niños en el uso de la razón; sed, sí, niños en la malicia, pero en la conducta hombres hechos.

**21.** En la ley está escrito: Yo hablaré en otras lenguas y con otros acentos a este pueblo; y ni aun así me creerán, dice el Señor.

**22.** *Así, pues, el don de* las lenguas es una señal no para los fieles, sino para los infieles; mas *el de* las profecías no *se ha dado* para *convertir a* los infieles, sino para *instruir a* los fieles.

**23.** Ahora bien, si estando congregada toda la Iglesia en un lugar, y poniéndose todos a hablar lenguas diferentes, entran gentes idiotas, *o rudas,* o bien infieles, ¿no dirán que estáis locos?

**24.** Mas al contrario, si profetizando todos, entra un infiel o un idiota, de todos será convencido, será juzgado de todos.

**25.** Los secretos de su corazón se harán manifiestos y, por tanto, postrado sobre su rostro, adorará a Dios, confesando que verdaderamente Dios está en *medio de* vosotros.

**26.** Pues ¿qué *es lo que* se ha de hacer, hermanos *míos? Vedlo aquí: Si* cuando os congregáis, uno de vosotros se halla *inspirado de Dios* para hacer un himno, otro para instruir, éste para revelar *alguna cosa de Dios,* aquél para hablar lenguas, otro para interpretarlas, hágase todo para edificación *de los fieles.*

**27.** Si han de hablar lenguas, hablen dos solamente, o cuando mucho tres, y eso por turno, y haya uno que explique *lo que dicen.*

**28.** Y si no hubiere intérprete, callen en la Iglesia *los que tienen este don,* y hablen consigo y con Dios.

**29.** De los profetas hablen dos o tres, y los demás disciernan.

**30.** Que si a otro *de los asistentes,* estando sentado, le fuere revelado algo, calle *luego* el primero.

**31.** Así podéis profetizar todos uno después de otro, a fin de que todos aprendan, y todos aprovechen;

**32.** Pues los espíritus o *dones* proféticos están sujetos a los profetas.

---

**20.** No seais como los niños, que dirán todo lo que les parece extraordinario aunque nada entiendan.

**22.** Y así el don de profecía es más útil a la Iglesia que el de lenguas.

**24.** O explicando por turno los misterios de nuestra religión, y anunciando lo secreto y venidero.

**30.** O recibiere de Dios alguna particular inteligencia en la materia de que se trata.

**33.** Porque Dios no es *autor* de desorden, sino de paz: y esto es lo que yo enseño en todas las Iglesias de los santos.

**34.** Las mujeres callen en las iglesias porque no les es permitido hablar allí, sino que deben estar sumisas, como lo dice también la ley.

**35.** Que si desean instruirse en algún punto, pregúnteselo cuando estén en casa a sus maridos. Pues es cosa indecente en una mujer el hablar en la iglesia.

**36.** ¿Por ventura tuvo de vosotros su origen la palabra de Dios? ¿O ha llegado a vosotros solos?

**37.** Si alguno *de vosotros* se tiene por profeta, o por persona espiritual, reconozca que las cosas que os escribo, son preceptos del Señor.

**38.** El que lo desconoce, será desconocido.

**39.** En suma, hermanos, codiciad o *preferid* el don de la profecía, y no estorbéis el de hablar lenguas.

**40.** Pero hágase todo con decoro y con orden.

## CAPITULO XV

*La fe y esperanza de nuestra futura resurrección se confirman eficazmente por la resurrección ya sucedida de Jesucristo. Descríbese el orden y modo de ella, y la naturaleza de los cuerpos resucitados.*

**1.** Quiero ahora, hermanos *míos,* renovaros la memoria del evangelio, que os he predicado, que vosotros recibisteis, en el cual estáis firmes,

**2.** Y por el cual sois salvados, *a fin de que veáis* si lo conserváis de la manera que os lo prediqué, porque de otra suerte en vano habríais abrazado la fe.

**3.** En primer lugar, pues, os he enseñado lo mismo que yo aprendí *del Señor, es a saber,* que Cristo murió por nuestros pecados conforme a las Escrituras.

**4.** Y que fué sepultado, y que resucitó al tercer día, según las *mismas* Escrituras.

**5.** Y que se apareció a Cefas, *o Pedro,* y después a los once *Apóstoles.*

**6.** Posteriormente se dejó ver *en una sola vez* de más de quinientos hermanos juntos, de los cuales, aunque han muerto algunos, la mayor parte viven todavía.

**7.** Se apareció también a Santiago, y después a los Apóstoles todos.

---

**35.** ¿Acaso tenéis vosotros autoridad para introducir nuevas costumbres o abusos, contra la práctica universal de la Iglesia?

**8.** Y a mí, como a abortivo, se me apareció depués que a todos.

**9.** Porque yo soy de los Apóstoles el mínimo, que ni merezco ser llamado apóstol, pues que perseguí a la Iglesia de Dios.

**10.** Mas por la gracia de Dios soy lo que soy, y su gracia no ha sido estéril en mí; antes he trabajado más copiosamente que todos; pero no yo sino *más bien* la gracia de Dios *que estás* conmigo.

**11.** Así que tanto yo, como ellos, esto *es lo que* predicamos *todos,* y esto habéis creído *vosotros.*

**12.** Ahora bien, si se predica a Cristo como resucitado de entre los muertos, ¿cómo *es que* algunos de vosotros andan diciendo que no hay resurrección de muertos?

**13.** Pues si no hay resurrección de muertos, *como dicen ellos,* tampoco resucitó Cristo.

**14.** Mas si Cristo no resucitó, luego vana es nuestra predicación, y vana es también vuestra fe.

**15.** A más de eso somos convencidos de testigos falsos respecto a Dios; por cuanto hemos testificado contra Dios, diciendo que resucitó a Cristo, al cual no ha resucitado, si los muertos no resucitan.

**16.** *Pero en verdad que* si los muertos no resucitan, tampoco Cristo resucitó.

**17.** Y si Cristo no resucitó, vana es vuestra fe, pues todavía estáis en vuestros pecados.

**18.** Por consiguiente, aun los que murieron *creyendo* en Cristo, son perdidos *sin remedio.*

**19.** Si nosotros sólo tenemos esperanza en Cristo mientras dura nuestra vida, somos los más desdichados de todos los hombres.

**20.** Pero Cristo, *hermanos míos,* ha resucitado de entre los muertos, *y ha venido a ser como las* primicias de los difuntos.

**21.** Porque así como por un hombre *vino* la muerte *al mundo,* por un hombre *debe venir* también la resurrección de los muertos.

**22.** Que así como en Adán mueren todos, así en Cristo todos serán vivificados.

**23.** Cada uno, empero, por su orden, Cristo el primero; depués los que son de Cristo, *y* que han creído en su venida.

**24.** En seguida será el fin *del mundo;* cuando *Jesucristo* hubiere entregado su reino, *o Iglesia,* a su Dios y Padre, cuando habrá destruido todo imperio, y toda potencia, y toda dominación.

**25.** Entre tanto debe reinar, hasta ponerle *el Padre* a todos los enemigos debajo de sus pies.

**26.** Y la muerte será el último enemigo destruido; porque todas las cosas las sujetó *Dios* debajo de los pies de su Hijo. Mas cuando dice *la Escritura:*

**27.** Todas las cosas están sujetas a él, sin duda queda exceptuado aquel que se las sujetó todas.

**28.** Y cuando ya todas las cosas estuvieren sujetas a él, entonces el Hijo mismo quedará sujeto *en cuanto hombre* al que se las sujetó todas: a fin de que en todas las cosas todo sea Dios.

**29.** De otra manera, ¿qué harán aquellos que se bautizan por *aliviar a* los difuntos, si absolutamente los muertos no resucitan? ¿Por qué, pues, se bautizan por los muertos?

**30.** ¿Y a qué fin a toda hora nos exponemos *nosotros* a tantos peligros?

**31.** No hay día, *tenedlo por cierto,* hermanos, en que yo muera por *asegurar* la gloria vuestra *y también mía,* que está en Jesucristo nuestro Señor.

**32.** ¿De qué me sirve (hablando como hombre) haber combatido en Efeso contra bestias *feroces,* si no resucitan los muertos? *En este caso, no pensemos más que en* comer y beber, puesto que mañana moriremos.

**33.** No deis lugar a seducción: las malas conversaciones corrompen las buenas costumbres.

**34.** Estad alerta ¡oh justos! y guardaos del pecado; porque *entre vosotros* hay hombres que no conocen a Dios, dígolo para confusión vuestra.

**35.** Pero ¿de qué manera resucitarán los muertos?, me dirá alguno, o ¿con qué cuerpo vendrán?

**36.** ¡Necio! lo que tú siembras no recibe vida, si primero no muere.

**37.** Y al sembrar, no siembras el cuerpo *de la planta,* que ha de nacer *después,* sino el grano desnudo, por ejemplo, de trigo, o de alguna otra especie.

---

CAP. XV. — 17. Siendo, como es, Cristo resucitado la causa de la justificación, y el vencedor de la muerte y del pecado.

19. Pues queda frustrada la esperanza de la otra vida, por la cual nos mortificamos y padecemos ahora.

---

25. *Ps.* CIX, *v.* 1. — Habla el Apóstol del reino o gobierno que ahora ejerce Jesucristo en la Iglesia: no del que ejercerá en el cielo sobre la Iglesia triunfante, cuando ya no haya enemigos ni combates, y no resuenen más que alabanzas al Señor. *S. Tomás.*

**38.** Sin embargo, Dios le da cuerpo según quiere, y a cada una de las semillas el cuerpo que es propio de ella.

**39.** No toda carne es la misma carne; sino que una es la *carne* de los hombres, otra la de las bestias, otra la de las aves, otra la de los peces.

**40.** Hay asimismo cuerpos celestes y cuerpos terrestre; pero una es la hermosura de los celestes y otra la de los terrestres.

**41.** *Entre aquellos mismos* una es la claridad del sol, otra la claridad de la luna y otra la claridad de las estrellas.

Y aun hay diferencia en la claridad entre estrella y estrella.

**42.** Así *sucederá* también *en* la resurrección de los muertos. El cuerpo, a manera de una semilla, es puesto *en la tierra* en estado de corrupción, y resucitará incorruptible.

**43.** Es puesto *en la tierra todo* disforme y resucitará glorioso. Es puesto *en tierra,* privado de movimiento, y resucitará *lleno* de vigor.

**44.** Es puesto *en tierra como* un cuerpo animal, y resucitará *como* un cuerpo *todo* espiritual.

Porque así como hay cuerpo animal, lo hay también espiritual, según está escrito:

**45.** El primer hombre Adán fué formado con alma viviente, el postrer Adán, *Jesucristo, ha sido* llenado de un espíritu vivificante.

**46.** Pero no es el *cuerpo* espiritual el que ha sido formado el primero, sino el *cuerpo* animal, y en seguida el espiritual.

**47.** El primer hombre *es el* terreno, *formado* de la tierra; y el segundo hombre *es el* celestial, *que viene* del cielo.

**48.** Así como el *primer hombre ha sido* terreno, han sido también terrenos *sus hijos;* y así como es celestial *el segundo hombre,* son también celestiales *sus hijos.*

**49.** Según esto, así como hemos llevado *grabada* la imagen del *hombre* terreno, llevemos también la imagen del *hombre* celestial.

---

**38.** Así dará a cada hombre el propio cuerpo que le pertenece. Es gran necedad negar la posibilidad de que resuciten los cuerpos muertos, cuando se reflexiona lo que pasa en un grano o pequeña simiente metida dentro de la tierra, de la cual sale una hermosa espiga, o un grandioso árbol. Que expliquen los materialistas cómo se hace tan prodigiosa resurrección del granito sepultado en tierra.

**44.** Esto es, libre de todas las alteraciones materiales y perfectamente concorde con el espíritu.

**49.** Haciéndonos dignos de la inmortalidad gloriosa.

**50.** Digo esto, hermanos míos, porque la carne y sangre, *o los hombres carnales,* no pueden poseer el reino de Dios, ni la corrupción poseerá esta herencia incorruptible.

**51.** Ved aquí, *hermanos,* un misterio que voy a declararos: Todos a la verdad resucitaremos; mas no todos seremos mudados *en hombres celestiales.*

**52.** En un momento, en un abrir y cerrar de ojos, al son de la última trompeta: porque sonará la trompeta, y los muertos resucitarán *en un estado* incorruptible, y nosotros seremos inmutados.

**53.** Porque es necesario que este *cuerpo* corruptible sea revestido de incorruptibilidad, y que este *cuerpo* mortal sea revestido de inmortalidad.

**54.** Mas cuando este *cuerpo* mortal haya sido revestido de inmortalidad, entonces se cumplirá la palabra escrita: La muerte ha sido absorbida por una victoria.

**55.** ¿Dónde está ¡oh muerte! tu victoria? ¿Dó está ¡oh muerte! tu aguijón?

**56.** El aguijón de la muerte es el pecado; y lo que da fuerza al pecado, es la ley.

**57.** Pero demos gracias a Dios, que nos ha dado victoria *contra la muerte y el pecado,* por *la virtud de* Nuestro Señor Jesucristo.

**58.** Así que, amados hermanos míos, estad firmes y constantes, trabajando siempre más y más en la obra del Señor, pues que sabéis que vuestro trabajo no quedará sin recompensa delante del Señor.

## CAPITULO XVI

*Exhorta a los Corintios a que hagan la colecta de limosnas para los pobres de la Iglesia de Jerusalén, y les recomienda a Timoteo y a otros discípulos.*

**1.** En cuanto a las limosnas que se recogen para los santos, practicadlo en la misma forma que yo he ordenado a las Iglesias de Galacia.

---

**51.** Porque los réprobos tomarán otra vez su cuerpo corruptible para vivir con él en el fuego eterno: un cuerpo que sin consumirse sentirá eternamente los efectos de la corrupción, que son la pesadez, la fealdad, la inmundicia, la fetidez, y sobre todo el dolor.

**52.** Alude a la costumbre antigua de convocar al pueblo al son de la trompeta; y también a los jueces para pronunciar las sentencias. *Nosotros,* que confiamos ser del número de los escogidos.

**2.** El primer día de la semana, cada uno de vosotros ponga aparte y deposite aquello que le dicte su buena voluntad, a fin que no se hagan las colectas al *tiempo mismo de* mi llegada.

**3.** En estando yo presente, a aquellos sujetos que me hubiereis designado, los enviaré con cartas *mías* a llevar vuestras liberalidades a Jerusalén.

**4.** Que si la cosa mereciese que yo también vaya, irán conmigo.

**5.** Yo pasaré a veros, después de haber atravesado la Macedonia, pues por allí he de pasar.

**6.** Y quizá me detendré con vosotros, y *tal vez* pasaré también el invierno, para que vosotros me llevéis a doquiera que hubiere de ir.

**7.** Porque esta vez no quiero visitaros solamente de paso; antes espero detenerme algún tiempo entre vosotros, si el Señor me lo permitiere.

**8.** Acá en Efeso me quedaré hasta Pentecostés,

**9.** Porque se me ha abierto una puerta grande y espaciosa *para la propagación del evangelio,* si bien los adversarios son muchos.

**10.** Si va a veros Timoteo, procurad que esté sin recelo entre vosotros, pues trabaja, como yo, en la obra del Señor.

**11.** Por tanto ninguno le tenga en poco *por ser mozo;* y despachadle en paz, para que venga a verse conmigo, pues le estoy aguardando con los hermanos.

**12.** En cuanto a nuestro hermano Apolo,

os hago saber que le he instado mucho para que fuese a visitaros con *alguno de nuestros* hermanos; y a la verdad no ha querido ir ahora; pero él irá cuando le venga bien.

**13.** Velad, *entretanto,* estad firmes en la fe, trabajad varonilmente, y alentaos *más y más.*

**14.** Todas vuestras cosas háganse con caridad.

**15.** Ya conocéis, hermanos míos, la familia de Estéfanas, y de Fortunato, y de Acaico; ya sabéis que son las primicias de la Acaya, y que se consagraron al servicio de los santos.

**16.** *Os ruego* que tengáis mucha deferencia a personas de ese carácter y a todos los que cooperan y trabajan *en la obra de Dios.*

**17.** Yo por mi parte me huelgo con el arribo de Estéfanas, y de Fortunato, y de Acaico; ellos son los que han suplido vuestra falta, *o ausencia,*

**18.** Recreando así mi espíritu como el vuestro. Mostrad, pues, reconocimiento a tales personas.

**19.** Las iglesias de Asia os saludan. Os saludan con grande afecto en el Señor, Aquila y Priscila, con la Iglesia de su casa, en la que me hallo hospedado.

**20.** Todos los hermanos os saludan. Saludaos vosotros unos a otros con el ósculo santo *de la caridad.*

**21.** La salutación de mí, Pablo, *va* de propio puño.

**22.** El que no ama a nuestro Señor Jesucristo, sea anatema: Maran Atha.

**23.** La gracia de nuestro Señor Jesucristo sea con vosotros.

**24.** *Mi sincero* amor con todos vosotros en Cristo Jesús. Amén.

---

CAP. XVI. — 15. Esto es, al cuidado de los pobres fieles y a la existencia de los predicadores.

---

22. «Maran Atha». Palabras siriacas que significan: *el Señor vendrá,* o: *Señor nuestro, ven.*

# EPÍSTOLA SEGUNDA DE SAN PABLO A LOS CORINTIOS

# Introducción

**El apóstol replica a las falsas acusaciones vertidas sobre él por los falsos apóstoles.**

## CAPITULO PRIMERO

*Excúsase el Apóstol de no haber ido antes a visitarlos, después de hacerles ver la sinceridad de su corazón y de su doctrina.*

1. Pablo, apóstol de Jesucristo por la voluntad de Dios, y Timoteo su hermano, *o coadjutor,* a la Iglesia de Dios, establecida en Corinto, y a todos los santos *o fieles,* existentes en toda la Acaya.

2. Dios, Padre nuestro, y el Señor Jesucristo os den gracia y paz.

3. Bendito sea Dios, Padre de Nuestro Señor Jesucristo, el Padre de las misericordias y Dios de toda consolación,

4. El cual nos consuela en todas nuestras tribulaciones, para que podamos también nosotros consolar a los que se hallan en cualquier trabajo, con la misma consolación, con que nosotros somos consolados por Dios.

5. Porque a medida que se aumentan en nosotros las aflicciones *por amor* de Cristo, se aumentan también nuestras consolaciones por Cristo.

6. Porque si somos atribulados, *lo somos* para vuestra edificación y salud; si somos consolados, lo somos para vuestra consolación; si somos confortados, lo somos para confortación y salvación vuestra, cuya obra se perfecciona con la paciencia con que sufrís las mismas penas, que igualmente sufrimos nosotros.

7. De suerte que nuestra esperanza es firme por lo tocante a vosotros, sabiendo que así como sois compañeros en las penas, así seréis también en la consolación.

8. Pues no quiero, hermanos, que ignoréis la tribulación que padecimos en el Asia, *los males* de que nos vimos abrumados, tan excesivos y tan superiores a nuestras fuerzas, que nos hacían pesada la misma vida.

9. Pero *si* sentimos pronunciar allá dentro de nosotros el fallo de nuestra muerte, *fué* a fin de que no pusiésemos nuestra confianza en nosotros, sino en Dios, que resucita a los muertos.

10. El cual nos ha librado y nos libra *aun* de tan graves peligros *de muerte;* y en quien confiamos que todavía nos ha de librar,

11. Ayudándonos vosotros también con vuestras oraciones, a fin de que muchos den gracias del beneficio que gozamos, *ya que es* para bien de muchas personas.

12. Porque toda nuestra gloria consiste en el testimonio que nos da la conciencia, de haber procedido en este mundo con sencillez de corazón y sinceridad *delante* de Dios, no con la prudencia de la carne, sino según la gracia de Dios *o espíritu del evangelio,* y especialmente entre vosotros.

13. Yo no os escribo sino cosas cuya *verdad* conocéis al leerlas. Y espero que la reconoceréis hasta el fin.

14. Pues ya en parte habéis reconocido que nosotros somos vuestra gloria, como vosotros *seréis* la nuestra, en el día, *o juicio,* de Nuestro Señor Jesucristo.

---

CAP. PRIMERO. — 8. Véase *Act.* 19. 23-40.

9. El clamor de la turba que lo insultaba en Efeso (*Act.* 19, 30-31) y sus muestras de hostilidad resonaban en su interior como una condenación de muerte. San Crisóstomo.

**15.** Y con esta confianza quise primero ir a visitaros , a fin de que recibieseis una segunda gracia,

**16.** Y pasar desde ahí a Macedonia, y volver otra vez desde Macedonia a vosotros y ser de vosotros encaminado a Judea.

**17.** Habiendo, pues, sido ésta mi voluntad ¿acaso he dejado *de ejecutarla* por inconstancia? ¿O las cosas que resuelvo, las resuelvo a gusto de la carne, de modo que ya diga sí, ya no?

**18.** Mas Dios verdadero me es *testigo* de que en la palabra *o doctrina* que os he anunciado, nada ha habido del sí y del no.

**19.** Porque Jesucristo, Hijo de Dios, que os hemos predicado nosotros, *esto es,* yo, y Silvano, y Timoteo, no es *tal que se hallen en él,* el sí y el no, sino que en él todo es *inmutable: un sí invariable.*

**20.** Pues todas cuantas promesas hay de Dios, tienen en este sí *su verdad;* y también por el mismo modo tiene su infalible cumplimiento para *honra y gloria de* Dios, *lo cual hace también la* gloria de nuestro ministerio.

**21.** Así, Dios es el que a nosotros, *junto* con vosotros nos confirma en la *fe de* Cristo, y el que nos ha ungido *con su unción.*

**22.** El que asímismo nos ha marcado con su sello, y que por arras *de los bienes que nos ha prometido,* nos da el Espíritu *Santo* en nuestros corazones.

**23.** Por lo que a mí hace, tomo a Dios por testigo (*y deseo* que me castigue, *si no digo la verdad*), que el no haber pasado todavía a Corinto, ha sido para *poder* ser indulgente con vosotros: no es esto porque dominemos en vuestra fe; al contrario procuramos contribuir a vuestro gozo, puesto que permanecéis firmes en la fe *que recibisteis.*

---

**19.** Quiere decir: Porque Jesucristo, que es el que os hemos predicado, es la verdad inmutable. No hay en él alternativa de *sí* y *no,* sino que siempre es el mismo.

**22.** MS. *E dió pennos del Santo Espíritu.* En el sacramento de la Confirmación somos sellados, ungidos y confirmados en el Espíritu Santo.

**23.** Para dar tiempo de que se corrijan esos desórdenes que debería castigar con rigor en algunos de vosotros. Ni queremos tiranizar vuestras conciencias.

## CAPITULO II

*Manda restituir al incestuoso arrepentido a la comunión de la Iglesia y con indulgencia paternal y autoridad apostólica, en nombre de Cristo le alza la pena impuesta.*

**1.** Por lo mismo he resuelto para conmigo no ir nuevamente a veros para no causaros tristeza.

**2.** Porque si yo voy a contristaros, ¿quién después me ha de alegrar, toda vez que vosotros *que deberíais hacerlo,* os hallaríais contristados por mí?

**3.** Y ésta es la causa de haberos escrito, para no tener, en llegando, tristeza sobre tristeza, *con la vista* de aquellos mismos que debieran causarme gozo, confiando en que todos vosotros halláis vuestra alegría en la mía.

**4.** Es verdad que os escribí *entonces* en extremo afligido y con un corazón angustiado y derramando muchas lágrimas, no para contristaros, sino para haceros conocer el amor tan singular que os tengo.

**5.** Que si uno de vosotros ha sido causa de tristeza, sólo me ha tocado a mí una parte de la tristeza; *dígolo* para no agraviaros, *pues que* todos os *habéis afligido.*

**6.** Bástale al tal esa corrección, hecha por muchos de *los hermanos, esto es, por vuestra Iglesia.*

**7.** Ahora, por el contrario, debéis usar con él de indulgencia y consolarle, porque quizá con la demasiada tristeza no acontezca que ése tal dé al través, *y se desespere.*

**8.** Por lo cual os suplico que ratifiquéis con él la caridad, *y comuniquéis otra vez con él.*

**9.** Que aun por eso os he escrito, para conocer por experiencia si sois obedientes en todas las cosas.

**10.** Lo que vosotros le concediereis por indulgencia, yo se lo concedo también; porque si yo *mismo* uso de indulgencia, uso de ella por amor vuestro, *en nombre y* en persona de Cristo,

---

CAP. II. — **1.** Sino esperar a que os hayáis enmendado, y nada tenga que castigar en vosotros.

**9.** Y que ahora sois tan prontos en admitirle a vuestra comunicación, como lo fuisteis para separarle de ella.

**10.** Por daros ejemplo para utilidad de vuestra Iglesia, haciéndolo en el nombre y por la autoridad de Jesucristo.

**11.** A fin de que Satanás no arrebate a ninguno de nosotros, pues no ignoramos sus maquinaciones.

**12.** Yo *por mí* cuando vine a Tróade *a predicar* el evangelio de Cristo, en medio de haberme abierto el Señor una entrada *favorable,*

**13.** No tuvo sosiego mi espíritu, porque no hallé a mi hermano Tito; y así despidiéndome de ellos partí para Macedonia.

**14.** Pero gracias a Dios, que siempre nos hace triunfar en Cristo Jesús, y derrama por medio de nosotros en todas partes el *buen* olor del conocimiento de su Nombre.

**15.** Porque nosotros somos el buen olor de Cristo delante de Dios, así para los que se salvan, como para los que se pierden.

**16.** Para los unos olor mortífero que les ocasiona la muerte; mas para los otros olor vivificante que les causa la vida. ¿Y quién será idóneo para un tal ministerio?

**17.** Pero *ciertamente* no somos nosotros como muchísimos que adulteran la palabra de Dios, sino que la predicamos con sinceridad, como de parte de Dios, en la presencia de Dios, y según *el espíritu de* Cristo.

## CAPITULO III

*Excelencia de la ley de gracia comparada con la ley escrita. El velo que cubre a los judíos la inteligencia de las Escrituras, solamente se quita con la fe de Jesucristo.*

**1.** ¿Empezamos ya otra vez a alabarnos a nosotros mismos? o ¿necesitamos (como algunos) cartas de recomendación para vosotros, o que vosotros nos la deis *para otros?*

**2.** Vosotros mismos sois nuestra carta *de recomendación,* escrita en nuestros corazones, conocida y leída de todos los hombres,

**3.** Manifestándose *por vuestras acciones* que vosotros sois carta de Cristo, hecha por nuestro ministerio, y escrita no con tinta, sino con el Espíritu de Dios vivo; no en tablas de piedra, sino en tablas de carne, *que son* vuestros corazones.

**4.** Tal confianza tenemos en Dios por Cristo,

**5.** No porque seamos suficientes o *capaces* por nosotros mismos para concebir algún *buen* pensamiento, como de nosotros mismos, sino que nuestra suficiencia o *capacidad* viene de Dios.

**6.** Y Dios es el que *asimismo* nos ha hecho idóneos o *capaces* para ser ministros del nuevo testamento, no de la letra *de la ley,* sino del espíritu; porque la letra *sola* mata, mas el espíritu vivifica.

**7.** Que si el ministerio *de aquella ley* de muerte, grabada con letras sobre *dos* piedras, fué tan glorioso que no podían los hijos de Israel fijar la vista en el rostro de Moisés por el resplandor de su cara, *resplandor* que no era duradero,

**8.** ¿Cómo no ha de ser sin comparación más glorioso el ministerio o *la ley* del Espíritu?

**9.** Porque si el ministerio *de la ley antigua, no obstante que era ocasión* de condenación, fué *acompañado de tanta* gloria, mucho más glorioso es el ministerio o *publicación de la ley* de la justicia.

**10.** Y aun lo que ha habido de glorioso por aquel lado, no ha sido *una verdadera* gloria si se compara con la excelente gloria *del evangelio.*

**11.** Porque si lo que se anula, ha estado lleno de gloria, lo que *para siempre* subsiste, debe ser mucho más glorioso.

**12.** Teniendo, pues, tal esperanza, nosotros os hablamos con toda libertad.

**13.** Y no hacemos como Moisés, que ponía un velo sobre su rostro, por cuanto no podían los hijos de Israel fijar la vista en el resplandor de su cara, aunque no debía durar:

**14.** Y así sus corazones han quedado endurecidos; porque hasta el día de hoy este mismo velo permanece *delante de sus ojos* en la lectura del antiguo Testamento, sin ser alzado (porque *no se* quita *sino por la fe en Cristo);*

**15.** Y así hasta el día de hoy cuando se lee a Moisés, cubre un velo su corazón.

**16.** Pero en convirtiéndose *este pueblo* al Señor, se quitará el velo.

---

13. De quien esperaba saber qué efecto había producido en vosotros mi primera carta.
**CAP. III.** — 2. Véase I *Cor.* 9 y sig.

---

5. Nuesta capacidad para todo lo bueno, o las fuerzas para ello, nos vienen de la gracia de Dios por los méritos de Jesucristo.
13. Profetizando con esto que no podrían sufrir la luz del evangelio, representada por esta luz pasajera.

17. Porque el Señor es Espíritu: y donde está el Espíritu del Señor, allí hay libertad.

18. Y así es que todos nosotros, contemplando a cara descubierta como en un espejo la gloria del Señor, somos transformados en la misma imagen *de Jesucristo, avanzándonos* de claridad en claridad, como *iluminados* por el Espíritu del Señor.

## CAPITULO IV

*La virtud y eficacia del evangelio es más admirable predicándolo los Apóstoles, hombres frágiles y continuadamente atribulados. Conducta de San Pablo llena de sinceridad. Los Apóstoles, abrumados de trabajos, pero llenos de esperanza. Los males de esta vida son momentáneos, los bienes de la otra eternos.*

1. Por lo cual teniendo nosotros este misterio de *predicar la nueva ley,* en virtud de la misericordia que hemos alcanzado *de Dios,* no decaemos de ánimo;

2. Antes bien desechamos lejos de nosotros las ocultas infamias *o disimulos vergonzosos de los falsos hermanos,* no procediendo con artificio, ni alterando la palabra de Dios, sino alegando *únicamente* en abono nuestro para con todos aquellos que juzguen de nosotros según su conciencia la sinceridad con que predicamos la verdad delante de Dios.

3. Que si todavía nuestro evangelio está encubierto, *es solamente* para los que se pierden, *para quienes,* está encubierto;

4. Para esos incrédulos cuyos entendimientos ha cegado el dios de este siglo, para que no les alumbre la luz del evangelio de la gloria de Cristo, el cual es la imagen de Dios.

5. Porque no nos predicamos a nosotros mismos, sino a Jesucristo, Señor nuestro, *haciéndonos* siervos vuestros por amor de Jesús.

6. Porque Dios, que dijo que la luz saliese *o brillase* de en medio de las tinieblas, él mismo ha hecho brillar su claridad en nuestros corazones, a fin de *que nosotros podamos* iluminar *a los demás por medio* del conocimiento de la gloria de Dios, *según que ella resplandece* en Jesucristo.

7. Mas este tesoro lo llevamos en vasos de barro, *frágil y quebradizo* para que *se reconozca que* la grandeza del poder *que se ve en nosotros* es de Dios y no nuestra.

8. Nos vemos acosados de toda suerte de tribulaciones, pero no por eso perdemos el ánimo; nos hallamos en grandes apuros; mas no desesperados, *o sin recursos;*

9. Somos perseguidos, mas no abandonados; abatidos, mas no enteramente perdidos.

10. Traemos siempre *representada* en nuestro cuerpo *por todas partes* la mortificación de Jesús, a fin de que la vida de Jesús se manifieste también en vuestros cuerpos.

11. Porque nosotros, *bien* que vivimos, somos continuamente entregados en manos de la muerte por amor de Jesús; para que la vida de Jesús se manifieste asimismo en nuestra carne mortal.

12. Así es que la muerte imprime sus efectos en nosotros, más en vosotros *resplandece la vida.*

13. Pero teniendo un mismo espíritu de fe *que David, quien* según está escrito *decía:* Creí, por eso hablé *con confianza;* nosotros también creemos, y por eso hablamos,

14. Estando ciertos de que quien resucitó a Jesús, nos resucitará también a nosotros con Jesús, y nos colocará con vosotros *en su gloria.*

15. Pues todas las cosas *que pasan en nosotros* se hacen por vosotros, a fin de que la gracia *esparcida* con abundancia, sirva a aumentar la gloria de Dios por medio de las acciones de gracias *que le tributarán* muchos.

---

17. Dominado el hombre por el temor servil, sirve como esclavo; movido del espíritu de amor y caridad, sirve como hijo, con una santa libertad y anchura de corazón.

18. Gloria que la fe nos hace ver claramente en las santas Escrituras.

CAP. IV. — 3. No obstante la caridad y sinceridad con que le anunciamos.

5. No buscamos nuestra gloria ni nuestra utilidad, sino la gloria de Jesucristo y la salvación y provecho vuestro.

8. Con mucho énfasis manifiesta que los ministros del Evangelio por todas partes no hallaban sino aflicciones, angustias y persecuciones, pero en medio de éstas no desmayaban; antes cobraban nuevas y mayores fuerzas con los consuelos y socorros que recibían del cielo.

12. Esto es, la muerte de Jesús ejerce su fuerza, o imprime sus efectos en nosotros, perseguidos y atribulados, mientras en vosotros resplandece la vida inmortal del mismo, dando vida a nuestras almas.

**16.** Por lo cual no desmayamos; antes aunque en nosotros el hombre exterior *o el cuerpo* se vaya desmoronando, el interior *o el espíritu* se va renovando de día en día.

**17.** Porque las aflicciones tan breves y tan ligeras de la vida presente nos producen el eterno peso de una sublime e incomparable gloria,

**18.** Y así no ponemos nosotros la mira en las cosas visibles, sino en las invisibles. Porque las que se ven, son transitorias mas las que no se ven, son eternas.

## CAPITULO V

*Cómo la tierra es un destierro y el cielo nuestra patria. Por Jesucristo, juez de todos, somos reconciliados con Dios, siendo los Apóstoles sus embajadores.*

**1.** Sabemos también, que si esta casa terrestre *o el cuerpo corruptible* en que habitamos viene a destruirse, nos dará Dios en el cielo otra casa, una cosa no hecha de mano de hombres, y que durará eternamente.

**2.** Que aun por eso aquí suspiramos, deseando la sobrevestidura *del ropaje de gloria, o* la habitación nuestra del cielo,

**3.** Si es que fuéremos hallados vestidos *de buenas obras,* y no desnudos.

**4.** Así también *es que* mientras nos hallamos en este *cuerpo como en una* tienda de campaña, gemimos agobiados *bajo su pesantez;* pues no querríamos vernos despojados de él, sino *ser* revestidos *como por encima,* de manera que la vida *inmortal* absorba y *haga desaparecer* lo que hay de mortalidad en nosotros.

**5.** Y el que nos formó o *crió* para este estado de *gloria,* es Dios, el cual nos ha dado su espíritu por prenda.

**6.** Por esto estamos siempre llenos de confianza, y *como* sabemos que, mientras habitamos en este cuerpo, estamos distantes del Señor *y fuera de nuestra patria,*

**7.** (Porque caminamos *hacia él* por la fe, y no le vemos todavía claramente):

**8.** En esta confianza que tenemos, preferimos más ser separados del cuerpo, a fin de gozar de la vista del Señor.

**9.** Por esta razón todo nuestro conato consiste en hacernos agradables al Señor, ora habitemos en el cuerpo, ora salgamos de él, *para irnos con Dios;*

**10.** Siendo como es forzoso, que todos comparezcamos ante el tribunal de Cristo, para que cada uno reciba el pago debido a las buenas o malas acciones que habrá hecho mientras haya estado revestido de su cuerpo.

**11.** Sabiendo, pues, el temor *que se debe* al Señor, procuramos justificarnos delante de los hombres, mas Dios conoce bien lo que somos. Y aun quiero creer que también somos conocidos de vosotros allá en vuestro interior.

**12.** No es esto repetiros nuestras alabanzas sino daros ocasión de gloriaros en nuestra causa; para que tengáis qué responder a los que se glorían solamente en lo que aparece al exterior.

**13.** Pues nosotros, si extáticos nos enajenamos, es por respeto a Dios; si nos moderamos, *o abajamos,* es por vosotros.

**14.** Porque la caridad de Cristo nos urge, al considerar que, si uno murió por todos, luego es consiguiente que todos murieron,

**15.** Y que Cristo murió por todos, para que los que viven, no vivan ya para sí, sino para el que murió y resucitó por ellos.

**16.** Por esta razón nosotros de ahora en adelante no conocemos a nadie según la carne. Y si antes conocimos a Cristo en cuanto a la carne, ahora ya no le conocemos así.

**17.** Por tanto, si alguno *está* en Cristo *ya* es una criatura nueva: acabóse lo que era viejo, y todo viene a ser nuevo; *pues que todo ha sido renovado.*

**18.** Y toda ella es *obra* de Dios, el cual nos ha reconciliado consigo por medio de Cristo, y a nosotros nos ha confiado el ministerio de la reconciliación.

**19.** Porque Dios era el que reconciliaba consigo al mundo en Jesucristo, no imputándoles a ellos sus delitos, *y él es el que* nos ha encargado a nosotros el predicar la reconciliación.

**20.** Somos, pues, *como* unos embajadores en nombre de Cristo, *y es* Dios *mismo el que* os exhorta por boca nuestra. Os rogamos, pues, *encarecidmente* en nombre de Cristo, que os reconciliéis con Dios,

---

CAP. V. — **2.** O los dotes gloriosos para nuestro cuerpo.

**5.** Infundiéndonos la gracia, que es una prenda segura de la gloria.

**12.** En su vana elocuencia y falsa filosofía; y no en la sólida virtud y fuerza de la gracia.

**13.** Si contamos las visiones de Dios y demás dones que hemos recibido, es para manifestar la gloria de Dios.

**21.** El cual por *amor de* nosotros ha tratado a aquel que no conocía al pecado, como *si hubiese sido* el pecado mismo, con el fin de que nosotros viniésemos a ser en él *justos con la* justicia de Dios.

## CAPITULO VI

*El modo de proceder de los ministros evangélicos, y aviso a los fieles de no mezclarse con los infieles.*

**1.** A así nosotros como cooperadores *del Señor,* os exhortamos a no recibir en vano la gracia de Dios.

**2.** Pues él mismo dice: Al tiempo oportuno te oí, y en el día de la salvación te di auxilio. Llegado es ahora el tiempo favorable, llegado es ahora el día de la salvación.

**3.** Nosotros, *empero,* no demos a nadie motivo alguno de escándalo para que no sea vituperado nuestro ministerio.

**4.** Antes bien portémonos en todas cosas, como deben portarse los ministros de Dios, con mucha paciencia, en *medio de* tribulaciones, *de* necesidades, *de* angustias,

**5.** *De* azotes, *de* cárceles, *de* seducciones, *de* trabajos, *de* vigilias, *de* ayunos,

**6.** Con pureza, con doctrina, con longanimidad, con mansedumbre, con *unción del* Espíritu Santo, con caridad sincera,

**7.** Con palabras de verdad, con fortaleza de Dios, con las armas de la justicia *para combatir* a la diestra y a la siniestra.

**8.** En *medio de* honras y deshonras, *de* infamia, y *de* buena fama; tenidos por embaidores *o impostores;* siendo verídicos; por desconocidos, aunque muy conocidos;

**9.** Casi moribundos, siendo así que vivimos; como castigados mas no muertos;

**10.** Como melancólicos, estando *en realidad* siempre alegres; como menesterosos, siendo así que enriquecemos a muchos; como que nada tenemos, y todo lo poseemos.

**11.** *El amor,* ¡oh corintios! *hace que* mi boca se abra *tan francamente,* y que ensanche mi corazón.

**12.** No están mis entrañas cerradas para vosotros; las vuestras sí que lo están para mí:

**13.** Volvedme, pues, amor por amor, os hablo como a hijos míos, ensanchad también *para mí* vuestro corazón.

**14.** No queráis unciros en yugo con los infieles, porque ¿qué tiene que ver la *santidad o* justicia con la iniquidad? ¿Y qué compañía puede haber entre la luz y las tinieblas?

**15.** ¿O qué concordia entre Cristo y Belial? ¿O qué parte tiene el fiel con el infiel?

**16.** ¿O qué consonancia entre el templo de Dios y los ídolos? Porque vosotros sois templo de Dios vivo, según aquello que dice Dios: Habitaré dentro de ellos, y en medio de ellos andaré, y yo seré su Dios y ellos serán mi pueblo.

**17.** Por lo cual salid vosotros de entre tales *gentes,* y separaos de ellas, dice el Señor, y no tengáis contacto con la inmundicia *o idolatría;*

**18.** Y yo os acogeré, y seré yo vuestro padre, y vosotros seréis mis hijos y mis hijas, dice el Señor todopoderoso.

## CAPITULO VII

*Muestras del amor entrañable entre San Pablo y los corintios. La tristeza que les ocasionó les fué muy saludable.*

**1.** Teniendo, pues, carísimos *hermanos míos,* tales promesas, purifiquémonos de cuanto mancha la carne y el espíritu, perfeccionando *nuestra* santificación con el temor de Dios.

**2.** Dadnos cabida *en vuestro corazón.* Nosotros a nadie hemos injuriado, a nadie pervertido, a nadie hemos engañado, *sonsacándole los bienes.*

**3.** No lo digo por tacharos a vosotros; porque ya os dije antes de ahora que os tenemos en el corazón, *y estamos* prontos a morir, o a vivir en vuestra compañía.

**4.** Grande es la confianza que de vosotros tengo, muchos los motivos de gloriarme en vosotros; y *así* estoy inundo de consuelo, reboso de gozo en medio de todas mis tribulaciones.

---

**CAP. VI.** — **9.** Pues Dios milagrosamente nos conserva la vida.

**11.** Después de haberles manifestado ingenuamente sus más hondos afectos reclama de los Corintios su antigua benevolencia.

**16.** Vanagloriándose tanto de que fuese de nuestro linaje.

**17.** Todo es nuevo en aquellos que han resucitado a la vida de la gracia. — *Is.* XLIII, *v.* 19. — *Apoc.* XXI, *v.* 5.

**19.** Sino perdonándoselos por los méritos de la pasión sacrosanta de la humanidad de su Hijo.

**CAP. VII.** — **1.** Esto es, de los pecados carnales, como la lujuria, gula, etc; y de los llamados espirituales como la soberbia, la envidia, etc.

5. Pues así que hubimos llegado a Macedonia, no he tenido sosiego ninguno según la carne, sino que he sufrido toda suerte de tribulaciones: combates por defuera, por dentro temores.

6. Pero Dios que consuela a los humildes, nos ha consolado con la venida de Tito;

7. No sólo con su venida, sino también con la consolación que él ha recibido de vosotros, cuyo gran deseo *de verme*, y el llanto (*por el escándalo del incestuoso*), y la ardiente afición que me tenéis, él me ha referido, de suerte que se ha aumentado mucho mi gozo.

8. Por lo que si *bien* os constristé con mi carta, no me pesa; y si hubiese estado pesaroso en vista de que aquella carta os contristó por un poco de tiempo,

9. Al presente me alegro, no de la tristeza que tuvisteis, sino de que vuestra tristeza os ha conducido a la penitencia. De modo que la tristeza que habéis tenido ha sido según Dios; y así ningún daño os hemos causado.

10. Puesto que la tristeza que es según Dios, produce un penitencia *o enmienda* constante para la salud, cuando la tristeza del siglo causa la muerte.

11. Y si no, ved lo que ha producido en vosotros esa tristeza según Dios, *que habéis sentido:* ¿qué solicitud, qué cuidado en justificaros, qué indignación *contra el incestuoso*, qué temor, qué deseo *de remediar el mal*, qué celo, qué ardor para castigar el delito? Vosotros habéis hecho ver en toda *vuestra conducta* que estáis inocentes en este negocio.

12. Así, pues, aunque os escribí *aquella carta*, no fué por causa del que hizo la injuria, ni por el que la padeció, sino para manifestar el cuidado que tenemos de vosotros

13. Delante de Dios: por eso *ahora* nos hemos consolado. Mas en esta consolación nuestra, sobre todo nos ha llenado de gozo el contento de Tito, viendo que todos vosotros habéis contribuido a recrear su espíritu;

14. Y que si yo le dí a él algunas muestras del concepto ventajoso que tengo de vosotros, no he quedado desmentido; sino que así como en todas las cosas os hemos dicho la verdad, así también se ha visto ser *la pura* verdad el testimonio ventajoso que de vosotros dimos a Tito;

15. Y así es que se aumenta el entrañable amor que os tiene cada vez que se acuerda de

la obediencia de todos vosotros y del *respetuoso* temor y *filial* reverencia con que le recibisteis.

16. Huélgome, pues, de la confianza que os merezco en todas las cosas.

## CAPITULO VIII

*Con el ejemplo de los macedonios exhorta el Apóstol a los corintios a contribuir con largas limosnas al socorro de los pobres cristianos de Jerusalén.*

1. Ahora os hago saber, hermanos míos, la gracia que Dios ha hecho a *los fieles de* las Iglesias de Macedonia.

2. *Y es* que han sido colmados de gozo a proporción de las muchas tribuliacioones con que han sido probados; y que su extrema pobreza ha derramado con abundancia las riquezas de su buen corazón;

3. Porque debes darle el testimonio de que de suyo, *o voluntariamente*, han dado lo que han podido, y aun más de lo que podían,

4. Rogándonos con muchas instancias que aceptásemos sus limosnas, *y permitiésemos que contribuyesen por su parte* al socorro que se da a los santos, *o fieles de Jerusalén*.

5. Y *en esto no solamente han hecho* lo que ya de ellos esperábamos, sino que se han entregado a sí mismos, primeramente al Señor, y después a nosotros mediante la voluntad de Dios.

6. Y esto es lo que nos ha hecho rogar a Tito que conforme ha comenzado, acabe también de conduciros al cumplimiento de esta buena obra;

7. A fin de que, siendo como sois, ricos en todas cosas, en fe, en palabra, en ciencia, en toda solicitud, y además de eso en el amor que me tenéis, lo seáis también en esta *especie de* gracia.

8. No lo digo como quien os impone una ley, sino para excitaros con *el ejemplo de* la solicitud de los otros, a dar pruebas de vuestra sincera caridad.

9. Porque bien sabéis *cuál haya sido* la liberalidad de Nuestro Señor Jesucristo; el cual siendo rico, se hizo pobre por vosotros a fin de que vosotros fueseis ricos por *medio* de su pobreza.

---

9. Conmemora el misterio de la Encarnación.

---

16. Y de que sin temor de ofenderos, puede corregiros y amonestaros en cuanto sea necesario.

**10.** Y así os doy consejo en esto, como cosa que os importa; puesto que no sólo ya lo comenzasteis a hacer, sino que *por vosotros mismos* formasteis el designio *de hacerlo* desde el año pasado.

**11.** Pues ahora cumplidlo de hecho; para que así como vuestro ánimo es pronto en querer, así lo sea también en ejecutar según las facultades que tenéis.

**12.** Porque cuando un hombre tiene gran voluntad *de dar, Dios la* acepta, *no exigiendo* de él *sino* lo que puede, y no lo que no puede.

**13.** Que no se pretende que los otros tengan holganza, y vosotros estrechez, sino *que haya* igualdad,

**14.** Supliendo al presente vuestra abundancia la necesidad de los otros; para que asimismo su abundancia *en bienes espirituales* sea también suplemento a vuestra indigencia *en ellos,* de donde resulte igualdad, según está escrito.

**15.** El que recogía mucho *maná,* no se hallaba con más, ni con menos *de lo necesario,* el que recogía poco.

**16.** Pero gracias a Dios, que ha inspirado en el corazón de Tito este mismo *celo* mío por vosotros.

**17.** Pues no solamente se ha movido por mis ruegos, sino que habiéndose movido aún más por su voluntad hacia vosotros, partió espontáneamente para ir a veros.

**18.** Os hemos también enviado con él al hermano nuestro, que se ha hecho célebre en todas las Iglesias por el Evangelio;

**19.** Y el cual, además de eso, ha sido escogido por las Iglesias, para acompañarnos en nuestros viajes, y *tomar parte* en el cuidado que tenemos de procurar este socorro *a nuestros hermanos* por la gloria del Señor, y para mostrar nuestra pronta voluntad,

**20.** *Con lo que* tiramos a evitar que ninguno nos pueda vituperar con motivo de la administración de este caudal.

**21.** Pues atendemos a portarnos bien, no sólo delante de Dios, sino también delante de los hombres.

**22.** Enviamos asimismo con éstos a otro hermano nuestro, a quien hemos experimentado lleno de celo en muchas ocasiones, y que ahora lo está aún más en la presente; y tengo gran confianza *de que le recibiréis bien,*

**23.** Lo mismo que a Tito, mi socio y coadjutor entre vosotros, y a los demás hermanos *que le acompañan y son los* apóstoles *o enviados* de las Iglesias *y la* gloria de Cristo.

**24.** Dadles, pues, a la vista de las Iglesias pruebas propias de vuestra caridad *y de la razón que tenemos* de gloriarnos acerca de vosotros.

## CAPITULO IX

*Prosigue la misma exhortación con nuevas razones, en la que da el Apóstol algunos avisos sobre la limosna, y dice que se debe dar con gusto, para conseguir el mérito de ella.*

**1.** Porque en orden a la asistencia o *socorro* que se dispone a favor de los santos *de Jerusalén,* para mí es por demás el escribiros.

**2.** Pues sé bien la prontitud de vuestro ánimo, de la cual me glorío entre los macedonios, *diciéndoles que la provincia de* Acaya está ya pronta desde el año pasado *a hacer esa limosna,* y que vuestro ejemplo ha provocado la *santa* emulación de muchos.

**3.** Sin embargo, he enviado *ahí* a esos hermanos, a fin de que no en vano me haya gloriado de vosotros en esta parte, *y* para que estéis prevenidos, como yo he dicho *que estábais;*

**4.** No sea que cuando vinieren los de Macedonia conmigo, hallasen que no teníais recogido nada, y tuviésemos nosotros (por no decir vosotros) que avergonzaros por esta causa.

**5.** Por tanto he juzgado necesario rogar a dichos hermanos que se adelanten y den orden de que esa limosna, de antemano prometida, esté a punto, *de modo que sea ése* un don ofrecido por la caridad, y no como *arrancado a la* avaricia.

**6.** Lo que digo es que quien escasamente siembre, recogerá escasamente; y quien siembra a manos llenas, a manos llenas recogerá.

---

**23.** Por sus brillantes virtudes.

**CAP. IX.** — 1. *Cfr. Gal.* 2, 10; *Act. Apost.* 16.

**2.** Cuya capital es esa ciudad de Corinto.

**4.** Siempre se gana en hablar con agrado a los débiles para obligarlos a obrar bien. No hay cosa más razonable que hacer servir las razones humanas para la obra de Dios. S. Pablo excitó con ellas el pundonor de muchos que aún no eran capaces de motivos muy elevados.

**6.** Dice San Crisóstomo: «Llama semilla a la limosna para que tengamos presente el fruto de nuestro don».

---

**CAP. VIII.** — 14. Y socorriendo vosotros ahora a los fieles de Judea, igualmente os socorrerán ellos, cuando venga algún año de carestía entre vosotros.

**18.** S. Lucas, o tal vez S. Marcos.

7. Haga cada cual la *oferta* conforme lo ha resuelto en su corazón, no de mala gana, o como por fuerza; porque Dios ama al que da con alegría.

8. Por lo demás, poderoso es Dios para colmaros de todo bien; de suerte que *contentos* siempre con tener en todas las cosas todo lo suficiente, estéis sobrados para *ejercer* toda *especie de* buenas obras *con vuestros prójimos,*

9. Según lo que está escrito: La justicia del que a manos llenas dió a los pobres, dura por los siglos de los siglos.

10. Porque Dios que provee de simiente al sembrador, él os dará también pan que comer, y multiplicará vuestra sementera, y hará crecer más y más los frutos de vuestra justicia,

11. Para que siendo ricos en todo, ejercitéis con sincera caridad toda suerte de limosnas, las cuales nos harán tributar a Dios acciones de gracias.

12. Porque estas ofrendas que estamos encargados de recoger, no sólo remedian las necesidades de los santos, sino que también contribuyen *mucho a la gloria del Señor,* por la gran multitud de acciones de gracias que se le tributan;

13. Pues *los santos* recibiendo estas pruebas de vuestra liberalidad por medio de nuestro ministerio, se mueven a glorificar a Dios por la sumisión que mostráis al Evangelio de Cristo, y por la sincera caridad *con que dáis parte* de vuestros bienes, ya a ellos, ya a todos *los demás.*

14. Y con las oraciones que hacen por vosotros, dan un buen testimonio del amor que os tienen, a causa de la eminente gracia que habéis recibido de Dios.

15. Sea, pues, Dios loado por su don inefable.

## CAPITULO X

*Conducta de San Pablo contrapuesta a la de los falsos apóstoles, los cuales calumniándole impedan el fruto de su predicación.*

1. Mas yo, Pablo, aquel mismo *Pablo que, como dicen mis enemigos,* parezco tan pequeño *o humilde* estando entre vosotros, pero que ausente soy para con vosotros osado, o *imperioso,* os suplico encarecidamente por la mansedumbre y modestia de Cristo,

2. Os suplico, *digo,* que hagáis de manera que no me vea obligado, cuando esté entre vosotros, a obrar con esa osadía que se me atribuye, con respecto a ciertos sujetos que se imaginan que procedemos según la carne, *o por miras humanas.*

3. Porque aunque vivimos en carne *miserable,* no militamos según la carne.

4. Pues las armas con que combatimos no son carnales, sino que son poderosísimas en Dios para derrocar fortalezas, destruyendo *nosotros con ellas* los proyectos *o raciocinios humanos,*

5. Y toda altanería *de espíritu* que se engríe contra la ciencia *o el conocimiento* de Dios, y cautivando todo entendimiento a la obediencia de Cristo,

6. Y teniendo en la mano *el poder para* vengar toda desobediencia, *para* cuando hubiereis satisfecho *a lo que* la obediencia *exige de* vuestra *parte.*

7. Mirad las cosas *a lo menos* según se dejan ver. Si alguno se precia de ser de Cristo, considere asimismo para consigo que así como él es de Cristo, también lo somos nosotros.

8. Porque, aun cuando yo me gloriase un poco más de la potestad que el Señor nos dió para vuestra edificación, y no para vuestra ruina, no tendré de qué avergonzarme;

9. Pero *me abstengo,* porque no parezca que pretendo aterraros con *mis* cartas,

10. Ya que ellos andan diciendo: Las cartas, sí, son graves y vehementes; mas el aspecto de la persona es ruin, y despreciable *o tosco* su lenguaje.

11. Sepa aquel que así habla, que cuando nos hallemos presentes, obraremos de la misma manera que hablamos en nuestras cartas, estando ausentes.

12. A la verdad no nos atrevemos a ponernos en la clase de ciertos sujetos que se ensalzan a sí mismos, ni a compararnos con ellos; sino que nos medimos por lo que somos, comparándonos con nosotros mismos.

13. Por tanto, no nos gloriaremos desmesuradamente, sino a medida de la regla que Dios nos ha dado, medida que alcanza hasta vosotros.

---

10. O la simiente de vuestras limosnas.
11. O seais profusos en todo género de beneficiencia.

CAP. X. — 7. Y repararéis la diferencia que hay de mí a los falsos apóstoles.

14. Porque no hemos excedido los límites, como si no alcanzásemos hasta vosotros, puesto que hasta vosotros hemos llegado predicando el evangelio de Cristo;

15. Ni nos gloriamos desmesuradamente atribuyéndonos las fatigas de otros; esperamos, sí, que yendo vuestra fe *siempre* en aumento, haremos, sin salir de nuestros límites, mayores progresos entre vosotros,

16. Llevando también el evangelio a otras partes que están más allá de vosotros, ni nos gloriaremos de aquello que esté cultivado dentro del término a otros señalado.

17. Por lo demás, el que se gloría, gloríese en el Señor.

18. Pues no es aprobado quien se abona a sí mismo; sino aquel a quien Dios abona *o alaba.*

## CAPITULO XI

*Prosigue su discurso contra los falsos apóstatas, gloriándose de que ha ejercido su ministerio sin recibir ningún socorro; y de los trabajos que ha sufrido.*

1. ¡Oh, si soportaseis por un poco mi indiscreción! Mas, sí, soportadme, *y sufridme,*

2. Ya que soy *amante* celoso de vosotros *y celoso* en nombre de Dios. Pues que os tengo desposados con este único esposo, que es Cristo, para presentaros a él como una *pura y casta* virgen.

3. Mas temo que así como la serpiente engañó a Eva con su astucia, así sean maleados vuestros espíritus, y degeneren de la sencillez propia *del discípulo* de Cristo.

4. En efecto, si el que va a *predicaros*, os anunciase otro Cristo que el que os hemos predicado; u os hiciese recibir otro espíritu *más perfecto* que el que habéis recibido; u

otro evangelio *mejor* que el que habéis abrazado, pudierais con razón sufrirlo, *y seguirle;*

5. Mas yo nada pienso haber hecho menos que los *más grandes* apóstoles.

6. Porque dado que yo sea tosco en el hablar, no lo soy ciertamente en la ciencia *de Cristo;* en fin, vosotros nos tenéis bien conocidos en todo.

7. ¿Acaso habré cometido una falta cuando, por ensalzaros a vosotros, me he humillado yo mismo, predicándoos gratuitamente el evangelio de Dios?

8. He despojado, *por decirlo así,* a otras Iglesias, recibiendo de ellas las asistencias *de que necesitaba* para serviros a vosotros.

9. Y estando yo en vuestra patria, y necesitado, a nadie *no obstante* fuí gravoso, proveyéndome de lo que me faltaba los hermanos venidos de Macedonia; y en todas ocasiones me guardé de serviros de carga, y me guardaré en adelante.

10. *Os aseguro por* la verdad de Cristo *que* está en mí, que no tendrá mengua en mí esta gloria en las regiones de Acaya.

11. ¿Y por qué? ¿*Será* porque no os amo? Dios lo sabe, *y ve mi intenso amor.*

12. Pero yo hago esto, y lo haré todavía, a fin de cortar *enteramente una* ocasión *de gloriarse* a aquellos que la buscan *con hacer alarde* de parecer *en todo* semejantes a nosotros, para *encontrar en esto un motivo* de gloriarse.

13. Pues los tales falsos apóstoles son operarios engañosos, *e hipócritas,* que se disfrazan de apóstoles de Cristo.

14. Y no es de extrañar, pues el mismo Satanás se transforma en ángel de luz.

15. Así no es mucho que sus ministros se transfiguren en ministros de justicia *o de santidad;* mas su paradero será conforme a sus obras.

16. Vuelvo a repetir (no me tenga ninguno por imprudente, o a los menos sufridme como si lo fuese, y permitidme que me alabe todavía algún tanto):

17. Lo que voy a decir para tomar de ello motivo de gloriarme, *creed, si queréis, que yo* no lo digo según Dios, sino que es una especie de imprudencia *o jactancia* mía;

18. Mas ya que muchos se glorian según la carne, *dejad, que* yo también me gloriaré:

---

14. Y así estáis dentro del término de nuestra herencia, y podemos llamar nuestra a esa Iglesia.

CAP. XI. — 1. Porque indiscreción os parecerá a primera vista el alabarme a mí mismo.

2. Y así no puedo mirar con indiferencia que os aficionéis a otro que a Dios. — Explica así el sentido místico de los *Cantares* de Salomón; y el de la ley del Levítico (XXI, *v.* 14) sobre la esposa del Sumo Pontífice.

3. Seducidos con los vanos y capciosos discursos de esos falsos apóstoles que intentan captar nuestra voluntad.

4. Y no podría yo quejarme de que me abandonaseis.

---

5. No diré que los falsos apóstoles pero ni que Pedro, Juan, Santiago, etc., ni que sea inferior mi doctrina a la que ellos predican.

**19.** Puesto que siendo como sois prudentes, aguantáis sin pena a los imprudentes.

**20.** Porque vosotros aguantáis a quien os reduce a esclavitud, a quien os devora, a quien toma vuestros bienes *estafándoos*, a quien os trata con altanería, a quien os hiere el rostro, *o llena de injurias.*

**21.** Digo esto con confusión mía, pues en este punto pasamos por *sobrado* débiles, *o moderados.* Pero en cualquier otra cosa de que alguno presumiere *y se vanagloriare (os parecerá que* hablo sin cordura) no menos presumo yo:

**22.** ¿Son hebreos? Yo también *lo soy.* ¿Son israe-litas? También yo. ¿Sois del linaje de Abraham? También *lo soy* yo:

**23.** ¿Son ministros de Cristo? Aunque *me expongo a pasar por* imprudente) *diré que* yo *lo soy* más *que ellos, pues me he visto* en muchísimos más trabajos, más en las cárceles, en azotes sin medida, en *riesgos de* muerte frecuentemente:

**24.** Cinco veces recibí de los judíos cuarenta azotes menos uno;

**25.** Tres veces fuí azotado con varas; una vez apedreado; tres veces naufragué; estuve una noche y un día *como* hundido en alta mar, *a punto de sumergirme.*

**26.** *Me he hallado* en *penosos* viajes muchas veces, en peligro de ríos, peligros de ladrones, peligros de los de mi nación, peligros de los gentiles, peligros en poblado, peligros en despoblados, peligros en la mar, peligros entre falsos hermanos,

**27.** En *toda suerte de* trabajos y miserias, en muchas vigilias *y desvelos*, en hambre y sed, en muchos ayunos, en frío y desnudez.

**28.** Fuera de estas cosas o *males* exteriores, *cargan sobre mí* las ocurrencias de cada día, por la solicitud *y cuidado* de todas las Iglesias.

**29.** ¿Quién enferma, que no enferme yo *con él?* ¿Quién es escandalizado, *o cae en pecado*, que yo no me requeme?

**30.** Si es preciso gloriarme de alguna cosa, me gloriaré de aquellas *que son propias* de mi flaqueza.

**31.** Dios que es el Padre de nuestro Señor Jesucristo, y que es para siempre bendito, sabe que no miento *ni exagero.*

**32.** *Y aún no he dicho que* estando en Damasco, el gobernador de la provincia por el rey Aretas, tenía puestas guardias a la ciudad para prenderme:

**33.** Mas por una ventana fuí descolgado del muro abajo en un serón, y así escapé de sus manos.

## CAPITULO XII

*En prueba de la verdad y excelencia de su apostolado, refiere San Pablo sus visiones y revelaciones, y concluye manifestando su amor a los corintios.*

**1.** Si es necesario gloriarse (aunque nada se gana *en hacerlo*) yo haré mención de las visiones y revelaciones del Señor.

**2.** Yo conozco a un hombre *que cree* en Cristo, que catorce años ha (si en cuerpo o fuera del cuerpo no lo sé, sábelo Dios) fué arrebatado hasta el tercer cielo;

**3.** Y sé que el mismo hombre (si en cuerpo o fuera del cuerpo no lo sé, Dios lo sabe)

**4.** Fué arrebatado al paraíso, donde oyó palabras inefables, que no es lícito *o posible* a un hombre el proferirlas *o explicarlas.*

**5.** Hablando de semejante hombre podré gloriarme; mas en cuanto a mí de nada me gloriaré, sino de mis flaquezas *y penas.*

**6.** Verdad es que, si quisiese gloriarme podría hacerlo sin ser imprudente, porque diría verdad; pero me contengo, a fin de que nadie forme de mi persona un concepto superior a aquello que en mí ve, o de mí oye.

**7.** Y para que la grandeza de las revelaciones no me desvanezca, se me ha dado el estímulo *o aguijón* de mi carne, *que es como* un ángel de Satanás, para que me abofetee.

**8.** Sobre lo cual por tres veces pedí al Señor que *le* apartase de mí;

---

**24.** Alude a la ley del Deuteronomio, cap. XXV, *v.* 3, y para no exponerse los judíos a pasar de los cuarenta, daban uno menos.

**30.** Esto es, en mis penas y sufrimientos que son las cosas que me hacen más semejante a Jesucristo.

**CAP. XII.** — **1.** Si para confusión de esos falsos apóst les es preciso hablar en alabanza mía, aunque en ver dad esto no conviene, diré, etc.

**1-5.** Cfr. Cornely comentado este lugar difícil.

---

**21.** En esa parte sí que confieso que he flaqueado según su opinión; pues os he tratado no como ellos os tratan, sino con afabilidad y humildad.

9. Y respondióme: Bástate mi gracia: porque el poder mío brilla y consigue su fin por medio de la flaqueza. Así que, con gusto me gloriaré de mis flaquezas o *enfermedades*, para que haga morada en mí el poder de Cristo.

10. Por esta causa yo siento satisfacción *y alegría* en mis enfermedades, en los ultrajes, en las necesidades, en las persecuciones, en las angustias, *en que me veo* por *amor de* Cristo. Pues cuando estoy débil, entonces *con la gracia* soy *más* fuerte.

11. *Casi* estoy hecho un mentecato *con tanto alabarme; mas* vosotros me habéis forzado *a serlo*. Porque a vosotros os tocaba el volver por mí; puesto que en ninguna cosa he sido inferior a los más aventajados apóstoles; aunque *por mí* nada soy.

12. En efecto, yo os he dado *claras* señales de mi apostolado con *manifestar* una paciencia a toda prueba, con milagros, con prodigios y còn *efectos extraordinarios del* poder *divino*.

13. Y en verdad, ¿qué habéis tenido vosotros de menos que las otras Iglesias, sino *es* que yo no os he sido gravoso? Perdonadme ese agravio *que os he hecho*.

14. He aquí *que es ésta* la tercera vez que me dispongo para ir a veros, y tampoco os ocasionaré gravamen. Porque a vosotros os busco yo, no vuestros bienes; *atento a* que no *son* los hijos *los que* deben atesorar para los padres, sino los padres para los hijos.

15. Yo por mi gustosísimo expenderé cuanto tengo, y *aun* me entregaré a mí mismo por *la salud de* vuestras almas, a pesar de *parecerme* que cuanto más os quiero, soy menos querido *de vosotros*.

16. Enhorabuena (*dirán*), es *verdad que* yo no os he gravado; pero como soy astuto os he ganado con dolo.

17. Mas ¿acaso por medio de alguno de mis enviados os he yo sonsacado algo?

18. A mis ruegos fué Tito, y con él envié a otro hermano. ¿Por ventura Tito os ha estafado? ¿No procedimos con el mismo espíritu *y desinterés que antes*? ¿No *seguimos* las mismas pisadas?

---

9. Brilla más sosteniendo al hombre en medio de las más violentas tentaciones.

10. Porque acudo con más ardor a·apoyarme en la gracia de Jesucristo.

11. Por no haber sostenido mi crédito contra esos falsos apóstoles.

13. Ni aun exigiendo tan siquiera que me alimenteseis.

16. O ardid, enviándoos mis discípulos para recoger limosnas.

19. ¿Pensáis que aún *ahora al decir esto*, sea nuestro designio justificarnos delante de vosotros? Delante de Dios hablamos y según el *espíritu de* Cristo; y todo *cuanto os decimos*, carísimos, *lo decimos* para edificación vuestra.

20. *Lo que* temo *que sucede es*, que cuando vaya yo a veros, no os halle tales como yo quiero, y a mí me veáis cual no queréis; que *por desgracia* haya quizá entre vosotros contiendas, envidias, animosidades, discordias, detracciones, chismes, hinchazones, sediciones, *y bandos;*

21. Y no sea que cuando yo vaya me humille de nuevo Dios entre vosotros; y tenga que llorar *castigando* a muchos de los que antes pecaron, y *todavía* no han hecho penitencia de la impureza, y fornicación, y deshonestidad en que han vivido.

## CAPITULO XIII

*Amenaza el Apóstol con graves castigos a los que no hubiesen enmendado; y concluye con una exhortación general.*

1. Mirad que por tercera vez voy a visitaros; por el dicho de dos o tres testigos, *como dice la ley*, se decidirá todo.

2. Ya lo dije antes estando presente, y lo vuelvo a decir ahora ausente, que si voy otra vez no perdonaré a los que antes pecaron, ni a todos los demás.

3. ¿O queréis *acaso* hacer prueba *del poder* de Cristo, que habla por mi boca, y del cual *ya sabéis que* no ha mostrado entre vosotros flaqueza, sino poder *y virtud*?

4. Porque si bien fué crucificado como flaco *según la carne*, no obstante, vive *ahora* por la virtud de Dios. Así también nosotros somos flacos con él; pero estaremos *también* vivos con él por la virtud de Dios *que haremos brillar* entre vosotros.

5. Examinaos a vosotros mismos para ver si mantenéis la fe; haced prueba de vosotros. ¿Por ventura no conocéis en vosotros mismos que Cristo Jesús está en vosotros? A no ser que quizá hayáis decaído, *de lo que antes erais*.

---

20. Esto es, obligado a echar mano del rigor.

CAP. XIII. — 2. Que pecaron después de haberla escrito.

5. Por las buenas obras que hacéis, y los prodigios que obráis en su nombre.

**6.** Mas yo espero que reconoceréis, que por lo que toca a nosotros no hemos decaído, *de lo que éramos.*

**7.** Y rogamos a Dios que no cometáis mal ninguno, *y* no *al contrario* que nosotros aparezcamos ser lo que somos *con la ostensión de nuestro poder,* sino que obréis bien, aun cuando parezcamos nosotros haber decaído, *de lo que somos.*

**8.** Porque nada podemos contra la verdad *y justicia,* sino *que todo nuestro poder es* a favor de la verdad.

**9.** Así es que nos gozamos de que estéis fuertes *en la virtud,* y que nosostros *parezca-*

---

**7.** O no podamos hacer uso del poder apostólico para castigar.

*mos* flacos o *sin poder.* Y pedimos igualmente *a Dios* que os haga perfectos.

**10.** Por tanto, os escribo estas cosas *estando* ausente, a fin de que presente no haya de proceder con rigor, usando de la potestad que Dios me ha dado, *la cual es* para edificación y no para ruina *o destrucción.*

**11.** Por lo demás, hermanos, estad alegres, sed perfectos, exhortaos *los unos a los otros,* reuníos en un mismo espíritu y corazón, vivid en paz, y el Dios de la paz y de la caridad será con vosotros.

**12.** Saludaos recíprocamente con el ósculo santo. Todos los santos *o fieles* os saludan.

**13.** La gracia de nuestro Señor Jesucristo, y la caridad de Dios *Padre,* y la participación del Espíritu Santo sea con todos vosotros. Amén.

# EPÍSTOLA DE SAN PABLO A LOS GÁLATAS

# Introducción

¿Quiénes son realmente los destinatarios de esta epístola? ¿Quiénes eran los gálatas, cuándo fue escrita esta carta? Ambas preguntas, íntimamente relacionadas, no aparecen totalmente dilucidadas en la actualidad. El principal problema con el que topamos para contestar a la primera es el siguiente: en tiempo de San Pablo, la palabra Galacia tenía dos sentidos o acepciones; una era de tipo etnográfico —descendientes de los antiguos galos, que en el siglo III a. C. se establecieron entre la Capadocia y el Ponto—, y el otro de tipo administrativo, ya que designaba la provincia romana de Galacia que, además, comprendía las regiones de Plafagonia, parte del Ponto y de la Frigia, regiones todas ellas del Asia Menor. ¿Quiénes eran entonces los destinatarios de la carta? ¿Los gálatas propiamente dichos, o los gálatas de la provincia romana de Galacia, incluida la parte meridional?

A este respecto no parece existir unanimidad de pareceres entre los comentaristas de la Biblia: unos, los más numerosos, parecen inclinarse a ver en los gálatas los habitantes de la Galacia propiamente dicha. Un sector minoritario, pero de importante autoridad y peso específico, sostiene que se trataba de la parte meridional de la Galacia romana. El problema se encuentra, por tanto, sin dirimir.

El objetivo de la carta fue el siguiente: algunos cristianos provenientes del judaísmo se habían introducido en la iglesia de Galacia imponiendo, o tratando de hacerlo, antiguos ritos provenientes de la Ley Mosaica, tales como la circuncisión y prácticas similares, para salvarse y ser herederos de las promesas mesiánicas. Estas agresiones a la naturaleza verdadera del mensaje evangélico de Jesucristo, iban acompañadas con ataques personales a Pablo, a quien acusaban de oportunista y apócrifo.

Los tumultos, especulativos y dogmáticos, corrían el riesgo de ahogar en la confusión a la joven comunidad cristiana de la ciudad. Pablo acude en su ayuda para así mantener viva y aumentada la fe de los gálatas en el Evangelio y en Jesucristo: rechaza las acusaciones lanzadas contra su persona y vuelve a exponer la verdadera doctrina.

El punto fundamental de esta epístola va a ser el poner de manifiesto la inutilidad de la Ley para la salvación y justificación cristiana, éste es también el tema de la carta a los romanos. La autenticidad de la epístola a los Gálatas parece fuera de toda duda razonable; aunque todavía existen algunos críticos racionalistas que le atribuyen un carácter apócrifo.

# CAPITULO I

*Reprende a los Gálatas por haber dado oído a unos falsos apóstoles, abandonando la doctrina que les había enseñado, y que recibió él de Jesucristo. Refiere lo que era él antes y después de su conversión.*

**1.** Pablo, *constituido* apóstol, no por los hombres ni por *la autoridad de* hombre alguno, sino por Jesucristo, y por Dios su Padre, que le resucitó de entre los muertos,

**2.** Y todos los hermanos que conmigo están, a las Iglesias de Galacia:

**3.** Gracia a vosotros, y paz de parte de Dios Padre y de Jesucristo Nuestro Señor,

**4.** El cual se dió a sí mismo *a la muerte* por nuestros pecados, para sarcarnos de la corrupción de este mundo, conforme a la voluntad de Dios y Padre nuestro,

**5.** Cuya es la gloria por los siglos de los siglos. Amén.

**6.** Me maravillo cómo así tan de ligero abandonáis al que os llamó a la gracia de Cristo, para seguir otro evangelio.

**7.** Mas no es que haya otro evangelio, sino que hay algunos que os traen alborotados, y quieren trastornar el evangelio de Cristo.

**8.** Pero aun cuando nosotros mismos, o un ángel del cielo, *si posible fuese*, os predique un evangelio diferente del que nosotros os hemos anunciado, sea anatema.

**9.** Os lo he dicho *ya*, y os lo repito: Cualquiera que os anuncie un evangelio diferente del que habéis recibido, sea anatema.

**10.** Porque *en fin* ¿busco yo ahora la aprobación de los hombres, o de Dios? ¿Por ventura pretendo agradar a los hombres? Si todavía *prosiguiese* complaciendo a los hombres, no sería yo siervo de Cristo.

**11.** Porque os hago saber, hermanos, que el evangelio que yo os he predicado, no es una cosa humana;

**12.** Pues no lo he recibido, ni aprendido yo de algún hombre, sino por revelación de Jesucristo.

**13.** Porque bien habéis oído *decir* el modo con que en otro tiempo vivía yo en el judaísmo, con qué exceso *de furor* perseguía a la Iglesia de Dios, y la desolaba,

**14.** Y me señalaba en el judaísmo más que muchos coetáneos míos de mi nación, siendo en extremo celoso de las tradiciones de mis padres.

**15.** Mas cuando plugo a aquel *Señor*, que me destinó *y separó* desde el vientre de mi madre, y me llamó con su gracia,

**16.** El revelarme a su Hijo, para que yo le predicase a las naciones, *lo hice* al punto sin tomar consejo de la carne ni de la sangre,

**17.** Ni pasar a Jerusalén en busca de los apóstoles anteriores a mí; sino que me fuí *luego* a la Arabia, de donde volví otra vez a Damasco.

**18.** De allí a tres años fuí a Jerusalén para visitar a Pedro, y estuve con él quince días;

**19.** Y no vi a otro alguno de los Apóstoles, sino a Santiago, el *primo* hermano del Señor.

**20.** De todo esto que os escribo, pongo a Dios por testigo que no miento.

**21.** Desde allí fuí a los países de Siria y de Cilicia.

**22.** Hasta entonces no me conocían de vista las Iglesias de Cristo, que había en la Judea;

**23.** Solamente habían oído decir: Aquel que antes nos perseguía, ahora predica la fe que en otro tiempo impugnaba.

**24.** Y glorificaban a Dios por causa de mí, *de mi conversión.*

# CAPITULO II

*San Pablo predica con libertad contra los falsos apóstoles y contra los judaizantes. Resistencia que hizo Cefas en Antioquía sobre las ceremonias legales. Nadie es justificado sino por la fe en Jesucristo.*

**1.** Catorce años después volví a Jerusalén con Bernabé, llevando también conmigo a Tito.

---

**CAP. I.** — **5.** Unamos nuestro corazón con el de San Pablo, y elevándolo hacia Dios, amoroso creador y redentor nuestro, prorrumpamos muchas veces en un *Amén* de adoración, de alabanza, de acción de gracias y de un ardiente deseo de que Dios sea glorificado por sus misericordias.

**7.** Ofuscando su pureza con falsas doctrinas, y sosteniendo con vigor las ceremonias legales.

**14.** El empeño contraído ya con los ruidosos procedimientos anteriores, la consideración que lograba en el partido de los fariseos, que era entonces muy poderoso una falsa ilustración y un falso celo, he aquí los obstáculos que detenían a San Pablo en el error.

---

**17.** A predicar a Jesucristo, según la orden que había recibido del mismo Dios.

**2.** Este viaje lo hice movido de una revelación; y conferí con los *fieles* de allí el evangelio, que predico entre las naciones, en particular con los más autorizados, por no seguir quizá mi carrera sin fruto, o haberla seguido en vano.

**3.** Mas ni aun Tito, que me acompañaba, con ser gentil, fué obligado a circundarse:

**4.** Ni aun por *miramiento a* aquellos falsos hermanos, que furtivamente se metieron a espiar la libertad con que procedemos en Cristo Jesús, a fin de reducirnos a la servidumbre *de la ley antigua*.

**5.** A los cuales ni por un momento quisimos ceder ni sujetarnos, para que la verdad del Evangelio se mantenga *firme* entre vosotros.

**6.** En cuanto a los que parecían ser los más distinguidos (nada me importa lo que hayan sido en otro tiempo: en Dios no hay acepción de personas), aquellos, digo, que parecían ser los más autorizados, nada me enseñaron de nuevo;

**7.** Antes al contrario, habiendo reconocido que a mí se me había confiado *por Dios* el evangelizar a los incircuncisos, así como a Pedro a los circuncisos.

**8.** (Pues quien dió eficacia a Pedro para el apostolado entre los circuncisos, me la dió también a mí para entre los gentiles):

**9.** Habiendo, digo, conocido Santiago, Cefas y Juan, que eran reputados como columnas *de la Iglesia*, la gracia que se me había dado, nos dieron las manos, en señal de convenio, a mí y a Bernabé, para que nosotros *predicásemos* a los gentiles, y ellos a los circuncidados.

**10.** Solamente nos recomendaron que tuviésemos presentes a los pobres *de la Judea*; cosa que he procurado hacer con esmero.

**11.** Y cuando vino *después* Cefas, o *Pedro*, a Antioquía, le hice resistencia cara a cara, por ser digno de reprensión;

**12.** Pues antes que llegasen ciertos sujetos de parte de Santiago, comía con los gentiles: mas llegados que fueron, empezó a recatarse y separarse, por temor de aquellos circuncisos.

**13.** Y los demás judíos se conformaron con su porte disimulado, por manera que aun Bernabé fué inducido por ellos a usar de la misma simulación.

**14.** Pero yo, visto que no andaban derechamente conforme a la verdad del evangelio, dije a Cefas en presencia de todos: Si tú, con ser judío, vives como los gentiles, y no como los judíos, ¿cómo *con tu ejemplo fuerzas* a los gentiles a judaizar?

**15.** Nosotros somos de naturaleza judíos, y no *de casta de* gentiles pecadores *o idólatras*.

**16.** Sin embargo, sabiendo que no se justifica el hombre por las obras *solas de las* ley, sino por la fe de Jesucristo, por eso creemos en Cristo Jesús, a fin de ser justificados por la fe de Cristo, y no por las obras de la ley: por cuanto ningún mortal será justificado por las obras de la ley.

**17.** Y si queriendo ser justificados en Cristo, venimos a ser también nosotros pecadores ¿no se dirá *entonces* que Cristo es ministro *y causa* del pecado? En ninguna manera *puede jamás serlo*.

**18.** Mas si yo vuelvo a edificar lo mismo que he destruido *como inútil*, me convenzo a mí mismo de prevaricador.

**19.** Pero *la verdad es que* yo estoy muerto a la ley *antigua*, por *lo que me enseña* la ley misma; a fin de vivir para Dios: estoy clavado en la cruz juntamente con Cristo;

**20.** Y yo vivo *ahora*, o más bien no *soy yo el que vivo*, sino que Cristo vive en mí. Así la vida que vivo ahora en esta carne, la vivo en la fe del Hijo de Dios, el cual me amó, y se entregó a sí mismo *a la muerte* por mí.

---

**CAP. II.** — **2.** Puesto que mis émulos andaban diciendo que yo predicaba un evangelio contrario al de los demás apóstoles, enseñando que no eran necesarias las ceremonias legales.

**16.** Erraba Pedro, pero no en la doctrina, pues es claro que pensaba y creía, como Pablo, que no era necesaria la observancia de las ceremonias de la ley de Moisés; sino que erraba en tener con los judíos una condescendencia que era perjudicial: porque absteniéndose de comer con los cristianos convertidos del gentilismo, daba a los judíos nuevo pretexto de querer obligar a todos los fieles a la observancia de la ley de Moisés. Y así Pedro, aunque con buen fin, ofendía, con su porte, la verdad del evangelio.

**17.** Si el desligarse de la Ley mosáica fuese pecaminoso, habría que atribuir a Cristo este pecado, blasfemia que Pablo rechaza horrorizado.

**19.** San Pablo fundamenta en la misma ley antigua su fe en Cristo; la ley fué nuestro tutor y como Ayo. *Gal.* 3, 24; y el Señor en el Sermón del monte afirmó que no había venido a abolir la ley sino a perfeccionarla (*Matth.* 5, 18).

**21.** Y así no iré a buscar la santificación en las ceremonias de la ley antigua, que no pueden causarla, sino en la fe.

**21.** No desecho esta gracia o *merced* de Dios. Porque si por la ley *antigua* se obtiene la justicia, luego en balde Cristo murió.

# CAPITULO III

*Ni antes ni después de la ley escrita pudo haber justificación de hombre sino por la fe viva en Jesucristo.*

**1.** ¡Oh Gálatas insensatos! ¿quién os ha fascinado, *o hechizado*, para desobedecer *así* a la verdad?, vosotros, ante cuyos ojos ha sido ya representado Jesucristo como crucificado en vosotros mismos.

**2.** Una sola cosa deseo saber de vosotros: ¿Habéis recibido al Espíritu *Santo* por las obras de la ley, o por la obediencia a la fe *que se os ha predicado*?

**3.** ¿Tan necios sois, que habiendo comenzado por el Espíritu, ahora vengáis a parar en la carne?

**4.** Tanto *como* habéis sufrido *por Jesucristo ¿será* en vano? Pero *yo espero en Dios que* al cabo no ha de ser en vano.

**5.** Ahora, pues, aquel que os comunica el Espíritu *Santo*, y obra milagros entre vosotros, *¿lo* hace por virtud de obras de la ley, o por la fe que habéis oído *predicar*?

**6.** *Ciertamente que por la fe*, según está escrito: Creyó Abraham a Dios, y *su fe* se le reputó por justicia.

**7.** Reconoced, pues, que los que abrazan la fe, ésos son los *verdaderos* hijos de Abraham.

**8.** Así es que *Dios en la* Escritura, previendo que había de justificar a los gentiles por medio de la fe, lo anunció de antemano a Abraham *diciendo*: En ti serán benditas todas las gentes.

**9.** Luego los que tienen fe, esos son benditos con el fiel Abraham.

**10.** En lugar de que todos los que se apoyan en las obras de la ley, están sujetos a maldición. Pues está escrito: Maldito es cualquiera que no observare constantemente todo lo que está escrito en el libro de la ley.

**11.** Por lo demás, el que nadie se justifica delante de Dios por la ley, está claro: porque el justo vive por la fe.

**12.** La ley, empero, no tiene el ser, *o no se deriva*, de la fe; sólo, sí, el que la cumpliere, vivirá en ella.

**13.** Cristo nos redimió de la maldición de la ley, habiéndose hecho por nosotros objeto de maldición; pues está escrito: Maldito todo aquel que es colgado en un madero.

**14.** Y todo esto, para que la bendición de Abraham cupiese a los gentiles por Jesucristo, a fin de que *así* por medio de la fe recibiésemos la promesa del Espíritu *Santo*.

**15.** Hermanos míos, (me serviré del ejemplo de una cosa humana *y ordinaria*): después que un hombre ha otorgado en debida forma un testamento, nadie puede anularlo, ni alterarlo;

**16.** Las promesas se hicieron a Abraham y al descendiente del él. No dice: y a los descendientes, como si fuesen muchos; sino como uno *precisamente*: y al descendiente de ti, el cual es Cristo.

**17.** Lo que quiero, pues, decir, es que habiendo hecho Dios una alianza *con Abraham* en debida forma, la ley dada cuatrocientos y treinta años después, no ha podido anularla, ni invalidar la promesa.

**18.** Porque si la herencia *esta de bendiciones espirituales se nos da* por la ley, ya no es por la promesa. Y Dios hizo por medio de la promesa la donación a Abraham.

**19.** Pues ¿de qué *ha servido, diréis*, la ley? Púsose por *freno de* las transgresiones, hasta que viniese el descendiente *de Abraham*, a quien se hizo la promesa, siendo *dicha ley* dada por mano de los ángeles, por medio del medianero *Moisés*.

**20.** No hay, empero, mediador de uno solo: y Dios *al hacer la promesa a Abraham* es uno.

---

CAP. III. — 1. Para libraros del yugo del pecado y de la ley antigua.

6. *Gen.* XV, *v.* 6. — *Rom.* IV, *v.* 3. — Esto es, la viva fe que tuvo en la promesa de que el Salvador había de nacer de su descendencia.

12. *Levit.* XVIII, 4, 5. — Para cumplirla es necesaria la fe en Jesucristo; y así los que no creen en él están bajo la maldición, pues no observan la ley.

13. Pues por sus maldades le habrán puesto allá.

14. O la abundancia de sus dones y gracia.

17. Subsiste, pues, la promesa hecha a Abraham de comunicarnos las bendiciones de la gracia por medio de la fe en Jesucristo.

19. Para demostración de la necesidad de la gracia; a fin de que, en vista de su flaqueza, clamasen los hombres a Dios por la gracia medicinal. *Rom.* VII, *v.* 13.

20. Lo fué Moisés entre Dios y el pueblo; y por no cumplir éste la ley, o los pactos con Dios, era de ver que la ley antigua debía acabarse. Para la promesa no hubo mediador ninguno; y así el cumplimiento de la promesa es infalible, por no depender más que de Dios.

21. Pues que no eran por ella benditos los hijos de Abraham.

**21.** Luego (*replicaréis*): ¿La ley es contra las promesas de Dios? No, por cierto. Porque si se hubiese dado una ley que pudiese vivificar o *justificar*, la justicia o *santidad* provendría realmente de la ley, *y no de la fe.*

**22.** Mas la ley escrita dejó sujetos a todos al pecado, para que la promesa se cumpliese a los creyentes por la fe en Jesucristo.

**23.** Así antes del tiempo de la fe, estábamos *como* encerrados bajo la custodia de la ley hasta *recibir* la fe, que había de ser revelada.

**24.** Por manera que la ley fué nuestro ayo que nos condujo a Cristo, *por medio de los sacrificios y ceremonias*, para ser justificados por la fe *en él.*

**25.** Mas venida la fe, ya no estamos sujetos al ayo.

**26.** Porque todos los que habéis sido bautizados en Cristo, estáis revestidos de Cristo,

**28.** *Y ya* no hay *distinción de* judío ni griego; ni *de* siervo ni libre; ni *tampoco de* hombre ni mujer. Porque todos vosotros sois una cosa en Jesu-cristo:

**29.** Y siendo vosotros *miembros* de Cristo, sois por consiguiente hijos de Abraham, y los herederos según la promesa.

## CAPITULO IV

*Comparada la ley antigua con un tutor y a los judíos con un pupilo, dice que Cristo puso ya a los hombres en libertad. Después de varias expresiones de sentimiento amoroso, prueba por la Escritura misma, cuando habla de Isaac e Ismael, que la ley escrita no puede hacer liga con la ley de gracia.*

**1.** Digo además: que mientras el heredero es niño, en nada se diferencia de un siervo, no obstante ser dueño de todo;

**2.** Sino que está bajo la potestad de los tutores y curadores, hasta el tiempo señalado por su padre.

**3.** Así nosotros, cuando éramos *todavía* niños, estábamos servilmente sujetos a las primeras *y más groseras* instrucciones *que se dieron* al mundo.

**4.** Mas cumplido que fué el tiempo, envió Dios a su Hijo, formado de una mujer, y sujeto a la ley,

**5.** Para redimir a los que estaban debajo de la ley y a fin de que recibiésemos la adopción de hijos.

**6.** Y por cuanto vosotros sois hijos, envió Dios a vuestros corazones el Espíritu de su Hijo, el cual nos hace clamar: ¡Abba! *esto es*, ¡Padre *mío*!

**7.** Y así ninguno *de vosotros* es ya siervo, sino hijo. Y siendo hijo, es también heredero de Dios *por Cristo.*

**8.** Verdad es que cuando no conocíais a Dios, servíais a los que realmente no son dioses.

**9.** Pero ahora, habiendo conocido a Dios, o por mejor decir, habiendo sido de Dios *amados y* conocidos, ¿cómo tornáis otra vez a esas observancias *legales que son* sin vigor ni suficiencia, queriendo sujetaros nuevamente a ellas?

**10.** Observáis *todavía los ritos de* los días, meses, y tiempos, y años.

**11.** Témome de vosotros, no hayan sido inútiles entre vosotros mis trabajos.

**12.** Sed como yo, ya que yo he sido como vosotros, ¡Oh hermanos *míos*! os lo ruego *encarecidamente*. A mí en nada me habéis agraviado;

**13.** *Al contrario*, bien sabéis que *cuando*, tiempo ha os prediqué el evangelio, *lo hice* entre las *persecuciones y* aflicciones de la carne, y *en tal estado de* mi carne *o de humillación mía, que* os era *materia* de tentación,

**14.** No me despreciasteis, ni desechasteis; antes bien me recibisteis como a un ángel de Dios, como al mismo Cristo Jesús.

**15.** ¿Dónde está, pues, *ahora* aquella felicidad *en que os gozábais*? Porque yo puedo testificar de vosotros que *entonces* estábais prontos, si posible fuera, a sacaros los ojos, para dármelos a mí.

**16.** Conque ¿por deciros la verdad me he hecho enemigo vuestro?

---

**23.** Como siervos sujetos a la ley, sólo por el temor al castigo nos absteníamos del mal. Y así la ley hacía para con nosotros, débiles y niños en la ciencia de Dios, el oficio de un pedagogo y de un maestro severo, que nos conducía a Cristo.

**27.** Y despojados del hombre viejo, o de vuestros vicios, estáis estrechamente unidos con él.

**28.** Un cuerpo unido a su cabeza. *Rom.* XII, *v.* 5.

**29.** Sin necesitar ya para nada las ceremonias de la ley.

**CAP. IV. —** 10. Esto es, los sábados, las lunas nuevas y otras fiestas de los judíos.

**CAP. IV. —** 12. Celoso observador he sido también de las ceremonias legales, hasta que por la fe he quedado libre.

17. Esos *falsos apóstoles* procuran estre-charse con vosotros; *mas no es* con buen fin, sino que pretenden separaros *de nosotros*, para que los sigáis a ellos.

18. Sed, pues, celosos *amantes* del bien con un fin recto, en todo tiempo, y no sólo cuando me hallo yo *presente* entre vosotros.

19. Hijitos míos, por quienes segunda vez padezco dolores de parto hasta formar *enteramente* a Cristo en vosotros,

20. Quisiera estar ahora con vosotros, y diversificar mi voz según *vuestras necesidades*; porque me tenéis perplejo *sobre el modo con que debo hablaros.*

21. Decidme, *os ruego*, los que queréis estar sujetos a la ley *antigua*, ¿no habéis leído *lo que dice* la ley?

22. Porque escrito está que Abraham tuvo dos hijos, uno de la esclava *Agar*, y otro de la libre, *que era Sara.*

23. Mas el de la esclava nació según la carne, o *naturalmente*; al contrario, el hijo de la libre *nació milagrosamente y* en virtud de la promesa.

24. Todo lo cual fué dicho por alegoría: porque estas *dos madres* son las dos *leyes* o testamentos. La una *dada* en el monte Sinaí, que engendra esclavos, la cual es *simbolizada en* Agar;

25. Porque el Sinaí es un monte de la Arabia que corresponde a Jesuralén de aquí bajo, la cual es esclava con sus hijos.

26. Mas aquella Jerusalén de arriba, *figurada en Sara*, es libre, la cual es madre de todos nosotros.

27. Porque escrito está: Alégrate, estéril, que no pares; prorrumpe en gritos de júbilo, tú que no eres fecunda; porque son muchos más los hijos de la que ya estaba abandonada *por estéril*, que los de la que tiene marido.

28. Nosotros, pues, hermanos, somos los hijos de la promesa, figurados en Isaac.

29. Más así como entonces el que había nacido según la carne, perseguía al *nacido* según el Espíritu, así sucede también ahora.

30. Pero ¿qué dice la Escritura? Echa fuera a la esclava y a su hijo; que no ha de ser heredero el hijo de la esclava con el hijo de la libre.

31. Según esto, hermanos, nosotros no somos hijos de la esclava, sino de la libre; y Cristo es el que nos ha adquirido esta libertad.

## CAPITULO V

*Daños de las observaciones legales, y bienes de la fe de Jesucristo. Cuáles sean los verdaderos ejercicios del cristianismo.*

1. Manteneos firmes, y no dejéis que os opriman de nuevo con el yugo de la servidumbre *de la ley antigua.*

2. Mirad que os declaro yo, Pablo, que si os hacéis circuncidar, Cristo de nada os aprovechará.

3. Además declaro a todo hombre que se hace circuncidar, que queda obligado a observar toda la ley por entero.

4. No tenéis ya parte ninguna con Cristo los que buscáis la justificación en la ley; habéis perdido la gracia.

5. Pues nosotros *solamente* en virtud de la fe esperamos recibir del espíritu la *verdadera* justicia *o santidad.*

6. Porque para con Jesucristo nada importa el ser circunciso o incircunciso, sino la fe, que obra *animada de la* caridad.

7. Vosotros habíais comenzado bien vuestra carrera: ¿quién os ha estorbado de obedecer a la verdad?

8. Persuasión semejante no es *ciertamente* de aquel que os ha llamado *a la fe.*

9. Un poco de levadura hace fermentar toda la masa.

---

19. Con quienes estoy empleando nuevas fatigas y trabajos, para que formados de nuevo en la fe de Jesucristo, volváis también de nuevo a nacer para él mismo, Theodoreto.

25. El Sina, representado por Agar, es un monte de la Arabia Petrea y está muy distante de Jerusalén; y así esta vecindad que aquí se explica por la palabra *corresponde*, no se ha de entender de la situación sino de la semejanza de los lugares; por cuanto del mismo modo que fué dada la ley a Moisés en el monte de Sinaí, así también lo fué la ley evangélica en Jerusalén en el monte Sión. Algunos con el Crisóstomo quieren que el Sina se llame en arábigo Agar; por lo menos poseyeron aquel monte los descendientes de Ismael.

---

30. *Gen.* 21, 20. Son palabras de Sara a Abraham que nos recuerda la Escritura y no un mandamiento de Dios a Abraham.

CAP. V. — 5. Que vanamente buscáis vosotros en las ceremonias de la ley.

6. Porque en la religión cristiana, que es toda interior y espiritual, de nada aprovechan estas señales exteriores de estar o no circuncidados; lo que aprovecha es la caridad que es el alma de la fe.

**10.** Yo confío, *no obstante*, de vosotros en el Señor, que no tendréis otros sentimientos *que los míos*; pero el que os anda inquietando, quien quiera que sea, llevará el castigo merecido.

**11.** En cuanto a mi, hermanos, si yo predico aún la circuncisión, ¿por qué soy todavía perseguido? Según eso, acabóse el escándalo de la cruz (*que causó a los judíos*).

**12.** ¡Ojalá fuesen, *no digo circuncidados, sino* cortados o *separados de entre vosotros* los que os perturban!

**13.** Porque vosotros, hermanos *míos*, sois llamados a *un estado de* libertad; *cuidad* solamente que esta libertad no os sirva de ocasión para *vivir según* la carne; pero sed siervos unos de otros por un amor espiritual,

**14.** Como quiera que toda la ley en este precepto se encierra: Amarás a tu prójimo como a ti mismo.

**15.** Que si unos u otros mordéis, y roéis, mirad no os destruyáis los unos a los otros.

**16.** Digo, pues, *en suma*: Proceded según el Espíritu *de Dios*, y no satisfaréis los apetitos de la carne.

**17.** Porque la carne tiene deseos contrarios a los del espíritu, y el espíritu los tiene contrarios a los de la carne; como que son cosas entre sí opuestas; por el cual motivo no hacéis vosotros todo aquello que queréis.

**18.** Que si vosotros sois conducidos por el espíritu, no estáis sujetos a la ley.

**19.** Bien manifiestas son las obras de la carne, la cuales son adulterio, fornicación, deshonestidad, lujuria,

**20.** Culto de ídolos, hechicerías, enemistades, pleitos, celos, enojos, riñas, disensiones, herejías,

**21.** Envidias, homicidios, embriagueces, glotonerías y cosas semejantes, sobre las cuales os prevengo, como ya tengo dicho, que los que tales coses hacen, no alcanzarán el reino de Dios.

**22.** Al contrario, los frutos del espíritu son caridad, gozo, paz, paciencia, benignidad, bondad, longanimidad,

**23.** Mansedumbre, fe o *fidelidad*, modestia, continencia, castidad. *Para los que viven de esta suerte* no hay ley que sea contra ellos.

**24.** Y los que son de Cristo tienen crucificada su propia carne con los vicios y las pasiones.

**25.** Si vivimos por el Espíritu *de Dios*, procedamos también según el *mismo* Espíritu.

**26.** No seamos ambiciosos de vana gloria, provocándonos los unos a los otros, y recíprocamente envidiándonos.

## CAPITULO VI

*Cómo se deben ayudar unos a otros en el ejercicio de la virtudes cristianas. Para recoger es necesario sembrar. La gloria del cristiano ha de ser solamente la cruz de Jesucristo.*

**1.** Hermanos *míos*, si alguno, como hombre *que es*, cayere desgraciadamente en algún delito, vosotros los que sois espirituales, al tal *amonestadle e* instruidle con espíritu de mansedumbre, haciendo cada uno reflexión sobre sí mismo, y temiendo caer también en la tentación.

**2.** Comportad las cargas unos de otros, y con eso cumpliréis la ley de Cristo.

**3.** Porque si alguno piensa ser algo, se engaña a sí mismo, pues *verdaderamente de suyo* es nada.

**4.** Por tanto, examine *bien* cada uno sus propias obras, y así *si halla que son rectas* tendrá *entonces* motivo de gloriarse en sí mismo solamente, y no respecto de otro.

**5.** Porque cada cual, *al ir a ser juzgado*, cargará con su propio fardo.

**6.** Entre tanto, aquel a quien se le instruye en las cosas de la fe, asista de todos modos con sus bienes al que le instruye.

**7.** No queráis engañaros *a vosotros mismos*: Dios no puede ser burlado.

**8.** Así es que lo que un hombre sembrare, eso recogerá. Por donde quien siembra *ahora* para su carne, de la carne recogerá *después* la corrupción *y la muerte*; mas el que siembra para el espíritu, del espíritu cogerá la vida eterna.

**9.** No nos cansemos, pues, de hacer bien; porque si perseveramos, a su tiempo recogeremos el fruto.

---

**11.** Alusión a I *Cor.* 9, 20 y *Act.* 16, 3.

Puesto que los judíos me persiguen, y se escandalizan, porque enseño que es inútil la circuncisión.

**23.** Pues el rigor de la ley sólo es contra los injustos, no contra los justos.

---

**CAP. VI.** — 2. Que toda consiste en la caridad.

**5.** O con sus propias obras; y con ellas se presentará al juicio de Dios.

**7.** No servirán para con él falsos pretextos.

**8.** No trabajando sino en satisfacer sus apetitos.

**10.** Así que, mientras tenemos tiempo, hagamos bien a todos, y mayormente a aquellos que son, mediante la fe, de la misma familia *del Señor* que nosotros.

**11.** Mirad qué carta *tan larga* os he escrito de mi propio puño.

**12.** Todos aquellos que quieren seros gratos o *lisonjearos* según la carne, ésos os constriñen a que os circuncidéis, con sólo el fin de no ser ellos perseguidos por *causa* de la cruz de Cristo.

**13.** Porque ni ellos *mismos* que están circuncidados, guardan la ley; sino que quieren que seáis circuncidados vosotros, a fin de gloriarse de vuestra carne, *contándoos entre sus prosélitos.*

**14.** A mí líbreme Dios de gloriarme, sino en la cruz de Nuestro Señor Jesucristo; por quien el mundo está *muerto y* crucificado para mí, como lo estoy para el mundo.

**15.** El hecho es que respecto de Jesucristo, ni la circuncisión, ni la incircuncisión valen nada, sino *que lo que vale es el ser* una nueva criatura.

**16.** Y sobre todo cuantos siguieren esta norma o *doctrina*, *venga* paz y misericordia, como sobre el *verdadero* Israel, *pueblo* de Dios.

**17.** Por lo demás, nadie me moleste en adelante *sobre la circuncisión*; porque yo traigo *impresas* en mi cuerpo las señales o *la marca* del Señor Jesús.

**18.** La gracia de Nuestro Señor Jesucristo sea, hermanos *míos*, con vuestro espíritu. Amén.

# EPÍSTOLA DE SAN PABLO
## A LOS EFESIOS

# Introducción

Éfeso ostentaba la capitalidad del Asia Menor. Importante centro de reunión para los gentiles, ya que albergaba en su interior el templo a la adoración de la diosa Diana, esta ciudad, tan contraria a la espiritualidad del cristianismo, se convirtió en el centro de trabajo de Pablo; su fe y perseverancia así como su maravilloso don de comunicación con los demás, fueron expuestos a una dura prueba. Prueba de la que saldría victorioso, aun a riesgo de perder su vida en la empresa: a los tres años de actividad evangelizadora, la iglesia de Éfeso quedó constituida.

La carta se cree fue escrita en el año 62, cuando San Pablo se encontraba en Roma sufriendo su primer cautiverio, por el tiempo en que concluyó la epístola a los Colosenses. En efecto, tiene con esta epístola muchas analogías tanto formales —estilo y vocabulario—, como doctrinales. La carta tiene como finalidad glosar dos aspectos doctrinales importantes, a saber, la universalidad de la salvación, por un lado, que no es privilegio exclusivo de los judíos, sino que abraza por igual a todos los hombres, independientemente de su pasado e historia y, por el otro, la verdad de la Iglesia como portadora de la única verdad evangélica, de la que Jesucristo es el cuerpo místico.

Las dos cartas, a los colosenses y a los efesios, fueron dictadas en breve espacio de tiempo y confiadas, en ambos casos, a Tíquico, quien se encargó de su difusión.

A tenor de lo dicho, podemos concluir que la carta era una especie de «circular» escrita por el apóstol a los fieles asiáticos para instruirlos en puntos importantes de su doctrina.

La autenticidad de la carta parece fuera de toda duda, según testimonios de críticos católicos y no católicos.

## CAPITULO I

*Todos los bienes de gracia y gloria se nos dan por Jesucristo, exaltado sobre todas las cosas, hecho cabeza de toda la Iglesia.*

1. Pablo, por voluntad de Dios apóstol de Jesucristo, a todos los santos, residentes en Éfeso, y fieles en Cristo Jesús:

2. *La* gracia sea con vosotros, y la paz de Dios, Padre Nuestro, y del Señor Jesucristo.

CAP. I. — 1. A los santos que se mantienen fieles a Jesucristo.

2. El dador de la gracia es Dios Padre, igualmente que Jesucristo Señor nuestro, como lo observan los santos Padres contra los Arrianos.

**3.** Bendito el Dios y Padre de Nuestro Señor Jesucristo, que nos ha colmado en Cristo de toda suerte de bendiciones espirituales del cielo,

**4.** Así como él mismo nos escogió antes de la creación del mundo, para ser santos y sin mácula en su presencia, por la caridad;

**5.** Habiéndonos predestinado al ser de hijos suyos adoptivos por Jesucristo a gloria suya, por un puro efecto de su buena voluntad,

**6.** A fin de que se celebre la gloria de su gracia, mediante la cual nos hizo gratos *a sus ojos* en su querido Hijo,

**7.** En quien por su sangre logramos la redención, y el perdón de los pecados, por las riquezas de su gracia,

**8.** Que con abundancia ha derramado sobre nosotros, *colmándonos* de toda sabiduría y prudencia,

**9.** Para hacernos conocer el misterio, *o arcano*, de su voluntad, fundada en su *mero* beneplácito, por el cual se propuso.

**10.** El restaurar en Cristo, cumplidos los tiempos prescritos, todas las cosas de los cielos y las de la tierra, *reuniéndolas todas* por el mismo, *en un cuerpo o Iglesia.*

**11.** Por él fuimos también nosotros llamados *como* por suerte, *habiendo sido* predestinados según el decreto de aquel que hace todas las cosas conforme el designio de su voluntad,

**12.** Para que seamos la gloria *y el objeto de* las alabanzas de Cristo, nosotros *los judíos,* que hemos sido los primeros en esperar en él.

**13.** En él *habéis esperado* también vosotros *los gentiles,* luego que habéis oído la palabra de la verdad (el evangelio de vuestra salud) y en quien habiendo asimismo creído, recibisteis el sello del Espíritu Santo *que estaba* prometido.

**14.** El cual es la prenda *o las arras* de nuestra herencia *celestial* hasta la perfecta libertad del pueblo *que se ha* adquirido *el Señor* para loor de la gloria de él mismo.

**15.** Por eso yo *estando, como estoy,* informado de la fe que tenéis en el Señor Jesús, y de vuestra caridad para con todos los santos, *o pobres fieles,*

**16.** No ceso de dar gracias *a Dios* por vosotros, acordándome de vosotros en mis oraciones,

**17.** Para que Dios, Padre glorioso de Nuestro Señor Jesucristo, os dé espíritu de sabiduría y la ilustración para conocerle,

**18.** Iluminando los ojos de vuestro corazón, a fin de que sepáis cuál es la esperanza, *o lo que debéis esperar*, de su vocación, y cuáles las riquezas y la gloria de su herencia *destinada* para los santos,

**19.** Y cuál aquella soberana grandeza de su poder sobre nosotros, que creemos según la eficacia de su poderosa virtud.

**20.** Que él ha desplegado *y hecho patente* en la persona de Cristo, resucitándole de entre los muertos, y colocándole a su diestra en los cielos,

**21.** Sobre todo principado, y potestad y virtud, y dominación, y sobre todo nombre, por celebrado que sea no sólo en este siglo, sino también en el futuro.

**22.** Ha puesto todas las cosas bajo de los pies de él, y le ha constituído cabeza de toda la Iglesia, *así militante como triunfante,*

**23.** La cual es su cuerpo, y en la cual aquel que lo completa todo en todos halla el complemento *de todos sus miembros.*

## CAPITULO II

*Bienes grandes ya recibidos y otros mayores que gozamos en esperanza por la sangre de Jesucristo; por ésta han entrado los gentiles en la herencia de los hijos; y de todos, así gentiles como judíos, forma Jesucristo su Iglesia.*

**1.** *El es el que os dió vida* a vosotros, estando *como estábais* muertos *espiritualmente* por vuestros delitos y pecados,

---

CAP. I. — 6. Esta es la causa final de la predestinación: para que todos alabemos a Dios eternamente por habernos predestinado; para que seamos sus hijos adoptivos; y porque mediante su gracia, y sin que precediese ningún mérito de nuestra parte, antes el contrario, siendo indignos de merecerla, nos hizo dignos de la gloria en atención a los méritos de Jesucristo, que nos redimió con su sangre; nos libró del pecado y del imperio del demonio

y de la muerte: derramó sobre nosotros las riquezas de sus gracias, llenándonos de inteligencia para que conociésemos las sendas de la justicia y acertásemos a caminar por ellas. S. Tomás.

18. Que os comunique el don de sabiduría y luz espiritual, para que le conozcáis por sus efectos; éstos son la gloria que no tiene preparada y los medios admirables de que se vale para conducirnos a ella; que ilumine los ojos de vuestro corazón, para que entendáis que es lo que deben esperar los que han sido llamados por él; cuán rica y abundante ha de ser la gloria de aquella herència que ha de dar a sus santos; y cuán grande el poder y virtud, que ha manifestado en nosotros, obrando el inefable prodigio de nuestra conversión a la fe, no inferior a la que mostró, cuando resucitó a Jesucristo de entre los muertos. S. Tomás.

**2.** En que vivisteis en otro tiempo, según *la costumbre de* este siglo mundano, a merced del príncipe que ejerce su potestad sobre este aire, que es el espíritu que al presente domina en los hijos rebeldes,

**3.** Entre los cuales fuimos asimismo todos no-sotros en otro tiempo siguiendo nuestros deseos carnales, haciendo la voluntad de la carne y de las sugestiones *de los demás vicios,* y éramos por naturaleza *u origen* hijos de ira, no menos que *todos* los demás;

**4.** Pero Dios, que es rico en misericordia, movido del excesivo amor con que nos amó,

**5.** Aun cuando estábamos muertos por los pecados, *y éramos objetos de su cólera,* nos dió vida juntamente en Cristo (por cuya gracia vosotros habéis sido salvados).

**6.** Y nos resucitó con él, y nos hizo sentar sobre los cielos en la *persona de* Jesucristo,

**7.** Para mostrar en los siglos venideros las abundantes riquezas de su gracia, en *vista de* la bondad usada con nosotros por *amor de* Jesucristo.

**8.** Porque de *pura* gracia habéis sido salvados por medio de la fe, y esto no *viene* de vosotros, siendo *como es* un don de Dios;

**9.** Tampoco en virtud de *vuestras* obras *anteriores, puramente naturales,* para que nadie pueda gloriarse.

**10.** Por cuanto somo hechura suya *en la gracia como lo fuimos en la naturaleza,* criados en Jesucristo para obras buenas, preparadas por Dios *desde la eternidad* para que nos ejercitemos en ellas *y merezcamos la gloria.*

**11.** Así, pues, acordaos que en otro tiempo vosotros *que erais* gentiles de origen y llamados incircuncisos por los que se llaman circuncidados a causa de la circuncisión hecha en su carne, por mano *de hombre.*

**12.** *Acordaos, digo,* que vosotros no teníais entonces parte alguna con Cristo, *estabais enteramente* separados de la sociedad de Israel, extranjeros, *por lo tocante* a las alianzas, sin esperanza de la promesa *o bienes prometidos,* y sin Dios en este mundo.

**13.** Mas ahora *que creéis* en Cristo Jesús, vosotros que en otro tiempo estabais alejados *de Dios y de sus promesas,* os habéis puesto cerca por la sangre de Cristo.

**14.** Pues él es la paz nuestra, el que de los dos pueblos *judío y gentil* ha hecho uno, rompiendo, por medio *del sacrificio* de su carne, el muro de separación, esa enemistad *que los dividía,*

**15.** Aboliendo con sus preceptos *evangélicos* la ley de los ritos, *o las ceremonias legales,*

para formar en sí mismo de dos un solo hombre nuevo, haciendo la paz,

**16.** Y reconciliando a ambos *pueblos ya reunidos* en un solo cuerpo con Dios por medio de la cruz, destruyendo en sí mismo la enemistad de ellos.

**17.** Y así vino *al mundo* a evangelizar la paz a vosotros *los gentiles,* que estabais alejados *de Dios,* como a los *judíos,* que estaban cercanos;

**18.** Pues por él es por quien unos y otros tenemos cabida con el Padre *eterno, unidos* en el mismo Espíritu.

**19.** Así que ya no sois extraños, ni advenedizos, sino conciudadanos de los santos y domésticos *o familiares de la casa* de Dios;

**20.** Pues estáis edificados sobre el fundamento de los apóstoles y profetas, *y unidos* en Jesucristo, el cual es la principal piedra angular *de la nueva Jerusalén.*

**21.** Sobre quien trabado todo el *espiritual* edificio se alza para ser un templo santo del Señor.

**22.** Por él entráis también vosotros, *gentiles,* a ser parte de la estructura de este edificio, para *llegar a ser* morada de Dios por medio del Espíritu *Santo.*

## CAPITULO III

*Misterio admirable de la vocación de los gentiles, revelado claramente a los Apóstoles, y en especial a San Pablo, destinado de Dios particularmente para predicarles el evangelio.*

**1.** Por este motivo, yo, Pablo, preso por amor de Jesucristo, por *causa de* vosotros los gentiles,

**2.** Porque sin duda habréis entendido de qué *manera* me confirió Dios el ministerio de su gracia entre vosotros,

**3.** Después de haberme manifestado por revelación este misterio *de vuestra vocación* sobre el cual acabo de hablar *en esta carta, aunque* brevemente,

---

CAP. II. — **15.** Un solo pueblo, un solo cuerpo, un solo hombre nuevo por la unidad de la fe, reconciliándolos con Dios y entre sí, y poniendo el sello a esta reconciliación con la abolición de la ley ceremonial.

**19.** No sois ya extranjeros sino vecinos de la mística Jerusalén, ciudadanos de ella, juntamente con todos los santos que fueron y serán, y como hijos pertenecientes a la casa y familia de Dios.

**4.** Por cuya lectura podéis conocer la inteligencia mía en el misterio de Cristo.

**5.** *Misterio* que en otras edades no fué conocido de los hijos de los hombres, en la manera que ahora ha sido revelado a sus santos apóstoles y profetas por el Espíritu *Santo,*

**6.** *Esto es,* que los gentiles son llamados a la misma herencia *que los judíos,* miembros de un mismo cuerpo o *Iglesia,* y partícipes de la promesa divina en Jesucristo mediante el evangelio,

**7.** Del cual yo he sido constituido ministro, por el don de la gracia de Dios, que se me ha dado conforme a la eficacia de su poder.

**8.** A mí el más inferior de todos los santos *o fieles* se me dió esta gracia, de anunciar a las naciones las riquezas investigables de Cristo,

**9.** Y de ilustrar a todos *los hombres,* descubriéndoles la dispensación del misterio que después de tantos siglos había estado en el secreto de Dios, criador de todas las cosas,

**10.** Con el fin de que en *la formación de* la Iglesia se manifieste a los principados, y potestades en los cielos, la sabiduría de Dios en los *admirables y* diferentes modos *de su conducta.*

**11.** Según el eterno designio que puso en ejecución por *medio de* Jesucristo Nuestro Señor,

**12.** Por quien mediante su fe tenemos segura confianza y acceso libre *a Dios.*

**13.** Por tanto, os ruego que no caigáis de ánimo en vista de tantas tribulaciones como sufro por vosotros; pues estas *tribulaciones* son para vuestra gloria, *y prueba de mi apostolado.*

**14.** Por esta causa doblo mis rodillas ante el Padre de Nuestro Señor Jesucristo,

**15.** El cual es el principio *y la cabeza* de toda *esta gran* familia *que está* en el cielo y sobre la tierra;

---

CAP. III. — 5. El misterio de la vocación de los gentiles, fué revelado a un número muy corto de justos, antes de la venida de Cristo, y las profecías que lo anunciaban no eran entendidas por los Judíos. Lo que el Señor declaró sobre él a sus discípulos no disipó en todo sus antiguas preocupaciones, y el Espíritu Santo no les dió el conocimiento de este misterio sino por grados. Fué necesaria una visión y un mandamiento expreso de Dios para que San Pedro pasase a casa de Cornelio, y este Apóstol no apaciguó las murmuraciones de los fieles contra él, por esta causa, sino después de haberlos convencido haciéndoles relación de todo lo que había sucedido y que la gracia del Espíritu Santo era para los gentiles del mismo modo que para los Judíos.

**16.** Para que según las riquezas de su gloria os conceda por medio de su Espíritu el ser fortalecidos en virtud en el hombre interior,

**17.** Y el que Cristo habite por la fe en vuestros corazones, estando arraigados y cimentados en caridad,

**18.** A fin de que podáis comprender con todos los santos, cuál sea la anchura, y longura, y la alteza, y profundidad *de este misterio,*

**19.** Y conocer también aquel amor de Cristo *hacia nosotros,* que sobrepuja a todo conocimiento para que séais plenamente colmados *de todos los dones* de Dios.

**20.** Y en fin, a aquel *Señor* que es poderosos para hacer infinitamente más que *todo lo que nosotros* pedimos, *o de todo cuanto* pensamos, según el poder que obra eficazmente en nosotros,

**21.** A él sea la gloria, por *medio de* Cristo Jesús, en la Iglesia, por todas las generaciones de todos los siglos. Amén.

## CAPITULO IV

*Unión de los fieles en la unidad de la Iglesia, cuya perfección deben todos procurar según su grado. Vida de los gentiles, y cuál debe ser la de los cristianos.*

**1.** Yo, pues, que estoy entre cadenas por el Señor, os conjuro que os portéis de una manera *que sea* digna del estado *o dignidad* a que habéis sido llamados.

**2.** Con toda humildad y mansedumbre, con paciencia, soportándoos unos a otros con caridad,

**3.** Solícitos en conservar la unidad del espíritu con el vínculo de la paz,

**4.** *Siendo* un *solo* cuerpo y un *solo* espíritu, así como fuisteis llamados a una *misma* esperanza de vuestra vocación.

**5.** Uno *es el* Señor, una *la* fe, uno *el* bautismo;

**6.** Uno *el* Dios y Padre de todos, el cual es sobre todos, y gobierna todas las cosas, y *habita* en todos nosotros,

**7.** Si bien a cada uno de nosotros se le ha dado la gracia a medida de la donación *gratuita* de Cristo.

**8.** Por lo cual dice *la Escritura:* Al subirse a lo alto llevó consigo cautiva *o como en triunfo* a una grande multitud de cautivos, y derramó sus dones sobre los hombres.

---

Ellos por último quedaron persuadidos, pero llenos de admiración y de espanto.

9. Mas *¿por qué se dice* que subió, sino porque antes había descendido a los lugares más ínfimos de la tierra?

10. El que descendió, ése mismo es el que ascendió sobre todos los cielos, para dar cumplimiento a todas las cosas.

11. Y así, él mismo a unos ha constituido apóstoles, a otros profetas, y a otros evangelistas, y a otros pastores y doctores,

12. A fin de *que trabajen en* la perfección de los santos en las funciones de *su* ministerio, en la edificación del cuerpo *místico* de Cristo,

13. Hasta que arribemos todos a la unidad de una *misma* fe y de un *mismo* conocimiento del Hijo de Dios, al *estado de un* varón perfecto, a la medida de la edad perfecta según *la cual* Cristo *se ha de formar místicamente en nosotros;*

14. Por manera que ya no seamos niños fluctuantes, ni nos dejemos llevar aquí y allá de todos los vientos de opiniones *humanas,* por la malignidad de los hombres que engañan con astucia para introducir el error;

15. Antes bien siguiendo la verdad *del evangelio* con caridad, en todo vayamos creciendo en Cristo, que es nuestra cabeza,

16. Y de quien todo el cuerpo *místico de los fieles* trabado y conexo entre sí con la *fe y caridad,* recibe por todos los vasos y conductos de comunicación, según la medida correspondiente a cada miembro, el aumento propio del cuerpo para su perfección mediante la caridad.

17. Os advierto, pues, y yo os conjuro de parte del Señor, que ya no viváis como *todavía viven los otros* gentiles que proceden *en su conducta* según la vanidad de sus pensamientos,

18. Teniendo oscurecido *y lleno* de tinieblas el entendimiento, ajenos *enteramente* de vivir según Dios, por la ignorancia en que están, a causa de la ceguedad *o dureza* de su corazón;

19. Los cuales no teniendo ninguna esperanza, se abandonan a la disolución para zambullirse con un ardor insaciable en toda suerte de impurezas.

20. Pero *en cuanto a* vosotros, *no es éso* lo *que* habéis aprendido en la escuela de Jesucristo;

21. Pues en ella habéis oído predicar y aprendido, según la verdad de su doctrina,

22. A desnudaros del hombre viejo, según *el cual habéis vivido en* vuestra vida pasada, el cual se vicia siguiendo la ilusión de las pasiones.

23. Renovaos, pues, *ahora* en el espíritu de vuestra mente *o interior de vuestra alma,*

24. Y revestíos del hombre nuevo, que ha sido criado, conforme a *la imagen de* Dios, en justicia y santidad verdadera.

25. Por lo cual renunciando a la mentira, hable cada uno verdad con su prójimo, puesto que nosotros somos miembros los unos de los otros.

26. Si os enojáis, no queráis pecar; no sea que se os ponga el sol estando *todavía* airados.

27. No déis lugar *o entrada* al diablo.

28. El que hurtaba *o defraudaba al prójimo,* no hurte ya; antes bien trabaje, ocupándose con sus manos en algún ejercicio honesto, para tener con qué *subsistir y* dar al necesitado.

29. De vuestra boca no salga ningún discurso malo, sino los que sean buenos para edificación de la fe; que den gracia *o inspiren piedad* a los oyentes.

30. Y no queráis contristar *con vuestros pecados* al Espíritu Santo de Dios, con el cual fuisteis sellados para el día de la redención.

31. Toda amargura, ira y enojo, y gritería, y maledicencia, con todo género de malicia, destiérrese de vosotros.

32. Al contrario, sed mutuamente afables, compasivos, perdonándoos los unos a los otros, así como también Dios ha perdonado a vosotros por Cristo.

# CAPITULO V

*Exhorta a los efesios a la imitación de Jesucristo, a que se aparten de todo vicio, y se empleen en obras buenas; y trata de la santidad del matrimonio.*

1. Sed, pues, imitadores de Dios, como *que sois sus* hijos muy queridos,

2. Y proceded con amor *hacia vuestros hermanos,* a ejemplo de lo que Cristo nos amó, y se ofreció a sí mismo a Dios en oblación y hostia de olor suavísimo.

3. Pero la fornicación y toda especie de impureza, o avaricia, ni aun se nombre entre vosotros, como corresponde a *quienes Dios ha hecho* santos,

4. Ni *tampoco* palabras torpes, ni truhanerías, ni bufonadas, lo cual desdice *de vuestro estado;* sino antes bien acciones de gracias *a Dios.*

---

CAP. IV. — 26. O no permitáis que la ira tome asiento en vuestro corazón.

**5.** Porque tened esto bien entendido: que ningún fornicador, o impúdico, o avariento, lo cual viene a ser una idolatría, será heredero del reino de Cristo y de Dios.

**6.** Nadie os engañe con palabras vanas; pues por tales cosas descargó la ira de Dios sobre los incrédulos.

**7.** No queráis por tanto tener ·parte con ellos.

**8.** Porque verdad es que en otro tiempo *no* erais *sino* tinieblas; mas ahora sois luz en el Señor. Y *así* proceded como hijos de la luz.

**9.** El fruto, empero, de la luz consiste en *proceder* con toda bondad, y justicia, y verdad,

**10.** Inquiriendo lo que es agradable a Dios.

**11.** No queráis, pues, ser cómplices de las obras infructuosas de las tinieblas; antes bien, reprendedlas.

**12.** Porque las cosas que hacen ellos en secreto, no permite el pudor *ni aun* decirlas.

**13.** Mas todo lo que es reprensible, se descubre por la luz, siendo la luz la que lo aclara todo.

**14.** Por eso dice *el Señor:* Levántate, tú que duermes, y resucita de la muerte, y te alumbrará Cristo.

**15.** Y así mirad, hermanos, que andéis con gran circunspección, no como necios.

**16.** Sino como prudentes, recobrando *en cierto modo* el tiempo *perdido* porque los días *de nuestra vida* son malos.

**17.** Por tanto, no seáis indiscretos *e inconsiderados,* sino atentos sobre cuál es la voluntad de Dios,

**18.** Ni os entreguéis con exceso al vino, fomento de la lujuria, sino llenaos del Espíritu Santo,

**19.** Hablando entre vosotros *y entreteniéndoos* con salmos, y con himnos, y canciones espirituales, cantando y loando al Señor en vuestros corazones,

**20.** Dando siempre gracias por todo a Dios Padre, en el nombre de Nuestro Señor Jesucristo,

**21.** Subordinados unos a otros por el *santo* temor de Cristo.

**22.** Las casadas estén sujetas a sus maridos, como al Señor;

**23.** Por cuanto el hombre es cabeza de la mujer, así como Cristo es cabeza de la Iglesia, que es su cuerpo *místico,* del cuál él mismo es salvador.

**24.** De donde así como la Iglesia está sujeta a Cristo, así las mujeres lo han de estar a sus maridos en todo.

**25.** Vosotros, maridos, amad a vuestras mujeres, así como Cristo amó a su Iglesia, y se sacrificó por ella,

**26.** Para santificarla, limpiándola en el bautismo de agua con la palabra de vida,

**27.** A fin de hacerla comparecer delante de sí llena de gloria, sin mácula, ni arruga, ni cosa semejante, sino siendo santa e inmaculada.

**28.** Así también los maridos deben amar a sus mujeres como a sus propios cuerpos. Quien ama a su mujer, a sí mismo se ama.

**29.** Ciertamente que nadie aborreció jamás a su propia carne; antes bien la sustenta y cuida, así como también Cristo a la Iglesia.

**30.** Porque nosotros *que la componemos* somos miembros de su cuerpo, formados de su carne y de sus huesos.

**31.** Por eso *está escrito:* Dejará el hombre a su padre, y a su madre, y se juntará con su mujer, y serán los dos una carne.

**32.** Sacramento es éste grande, mas yo hablo con respecto a Cristo y a la Iglesia.

**33.** Cada uno, pues, de vosotros, ame a su mujer como a sí mismo; y la mujer tema *y respete* a su marido.

CAP. V. — 6. Persuadiéndoos que podéis impunemente cometer todos esos crímenes. I *Cor.* III.

**11.** A que se abandonan los idólatras e impíos.

**16.** Esto es, llenos de peligros y tentaciones.

**17.** Es muy necesaria la prudencia evangélica y la circunspección cristiana en medio de tantos enemigos como tiene la verdadera Iglesia. El Evangelio nos enseña a no irritar a nadie con un celo indiscreto, a sufrirlo todo con paciencia, a aprovechar más el tiempo para nuestra salvación. Procuremos conocer cuál es la voluntad de Dios, y conformémonos con ella perfectamente. Entrar en algún empeño importante sin consultar es una indiscreción que fácilmente nos precipita antes la adorable y omnipotente autoridad divina, en grandes excesos.

# CAPITULO VI

*Obligaciones respectivas de los hijos y de los padres, y de los criados de los amos. Armas espirituales del cristiano. Vigilancia y perseverancia en la oración.*

**1.** Hijos, vosotros obedeced a vuestros padres *con la mira puesta* en el Señor porque es ésta una cosa justa.

**2.** Honra a tu padre y a tu madre: que es el primer mandamiento *que va acompañado* con recompensa,

**3.** Para que te vaya bien, y tengas larga vida sobre la tierra.

**4.** Y vosotros, padres, no irritéis *con excesivo rigor* a vuestros hijos; mas educadlos corrigiéndolos e intruyéndolos según la *doctrina del* Señor.

**5.** Siervos, obedeced a vuestros señores temporales con temor y respeto, con sencillo corazón, como *al mismo* Cristo,

**6.** No sirviéndolos *solamente* cuando tienen *puesto* el ojo *sobre vosotros,* como *si no pensaseis más que* en complacer a los hombres, sino como siervos de Cristo, que hacen de corazón la voluntad de Dios, *que los ha puesto en tal estado;*

**7.** Y servidlos con amor, *haciéndoos cargo* que servís al Señor, y no a hombres.

**8.** Estando ciertos de que cada uno, *de todo* el bien que hiciere, recibirá del Señor *la paga,* ya sea esclavo, ya sea libre.

**9.** Y vosotros, amos, haced otro tanto con ellos, excusando las amenazas *y castigos,* considerando que unos y otros tenéis un mismo Señor allá en los cielos, y que no hay en él acepción de personas.

**10.** Por lo demás, hermanos míos, confortaos en el Señor, y en su virtud *todo* poderosa.

**11.** Revestíos de toda la armadura de Dios, para poder contrarrestar las asechanzas del diablo.

**12.** Porque no es nuestra pelea *solamente* contra *hombres de* carne y sangre, sino contra los príncipes y potestades, contra los adalides de estas tinieblas del mundo, contra los espíritus malignos *esparcidos* en los aires.

**13.** Por tanto, tomad las armas *todas* de Dios, *o todo su arnés,* para poder resistir en el día aciago, y sosteneros apercibidos en todo.

**14.** Estad, pues, a pie firme, ceñidos vuestros lomos con el cíngulo de la verdad, y armados de la coraza de la justicia,

**15.** Y calzados los pies prontos a *seguir y predicar* el evangelio de la paz,

**16.** Embrazando en todos *los encuentros* el broquel de la fe, con que podáis apagar todos los dardos encendidos del maligno *espíritu.*

**17.** Tomad también el yelmo de la salud; y empuñad la espada *espiritual o* del espíritu (que es la palabra de Dios);

**18.** Haciendo en todo tiempo con espíritu *y fervor* continuas oraciones y plegarias, y velando para lo mismo con todo empeño, y orando por todos los santos *o fieles,*

**19.** Y por mi *también,* a fin de que se me conceda el saber desplegar mis labios para predicar con libertad, manifestando el misterio del evangelio,

**20.** Del cual soy embajador *aun estando* entre cadenas, de modo que hable yo de él con valentía, como debo hablar.

**21.** En fin, en orden al estado de mis cosas, y lo que hago, os informará de todo Tíquico, nuestro carísimo hermano y fiel ministro en el Señor,

**22.** Al cual os he remitido ahí con este mismo fin, para que sepáis lo que es de nosotros, y consuele vuestros corazones.

**23.** Paz a los hermanos, y caridad y fe *de parte* de Dios Padre y del Señor Jesucristo.

**24.** La gracia sea con todos los que aman a Nuestro Señor Jesucristo con un amor puro *e incorruptible.* Amén.

---

**CAP. VI.** — **20.** Lo cual no ceso de hacer aunque encadenado y con un soldado de vista que me guarda siempre. Así estuvo en Roma el santo Apóstol, en quien se violaba el derecho de gentes, pues como embajador no podía ser preso, como lo notó el Crisóstomo.

**21.** Este acompañaba y servía al santo Apóstol.

**24.** Libres de toda corrupción del siglo, sin mezcla de amor propio ni de cosa que pueda ser desagradable a los ojos del Señor. Con toda sinceridad y pureza. S. Jerónimo.

# EPÍSTOLA DE SAN PABLO A LOS FILIPENSES

## Introducción

Los filipenses ocupaban una parte de Macedonia y fundaron la ciudad que lleva el nombre del que fue su rey, Filipo. El imperio romano la anexionaría, con posterioridad, a su vasto imperio oriental. San Pablo llegó a la ciudad durante su segundo viaje misional, alrededor de los años 50-53. Lucas, que acompañó al apóstol en su predicación del Evangelio en esta ciudad, narra en tono emotivo y brillante la labor evangelizadora de Pablo y el fruto de su trabajo, así como sus grandes padecimientos y su milagrosa liberación.

La iglesia de Filipo se mantuvo siempre fiel a su nueva fe y muy afectuosa para con la figura de su profeta. Los sentimientos de éste hacia la ciudad eran igualmente de gratitud y cariño, similares a los del padre para con su hijo preferido.

La singularidad de este afecto mutuo tomaría cuerpo con ocasión de la primera cautividad romana del evangelista: Filipo envió a un representante, Epafrodito, que se hizo responsable de llevar ayuda física, al tiempo que compañía y consuelo, a Pablo. Éste por su parte, aceptó gustoso las atenciones de que era objeto, contraviniendo su precepto de no aceptar la ayuda de ninguna iglesia. De regreso a Filipo, Epafrodito llevó a sus paisanos una carta del profeta pletórica de alegría cristiana del Pablo prisionero pero rebosante de felicidad.

La epístola a los Filipenses tiene un gran valor apologético, ya que pone de relieve, a través de un lenguaje y una poética encantadora y cercana, el poder transcendental del mensaje de Cristo.

## CAPITULO PRIMERO

*Después de agradecerles su afecto, les da cuenta del estado y disposición en que se halla entre las cadenas, y los exhorta a sufrir los trabajos por Cristo.*

1. Pablo y Timoteo, siervos de Jesucristo, a todos los santos en Cristo Jesús, que están en Filipo, con los obispos y diáconos:

2. La gracia y paz de Dios Padre nuestro y *de Nuestro* Señor Jesucristo sean con vosotros.

3. Yo doy gracias a mi Dios cada vez que me acuerdo de vosotros,

4. Rogando siempre con gozo por todos vosotros, en todas mis oraciones,

5. Al ver la parte que tomáis en el evangelio de Cristo desde el primer día hasta el presente.

6. Porque yo tengo una firme confianza, que quien ha empezado en vosotros la buena obra *de vuestra salud*, la llevará a cabo hasta el día de la *venida de Jesucristo,*

7. Como es justo que yo lo piense así de todos vosotros; pues tengo impreso en mi corazón, el que todos vosotros sois compañeros de mi gozo en mis cadenas, y en la defensa y confirmación del evangelio.

8. Dios me es testigo de *la ternura con* que os amo a todos en las entrañas de Jesucristo.

**9.** Y lo que pido es que vuestra caridad crezca más y más en conocimiento y en toda discreción,

**10.** A fin de que sepáis discernir lo mejor, y os mantengáis puros y sin tropiezo hasta el día de Cristo,

**11.** Colmados de frutos de justicia por Jesucristo, a gloria y loor de Dios.

**12.** Entre tanto ¡oh hermanos! quiero que sepáis, que las cosas que me han sucedido han redundado en mayor progreso del evangelio,

**13.** De suerte que mis cadenas por Cristo han llegado a ser notorias a toda la corte *del emperador* y a todos los demás *habitantes.*

**14.** Y muchos de los hermanos en el Señor, cobrando bríos con mis cadenas, con mayor ánimo se atreven a predicar sin miedo la palabra de Dios.

**15.** Verdad es que *hay* algunos *que* predican a Cristo por *espíritu de* envidia y *como por* tema, mientras otros lo hacen con buena intención,

**16.** Unos por caridad, sabiendo que estoy constituido para defensa del evangelio;

**17.** Otros, al contrario, por *celos y* tema *contra mí,* anuncian a Cristo con intención torcida, imaginándose agravar el peso de mis cadenas.

**18.** Mas ¿qué importa? Con tal que de cualquier modo Cristo sea anunciado, bien sea por algún *aparente* pretexto, o bien por un verdadero celo, en esto me gozo, y me gozaré siempre.

**19.** Porque sé que esto redundará en mi bien, mediante vuestras oraciones y el auxilio del Espíritu de Jesucristo,

**20.** Conforme a mis deseos y a la esperanza que tengo, de que por ningún caso quedaré confundido; antes estoy con total confianza de que también ahora, como siempre, Cristo será glorificado en mi cuerpo, ora sea por mi vida, ora sea por mi muerte.

**21.** Porque mi vivir es Cristo, y el morir ganancia *mía, pues me lleva a él.*

**22.** Pero si quedándome *más tiempo* en este cuerpo mortal, yo puedo sacar fruto de mi trabajo, no sé en verdad qué escoger, *si la muerte o la vida;*

**23.** Pues me hallo estrechado por ambos lados: tengo deseo de verme libre de las ataduras *de este cuerpo,* y estar con Cristo, lo cual es sin comparación mejor para *mí;*

**24.** Pero *por otra parte* el quedar en esta vida es necesario por vosotros.

**25.** Persuadido de esto entiendo que quedaré todavía, y permaneceré con todos vosotros, para provecho vuestro, y gozo *o exaltación de vuestra* fe;

**26.** A fin de que crezca vuestro *regocijo* y congratulación conmigo en Cristo Jesús, con motivo de mi regreso a vosotros.

**27.** Sólo *os encargo ahora* que vuestro proceder sea digno del evangelio de Cristo; para que, o sea que yo vaya a veros, o que esté ausente, oiga *decir* de vosotros que perseveréis firmes en un mismo espíritu, trabajando unánimes por la fe del evangelio.

**28.** Y no deben intimidaros *los esfuerzos de* los enemigos; pues esto *que hacen contra vosotros y* es la causa de su perdición, lo es para vosotros de salvación; y eso es *disposición* de Dios;

**29.** Pues que por *los méritos de* Cristo se os ha hecho la gracia, no sólo de creer en él, sino también de padecer por su amor,

**30.** Sufriendo el mismo conflicto, que antes *en esa ciudad* visteis en mí, y *el que* ahora habéis oído que sufro.

## CAPITULO II

*Exhórtalos a la unión y caridad fraternal, a la humildad y a la obediencia, con el ejemplo de Jesucristo. Recomienda y alaba a Timoteo y a Epafrodito.*

**1.** Por tanto, si hay *para mí* alguna consolación en Cristo *de parte de vosotros,* si algún refrigerio de *parte de vuestra* caridad, si alguna unión entre *nosotros* por *la participación de un mismo* espíritu, si *hay* entrañas de compasión *hacia este preso,*

**2.** Haced cumplido mi gozo sintiendo todos una misma cosa, teniendo una misma caridad, un mismo espíritu, unos mismos sentimientos,

**3.** No haciendo nada por tema, ni por vanagloria; sino que cada uno por humildad mire como superiores a los otros,

**4.** Atendiendo cada cual no *solamente* al bien de sí mismo, sino a lo que redunda en bien del prójimo.

**5.** Porque habéis de tener en vuestros corazones los mismos sentimientos, que tuvo Jesucristo en el suyo,

**6.** El cual teniendo la naturaleza de Dios, no fué por usurpación el ser igual a Dios;

---

CAP. II. — 6. *Colos.* I, 15; *Heb.* I. 3.

**7.** *Y* no obstante se anonadó a sí mismo tomando la forma o *naturaleza* de siervo, hecho semejante a los *demás* hombres, y reducido a la condición de hombre.

**8.** Se humilló a sí mismo haciéndose obediencia hasta la muerte, y muerte de cruz;

**9.** Por lo cual también Dios le ensalzó *sobre todas las cosas*, y le dió nombre superior a todo nombre,

**10.** A fin de que al nombre de Jesús se doble toda rodilla en el cielo, en la tierra y en el infierno;

**11.** Y toda lengua confiese que el Señor Jesucristo está en la gloria de Dios Padre.

**12.** Por lo cual, carísimos míos, (puesto que siempre habéis sido obedientes *a mi doctrina, sedlo ahora*) trabajad con temor y temblor en la obra de vuestra salvación, no sólo como en mi presencia, sino mucho más ahora en ausencia mía.

**13.** Pues Dios es el que obra o *produce* en vosotros por *un puro efecto de* su buena voluntad, no sólo el querer, sino el ejecutar.

**14.** Haced, pues, todas las cosas sin murmuraciones, ni perplejidades;

**15.** Para que seáis irreprensibles y sencillos *como* hijos de Dios, sin tacha en medio de una nación depravada y perversa, en donde resplandeceréis como lumbreras del mundo,

**16.** Conservando la palabra de vida *que os he predicado*, para que yo me gloríe en el día de Cristo, de que no he corrido en balde, ni en balde he trabajado.

**17.** Pues aun cuanto yo haya de derramar mi sangre *a manera de libación* sobre el sacrificio, y víctima de vuestra fe, me gozo, y me congratulo con todos vosotros.

**18.** Y de eso mismo habéis vosotros de holgaros y darme a mí el parabién.

**19.** Yo espero en el Señor Jesús enviaros muy presto a Timoteo, para consolarme yo también *y alentarme*, con saber de vuestras cosas.

**20.** Porque no tengo ninguna persona tan unida de corazón *y espíritu* conmigo como él, ni que se interese por vosotros con afecto más sincero;

**21.** Visto que *casi* todos buscan sus propios intereses, no los de Jesucristo.

**22.** Pues ya sabéis vosotros la experiencia *que tengo* de él, habiéndome servido en *la predicación del* evangelio, como un hijo al *lado de* su padre.

**23.** Así que espero enviárosle, luego que yo vea arregladas mis cosas.

**24.** Confío asimismo en el Señor, que aun yo en persona he de dir dentro de muy poco tiempo a veros.

**25.** Interin me ha parecido necesario el enviaros *ya* a Epafrodito, mi hermano, y coadjutor *en el ministerio*, y compañero *en los combates*, apóstol o *enviado* vuestro, y que me ha asistido en mis necesidades.

**26.** *Porque* a la verdad él tenía *grande* ansia de veros a todos; y estaba angustiado, porque vosotros habíais sabido su enfermedad.

**27.** Y cierto que ha estado enfermo a punto de morir; pero Dios tuvo misericordia de él, y no sólo de él sino también de mí, para que yo no padeciese tristeza sobre tristeza.

**28.** Por eso le he despachado más presto, a fin de que con su visita os gocéis de nuevo, y así yo esté sin pena.

**29.** Recibidle, pues, con toda alegría en el Señor, y con el honor debido a semejantes personas,

**30.** En atención a que por el servicio de Cristo ha estado a las puertas de la muerte, exponiendo su vida a trueque de suplir lo que vosotros *desde ahí* no podíais hacer en obsequio mío.

## CAPITULO III

*Que todas las cosas no valen nada en comparación de las que tenemos en Jesucristo. De los falsos apóstoles, enemigos de la cruz de Cristo.*

**1.** En fin, hermanos míos, vosotros alegraos en el Señor. A mí no me es molesto el escribiros las mismas cosas, y para vosotros es necesario.

**2.** Guardaos, *pues, os repito*, de *esos* canes, guardaos de los malos obreros, guardaos de los *falsos* circuncisos.

**3.** Porque los *verdaderos* circuncisos somos nosotros, que servimos en espíritu a Dios y nos gloriamos en Jesucristo, lejos de poner confianza en la carne,

**4.** Bien que podría gloriarme yo también en la carne. Si alguno, pues, presume aventajarme según la carne, *sepa que* más puedo yo,

---

CAP. II. — 7. Olvidando en cierta manera su gloria y para salvar a los hombres.

12. No confiando en vuestras propias fuerzas, sino en las que os comunicará la gracia de Dios.

17. Aunque pierda mi vida para fortaleceros en la fe de Jesucristo.

25. Con las limosnas con que le enviásteis.

CAP. III. — 2. Guardaos de esa inútil cortadura, o circuncisión, de esos falsos predicadores, que solamente ponen su mira en la circuncisión del cuerpo.

**5.** *Pues fuí* circuncidado al octavo día, *soy* del linaje de Israel, de la tribu de Benjamín, hebreo, hijo de hebreos, fariseo en *la manera de observar* la ley,

**6.** Celoso *por el judaísmo*, hasta perseguir la iglesia de Dios; y en cuanto a la justicia que consiste en la ley, ha sido mi proceder irreprensible.

**7.** Pero estas cosas que *antes* las consideraba yo como ventajas mías, me han parecido desventajas *y pérdidas* al poner los ojos en Cristo.

**8.** Y en verdad, todo lo tengo por pérdida *o desventaja*, en cotejo del sublime conocimiento de mi Señor Jesucristo, por cuyo amor he *abandonado* y perdido todas las cosas, y las miro como basura, por ganar a Cristo,

**9.** Y en él hallarme, no con tener la justicia mía, *la cual es la* que viene de la ley, sino aquella que nace de la fe de Jesucristo, la justicia que viene de Dios por la fe,

**10.** A fin de conocerle a él, *esto es, a Cristo*, y la eficacia de su resurrección, y participar de sus penas, asemejándome a su muerte,

**11.** De modo que *al cabo* pueda arribar a *merecer* la resurrección *gloriosa* de los muertos;

**12.** No que lo haya logrado ya *todo*, ni llegado a la perfección *de asemejarme a Cristo*; pero yo sigo *mi carrera* por ver si alcanzo aquello para lo cual fuí destinado, *o llamado*, por Jesucristo.

**13.** Yo, hermanos míos, no pienso haber tocado al fin *de mi carrera*. Mi única mira es, olvidando las cosas de atrás, y atendiendo sólo y mirando a las de delante,

**14.** Ir corriendo hacia el hito, para *ganar* el premio a que Dios llamada desde lo alto por Jesucristo.

**15.** Pensemos, pues, así *todos* los que somos perfectos; que si vosotros pensáis de otra suerte, *confío en que* Dios os iluminará también en esto *y sacará del error*.

**16.** Mas en cuanto a los *conocimientos* a que hemos arribado ya *en las verdades de la fe*, tengamos los mismos sentimientos, y perseverancia en la misma regla.

**17.** ¡Oh hermanos! sed imitadores míos, y poned los ojos en aquellos que proceden conforme al dechado nuestro que tenéis.

**18.** Porque muchos andan *por ahí*, como os decía repetidas veces, (y aun ahora lo digo con lágrimas) *que se portan como* enemigos de la cruz de Cristo,

**19.** El paradero de los cuales es la perdición; cuyo Dios es el vientre, y que hacen gala de lo que es su desdoro *y confusión*, aferrados a las cosas terrenas.

**20.** Pero nosotros vivimos *ya* como ciudadanos del cielo, de donde asimismo estamos aguardando al salvador, Jesucristo Señor nuestro,

**21.** El cual transformará nuestro vil cuerpo, y lo hará conforme al suyo glorioso, con la misma virtud *eficaz*, con que puede también sujetar a su imperio todas las cosas, *y hacer cuanto quiera de ellas*.

## CAPITULO IV

*Ultima exhortación del Apóstol a la práctica de todas las virtudes, y su agradecimiento por el socorro que le habían enviado.*

**1.** Por tanto, hermanos míos carísimos y amabilísimos, *que sois* mi gozo y mi corona, perseverad así firmes en el Señor, queridos *míos*.

**2.** Yo ruego a Evodia, y suplico a Síntique, que tengan unos mismos sentimientos en el Señor.

**3.** También te pido a ti ¡oh fiel compañero! que asistas a ésas que conmigo han trabajado por el evangelio con Clemente y los demás coadjutores míos, cuyos nombres están en el libro de la vida.

**4.** Vivid siempre alegres en el Señor; vivid alegres, repito.

**5.** Sea vuestra modestia patente a todos los hom-bres: el Señor está cerca.

**6.** No os inquietéis por la solicitud de cosa alguna; mas en todo presentad a Dios vuestras peticiones por medio de la oración y de las plegarias, acompañadas de hacimiento de gracias.

**7.** Y la paz de Dios, que sobrepuja a todo entendimiento, sea la guardia de vuestros corazones y de vuestros sentimientos, en Jesucristo.

**8.** Por lo demás, hermanos *míos*, todo lo que es *conforme a* verdad, todo lo que *respira* pureza, todo lo justo, todo lo que es santo, *o santifica*, todo lo que os haga amables, todo lo que sirve al buen nombre, toda virtud, toda disciplina loable, esto sea vuestro estudio.

**9.** Lo que habéis aprendido, y recibido, y oído, y visto en mí, esto habéis de practicar; y el Dios de la paz será con vosotros.

10. Yo por mí me holgué sobremanera en el Señor, de que al fin ha reflorecido aquel afecto que me tenéis: siempre lo habéis tenido *en vuestro corazón*, mas no hallabais coyuntura *para manifestarlo.*

11. No lo digo por razón de *mi* indigencia: pues he aprendido a contentarme con lo que tengo.

12. Sé vivir en pobreza, y sé vivir en abundancia; todo lo he probado y estoy ya hecho a todo: a tener hartura, y a sufrir hambre; a tener abundancia, y padecer necesidad.

13. Todo lo puedo en aquel que me conforta, *esto es, en Cristo.*

14. Sin embargo, habéis hecho una obra buena en concurrir al *alivio de* mi tribulación.

15. Por lo demás, bien sabéis vosotros, ¡oh filipenses! que después de haber comenzado *a predicaros* el evangelio, habiendo en seguida salido de la Macedonia, ninguna otra Iglesia, sino solamente la vuestra, me asistió con sus bienes;

16. Pues una y dos veces me remitisteis a Tesalónica con qué atender a mis necesidades.

17. No es que desee yo *vuestras* dádivas, sino lo que deseo es el provecho considerable *que resultará de ello* a cuenta vuestra *delante de Dios.*

18. Ahora lo tengo todo, y estoy sobrado; colmado estoy de bienes, después de haber recibido por Epafrodito lo que me habéis enviado, *y que he recibido como una oblación de* olor suavísimo, *como una* hostia acepta y agradable a Dios.

19. Cumpla, pues, mi Dios todos vuestros de-seos, según sus riquezas, con la gloria *que os dé* en Jesucristo.

20. Al Dios y Padre nuestro sea dada la gloria por los siglos de los siglos. Amén.

21. Saludad a todos los santos, *o fieles*, en Cristo Jesús.

22. Los hermanos, que conmigo están, os saludan. Os saludan todos los santos, y principalmente los que son de la casa, *o palacio,* de César.

23. La gracia de nuestro Señor Jesucristo sea con vuestro espíritu. Amén.

# Epístola de San Pablo a los Colosenses

## Introducción

Colosas, una ciudad de Frigia situada en el valle del Lico, fue un centro de importancia comercial y cultural antes de Cristo; después, languideció por la proximidad de dos emporios que les restaron importancia: Hierápolis y Laodicea. Curiosamente, Pablo no fue el fundador de la iglesia de Colosas; su fundador fue Epafras, un gentil convertido a la fe por el apóstol, cuando éste se hallaba en Éfeso, realizando su tercer viaje.

La comunidad colosense era fervorosa y formada, en gran parte, por étnicos-cristianos, aunque no faltaban judíos instalados en el valle del Lico. Esta comunidad, bien instruida en la fe de Cristo, empezó a ser amenazada de heterodoxia por la influencia que sobre ella ejercieran las doctrinas procedentes de falsos doctores. El motivo de la epístola está encaminado a corregir esta posible desviación, ya imperceptiblemente insinuada, antes de que tomara cuerpo de modo definitivo.

La carta, según parece, fue escrita en Roma a finales del primer encarcelamiento, de los varios que padeciera el apóstol, aproximadamente hacia el año 63. Se descarta la hipótesis, sólidamente sustentada durante un tiempo, según la cual la epístola fue redactada en Éfeso, durante un supuesto encarcelamiento de Pablo, ya que en los *Hechos* no se hace mención alguna a esta importante circunstancia.

En cuanto a los errores que Pablo se vio obligado a combatir en su carta, no se conocen a ciencia cierta su naturaleza, aunque con bastante seguridad podría afirmarse que derivaban del judaísmo.

### CAPITULO PRIMERO

*Alaba San Pablo la fe de los colosenses, y ruega por ellos. Jesucristo es la imagen perfecta de Dios, el Señor de todas las cosas, la cabeza de la Iglesia y el Redentor de los hombres. Pablo es el ministro de Jesucristo para anunciar el misterio de la vocación de los gentiles.*

1. Pablo, apóstol de Jesucristo por la voluntad de Dios, y Timoteo su hermano,

2. A los santos y fieles hermanos en Jesucristo, residentes en Colosas:

3. La gracia y paz sea con vosotros, de parte de Dios, Padre nuestro, y de Jesucristo Nuestro Señor. Damos gracias al Dios Padre de Nuestro Señor Jesucristo, orando siempre por vosotros,

4. Al oír vuestra fe en Cristo Jesús y el amor que tenéis a todos los santos, *o fieles,*

5. En vista de la esperanza *de la gloria,* que os está reservada en los cielos, *esperanza* que habéis adquirido cuando se os anunció la verdadera doctrina del Evangelio.

6. El cual se ha propagado entre vosotros, como asimismo en todo el mundo, donde fructifica y va creciendo, del modo que *lo ha hecho* entre vosotros, desde aquel día en que oísteis y conocisteis la gracia de Dios según la verdad,

**7.** Conforme la aprendisteis de nuestro carísimo Epafras *que es* nuestro compañero en el servicio *de Dios,* y un fiel ministro de Jesucristo para con vosotros;

**8.** El cual asimismo nos ha informado de vuestro amor *todo* espiritual.

**9.** Por eso también nosotros desde el día en que lo supimos, no cesamos de orar por vosotros y de pedir *a Dios* que alcancéis pleno conocimiento de su voluntad, con toda sabiduría e inteligencia espiritual,

**10.** A fin de que sigáis una conducta digna de Dios agradándole en todo, produciendo frutos en toda especie de obras buenas, y adelantando en la ciencia de Dios,

**11.** Corroborados en toda *suerte de* fortaleza por el poder glorioso *de su gracia,* para tener *siempre* una perfecta paciencia, y longanimidad acompañada de alegría,

**12.** Dando gracias a Dios Padre, que nos ha hecho dignos de participar de la suerte y *herencia* de los santos, *iluminándonos* con luz *del Evangelio;*

**13.** Que nos ha arrebatado del poder de las tinieblas, y trasladado al reino de su Hijo *muy* amado,

**14.** Por cuya sangre hemos sido nosotros rescatados, y recibido la remisión de los pecados,

**15.** Y el cual es imagen *perfecta* del Dios invisible, engendrado *ab eterno* ante toda criatura;

**16.** Pues por él fueron criadas todas las cosas en los cielos y en la tierra, las visibles y las invisibles, ora *sean* tronos, ora dominaciones, ora principados, ora potestades: todas las cosas fueron criadas por él mismo y en atención a él mismo;

**17.** Y así el tiene ser ante todas las cosas, y todas subsisten por él *y por él son conservadas.*

**18.** Y él es la cabeza del cuerpo de la Iglesia y el principio *de la resurrección,* el primero *a renacer* de entre los muertos, para que en todo tenga él la primacía;

**19.** Pues plugo *al Padre* poner en él la plenitud de todo ser,

**20.** Y reconciliar por él todas las cosas consigo, restableciendo la paz entre cielo y tierra, por *medio de* la sangre *que derramó* en la cruz.

**21.** Igualmente vosotros que antes os habíais extrañado *de Dios* y erais enemigos suyos de corazón, por *causa de* vuestras malas obras,

**22.** Ahora, en fin, os ha reconciliado en el cuerpo *mortal* de su carne, por *medio* de la muerte *que ha padecido,* a fin de presentaros santos sin mancilla, e irreprensibles delante de él *en la gloria,*

**23.** Con tal que perseveréis cimentados en la fe, y firmes, e inmobles en la esperanza del evangelio que oísteis, y que ha sido predicado en todas las naciones que habitan debajo del cielo, del cual yo, Pablo, he sido hecho ministro.

**24.** Yo que al presente me gozo de lo que padezco por vosotros, y estoy cumpliendo en mi carne lo que resta que padecer a Cristo *en sus miembros, sufriendo trabajos* en pro de su cuerpo *místico,* el cual es la Iglesia,

**25.** Cuyo ministro soy yo por la disposición de Dios, ministerio que se me ha dado en orden a vosotros, *gentiles,* para desempeñar *la predicación* de la palabra de Dios,

**26.** *Anunciándoos* el misterio escondido a los siglos y generacidones *pasadas,* y que ahora ha sido revelado a sus santos,

**27.** A quienes Dios ha querido hacer patentes las riquezas de las gloria de este arcano entre las naciones, el cual *no es otra cosa que* Cristo, *hecho por la fe* la esperanza de vuestra gloria.

**28.** Este es a quien predicamos nosotros, amonestando a todos los hombres, e instruyéndolos a todos en toda sabiduría o *conocimientos celestiales,* para hacerlos a todos perfectos en Jesucristo,

**29.** Al cual fin dirijo yo todos mis esfuerzos, peleando según el impulso que ejerce en mí *el Señor,* con su *poderosa* virtud.

---

CAP. PRIMERO. — **7.** Destinado especialmente para el gobierno de vuestra Iglesia. Fué obispo de ella, y la ilustró con su sangre. Los griegos celebran su memoria el 19 de Julio.

**15.** No solamente es la imagen interior del Dios invisible, porque encierra en sí todas las perfecciones de su Padre, y es Dios como él, sino también la exterior porque el Padre, que es invisible a los hombres, se hace conocer de ellos por la santidad, por la doctrina, y por los milagros de su hijo.

**18.** Como Dios, es el principio de todas las criaturas; como Hombre, es cabeza de la Iglesia y principio de la regeneración; y como mediador entre Dios y el Hombre, posee todas las excelencias humanas y divinas.

---

**23.** Esto quiere decir que los Apóstoles y discípulos del Señor se habían extendido por diferentes provincias y países del mundo para anunciar y predicar su Evangelio; y que los Gentiles convertidos por su predicación, entraban en la Iglesia y abrazaban la fe en tropas muy crecidas, y que los falsos apóstoles, que predicaban otra doctrina, se apartaban de la fe de todas las Iglesias del mundo.

## CAPITULO II

*Exhorta a los colosenses a que se guarden de los sofismas de los filósofos, de la superstición de los herejes, de los ritos del judaísmo y las falsas visiones.*

**1.** Porque deseo que sepáis las inquietudes que padezco por vosotros, y por los de Laodicea, y aun por aquellos *fieles* que *todavía* no me conocen de vista,

**2.** A fin de que sean consolados sus corazones, y que estando bien unidos por la caridad, sean llenados de todas las riquezas de una perfecta inteligencia, para conocer el misterio de Dios Padre, y de Jesucristo,

**3.** En quien están encerrados todos los tesoros de la sabiduría y de la ciencia.

**4.** Y digo esto, para que nadie os deslumbre con sutiles discursos, *o altisonantes palabras.*

**5.** Pues aunque con el cuerpo estoy ausente, no obstante con el espíritu estoy con vosotros, holgándome de ver vuestro buen orden y la firmeza de vuestra fe en Cristo.

**6.** Ya, pues, que habéis recibido por Señor a Jesucristo, seguid sus pasos,

**7.** *Unidos a* él *como a* vuestra raíz, y edificados sobre él *como sobre nuestro fundamento,* y confirmados en la fe que se os ha enseñado, creciendo más y más en ella con *continuas* acciones de gracias.

**8.** Estad sobre aviso para que nadie os seduzca por medio de una filosofía *inútil y falaz,* y con vanas sutilezas, *fundadas* sobre la tradición de los hombres, conforme a las máximas del mundo, y no conforme a *la doctrina* de Jesucristo;

**9.** Porque en él habita toda la plenitud de la divinidad corporalmente, *esto es, real y sustancialmente,*

**10.** Y lo tenéis todo en él, que es la cabeza de todo principado y potestad.

**11.** En el cual fuisteis vosotros también circuncidados, con circuncisión no *carnal o* hecha por mano que cercena la carne del cuerpo, sino con la circuncisión de Cristo,

**12.** Siendo sepultados con él por el bautismo, y con él resucitados *a la vida de la gracia* por la fe *que tenéis* del poder de Dios, que le resucitó de la muerte.

**13.** En efecto, cuando estábais muertos por vuestro pecados y por la incircuncisión *o desorden* de vuestra carne, *entonces* os hizo revivir con él, perdonándoos *graciosamente* todos los pecados;

**14.** Y cancelada la cédula del decreto firmado contra nosotros, que nos era contrario, quitóla de en medio, enclavándola en la cruz.

**15.** Y despojando *con esto* a los principados y potestades *infernales,* los sacó valerosamente en público, y llevólos delante de sí, triunfando de ellos en su propia persona, *o por su pasión y muerte.*

**16.** Nadie, pues, os condene por razón de la comida, o bebida, o en punto de días festivos, o de novilunios, o de sábados, *u otras observancias de la ley.*

**17.** Cosas todas que eran sombra de las que habían de venir; mas el cuerpo, *o la realidad de ellas,* es Cristo.

**18.** Nadie os extravíe *del recto camino,* afectando humildad, *enredándoos* con un culto supersticioso de los ángeles, metiéndose en hablar de cosas que no ha visto, hinchado vanamente de su prudencia carnal,

**19.** Y no estando unido con la cabeza, *que es Jesucristo,* de la cual todo el cuerpo recibiendo la influencia por sus ligaduras y coyunturas, va creciendo por el aumento que Dios le da.

**20.** Si habéis muerto, pues, con Jesucristo en orden a aquellas *primeras y* elementales instrucciones del mundo, ¿por qué la queréis reputar todavía por leyes vuestras, como si vivieseis en *la epoca aquella del* mundo?

**21.** No comáis, *se os dice,* ni gustéis, ni toquéis *esto o aquello;*

**22.** *No obstante* que todas éstas, prescritas por ordenanzas y doctrinas humanas, son tales que se destruyen con el uso mismo *que de ellas se hace.*

**23.** Pero en ellas hay verdaderamente una especie de sabiduría *cristiana* en su observancia libre y acompañada de humildad, y en castigar al cuerpo y no contemplar nuestra carne.

---

**CAP. II.** — **15.** Del dominio que habían ejercido en nosotros por causa del pecado.

**18.** Publicando que sólo por medio de los ángeles podemos llegarnos a Dios.

**19.** Los Sacramentos son como los conductos por donde se comunica la vida de la gracia a todo el cuerpo místico de Cristo, que es la Iglesia.

**22.** Según San Jerónimo, San Juan Crisóstomo y San Ambrosio, el texto puede traducirse en un sentido diferente, del modo siguiente: *Estas cosas no tienen más que una apariencia de sabiduría* (o piedad); *porque nacen de una falsa piedad, y de una humildad afectada que no cuida del cuerpo, privándolo del sustento necesario.*

## CAPITULO III

*De la renovación de las costumbres conforme a la nueva vida recibida de Cristo. Varios avisos a los casados, a los padres de familia y a los criados.*

1. Ahora bien, si habéis resucitado con Cristo, buscad las cosas que son de arriba, donde Cristo está sentado a la diestra de Dios *Padre*;

2. Saboreaos en las cosas del cielo, no en las de la tierra.

3. Porque muertos estáis ya, y vuestra *nueva* vida está escondida con Cristo en Dios.

4. Cuando, empero, aparezca Cristo, que es vuestra vida, entonces apareceréis también vosotros con él gloriosos.

5. Haced morir, pues, los miembros del hombre terreno que hay en vosotros, la fornicación, la impureza, las pasiones deshonestas, la concupiscencia desordenada y la avaricia, que *todo* viene a ser una idolatría;

6. Por las cuales cosas descarga la ira de Dios sobre los incrédulos,

7. Y en las cuales anduvisteis también vosotros en otro tiempo, pasando en aquellos desórdenes vuestra vida.

8. Mas ahora dad ya de mano a todas esas cosas: a la cólera, al enojo, a la malicia, a la maledicencia, *y lejos* de vuestra boca toda palabra deshonesta.

9. No mintáis los unos a los otros; *en suma*, desnudaos del hombre viejo con sus acciones,

10. Y vestíos del nuevo, de aquel que por el conocimiento *de la fe* se renueva según la imagen del *Señor* que le crió,

11. Para con el cual no hay distinción de gentil y judío, de circunciso y no circunciso, de bárbaro y escita, de esclavo y libre, sino que Cristo es todo el *bien*, y está en todos.

12. Revestíos, pues, como escogidos que sois de Dios, santos y amados, *revestíos* de entrañas de compasión, de benignidad, de humildad, de modestia, de paciencia,

13. Sufriéndoos los unos a los otros, y perdonándoos mutuamente, si alguno tiene queja contra otro: así como el Señor os ha perdonado, así *lo habéis de hacer* también vosotros.

14. Pero sobre todo mantened la caridad, la cual es el vínculo de la perfección.

15. Y la paz de Cristo triunfe en vuestros corazones, *paz divina a* la cual fuisteis asimismo llamados para formar *todos* un solo cuerpo, y sed agradecidos *a Dios.*

16. La palabra de Cristo o *su doctrina* en abundancia tenga su morada entre vosotros, con toda sabiduría, enseñandoos y animándoos unos a otros, con salmos, con himnos y cánticos espirituales, cantando de corazón con gracia o *edificación* las alabanzas a Dios.

17. Todo cuanto hacéis, sea de palabra o de obra, *hacedlo* todo en Nombre de Nuestro Señor Jesucristo, *y a gloria suya*, dando por medio de él gracias a Dios Padre.

18. Mujeres, estad sujetas a los maridos, como es debido, en *lo que es según* el Señor.

19. Maridos, amad a vuestras mujeres, y no las tratéis con aspereza.

20. Hijos, obedecer a vuestros padres en todo, porque esto es agradable al Señor.

21. Padres, no provoquéis la ira, *o no irritéis*, a vuestros hijos *con excesiva severidad*, para que no se hagan pusilánimes, *o apocados.*

22. Siervos, obedeced en todo a vuestros amos temporales, no sirviéndolos *sólo* mientras tienen la vista sobre vosotros, como si no deseaseis *más que* complacer a los hombres, sino con sencillez de corazón y temor de Dios.

23. Todo lo que hagáis, hacedlo de buena gana, como quien sirve a Dios y no a hombres,

24. Sabiendo que recibiréis del Señor la herencia *del cielo* por galardón *o salario*, pues a Cristo *nuestro Señor es a quien* servís, *en la persona de vuestros amos.*

25. Mas el que obra mal o *injustamente* llevará el pago de su injusticia: porque en Dios no hay acepción de personas.

## CAPITULO IV

*Ultimos avisos del Apóstol. Recomienda a Tíquico y a Onésimo, y saluda a varios.*

1. Amos, tratad a los siervos según lo que dictan la justicia y la equidad, sabiendo que también vosotros tenéis *un* amo en el cielo.

2. Perseverad en la oración, velando en ella *y acompañándola* con acciones de gracias,

3. Orando juntamente con nosotros, para que Dios nos abra la puerta de la predicación a fin de anunciar el misterio de *la redención de los hombres por* Cristo (por cuya causa estoy todavía en prisiones).

**4.** Y para que yo le manifieste de la manera *firme* con que debo hablar de él.

**5.** Portaos sabiamente *y con prudencia* con aquellos que están fuera *de la Iglesia*, resarciendo el tiempo *perdido*.

**6.** Vuestra conversación sea siempre con agrado, sazonada con *la sal de la discreción*, de suerte que acertéis a responder a cada uno como conviene.

**7.** De todas mis cosas os informará Tíquico, mi carísimo hermano, y fiel ministro, y consiervo en el Señor,

**8.** Al cual ha enviado a vosotros expresamente para que se informe de vuestras cosas, y consuele vuestros corazones,

**9.** Juntamente con Onésimo, mi muy amado y fiel hermano, el cual es vuestro *compatriota*. Estos os contarán todo lo que aquí pasa.

**10.** Salúdaos Aristarco, mi compañero en la prisión, y Marcos, primo de Bernabé, acerca del cual os tengo ya hechos mis encargos; si fuere a vosotros, recibidle bien.

**11.** Os saluda también Jesús, por sobrenombre Justo: éstos son de los circuncisos, *o de los hebreos convertidos*, y ellos solos son los que me ayudan a *anunciar* el reino de Dios, y me han servido de consuelo.

**12.** Salúdaos Epafras, el cual es de los vuestros, *o vuestro paisano*, *siervo fiel* de Jesucristo, siempre solícito en rogar por vosotros en sus oraciones, para que seáis perfectos, y conozcáis bien todo lo que Dios quiere *de vosotros*.

**13.** Pues yo soy testigo de lo mucho que se afana por vosotros, y por los de Laodicea, y de Hierápolis.

**14.** Salúdaos el muy amado Lucas, médico, y también Demas.

**15.** Saludad vosotros a los hermanos de Laodicea, y a Ninfas, y a la Iglesia que tiene en su casa.

**16.** Leída que sea esta carta entre vosotros, hacer que se lea también en la Iglesia de Laodicea, como el que vosotros asimismo leáis la de los laodicenses.

**17.** Finalmente, decid *de mi parte* a Arquipo: Considera bien el ministerio, que has recibido en nombre del Señor, a fin de desempeñar todos sus cargos.

**18.** La salutación va de mi propia mano: Pablo. Acordaos de mis cadenas. La gracia sea con vosotros. Amén.

# EPÍSTOLA PRIMERA DE SAN PABLO A LOS TESALONICENSES

## Introducción

Esta epístola se considera como la primera escrita por San Pablo. Tesalónica, antigua capital de Macedonia, hoy nombrada Salónica, era un importante centro de tráfico humano y comercial, razón por la cual el apóstol pensó convertirla en un centro vital para la irradiación de su labor apostólica. Ésta hubo de ser, no obstante, suspendida por San Pablo a causa de la manifiesta hostilidad de la colonia judía, muy refractaria a sus prédicas. El apóstol se trasladó a Berea, y desde allí pasó a Corinto, desde donde esperó pacientemente noticias de la comunidad cristiana de Tesalónica. Éstas llegarían por fin de labios de Timoteo y Silas, a quienes había mandado a la ciudad para sostener, alentar y fomentar la fe de la comunidad cristiana, todavía incipiente y formada en su mayoría por gentiles. Las noticias de sus dos enviados no podían ser más felices: los cristianos seguidores de Pablo mantenían el ardor de su fe a pesar de las duras persecuciones de que eran objeto. Al no poder trasladarse personalmente a Tesalónica, Pablo escribió esta primera epístola a los fieles de aquella ciudad. En ella los exhortaba, alentándolos, a seguir fieles a sus nuevas creencias, al tiempo que les hablaba de la resurrección y de la venida de Jesucristo. Esta epístola sería pues la primera del epistolado paulino por su cronología. Fue escrita en Corinto, después de la vuelta de Timoteo de Macedonia, probablemente hacia el año 51-52.

## CAPITULO PRIMERO

*Alaba el Apóstol a los tesalonicenses por haber sido un dechado de los demás fieles con el fervor de su esperanza y caridad, en medio de las tribulaciones.*

1. Pablo, y Silvano, y Timoteo, a la Iglesia de los tesalonicenses, *congregada* en Dios Padre, y en Nuestro Señor Jesucristo:

2. Gracia y paz sea con vosotros. Sin cesar damos gracias a Dios por todos vosotros, haciendo continuamente memoria de vosotros en nuestras oraciones,

3. Acordándonos delante de Dios y Padre nuestro, de las obras de vuestra fe, de los trabajos de vuestra caridad, y de la firmeza de vuestra esperanza en Nuestro Señor Jesucristo;

---

CAP. I. — 1. Discípulos de San Pablo. Timoteo, obispo de Efeso a quien San Pablo dedicó varias epístolas.

**4.** Considerando, amados hermanos, que vuestra elección, *o vocación a la fe*, es de Dios;

**5.** Porque nuestro Evangelio no se anunció a vosotros sólo con palabras, sino también con milagros y *dones del* Espíritu Santo, con eficaz persuasión, porque ya sabéis cuál fué nuestro proceder entre vosotros para *procurar* vuestro bien.

**6.** Vosotros de vuestra parte os hicisteis imitadores nuestros y del Señor, recibiendo su palabra en medio de muchas tribulaciones, con gozo del Espíritu Santo,

**7.** De suerte que habéis servido de modelo a cuantos han creído en la Macedonia y en Acaya.

**8.** Pues que de vosotros se difundió la palabra del Señor, *o el evangelio*, no sólo por la Macedonia y por la Acaya, sino que por todas partes se ha divulgado *en tanto grado* la fe que tenéis en Dios, que no tenemos necesidad de decir nada *sobre esto*.

**9.** Porque los mismos *fieles* publican el suceso que tuvo nuestra entrada entre vosotros, y cómo os convertisteis a Dios abandonando los ídolos, por servir al Dios vivo y verdadero,

**10.** Y para esperar del cielo a su Hijo Jesús, a quien resucitó de entre los muertos, y el cual nos libertó de la ira venidera.

## CAPITULO II

*San Pablo hace presente a los tesalonicenses la libertad, desinterés y celo con que les predicó el evangelio; y también el entrañable amor que les profesa por su constancia en la fe.*

**1.** El hecho es que vosotros, hermanos *míos*, sabéis bien cómo nuestra llegada a vuestra ciudad no fué en vano, *o sin fruto*;

**2.** Sino que habiendo sido antes maltratados y afrentados, *o azotados con varas* (como no ignoráis) en Filipo, puesta en nuestro Dios la confianza, pasamos animosamente a predicaros el Evan-gelio de Dios en medio de muchos obstáculos.

**3.** Porque no os hemos predicado *ninguna doctrina de* error, ni de inmundicia, ni con el designio de engañaros;

**4.** Sino que del mismo modo que fuimos aprobados de Dios para que se nos confiase su evangelio, así hablamos *o predicamos*, no como para agradar a los hombres, sino a Dios, que sondea nuestros corazones.

**5.** Porque nunca usamos del lenguaje de adulación, como sabéis, ni de ningún pretexto de avaricia: Dios es testigo *de todo esto;*

**6.** Ni buscamos gloria de los hombres, ni de vosotros, ni de otros algunos.

**7.** Pudiendo como apóstoles de Cristo gravaros, *con la carga de nuestra subsistencia*, más bien nos hiciemos párvulos, *o mansos y suaves*, en medio de vosotros, como una madre que está criando, llena de ternura para con sus hijos,

**8.** De tal manera apasionados por vosotros, que deseábamos con ansia comunicaros no sólo el evangelio de Dios, sino daros también *hasta* nuestra misma vida: tan queridos llegasteis a ser de nosotros.

**9.** Porque bien os acordaréis, hermanos *míos*, de nuestros trabajos y fatigas *por amor vuestro*, *cómo* trabajando de día y de noche, a trueque de no gravar a nadie, *ganándonos nuestro sustento*, predicamos ahí el evangelio de Dios.

**10.** Testigos sois vosotros, y *también* Dios, de cuán santa, y justa, y sin querella alguna, fué nues-tra mansión entre vosotros, que habéis abrazado la fe,

**11.** *Sabiendo*, como sabéis, que *nos hemos portado* con cada uno de vosotros (a la manera que un padre con sus hijos),

**12.** Amonestándoos, consolándoos, y conjurándoos a llevar una vida digna de gloria.

**13.** De aquí es que no cesamos de dar gracias al Señor; porque cuando recibisteis la palabra de Dios oyéndola de nosotros, la recibisteis, no como palabra de hombre, sino, según es verdaderamente, como palabra de Dios, que fructifica en vosotros que habéis creído.

**14.** Porque vosotros, hermanos *míos*, habéis imitado a las Iglesias de Dios que hay en Judea *reunidas* en Jesucristo, siendo así que habéis sufrido de los de vuestra *propia* nación las mismas persecuciones que aquéllas han sufrido de los Judíos;

**15.** Los cuales también mataron al Señor Jesús y a los profetas, y a nosotros nos han perseguido, y desagradan a Dios, y son enemigos de todos los hombres, *pues se oponen a su salvación*,

---

**CAP. III.** — **3.** Como han hecho Simón Mago, Cerinto, y otros falsos apóstoles.

**9.** ¡Qué materia tan abundante para reflexiones cristianas presenta aquí el Apóstol San Pablo!

**16.** Prohibiéndonos el predicar a los gentiles a fin de que se salven, para ir siempre ellos llenando la medida de sus pecados; por lo que la ira de Dios ha caído sobre su cabeza, *y durará* hasta el fin.

**17.** Pero en cuanto a nosotros, hermanos míos, después de haber estado por un poco de tiempo separados de vosotros con el cuerpo, no con el corazón, hemos deseado con tanto más ardor y empeño volveros a ver.

**18.** Por eso quisimos pasar a visitaros; y en particular yo, Pablo, *he estado resuelto a ello* más de una vez; pero Satanás nos lo ha estorbado.

**19.** En efecto, ¿cuál es nuestra esperanza, nuestro gozo, y la corona *que formará* nuestra gloria? ¿No sois vosotros delante de Nuestro Señor Jesucristo, para *el día de* su advenimiento?

**20.** Sí, vosotros sois nuestra gloria y nuestro gozo.

## CAPITULO III

*Consuelo del Apóstol al saber por Timoteo la constancia de los tesalonicenses en la fe de Jesucristo.*

**1.** Por este motivo, no pudiendo sufrir más *el estar sin saber de vosotros,* tuvimos por bien quedarnos solos en Atenas.

**2.** Y despachamos a Timoteo, hermano nuestro y ministro de Dios en *la predicación del* evangelio de Jesucristo, para confirmaros y esforzaros en vuestra fe,

**3.** A fin de que ninguno se conturbe *ni bambalee* por estas tribulaciones; pues vosotros mismos sabéis que a esto estamos destinados.

**4.** Porque ya cuando estábamos con vosotros, os predecíamos que habíamos de padecer tribulaciones, así como ha sucedido, y tenéis noticia *de ello.*

**5.** Por esto mismo no pudiendo ya sufrir más, envié a informarme de vuestra fe, temiendo que el tentador os hubiese tentado, y se perdiese nuestro trabajo.

**6.** Pero ahora que Timoteo regresado acá de vosotros, nos ha traído nuevas de la fe y caridad vuestra, y cómo conserváis siempre buena memoria de nosotros, deseando vernos, igualmente que nosotros os deseamos ver también,

**7.** Con eso, hermanos, hemos tenido gran consuelo, a vista de vuestra fe en medio de todas nuestras necesidades y tribulaciones;

**8.** Porque ahora *podemos decir que* vivimos, puesto que vosotros estáis firmes en el Señor.

**9.** Y en efecto, ¿qué acción de gracias *bas-* *tante* podemos tributar a Dios por vosotros, por todo el gozo que experimentamos por vuestra causa delante de nuestro Dios?

**10.** Esto es lo que nos hace rogarle día y noche con la mayor instancia, que nos permita pasar a veros y acabar las instrucciones que faltan a vuestra fe.

**11.** ¡Oh! quiera el Dios y Padre nuestro, y Nuestro Señor Jesucristo, dirigir nuestros pasos hacia vosotros.

**12.** Entre tanto el Señor os multiplique, y aumente vuestra caridad recíprocamente, y para con todos, tal cual es la nuestra para con vosotros,

**13.** A fin de fortalecer vuestros corazones en santidad, *y ser* irreprensibles delante de Dios y Padre nuestro, para cuando venga Nuestro Señor Jesucristo con todos sus santos. Amén.

## CAPITULO IV

*Que debemos huir de la lujuria y ociosidad, y que no hemos de contristarnos, como los gentiles, por la muerte de los difuntos, teniendo la esperanza de la resurrección.*

**1.** Por lo demás, hermanos, os rogamos y conjuramos por el Señor Jesús, que según aprendisteis de nosotros el modo cómo debéis portaros y agradar a Dios, así procedáis para adelantar más y más *en el camino del Señor.*

**2.** Porque ya sabéis qué preceptos os he dado *en nombre* del Señor Jesús.

**3.** Esta es la voluntad de Dios, *a saber,* vuestra santificación, que os abstengáis de la fornicación,

**4.** Que sepa cada uno de vosotros usar del propio cuerpo santa y honestamente,

**5.** No con pasión libidinosa, como lo hacen los gentiles, que no conocen a Dios;

**6.** Y que nadie oprima a su hermano, ni le engañe en ningún asunto; puesto que Dios es vengador de todas estas cosas, como ya antes os hemos dicho y protestado;

**7.** Porque no nos ha llamado Dios a inmundicia, sino a santidad.

**8.** Así que quien menosprecia estos *preceptos,* no desprecia a un hombre, sino a Dios, *que es el autor de ellos, y* el cual asimismo nos ha dado su santo Espíritu.

**9.** Por lo que mira a la caridad fraterna no hay necesidad de escribiros; pues vosotros mismos aprendisteis de Dios el amaros los unos a los otros,

10. Y así lo hacéis con cuantos hermanos hay en toda la Macedonia. Pero os rogamos, hermanos míos, que adelantéis o crezcáis más y más en este amor;

11. Y procuréis vivir quietos; y atendáis a lo que tengáis que hacer; y trabajéis con vuestras manos, conforme os tenemos ordenado, y que os portéis modestamente con los que están fuera de la Iglesia, y que no codiciéis cosa alguna de nadie.

12. En orden a los difuntos no queremos, hermanos, dejaros en ignorancia, porque no os entristezcáis, del modo que suelen los demás hombres, que no tienen la esperanza de la vida eterna.

13. Porque si creemos que Jesús, nuestra cabeza, murió y resucitó, también debemos creer que Dios resucitará y llevará con Jesús a la gloria a los que hayan muerto en la fe y amor de Jesús.

14. Por lo cual os decimos sobre la palabra del Señor, que nosotros los viviente, o los que quedaremos hasta la venida del Señor, no tomaremos la delantera a los que ya murieron antes:

15. Por cuanto el mismo Señor a la intimación, y a la voz del arcángel, y al sonido de la trompeta de Dios, descenderá del cielo; y los que murieron en Cristo, resucitarán los primeros.

16. Después, nosotros los vivos, los que hayamos quedado, seremos arrebatados juntamente con ellos sobre nubes al encuentro de Cristo en el aire, y así estaremos con el Señor eternamente.

17. Consolaos, pues, los unos a los otros con estas verdades.

---

CAP. IV. — 12. De los que han muerto. El griego *duermo* se toma por *morir,* de donde *dormitorio,* que los latinos han tomado de los griegos, *coemeterium,* es el lugar donde se entierran los muertos. La muerte de los cristianos no se debe llamar muerte, sino sueño. San Cipriano.

14. En la incertidumbre de aquel gran día, se considera el Apóstol como uno de aquellos que se hallarán vivos entonces, y se cita a sí mismo por ejemplo de lo que sucederá a los que en aquel punto estuvieren aún vivos, los cuales habrán de recibir a Cristo más pronto que los que de muchos siglos habrán muerto y estarán reducidos a polvo. De esta manera de hablar del Apóstol, han creído comúnmente los Padres griegos que los escogidos que vivan en aquel tiempo no sufrirán la muerte, sino que en un punto serán trasladados y revestidos de la incorrupción y de la inmortalidad; y que en este paso instantáneo de un estado caduco y mortal a otro de inmortalidad y de gloria, consistirá su resurrección. Mas casi todos los Padres latinos, fundados en que todos los hijos de Adán deben morir, dan por sentado que morirán también, aunque su muerte, por el corto espacio que mediará entre ella y su resurrección, más debe llamarse sueño que muerte. I *Corint.* XV, *v.* 51. San Agustín y Santo Tomás.

# CAPITULO V

*Les advierte que la segunda venida del Señor será cuando menos piensen, exhorta a prepararse con buenas obras a súbditos, a superiores y a todos en general, pidiéndoles por último que rueguen por él a Dios.*

1. Pero en cuanto al tiempo y al momento *de esta segunda venida de Jesucristo,* no necesitáis, hermanos míos, que os escriba;

2. Porque vosotros sabéis muy bien, que como el ladrón de noche, así vendrá el día del Señor.

3. Pues cuando *los impíos* estarán diciendo *que hay* paz y seguridad, entonces los sobrecogerá de repente la ruina, como el dolor *de parto* a la preñada, sin que puedan evitarla.

4. Mas vosotros, hermanos, no vivís en *las* tinieblas *del pecado,* para que os sorprenda como ladrón aquel día;

5. Pues que todos vosotros sois hijos de la luz e hijos del día; no lo somos de la noche ni de las tinieblas.

6. No durmamos, pues, como los demás; antes bien estemos en vela, y vivamos con templanza.

7. Pues los que duermen, duermen de noche; y los que se embriagan, de noche se embriagan.

8. Nosotros, empero, que somos *hijos* del día, *o de la luz de la fe,* vivamos en sobriedad, vestidos de cota de fe y de caridad, y *teniendo* por yelmo la esperanza de la salud *eterna.*

9. Porque no nos ha puesto Dios para *blanco de* venganza, sino para *hacernos* adquirir la salud por Nuestro Señor Jesucristo,

10. El cual murió por nosotros, a fin de que ora velando, ora durmiendo, vivamos juntamente con él.

11. Por lo cual consolaos mutuamente, y edificaos los unos a los otros, como ya lo hacéis.

12. Asimismo, hermanos, os rogamos que tengáis especial consideración a los que trabajan entre vosotros, y os gobiernan en el Señor, y os instruyen,

13. Dándoles las mayores muestras de caridad por sus desvelos; conservad la paz con ellos.

---

CAP. V. — 1. Esta noticia no es necesaria ni pertenece tampoco a los hombres, aunque es probable que el Apóstol la supo en el rapto al tercer cielo. Ni aun es útil, como lo hace ver con su exposición San Juan Crisóstomo.

3. Cuando los males estarán en mayor tranquilidad y descuido.

**14.** Os rogamos también, hermanos, que corrijáis a los inquietos, que consoléis a los pusilánimes, que soportéis a los flacos, que seáis sufridos con todos.

**15.** Procurad que ninguno. vuelva a otro mal por mal; sino tratad de hacer siempre bien unos a otros, y a todo el mundo.

**16.** Vivid siempre alegres.

**17.** Orad sin intermisión.

**18.** Dad gracias por todo *al Señor*; porque esto es lo que quiere Dios que hagáis todos en *nombre de* Jesucristo.

**19.** No apaguéis el Espíritu *de Dios.*

**20.** No despreciéis las profecías.

**21.** Examinad, sí, todas las cosas, y ateneos a lo bueno *y conforme al Evangelio.*

**22.** Apartaos *aun* de toda apariencia de mal.

**23.** Y el Dios de la paz os haga santos en todo, a fin de que vuestro espíritu entero, con alma y cuerpo, se conserven sin culpa para cuando venga Nuestro Señor Jesucristo.

**24.** Fiel es el que os llamó, y así lo hará *como lo ha ofrecido.*

**25.** Hermanos míos, orad por nosotros.

**26.** Saludad a todos los hermanos con el ósculo santo.

**27.** Os conjuro por el Señor, que se lea esta carta a todos los santos hermanos.

**28.** La gracia de Nuestro Señor Jesucristo sea con vosotros. Amén.

# EPÍSTOLA SEGUNDA DE SAN PABLO A LOS TESALONICENSES

## Introducción

Esta segunda carta del apóstol, escrita desde Corinto, como la anterior, se proponía devolver la calma a ciertos exaltados tesalonicenses, presos de un fuerte desasosiego ante lo que consideraban inminente regreso del Salvador, debido a una mala interpretación de la primera epístola.

### CAPITULO PRIMERO

*Da gracias a Dios por la fe de los tesalonicenses y por su paciencia en las tribulaciones.*

1. Pablo, y Silvano, y Timoteo, a la Iglesia de los Tesalonicenses, *congregada* en *el nombre* de Dios, nuestro Padre, y en el Señor Jesucristo:

2. La gracia y la paz sea con vosotros, *de parte* de Dios, nuestro Padre, y del Señor Jesucristo.

3. Debemos dar a Dios continuamente acciones de gracias por vosotros, hermanos *míos,* y es muy justo *que lo hagamos,* pues que vuestra fe va aumentándose más y más, y la caridad que tenéis recíprocamente unos para con otros va tomando incremento,

4. De tal manera que nosotros mismos nos gloriamos de vosotros en las Iglesias de Dios, por vuestra paciencia y fe en *medio de* todas vuestras persecuciones y tribulaciones que padecéis,

5. *Que son señales* que demuestran el justo juicio de Dios *que así os purifica,* para haceros dignos de su reino, por el cual padecéis *lo que padecéis.*

6. Porque delante de Dios es justo que él aflija a su vez a aquellos que ahora os afligen;

7. Y a vosotros, que estáis *al presente* atribulados, *os haga gozar* juntamente con nosotros *del* descanso *eterno,* cuando el Señor Jesús descenderá del cielo y aparecerá con los ángeles *que son los ministros* de su poder.

8. *Cuando vendrá* con llamas de fuego a tomar venganza de los que no conocieron a Dios, y *de los* que no obedecen el evangelio de Nuestro Señor Jesucristo;

9. Los cuales sufrirán la pena de una eterna condenación *confundidos* por la presencia del Señor y por el brillante resplandor de su poder,

10. Cuando viniere a ser glorificado en sus santos y a ostentarse admirable en todos los que cre-yeron; pues que vosotros habéis creído nuestro testimonio acerca de aquel día.

11. Por este motivo oramos también sin cesar por vosotros, para que nuestro Dios os haga dignos del estado a que os ha llamado, y cumpla todos los designios *de su* bondad *sobre vosotros,* y *haga* con su poder *fecunda* vuestra fe *en buenas obras.*

12. A fin de que sea glorificado en vosotros el nombre de Nuestro Señor Jesucristo; y vosotros en él, por la gracia de nuestro Dios y del Señor Jesucristo.

### CAPITULO II

*Describe las señales que precederán a la venida de Cristo, y a la del Anticristo, y sus secuaces y los exhorta a permanecer en la doctrina que les ha enseñado.*

1. Entre tanto, hermanos, os suplicamos por el advenimiento de Nuestro Señor Jesucristo y de nuestra reunión al mismo,

---

CAP. I. — 10. Con la gloria inmensa de que los llenará a ellos, y por lo mismo a vosotros también.

**2.** Que no abandonéis ligeramente vuestros *primeros* sentimientos, ni os alarméis con supuestas revelaciones, con ciertos discursos, o cartas que se suponga enviadas por nosotros, como si el día del Señor estuviera ya *muy* cercano.

**3.** No os dejéis seducir de nadie en ninguna manera; porque *no vendrá este día* sin que primero haya acontecido la apostasía, *casi general de los fieles,* y aparecido el hombre del pecado, hijo de la perdición,

**4.** El cual se opondrá *a Dios,* y se alzará contra todo lo que se dice Dios, o se adora, hasta llegar a poner su asiento en el templo de Dios, dando a entender que es Dios.

**5.** ¿No os acordáis que cuando estaba todavía entre vosotros, os decía estas cosas?

**6.** Ya sabéis vosotros la *causa* que ahora le detiene, hasta que sea manifestado *o venga* en su tiempo señalado.

**7.** El hecho es que ya va obrando *o formándose* el misterio de iniquidad; entre tanto el que está firme ahora, manténgase, hasta que sea quitado *el impedimento.*

**8.** Y entonces se dejará ver aquel perverso, a quien el Señor Jesús matará con el resuello *o el solo aliento* de su boca, y destruirá con el resplandor de su presencia.

**9.** A aquel inicuo que vendrá con el poder de Satanás, con toda suerte de milagros, de señales y de prodigios falsos,

**10.** Y con todas las ilusiones *que pueden conducir* a la iniquidad a aquellos que se perderán, por no haber recibido y amado a la verdad a fin de salvarse. Por eso Dios les enviará *o permitirá que obre en ellos* el artificio del error, con que crean a la mentira.

**11.** Para que sean condenados todos los que no creyeron a la verdad, sino que se complacieron en la maldad *o injusticia.*

**12.** Mas nosotros debemos siempre dar gracias a Dios por vosotros, ¡oh hermanos amados de Dios!, por haberos Dios escogido por primicias de salvación *en toda la Macedonia,* mediante la santificación del espíritu y la verdadera fe *que os ha dado,*

**13.** A la cual os llamó asimismo por medio de nuestro evangelio, para hacer conseguir la gloria de Nuestro Señor Jesucristo.

**14.** Así que, hermanos míos, estad firmes *en la fe,* y mantened las tradiciones *o doctrina* que habéis aprendido, ora por medio de la predicación, ora por carta nuestra.

**15.** Y Nuestro Señor Jesucristo, y *Dios y Padre nuestro,* que nos amó, y dió eterno consuelo y buena esperanza por la gracia,

**16.** Aliente *y consuele* vuestros corazones, y los confirme en toda obra y palabra buena.

## CAPITULO III

*Les pide que rueguen a Dios por él, habla contra los díscolos, ociosos y pertinaces, y recomienda el amor al trabajo y la corrección de los malos.*

**1.** Por último, hermanos, orad por nosotros, para que la palabra de Dios se propague *más y más,* y sea glorificada *en todo el mundo,* como lo es ya entre vosotros,

**2.** Y nos veamos libres de los díscolos y malos hombres: porque *al fin* no es de todos *el alcanzar* la fe.

**3.** Pero fiel es Dios, que os fortalecerá y defenderá del *espíritu* maligno.

**4.** Y así confiamos en el Señor, que vosotros hacéis ya ahora lo que ordenamos *en esta carta,* y que lo haréis *en adelante.*

**5.** El Señor entre tanto dirija vuestros corazones en el amor de Dios y en la paciencia de Cristo.

**6.** Por lo que os intimamos, hermanos en nombre de nuestro Señor Jesucristo, que os apartéis de cualquiera entre vuestros hermanos que proceda desordenadamente, y no conforme a la tradición *o enseñanza,* que ha recibido de nosotros.

**7.** Pues bien sabéis vosotros mismos lo que debéis hacer para imitarnos, por cuanto no anduvimos desordenadamente *o causando inquietudes* entre vosotros;

---

**CAP. II.** — 3. Todas estas notas tenía la doctrina de Simón Mago, de Cerintho y de los otros herejes de aquel tiempo, los cuales, con el fin de retraer del seno de la Iglesia a los Gentiles convertidos, les abrían la puerta para que volviesen a sus antiguas disoluciones. Theodor.

**4.** Por cuanto Dios nos escogió como ministros fieles y sinceros, para que publicásemos el Evangelio.

**5.** No mirando a nuestra particular utilidad, ni pretendiendo ganarnos el concepto de los hombres, como hacen los que con perjuicio de la verdad, profanan la doctrina del Evangelio, llevados de interés y de vanagloria.

---

**CAP. III.** — 2. Que con tanto furor se oponen a ella. I *Cor.* III, *v.* 3. — I *Thes. v.* 2. — *Act.* XVIII. *v.* 6. Y menos de los que por su dureza se hacen indignos de ella.

**8.** Ni comimos el pan de balde a costa de otro, sino con trabajo y fatiga, trabajando de noche y de día *para ganar nuestro sustento,* por no ser gravosos a ninguno de vosotros.

**9.** No porque tuviésemos potestad para hacerlo, sino a fin de daros en nuestra persona un dechado que imitar.

**10.** Así es que aun estando entre vosotros, os intimábamos esto: Quién no quiere trabajar, tampoco coma.

**11.** Porque hemos oído que andan entre vosotros algunos bulliciosos, que no entienden otra cosa que en indagar *lo que no les importa.*

**12.** Pues a estos tales los apercibimos, y les rogamos *encarecidamente* por Nuestro Señor Jesucristo, que trabajando quietamente *en sus casas,* coman *así* su propio pan *o el que ellos se ganen.*

**13.** Vosotros, hermanos, *de vuestra parte* no os canséis de hacer bien.

**14.** Y si alguno no obedeciere lo que ordenamos en nuestra carta, tildadle al tal, y no converséis con él, para que se avergüence *y enmiende;*

**15.** Mas no le miréis como a enemigo, sino corregidle como a hermano *con amor y dulzura.*

**16.** Así el mismo Señor *y autor* de la paz os conceda siempre paz en todas partes. El Señor sea con todos vosotros.

**17.** La salutación de mi propio puño: Pablo; lo cual sirve de contraseña en toda carta mía: así escribo, *o firmo.*

**18.** La gracia de Nuestro Señor Jesucristo sea con todos vosotros. Amén.

# EPÍSTOLA PRIMERA DE SAN PABLO A TIMOTEO

# Introducción

Esta espístola es, cómo la que San Pablo dirigió a Tito, una epístola pastoral. Se denomina así por no estar dirigida a un grupo de cristianos, sino a una persona en particular que ejercía el ministerio pastoral. Son los últimos textos de la vida de San Pablo, escritos inmediatamente antes de su segunda cautividad y subsiguiente muerte.

En esta carta el apóstol señala a su colaborador Timoteo cómo ha de gobernar a sus fieles, cómo enseñarles la doctrina y confundir a los paganos. Los errores que San Pablo combate continuaron desarrollándose a lo largo de un siglo hasta dar origen a las ideas gnósticas. Se observa también en esta carta cómo avanza la organización de la Iglesia. En los tiempos primitivos la autoridad eclesiástica correspondía casi íntegramente a los apóstoles y a sus colaboradores. Desaparecidos los discípulos del Señor, los diversos grupos cristianos van organizándose con sus propias jerarquías.

Timoteo, hijo de madre judía y de padre gentil, era natural de Listra. San Pablo pasó por aquella ciudad y allí conoció a Timoteo, a su madre y a su abuela. Toda la familia se convirtió al cristianismo. En una segunda visita del apóstol, éste, vistas las destacadas virtudes que concurrían en la persona de Timoteo, decidió llevárselo consigo. Acompañó a San Pablo en sus peregrinaciones y en un momento dado el apóstol le encargó el gobierno de la cristiandad de Éfeso. La presente epístola se la envió desde Macedonia.

El texto de la misma se inicia con una salutación. Señala a continuación el apóstol a Timoteo cómo combatir las falsas doctrinas que florecían por aquellas tierras y le explica la idea de la oración común de los fieles. Aconseja sobre las condiciones que han de reunir los diáconos y presbíteros. Habla también de los problemas planteados por los falsos predicadores. En cuanto a la disciplina interna, señala el apóstol la distinta consideración con que ha de tratarse a las diversas clases de personas de la Iglesia. Le aconseja, finalmente, como ha de regirse él mismo.

Una de las amonestaciones del apóstol insiste en la conveniencia de evitar los altercados y disputas doctrinales en público. Al parecer Timoteo era bastante joven cuando San Pablo lo eligió para que se dedicara a actividades pastorales. Esto explicaría las obligaciones del ministerio episcopal.

San Atanasio y otros exégetas fechan la redacción de la carta en el año sesenta y cuatro o sesenta y cinco después de Jesucristo. Al parecer fue su portador el diácono Tichico. Por otra parte, otros textos griegos señalan que la carta no fue escrita en Macedonia, sino en la capital de la Frigia Pacaciana, una ciudad llamada Laodicea. Con todo, los escrituristas no han considerado acertada esta indicación.

La doctrina de esta epítola revela un profundo conocimiento, perfectamente transmitido, de cuál es la sustancia de la vida cristiana: «Pues el fin de los mandamientos o de la ley es la caridad que nace de un corazón puro».

## CAPITULO PRIMERO

*Encarga el Apóstol a Timoteo que impida las doctrinas nuevas y cuestiones inútiles que no fomentan la caridad, la cual es el fin de la ley. Obligaciones del ministerio episcopal.*

**1.** Pablo, apóstol de Jesucristo por mandado de Dios, salvador nuestro, y de Cristo Jesús, nuestra esperanza.

**2.** A Timoteo, querido hijo *o discípulo* en la fe; gracia, misericordia y paz de Dios Padre, y de Nuestro Señor Jesucristo.

**3.** *Bien sabes cómo* al irme a Macedonia te pedí que te quedases en Efeso, para que hicieses entender a ciertos sujetos que no enseñasen doctrina diferente *de la nuestra.*

**4.** Ni se ocupasen en fábulas y genealogías interminables, que son más propias para excitar disputas que para formar por la fe el edificio de Dios.

**5.** Pues el fin de los mandamientos *o de la ley* es la caridad que nace de *un* corazón puro, de *una* buena conciencia, y de fe no fingida.

**6.** De lo cual desviándose algunos, han venido a dar en charlatanería,

**7.** Queriendo hacer de doctores de la ley, sin entender lo que hablan, ni lo que aseguran.

**8.** Ya sabemos (*tan bien como ellos*) que la ley es buena para el que usa bien de ella,

**9.** Reconociendo, que no se puso la ley *o sus penas* para el justo, sino para los injustos, y para los desobedientes, para los impíos y pecadores, para los facinerosos y profanos, para los parricidas y matricidas, para los homicidas,

**10.** Para los fornicarios, para los sodomitas, para los que hurtan hombres, para los embusteros y perjuros, y para cuantos son enemigos de la sana doctrina.

**11.** La cual es conforme al evangelio glorioso de Dios bendito, que se me ha encomendado.

**12.** Gracias doy a aquel que me ha confortado, a Jesucristo Nuestro Señor, porque me tuvo por fiel, poniéndome en el misterio a mí,

**13.** Que fuí antes blasfemo, y perseguidor, y opresor; pero alcancé misericordia de Dios, por haber procedido con ignorancia careciendo *del don* de fe;

**14.** Y así ha sobreabundado *en mí* la gracia de Nuestro Señor *Jesucristo* con la fe y caridad que es en Cristo Jesús, *o por sus méritos.*

**15.** Verdad *es* cierta y digna de todo acatamiento, que Jesucristo vino a este mundo para salvar a los pecadores, de los cuales el primero soy yo;

**16.** Mas por eso conseguí misericordia, a fin de que Jesucristo mostrase en mí el primero su extremada paciencia, para ejemplo *y confianza* de los que han de creer en él para *alcanzar* la vida eterna.

**17.** Por tanto, al rey de los siglos inmortal, invisible, al solo *y único* Dios, sea dada la honra y la gloria por siempre jamás. Amén.

**18.** Este precepto te recomiendo, hijo Timoteo, y es, que según las predicciones hechas antes sobre ti, así cumplas *o llenes* tu deber militando como buen soldado *de Cristo.*

**19.** Manteniendo la fe y la buena conciencia; la cual por haber desechado de sí algunos, vinieron a naufragar en la fe,

**20.** De cuyo número son Himeneo y Alejandro, los cuales tengo entregados a Satanás, *o excomulgados,* para que aprendan a no decir blasfemias.

## CAPITULO II

*Encarga que se haga oración por los reyes y magistrados. Jesucristo es el único medianero, y redentor de todos. Debemos orar en todo lugar. Modestia de las mujeres, su sumisión y silencio.*

**1.** Recomiendo, pues, ante todas cosas que se hagan súplicas, oraciones, rogativas, acciones de gracias, por todos los hombres.

---

CAP. I. — 8. O según el espíritu de la misma ley, sirviéndose de ella para conocer y hallar a Jesucristo.

**2.** Por los reyes y por todos los constituidos en alto puesto, a fin de que tengamos una vida quieta y tranquila en *el ejercicio de* toda piedad y honestidad.

**3.** Porque ésta es una cosa buena, y agradable a los ojos de Dios, salvador nuestro.

**4.** El cual quiere que todos los hombres se salven y vengan en conocimiento de la verdad.

**5.** Porque uno es Dios, y uno también el mediador entre Dios y los hombres, Jesucristo hombre.

**6.** Que se dio.a sí mismo en rescate por todos y para testimonio *de las antiguas promesas* dado a su tiempo,

**7.** Del cual yo estoy constituido predicador, y apóstol (digo la *pura* verdad, no miento) doctor de las gentes en la fe y verdad, *o fiel y veraz.*

**8.** Quiero, pues, que los hombres oren en todo lugar, alzando las manos limpias, *o puras de toda maldad,* exentos de *todo* encono y disensión.

**9.** Asimismo oren también las mujeres en traje decente, ataviándose con recato y modestia, *o sin superfluidad,* y no *inmodestamente,* con los cabellos rizados o *ensortijados,* ni con oro, o con perlas, o costosos adornos;

**10.** Sino en buenas obras, como corresponde a mujeres que hacen profesión de piedad.

**11.** Las mujeres escuchen en silencio las instrucciones y *óiganlas* con entera sumisión;

**12.** Pues no permito a la mujer el hacer de doctora *en la iglesia* ni tomar autoridad sobre el marido; más estése callada *en su presencia,*

---

**2.** La religión y la justicia nos obligan a rogar a Dios con particularidad por los reyes y por sus familias, sus ministros, consejeros, etc. La tranquilidad temporal de la Iglesia permite regularmente la del Estado, ésta del príncipe que lo gobierna, etc. Es de advertir que los príncipes y magistrados, por los cuales mandaba el Apóstol que se rogase a Dios eran todos infieles o idólatras; pero se oraba por su conversión, y para que Dios hiciese que por lo menos dejasen vivir en paz a los cristianos. Alzando los ojos al cielo, dice Tertuliano, pedimos para todos los emperadores una vida larga, tranquilidad en su imperio, seguridad en su familia, fidelidad en su senado, ejércitos valerosos, pueblo bien arreglado, quietud en el mundo, y cuanto puede apetecer un hombre y un César.

**4.** Crió Dios todos los hombres, no para castigarlos, sino para hacerlos bienaventurados, y los redimió a todos, y a todos da los medios o gracias para salvarse, si quieren. A todos está patente la fuente de las aguas de vida eterna. Y realmente a ella acuden todos los que quieren, de todos estados, de todas condiciones y de todo país.

**13.** Ya que Adán fué formado el primero, y después Eva, *como inferior;*

**14.** Y además Adán no fué engañado, mas la mujer engañada *por la serpiente,* fué causa de la prevaricación *del hombre.*

**15.** Verdad es que se salvará por medio *de la buena crianza* de los hijos, si persevera en la fe y en la caridad, en santa y arreglada vida.

## CAPITULO III

*Describen cuales deben ser los obispos o sacerdotes, los diáconos y las mujeres que sirven a la Iglesia.*

**1.** *Es una* verdad *muy* cierta, *que* quien desea obispado, desea un buen trabajo, *o un ministerio santo.*

**2.** Por consiguiente es preciso que un obispo sea irreprensible, *que no se haya* casado *sino* con una sola mujer, sobrio, prudente, grave, modesto, *casto,* amante de la hospitalidad, propio y *capaz* para enseñar,

**3.** No dado al vino, no violento, sino moderado, no pleitista, no interesado, mas

**4.** Que sepa gobernar bien su casa, teniendo los hijos a raya con toda decencia.

**5.** (Pues si uno no sabe gobernar su casa, ¿cómo cuidará de la Iglesia de Dios?);

**6.** No *sea* neófito, *o recién bautizado;* porque hinchado de soberbia, no caiga en la *misma* condenación del diablo *cuando cayó del cielo.*

**7.** También es necesario que tenga buena reputación entre los extraños *o gentiles,* para que no caiga en desprecio y en lazo del diablo.

**8.** De la misma suerte los diáconos sean honestos *y morigerados,* no dobles en sus palabras, no bebedores de mucho vino, no aplicados a torpe granjería,

**9.** Que traten el ministerio de la fe con limpia conciencia,

---

**CAP. III.** — **2.** En los primeros siglos de la Iglesia se elegían y ordenaban presbíteros y obispos muchos que eran casados, aunque después de la ordenación guardaban continencia. Lo que dice S. Pablo de los obispos, debe entenderse igualmente de los presbíteros. En aquel tiempo los ministerios de la Iglesia eran casi inseparables del martirio, o a lo menos en grandes trabajos. Y entonces y siempre no basta la virtud o santidad para este ministerio; sino que es necesaria grande instrucción para enseñar el evangelio y responder a sus enemigos.

10. Y por tanto sean éstos antes probados; y así entren en el ministerio, no siendo tachados de ningún delito.

11. Las mujeres igualmente *han de ser* honestas *y vergonzosas,* no chismosas *o calumniadoras,* sobrias, fieles en todo.

12. Los diáconos sean esposos de una sola mujer, que gobiernen bien sus hijos y sus familias.

13. Pues los que ejercitaren bien su ministerio, se granjearán un ascenso honorífico, y mucha confianza para *enseñar* la fe de Jesucristo.

14. Te escribo esto con la esperanza de que en breve iré a verte;

15. Y si tardare, para que sepas cómo debes portarte en la casa de Dios, que es la Iglesia del Dios vivo, columna y apoyo de la verdad.

16. Y es *ciertamente* grande a todas luces el misterio de la piedad, *o amor divino, en* que *el Hijo de Dios* se ha justificado por el Espíritu *Santo,* ha sido visto de los ángeles, predicado a los gentiles, creído en el mundo, elevado a la gloria.

## CAPITULO IV

*Predice que algunos hombres pérfidos, instigados por el diablo enseñarán rarios errores. Le exhorta a la vigilancia pastoral, y a que ejercitándose en la piedad, sea, aunque joven, un perfecto modelo de los demás.*

1. Pero el Espíritu *Santo* dice claramente, que en los venidores tiempos han de apostatar algunos de la fe, dando oídos a espíritus falaces y a doctrinas diabólicas,

2. Enseñadas por impostores llenos de hipocresía, que tendrán la conciencia cauterizada, *o ennegrecida de crímenes,*

3. Quienes prohibirán el matrimonio y el uso de los manjares, que Dios crió para que los tomasen con hacimiento de gracias los fieles y los que han conocido la verdad.

4. Porque toda criatura de Dios es buena, y nada se debe desechar de lo que se toma, *o come* con hacimiento de gracias;

5. Puesto que se santifica por la palabra de Dios y por la oración, *o bendición.*

6. Proponiendo esto a los hermanos, serás buen ministro de Jesucristo, como educado en las verdades de la fe y de la buena doctrina, que has aprendido.

7. En cuanto a las fábulas ridículas y cuentos de viejas, dales de mano, y dedícate al ejercicio de la virtud.

8. Pues los ejercicios corporales sirven para pocas cosas, al pago que la virtud sirve para todo, como que trae consigo la promesa de la vida presente y de la futura, *o eterna.*

9. Promesa fiel y sumamente apreciable:

10. Que en verdad por eso sufrimos trabajos y oprobios, porque ponemos la esperanza en Dios vivo, el cual es salvador de los hombres todos, mayormente de los fieles.

11. Esto has de enseñar y ordenar.

12. *Pórtate de manera que* nadie te menosprecie por tu poca edad: has de ser dechado de los fieles en el hablar, en el trato, en la caridad, en la fe, en la castidad.

13. Entre tanto que yo voy, aplícate a la lectura, a la exhortación y a la enseñanza.

14. No malogres la gracia que tienes *por la consagración,* la cual se te dió *a pesar de tus pocos* años en virtud de *particular* revelación, con la imposición de las manos de los presbíteros.

15. Medita estas cosas y ocúpate enteramente en ellas, de manera que vea todo el mundo tu aprovechamiento.

16. Vela sobre ti mismo, y atiende a *la enseñanza* de la doctrina, insiste *y sé diligente* en estas cosas: porque haciendo esto, te salvarás a ti y también a los que te oyeren.

## CAPITULO V

*El Apóstol advierte a Timoteo cómo ha de portarse con los fieles de todas edades. Cuáles hayan de ser las viudas que sirvan en la Iglesia. Le dice que deben ser premiados los presbíteros que cumplen bien su ministerio, que ha de corregir los pecados públicos, y mirar mucho a quien impone las manos para ordenarle.*

1. No reprendas con aspereza al anciano, sino exhórtale como a padre; a los mozos, como a hermanos;

---

CAP. IV. — 7. De los simonitas, gnósticos, encratitas, ebionistas y otros herejes. La piedad sólida no puede cimentarse en fábulas.

13. De la Escritura sagrada dice S. Ambrosio que es el *libro sacerdotal.* En su estudio deberíamos emplear toda la vida, aunque no fuese tan breve, sino larguísima, *S. Juan Crisost.*

14. Cap. IV, *v.* 18. Esto es, de los obispos, como lo entiende el Crisóstomo.

**2.** A las ancianas, como a madres; y a las jovencitas, como a hermanas, con todo recato.

**3.** Honra a las viudas, que verdaderamente son tales.

**4.** Que si alguna viuda tiene hijos o nietos, atienda primero a gobernar bien su casa y dar retorno debido a sus padres; pues esto es lo que a Dios agrada.

**5.** Mas la que verdaderamente es viuda y desamparada, espere en Dios, y ejercítese en plegarias y oraciones noche y día.

**6.** Porque la que vive en deleites, viviendo está muerta, *pues que lo está su alma.*

**7.** Hazles, pues, entender estas cosas, para que sean irreprensibles.

**8.** Que si hay quien no mira por los suyos, mayormente si son de la familia, *este tal* negado ha la fe, y es peor que un infiel.

**9.** No sea elegida viuda *para el servicio de la Iglesia* de menos de sesenta años de edad, ni *la* que haya sido casada más de una vez.

**10.** Sus buenas obras den testimonio de ella, si ha educado bien a los hijos, si ha ejercitado la hospitalidad, si ha lavado los pies de los santos, si ha socorrido a los atribulados, si ha practicado toda suerte de virtudes.

**11.** Viudas jóvenes no las admitas *al servicio de la Iglesia.* Pues cuando se han regalado a costa de los bienes de Cristo, quieren casarse,

**12.** Teniendo contra sí sentencia de condenación, por cuanto violaron la primera fe,

**13.** Y aun también estando ociosas, *o teniendo poco trabajo,* se acostumbran a andar de casa en casa, no como quiera ociosas, sino también parleras y curiosas, hablando de cosas de que no deberían hablar.

**14.** Quiero, pues, *más en este caso,* que las que son jóvenes se vuelvan a casar, críen hijos, sean *buenas* madres de familia, no den al enemigo ninguna ocasión de maledicencia,

**15.** Pues algunas se han pervertido ya para ir en pos de Satanás.

**16.** Si alguno de los fieles tiene viudas *en su parentela,* asístalas, y no se grave a la Iglesia *con su manutención,* a fin de que haya lo suficiente para *mantener a* las que son verdaderamente viudas, *o desamparadas.*

**17.** Los presbíteros que cumplen bien con su oficio, sean remunerados con doble honorario, mayormente los que trabajan en predicar y en enseñar.

**18.** Porque la Escritura dice: No pondrás bozal al buey que trilla. Y *también:* El obrero merece su jornal.

**19.** Contra presbítero no admitas acusación, sin la deposición de dos o tres testigos.

**20.** A los pecadores públicos y obstinados has de reprenderlos delante de todos, para que los demás teman.

**21.** Te conjuro delante de Dios y de Jesucristo, y de sus santos ángeles, que observes estas cosas sin dejarte prevenir, y sin hacer nada por inclinación *ni afición* particular.

**22.** No impongas de ligero las manos sobre alguno, ni seas cómplice de pecados ajenos. Consérvate *limpio y* puro a ti mismo.

**23.** No prosigas en beber agua *sola,* sino usa de un poco de vino, por causa de tu estómago y de tus frecuentes enfermedades.

**24.** Los pecados de ciertos hombres son notorios, antes de examinarse en juicio; mas los de otros se manifiestan después de él;

**25.** Así también hay buenas obras manifiestas; y las que no lo son, *por poca averiguación que se haga* no pueden estar ocultas.

## CAPITULO VI

*Los siervos obedezcan a sus amos, sean éstos o no cristianos. Sobre los falsos doctores. Daños que acarrea la avaricia. Deben los ricos evitar la soberbia y emplearse en obras de caridad.*

**1.** Todos los que están debajo del yugo de la servidumbre, han de considerar a sus señores como dignos de todo respeto, para que el nombre del Señor y su doctrina no sean blasfemados.

**2.** Mas los que tienen por amos a fieles *o cristianos,* no les han de tener menor respeto, aunque sean *y los miren* como hermanos suyos *en Cristo;* antes bien sírvanlos mejor por lo mismo que son fieles *y más dignos de ser* amados, como partícipes de tal bene-

---

CAP. V. — 8. Pues sobre desmentir su creencia o religión, falta a la obligación natural que cumplen los mismos infieles.

12. La palabra de fidelidad, o el voto con que se había ofrecido al Señor.

---

CAP. VI. — 1. Viendo los gentiles lo mal que sirven sus criados cristianos.

ficio. Esto has de enseñar, y *a esto debes* exhortarlos.

3. Si alguno enseña de otra manera, y no abraza las saludables palabras *o instrucciones* de nuestro Señor Jesucristo, y la doctrina que es conforme a la piedad *o religión*,

4. Es un *soberbio orgulloso*, que nada sabe, sino que antes bien enloquece *o flaquea de cabeza* sobre cuestiones y disputas de palabras de donde se originan envidias, contiendas, blasfemias, siniestras sospechas,

5. Alteraciones de hombres de ánimo estragado y privado *de la luz* de la verdad, que piensan que la piedad es una granjería, *o un medio de enriquecerse.*

6. Y ciertamente es un gran tesoro la piedad, *la cual se contenta* con lo que basta *para vivir.*

7. Porque nada hemos traído a este mundo, y sin duda que tampoco podremos llevarnos nada.

8. Teniendo, pues, qué comer, y con qué cubrirnos, contentémonos con esto.

9. Porque los que pretenden enriquecerse, caen en tentación y en el lazo del diablo, y en muchos deseos inútiles y perniciosos, que hunden a los hombres en *el abismo de* la muerte y *de la* perdición.

10. Porque raíz de todos los males es la avaricia, de la cual arrastrados algunos, se desviaron de la fe, y se sujetaron *ellos mismos* a muchas penas *y aflicciones.*

11. Pero tú ¡oh varón de Dios! huye de estas cosas, y sigue *en todo* la justicia, la piedad, la fe, la caridad, la paciencia, la mansedumbre.

12. Pelea valerosamente por la fe, *y victo-rioso* arrebata *y asegura bien* la vida eterna, para la cual fuiste llamado, y diste un buen testimonio, *confesando la fe* delante de muchos testigos.

13. Yo te ordeno en presencia de Dios, que vivifica todas las cosas, y de *Jesucristo*, que ante Poncio Pilato dió testimonio, confesando generosamente la verdad,

14. Que guardes lo mandado *conservándote* sin mácula, sin ofensión, hasta la venida de Nuestro Señor Jesucristo,

15. Venida que hará manifiesta a su tiempo el bienaventurado y solo poderoso, el rey de los reyes y el señor de los señores.

16. El solo que es inmortal *por esencia*, y que habita en una luz inaccesible a quien ninguno de los hombres ha visto, ni tampoco puede ver, cuyo es el honor y el imperio sempiterno. Amén.

17. A los ricos de este siglo mándales que no sean altivos, ni pongan su confianza en las riquezas caducas, sino en Dios vivo que nos provee de todo abundantemente para nuestro uso;

18. Exhórtalos a obrar bien, a enriquecerse de buenas obras, a repartir liberalmente, a comunicar *sus bienes*,

19. A atesorar un buen fondo para lo venidero, a fin de alcanzar la vida verdadera.

20. ¡Oh Timoteo! guarda el depósito *de la fe que te he entregado*, evitando las novedades profanas en las expresiones *o voces*, y las contradicciones de la ciencia que falsamente se llama tal,

21. Ciencia *vana* que profesándola algunos vinieron a perder la fe. La gracia sea contigo. Amén.

# EPÍSTOLA SEGUNDA DE SAN PABLO A TIMOTEO

# Introducción

En la carta dirigida con anterioridad a Timoteo, San Pablo se comprometió a regresar a Éfeso en cuanto ello le fuera posible. Su encarcelamiento, ordenado por Nerón, no permitió al apóstol cumplir sus deseos. En esta nueva epístola, Pablo envía utilísimos documentos a Timoteo sobre cómo llevar la iglesia de Éfeso. También le rogaba se personara en Roma en compañía de Marcos para visitarle. Esta epístola se considera el testamento del apóstol.

## CAPITULO PRIMERO

*Exhorta a Timoteo a predicar intrépidamente el evangelio para manifestar mejor su fe. Recuerda que Cristo destruyó la muerte. Dice que algunos de Asia le abandonaron en Roma, y elogia a Onesíforo.*

1. Pablo, apóstol de Jesucristo por voluntad de Dios, según la promesa de vida que tenemos en Jesucristo,

2. A Timoteo hijo carísimo: gracia, misericordia y paz, de parte de Dios Padre y de nuestro Señor Jesucristo.

3. Doy gracias a Dios, a quien sirvo a ejemplo de mis mayores con conciencia pura, de que sin cesar hago memoria de ti en mis oraciones, noche y día.

4. Deseoso de verte, acordándome de tus lágrimas *en nuestra despedida en Efeso*, para bañarme de gozo,

5. Como que tengo presente aquella tu fe sincera, la cual primero se vió constantemente en tu abuela Loida, y en tu madre Eunice, y esto cierto de que igualmente está en ti.

6. Por esta causa te exhorto, que avives la gracia de Dios, que reside en ti por la impresión de mis manos.

7. Porque no nos ha dado Dios a nosotros un espíritu de timidez, sino de fortaleza, y de caridad, y de templanza, *y prudencia.*

8. Por tanto, no te avergüences del testimonio de nuestro Señor, *o de confesar su fe* *públicamente*, ni de mí que estoy en cadenas *por amor* suyo: antes bien *padece* y trabaja a una conmigo por el evangelio con la virtud *que recibirás* de Dios.

9. El cual nos libertó y llamó con su santa vocación, no por obras nuestras, sino por su *mero* beneplácito y por la gracia que nos ha sido otorgada en Jesucristo antes de todos los siglos;

10. Y que se ha manifestado ahora por el advenimiento de nuestro salvador, Jesucristo: el cual ha destruido la muerte, y *al mismo tiempo* ha sacado a luz la vida y la inmortalidad por medio del evangelio,

11. Para el cual fuí yo constituido predicador y apóstol, y doctor de las naciones.

12. Por este motivo padezco lo que padezco, pero no me avergüenzo. Porque bien sé de quien me he fiado, y estoy cierto de que es poderoso para conservar mi depósito hasta aquel *último* día.

13. Ten por modelo la santa doctrina, que has oído de mí con la fe y caridad en Cristo Jesús.

14. Guarda ese rico depósito por medio del Espíritu Santo, que habita en nosotros.

15. Ya sabemos cómo se han apartado de mí todos los *naturales* de Asia *que estaban aquí*

---

CAP. I. — 12. La corona o premio que voy ganando. Otros por depósito entienden la fe y doctrina que le había encomendado. En el cual espero que me dará el cien doblado por esta vida perecedera, que pongo ahora en sus manos, y sacrifico por amor suyo.

*en Roma* de cuyo número son Figelo y Hermogenes.

**16.** Derrame el Señor sus misericordias sobre la casa de Onesíforo, porque me ha consolado muchas veces, y no se ha avergonzado de mi cadena;

**17.** Antes luego que llegó a Roma, me buscó diligentemente, hasta que me encontró.

**18.** El Señor le conceda hallar misericordia delante de él en aquel día *grande del juicio*. Cuantos servicios me prestó en Efeso, tú lo sabes bien.

## CAPITULO II

*Habla a Timoteo de la fortaleza y prudencia con que debe enseñar las cosas de la fe y cómo debe evitar las cuestiones inútiles, origen de discordias y de contiendas, las cuales son ajenas del cristiano.*

**1.** Tú, pues, hijo mío, cobra buen ánino con la gracia, que tenemos en Jesucristo,

**2.** Y las cosas que de mí has oído delante de muchos testigos, confíalas a hombres fieles, que sean idóneos para enseñarlas también a otros.

**3.** Soporta el trabajo *y la fatiga* como buen soldado de Jesucristo.

**4.** Ninguno que se ha alistado en la milicia de Dios debe embarazarse con negocios del siglo, a fin de agradar a aquel que le alistó, *y escogió por soldado.*

**5.** Asimismo ni el que combate en la palestra, *o en los juegos públicos,* es coronado si no lidiare según las leyes.

**6.** El labrador, para recibir los frutos, es menester que trabaje primero.

**7.** Entiende bien lo que digo, *que no necesito añadir más,* porque Dios te dará en todo inteligencia.

**8.** Acuérdate que nuestro Señor Jesucristo, del linaje de David, resucitó de entre los muertos, según mi evangelio,

**9.** Por el cual estoy yo padeciendo hasta verme entre cadenas, como malhechor; si bien la palabra de Dios no está encadenada.

**10.** Por tanto, todo lo sufro por amor de los escogidos, a fin de que consigan también ellos la salvación, adquirida por Jesucristo, con la gloria celestial.

**11.** *Es una verdad* incontrastable *que* si morimos con él, también con él viviremos;

**12.** Si con él padecemos, reinaremos también con él; si le negáremos, él nos negará igualmente;

**13.** Si no creemos, *o fuéremos infieles,* él permanece *siempre fiel,* no puede desmentirse a sí mismo.

**14.** Estas cosas has de amonestar, poniendo a Dios por testigo.

Huye de contiendas de palabras, porque de nada sirven, sino para pervertir a los oyentes.

**15.** Ponte en estado de comparecer delante de Dios, como un ministro digno de su aprobación, que nada *hace* de que tenga motivo de avergonzarse, y que sabe dispensar bien la palabra de la verdad.

**16.** Evita por tanto y *ataja* los profanos y vanos discursos *de los seductores,* porque contribuyen mucho a la impiedad;

**17.** Y la plática de éstos cunde como gangrena; *del número* de los cuales son Himeneo y Fileto,

**18.** Que se han descarriado de la verdad, diciendo que la resurrección está ya hecha, y han pervertido la fe de varios.

**19.** Pero el fundamento de Dios se mantiene firme, el cual está marcado con el sello de estas palabras: El Señor conoce a los suyos, *y no se perderá uno de ellos;* ítem: Apártese de la maldad cualquiera que invoca el nombre del Señor.

**20.** Por lo demás, en una casa grande no sólo hay vasos de oro y de plata, sino también de madera y de barro, y *de ellos* unos son para usos decentes, otros para usos viles *y bajos. Así sucede en la Iglesia.*

**21.** Si alguno, pues, se purificare de estas cosas, será un vaso de honor santificado y útil para el servicio del Señor, aparejado para toda obra buena.

**22.** Por tanto, huye de las pasiones juveniles, y sigue la justicia, la fe, la caridad y la paz con aquellos que invocan al Señor con limpio corazón *y son capaces de ella.*

**23.** Las cuestiones necias, y que nada contribuyen a la instrucción, evítalas, sabiendo que son un manantial de altercaciones.

**24.** Al siervo de Dios no le conviene *o cae bien* el alterar, sino ser manso de todos, propio para instruir, sufrido,

---

**CAP. II.** — **18.** En el bautismo, cuando morimos con Cristo, y resucitamos a la vida de la gracia, y que no hay que esperar otra resurrección más.

**22.** En algunas Biblias se añade *spem,* esperanza.

**25.** Que reprenda con modesta *dulzura* a los que contradicen a la verdad, por si quizá Dios los trae a penitencia para que conozcan. la verdad,

**26.** Y se desenreden de los lazos del diablo, que los tiene presos a su arbitrio.

## CAPITULO III

*Carácter de los falsos apóstoles, y en general de los incrédulos y herejes. Encarga a Timoteo que guarde bien el depósito de la fe, y le recomienda el estudio de las santas Escrituras.*

**1.** Mas has de saber esto, que en los días prosteros o *hasta el fin del mundo* sobrevendrán tiempos peligrosos.

**2.** Levantaránse hombres amadores o *pagados* de sí mismos, codiciosos, altaneros, soberbios, blasfemos, desobedientes a sus padres, ingratos, facinerosos,

**3.** Desnaturalizados, implacables, calumniadores, disolutos, fieros, inhumanos,

**4.** Traidores, protervos, hinchados y más amadores de deleites que de Dios,

**5.** Mostrando, sí, apariencia de piedad, *o religión*, pero renunciando a su espíritu. Apártate de los tales.

**6.** Porque de éstos son los que se meten por las casa, y cautivan a las mujercillas cargadas de pecados, arrastradas de varias pasiones,

**7.** Las cuales andan siempre aprendiendo, y jamás arriban al conocimiento de la verdad.

**8.** En fin, así como Jannes y Mambres resistieron a Moisés, del mismo modo éstos resisten a la verdad, hombres de un corazón corrompido, réprobos en la fe, *que quisieran pervertir a los demás.*

**9.** Mas no lograrán sus intentos; porque su necedad se hará patente a todos como *antes* se hizo la de aquellos *magos*.

**10.** Tú, al contrario, *mi caro Timoteo*, ya has visto mi doctrina, mi *modo de proceder*, el fin *que me propongo, cuál es* mi fe, mi longanimidad, mi caridad, mi paciencia,

**11.** *Cuáles* las persecuciones y vejaciones *que he padecido*, lo que me aconteció en Antioquia e Iconio, y en Listra, cuán grandes *han sido* las persecuciones *que* he tenido que

sufrir, y *cómo* de todas me ha sacado a salvo el Señor.

**12.** *Y ya se sabe que* todos los que quieren vivir virtuosamente según Jesucristo, han de padecer persecución,

**13.** Al paso que los malos hombres y los impostores irán de mal en peor, errando y haciendo errar a otros.

**14.** Tú, empero, *amado hijo*, manténte firme en lo que has aprendido y se te ha encomendado, considerando quién te lo enseñó,

**15.** Y también que desde la niñez aprendiste las sagradas letras, que te pueden instruir para la salvación, mediante la fe *que cree* en Jesucristo.

**16.** Toda escritura inspirada de Dios es propia para enseñar, para convencer, para corregir *a los pecadores*, para dirigir *a los buenos* en la justicia *o virtud*,

**17.** *En fin*, para que el hombre de Dios *o el cristiano*, sea perfecto, y éste apercibido para toda obra buena.

## CAPITULO IV

*Ultimas encomiendas del Apóstol a Timoteo. La exhorta a que predique sin intermisión, para fortificar los espíritus de los fieles contra los errores que habían de nacer, le dice que está cercano el fin de su vida, y concluye con las salutaciones acostumbradas.*

**1.** Te conjuro, pues, delante de Dios y de Jesucristo, que ha de juzgar vivos y muertos, al tiempo de su venida y de su reino,

**2.** Predica la palabra *de Dios con toda fuerza y valentía*, insiste con ocasión y sin ella, reprende, ruega, exhorta con toda paciencia y doctrina.

**3.** Porque vendrá tiempo, en que *los hombres* no podrán sufrir la sana doctrina, sino que, teniendo una comezón extremada de oír *doctrinas que lisonjeen sus pasiones*, recurrirán a una caterva de doctores *propios* para satisfacer sus *desordenados* deseos,

**4.** Y cerrarán sus oídos a la verdad, y los aplicarán a las fábulas.

**5.** Tú entre tanto vigila en todas las cosas *de tu ministerio*, soporta las aflicciones, desempeña el oficio de evangelista, cumple *todos los cargos de* tu ministerio. Vive con templanza.

**6.** Que yo ya estoy al punto de ser inmolado, y se acerca el tiempo de mi muerte.

**7.** Combatido he con valor, he concluido la carrera, he guardado la fe.

---

CAP. III. — 7. Siendo engañadas por esos impostores, enemigos de ella. Los cuales se valen de la natural curiosidd y ligereza de tales mujeres ansiosas siempre de hallar una doctrina que se acomode a todos sus antojos.

**8.** Nada me resta sino aguardar la corona de la justicia que me está reservada, y que me dará el Señor en aquel día como justo juez, y no sólo a mí, sino también a los que *llenos de fe* desean su venida. Date prisa en venir presto a mí.

**9.** Porque Demas me ha desamparado por el amor de este siglo, y se ha ido a Tesalónica;

**10.** Crescente partió para Galacia, Tito para Dalmacia.

**11.** Sólo Lucas está conmigo. Toma a Marcos, y tráele contigo; porque me es del caso para el ministerio *evangélico.*

**12.** A Tíquico le he enviado a Efeso.

**13.** Cuando vengas, tráete contigo la capa *o capote* que dejé en Tróade en casa de Carpo, y los libros, mayormente los pergaminos *o papeles.*

**14.** Alejandro el calderero me ha hecho mucho mal; el Señor le dará el pago conforme a sus obras.

**15.** Guárdate tú también de él, porque se ha opueto sobremanera a nuestra doctrina.

**16.** En mi primera defensa, nadie me asistió, antes todos me desampararon: ruego a Dios se lo perdone.

**17.** Mas el Señor me asistió y alentó, para que yo acabase de predicar, y me oyesen todas las naciones; y fuí librado de la boca *o garras* del león.

**18.** El Señor me librará de todo pecado, y me conducirá a su reino celestial: a él sea dada la gloria por los siglos de los siglos. Amén.

**19.** Saluda a Prisca, y a Aquilas, y a la familia de Onesíforo.

**20.** Erasto se quedó en Corinto. Y a Trófimo le dejé enfermo en Mileto.

**21.** Apresúrate a venir antes del invierno. Te saludan Eubulo, y Pudente, y Lino, y Claudia, y los hermanos todos *de esta ciudad.*

**22.** El Señor Jesucristo sea con tu espíritu. La gracia *permanezca* con vosotros. Amén.

---

**17.** De inminentes riesgos de la vida, o también, de Nerón el emperador.

# EPÍSTOLA DE SAN PABLO A TITO

## Introducción

San Pablo da consejos en esta epístola a Tito, gentil de origen y discípulo suyo, para que se encargue del gobierno de la iglesia de Creta.

### CAPITULO PRIMERO

*Después de saludar a Tito, le recuerda la esperanza de la vida eterna, y le demuestra las cualidades que han de tener los presbíteros y obispos.*

**1.** Pablo, siervo de Dios y apóstol de Jesucristo para instruir a los escogidos de Dios en la fe y en el conocimiento de la verdad que es según la piedad,

**2.** Y que da la esperanza de la vida eterna, la cual Dios, que no puede mentir, ha prometido *y destinado* antes de todos los siglos,

**3.** Habiendo hecho ver en su tiempo *el cumplimiento de* su palabra en la predicación *del evangelio,* que se me ha confiado a mí por mandato de Dios, salvador nuestro,

**4.** A Tito, hijo querido, según la fe que nos es común: gracia y paz de Dios Padre, y de Jesucristo, salvador nuestro.

**5.** La causa porque te dejé en Creta, es para que arregles *y corrijas* las cosas que faltan, y establezcas en cada ciudad presbíteros, conforme yo te prescribí,

**6.** *Escogiendo para tan sagrado ministerio a* quien sea sin tacha, casado una sola vez, que tenga hijos fieles, no infamados de lujuria, ni desobedientes.

**7.** Porque es necesario que un obispo sea irreprensible, *o sin crimen,* como que es el ecónomo de Dios *o el dispensador de sus riquezas,* no soberbio, ni colérico, no dado al vino, no percusor, *o violento,* no codicioso de sórdida ganancia,

**8.** Sino amante de la hospitalidad, dulce *y afable,* sobrio, justo, religioso, continente,

**9.** Adicto a las verdades de la fe, según se le han enseñado a él, a fin de que sea capaz de instruir en la sana doctrina, y redargüir a los que contradijeren.

**10.** Porque aún hay muchos desobedientes, charlatanes y embaidores, mayormente de los circuncisos, *o judíos convertidos,*

**11.** A quienes es menester tapar la boca; que trastornan familias enteras, enseñando cosas que no convienen *con el evangelio,* por amor de una torpe ganancia, *o vil interés.*

**12.** Dijo uno de ellos, propio profeta, *o adivino,* de esos mismos *isleños:* Son los cretenses siempre mentirosos, malignas bestias, vientres perezosos.

**13.** Este testimonio es verdadero. Por tanto, repréndelos fuertemente, para que conserven sana la fe,

**14.** Y no den oídos a las fábulas judaicas, ni a mandamientos de hombres, que se apartan de la verdad.

**15.** Para los limpios todas las cosas son limpias: mas para los contaminados, y que no tienen fe no hay nada limpio, sino que tienen contaminadas su alma y su conciencia *con los pecados.*

---

**CAP. I.** — **1.** Para que los escogidos de Dios crean y conozcan aquella verdad que consiste en la piedad y religión, y que encierra en sí la esperanza de la gloria, que de toda eternidad les tiene prometida Dios, que es la misma verdad para hacerlos del todo felices. S. Jerónimo.

**5.** El nombre de presbítero o de anciano se daba entonces igualmente a los sacerdotes y a los obispos. San Jerónimo. Y aquí se debe entender de obispos respecto a los pueblos mayores, y de sacerdotes respecto a los menores.

**7.** El ministro de Dios en la dispensación de la divina palabra, y de los sacramentos y misterios.

**15.** Todo contribuye a amancillar y corromper el corazón y la conciencia de los judaizantes, por la terquedad con que defienden sus errores. Las cosas que son mejores se convierten en malas, para los que usan de ellas con malas disposiciones.

**16.** Profesan conocer a Dios, mas le niegan con las obras, siendo como son abominables y rebeldes, y negados para toda obra buena.

## CAPITULO II

*Manifiesta a Tito cómo se ha de portar con los fieles de todos los estados, sexos, edades y condiciones, y la obligación que tiene de darles buen ejemplo. Explica los documentos que nos da la gracia de Dios, y los beneficios que nos ha hecho Jesucristo.*

**1.** Mas tú has de enseñar *solamente* cosas conforme a la sana doctrina:

**2.** *Como* que los ancianos sean sobrios, honestos, prudentes, *constantes* y puros en la fe, en la caridad, en la paciencia;

**3.** Asimismo que las ancianas sean de un porte ajustado *y modesto*, no calumniadoras, no amigas de mucho vino, que den buenas instrucciones,

**4.** Enseñando la prudencia a las jóvenes, a que amen a sus maridos y a cuidar de sus hijos,

**5.** A que sean prudentes, castas, sobrias, cuidadosas de la casa, apacibles, sujetas a sus maridos, para que no se hable mal de la palabra de Dios *o del evangelio.*

**6.** Exhorta del mismo modo a los jóvenes a que sean sobrios.

**7.** En todas las cosas muéstrate dechado de buenas obras, en la doctrina, en la pureza de costumbres, en la gravedad *de tu conducta,*

**8.** En la predicación de doctrina sana e irreprensible; para que quien es contrario, se confunda, no teniendo mal ninguno que decir de nosotros.

**9.** *Exhorta* a los siervos a que sean obedientes a sus dueños, dándoles gusto en todo *lo que puedan,* no siendo respondones,

**10.** No defraudándolos en nada, sino mostrando en todas las cosas una perfecta lealtad; para que su conducta haga respetar en todo el mundo la doctrina de Dios, salvador nuestro.

**11.** Porque la gracia del Dios, salvador nuestro, ha iluminado a todos los hombres,

**12.** Enseñándonos que, renunciando a la impiedad y a las pasiones mundanas, vivamos sobria, justa y religiosamente en este siglo,

**13.** Aguardando la bienaventuranza esperada, y la venida gloriosa del gran Dios y salvador nuestro Jesucristo,

**14.** El cual se dió a sí mismo por nosotros, para redimirnos de todo pecado, purificarnos y hacer de nosotros un pueblo *particularmente* consagrado a su servicio y fervoroso en el bien obrar.

**15.** Esto es lo que has de enseñar; y exhorta y reprende con plena autoridad. *Pórtate de manera que* nadie te menosprecie.

## CAPITULO III

*Virtudes que debe Tito recomendar a todos los cristianos. La gracia de Jesucristo derramada sobre nosotros nos hace esperar la vida eterna. Le exhorta a que ahuyente las malas doctrinas, y aparte de la Iglesia los herejes para que no corrompan la fe de los fieles.*

**1.** Amonéstales que vivan sujetos a los príncipes y potestades, que obedezcan sus órdenes, y que estén prontos para toda obra buena.

**2.** Que no digan mal de nadie, que no sean pendencieros; sino modestos, tratando a todos los hombres con toda *la* dulzura *posible.*

**3.** Porque también nosotros éramos en algún tiempo insensatos, incrédulos, extraviados, esclavos de infinitas pasiones y deleites, llenos de malignidad y de envidia, aborrecibles y aborreciéndonos los unos a los otros.

**4.** Pero después que Dios, nuestro salvador, ha manifestado su benignidad y amor para con los hombres,

---

CAP. II. — **1.** No sólo ha de enseñar la buena doctrina según las máximas del Evangelio, sino que ha de ser con un modo digno de su majestad y decoro. S. Jerónimo.

**2.** La sanidad y entereza de la fe consiste en crear y obrar juntamente, con resolución, lo que se cree. San Jerónimo.

**9.** Este es un defecto muy ordinario en los malos criados, que no dejan de dar respuestas poco agradables a sus amos, o murmuran en secreto cuando les mandan alguna cosa que no es de su gusto.

---

**11.** El Verbo eterno encarnado que es gracia esencial y la fuente de todas las gracias.

**13.** Este es un testimonio muy ilustre de la divinidad de Jesucristo. Así lo reconocen todos los Padres griegos y latinos, por lo cual aquellos intérpretes que lo entienden de Dios Padre, se apartan del común sentir de los Padres. Todo el contexto prueba que debe referirse a Jesucristo.

**15.** *Con todo imperio,* no de suerte que se persuadan, que obras con un poder absoluto, sino como *legado de Dios* y en su nombre. Tu conducta sea tal, que haciendo todos de ti el mayor aprecio, respeten el ministerio que ejerces y saquen fruto de tus instrucciones. I. *Timot.* IV, 12.

**5.** Nos ha salvado, no a causa de las obras de justicia que hubiésemos hecho, sino por su misericordia, haciéndonos renacer por el bautismo, y renovándonos por el Espíritu Santo,

**6.** Que él derramó sobre nosotros copiosamente, por Jesucristo, salvador nuestro,

**7.** Para que justificados por la gracia de éste mismo, vengamos a ser herederos de la vida eterna, conforme a la esperanza *que de ella tenemos.*

**8.** Doctrina es *ésta* certísima; y deseo que arraigues bien en ella *a los que creen en Dios,* a fin de que procuren aventajarse en practicar buenas obras. Estas cosas son las loables y provechosas a los hombres.

**9.** Pero cuestiones necias, y genealogías, y contiendas, y debates sobre la ley, evítalas, porque son inútiles y vanas.

**10.** Huye del hombre hereje, después de haberle corregido una y dos veces,

**11.** Sabiendo que quien es de esta ralea, está pervertido y es delincuente, siendo condenado por su propia conciencia.

**12.** Luego que yo hubiere enviado a ti a Artemas, o a Tíquico, date prisa en venir a mí a Nicópolis; pues he resuelto pasar allí el invierno.

**13.** Envía delante con todo honor a Zenas, doctor de la ley con Apolo, procurando que nada les falte.

**14.** Aprendan asimismo los nuestros a ejercitar los primeros las buenas obras en las necesidades que se ofrecen, para no ser estériles *y sin fruto.*

**15.** Todos los que están conmigo te saludan; saluda tú a los que nos aman conforme a la fe. La gracia de Dios sea con todos vosotros. Amén.

*ABRAHAM Y LOS TRES ÁNGELES*, DE GIOVANNI TIÉPOLO,
*óleo sobre tela, Museo del Prado, Madrid*

*ADÁN Y EVA* (DETALLE), DE JAN VAN SCOREL,
*óleo sobre madera, colección privada*

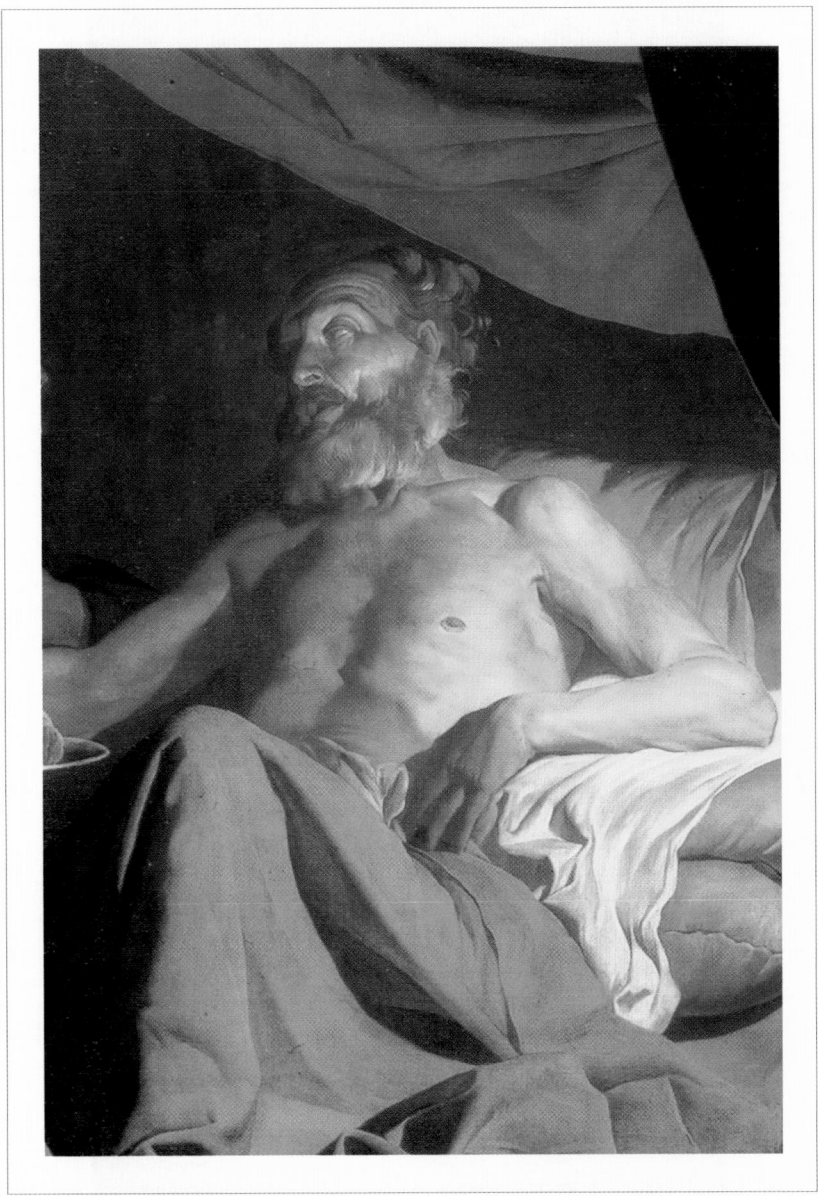

*Isaac bendice a Jacob* (detalle), de Matthias Stomer, óleo sobre tela, Barber Institute of Fine Arts, Birmingham

*Pilatos se lava las manos* (detalle), de Matthias Stomer,
óleo sobre tela, *Musée du Louvre, París*

*Mater Dolorosa*, de Luis de Morales,
*óleo sobre madera, Hermitage, San Petersburgo*

*Adoración con el Niño Bautista y San Bernardo* (detalle),
de Fra Filippo Lippi,
*témpera sobre madera, Staatliche Museen, Berlín*

*La caída del hombre* (detalle), de Hugo van der Goes,
*panel de un díptico, Kunsthistorisches Museum, Viena*

*Los cuatro evangelistas*, DE JACOB JORDAENS,
*óleo sobre tela, Musée du Louvre, París*

*LA MUERTE DE LA VIRGEN*, DE GEORGES DE LA TOUR,
*témpera sobre madera, Museo del Prado, Madrid*

*EL BAUTISMO DE CRISTO*, DE PARIS BORDONE,
*óleo sobre tela, National Gallery of Art, Washington D.C*

*LA VISIÓN DE SAN BERNARDO*, DE FILIPPINO LIPPI,
*témpera sobre madera, Badia Fiorentina, Florencia*

*La Crucifixión*, de Mathis Grünewald
*óleo sobre madera, Unterlinden Museum, Colmar*

*Los santos Mateo, Catalina de Alejandría y Juan Evangelista,*
de Stefan Lochner,
*óleo sobre madera, National Gallery, Londres*

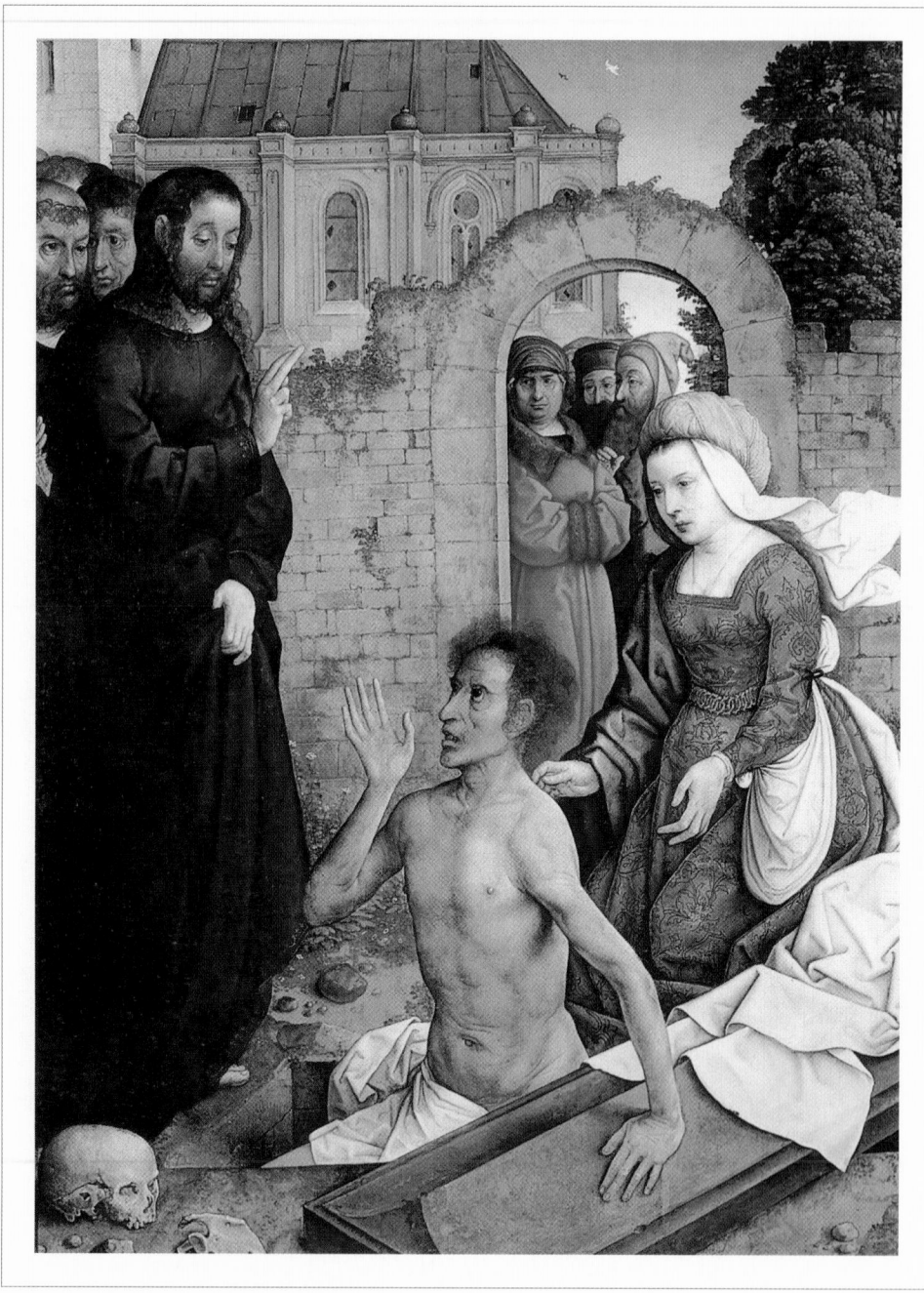

*La resurrección de Lázaro*, de Juan de Flandes,
óleo sobre madera, Museo del Prado, Madrid

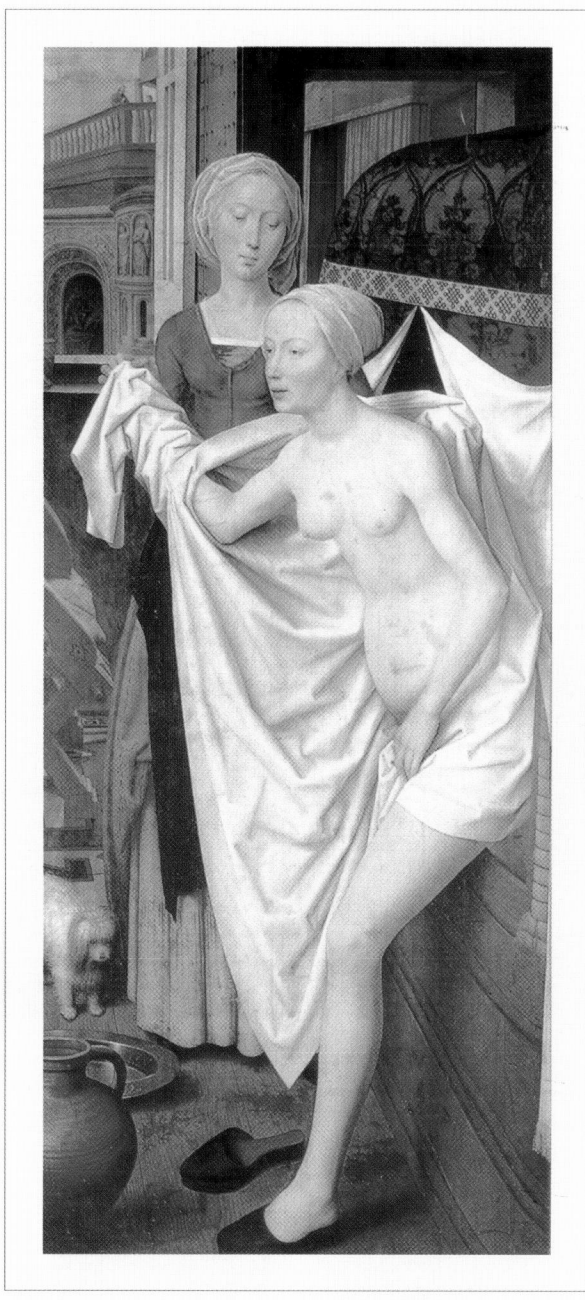

*Betsabé saliendo del baño* (detalle), de Hans Memling,
*óleo sobre tabla, Staatsgalerie, Stuttgart*

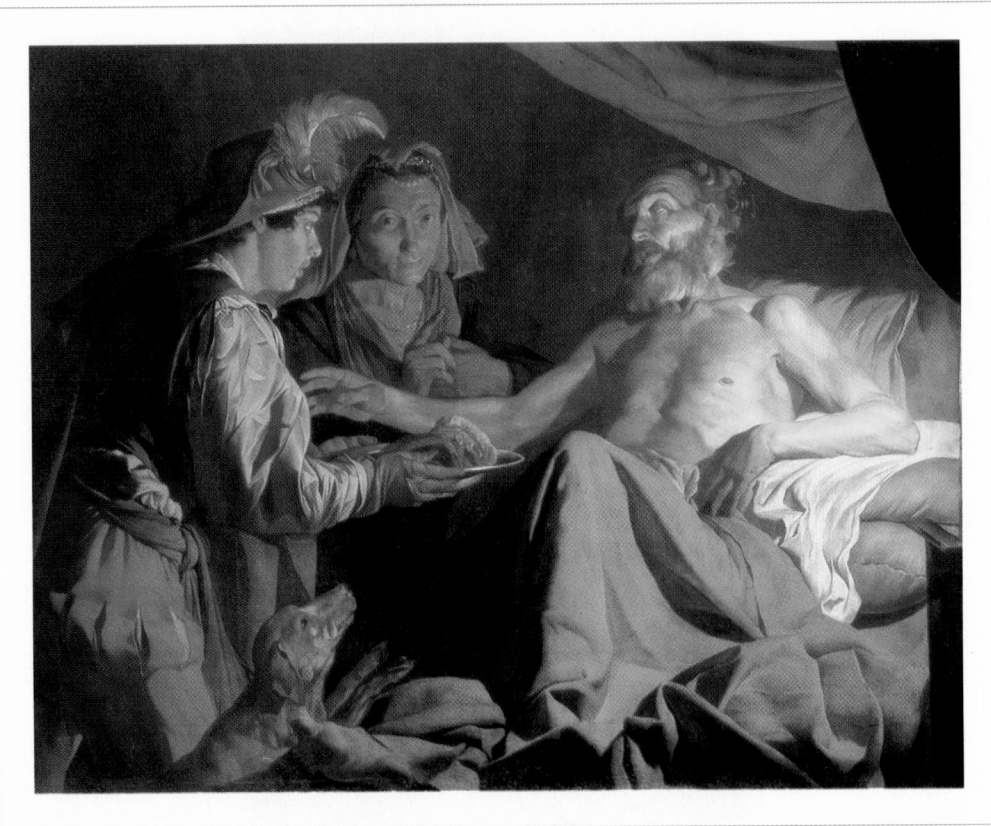

*Isaac bendice a Jacob*, de Matthias Stomer,
óleo sobre tela, Barber Institute of Fine Arts, Birmingham

# EPÍSTOLA DE SAN PABLO A FILEMÓN

# Introducción

**Pablo intercede ante Filemón, noble de Colosas, por Onésimo, antiguo criado acusado de robo y fuga, antes de su conversión, y portador en mano de la carta.**

*Pídele con la elocuencia divina de la caridad que se reconcilie con Onésimo su esclavo fugitivo, ya cristiano y arrepentido.*

1. Pablo, preso por amor de Jesucristo, y Timoteo *su* hermano, al amado Filemón, coadjutor nuestro,

2. Y a la carísima hermana *nuestra* Apia, *su esposa,* y a Arquipo, nuestro compañero en los combates, *o en la milicia de Cristo,* y a la Iglesia congregada en tu casa:

3. Gracia y paz a vosotros, de parte de Dios nuestro Padre y del Señor Jesucristo.

4. Acordándome siempre de ti en mis oraciones, *querido Filemón,* doy gracias a mi Dios,

5. Oyendo la fe que tienes en el Señor Jesús, y tu caridad para con todos los santos *o fieles,*

6. Y de qué manera la liberalidad *que nace* de ti resplandece a la vista de todo el mundo, haciéndose patente por medio de todas las obras buenas que se practican en tu casa por amor de Jesucristo.

7. Así es que yo he tenido gran gozo y consuelo en *las obras de* tu caridad, viendo cuánto recreo y alivio han recibido de tu bondad, hermano *mío, los corazones* de los santos, *o fieles necesitados.*

8. Por este motivo, no obstante la libertad que pudiese yo tomarme en Jesucristo para mandarte una cosa que es de tu obligación,

9. Con todo lo mucho que te amo me hace preferir el suplicártela, aunque sea lo que soy *respecto de ti, esto es,* Pablo, *el Apóstol,* ya anciano, y además preso ahora por amor de Jesucristo.

10. Te ruego, pues, por mi hijo Onésimo a quien he engendrado, *o dado la vida de la gracia,* entre las cadenas,

11. Onésimo, que en algún tiempo fué para ti inútil, y al presente tanto para ti como para mí es provechoso,

12. El cual te le vuelvo a enviar. Tú de tu parte recíbele como a mis entrañas, *o como si fuera hijo mío.*

13. Yo había pensado retenerle conmigo, para que me sirviese por ti, durante la prisión *en que estoy* por el Evangelio;

14. Pero nada he querido hacer sin tu consentimiento, para que tu beneficio no fuese como forzado, sino voluntario.

15. *Que* quizá él te ha dejado por algún tiempo, a fin de que le recobrases para siempre,

16. No va como mero siervo, sino como quien de siervo ha venido a ser *por el bautismo* un hermano muy amado, de mí en particular; ¿pero cuánto más de ti, *pues que te pertenece* según el mundo y según el Señor?

---

2. Compañero mío en la milicia y gloriosa defensa de Jesucristo. Arquipo era uno de los maestros de la Iglesia de Colosas, o su obispo. San Jerónimo.

6. Un intérprete lee: *clara, manifiesta.* El Crisóstomo, *eficaz.* De manera que para conocer evidentemente con qué sinceridad de corazón has abrazado nuestra común fe, basta fijar los ojos en las obras buenas que se practican en tu casa. *Galat* III, 5. *Jacob* II, 22. La *comunicación de tu fe,* como si dijera, la liberalidad que nace de la fe.

---

14. Para que todo lo debieses al buen afecto que me tienes, y no pareciese que lo hacías por fuerza y a más no poder.

**17.** Ahora bien, si me tienes por *íntimo* compañero tuyo, acógele como a mí mismo.

**18.** Y si te ha causado algún detrimento o te debe algo, apúntalo a mi cuenta.

**19.** Yo, Pablo, te *lo* he escrito de mi puño; yo lo pagaré por no decirte, que tú me debes todo a mí, *puesto que te convertí a la fe.*

**20.** Sí por cierto, hermano. Reciba yo de ti este gozo en el Señor. Da en nombre del Señor este consuelo a mi corazón.

**21.** Confiado en tu obediencia te escri-bo, sabiendo que harás aun mucho más de lo que digo.

**22.** Y al mismo tiempo dispónme también hospedaje; pues espero que por vuestras oraciones os he de ser restituido.

**23.** Epafras, preso conmigo por amor de Jesucristo, te saluda,

**24.** Con Marcos, Aristarco, Demas y Lucas que me ayudan *y acompañan.*

**25.** La gracia de Nuestro Señor Jesucristo sea con vuestro espíritu. Amen.

# EPÍSTOLA DE SAN PABLO A LOS HEBREOS

# Introducción

De entre todo el epistolario debido a la pluma de San Pablo, la epístola a los Hebreos puede ser considerada como un caso aparte. Efectivamente, el tono y el planteamiento correspondiente a las epístolas del apóstol sólo aparece hacia el final del escrito. Otro tanto sucede con el lenguaje empleado en su elaboración, ya que está escrita en griego clásico ausente en toda la producción del Nuevo Testamento. Esta serie de circunstancias, unidas al hecho de que la carta no registrara el nombre de Pablo, hicieron atribuir su autoría a San Bernabé o bien a San Lucas, e incluso a San Clemente. Restablecida la realidad, pocas dudas caben sobre la atribución de la carta a San Pablo.

La epístola es definida por su autor e inspirador como «palabra de exhortación». Emplaza y exhorta a los judíos, sus destinatarios, a permanecer firmes y fieles a su nueva fe, huyendo de pasadas veleidades. También les infundía ánimos para que soportaran con dignidad y valor las vejaciones y humillaciones de que eran objeto por parte de sus antiguos correligionarios de fe.

Los escritores más antiguos de la escuela alejandrina consideraron esta epístola como un documento importante e inspirador del Nuevo Testamento; pero no lo atribuyeron a Pablo. Orígenes, el mayor escriturista antiguo afirma al respecto: «Si he de manifestar mi parecer, yo diría que las ideas son del apóstol (Pablo), quien la concibió, pero que la redactó otro...» Sin embargo, entre los griegos pronto se llegó a la unanimidad a la hora de admitir que la carta era obra canónica de San Pablo, y por la influencia de los padres griegos, también los latinos, alrededor de la segunda mitad del siglo IV y la primera del V, aceptaron estas conclusiones; las mismas que más tarde serían asimismo reconocidas por los sirios y otros orientales.

## CAPITULO I

*Jesucristo, verdadero Dios y hombre, es infinitamente superior a los ángeles.*

1. Dios, que en otro tiempo habló a nuestros padres en diferentes ocasiones y de muchas maneras por los profetas,

2. Nos ha hablado últimamente en estos días, por medio de su Hijo *Jesucristo,* a quien constituyó heredero universal de todas las cosas, por quien crió también los siglos y *cuanto ha existido en ellos.*

3. El cual siendo como es el resplandor de su gloria y vivo retrato de su substancia, *o persona,* y sustentándolo *y rigiéndolo* todo con *sola* su poderosa palabra, después de habernos purificado de nuestros pecados, sentado a la diestra de la majestad en lo más alto de los cielos,

4. Hecho tanto más *superior* y excelente que los ángeles, cuanto es más aventajado el nombre que recibió por herencia o *naturaleza,*

5. Porque ¿a cuál de los ángeles dijo jamás: Hijo mío eres tú, yo te he engendrado hoy? ¿Y asimismo: yo seré padre suyo, y él será hijo mío?

6. Y otra vez al introducir a su primogénito en el mundo dice: Adórenle todos los ángeles de Dios.

7. Asimismo en orden de los ángeles dice *la Escritura:* El que a sus ángeles o *embajadores* los hace espíritus o *ligeros como el viento,* y a sus ministros *activos como la* ardiente llama;

8. Mientras que al Hijo le dice: El trono tuyo ¡oh Dios! *subsistirá* por los siglos de los siglos; cetro de rectitud, el cetro de tu reino;

9. Amaste la justicia y aborreciste la iniquidad; por eso ¡oh Dios! el Dios *y Padre* tuyo te ungió con óleo de júbilo mucho más que a tus compañeros.

---

CAP. I. — 3. Como que tienen entrambos un mismo ser y naturaleza.

5. Como dijo a Jesucristo en su generación eterna, y en su encarnación y resurrección.

6. O cuando anunciaba esto por los Profetas.

9. Más que a todos cuantos se te han asociado; o que por la naturaleza humana son hermanos tuyos y copartícipes de tu gloria; a ti te ha comunicado el Padre toda la plenitud de su gracia y dones.

14. Luego Jesucristo, como Hijo de Dios, es infinitamente superior a los ángeles.

10. Y *en otro lugar se dice del Hijo de Dios: Tú eres* ¡oh Señor! *el que* al principio fundaste la tierra, y obras de tus manos son los cielos:

11. Ellos perecerán, más tú permanecerás *siempre el mismo,* y todos como vestidos envejecerse han;

12. Y como un manto *o ropa así* los mudarás, y quedarán mudados; pero tú eres para siempre el mismo, y tus años *o tus días* nunca se acabarán, *pues eres eterno.*

13. En fin, ¿a qué ángel ha dicho jamás: Siéntate tú a mi diestra, mientras tanto que pongo a tus enemigos por tarima *o estrado* de tus pies?

14. ¿Por ventura no son todos ellos unos espíritus que hacen el oficio de servidores *o ministros enviados de Dios,* para ejercer su ministerio en favor de aquellos que deben ser los herederos de la salud?

## CAPITULO II

*Los transgresores de la ley nueva serán castigados con mayor rigor. Gloria del Hijo de Dios hecho hombre, Señor de todas las criaturas, Redentor, Santificador, Salvador y Pontífice de los hombres.*

1. Por tanto, es menester que observemos con mayor empeño las cosas que hemos oído *de su boca,* a fin de que no quedemos por desgracia del todo vacíos.

2. Pues si la ley promulgada por los ángeles fué firme y toda transgresión y desobediencia recibió el justo castigo que merecía,

3. ¿Cómo lo evitaremos nosotros, si desatendemos *el evangelio de* tan grande salud?, la cual habiendo comenzado el Señor a predicarla, ha sido después confirmada hasta nosotros por los que la habían oído,

4. Atestiguándola Dios con señales, y portentos, y variedad de milagros, y con los dones del Espíritu Santo que ha distribuido según su beneplácito.

5. Porque no sometió Dios a los ángeles el mundo venidero de que hablamos.

6. Antes uno en cierto lugar testificó diciendo: ¿Qué es el hombre que así te acuerdas de él, o el hijo del hombre para que lo mires tan favorablemente?

7. Hasle hecho un poco inferior a los ángeles, coronado le has de gloria y de honor, y le has constituido sobre las obras de tus manos.

**8.** Todas las cosas has sujetado a sus pies, *o a su humanidad santísima.* Conque si *Dios* todas las cosas ha sujetado a él, no ha dejado ninguna que no haya a él sometido. Ahora, empero, no vemos que todas las cosas le estén todavía sujetas.

**9.** Mas vemos a aquel mismo Jesús, que un poco fué hecho inferior a los ángeles, coronado *ya* de gloria y honor, por la muerte que padeció, habiendo querido Dios por *pura* gracia *o misericordia,* que muriese por todos *los hombres.*

**10.** Por cuanto era cosa digna de aquel *Dios* para quien y por quien son todas las cosas, habiendo de conducir a muchos hijos *adoptivos* a la gloria, consumase *o inmolase* por medio de la pasión *y muerte* al autor *y modelo* de la salvación de los mismos, *Jesucristo Señor nuestro.*

**11.** Porque el que santifica, y los que son santificados, todos *traen* de uno *su origen o la naturaleza humana.* Por esta causa no se desdeña de llamarlos hermanos, diciendo:

**12.** Anunciaré tu nombre a mis hermanos; en medio de la iglesia, *o reunión de tu pueblo,* cantaré tus alabanzas.

**13.** Y en otra parte: Yo pondré en él *toda* mi confianza. Item: he aquí, yo y mis hijos, que Dios me ha dado.

**14.** Y por cuanto los hijos tienen comunes la carne y sangre, *o la naturaleza,* él también participó de las mismas cosas, para destruir por su muerte al que tenía el imperio de la muerte, es a saber, al diablo,

**15.** Y librar a aquellos que por el temor de la muerte estaban toda la vida sujetos a servidumbre.

**16.** Porque no tomó jamás la naturaleza de los ángeles, sino que tomó la sangre de Abraham.

**17.** Por lo cual debió en todo asemejarse a sus hermanos, a fin de ser un pontífice misericordioso y fiel para con Dios, en orden a expiar *o satisfacer por* los pecados del pueblo,

**18.** Ya que por razón de haber él mismo padecido y sido tentado, puede también dar la mano *o socorrer* a los que son tentados.

# CAPITULO III

*Jesucristo Hijo de Dios, mucho más eminente sin comparación que Moisés, que era solamente un siervo del Señor. Debemos obedecerle en todo, para que no seamos castigados como los hebreos incrédulos.*

**1.** Por lo cual vosotros, *mis* santos hermanos, partícipes *que sois* de la vocación celestial, poned los ojos en Jesús, apóstol y pontífice de nuestra profesión, *o religión santa,*

**2.** El cual es fiel al que le ha constituido *tal,* como lo fué también Moisés con respecto a toda su casa.

**3.** *Considerad,* pues, que fué reputado digno de gloria tanto mayor que la de Moisés cuanto mayor dignidad *u honra* tiene que la casa, aquel que la fabricó.

**4.** Ello es que toda casa por alguno es fabricada; mas el que crió *y fabricó* todas las cosas es Dios.

**5.** Y la verdad Moisés fué fiel en toda la casa de Dios, *o pueblo de Israel,* como un sirviente *enviado de Dios* para anunciar al pueblo todo lo que tenía orden de decirle.

**6.** Pero Cristo *se ha dejado ver* como hijo en su propia casa; la cual casa somos nosotros, si hasta el fin mantenemos firme la *animosa* confianza *en él* y la esperanza de la gloria.

**7.** Por lo cual *nos* dice el Espíritu Santo: Si hoy oyereis su voz,

**8.** No queráis endurecer vuestros corazones, como *sucedió cuando el pueblo estaba* en el desierto en el lugar llamado *Contradicción y murmuración,*

**9.** En donde vuestros padres me tentaron, queriendo hacer prueba de mi poder, y *en donde* vieron las cosas *grandes* que hice.

**10.** Yo sobrellevé a aquel pueblo con pena y disgusto por espacio de cuarenta años, *y dije a mí mismo:* Este pueblo sigue siempre los extravíos de su corazón: él no conoce mis caminos,

**11.** Y así airado he jurado: Que no entrarán *jamás* en *el lugar de* mi descanso.

**12.** Mirad, pues, hermanos, no haya en alguno de vosotros corazón maleado de incredulidad, hasta abandonar al Dios vivo;

---

CAP. II. — 10. Por la imitación y méritos del Redentor, su Hijo verdadero, es decir, por el camino de las aflicciones y trabajos.

11. El raciocinio del Apóstol es: Conviene que el pontífice santificador y los santificados sean de una misma condición y naturaleza.

---

CAP. III. — 1. O llamados a la gloria. O enviado del eterno Padre.

2. O el pueblo de los judíos, de que fué caudillo.

**13.** Antes amonestaos todos los días los unos a los otros mientras *dura* el día *que* se apellida hoy, a fin de que ninguno de vosotros llegue a endurecerse con el engañoso atractivo del pecado.

**14.** Puesto que venimos a ser participantes de Cristo, con tal que conservemos inviolablemente hasta el fin el principio del nuevo ser suyo *que ha puesto en nosotros.*

**15.** Mientras que se *nos* dice: Si hoy oyereis su voz, no endurezcáis vuestros corazones, como *los israelitas* en *el tiempo de* aquella provocación.

**16.** Pues algunos de los que la habían oído, irritaron al Señor, aunque no todos aquellos que salieron del Egipto por *medio de* Moisés.

**17.** Mas ¿contra quiénes estuvo irritado *el Se-ñor* por espacio de cuarenta años? ¿No fue contra los que pecaron, cuyos cadáveres quedaron tendidos en el desierto?

**18.** ¿Y a quiénes juró que no entrarían *jamás* en su descanso, sino a aquellos que fueron incrédulos *y desobedientes*?

**19.** En efecto, vemos que no pudieron entrar por causa de la incredulidad.

## CAPITULO IV

*De la verdadera tierra de promisión, hacia la cual caminan los cristianos, y cómo debemos acudir a Jesucristo para poder entrar en ella. Cuán grande es la virtud y eficacia de la palabra de Dios.*

**1.** Temamos, pues, que haya alguno entre nosotros que sea excluido de la entrada en el descanso de Dios, por haber despreciado la promesa *que de él se nos había hecho,*

**2.** Pues que se nos anunció también a nosotros del mismo modo que a ellos. Pero a ellos no les aprovechó la *palabra* o promesa oída, por no ir acompañada con la fe de los que la oyeron.

**3.** Al contrario, nosotros que hemos creído, entraremos en el descanso, según lo que dijo: Tal es el juramento que hice en mi in-

dignación: jamás entrarán en mi descanso; *y es el descanso en que habita Dios,* acabadas ya sus obras desde la creación del mundo.

**4.** Porque en cierto lugar habló así del día séptimo: Y descansó Dios al día séptimo de todas sus obras.

**5.** Y en éste dice: Jamás entrarán en mi descanso.

**6.** Pues como todavía faltan algunos por entrar en él, y los primeros a quienes fué anunciada la buena nueva, no entraron por su incredulidad,

**7.** Por eso de nuevo establece un día *y es* hoy, diciendo, al cabo de tanto tiempo, por boca de David, según arriba se dijo: Si hoy oyereis su voz, no queráis endurecer vuestros corazones.

**8.** Porque si Josué les hubiera dado este descanso, nunca después hablaría *la Escritura* de otro día.

**9.** Luego resta todavía un solemne descanso o *sábado* para el *verdadero* pueblo de Dios.

**10.** Así quien ha entrado en éste su descanso, ha descansado *también* de todas sus obras, así como Dios de las suyas.

**11.** Esforcémonos, pues, a entrar en aquel *eterno* descanso, a fin de que ninguno imite el sobredicho ejemplo de incredulidad.

**12.** Puesto que la palabra de Dios es viva, y eficaz, y más penetrante que cualquiera espada de dos filos, y que entra y penetra hasta los pliegues del alma y del espíritu, hasta las junturas y tuétanos, y discierne o *califica* los pensamientos y las intenciones *más ocultas* del corazón.

**13.** No hay criatura invisible a su vista; todas están desnudas y patentes a los ojos de este *Señor*, de quien hablamos.

**14.** Teniendo, pues, por sumo pontífice a Jesús, Hijo de Dios, que penetró hasta lo más alto del cielo, y *nos abrió sus puertas*, estemos firmes en la fe que hemos profesado.

**15.** Pues no es tal nuestro pontífice que sea incapaz de compadecerse de nuestras miserias, habiendo *voluntariamente* experimentado todas las tentaciones *y debilidades*, a excepción del pecado, por razón de la semejanza *con nosotros en el ser de hombre*.

---

**13.** O el tiempo de la vida presente, hasta que llegue el día perpetuo de la eternidad.

**14.** Estamos unidos e incorporados con Jesucristo, desde que renacimos con él, cuando recibimos la nueva vida de la gracia, y fuimos hechos miembros de Cristo, por medio del bautismo. *Eph.* III. — *Gal* III. — II *Cor.* X.

**CAP. IV.** — 1. O reino celestial, figurado por la tierra de promisión.

---

**11.** Por medio de la fe y buenas obras.

**13.** Esto es, Jesucristo.

**16.** Lleguémonos, pues, confiadamente al trono de la gracia: a fin de alcanzar misericordia, y hallar *el auxilio de la* gracia para ser socorridos a tiempo oportuno.

## CAPITULO V

*Explica el Apóstol cuál es el oficio del sumo Pontífice, y hace ver que Jesucristo es tal, y que intercede por nosotros. Se queja de la poca disposición que tienen para entender estos divinos misterios.*

**1.** Porque todo pontífice entresacado de los hombres, en lo que mira *al culto de* los hombres, en lo que mira *al culto* de Dios, a fin de que ofrezca dones y sacrificios por los pecados.

**2.** El cual sepa *sobrellevar* y condolerse de aquellos que ignoran y yerran, como quien se halla igualmente rodeado de miserias.

**3.** Y por esta razón debe ofrecer sacrificio en descuento de los pecados, no menos por los suyos propios que por los del pueblo.

**4.** Ni nadie se apropia esta dignidad, si no es llamado de Dios, como Aarón.

**5.** Así también, Cristo no se arrogó la gloria de hacerse pontífice; sino *que se la dió* el que le dijo: Tú eres mi Hijo, yo te he engendrado hoy,

**6.** Al modo que también en otro lugar dice: Tú eres sacerdote eternamente, según el orden de Melquisedec,

**7.** El cual en los días de su carne *mortal*, ofreciendo plegaris y súplicas con grande clamor y lágrimas a aquel que podía salvarle de la muerte, fué oído en vista de su reverencia.

**8.** Y cierto que aunque era Hijo de Dios, aprendió *como hombre*, por las cosas que padeció, a obedecer.

**9.** Y así consumado *o sacrificado en la cruz*, vino a ser causa de salvación eterna para todos los que le obedecen,

**10.** Siendo nombrado por Dios pontífice según el orden de Melquisedec.

**11.** Sobre lo cual podríamos deciros muchas *y grandes* cosas, pero son cosas difíciles de explicar, a causa de vuestra flojedad *y poca aplicación* para entenderlas.

**12.** El caso es que debiendo ser maestros si atendemos al tiempo *que ha pasado ya,* de nuevo habéis menester que os enseñen a vosotros cuáles son los primeros rudimentos de la palabra de *Dios, o doctrina cristiana:* y habéis llegado a tal estado, que no se os puede dar sino leche, mas no alimento sólido.

**13.** Pero quien se cría con leche, no es capaz de *entender* el lenguaje de *perfecta y consumada* justicia, por ser un niño *en la doctrina de Dios.*

**14.** Mientras que el manjar sólido es de varones perfectos; de aquellos que con el largo uso tienen ejercitados los sentidos *espirituales* en discernir el bien y el mal.

## CAPITULO VI

*Observa el apóstol que suelen ser incorregibles los que siendo muy favorecidos de Dios pierden la fe, o se abandonan a los vicios. Habla contra la pereza, y de la firme áncora que tenemos en la esperanza cristiana.*

**1.** Dejemos, pues, a un lado las instrucciones *que se dan* a aquellos que comienzan a creer en *Jesucristo,* y elevémonos a lo *que hay de* más perfecto, sin *detenernos* en echar de nuevo el fundamento *hablando* de la penitencia de las obras muertas *o pecados anteriores al bautismo,* y de la fe en Dios,

**2.** De la doctrina sobre los bautismos, de la imposición de las manos *o confirmación* de la resurrección de los muertos y del juicio perdurable:

**3.** Y he aquí lo que, con el favor de Dios, vamos a hacer ahora.

**4.** Porque es moralmente imposible que aquellos que han sido una vez iluminados, que *asimismo* han gustado el don celestial *de la Eucaristía,* que han sido hechos partícipes *de los dones* del Espíritu Santo,

**5.** Que se han alimentado con la *santa* palabra de Dios y *la esperanza de* las maravillas del siglo venidero,

---

CAP. V. — 3. *Levit.* IV, *v.* 3, XVI. *v.* 6.11.
4. *Exod.* XXVIII, *v.* 1. II. *Paral.* XXVII, *v.* 18.
6. *Psalm.* II, *v.* 7. CIX, *v.* 4.
7. O de la piedad filial con que obedecía a su Padre; y resucitó al tiempo conveniente.

---

12. Desde que se os anunció el evangelio.
14. O el conocimiento más extenso de los grandes misterios de la religión.
CAP. VI. — 1. Por el conocimiento de las primeras verdades y máximas fundamentales de la religión que se enseñan a los que empiezan a creer en Jesucristo, cuales son los neófitos y los catecúmenos.
2. El de Jesucristo y el de S. Juan.
3. A fin de que instruidos más a fondo en la fe temáis mucho el perderla.

**6.** Y que después de todo esto han caído; *es imposible,* digo, que sean renovados por la penitencia, puesto que *cuanto es de su parte* crucifican de nuevo en sí mismos al Hijo de Dios, y le exponen al escarnio.

**7.** Porque la tierra que embebe la lluvia que cae a menudo sobre ella y produce yerba que es provechosa a los que la cultivan, recibe la bendición de Dios;

**8.** Mas la que brota de espinas y abrojos es abandonada *de su dueño,* y queda puesta a la maldición y al fin para ser abrasada.

**9.** Por lo demás, carísimos hermanos, aunque os hablamos de esta manera, tenemos mejor opinión de vosotros y de vuestra salvación.

**10.** Porque no es Dios injusto, para olvidarse de lo que habéis hecho, y de la caridad que por respeto a su nombre habéis mostrado, en haber asistido y en asistir a los santos, *o fieles necesitados.*

**11.** Deseamos, empero, que cada uno de vosotros muestre el mismo fervor hasta el fin para el cumplimiento *o perfección* de su esperanza,

**12.** A fin de no os hagáis flojos, *o remisos,* sino imitadores de aquellos *santos patriarcas,* que por su fe, y *larga* paciencia han llegado a ser los herederos de las promesas *celestiales.*

**13.** Por eso en la promesa que Dios hizo a Abraham, como no tenía otro mayor por quien jurar, juró por sí mismo,

**14.** Diciendo *en seguida: Está bien* cierto que yo te llenaré de bendiciones, y te multiplicaré sobremanera.

**15.** Y así aguardando con longanimidad *o larga paciencia,* alcanzó la promesa.

**16.** Ello es que los hombres juran por quien es mayor que ellos; y el juramento es la mayor seguridad que pueden dar, para terminar sus diferencias.

**17.** Por lo cual queriendo Dios mostrar más cumplidamente a los herederos de la promesa la inmutabilidad de su consejo *o resolución,* interpuso juramento;

**18.** Para que a vista de dos cosas inmutables, *promesa y juramento,* en que no es posible que Dios mienta *o falte a ellas,* tengamos un poderosísimo consuelo, los que consideramos nuestro refugio *y ponemos* la mira en alcanzar los bienes que nos propone la esperanza,

**19.** La cual sirve a nuestra alma como de una áncora segura y firme, y penetra *hasta el Santuario que está* del velo adentro:

**20.** Donde entró Jesús por nosotros *el primero como* nuestro precursor, *constituido* pontífice por toda la eternidad según el orden de Melquisedec.

## CAPITULO VII

*El sumo sacerdocio de Jesucristo figurado en el de Melquisedec, es infinitamente más excelente que el de Aarón y su sucesores. Jesucristo no ha de rogar por sí, sino solamente por nosotros.*

**1.** En efecto, este Melquisedec, rey de Salem, sacerdote del Dios altísimo, *es el que* salió al encuentro a Abraham cuando volvía *victorioso* de la derrota de los *cuatro* reyes, y *el que* le bendijo;

**2.** A quien asimismo dió Abraham el diezmo, cuyo nombre en primer lugar significa rey de justicia; además *de eso era* rey de Salem, que quiere decir rey de paz,

**3.** Representado sin padre, sin madre, sin genealogía, sin ser conocido el principio de sus días, ni el fin de su vida, sino que siendo *por todo esto* imagen del Hijo de Dios, queda sacerdote eternamente.

**4.** Contemplad ahora cuán grande sea éste, a quien el mismo patriarca Abraham dió los diezmos, *sacándolos* de los mejores despojos.

**5.** Lo cierto es que aquellos de la tribu de Leví, que son elevados al sacerdocio, tienen por la ley orden *o derecho* de cobrar los diezmos; aunque también éstos mismos vengan como ellos de la sangre de Abraham.

**6.** Pero aquél cuyo linaje no se cuenta entre ellos, recibió los diezmos de Abraham, y dió la bendición al que tenía *recibidas* las promesas.

**7.** Y no cabe duda alguna en que quien es menor recibe la bendición del mayor.

---

6. En apostasía, o han abandonado a Dios.

17. Y acomodándose a la flaqueza y condición de los hombres.

19. O hasta el verdadero santuario del cielo.

20. Para ofrecer a Dios por nosotros los méritos de su pasión y muerte.

---

CAP. VII. — 3. Pues todo esto calla con misterio la Sagrada Escritura.

6. Melquisedec, que en nada pertenece a la familia de Abraham. Esto es, al Patriarca, en cuya descendencia habían de ser benditas todas las naciones.

**8.** No menos cierto es que aquí *entre los Levitas,* los que cobran los diezmos, son hombres que mueren, cuando allá se asegura o *representa como* que vive *aún.*

**9.** Y (por decirlo así) aun Leví que recibe los diezmos de *nosotros,* pagó diezmo en *la persona* de Abraham;

**10.** Pues que todavía estaba en *Abraham* su abuelo, *como la planta se contiene en la simiente,* cuando Melquisedec vino al encuentro de este *patriarca.*

**11.** Y si la perfección o *santidad* se daba por el sacerdocio levítico (ya que en tiempo del mismo recibió el pueblo la ley) ¿qué necesidad hubo después de que se levantase otro sacerdote *nombrado* según el orden de Melquisedec, y no según el de Aarón?

**12.** Porque mudado el sacerdocio, es forzoso que también se mude la ley.

**13.** Y el hecho es, que aquel de quien fueron predichas estas cosas, es de una tribu de la cual ninguno sirvió al altar.

**14.** Siendo como es notorio, que nuestro señor *Jesucristo* nació de la tribu de Judá a la cual jamás atribuyó Moisés el sacerdocio.

**15.** Y aun esto se manifiesta más claro; supuesto que sale a la luz otro sacerdote a semejanza de Melquisedec,

**16.** Establecido no por la ley de sucesión carnal, *como el de Aarón,* sino por el poder de su vida inmortal.

**17.** Como lo declara *la Escritura* diciendo: Tú eres sacerdote para siempre, según el orden de Melquisedec.

**18.** Queda, *pues, mudado el sacerdocio, y* por tanto abrogada *la ley u* ordenación antecedente, a causa de su inutilidad e insuficiencia;

**19.** Pues que la ley no condujo ninguna cosa a perfección, sino que *lo que* conduce a *ella es* una esperanza mejor, *sustituida en su lugar,* por la cual nos acercamos a Dios.

**20.** Y además este *sacerdote Jesucristo* no ha sido establecido sin juramento (porque ciertamente los otros fueron instituidos sacerdotes sin juramento;

**21.** Mas éste *lo fué* con juramento, por aquel que le dijo: Juró el Señor, y no se arrepentirá: tú eres sacerdote por toda la eternidad)

**22.** Por lo que es mucho más perfecto el testamento o *alianza* de que Jesús salió fiador *y mediador.*

**23.** Además aquellos sacerdotes fueron muchos porque la muerte les impedía que durasen *siempre;*

**24.** Mas éste como siempre permanece, posee eternamente el sacerdocio.

**25.** De aquí es que puede perpetuamente salvar a los que por medido suyo se presentan a Dios, *como que está* siempre vivo para interceder por nosotros.

**26.** A la verdad tal como éste nos convenía que fuese nuestro pontífice, santo, inocente, inmaculado, segregado de los pecadores, *o de todo pecado,* y sublimado sobre los cielos,

**27.** El cual no tiene /necesidad, como los demás sacerdotes, de ofrecer cada día sacrificios, primeramente por sus pecados y después por los del pueblo: porque esto lo hizo una vez *sola,* ofreciéndose a sí mismo.

**28.** Pues la ley constituyó sacerdotes a hombres flacos; pero la palabra *de Dios, confirmada* con el juramento *que ha hecho* posteriormente a la ley, estableció *por pontífice* a su Hijo *Jesucristo, que es santo y* perfecto eternamente.

## CAPITULO VIII

*Es Jesucristo mediador del nuevo Testamento, el cual es mucho más excelente o perfecto que el antiguo.*

**1.** En suma, cuanto acabamos de decir se reduce a esto: Tenemos un pontífice tal, que está sentado a la diestra del trono de la majestad *de Dios* en los cielos,

**2.** *Y es* el ministro, *o sacerdote,* del santuario *celestial,* y del verdadero Tabernáculo, erigido por el Señor,. y no por hombre alguno.

**3.** Que si todo pontífice es destinado a ofrecer dones y víctimas, forzoso es que también éste tenga alguna cosa que ofrecer;

---

**10.** De todo esto se colige cuanto mayor es el sacerdocio de Jesucristo, figurado en Melquisedec, que el de los levitas.

**15.** Sacerdote de diverso orden, no del levítico.

**16.** Por la cual razón ni él es sucesor de nadie, ni nadie le sucede a él.

*Ps.* CIX, *v.* 4.

**20.** Tiene la ventaja sobre el de la ley.

**27.** Aunque era inocente, se ofreció víctima al eterno Padre por los pecados del mundo.

**28.** O santo para siempre, y así siempre idóneo para ejercer su sagrado ministerio.

**CAP. VIII.** — **2.** De cuyo tabernáculo era una mera figura el de la ley mosáica.

**3.** Y lo que ofrece es la víctima de su precioso cuerpo inmolado en la cruz, y después, de un modo incruento, en el sacrificio del altar.

4. Porque si él habitase sobre la tierra, ni aun sacerdote sería: estando *ya establecidos a este fin* los *hijos de la tribu de Leví*, que según la ley, ofrecen los dones,

5. Y sirven al *templo material*, bosquejo, y sombra de las cosas celestiales. Como le fué respondido a Moisés, al construir el Tabernáculo: Mira, (le dijo *Dios)*, hazlo todo conforme al diseño, que se te ha mostrado en el monte.

6. Mas *nuestro pontífice, Jesucristo*, ha alcanzado un ministerio tanto más excelente, cuanto es mediador de un Testamento *o alianza* más apreciable, la cual fué otorgada sobre mejores promesas.

7. Pues si aquel primero fuera sin imperfección, de ningún modo se trataría de sustituirle otro.

8. Sin embargo, culpándolos dice *a los prevaricadores de la ley antigua:* He aquí que vendrán días, dice el Señor, en que otorgaré a la casa de Israel y la casa de Judá un Testamento *o alianza* nueva;

9. No como el Testamento *o pacto* que hice con sus padres cuando los tomé *como* por la mano para sacarlos de la tierra de Egipto: por cuanto ellos no guardaron mi alianza, y así yo los deseché, dice el Señor:

10. El Testamento que he de disponer, dice el Señor, para la casa de Israel, después de aquellos días, es el siguiente: imprimiré mis leyes en la mente de ellos, y escribirlas he sobre sus corazones; y yo seré su Dios, y ellos serán mi pueblo;

11. Ya no será *menester* que enseñe cada uno a su prójimo y a su hermano diciendo: Conoce al Señor; porque *con la luz de la fe* todos me conocerán desde el menor de ellos hasta el mayor;

12. Pues yò les perdonaré sus maldades y no me acordaré más de sus pecados.

13. Con llamar nuevo *a este Testamento*, dió por anticuado al primero. Ahora bien, lo que se da por anticuado y viejo, cerca está de quedar abolido.

## CAPITULO IX

*Cotejo de las ceremonias de la ley antigua con las de la nueva. Preeminencias del sacerdocio de Jesucristo sobre el del antiguo testamento.*

1. Es verdad que tuvo el primer *Testamento o alianza* reglamentos sagrados del culto y un santuario terrestre y *temporal,*

2. Porque se hizo un primer Tabernáculo, en el cual estaban los candeleros, y la mesa y los panes de la proposición *y esta parte* es la que se llama el Sancta, *o Santuario.*

3. Seguíase detrás del segundo velo, *la parte* de el Tabernáculo, que se llama Sancta Sanctórum.

4. Que contenía un incensario de oro; y el arca del Testamento cubierta de oro por todas partes, y allí se guardaba el vaso de oro que contenía el maná, y la vara de Aarón, que floreció, y las tablas *de la ley o* de la alianza;

5. Y sobre el arca estaban los querubines gloriosos haciendo sombra al propiciatorio, de las cuales cosas no es tiempo de hablar ahora por menor.

6. Como quiera, dispuestas así estas cosas, en el primer Tabernáculo entraban siempre los sacerdotes para cumplir las funciones de sus ministerios;

7. Pero en el segundo el solo pontífice una vez al año, no sin llevar allí sangre, la cual ofrecía por sus ignorancias y por las del pueblo:

8. Dando a entender con esto el Espíritu Santo, que no estaba todavía patente la entrada del *verdadero* Santuario, *o Sancta Sanctorum del cielo*, estando aún en pie *o subsistiendo*, el primer Tabernáculo.

9. Todo lo cual era figura de lo que *pasa ahora, y* pasaba en aquel tiempo en los dones y sacrificios que se ofrecían, los cuales no podían purificar la conciencia de los que tributaban *a Dios* este culto, *pues que* no *consistía* sino en viandas, y bebidas.

10. Y diferentes abluciones, y ceremonias carnales, *que no fueron* establecidas *sino* hasta el tiempo en que *la ley* sería corregida *o reformada.*

---

4. No hubiera podido ejercer las funciones del sacerdocio.
*Exod.* XXV, *v.* 40. — *Act.* VII, *v.* 44.
*Jerem.* XXXI, *v.* 31-34.
11. Se refiere al *Deut.* VI, *v.* 20.

---

**CAP. IX.** — 1. Santuario hecho a mano — *v.* 11 — en oposición al celestial — *v.* 23 y 24.
2. Se refiere al tiempo antiguo culto.

**11.** Mas sobreviniendo Cristo pontífice *que nos había de alcanzar* los bienes venideros, por medio de un Tabernáculo más excelente y más perfecto, no hecho a mano, esto es, no de fábrica *o formación semejante* a la nuestra;

**12.** *Y presentándose* no con sangre de macho cabrío, ni de becerros, sino con la sangre propia, entró una sola vez *para siempre* en el Santuario *del cielo,* habiendo obtenido una eterna redención *del género humano.*

**13.** Porque si la sangre de los machos de cabrío y de los toros, y la ceniza de la ternera *sacrificada,* esparcida sobre los inmundos, los santifica en orden a la purificación *legal* de la carne,

**14.** ¿Cuánto más la sangre de Cristo, el cual por *impulso del* Espíritu Santo se ofreció a sí mismo inmaculado a Dios, limpiará nuestras conciencias de las obras muertas *de los pecados,* para que tributemos *un verdadero culto* al Dios vivo?

**15.** Y por eso es *Jesús* mediador de un nuevo Testamento, a fin de que mediante su muerte para expiación *aun* de las prevaricaciones cometidas en tiempo del primer Testamento, reciba la herencia eterna prometida *a* los que han sido llamados *de Dios.*

**16.** Porque donde hay testamento, es necesario que intervenga la muerte del testador;

**17.** Pues el testamento *no* tiene fuerza *sino* por la muerte del que lo otorgó: de otra suerte no vale, mientrs tanto que vive el que testó.

**18.** Por eso ni aun aquel primer Testamento fué celebrado sin sangre:

**19.** Puesto que Moisés, después que hubo leído todos los mandamientos de la ley a todo el pueblo, tomando de la sangre de los novillos, y de los machos de cabrío, mezclada con agua, lana *teñida de* carmesí *o de grana,* y el hisopo, roció al mismo libro *de la ley,* y *también a* todo el pueblo,

**20.** Diciendo: Esta es la sangre *que servirá de sello* del Testamento que Dios os ha ordenado *o hecho en favor vuestro.*

**21.** Y asimismo roció con sangre el tabernáculo y todos los vasos del ministerio.

**22.** Y según la ley casi todas las cosas se purifican con sangre, y sin derramamiento de sangre no se hace la remisión.

**23.** Fué, pues, necesario que las figuras de las cosas celestiales, *esto es, el Tabernáculo y sus utensilios,* se purificasen con tales ritos; pero las mismas cosas celestiales *lo deben ser* con víctimas mejores que éstas y así ha sucedido.

**24.** Porque no entró Jesús en el Santuario hecho de mano de hombres, que era figura del verdadero; sino que entró en el cielo mismo para presentarse ahora por nosotros en el acatamiento de Dios;

**25.** Y no para ofrecerse muchas veces a sí mismo, como entra el pontífice de año en año en el Sancta Sanctorum con sangre ajena *y no propia.*

**26.** De otra manera le hubiera sido necesario padecer muchas veces desde el principio del mundo, cuando ahora una sola vez al cabo de los siglos se presentó para destrucción del pecado, con el sacrificio de sí mismo.

**27.** Y así como está decretado a los hombres el morir una sola vez, y después el juicio,

**28.** Así también Cristo ha sido una sola vez inmolado *u ofrecido en sacrificio* para quitar *de raíz* los pecados de muchos, y otra vez aparecerá, no para expiar los pecados *ajenos,* sino para *dar la* salud *eterna* a los que le esperan *con viva fe.*

## CAPITULO X

*Jesucristo es la única víctima que puede expiar nuestros pecados; y debemos unirnos a ella por la fe, esperanza, caridad y buenas obras. Exhorta a los hebreos a la paciencia en los trabajos.*

**1.** Porque *no* teniendo la ley *más que* la sombra de los bienes futuros, y no la realidad misma de las cosas, no puede jamás por medio de las mismas víctimas, que no cesan de ofrecerse todos los años, hacer *justos y* perfectos a los que se acercan *al altar y sacrifican;*

---

**11.** Cual es su precioso cuerpo.

**12.** *Lev.* XVI, *v.* 14. Con el infinito precio de su sangre adorable.

**14.** Infinitamente más.

**15-17.** La muerte de Cristo fué necesaria según el mismo concepto del testamento.

---

**22.** De las penas que la ley imponía.

**24.** Cual era el de la ley antigua. De lo cual era figura el pontífice cuando se presentaba delante del arca.

**2.** De otra manera hubieran cesado ya de ofrecerlas, pues que los sacrificadores, purificados de una vez no tendrían ya remordimiento de pecado;

**3.** Con todo eso todos los años al ofrecerlas se hace conmemoración de los pecados;

**4.** Porque es *de suyo* imposible que con sangre de toros y de machos de cabrío se quiten los pecados.

**5.** Por eso *el Hijo de Dios* al entrar en el mundo dice a *su eterno Padre:* Tú no has querido el sacrificio, ni ofrenda; mas a mí me has apropiado un cuerpo *mortal;*

**6.** Holocaustos por el pecado no te han agradado.

**7.** Entonces dije: Heme aquí que vengo, según está escrito de mí al principio del libro, *o Escritura sagrada,* para cumplir ¡oh Dios! tu voluntad.

**8.** *Ahora bien:* diciendo: Tú no has querido, ni han sido de tu agrado los sacrificios, las ofrendas y los holocaustos por el pecado, cosas que se ofrecen según la ley;

**9.** Y añadiendo: Heme aquí que vengo ¡oh mi Dios! para hacer tu voluntad; *claro está que* abolió estos últimos *sacrificios,* para establecer otro, *que es el de su cuerpo.*

**10.** Por esa voluntad, *pues,* somos santificados por la oblación del cuerpo de Jesucristo hecha una vez sola.

**11.** Y así *en lugar de que* todo sacerdote *de la antigua ley* se presenta cada día, *por mañana y tarde,* a ejercer su ministerio y a ofrecer muchas veces las mismas víctimas, las cuales no pueden jamás quitar los pecados,

**12.** Este *nuestro pontífice* después de ofrecida una sola hostia por los pecados, está sentado para siempre a la diestra de Dios,

**13.** Aguardando entre tanto lo que resta, *es a saber,* que sus enemigos sean puestos por estrado de sus pies.

**14.** Porque con una sola ofrenda hizo perfectos para siempre a los que han santificado.

**15.** Eso mismo nos testifica el Espíritu Santo. Porque después de haber dicho:

**16.** He aquí la alianza que yo asentaré con ellos, dice el Señor: después de aquellos días imprimiré mis leyes en sus corazones y las escribiré sobre sus almas.

**17.** *Añade enseguida:* Y ya nunca jamás me acordaré de sus pecados, ni de sus maldades.

**18.** Cuando quedan, pues, perdonados los pecados, ya no es menester oblación por el pecado.

**19.** Esto supuesto, hermanos, teniendo la *firme* esperanza de entrar en el Sancta Sanctorum, *o Santuario del cielo,* por la sangre de Cristo,

**20.** Con la cual nos abrió camino nuevo y de vida *para entrar* por el velo esto es, por su carne;

**21.** Teniendo asimismo el gran Sacerdote, *Jesucristo, constituido* sobre la casa de Dios, *o la Iglesia,*

**22.** Lleguémonos *a él* con sincero corazón, con plena fe, purificados los corazones *de las inmundicias* de la mala conciencia, lavados en el cuerpo con *el* agua limpia *del bautismo,*

**23.** Mantengamos inconcusa la esperanza que hemos confesado (que fiel es quien hizo la promesa),

**24.** Y pongamos los ojos los unos en los otros para incentivo de caridad y de buenas obras,

**25.** No desamparando nuestra congregación, *o asamblea de los fieles,* como es costumbre de algunos, sino, al contrario, alentándonos *mutuamente,* y tanto más, cuanto más vecino viereis el día.

**26.** Porque si pecamos a sabiendas después de haber reconocido la verdad, ya no os queda hostia que ofrecer por los pecados,

**27.** Sino *antes bien* una horrenda expectación del juicio y del fuego abrasador, que ha de devorar a los enemigos *de Dios.*

**28.** Uno que prevarique contra la ley de Moisés, *y se haga idólatra,* siéndole probado con dos o tres testigos es condenado sin remisión a muerte.

---

**CAP. X.** — **4.** Servían únicamente aquellos sacrificios para excitar la fe en Cristo, al cual figuraban y con cuya fe se justificaban los pecadores.

**5.** Para que sea víctima digna de tu infinita majestad.

**11-14.** Oficio sacerdotal de Cristo.

**14.** La ofrenda de sí mismo en la cruz.

---

**18.** El pecador debe usar los méritos de Cristo por los medios que Cristo mismo instituyó.

**20.** Cristo nos abrió el camino del cielo — IX, 18 — con su sangre, como precursor nuestro. VI, 20.

**22.** Por medio de la aspersión de la sangre de Cristo.

**25.** El juicio particular de cada uno.

**26.** Puesto que hemos abandonado a Jesucristo, única víctima para expiarlos.

**29.** Pues *ahora* ¿cuántos más acerbos suplicios, si lo pensáis, merecerá aquel que hollare al Hijo de Dios, y tuviere por *vil e inmunda* la sangre *divina* del Testamento, por la cual fué santificado, y ultrajare al Espíritu *Santo autor* de la gracia?

**30.** Pues *bien* conocemos quién es el que dijo: A mí está reservada la venganza, y yo soy el que la ha de tomar.

Y también: El Señor ha de juzgar a su pueblo.

**31.** Horrenda cosa es *por cierto* caer en manos del Dios vivo.

**32.** Traed a la memoria aquellos primeros días *de vuestra conversión,* cuando después de haber sido iluminados, sufristeis *con valor admirable* un gran combate de persecuciones;

**33.** Por un lado habiendo servido de espectáculo al mundo, por las injurias y malos tratamientos que habéis recibido, y por otro tomando parte en las penas de los que sufrían semejantes indignidades.

**34.** Porque os compadecisteis de los que estaban entre cadenas, y llevasteis con alegría la rapiña de vuestros bienes, considerando que teníais un patrimonio más excelente y duradero.

**35.** No creáis, pues, malograr vuestra confianza, la cual recibirá un gran galardón.

**36.** Porque es necesaria la paciencia, para que, haciendo la voluntad de Dios, obtengáis la promesa.

**37.** Pues dentro de un brevísimo tiempo, *dice Dios,* vendrá aquel que ha de venir, y no tardará.

**38.** Entre tanto el justo mío, *añade al Señor,* vivirá por la fe; pero si desertare, no será agradable *sino aborrecible* a mi alma.

**39.** Mas nosotro, *hermanos,* no somos de los hijos que desertan *de la fe* para perderse, sino de los fieles *y constantes* para poner en salvo el alma, *y asegurarle la eterna gloria.*

## CAPITULO XI

*Describe el apóstol la virtud maravillosa de la fe por una inducción de las grandes acciones, de los antiguos justos o santos, desde el principio del mundo hasta la venida del Mesías.*

**1.** Es, pues, la fe el fundamento o *firme persuasión* de las cosas que se esperan, y un convencimiento de las cosas que no se ven.

**2.** De donde por ella merecieron *de Dios* testimonio *de alabanza* los antiguos *justos.*

**3.** La fe es la que nos enseña que el mundo todo fué hecho por la palabra de Dios; y que de invisible que era fué hecho visible.

**4.** La fe es por la que Abel ofreció a Dios un sacrificio más excelente que el de Caín, y fué declarado justo, dándole el mismo Dios testimonio de que aceptaba sus dones; y por la fe habla todavía, *aun* estando muerto.

**5.** Por la fe fué trasladado Henoc *de este mundo* para que no muriese, y no se le vió más, por cuanto Dios le transportó *a otra parte que no se sabe,* mas antes de la traslación tuvo el testimonio de haber agradado a Dios.

**6.** Pues sin fe es imposible agradar a Dios; por cuanto el que se llega a Dios debe creer que Dios existe, y que es remunerador de los que le buscan.

**7.** Por la fe, avisado Noé de Dios sobre cosas que aún no se veían, con *santo* temor fué construyendo el arca para salvación de su familia, y construyéndola condenó al mundo; y fué instituido heredero de la justicia, que se adquiere por la fe.

**8.** Por la fe aquel que recibió *del Señor* el nombre de Abraham, o *Padre de las naciones,* obedeció *a Dios,* partiendo hacia el país que debía recibir en herencia; y se puso en camino, no sabiendo adónde iba.

**9.** Por la fe habitó en la tierra que se le había prometido, como en tierra extraña, habitando en cabañas o *tiendas de campaña* como *hicieron también* Isaac y Jacob, coherederos de la misma promesa.

---

**31.** No ya como padre misericordioso, sino cómo juez inexorable.

**36.** La promesa hecha a los que perseveran. Bien que no tendréis que esperar mucho. *Habac. II, v. 4.*

**37.** Pues todos los años que han de mediar son un momento respecto a la eternidad.

---

**CAP. XI.** — **3.** Manifiesta es la alusión al *v.* 1. El mundo visible se debe a la palabra de Dios.

**5.** Lo que solamente se alcanza con la fe animada de la caridad.

**7.** Que se burlaba de las medidas de precaución que tomaba.

**10.** Porque tenía puesta la mira *y toda su esperanza* en aquella ciudad de *sólidos* fundamentos, *la celestial Jerualén,* cuyo arquitecto y fundador es *el mismo Dios.*

**11.** Por la fe también la misma Sara, siendo estéril, recibió virtud de concebir un hijo, por más que la edad fuese ya pasada, porque creyó ser fiel *y veraz* aquel que lo había prometido.

**12.** Por la cual causa, de un hombre solo (y ése amortecido ya *por su extremada vejez)* salió una posteridad tan numerosa como las estrellas del cielo, y como las arenas sin cuento de la orilla del mar.

**13.** Todos estos *santos* vinieron a morir *constantes siempre* en su fe, sin haber recibido los bienes que se les habían prometido, contentándose con mirar de lejos y saludarlos, y confesando *al mismo tiempo* ser peregrinos y huéspedes sobre la tierra.

**14.** Ciertamente *que* los que hablan de esta suerte, *bien* dan a entender que buscan patria.

**15.** Y caso que pensaran en la *propia* de donde salieron, tiempo sin duda tenían de volverse *a ella.*

**16.** Luego *es claro que* aspiran a otra mejor, esto es, a la celestial. Por eso Dios no se desdeña de llamarse Dios de ellos, como que les tenía preparada *su* ciudad *celestial.*

**17.** Por la fe Abraham, cuando fué probada *su fidelidad por Dios,* ofreció a Isaac, y el mismo que había recibido las promesas, ofrecía *y sacrificaba* al unigénito suyo;

**18.** Aunque se le había dicho: De Isaac saldrá la descendencia que llevará tu nombre, *y heredará las promesas.*

**19.** *Mas* él consideraba *dentro de sí mismo* que Dios podría resucitarle después de muerto; de aquí *es que* le recobró *bajo esta idea y* como figura *de otra cosa.*

**20.** Por la fe también Isaac bendijo a Jacob y a Esaú, *fundando su bendición* sobre cosas que ha-bían de suceder *a los dos hermanos.*

**21.** Por la fe de Jacob, moribundo, bendijo a cada uno de los hijos de José, y adoró *o se* inclinó *profundamente* delante de la vara de gobierno *que llevaba José.*

**22.** Por la fe José, al morir, hizo mención de la salida de los hijos de Israel, y dispuso *acerca de sus propios* huesos.

**23.** Por la fe Moisés, cuando nació fué ocultado por sus padres, *durante el espacio* de tres meses, porque vieron tan gracioso al niño, y *así es que* no temieron el edicto del rey.

**24.** Por la fe Moisés siendo ya grande, renunció a la cualidad de hijo *adoptivo* de la hija de Faraón.

**25.** Escogiendo antes ser afligido con el pueblo de Dios, que gozar de las delicias pasajeras del pecado,

**26.** Juzgando que el oprobio de Cristo era un tesoro más grande que todas las riquezas de Egipto; porque fijaba su vista en la recompensa.

**27.** Por la fe dejó al Egipto, sin temer la saña del rey; porque tuvo firme confianza en el invisible como si le viera *ya.*

**28.** Por la fe celebró la Pascua, e hizo aquella aspersión de la sangre *del cordero,* a fin de que no tocase a los suyos el *ángel exterminador* que iba matando a los primogénitos *de los egipcios.*

**29.** Por la fe pasaron el mar Bermejo como por tierra seca, lo cual probando *a hacer* los egipcios, fueron sumergidos.

**30.** Por la fe cayeron los muros de Jericó, con *sólo* dar vuelta siete días alrededor de ellos.

**31.** Por la fe Rahab que era, *o había sido* una ramera no pareció con los *demás ciudadanos* incrédulos, dando *en su posada* acogida segura a los exploradores *que envió Josué.*

**32.** ¿Y que más diré todavía? El tiempo me faltará si me pongo a discurrir de Gedeón, de Barac, de Sansón, de Jefté, de David, de Samuel y de los profetas,

**33.** Los cuales por la fe conquistaron reinos, ejercitaron la justicia, alcanzaron las promesas, taparon las bocas de los leones,

---

**13.** Conforme al *v.* 1, los previeron con la fe.

**14.** Y se tienen por peregrinos, aun estando en medio de la tierra que se les prometía.

**16.** Se complació tanto en la viva fe de aquellos siervos suyos, que no se desdeñó de llamarse Dios de Abraham, de Isaac y de Jacob.

**19.** Como figura de la resurrección de Jesucristo.

---

**21.** Como gobernador de Egipto, en quien veía figurado al Mesías, y reverenciaba su grandeza y autoridad.

**23.** Y creyeron que Dios le tenía reservado para grandes cosas a favor de su pueblo. Que mandaba arrojar en el río a todos los niños luego de nacidos. *Exod.* II. 2.

**26.** El oprobio padecido por amor de Jesucristo a quien tenía delante de su vista.

**28.** Sobre las puertas de las casas de los israelitas.

**30.** Llevando los sacerdotes el arca santa, tocando las trompetas, etc.

**34.** Extinguieron la violencia del fuego, escaparon del filo de la espada, sanaron de *grandes* en-fermedades, se hicieron valientes en la guerra, desbarataron ejércitos extranjeros;

**35.** Mujeres *hubo que* recibieron resucitados a sus difuntos *hijos.* Mas otros fueron estirados en el potro, no queriendo redimir la vida *presente,* por asegurar *otra* mejor *en la* resurrección.

**36.** Otros asimismo sufrieron escarnios y azotes, además de cadenas y cárceles;

**37.** Fueron apedreados, aserrados, puestos a prueba *de todos modos,* muertos a filo de espada; anduvieron girando de acá para allá; cubiertos de pieles de oveja y de cabra, desamparados, angustiados, maltratados.

**38.** De los cuales el mundo no era digno, yendo perdido por las soledades, por los montes, y *recogiéndose* en las cuevas y en las cavernas de la tierra.

**39.** Sin embargo todos estos *santos, tan* recomendables por el testimonio de su fe, no recibieron *todo el fruto de* la promesa,

**40.** Habiendo dispuesto Dios por un favor particular que se nos ha hecho, el que no recibiesen sino juntamente con nosotros, el cumplimiento de su felicidad, *en el alma y en el cuerpo.*

## CAPITULO XII

*Exhórtalos con el ejemplo de Jesucristo a sufrir con fortaleza las aflicciones, y a ser obedientes a la ley del Señor.*

**1.** Ya que estamos, pues, rodeados de una tan grande nube de testigos, descargándonos de todo peso, *y de los lazos* del pecado que nos tiene ligados, corramos con aguante al *término del* combate, que nos es propuesto,

**2.** Poniendo *siempre* los ojos en Jesús, autor y consumador de la fe, el cual en vista del gozo que le estaba preparando *en la gloria* sufrió la cruz, sin hacer caso de la ignominia, y *en premio* está sentado a la diestra del trono de Dios.

**3.** Considerad, pues, atentamente a aquel *Señor,* que sufrió tal contradicción de los pecadores contra su misma persona, a fin de que no desmayéis, perdiendo vuestros ánimos.

**4.** Pues aún no habéis resistido hasta derramar la sangre, *como Jesucristo,* combatiendo contra el pecado;

**5.** Sino que os habéis olvidado *ya* de las palabras de consuelo que os dirige *Dios* como a hijos, diciendo *en la Escritura:* Hijo mío, no desprecies la corrección o *castigo* del Señor, ni caigas de ánimo cuando te reprende.

**6.** Porque el Señor al que ama, le castiga; y a cualquiera que recibe por hijo suyo, le azota *y le prueba con adversidades.*

**7.** Sufrid, pues, *y aguantad firmes,* la corrección. Dios se porta con vosotros como con hijos. Porque ¿cuál es el hijo, a quien su padre no corrige?

**8.** Que si estáis fuera de la corrección o *castigo,* de que todos *los justos* participaron, bien se ve que sois bastardos, y no hijos *legítimos.*

**9.** Por otra parte, si tuvimos a nuestros padres carnales que nos escogieron, y los respetábamos, *y amábamos* ¿no es mucho más justo que obedezcamos al Padre de los espíritus, par alcanzar la vida *eterna?*

**10.** Y a la verdad aquellos por pocos días no castigaban a su arbitrio; pero éste nos amaestra en aquello que sirve para hacernos santos.

**11.** Es indudable que toda corrección por el pronto parece que no trae gozo, sino pena; mas después producirá en los que son labrados con ella fruto apacibilísimo de justicia.

**12.** Por tanto, volved a levantar vuestras manos *lánguidas y* caídas, y fortificad vuestras rodillas debilitadas;

---

**34.** Como Sansón, Daniel en el lago de los leones, los tres mancebos en el horno de Babilonia, David, Elías y Eliseo, huyendo de Saúl, de Acab y de Jezabel, Job, Ezequías, Tobías.

**35.** Como la viuda de Sarepta y la Sunamita, por las oraciones de Elías y Eliseo.

**36.** Como Sansón, varios profetas, José, Jeremías, etc.

**37.** Como Nabot, Zacarías, Isaías y otros profetas.

**39.** Hasta que llegue el día en que, completado ya el número de los escogidos, alcancen también para sus cuerpos la gloria e inmortalidad. *Apoc.* VI, v. 11.

---

**CAP. XII.** — **2.** El griego: *que en vez del gozo propuesto.*

El cual despreciando la vida tranquila y gloriosa que pudo tener sobre la tierra, quiso más bien abrazarse con las ignominias, con los sufrimientos, y con la muerte. La letra de la Vulgata tiene este otro sentido: Teniendo a la vista la eterna felicidad que según el orden de Dios debía ganar con su muerte, sufrió la cruz, suplicio no sólo dolorosísimo, sino también el más ignominioso de cuantos se conocían entonces. Tertuliano.

**13.** Marchad *con paso firme* por el recto camino, a fin de que alguno por andar claudicando *en la fe* no se descamine *de ella,* sino antes bien se corrija.

**14.** Procurad tener paz con todos, y la santidad *de vida,* sin la cual nadie puede ver a Dios,

**15.** Atendiendo a que ninguno se aparte de la gracia de Dios; que ninguna raíz de amargura brotando fuera *y extendiendo sus ramas* sofoque *la buena semilla,* y por dicha raíz se inficionen muchos.

**16.** Ninguno sea fornicario, ni *tampoco* profano como Esaú, que por un *potaje* o plato de comida vendió su primogenitura.

**17.** Pues tened entendido que después por más que pretendía ser heredero de la bendición, fué desechado; no pudiendo hacer que *su padre* mudase la resolución, por más que con lágrimas lo solicitase.

**18.** Además de que vosotros no os habéis acercado a monte sensible *o terrestre,* y a fuego encendido, y torbellino, y negra nube, y tempestad,

**19.** Y sonido de trompeta, y estruendo de una voz *tan espantosa,* que los que la oyeron, pidieron *por merced* que no se les hablase más, *sino por medio de Moisés;*

**20.** Pues no podían sufrir *la severidad de* esto qué se les intimaba: Si una bestia tocare al monte, ha de ser apedreada.

**21.** Y era tan espantoso lo que se veía que dijo Moisés: Despavorido estoy y temblando.

**22.** Mas vosotros os habéis acercado al monte de Sión y a la ciudad de Dios vivo, la celestial Jerusalén, al coro de muchos millares de ángeles,

**23.** A la iglesia de los primogénitos, que están alistados en los cielos, y a Dios juez de todos, y a los espíritus de los justos *ya* perfectos o *bienaventurados,*

---

**13.** O se enderece con vuestro buen ejemplo.
**15.** Abandonando la fe a que ha sido llamado. Arrastrados por un solo pecador escandaloso.
**16.** Con la primogenitura estaba conexa la bendición mesiánica.
**17.** Puede traducirse: *no hallando lugar a penitencia,* porque no se arrepintió sino movido del daño que sentía. — *Chrysost.* — *S. Thom.*
**18.** Como los que recibieron la ley de Moisés en el monte Sinaí.
**22.** Por medio de la firme esperanza que os da la fe.
**23.** Según el *v.* 16, primogénitos son los que no vendieron la bendición paterna. Se refiere a los justos aún viadores.

**24.** Y a Jesús mediador de la nueva alianza, y a la aspersión de aquella *su* sangre que habla mejor que la de Abel.

**25.** Mirad que no desechéis al que os habla. Porque si no escaparon *del castigo* aquellos que desobedecieron al *siervo de Dios* Moisés, que les hablaba sobre la tierra, mucho más *castigados seremos* nosotros, si deschááremos al *Hijo de Dios* que nos habla desde los cielos,

**26.** Cuya voz hizo entonces temblar la tierra; pero ahora promete *más,* diciendo: Una vez todavia *os hablaré en público;* y yo conmoveré no tan sólo la tierra, sino el cielo.

**27.** Mas con decir: Una vez todavía, declara la mudanza de las cosas movibles *o inestables* como cosas hechas *sólo para algún tiempo,* a fin de que permanezcan aquellas que son innobles.

**28.** Así que, ateniéndonos nosotros a aquel reino que no está sujeto a mudanza ninguna, conservemos la gracia, mediante la cual agradando a Dios, le sirvamos con temor y reverencia;

**29.** Pues nuestro Dios es *como un* fuego devorador.

# CAPITULO XIII

*Exhortación al ejercicio de las virtudes cristianas, por medio de las cuales, y en virtud del sacrificio de Jesucristo, se merece la entrada en la Jerusalén celestial.*

**1.** Conservad siempre la caridad para con vuestros hermanos.

**2.** Y no olvidéis *el ejercitar* la hospitalidad, pues por ella algunos sin saberlo, hospedaron ángeles.

**3.** Acordaos de los presos, como si estuvierais con ellos en la cárcel; y de los afligidos, como que también vosotros vivís en cuerpo, *sujetos a miserias.*

**4.** Sea honesto en todos el matrimonio, y el lecho conyugal sin mancilla. Porque Dios condenará a los fornicarios y a los adúlteros.

**5.** Sean las costumbres sin *rastro de* avaricia, contentándoos con lo presente, pues el mismo Dio dice: No te desampararé, ni abandonaré *jamás;*

**6.** Por manera que podamos animosamente decir: El Señor es quien me ayuda; no temeré cosa que hagan contra mí los hombres.

---

**24.** Pidiendo misericordia eficazmente.

**7.** Acordaos de vuestros prelados, los cuales os han predicado la palabra de Dios, cuya fe habéis de imitar, considerando el fin *dichoso de su vida.*

**8.** Jesucristo el mismo que ayer, *es* hoy, *y lo será* por los siglos *de los siglos.*

**9.** *No os* dejéis, pues, descaminar *o llevar de aquí allá* por doctrinas diversas y extrañas. *Lo que* importa sobre todo *es* fortalecer el corazón con la gracia *de Jesucristo*, no con las viandas *aquellas* que de nada sirvieron *por sí solas* a los que andaban *vanamente confiados* en ellas.

**10.** Tenemos un altar, *o una víctima*, de que no pueden comer los que sirven al Tabernáculo.

**11.** Porque los cuerpos de aquellos animales cuya sangre por el pecado ofrece el pontífice en el santuario, son quemados *enteramente* fuera de los alojamientos *o de la población:*

**12.** Que aun por eso Jesús, para santificar al pueblo con su sangre, padeció fuera de las puertas *de la ciudad.*

**13.** Salgamos, pues, a él fuera de la ciudad, *o alojamientos, y sigámosle las pisadas* cargados con su improperio.

**14.** Puesto que no tenemos aquí ciudad fija, sino que vamos en busca de la que está por venir.

**15.** Ofrezcamos, pues, a Dios por medio de él sin cesar un sacrificio de alabanza, es a saber, el fruto de labios que bendigan su *santo* Nom-bre.

**16.** Entre tanto no echéis en olvido el *ejer-cer* la beneficiencia, y el repartir con otros vuestros bienes; porque con tales ofrendas se gana la voluntad de Dios.

**17.** Obedeced a vuestros prelados, y estadles sumisos, ya que ellos velan, como que han de dar cuenta *a Dios* de vuestras almas; para que lo hagan con alegría, y no penando, cosa que no os sería provechosa.

**18.** Orad por nosotros; porque seguros estamos de que en ninguna cosa nos acusa la conciencia deseando comportarnos bien en todo.

**19.** Ahora mayormente os suplico que lo hagáis, a fin de que cuanto antes me vuelva Dios a vosotros.

**20.** Y el Dios de la paz resucitó de entre los muertos al gran pastor de las ovejas, Jesucristo, Señor nuestro, por la *virtud y méritos de la* sangre del eterno Testamento,

**21.** Os haga aptos para todo bien, a fin de que hagáis *siempre* su voluntad, obrando él en vosotros lo que sea agradable a sus ojos por *los méritos de* Jesucristo, al cual sea *dada* la gloria por los siglos de los siglos. Amén.

**22.** Ahora, hermanos, os ruego que llevéis a bien todo lo dicho para exhortaros *y consolaros*, aunque os he escrito brevemente.

**23.** Sabed que nuestro hermano Timoteo está *ya* en libertad, con el cual (si viene presto) iré a veros.

**24.** Saludad a todos vuestros prelados y a todos los santos *o fieles.* Los hermanos *o fieles* de Italia os saludan.

**25.** La gracia sea con todos vosotros. Amén.

# CARTAS CATÓLICAS

## Introducción

Junto al epistolario de San Pablo, y formando un grupo aparte en el Nuevo Testamento, hallamos siete cartas de apóstoles (una de Santiago, dos de Pedro, tres de Juan y una de Judas). Desde su misma aparición, fueron designadas con el nombre de *cartas católicas, es decir, universales* y presentan el rasgo singular de que no van dirigidas a ninguna iglesia determinada, en misión apostólica, sino a individuos concretos y particulares, la mayoría de las veces, judíos esparcidos por el imperio.

Entre los latinos también se las denominó *canónicas,* con la intención implícita de reconocer su carácter de libros sagrados, hecho que sería aceptado con posterioridad. Por su contenido eminentemente práctico, estas cartas nos trazan las líneas maestras de un tipo de conducta profundamente cristiana. A pesar de este rasgo particular, las cartas están provistas igualmente de un elevado contenido dogmático. La combinación de ambos elementos, el carácter pedagógico y su nivel dogmático, las hacen muy valiosas.

Con respecto a la ubicación de todo el grupo, en el Nuevo Testamento, el orden de las cartas varía mucho en los manuscritos y documentos antiguos.

Hagamos un somero análisis de estas epístolas: la primera carta, la de Santiago, pertenece al grupo de las *universales* y ofrece una serie de consejos paternales y máximas edificantes. Se cree fue escrita poco antes de su muerte. La epístola primera de San Pedro va dirigida, principalmente a los judíos residentes en Asia, para fortalecer sus posturas de resistencia y martirio en la defensa de la fe. La segunda, dirigida a los mismos, les previene contra las herejías denominadas en la actualidad epícureas. La espístola de San Juan tiene como finalidad combatir diferentes conatos heréticos entre los fieles de Asia (negación de la personalidad divina de Jesucristo o la defensa de la postura opuesta, que negaba la vertiente humana de Jesús). La segunda y tercera carta de San Juan no están documentadas, aunque a través de su estilo se reconoce su personalidad. En ellas aconseja la caridad y denuncia la herejía. La última, la de San Judas, denominado *Tadeo,* es muy parecida a las de San Pedro. Va dirigida a todos los fieles de Oriente para que estén alerta frente a las nuevas teorías heréticas.

# EPÍSTOLA DE SANTIAGO

# Introducción

Entre todas las cartas apostólicas, la de Santiago se distingue por tres hechos sobresalientes: contenido, lengua y estilo.

Presenta un contenido eminentemente moral, cuyo fondo y forma anuncian ya un cambio o transición del Antiguo al Nuevo Testamento; se sirve de la lengua griega, con gran rigor y precisión; el estilo se aparta mucho del utilizado por las epístolas y sólo conserva de ellas la introducción o saludo. Por otro lado no presenta una conclusión, y tiene, en general, un tono parecido al de los libros sapienciales.

El orden de los temas no está estructurado previamente según criterios preestablecidos, sino que surge según el capricho y la vehemencia del autor.

## CAPITULO I

*De la utilidad de las tribulaciones, y cómo la paciencia conduce a la perfección. De los frutos de la oración. Ventajas de la pobreza. Reprimir la lengua. Asistir a los afligidos. Huir del espíritu del mundo.*

1. Santiago, siervo de Dios y de nuestro Señor Jesucristo, a *los fieles de* las doce tribus, que viven dispersos *entre las naciones:* salud.

2. Tened, hermanos míos, por *objeto de* sumo gozo el caer en varias tribulaciones,

3. Sabiendo que la prueba de vuestra fe produce, *o ejercita,* la paciencia.

4. Y que la paciencia perfecciona la obra; para que así vengáis a ser perfectos y cabales, sin faltar en cosa alguna.

5. Mas si alguno de vosotros tiene falta de sabiduría, pídasela a Dios, que a todos da copiosamente, y no zahiere a nadie; y le será concedida.

6. Pero pídala con fe sin sombra de duda, *o desconfianza;* pues quien anda dudando es semejante a la ola del mar alborotada y agitada del viento acá y allá.

7. Así que un hombre semejante no tiene que pensar que ha de recibir poco ni mucho del Señor.

8. El hombre de ánimo doble es inconstante en todos sus caminos.

9. Aquel hermano que sea de baja condición ponga su gloria en la *verdadera* exaltación suya;

10. Mientras el rico la debe poner en su abatimiento, *o en humillarse a sí mismo,* por cuanto él se ha de pasar como la flor del heno;

11. Pues *así como* en saliendo el sol ardiente se va secando la hierba, cae la flor y acábase toda su vistosa hermosura, así también el rico se marchitará *y ajará* en sus andanzas.

---

CAP. I. — 1. A los de las doce tribus de judíos que habiendo abrazado la fe están derramados por diversas provincias y padecen por esta causa injurias y persecuciones.

4. Guía a la perfección: porque Dios con las aflicciones sufridas con paciencia purifica las almas y las hace más perfectas.

---

8. O dividido entre Dios y las criaturas. E indigno de que Dios le oiga cuando acude a él.

9. Que consiste en ser hijo adoptivo de Dios, y semejante a Jesucristo, pobre y humilde.

**12.** Bienaventurado, *pues,* aquel hombre que sufre *con paciencia* la tentación, *o tribulación,* porque después que fuere *así* probado, recibirá la corona de vida, que Dios ha prometido a los que le aman.

**13.** Ninguno cuando es tentado, diga que Dios le tienta; porque Dios no puede *jamás* dirigirnos al mal; y así él a ninguno tienta.

**14.** Sino que cada uno es tentado, atraído y halagado por la propia concupiscencia.

**15.** Después la concupiscencia, en llegando a concebir *los deseos malos,* pare el pecado, el cual una vez que sea consumado, engendra la muerte.

**16.** Por tanto, no os engañéis *en esta materia,* hermanos míos muy amados.

**17.** Toda dádiva preciosa y todo don perfecto de arriba viene, como que desciende del Padre de las luces, en quien no cabe mudanza, ni sombra de variación.

**18.** Porque *por un puro querer* de su voluntad nos ha engendrado *para hijos suyos* con la palabra de la verdad, a fin de que seamos *los isrealitas,* como las primicias de sus *nuevas* criaturas.

**19.** *Bien* lo sabéis vosotros, hermanos míos muy queridos. Y así sea todo hombre pronto para escuchar, pero detenido en hablar y refrenado en la ira.

**20.** Porque la ira del hombre no se compadece con la justicia de Dios.

**21.** Por lo cual dando la mano a toda inmundicia y exceso vicioso, recibid con docilidad la palabra *divina,* que ha sido *como* ingerida *en vosotros,* y que puede salvar vuestras almas.

**22.** Pero habéis de ponerla en práctica y no sólo escucharla, engañándoos *lastimosamente* a vosotros mismos.

**23.** Porque quien se contenta con oir la palabra *de Dios,* y no la practica, este tal será parecido a un hombre que contempla al espejo su rostro nativo *ensuciado con algunas manchas,*

**24.** Y que no hace más que mirarse, y se va *sin quitarlas,* y luego se olvida de cómo está.

**25.** Mas quien contemplare atentamente la ley perfecta *del evangelio, que es la* de la libertad, y perseverare en ella, no haciéndose oyente olvidadizo, sino ejecutor de la obra, éste será por su hecho *u obras* bienaventurado.

---

**15.** O por el consentimiento de la voluntad, o por la acción exterior.

**18.** Que nos ha hecho anunciar antes que a los gentiles.

**19.** O la verdadera piedad o devoción. *Prov.* XVII, *v.* 27.

**22.** *Matth.* VII, *v.* 24.

**26.** Que si alguno se precia de ser religioso *o devoto,* sin refrenar su lengua, antes bien engañando *o precipitando con ella* su corazón, la religión suya es vana, *es falsa su piedad.*

**27.** La religión pura y sin mácula delante de Dios Padre es ésta: visitar, *o socorrer,* a los huérfanos y a las viudas en sus tribulaciones, y preservarse de la corrupción de este siglo.

## CAPITULO II

*Advierte el Apóstol que la acepción de personas no se compone bien con la fe de Jesucristo, y que la fe sin las obras buenas es como un cuerpo sin alma.*

**1.** Hermanos míos, no intentéis conciliar la fe de nuestro glorioso Señor Jesucristo con la acepción de personas.

**2.** Porque si entrando en vuestra congregación un hombre con sortija de oro y ropa preciosa, y entrando al mismo tiempo un pobre con un mal vestido,

**3.** Ponéis los ojos en el que viene con vestido brillante, y le decís: Siéntate tú aquí en este buen lugar, diciendo por el contrario al pobre: Tú estáte allí en pie, o siéntate acá a mis pies,

**4.** ¿No es claro que formáis un tribunal *injusto* dentro de vosotros mismos, y os hacéis jueces de sentencias injustas?

**5.** Oíd, hermanos míos muy amados: ¿no es verdad que Dios eligió a los pobres en este mundo, para hacerlos ricos en la fe y herederos del reino que tienen prometido a los que le aman?

**6.** Vosotros, al contrario, habéis afrentado al pobre. ¿No son los ricos los que os tiranizan, y no son esos mismos los que os arrastran a los tribunales?

**7.** ¿No es blasfemado por ellos el buen nombre *de Cristo,* que fué sobre vosotros invocado?

**8.** Si es que cumplís la ley regia *de la caridad* conforme a las Escrituras: Amarás a tu prójimo como a ti mismo, bien hacéis;

**9.** Pero si sois aceptadores de personas, cometéis un pecado, siendo reprendidos por la ley como transgresores.

**10.** Pues aunque uno guarde toda la ley, si

---

**CAP. II.** — **10.** Esto es, de nada le sirve, para evitar la condenación eterna, el haber observado los demás.

quebranta un mandamiento, viene a ser reo de todos los demás,

**11.** Porque aquel que dijo: No cometerás adulterio, *o no fornicarás,* dijo también: No matarás. Con que aunque no cometas adulterio, *ni forniques,* si matas transgresor eres de la ley.

**12.** Así habéis de hablar y obrar, como que estáis a punto de ser juzgados por la ley evangélica o de la libertad.

**13.** Porque aguarda un juicio sin misericordia al que no usó de misericordia; pero la misericordia sobrepuja al *rigor del* juicio.

**14.** ¿De qué servirá, hermanos míos, el que uno diga tener fe, si no tiene obras? ¿Por ventura a éste tal la fe podrá salvarle?

**15.** Caso que un hermano o una hermana estén desnudos y necesitados del alimento diario,

**16.** ¿De qué les servirá que alguno de vosotros les diga: Id en paz, defendeos del frío y comed a satisfacción, si no le dáis lo necesario para reparo del cuerpo?

**17.** Así la fe, si no es acompañada de obras, está muerta en sí misma.

**18.** Sobre lo cual podrá decir alguno *al que tiene fe sin obras:* Tú tienes fe, y yo tengo obras: muéstrame tu fe sin obras, que yo te mostraré mi fe por las obras.

**19.** Tú crees que Dios es uno; haces bien; también creen los demonios, y se estremecen.

**20.** Pero ¿quieres saber ¡oh hombre vano! cómo la fe sin obras está muerta?

**21.** Abraham nuestro padre, ¿no fué justificado por las obras cuando ofreció a su hijo Isaac sobre las aras?

**22.** ¿Ves cómo la fe acompañaba a sus obras, y que por las obras la fe vino a ser consumada?

**23.** En lo que se cumplió la Escritura, que dice: Creyó Abraham a Dios, y le fué reputado por justicia, y fué llamado amigo de Dios.

**24.** ¿No véis cómo el hombre se justifica por las obras, y no por la fe solamente?

**25.** A este modo Rahab la ramera, ¿no fué asimismo justificada por las obras, hospedando a los exploradores *que enviaba Josué,* y despachándolos por otro camino?

**26.** En suma, como un cuerpo sin espíritu está muerto, así también la fe sin las obras está muerta.

## CAPITULO III

*Vicios de la lengua desenfrenada y diferencia entre la ciencia terrena y la celestial.*

**1.** No queráis muchos *de vosotros,* hermanos míos, hacer de maestros, considerando que os exponéis a un juicio muy riguroso.

**2.** Porque todos tropezamos en muchas cosas. *Que* si alguno no tropieza en palabras, este tal *se puede decir que* es varón perfecto, *y que* puede tener a raya a todo el cuerpo *y sus pasiones.*

**3.** Así *como* si metemos un freno en la boca de los caballos para que nos obedezcan, movemos su cuerpo a donde quiera.

**4.** Mirad también cómo las naves, aunque sean grandes y estén llevadas de impetuosos vientos, con un pequeño timón se mueven acá y allá donde quiere el impulso del piloto.

**5.** Así también la lengua es un miembro pequeño, sí, pero viene a ser origen fastuoso de cosas de gran bulto *o consecuencia.* ¡Mirad un poco de fuego cuán grande bosque incendia!

**6.** La lengua también es fuego, es un mundo *entero* de maldad. La lengua es uno de nuestros miembros, que contamina todo el cuerpo, y siendo inflamada del fuego infernal inflama la rueda, *o toda la carrera,* de nuestra vida.

**7.** El hecho es, que toda especie de bestias, de aves, y de serpientes, y de otros animales se amansan y han sido domados por la naturaleza del hombre;

**8.** Mas la lengua ningún hombre puede domarla: ella es un mal que no puede atajarse y está llena de mortal veneno.

---

**12.** La cual ningún miramiento tiene a la condición de la persona, sino solamente al mérito de sus obras.

**19.** Sin que saquen utilidad ninguna de su fe.

**23.** Es a saber, el acto de fe con que sacrificaba a su hijo, esperando que Dios le resucitaría.

**24.** Pero no por las obras naturales, o que mandaba la ley de Moisés, sino por las que nacen de la viva fe.

---

**25.** Para que no fuesen aprehendidos. A la fe, pues, que tuvo en el Dios verdadero, añadió las obras consiguientes a ella.

**CAP. III.** — **2.** Mayormente en el hablar.

**6.** De que se originan los grandes incendios de las guerras y discordias.

**8.** Sin particular auxilio del cielo.

**9.** Con ella bendecimos a Dios Padre, y con la misma maldecimos a los hombres, los cuales son formados a semejanza de Dios.

**10.** De una misma boca sale la bendición y la maldición. No han de ir así las cosas, hermanos míos.

**11.** ¿Acaso una fuente echa por el mismo caño agua dulce y agua amarga?

**12.** O ¿puede, hermanos míos, una higuera producir uvas, o la vid higos? Así tampoco *la fuente* salada puede dar el agua dulce.

**13.** ¿Hay de vosotros alguno *tenido por* sabio y *bien* amaestrado *para instruir a otros?* Muestre por el buen porte su proceder y una sabiduría llena de dulzura.

**14.** Mas si tenéis un celo amargo y *el espíritu* de discordia en vuestros corazones, no hay para qué gloriaros y levantar mentiras contra la verdad;

**15.** Que esa sabiduría no es la que desciendo de arriba; sino más bien una sabiduría terrena, animal y diabólica.

**16.** Porque donde hay tal celo o *envidia* y *espíritu de* discordia, allí reina el desorden y todo género de vicios.

**17.** Al contrario, la sabiduría que desciende de arriba, además de ser *honesta* y llena de pudor, es pacífica, modesta, dócil, concorde con *todo* lo bueno, llena de misericordia y de excelentes frutos *de buenas obras*, que no se mete a juzgar, y está ajena de hipocresía.

**18.** Y es que los pacíficos son los que siembran en paz los frutos de la *verdadera* justicia, *o santidad.*

## CAPITULO IV

*Discordias y otros males que causan las pasiones no refrenadas. Debemos evitar la murmuración y someternos a la providencia divina.*

**1.** ¿De dónde nacen las riñas y pleitos entre vosotros? ¿No es de vuestras pasiones, las cuales hacen la guerra en vuestros miembros?

**2.** Codiciáis, y no lográis; matáis y ardéis de envidia, y no *por eso* conseguís vuestros deseos; litigáis, y armáis pendencias, y nada alcanzáis, porque no lo pedís *a Dios.*

**3.** Pedís *quizá, y con todo* no recibís; y esto es porque pedís con mala intención, para satisfacer vuestras pasiones.

**4.** *Almas* adúlteras *y corrompidas,* ¿no sabéis que el amor de este mundo es *una* enemistad contra Dios? Cualquiera, pues, que quiere ser amigo del mundo, se constituye enemigo de Dios.

**5.** ¿Pensáis acaso que sin motivo dice la Escritura: El Espíritu *de Dios* que habita en vosotros, os *ama y* codicia con celos?

**6.** Pero *por lo mismo* da mayores gracias *a los que así le aman.* Por lo cual dice: Dios resiste a los soberbios, y da su gracia a los humildes.

**7.** Estad, pues, sujetos a Dios, y resistid *con su gracia* al diablo, y huirá de vosotros.

**8.** Allegaos a Dios, y él se allegará a vosotros. Limpiad ¡oh pecadores! vuestras manos; y vosotros de ánimo doble, purificad vuestros corazones.

**9.** Mortificaos, y plañid, y sollozad; truéquese vuestra risa en llanto, y el gozo en tristeza.

**10.** Humillaos en la presencia del Señor, y él os ensalzará.

**11.** No queráis, hermanos, hablar mal unos de los otros. Quien habla mal de un hermano, o quien juzga a su hermano, éste tal de la ley habla mal, y a la ley juzga, *o condena.* Mas si tú juzgas a la ley, ya no eres observador de la ley, sino *que te haces* juez *de ella.*

**12.** Uno solo es el legislador y el juez, que puede salvar , y puede perder.

**13.** Tú empero, ¿quién eres para juzgar a tú prójimo?

He aquí que vosotros andáis diciendo: Hoy o mañana iremos a tal ciudad, y pasaremos allí un año y negociaremos y aumentaremos el caudal.

**14.** *Esto decís* vosotros, que ignoráis lo que sucederá mañana.

**15.** Porque ¿qué cosa es vuestra vida? un vapor que por un poco de tiempo aparece y luego desaparece. En vez de decir: Queriendo Dios; y: Si viviéremos, haremos esto o aquello.

**16.** Mas ahora *todo al contrario,* os estáis regocijando en vuestras vanas presunciones. Toda presunción o *jactancia* semejante, es perniciosa.

---

**13.** ¿Cómo podrá hacer ningún fruto el doctor o predicador de la ley de la caridad, el ministro de la paz, el maestro de la humildad, si con su ejemplo desmiente sus palabras?

**15.** Y así codiciosa de los bienes terrenos, sensual y activa, como de Lucifer.

---

**CAP. IV.** — **1.** ¿Sirviéndose de ellos como de armas contra el espíritu?

**4.** ¡Que no podéis ser fieles esposas del Señor si amais el siglo?

**5.** No puede sufrir que vuestro corazón se reparta entre Dios y el mundo.

**11.** Dando a entender que la ley hace mal en prohibirlo.

**16.** Como si lo por venir estuviera en vuestra mano.

**17.** En fin, quien conoce el bien que *debe* hacer, y no lo hace, por lo mismo peca.

## CAPITULO V

*Del severo castigo que recibirán los ricos avarientos y opresores de los pobres. De la paciencia en las aflicciones. No debemos jurar en vano. De la extremaunción, de la confesión sacramental, y de la eficacia de la oración.*

**1.** ¡Ea, pues, oh ricos! llorad, levantad el grito en vista de las desdichas que han de sobreveniros.

**2.** Podridos están vuestros bienes, y vuestras ropas han sido roídas de la polilla.

**3.** El oro y la plata vuestra se han enmohecido, y el orín de estos *metales* dará testimonio contra vosotros, y devorará vuestras carnes como *un* fuego. Os habéis atesorado ira para los últimos días.

**4.** Sabed que el jornal que no pagasteis a los trabajadores que segaron vuestras mieses, está clamado *contra vosotros;* y el clamor de ellos ha pe-netrado los oídos del Señor de los ejércitos.

**5.** Vosotros habéis vivido en delicias *y en banquetes* sobre la tierra, y os habéis cebado a vosotros mismos *como las víctimas que se preparan* para el día del sacrificio.

**6.** Vosotros habéis condenado al inocente, y le habéis muerto, sin que os haya hecho resistencia alguna.

**7.** Pero vosotros ¡oh hermanos *míos!* tened paciencia hasta la venida del Señor. Mirad cómo el labrador, con la esperanza de recoger el precioso fruto de la tierra, aguarda con paciencia *que Dios envíe* las lluvias temprana y tardía.

**8.** Esperad pues, también vosotros con paciencia, y esforzad vuestros corazones, porque la venida del Señor está cerca.

**9.** No queráis, hermanos, querellaros unos con otros, a fin de que no seáis condenados *en este terrible día.* Mirad que el juez está a la puerta.

**10.** Tomad, hermanos *míos,* por ejemplo de paciencia, en los malos sucesos y desastres, a los profetas, que hablaron en el nombre del Señor.

**11.** Ello es que tenemos por bienaventurados a los que así padecieron. Oído habéis la paciencia de Job, y visto el fin del Señor. *Estad de buen ánimo,* porque el Señor es misericordioso y compasivo.

**12.** Sobre todo, hermanos míos, no queráis jurar ni por el cielo, ni por la tierra, ni con otro juramento alguno. Mas vuestro modo de asegurar *una cosa* sea: Sí, sí; no, no; para que no caigáis en condenación *jurando falso o sin necesidad.*

**13.** ¿Hay entre vosotros alguno que esté triste? Haga oración. ¿Está contento? Cante salmos.

**14.** ¿Está enfermo alguno de vosotros? Llame a los presbíteros de la Iglesia, y oren por él, ungiéndolo con óleo en el Nombre del Señor,

**15.** Y la oración *nacida* de la fe salvará al enfermo, y el Señor le aliviará; y si se halla con pecados, se le perdonarán.

**16.** Confesad, pues, vuestros pecados uno a otro, y orad los unos por los otros para que seáis salvos; porque mucho vale la oración perseverante del justo.

**17.** Elías era un hombre pasible semejante a nosotros, y pidió *fervorosamente* que no lloviese sobre la tierra *de Israel,* y no llovió por espacio de tres años y seis meses.

**18.** Hizo *después* de nuevo oración; y el cielo dió lluvia, y la tierra produjo su fruto.

**19.** Hermanos míos, si alguno de vosotros se desviare de la verdad, y otro le redujere a ella,

**20.** Debe saber, que quien hace que se convierta el pecador de su extravío, salvará de la muerte al alma *del pecador,* y cubrirá la muchedumbre de *sus propios* pecados.

---

**11.** Que después de padecer tanto, ha sido exaltado sobre todo.

**14.** En el texto griego se denota *enfermedad grave.* No se dice: *Está moribundo,* porque el sacramento de la Extremaunción de que aquí se habla, según sentir de todos los intérpretes católicos, debe darse a los enfermos luego que están en peligro.

**15.** Le librará, si conviene, de los males que padece.

**19.** Este desvío de la verdad puede ser, o por la incredulidad, o por la corrupción de las costumbres.

**20.** O de los suyos propios, o del pecador convertido, a quien ha sacado de las fauces de la muerte, etc.

---

CAP. V. — **7.** El cual no dejará de daros la paga de vuestro sufrimiento. Esto es la que viene después de la sementera, y la otra antes de la siega. *Deut.* XI, *v.* 14. — *Martini* traduce: Hasta que recibe *el fruto* primerizo y el tardío.

# EPÍSTOLA PRIMERA DE SAN PEDRO

## CAPITULO PRIMERO

*Da gracias a Dios por habernos llamado a la fe y a la vidaa eterna, a la cual se llega por muchas tribulaciones. Exhorta a los fieles a la pureza de vida, recordándoles que han sido redimidos con la sangre de Jesucristo.*

1. Pedro, apóstol de Jesucristo, a los *judíos* que viven fuera de su patria, dispersos por el Ponto, Galacia, Capadocia, Asia *Menor* y Bitinia,

2. Elegidos según la previsión, *o predestinación,* de Dios Padre, para ser santificados del Espíritu *Santo,* y obedecer a Jesucristo, y ser rociados con su sangre: muchos aumentos de gracia y de paz.

3. Bendito sea el Dios y Padre de Nuestro Señor Jesucristo, que por su gran misericordia nos ha regenerado con una viva esperanza *de vida eterna,* mediante la resurrección de Jesucristo de entre los muertos,

4. Para *alcanzar algún día* una herencia incorruptible, y que no puede contaminarse, y que es inmarcesible, reservada en los cielos para vosotros,

5. A quienes la virtud de Dios conserva por medio de la fe para *hacernos gozar de* la salud, que ha de manifestarse *claramente* en los últimos tiempos.

6. *Esto es* lo que debe transportaros de gozo, si bien ahora por un poco de tiempo conviene que seáis afligidos con varias tentaciones;

7. Para que vuestra fe probada de esta manera y mucho más acendrada que el oro (que se acrisola con el fuego) se halle digna de alabanza, de gloria y de honor en la venida manifiesta de Jesucristo *para juzgaros;*

8. A quien amáis, sin haberle visto; en quien ahora igualmente creéis, aunque no lo véis; mas porque creéis, aunque no le veis; mas porque creéis os holgaréis con júbilo indecible y colmado de gloria,

9. Alcanzando por premio de vuestra fe la salud de vuestras almas,

10. De la cual salud *tanto* inquirieron e indagaron los profetas, los cuales prenunciaron la gracia que había de haber en vosotros,

11. Escudriñando para cuándo o para qué punto de tiempo se lo daba a entender el Espíritu de Cristo que tenían dentro, cuando les predecía los tormentos que padeció Cristo y las glorias que le seguirían.

12. A los cuales fué revelado, que no para sí mismos, sino para vosotros administraban, *o profetizaban,* las cosas que ahora se os han

---

CAP. PRIMERO. — 2. Aquí, como en otras partes de la Escritura, vemos atribuida al Padre la *predestinación,* al Espíritu Santo la *santificación* y al Hijo la *redención.* Las aspersiones y purificaciones que se hacían en la ley de Moisés, todas eran figura de la verdadera santidad y pureza que adquirimos por la sangre de Jesucristo.

6. Otros traducen: *En lo cual os gozaréis, aun entonces mismo que permite Dios que durante esta vida tan corta seáis,* etc. Puede traducirse: La brevedad de la vida presente y la eternidad de la vida futura son dos grandes motivos de consuelo en las mayores aflicciones. Sean los que fueren los males de esta vida, el que tiene una viva fe está siempre alegre, dulcemente entregado a lo que dispone su Padre celestial. Las tribulaciones de esta vida son como un fuego que prueba la fe, descubre su precio, aviva su esplendor y pureza, y le adquiere la gloria.

7. En el día del juicio, en el que se manifestará Jesucristo, como juez supremo descubrirá los secretos de los corazones, para dar a cada uno según sus obras. *Matth. XXV, v.* 32. etc.

12. Puede traducirse: *En cuyos misterios nunca cesan, ni se sacian de mirar los ángeles.* Alude esta expresión a los querubines que estaban junto al *propiciatorio.* Según el sabio arzobispo Martini, el *quem* que leemos en la Vulgata, ha de ser *quæ,* conforme lo exige el texto griego.

anunciado, por medio de los que os predicaron el evangelio, habiendo sido enviado del cielo el Espíritu Santo, en cuyas cosas *o misterios* los ángeles *mismos* desean penetrar con su vista.

**13.** Por lo cual bien apercibido y morigerado vuestro ánimo, tened perfecta esperanza en la gracia que se os ofrece, hasta la manifestación de Jesucristo,

**14.** *Portándoos* como hijos obedientes *de este Señor,* no conformándoos ya con los apetitos *y pasiones* que teníais antes en *tiempo de* vuestra ignorancia *o infidelidad,*

**15.** Sino que conforme a la santidad del que os llamó, sed también vosotros santos en todo vuestro proceder.

**16.** Pues está escrito: Santos habéis de ser, porque yo soy santo.

**17.** Y pues que invocáis como Padre a aquel que sin acepción de personas juzga según el mérito de cada cual, habéis de proceder con temor *de ofenderle* durante el tiempo de vuestra peregrinación,

**18.** Sabiendo que fuisteis rescatados de vuestra vana conducta de vida, *o vivir mundano,* que recibisteis de vuestros padres, no con oro o plata, *que son cosas* perecederas,

**19.** Sino con la sangre preciosa de Cristo como de un cordero inmaculado y sin tacha,

**20.** Predestinado sí ya de antes de la creación del mundo, pero manifestado en los últimos tiempos por amor de vosotros,

**21.** Que por medio del mismo creéis en Dios, el cual le resucitó de la muerte y le glorificó, para que vosotros pusieseis también vuestra fe y vuestra esperanza en Dios.

**22.** Purificando, *pues,* vuestras almas con la obediencias del amor, con amor fraternal, amaos unos a otros entrañablemente con un corazón *puro y* sencillo;

**23.** Puesto que habéis renacido no de semilla corruptible, sino incorruptible por la palabra de Dios vivo, la cual permanece por toda la eternidad.

**24.** Porque toda la carne es heno; y toda su gloria como la flor del heno: secóse el heno, y su flor se cayó al *instante.*

**25.** Pero la palabra del Señor dura eternamente; y ésta es la palabra *del evangelio* que se os ha predicado.

## CAPITULO II

*Amonesta a los cristianos a que sean sinceros y sin malicia, como los niños, y a que se porten según exige la dignidad de reyes y de sacerdotes de que gozan, ejercitándose en las virtudes propias de los discípulos de Cristo.*

**1.** Por lo que depuesta toda malicia y todo engaño, y los fingimientos *o hipocresías,* y envidias, y todas las murmuraciones,

**2.** Como niños recién nacidos, apeteced *con ansia* la leche del espíritu, *pura y* sin mezcla de fraude, para que con ella vayáis creciendo en salud *y robustez,*

**3.** Si es caso que habéis probado cuán dulce es el Señor,

**4.** Al cual arrimándoos como a piedra viva que es, desechada, sí, de los hombres, pero escogida de Dios y apreciada *por la principal del edificio,*

**5.** Sois también vosotros a manera de piedras vivas edificadas encima de él, siendo *como una* casa espiritual, *como un nuevo* orden de sacerdotes santos, para ofrecer víctimas espirituales, que sean agradables a Dios por Jesucristo.

**6.** Por lo que dice la Escritura: Mirad que yo voy a poner en Sión la pricipal piedra del ángulo, piedra selecta y preciosa; y cualquiera que por la fe se apoyare sobre ella, no quedará confundido.

---

**13.** O perseverando de todo error y mal deseo. Este es el sentido literal de las palabras de la Vulgata, *succinti lumbos mentis vestrae, sobrii, etc.,* metáfora tomada de lo que hacían los siervos al ponerse a servir a sus amos, y que no tiene cabida en nuestro idioma.

**25.** Palabra vivificante, que os ha engendrado en Jesucristo, cuando recibisteis el bautismo.

**CAP. II.** — **2.** La palabra de Dios, y la participación del cuerpo y sangre de Jesucristo.

**5.** Todos los cristianos en cierto sentido son verdaderamente sacerdotes, pues los santos deseos y buenas obras son otros tantos sacrificios espirituales que deben ofrecer a Dios por medio de Jesucristo sobre el altar de su corazón con el fuego de una ardiente caridad. Nótese que en el canon de la misa se dice: Acordaos también, Señor, de todos los que están presentes, por los cuales os ofrecemos, o los cuales os ofrecen este sacrificio de alabanza, etc.

La comparación cristiana con un edificio o templo, se encuentra varias veces en S. Pablo, *v.* c. en I *Cor.* 3, 16 ss.; II *Cor.* 6, 16. (Meinertz und Vrede).

7. Así que para vosotros que creéis, sirve de honra; mas para los incrédulos, ésta es la piedra que desecharon los fabricantes, y no obstante, vino a ser la principal del ángulo:

8. Piedra de tropiezo, y piedra de escándalo, para los que tropiezan en la palabra *del evangelio,* y no creen *en Cristo,* aun cuando fueron a esto destinados.

9. Vosotros, al contrario, sois el linaje escogido, una clase de sacerdotes reyes, gente santa, pueblo de conquista, para publicar las grandezas de aquel que os sacó de las tinieblas a la luz admirable.

10. Vosotros que antes no erais *tan siquiera* pueblo, y ahora sois el pueblo de Dios: que no habíais alcanzado misericordia, y ahora la alcanzasteis.

11. *Por esto,* queridos *míos,* os suplico que como extranjeros y peregrinos *que sois en este mundo,* os abstengáis de los deseos carnales, que combaten contra el alma,

12. Llevando una vida ajustada entre los gentiles, a fin de por lo mismo que os censuran como a malhechores, reflexionando sobre las obras buenas que observan en vosotros, glorifiquen a Dios en el día en que los visitará.

13. Estad, pues, sumisos a toda humana criatura *que se halle constituida sobre vosotros,* y ésto por respeto a Dios: ya sea al rey, como que está sobre todos;

14. Ya a los gobernadores, como puestos por él para castigo de los malhechores, y alabanza *y premio* de los buenos;

15. Pues ésta es la voluntad de Dios, que obrando bien tapéis la boca a la ignorancia de los hombres necios *e insensatos;*

16. Como libres, *sí,* mas no cubriendo la malicia con capa de libertad, sino *obrando en todo como siervos* de Dios; *esto es, por amor.*

17. Honrad a todos, amad a los hermanos, temed a Dios, respetad al Rey.

18. Vosotros los siervos estad sumisos con todo temor *y respeto* a los amos, no tan sólo a los buenos y apacibles, sino también a los de recia condición.

19. Pues el mérito está en sufrir uno, por respeto a Dios *que le ve,* penas padecidas injustamente.

20. Porque ¿qué alabanza *merecéis,* si por vuestras faltas sois castigados *de vuestros amos,* y lo sufrís? Pero si obrando bien sufrís con paciencia *los malos tratamientos,* en eso está el mérito para con Dios;

21. Que para ésto fuisteis llamados *a la dignidad de hijos de Dios;* puesto que también Cristo, *nuestra cabeza,* padeció por nosotros, dándoos ejemplo, para que sigáis sus pisadas.

22. El cual no cometió pecado alguno, ni se halló dolo en su boca;

23. Quien cuando le maldecían, no retornaba maldiciones; cuando le atormentaban, no prorrumpía en amenazas; antes se ponía en manos de aquel que le sentenciaba injustamente.

24. El es el que llevó *la pena de* nuestros pecados en su cuerpo sobre el madero *de la cruz,* a fin de qué nosotros, muertos los pecados, vivamos a la justicia; *y él es* por cuyas llagas fuisteis vosotros sanados.

25. Porque andabais como ovejas descarriadas, mas ahora os habéis convertido *y reunido* al pastor, y obispo (*o superintendente*) de vuestras almas.

## CAPITULO III

*Da saludables avisos a los casados en particular, y exhorta a todos los fieles a la caridad e inocencia de vida, y a la paciencia en las adversidades, a imitación de Jesucristo.*

1. Asimismo las mujeres sean obedientes a sus maridos, a fin de que con eso si algunos no creen por el medio de *la predicación de* la palabra, sean ganados sin ella por *sólo* el trato con sus mujeres,

2. Considerando la pureza de la vida que llevan, y el respeto que les tienen.

3. El adorno de las cuales no ha de ser por de fuera con los rizos del cabello, ni con dijes de oro, ni gala de vestidos.

4. La persona interior escondida en el corazón, *es la que debe adornar con el atavío* incorruptible de un espíritu de dulzura y de paz, lo cual es *un* precioso *adorno* a los ojos de Dios.

5. Porque así también se ataviaban antiguamente aquellas santas mujeres, que esperaban en Dios, viviendo sujetas a sus maridos.

---

8. Es decir, *llamados a la fe;* pero abandonados a la incredulidad, por causa de su malicia y dureza de corazón.

13. La verdadera piedad y religión inspiran siempre sumisión y obediencia al soberano. La obediencia del vasallo no pende de la conducta

de vida al de la piedad de los soberanos, sino del orden y voluntad de Dios, cuya providencia los ha establecido sobre sus súbditos.

**6.** Al modo que Sara era obediente a Abraham, a quien llamaba *su* señor: de ella sois hijas vosotras, si vivís bien y sin amedrentaros por ningún temor.

**7.** Maridos, vosotros igualmente habéis de cohabitar con vuestras mujeres, tratándolas con honor y discreción como a sexo más flaco, y como a coherederas de la gracia, *o beneficio,* de la vida *eterna,* a fin de que nada estorbe *el efecto de* vuestras oraciones.

**8.** Finalmente, sed todos de un mismo corazón, compasivos, amantes de *todos* los hermanos, misericordiosos, modestos, humildes,

**9.** No volviendo mal por mal, ni maldición por maldición, antes al contrario, *bienes o* bendiciones; porque a esto sois llamados, a fin de que poseáis la herencia de la bendición *celetial.*

**10.** Así pues, el que de veras ama la vida, y quiere vivir días dichosos, refrene su lengua del mal, y sus labios no se desplieguen a favor de la falsedad.

**11.** Desvíese del mal, y obre el bien; busque *con ardor* la paz y vaya en pos de ella:

**12.** Pues el Señor tiene fijos sus ojos sobre los justos, y escucha propicio las súplicas de ellos, al paso que mira *con ceño* a los que obran mal.

**13.** ¿Y quién hay que pueda dañaros, si *no* pensáis *más que* obrar bien?

**14.** Pero si *sucede que* padecéis algo por *amor a* la justicia, sois bienaventurados. No temáis los fieros *de los enemigos,* ni os conturbéis;

**15.** Sino bendecid en vuestros corazones al Señor *Jesucristo* prontos siempre a dar satisfacción a cualquiera que os pida razón de la esperanza *o religión* en que vivís.

**16.** Bien que debéis hacerlo con modestia y circunspección como quien tiene buena conciencia, por manera que, cuando murmuran de vosotros los que calumnian vuestro buen proceder en Cristo, queden confundidos:

**17.** Pues mejor es padecer (si Dios lo quiere así) haciendo bien, que obrando mal;

**18.** Porque también Cristo murió una vez por nuestro pecado, el justo por los injustos, a fin de reconciliarnos con Dios, *habiendo sido* a la verdad muerto según la carne, pero vivificado por el Espíritu *de Dios.*

**19.** En el cual, *o por cuyo movimiento,* fue también a predicar a los espíritus encarcelados.

**20.** Que habían sido incrédulos en otro tiempo, cuando les estaba esperando *a penitencia* aquella *larga* paciencia de Dios en los días de Noé, al fabricarse el arca, en la cual pocas personas, es a saber, ocho *solamente* se salvaron en medio del agua.

**21.** Lo que era figura del bautismo de ahora, el cual de una manera semejante os salva a vosotros, no con quitar las manchas de la carne, sino justificando la conciencia para con Dios por la *virtud de la* resurrección de Jesucristo;

**22.** El cual, después de haber devorado la muerte, a fin de hacernos herederos de la vida eterna, está a la diestra de Dios, habiendo subido al cielo, y estándole sumisos los ángeles, y las potestades y las virtudes.

## CAPITULO IV

*Exhorta a huir de los pasados vicios, y la práctica de las virtudes para atraer a la fe a los gentiles, y dice que debemos alegrarnos de padecer por amor de Cristo.*

**1.** Habiendo, pues, Cristo padecido *por nosotros la muerte* en su carne, armaos también vo-sotros de esta consideración, *y es que quien* mortificó *o murió a* la carne *por el bautismo,* acabado ha de pecar:

---

**19.** Este es uno de los lugares más difíciles del nuevo Testamento. Entre varias interpretaciones, dos son las más seguidas. El mayor número de santos padres, como S. Atanasio, S. Cirilo, S. Clemente Alejandrino, S. Justino, S. Ireneo, S. Jerónimo, etc., creen que S. Pedro habla de Jesucristo cuando bajó al infierno o limbo a anunciar a las almas de los justos allí detenidos, la libertad o redención, y a sacarlas de aquel lugar en que estaban como encarceladas, o detenidas, esperando al Redentor. Y especialmente habla S. Pedro, según opina Belarmino (*lib.* IV, *de anima Christi, c.* 13) de las almas de aquellos que al principio no creyeron las exhortaciones de Noé, que en nombre de Dios les amenazaba con el diluvio, pero que al fin se convirtieron antes de llegar éste, e hicieron penitencia, como también cree S. Jerónimo. La otra interpretación, que es de S. Agustín, del V. Beda, de Santo Tomás, etc., toma la palabra *cárcel* en un sentido místico por el *cuerpo,* y explica este lugar diciendo que Jesucristo con el mismo espíritu por el cual resucitó, y del cual llenó al patriarca Noé, predicó a los incrédulos y pecadores del tiempo de este patriarca la penitencia, los cuales, privados de la luz de la fe, vivían como encerrados en su carne depravada. A los tales predicó mucho tiemo el Espíritu de Cristo por boca de Noé, especialmente durante los 120 años que duró la fabricación del arca. El padre Sa entiende por *espíritus* las almas, y por cárcel el purgatorio.

---

**6.** Sin que os venza respeto mundano, ni perturbación alguna.

2. De suerte que ya el tiempo que le queda en esta vida mortal, viva, no conforme a las pasiones humanas, sino conforme a la voluntad de Dios.

3. Porque *demasiado* tiempo habéis pasado durante vuestra vida anterior abandonados a las mismas pasiones que los paganos, viviendo en lascivias, en codicias, en embriagueces, en glotonerías, en excesos en las bebidas y en idolatrías abominables.

4. Al presente *los infieles* extrañan mucho que no concurráis vosotros a los mismos desórdenes de torpeza, y os llenan de vituperios.

5. Mas ellos darán cuenta a aquel que tiene dispuesto el juzgar a vivos y a muertos;

6. Que aún por eso os ha sido predicado también el Evangelio a los muertos; para que habiendo sido juzgados, *o castigados,* delante de los hombres según la carne, recibiesen delante de Dios la vida del espíritu.

7. Por lo demás, el fin de todas las cosas se va acercando; por tanto sed prudentes, *y así estad advertidos;* y velad en oraciones *continuas y fervorosas.*

8. Pero sobre todo mantened constante la mutua caridad entre vosotros; porque la caridad cubre *o disimula* muchedumbre de pecados.

9. Ejercitad la hospitalidad los unos con los otros, sin murmuraciones.

10. Comunique cada cual al prójimo la gracia *o don,* según que la recibió, como buenos dispensadores de los dones de Dios, *los cuales son* de muchas maneras.

11. El que habla *o predica la palabra divina, hágalo de modo* que parezca que habla Dios por su boca; quien tiene *algún* ministerio *eclesiástico, ejercítelo* como una virtud que Dios le ha comunicado, a fin de que en todo cuanto hagáis, sea Dios glorificado por Jesucristo, cuya es la gloria y el imperio por los siglos de los siglos. Amén.

12. Carísimos, cuando Dios os prueba con el fuego de las tribulaciones, no lo extrañéis, como si os aconteciese una cosa muy extraordinaria;

13. Antes bien alegraros de ser participantes de la pasión de Cristo, para que cuando se descubra su gloria, os gocéis también con él llenos de júbilo.

14. Si sois infamados por el nombre de Cristo, seréis bienaventurados; porque la honra, la gloria y la virtud de Dios, y su Espíritu mismo reposa sobre vosotros.

15. Pero jamás *venga el caso en que* alguno de vosotros padezca por homicida o ladrón, o maldiciente, o codiciador de lo ajeno;

16. Mas si *padeciere* por ser cristiano, no se avergüence; antes alabe a Dios por tal causa;

17. Pues tiempo es de que comience el juicio por la casa de Dios. Y si primero empieza por nosotros, ¿cuál será el paradero de aquellos que no creen el evangelio de Dios?

18. Que si el justo a duras penas se salvará, ¿a dónde irán el impío y el pecador?

19. Por tanto, aquellos mismos que padecen por la voluntad de Dios, encomienden por medio de las buenas obras sus almas al Criador, *el cual es* fiel.

## CAPITULO V

*Avisos saludables a los prelados de la Iglesia y a los súbditos: encarga a los jóvenes la obediencia y la humildad, y exhorta a todos a velar contra las tentaciones del demonio.*

1. Esto supuesto, a los presbíteros que hay entre vosotros, suplico yo, vuestro compresbítero y testigo de la pasión de Cristo, como también participante de su gloria, la cual ha de manifestar *a todos* en lo por venir,

2. Que apacentéis la grey de Dios puesta a vuestro cargo, *gobernándola y* velando sobre ella no precisados por la necesidad, sino con *afectuosa* voluntad que sea según Dios; no por un sórdido interés, sino gratuitamente;

3. Ni como que queréis tener señorío sobre el clero, *o la heredad del Señor,* sino siendo verdaderamente dechados de la grey;

4. Que cuando se dejará ver el Príncipe de los pastores, *Jesucristo,* recibiréis una corona inmarcesible de gloria.

---

CAP. IV. — 6. A las almas de los que murieron arrepentidos en tiempo del diluvio, o a los idólatras y pecadores.

---

8. A las almas de los que murieron arrepentidos en tiempo del diluvio, o a los idólatras y pecadores.

17. Que somos sus domésticos y servidores.

18. ¿Cómo pueden esperar salvarse por el camino del regalo y de los vicios?

CAP. V. — 3. El pueblo de Israel se llamaba *clero,* esto es, *herencia,* suerte o patrimonio de Dios.

**5.** Vosotros igualmente ¡oh jóvenes! estad sujetos a los ancianos, *o sacerdotes.* Todos, en fin, inspiraos recíprocamente *y ejercitad* la humildad; porque Dios resiste a los soberbios, pero a los humildes les da su gracia.

**6.** Humillaos, pues, bajo la mano poderosa de Dios, para que os exalte al tiempo de su visita *o del juicio,*

**7.** Descargando en su *amoroso* seno todas vuestras solicitudes, pues él tiene cuidado de vosotros.

**8.** Sed sobrios, y estad en *continua* vela; porque vuestro enemigo el diablo anda girando como león rugiente alrededor de vosotros, en busca de presa que devorar.

**9.** Resistidle firmes en la fe, sabiendo que la misma tribulación padece vuestros hermanos, cuantos hay en el mundo.

**10.** Mas Dios *dador* de toda gracia, que nos llamó a su eterna gloria por Jesucristo,

después que hayáis padecido un poco, él mismo os perfeccionará, fortificará y consolidará.

**11.** A él sea dada la gloria y el poder soberano por los siglos de los siglos. Amén.

**12.** Por Silvano, el cual es, a mi juicio, *un* fiel hermano, os he escrito brevemente, declarándoos y protestándoos que la verdadera gracia de Dios, *o la verdadera religión,* es ésta, en que vosotros permanecéis constantes,

**13.** La Iglesia que, escogida por Dios como vosotros mora en *esta* Babilonia, os saluda, y mi hijo Marcos.

**14.** Saludaos mutuamente con el ósculo santo. La gracia sea con todos vosotros, los que estáis *unidos* en Cristo Jesús. Amén.

---

**13.** Toda la antigüedad ha entendido siempre aquí por *Babilonia,* la ciudad de Roma. Véase *Calmet, Grocio,* etc. y la nota del verso 2° del Cap. XVII del *Apoc.*

# EPÍSTOLA SEGUNDA DE SAN PEDRO

## CAPITULO PRIMERO

*La memoria de los grandes dones recibidos de Dios ha de animarnos a avanzar en el camino de la virtud, para poder entrar en el reino de Dios. Habla de su cercana muerte y de la verdad de la doctrina del evangelio.*

1. Simón Pedro, siervo y apóstol de Jesucristo, a los que han alcanzado igual fe con nosotros por la justicia y *méritos* del Dios y Salvador nuestro Jesucristo:

2. La gracia y paz crezca más y más en vosotros por el conocimiento de Dios y de Nuestro Señor Jesucristo.

3. Así como todos los dones que nos ha dado su poder divino, correspondientes a la vida y a la piedad *cristiana*, se nos han comunicado por el conocimiento de aquel que nos llamó por su gloria y por su virtud,

4. *También* por él mismo nos ha dado Dios las grandes y preciosas gracias que había prometido, para hacernos partícipes, por medio de estas gracias, de la naturaleza divina, huyendo de la corrupción de la concupiscencia, que hay en el mundo.

5. Vosotros, pues, habéis de poner todo vuestro *estudio y* cuidado en juntar con vuestra fe la fortaleza, con la fortaleza la ciencia,

6. Con la ciencia la templanza, con la templanza la paciencia, con la paciencia la piedad,

7. Con la piedad el amor fraternal, y con el amor fraternal la caridad, *o amor de Dios.*

8. Porque si estas *virtudes* se hallan en vosotros, y van creciendo más y más, no quedará estéril y sin fruto el conocimiento que tenéis de Nuestro Señor Jesucristo.

9. Mas quien no las tiene, está ciego, y anda con la mano a tientas, olvidando de qué manera fué lavado de sus antiguos delitos.

10. Por tanto, hermanos *míos*, esforzaos más y más *y haced cuánto podáis* para asegurar, *o afirmar*, vuestra vocación y elección, por medio de las buenas obras; porque haciendo esto, no pecaréis jamás.

11. Pues de este modo se os abrirá de par en par la entrada en el reino eterno de Nuestro Señor y Salvador Jesucristo.

12. Por lo cual no cesaré jamás de advertiros eso mismo, por más que vosotros estéis bien instruidos y confirmados en la verdad presente;

13. Pues me parece justo el despertaros con mis amonestaciones, mientras estoy en este *cuerpo mortal, como en una* tienda de campaña,

14. Estando cierto de que presto saldré de él, según que me lo ha significado ya Nuestro Señor Jesucristo.

15. Mas yo cuidaré de que aun después de mi muerte podáis con frecuencia hacer memoria de estas cosas.

16. Por lo demás, no os hemos hecho conocer el poder y la venida de Nuestro Señor Jesucristo, siguiendo fábulas *o ficciones* ingeniosas; sino como testigos oculares de su grandeza,

17. Porque al recibir de Dios Padre aquel glorioso testimonio, cuando desde *la nube en* que apareció con tanta brillantez la gloria *de Dios,* descendió una voz que decía: Este es mi Hijo amado, en quien estoy complaciéndome, escuchadle,

18. Nosotros oímos también esta voz venida del cielo, *y vivimos su gloria* estando con él en el monte santo *del Tabor.*

---

CAP. PRIMERO. — 16. En su transfiguración gloriosa.

**19.** Pero tenemos *todavía* el testimonio más firme *que el nuestro* que es el de los profetas, al cual hacéis bien en mirar atentamente, como una antorcha que luce en un lugar oscuro, hasta tanto que amanezca el día, y la estrella de la mañana nazca en vuestros corazones,

**20.** Bien entendido, ante todas cosas, que ninguna profecía de la Escritura se declara por interpretación privada;

**21.** Porque no traen su origen las profecías de la voluntad de los hombres, sino que los varones santos de Dios hablaron, siendo inspirados del Espíritu Santo.

## CAPITULO II

*Describe las malas artes de los falsos doctores o de sus discípulos los incrédulos, y el espantoso y repentino castigo que les amenaza. Avisa a los fieles que se guarden de ellos.*

**1.** Verdad es que hubo también falsos profetas en el *antiguo* pueblo *de Dios;* así como se verán entre vosotros maestros embusteros, que introducirán *con disimulo* sectas de perdición, y renegarán del Señor que los rescató, acarreándose a sí mismos una pronta venganza.

**2.** Y muchas gentes los seguirán en sus disoluciones; por cuya causa el camino de la verdad será infamado;

**3.** Y usando de palabras fingidas harán tráfico de vosotros por avaricia; mas el juicio que tiempo ha que los amenaza va viniendo a grandes pasos, y no está dormida la mano que debe perderlos.

---

**19.** De la gloriosa eternidad o visión clara de Dios, y quede desvanecida la nube de la fe.

**20.** De la mano de la Iglesia recibimos las Escrituras; de la boca de la misma debemos aprender su verdadero sentido.

**21.** Y así es que a la Iglesia, dirigida por él, es a quien pertenece la interpretación de las Escrituras divinas.

**CAP. II. — 4.** Compara el Apóstol los falsos apóstoles a los demonios, porque aquellos tiran como éstos a desviar las almas del recto camino de la fe y de la virtud. Los ángeles malos sufriendo ya ahora el castigo de su rebelión, comparecerán en el juicio final a oír de Jesucristo una pública sentencia de su condenación contra ellos, y de los hombres que hayan imitado su rebelión contra Dios. Desde entonces quedarán encerrados en el infierno, o para siempre fijos en un lugar. Ahora permite Dios que ejerciten a los buenos, y tienten a los hombres al mal, para que merezcamos la corona de la gloria, premio de los que pelean y vencen; y para eso nos ofrece su poderosa gracia, que tantas veces desprecian los hombres, usando mal del *libre albedrío,* que Dios les ha dado para poder merecer con lo que hagan.

**4.** Porque si Dios no perdonó a los ángeles delincuentes, sino que amarrados con cadenas infernales los precipitó al *tenebroso abismo,* en donde son atormentados y tenidos como en reserva hasta el día del juicio;

**5.** Si tampoco perdonó al antiguo mundo, bien que preservó al predicador de la justicia *divina,* Noé, con siete personas, al anegar con el diluvio el mundo de los impíos;

**6.** Si reduciendo a cenizas las ciudades de Sodoma y Gomorra, las condenó a desolamiento, poniéndolas para escarmiento de los que vivirán impíamente;

**7.** Si libertó al justo Lot, a quien estos hombres abominables afligían y perseguían con su vida infame,

**8.** Pues conservaba puros sus ojos y oídos, morando entre gentes que cada día sin cesar atormentaban su alma pura con obras detestables:

**9.** *Luego* bien sabe el Señor librar de la tentación a los justos, reservando los malos para los tormentos en el día del juicio.

**10.** Y mayormente aquellos que para satisfacer sus impuros deseos, siguen la concupiscencia de la carne, y desprecian las potestades; osados, pagados de sí mismos, que blasfemando no temen sembrar herejías.

**11.** Como quiera que los ángeles mismos con ser tanto mayores en fuerza y poder, no condenan con palabras de execración, *ni maldición,* a los de su especie;

**12.** Mas estos otros, que, por el contrario, como brutos animales, nacidos *para ser presa del hombre* o para el lazo y la matanza, blasfeman de las cosas que ignoran, perecerán en los vergonzosos desórdenes en que están sumergidos,

**13.** Recibiendo la paga de su iniquidad, ya que ponen su felicidad en pasar cada día entre placeres, siendo la misma horrura y suciedad, regoldando deleites, mostrando su disolución en los convites que celebran con vosotros,

**14.** *Como* que tienen los ojos llenos de adulterio y de un continuo pecar.

Ellos atraen con halagos las almas *ligeras e* inconstantes, teniendo el corazón ejercitado en *todas las mañas que puede sugerir* la avaricia; *son* hijos de maldición;

**15.** Han dejado el camino recto, y se han descarriado, siguiendo la senda de Balaam, *hijo* de Bosor, el cual codició el premio de la maldad;

---

**10.** Blasfemando la sana doctrina, y maldiciendo a todos los superiores.

**16.** Mas tuvo quien reprendiese su sandez *y mal designio:* una muda bestia en que iba montado, hablando en voz humana, refrenó la necedad del profeta.

**17.** Estos tales son fuentes sin agua, y tinieblas agitada por torbellinos *que se mueven a todas partes,* para los cuales están reservado el abismo de las tinieblas;

**18.** Porque profiriendo discursos pomposos *llenos* de vanidad, atraen con el cebo de apetitos carnales de lujuria a los que poco antes habían huido *de la compañía* de los que profesan el error,

**19.** Prometiéndoles libertad, cuando ellos mismos son esclavos de la corrupción; pues quien de otro es vencido, por lo mismo queda esclavo del que le venció.

**20.** Porque si después de haberse apartado de las asquerosidades del mundo por el conocimiento del nuestro Señor y Salvador Jesucristo, enredados otra vez en ellas son vencidos, su postrera condición viene a ser peor que la primera.

**21.** Por lo que mejor les fuera no haber conocido el camino de la justicia, que después de conocido *volver atrás y* abandonar la ley santa que se les había dado,

**22.** Cumpliéndose en ellos lo que suele significarse por aquel refrán verdadero: Volvióse el perro a *comer* lo que vomitó, y: La marrana lavada, a revolcarse en el cieno.

# CAPITULO III

*Los amonesta nuevamente contra los falsos doctores, y habla de la segunda venida del Señor. Alaba las epístolas de San Pablo, y dice que eran adulteradas por los ignorantes.*

**1.** Esta es ya, carísimos *míos,* la segunda carta que os escribo, procurando en las dos avivar con mis exhortaciones vuestro ánimo sencillo, *o sincero;*

**2.** Para que tengáis presentes las palabras que os he dicho antes de los santos profetas, y los preceptos que el Señor y Salvador *nuestro* os ha dado por *medio de nosotros, que somos* sus apóstoles,

**3.** Estando ciertos ante todas cosas, de que vendrán en los últimos tiempos impostores artificiosos, arrastrados de sus propias pasiones,

**4.** Diciendo: ¿Dónde está la promesa o el *segundo* advenimiento de éste?: porque desde la muerte de *nuestros* padres o *patriarcas,*

todas las cosas permanecen del modo mismo que al principio fueron criadas.

**5.** Y es que no saben, porque quieren ignorarlo, que al principio fué criado el cielo por la palabra de Dios, como asimismo la tierra, *la cual apareció salida* del agua, y subiste en medio de ella,

**6.** Y que por tales cosas el mundo de entonces pereció anegado en las aguas *del diluvio.*

**7.** Así los cielos que ahora existen, y la tierra, se guardan por la misma palabra, para *ser abrasados por* el fuego en el día del juicio y del exterminio de los hombres malvados *e impíos.*

**8.** Pero vosotros, queridos *míos,* no debéis ignorar una cosa, y es que un día respecto de Dios es como mil años, y mil años como un día.

**9.** No retarda, *pues,* el Señor su promesa, como algunos juzgan, sino que espera con *mucha* paciencia por amor de vosotros *el venir como juez,* no queriendo que ninguno perezca, sino que todos se conviertan a penitencia.

**10.** Por lo demás, el día del Señor vendrá como ladrón y entonces los cielos con espantoso estruendo pasarán *de una parte a otra,* los elementos con el ardor *del fuego* se disolverán, y la tierra y las obras que hay en ella serán abrasadas.

**11.** Pues ya que todas estas cosas han de ser deshechas, ¿cuáles debéis ser vosotros en la santidad de vuestra vida y piedad *de costumbres,*

**12.** Aguardando *con ansia,* y corriendo a esperar la venida del día del Señor, *día* en que los cielos encendidos se disolverán, y se derretirán los elementos con el ardor del fuego?

**13.** *Bien que* esperamos, conforme a sus promesas, nuevos cielos y nueva tierra, donde habitará *eternamente* la justicia.

**14.** Por lo cual, carísimos, pues tales cosas esperáis, haced lo posible para que el Señor os halle sin mancilla, irreprensibles y en paz;

---

**CAP. III.** — **4.** En cuyo tiempo, según dijo, había de mudar todas las cosas.

**8.** Porque para él no hay nada pasado ni venidero, sino que todo es presente.

**10.** Esto es, de repente y a la hora menos pensada.

**15.** Y creed que es para salvación la longanimidad *o larga paciencia* de nuestro Señor: según que también nuestro carísimo hermano Pablo os escribió conforme a la sabiduría que se le ha dado,

**16.** Como lo hace en todas sus cartas, tratando en ellas de esto mismo; en las cuales hay algunas cosas difíciles de comprender, cuyo sentido los indoctos e inconstantes *en la fe* pervierten, de la misma manera que las demás Escrituras, *de que abusan* para su propia perdición.

**17.** Así que vosotros ¡oh hermanos! avisados ya, estad alerta, no sea que seducidos de los insensatos *y malvados* vengáis a caer de vuestra firmeza;

**18.** Antes bien id creciendo en la gracia y en el conocimiento de Nuestro Señor y Salvador Jesu-cristo. A El sea dada la gloria *desde* ahora y por el día *perpetuo* de la eternidad, Amén.

# EPÍSTOLA PRIMERA DE SAN JUAN

## CAPITULO PRIMERO

*Anuncia San Juan la doctrina que oyó del mismo Jesucristo Nuestro Señor; el cual es vida y luz que nos alumbra y da vida, purificándonos de los pecados que tenemos.*

1. Lo que fué desde el principio o *desde la eternidad*, lo que oímos, lo que vimos con nuestros ojos, y contemplamos y palparon nuestras manos tocando el Verbo de la vida,

2. Vida que se hizo patente; y *así* la vimos, y damos de ella testimonio, y os evangelizamos esta vida eterna, la cual estaba en el Padre y se dejó ver de nosotros:

3. Esto que vimos y oímos, es lo que os anunciamos, para que tengáis también vosotros unión con nosotros, y nuestra *común* unión sea con el Padre y con su Hijo Jesucristo.

4. Y os lo escribimos para que os gocéis, y vuestro gozo sea cumplido.

5. Y la nueva que oímos del mismo *Jesucristo* y os anunciamos, es que Dios es luz, y en él no hay tinieblas ningunas.

6. Si dijéremos que tenemos unión con él, y andamos entre *las* tinieblas *del pecado*, mentimos, y no tratamos verdad.

7. Pero si caminamos a la luz *de la fe y santidad*, como él está asimismo en la luz, *síguese de ahí que* tenemos nosotros una común y mutua unión, y la sangre de Jesucristo, su Hijo, nos purifica de todo pecado.

8. Si dijéremos que no tenemos pecado, nosotros mismos nos engañamos, y no hay verdad en nosotros.

9. Pero si confesamos *humildemente* nuestros pecados, fiel y justo es él, para perdonárnoslos, y lavarnos de toda iniquidad, *según sus promesas*.

10. Si dijéremos que no hemos pecado, le hacemos a él mentiroso, y su palabra no está en nosotros.

## CAPITULO II

*Nos exhorta a no pecar, y a acogernos a Jesucristo cuando hubiéremos pecado. Encarga la observancia de los mandamientos, especialmente del primero. Consuela a todos, y amonesta que nos apartemos de los incrédulos y herejes, a quienes llama anticristos.*

1. Hijitos míos, estas cosas os escribo, a fin de que no pequéis. Pero aun cuando alguno *por desgracia* pecare, *no desespere, pues* tenemos por abogado para con el Padre, a Jesucristo justo *y santo*.

2. Y él mismo es la víctima de propiciación por nuestros pecados; y no tan sólo por los nuestros, sino también por los de todo el mundo.

3. Y si guardamos sus mandamientos, con eso sabemos que *verdaderamente* le hemos conocido.

4. Quien dice que le conoce, y no guarda sus mandamientos, es *un* mentiroso, y la verdad no está en él.

5. Pero quien guarda sus mandamientos, en ése verdaderamente la caridad de Dios es perfecta: y por esto conocemos que estamos en él, *esto es, en Jesucristo*.

6. Quien dice que mora en él, debe seguir el mismo camino que él siguió.

---

CAP. I. — 3. Del Verbo eterno, hecho hombre para nuestra salvación.

7. Y es la misma luz divina substancial que ilumina a todos.

10. Puesto que la Escritura nos dice que somos pecadores todos, y que todos necesitamos de la misericordia divina. — *Ps.* CXV, *v.* 11. — III *Reg.* VIII, *v.* 16. — *Rom.* III, *v.* 4. — *Jac.* III, *v.* 2.

CAP. II. — 2. Víctima divina que se ofreció en la cruz, y se ofrece cada día en el altar, y con la que satisface y aplaca el eterno Padre.

**7.** Carísimos, no voy a escribiros un mandamiento nuevo, sino un mandamiento antiguo, el cual recibisteis desde el principio; el mandamiento antiguo es la palabra *divina* que oísteis;

**8.** Y no obstante, yo os digo que el mandamiento de que os hablo, *que es el de la caridad*, es *un mandamiento* nuevo, el cual es verdadero en sí mismo y en vosotros; porque las tinieblas desaparecieron, y luce ya la luz verdadera.

**9.** Quien dice estar en la luz, aborreciendo a su hermano, *o al prójimo*, en tinieblas está todavía.

**10.** Quien ama a su hermano, en la luz mora, y en él no hay escándalo.

**11.** Mas el que aborrece a su hermano, en tinieblas está, y en tinieblas anda, y no sabe a dónde va: porque las tinieblas le han cegado los ojos.

**12.** Os escribo a vosotros, hijitos, porque vuestros pecados están perdonados por el Nombre de Jesús.

**13.** A vosotros, padres *de familia*, os escribo, porque habéis conocido al que existía desde el principio. Os escribo a vosotros, mozos, porque habéis vencido al maligno *espíritu*.

**14.** Os escribo a vosotros, niños, porque habéis conocido al Padre. A vosotros, jóvenes, os escribo, porque sois valerosos, y la palabra de Dios permanece en vosotros, y vencisteis al maligno *espíritu*.

**15.** *Ved, pues, lo que os escribo a todos:* No queráis amar al mundo, ni las cosas mundanas. Si alguno ama al mundo, no habita en él la caridad *o amor* del Padre;

**16.** Porque todo lo que hay en el mundo es concupiscencia de la carne, concupiscencia de los ojos y soberbia de la vida: lo cual no nace del Padre, sino del mundo.

**17.** El mundo pasa, y *pasa también con él* su concupiscencia. Mas el que hace la voluntad de Dios permanece eternamente.

**18.** Hijitos *míos*, *ésta* es *ya* la última hora, *o edad del mundo;* y así como habéis oído que viene el Anticristo, así ahora muchos se han hecho anticristos, por donde echamos de ver, que es *ya* la última hora.

**19.** De entre nosotros *o de la Iglesia* han salido, mas no eran de los nuestros; que si de los nuestros fueran, con nosotros sin duda hubieran perseverado *en la fe;* pero *ellos se apartaron de la Iglesia*, para que se vea claro que no todos son de los nuestros.

**20.** Pero vosotros habéis recibido la unción del *Espíritu* Santo, y de todo estáis instruidos.

**21.** No os he escrito como a ignorantes de la verdad, sino como a los que *la conocen y* la saben; porque ninguna mentira procede de la verdad, *que es Jesucristo.*

**22.** ¿Quién es mentiroso, sino aquel que niega que Jesús es el Cristo? Este *tal* es un anticristo, que niega al Padre y al Hijo.

**23.** Cualquiera que niega al Hijo, también poco reconoce al Padre; quien confiesa al Hijo, también al Padre confiesa *o reconoce*.

**24.** Vosotros estad firmes en la doctrina que desde el principio habéis oído. Si os mantenéis en lo que oísteis al principio, también os mantendréis en el Hijo y en el Padre.

**25.** Y ésta es la promesa que nos hizo él mismo, la vida eterna.

**26.** Esto os he escrito en orden a los impostores que os seducen.

**27.** Mantened en vosotros la unción *divina*, que de él recibisteis. Con eso no tenéis necesidad que nadie os enseñe; sino que conforme a lo que la unción del Señor os enseña en todas las cosas, así es verdad, y no mentira. Por tanto estad firmes en eso *mismo* que os ha enseñado.

**28.** En fin, hijitos *míos*, permaneced en él; para que cuando venga, estemos confiados, y *que al contrario* no nos hallemos confundidos por él en su venida.

**29.** Y pues sabéis que *Dios* es justo, sabed igualmente que quien vive según justicia *o ejercita las virtudes*, es hijo *legítimo* del mismo.

---

**8.** Por haberle renovado y perfeccionado Jesucristo en el evangelio, enseñándonos que debemos amar aun a nuestros enemigos. Otros traducen *in ipso*, en Jesucristo, por lo que dice S. Juan en su evangelio XIII, *v.* 34; XV, *v*, 12.

**18.** Varios intérpretes creen que habla aquí S. Juan de la ruina del pueblo judaico, destrucción de Jerusalén y su templo, etc., todo como figura de la ruina universal del mundo. Véase cómo hablaba Jesucristo, *Matth*. XXIV, *v.* 24. — *Joann*. V, *v.* 48. Pero esta última hora es, según la opinión más probable, el último período de tiempo desde la primera hasta la segunda venida de Cristo. (Camerlynck).

---

**19.** O que también hay entre nosotros falsos hermanos.

## CAPITULO III

*Del amor de Dios hacia nosotros. Encarga de nuevo el precepto de la caridad fraternal y concluye exhortando a la observancia de los mandamientos de Dios.*

1. Mirad qué *tierno* amor hacia nosotros ha tenido el Padre, queriendo que nos llamemos hijos de Dios, y lo seamos *en efecto*. Por eso el mundo no hace caso de nosotros, porque no le conoce, *a Dios nuestro Padre*.

2. Carísimos, nosotros somos ya ahora hijos de Dios; mas lo que seremos algún día no aparece aún. Sabemos, sí, que cuanto se manifestare *claramente Jesucristo*, seremos semejantes a él *en la gloria*, porque le veremos como él es.

3. Entretanto, quien tiene tal esperaza en él, se santifica a sí mismo, así como él es también santo.

4. Cualquiera que comete pecado, por lo mismo comete *una* injusticia, pues el pecado es injusticia.

5. Y bien sabéis que él vino para quitar nuestros pecados, y en él no cabe pecado.

6. Todo aquel que permanece en él, no peca; y cualquiera que peca no le ha visto, ni le ha conocido.

7. Hijitos *míos*, nadie os engañe. Quien ejercita la justicia, es justo, así como lo es también él, *Jesucristo*.

8. Quien comete pecado, del diablo es *hijo*, porque el diablo desde el momento de su caída continua pecando. Por eso vino el Hijo de Dios, para deshacer las obras del diablo.

9. Todo aquel que nació de Dios, no hace pecado, porque la semilla de Dios, *que es la gracia santificante*, mora en él, y, *si no la echa de sí*, no puede pecar, porque es hijo de Dios.

10. Por aquí se distinguen los hijos de Dios de los hijos del diablo. Todo aquel que no practica la justicia, no es *hijo* de Dios, y *así tampoco lo es* el que no ama a su hermano.

11. En verdad que ésta es la doctrina que aprendísteis desde el principio, que os améis unos a otros.

12. No como Caín, el cual era *hijo* del maligno *espíritu*, y mató a su hermano. ¿Y por qué le mató? Porque sus obras eran malignas, y las de su hermano justas.

13. No extrañéis, hermanos, si os aborrece el mundo.

14. Nosotros conocemos haber sido trasladados de muerte a vida, en que amamos a los hermanos. El que *no los* ama, queda en la muerte, *o está sin caridad*.

15. Cualquiera que tiene odio a su hermano, es un homicida. Y ya sabéis que en ningún homicida tiene su morada la vida eterna.

16. En esto hemos conocido la caridad de Dios, en que dió *el Señor* su vida por nosotros; y *así* nosotros debemos *estar prontos a* dar la vida por la *salvación de* nuestros hermanos.

17. Quien tiene bienes en este mundo, y viendo a su hermano en necesidad cierra las entrañas, *para no compadecerse de él*, ¿cómo es posible que resida en él la caridad de Dios?

18. Hijitos míos, no amemos *solamente* de palabra y con la lengua, sino con obras y de veras *o sinceramente*.

19. En esto echamos de ver que procedemos con verdad, y *así* alentaremos *o justificaremos* nuestros corazones en la presencia de Dios.

20. Porque si nuestro corazón nos remordiere, Dios es mayor que nuestro corazón, y todo lo sabe.

21. Carísimos, si nuestro corazón no nos redarguye, podemos acercarnos a Dios con confianza.

22. *Y estar ciertos de que* cuanto le pidiéramos, recibiremos de él, pues que guardamos sus mandamientos, y hacemos las cosas que son agradables en su presencia.

23. En suma, éste es su mandamiento, que creamos en el nombre de su Hijo Jesucristo, y nos amemos mutuamente, conforme nos tiene mandado.

24. Y el que guarda sus mandamientos, mora en Dios y Dios en él; y por esto conocemos que él mora en nosotros, por el Espíritu que nos ha dado.

---

CAP. III. — 2. Y esta visión nos transformará en una imagen suya.

9. Como el estado de pecado y de gracia son incompatibles en un mismo sujeto, por eso no se puede pecar gravemente sin perder la gracia.

15. Delante de Dios, que ve su deseo de perder al prójimo.

20. De haber usado de dureza con nuestros hermanos, no quedará oculto a Dios nuestro delito.

## CAPITULO IV

*Por la fe y la caridad se disciernen los espíritus que son de Dios de los que no lo son. Nos exhorta al amor de Dios y del prójimo, y dice que la perfecta caridad excluye todo temor.*

**1.** Queridos *míos,* no queráis creer a todo espíritu, sino examinad los espíritus si son de Dios, *o siguen su doctrina;* porque se han presentado en el mundo muchos falsos profetas.

**2.** En esto se conoce el espíritu de Dios: todo espíritu, que confiesa que Jesucristo vino *al mundo* en carne *verdadera,* es de Dios;

**3.** Y todo espíritu, que desune a Jesús, no es de Dios; *antes* éste es *espíritu del* Anticristo, de quien tenéis oído que viene, y ya *desde* ahora está en el mundo.

**4.** Vosotros, hijitos *míos,* de Dios sois, y habéis vencido a aquél, porque el que está con vosotros *y os ayuda con su gracia,* es mayor que el *espíritu del Anticristo* que está en el mundo.

**5.** Esos *tales* son del mundo, y por eso hablan *el lenguaje* del mundo, y el mundo los escucha.

**6.** Nosotros somos de Dios. Quien conoce a Dios, nos escucha a nosotros; quien no es de Dios, no nos escucha: en esto conocemos *los que están animados del* espíritu de verdad, y *los que lo están del* espíritu del error.

**7.** Carísimos, amémonos los unos a los otros, porque la caridad procede de Dios. Y todo aquel que *así* ama, es hijo de Dios, y conoce a Dios.

**8.** Quien no tiene *este* amor, no conoce a Dios, puesto que Dios es *todo* caridad, *o amor.*

**9.** En esto se demostró la caridad de Dios hacia nosotros, en que Dios envió a su Hijo unigénito al mundo, para que por él tengamos la vida.

**10.** Y en esto consiste su caridad; *que no es* por que nosotros hayamos amado a Dios, sino que él nos amó primero a nosotros, y envió a su Hijo *a ser víctima de* propiación por nuestros pecados.

**11.** Queridos *míos,* si así nos amó Dios, también nosotros debemos amarnos unos a otros.

**12.** Nadie vió jamás a Dios. Pero si nos amamos unos a otros *por amor suyo,* Dios habita en nosotros, y su caridad es consumada en nosotros.

**13.** En esto conocemos que vivimos en él, y él en nosotros, porque nos ha comunicado su Espíritu.

**14.** Nosotros fuimos testigos de vista, y damos testimonio de que el Padre envió a su Hijo, *para ser el* Salvador del mundo.

**15.** Cualquiera que confesare que Jesús es el Hijo de Dios, Dios está en él, y él en Dios.

**16.** Nosotros asimismo hemos conocido y creído el amor que nos tiene Dios. Dios es caridad, *o amor;* y el que permanece en *la* caridad, en Dios permanece, y Dios en él.

**17.** En esto está la perfecta caridad de Dios con nosotros, que nos da confianza para el día del juicio; pues que como él es, así somos nosotros en este mundo.

**18.** En la caridad no hay temor; antes la perfecta caridad echa fuera al temor *servil,* porque el temor tiene pena; y así el que teme, no es consumado en la caridad.

**19.** Amenos, pues, a Dios, ya que Dios nos amó primero.

**20.** Si alguno dice: *Sí,* yo amo a Dios, al paso que aborrece a su hermano, es un mentiroso. Pues el que no ama a su hermano, a quien ve, a Dios, a quien no ve, ¿cómo podrá amarle?

**21.** Y *sobre todo* tenemos este mandamiento de Dios que quien ama a Dios, ame también a su hermano.

## CAPITULO V

*Virtud admirable de la viva fe y de la caridad. Tres testigos en la tierra demuestran que Cristo es verdadero hombre, y otros tres en el cielo le muestran verdadero Hijo de Dios, en cuya fe halla el hombre la vida eterna.*

**1.** Todo aquel que cree que Jesús es el Cristo, es el hijo de Dios. Y quien ama al Padre, ama también a su Hijo.

**2.** En esto conocemos que amamos a los hijos de Dios: si amamos a Dios, y guardamos sus mandamientos.

**3.** Por cuanto el amor de Dios consiste en que observemos sus mandamientos, y sus mandamientos no son pesados.

---

**CAP. IV.** — 10. O la grandeza de su amor.

12. Para poderle amar perfectamente. *Joann.* I, *v.* 18. Supliendo en cierta manera al infinito amor que le debemos.

---

17. O fué durante su vida perseguido y condenado.

**CAP. V.** — 3. Pues el amor los hace fáciles y suaves. *Matth.* XI, *v.* 30.

**4.** Así es que todo hijo de Dios, vence al mundo; y lo que nos hace alcanzar victoria sobre el mundo, en nuestra fe.

**5.** ¿Quién es el que vence al mundo, sino el que cree que Jesús es el Hijo de Dios?

**6.** Jesucristo es el que vino *a lavar nuestros pecados* con agua y sangre: no *vino* con *el* agua solamente, sino con *el* agua y *con* la sangre. Y el Espíritu es el que testifica que Cristo es la *misma* verdad.

**7.** Porque tres son los que dan testimonio en el cielo: el Padre, el Verbo y el Espíritu Santo; y estos tres son una misma cosa.

**8.** Y tres, son los que dan testimonio en la tierra: el espíritu, y el agua, y la sangre; y estos tres *testigos* son *para confirmar* una misma cosa.

**9.** Si admitimos el testimonio de los hombres, de mayor autoridad es el testimonio de Dios; ahora bien, Dios *mismo,* cuyo testimonio es el mayor, es el que ha dado de su Hijo este *gran* testimonio.

**10.** El que cree, *pues,* en el Hijo de Dios, tiene el testimonio de Dios consigo *o a su favor.* El que no cree al Hijo, le trata de mentiroso, porque no ha creído al testimonio que Dios ha dado en su Hijo.

**11.** Y este testimonio *nos enseña* que Dios nos dió vida eterna, la cual vida está en su Hijo *Jesucristo.*

**12.** Quien tiene al Hijo, tiene la vida; quien no tiene al Hijo, no tiene la vida.

**13.** Estas cosas os escribo, para que vosotros, que creéis en el nombre del Hijo de Dios, sepáis que tenéis *derecho a* la vida eterna.

**14.** Y esta es la confianza que tenemos en él: que cualquier cosa que le pidiéremos conforme a su *divina* voluntad nos la otorga.

**15.** Y sabemos que nos otorga cuanto le pedimos, en vista de que logramos las peticiones que le hacemos.

**16.** El que sabe que su hermano comete un pecado que no es de muerte, ruegue *por él,* y Dios dará la vida al que peca no de muerte. Hay, *empero, un* pecado de muerte: no hablo yo de tal pecador cuando *ahora* digo que intercedáis.

**17.** Toda prevaricación es pecado: mas hay un pecado que acarrea *sin remedio* la muerte *eterna.*

**18.** Sabemos que todo aquel que es hijo de Dios no peca: mas el nacimiento que tiene de Dios *por la gracia* le conserva, y el maligno *espíritu* no le toca.

**19.** Sabemos que somos de Dios, al paso que el mundo todo está poseído del mal espíritu.

**20.** Sabemos también que vino el Hijo de Dios, y nos ha dado discreción para conocer al verdadero Dios, y para estar en su Hijo verdadero. Este es el verdadero Dios y la vida eterna *que esperamos.*

**21.** Hijitos *míos,* guardaos de los ídolos. Así sea.

---

**7.** De que Jesús es el Hijo de Dios. El Padre le reconoció por tal en el bautismo y transfiguración. El mismo Verbo encarnado demostró que lo era, ya con sus milagros, ya delante de Caifás; y el Espíritu santo con los dones milagrosos que comunicó a los Apóstoles.

**8.** Como en una fuente inexhausta de vida.

# EPÍSTOLAS SEGUNDA Y TERCERA DE SAN JUAN

## Epístola segunda

*Exhorta a Electa y a sus hijos, cuya fe alaba, a perseverar constante en la caridad, y a cautelarse de los herejes, permaneciendo en la doctrina recibida.*

1. El presbítero a la señora Electa y a sus hijos, a los cuales yo amo de veras, y no sólo yo, sino también todos los que han conocido la verdad,

2. En atención a la *misma* verdad, que permanece en nosotros, estará con nosotros eternamente:

3. Gracia, misericordia y paz sea con vosotros en verdad y caridad, de parte de Dios Padre, y de Cristo Jesús el Hijo del Padre.

4. Héme holgado en extremo de haber hallado *alguno* de tus hijos en el camino de la verdad, conforme al mandamiento que recibimos del Padre *celestial.*

5. Por eso ahora, señora, te ruego, no ya escribiéndote, un nuevo mandamiento, sino el *mismo que* tuvimos desde el principio, que nos amemos unos a otros.

6. Y la caridad consiste, en que procedamos según los mandamientosde Dios. Porque tal es el mandamiento, que habéis recibido desde el principio y según el cual debéis caminar.

7. Puesto que se han descubierto en el mundo muchos impostores, que no confiesan que Jesucristo haya venido en carne *verdadera:* negar esto es ser *un* impostor y *un* anticristo.

8. Vosotros estad sobre aviso, para no perder vuestros trabajos, sino que *antes bien* recibáis cumplida recompensa.

9. Todo aquel que no persevera en la doctrina de Cristo, sino que se aparta de ella, no tiene a Dios; el que persevera en ella, ése tiene, *o posee dentro de sí,* al Padre y al Hijo.

10. Si viene alguno de vosotros, y no trae esta doctrina no lo recibáis en casa, ni le saludéis.

11. Porque quien le saluda, comunica *en cierto modo* con sus acciones perversas.

12. Aunque tenía otras muchas cosas que escribirnos, no he querido hacerlo por medio de papel y tinta; porque espero ir a veros, y hablar boca a boca, para que vuestro gozo sea cumplido.

13. Salúdante los hijos de tu hermana Electa.

---

4. O perfección cristiana.

6. Haciendo lo que nos manda, y creyendo lo que nos enseña.

8. O el fruto de la ley y obras buenas. La cual solamente se dará a los que perseveren en la pureza de la fe.

---

9. Está unido no solamente con Cristo, sino también con el Padre, con estrecho vínculo de caridad. (I *S. Juan.* 2, 24).

10. Es un falso apóstol; tratádle como a un excomulgado.

# Epístola tercera

*Alaba a Gayo por su constancia en la fe y por su beneficiencia en hospedar a los peregrinos. Habla de los vicios de Diótrefes, y de la virtud de Demetrio.*

**1.** El presbítero al muy querido Gayo a quien amo yo de veras.

**2.** Carísimo, ruego *a Dios* que te prospere en todo, y goces salud, como la goza dichosamente tu alma.

**3.** Grande ha sido mi contento con la venida de los hermanos, y el testimonio que dan de tu *sincera* piedad, como que sigues el camino de la verdad, *o del evangelio.*

**4.** En ninguna cosa tengo mayor gusto que cuando entiendo que mis hijos van por el camino de la verdad.

**5.** Carísimo *mío*, te portas como fiel *y buen cristiano* en todo lo que practicas con los hermanos, especialmente con los peregrinos,

**6.** Los cuales han dado testimonio de tu caridad públicamente en la Iglesia; y tú harás bien en hacerlos conducir *y asistir en sus viajes* con el decoro debido a Dios,

**7.** Pues que por *la gloria* de su Nombre han emprendido el viaje, sin tomar nada de los gentiles *recién convertidos.*

**8.** Por eso mismo nosotros debemos acoger a los tales a fin de cooperar a *la propagación* de la verdad *o del evangelio.*

**9.** Yo quizá hubiera escrito a la Iglesia; pero ese Diótrefes, que ambiciona la primacía entre los demás, nada quiere saber de nosotros.

**10.** Por tanto, si voy allá, yo residenciaré sus procedimientos, *haciéndole ver cuán mal hace en ir* vertiendo especies malignas contra nosotros; y como si esto no le bastase, *no solamente* no hospeda él a nuestros hermanos, *sino que* a los que les dan acogida, se lo veda y los echa de la Iglesia.

**11.** Tú, querido *mío*, no has de imitar el mal *ejemplo*, sino el bueno. El que hace bien, es de Dios; el que hace mal, no mira a Dios.

**12.** Todos dan testimonio a favor de Demetrio, y *lo da* la verdad misma, y se lo damos igualmente nosotros, y bien sabes que nuestro testimonio es verdadero.

**13.** Muchas cosas tenía que escribirte; pero no he cumplido hacerlo por medio de tinta y pluma;

**14.** Porque espero verte luego, y hablaremos boca a boca. La paz sea contigo. Salúdante los amigos. Saluda tú a los nuestros, a cada uno en particular.

# EPÍSTOLA CATÓLICA DE SAN JUDAS

*Exhorta a la constancia en la fe y a resistir los esfuerzos y ardides de los impíos. Describe su carácter y el horrendo castigo que les espera.*

1. Judas, siervo de Jesucristo y hermano de Santiago, a los amados de Dios Padre, llamados *a la fe*, y conservados por Jesucristo.

2. La misericordia, y la paz, y la caridad sean colmadas en vosotros.

3. Carísimos, habiendo deseado vivamente *antes de ahora* el escribiros acerca de vuestra común salud, me hallo al presente en la necesidad de practicarlo, para exhortaros, a que peleéis *valerosamente* por la fe, *o doctrina*, que ha sido enseñada una vez a los santos.

4. Porque se han entrometido con disimulo ciertos hombres impíos (de quienes estaba ya muy de antemano predicho *que vendrían a caer en este juicio o condenación*), los cuales cambian la gracia de nuestro Dios en una desenfrenada licencia, y reniegan, *o renuncian*, a Jesucristo, nuestro único soberano y Señor.

5. Sobre lo cual quiero haceros memoria, puesto que fuisteis ya instruídos en todas estas cosas, que habiendo Jesús sacado a salvo al pueblo *hebreo* de la tierra de Egipto, destruyó después a los que fueron incrédulos,

6. Y a los ángeles, que no conservaron su *primera* dignidad, sino que desampararon su morada, los reservó para el juicio del gran día,

en el abismo tenebroso, con cadenas eternales.

7. Así como *también* Sodoma, y Gomorra, y las ciudades comarcanas, siendo reas de los mismos excesos de impureza y entregadas al pecado nefando, vinieron a servir de escarmiento, sufriendo la pena del fuego eterno.

8. De la misma manera amancillan éstos también su carne, menosprecian la dominación, y blasfeman contra la majestad.

9. Cuando el arcángel Miguel disputando con el diablo altercaba sobre el cuerpo de Moisés, no se atrevió a proferir contra él sentencia de maldición, sino que le dijo *solamente*: Reprímate el Señor.

---

9. Respetando todavía en el ángel malo la obra de Dios y la dignidad en que había estado elevado, se contentó con decir: *Ejerza el Señor su poder sobre tí, y reprima tus conatos.* Contrapone aquí el apóstol la modestia y moderación del arcángel S. Miguel a la petulante arrogancia de los herejes, los cuales no reparaban en blasfemar de Dios, de sus ministros y de todas las potestades. Quería S. Miguel, según la disposición de Dios, que quedase oculto el cuerpo de Moisés, o su sepulcro, al paso que el demonio procuraba manifestarle para dar a los judíos ocasión de idolatría. Contentóse el santo ángel con decir al Demonio: *Reprímate el Señor;* aunque merecía que echase sobre él la maldición divina, solamente pidió a Dios que reprimiese sus perversos conatos. (S. Jeron., sobre la Ep. a *Tito* c. III). No se halla la historia de este suceso en ninguno de los libros del Antiguo Testamento; y así S. Judas la sabría o por la tradición o por revelación particular, como sucede con otros hechos antiguos, que solamente se refieren en algún libro del Nuevo Testamento, Orígenes, Clemente Alejandrino, S. Atanasio y otros citan un libro apócrifo, intitulado: *La asunción de Moisés*, en el cual se refiere este suceso. Y ya se sabe que en semejantes libros, entre muchas cosas falsas, se hallan algunas que son verdaderas. — Véase *Crisóst., Hom.* V. in *Matth.*

---

1. Según el griego puede traducirse: *a los que han sido llamados a la fe, a quienes Dios Padre ha amado, y Jesucristo ha conservado,* o salvado.

4. O la libertad que nos da el Evangelio. Estos impíos fueron ya señalados con el dedo por los *Apóstoles* II ad *Tim.* c. III et II *Petr.* c. 11.

6. Rebelándose contra Dios.

8. Sin respetar dignidad ni jerarquía.

**10.** Estos, al contrario, blasfeman de todo lo que no conocen; y abusan, como brutos animales, de todas aquellas cosas que conocen por razón natural.

**11.** Desdichados de ellos, que han seguido el camino de Caín, y perdidos como Balaam por el deseo de una *sórdida* recompensa, se desenfrenaron, e imitando la rebelión de Coré, perecerán *como aquél.*

**12.** Estos son los que contaminan *y deshonran* vuestros convites *de caridad* cuando asisten a ellos sin vergüenza, cebándose a sí mismos; nubes sin agua, llevadas de aquí para allá por los vientos; árboles otoñales, infructuosos, dos veces muertos, sin raíces.

**13.** Olas bravas de la mar, que arrojan las espumas de sus torpezas; exhalaciones errantes, a quienes está reservada, *o ha de seguir,* una tenebrosísima tempestad *que ha de durar* para siempre.

**14.** También profetizó de éstos Enoc *que es* el séptimo *a contar* desde Adán diciendo: Mirad que viene el Señor con millares de santos,

**15.** A juzgar a todos los hombres, y a redargüir a todos los malvados de todas las obras de su impiedad, que impíamente hicieron, y de todas las injuriosas expresiones que profirieron contra Dios los impíos pecadores.

**16.** Estos son unos murmuradores quejumbrosos, arrastrados de sus pasiones, y su boca profiere *a cada paso* palabras orgullosas, los cuales se muestran admiradores *o adulan* a ciertas personas según *conviene* a sus *propios* intereses.

**17.** Vosotros empero, queridos *míos,* acordados de las palabras que os fueron antes dichas por los apóstoles de Nuestro Señor Jesucristo,

**18.** Los cuales os decían, que en los últimos tiempos han de venir unos impostores, que seguirán sus pasiones llenas de impiedad.

**19.** Estos son los que se separan a sí mismos *de la grey de Jesucristo, hombres* sensuales, que no tienen el espíritu *de Dios.*

**20.** Vosotros al contrario, carísimos, elevándoos a vosotros mismos como un edificio *espiritual* sobre el fundamento de nuestra santísima fe, orando en el Espíritu Santo,

**21.** Manteneos *constantes* en el amor de Dios, esperando la misericordia de Nuestro Señor Jesucristo para *alcanzar* la vida eterna.

**22.** Y aquellos que están *endurecidos* y ya sentenciados, corregidlos, *y reprendedlos con vigor;*

**23.** A los unos ponedlos en salvo, arrebatándolos de entre las llamas; y tened lástima de los demás temiendo *por vosotros mismos,* aborreciendo aun *o huyendo* hasta *de la* ropa, que está contaminada con *la corrupción de* la carne.

**24.** En fin, al que es poderoso para conservaros sin pecado, y presentaros sin mácula y llenos de júbilo ante *el trono de* su gloria en la venida de nuestro Señor Jesucristo,

**25.** Al solo Dios, salvador nuestro, por Jesucristo Nuestro Señor, sea *dada la* gloria y magnificencia, imperio y potestad antes de todos los siglos, y ahora, y por todos los siglos de los siglos. Amén.

# APOCALIPSIS DE SAN JUAN

## Introducción

En griego apocalipsis significa revelación. Pero más allá de este texto bíblico se llama género apocalíptico a un género profético que es en ciertos aspectos diferente del género profético habitual del Antiguo Testamento. A diferencia de los antiguos profetas, el género apocalíptico quiere desligarse de las cosas presentes y trasladarse a los tiempos por venir, al final de las cosas. Esta pretensión resulta inevitablemente artificiosa, pues el vidente no logra desligarse de las peculiaridades del tiempo en que vive.

El estilo apocalíptico abunda en alegorías, visiones imaginarias y escenificaciones parateatrales en que intervienen, bajo la presencia de los ángeles, los diversos elementos de la Naturaleza. La abundancia de cifras aritméticas revela esta voluntad de dar a todo un valor simbólico. Las comparaciones no son completas, como queriendo señalar que las realidades que se intentan describir superan cualquier posible comparación. Los escritos apocalípticos que conocemos revelan ser obra de hombres cultivados; sus visiones e imágenes provienen del texto bíblico.

Desde el punto de vista doctrinal, el *Apocalipsis* está dedicado a la revelación de Cristo. Podría decirse que el *Apocalipsis* es un evangelio de la resurrección, un evangelio de los triunfos y esperanzas de los hijos de Cristo. La interpretación de muchos pasajes concretos de este libro es sumamente dificultosa. Los exégetas no han tenido a este respecto unidad de juicio. Para entender bien este libro, ya que parece imposible interpretarlo por completo, ha de aplicarse el método histórico; esto es intentar trasladarse a la época de san Juan para imaginar cómo serían las mentalidades de los destinatarios de la obra; con todo, como queda señalado, son muchos los aspectos secundarios que parecen indescifrables.

La tradición cristiana sobre el origen de este libro está representada por san Jerónimo, san Ireneo, Orígenes y Clemente de Alejandría. Corrían los años finales (96-98) del siglo I. San Juan, último representante vivo de los apóstoles, muy apreciado por los grupos de cristianos, había sido desterrado por Domiciano. En la isla de Patmos, junto a la costa oeste de Asia Menor, el apóstol recibió la inspiración divina. Escribió el *Apocalipsis* y lo dirigió a las siete iglesias principales de Asia: Éfeso, Esmirna, Pérgamo, Tiatira, Sardis, Filadelfia y Laodicea.

La primera parte del *Apocalipsis* es una mera invitación a leer. Queda, junto con la conclusión del libro, prácticamente fuera del cuerpo de la obra. Empieza ésta exponiendo la visión que tiene san Juan de Jesucristo, quien le ordena escribir el *Apocalipsis* y enviárselo a las siete iglesias. Describe a continuación al Juez divino rodeado de su corte. Viene luego la visión de la apertura de los siete sellos por el Cordero místico y la preparación en el cielo de las fuerzas justicieras del Señor. El espisodio de las siete trompetas, que sigue a continuación, representa la acción de las fuerzas divinas sobre el mundo antiguo y sobre el pueblo de Israel. Le sigue la encarnación del Redentor y las encarnaciones del dragón. Anuncia el juicio de Dios sobre Roma. La siguiente visión presenta las siete copas de la cólera de Dios sobre Roma. Al vaticinio de la derrota de Roma sigue el oráculo sobre el milenio y la batalla contra Gog. La obra finaliza con una descripción de la nueva Jerusalén.

La Iglesia ha incluido el *Apocalipsis* entre los libros canónicos. En los tiempos antiguos los obispos controlaban cautelosamente el contenido del texto apocalíptico, pero una vez terminadas las zozobras y libre la Iglesia de persecuciones, el reconocimiento fue total y se leían fragmentos del *Apocalipsis* en las festividades cristianas. Como dice san Jerónimo, «en cada una de sus palabras se contienen muchos sentidos». Esto justifica las abundantes y en ocasiones variadas exégesis que del *Apocalipsis* se han escrito.

## CAPITULO PRIMERO

*San Juan, desterrado en la isla de Patmos, escribe por orden de Dios la revelación que había tenido, a las siete Iglesias de Asia, representadas en siete candeleros.*

**1.** Revelación de Jesucristo, la cual *como hombre* ha recibido de Dios *su Padre,* para descubrir a sus siervos cosas que deben suceder presto, y la ha manifestado *a su Iglesia* por medio de su ángel enviado a Juan siervo suyo;

**2.** El cual ha dado testimonio de ser palabra de Dios, y testificación de Jesucristo, todo cuanto ha visto.

**3.** Bienaventurado el que lee *con respeto,* y escucha *con docilidad* las palabras de esta profecía, y observa las cosas escritas en ella, *pues* el tiempo *de cumplirse* está cerca.

**4.** Juan a las siete Iglesias del Asia *Menor.*

---

CAP. PRIMERO. — 1. Lo que debe suceder en todo el tiempo que pasará hasta la segunda venida del Señor, y que comparado con la eternidad, se puede muy bien considerar todo como cosas de poquísima duración.

3. Del juicio. Otros lo interpretan de *persecuciones,* contra las cuales debemos fortificarnos con la mayor cautela.

4. Por estos siete espíritus unos entienden los siete ángeles custodios de las siete Iglesias. Otros los siete primeros ángeles que asisten al trono de Dios. (*Tob.* XII, *v.* 15). Algunos lo entienden también de los siete dones del Espíritu Santo.

Gracia y paz a vosotros, de *parte de* aquel que es, y era, y que ha de venir, y *de parte* de los siete espíritus, que asisten ante su trono,

**5.** Y *de parte* de Jesucristo, el cual es testigo fiel, primogénito, *o el primero que resucitó de* entre los muertos, y soberano de los reyes de la tierra, el cual nos amó, y nos lavó de nuestros pecados con su sangre,

**6.** Y nos ha hecho reino y sacerdotes de Dios, Padre suyo: al mismo la gloria y el imperio por los siglos de los siglos. Amén.

**7.** Mirad cómo viene *sentado* sobre las nubes *del cielo,* y verle han todos los ojos, y los mismos *verdugos* que le traspasaron *o clavaron en la cruz.* Y todos los pueblos de la tierra se herirán los pechos al verle. Sí, por cierto. Así será.

**8.** Yo soy el Alfa y la Omega, el principio, y el fin *de todas las cosas,* dice el Señor Dios, que es, y que era, y que ha de venir, el Todopoderoso.

**9.** Yo Juan, vuestro hermano y compañero en la tribulación, y en el reino *de los cielos,* y en la tolerancia por Cristo, Jesús estaba en la

---

6. Porque después de haber triunfado del mundo, demonio y carne, le ofrecemos las víctimas espirituales, que son las plegarias y alabanzas que salen de nuestros *labios,* en lugar de becerros, carneros, etc., que ofrecían los judíos.

7. Poseídos de un tardío e inútil arrepentimiento.

8. *Alfa y Omega* son los nombres de la primera y última letras del alfabeto griego, cuya lengua era la usada en el Asia menor y esta expresión o modismo lo explica San Juan en seguida.

isla llamada Patmos, por causa de la palabra de Dios y del testimonio *que daba* de Jesús.

**10.** Un día de domingo fuí arrebatado en espíritu, y oí detrás de mí una grande voz como de trompeta,

**11.** Que decía: Lo que ves, escríbelo en un libro, y remítelo a las siete Iglesias de Asia, *a saber*, a Efeso, y a Esmirna, y a Pérgamo, y a Tiatira, y a Sardis, y a Filadelfia, y a Laodicea.

**12.** Entonces me volví para conocer la voz, que hablada conmigo. Y vuelto vi siete candeleros de oro,

**13.** Y en medio de los siete candeleros de oro *vi* a uno parecido a hijo de hombre, vestido de ropa talar, ceñido a los pechos con una faja de oro.

**14.** Su cabeza y sus cabellos eran blancos como la lana *más* blanca, y como la nieve; sus ojos parecían llamas de fuego;

**15.** Sus pies semejantes a bronce fino, cuando está *fundido* en horno ardiente; y su voz como el ruido de muchas aguas.

**16.** Y tenía en su mano derecha siete estrellas, y de su boca salía una espada de dos filos, y su rostro era resplandeciente como el sol de mediodía.

**17.** Y sí que le ví, caí a sus pies como muerto. Mas él puso su diestra sobre mí, diciendo: No temas: yo soy el primero y el último, *o principio y fin de todo*;

**18.** Y estoy vivo, aunque fuí muerto; *y ahora* he aquí que vivo por los siglos de los siglos, y tengo las llaves, *o soy dueño*, de la muerte y del infierno.

**19.** Escribe, pues, las cosas que has visto, tanto las que son, como las que han de suceder después de éstas.

**20.** En cuanto al misterio de las siete estrellas que viste en mi mano derecha, y los siete candeleros de oro: las siete estrelles son los *siete* ángeles de las siete Iglesias, y los siete candeleros son las siete Iglesias.

---

**12.** La opinión más verosímil es que S. Juan vió a un ángel, que representaba y hablada en nombre de Jesucristo; pero no era el mismo Jesucristo.

**13.** La faja de oro era un adorno que usaban los reyes en señal de su autoridad. *Job* XII, *v.* 18.

**16.** Por las siete estrellas entienden los expositores los siete obispos de las siete Iglesias, protegidos por la derecha de Dios. La espada es símbolo de la venganza o castigo; y también de la palabra de Dios. (*Hebr*. IV, *v.* 12). El rostro puede denotar la gloriosa humanidad del Hijo de Dios (*Joann*. VI).

**20.** Esto es, los obispos. — Véase II *Cor*. V, *v.* 20.

## CAPITULO II

*Se le manda a San Juan que escriba varios avisos a las cuatro Iglesias primeras. Alaba a los que no habían abrazado la doctrina de los nicolaítas, y convida a otros a penitencia. De-testa al cristiano tibio, y promete el premio al vencedor.*

**1.** Escribe al ángel de la Iglesia de Efeso: Esto dice el que tiene las siete estrellas en su mano derecha, el que anda en medio de los siete candeleros de oro:

**2.** Conozco tus obras, y tus trabajos, y tu paciencia, y que no puedes sufrir a los malos; y que has examinado a los que dicen ser apóstoles, y no lo son, y los has hallado mentirosos;

**3.** Y que tienes paciencia, y has padecido por mi Nombre, y no desmayaste.

**4.** Pero contra ti tengo, que has perdido *el fervor* de tu primera caridad.

**5.** Por tanto, acuérdate *del estado* de donde has decaído, y arrepiéntete, y vuelve a *la práctica de* las primeras obras; porque si no, voy a ti, y removeré tu candelero de su sitio, si no hicieres penitencia.

**6.** Pero tienes esto *de bueno*, que aborreces las acciones de los nicolaítas, que yo también aborrezco.

**7.** Quien tiene oído, escuche lo que el Espíritu dice a las Iglesias: Al que venciere, yo le daré a comer del árbol de la vida, que está en medio del paraíso de mi Dios.

**8.** Escribe también al ángel de la Iglesia de Esmirna: Esto dice aquel que es el primero y el último, que fué muerto, y está vivo:

**9.** Sé tu tribulación, y tu pobreza, si bien eres rico, *en gracia y santidad*; y que eres blasfemado de los que se llaman judíos, y no lo son, antes bien son una sinagoga de Satanás.

**10.** No temas nada de los que has de padecer. Mira que el diablo ha de meter a algunos de vosotros en la cárcel, para que seáis tentados *en la fe*; y seréis atribulados por diez días. Sé fiel hasta la muerte, y te daré la corona de la vida *eterna*.

---

**CAP. II.** — **2.** Y has hecho ver que es falsa su doctrina.

**5.** Retirando de esa Iglesia la luz de la fe.

**10.** Esto es, por breve tiempo; otros lo entienden literalmente.

**11.** Quien tiene oído, oiga lo que dice el Espíritu de las Iglesias: El que venciere, no será dañado por la muerte segunda.

**12.** Asimismo al ángel de la Iglesia de Pérgano escríbele: Esto dice el que tiene *en su boca* la espada afilada de dos cortes:

**13.** Bien sé que habitas en un lugar donde Satanás tiene su asiento, y mantienes *no obstante* mi Nombre, y no has negado mi fe: aun en aquellos días en que Antipas, testigo mío fiel, fué martirizado entre vosotros, donde Satanás mora.

**14.** Sin embargo, algo tengo contra ti, y es que tienes ahí secuaces de la doctrina de Balaam, el cual enseñaba a *el rey* Balac a poner escándalo o *tropiezo* a los hijos de Israel, *para que cayesen en pecado* comiendo, y cometiendo la fornicación:

**15.** Pues así tienes tú también a los que siguen la doctrina de los nicolaítas.

**16.** Por lo mismo, arrepiéntete; cuando no, vendré a ti presto, y yo pelearé contra ellos con la espada de mi boca.

**17.** El que tiene oído, escuche lo que dice el Espíritu a las Iglesias: Al que venciere daréle yo *a comer* un maná recóndito, y le daré una piedrecita blanca, y en la piedrecita esculpido un nombre nuevo, que nadie lo sabe, sino aquel que le recibe.

**18.** Y al ángel de la Iglesia de Tiatira escríbele: Esto dice el Hijo de Dios, que tiene los ojos como llamas de fuego, y los pies semejantes al bronce fino:

**19.** Conozco tus obras, y tu fe, y caridad, y tus servicios, y paciencia, y *que* tus obras o *virtudes* últimas *son muy* superior a las primeras.

**20.** Pero tengo contra ti alguna cosa, y es que permites a *cierta* mujer, Jezabel, que se dice profetista, el enseñar y seducir a mis siervos, *para* que caigan en fornicación, y coman de las cosas sacrificadas a los ídolos.

**21.** Y hele dado tiempo para hacer penitencia; y no quiere arrepentirse de su torpeza.

**22.** Yo la voy reducir a una cama; y los que adulteran con ella, se verán en grandísima aflicción, si no hicieren penitencia de su *perversas* obras.

**23.** Y a sus hijos *y secuaces* entregaré a la muerte, con lo cual sabrán todas las Iglesias, que yo soy escudriñador de interiores y corazones; y a cada uno de vosotros le daré su merecido. Entretanto os digo a vosotros.

**24.** Y a los demás que habitáis en Tiatira: A cuantos no siguen esta doctrina, y no han conocido las honduras de Satanás, *o las profundidades*, como ellos llaman, yo no echaré sobre vosotros otra carga;

**25.** Pero guardad bien aquello que tenéis *recibido de Dios*, hasta que yo venga *a pediros cuenta*.

**26.** Y al que hubiere vencido y observado hasta el fin mis obras o *mandamientos*, yo le daré autoridad sobre las naciones,

**27.** Y regirlas ha con vara de hierro, y serán desmenuzadas como vaso de alfarero,

**28.** Conforme al poder que yo tengo recibido de mi Padre; daréle también el lucero de la mañana.

**29.** Quien tiene oído, escuche lo que el Espíritu dice a las Iglesias.

## CAPITULO III

*Amonesta San Juan a las otras tres Iglesias de Sardis, de Filadelfia y de Laodicea y le da avisos muy importantes.*

**1.** Al ángel de la Iglesia de Sardis escríbele también: Esta dice el que tiene *a su mandar* los siete espíritus de Dios y las siete estrellas: Yo conozco tus obras y que tienes nombre de viviente, y estás muerto.

**2.** *Despierta, pues*, sé vigilante, y consolida lo restante *de tu grey*, que está para morir. Porque yo no hallo tus obras cabales en presencia de mi Dios.

**3.** Ten, pues, en la memoria lo que has recibido y aprendido, y obsérvalo, y arrepiéntete. Porque si no velares, vendré a ti como ladrón, y no sabrás a qué hora vendré a ti.

---

**11.** Esto es, de la muerte que el pecado da al alma quitándole la vida de la gracia; otros lo entienden de la muerte eterna que sufren los malos.

**13.** O está como en su trono la idolatría.

**14.** Comiendo viandas sacrificadas a los ídolos.

**17.** Esto es, sentencia favorable, o una señal de la victoria.

**20.** Se cre que esa Jezabel, llamada tal vez así por alusión a la perversa reina Jezabel (III *Reg.* XVIII, *v.* 4), era alguna mujer rica, que continuaba en sus placeres, sin hacer caso de la declaración de concilio de los Apóstoles.

**24.** No os pediré sino lo mandado por mis Apóstoles.

**27.** Juzgará conmigo algún día todas las naciones rebeldes al evangelio, condenándolas con rigor. — *Ps.* II, *v.* 9. — *Sap.* III, v. 8. — *Matth.* XIX, *v.* 28.

**28.** Esto es, la luz de la gloria. También puede entenderse por *lucero de la mañana*, el mismo Jesucristo. — Véase cap. XXII, v. 16.

**CAP. III.** — 3. Para castigarte severamente.

4. Con todo, tienes en Sardis unos pocos sujetos que no han ensuciado sus vestiduras; y andarán conmigo *en el cielo* vestidos de blanco, porque lo merecen.

5. El que venciere, será igualmente vestido de ropas blancas, y no borraré su nombre del libro de la vida, *antes bien* le celebraré delante de mi Padre y y delante de sus ángeles.

6. Quien tiene oídos, escuche lo que dice el Espíritu a las Iglesias.

7. Escribe asimismo al ángel de la Iglésia de Filadelfia: Esto dice el santo y el veraz, el que tiene la llave *del nuevo reino* de David; el que abre, y ninguno cierra; cierra, y ninguno abre:

8. Yo conozco tus obras. He aquí que puse delante de sus ojos abierta una puerta, que nadie podrá cerrar; porque *aunque* tú tienes poca fuerza, *o virtud, con todo*, has guardado mi palabra *o mis mandamientos*, y no negaste mi Nombre.

9. Yo voy a traer de la sinagoga de Satanás a los que dicen ser judíos, y no lo son, sino que mienten; como quiera yo les haré que vengan y se postren a tus pies, y entenderán *con eso* que yo te amo.

10. Ya que has guardado la doctrina de mi paciencia, yo también te libraré del tiempo de tentación que ha de sobrevenir a todo el universo para prueba de los moradores de la tierra.

11. Mira que vengo luego: mantén lo que tienes *de bueno en tu alma*, no sea que otro se lleve tu corona.

12. Al que venciere, yo le haré columna en el templo de mi Dios, de donde no saldrá jamás fuera; y escribiré sobre él el nombre de mi Dios, y el nombre de la ciudad de mi Dios la nueva Jerusalén, que desciende del cielo, y viene *o trae su origen* de mi Dios, y el nombre mío nuevo.

13. Quien tiene oído, escuche lo que dice el Espíritu a las Iglesias.

14. En fin, al ángel de la Iglesia de Laodicea escribirás: Esto dice la misma verdad, el testigo fiel y verdadero, el principio, *o causa*, de las criaturas de Dios:

---

4. Sino que han conservado la inocencia, significada en la blanca túnica que vistieron al bautizarse.

5. Como ellos, a este mundo corrompido.

8. Para que hagas entrar por ella en la Iglesia a los infieles.

9. Pues solamente lo son en el nombre.

10. Ya que has seguido los documentos de mi paciencia, sufriendo las tribulaciones. Parece que esto puede aludir a la persecución del tiempo de Trajano.

15. Conozco bien tus obras, que ni eres frío, ni caliente: ¡ojalá fueras frío o caliente!

16. Mas por cuanto eres tibio, y no frío ni caliente, estoy para vomitarte de mi boca.

17. Porque estás diciendo: Yo soy rico y hacendado, y de nada tengo falta; y no conoces que eres un desdichado, y miserable, y pobre, y ciego, y desnudo.

18. Aconséjote que compres de mi el oro afinado en el fuego, con que hagas rico, y te vistas de ropas blancas, y no se descubra la vergüenza de tu desnudez; y unge tus ojos con colirio para que veas.

19. Yo a los que amo, los reprendo y castigo. Arde, pues, de celo *de la gloria de Dios*, y haz penitencia.

20. Hé aquí que estoy a la puerta *de tu corazón*, y llamo; si alguno escuchare mi voz y me abriere la puerta, entraré a él, y con él cenaré, y él conmigo.

21. Al que venciere, le haré sentar conmigo en mi trono; así como yo fuí vencedor, y me senté con mi Padre en su trono.

22. El que tiene oído, escuche lo que el Espíritu dice a las Iglesias.

## CAPITULO IV

*San Juan en una visión estática ve a Dios en su solio, rodeado de veinticuatro ancianos y de cuatro animales misteriosos que le glorifican.*

1. Después de esto miré; y hé aquí que *en un éxtasis* vi una puerta abierta en el cielo: y la primera voz que oí como de trompeta que hablaba conmigo, me dijo: Sube acá, y te mostraré las cosas que han de suceder en adelante.

2. Al punto fuí elevado *o arrebatado* en espíritu, y vi un solio colocado en el cielo, y un personaje sentado en el solio.

3. Y el que estaba sentado, era parecido a una piedra de jaspe y de sardio; y en torno del solio un arco iris, de color de esmeralda;

4. Y alrededor del solio veinticuatro sillas, y veinticuatro ancianos sentados, revestidos de ropas blancas, con coronas de oro en sus cabezas.

---

18. De la caridad ardiente que recibirás por medio de la peniténcia.

19. Desterrando de tí esa tibieza en servirles.

20. Esto es, le trataré con familiaridad o también, le admitiré a mi mesa celestial.

21. Al mundo, demonio y carne.

CAP. IV. — 5. Alude a las siete lámparas del Tabernáculo.

**5.** Y del solio salían relámpagos, y voces, y truenos; y siete lámparas estaban ardiendo delante del solio, que son los siete espíritus de Dios.

**6.** Y en frente del solio había como un mar *transparente* de vidrio semejante al cristal, y en medio *del espacio en que estaba* el trono y alrededor de él, cuatro animales llenos de ojos delante y detrás.

**7.** Era el primer animal parecido al león; y el segundo al becerro; y el tercer animal tenía cara como de hombre, y el cuarto animal semejante a un águila volando.

**8.** Cada uno de los cuatro animales tenía seis alas, y por fuera *de las alas* y por adentro, estaban llenos de ojos, y no reposaban de día ni de noche, diciendo: Santo, santo, santo, es el Señor Dios todopoderoso, el cual es, y el cual ha de venir.

**9.** Y mientras aquellos animales tributaban gloria, y honor, y bendición *o acción de gracias* al que estaba sentado en el trono, que vive por los siglos de los siglos,

**10.** Los veinticuatro ancianos se postraban delante del que estaba sentado en el trono, y adoraban al que vive por los siglos de los siglos, y ponían sus coronas ante el trono, diciendo:

**11.** Digno eres ¡oh Señor Dios nuestro! de recibir la gloria, y el honor, y el poderío, porque tú criaste todas las cosas, y por tu querer subsisten, y fueron criadas.

## CAPITULO V

*Mientras que san Juan lloraba de ver que nadie podía abrir el libro cerrado con siete sellos, abriólo el Cordero de Dios que poco antes había muerto. Por lo que todas las criaturas le tributaron cánticos de alabanza.*

**1.** Después vi en la mano derecha del que estaba sentado en el solio, un libro escrito por dentro y por fuera, sellado con siete sellos.

**2.** Al mismo tiempo vi a un ángel fuerte *y poderoso*, pregonar a grandes voces: ¿Quién es el digno de abrir el libro, y de levantar sus sellos?

**3.** Y ninguno podía, ni en el cielo, ni en la tierra, abrir el libro, ni aun mirarlo.

**11.** De la boca de las criaturas todas el tributo de gloria, etc.

**CAP. V. —** 1. Por este *Libro* entienden Orígenes. Eusebio y S. Jerónimo las profecías del antiguo y nuevo Testamento. Otros creen que es el mismo libro del Apocalipsis.

**4.** Y yo me deshacía en lágrimas, porque nadie se halló que fuese digno de abrir el libro ni registrarlo.

**5.** Entonces uno de los ancianos me dijo: No llores: mira cómo ya el león de la tribu de Judá, la estirpe de David, ha ganado la victoria para abrir el libro y levantar sus siete sellos.

**6.** Y miré, y vi que en medio del solio y de los cuatro animales, y en medio de los ancianos, estaba un Cordero como inmolado, el cual tenía siete cuernos, *esto es, un poder inmenso*, y siete ojos, que son *o significan* los siete espíritus de Dios despachados a toda la tierra.

**7.** El cual vino, y recibió el libro de la mano derecha de aquel que estaba sentado en el solio.

**8.** Y cuando hubo abierto el libro, los cuatro animales y los veinticuatro ancianos se postraron ante el cordero, teniendo todos cítaras y copas, o *incensarios*, de oro, llenos de perfumes, que son las oraciones de los santos.

**9.** Y cantaban un cántico nuevo, diciendo: Digno eres, Señor, de recibir el libro y de abrir sus sellos; porque tú has sido entregado a la muerte, y con tu sangre nos has rescatado para Dios de todas las tribus, y lenguas, y pueblos, y naciones.

**10.** Con que nos hiciste para nuestro Dios, reyes y sacerdotes; y reinaremos sobre la tierra, *hasta que después reinemos contigo en el cielo*.

**11.** Vi también y oí la voz de muchos ángeles alrededor del solio, y de los animales, y de los ancianos, y su número era millares de millares,

**12.** Los cuales decían en alta voz: Digno es el Cordero, que ha sido sacrificado, de recibir el poder, y la divinidad, y la sabiduría, y la fortaleza, y el honor, y la gloria, y la bendición.

**13.** Y a todas las criaturas, que hay en el cielo y sobre la tierra, y debajo de la tierra, y las que hay en el mar, y cuantas hay *en todos estos lugares*, a todas las oí decir: !Al que está sentado en el trono, y al Cordero, bendición, y honra, y gloria, y potestad por los siglos de los siglos!

**14.** A lo que los cuatro animales respondían: Amén. Y los veinticuatro ancianos se postraron sobre sus rostros, y adoraron a aquel que vive por los siglos de los siglos.

**10.** *Reyes,* como coherederos con Jesucristo del reino celestial; *y sacerdotes* por la parte que tenemos en el sacerdocio de Cristo. — Véase I *Petr.* II, *v.* 9.

**12.** De la boca de todas las criaturas, o de que todo el mundo le adore, le tema, y le alabe.

## CAPITULO VI

*Señales misteriosas que fué viendo el Apóstol, conforme iba el Cordero abriendo los seis primeros sellos.*

1. Vi, pues, cómo el Cordero abrió el primero de los siete sellos, y oí al primero de los cuatro animales, que decía, con voz como de trueno: Ven, y verás.

2. Yo miré; y he ahí un caballo blanco, y el que lo montaba tenía un arco; y diósele una corona, y salió victorioso para *continuar* las victorias.

3. Y como hubiese abierto el segundo sello, oí al segundo animal, que decía: Ven, y verás.

4. Y salió otro caballo bermejo; y al que lo montaba se le concedió el poder de desterrar la paz de la tierra, y hacer que *los hombres* se matasen unos a otros; y *así*, se le dió una grande espada.

5. Abierto que hubo el sello tercero, oí al tercer animal, que decía: Ven, y verás. Y vi un caballo negro; y el que lo montaba, tenía una balanza en su mano.

6. Y oí cierta voz en medio de los cuatro animales, que decía: Dos libras de trigo *valdrán* un denario, y seis libras de cebada a denario *también*; mas al vino y al aceite no hagas daño.

7. Después que abrió el sello cuarto, oí una voz del cuarto animal, que decía: Ven, y verás.

8. Y he ahí un caballo pálido *y macilento*, cuyo jinete tenía por nombre Muerte, y el infierno le iba siguiendo, y diósele poder sobre las cuatro partes de la tierra, para matar *a los hombres* a cuchillo, con hambre, con mortandad y *por medio de las* fieras de la tierra.

9. Y cuando hubo abierto el quinto sello, vi debajo *o al pie* del altar las almas de los que fueron muertos por la palabra de Dios y por ratificar su testimonio.

10. Y clamaban a grande voces, diciendo: ¿Hasta cuándo, Señor (*tú que eres* santo y veraz), difieres hacer justicia y vengar nuestra sangre contra los que habitan en la tierra?

11. Diósele luego a cada uno de ellos un ropaje *o vestido* blanco, y se les dijo que descansasen *o aguardasen* en paz un poco de tiempo, en tanto que se cumplía el número de sus consiervos y hermanos, que habían de ser martirizados también como ellos.

12. Vi asimismo cómo abrió el sexto sello; y al punto se sintió un gran terremoto, y el sol se puso negro como un saco de cilicio, *o de cerda*, y la luna se volvió toda *bermeja* como sangre.

13. Y las estrellas cayeron del cielo sobre la tierra, a la manera que una higuera, sacudida de un recio viento, deja caer sus brevas.

14. Y el cielo desapareció como un libro que es arrollado; y todos los montes y las islas fueron movidos de sus lugares.

15. Y los reyes de la tierra, y los príncipes, y los tribunos, y los ricos, y los poderosos, y todos *los hombres*, así esclavos como libres, se escondieron en las grutas y entre las peñas de los montes;

16. Y decían a los montes y peñascos: Caed sobre nosotros, y escondednos de la cara de aquel *Señor* que está sentado sobre el trono, y de la ira del Cordero:

17. Porque llegado es el día grande la cólera de ambos, ¿y quién podrá soportarla?

## CAPITULO VII

*Se da orden a los ángeles que vienen a destruir la tierra que no hagan daño a los justos, tanto del pueblo de Israel como de las demás naciones. Quienes son los que vió san Juan vestidos de un ropaje blanco.*

1. Después de esto vi cuatro ángeles que estaban sobre los cuatro ángulos *o puntos* de la tierra, deteniendo los cuatro vientos de la tierra, para que no soplasen sobre la tierra, ni sobre la mar, ni sobre árbol alguno.

---

CAP. VI. — 4. Parece que se designan aquí las terribles persecuciones que padeció la Iglesia desde que nació. La espada es el símbolo de la mortandad, y lo mismo el color rojo del caballo. *Caballo bermejo.* Simboliza el flagelo de la guerra, que arrebata la paz a la tierra y precipita a los impíos unos contra otros.

6. Esto es, poco más de un real de plata, que es todo lo que gana un jornalero, de suerte que no podrá alimentar a su familia. — *Amos.* VIII, *v.* 11.

8. Esto es, el sepulcro, o también una multitud de réprobos o condenados. Por esta visión entienden algunos a Mahoma y su secta.

9. En tierra, y al pie de la ara, a manera de víctimas acabadas de inmolar.

---

11. Símbolo de pureza, de gozo y triunfo.

16. *Luc.* XXIII, *v.* 30. — Parece que se habla aquí de la segunda venida de Jesucristo. Algunos intérpretes explican esto en sentido alegórico o místico; y otros lo entienden de la ruina de Jerusalén.

**2.** Luego vi subir del oriente a otro ángel, que tenía la marca o *señal* de ángel, que tenía la marca o *sello* de Dios vivo: el cual gritó con voz sonora a los cuatro ángeles, encargados de hacer daño a la tierra y al mar,

**3.** Diciendo: No hagáis mal a la tierra, ni al mar, ni a los árboles, hasta tanto no pongamos la señal en la frente a los siervos de nuestro Dios.

**4.** Oí también el número de los señalados, que eran ciento cuarenta y cuatro mil, de todas las tribus de los hijos de Israel.

**5.** De la tribu de Judá había doce mil señalados. De la tribu de Rubén doce mil señalados. De la tribu de Gad otros doce mil.

**6.** De la tribu de Aser doce mil señalados. De la tribu de Neftalí doce mil señalados. De la tribu de Manasés otros doce mil.

**7.** De la tribu de Simeón doce mil señalados. De la tribu de Leví doce mil señalados. De la tribu de Isacar otros doce mil.

**8.** De la tribu de Zabulón doce mil señalados. De la tribu de José, *o Efraím,* doce mil señalados. De la tribu de Benjamín otros doce mil.

**9.** Después de esto vi una grande muchedumbre, que nadie podía contar, de todas naciones, y tribus, y pueblos, y lenguas, que estaban ante el trono y delante del Cordero, revestidos de un ropaje blanco, con palmas en sus manos;

**10.** Y exclamaban a grandes voces, diciendo: La salvación *se debe* a nuestro Dios, que está sentado en el solio, y al Cordero.

**11.** Y todos los ángeles estaban en torno del solio, y los ancianos, y de los cuatro animales; y se postraron delante del solio sobre sus rostros, y adoraron a Dios.

**12.** Diciendo: Amén. Bendición, y gloria, y sabiduría, y acción de gracias, honra, y poder, y fortaleza a nuestro Dios por los siglos de los siglos: Amén.

**13.** En esto, hablándome uno de los ancianos, me preguntó: Esos, que están cubiertos de blancas vestiduras, ¿quiénes son? y ¿de dónde han venido?

**14.** Yo le dije: Mi Señor, tú lo sabes. Entonces me dijo: Estos son los que han venido de una tribulación grande, y lavaron sus vestiduras, y las blanquearon, *o purificaron,* en la sangre del Cordero.

**15.** Por esto están ante el solio de Dios, y le sirven *alabándole* día y noche en su templo; y aquel que está sentado en el solio, habitará en medio de ellos;

**16.** Ya no tendrán hambre, ni sed, ni descargará sobre ellos el sol, ni el bochorno;

**17.** Porque el Cordero, que está en medio del solio, será su pastor, y los llevará a fuentes de aguas vivas, y Dios enjugará todas las lágrimas de su ojos.

## CAPITULO VIII

*Abierto ya el sello séptimo, se aparecen siete ángeles con siete trompetas: tocan los cuatro primeros cada uno la suya; cae fuego, la mar se altera, las aguas se vuelven amargas, y las estrellas pierden su resplandor.*

**1.** Y cuando *el Cordero* hubo abierto el séptimo sello, siguióse un *gran* silencio en el cielo, cosa de media hora.

**2.** Y vi *luego* a siete ángeles que estaban en pie delante de Dios; y diéronseles siete trompetas.

**3.** Vino entonces otro ángel, y púsose ante el altar con un incensario de oro; y diéronsele muchos perfumes, *compuestos* de las oraciones de todos los santos para que los ofreciese sobre el altar de oro, colocado ante el trono de Dios.

**4.** Y el humo de los perfumes *o aromas* encendidos de las oraciones de los santos subió por la mano del ángel al acatamiento de Dios.

**5.** Tomó luego el ángel el incensario, llenólo del fuego del altar, y arrojando *este fuego* a la tierra, sintiéronse truenos, y voces, y relámpagos, y un grande terremoto.

**6.** Entre tanto los siete ángeles, que tenían las siete trompetas, se dispusieron para tocarlas.

**7.** Tocó, pues, el primer ángel la trompeta; y formóse una tempestad de granizo y fuego, mezclados con sangre, y descargó sobre la

---

CAP. VII. — 2. Algunos entienden por este ángel a Elías, enviado por Jesucristo, llamado *Oriente y Sol de Justicia* en varios lugares de la Escritura. — Véase *Luc.* I, *v.* 79 y la *Profecía de Malaquías, cap.* IV, *v.* 5.

6. Algunos expositores opinan que se omite aquí la tribu de Dan, porque de ella se cree comunmente que ha de nacer el Anticristo: lo deducen de la célebre profecía de Jacob. *Gen.* XLIX, *v.* 17.

9. En señal de la pureza de su vida y símbolo de su triunfo.

---

CAP. VIII. — 1. Alude al rito del templo, durante el incienso, en cuyo breve tiempo se observaba un grandísimo silencio, orando todos dentro de su corazón. El humo del incienso subiendo al cielo, representaba las oraciones de los que adoraban a Dios.

tierra, con lo que la tercera parte de la tierra se abrasó, y con ella se quemó la tercera parte de los árboles, y toda la hierba verde.

**8.** El segundo ángel tocó también la trompeta; y *al momento* se vió caer en el mar como un grande monte, todo de fuego, y la tercera parte del mar se convirtió en sangre;

**9.** Y murió la tercera parte de las criaturas que vivían en el mar, y pereció la tercera parte de las naves.

**10.** Y el tercer ángel tocó la trompeta; y cayó del cielo una grande estrella ardiendo como una tea, y vino a caer en la tercera parte de los ríos y en los manantiales de las aguas.

**11.** Y el nombre de la estrella es Ajenjo; y así la tercera parte de las aguas se convirtió en ajenjo, *o tomó su mal gusto*; con lo que muchos hombres murieron *a causa* de las aguas, porque se hicieron amargas.

**12.** Después tocó la trompeta el cuarto ángel; y quedó herida *de tinieblas* la tercera parte del sol, y la tercera parte de la luna y la tercera parte de las estrellas, de tal manera que os oscurecieron en su tercera parte, y así quedó privado el día de la tercera parte de su luz, y lo mismo la noche.

**13.** Entonces miré, y oí la voz de una águila que iba volando por medio del cielo, y diciendo a grandes gritos: ¡Ay, ay, ay, de los moradores de la tierra, por causa del sonido de las trompetas que los otros tres ángeles han de tocar!

# CAPITULO IX

*Lo que aconteció al tocar la quinta y sexta trompetas.*

**1.** El quinto ángel tocó la trompeta; y vi una estrella del cielo caída en la tierra, y diósele la llave del pozo del abismo.

---

**8.** Por este monte entienden algunos el poder de los romanos, cuando destruyeron a Jerusalén; otros la herejía que todo lo abrasa; y otros la entera destrucción del universo en el último día.

**10.** Por esta estrella ardiente entiende el sabio obispo Bossuet un tal Barcoquébas, que fingió ser el Mesías, en tiempo de Adriano, y fué causa de gran mortandad entre los judíos. Otros lo entienden de Mahoma, y otros de los bárbaros del Norte acaudillados del rey Alarico. Es frase hebrea dar un nombre a la cosa, para significar sus cualidades; y así se dice que será estrella que causará grandes tribulaciones.

**CAP. IX.** — 1. A Luzbel caído del cielo, al cual permitirá Dios que salga del infierno con gran muchedumbre de espíritus malos.

**2.** Y abrió el pozo del abismo, y subió del pozo un humo semejante al de un grande horno; y con el humo semejante al de un grande horno; y con el humo de este pozo quedaron oscurecidos el sol y el aire.

**3.** Y del humo del pozo salieron langostas sobre la tierra, y dióseles poder, semejante al que tienen los escorpiones de la tierra,

**4.** Y se le mandó no hiciesen daño a la hierba de la tierra, ni a cosa verde, ni a ningún árbol; sino solamente a los hombres, que no tienen la señal de Dios en sus frentes.

**5.** Y se les encargó, no que matasen, sino que los atormentasen por cinco meses; y el tormento que causan, es como el que causa el escorpión, cuando hiere a un hombre.

**6.** Durante aquel tiempo los hombres buscarán la muerte, y no la hallarán; y desearán morir, y la muerte irá huyendo de ellos.

**7.** Y las figuras de las langostas se parecían a caballos aparejados para la batalla; y sobre sus cabezas *tenían* como coronas al parecer de oro, y sus caras así como caras de hombres.

**8.** Y tenían cabellos como cabellos de mujeres, y sus dientes *eran* como dientes de leones.

**9.** Vestían también lorigas, *o corazas*, como lorigas de hierro, y el ruido de su alas como el estruendo de los carros *tirados* de muchos caballos que van corriendo al combate.

**10.** Tenían asimismo colas parecidas a las de los escorpiones, y en las colas aguijones, con potestad de hacer daño a los hombres por cinco meses; y tenían sobre sí

**11.** Por rey al ángel del abismo, cuyo nombre en hebreo es Abaddón, en griego Apollyon, *que quiere decir* en latín Exterminans, *esto es, el Exterminador*.

**12.** El un ay *se pasó ya*, mas luego después van a venir dos ayes todavía.

**13.** Tocó, pues, el sexto angel la trompeta; y oí una voz *que salía* de los cuatro ángulos del altar de oro, que está *colocado* ante los ojos del Señor,

**14.** La cual decía al sexto ángel, que tenía la trompeta: Desata a los cuatro ángeles *del abismo*, que están ligados en el grande río Eufrates.

---

**3.** Algunos por las langostas entienden los que se apartaron de la fe, o los falsos apóstoles.

**7.** Toda la pintura que aquí se hace, la aplican algunos a los mahometanos o sarracenos. — Véase *Joel* I. II.

**14.** El río Eufrates era el de Babilonia, símbolo del infierno.

**15.** Fueron, pues, desatados los cuatro ángeles, los cuales estaban prontos para la hora, y el día, y el mes, y el año, en que debían matar la tercera parte de los hombres.

**16.** Y el número de las tropas de a caballo era de doscientos millones. Porque yo oí el número de ellas.

**17.** Así como vi también en la visión los caballos; y los jinetes vestían corazas *como* de fuego, y de color de jacinto, y de azufre; y las cabezas de los caballos eran como cabezas de leones: y de su boca salía fuego, humo y azufre.

**18.** Y de estas tres plagas fué muerta la tercera parte de los hombres, *es a saber*, con el fuego, y con el humo, y con el azufre, que salían de sus bocas.

**19.** Porque la fuerza de los caballos está en su boca y en sus colas; pues sus colas son semejantes a serpientes, y tienen cabezas, y con éstas hieren.

**20.** Entre tanto los demás hombres, que no perecieron con estas plagas, no por eso hicieron penitencia de las obras de sus manos, con dejar de adorar a los demonios y a los simulacros de oro, y de plata, y de bronce, y de piedra, y de madera, que ni pueden ver, ni oír, ni andar:

**21.** Ni tampoco se arrepintieron de sus homicidios, ni de sus hechicerías, ni de su fornicación, *o deshonestidad*, ni de sus robos.

## CAPITULO X

*Aparece otro ángel cercado de una nube, con un libro en la mano. Este ángel anuncia el cumplimiento de todo el misterio así que el séptimo ángel haya tocado la trompeta. Una voz del cielo manda a san Juan que devore aquel libro o pergamino.*

**1.** Vi también a otro ángel valeroso bajar del cielo revestido de una nube, y sobre su cabeza el arco iris, y su cara era como el sol, y sus pies como columnas de fuego;

**2.** El cual tenía en su mano un librito abierto, y puso su pie derecho sobre la mar, y el izquierdo sobre la tierra,

**3.** Y dió un grande grito, a manera de león cuando ruge. Y después que hubo gritado, siete truenos articularon sus voces.

**4.** Y articulado que hubieron los siete truenos sus voces, iba yo a escribirlas, cuando oí una voz del cielo que me decía: Sella, *o reserva en tu mente*, las cosas que hablaron los siete truenos, y no las escribas.

**5.** Y el ángel que vi estar sobre la mar y sobre la tierra levantó al cielo su mano.

**6.** Y juró por el que vive en los siglos de los siglos, el cual crió el cielo y las cosas que hay en él, y la tierra con las cosas que hay en ella, y en el mar y cuanto en él se contiene: que ya no habrá más tiempo;

**7.** Sino que cuando se oyere la voz del séptimo ángel, comenzando a sonar la trompeta, será consumado el misterio de Dios, según lo tiene anunciado por sus siervos los profetas.

**8.** Y oí la voz del cielo que hablaba otra vez conmigo, y decía: Anda, y toma el libro abierto de la mano del ángel que está sobre la mar y sobre la tierra.

**9.** Fuí, pues, al ángel, pidiéndole que me diera el libro. Y me dijo: Tómalo, y devóralo: que llenará de amargura tu vientre, aunque en tu boca será dulce como la miel.

**10.** Entonces recibí el libro de la mano del ángel, y lo devoré, y era en mi boca dulce como la miel; pero habiéndolo devorado, quedó mi vientre lleno de amargura.

**11.** Díjome más: Es necesario que de nuevo profetices a las naciones y pueblos, y lenguas, y a muchos reyes.

## CAPITULO XI

*Señales que habrá antes de tocar la última trompeta. Dos testigos o mártires del Señor serán despedazados por la bestia, y resucitados por Dios. Toca el séptimo ángel la trompeta. Se describe la resurrección de los muertos y el juicio final.*

**1.** Entonces se me dió una caña a manera de una vara *de medir*, y díjome: Levántate y mide el templo de Dios, y el altar, y *cuenta* los que adoran en él;

**2.** Pero el atrio exterior del templo, déjalo fuera, *no cuides de él*, y no lo midas, por cuanto está dado a los gentiles, los cuales han de hollar la ciudad santa cuarenta y dos meses.

**3.** Entre tanto yo daré *orden* a dos testigos míos, y harán oficio de profetas, cubiertos de sacos, *o hábitos de penitencia*, por espacio de mil doscientos y sesenta días.

---

CAP. X. — 7. El fin será la resurrección general, cumplidas ya las profecías.

CAP. XI. — 2. Este se cree que será el tiempo reinado del Anticristo. — *Dan. VII*, v. 25.

4. Estos son dos olivos y dos candeleros puestos en la presencia del Señor de la tierra.

5. Y si alguno quisiere maltratarlos, saldrá fuego de la boca de ellos, que devorará a sus enemigos; pues asi conviene sea consumido, quien quisiere hacerles daño.

6. Los mismos tienen poder de cerrar el cielo, para que no llueva en el tiempo que ellos profeticen, y tienen también potestad sobre las aguas para convertirlas en sangre, y para afligir la tierra con toda suerte de plagas siempre que quisieren.

7. Mas después que concluyeren de dar su testimonio, la bestia que sube del abismo, moverá guerra contra ellos, y los vencerà, y les quitará la vida.

8. Y sus cadáveres yacerán en las plazas de la grande ciudad, que se llama místicamente Sodoma, y Egipto, donde asimismo el Señor de ellos fué crucificado.

9. Y las gentes de la tribus, y pueblos, y lenguas, y naciones estarán viendo sus cuerpos por tres días y medio, ni permitirán que se les dé sepultura.

10. Y los que habitan la tierra se regocijarán con verlos *muertos*, y haran fiesta, y se enviarán presentes, los unos a los otros, *o se darán albricias*, a causa de que estos dos profetas atormentaron *con sus reprensiones* a los que moraban sobre la tierra.

11. Pero al cabo de tres días y medio entró en ellos por virtud de Dios el espíritu de vida. Y se alzaron sobre sus pies, con los que un terror grande sobrecogió a loa que vieron.

12. En seguida oyeron una voz sonora del cielo, que les decía: Subid acá. Y subieron al cielo en una nube, y sus enemigos los vieron.

13. Y en aquella hora se sintió un gran terremoto, con que se arruinó la décima parte de la ciudad, y perecieron en el terremoto siete mil personas; y los demás entraron en miedo, y dieron gloria al Dios del cielo.

14. El segundo ay *se* pasó: y bien pronto vendrá el ay tercero, *o la tercera desdicha.*

15. En efecto, el séptimo ángel sonó la trompeta; y se sintieron voces grandes en el cielo que decían: El reino de este mundo ha venido a ser *reino* de nuestro Señor y de su Cristo y, *destruído ya el pecado*, reinará por los siglos de los siglos: Amén.

16. Aquí los veinticuatro ancianos, que están sentados en sus tronos en la presencia de Dios, se postraron sobre sus rostros, y adoraron a Dios, diciendo:

17. Gracias te tributamos ¡oh Señor Dios To-dopoderoso! a ti que eres, que eras *ya antes*, y que has de venir: porque hiciste alarde de tu gran poderío, y has entrado en posesión de tu reino.

18. Las naciones montaron en cólera, mas sobrevino tu ira, y el tiempo de ser juzgados los muertos, y de dar el garlardón a tus siervos los profetas, y a los santos, y a los que temen tu nombre chicos y grandes, y de acabar con lo que han corrompido la tierra.

19. Entonces se abrió el templo de Dios en el cielo, y fué vista el arca de su testamento en su templo, y se formaron rayos, y voces, *y truenos*, y terremotos, y pedrisco espantoso.

## CAPITULO XII

*De la guerra del diablo y del Anticristo contra la Iglesia, simbolizada en una mujer misteriosa vestida de sol, que da a luz un hijo, y es perseguida del dragón infernal.*

1. En esto apareció un gran prodigio en el cielo, una mujer vestida de sol, y la luna debajo de sus pies, y en su cabeza una corona de doce estrellas.

2. Y estando en cinta, gritaba con ansias de parir, y sufría dolores de parto.

3. Al mismo tiempo se vió en el cielo otro portento; y era un dragón descomunal bermejo con siete cabezas y diez cuernos, y en las cabezas tenía siete diademas,

4. Y su cola traía arrastrando la tercera parte de las estrellas del cielo, y arrojólas a la tierra; este dragón se puso delante de la mujer, que estaba para parir a fin de tragarse al hijo, luego que ella lo hubiese dado a luz.

5. En esto tuvo un hijo varón, el cual había de regir todas las naciones con cetro de hierro; y este hijo fué arrebatado para Dios y para su solio.

---

4. Que comunicarán la gracia y unción del Espíritu Santo, y alumbrarán a los hombres. — Véase *Zach.* IV.

9. Cuyas costumbres depravadas procuraban corregir.

18. Contra ti y contra tus siervos.

19. Esto es, la humanidad gloriosa de Jesucristo.

**CAP. XII.** — 5. Esta grande visión representa el estado de la Iglesia en sus primeros años y en los siglos venideros. El dragón puede ser símbolo

**6.** Y la mujer huyó al desierto, donde tenía un lugar preparado por Dios, para que allí la sustenten por espacio de mil doscientos y sesenta días.

**7.** Entre tanto se trabó una batalla grande en el cielo: Miguel y sus ángeles peleaban contra el dragón, y el dragón con sus ángeles lidiaba *contra él*.

**8.** Pero éstos fueron los más débiles, y después no quedó ya par ellos lugar ninguno en el cielo.

**9.** Así fué abatido aquel dragón descomunal, aquella antigua serpiente, que se llama diablo, y *también* Satanás, que anda engañando al orbe universo, y fué lanzado *y arrojado* a la tierra, y sus ángeles con él.

**10.** Entonces oí una voz sonora en el cielo que decía: He aquí el tiempo de salvación, de la potencia, y del reino de nuestro Dios, y del poder de su Cristo; porque ha sido ya precipitado *del cielo* el acusador de nuestros hermanos, que los acusaba día y noche ante la presencia de nuestro Dios.

**11.** Y ellos le vencieron por *los méritos de* la sangre del Cordero, y en virtud de la palabra *de la fe* que han confesado, y por la cual desamaron sus vidas hasta perderlas *por obedecer a Dios*.

**12.** Por tanto, regocijaos ¡oh cielos, y los que en ellos moráis! ¡Ay de la tierra y del mar! porque el diablo bajó a vosotros, *arrojado del cielo, y está* lleno de furor, sabiendo que le queda poco tiempo.

---

del imperio romano; las siete cabezas, de las siete colinas sobre que está fundada Roma; las estrellas del cielo, de los reyes de la tierra; o también, según otros, las siete cabezas significan los siete emperadores que persiguieron la Iglesia, y los diez cuernos las diez persecuciones. Otros por el dragón entienden el demonio; por las estrellas los cristianos más distinguidos; y por las siete cabezas, siete reyes, el último de los cuales es el Anticristo; y por lo diez cuernos que tendrá la cabeza principal del dragón, diez reyes o príncipes que dominarán la tierra al venir al Anticristo, el cual matará a tres de ellos, y con esto los otros siete se les someterán. — *Cap*. XVIII, 9, 12. — Por el hijo *varón* entienden muchos a Jesucristo, a quien la Iglesia engendra, por decirlo así, o forma en el corazón de los cristianos; y así viene a ser símbolo de la congregación de aquellos cristianos que, robustos en la fe y caridad, condenarán a los impíos y rebeldes pecadores, y son como el cuerpo místico de que Jesucristo es la cabeza.

**6.** Defenderá Dios al hijo y a la madre en aquellos tres años y medio.

**12.** Para procurar la perdición de los hombres, Dios arregla todos los sucesos por su voluntad y según sus designios. Un terremoto o una guerra que sirven también a su misericordia para bien de los escogidos, o para sacarlos del mundo antes que la malicia pueda pervertirlos. El reconocer la mano de Dios en las calamidades públicas es camino hacia la conversión a Dios. En tales tiempos hemos de rogarle que nos dé su gracia para sacar un bien de los mismo males.

**13.** Viéndose, pues, el dragon precipitado *del cielo* a la tierra, fué persiguiendo a la mujer, que había tenido aquel hijo varón.

**14.** A la mujer, empero, se le dieron dos alas de águila *muy* grande, para volar al desierto a su sitio *destinado*, en donde es alimentada por un tiempo y dos tiempos, y la mitad de un tiempo, *tres años y medio*, lejos de la serpiente.

**15.** Entonces la serpiente vomitó de su boca, en pos de la mujer, *cantidad de* agua como un río, a fin de que *la mujer* fuese arrebatada de la corriente.

**16.** Mas la tierra socorrió a la mujer, y abriendo su boca, se sorbió el río que el dragón arrojó de la suya.

**17.** Con esto el dragón se irritó contra la mujer, y marchóse a guerrear contra los demás de la casta o *linaje* de ella, que guardan los mandamientos de Dios, y mantienen la confesió de Jesucristo.

**18.** Y apostóse sobre la arena del mar.

## CAPITULO XIII

*De una bestia monstruosa de siete cabezas y diez cuernos con diez diademas, que sale del mar, y blasfema contra Dios y los santos, y es adorada por los hombres. Se levanta en la tierra otra bestia con dos cuernos, que da vigor a la primera.*

*1.* Y vi una bestia que subía del mar, la cual tenía siete cabezas y diez cuernos, y sobre los cuernos diez diademas, y sobre las cabezas nombres de blasfemia.

**2.** Esta bestia que vi, era semejante a un leopardo, y sus pies como los de oso y su boca como la del león. Y le dió el dragón su fuerza y su gran poder.

**3.** Vi luego una de sus cabezas *que parecía* como herida de muerte; y su llaga mortal fué curada. Con lo que toda la tierra pasmada se fué en pos de la bestia.

**4.** Y adoraron al dragón, que dió el poder a la bestia; también adoraron a la bestia, diciendo

---

**15.** Y sumergida en su aguas. Alude a las ballenas y grandes peces, los cuales arrojan de su boca como ríos de agua. Y estos ríos de agua son símbolo de las aflicciones y penas con que el Anticristo y todos los perseguidores de la Iglesia han de combatir la fe y piedad de los buenos cristianos. — *Ps*. CXXIII, *v*. 4; LXVIII, *v*. 2.

**CAP. XIII.** — 2. Esto es, sus artes y falsos milagros para engañar a los hombres.

¿Quién hay semejante a la bestia? y ¿quién podrá lidiar con ella?

**5.** Diósele asimismo una boca que hablase cosas altaneras y blasfemias; y se le dió facultad de obrar *así* por espacio de cuarenta y dos meses.

**6.** Con esos abrió su boca en blasfemias contra Dios, blasfemando de su nombre, y de su tabernáculo, y de los que habitan en el cielo.

**7.** Fuele también permitido el hacer guerra a los santos *o fieles*, y vencerlos. Y se le dió potestad sobre toda tribu, y pueblo, y lengua, y nación.

**8.** Y así la adoraron todos los habitantes de la tierra: aquellos, *digo*, cuyos nombres están escritos en el libro de la vida del Cordero, que fué sacrificado desde el principio del mundo.

**9.** Quien tiene oídos, escuche *o atienda bien*:

**10.** El que cautivare a otros, en cuativilad parará: quien a hierro matare, es preciso que a hiero sea muerto. Aquí está *el motivo de* la paciencia y *de la firmeza de* la fe que tienen los santos.

**11.** Vi *después* otra bestia que subía de la tierra, y que tenía dos cuernos, semejantes a los del Cordero, mas su lenguaje era como el del dragón.

**12.** Y ejercitaba todo el poder de la primera bestia en su presencia; e hizo que la tierra y sus moradores adorasen la bestia primera, cuya herida mortal quedó curada.

**13.** Y obró prodigios grandes, hasta hacer que bajase fuego del cielo a la tierra en presencia de los hombres.

**14.** Así es que engañó *o embaucó* a los moradores de la tierra con los prodigios, que se le permitieron hacer a vista de la bestia, diciendo a los moradores de la tierra, que hiciesen una imagen de la bestia, que habiendo sido herida de la espada, revivió, *o curó, como dijimos.*

**15.** También se le concedió el dar espíritu y habla a la imagen de la bestia, y el hacer todos cuantos no adorasen la imagen de la bestia sean muertos.

**16.** A este fin hará que todos los hombres, pequeños y grandes, ricos y pobres, libres y esclavos, tengan una marca, *o sellos*, en su mano derecha o en sus frentes.

**17.** Y que ninguno pueda comprar, o vender, sino aquel que tiene la marca, o nombre de la bestia, o el número de su nombre.

---

**8.** En la persona de los justos y de las víctimas que le representaban. Puede también traducirse, juntando las palabras *desde el principio del mundo*, con las *otras no están escritas en el libro del Cordero.*

**18.** Aquí está el saber. Quien tiene, *pues*, inteligencia, calcule el número de la bestia, que su número es *el que forman las letras del nombre* de un hombre, y el número de la bestia es seiscientos sesenta y seis.

## CAPITULO XIV

*Aparécese el Cordero de Dios sobre el monte Sión, seguido de los justos. El evangelio es predicado en toda la tierra. Se anuncia el último juicio. Viene Jesucristo, y se hacer la misteriosa siega y vendimia de su heredad.*

**1.** Y he aquí que miré; y vi que el Cordero estaba sobre el monte de Sión, y con él ciento y cuarenta y cuatro mil personas que tenían escrito en sus frentes el nombre de él y el nombre de su Padre.

**2.** Al mismo tiempo oí una voz del cielo, semejante al ruido de muchas aguas y al estampido de un trueno grande; y la voz, que oí, era como de citaristas que tañían sus cítaras.

**3.** Y cantaban como un cantar nuevo ante el trono, y delante de los cuatro animales, y de los ancianos; y nadie podía cantar *ni entender* aquel cántico, fuera de aquellos ciento y cuarenta y cuatro mil, que fueron rescatados de la tierra.

**4.** Estos son los que no se amancillaron con mujeres, porque son vírgenes. Estos siguen al Cordero doquiera que vaya. Estos

---

**18.** A fin de conocerle cuando venga, y no ser engañado por ella. *No queremos*, dice San Ireneo, *temerariamente y con peligro afirmar alguna cosa acerca del nombre del Anticristo; porque si en este tiempo se hubiera de haber revelado claramente su nombre, lo hubiera hecho el que tuvo esta revelación.* Entre los expositores modernos algunos creen que las señales convienen a Dioclesiano; otros a Juliano Apóstata, etc. No se puede dudar que todos fueron a lo menos símbolos o precursores del Anticristo. Hay quien cree que el Anticristo será un príncipe de la secta de Mahoma; porque las letras griegas de las palabras Maometis forman la suma del número 666. Mas son muchísimas las combinaciones de letras griegas, que juntas darán aquel número, y aun no se sabe de cierto si San Juan hablaba de letras griegas o hebreas, etc. Creamos que a su tiempo, con esto que dice aquí San Juan, y otras señales que ha dado ya, podrán conocer los fieles quién sea el Anticristo para preservarse de sus engaños.

**CAP. XIV.** — **2.** O tañedores de arpa.

**4.** Con el precio de la sangre del Cordero sin mancha.

fueron rescatados de entre los hombres como primicias *escogidas* para Dios y para el Cordero,

**5.** Ni se halló mentira en su boca; porque están sin mácula ante el trono de Dios.

**6.** Luego vi a otro ángel que volaba por medio del cielo, llevando el evangelio eterno, para predicarlo a los moradores de la tierra, a todas las naciones, y tribus, y lenguas, pueblos.

**7.** Diciendo a grandes voces: Temed al Señor, y honradle, *o dadle gloria*, porque venida es la hora de su juicio, y adorad a aquel que hizo el cielo, y la tierra, y el mar, y las fuentes de las aguas.

**8.** Y siguióse otro ángel que decía: Cayó, cayó aquella gran Babilonia, que hizo beber a todas las naciones del vino *envenenado* de su furiosa prostitución.

**9.** A éstos se siguió el tercer ángel, diciendo en voz alta: Si alguno adorare la bestia y a su imagen, y recibiere la marca en su frente o en su mano,

**10.** Este tal ha de beber también del vino de la ira de Dios, de aquel vino puro preparado en el cáliz de la cólera divina, y ha de ser atormentado con fuego y azufre a vista de los ángeles santos, y en la presencia del Cordero;

**11.** Y el humo de sus tormentos estará subiendo por los siglos de los siglos, sin que tengan descanso ninguno de dia y su imagen, como tampoco cualquiera que recibió la divisa de su nombre.

**12.** Aquí se verá *el fruto de* la paciencia de los santos, que guardan los mandamientos de Dios y la fe de Jesús.

**13.** Y oí una voz del cielo que me decía: escribe: Bienaventurados los muertos, que mueren en el Señor. Ya desde ahora dice el Espíritu, que descansen de sus trabajos, puesto que sus obras los van acompañando.

**14.** Miré todavía; y he ahí una nube blanca *y resplandeciente*, y sobre la nube sentada una persona semejante al hijo del hombre, la cual tenía sobre su cabeza una corona de oro, y en su mano una hoz afilada.

**15.** En esto salió del templo otro ángel, gritando en alta voz al que estaba sentado sobre la nube: Echa *ya* tu hoz, y siega; porque venida es la hora de segar, puesto que está seca la mies de la tierra.

**16.** Echó, pues, el que estaba sentado sobre la nube, su hoz a la tierra, y la tierra quedó segada.

**17.** Y salió otro ángel del templo, que hay en el cielo, que tenía también una hoz aguzada.

**18.** Salió también del altar otro ángel, el cual tenía poder sobre el fuego, y clamó en voz alta al que tenía la hoz aguzada, diciendo: Mete tu hoz aguzada, y vendimia los racimos de la viña de la tierra, pues que sus uvas están *ya* maduras.

**19.** Entonces el ángel metió su hoz aguzada en la tierra, y vendimió la viña de la tierra, y echó la uva en el grande lugar de la ira de Dios.

**20.** Y la vendimia fué pisada en el lagar fuera de la ciudad *santa*, y corrió sangre del lagar *en tanta abundància, que llegaba* hasta los frenos de los caballos por espacio de mil seiscientos estadios.

## CAPITULO XV

*Cántico de Moisés y del Cordero, que cantan los que vencieron a la bestia. De las siete plagas postreras, representadas en siete copas llenas de la cólera de Dios, entregadas a siete ángeles.*

**1.** Vi también en el cielo otro prodigio grande y admirable: siete ángeles que tenían *en su mano* las siete plagas que son las postreras; porque en ellas será colmada la ira *o castigo* de Dios.

**2.** Y vi asimismo como un mar de vidrio revuelto con fuego, y a los que habían vencido a la bestia, y a su imagen, y al número de su nombre, que estaban sobre el mar transparente, teniendo unas cítaras de Dios.

**3.** Y cantando el cántico de Moisés, siervo de Dios, y el cántico del Cordero, diciendo: Grandiosas y admirables son tus obras ¡oh Señor Dios omnipotente! justos y verdaderos son tus caminos ¡oh Rey de los siglos!

**4.** ¿Quién no temerá ¡oh Señor! y *no* engrandecerá tu *santo* Nombre? Puesto que tú solo eres *el* piadoso; de aquí es que todas las

---

**7.** El cual va a dar a cada uno según sus obras.

**12.** Y con un breve tiempo de padecer evitan los eternos tormentos.

**13.** Esto es, por la causa del Señor, o en su amistad y gracia.

**18.** Esto es, los réprobos. Los justos son racimos de la viña de Dios.

**10.** Así se llama el infierno o lugar en que Dios castiga a los malos.

**20.** O unas cincuenta leguas. Expresión hiperbólica que denota que toda la Judea había de quedar inundada de sangre.

**CAP. XV.** — **2.** Por este mar de cristal transparente entienden algunos el globo del firmamento, sobre el cual reinará para siempre Jesucristo, con todos sus escogidos reunidos a sus propios cuerpos.

naciones vendrán, y se postrarán en tu acatamiento, visto que tus juicios están manifiestos.

**5.** Después de esto miré *otra vez*; y he aquí que fué abierto en el cielo el templo del tabernáculo del testimonio, *o el Sancta Sanctórum*.

**6.** Y salieron del templo los siete ángeles que tenían las siete plagas *en sus manos*, vestidos de lino limpio y blanquísimo, y ceñidas junto a los pechos con ceñidores de oro.

**7.** Y uno de los cuatro animales dió a los siete ángeles siete cálices de oro, llenos de la ira de Dios que vive por los siglos de los siglos.

**8.** Y se llenó el templo de humo a causa de la majestad de Dios, y de su virtud *o grandeza*; y nadie podía entrar en el templo, hasta que las siete plagas de los siete ángeles fuesen terminadas.

## CAPITULO XVI

*Terribles efectos de las siete tazas o cálices de otro, que vierten los siete ángeles sobre la tierra.*

**1.** En esto oí una voz grande del templo, que decía a los siete ángeles: Id, y derramad las siete tazas de la ira de Dios en la tierra.

**2.** Partió, pues, el primero, y derramó su taza sobre la tierra, y se formó una úlcera cruel y maligna en los hombres, que tenían la señal *o divisa* de la bestia, y en los que adoraron su imagen.

**3.** El segundo ángel derramó su taza en el mar, y quedó convertido en sangre como de *un cuerpo* muerto, y todo animal viviente en el mar murió.

**4.** El tercer ángel derramó su taza sobre los ríos y sobre los manantiales de aguas, y se conviertieron en sangre.

**5.** Aquí oí al ángel *que tiene el cuidado* de las aguas, que decía: Justo eres, Señor, tú que eres y has sido *siempre* santo en estos juicios que ejerces.

**6.** Porque ellos derramaron la sangre de los santos y de los profetas, sangre le has dado a beber: que bien lo merecen.

**7.** Y a otro oí que decía desde el altar: Sí por cierto, Señor Dios todopoderoso, verdaderos y justos son tus juicios.

**8.** El cuarto ángel derramó su taza en el sol, y diósele fuerza para afligir a los hombres con ardor y con fuego.

**9.** Y los hombres, abrasándose con el calor excesivo, blasfemaron el Nombre de Dios que tiene en su mano estas plagas, en vez de hacer penitencia para darle gloria.

**10.** El quinto ángel derramó su taza sobre la silla *o trono* de la bestia; y quedó su reino lleno de tinieblas, y se despedazaron las lenguas en el exceso de su dolor.

**11.** Y blasfemaron del Dios del cielo por causa de sus dolores y llagas, mas no se arrepintieron de sus obras.

**12.** El sexto ángel derramó su taza en el gran río Eufrates, y secó sus aguas, a fin de abrir camino a los reyes que habían de venir del Oriente.

**13.** Y vi salir de la boca del dragón y de la boca de la bestia, y de la boca del falso profeta, tres espíritus inmundos en figura de ranas;

**14.** Porque éstos son espíritus de demonios que hace prodigios, y van a los reyes de toda la tierra con el fin de coligarlos en batalla para el día grande del Dios todopoderoso.

**15.** Mirad que vengo como ladrón, *dice el Señor*. Dichoso el que vela, y guarda bien sus vestidos, para no andar desnudo, y que *no* vean sus vergüenzas.

**16.** Los dichos serán reunidos en un campo, que en hebreo se llama Armagedón.

**17.** *En fin*, el séptimo ángel derramó su taza por el aire, y salió una voz grande del templo por la parte del trono, que decía: Esto es hecho.

**18.** Y siguiéronse relámpagos, y voces, y truenos, y se sintió un gran terremoto, tal, y tan grande, cual nunca hubo desde que hay hombres sobre la tierra.

**19.** Con lo cual la ciudad grande se rompio en tres partes; y las ciudades de las naciones se arruinaron; y de la gran Babilonia se hizo memoria delante de Dios, para darle el cáliz del vino de indignación de su cólera.

**20.** Y todas las islas desaparecieron, y no quedó rastro de montes.

**21.** Y cayó del cielo sobre los hombres granizo, *o pedrisco*, del grandor como de un talento, y los hombres blasfemaron de Dios por la plaga del pedrisco, plaga que fué en extremo grande.

---

**8.** El *humo* es símbolo de la divina presencia, según se vió en la dedicación del Tabernáculo. (*Ex.* XL, *v.* 32) y del templo. (II *Reg.* VIII, *v.* 10. — II *Par* V. *v.* 13). Esto es, en el cielo, junto con su cuerpo resucitado. O concluído el juicio final.

**CAP. XVI.** — 15. De estos vestidos, que son las *obras buenas*, habla S. Pablo, *Colos.* III, *v.* 10. Aquí se alude a los ladrones que en los baños públicos robaban los vestidos.

**16.** Lugar famoso de la Palestina por la derrota de muchos ejércitos. — Y tal vez este nombre está puesto aquí solamente para denotar *lugar de venganza*.

**21.** Es decir, de extraordinario peso.

# CAPITULO XVII

*Descripción de la gran ramera, esto es, de Babilonia, que se embriagó con la sangre de los mártires, y se vió sentada sobre la bestia de las siete cabezas y los diez cuernos.*

**1.** Vino entonces uno de los siete ángeles, que tenían las siete tazas, y habló conmigo, diciendo: Ven, te mostraré la condenación de la gran ramera, que tiene su asiento sobre muchas aguas,

**2.** Con la cual se amancebaron los reyes de la tierra, y con el vino de su torpeza, *o idolatría y corrupción de costumbres*, están emborrachados los que habitan la tierra.

**3.** Y me arrebató en espíritu al desierto. Y vi a una mujer sentada sobre una bestia bermeja, llena de nombres de blasfemia, que tenía siete cabezas y diez cuernos.

**4.** Y la mujer estaba vestida de purpura, y de escarlata, y adornada de oro, y de piedras preciosas, y de perlas, teniendo en su mano una taza de oro, llena de abominación y de la inmundicia de sus fornicaciones.

**5.** Y en la frente tenía escrito este nombre: Misterio, Babilonia la grande, madre de las deshonestidades y abominaciones de la tierra.

**6.** Y vi a esta mujer embriagada con la sangre de los santos y con la sangre de los mártires de Jesús. Y al verla quedé sumamente atónito.

---

CAP. XVII. — 2. Por esta ramera, que en el verso 5 es llamada Babilonia, no es cosa cierta lo que debe entenderse. Por el mismo S. Juan advierte que habla figuradamente, pues dice: *Misterio*: *Babilonia la grande, etc.* Y también en sentido figurado debe entenderse la voz *ramera*, (véase v. 16 y 18) según el uso de la Escritura, que a la idolatría la llama comúnmente *fornicación y adulterio*, y del mismo modo llama al abandono de Dios y de sus mandamientos. Varios intérpretes antiguos, con S. Jerónimo, entendieron por esta Babilonia a Roma pagana, entregada a toda suerte de idolatria, y perseguidora de la iglesia. Otros, como S. Agustín, (*Enarrat. 2 in Ps. XXVI*), creen que significa la masa general de todos los impíos de todos los lugares, y de todos los tiempos. Realmene es muy difícil aplicar a una sola ciudad cuanto se dice de Babilonia. Y el mismo profeta dice (*v. 9 y 19*), que los siete montes, sobre que se representa sentada la meretriz, con siete reyes. Además esta mala mujer se contrapone a la que se describe en el cap. XII, la cual es una figura de la Iglesia o congregación de todos los fieles. Pero aunque se entienda de Roma, siempre ha de ser de tal modo, que vengan comprendidas todas las ciudades impías o la masa de todos los réprobos. — Véase *Jerem.* LI, *v.* 7. — *Is.* XXVIII, *v.* 7.

**7.** Mas el ángel me dijo: ¿De qué te maravillas? Yo te diré el misterio, *o secreto*, de la mujer y de la bestia de siete cabezas y diez cuernos, en que va montada.

**8.** La bestia, que has visto, fué, y no es, *perecerá presto*, ella ha de subir del abirmos, y vendrá a perecer *luego*; y los moradores de la tierra (aquellos cuyos nombres no están escritos en el libro de la vida desde la creación del mundo) se pasmarán viendo la bestia, que era, y no es.

**9.** Aquí hay un sentido que está lleno de sabiduría. Las siete cabezas son siete montes, sobre los cuales la mujer tiene su asiento, y también son siete reyes.

**10.** Cinco cayeron, uno existe, y el otro no ha venido aún, y cuando venga, debe durar poco tiempo.

**11.** Ahora la bestia que era, y no es, ésa misma es la octava, y es de los siete, y va a fenecer.

**12.** Los diez cuernos, que viste, diez reyes son, los cuales todavía no han recibido reino, mas recibirán potestad como reyes por una hora, *o por breve tiempo*, despues de la bestia.

**13.** Estos tienen un mismo designio, y entregará a la bestia sus fuerzas y poder.

**14.** Estos pelearán contra el Cordero, y el Cordero los vencerá: siendo como es el señor de los señores y el rey de los reyes, y los que con él están, son los llamados, los escogidos y los fieles.

**15.** Díjome más: Las aguas, que viste donde está sentada la ramera, son pueblos, y naciones, y lenguas.

**16.** Y los diez cuernos, que viste en la bestia, ésos aborrecerán a la ramera, y la dejarán desolada, y desnuda, y comerán sus carnes, y a ella la quemarán en el fuego.

**17.** Porque Dios ha movido sus corazones para que hagan lo que a él le plugo, y den su reino a la bestia hasta que se cumplan las palabras de Dios.

**18.** En fin, la mujer, que viste, es aquella ciudad grande, que tiene imperio sobre los reyes de la tierra.

# CAPITULO XVIII

*Ruina, juicio y castigo de la gran Babilonia, sobre la cual lloran amargamente los que siguieron su partido; mas los santos del cielo cantan el triunfo.*

**1.** Y después de esto vi descender del cielo a otro ángel, que tenía potestad grande; y la tierra quedó iluminada con su claridad.

**2.** Y exclamó con mucha fuerza diciendo: ¡Cayó, cayó Babilonia la grande! y está hecha morada de demonios, y guardia de todo espíritu inmundo, y albergue de todas las aves asquerosas y abominables,

**3.** Por cuanto todas las naciones bebieron del vino irritante, o *venenoso*, de su disolución, y los reyes de la tierra estuvieron amancebados con ella, y los mercaderes de la tierra se hicieron ricos con el precio de sus regalos, o *exceso del lujo*.

**4.** Y oí otra voz del cielo, que decía: *Los que sois del* pueblo mío escapad de ella, para no ser participantes de sus delitos, ni quedar heridos de sus plagas.

**5.** Porque sus pecados han llegado hasta el cielo, y Dios se ha acordado de sus maldades.

**6.** Dadle a ella el retorno que os ha dado ella misma, y aun redobládselo según sus obras, en la taza misma, con que os dió a beber, echadle el doble.

**7.** Cuando se ha engreído y regalado, dadle otro tanto de tormento y de llanto, ya que dice en su corazón: Estoy como reina sentada *en solio*, y no soy viuda, y no veré duelo.

**8.** Por eso en un día sobrevendrán sus plagas, mortandad, llanto y hambre, y será abrasada del fuego; porque poderoso es el Dios, que ha de juzgarla.

**9.** Entonces llorarán, y harán duelo sobre la los reyes de la tierra, que vivieron con ella amancebados y en deleites, al ver el humo de su incendio.

**10.** Puestos a lo lejos por miedo de sus tormentos, dirán: ¡Ay, ay de aquella gran ciudad de Babilonia, *de* aquella ciudad poderosa! ¡Ay, en un instante ha llegado tu juicio!

**11.** Y los negociantes de la tierra prorrumpirán en llantos y lamentos sobre la misma, porque nadie comprará ya sus mercaderías:

**12.** Mercaderías de oro, y de plata, y de pedrería, y de perlas, y de lino delicado, y de púrpura, y de seda, y de escarlata, *o grana* (y de toda madera olorosa, y de toda suerte de muebles de marfil, y de piedras preciosas, y de bronce, y de hierro, y de mármol.

**13.** Y de cinamomo, *o canela*, y de perfumes, y ungüentos *olorosos*, y de incienso, y de vino, y de aceite, y de flor de harina, y de trigo, y de bestias de carga y de ovejas, y de caballos, y de carrozas, y de esclavos, y de vidas de hombres, *o de gladiadores*.

**14.** ¡*Oh Babilonia!* las frutas sabrosas al apetito de su alma te han faltado, todo lo sustancioso y espléndido pereció para ti, ni lo hallarás ya más.

**15.** Así los traficantes de estas cosas, que se hicieron ricos, se pondrán lejos de ella por miedo de sus tormentos, y gimiendo y llorando,

**16.** Dirán: ¡Ay, ay de la ciudad grande, que andaba vestida de lino delicadísimo, y de purpura, y de grana, y cubierta de oro, y de piedras preciosas, y de perlas.

**17.** ¡Cómo en un instante se redujeron a nada tantas riquezas! Y todo piloto, y todo navegante del mar, y los marineros, y cuantos trafican en el mar se pararon a lo lejos.

**18.** Y dieron gritos viendo el lugar, *o el humo*, de su incendio, diciendo: ¿Qué ciudad hubo semejante a ésta en grandeza?

**19.** Y arrojaron polvo sobre sus cabezas, y prorrumpieron en alaridos llorando, y lamentando, decían: ¡Ay, ay de aquella gran ciudad, en la qual se enriquecieron con su comercio todos los que tenían naves en el mar! ¡Cómo fué asolada en un momento!

**20.** ¡Oh cielo! regocíjate sobre ella; como también vosotros ¡oh santos apostoles, y profetas! pues que Dios condenándola ha tomado venganza por vosotros, *os ha hecho justicia*.

**21.** Aquí un ángel robusto alzó una piedra como una gran rueda de molino, y arrojóla en el mar, diciendo: Con tal ímpetu, será precipitada Babilonia, la ciudad grande, y ya no parecerá más.

**22.** Ni se oirá en ti jamás voz de citaristas, ni de músicos, ni de tañedores de flauta, ni de clarineros; ni se hallará en ti artífice de arte alguna; ni tampoco se sentirá en ti ruido de atahoma;

**23.** Ni luz de lámpara te alumbrará en adelante; ni volverá a oírse en ti voz de esposo y esposa, en vista de que tus mercaderes eran los magnates de la tierra, y de que con tus hechizos anduvieron desatinadas todas las gentes.

**24.** Al mismo tiempo se halló en ella la sangre de los profetas y de los santos, y de todos los que han sido muertos en la tierra.

**CAP. XVIII.** — 2. *Diciendo: cayó, cayó.* Todos los exégetas hallaron en estas líneas expresiones de los antiguos profetas en sus oráculos contra Babel (cfr. *Is.* XXI, 9 XIII, 19, 22; XXXIV, 11, 15; *Jer*, L. 39, Ll, 37; *Sof.* II 15; *Bar.* IV, 35).

**CAP. XVIII.** — 22. Reminiscencia de *Ez.* XXVI, 13 e *Is.* XXIV, 8; *Jer.* VII, 34; XVI, 9 XXV, 10.

## CAPITULO XIX

*Triunfo y cántico de los santos por la ruina de Babilonia, por el reino de Dios y por las bodas del Cordero. Jesucristo Verbo de Dios, triunfa de sus enemigos.*

**1.** Después de estas cosas oí en el cielo como una voz de muchas gentes, que decían: ¡Aleluya! la salvación, y la gloria, y el poder *son debidos* a nuestro Dios:

**2.** Porque verdaderos son y justos sus juicios, pues ha condenado a la gran ramera, la cual estragó la tierra con su prostitución, y ha vengado la sangre de sus siervos, *derramada* por las manos de ella.

**3.** Y segunda vez repitieron: ¡Aleluya! Y el humo de ella *o de su incendio* está subiendo por los siglos de los siglos, *no se acabará jamás.*

**4.** Y los veinticuatro ancianos y los cuatro animales se postraron y adoraron a Dios, que estaba sentado en el solio, diciendo: ¡Amén! ¡Aleluya!

**5.** Y del solio salió una voz, que decía: Alabad a nuestro Dios todos sus siervos, y los que teméis, pequeños y grandes.

**6.** Oí también una voz como de gran gentío, y como el ruido de muchas aguas, y como el estampido de grandes truenos, que decía: ¡Aleluya! porque tomó *ya* posesión del reino el Señor, Dios nuestro todopoderoso;

**7.** Gocémonos, y saltemos de júbilo, y démosle la gloria, pues son llegadas las bodas del Cordero y *la Iglesia* su esposa se ha puesto de gala, *o ataviada;*

**8.** Y se le ha dado que se vista de tela de lino finísimo brillante y blanco. Esta tela finísima de lino son las virtudes de los santos.

**9.** Y díjome *el ángel*: Escribe: Dichosos los que son convidados a la cena de las bodas del Cordero, y añadióme: Estas palabras de Dios son verdaderas.

**10.** Yo me arrojé *luego* a sus pies, para adorarle. Mas él me dice: Guárdate de hacerlo, que yo soy consiervo tuyo y de tus hermanos, los que mantienen el testimonio de Jesús. A Dios has de adorar. Porque el espíritu de profecía *que hay en ti* es el testimonio de Jesús.

**11.** En esto vi el cielo abierto, y he aquí un caballo blanco; y el que estaba montado sobre él, se llamaba Fiel y Veraz, el cual juzga con justicia, y combate.

**12.** Eran sus ojos como llamas de fuego, y tenía en la cabeza muchas diademas y un nombre escrito, que nadie lo entiende, *o comprendre*, sino él mismo.

**13.** Y vestía una ropa teñida *o salpicada* en sangre; y él *es y* se llama el Verbo de Dios.

**14.** Y los ejércitos que hay en el cielo, le seguían vestidos de un lino finísimo, blanco, y limpio, en caballos blancos.

**15.** Y de la boca de él salía una espada de dos filos, para herir con ella a las gentes. Y él les ha de gobernar con cetro de hierro; y él mismo pisa el lagar del vino del furor de la ira del Dios omnipotente.

**16.** Y tiene escrito en su vestidura y en el muslo: Rey de la reyes y Señor de los señores.

**17.** Vi también a un ángel que estaba en el sol, y clamó en alta voz, diciendo a todas las aves, que volaban por medio del cielo: Venid, y congregaos a la cena grande de Dios.

**18.** A comer carne de reyes, y carne de tribunos, y carne de poderosos, y carne de caballos, y de sus jinetes, y carne de todos, libres y esclavos, y de chicos y de grandes.

**19.** Y vi a la bestia, y a los reyes de la tierra, y sus ejércitos coligados, para trabar batalla contra el que estaba montado sobre el caballo y contra su ejército.

**20.** Entonces fué presa la bestia, y con ella falso profeta que a vista de la misma había hecho prodigios, con que sedujo a los que recibieron la marca de la bestia, *y a los que* adoraron su imagen. Estos dos fueron lanzados vivos en un estanque de fuego que arde con azufre.

**21.** Mientras los demás fueron muertos con la espada que sale de la boca del que estaba montado en el caballo *blanco*; y todas las aves se hartaron de la carne de ellos.

## CAPITULO XX

*El ángel encadena a Satanás en el abismo por el tiempo de mil años; durante los cuales las almas de los mártires Freinarán con Cristo en la primera resurrección. Suelto después Satanás, mueve a Gog y a Magog contra la ciudad santa; pero el cielo enviará fuego que los devorará. Después Jesucristo juzgará a todos los muertos.*

**1.** Vi también descender del cielo a un ángel, que tenía la llave del abismo, y una gran cadena en su mano.

---

CAP. XIX. — 10. De que tú eres, como yo, ministro de Jesús.

**2.** Y agarró al dragón, *esto es*, a aquella serpiente antigua, que es el diablo y Satanás, y le encadenó por mil años.

**3.** Y metióle en el abismo, y le encerró, y puso sello sobre él, para que no ande más engañando a las gentes, hasta que se cumplan los mil años, después de los cuales ha de ser soltado por un poco de tiempo.

**4.** Luego vi unos tronos, y *varios personajes que* se sentaron en ellos, y se les dió la potestad de juzgar; y *vi* las ánimas de los que habían sido degollados por la confesión de Jesús y por la palabra de Dios, y los que no adoraron la bestia, ni a su imagen, ni recibieron sus marca en las frentes, ni en las manos, que vivieron y reinaron con Cristo mil años.

**5.** Los otros muertos no revivirán, hasta cumplirse los mil años. Esta es la resurrección primera.

**6.** Bienaventurado y santo, quien tiene parte en la primera resurrección; sobre los tales la segunda muerte, *que es la eterna de los réprobos*, no tendrá poderío, antes serán sacerdotes de Dios y de Cristo, y reinarán con él mil años.

**7.** Mas al cabo de los mil años, será suelto Satanás de su prisión: y saldrá y engañará a las naciones, que hay sobre los cuatro ángulos del mundo, a Gog y a Magog, y los juntará para dar batalla, cuyo número es como la arena del mar

**8.** Y extendiéronse sobre la redondez de la tierra, y cercaron los reales, *o campamento*, de los santos, y la ciudad amada.

**9.** Mas Dios llovió fuego del cielo, que los consumió; y el diablo, que los traía engañados, fué precipitado en el estanque de fuego y azufre, donde también la bestia

**10.** Y el falso profeta serán atormentados día y noche por los siglos de los siglos.

**11.** Después vi un gran solio reluciente, y a uno, *esto es, a Jesucristo*, sentado en él, a cuya vista desapareció la tierra y el cielo, y no quedó nada de ellos.

**12.** Y vi a los muertos grandes y perqueños estar delante del trono, y abriéronse los libros *de las conciencias*, y abrióse también otro libro, que es el de la vida, y fueron juzgados los muertos, por las cosas escritas en los libros según sus obras.

**13.** El mar, pues, entregó los muertos, que había en él, y la muerte y el infierno entregaron los muertos que tenían dentro, y se dió a cada uno la sentencia según sus obras.

**14.** Entonces el infierno y la muerte fueron lanzados en el estanque de fuego. Esta es la muerte segunda, *y eterna*.

**15.** El que no fué hallado escrito en el libro de la vida, fué asimismo arrojado en el estanque de fuego.

---

CAP. XX. — 4. Según San Agustín (lib. XX, *de Civ. Dei*, c. VIII) por estos mil años se denota todo el tiempo desde la muerte de Jesucristo, hasta el fin del mundo. Durante esta época está el demonio como atado o enfrenado por Cristo, sin poder obrar, como antes lo hacía a menudo, contra los cuerpos de los hombres ni engañarlos con los oráculos de los ídolos, etc. Pero al fin del mundo quedará como desatado por un breve tiempo, y permitirá Dios que explaye su encono contra varios hombres, para que se cumplan los sabios e insondables designios de su infinita bondad. Puede decirse que de este texto de San Juan tuvo origen la opinión de los milenarios, llamados así por creer que Jesucristo ha de reinar por el tiempo de mil años, y con él los escogidos, después de haber vencido al Anticristo. San Agustín siguió algún tiempo esta opinión; y aunque después la desechó, nunca se atrevió a condenarla como herética, por respeto a los santos varones de la antigüedad que la sostuvieron. Lo mismo hizo San Jerónimo, el cual hablando de ella (exponiendo el cap. XX de Jeremías) dijo: *Nosotros no la seguimos, mas no nos atrevemos a condenarla; porque así pensaron muchos varones de la Iglesia y mártires: cada uno siga su opinión, y resérvese todo para el juicio del Señor.* Pero es menester tener presente que hubo algunos que defendían que estos mil años se pasarían entre deleites de la carne, continuos convites, etc.

**14.** Esto es, los condenados, y el diablo autor de la muerte.

# CAPITULO XXI

*Fin dichoso y bienaventurado estado de los justos después del juicio, y desastrosa suerte de los pecadores. Descripción de la ciudad celestial de Jerusalén, mística esposa del divino Cordero.*

**1.** Y vi un cielo nuevo y tierra nueva; porque el primer cielo y la primera tierra desaparecieron; y ya no había mar.

**2.** *Ahora*, pues, yo, Juan, vi la ciudad santa, la nueva Jerusalen, descender del cielo por la mano de Dios, compuesta, como una novia engalanada para su esposo.

---

CAP. XXI. — 1. Esto es, renovado todo el mundo y hecho ya incorruptible. En este y en el siguiente capítulo se describe, según opina S. Agustín, la Iglesia triunfante del cielo, después de la destrucción del Anticristo y de sus demás enemigos, y hecha ya la resurrección general. — Véase *Is.* LXV, *v.* 17; LXVI, *v.* 22; II *Petr.* III, *v.* 13.

**3.** Y oí una voz grande que venía del trono, y decia; Ved aquí el tabernáculo de Dios entre los hombres, *y el Señor* morará con ellos. Y ellos serán su pueblo y el mismo Dios habitando en medio de ellos será su Dios.

**4.** Y Dios enjugará de sus ojos todas las lágrimas; ni habrá ya muerte, ni llanto, ni alarido ni habrá más dolor, porque las cosas de antes son pasadas.

**5.** Y dijo el que estaba sentado en el solio: He aquí que renuevo todas las cosas. Y díjome a mí: Escribe, porque todas estas palabras son dignísimas de fe y verdaderas.

**6.** Y díjome: *Esto* es hecho. Yo soy el alfa y la omega, el principio y el fin *de todo*. Al sediento yo le daré de beber graciosamente, *o sin interés*, de la fuente del agua de la vida.

**7.** El que venciere poseerá *todas* estas cosas, y yo seré su Dios, y él será mi hijo.

**8.** Mas en orden a los cobardes, e incrédulos, y excecrables, *o desalmados*, y homicidas, y deshonestos, y hechiceros, e idólatras, y a todos los embusteros, su suerte será el lago que arde con fuego y azufre, que es la muerte segunda, *y eterna*.

**9.** Vino *después* un ángel de los siete que tenían las tazas llenas de las siete plagas postreras, y habló conmigo, diciendo: Ven, y te mostraré la esposa, novia del Cordero.

**10.** Con eso me llevó en espíritu a un monte grande y encumbrado, y mostróme la ciudad santa de Jerusalén, que descendía del cielo y venía de Dios,

**11.** La cual tenía la claridad de Dios; cuya luz era semejante a una piedra preciosa, a piedra de jaspe, transparente como cristal.

**12.** Y tenía un muro grande y alto con doce puertas, y en las puertas doce ángeles y nombres esculpidos, que son los nombres de las doce tribus de los hijos de Israel.

**13.** Tres puertas al Oriente, y tres puertas al Norte, tres puertas al Mediodía, y otras tres al Poniente.

**14.** Y el muro de la ciudad tenía doce cimientos, y en ellos los doce nombres de los doce Apóstoles de Cordero.

**15.** Y el que hablaba conmigo, tenía una caña de medir, que era de oro, para medir la ciudad, y sus puertas, y la muralla.

**16.** *Es de advertir que* la ciudad es cuadrada, y tan larga como ancha; midió, pues, la ciudad con la caña de oro, y tenía doce mil estadios *de circuito*, siendo iguales su longitud, altura y latitud.

**17.** Midió también la muralla y hallóla de ciento y cuarenta y cuatro codos *de alto*, medida de hombre, que era *también* la del ángel.

**18.** El material, empero, de este muro era de piedra jaspe; mas la ciudad era de un oro puro *tan transparente*, que se parecía a un vidrio, *o cristal*, sin mota.

**19.** Y los fundamentos del muro de la ciudad estaban adornados con toda suerte de piedras preciosas. El primer fundamento era de jaspe, el segundo de zafiro, el tercero de calcedonia, el cuarto de esmeralda,

**20.** El quinto de sardónica, el secto de sardio, el séptimo de crisólito, el octavo de berilo, el nono de topacido, el décimo de crisopraso *o lápizlazuli*, el undécimo de jacinto, el duodécimo de amatista.

**21.** Y las doce puertas son doce perlas; y cada puerta estaba hecha de una de estas perlas, y el pavimiento de la ciudad oro puro y transparente como el cristal.

**22.** Y yo no vi templo en ella; por cuanto el Señor Dios omnipotente es su templo, con el Cordero.

**23.** Y la ciudad no necesita sol ni luna que alumbren en ella; porque la claridad de Dios la tiene iluminada, y su lumbrera es el Cordero.

**24.** Y a la luz de ella andarán las gentes; y los reyes de la tierra llevarán a ella su gloria y su majestad.

**25.** Y sus puertas no se cerrarán *al fin* de *cada* día, porque no habrá allí noche.

**26.** Y en ella se introducirá, *y vendrá a parar* la gloria y la honra de las naciones.

---

**14.** Los Apóstoles se llaman *fundamentos* de la Iglesia, porque ésta se fundó sobre la fe de Jesucristo, que ellos predicaban; y como por su predicación se nos preparó la entrada en la Jesuralén celestial, se llaman también *puertas* en el verso 21.

**16.** Esto es, el muro tenía en todas partes la misma altura y la misma anchura. Toda esta descripción es metafórica, y se dirige a dar alguna idea de la grandeza inferior y exterior de la celestial Jerusalén. Es de advertir que los muros de las ciudades antiguas eran de extraordinaria altura y anchura, y profundísimos los cimientos.

**17.** Pues se apareció en forma humana.

**27.** No entrará en esta ciudad cosa sucia, *o contaminada*, ni quien comete abominación y falsedad, sino solamente los que se hallan escritos en el libro de la vida del Cordero.

## CAPITULO XXII

*Conclúyese la admirable y misteriosa pintura de la celestial Jerusalén, y con ella el «Apocalipsis», o la revelación de Jesucristo a su discípulo amado.*

**1.** Mostróme también un río de agua *vivífica* o de vida, claro como un cristal, que manaba del solio de Dios y del Cordero.

**2.** En medio de la plaza de la ciudad, y de la una y otra parte del río *estaba* el árbol de la vida, que produce doce frutos, dando cada mes su fruto, y las hojas del árbol sanan a las gentes.

**3.** Allí no habrá jamás maldición alguna: sino que Dios y el Cordero estarán de asiento en ella, y sus siervos le servirán *de continuo*.

**4.** Y verán su cara, y *tendrán* el nombre del él sobre sus frentes.

**5.** Y allí no habrá jamás noche, ni necesitarán luz de antorcha, ni luz de sol, por cuanto el Señor Dios los alumbrará; y reinarán por los siglos de los siglos.

**6.** Díjome más: Estas palabras son dignas de todo crédito y *muy* verdaderas. Y el Señor Dios de los espíritus de los profetas ha enviado su ángel a manifestar a sus siervos las cosas que deben suceder pronto.

**7.** Mas he aquí, *dice el Señor*, que yo vengo a toda prisa. Bienaventurado el que guarda las palabras de la profecía de este libro.

**8.** Y yo, Juan, *soy* el que he oído y visto estas cosas. Y después de oídas y vistas, me postré ante los pies del ángel, que me las enseñaba, en acto de adorarle.

**9.** Pero él me dijo: Guárdate de hacerlo, que yo soy un consiervo tuyo, y de tus hermanos los profetas, y de los que observan las palabras de la profecía de este libro. Adora a Dios.

**10.** Díjome también: No selles las palabras de la profecía de este libro, pues el tiempo está cerca.

**11.** El que daña, dañe aún; y el que está sucio, prosiga ensuciándose: pero el justo, justifíquese más y más; y el santo, más y más se santifique.

**12.** Mirad que vengo luego, y traigo conmigo mi galardón, para recompensar a cada uno según sus obras.

**13.** Yo soy el Alfa y el Omega, el primero y el último, el principio y el fin.

**14.** Bienaventurados los que lavan sus vestiduras en la sangre del Cordero, para tener derecho al árbol de la vida y a entrar por las puertas de la ciudad *santa*.

**15.** Queden fuera los perros, y los hechiceros, y los deshonestos, y los homicidas, y los idólatras, y todo aquel que ama y practica mentira.

**16.** Yo, Jesús, envié mi ángel a notificaros estas cosas en las Iglesias. Yo soy la raíz, *o estirpe*, y la prosapia de David, el lucero brillante de la mañana.

**17.** Y el Espíritu y la Esposa dicen: Ven. Diga también quien escucha: Ven. Asimismo el que tiene sed, venga; y el que quiera, tome de balde el agua de vida.

**18.** Ahora bien, yo protesto a todos los que oyen las palabras de la profecía de este libro, que si alguno añadiere a ellas cualquiera cosa, Dios descargará sobre él las plagas escritas en este libro.

**19.** Y si alguno quitare *cualquiera cosa* de las palabras del libro de esta profecía, Dios le quitará a él del libro de la vida y de la ciudad santa, y *no le dará parte* en lo escrito en este libro.

**20.** El que da testimonio de estas cosas, dice: Ciertamente yo vengo luego. Así sea. Ven ¡oh Señor Jesús!

**21.** La gracia de nuestro Señor Jesucristo sea con todos vosotros. Amén.

---

**CAP. XXII.** — 2. Alude al río y al árbol de la vida, que había en el paraíso; al río del cual dice el Profeta *que alegra a la ciudad de Dios. Ps.* XLV, *v.* 5. — *Is.* LXVI, *v.* 12.

**6.** Esto es una larga serie de sucesos, que va a comenzar pronto.

**8.** *Yo, Juan.* San Juan da testimonio de la autenticidad de su obra: él es el autor de ella.

**11.** Que presto experimentarán su castigo.

**15.** *Fuera los perros.* La misma idea que en XXI, 8, 27: es decir, que todos los paganos, adoradores de las Bestias simbólicas, los malos cristianos.

**17.** Que es la Iglesia, me dicen sin cesar: *Ven.* De gozar de mi presencia. —*Is.* LV, *v.* 1.